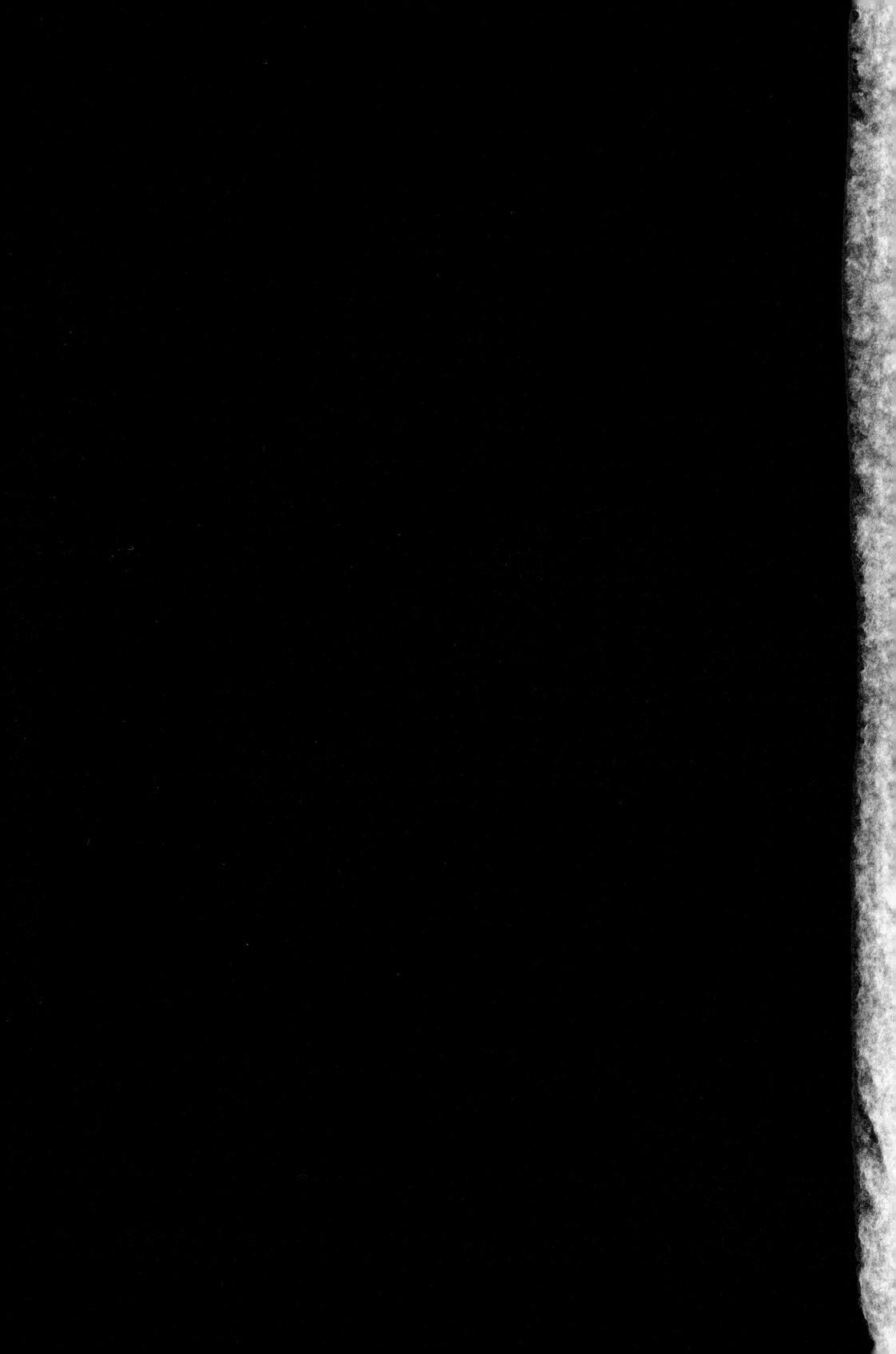

ROBERTO CAMPOS

A LANTERNA NA POPA

MEMÓRIAS

ROBERTO CAMPOS

A LANTERNA NA POPA

MEMÓRIAS

TOPBOOKS

Copyright © Espólio de Roberto de Oliveira Campos, 2019

EDITOR
José Mario Pereira

EDITORA ASSISTENTE
Christine Ajuz

REVISÃO
Christine Ajuz
Ivna Holanda
Sinval Liparoti

PROJETO GRÁFICO
Victor Burton

CAPA
Miriam Lerner | Equatorium Design

FOTO DA CAPA
Fernando Gomes | Agência O Globo

CIP-BRASIL. CATALOGAÇÃO NA FONTE.
SINDICATO NACIONAL DOS EDITORES DE LIVROS, RJ.

C216L

    Campos, Roberto, 1917-2001
      A lanterna na popa: memórias / Roberto Campos. – [5ª ed.]. – Rio de Janeiro: Topbooks, 2019.
      1.460 p.; 23 cm.

      Inclui cadernos de fotos
      ISBN 978-85-7475-285-3

      1. Campos, Roberto, 1917-2001. 2. Economistas – Brasil – Biografia. I. Título.

19-56462	CDD: 923.3
	CDU: 929:330.117

TODOS OS DIREITOS RESERVADOS POR
Topbooks Editora e Distribuidora de Livros Ltda.
Rua Visconde de Inhaúma, 58 / gr. 203 – Centro
Rio de Janeiro – CEP: 20091-007
Telefax: (21) 2233-8718 e 2283-1039
topbooks@topbooks.com.br/www.topbooks.com.br
Estamos também no Facebook e Instagram.

À minha mulher Stella
e aos meus filhos
Bob, Sandra e Luiz Fernando
pela infinita paciência.

"Mas a paixão cega nossos olhos,
e a luz que a experiência nos dá é a
de uma *lanterna na popa*, que ilumina
apenas as ondas que deixamos para trás."

SAMUEL TAYLOR COLERIDGE (1772-1834)

"Travessia perigosa, mas é a da
vida. Sertão que se alteia e se abaixa."

GUIMARÃES ROSA (1908-1967)

"Sempre evitei falar de mim,
falar-me. Quis falar de coisas.
Mas na seleção dessas coisas
não haverá um falar de mim?"

JOÃO CABRAL DE MELO NETO (1920-   )

Agradecimentos

Várias pessoas colaboraram para tornar este depoimento possível. Em primeiro lugar, minha secretária, Nayde Rodrigues Alves, cuja paciência ante minhas hesitações de redação foi fundamental.

Durante a elaboração deste livro fui mais um rato de biblioteca e exumador de alfarrábios que um pai de família. Isso exigiu de minha mulher Stella e de meus filhos — Bob, Sandra e Luís Fernando — tolerância resignada e um bocado de carinho sem recompensa.

Leram com atenção e esmero vários trechos Alberto Tamer, Gilberto Paim, Hélio Cabal, Jorge Oscar de Mello Flores, Manoel Fernando Thompson Mota, Oscar Lorenzo Fernandes, Paulo Mercadante, Rafael Valentino e Rubens Penha Cysne. A todos devo importantes comentários, sem que possam ser responsabilizados por meus eventuais erros. Inestimável apoio logístico ao longo da elaboração do livro me foi dado por Eduardo Ricardo e Manoel Francisco Pires da Costa. Agradeço também ao CPDOC, da FGV, pelo acesso aos arquivos e pelas conversas com Maria Antonieta Leopoldi e Paulo Wrobel, que me refrescaram a memória dos eventos históricos. Dora Rocha trabalhou com competência e cuidado na revisão.

Se tive tempo para a pesquisa e meditação envolvidos neste livro, devo-o à colaboração de Aristóteles Drummond, Nélson Teixeira e Márcio Campos, que me deram assistência nos labores políticos e nas peripécias eleitorais.

Duas pessoas merecem referência especial. Meu médico, Cesar Benjó, que controlou sabiamente meu músculo cardíaco, em situações de cansaço e tensão. E meu editor, José Mario Pereira, que, além do planejamento editorial, foi valiosíssimo orientador de pesquisas.

Finalmente, sou grato ao jornal *O Globo*, ao *Jornal do Brasil*, à *Folha de São Paulo*, à *Abril Imagem*, à *Veja* e à *Manchete* pela gentileza na cessão de fotografias que ilustram eventos da época que vivenciei.

Rio de Janeiro, 30 de julho de 1994.

Índice

Capítulo V
Primeiras experiências de planejamento

Capítulo VI
A criação do Banco Nacional do Desenvolvimento Econômico (BNDE)

Capítulo VII
Interlúdio na Califórnia

Capítulo VIII
O chapéu e a bengala

Capítulo IX
Os anos de Juscelino

Capítulo X
Minhas experiências com Jânio Quadros

Capítulo XI
Missão junto à Casa Branca

Capítulo XII
O governo Castello Branco

Capítulo XIII
O GRANDE DESENCONTRO

Capítulo XIV
VINHETAS DA MINHA PAISAGEM

Capítulo XIX
Tornando-me um policrata

Capítulo XX
Epílogo

À GUISA DE PREFÁCIO

Já vivi três quartos de século e vivi mais que um século. Pois este século XX começou tarde e terminou antes do tempo. Começou a rigor em 1917, ano em que nasci, quando tonitruavam os canhões na Champagne e em Flandres e desabava mundialmente a velha ordem, com a eclosão da revolução comunista. Terminou em 1989, com a queda do muro de Berlim e o colapso do marxismo-leninismo. Está por surgir uma *nova ordem*, cujos contornos não são ainda discerníveis na bruma da história.

Cada "nova ordem" entretém a ambição de permanência, mas é cada vez mais curto o período de sobrevida. Como nota Henry Kissinger, o sistema internacional que nasceu da Paz de Westphalia durou 150 anos; o sistema criado pelo congresso de Viena persistiu por 100 anos. Este século foi marcado por uma excepcional fluidez do balanço internacional de forças. Em minha infância, após o Tratado de Versalhes, em 1919, sonhava-se com uma "nova ordem internacional" fulcrada no idealismo dos quatorze princípios do presidente Wilson e na formação da Liga das Nações. O ideário da segurança coletiva universal foi, entretanto, apenas um intervalo entre duas guerras.

A vitória dos aliados na II Guerra Mundial faria renascerem as esperanças de uma "nova ordem", cujo agente político seria a ONU. Com a dissolução do colonialismo houve uma proliferação de nações. Mas logo se instalou o conflito bipolar da guerra fria, que duraria mais de 40 anos.

Após o colapso do socialismo em 1989-90, a temática da "nova ordem" voltou ao proscênio. Em contraste com o antigo imperialismo e o nacionalismo clássico surgem hoje duas tendências conflitantes. Há, de um lado, uma busca de associações econômicas transnacionais para ampliação de mercados, e, de outro, a eclosão do etnicismo, que leva à fragmentação política, como ocorre na ex-União Soviética e na ex-Iugoslávia. Esses movimentos de autonomismo regional diferem do nacionalismo clássico, porque visam principalmente à afirmação de valores étnicos, lingüísticos e religiosos, sem as características do antigo nacionalismo: desejo de expansão territorial e de autarquia econômica. Mas confirma-se cada vez mais o paradoxo enunciado pelo sociólogo americano Daniel Bell: "O estado-nação é hoje grande demais para os pequenos problemas e pequenos demais para os grandes problemas."

Conto neste livro as peripécias do menino do Pantanal, que se tornou teólogo no claustro, diplomata na guerra e na paz, economista presente à criação da arquitetura econômica do pós-guerra, passando depois a tecnocrata, administrador e político.

Em nenhum momento consegui a grandeza. Em todos os momentos procurei escapar da mediocridade. Fui um pouco um apóstolo, sem a coragem de ser mártir. Lutei contra as marés do nacional-populismo, antecipando o refluxo da onda. Às vezes ousei profetizar, não por ver mais que os outros, mas por ver antes. Por muito tempo, ao defender o liberalismo econômico, fui considerado um herege imprudente. Os acontecimentos mundiais, na visão de alguns, me promoveram a profeta responsável.

O século que vivenciei foi aquele que Paul Johnson descreveu como *o século coletivista*. Tanto a democracia como o capitalismo sofreram graves desafios. A revolução comunista de outubro de 1917 representou um desafio simultâneo à democracia e ao capitalismo. As democracias ocidentais sobreviveram à I Guerra Mundial, mas viria depois, nos anos trinta, uma rude prova para o capitalismo liberal — a Grande Depressão. A economia de mercado, em fase de deflação e desemprego, parecia ser um sistema terrivelmente inepto, comparado à alternativa do planejamento central. E surgia um outro tipo de desafio — o coletivista — que também desprezou a democracia e prostituiu o mercado, proclamando como supremos valores a raça, o estado leviatã e a expansão territorial.

O desafio coletivista de direita foi contido em 1945. Mas o desafio coletivista da esquerda sobreviveria durante os quatro decênios da guerra fria. Na embaixada em Washington, cidade que era então o centro político e militar do mundo — assisti, como jovem secretário, às peripécias da II Guerra Mundial. Retornei a essa cidade vinte anos mais tarde, como embaixador junto ao governo Kennedy, numa época cheia de entusiasmo juvenil e prenúncio de tragédia. E depois, nos anos setenta, como embaixador em Londres, fui um espectador angustiado, e um analista privilegiado, de grandes confrontos no auge da guerra fria.

O *século do coletivismo* foi talvez o mais violento da história humana. Eclodiram duas guerras mundiais. Realizaram-se dois grandes experimentos de engenharia social, visando ambos à criação de um homem novo e superior: o *homo aryanus* e o *homo sovieticus*. Somados os expurgos e conflitos em vários continentes, o experimento socialista terá liquidado talvez 50 milhões de pessoas. O nazi-fascismo, com a II Guerra e o holocausto sacrificou cerca de 45 milhões de seres humanos. E nenhum desses experimentos de engenharia social logrou mudar permanentemente os homens. Houve apenas um temporário eclipse da razão e da compaixão.

O liberalismo do século XIX — o século das grandes reformas — se preocupava em criar opulência, por via da livre competição no mercado, na certeza de que a maré do progresso levantaria todos os barcos, grandes e pequenos. No século XX predominaria o igualitarismo — velha herança do iluminismo — que trouxe como inevitável conseqüência o *dirigismo governamental*, supostamente para corrigir as imperfeições do mercado. Em sua forma moderada, o igualitarismo levou à social democracia, sob a forma do estado providência (*welfare state*), que busca socializar os *resultados* da produção. Em sua forma extrema, produziu o comunismo, que socializa os *meios* de produção e busca impor a idéia socialista de igualdade das pessoas, por métodos que geraram, a um tempo, pobreza e violência.

Neste fim de século ressurgem tendências liberais sob a forma do *capitalismo democrático*. Este se baseia na convicção de que somente através do mercado se alcança a opulência, enquanto que para a preservação da liberdade o instrumento fundamental é a democracia. Ambos, opulência e liberdade são valores desejáveis. O mercado pode gerar opulência sem democracia, e a democracia, sem o mercado, pode degenerar em pobreza. Conciliar o mercado, que é o voto econômico, com a democracia, que é o voto político, eis a grande tarefa da era pós-coletivista — o século XXI.

No palco brasileiro, há que reconhecer que minha geração fracassou. Tendo tudo para atingir grandeza, o Brasil patina na mediocridade. Tendo tudo para ser rico, o país hospeda milhões de miseráveis. Houve momentos em minha juventude e maturidade em que ambas as coisas — a grandeza e a riqueza — pareciam atingíveis antes do fim do século. Hoje, o sonho do *Brasil grande potência* no ano 2.000 se esvaiu. Estamos atrasados em nosso *rendez-vous* com a história.

Assisti, esperançoso, a duas ondas de crescimento sincrônico no mundo. A primeira, no fim da década dos cinqüenta, com a criação do Mercado Comum Europeu, que repercutiu no Brasil com o desenvolvimentismo otimista da era JK. A outra, na segunda metade dos anos sessenta até a crise do petróleo, em 1973, período em que se falava no *milagre brasileiro*! De ambas participei como ator relevante ou espectador engajado.

O Brasil, num auto-isolamento decorrente de políticas errôneas, ficou marginalizado na terceira onde mundial de crescimento, entre 1984 e 1990, quando subiram ao proscênio os países do Leste asiático.

Se meu papel de ideólogo liberal abrangeu quase duas gerações, meu tempo efetivo de exercício do poder de mudar acontecimentos foi bastante limitado: na construção do BNDE, nos governos Vargas e Café Filho, no planejamento e execução das metas do governo Kubitschek, e sobretudo no governo Castello Branco (1964-1967). Foi neste último que se deslanchou um processo de reestruturação econômica e institucional que, se perseguido sem desfalecimentos, ter-nos-ia lançado numa trajetória de desenvolvimento rápido e auto-sustentado.

Explicar as razões do nosso sucesso desenvolvimentista nos anos cinqüenta, do *milagre brasileiro* dos anos sessenta e da frustração da década perdida dos oitenta e do início desta década, a última do segundo milênio, eis, infelizmente, o *leit-motiv* destas memórias!

Há países naturalmente pobres mas vocacionalmente ricos. Há outros que têm riquezas naturais porém parecem ter vocação de pobreza. Às vezes fico pensando, com melancolia, que talvez estejamos neste último caso. Não nos faltam recursos naturais. Mas sua mobilização exige abandonarmos nossa grave e renitente tradição inflacionária, e um grau maior de abertura internacional. Nossa pobreza não pode ser vista como uma imposição da fatalidade. Parece antes uma pobreza consentida, resultante de mau gerenciamento e negligência na formação do capital humano.

Nunca tive profundidade, inteligência ou poder para erguer um farol que lançasse um facho de luz para as futuras gerações. Estas memórias são apenas uma *Lanterna na Popa* de um pequeno barco. Como dizia Samuel Taylor Coleridge "a luz que a experiência nos dá é a de uma lanterna na popa, que ilumina apenas as ondas que deixamos para trás"...

O ANALFABETO

ERUDITO

E SUAS

PERIPÉCIAS

◆

DA RUA DA RELAÇÃO
À RUA LARGA

— Olha, padreco, que pé de rabo!... foi o que me disse o porteiro da pensão da rua da Relação, no Rio de Janeiro. É que subia a escada íngreme uma das inquilinas, uma bela húngara, casada com um ciumento barbeiro. O porteiro, à espreita, relanceava as substanciosas pernas na curva da escada.

A pensão me havia sido indicada por um colega de seminário, que confidenciara ao porteiro meu passado seminarístico.

— Já teve batina e coroinha — disse ele.

O porteiro não perdeu tempo em encabular o tímido *padreco*.

Incerto sobre como ganhar a vida na grande cidade, sentia mais angústia do que concupiscência. A pensão estava em intimidante vizinhança. Quase em frente da Polícia Central, e não muito distante do soturno complexo policial da rua Frei Caneca, que abrangia a Casa de Detenção e a Casa de Correção. A primeira filtrava e a segunda punia.

Estávamos em meados de 1938, no auge da repressão do governo Vargas. Falava-se de arrestos sumários e tortura de prisioneiros. A ditadura varguista tivera que aperfeiçoar a tecnologia da repressão, pois enfrentara a intentona comunista, em 1935, e, depois, o *putsch* integralista, em 1938.

O problema econômico da sobrevivência e o trauma psicológico da adaptação à vida leiga tornavam-me incapaz de qualquer emoção, face aos dramáticos eventos políticos da época. Getúlio Vargas era para mim uma figura distante e mítica, um pouco diabólica, às vezes paternal, mas sempre intimidante. Quando cheguei ao Rio, vindo do interior para a grande cidade, Getúlio, com a implantação do Estado Novo, em novembro de 1937, completara sua longa manobra conspiratória em busca do poder ditatorial. Através da "política de gangorra", conseguira reforçar seu poder pessoal, aplacando alternativamente os *"constitucionalistas"*, que desejavam a restauração democrática (e que acabariam derrotados na revolução paulista de 1932) e os *"tenentistas"*, de tendência nacionalista e semi-autoritária. Estes receavam que a redemocratização imediata ressuscitasse as velhas oligarquias políticas, infensas às reformas administrativas e sociais. Com a irrupção do levante comunista em 1935, Vargas obteve apoio militar para seu projeto de centralização do poder, contra o radicalismo de esquerda. Assumiu poder incontestado

com a outorga da Carta de novembro de 1937, a chamada "Constituição polaca",
redigida por Francisco Campos. O *putsch* integralista, em maio de 1938, viria dar-
lhe azo para reagir ao radicalismo de direita, consolidando por mais sete anos sua
dominação caudilhista da vida política brasileira. Minha percepção do getulismo,
na época, eram os movimentos da Polícia Central, incômoda vizinha na rua da
Relação. Só viria a ter contato pessoal com Getúlio em 1952, em sua reencarnação
como presidente constitucional.

Contavam-se estórias, um pouco romanceadas, das peripécias de Luís Carlos
Prestes, e sua mulher Olga Benário, que depois de detidos, sofreram interrogatórios
na Polícia Central, na rua da Relação, a poucos metros da pensão. Olga era uma
agente do serviço militar soviético que fora designada pelo Komintern para acompanhar Prestes ao Brasil, em dezembro de 1934. Estivera prisioneira na Casa de
Detenção, mas foi depois deportada por Vargas para a Alemanha nazista, em
março de 1936, onde pereceu numa câmara de gás no campo de concentração de
Bernburg, na Páscoa de 1942. Como judia, foi incluída numa das primeiras ações
nazistas de extermínio de "seres de raças inferiores".[1]

O porteiro alojou-me num quarto com três outros hóspedes. O preço era barato,
mas certamente justificado pela penúria das instalações. Éramos quatro no quarto.
Um deles tinha uma bizarra combinação de nomes — Aristóteles Lenormand
Peroba. Era ex-piloto do Lloyd Brasileiro, transformado em chefe de vendas de
tecidos das Casas Pernambucanas. Parecia-me extravagante esta combinação de
nomes: um grego, um belga e outro tipicamente nativo. O Peroba, como o chamávamos, tinha uma história triste. Apaixonara-se perdidamente por uma garota de
pais ricos e "status" social consideravelmente superior ao seu. Quando saiu uma
vez em viagem marítima, a família se mudou para o interior e ele perdeu o rastro
da bem amada.

Apenas anos depois, acidentalmente, veio ele a saber que ela estava num hospital do Rio de Janeiro, gravemente ferida em desastre de automóvel. Apressou-se em
visitá-la. As objeções familiares se haviam enfraquecido, ante a tragédia. Após
ansiosa espera, penetrou no quarto com um buquê de flores. Apenas..., a moça
estava cega... Romântico incurável, de vez em quando lacrimejava, sob os protestos
do Flávio, o segundo inquilino, cuja teoria era que *macho não chora*.

O terceiro colega de quarto era um ex-seminarista como eu. Chamava-se
Theófilo. Seu problema é que sofria de epilepsia, e, durante os transes, jogava-se

---

[1] Deportada já grávida, Olga teve uma filha de Prestes, em novembro de 1936, numa prisão de
segurança máxima em Berlim, sendo depois transferida para um campo de concentração de
mulheres, em Ravensbruck. Ver William Waack, *Camaradas*, Companhia das Letras, São Paulo,
1993, p. 92.

no chão com os músculos retensos e esgares intimidantes. Quando se amenizavam os ataques, tornava-se violento. Aprendi que uma coisa que o acalmava imediatamente era a récita de trechos da missa em latim. Era uma espécie de exorcismo, arte para a qual eu estava sumamente qualificado, pois, no Seminário Católico de Belo Horizonte recebera as ordens menores, inclusive a do *exorcistato*. Enquanto Theófilo estrebuchava no chão, começava eu o recital litúrgico: — *Introibo ad altare Dei.*

Ele passava a murmurar em resposta: — *Ad Deum qui laetificat juventutem meam* (Ao Senhor Deus, que alegra minha juventude).

Acrescentava eu: — *Judica me, Deus, et discerne causam meam de gente non sancta: ab homine iníquo et doloso erue me* (Julga-me Deus, e separa minha causa daquela de gente não santa: protege-me do homem iníquo e doloso).

E por aí adiante: — *Domine exaudi orationem meam...* (Senhor, ouve minha oração).

— *Et clamor meus ad te veniat* (E a ti chegue meu clamor).

O som dos versículos litúrgicos atuava como uma forma de hipnose.

O hóspede Flávio era um guarda-civil, cujos padrões éticos eram estritamente função do fluxo de caixa. Dizia ele que o salário até que não era mau; o pior eram os últimos 29 dias do mês... Em geral, na primeira parte da quinzena, Flávio era um austero policial, cumpridor de seus deveres. Costumava enxotar os *bichas* da Praça Tiradentes, um tradicional velhacouto dos homossexuais da época. Lembro-me ser freqüente objeto de solicitações pecaminosas de *bichas* que faziam o *trottoir* entre o Teatro São José, na praça, e o Teatro do Recreio, no fim do beco, onde pontificava Walter Pinto com seus shows, cuja *pièce de resistance* eram as fabulosas pernas de Virgínia Lane.

A partir da segunda quinzena, quando começavam a escassear os recursos, a ética do Flávio se tornava mais elástica. Consentia, mesmo com vontade de vomitar, dizia ele, em fazer amor com os *bichas*, em troca de remuneração. Era um suplemento de dieta... Impressionei o Flávio com minha superioridade intelectual, ensinando-lhe a definição de sodomia em latim: *fornicatio in vasu improprio*.

Quase trinta anos depois, quando já estava no ministério do Planejamento, vim a conhecer o escritor José Rubem Fonseca. Apresentou-nos o meu cunhado, Flávio Tambellini, que teve papel importante na promoção do cinema nacional. Tanto me importunou, quando eu era Ministro do Planejamento, que acabei inventando fórmulas para operacionalizar o sistema de incentivos fiscais para estímulo da indústria cinematográfica. Flávio presidira o GEICINE, criado no governo de Jânio Quadros, e juntos criamos o INC (Instituto Nacional do Cinema) no governo Castello Branco.

Rubem Fonseca preparara um roteiro cinematográfico para um filme de Flávio, que reputo até hoje uma peça das mais meritórias na cinematografia brasileira, chamado *Extorsão*. Quando contei a Rubem, num regabofe de whisky, minhas reminiscências da pensão da rua da Relação, disse-me ele indignado: — Nós, os novelistas, temos que arranhar a imaginação para arranjar um entrecho. É injusto. Você, sem nenhuma imaginação, teria uma boa novela a contar. — O problema, Rubem, disse-lhe eu, é que não aprendi a receita espanhola para escrever novelas. Ela é menos simples do que parece — *al comienzo se ponem unas frases tristes; al final, unas frases bonitas. Pero en el medio, hay que poner talento.*

Tenho o começo e o fim — disse a Rubem. Falta-me o meio...

Só me restava, na pensão da rua da Relação, o problema rudimentar de como ganhar a vida. Procurei vários empregos. Tinha carta de um parente apresentando-me a Filinto Müller, o então todo-poderoso chefe de polícia. Custei a ser recebido. Filinto leu-a perfunctoriamente. Era uma rotina. Percebi que recebia dezenas de cartas pedindo emprego para conterrâneos matogrossenses. Naqueles tempos, o sonho dos matogrossenses que aportavam ao Rio era "arranjar um lugar na Alfândega, entrar no Exército ou arrumar uma colocação com o Filinto". Não insisti. Acabei sendo professor de latim e português, num curso de madureza, situado no Largo de São Francisco. Havia alguns cursos matinais, mas sobretudo noturnos. O meu sucesso como professor não era notável. Nunca primei pela capacidade de comunicação.

Mas o problema maior não era ensinar e sim receber. O Curso Mattos tinha uma administração bagunçada e vivia em dificuldades financeiras. O diretor se enamorara de uma amante exigente, que gozava de prioridade na distribuição de caixa. Nós, os professores, tínhamos que correr ao *guichet* quando espreitávamos alunos efetuando o pagamento, mas não infreqüentemente tínhamos que nos contentar com "vales" para desconto posterior. Depois, graças a Antonio Olinto, meu colega de seminário em Belo Horizonte e hoje escritor de trânsito internacional, arranjei um "bico" como professor no Ginásio Santa Cecília, em São Cristovão. O salário era mais anêmico, porém menos irregular.

Pus-me à caça de emprego mais confiável. As oportunidades econômicas eram muito mais escassas que hoje, e o governo, sem dúvida, o empregador mais importante. A solução era fazer um dos vários concursos públicos que o recém-criado DASP estava organizando como parte da reforma administrativa.

O primeiro concurso que apareceu foi o de escriturário. Apesar da minha enorme bagagem acadêmica — 10 anos de seminário católico, com 2 anos de filosofia, 4 de teologia e o bom domínio de línguas clássicas — eu era legalmente analfabeto, pois os estudos seminarísticos não eram oficialmente reconhecidos. Achava-me assim na situação de erudito informal e analfabeto legal. No caso do concurso de escriturário, o obstáculo era a exigência de habilidade datilográfica. Já no segundo, o de instrutor de ensino, que de início me entusiasmou, a grande dificuldade era que metade da classificação não seria em função de provas, para as quais eu me acreditava habilitado, e sim em função de títulos, coisa em que eu era de uma pobreza franciscana. O terceiro concurso, o mais difícil da época, era o da carreira diplomática, exclusivamente de provas.

Não tendo dinheiro para pagar os "cursinhos", estava em desvantagem competitiva. No tocante às matérias jurídicas — Direito Internacional Público e Privado, Direito Constitucional e Direito Civil — consegui safar a onça estudando intensamente e valendo-me do meu treinamento em Direito Romano, no *Codex juris canonici* e na teologia moral. Estava melhor em línguas. Dominava bem o francês e o italiano e o treinamento em latim e grego me dava flexibilidade. Faltava-me o inglês, obrigatório no exame. Li incansavelmente gramática e, com o auxílio de dicionários, penetrei nos escaninhos da literatura clássica inglesa. O problema era a prova oral. Para treinar o ouvido, metia-me horas no cinema, de olhos fechados, resistindo à tentação de ler as legendas. Continuei com péssima pronúncia e tive desagradáveis surpresas. Quando desembarquei em Miami, em julho de 1942, a caminho do meu primeiro posto, Washington, cheio de citações clássicas, mal conseguia entender o inglês coloquial, esparramado, dos sulistas da Flórida. Anos mais tarde, quando embaixador em Londres, já habituado ao *oxfordese* da alta burocracia, enfrentei dificuldades semelhantes ao tentar conversar com os *cabbies* (os taxistas) de Londres, com seu sincopado *cockney*. Sempre me pareceu milagroso que no arquipélago *Brasil*, mesmo nas regiões mais isoladas, o português ainda seja a *língua franca*, com poucas variações de entonação e fonética, sem nada que se pareça com um dialeto. E sempre listei como um dos fatores favoráveis ao nosso desenvolvimento econômico termos neste subcontinente, em contraste com a Índia, uma surpreendente unidade linguística, sem os obstáculos criados na Ásia e África pela *babelização* de idiomas.

Nessa época mudei de pensão, passando a viver numa *república* estudantil perto da rua do Catete, no Flamengo, com dois primos, Tocary Bastos e Manoel de Barros. Foram ambos marxistas juvenis, talvez por um certo complexo de culpa, pois os pais tinham amplas fazendas no pantanal matogrossense. Eu era o único pantaneiro *sem terra* do grupo, e fiquei com o apelido de *cu de ferro*, pois além de lecionar durante o dia, queimava parte da noite estudando para o concurso do Itamaraty. Manoel de Barros, o Nequinho — que quando amadureceu tornou-se fisicamente a imagem escarrada de Trotski, o líder do Exército Vermelho — refugiava-se na poesia, entediado com o estudo do direito, enquanto que Tocary mergulhava na ideologia. Tornou-se militante de esquerda e acabou proibido de visitar a fazenda do pai, o tio Assis, dentista *doublé* de fazendeiro. É que na roda do mate, com seu irmão Oacury, concitava os peões e boiadeiros a fazerem uma reforma agrária "na marra". Os garotos *com terra* procuravam mobilizar os *sem terra*.

— Vocês têm direito a um pedaço de terra — dizia ele — o velho está explorando vocês.

A militância de Tocary fê-lo cair nas malhas da repressão varguista e acabou passando algumas semanas no presídio da Ilha das Flores. Curar-se-ia anos mais tarde da ilusão trágica do comunismo. Não sei qual o móvel da conversão, mas suponho que tenha sido a denúncia por Kruschev, no XX Congresso do Partido Comunista Soviético, em 1956, dos expurgos sinistros de Stálin. Tornou-se mais tarde um professor de sociologia e, sob a influência de Gustavo Corção, um católico praticante, ultradireitista.

— Quase um "reaça" (reacionário) — dizia ele.

Nequinho começava a desabrochar seu talento poético, com uma incrível alquimia de frases, cultor como dizia ele, do *verbo enlouquecido*, uma espécie de Guimarães Rosa da poesia. Estava trabalhando um conjunto de poesias depois publicadas sob o título de *Poemas concebidos sem pecado...*[2] Quando, tomando o bonde na Rua do Catete chegávamos à enseada de Botafogo, vislumbrando-se a paisagem da Urca, Nequinho costumava exclamar em voz alta, para escândalo dos circunstantes: — Esse morro bem que entorta a bunda da paisagem!...

Tocary, fumante inveterado de cachimbo, morreu em 1984 com um câncer na língua. Recusava-se quer a operá-lo, quer a deixar de fumar. Nos seus últimos dias, vendo-me vilificado pela esquerda nacionalista, escreveu-me uma pitoresca carta de solidariedade.

— O nacional-esquerdista do Brasil — dizia ele — é como o pai que dá o rabo ao comunismo soviético para preservar o cabaço da filha contra o estupro americano. Só que o sacrifício é efetivo e o perigo apenas potencial...

---

[2] No primeiro de seus poemas publicados, 'Cabeludinho', há versos reminiscentes da pensão do Flamengo "Êta mundão/moça bonita/ cavalo bão/ deste quarto de pensão/ e a filha da dona da pensão/ sem contar a paisagem da janela que é de se entrar de soneto/ e o problema sexual que, me disseram, sem roupa/ alinhada não se resolve"....

O BUTANTÃ DA
RUA LARGA

Passei no concurso do Itamaraty em dezembro de 1938, como o sétimo colocado, no grupo que se tornou depois famoso como o grupo dos *18 do Forte*. O concurso tinha sido uma batalha acadêmica, um pálido e edulcorado reflexo das lutas dos *dezoito* na Fortaleza de Copacabana, na Revolução de 1922. Estando habituado a conseguir a primeira classificação nos cursos do seminário, senti-me mentalmente humilhado com o sétimo lugar. Essa frustração era apenas atenuada pelo fato de que todos os classificados à minha frente eram repetentes do concurso. Curiosamente, a prova em que achava ter tido o melhor desempenho — Direito Internacional Privado — foi precisamente aquela em que obtive pior nota. Um dos colegas, o Carlos Alfredo Bernardes (chamado na intimidade de Lolô) contou-me precisamente o contrário: imaginava ter feito uma péssima prova de Direito Internacional Privado e tirara nota alta. Imagino que tivesse havido um erro na identificação das provas. Feliz com meu êxito no concurso e a segurança de emprego que dali adviria, abstive-me de pedir reconsideração da banca julgadora.

Tendo feito o concurso em dezembro de 1938, só fomos nomeados em 31 de março para o ministério das Relações Exteriores, então chefiado por Oswaldo Aranha, e tomamos posse em 1º de abril de 1939. Não sem alguma frustração, pois que nesse interregno, num último lance de paternalismo antes que a exigência de concurso se tornasse absolutamente imperativa, Getúlio Vargas nomeou, sem concurso, cerca de 13 novos diplomatas, alguns deles auxiliares de carreira e outros meros apaniguados políticos. A turma dos *18 do Forte* perdia assim alguns pontos de antiguidade na classe.

Havia assim completado a transição da rua da Relação para a rua Larga. O Itamaraty, situado na Avenida marechal Floriano (a antiga rua Larga de São Joaquim), era comumente apelidado de *Butantã da Rua Larga*.

— São cobras, mas fingem que são minhocas — dizia-me de seus colegas o admirável Guimarães Rosa, que depois se tornaria meu escritor preferido.

·Pouco depois de nosso ingresso, tornou-se secretário-geral o embaixador Maurício Nabuco, filho do grande Joaquim Nabuco. Era um homem de alto estofo moral, mas não herdara o brilho do pai. Revelava grande interesse na modernização do serviço público e foi autor de um famoso relatório, o da Comissão Mista de

Reforma Econômico-Financeira, criada por Vargas, sob a direção do então ministro da Fazenda, Arthur de Souza Costa. O documento, de que já haviam sido impressos dois mil exemplares, foi vetado e destruído, pois implicaria aumento de despesas, excitando o ânimo de gastança da administração federal. Mas várias de suas idéias sobre o sistema de carreiras eram pioneiras e seriam depois utilizadas. Nabuco era, como eu costumava dizer, um *perfeccionista do supérfluo*. Devolvia ofícios urgentes e complexos, porque o espaçamento de algumas linhas escapara à bitola oficial ou estava mal atada a fita verde-amarela. Mas era um homem bom, com esquisitas originalidades de pensamento. Uma de suas teorias era de que a desgraça fundamental do Brasil (e também da Austrália) era a pluralidade de bitolas ferroviárias. Unificar as bitolas seria um pré-requisito do progresso. Mais bizarra ainda era a sua teoria sobre a superioridade dos países que bebem fermentados sobre os que bebem destilados. Os países imperiais, dizia ele, são os que bebem vinho: a antiga Roma, França, Portugal e Espanha, por exemplo. Os alemães, cervejeiros, nunca construíram um império. Quando se lhe objetava que o maior dos impérios modernos era o britânico, bebedor de whisky destilado, respondia ele que a explicação estava em que os ingleses eram os maiores bebedores mundiais de vinho importado e os criadores do *vinho do Porto*. Nem o caso dos Estados Unidos, bebedores do *bourbon*, o preocupava. Retorquia logo que na Nova Inglaterra, semente da nação americana, se bebia vinho e que assim se explicava também o dinamismo ímpar da Califórnia.

Aprendi a respeitá-lo pelo caráter e dignidade e quando era embaixador em Washington, no governo Dutra, visitei-o algumas vezes, não sem me recordar do ritual: não se devia aviltar o whisky com gelo, e era de rigor raspar-se com uma colher a bolota do queijo inglês *Stilton*. Escreveu um livrinho chamado *Drinkologia dos estrangeiros*, com normas de etiqueta e receitas de bebidas. Mesmo quando sozinho, jantava sempre de *smoking*.

Um de seus ofícios mais pitorescos, escrito quando embaixador em Washington, foi o comunicado ao Itamaraty sobre a cerimônia inaugural de Truman, em 1949. Relatava ter comparecido à Casa Branca, bem agasalhado e munido de *sandwiches*, prevendo uma cerimônia prolongada. Cautelas semelhantes haviam sido tomadas pelo embaixador inglês, porém não pelo hindu, imprevidente. Nabuco concluía, peremptoriamente, que a Índia ainda não estava preparada para o *self-government*...

Os Patinhos Feios

Os "patinhos feios" da turma éramos eu e o Júlio Agostinho de Oliveira. Este, criado em família positivista, tinha bastante erudição filosófica e matemática, mas, como eu, dado o antagonismo dos positivistas à diplomação formal em escolas que não seguiam os métodos "positivos", carecia de títulos.

Mas o mais grave é que nós dois não conhecíamos ninguém no Itamaraty, enquanto o restante dos colegas ou eram repetentes de concursos ou tinham ligações de parentesco ou amizade com o pessoal da casa. Foram todos eles assim requisitados para os diferentes departamentos mais nobres — o Político, Jurídico e o Cultural. Não tendo sido nossos trabalhos requestados por ninguém, fomos consignados à Divisão de Material, ou seja, o almoxarifado. Tratava-se de óbvia subocupação de nossos talentos. Dedicamo-nos a construir um sistema sofisticado de controle de custo de material, com enorme esbanjamento de gráficos e projeções estatísticas. Àquela época o material de expediente era distribuído centralmente, a partir de Londres, pela Casa Harrison & Sons, pois o Itamaraty se preocupava validamente com a standardização do material, e frivolamente com requintes de qualidade. Com nossa sofisticação estatística, o Itamaraty teve um almoxarifado de luxo.

Na Divisão de Material pairava uma figura interessante, que se chamava Luiz Felipe de Florambel Beaurepaire-Rohan Pinto Peixoto. Tratava-se de um louco manso e encantador. Pretendia ser descendente da nobreza francesa, Senhor de cinco cartas d'armas. Teria sido namorado da heroína de guerra inglesa da I Guerra Mundial, a enfermeira Florence Nightingale, que, segundo rumores da época, não parecia chegada aos prazeres da carne. Na realidade, Florence servira na guerra da Criméia, mas sonho por sonho, o Luiz a transpusera para a I Guerra Mundial. Ninguém se dava ao trabalho de checar seu namoro... Para completar o cenário surrealista, dizia-se diplomado na "Escola da Bola de Cristal" em Bombaim! Quando lhe disseram que eu conhecia latim e grego, replicou triunfante:
— Isto não me impressiona, pois falo troiano!

Disse-me de certa feita o Florambel que iria propor ao então ministro Gudin, um grande empréstimo canadense, pelo qual receberia importante comissão, empréstimo que iria permitir ao Gudin tornar o cruzeiro uma moeda *importável*, *exportável e comportável*. Infelizmente, não pôde levar seu propósito adiante, e a moeda brasileira continua pouco *comportável*.

Um acidente feliz foi encontrar Guimarães Rosa que, já designado para o Consulado em Hamburgo, freqüentava ao lado a Divisão de Pessoal. Guimarães Rosa interessou-se pelo novato, sabendo-me ex-seminarista e latinista. Era um poliglota versado em latim e grego, que se tornaria conhecedor de nove idiomas, inclusive exóticos, como o húngaro, o servo-croata, o persa, o árabe, o malaio e o japonês. Tratava-se de uma coisa estranha, pois aprendera algumas dessas línguas ainda quando pacato médico do interior em Itaguara, Minas Gerais. Quando o conheci no Itamaraty, dizia-se um "fabulista mercenário", pois publicara aos vinte anos alguns contos "não por amor à arte mas por amor ao dinheiro". Em 1936, ganhara o prêmio da Academia Brasileira de Letras com seu livro de poemas *Magma*, nunca publicado.

— Sou poeta *intramuros* — costumava pilheriar.

No ano seguinte começaria a escrever sua primeira grande obra, *Sagarana*, que só viria a ser publicada em 1946. Trocávamos versos latinos, sem suspeitar eu que Guimarães Rosa de futuro usaria criativamente afixos e preposições latinas para conseguir extraordinários efeitos estilísticos, surpreendentemente sintonizados com o balbuceio sertanejo. *Grande sertão: Veredas* foi uma obra-prima de engenharia semântica, revelando Guimarães Rosa incrível habilidade para transformar o cotidiano em lenda. "Sou médico, rebelde e soldado", dizia Rosa, que durante a revolução constitucionalista de 1932 fora voluntário para serviços médicos no setor do túnel, onde também se encontrava o urologista Juscelino Kubitschek.

Voltamos a ter contatos espaçados ao longo dos anos, particularmente durante 1956, quando me tornara diretor superintendente do BNDE e Guimarães Rosa exibia atletismo literário publicando, num mesmo ano, as novelas de *Corpo de baile*, a 4.ª edição de *Sagarana* e o *magnum opus Grande sertão: Veredas*.

Com a extraordinária capacidade de nossa burocracia diplomática de desperdiçar talentos, Guimarães Rosa ficou bastante tempo no obscuro Serviço de Demarcação de Fronteiras, onde o encontrei ao visitar o Brasil em minhas férias de embaixador em Washington. Para quebrar a monotonia do serviço — dizia ele — "só mesmo engenhando um conflito com a Venezuela a propósito das Guianas". Naqueles tempos pacatos, as fronteiras não exibiam a periculosidade que hoje têm em relação ao contrabando e drogas.

Senti-me de moral elevado quando Guimarães Rosa elogiou efusivamente um relatório que eu enviara de Washington sobre a crise dos mísseis em Cuba. Mas fui prontamente decepcionado quando acrescentou: — Roberto, é que gosto mesmo de admirar. Além do que, é mais fácil admirar o próximo do que amá-lo.

PERIPÉCIAS DE UM
CRIPTÓGRAFO

Procurei tão cedo quanto possível emigrar para outras atividades. A primeira oportunidade que se abriu foi na Seção de Criptografia. O Itamaraty estava no processo de elaboração de novos códigos. Um deles, o chamado *código vermelho* ou *ordinário*, estava sendo impresso, sob grande sigilo, na Casa da Moeda. Precisava-se de vítimas para acompanhar a impressão. O ambiente era desconfortável. Trabalhava-se na sala de linotipos com um tremendo cheiro de antimônio. O trabalho era contínuo, revezando-me eu com dois outros funcionários do Itamaraty. Um deles — o Roberto de Guimarães Bastos — atlético e bonitão, despertava generalizada inveja pela atração que exercia sobre o sexo fraco.

Para proteger-nos contra os vapores do antimônio tínhamos que tomar copos de leite, produto que me enojava pois que, terminado o período de aleitamento materno, nunca fui chegado aos lactáceos. Subproduto interessante foi que me dediquei a estudos de criptologia. Limitei-me a um dos aspectos, a criptografia, sem avançar na *criptoanálise*, ou seja, a decifração de códigos, arte em que o Itamaraty nunca foi forte.

Depois, as coisas melhoraram. De simples supervisor de impressão passei a colaborador de João Batista Soares de Pina, na própria feitura dos códigos-dicionários.

A criptografia no Brasil, ou pelo menos no Itamaraty, estava longe de atingir o nível extremamente sofisticado da criptologia militar das grandes potências às vésperas da II Guerra Mundial. Tínhamos que fabricar basicamente três códigos: o *ordinário*, com cifras relativamente simples, para comunicações diplomáticas e consulares correntes. Um outro, de cifração mais complicada, era o *código azul*, no qual era mais freqüente o ritual de mudança das letras chave. Havia finalmente o *supercódigo* ou o *complicador*, em que as comunicações eram duplamente cifradas. Soares de Pina, um dos grandes boêmios da vida carioca, tinha especial imaginação criadora para a construção de códigos. Amava o ambiente secreto e conspiratório.

Posteriormente, veio a tornar-se parte do *folclore* nacional. Estava servindo, em 1947, na embaixada do Brasil em Moscou. Anedoticamente, atribuía-se nossa ruptura de relações com a União Soviética, nesse ano, ao episódio da detenção, pela polícia soviética, do Soares de Pina, que, embebedado, se envolvera numa rixa com

o *maitre d'hotel* do restaurante do Hotel Nacional em Moscou, onde estava temporariamente alojada a embaixada. Sentira-se desfeiteado, ao ser preterido na fila de
espera das refeições. Seu protesto diplomático de nada valeu e Pina ameaçava passar às vias de fato. Acabou sendo ejetado à força, do hotel, estatelando-se na neve
da calçada da rua Gorki. Exageradamente combativo, reingressou no hotel, engal-
finhou-se com o *maitre* e os guardas o amarraram numa cadeira, da qual foi liberado pela chegada acidental de dois funcionários da embaixada, que reclamaram
do desrespeito aos direitos diplomáticos.

Na realidade, a motivação foi muito menos prosaica. Além da hostilidade visce-
ral do presidente Dutra ao comunismo, e do receio das atividades subversivas do
regime soviético, que culminaram na cassação do Partido Comunista Brasileiro em
1947, o periódico moscovita *Literaturnaya Gazeta* publicara desabrido ataque às
Forças Armadas Brasileiras e ao presidente Dutra. E o governo soviético devolveu
nossa nota de protesto. Além disso, os delegados soviéticos na Assembléia Geral da
ONU, em 1947, fizeram declarações extremamente violentas contra Oswaldo
Aranha, então presidente da Assembléia, e contra o governo brasileiro. Aranha
pensou mesmo em renunciar à presidência da Assembléia, no que foi desencorajado pelo então ministro do Exterior, Raul Fernandes. Conquanto Oswaldo Aranha
se opusesse ao gesto final de ruptura, nossas relações diplomáticas com a União
Soviética foram suspensas em 22 de outubro de 1947.

O Pina *Gomalina*, como o chamávamos, elegante e mulherengo, tinha manias
esquisitas. Lembro-me de que dizia que nunca compareceria a nenhum enterro
pois não poderia esperar reciprocidade. Passei anos sem vê-lo, até encontrá-lo no
restaurante do Clube Internacional, que então se situava na Avenida Rio Branco.
Ali comparecia, freqüentemente sozinho, e os freqüentadores do restaurante o
encontravam não raro em estado de alta excitação etílica. Lembro-me de que uma
vez o vi solitário e ele acenou para que me sentasse a seu lado. Começou a murmurar surdamente: — O mundo precisa dele. O mundo não pode viver sem ele. Ele
conhecia a fórmula da ordem e do progresso. Sem ele não haverá salvação.

Imaginei por um momento que Pina estivesse falando de Jesus Cristo, numa
súbita ressurreição da fé cristã. Perguntei-lhe eu: — Mas, Pina, quem é ele?

Olhou-me com os olhos esbugalhados e disse: — Hitler, naturalmente.

Imaginem que isso ocorreu no fim da década de 1960, quando o nazismo jazia
morto e sepultado, e Hitler não era senão um grande pesadelo na história ocidental!

Recordando-me das minhas peripécias criptográficas, verifico que nosso grau
de sofisticação era mínimo. E imagino que a decifração das comunicações do
Itamaraty não apresentasse qualquer desafio relevante à elevada tecnologia que
então se vinha tornando disponível. Àquela época, imediatamente antes da II
Guerra Mundial, já os alemães haviam fabricado a famosa máquina *Enigma*, que

depois viria a ser decifrada pelos ingleses, com cooperação polonesa, nos laboratórios de Bletchley, cidadezinha perto de Oxford, graças principalmente aos trabalhos matemáticos de Alan Mathison Turing, inventor da *máquina Turing*. Ele foi um dos precursores da computação digital e das pesquisas sobre a "inteligência artificial", um soturno homossexual que depois cometeria suicídio, aos 42 anos, deprimido pelo tratamento a que o submeteram para cura da homossexualidade.

A máquina *Enigma* era um código naval usado pelos submarinos alemães. Sua decifração foi de enorme auxílio nas operações anti-submarinas no Atlântico e teve algum papel na vitória aliada na Batalha da Inglaterra.

A esse tempo os japoneses já dispunham de sua sofisticada máquina de codificação, a *Purple*, para mensagens diplomáticas, cuja decifração permitiu aos americanos significativas vitórias no Pacífico, inclusive a derrubada do avião que conduzia o almirante Yamamoto. Descodificara-se uma mensagem japônesa que anunciava sua visita às ilhas Salomão.

Anteriormente, o Signal Corps do Exército americano, para o qual trabalhava um dos maiores mestres da criptoanálise, William Friedman, já havia dominado os segredos do código administrativo japonês, intitulado RED, graças aos trabalhos de uma criptóloga genial de 36 anos, Agnes Meyer Driscoll, que trabalhava para a Marinha americana. Sabe-se hoje que o grande *breakthrough* tecnológico foi devido a outra mulher, uma jovem de 26 anos, Geneviève Grotjan, que em 20 de setembro de 1940 identificou as freqüências que permitiriam descodificar a máquina *Purple*. As interceptações descodificadas eram distribuídas ao presidente Roosevelt e a um círculo restrito de oficiais superiores. A descodificação e distribuição das mensagens interceptadas era denominada *Operation Magic*.

O curioso da história é que o grande beneficiário dessas descobertas foi o secretário de Guerra de Roosevelt, Henry Stimson, que, quando secretário de Estado do presidente Hoover, em 1929, desativou a Seção de Códigos do Departamento de Estado, com a alegação de que *gentlemen don't read each other's mail* (cavalheiros não leêm a correspondência alheia)!...

Os americanos conseguiram pôr em operação uma máquina extremamente eficiente, a *Sighaba*, que por longo tempo desafiou todos os esforços de decifração pelos alemães.

Não sabíamos àquela época no Itamaraty quão artesanal e primitivo era nosso esforço, comparativamente a esses desenvolvimentos tecnológicos. Meu orgulho com os novos códigos era infindo e infundado...

Quarenta anos depois, como embaixador em Londres, verifiquei que pouco havíamos progredido tecnologicamente. Já tínhamos máquinas de codificação e descodificação, produzidas, ao que entendo, por uma organização industrial sujeita ao SNI, a *Prólogo*, beneficiária de uma *reserva de mercado*, precursora da infausta reserva de mercado da informática. Entretanto as máquinas freqüentemente transmitiam mensagens engabeladas, particularmente ao se intensificarem as comunicações entre Brasília e Londres, durante o conflito das Malvinas, quando o Brasil representava os interesses argentinos na capital inglesa. Felizmente, as comunicações eram meramente de tipo informativo e não instruções de combate. De outra maneira é possível que fôssemos rapidamente derrotados.

Terminado o trabalho de impressão dos códigos, veio a modesta recompensa. Ao invés de ser designado correio diplomático para entrega dos códigos na Europa ou Estados Unidos, prêmio que coube a outros membros da turma, minha missão se confinava a entregá-los em Montevidéu, Buenos Aires e Assunção.

A carência de transportes superou o medo. Embarquei para Montevidéu num cargueiro frigorífico norueguês, exasperantemente pintado de branco, com mar bravo e um *blackout* ineficaz, em noite de luar. A frota norueguesa, que se havia colocado sob proteção aliada, era alvo de submarinos. O conflito naval se espraiara pelo Atlântico Sul.

A primeira vitória aliada na II Guerra Mundial, após uma sucessão de humilhantes derrotas terrestres e navais, foi a caçada ao *Graf Spee*, couraçado de bolso alemão, acuado por três cruzadores aliados de menor poder de fogo, o *Exeter* e o *Ajax*, ingleses, e o *Achilles*, neozelandês.

Seriamente avariado seu navio, o galante almirante Langsdorff, seguindo a tradição naval, abriu as válvulas e afundou-o a poucas milhas do cais de Montevidéu. O estuário do Prata, quando ali cheguei, se havia tornado atração turística. O grande evento era o drama do *Graf Spee*. Era, aliás, a segunda batalha naval entre ingleses e alemães no Atlântico Sul. A primeira ocorrera na I Guerra Mundial, precisamente na vizinhanças das Ilhas Malvinas, depois celebrizadas pelo conflito entre a Inglaterra e a Argentina, de abril de 1982.

O incidente do Graf Spee forneceu aos uruguaios matéria-prima para uma piada sobre a megalomania argentina. Perguntara o uruguaio: — *Que pasaria si la armada inglesa quisiera ingresar en el estuario de la Plata contra la oposición de la Armada argentina?*

Respondia o argentino: — *La hundiríamos por completo.* retrucou o uruguaio.

— *Y se fueram todas las armadas del mundo?*

— *No tendrían mejor suerte* — respondeu o argentino.

Timidamente, o uruguaio ousou propor o desafio supremo: — *Y si fuera Diós?* Concordou resignado o argentino: — *Si fuera Diós sí, pasaría, pero mal herido...*

A vida teatral em Buenos Aires era intensa e de alto nível. As temporadas de ópera no Teatro Colón atraíam os maiores cantores da Europa e a vida teatral era rica e diversificada. Seria impossível acreditar que depois da guerra, com a ascendência do peronismo, a opulência argentina cederia lugar a uma prolongada estagnação. Não se podia sequer imaginar que aquele país aparentemente desenvolvido, a sétima renda mundial por habitante, estivesse prestes a iniciar uma longa marcha para o subdesenvolvimento.

Minha viagem — e portanto minha inquietação quanto a um possível roubo dos códigos sob minha responsabilidade — terminou em Assunção, onde cheguei de navio fluvial, após quatro ou cinco dias rio acima, no Paraná e no Paraguai. Na pacata Assunção, a sensação que se tinha era de estagnação, contrastando vivamente com o progresso argentino. A cidade se orgulhava da recente instalação das linhas telefônicas. A piada corrente era: *Hay que ver Asunción y sus diez y seis teléfonos.*

A DIVISÃO DE
"SECOS E MOLHADOS"

Ao regressar ao Itamaraty, acalentava a esperança de ser afinal transferido para uma das divisões mais nobres e condizentes com meu treinamento humanístico. Fui novamente consignado a uma divisão desprestigiosa — a Divisão Comercial — então apelidada de *secos e molhados*. A tarefa era importante, porém não interessante. Consistia basicamente na supervisão de atividades de comércio exterior, principalmente no tocante a quotas e licenças de importação e exportação, tornadas necessárias pelo início da guerra. Parte da tarefa era a supervisão do fornecimento aos Estados Unidos de materiais estratégicos, segundo os acordos de Washington, assinados em 1941 e ampliados em março de 1942.[3] Esses acordos previam também a modernização da ferrovia Vitória-Minas e a extração de minério de ferro de Itabira. Mais tarde o trabalho se intensificaria, quando o Brasil rompeu relações com os países do Eixo, em 28 de janeiro de 1942, pondo fim à sua longa hesitação entre a linha simpatizante das potências do Eixo, representada por líderes militares como Goés Monteiro, Dutra e Filinto Müller, e a linha simpática aos Aliados, liderada pelo ministro do Exterior, Oswaldo Aranha, com apoio de Souza Costa, ministro da Fazenda, Vasco Leitão da Cunha, ministro interino da Justiça, e Amaral Peixoto, interventor no Rio de Janeiro. Lourival Fontes, chefe da Casa Civil, era um simpatizante discreto.

Os acontecimentos se precipitaram após a declaração de guerra dos Estados Unidos ao Japão, em seguida ao ataque a Pearl Harbour, em 7 de dezembro de

---

[3] Os contratos assinados em maio de 1941 previam a aquisição exclusiva, pelos Estados Unidos, de alguns materiais estratégicos, como bauxita, berilo, cromita, ferro níquel, diamantes industriais, manganês, mica, quartzo, borracha, titânio e zircônio. O objetivo era principalmente preventivo, isto é, impedir que fossem vendidos a potências hostis. Em 1942, já engajados na guerra, os Estados Unidos propuseram uma expansão da lista para incluir outros produtos, cuja produção seria incentivada — tungstênio, tantalita, columbita, mamona e óleo de mamona — e vendida a preços estáveis a título de cooperação no esforço de guerra. Isso depois provocaria ressentimentos e a reclamação por compensações especiais, quando, finda a guerra, as relações de troca se tornaram fortemente desfavoráveis aos produtos primários. Ver Gerson Moura, *Sucessos e ilusões — Relações internacionais do Brasil durante e após a II Guerra Mundial*, Rio de Janeiro, FGV, 1991, pgs. 17-18.

1941. O conflito se alastrava pois que — a Alemanha e a Itália, acompanhando o Japão, declararam guerra aos Estados Unidos.

Em 15 de janeiro de 1942, realizou-se no Rio de Janeiro a III Reunião dos Chanceleres das Repúblicas Americanas, na qual Roosevelt esperava fosse aprovado o rompimento de relações com os países do Eixo. Do encontro resultou apenas uma recomendação, dado que a Argentina e o Chile se opuseram à medida. Em 28 de janeiro, coincidindo com o encerramento da conferência, Vargas determinou o rompimento das relações diplomáticas com a Alemanha, Itália e Japão. A declaração de guerra, entretanto, só viria mais tarde, em 31 de agosto de 1942, após o torpedeamento de vários navios brasileiros.[4]

A tarefa de Aranha tinha sido de dificuldade heróica, em virtude das ambiguidades de Getúlio, cuja posição oscilava em função das vicissitudes militares. Na fase inicial do conflito, aparentava simpatia pelo Eixo, falando criticamente nos "novos valores da época" e nos "liberalismos imprevidentes". Somente após a entrada dos Estados Unidos na guerra, é que Aranha conseguiu persuadí-lo das vantagens do alinhamento com as democracias, cujos valores éticos passaram a ter o confortável suporte do poderio industrial americano.

Minha carga de trabalho se tornou intensa, de vez que a Divisão ficou encarregada de operacionalizar o bloqueio do comércio com os países do Eixo, cooperando estreitamente com as embaixadas norte-americana e inglesa na observância de uma "lista negra" contra empresas que transacionassem com a Alemanha, a Itália e o Japão. Era também intenso o trabalho de obter quotas de importação, dos Estados Unidos, de produtos essenciais, para atender ao abastecimento interno.

A grande barganha de Vargas com o governo americano se centrava principalmente em dois pontos: a implantação da siderurgia e o reequipamento das Forças Armadas. Este último objetivo foi alcançado com a participação brasileira no *Lend Lease*, em acordo assinado em 3 de março de 1942, até um valor de US$200 milhões, dos quais pagaríamos apenas 35%, em cinco anos.

Mas o projeto brasileiro mais importante, que viria depois a ocupar bastante minhas atenções no Itamaraty, era o projeto de construção da usina de Volta Redonda. Fora aprovado em acordo de agosto de 1940, pelo qual os Estados

---

[4] Góes Monteiro, chefe do Estado Maior do Exército, e o general Dutra, ministro da Guerra, se pronunciaram contra o rompimento de relações, em exposição dirigida a Vargas em 27 de janeiro de 1942. A alegação era que as Forças Armadas estavam despreparadas para a guerra e que a ruptura de relações desembocaria mais tarde (como de fato aconteceu) num envolvimento na guerra. Além de dúvidas quanto à vitória das "democracias decadentes", havia grande irritação com a Inglaterra, que aprisionara dois navios — o *Almirante Alexandrino* e o *Siqueira Campos*, que transportavam material de artilharia encomendado à Krupp alemã, antes da guerra. Ver Mauro Renault Leite e Novelli Junior, *Dutra, o dever da verdade*, Nova Fronteira, Rio de Janeiro, 1983, pg. 373.

Unidos asseguravam um crédito de 20 milhões de dólares do Eximbank, para instalação da siderúrgica. As negociações foram ultimadas em 24 de setembro de 1940. Dois anos mais tarde, como secretário de embaixada, em Washington, a obtenção de prioridades e licença de importação para o equipamento de Volta Redonda seria uma das minhas principais preocupações.

A aprovação, pelos Estados Unidos, do projeto de implantação da siderúrgica resultou em parte de um jogo de influências. Sabia-se de um oferecimento da Krupp para a instalação da siderúrgica com equipamento alemão, em contraste com a relativa indiferença da United States Steel, originalmente convidada para a tarefa, mas cética quanto ao mercado e à viabilidade da indústria siderúrgica nos trópicos. Dizia-se que o fator detonador da concordância de Washington em financiar, através do Eximbank, o projeto da usina teria sido um discurso talvez deliberadamente ambíguo de Getúlio Vargas, proferido a bordo do encouraçado *Minas Gerais*, em 11 de junho de 1940. Ainda que o discurso representasse principalmente uma plataforma de política interna estatizante, havia uma implícita declaração de neutralidade em face da confrontação na Europa. Vargas falava cripticamente nos *nacionalismos estéreis*. A repercussão foi grande e negativa, tanto no Brasil como no exterior, agradando apenas aos germanófilos, mas assustou suficientemente o Departamento de Estado, que se empenhou na aceleração do acordo sobre a implantação da Siderúrgica Nacional. Curiosamente, a única personalidade de destaque a elogiar o controvertido discurso foi Assis Chateaubriand, cujas inclinações pro-americanas eram conhecidas.[5]

Mas voltemos à Divisão Comercial, ou seja, a de *secos e molhados*.

O diretor da Divisão era o então cônsul geral Mário Moreira da Silva, progenitor de Marcílio Marques Moreira, que viria a ser depois embaixador em Washington e ministro da Economia e Planejamento (1991/92). Meu chefe imediato era o Nivaldo Telles Carneiro, primeiro secretário, de quem se dizia que não podia assistir no cinema ao filme *E o vento levou* porque não podia passar quatro horas sem mulher.

Nessa época era moda no Itamaraty enxergar-se no totalitarismo de direita a *onda do futuro*. Eu era considerado, por alguns, um cultor das *democracias decadentes*. Quando me perguntavam, no auge das vitórias nazistas, por que não acreditava no *Reich* de mil anos, eu respondia, apenas instintivamente, que também eterno e invencível parecia Napoleão, ao conquistar Moscou, após as glórias de Wagram e Austerlitz...

— Hitler — dizia eu — é um Napoleão que fala alemão.

Certamente uma injustiça para com o grande corso que, à parte suas estripulias militares, produziu obra importante de organização administrativa e codificação jurídica.

---

[5] Ver Moniz Bandeira, *Presença dos Estados Unidos no Brasil*, Civilização Brasileira, Rio de Janeiro, 1978, pgs. 272/273.

Alguns anos mais tarde, a moda passou a ser o totalitarismo de esquerda. Desta vez, sob a capa das *democracias populares*. Assisti mistificado à transformação dos integralistas em *paladinos das esquerdas*. E nadando contra a corrente, passei a ser acusado de conservador e reacionário.

Um pouco sádico, o Nivaldo divertia-se em encabular-me, sabendo do meu passado seminarístico, de minha inata timidez de menino feio e de minha total inexperiência nos prazeres da carne. Cheguei uma vez ao restaurante e encontrei-o, numa mesa de colegas, já um pouco tocado por fumaças etílicas.

— Vem cá, padreco — disse ele.

E pôs-se depois a contar episódios das bacanais de que participara em Paris. Relatou que costumava derramar champanhe no seio das mulheres, vindo a esperar o precioso líquido nas partes pudendas. Enrubesci e gaguejei ante a grosseria inédita, que provocava gargalhadas nos presentes. Olhando para mim com o soberbo desprezo que os homens do mundo dão aos garotos de província, disse-me Nivaldo: — Padreco, até aí tudo normal.

A gargalhada foi geral. Por vários dias seguintes, quando os comparsas me encontravam no corredor diziam sempre: — Até aí tudo normal.

De certa feita, entra Nivaldo na sala esbravejando: — Tora, Tora...

Imaginei que me fosse contar uma estória de guerra relacionada com o ataque japonês a Pearl Harbour, pois era esse o grito de vitória dos pilotos japoneses ao lograrem afundar a incauta frota americana em Honolulu. Nada disso. Para Nivaldo, que acabara de ter sucesso numa conquista amorosa, "TORA" eram as iniciais do que ele chamava "tecnologia do orgasmo rápido".

Foi mais ou menos a esse tempo que tive minha primeira experiência sexual. Promoveu-a um ex-colega de seminário em Belo Horizonte, o Zé Rosa, que se tornara um boêmio da noite carioca e considerava insuportável minha castidade seminarística.

— É urgente a operação defloramento. Chega de tocar punheta — dizia ele.

Levou-me à rua Conde de Laje, onde se situavam os bordéis grã-finos da cidade, em contraste com o Mangue, freqüentado pelo proletariado.

— O Mangue é o puteiro da ralé — dizia-me o Rosa. A operação defloramento deve realizar-se em condições ideais de temperatura e pressão.

Acolheu-nos, numa pensão da Conde de Laje, uma madama, que se mostrou interessadíssima na solução do problema do ex-seminarista.

— É a melhor da casa — disse-me ela, apresentando-me uma esbelta loura.

Entrei no quarto suando frio, com pernas bambas. O cheiro de álcool compunha-se com a sensação de pecado para me tornar enrubescido e trêmulo. Natasha esperou pacientemente que me despisse, mas a despeito de eu conjurar na imaginação todos os sonhos lúbricos acumulados ao longo dos anos de repressão sexual no seminário, consegui apenas uma semi-ereção com ejaculação precoce. Uma terrível sensação de impotência...

Ao invés de despedir-me, cobrando o óbulo do amor, Natasha revelou infinita paciência, talvez curiosa, talvez informada de que se tratava de uma cerimônia de iniciação, talvez por se tratar de um começo de tarde sem freguesia. Começou a contar-me sua estória, num português balbuciante. Era uma polonesa, de boa família, tangida como muitas outras pelos ventos bárbaros da guerra de Hitler. Comecei a descontrair-me lentamente, respondendo-lhe em francês, com algumas palavras de alemão, e percebi que ela arranhava ambos os idiomas. Gradualmente, acalmou-se minha tremedeira e pude consumar uma cópula incompetente, porém tranqüilizante.

Fiquei grato a Natasha. Ter-me-ia provocado um trauma psicológico se houvesse se comportado como uma profissional impaciente. Vi-a depois duas ou três vezes, mas a pensão era cara e eu sentia apetite de diversificação. Devo ter provocado alguma comoção no puteiro, pois logo após o sucesso da "operação defloramento" enviei a Natasha um buquê de flores, com um bilhete cafonérrimo de um "admirador desconhecido"...

WASHINGTON NA

II GUERRA

MUNDIAL

◆

O DIA DA
LIBERTAÇÃO

Chegou afinal o que imaginava ser o meu dia da libertação. Implantada nos Estados Unidos a economia de guerra, a partir do ataque japonês a Pearl Harbour, em 7 de dezembro de 1941, nossa embaixada em Washington solicitou ao Itamaraty urgente reforço de pessoal, assoberbada de trabalho em vista da maçaroca de licenças de fabricação, exportação, praça naval e quotas de petróleo. Foram destacados para servir em Washington vários funcionários, sendo quatro colegas meus da *turma dos dezoito*.

Embarcamos em um DC3 que nos levaria aos Estados Unidos, após alguma espera para alcançarmos prioridade de espaço aéreo, então reservado principalmente para viagens militares.

A viagem do DC3, no qual embarquei com minha mulher Stella, era lenta, com quatro paradas de pernoite, uma em Barreiras, no interior da Bahia, a outra em Belém do Pará. Na terceira noite dormia-se em Trinidad, na quarta em Porto Rico, até chegar-se finalmente a Miami. De lá, a viagem era de trem até Washington.

Cheguei a Washington precisamente no dia da festa nacional, 4 de julho de 1942. Apresentei-me logo ao embaixador Carlos Pereira Martins, homem bonachão, rubicundo e obeso, de luzes limitadas e simpatia ilimitada. Sua mulher era a talentosa escultora Maria Martins, que tinha amplo acesso aos meios artísticos.

Na juventude fora uma bela figura, de corte aristocrático. Contava-se no Itamarati que o Barão do Rio Branco o tinha enviado para secretário de legação do Brasil em São Petersburgo, não por avaliação de méritos, mas porque "um brasileiro bonito faria boa figura na corte do czar". Quando o conheci, a idade cobrara seu inexorável tributo. A face era rubicunda e bem feita, com uma bela moldura de cabelos brancos. Mas adquirira uma enorme circunferência abdominal, e a obesidade o obrigava a recorrer ao *valet* para amarrar a botina. Conta-se que de vez em quando se postava na frente do espelho, e acenava para o pênis: — Há quanto tempo não o vejo. Estou com saudades.

O casal era muito requestado nos círculos oficiais de Washington. Cultivava amizades estratégicas como a de Nelson Rockefeller, então coordenador para assuntos da América Latina e William Clayton, secretário assistente no Departamento de Estado. Nelson viria a ser depois governador de Nova York. E William

Clayton, em 1947, seria o autor do dramático memorando sobre a catastrófica situação na Europa do pós-guerra, documento de capital importância para o lançamento do Plano Marshall. Com singular presciência, Clayton mencionava a conveniência da formação de uma federação européia, ideal que começou a realizar-se dez anos depois com o Tratado de Roma, e que encontraria sua culminação 45 anos depois, com o Tratado de Maastricht, de 1991.

Estava túrgido de esperanças de afinal ver reconhecido o meu passado humanístico e ser designado para trabalhos políticos e culturais. Mas o destino me perseguia. Dentre os quatro colegas de turma, fui eu o único a ser designado para o Setor Comercial, então chefiado pelo Josias Carneiro Leão, uma bela figura de radical de esquerda, com bastante propensão artística, uma notável coleção de quadros brasileiros e algumas raridades estrangeiras, que comprara na bacia das almas, ao servir em Paris, no começo da guerra.[6]

Lá me vi metido de novo nos *secos e molhados*, redigindo pedidos de autorização para fabricação, exportação, praça marítima e quotas de petróleo.

Conclui ser inútil pelejar contra o destino. Decidi-me a estudar economia nos cursos noturnos da George Washington University. Na Universidade, na qual fiz notar minhas credenciais diplomáticas, referiram-me ao deão da "School of Go-vern-ment", Edward Champion Acheson que, depois, soube ser irmão de Dean Acheson, àquela altura sub-secretário e, futuramente, secretário de Estado na administração Truman. Edward Acheson era uma figura bizarra. Economista não por vocação e sim por resignação, destino semelhante ao meu. Seu *hobby* preferido era escrever novelas de detetive. Tinha também conhecida e robusta intimidade com a garrafa.

Para queimar etapas, ao visitá-lo, aleguei que o meu passado cultural humanístico e filosófico, bastante superior ao do estudante médio, talvez me habilitasse a ingressar como um estudante maduro, um *sophomore*, ao invés de me misturar com a ignara tribo dos *freshmen*.

---

[6] Extremamente silente e meditabundo, vivendo como um pacato burguês em Washington, Josias nada revelava de seu passado guerrilheiro. Acusado de conspiração contra o regime bernardista, foi aprisionado em dezembro de 1924 na Casa da Detenção no Rio de Janeiro, juntamente com Osvaldo Cordeiro de Farias e Carlos da Costa Leite. Dali escapou em abril de 1925, com nove outros companheiros, através de um túnel subterrâneo. Dirigiu-se depois a Recife, visando a estabelecer contato dos conspiradores pernambucanos com a Coluna Prestes, que se achava então no Piauí. O objetivo era preparar um possível assalto da Coluna a Recife. Em 1929 visitaria Moscou, numa busca infrutífera de auxílio do Komintern para a Coluna Prestes. Curiosamente, no ano seguinte, seria expulso do PCB, como "traidor do proletariado" e simpatizante da Aliança Liberal. É que aceitara a oferta de João Alberto Lins e Barros, que fora nomeado por Vargas interventor em São Paulo, para a legalização da secção local do PCB, gesto considerado pelo Politburo como indicativo de tendências trotskistas. Somente depois dessa vida aventurosa, iniciaria Josias Leão sua carreira de burocrata convencional no Itamaraty.

— Qual a sua experiência acadêmica? — indagou-me ele.

— Filosófica e teológica — respondi-lhe.

— Trata-se — disse ele — de uma formação interessante, porém, totalmente inadequada para justificar um atalho na exigência de créditos de economia. E que é que a teologia tem a ver com a economia?

Respondi-lhe que os teólogos não deveriam ser subestimados. O bispo e príncipe Tayllerand costumava dizer que "quem aprende a enganar a Deus será facilmente proficiente na arte de enganar os homens". Acheson sorriu, mas não se comoveu. Disse-me que o comentário era interessante, mas que eu teria, de qualquer maneira, de fazer três cursos — introdução à economia, história econômica e comércio internacional. Se obtivesse grau "A" em todas essas matérias, poderia ser admitido como *sophomore*.

Com meu inglês esconso, bastante bom em termos literários, porém miserável em termos coloquiais, esforcei-me brutalmente para enfrentar o desafio. Fui assim aceito na Universidade e consegui manter, até que obtive, em 1947, o grau de *master of arts*, uma excelente performance acadêmica.

A Universidade George Washington tinha um razoável Departamento de Economia, no qual fiz logo dois amigos — John Donaldson, professor de comércio internacional e Arthur E. Burns, professor de história das idéias econômicas.[7]

A maior atração da Universidade eram os *visiting professors*. Estes eram fáceis de recrutar, pois, com o esforço de guerra, haviam sido convocados para prestar serviços nas agências burocráticas de Washington vários profissionais eminentes.

Assisti a cursos de todos eles e depois, por intermédio de Eugênio Gudin, tornei-me amigo pessoal de dois deles: Gottfried Haberler e Fritz Machlup. Eram todos perseguidos do nazismo e pertenciam àquilo que os alunos, com afetuosa ironia, descreviam como a *máfia austríaca*. Anos depois, quando no pós-guerra, a Áustria revelou excelente desempenho econômico, logrando conciliar baixo nível de inflação e desemprego, enquanto que outros países europeus lutavam contra a *estagflação*, tornou-se corrente a piada de que "a explicação do sucesso econômico da Áustria estava em ter conseguido exportar todos os seus economistas eminentes".

Um dos meus ídolos intelectuais da época era Joseph Alois Schumpeter, que lecionava em Harvard. Como minha tese de mestrado na George Washington se intitulava 'Algumas inferências sobre a propagação internacional dos ciclos econômicos', correspondi-me com Schumpeter, cujo *opus magnum — Business*

---

[7] Não deve ser confundido com outro Arthur R. Burns, especialista em conjuntura econômica (Business cycles), que foi também meu professor na Universidade de Colúmbia e que depois alcançou relevantes posições na vida pública como governador do Federal Reserve Board e embaixador americano em Bonn.

cycles, me servira de inspiração. Escrevi-lhe uma carta, dizendo que, se conseguisse minha transferência diplomática para Boston, pretendia concluir a tese sob sua tutela. Enviei-lhe, a Harvard, sem esperar resposta de um homem tão famoso, o esboço da tese e um relato das idéias diretoras. Para minha surpresa, Schumpeter respondeu-me com palavras de encorajamento, chegando mesmo a dizer que o montante de pesquisas que eu já havia feito era suficiente para uma tese doutoral, ao invés de uma simples tese de mestrado.

O anedotário sobre Schumpeter era abundante. Conta-se que começava suas aulas inaugurais dizendo: — Minha ambição de jovem sempre foi ser um grande cavaleiro, um grande amante e um grande economista. Não consegui ser um grande cavaleiro.

Alguns de seus outros aforismos eram imortais.

— O melhor meio — dizia ele — de arruinar um ponto de vista é transformá-lo numa questão de princípio.

Ou então: — Não há maior tragédia do que morrer de disenteria num navio que naufraga.

Entretanto, as lições dos visitantes austríacos na George Washington eram apenas um interlúdio de idéias liberais. O que estava em voga era o keynesianismo. E o Keynes que alcançara popularidade era o da *The general theory of employment, interest and money* e não o do *Treatise on money*, sob vários aspectos seu livro mais importante. O dirigismo estatal, irresistível numa economia de guerra, era a tendência dominante.

Mal sabia eu que um outro austríaco, então lecionando na London School of Economics, Friedrich A. Hayek, tinha em gestação um livro seminal — *The road to serfdom* — que, décadas depois, marcaria a resurreição do liberalismo econômico. Esse manifesto liberal e anti-intervencionista de Hayek data de 1944. Era um momento paradoxal, pois que a economia de guerra exacerbava o intervencionismo econômico. O keynesianismo era o fascínio intelectual não só de acadêmicos como de administradores.[8]

---

[8] É pouco sabido, fora dos círculos especializados, que Hayek foi, ao mesmo tempo, amigo e duro crítico de Keynes. Nos anos 30 e 31, atacou o *Tratado sobre a moeda* deste último (ainda não a obra de imenso sucesso, que seria a grande síntese keynesiana, a *Teoria geral*, que somente apareceria em 1936). Keynes revidou um tanto irritado, mas logo os dois se compuseram, colaborando num plano monetário que, em 1934, Keynes apresentaria ao recém-eleito presidente Roosevelt (de quem ironicamente diria ser surpreendente quanta coisa o presidente dos Estados Unidos ignorava). A influência de Hayek, sobretudo com seu livro *Preços e produção* no pensamento keynesiano desde então, e em particular na *Teoria geral*, foi considerável, embora as concepções haeykianas continuassem bastante diferentes das dessa obra de Keynes, de forma irredutível, em muitos pontos.

Voltemos entretanto à burocracia de Washington. Nos tempos da II Guerra Mundial, Washington era o centro nervoso do mundo. Ali, à busca de financiamentos ou equipamentos norteamericanos se acotovelavam generais, almirantes, diplomatas e ministros. Havia um ar de excitação cosmopolita. Era o tempo em que Roosevelt exercia seu fascínio sobre a população, através das *conversas ao pé do rádio*.

O desagradável da minha tarefa era ter que peregrinar pelas diversas agências governamentais à busca de prioridades e licenças. A burocracia de Washington era nada menos que intimidante. Multiplicavam-se as agências e eram vertiginosamente freqüentes as reorganizações administrativas, em função das exigências da mobilização bélica e de conflitos interdepartamentais. As prioridades de produção eram controladas pelo "War Production Board" (que havia sucedido ao "Office of Production Management"). As cotas de exportação e importação, pelo "Board of Economic Warfare", criado na primavera de 1942 e depois substituído, em julho de 1943, pelo "Office of Economic Welfare" e, finalmente, pela "Foreign Economic Administration", em setembro do mesmo ano. Esta agência concentrou enormes poderes de coordenação, pois, além de atividades comerciais, passou a controlar as atividades do programa *Lend Lease* e da UNRRA, abiscoitando também algumas responsabilidades de política econômica externa, anteriormente atribuídas ao Departamento de Estado. A alocação de praça marítima cabia ao "Anglo-American Navy Board".

Atribuía-se a Harry Truman, que Roosevelt escolhera para vice-presidente na eleição de 1944, uma boa definição da burocracia washingtoniana: *Spread the bull, pass the buck and make seven copies*. Ou seja: Espalhe o boato, passe adiante o balde e faça sete cópias.

— O senhor não ouviu dizer que há uma guerra em curso no Pacífico?

Esta era uma pergunta costumeira, quando eu solicitava quotas de chapas de aço, cabos e equipamentos em geral. Tudo estava racionado em função das prioridades de guerra. Tinha que por à prova, continuamente, minha capacidade de persuasão, recorrendo a argumentos eruditos sobre a imperiosidade de se manter adequado fluxo de suprimentos para o Brasil, que os reciprocava mediante a exportação de alguns produtos então considerados estratégicos — manganês, quartzo, ferro.

Lembro-me de um incidente pitoresco. A embaixada recebeu instruções para pleitear, em caráter prioritário, licenças para a produção e exportação de cabos de aço para a mina de ouro da St. John del Rey Mining Co., em Nova Lima. Dificilmente a produção de ouro poderia ser considerada uma necessidade vital. Desenvolvi, num memorando para o Departamento de Estado, uma complexa argumentação. À falta de cabos de aço, paralisar-se-ia a mina, criando-se sério problema social numa região de onde se exportavam manganês, ferro e quartzo, todos relevantes para o esforço de guerra.

O pedido foi negado. Quando recebemos a resposta negativa, Hugo Gouthier, então primeiro secretário, pegou o pião na unha, após angustiosos telegramas de Benedito Valadares, interventor em Minas Gerais. Sugeriu-me que pedisse uma nova reunião do Comitê Interdepartamental no Departamento de Estado. Para minha surpresa, desenvolveu, num inglês hesitante (o Gouthier conseguia ser um esplêndido comunicador maltratando diversos idiomas), um discurso terrorista. A indisponibilidade dos cabos de aço criaria insegurança nas minas, e se fechadas, o desemprego geraria comoções sociais. E brandia, sem mostrá-lo, um telegrama em português no qual Valadares dizia recear um motim político.

— Os senhores — fulminou Gouthier para os assustados burocratas — não quereriam certamente ser responsabilizados por uma rebelião num centro supridor de minérios para o esforço de guerra.

Os burocratas se entreolharam assustados. A licença foi pouco depois concedida.

— Essa é a diferença — disse-me depois Gouthier — entre um técnico e um político. Você dá explicações. Eu ameaço complicações. É isso que funciona.

ECONOMISTA SOB PROTESTO

O destino se compraz em pregar peças, favoráveis ou desfavoráveis, aos pobres mortais. Fora sob protesto que eu me vira consignado, no início de minha carreira no Itamaraty, à Divisão de *secos e molhados*. Foi também sob protesto íntimo que me decidi a passar das letras clássicas ao estudo da economia, em Washington e Nova York, estudando à noite após longa faina burocrática.

Mas o que era um castigo, se transformou em uma bonança. Durante bastante tempo fui *monopolista*, por ser o único diplomata brasileiro formalmente graduado em economia. Fui mesmo o iniciador de uma escola, que depois veio a incluir membros ilustres, como Miguel Osório de Almeida, João Batista Pinheiro, Otávio Dias Carneiro e Oscar Lorenzo Fernandes.

Era um aceno favorável do destino, de vez que precisamente após minha chegada a Washington, a diplomacia econômica, relativamente desprivilegiada em relação à estratégia militar ou à diplomacia política, começara a adquirir relevância. É que com a perspectiva da vitória aliada, colocava-se o problema do desenho de uma nova arquitetura econômica internacional. Por assim dizer, estive *presente à criação*, para usar uma expressão de Dean Acheson, o grande secretário de Estado do presidente Truman, em seu livro de memórias.[9]

Curiosamente, Acheson, advogado eminente, tinha experimentado, no Departamento de Estado, ao ser designado para o setor econômico, a mesma frustração que eu, como modesto principiante, experimentara.

Acheson servira em 1933, no começo do governo Roosevelt, em posição de relevo como subsecretário do Tesouro. Ali permaneceu, entretanto, pouco tempo. Teve, como dizia ele, a rara distinção de ser demitido pessoalmente por Roosevelt, pela discordância que manifestou em relação à atitude negativa, senão mesmo sabotadora, dos Estados Unidos, na Conferência Monetária de Londres, em 1933, cujo fracasso foi sem dúvida um fator relevante no prolongamento da depressão mundial.[10] (Acheson ousara considerar inconstitucional a decisão de Roosevelt de

---

[9] Dean Acheson, *Present at the creation*, W. W. Norton Company, New York, 1969.

[10] Nessa ocasião, Keynes, solitário entre os economistas, aplaudiu a decisão de Roosevelt de sabotar a International Monetary and Economic Conference de 1933, chamando-a de *magnificamente correta*. Um dos objetivos da conferência era articular o retorno dos principais países ao *padrão ouro*, que Keynes, favorável à moeda administrada, descrevia como *relíquia bárbara*. Apud William Manchester, *The glory and the dream*, Bantam Books, New York, 1974, pg. 124.

rebaixar o conteúdo ouro do dólar). Foi também decisão pessoal de Roosevelt reconvocá-lo quando se turvou a situação internacional com o início da II Guerra Mundial na Europa. Desta vez, o convite a Acheson foi para servir no Departamento de Estado, como secretário de Estado Assistente. Mas, frustrantemente para o grande causídico, coube-lhe o setor econômico, que era então considerado menos expressivo. Era uma atividade, como diz Acheson, "debaixo da escada", algo semelhante aos *secos e molhados* do Itamaraty.

A personalidade carismática de Roosevelt não abafava acirradas lutas pelo poder entre fortes personalidades como Henry Wallace, o vice-presidente, Cordell Hull, secretário de Estado, Henry Morgenthau, do Tesouro e Jesse Jones, do Departamento do Comércio.

Roosevelt transmitia uma falsa percepção de agir mais como um árbitro do que como um comandante. Diziam mesmo os jornais que o seu principal defeito era a propensão à procrastinação. Mas como o fez notar o historiador Arthur Schlesinger, "sua postergação estava sempre baseada na premissa de avanço constante".

Eu sentia ainda os fluídos das lutas de bastidores. Ao longo de 1941, antes da entrada dos Estados Unidos na guerra, a grande disputa era entre Cordell Hull, secretário de Estado, de um lado, que hesitava em determinar um bloqueio geral dos bens do eixo (Alemanha e Itália); e, de outro, Morgenthau, o secretário do Tesouro, que mesmo antes do ingresso dos Estados Unidos na guerra (o que só viria a ocorrer após o ataque japonês a Pearl Harbour), desejava fortalecer a causa aliada pela imposição de bloqueios e controles a transações com a Alemanha e Itália. Somente em abril de 1941, quando a frente ocidental na Europa entrou em colapso, ficou vitorioso o ponto de vista do Tesouro.

Uma controvérsia internacional mantida em surdina, se relacionava ao acordo de *Lend Lease* com a Grã-Bretanha. Os termos do *Lend Lease* foram negociados por um comitê do qual participavam Harry D. White, do Tesouro, John McCloy, do Departamento da Guerra e Dean Acheson, do Departamento de Estado. Do lado inglês, os negociadores eram o embaixador de Churchill em Washington, Lord Halifax, e o grande John Maynard Keynes. Aparentemente, o ponto mais delicado, e que viria depois a criar dificuldades tanto na reunião da Organização Internacional de Comércio, em Havana, em 1947, como na criação do GATT, se centrava sobre a política comercial do pós-guerra. Cordell Hull, o secretário de Estado, havia construído boa parte de sua carreira na pregação do livre comércio multilateral. *Free and multilateral trade* era o seu lema. Desejava aproveitar a oportunidade do acordo *Lend Lease* para compromissar a Grã-Bretanha com uma política comercial não-discriminatória no pós-guerra. Isso implicaria, indiretamente, o desmantelamento do sistema de preferências imperiais, criadas na

Conferência de Ottawa, em 1922. Contra isso se insurgiu Lord Keynes, que preferia postergar compromissos da espécie, até que se clarificassem mais tarde os delineamentos de uma *nova ordem internacional*. É que na Inglaterra — dizia Keynes — a opinião pública sobre o comércio do após-guerra estava dividida entre os partidários do livre-comércio, os partidários de uma economia administrada e um grupo que favorecia preferências imperiais.

A intransigência de Churchill, apesar de sua extrema vulnerabilidade, pois o acordo de *Lend Lease* era indispensável para a sobrevivência inglesa, fez com que, para grande frustração de Cordell Hull, o texto ficasse sujeito a um certo grau de *confusão construtiva*. Na Conferência de Comércio em Havana, em 1947, não só os *arranjos especiais* da Grã-Bretanha com seus domínios foram preservados como ampliados, pelo reconhecimento de direitos semelhantes às outras colônias aliadas.

Há bens que vêm para mal, invertendo-se os termos do brocardo. A manutenção das preferências imperiais, se politicamente útil para a Grã-Bretanha, viria a longo prazo, desfibrar-lhe a agressividade comercial, face aos *trading states*, como a Alemanha e Japão, que, sem mercados privilegiados, se viram obrigados a apurar sua competitividade internacional.

AS CONTROVÉRSIAS
DE WASHINGTON

O panorama intelectual de Washington, sob o ponto de vista econômico, era fascinante. A nação acabara de sair de uma inesperada recaída recessiva em 1937/38, para se aproximar gradualmente do pleno emprego, sob o impacto dos investimentos bélicos. Numa conferência de imprensa, em dezembro de 1943, Roosevelt proclamou que o *old dr. New Deal* havia sido substituído pelo *dr. Win-the-War*.

Havia ainda resquícios da grande controvérsia deflagrada pela última recessão. Era a controvérsia entre os *gastadores*, os *fiscalistas* e os *estruturalistas*. Assistia-se, bizarramente, a uma inversão de papéis. Era o contraponto entre o governador do Federal Reserve Board, Mariner Eccles, de um lado e, de outro, o secretário do Tesouro, Henry Morgenthau. O primeiro, destoando do habitual restricionismo dos Bancos Centrais, advogava expansão monetária por via de obras públicas, assistência social e déficits fiscais para combate à recessão. O grande fiscalista era o secretário do Tesouro, Henry Morgenthau, que se aferrava à tese do equilíbrio orçamentário.

O terceiro grupo era o dos estruturalistas, dividido por sua vez em dois sub-grupos. Um, liderado por Rexford Tugwell, influente político e depois governador de Porto Rico, advogava planejamento econômico e controles. O outro, representado por Gardner C. Means e Adolph Berle, acentuava os problemas da concentração do poder econômico e preços administrados, advogando uma radical reforma estrutural que envolvesse, além do planejamento econômico, uma vigorosa ação anti-truste, a fim de se alcançar a "economia da abundância".

Ao contrário do que se pensa, o programa do *New Deal* rooseveltiano não foi inicialmente influenciado pelo keynesianismo. Roosevelt tinha um conservadorismo inato, que o fazia recear desequilíbrios orçamentários. Keynes escrevera a teoria geral em 1936 e, até 1938, não havia substancialmente influenciado a política de Washington, conquanto sua moldura analítica parecia explicar adequadamente as lições dos dois primeiros mandatos de Roosevelt, pela seqüência seguinte: orçamentos desequilibrados e alguma recuperação econômica; política fiscal restritiva e recessão aguda; e, finalmente, retomada do dispêndio público (a partir de 1938) e uma ressurgência econômica.

Gradualmente, as três premissas básicas do keynesianismo — a possibilidade do equilíbrio no subemprego, a inoperância da lei de Say, e o gasto governamental para estimular a demanda agregada — contaminaram não apenas os meios intelectuais mas a política fiscal. Mas Roosevelt pessoalmente só pode ser considerado um keynesiano relutante que, no máximo admitiria o *pump priming*, ou sejam, medidas de emergência para ativar a economia. Nessa categoria se incluíam as medidas emergenciais de criação de empregos, implantadas entre 1933 e 1936. Mas era basicamente contrário à adoção do financiamento deficitário como uma receita regular de ativação econômica. A diferença entre as duas posturas é que no *pump priming* bastaria um empuxo governamental para a ativação do setor privado, enquanto que a tese do *deficit financing* convalida a ação permanente do governo para manter o pleno emprego.

O grande divulgador das idéias de Keynes, não só no plano intelectual mas no plano da política prática, foi Alvin Hansen que, de professor da Universidade de Minnesota passara à Universidade de Harvard em 1937. A contribuição teórica de Hansen tinha sido a tese da *estagnação secular*. A economia americana teria atravessado no último quarto de século um divisor de águas. A grande fase de crescimento e expansão do século XIX dera lugar a uma nova era em que a taxa acelerada de crescimento da população, a expansão territorial, a descoberta de recursos novos e o impacto das mutações tecnológicas, que anteriormente haviam excitado ondas sucessivas de investimento, haviam deixado de atuar. A economia se tinha tornado *madura*.

Subseqüentemente, Hansen absorveria as idéias de Keynes sobre o uso da política fiscal para a ativação da economia, e passou a defender a adoção de uma política compensatória fiscal.permanente: elevação dos gastos em assistência social e obras públicas, assim como tributação progressiva da renda como instrumento de recuperação e reforma.

Um dos livros mais influentes quando cheguei a Washington se intitulava *An economic program for the American democracy*, publicado em 1938, por vários economistas de Harvard e Tufts, refletindo os ensinamentos dos seminários de Hansen sobre a política fiscal.

Os dois fatores que levaram a uma majestática prodominância do keynesianismo no início da guerra foram, portanto, o impacto da recessão inesperada de 1937/38 e a interpretação de Hansen, que viu no intervencionismo fiscal keynesiano um remédio para a tendência estagnacionista das economias maduras.

A estagnação secular e a maturidade econômica, dizia Hansen reconsiderando suas teses pessimistas, não condenariam a economia americana à estagnação, desde que o funcionamento automático do investimento privado fosse complementado com políticas destinadas a assegurar o pleno uso dos recursos produtivos do

Estado. Caberia ao governo então esforçar-se por atingir uma economia de alto consumo e pleno emprego.[11]

Quanto ao problema tecnológico, Hansen reconhecia que a II Guerra Mundial estava provando que as guerras eram um tremendo estímulo ao progresso tecnológico.

O folheto de Hansen, publicado em janeiro de 1942, intitulado 'After the war — full employment', representou o ápice da absorção do pensamento keynesiano pelos "liberais" americanos. Nesse relatório, Hansen recomenda planejamento, tributação redistributiva e dispêndio público compensatório, assim como cooperação entre o governo e a empresa privada, numa economia mista, para *vitalizar* e revigorar a iniciativa privada. Era o sistema que o National Planning Resources Board, *think tank* dos keynesianos e intervencionistas de vários matizes, descrevia como "sistema modificado da livre empresa".

Sobrava confiança nos liberais keynesianos quanto à capacidade governamental de administrar o pleno emprego através de sintonia fina. Os desapontamentos só viriam no após-guerra, quando as políticas keynesianas, casualmente eficazes no combate à recessão, trouxeram prolongados períodos de pressão inflacionária. Somente nos anos 70, o keynesianismo, como doutrina, seria temporariamente desbancado pelo monetarismo, que se baseia precisamente na visão oposta, segundo a qual é escassa a capacidade governamental de administrar a economia por sintonia fina, em vista das "expectativas racionais" do mercado (que se antecipam às decisões econômicas do governo), e da insuficiente informação que este possui sobre a micro-economia.

As doutrinas keynesianas tornar-se-iam uma peça substancial da agenda democrática muito além da presidência de Roosevelt. Tiveram sua consagração oficial no "Employment Act" de 1946, que atribui ao governo federal a responsabilidade de "providenciar o nível de gastos e investimentos federais necessários para atingir sustentadamente o pleno emprego". Apareceriam depois sob variadas formas: no programa de Truman do "centro vital para expansão do pleno emprego", no programa de Kennedy da *Nova Fronteira* e no de Johnson da *Grande Sociedade*.

---

[11] Hansen trouxe uma contribuição importante à teoria keynesiana de inflação da procura, ao desdobrar o "hiato inflacionário" (excesso de procura) em "hiato de fatores", ligado ao mercado de fatores e, particularmente, à mão de obra, e "hiato de bens". A deflagração da inflação, pressupõe excesso de demanda em ambos os mercados. Ver Maria Silva Bastos Marques, *Inflação e política econômica após o primeiro choque do petróleo*, FGV, Rio de Janeiro, 1991, pg. 14.

ESTRÉIA, NA
DIPLOMACIA ECONÔMICA

A diplomacia econômica de Roosevelt foi sumamente ativista. Isso indiretamente me beneficiou sobremaneira. Sucederam-se várias conferências econômicas. A primeira delas, à qual não compareci, visou à criação da FAO — Organização de Alimentação e Agricultura — e realizou-se em Hot Springs, em 15 de maio de 1943. Fui designado, entretanto, para participar da segunda conferência, relativa à criação da UNRRA (United Nations Relief and Rehabilitation Agency), que se realizou em 10 de novembro de 1943 no Claridge Hotel, em Atlantic City. A ata de criação da UNRRA foi assinada no mesmo mês, em Washington.

O objetivo da conferência era preparar os estatutos da UNRRA, que seria a grande organização encarregada de socorro e reabilitação dos países devastados pela guerra. A ela compareceu uma galáxia de personalidades. O delegado francês era Jean Monnet, um dos inspiradores e fundadores do que viria mais tarde tornar-se a Comunidade Econômica Européia. Outro era Paul Henri Spaak, primeiro ministro da Bélgica e um dos elementos importantes na fase formativa das Nações Unidas, tendo sido presidente da Primeira Assembléia Geral. O delegado russo era Maxim Livitnov, que tinha como sub-delegado Andrei Gromyko, que viria depois a ser chanceler durante os governos de Kruschev e Brejnev.

A *pièce de resistance* do conclave era uma proposta de Lord Keynes, apoiada por Dean Acheson, por Harry White (que depois foi delegado dos Estados Unidos à Conferência de Bretton Woods) e pelo governador Herbert Lehman, de Nova York. A proposta era que 1% da renda nacional de todos os países não invadidos fosse destinada a operações de socorro e reabilitação das regiões devastadas pela guerra. Lembro-me que um dos mais loquazes e entusiastas apoiadores da proposta era o delegado cubano, Lopez Castro, conquanto não se soubesse bem o que Cuba poderia contribuir senão com um pouco de açúcar. Tornei-me amigo de um jovem e brilhante economista hindu, Vijaendra K. K. Rao, mas quase rompemos relações quando eu ousei insinuar que a tensão entre hindus e muçulmanos resultaria, se consumada a independência, em violentos conflitos tribais e religiosos.

— Idéia absurda e imoral — esbravejara Rao.

Anos depois da sangrenta partição, de 1946, que custou dois milhões de vidas, soube que Rao se tornara ministro da Educação, numa das rodadas ministeriais do governo de Indira Gandhi. Espero que se tenha lembrado de que sua capacidade profética era vastamente inferior à minha...

Nas discussões informais que antecederam à conferência, a tese dominante era a de que a direção seria colegiada. Haveria um comitê executivo de quatro membros, composto de Litvinov, Acheson, Lord Halifax e Wei Tao-Ming, da China. Os russos requeriam que a essa tetrarquia, ironicamente chamada de *grupo dos quatro sábios*, coubesse um direito de veto. O delegado inglês, Halifax, propôs a inclusão de mais três membros — Canadá, Brasil e um país europeu a ser escolhido. Reconheceu-se no final a inviabilidade de direção colegiada. Herbert Lehman, ex-governador de Nova York, acabou sendo eleito para primeiro diretor-geral da UNRRA. Ao Comitê Central só caberia dar orientação de emergência no intervalo entre as reuniões do Conselho plenário da Organização.

Acompanhei a Atlantic City o delegado brasileiro à conferência da UNRRA, que era o embaixador Sebastião Sampaio, então servindo no México. Era uma figura pitoresca. Rosado e rechonchudo, com escasso domínio de inglês, porém incrivelmente loquaz, causava-me sérios embaraços, não só porque sua pronúncia inglêsa era acintosa, como porque ao Brasil, que se apresentava apenas como doador eventual de café, não caberia exercer papel saliente na conferência. A palavra deveria ficar com os principais doadores.

Terminada a conferência, conduzi o embaixador Sampaio a Washington num Ford de segunda mão, o primeiro carro que havia jamais possuído, cuja aquisição fora compatível com meu magro salário de secretário de embaixada. O embaixador tinha reserva no Shoreham Hotel, que então transbordava de altas personalidades que ali vinham na tarefa de coordenação do esforço de guerra ou para pleitear favores e suprimentos do governo de Washington.

Ocorreu então um episódio interessante. Quando tentei estacionar o carro no *drive way* para permitir o desembarque da bagagem do embaixador, o porteiro imediatamente vetou o gesto.

— Não se pode parar aqui.

Fiz menção de prosseguir para o lugar de estacionamento, quando o embaixador me deteve.

— Isso é um insulto — disse — e voltando-se para o porteiro: — O senhor sabe com quem está falando? O senhor está falando com o embaixador do Brasil.

— Não me interessa — respondeu o porteiro. Embaixadores há saindo pelo ladrão neste hotel. Eles são baratos, dou-lhe uma duzia por um centavo, se quiser.

O embaixador ficou apoplético ante o insulto e eu suavemente deslizei na direção do lugar do estacionamento. O porteiro tinha absoluta razão. O hotel simplesmente regurgitava de almirantes, embaixadores, ministros de estado e primeiros ministros. O velho truque brasileiro do "sabe com quem está falando?" não era exportável.

Anos mais tarde, quando eu próprio já era embaixador em Londres, minha secretária teve resposta ainda mais bizarra. Eu tinha que fazer uma conferência em Estocolmo no fim da tarde, para cerca de 200 industriais e banqueiros. Inesperadamente a Scandinavian Airlines, em greve, cancelou todos os vôos e minha única alternativa era voar pela KLM para Amsterdam e de lá para Estocolmo. Os vôos estavam lotados. No aeroporto de Heathrow, minha secretária explicava afobadamente à balconista de bilhetes que ela tinha que *dar um jeito* pois o embaixador do Brasil era um VIP, que tinha de embarcar para uma conferência importante.

— *I do not care* — respondeu a bilheteira. *There are lots of VIP's around. Is he an IIPI?*

Sentindo-me degradado em minha categoria de VIP, intervi na conversa para perguntar timidamente: — *But, what in hell is an IIPI?*

— *An incredibly important person indeed* — respondeu a moça. Consegui o bilhete.

A CONFERÊNCIA DE
BRETTON WOODS

De longe, a mais interessante das conferências dessa época foi a de Bretton Woods. Num bucólico hotel desse vilarejo, nas montanhas de New Hampshire, a conferência se reuniu por três semanas, de 1 a 22 de julho de 1944. Dela participaram 44 países. Seu objetivo era montar a arquitetura de cooperação econômica e financeira do pós-guerra.

Para um terceiro-secretário de embaixada, o estímulo intelectual e a convivência prestigiosa com alguns dos luminares da finança internacional não podia ser mais atraente. A delegação brasileira era presidida pelo ministro da Fazenda de Getúlio Vargas, Arthur de Souza Costa, um homem de escassas letras econômicas mas de extraordinário bom senso prático. Mas a estrela da delegação era, sem dúvida, o professor Eugênio Gudin, de quem me tornei amigo por longos anos. Os outros delegados eram Francisco Alves dos Santos Filho, diretor de câmbio do Banco do Brasil; Valentim Bouças, do Conselho de Economia e Finanças; Victor Azevedo Bastian, diretor do Banco da Província do Rio Grande do Sul e o grande Octávio Gouvêa de Bulhões, então chefe da Divisão de Estudos Econômicos e Financeiros do ministério da Fazenda. Gudin e Bulhões eram ambos autodidatas em economia, mas aliavam a uma boa informação teórica um enorme bom senso prático. Gudin, mais frenético, e Bulhões impassivelmente calmo, formavam uma dupla que ressumava dignidade e competência.

As duas delegações mais numerosas eram a dos Estados Unidos e, bizarramente, a chinesa, então sob as ordens de Chiang-kai-chek. A mais brilhante era, sem dúvida, a da Inglaterra, cujo *chairman* era nada mais nada menos que Lord Keynes, que havia formulado um dos planos básicos em discussão: o plano do "Bancor". Além de Keynes figuravam na delegação dois economistas eminentes, Denis Robertson e Lionel Robbins. A piada corrente era que Keynes era demasiado inteligente para ser coerente; Denis Robertson demasiado coerente para ser inteligente; e Lionel Robbins nem inteligente nem coerente. Isso era certamente uma grande injustiça, pois Robbins se revelaria depois um dos maiores economistas ingleses, patrono de várias gerações na London School of Economics. Quando embaixador em Londres, nos anos setenta, eu o recebia freqüentemente na embaixada, já então par do Reino, elevado à Câmara dos Lords, onde veiculava idéias liberais com grande elegância de estilo.

A delegação norte-americana era presidida pelo secretário do Tesouro, Henry Morgenthau, anfitrião do evento. A figura jurídico-política proeminente era, sem dúvida, Dean Acheson, então secretário assistente de Estado e mais tarde secretário de Estado na administração Truman. A Acheson se deve, em boa parte, a flexibilidade dos estatutos do Banco Mundial.

Do lado econômico, os dois principais peritos eram Herry Dexter White, autor do plano alternativo ao "Bancor" de Keynes, que acabou finalmente aprovado, e Edward M. Bernstein, do Departamento do Tesouro, que exercia a função de secretário-executivo da delegação americana. White viria depois a ser colhido pela histeria anticomunista do senador McCarthy, no fim dos anos cinqüenta. Morreu amargurado pela acusação de simpatizante do comunismo, coisa implausível. Seria suprema ironia da história se o FMI tivesse sido fundado por um criptocomunista!... Bernstein, tornar-se-ia depois diretor de pesquisas do Fundo Monetário, cargo em que visitou o Brasil várias vezes, tendo particular relevância sua contribuição às discussões sobre a liberação da taxa de câmbio, no início do governo Kubitschek.

Além de Alvin Hansen, o patrono do keynesianismo, então governador do Federal Reserve System, figurava na delegação um economista que foi depois meu professor na Columbia University — James W. Angell — um dos grandes peritos em comércio internacional.

Um dos observadores, designado pelo Departamento Econômico Financeiro da Liga das Nações, era Ragnar Nurkse, um economista sueco, que também foi, depois, meu professor na Columbia University. Tornou-se um grande amigo, tendo visitado o Brasil a convite do professor Gudin. Arthur Smithies, do Bureau of Budget, e Raymond Mikesell, do Tesouro americano, figuravam no secretariado da Conferência. Assisti depois a alguns cursos de Smithies, na George Washington University.

A delegação francesa era presidida por Mendès-France, que mais tarde se tornaria primeiro-ministro, e que vim a conhecer bem, pois em vários anos presidiu a delegação francesa ao Conselho Econômico e Social das Nações Unidas, em Genebra.

Na delegação soviética, presidida por M. S. Stepanov, a figura mais interessante era a de um economista armênio A. A. Arutiunian, com quem me reencontraria anos mais tarde, pois se tornou delegado soviético no Conselho Econômico e Social da ONU. Perguntei-lhe, uma vez, por que os soviéticos, avessos a negócios capitalistas, se interessavam tanto pela Conferência. Respondeu-me ele que "dinheiro não tem cor ideológica".

A União Soviética, entretanto, jamais ratificou os acordos de Bretton Woods. Somente em julho de 1991, quase meio século depois, Gorbatchev pleitearia ingresso no FMI, em reunião do Grupo dos Sete — G 7 — em Londres, num reconhecimento da falência do modelo marxista. Acordou-se nessa reunião que lhe fosse dado *status* de "membro especial", que não chegou a se concretizar, pois sobreviria a dissolução da União Soviética em dezembro de 1991. Várias repúblicas da antiga União Soviética, como os países bálticos, a Rússia, a Ucrânia e a Bielorrússia postularam, depois, ingresso no FMI, num esforço de reintegração na economia de mercado.

Na delegação peruana figurava uma interessante personalidade, que veio depois a ser primeiro-ministro, Pedro Beltrán. O chefe da delegação colombiana — Carlos Lleras Restrepo — era então ministro da Fazenda e viria a exercer mais tarde a presidência de seu país.

Da Delegação Mexicana, vim a conhecer bem Rodrigo Gomez, que depois seria por 14 anos presidente do Banco do México e o economista Victor Urquidi, que por muito tempo presidiu o Colégio do México.

A Conferência de Bretton Woods fora precedida de uma reunião preparatória em Savannah, na Geórgia, à qual tinha comparecido Octávio Bulhões. Ali se decidiu a grande batalha entre os dois conceitos conflitantes — o Plano Keynes, inglês, e o Plano White, norte-americano.

O Plano Keynes refletia os interesses da Grã-Bretanha, que não mais conseguia manter a conversibilidade da libra esterlina e que previa tornar-se por longo tempo deficitária em matéria de balanço de pagamentos. O Plano White refletia mais de perto os interesses dos Estados Unidos; implicou, na realidade, a criação de um dólar *exchange standard*, um poucos mais flexível que o padrão-ouro do pré-guerra.

A batalha entre os Planos Keynes e White fora iniciada ainda durante as discussões do Acordo de Lend Lease, sendo Lord Keynes e Harry White os principais interlocutores. Mas o debate bilateral sobre o assunto só se internacionalizou na reunião da Comissão Preparatória de Peritos, que se realizou em Savannah, na Geórgia. O documento que emergiu da Comissão Preparatória se intitulava 'Joint statement of technical experts on the establishment of an International Monetary Fund' e foi o documento básico de trabalho em Bretton Woods.

Os Planos Keynes e White partiam de óticas diferentes e representavam diferentes constelações de interesses. A Inglaterra estava resignada, quando se reuniu à Conferência de Bretton Woods, a ser por longo tempo uma nação devedora. Suas reservas e investimentos haviam sido em grande parte liquidados no esforço de guerra. A preocupação central de Keynes era, portanto, a montagem de um mecanismo internacional capaz de assegurar liquidez ao sistema e evitar excessiva concentração de recursos nas mãos dos países credores, notadamente os Estados Unidos, que retinham posição absolutamente dominante, quer no comércio internacional quer nas reservas ouro. Keynes queria algo semelhante a um banco central internacional — a International Clearing Union — capaz de emitir uma nova moeda — Bancor — na qual seriam compulsoriamente convertidas as reservas de todos os países, depositadas no organismo central, e que poderia ser utilizada para uma redistribuição de liquidez. Do ponto de vista de Keynes, saldos contumazes de balanço de pagamentos eram tão perigosos como os déficits crônicos, havendo de se criar alguma compulsão para que os países credores — detentores de saldos em Bancor — abrissem mão de sua liquidez para empréstimos destinados a financiar as importações dos países deficitários.

Aos Estados Unidos, de outro lado, não interessava semelhante automatismo. Era um país vastamente credor e não se visualizava àquela ocasião outra coisa senão a persistência, por prazo indefinido, de um *dollar gap*, em vista da brecha de produtividade então existente entre os Estados Unidos e o resto do mundo, e do longo tempo que se imaginava fosse necessário para a reconstrução européia. Não queriam por isso os americanos abrir mão da posição dominante de sua moeda. Donde o conceito do Fundo Monetário Internacional como uma agência de poder muito mais limitado que um banco central, confinada sua função à correção de desequilíbrios temporários de balança de pagamentos.[12]

O sistema seria basicamente o do *dollar exchange standard* pois que o dólar manteria plena conversibilidade, definida uma paridade fixa em relação ao ouro, que só foi abandonada em 1971, quando, por dificuldades de balanço de pagamentos, os Estados Unidos foram obrigados a suspender a conversibilidade da moeda. Ao contrário do previsto no Plano Keynes, os países não converteriam sua moeda no "Bancor". Depositariam apenas ouro e moeda nacional no Fundo Monetário e teriam quotas definidas em função basicamente de seu poderio econômico. As quotas seriam sacáveis contra a entrega de moeda nacional, sendo que a primeira *tranche*, ou sejam, 25% da quota, correspondente à *tranche* ouro, seria sacável a qualquer momento independentemente da "condicionalidade".

A segunda *tranche*, também de 25%, exigiria a prestação de informações ao Fundo. A partir da terceira *tranche*, surgiam requisitos de efeito suspensivo, fican-

---

[12] A diferença da ótica entre os Planos White e Keynes era, basicamente, que no primeiro se atribuíam responsabilidades importantes pelo ajuste aos países devedores, enquanto que no segundo boa parte dessa responsabilidade caberia aos credores, que não deveriam acumular reservas que impusessem políticas deflacionárias ao resto do mundo. O viés de Keynes era a expansão interna; o de White, a estabilidade de preços.

do a aprovação dos saques dependente de acordo entre o país sacador e o Fundo, sobre programas de reequilíbrio do balanço de pagamentos.

Ao longo dos anos, houve várias flexibilizações nos estatutos do Fundo. Talvez a mais importante tenha sido a criação, em 1967, na reunião da Assembléia dos governadores do FMI e do BIRD, no Rio de Janeiro, dos "Direitos Especiais de Saque", ou seja, uma quota suplementar distribuída aos diferentes países. A pressão dos países subdesenvolvidos pela criação dos "Direitos Especiais de Saque" visava a criar recursos adicionais sujeitos a condicionalidade mais frouxa, a ser aplicados em operações de desenvolvimento econômico. A flexibilidade proviria de que, ao contrário dos programas de auxílio externo, que exigem votação legislativa, dos Congressos dos países doadores, os "Direitos Especiais de Saque" dispensavam essa formalidade, pois fariam parte das facilidades previstas nos próprios estatutos do Fundo. Entretanto, os países desenvolvidos, alegando possíveis pressões inflacionárias, nunca consentiram na ativação direta desse mecanismo para propósitos de desenvolvimento, que a seu ver contrariariam os objetivos do Fundo.[13] Nas operações de desenvolvimento deveria, em tese, especializar-se o Banco Mundial.

As discussões de Bretton Woods concentraram-se especialmente na discussão do modelo White. Na organização da Conferência, foram criadas duas grandes comissões temáticas e uma terceira, menos importante, sobre "Outros meios de cooperação financeira internacional", presidida pelo ministro da Fazenda do México, Eduardo Suarez. Para a primeira comissão temática, relativa ao sistema financeiro internacional, foi eleito o delegado americano Harry White. A segunda comissão temática, relativa à criação do Banco Internacional de Reconstrução e Desenvolvimento, ficou sob a presidência de Lord Keynes. Assim, os dois autores dos planos alternativos — o plano White e o Plano Keynes se tornaram as estrelas do show.

Debaixo dessas comissões operavam cinco comitês, cabendo ao ministro da Fazenda do Brasil, Arthur de Souza Costa, a presidência do Comitê 3 da Comissão Primeira, relativa ao Fundo Monetário, intitulada "Métodos e Organização". Na Comissão temática relativa ao Banco Mundial, ficou também, como presidente do Comitê 3, o delegado da Colômbia. Tratava-se de comitês de importância relativa, pois a presidência dos comitês mais fundamentais coube aos representantes de países de maior pujança cambial e densidade econômica. A ironia era que à América

---

[13]A facilidade intitulada "Direitos Especiais de Saque" entrou em operação em 28 de julho de 1969. A primeira alocação de SDR's, composta de uma cesta das principais moedas foi de 9,3 bilhões, escalonada em três anos (1970-72) e a segunda de 12 bilhões de SDR's, distribuída entre 1978-1981.

Latina, desorganizada, caberia a presidência dos Comitês sobre "Organização e Gerência".

Lord Keynes já famoso, sobretudo pelo seu livro clássico *A teoria geral do emprego, juros e moeda* , era, sem dúvida, a personalidade mais glamorosa do conclave. Na *Teoria geral*, Keynes racionalizara a intervenção governamental para manipular a demanda agregada com vistas a curar recessões e garantir o nível de emprego. Mas se tinha também notabilizado como profeta. Num texto polêmico 'The economic consequences of Mr. Churchill', publicado nos *Essays in persuasion*, Keynes predissera que o retorno da libra à paridade ouro, em nível excessivamente alto, decidida por Churchill em 1925, quando chanceler do Erário, tornaria a Inglaterra não competitiva e provocaria recessão. Já antes, no livro *The economic consequences of the peace*, protestara contra o Tratado de Versalhes, que impusera à Alemanha vencida encargos inviáveis e humilhantes reparações de guerra. Isso geraria frustração econômica e sede de vingança política, que arruinariam a estabilidade política da Europa. Hitler, deflagrando a guerra em 1939, provaria correto o vaticínio de Keynes, em 1925.[14]

Keynes era o único a quem fora permitido levar, ao isolado hotel de Bretton Woods, perdido nas montanhas de New Hampshire, sua esposa, a bailarina russa Lydia Lopokova. Todos os demais foram obrigados, durante as três semanas de duração da Conferência, a uma vida celibatária. A piada corrente é que se tratava de um diabólico truque do judeu Morgenthau, presidente da delegação americana e secretário do Tesouro, porque, após três semanas de fome sexual, os delegados enclausurados num hotel-monastério, assinariam qualquer documento para escapar da castidade. E a castidade era mesmo compulsória porque, com o racionamento de gasolina, a maior parte dos delegados teve de ir de trem a Bretton Woods, ficando assim privados de meios individuais de locomoção que os levassem a lugares mais alegres.

Como Lord Keynes tinha reputação de homossexual, é provavel que Lydia Lopokova não interferisse com o completo celibato da operação. Keynes a desposara em 1925, sob o protesto de amigos. Estes objetavam a seu consórcio com uma *chorus girl*, mas depois passaram a admirá-la. Lopokova tinha suas excentricidades. Relata Denis Healey em suas memórias que costumava de vez em quando,

---

[14] John Kenneth Galbraith nota, pitorescamente, que Hitler foi um predecessor pouco honorável do keynesianismo, utilizando maciçamente déficits orçamentários, a partir de 1933, para atenuar o desemprego, sendo a construção das Autobahns o exemplo mais famoso. Numa linha mais respeitável, Wicksell na Suécia, e Foster e Catchings nos Estados Unidos, foram keynesianos *avant la lettre*. John Kenneth Galbraith, *Economics in perspective*, Houghton Miffling Co, Boston, 1947, pgs. 222-227.

anos mais tarde, visitar a viúva de Keynes em sua casa de campo. Nunca porém no verão, pois se arriscava a ser recebido pela velhinha no jardim, nua em pêlo, cultivando suas rosas...

Keynes compareceu a poucas reuniões. Na realidade, sofrera um minienfarte, que passou despercebido da maioria dos delegados. Veio a morrer em 1946, não sem antes dizer que o único arrependimento que o assaltava era não ter bebido mais champagne... E se dizia feliz porque suas idéias haviam sido aceitas "até mesmo pelos economistas"...

Como modesto secretário de embaixada, só me cabia acompanhar com fascinação os debates. Somente uma vez apertei a mão de Keynes, pois Gudin e Bulhões visitaram-no em seu apartamento no hotel, e me pediram que os acompanhasse.

Relata Dean Acheson, que teve longo contato com Keynes, seja durante as negociações do *Lend Lease*, em 1941, seja durante as discussões preparatórias da Conferência de Bretton Woods, que o grande economista tinha uma particular idiossincrasia: detestava advogados e se declarava perplexo ante o hábito dos negociadores americanos de se fazer sempre acompanhar por uma bateria de rábulas. Esses eram descritos por Keynes como *men who turn poetry into prose and prose into jargon* (homens que transformam a poesia em prosa e a prosa em jargão).[15]

Conta-se que de certa feita, quando visitava Fred Vinson, diretor do Office of Economic Stabilization, no edifício do Tesouro Americano em Pensylvannia Street, em Washington, Keynes chegou para uma reunião sozinho, defrontando-se do outro lado da mesa com Fred Vinson cercado de uma bateria de advogados. Vinson hesitou em iniciar a reunião, imaginando que os acompanhantes de Keynes estivessem atrasados. Acabou, afinal, perguntando: — Onde estão seus advogados?

Keynes respondeu: — Não necessito deles.

— Mas então — acrescentou Fred Vinson — *who does the thinking for you?* (quem é que pensa pelo senhor?).

Uma das frustrações de Keynes era não ter conseguido, com sua proposta de uma nova moeda internacional, o "Bancor", suavizar a decadência da libra esterlina, deslocada pelo dólar, da posição de *moeda chave*.

Quase cinqüenta anos depois, o grande problema da Grã-Bretanha, em relação ao projeto da Europa unificada do Tratado de Maastricht, é sua relutância em abrir mão da moeda própria em favor da moeda européia única, no contexto da

---

[15] Keynes sabia ser irônico em relação à sua própria profissão. Conta-se que em 1932 teria dito que "nos próximos 25 anos os economistas se tornariam o mais importante grupo de cientistas do mundo". E acrescentou: "mas depois de esgotada a sua mágica, nunca mais seriam importantes". A profecia certamente não foi válida para a América Latina, onde os economistas só começaram a ser importantes a partir da década dos cinqüenta e não estão ainda totalmente desacreditados...

união monetária planejada para ser estabelecida em etapas, começando em 1994 e terminando com a adoção generalizada da "ECU", em 1999.

Como Souza Costa era patrioticamente abstêmio em relação a línguas estrangeiras, a atuação principal, em nome do Brasil, cabia a Gudin. Mestre Gudin impôs-se logo naquele cenário. Além de flexibilidade linguística — tratava-se de uma conferência dominada por economistas anglo-saxões, monoglotas impenitentes — desfrutava Gudin de excelente capacidade expositiva e invejável erudição em problemas cambiais e monetários. Sob sua instigação, a delegação brasileira apresentou uma proposta seminal, cuja não aceitação na época tornou desbalanceado o sistema monetário internacional, e explica parte do azedume que hoje cerca as confrontações entre países industrializados e produtores primários, no diálogo norte/sul.

A argumentação de Gudin se desfolhava assim. Primeiro, no período de entre guerra (depois de 1920), a errática flutuação dos preços dos produtos de base e sua disparidade em relação aos preços de manufaturas fora a causa mor dos desequilíbrios no cenário internacional.

Segundo, a melhoria das relações de troca, resultante da queda de preços dos produtos primários, representava vantagem ilusória para os países industrializados, pois o declínio do poder de compra dos países subdesenvolvidos induziria a redução de suas importações, e conseqüente desemprego nas indústrias exportadoras dos países industrializados.

Terceiro, o sistema financeiro a ser criado em Bretton Woods, ficaria desbalanceado se, paralelamente ao Banco Mundial, responsável por investimentos de longo prazo, e ao Fundo Monetário, responsável pela disciplina a curto prazo, não se criasse uma organização para minorar a instabilidade dos preços de produtos de base, condição essencial quer para o desenvolvimento, quer para a viabilidade cambial dos produtores primários.

Conseqüentemente à pregação de Gudin, a delegação brasileira apresentou proposta formal, por ele redigida em colaboração com o professor Octávio Gouvêa de Bulhões, assim concebida:

> "Resolve-se que, para a consecução eficaz dos objetivos perseguidos pelo Fundo Monetário Internacional e o Banco para Reconstrução e Desenvolvimento, seja convocada uma Conferência das Nações unidas e associadas, com a finalidade de promover a estabilidade dos preços de matérias-primas e produtos agrícolas e formular recomendações para se alcançar um crescimento mais equilibrado do comércio internacional."

A validade intelectual do argumento era reconhecida por Lord Keynes, de vez que o plano original do Tesouro Britânico previa também um esquema de controle de estoques de produtos de base. No texto inglês, esse esquema era descrito como "poderoso instrumento para combater os males dos ciclos econômicos", capaz mesmo (o estilo é quase gongórico) de "controlar o fluxo e refluxo das ondas de atividade econômica que, no passado, destruíram a segurança de vida e perturbaram a paz internacional".

Apesar da galáxia de talentos concentrada em Bretton Woods, sabe-se hoje com o benefício da visão retrospectiva, que houve um fundamental erro de diagnose. A preocupação dos economistas em Bretton Woods, liderados por Lord Keynes, era evitar a guerra de moedas, ou antes, a desvalorização competitiva das moedas, que havia ocorrido durante a grande depressão. Receava-se também que, desmontadas as máquinas bélicas, o grave problema que se colocaria era o da recessão.[16]

Entretanto, precisamente o contrário aconteceu. No pós-guerra, o problema foi o da sobrevalorização das moedas, pois os países necessitados de importações procuravam manter taxas sobrevalorizadas que as barateassem. Na realidade, a mania da sobrevalorização cambial, em parte como instrumento errôneo de combate à inflação, foi muito mais a regra do que a exceção no mundo do pós-guerra. Assumiu, aliás, características particularmente graves na América Latina, que viu sua participação no comércio mundial gradualmente reduzida, parte em função da inflação interna e parte em função da crônica sobrevalorização das taxas cambiais.

O flagelo do imediato pós-guerra não foi, outrossim, a esperada recessão e sim o empuxe inflacionário que ocorreu em vários países. Empuxe inflacionário em relação ao qual as técnicas keynesianas de administração da procura, voltadas mais para o combate aos ciclos recessivos, provou-se inadequada.

Também em relação ao Banco Mundial os prognósticos não foram os mais percucientes. A grande batalha em Bretton Woods se lavrara entre os países europeus e os subdesenvolvidos. Aqueles queriam que as atividades do Banco Mundial se concentrassem, com absoluta prioridade, no trabalho de reconstrução das zonas devastadas pela guerra, enquanto os últimos arguiam que eram devastados pela pobreza e que esta representa um tipo diferente de devastação não menos cruel que o da guerra. Lutavam assim por uma repartição mais equilibrada dos financiamentos do Banco.

Na realidade a solução do problema veio a se provar mais fácil do que parecia. De um lado, com o início da guerra fria, a União Soviética se recusou a participar quer das atividades do Banco, quer das atividades do Fundo, e exerceu influência inibitória sobre os demais países do bloco soviético. A reconstrução destes teve que

---

[16] A obsessão de Keynes em seu plano da "International Clearing Union", que previa juros negativos para os saldos credores, era substituir uma pressão recessionista por uma pressão expansionista no comércio mundial.

ser financiada principalmente com recursos locais, beneficiando-se a União Soviética do confisco de bens e propriedades industriais da Alemanha ocupada.[17]

De outro lado, o grande ônus do financiamento da reconstrução coube, não ao Banco Mundial, e sim aos Estados Unidos, através do Plano Marshall, anunciado pelo general Marshall como secretário de Estado, no famoso discurso em Harvard, em junho de 1947.

O Banco Mundial que, a partir de 1947, passou a ser chefiado por John McCloy, advogado conservador de Wall Street, teve inicialmente atuação apagada. Em parte, porque a escala de recursos exigida pela reconstrução européia superava de muito a capacidade do Banco de levantar recursos pela colocação de seus títulos no mercado financeiro de Nova York. Em parte, porque a preocupação do presidente McCloy e do diretor americano, Eugene Black, era a de estabelecer uma tradição de conservadorismo financeiro para que o Banco adquirisse credibilidade no juízo dos gnomos financeiros de Wall Street. Esse objetivo foi depois alcançado quando Eugene Black se tornou presidente, em 1949. Os *bonds* do Banco Mundial passaram a ter firme demanda por parte dos investidores institucionais. Mas tanto os países devastados pela guerra — estes depois auxiliados pelo Plano Marshall — quanto os países subdesenvolvidos, inclusive na América Latina, sofreram uma deflação de expectativas face à aparente falta de dinamismo do Banco Mundial, acusado de exagerar a função do capital privado no processo de desenvolvimento e de ignorar os objetivos "sociais", que presidiram à sua criação.

---

[17] A Tchecoslováquia chegou a manifestar interesse em participar do Plano Marshall, mas recebeu um veto de Stálin, após uma visita do primeiro-ministro Gottwald e do ministro do Exterior, Masaryk, a Moscou, em julho de 1947.

Capítulo 11

DE VOLTA
À ROTINA

Terminada a Conferência, minha mulher, Stella, veio juntar-se a mim em New Hampshire para uma visita que fizemos de trem ao Canadá. A visita compreendia a parte francesa desse país, mais próxima de New Hampshire. Visitamos Montreal e a famosa Quebec, onde tive a surpresa de verificar que o meu francês, assaz polido, não era de valia inquestionável nas conversas com os nativos, que falavam o *quebecois*.

Voltei a Washington para a infernal rotina da embaixada: peregrinações ao Board of Economic Warfare (que, como já foi dito se metamorfoseou primeiro no Office of Economic Warfare, e depois na Foreign Economic Administration) ao War Production Board e ao Anglo-American Navy Board, à busca ou de licenças de exportação ou de prioridades de fabricação ou de praça marítima, todos necessários para manter a economia brasileira funcionando.

A coordenação no Brasil do esforço de guerra era feita através da Coordenação da Mobilização Econômica, criada em setembro de 1942, presidida por uma interessante figura, o coronel João Alberto Lins de Barros, um pouco desorganizado, porém assaz dinâmico. Vítima de maledicência, foi injustamente acusado de enriquecimento ilícito, mas morreu um quase pobretão. Tinha participado da Coluna Prestes, fora interventor em São Paulo, logo após a Revolução de 1930, servira como embaixador em Ottawa, entre abril de 1941 e julho de 1942, onde introduziu uma nota picaresca: "O Canadá é um país organizado demais; precisa só de uma revoluçãozinha de vez em quando". Tinha dois *hobbies* um pouco exóticos. Gostava de consertar relógios e de tocar cítara...

Um de seus principais assessores na tarefa era o engenheiro de origem gaúcha sediado em São Paulo, Ari Torres, que tinha exercido um papel crucial na fundação do Instituto de Pesquisas Tecnológicas e seria depois presidente da Seção Brasileira da Comissão Mista Brasil-Estados Unidos.

Um dos projetos que mais trabalho causou, mas que também era o mais gratificante, foi o projeto da implantação da usina de Volta Redonda. Resultante de um acordo, ainda em 1940, entre Roosevelt e Getúlio Vargas, os suprimentos para a montagem da usina tinham, em tese, prioridade. Mas com o advento da guerra e as enormes demandas bélicas sobre equipamento disponível, as prioridades se foram degradando. A prioridade A, que tinha Volta Redonda, foi logo deslocada pela prioridade AA e, finalmente, pela prioridade AAA.

Tínhamos que arguir com o Departamento de Estado e com o Board of Economic Warfare, em busca de contínua reasserção de prioridades para o projeto. Foi nessa ocasião que tive bastante contato com o general Edmundo Macedo Soares, uma figura de inequívoco mérito e um técnico siderúrgico de reputação mundial.

Vinte anos mais tarde, como ministro do Planejamento, tive o prazer de voltar a trabalhar com ele, pois que foi nomeado, por minha indicação, presidente do Grupo Brasileiro de Siderurgia, constituído sob os auspícios do Banco Mundial. Esse grupo, em conjunção com a empresa de consultoria americana Booz Allen, preparou um plano siderúrgico nacional para o governo Castello Branco. O plano, de grande realismo e acurácia nas previsões de crescimento de consumo, foi depois abandonado em favor de uma expansão megalomaníaca da siderurgia, tentada durante o governo Médici.

Bretton Woods foi a última das grandes peças da engenharia econômica montada durante a guerra. A partir daí, o trabalho era mais de implementação executiva, com a instalação burocrática do FMI e do Banco Mundial. Este se instalou em 27 de dezembro de 1945 e o FMI, em 1º de março de 1947.

Os esforços arquitetônicos de Roosevelt, instrumentados em boa parte por Dean Acheson, se deslocaram para o plano político. Houve em Dumbarton Oaks, em Washington, em agosto e setembro de 1944, uma conferência destinada ao traçado fundamental da carta das Nações Unidas. Dela participaram apenas os quatro grandes — Estados Unidos, Inglaterra, União Soviética e China. A constituição oficial das Nações Unidas se faria através da Carta de São Francisco, assinada em 25 de junho de 1945 e que entrou em vigor em 24 de outubro do mesmo ano.

UMA VACINAÇÃO
DE REALISMO

Minha experiência de mendicância nos departamentos de Washington, à busca de licenças de produção e exportação de suprimentos, deu-me uma profunda e penosa impressão da dependência brasileira em relação a suprimentos externos.

Literalmente, a economia brasileira paralisaria, não fossem os fornecimentos americanos. Além de produtos como aço, celulose e papel de imprensa, produtos químicos de base, máquinas e equipamentos, havia uma fundamental dependência em relação ao petróleo importado.

Convenci-me então da extrema urgência de desenvolvimento do petróleo nacional no prazo mais curto possível, pouco importando a origem dos capitais. Nunca entendi por isso, durante as discussões do Estatuto do Petróleo, no governo Dutra, os devaneios nacionalistas, segundo os quais a exploração de petróleo por empresas estrangeiras, os chamados "trustes de petróleo", significariam uma espécie de penhora da independência.

Para mim, ao contrário, a forma mais humilhante de dependência estratégica era não ter o petróleo produzido localmente. Tê-lo produzido dentro do país, ainda que por capitais estrangeiros, seria uma forma de se diminuir a dependência. E uma forma extremamente racional, pois, dado o alto risco da exploração petrolífera, seria melhor reservar os escassos capitais nacionais para atividades de remuneração certa.

A extrema vulnerabilidade energética do Brasil, uma economia já grande para as dimensões da época, inquietava também os Estados Unidos, que se viam na obrigação não apenas de coordenar o fornecimento de petróleo mas, sobretudo, de prover escolta naval para os tanques que buscavam a rota sul, infestada de submarinos alemães.

Ante as dúvidas existentes na época sobre as estruturas geológicas brasileiras e seu potencial petrolífero, inclinaram-se os americanos por ajudar o Brasil na viabilização da exploração de xisto betuminoso, do qual o Brasil era o segundo principal detentor de reservas conhecidas, depois dos Estados Unidos.

Foram assim ofertados, tanto financiamentos como assistência técnica, para que o Brasil se lançasse nessa exploração. Obviamente, a oferta não era de todo desinteressada. Como grande detentor de reservas de xisto betuminoso no Colorado, interessava a Washington que o Brasil fizesse experiências pioneiras nesse campo, que poderiam ser depois aproveitadas pelos Estados Unidos, seja para exploração no Colorado, seja como reserva suplementar para poupar a exploração demasiado intensiva dos campos petrolíferos norte-americanos.

A oferta não despertou grande interesse à época. Só teria minha atenção despertada para o assunto vinte anos mais tarde, quando ministro do Planejamento, durante uma visita à União Soviética, que depois relatarei.

Nessa visita à União Soviética, em setembro de 1965, um dos itens de minha pauta era examinar a economicidade dos processos soviéticos de exploração de xisto, que se localizavam em Kothle Yarva, na Estônia.

A experiência de Washington vacinou-me assim contra o "nacionalismo petrolífero", que seria mais tarde objeto de passionais debates, ao longo de trinta anos da história brasileira.

Para mim, a substituição do petróleo importado era tarefa prioritária mas dentro de um modelo de *mobilização*, e não de *restrição*. Em outras palavras, dever-se-iam mobilizar todos os capitais — nacionais e estrangeiros — parecendo-me ridícula a idéia do monopólio estatal, que implicaria, na realidade, em monopolizar riscos. Em conferência proferida em São Paulo, em 1955, pouco depois da implantação da Petrobrás, e que se intitulava 'As falácias do momento brasileiro', eu defendia a tese de que o nacionalismo petrolífero, levado ao extremo de vedar a participação de capitais de risco estrangeiro, era insensato. A tese correta era apoiarmos a Petrobrás, pois nunca poderíamos ter certeza de que as empresas estrangeiras conferissem adequada prioridade à pesquisa de petróleo nacional, de custo notoriamente alto em comparação ao do petróleo do Oriente Médio, mas sem excluir capitais estrangeiros que desejassem participar da tarefa.

Estatal sem monopólio, era o meu lema da época. Os modelos de mobilização restritiva nunca foram, aliás, de minha simpatia. Lutei contra o monopólio da Petrobrás por julgá-lo um modelo de mobilização restritiva. Lutei depois contra a Lei de Informática, de 1984, porque se baseava no mesmo princípio de rejeição de capitais estrangeiros, numa pretensão irrealista de autonomia tecnológica. Descambamos para uma espécie de isolacionismo tecnológico extremamente detrimentoso. Lutei também, na Constituinte de 1988, contra o terceiro modelo excludente — a exigência de maioria de capitais nacionais na exploração mineral. Essa exigência é particularmente irrealista na fase de pesquisa, extremamente arriscada e pouco atraente.

Em todos os três casos fui derrotado. Em todos os três casos, estava redondamente certo. Em escala mirim, poderia dizer o que, com sua justificável megalomania, dizia De Gaulle: — Estive certo quando tive todos contra mim.

A partir da experiência na embaixada em Washington, desenvolvi mentalmente o que me pareceria o modelo ideal de substituição de importações. Deveríamos começar pelo combustível petrolífero, partindo entretanto do modelo de mobilização e não de restrição de capitais.

A segunda prioridade seria a produção local de insumos básicos como aço, papel, produtos químicos de base. A razão era simples. Esses produtos são de tecnologia intermediária e menos dinâmica, portanto, muito mais acessível aos produtores locais. Em segundo lugar, não são produtos que normalmente obtenham financiamentos de médio e longo prazo no mercado internacional.

Tinha mais hesitações quanto à indústria de bens de capital, que deveria ser estimulada a desenvolver-se, porém sem excessiva subvenção e protecionismo. A razão é que, nessa indústria, a evolução tecnológica é muito rápida e o protecionismo, que logo se traduz em perda de competitividade industrial, poderia levar-nos à defasagem tecnológica. Uma segunda razão, de natureza financeira, é que os bens de capital são precisamente aqueles mais financiáveis no exterior, em condições favoráveis, através de créditos de exportação. Sua importação, portanto, é não apenas um elemento de atualização tecnológica, mas também de auxílio ao balanço de pagamentos.

No período Geisel, quando se lançaram vários programas simultâneos de substituição de importações, esse princípio não foi observado. O BNDE passou a encorajar, com créditos fortemente subvencionados, através da correção monetária fixa de 20%, a implantação de indústrias de bens de capital, algumas das quais francamente superdimensionadas em relação às perspectivas de mercado. Isso levou a exageros protecionistas que, sem dúvida, diminuíram o grau de eficiência da produção brasileira de bens de equipamento. Isso se traduziu também em custos altos e inadequado financiamento para a modernização da indústria de transformação. Mesmo assim, criaram-se algumas empresas de bom nível tecnológico e razoável capacidade competitiva, testada pelo sucesso na exportação. São empresas como a Romi e Bardella, que conseguiram significativos nichos no mercado externo.

INTERLÚDIO
ACADÊMICO

Estudei economia em cursos noturnos na Universidade George Washington, seguidos de longos serões na biblioteca do Congresso, quando estava escrevendo minha tese de mestrado. Ela se intitulou: *'Some inferences concerning the propagation of international fluctuatio.ns'*. Sua inspiração estava nas teorias sobre os ciclos econômicos, servindo-me principalmente dos trabalhos seminais de Schumpeter e também de Wesley C. Mitchell, da National Economic Research Foundation.

Nessa tese, procurei examinar os mecanismos de propagação de ciclos de conjuntura, quer no campo financeiro, através de variações das taxas de câmbio, taxas de juros e movimentos internacionais de capitais, quer no terreno comercial, através de flutuações expansivas ou recessivas no comércio de mercadorias. Passei a dominar razoavelmente bem a literatura da época e, na tese, elaborei bastante as teses dos ciclos longos, médios e curtos, a saber, o ciclo longo de Kondratiev de 45 anos, o ciclo de Juglar, de 9 anos, e o ciclo de Kitchin, de 2 anos e meio. Continha também um estudo sobre Lord Keynes e a teoria do imperialismo, depois publicado na *Revista Nacional de Economia*, em junho de 1950.

A tese foi aprovada *summa cum laude*, na George Washington University, pelos professores Arthur Edward Burns e John Donaldson. Nunca a publiquei, mas arrependi-me depois de não tê-lo feito, pois ela foi lida anos mais tarde por Ragnar Nurkse, o grande desenvolvimentista da Universidade de Columbia e pelo professor Jacob Viner, uma das grandes figuras da teoria do comércio internacional, quando de visita ao Rio a convite de Gudin. Ambos me declararam que a tese continha percepções inovadoras que mereceriam destino melhor do que um arquivo universitário. Sentia-me, entretanto, assaz inibido e talvez excessivamente tímido, quer em relação ao meu estilo, quer à minha originalidade em termos de pensamento econômico.

Washington durante a guerra era excitante, pois se havia tornado capital do mundo, dada a extraordinária proeminência dos Estados Unidos na condução de operações militares, na pujança de sua produção bélica e na capacidade de abastecimento dos aliados.

Chegara de trem a Washington em julho de 1942, sete meses depois do desastroso atraque japonês a Pearl Harbour. Após a derrota inicial, o moral dos americanos começava a ressurgir, sobretudo em virtude da batalha de *Midway*, em abril de 1942, que configurou nítida vitória americana, seguida, meses depois, pela batalha do Mar de Coral, a partir da qual a superioridade naval japonesa se transformou em inferioridade.

Estávamos na metade do terceiro mandato de Roosevelt. Um ano depois, já fisicamente debilitado, Roosevelt iniciaria sua campanha para o quarto mandato. Senti de perto o charme carismático do estadista que fascinava o povo com suas conversas de pé do fogo, pelo rádio, então o instrumento-mor da mídia.

Encontrava-me em Washington quando da morte de Roosevelt, na tarde de 12 de abril de 1945, em Warm Springs, na Geórgia. Essa data é para mim inesquecível pois, no mesmo dia, nascia meu segundo filho, Roberto Junior. Lembro-me de que passeava hipertenso, cerca de seis horas da tarde, nos corredores do hospital, quando uma das enfermeiras me abordou, lacrimejante: — Uma coisa terrível aconteceu. O presidente Roosevelt acaba de falecer.

— Ah — reagi instintivamente — que alívio!

Passara-me pela cabeça, numa fração de segundo, o receio de minha mulher ou a criança tivessem morrido no parto... Dei-me conta, então, de que as tragédias universais não concorrem com as tragédias domésticas.

Passei a imaginar que meu filho teria algum destino especial. É que nascera com uma pequena hérnia inguinal, que os médicos não desejavam operar antes dos 4 meses de vida. Prefixaram imediatamente a data — 16 de agosto de 1945. Coincidiu que a data da operação foi o *V-J Day*, o dia da vitória contra os japoneses e o fim da II Guerra Mundial. As ruas de Washington viraram um grande carnaval. Tive dificuldade de chegar ao hospital e receiava que os médicos, com a excitação da festa, cometessem uma barbeiragem operatória... De certa maneira, foi o que aconteceu. A operação teve que ser refeita, anos mais tarde, no Rio de Janeiro.

Para uma capital em guerra, a vida em Washington era relativamente confortável. O racionamento de artigos básicos, particularmente pão, carne, ovos e laticínios funcionava eficazmente e a ração era razoavelmente adequada. O incômodo maior vinha do racionamento de gasolina. Apesar de os diplomatas terem uma quota extra, a mobilidade ficava bastante restringida.

Nessa ocasião, o diretor adjunto de Estabilização de Preços (Office of Price Stabilization) era John Kenneth Galbraith, que depois se tornou um economista famoso. Vim a conhecê-lo bem, anos mais tarde, e dele costumava discordar. Galbraith, talvez encorajado pela sua experiência durante a guerra, nunca se livrou de um cacoete dirigista. Acreditava na capacidade governamental de controlar a economia. Tornou-se um keynesiano, crente na sintonia fina e passou a sobrestimar grandemente, em sua teoria sobre as grandes corporações, a influência das tecno-estruturas e a capacidade dessas empresas de alterar fundamentalmente os padrões de consumo. Através de manipulação propagandística — dizia ele — criavam demandas artificiais na sociedade afluente, acabando por interferir com as prioridades básicas de investimentos sociais, que são função do Estado.

Nossa divergência mais específica era na extrema tolerância que Galbraith revelava em relação ao dirigismo tecnocrático nos países em desenvolvimento e, mais particularmente, sua crença no mecanismo de taxas múltiplas de câmbio, como elemento de regulação da economia.

Enquanto eu caminhava cada vez mais para uma visão ortodoxa da "solucionática" da inflação, confiando mais em controles macro-econômicos monetários e fiscais, Galbraith mantinha singular afeição por processos heterodoxos de congelamento e controle de preços. Talvez a isso o havia levado o relativo êxito dos controles administrados durante a guerra. Mas a situação então era especial. Com efeito, os controles de preços só funcionaram por ser acompanhados de racionamento físico da oferta. Além disso, a motivação patriótica criava um sentido maior de disciplina do que seria possível em condições normais.

Encontramo-nos depois, ao longo dos anos, em várias conferências internacionais. Mais recentemente, em 1990, estivemos juntos numa conferência promovida em Tóquio pela Companhia de Desenvolvimento de Energia Elétrica, empresa do governo japonês. Galbraith revelava ainda surpreendente vigor para os seus 84 anos. Novamente nos confrontamos no apoio a teses distintas. Galbraith defendendo o planejamento econômico e a intervenção dirigista como imprescindível nos países de economia retardada, enquanto que eu, ex-ministro do Planejamento, sublinhava precisamente a dificuldade de intervenção governamental, por falta de adequada informação e despreparo das elites administrativas.

O paradoxo político é, assim, que nos países de fraca capacidade empresarial privada, justificar-se-ia a intervenção do governo, mas a este falta competência para tanto; e, nos países de cultura mais sólida, onde o governo poderia intervir com menor possibilidade de erro, sua intervenção é desnecessária.

O ESPECTADOR
ENGAJADO

Mas estou indo muito adiante em minha estória. Voltemos à II Guerra Mundial.

Submerso á noite em meus estudos de economia e absorvido durante o dia nas tarefas da embaixada, fui um espectador engajado dos grandes combates na cena mundial, dramatizados pela imprensa e pelo rádio e também pelo cinema. A televisão não tinha feito ainda sua aparição como instrumento dominante da mídia.

Sucederam-se as conferências de cúpula de Teerã e Yalta e o que se podia observar dos jornais e do cinema era a rápida deterioração física de Roosevelt, cuja resistência era aliás miraculosa, pois a poliomielite lhe criava restrições de movimentação e, aparentemente, recorrentes dores. Seus deslocamentos eram principalmente por via naval, a bordo de navios de guerra, que ele gostava de freqüentar, e pelos quais tinha inclinação romântica, pois o seu primeiro cargo público de importância havia sido o de secretário-adjunto da Marinha, na administração do presidente Wilson, na Primeira Guerra Mundial.

Dos documentos políticos que vieram a público, o mais importante era, sem dúvida, a Carta do Atlântico, firmada entre Roosevelt e Churchill, nas Ilhas Bermudas, em 14 de agosto de 1941, que lançou as bases para o que viria a ser depois a Carta das Nações Unidas.

A carta do Atlântico compromissou os Estados Unidos com uma postura "ativista" na organização do mundo do pós-guerra, pondo fim à tentação *isolacionista* que por longo tempo influenciara a política americana após à rejeição, pelo Senado americano, da Liga das Nações. No plano multilateral, um passo importante foi a Declaração das Nações Unidas, assinada por 26 países, que combatiam contra o Eixo, em 1º de janeiro de 1942.

Uma das conferências — a de Yalta, em fevereiro de 1945 — à qual compareceram Roosevelt, Churchill e Stálin — tornou-se extremamente controvertida mais tarde quando se deflagrou a guerra fria. A percepção que se tinha à época é que o acordo havia sido razoável. Era um exercício de *realpolitik*, pois que se reconhecia, como fato objetivo, a existência de zonas de influência, resultante, em parte, de tradições históricas e, em parte, de situações geográfico-militares. Reconheceu-se a influência predominante da União Soviética na Polônia e na Europa Oriental, mas isso apenas refletia as realidades da ocupação militar. O que Churchill e Roosevelt obtiveram — dispositivo que foi flagrantemente desrespeitado por Stálin — era a condução de eleições democráticas normais nos países da Europa Oriental, e em especial, na Polônia, que tinha sido o *pivot* da guerra.

Não se previa, então, que o reconhecimento da influência dominante da União Soviética na Europa Oriental fosse equivalente à extinção da democracia. E subestimava-se a capacidade de Stálin de usar os partidos comunistas, possuídos da ideologia marxista-leninista, como instrumentos dóceis de ampliação da área soviética de influência. A Europa Ocidental, de outro lado, permaneceria uma área de influência condominial dos Estados Unidos e da Grã-Bretanha e, futuramente, da França ressurrecta.

Nos Balcãs, na Grécia e na Turquia, reconhecia-se, em virtude de vinculações históricas, a influência da Inglaterra, influência da qual esse país abdicou em vista de seu enfraquecimento econômico, e que levou Harry Truman, em 1947, a proclamar a "doutrina Truman". Esta representou na realidade a assunção pelos Estados Unidos da responsabilidade principal de conter o comunismo nesses países.

Roosevelt obteve na Conferência de Yalta o compromisso da União Soviética de participar na luta contra o Japão, uma vez finda a guerra na frente ocidental. Truman, como sucessor de Roosevelt, obteve a reafirmação desse compromisso na Conferência de Potsdam, reunida de 17 de julho a 2 de agosto de 1945. Essa participação teria sido, a rigor, desnecessária. Poucos dias depois o Japão se renderia, em virtude da hecatombe nuclear desfechada sobre Nagasaki e Hiroshima. A intervenção soviética, além de dispensável, foi perturbadora, porque levou a União Soviética a absorver áreas territoriais da China e aumentar a sua projeção no Mar do Japão, pela captura das ilhas Kurilas, ponto de fricção até hoje irresoluto entre a União Soviética e o Japão. Foi também sacramentada em Yalta a criação da ONU. Uma das dificuldades era que Stálin alegava que os países da Comunidade Britânica tinham votos separados, e, por isso, a União Soviética deveria ter número equivalente de votos. A solução de compromisso foi dar à União Soviética três votos — os da República Russa, da Bielorússia e da Ucrânia. Curiosamente, seriam esses três países que, em dezembro de 1991, com o colapso do socialismo, proclamariam o fim da União Soviética.

Uma piada então corrente sobre a Conferência de Yalta se referia ao estado assistencialista, depois conhecido como o *welfare state*. Bismarck, o chanceler alemão, já havia desenvolvido um sistema assistencial em fins do século passado, mas sua estruturação como programa político-partidário muito deve ao Relatório Beveridge, de 1942, que foi o ponto de partida para o amplo programa de seguridade social do trabalhismo inglês.

A anedota era que, após o jantar, bebericando o conhaque de sobremesa, no palácio Livadia, em Yalta, travara-se um debate entre Churchill, Roosevelt e

Stálin. Churchill iniciou a conversa dizendo que, conquanto os detestasse, tinha que tirar o chapéu aos trabalhistas. Por influência do *Labour Party* se havia estabelecido na Inglaterra o *welfare state*, no qual os homens seriam protegidos *from the cradle to the grave* (do berço ao túmulo). Roosevelt redarguiu que nos Estados Unidos, injustamente acusados de excessivo individualismo, o sistema havia avançado ainda mais, porque a proteção se estendia *do ventre ao túmulo* (*from the womb to the tomb*). Stálin acrescentou ironicamente que os países capitalistas jamais rivalizariam com os soviéticos na prestação de serviços sociais. A proteção soviética se estenderia *da erecção à ressurreição* (*from the erection to the ressurrection*). Quando, mais tarde, inquirido sobre o assunto, Chiang-kai-chek achou-se na obrigação de exaltar ainda mais as preocupações assistenciais chinesas e acrescentou que o que se planejava na China era uma proteção *do esperma ao verme* (*from the sperm to the worm*)!...

Na campanha presidencial, no outono de 1944, Roosevelt parecia ter mais problemas com as rivalidades internas do Partido Democrata do que com seus opositores do Partido Republicano. O candidato republicano era Wendell L. Wilkie, uma agradável figura de republicano liberal, (com sucesso financeiro em Wall Street) de preocupações universalistas, que contrariavam as tradições relativamente isolacionistas de seu Partido.[18] Lembremo-nos de que fora um senador republicano, Henry Cabot Lodge, que capitaneara a reação contra o Tratado de Versalhes e a Liga das Nações, que o presidente Wilson, já atacado pela doença, queria fazer aprovar pelo Senado americano.

O filho do senador Cabot Lodge que viria, anos depois, a ascender também ao senado, foi candidato à vice-presidência na chapa de Thomas Dewey, derrotado por Truman, e viria a exercer um papel crítico num dos grandes dramas americanos do pós-guerra. Foi o embaixador designado por Kennedy para o Vietnã, cabendo-lhe então a tarefa, até hoje traumaticamente discutida, de encorajar a queda de Ngo Dinh Diem, presidente do Vietnã do Sul, cujo assassinato inaugurou em Saigon uma época de instabilidade política, que foi talvez um dos fatores influentes para a derrota final do Vietnã do Sul, face aos vietcongs.

A técnica administrativa de Roosevelt era bizarra. Não procurava impor disciplina formal ao Gabinete e parece que atribuía às controvérsias ministeriais uma certa função criadora. Mais que um gerente, parecia um juiz, arbitrando infindas lutas pelo poder entre departamentos. Mas a grande controvérsia interna no Partido Democrático se referia basicamente à escolha do vice-presidente.

---

[18] Harold Ickes, o rabujento secretário do Interior de Roosevelt, ironizava Wendell Wilkie chamando-o de *little barefoot boy from Wall Street* (o menino de pés descalços de Wall Street).

Havia poucas dúvidas quanto ao absoluto domínio de Roosevelt na convenção do Partido, em outubro de 1943. Ainda que criticado pela ala mais conservadora do Partido, pelas atitudes intervencionistas do *New Deal* e ainda que severamente criticado pela falha de inteligência que tinha permitido a vitória japonesa em Pearl Harbour, continuava uma personalidade carismática. Quando se abriu a campanha eleitoral, já podia reclamar crédito por importantes vitórias, como as batalhas navais de *Midway* e do Mar de Coral e a reconquista das Ilhas Marshall e das Filipinas.

A grande hesitação girava em torno da vice-presidência. Durante o terceiro mandato, o vice-presidente era Henry Wallace, que fora secretário da Agricultura e que era uma das figuras mais proeminentes do *New Deal*. Despertava grande simpatia na ala mais *liberal* do Partido, mas sofria restrições da ala conservadora, pela sua excessiva amizade com os soviéticos. Não tinha também boa aceitação no Congresso e talvez tenha sido essa a razão porque Roosevelt, à última hora, optou pelo senador Harry Truman. Este era um político profissional, contra o qual se alegava estar associado à corrupção eleitoral da máquina de Tom Pendergast, do Kansas. Mas tinha bom trânsito no Congresso e havia adquirido ascendência nacional como autor do relatório sobre desperdício e corrupção nos gastos públicos.

Sem ser uma figura brilhante, Truman viria a revelar-se um dos grandes presidentes dos Estados Unidos, quando assumiu o poder após a morte de Roosevelt. Foi vice-presidente apenas 82 dias. Coube-lhe, em 8 de maio, no mês seguinte à morte de Roosevelt, aceitar a rendição incondicional da Alemanha e, em julho, participar da infrutífera reunião de cúpula com Stálin e Churchill, em Potsdam, na Alemanha Oriental. A reunião, supostamente para organizar a paz, trouxe à luz as primeiras divergências entre as grandes potências, que desaguariam na guerra fria.

Para aliviar a frustração, circulava em Washington uma piada. Anthony Eden, o secretário do Exterior, passara a Churchill um bilhetinho sobre a mesa, que levou Churchill à esboçar uma risada. Devolveu um bilhete, que Eden leu em gargalhadas, antes de rasgá-lo e atirá-lo no cesto. Stálin viu com extrema suspicácia a troca de bilhetes e, finda a reunião, determinou aos seus assistentes que repescassem os bilhetes na cesta de papéis e procurassem interpretar a estranha mensagem. Eden escrevera a Churchill: *Winnie, your fly is open* (Winston, sua braguilha está aberta). Ao que Churchill respondera: *Don't worry, dead birds don't fly* (Não se preocupe, pássaros mortos não voam)...

Um aspecto bizarro da Conferência, que durou de 17 de julho a 1° de agosto, foi a substituição de Churchill por Clement Attlee, como primeiro-ministro inglês, nos últimos dias da Conferência, após a inesperada vitória dos trabalhistas sobre os conservadores.[19]

Poucos dias depois, Truman assumiria a responsabilidade de uma angustiosa decisão: o lançamento da bomba atômica sobre Hiroshima, em 6 de agosto de 1945, e sobre Nagasaki, três dias depois. Fator fundamental na decisão de Truman foi a previsão do Estado Maior de que a invasão das ilhas japonesas custaria 500 mil vidas americanas e o conflito poderia ainda durar dois anos. Escogitaram-se depois alternativas menos cruéis, como a explosão de uma bomba atônica no mar ou num atol do Pacífico, a título de advertência. Mas isso era sabedoria após o fato. De qualquer maneira, o mundo se assustou: o gênio saira da garrafa!

Seguiram-se-lhe outras decisões históricas, que modificaram o curso do mundo. Entre essas, podem-se citar, em curta sucessão, o Plano Truman, de março de 1947, pelo qual os Estados Unidos absorveram a herança política inglêsa, passando a representar a presença ocidental e a liderar a luta contra o comunismo na Grécia e na Turquia; o lançamento do Plano Marshall, em junho de 1947; a ponte aérea de Berlim, durante 11 meses em 1949, como resposta ao desafio de Stálin de asfixiar Berlim Ocidental; a assinatura do Tratado da OTAN, em abril de 1949; a decisão, em junho de 1950, de conter a expansão comunista na península da Coréia, através de movimento articulado pelo secretário de Estado Dean Acheson. Este logrou internacionalizar o problema, montando um esquema de resistência, aprovado pela ONU, contra a invasão da Coréia do Sul pela Coréia do Norte.

O armistício de Panmunjong só viria a ser concluído mais tarde, já no governo Eisenhower. Mas não fosse a decisão de Truman de deter, com emprego maciço de forças norte-americanas, a invasão norte-coreana, não teria havido a divisão das duas Coréias no paralelo 38, nem o milagre econômico que depois foi representado pela Coréia do Sul.

---

[19] A derrota de Churchill, o herói da guerra, pelo líder trabalhista, Clement Attlee, foi algo traumática, principalmente porque ocorreu quando estava sendo realizada uma conferência de cúpula. Churchill nunca perdoou a Attlee a humilhação. Anos depois, contava-se em Londres uma piada churchilliana sobre o socialismo. Os dois líderes freqüentavam o mesmo mictório na Câmara dos Comuns, um longo corredor com vasos de urinar e compartimentos fechados no extremo do salão. Churchill toda vez que via Attlee no mictório, corria para fechar-se num dos compartimentos, sem qualquer aceno ou cumprimento. De certa feita, ao sair apressado, foi detido por Attlee, que o segurou pelo paletó para dizer-lhe: — "Winston, somos adversários políticos, mas não há inimizade pessoal, eu o admiro e nossas famílias se gostam. Por que esse comportamento rude de não saudar-me?" Replicou Churchill: — "Somos amigos pessoais, mas no mictório não quero conversa porque vocês socialistas, quando vêem uma coisa grande, que funciona bem, querem logo nacionalizá-la"...

Só assisti em Washington aos primeiros dois anos do governo Truman. Em março de 1947 fui transferido, como segundo secretário, para a Missão brasileira que há pouco havia sido constituída junto à ONU. A ONU tinha então poucos meses de vida. Fora formalmente constituída com a entrada em vigor da Carta de São Francisco, em 24 de outubro de 1945.

Aprendi a admirar o subestimado vice-presidente, que cresceu no cargo e foi um dos grandes arquitetos da estrutura internacional do pós-guerra. Acompanhei de perto, por exemplo, a gestação do "National Security Act", de 1947, do qual resultou uma radical reforma do sistema de segurança, com a criação (a) Do "National Military Establishment", depois convertido no "Department of Defense"; (b) Do "National Security Council" e, (c) Da CIA. A feroz resistência das diferentes forças militares à unificação sob um ministério da defesa, com liderança civil, deram-me uma antevisão dos problemas organizacionais a que depois assistiria. Como embaixador em Washington, em 1961/63, vi-me na embaraçosa posição de desempatar a briga da aviação embarcada, entre o adido naval, que providenciara embarques clandestinos de aviões desmontados a ser instalados no porta-aviões *Minas Gerais*, e o adido da Aeronáutica, que pleiteava a sustação dos embarques. Os conflitos intra-militares de Washington se tornaram para mim viva realidade, quando propus a Castello Branco, em 1966, que a reforma administrativa incluísse a criação de um ministério da Defesa. As brigas internas frustraram esse propósito, atrasando a edição da reforma administrativa, que acabou saindo sob a forma de decreto-lei — DL 200 — nos últimos dias do governo de Castello.

Tornei-me apreciador do áspero humor de Truman. Inventou a expressão *Potomac fever* para descrever a transmutação psicológica das pessoas, quando chamadas a participar do poder. Suas *boutades* eram famosas.

— Quem quiser ter um amigo em Washington — dizia ele — compre um cachorro.

Outro de seus famosos aforismos, em épocas de tensão política, era dizer: — Quem não aguenta o calor, que saia da cozinha.

A imprensa de Washington, que acolhera Truman com ceticismo, após a gigantesca figura de Roosevelt, aprendeu a respeitar sua capacidade decisória. A piada era: "Goering não podia ouvir a palavra *"cultura"* sem sacar o revolver; Truman não pode ouvir a palavra *problema* sem sacar uma solução".

Ao escrever estas linhas, meio século depois, sinto um tremendo vazio. Todos os grandes protagonistas da política de contenção e da guerra fria, que estavam no proscênio mundial, durante o tempo que servi em Washington, como jovem secretário de embaixada, Roosevelt, Truman, Marshall, Acheson, do lado americano, Stálin e Molotov, do lado soviético; Churchill, na Inglaterra; De Gaulle, na França, e Adenauer, na Alemanha — entraram na bruma da história. Um dos poucos sobreviventes é precisamente George Kennan, do *Policy Planning Staff* do Departamento de Estado, autor do famoso artigo: 'The sources of soviet conduct', publicado na revista *Foreign affairs*, em julho de 1947, sob o pseudônimo *Mr. X*.

A "doutrina da contenção" se baseava no postulado de que os objetivos e a filosofia da União Soviética eram basicamente incompatíveis com a cosmovisão norteamericana. Os Estados Unidos deveriam preparar-se para um longo e penoso conflito, usando seu poder militar para conter o expansionismo soviético, à espera de que as contradições internas do sistema comunista provocassem seu colapso.

Segundo Henry Kissinger, ao longo de seu percurso de meio século, a política de contenção sofreu, nos Estados Unidos, a contestação de três escolas alternativas de pensamento.

"Os realistas", representados pelo grande jornalista e politólogo Walter Lippman achavam que a contenção seria uma drenagem contínua dos recursos americanos, que criaria sobrecarga geopolítica[20] e psicológica. Lippman favorecia uma definição mais modesta dos objetivos dos Estados Unidos, que deveriam concentrar-se na obtenção de um acordo sobre o destino do continente europeu, considerado de interesse vital.

Churchill, surpreendentemente derrotado pelo Partido Trabalhista, no fim da guerra, achava que os Estados Unidos deveriam explorar seu monopólio da bomba atômica para, a partir de uma posição de força que poderia até mesmo envolver um ultimato, negociar com Stálin um *modus vivendi* que limitasse a expansão russa e reafirmasse o princípio de eleições livres na Europa Oriental, firmado no Tratado de Yalta. O monopólio americano da bomba atômica durou aliás apenas quatro anos, muito menos do que estimavam os órgãos de inteligência. O Exército americano calculava que os soviéticos não teriam a bomba antes de 1960, a Marinha, antes de 1965 e a Força Aérea antes de 1952. Nos Estados Unidos, havia também a escola acomodatícia, a de Henry Wallace, secretário da Agricultura de Roosevelt, que tinha uma visão ingênua e benigna do comportamento soviético, acreditando na convergência eventual dos dois sistemas e subestimando os perigos do expansionismo soviético.

Este sobreviveu ao descontraimento inicial após a morte de Stálin. Em 1956, Kruschev invadiria a Hungria. Em 1962, tentaria alterar o balanço de forças, com a instalação de mísseis em Cuba, episódio a que assisti de perto, então já embaixador em Washington. O apogeu da expansão soviética foi atingido na era Brejnev, na segunda metade dos anos 60 e na década de 70. Foi a fase já descrita como de "expansão externa e decadência interna". A União Soviética se engajou em incursões político-ideológicas extra-continentais, esgotando seus recursos econômicos em inférteis aventuras. Foi a época do envolvimento soviético em Angola e Etiópia

---

[20] Ver Henry Kissinger, *Diplomacy*, Simon and Schuster, 1994, Capítulo 18.

na África, na Síria e no Iemen, no Oriente Médio, e em Cuba e Nicarágua, na América Latina, tudo culminando na invasão do Afeganistão, em 1979. Nessa época, os Estados Unidos atravessaram um período de introversão, lambendo as feridas deixadas pela derrota no Vietnã e pela crise de Watergate. A política de Carter revelou uma certa passividade, face ao aventureirismo soviético, concentrando-se na ênfase sobre direitos humanos e na prevenção da proliferação nuclear. Ronald Reagan, a partir de 1980, relançou uma política externa ativista, procurando contrabalançar o apoio soviético às chamadas "guerras de libertação", através de movimentos de dissidência contra os regimes comunistas em Angola, América Central e Afeganistão. Lançou finalmente o desafio tecnológico da "guerra nas estrelas", que encontrou o regime soviético sofrendo de exaustão financeira e inferioridade tecnológica.

Tendo assistido, como jovem secretário de embaixada, ao surgimento da guerra fria, vivenciei como embaixador brasileiro em Washington, na era Kennedy, alguns de seus dramáticos episódios, como o ultimato aos aliados para a assinatura de um tratado de paz que ratificaria o domínio soviético em Berlim, e a crise dos mísseis em Cuba. E sobrevivi suficientemente para assistir, com a queda do muro de Berlim e a desintegração do império soviético, à vitória final da profecia de Kennan.

NOS PRIMÓRDIOS

DA ONU

◆

PRESENTE À
CRIAÇÃO

Nova York não teria sido meu posto preferencial. Após o término de minha tese na Universidade George Washington, meu interesse era ser designado para o Consulado em Boston. Meu pedido ao Itamaraty foi negado e acabei sendo removido para Nova York.

Academicamente, era uma situação menos desejável, mas politicamente desvendou-me um enorme leque de oportunidades, pois que me tornou partícipe da maioria das grandes ações da diplomacia econômica no imediato pós-guerra.

Inscrevi-me logo na Columbia University, onde tive a sorte de encontrar dois professores que tinha conhecido distantemente na Conferência de Bretton Woods. Tornaram-se ambos meus amigos:— o professor Ragnar Nurske, um dos teóricos desenvolvimentistas e James W. Angell, professor de Comércio Internacional. Foram meus examinadores no *compreehensive oral examination* para o doutorado. Anos depois, vim a saber, através de Eugênio Gudin, que Nurske me considerava o melhor aluno em sua experiência de vários anos na Columbia University. Esse comentário, se eu dele soubesse àquela época, certamente me teria elevado o moral, então deprimido pelo intenso esforço de atender aos meus deveres normais na Missão das Nações Unidas, que se situava no Empire State Building, e comparecer às sessões da ONU, então em Lake Success, Long Island, a 45 minutos de Nova York. Essa triangulação representava para mim um percurso diário, obrigatório, de cerca de 200 kms, fustigado às vezes pelo duro inverno novaiorquino.

Na Columbia University, havia também uma constelação de talentos. Além de Ragnar Nurkse e James Angell, fui aluno do professor Albert Gaylord Hart, cujo inglês, pronunciado com velocidade de metralhadora, era uma tortura para os estudantes estrangeiros. Lá conheci Arthur R. Burns, que seria depois presidente do Federal Reserve Board e embaixador na Alemanha. Era um especialista em *business cycles*. Outros professores eminentes eram Carl Shoup, professor de Finanças Públicas e, pouco depois, encarregado da reforma tributária do Japão durante a fase de ocupação americana, e F. C. Mills, professor de estatística, autor de um tratado clássico sobre a matéria.

Talvez a personalidade mais interessante que encontrei na Columbia University tenha sido um antropólogo de origem húngara, Karl Polanyi, autor do fascinante livro sobre evolução industrial chamado *The great transformation.* Seu interesse como antropólogo levou-o a sugerir-me a preparação de um estudo sobre a organização social de tribos indígenas no Brasil, trabalho em cuja feitura descobri que, curiosamente, a melhor documentação existente era a produzida por um indigenista alemão, Kurt Nimuendajú.

Na ONU, a fase formativa foi um período de intenso idealismo e de imoderado otimismo. As Nações Unidas prosperariam onde a Liga das Nações havia fracassado. A primeira reunião preparatória da ONU se realizara em Londres, em 7 de janeiro de 1946, destacando-se na delegação Ciro de Freitas Valle, então embaixador no Canadá, deslocado para Londres depois de ter assistido à assinatura da Carta em São Francisco. Ciro era uma vigorosa personalidade. Bem apessoado, bom gourmet e cultor inveterado do whisky, afirmou-se em Londres como importante personalidade. Como nem os Estados Unidos nem a União Soviética, já mutuamente suspicazes, quisessem iniciar os debates, Ciro se inscreveu como primeiro orador e isso marcou a tradição, até hoje mantida, de ser o Brasil o primeiro país a orar nas Assembléias Gerais anuais da ONU. Detonou algumas paixões femininas e seus auxiliares costumavam referir-se ao engraçado bilhete que uma de suas admiradoras inglesas, que procurara vê-lo em Londres sem sucesso, lhe escreveu: "Dear Ciro: *I would love to see you even though only horizontally*" (Ciro, gostaria de vê-lo mesmo que apenas horizontalmente).

A guerra fria não havia ainda começado. Não é fácil detectar o momento preciso em que ela foi deflagrada. O primeiro detonador terá talvez sido o descumprimento por Stálin de sua promessa de promover eleições livres no Leste Europeu e particularmente na Polônia, principal motivo e principal vítima da guerra. Seja como for, quando foi lançado o Plano Marshall, em 1947, a atmosfera estava tão tensa que Stálin recusou a oferta americana de abranger no programa de auxílio também as regiões da Europa Oriental devastadas pela guerra. Em agosto de 1948, quando o ECOSOC se reuniu em Genebra, como jovem assessor, ouvi do delegado russo Arutiunian, que conhecera anos antes em Bretton Woods, a ladainha das acusações ao Plano Marshall: era uma tentativa de avassalamento da Europa e promoveria a dominação da economia européia por grupos monopolistas americanos. Não faltava, naturalmente, o *leitmotiv* da crítica leninista ao imperialismo: o Plano Marshall seria um artifício usado pelos Estados Unidos para evitar a crise doméstica de superprodução!

Um segundo fator terá sido a rejeição por Stálin do Plano Baruch, apresentado em 17 de julho de 1946, visando à internacionalização do átomo, através do controle, pela organização das Nações Unidas, de todos os aspectos da política nuclear, inclusive a produção de urânio e tório.

Um terceiro detonador foi certamente o golpe parlamentar de 1948, na Tchecoslováquia, pelo qual o Partido Comunista, liderado por Gottwald, então minoritário, conseguiu, através de manobras parlamentares, derrubar o regime democrático do presidente Benes. Dizia-se à época que Benes havia sido *defenestrado*, numa alusão aos dois precedentes históricos de lançamento de personagens pelas janelas do Parlamento de Praga, que ocorreram em 1419 e 1618. Jan Masaryk, o ministro do Exterior, foi encontrado morto junto à janela de seu Ministério, em 10 de março de 1948.

A Tchecoslováquia, logo depois, em 1950, experimentaria sua própria versão dos expurgos de Stálin. Na ONU, cheguei a conhecer de perto o ministro do Exterior, Vladimir Clementis, executado em 1952, acusado, como vários outros líderes eslovacos, de *nacionalismo burguês*. Pouco depois eram executados dez outros líderes, em sua maioria judeus e eslovacos, inclusive Ralph Slansky, ex-chefe do Partido Comunista, acusado de conspirar em favor do Ocidente. A recente revolução democrática na Tchecoslováquia, em 1990, após a queda do muro de Berlim, foi chamada de *revolução de veludo*. Foi um saudável contraste à tomada de poder pelos comunistas, no começo da guerra fria.

O apogeu da tensão foi o bloqueio de Berlim, em 24 de junho de 1948, a que os aliados responderam com a Ponte Aérea, que durou até maio de 1949. Essa mudança de clima foi dramaticamente exemplificada por Winston Churchill, já então derrotado por Clement Attlee pela vitória do Partido Trabalhista nas eleições de 1946, quando declarou em seu famoso discurso na Universidade de Fulton, no Missouri, que "uma cortina de ferro se abatera sobre a Europa". A expressão *cortina de ferro* passou a fazer parte do jargão confrontacionista da guerra fria.

Quando cheguei a Nova York o problema de alojamento era complicado. A cidade sofria de enorme refluxo de pessoal voltando do teatro de guerra. Durante os quatro anos de conflito, quase nada se havia feito em construção civil residencial, pois que os materiais eram todos reservados para o esforço de guerra. Era simplesmente impossível obter apartamentos. Durante cerca de dois anos tive que viver de sublocações. O primeiro apartamento que obtive, em sublocação, foi na rua 86, East Side, bem próximo à Grace Square, onde se situava a residência do prefeito de Nova York. O segundo foi também na rua 86, precisamente do outro lado, na parte oeste, perto de Riverside Drive. Somente após dois anos, a ONU conseguiu alojamento para um grupo de funcionários num novo projeto residencial chamado Parkway Village, em Long Island, de construção apressada, mas relativamente aprazível. Ali, em apartamentos geminados, tive por vizinho Ralph Bunche, um dos secretários assistentes da ONU, encarregado do Departamento de Tutela. Era de raça negra, de tez relativamente clara e se celebrizou posteriormente pela grande habilidade que revelou durante as negociações para a implantação do Estado de Israel, procurando apaziguar os conflitos entre árabes e israelenses. Sucedeu, nessa função, ao conde sueco Folke Bernardotte, assassinado em setembro de 1948 por terroristas judeus. Por sua missão mediadora, Ralph Bunche ganhou o Prêmio Nobel da Paz. Tornamo-nos amigos. Apesar de seu sucesso e fama, Ralph nunca esqueceu o amargor da discriminação racial contra os negros. O episódio que mais o feriu ocorreu quando foi enterrar seu cão de estimação num cemitério de animais de Washington. Descobriu que havia lugares segregados para cães de proprietários brancos e de proprietários negros... Era uma discriminação no além-túmulo.

Meus colegas brasileiros da missão das Nações Unidas encontraram também abrigo em Parkway Village. Citarei entre eles Miguel Osório de Almeida, com o qual viria a trabalhar mais tarde no Banco Nacional de Desenvolvimento Econômico; Araújo Castro, que foi depois ministro do Exterior de João Goulart e embaixador em Washington; José Sette Câmara, que foi subchefe do Gabinete Civil de Kubitschek e governador interino do estado da Guanabara, antes de ser, por nove anos, juiz da Corte Internacional de Justiça em Haia; e Ramiro Saraiva Guerreiro, ministro do Exterior no governo Figueiredo. Meu vizinho mais próximo era o Araújo Castro, com boa cultura e robusto *sense of humour*. Lembro-me que, de certa feita, chegamos ambos esbaforidos da ONU para vestir o *black-tie*, a caminho de uma recepção. Sua mulher, Miriam, já o esperava paramentada, com um *decoleté* preto e colar de pérolas.

— Puxa — disse o Castro — como você está bonita hoje... está até parecendo a mulher dos outros!

Anos depois, estávamos ambos passeando em Paris, junto ao Museu do Louvre, num cair de tarde, às margens do Sena. Vimos, debaixo da Pont Neuf, um casal atracado numa transa amorosa.

— *Voilá* — disse Castro — *les metteurs en Seine...*

Fui o único de todos eles a enfrentar o sacrifício de, conjuntamente com as atividades nas Nações Unidas, seguir cursos universitários. Inscrevi-me no curso de pós-graduação da Universidade de Colúmbia, o que me obrigava a longos percursos automobilísticos. A sede de nossa missão junto às Nações Unidas era no Empire State Building, no coração de Manhattan. Minha residência era a considerável distância, na ilha de Long Island, em Parkway Village, algo como 30 a 40 minutos de automóvel. Já a Universidade de Columbia se situava em Columbia Heights, à altura da rua 110/114, próximo a Riverside Drive. Se considerarmos que o local de trabalho acabou sendo (após um interregno em que as Nações Unidas se instalaram no Bronx, no Hunter College), uma antiga fábrica da Sperry Gyroscope, em

Great Neck, Long Island, segue-se que meu percurso automobilístico diário era algo como uns 200 kms, ida e volta. A marcha para a Columbia University, onde só podia fazer os cursos de manhã, das 7 às 9, ou então à noite, das 8 às 10, no frio e ventania novaiorquino, representaram para mim um esforço só sustentável com a energia dos 30 anos.

Meu primeiro chefe em Nova York foi o embaixador Leão Velloso, que faleceu no posto. Sucedeu-lhe Oswaldo Aranha, em 1º de fevereiro de 1947, que passou logo a representar o Brasil no Conselho de Segurança. Aranha tinha aceito a chefia por pouco tempo (até abril), mas acabou tornando-se o delegado brasileiro a duas das assembléias gerais, a Assembléia Especial para tratar do problema palestino, em abril de 1947, e a Assembléia Ordinária, por ele presidida em setembro do mesmo ano, na qual se formalizou a criação do estado de Israel, que viria a ser proclamada em maio de 1948.

Seu sucessor foi João Carlos Muniz, meu conterrâneo de Mato Grosso, um filósofo kantiano e hegeliano, devoto do alemão, língua em que costumava recitar tiradas filosóficas. Gilberto Amado pilheriava que o embaixador Muniz citava Hegel até mesmo a propósito da ordem do dia. Fora nosso primeiro delegado no Conselho de Segurança, no qual falava um inglês bastante hesitante e interrompido pelo habitual cacoete "né, né", que causava estranheza aos intérpretes. Como eu era mais voltado para assuntos econômicos, acompanhei-o poucas vezes ao Conselho de Segurança. Mas lembro-me que de uma feita, quando sentado junto à delegação britânica, ouvi o delegado sir Alexander Cadogan sussurrar para o seu assessor imediato, durante um longuíssimo e gongórico discurso do delegado peruano Victor Belaúnde: — Tenho uma infinita admiração — dizia sir Alexander — pela capacidade dos oradores latino-americanos de converter uma onça de fatos numa tonelada de palavras.

Nunca me esqueci do dichote, que constituiu para mim uma séria inibição a exercícios de oratória tropical. Belaúnde era supino no tropicalismo. Quando o encontrava nos corredores, Gilberto Amado exclamava: — Luz da América, corifeu dos juristas latinos!

O delegado russo, articulado e agressivo, era Andrei Vyshinsky, que fora promotor de acusação dos tempos de Stálin e possuía uma casuística implacável. O delegado norte-americano ao Conselho de Segurança era o senador Warren Austin, acolitado por um eminente jurista, Phillip Jessup, que eu havia conhecido superficialmente em Bretton Woods, pois figurava no secretariado daquela conferência. Warren Austin não era particularmente brilhante e se lhe atribuem várias gafes. Uma delas foi que, no calor dos debates entre árabes e israelenses, previamente à criação do Estado de Israel, teria feito um apelo veemente para que "árabes e judeus atenuassem suas controvérsias e se portassem como cristãos"!

O Brasil, desde a conferência em São Francisco, havia pleiteado ser incluido entre os membros permanentes do Conselho de Segurança. Mas o receio de pedidos semelhantes da Índia e outros países, fez com que a lotação fôsse reduzida aos cinco grandes — Estados Unidos, União Soviética, Inglaterra, França e China — cabendo ao Brasil, como prêmio de consolação, ter assento no Conselho de Segurança nos dois primeiros anos, estabelecendo-se a partir de então um sistema de rodízio entre os membros não-permanentes. O México foi o outro país latino-americano a figurar, apenas por um ano (1946), no Conselho de Segurança recém-instalado. O pleito brasileiro para pertencer ao mecanismo central dos órgãos criados para assegurar a paz e a segurança internacionais é antigo. Durante 7 anos, porfiamos por pertencer, na década dos 20, ao Conselho das Ligas das Nações. Não sendo atendidos, deixamos a Liga. Desde a Declaração da Carta do Atlântico (14.8.41) e a Declaração das Nações Unidas (1.1.42), emitidas por Churchill e Roosevelt, prenunciando a criação de um órgão semelhante à Liga das Nações, renovamos as nossas esperanças anteriores. Parcela do nosso esforço de entendimento com Roosevelt era inspirado por esse desejo. Julgávamos que seria uma credencial para acesso ao grupo das grandes potências. A veleidade de produzirmos a bomba atômica se relacionou também com essa aspiração.

O período da guerra se constituíra no quadro de ouro da cooperação americano-brasileira. A efêmera vantagem estratégica do Brasil, ao permitir o uso de bases no Nordeste como trampolim para a travessia do Atlântico, e invasão do Norte da África, era trunfo que seria reconhecido por Roosevelt, em seu encontro com Vargas, em Natal em janeiro de 1943. O presidente americano não desapontou nossa expectativa. Na Conferência de Yalta (de 4 a 11 de fevereiro de 1945) Roosevelt propôs a Stálin a inclusão permanente do Brasil no Conselho de Segurança da futura ONU. A proposta se baseava nos critérios de diversificação geográfica, peso da extensão territorial e da população. Stálin rejeitou-a, alegando que o Brasil não tinha relações diplomáticas com a URSS. A razão verdadeira era a alegada dependência do Brasil em relação aos EU, como referiu, em suas *Memórias*, o intérprete de Stálin.

O ingresso no Conselho de Segurança, como membros permanentes, tem sido uma pretensão recorrente das duas potências médias, o Brasil e a Índia. As perspectivas se têm reduzido no curso do tempo, diante da ascensão econômica dos antigos inimigos — Alemanha e Japão. Em vista do seu poderio econômico, esses países estão sendo cada vez mais solicitados a desempenhar papel político e diplomático, e até mesmo militar, em operações pacíficas da ONU. Isso os torna candidatos preferenciais em qualquer expansão do número de membros permanentes do Conselho de Segurança. As duas potências médias têm perdido importância relativa no concerto econômico mundial. O Itamaraty tem revelado variável grau de entusiasmo na perseguição do objetivo acima indicado, sendo nossa candidatura perturbada por ciúmes regionais de outras potências candidatas, como o México e a Argentina. Quando secretário-geral adjunto para organismos Internacionais, Ramiro Saraiva Guerreiro, que depois viria a ser ministro do Exterior do governo do general Figueiredo, a partir de 1979, opos-se a que o Brasil se candidatasse ao Conselho, numa avaliação provavelmente realista, de nossas escassas possibilidades de êxito. Assim justificava Saraiva Guerreiro sua posição:

"Quando secretário-geral adjunto para organismos internacionais, opus-me a que o Brasil se candidatasse ao Conselho, contra o desejo de Araújo Castro, então chefe da Missão. Em primeiro lugar, porque teríamos de disputar voto a voto, com risco de sermos derrotados, eleições em que outros países latino-americanos estavam empenhadíssimos. Eleições que para eles eram importantíssimas, porque achavam que lhes realçavam o prestígio, enquanto que, no caso do Brasil e desse ponto de vista, eram irrelevantes. Em segundo lugar, porque os pequenos países candidatos se motivavam por causas próprias a defender, concretas como o Panamá, ou potenciais, como o Equador, enquanto o Brasil tinha uma atitude de imparcialidade, quase judicial, isto é, prestaria um serviço que não seria reconhecido. Em terceiro lugar, àquela época, 1968-69, a questão das colônias portuguesas poderia ser levada ao Conselho, e eu muito receava que tomássemos uma posição de defesa e especial compreensão do colonialismo português, profundamente desgastante e contrária a nossos interesses, nesse foro reduzido em que as posições individuais são mais visíveis e alcançam maior repercussão; achava, por exemplo, que nossas atitudes na questão palestina poderiam, igualmente, criar-nos dificuldades. Em quarto lugar, estaríamos sujeitos, muito mais do que na Assembléia, porque cada voto conta muito num pequeno grupo, a pressões americanas eventuais e/ou a esforços dos demais países para nos instrumentalizar em seu favor, sem qualquer interesse para nós. Nossas negativas a tais tentativas, que poderiam ter de ser freqüentes, resultariam em ônus bilaterais para nós, rarissimamente em algum benefício para nós ou para a organização, onde nossa influência era (e é) marginal. Mais de uma vez, diplomatas estrangeiros comentaram comigo, anos depois, quando exercia as funções de secretário-geral e de ministro de Estado, que lhes parecia estranha a continuada ausência de um país de porte como o Brasil, deixando a América Latina por vezes, por coincidência, representada por dois de seus países menores. Uma vez, países houve que insistiram conosco para nos candidatarmos para evitar que Cuba ocupasse um dos dois lugares reservados à América Latina, considerando-se que a ilha, politicamente, pertencia a outro grupo. Evidentemente, recusei. Nosso papel não é desse tipo. Entendi sempre que, se os demais acham que o Brasil reforça o conselho, devem facilitar seu acesso. Não que considere o país grande potência; mas se, por um motivo ou outro, convém à comunidade que participemos, então não deveríamos ter por que brigar, com grande tensão, por uma eleição."[21]

Apesar de meu treinamento especializado, minhas funções na ONU eram ecléticas. Acompanhei todas as reuniões do ECOSOC — Conselho Econômico e Social. Fui o primeiro delegado brasileiro no FISI (Fundo Internacional de Socorro a Infância) que depois se transformaria no UNICEF — United Nations Children's Emergency Fund — o qual herdou parte dos recursos e das tarefas da UNRRA — United Nations Relief e Rehabilitation Fund — a cuja criação eu assistira em Washington.

O FISI não herdou apenas recursos e tarefas, mas também controvérsias. Uma dessas controvérsias era se o auxílio à infância se concentraria nos países devastados pela guerra ou se o critério seria simplesmente a desnutrição e mortalidade infantil. Nesse caso, alguns países subdesenvolvidos seriam candidatos prioritários ao auxílio. Esta última tese era aquela que intuitivamente eu defendera no FISI, sem aguardar instruções do Itamaraty. Este não estava ainda instrumentado burocraticamente para atender à rápida evolução dos organismos internacionais.

Rotineiramente, eu redigia telegramas ao Itamaraty, nos quais delineava um curso de ação, que seria seguido, a não ser que viessem instruções em contrário. Como essas nunca chegavam, despreocupava-me de buscar respostas na sede de nossa delegação na ONU. Dirigia-me diretamente das aulas matinais na Columbia University para a sede da ONU, em Great Neck, Long Island. Percebi um dia que, enquanto eu defendia vigorosamente a tese do tratamento igualitário entre países pobres e países devastados, Fionov, o delegado soviético, exibia um sorriso irônico. É que, através da embaixada da Tchecoslováquia no Brasil, a União Soviética havia obtido o assentimento do Itamaraty à tese da prioridade temporária para os países vítimas da guerra. No dia seguinte, verifiquei que instruções nesse sentido haviam sido efetivamente recebidas na sede da Delegação. Tive que desdizer-me, num discurso com circunlocuções embaraçadas. Fionov resolveu tripudiar sobre o meu equívoco.

— Parece-me — disse ele — detectar um certo grau de contradição na posição do delegado brasileiro.

Sob risada geral, respondi-lhe: — A contradição é privilégio das mulheres bonitas, dos homens inteligentes e dos governos realistas.

Acolitei Gilberto Amado, temporariamente designado para servir na Missão junto à ONU, em Nova York, nas discussões sobre refugiados de guerra e do

---

[21] Ver Ramiro Saraiva Guerreiro, *Lembranças de um empregado do Itamaraty*, Ed. Siciliano, São Paulo, 1992, pgs. 44-45.

Comitê de Tutela. Era grande a briga sobre as *displaced persons*. Stálin e seus satélites comunistas queriam a pura e simples devolução dos refugiados, muitos deles prisioneiros no Ocidente, alguns desertores e outros, simplesmente, dissidentes ideológicos. Era um drama humano, pois muitas das *displaced persons* acabaram em campos de concentração na Sibéria, quando não sumariamente executadas. Gilberto inicialmente lia com suspicácia os bilhetinhos que lhe passava, sugerindo orientações durante o debate. Reconheceu depois que o jovem assessor não era desprovido de bom senso e conhecia bem o tema e a documentação. Mas não dava facilmente o braço a torcer.

— Esse Campos — dizia ele — é um bom rapaz, mas tem dois defeitos. Faltam-lhe qualidades cênicas e gosta muito de organizar o pensamento alheio.[22]

Em julho de 1948, secretariei Gilberto Amado na reunião do ECOSOC em Genebra. Lembro-me que, com alguma dificuldade, obtive que fosse inscrito como primeiro orador na sessão de abertura, reproduzindo uma tradição que já se firmara na Assembléia Geral da ONU. A sessão começaria às 15 horas. Telefonei angustiado para o Hotel des Bergues, ignorando que Gilberto Amado estava recebendo a visita amorosa de uma namorada italiana, a quem só se referia, misteriosamente, como o *ser egrégio*. Quando lhe lembrei a urgência de seu comparecimento ao Palais des Nations, retrucou-me ele asperamente: — Como ousas tu, vil mortal, perturbar minha comunhão com o *ser egrégio*?

E desligou o telefone semcerimoniosamente. Tive que explicar, constrangido, ao secretariado, que o Brasil abria mão da precedência. O segundo orador inscrito era

---

[22] Em prefácio que escreveu para o meu livro, *A moeda, o governo e o tempo*, assim se refere Gilberto Amado ao nosso primeiro encontro na ONU, durante os trabalhos de redação do Estatuto dos Refugiados: "Atrás de mim sentava-se o secretário que o Itamaraty designara para me acompanhar na Comissão. Eu não o conhecia. Era um jovem magro, pálido, vestido sem apuro, olhos finos, sorriso que me pareceu irônico. Tinha sido padre, disseram-me. Estudara em São Paulo. Vinha de Goiás ou de Mato Grosso. Seu papel consistia em passar-me notas, dados, observações sobre o tema em debate, tudo que a discussão fosse sugerindo. Não pensei recorrer ao jovem itamaratiano. Mas à primeira nota que ele me comunicou tive que voltar-me e repassá-lo apreciativamente com os olhos. O que rabiscara era não só certo, não só interessante, mas capital para o encaminhamento da questão. Subitamente senti que sob a aparência quase fria, o rapaz brasileiro não estava ali para cumprir distraidamente um dever, para justificar sua presença, ali, e no orçamento. Roberto Campos vivia, comigo, o momento histórico, aquele após-guerra, aquela conseqüência de tanta desgraça; via aquelas pessoas perdidas no mundo, farrapos de despedaçamento dos povos, destroços do grande naufrágio. Não era um funcionário que estava executando automaticamente uma tarefa; era um cérebro capaz de receber as correntes da vida no seu radar e de ensaiar sobremontá-las e de domá-las no sentido humano. Foi meu primeiro contato de serviço com um itamaratiano. Surpreendia-me encontrar no que dizia a objetividade, a marca dessa virtude, que coloco acima de todas". Em *O governo, a moeda e o tempo*, Ed. Apec, Rio de Janeiro, 1964, pg. 8.

Mendès France, que depois viria a ser o primeiro-ministro gaulês na fase crítica do desengajamento da Indochina. Pierre Mendès France era um soberbo orador e a ausência de Gilberto não foi sentida.

Ao longo de minha estada na ONU, verifiquei que a ciência econômica, a despeito de sua catadura severa, é peculiarmente vulnerável a *modismos*. Quando, após a II Guerra Mundial, eclodiu o interesse na cooperação para o desenvolvimento econômico, os países não industrializados eram chamados *países pobres*, refletindo uma visão estática do desenvolvimento. Subseqüentemente, passamos a uma era de *pessimismo dinâmico* e a expressão passou a ser *países atrasados* (o que pelo menos implicava a possibilidade de recuperação pelo avanço). Mais tarde, atingiríamos uma fase de *otimismo dinâmico* em que a expressão usada passou a ser *países subdesenvolvidos* e, depois, *países em desenvolvimento*. Como está na moda a *dinâmica social*, fala-se hoje em *países espectantes*, fecundados pela *revolução das expectativas crescentes*. À medida que os tigres asiáticos e alguns países latino-americanos avançaram na senda da industrialização, inventou-se a categoria dos NICS (Newly industrialized countries). No jogo das siglas, há hoje quem fale nos MICS (Mature industrial countries) e nos DICS (Declining industrial countries). Nos anos oitenta, paralelamente à *revolução das expectativas crescentes* dos países em desenvolvimento, os países industrializados começaram a experimentar dificuldades no financiamento de exageros assistencialistas. É a moderna *revolution of rising entitlements* (a revolução dos crescentes intitulamentos) característica do *welfare state*.

DON OSWALDO Y
SU PAR DE COJONES...

Se João Carlos Muniz, o anterior chefe da Missão na ONU, era culto e introvertido, Oswaldo Aranha era precisamente o contrário; intuitivo mais do que letrado, era uma vigorosa personalidade, exsudando um certo grau de carisma. Hesitante no comando das duas línguas principais da Assembléia, dava a impressão de dominá-las com *aisance*. Nunca me esqueço da admiração que despertava em meus colegas latino-americanos. Disse-me certa vez um delegado colombiano: — *Me gusta Don Oswaldo porque tiene um señor par de cojones y los pone encima de la mesa.*

O colombiano abundava em imagismo machista. Quando o marechal Tito rompeu com o todo poderoso Stálin, em 1948, dizia ele: — Quando Tito marcha, segue-lhe atrás um caminhão carregando os culhões...

Aranha gozava de grande prestígio entre os aliados na ONU, pois se lhe atribuía, com justiça, influência decisiva na entrada do Brasil na II Guerra Mundial, em favor das democracias.

Revelou forte personalidade na condução de duas Assembléias Gerais da ONU, sobre o drama multissecular da Palestina. Conflitavam-se de um lado os sionistas, que desejavam seu lar em Israel, conforme lhes fora prometido pela Declaração Balfour de 1917, pretenção reforçada pelo holocausto hitlerista; e de outro, os árabes, majoritários na área, e credenciados pela contribuição que, sob a liderança do emir Faisal, tinham dado para a derrota do Império Otomano na I Guerra Mundial (episódio em que se celebrizou o legendário major inglês, T. E. Lawrence). O petróleo árabe era obviamente fator importante no jogo geopolítico.

A Assembléia regular da ONU em 1947 foi "extraordinária" pela presença de grandes personalidades. O general Marshall, secretário de Estado, chefiava a delegação americana, acolitado por Eleanor Roosevelt, John Foster Dulles e Adlai Stevenson. Ernest Bevin era o representante inglês; o promotor Vyshinsky representava Moscou; o delegado francês era George Bidault; e madame Paudit, irmã de Nehru, falava pela Índia, Paul Spaak, pela Bélgica e Thomas Masaryk, pela Tchecoslováquia, que no ano seguinte cairia em mãos comunistas.

Numa das raríssimas ocasiões em que Aranha reuniu nossa delegação, recebeu com sobrecenho carregado minha juvenil tentativa de descontrair o ambiente. Contei um chiste corrente nos corredores da ONU: "O deserto de Ca-na-ã ficou sendo a terra prometida, porque a gagueira de Moisés o impediu de pedir o Ca-na-dá..."

As duas personalidades mais interessantes em nossa delegação eram Gilberto

Amado e o almirante Álvaro Alberto. Gilberto era nosso representante na Organização Internacional do Trabalho, em Genebra, que se transferira para Montreal durante a guerra. Encontrava-se em Nova York, em 1947, tendo sido seus serviços aproveitados na Missão da ONU, para duas tarefas especiais. A de representante do Brasil no Comitê Especial de Refugiados de Guerra, época em que, como já disse, lhe servi de secretário. E a de delegado no Comitê *ad hoc* sobre o desenvolvimento e codificação de Direito Internacional, no qual era assessorado por Ramiro Saraiva Guerreiro, passando depois a representar-nos na Comissão de Direito Internacional, composta de 15 juristas internacionais, criada pela II Assembléia Geral da ONU, em 1957.

A outra personalidade era o almirante Álvaro Alberto. Tratava-se de um cientista de mérito — químico e físico — a quem se credita a invenção de dois explosivos — alexandrita e rupturita. Viria a ser, depois, o fundador e primeiro presidente do Conselho Nacional de Pesquisas. Álvaro Alberto esbanjava erudição de forma indigesta. Lembro-me de um seu discurso de nove páginas, no qual contei 26 citações. Não escapava ninguém, de Demócrito e Aristóteles, de Einstein a Schrödinger...

Foi designado para a Missão na ONU como perito em assuntos nucleares e, entre 1946 e 1947, presidia a Comissão de Energia Atômica do Conselho de Segurança. Nessa posição, entrou logo em conflito com os americanos. Estes eram ainda detentores do monopólio da energia atômica, que só foi rompido em 1949, com a primeira explosão nuclear soviética.

Nos primórdios da ONU, com prestígio militar realçado graças à explosão das bombas atômicas em Hiroshima e Nagasaki, os americanos demonstraram viva preocupação com a internacionalização do átomo. Para impedir a proliferação nuclear, propuseram à ONU o plano Baruch. Renunciariam ao monopólio nuclear em favor de uma organização internacional, sob o controle da ONU, desde que os demais países se comprometessem a não fabricar bombas atômicas e confiassem a esse organismo internacional o controle de todos os materiais físseis e de tudo o que dissesse respeito à energia atômica. O conflito com a União Soviética foi imediato. Baruch imaginava estar contribuindo para a paz ao internacionalizar o átomo. Stálin, cujas pesquisas nucleares estavam avançadas, via no Plano Baruch apenas uma fórmula hipócrita de preservar o monopólio atômico americano. Graças aos trabalhos do físico Per Kapitsa, que havia participado de pesquisas na Inglaterra, e à revelação dos segredos da bomba pelo espião Klaus Fuchs, a União Soviética faria sua primeira explosão nuclear em 1949, com 4 anos de defasagem em relação ao primeiro teste americano, em Los Alamos. A defasagem foi ainda menor no tocante à bomba de hidrogênio. O primeiro teste americano foi em 1952, seguindo-se-lhe o teste soviético em 1953. Alargou-se a partir daí o clube nuclear. A Inglaterra testou sua bomba atômica em 1952 e a de hidrogênio em 1957. A França testou sua bomba atômica em 1960 e a fusão termonuclear em 1968. No caso da China, as datas foram respectivamente, 1964 e 1967. A Índia explodiria um artefato nuclear em 1974.

Álvaro Alberto também se opunha ao Plano Baruch por acreditar que o Brasil era excepcionalmente bem provido de urânio e tório, o que nos credenciava para nos tornarmos uma potência nuclear. Apesar de ser um mero segundo secretário de embaixada, Álvaro Alberto procurava-me freqüentemente, tentando em vão convencer-me da prioridade e economicidade de um engajamento brasileiro num esforço de nuclearização. Não conseguiu convencer-me e, anos mais tarde, opor-me-ia à megalomania do acordo nuclear com a Alemanha, assinado pelo presidente Geisel em 1975, assim como me opus à decisão brasileira de não assinar o Tratado de Não-Proliferação Nuclear de 1968, atitude só compreensível se abrigássemos uma secreta intenção de nos engajarmos em pesquisa nuclear belicista.

O almirante Álvaro Alberto prosseguia, com uma energia que chegava ao fanatismo, sua luta pelo domínio da energia atômica. O nacionalismo dos minerais físseis antecedeu, aliás, ao nacionalismo petrolífero. Enquanto o monopólio petrolífero só foi criado com a Lei nº 2.004, de outubro de 1953, o monopólio estatal das exportações dos principais minérios radioativos e terras raras fora criado em janeiro de 1951, pela Lei nº 1.051. As exportações ficavam sujeitas à anuência do Conselho de Segurança Nacional e do Conselho Nacional de Pesquisas, então criado sob a presidência do próprio almirante Álvaro Alberto. Ele depois se tornaria o pivô de uma crise nas relações com os Estados Unidos.

Como meio de contornar a resistência norte-americana, sob o receio de proliferação nuclear, em transferir tecnologia de enriquecimento de urânio, Álvaro Aberto promoveu um contrato com uma empresa francesa, a Societé des Produits Chimiques des Terres Rares, para a instalação, em Poços de Caldas, de uma usina de urânio metálico nuclearmente puro, investimento de resultados assaz medíocres. E, num passo mais ousado, encomendou aos físicos Wilhelm Groth, da Universidade de Bonn, Konrad Beyerle, da Sociedade Max Planck e Otto Hahn, perito em fissão nuclear, a fabricação de três ultracentrífugas, com o objetivo de instalar no Brasil uma usina de separação de isótopos e enriquecimento de urânio. Era o sonho da "bombinha", *assaz tenaz* entre os militares brasileiros. As ultracentrífugas foram interceptadas ainda na Alemanha, então sob ocupação aliada, pelo brigadeiro britânico, Harvey Smith, por ordem do Alto Comissário de Ocupação, o cientista americano James Conant.[23] Só foram liberadas em 1956, e após longo período de encaixotamento, utilizadas experimentalmente por algum tempo pelo Instituto de Pesquisa Tecnológica de São Paulo.

Anos depois, surpreendia-me no Senado Federal com a revelação da existência de um *programa paralelo de energia nuclear*, iniciado no governo Figueiredo, visando à fabricação de ultracentrífugas em instalações da Marinha, em Iperó, no Estado de São Paulo. Era um bocado de dinheiro dispendido na redescoberta de uma tecnologia velha de 40 anos...

---

[23] O episódio é descrito em detalhes por Moniz Bandeira, *Brasil-Estados Unidos — A rivalidade emergente*, Civilização Brasileira, Rio de Janeiro, 1989, pgs. 38 e 42.

ESQUERDISTA
POR ENGANO

Oswaldo Aranha era razoável disciplinador na *curul* presidencial. Lembro-me que de certa feita, cassou a palavra a Andrei Vyshinsky, orador impetuoso que se celebrizara como promotor dos expurgos de Moscou, o que fez com que o delegado russo assumisse atitude vituperativa, passando a contestar desabridamente as decisões presidenciais.

Oswaldo Aranha ameaçou então renunciar à presidência da Assembéia Geral, ante essa invulgar hostilidade, que revelava aliás um azedamento das relações entre o Brasil e a União Soviética. Estas haviam começado a se deteriorar quando Moscou, na Conferência dos Aliados em Berlim, sobre reparações de guerra, quis vetar a presença do Brasil. Essa presença era mais que justificada porque o Brasil havia tido uma posição expressiva na frente de combate, através da Força Expedicionária na Itália.

Uma personalidade incansável em fazer *lobby* entre os delegados à ONU era Golda Meir, uma das grandes batalhadoras pela criação do estado de Israel. Pouco atraente, mesmo quando jovem, Golda Meir seria ministra do Exterior no gabinete de Ben Gurion. Àquela época, exsudando energia, era comovente em seu proselitismo. A "questão palestina" estava em ebulição em 1947. Os britânicos, detentores do mandato, aprovado pela Liga das Nações, em 1922, cansados do conflito, examinavam três possíveis soluções: a) Partição cantonalizada; b) Federalização de dois estados — um árabe e um judeu (solução Morrison-Grady); e c) Devolução do mandato à ONU. Decidiram-se pela última alternativa e, em 2 de abril de 1947, pediram a convocação de uma sessão especial da Assembléia Geral da ONU.

Esta se reuniu de 28 de abril a 15 de maio, a fim de criar um comitê especial, encarregado de propor à Assembléia Regular, em setembro, uma solução definitiva para a questão palestina. O relatório recomendou unanimemente a independência da Palestina: a unificação econômica dos territórios; a implantação da democracia e o livre acesso aos lugares santos para todas as comunidades religiosas. Mas dividiu-se no fundamental: a organização política. Oito membros propunham a partição entre um estado judeu e um estado árabe: Jerusalém teria um "status" especial e haveria um estágio de transição de dois anos. Quatros membros propunham a criação de um estado federal independente, como dois cantões, um israelense e um palestino. Após acrimoniosos debates, a Assembléia Geral Ordinária aprovou, por maioria, o plano de partição, com uma série de prazos e procedimentos, sob a supervisão da ONU. Mas os acontecimentos se precipitaram, e em 14 de maio de 1948, era proclamado o estado de Israel, imediatamente reconhecido pelos Estados Unidos. Golda Meir saboreava os frutos do seu trabalho, talvez mal sabendo que várias guerras estariam por vir, mesmo depois de votadas na ONU as Resoluções 242 e 338.

O papel importante de Oswaldo Aranha na criação do Estado de Israel tornou particularmente penosa para os judeus nossa reversão de política, quando, anos mais tarde (1975), no governo Geisel, apoiamos resolução da ONU que equiparava o sionismo ao racismo.

Visitei Golda Meir, já primeira-ministra em Jerusalém, em 1969, quando fiz parte de uma comissão do Banco Mundial, chefiada pelo primeiro-ministro canadense Lester Pearson, encarregada de fazer um relatório sobre problemas do desenvolvimento econômico. Foi o conhecido documento 'Partners in Progress', mais popularmente conhecido como 'Pearson Report'.

Minhas relações com Oswaldo Aranha eram corretas, porém distantes. Atarefado com as negociações relacionadas com a questão palestina e intensamente solicitado pelo primeiro secretario-geral da ONU, o norueguês Trygvie Lie, Oswaldo Aranha não dispunha de tempo para reunir a delegação ou transmitir-nos qualquer orientação. Isso me custou alguns dissabores. Fui designado para um dos comitês menos interessantes da II Assembléia Geral, o Comitê Administrativo.

A personalidade mais estimulante, acidentalmente destacada para essa tarefa, era Adlai Stevenson, delegado americano, que depois foi candidato à presidência dos Estados Unidos contra Eisenhower, e rival de Kennedy na Convenção do Partido Democrático, em 1959. Por curiosas circunstâncias, vi-me constantemente ao lado do delegado soviético. Defendíamos posições comuns: a Carta das Nações Unidas previa que, no provimento de cargos, se desse atenção, tanto quanto possível, à *distribuição geográfica* do funcionalismo. Os russos estavam interessados nisso porque queriam ver aumentada a tripulação de funcionários dos países socialistas. Eu pretendia que os latino-americanos fossem adequadamente representados.

Passei então a criticar asperamente os critérios de recrutamento de Trygvie Lie, que ameaçavam converter as Nações Unidas, como antes acontecera com a Liga das Nações, num clube anglo-saxão, com alguma participação de franceses e outros europeus. Trygvie Lie foi queixar-se a Oswaldo Aranha de que o delegado brasileiro lhe criava dificuldades num momento crítico em que havia coisas mais transcendentes a discutir. Parece ter insinuado que meus interesses não eram puramente administrativos, mas que refletiam talvez alguma simpatia ideológica pelas postulações soviéticas.

Oswaldo Aranha começou a acreditar que isso fosse verdade. Corria então na delegação o boato de que eu era suspeito de atitudes comunistas. Quando Aranha me interpelou sobre minhas posições no Comitê Administrativo, que não haviam sido por ele autorizadas, respondi-lhe simplesmente que não tinha conseguido jamais vê-lo, apesar de repetidos pedidos de entrevista. E que não estava fazendo outra coisa senão exigir que Trygvie Lie se adequasse aos dispositivos da Carta. Aranha permaneceu incrédulo e acabou resolvendo livrar-se do incômodo. Chamou-me às falas e designou-me para participar da delegação brasileira à Conferência Internacional de Comércio e Emprego, que se abriria em Havana, estendendo-se de novembro de 1947 a março de 1948.

Despedido assim da Delegação, passei quatro meses em Havana na discussão da Carta da Organização Internacional de Comércio. O presidente era Carlos Grau, mas o ditador Fulgêncio Batista permanecia como o homem forte nos bastidores. A figura mais ativa do ministério era Carlos Prio Socarrás, já então candidato à presidência da República.

Levei a família, Stella e dois filhos, e aluguei uma casa no bairro de Miramar. A rua não era pavimentada, as poças d'água eram criadouros de mosquitos. A leitura dos jornais me proporcionava raras gargalhadas, pelas esquisitas manchetes. Houvera um crime hediondo. Um rapaz matara sua mãe a machadadas. A manchete dizia: *mató su madre, sin motivo justificado*. Um outro, para roubar cinco pesos de uma velhinha, que remexia um caldeirão de sabão fervente, atirou-a na grande panela. A manchete dizia: *que bárbaro consommé de viejita!* Nesse tempo houve a primeira e espetacular vitória do grande boxeador negro Joe Louis, que nocauteou o ariano Max Schmelling. A população cubana, com forte influência negra, torcia contra o ariano. E a manchete assim relatava a vitória: *le aplastó con un puñetazo el retador negro!*

O tema da conferência me interessava bastante. Lembrava-me de que Eugênio Gudin e Octávio Bulhões tinham proposto, desde Bretton Woods, a criação de uma organização orientada para o comércio de produtos de base. Na Conferência discutir-se-ia precisamente a proposta da criação da Organização Internacional de Comércio. Fiquei encarregado de assessorar dois importantes comitês, um sobre subsídios à exportação e outro sobre preferências tarifárias.

A OIC, entretanto, nunca foi formalmente constituída, tendo-se o Congresso americano recusado, em 1949, a ratificar a Carta de Havana.[24] A única parte desse

---

[24] A convocação de uma Conferência Internacional de Comércio e Emprego era uma idéia antiga do secretário de Estado Cordell Hull, que conseguiu persuadir o presidente Wilson a incluí-la, como o ponto 3 dos 14 princípios enunciados como essenciais para a paz, ao findar-se a I Guerra Mundial. Hull via no conflito econômico a causa principal da guerra.

Tratado que se operacionalizou foi o projeto do GATT — Acordo Geral de Tarifas e Comércio — encarregado especificamente do capítulo VI da Carta, a saber, o pertinente ao comércio internacional de produtos manufaturados. O Acordo das Partes Contratantes do GATT, que havia sido formulado nas conferências preparatórias de Londres e Genebra, entraria em vigor em 1º de janeiro de 1948, com a assinatura de 23 países.

A posição brasileira, quando da discussão da Carta, era a mesma que Gudin havia defendido em Bretton Woods: a organização de comércio deveria ter como uma das suas responsabilidades principais o problema da estabilização dos preços de produtos primários, pois que essa instabilidade estava na raiz das dificuldades de balanço de pagamentos dos produtores primários. Isso envolvia, entretanto, basicamente o problema da agricultura, setor que sempre provocou um protecionismo tenaz, que nos dias de hoje ameaça a própria sobrevivência do GATT. Os Estados Unidos, alarmados com a corrida de subsídios agrícolas na Europa, em concorrência com suas exportações agrícolas, advoga hoje a tese, que rechaçara em Havana, de que regras sobre a agricultura, inclusive restrições a subsídios, devem fazer parte fundamental dos entendimentos do GATT. Agricultura e serviços foram, em realidade, os grandes itens conflituosos na última rodada de negociações do GATT, a *rodada Uruguai*, iniciada em Punta del Este, em 1986.[25]

Além do problema da estabilização dos preços de *commodities*, e da contenção de subsídios a exportações agrícolas, interessava ao Brasil eliminar, ou pelo menos reduzir substancialmente, as preferências britânicas para a Commonwealth, instauradas pelo Acordo de Ottawa, em 1922, que representavam discriminação contra os produtos latino-americanos. E também restringir a criação de novas preferências discriminatórias, a não ser através de acordos regionais, visando à criação de uniões aduaneiras, ressalvado o direito dos não-participantes de apelar para a OIC, caso os termos e condições por ela fixadas não fossem obedecidas nos acordos regionais. A possibilidade de criação de novas preferências, naquela ocasião, era defendida sobretudo pelos países árabes e centro-americanos. Somente mais tarde surgiriam na América do Sul as propostas de zonas livres de comércio e integração regional (ALALC e Bloco Andino).

No tema das preferências, nossos interesses concordavam com os dos Estados Unidos, que defendiam a tese do comércio multilateral e não-discriminatório. Mas

---

[25] No momento em que escrevo, com 47 anos de atraso sobre a conferência de Havana, foi anunciada, após a conclusão laboriosa da *rodada Uruguai* do GATT, a criação da Organização Mundial do Comércio (WTO-World Trade Organization). Essa organização, quando ratificada pelos governos, substituirá o GATT, passando também a regulamentar a área da agricultura, os serviços (inclusive direitos de propriedade intelectual) e investimentos.

a posição americana era um pouco ambivalente, pois se de um lado objetava às preferências inglesas, de outro lado as usava como desculpa para manter um tratamento preferencial em favor de Cuba e das Filipinas.

Perdemos a luta. O GATT acabou sendo um organismo preocupado essencialmente com tarifas de importação, obstáculo mais relevante no comércio de manufaturas que no de produtos agrícolas. É que o protecionismo agrícola habitualmente tomava a forma de imposição de quotas, exigências de licenças de importação, ou concessão de subsídios. Ou sejam, barreiras *não tarifárias*. A redução de tarifas, conquanto importante para a expansão do comércio internacional, atendia primordialmente ao interesse dos países industrializados, que tinham um papel preponderante no comércio de manufaturas.

A luta contra as preferências imperiais da Grã-Bretanha não teve também maior êxito, porque a França e outras potências coloniais, como Holanda, Bélgica e, então, Portugal, apoiavam a idéia de manutenção de preferências para suas antigas dependências coloniais.

A composição da delegação brasileira à Conferência de Havana, presidida pelo ministro Ferreira Braga, do Itamaraty, era interessante. Lembro-me particularmente de Aldo Franco, que então representava a Confederação Nacional do Comércio e que foi depois diretor da Cacex e do Banco Central; de Rômulo de Almeida, que trabalhava na Confederação Nacional da Indústria e viria depois a ser um importante chefe da assessoria do presidente Vargas, presidente do Banco do Nordeste e secretário de Estado na Bahia; de Glycon de Paiva, que depois trabalharia comigo na Comissão Mista Brasil-Estados Unidos, de onde partimos ambos para a fundação do BNDE; de Garrido Torres, que seria depois diretor executivo da SUMOC no governo de Juscelino e presidente do BNDE, no governo Castello Branco; e de Alexandre Kafka, então funcionário da Confederação Nacional da Indústria, que depois viria a ser nosso diretor no Board do Fundo Monetário Internacional.[26] Participava também da delegação o general Anápio Gomes, que fora coordenador de Mobilização Econômica, passando depois a dirigir

---

[26] Kafka viria a ser eleito diretor executivo para o Brasil no FMI, na assembléia dos governadores em 1966. Seu nome fora por mim sugerido ao ministro da Fazenda, Octávio Gouvêia de Bulhões. Transpirada a notícia dessa indicação, fui visitado por um coronel do SNI que me ponderou o perigo de estarmos entregando um posto econômico estratégico a um cidadão tcheco, recém naturalizado. Encontrou-me num dia de mau humor, em que estava sendo insultado pelos "nacionalistas". Respondi-lhe simplesmente que são abundantes os brasileiros "filhos da puta", que nascem no país por acidente biológico. Era preferível um homem que, na idade madura, tendo estudado economia na Inglaterra, optara pelo Brasil, conscientemente, como pátria. Kafka, confirmado no posto em virtude de sua competência por sucessivos governos, é hoje o decano dos diretores executivos do FMI.

a SUNAB. Compareceu a algumas reuniões Hélio de Burgos Cabal, funcionário do Itamaraty, então assistente econômico do gabinete do presidente Dutra. Era um espírito arguto, com bom senso de estratégia parlamentar.

Havana era uma cidade alegre e razoavelmente corrupta. O turismo e jogo garantiam excelente receita turística.

Lembro-me de um episódio hilariante. Estávamos em comovente castidade, numa cidade eminentemente sensual. De vez em quando, o general Anápio, tímido e recatado, se queixava da solidão. Um dos assessores da delegação, funcionário do Banco do Brasil, o Aluízio Lima Campos, com a alcunha de Bilola, tinha devaneios estranhos. Alegava ter descoberto a equação geral da economia a duas incógnitas. E admitia que a Marinha americana estava interessada em seu invento de transmissão de sensações táteis à distância, o *teletato*. Homem viajado, que conhecia bem Paris e servira por algum tempo no Chile, propos-se a resolver o problema da abstinência sexual da delegação.

Entramos num táxi, o Bilola à frente com o chofer, e atrás o general Anápio, Aldo Franco e eu próprio. O general começou a mencionar timidamente que, segundo constava, havia cerca de 40.000 prostitutas nessa grande cidade-cassino que era Havana. Bilola tomou a iniciativa da solução. O diálogo com o chofer foi curiosíssimo. Disse Bilola ao chofer: — *Mire usted, a nosotros brasileños nos gustaria conocer unas muchachas que les guste bailar.*

— *Si* — disse o chofer — *hay muchas en Havana, se las puede ver en los shows del Tropicana* (conhecido *nightclub* da época).

— *Es que* — declarou Bilola — *a nosotros gustaria quedarnos con las muchachas y quizá invitarlas a cenar.*

— *Puedo llevarlos a ustedes al Sans Souci, que es un cabaret muy elegante, com muchas muchachas bailables* — acrescentou o chofer.

— *Será que las muchachas bailables podrían quedarse con nosotros a dormir en el hotel?*" — indagou Bilola.

— *Entiendo* — disse o chofer — *los señores brasileños quieren unas "putas".*

A gargalhada foi geral ante as circunlocuções diplomáticas de Bilola. O general enrubesceu. Descemos do táxi um pouco envergonhados e a castidade ficou preservada. Pobre Havana! Passou de bordel capitalista, antes de Fidel Castro a quartel socialista, depois dele. Era bem mais divertida, anteriormente...

Em fevereiro de 1948, fui chamado de volta a Nova York, para assessorar o embaixador João Carlos Muniz, no Conselho Econômico e Social da ONU. Terminara o ostracismo a que me havia condenado Oswaldo Aranha como comunista, por engano.

A ASSEMBLÉIA GERAL DA ONU EM PARIS

— Terminou o tempo de papar dólares. Agora é hora de roer cruzeiros.

Foi assim que me recebeu Raul Fernandes, quando jovem secretário de embaixada me apresentei no Itamaraty, de volta ao Brasil, em fins de 1949. Tratava-se de um cumprimento áspero e desapontador para um jovem idealista, que voltava de sete anos de estada ininterrupta no exterior, primeiro na embaixada em Washington, como segundo-secretário e depois em Nova York, nas Nações Unidas. Estivera *present at the creation* (para usar a expressão de Dean Acheson), na fase formativa das Nações Unidas. Aos 32 anos julgava-me o diplomata mais experimentado em negociações econômicas internacionais, apesar de não ter entrado na diplomacia por vocação e ter estudado economia por acidente.

Mas o velho Raul Fernandes, com seu esguio perfil de Voltaire, mais capaz de rir por sarcasmo que por prazer, não era dado a amenidades. Dizia Gilberto Amado que o admirava pela capacidade de, nas filas de recepções, "dizer a todo mundo uma coisa desagradável; e sempre uma coisa diferente". Gilberto invejava essa qualidade satânica.

Raul Fernandes pertencia à geração que eu chamava "a geração dos velhos que escreviam bem". Além de Raul Fernandes servi com dois outros — Eugênio Gudin e José Maria Whitaker. Com tinturas de latim, senhores da gramática, e absolutamente avaros no uso de adjetivos, não eram econômicos de idéias e sim de palavras. Tenho a impressão que hoje as coisas mudaram para pior...

Tinha em seu passado administrativo um episódio pitoresco. Eleito presidente do Estado do Rio de Janeiro, em 1922, em disputadíssima eleição com Feliciano Sodré, só pôde tomar posse através de um mandado de segurança. Mas seu contendor, com a cobertura do governo federal, auto-empossou-se no mesmo dia, criando-se uma dualidade de poderes, que facilitou a intervenção federal decretada por Artur Bernardes, que entregou o Executivo estadual a Aurelino Leal.

Foi um dos redatores da Constituição de 1934 e coube-lhe representar o Brasil em dois eventos importantes: a Conferência da Paz, em Paris, ao término da II Guerra Mundial, em 1946, e a Conferência Interamericana sobre a Paz e Segurança, realizada no hotel Quitandinha, em Petrópolis, em 1947, que instituiu o sistema interamericano de defesa.

De Raul Fernandes, um excelente talento jurídico com soberbas qualidades éticas, contavam-se boatos interessantes. Tinha casado, em segundas núpcias, com uma senhora rumena, que encontrara num sanatório na Suíça, o que em si já é um pouco exótico. Longevo, sobreviveu mais de 90 anos e, tendo enviuvado da segunda mulher, casou-se com uma prima desta, também rumena, que conhecera em Bucarest.[27]

— A cada 50 anos — pilheriava-se no Itamaraty — casa-se com uma romena.

Teve o prazer de enterrar um de seus médicos, que aos 25 anos lhe havia diagnosticado uma tuberculose terminal.

Raul Fernandes àquela altura me parecia menos admirável do que hoje, quando o relanceio à luz da história. É que havia me cortado as asas, quando ensaiava vôos como jovem e idealista secretário da Delegação Brasileira à III Assembléia Geral da ONU, a única que se reuniu fora da sede, em Paris, em novembro de 1948. A delegação brasileira tinha uma invulgar constelação de talentos. Entre esses, figuravam os dois Gilbertos — Gilberto Freyre e Gilberto Amado — sendo que este último ficava apoplético quando alguém, ao lhe ser apresentado, ousava confundi-lo com o primeiro.[28] No plano literário, Austregésilo de Athayde, que desempenhou papel importante na formulação da *Declaração dos Direitos do Homem*. No plano político, Artur Bernardes Filho e Juracy Magalhães, aquele senador e este deputado.

Lembro-me de uma das tiradas imortais de Gilberto Amado. Tinha presidido o ECOSOC — Conselho Econômico Social — que se reunira em Genebra, e, em Paris, fora eleito relator do Comitê de Redação da Convenção sobre o Genocídio, assunto emocional em vista de recordações recentes da *solução final* aplicada aos judeus pelos nazistas. O delegado russo, Koretzky, após uma intervenção de Gilberto Amado, apodou de *estranha* a posição do delegado brasileiro, que achava discrepante da gloriosa tradição dos internacionalistas da América Latina, como Calvo ou Bustamante. Houve um momento de embaraço, mas Gilberto Amado safou a onça com grande *savoir faire*.

---

[27] Um dos argumentos irônicos que eu usava quando o mórbido nacionalismo petrolífero resultaria, em 1953, na criação do monopólio da Petrobrás, era que Raul Fernandes podia ser ministro de Estado, porém não acionista da Petrobrás, pois casara com estrangeira em comunhão de bens.

[28] Gilberto Amado, ao ser apresentado a um general, irmão de Edmundo da Luz Pinto, ouviu deste grandes elogios a *Casa grande e senzala*. Gilberto removeu o equívoco e perguntou: — Então, o senhor é irmão do Edmundo?
— Sim — respondeu o general.
— Do mesmo leito?
— Sim — ajuntou o general.
Ao afastar-se do grupo, Gilberto murmurou: "Estranhos caprichos da natureza".

— É verdade — disse ele — que esses nobres colegas latino-americanos amaram muito o direito internacional; pena é que esse amor não tenha sido correspondido.

Não havia àquela ocasião particular afeição entre brasileiros e soviéticos. Sabíamos que nas reuniões preparatórias da ONU, os soviéticos queriam as Nações Unidas regidas por uma tríade no Conselho de Segurança — Estados Unidos, União Soviética e Inglaterra. Excluíam até mesmo a França e, obviamente, a China Nacionalista. O Brasil inicialmente pleiteara um lugar permanente no Conselho de Segurança, alegando sua relevante participação na guerra. Resignou-se depois, como já mencionei alhures, a ser apenas um dos membros inaugurais, com mandato de dois anos.

Meus interesses, entretanto, eram na área econômica e social. Estando o governo de Washington engajado na assistência à Europa, através do Plano Marshall, e alegando ele a impossibilidade de conjugar esse esforço prioritário de reconstrução com os problemas mais amplos dos países pobres, cabia-nos excogitar algo factível em benefício destes últimos. A proposta que eu havia trabalhado, confidencialmente, com David Weintraub, diretor do Departamento Econômico da ONU, visava à instituição, pela Assembléia em Paris, de um programa regular de assistência técnica, que em 1949 se transformaria "Programa Ampliado de Assistência Técnica". Weintraub era um economista americano, de tendências moderadamente socializantes, depois injustamente acusado de criptocomunista, durante a histérica caça às bruxas instaurada pelo senador McCarthy em sua campanha anti-soviética.

A proposta me parecia fazer sentido. Na Europa devastada, a carência era de matérias-primas e equipamentos. Recursos humanos existiam, e abundavam os projetos de reconstrução. No caso dos países pobres, a tarefa inicial mais útil, na impossibilidade de engajamento financeiro maior dos Estados Unidos, seria a formação de capital humano e a preparação de projetos de financiamento. Em suma, tarefas essencialmente de assistência técnica. Não era esse, obviamente, o ponto de vista de muitos países subdesenvolvidos, que, impulsionados pela vigorosa retórica de Charles Malik, delegado do Líbano, insistiam na idéia grandiosa de um Plano Marshall intergovernamental em favor dos países pobres, alegando que o problema não era de tecnologia e sim de capital.

A delegação brasileira estava preparada para apresentar meu projeto de resolução em Paris. Entretanto, Raul Fernandes, ministro do Exterior e chefe da delegação à Assembléia Geral, desaconselhou a iniciativa. Era tal — arguia ele — o engajamento dos Estados Unidos na contenção do comunismo e na reconstrução européia, que dificilmente dariam atenção a quaisquer propostas divergentes dessa preocupação central.

Frustrado, decidi-me a violar a disciplina. Aliei-me secretamente ao delegado chileno, embaixador Hernán Santa Cruz, que tinha liberdade de manobra consideravelmente maior. Combinamos que ele apresentaria, em nome do Chile, (ao qual se associaram o Peru, o Egito e a Birmânia) a resolução relativa ao programa de assistência técnica (Resolução nº 200) que viria a se transformar depois no PNUD (Plano das Nações Unidas para o Desenvolvimento). Este assumiu crescente importância ao longo dos anos.[29] A resolução foi aprovada em votação pouco entusiasmada que revelava, precisamente como havia profetizado Raul Fernandes, o desinteresse americano e europeu no assunto. Era uma concessão, porém não uma convicção.

Isso foi em dezembro de 1948. Por um desses paradoxos da história, o tema da assistência técnica viria logo depois ao proscênio. É que, eleito presidente, numa vitória surpreendente sobre Thomas Dewey, o candidato republicano favorito, Truman precisava de idéias novas para seu discurso inaugural em 20 de janeiro de 1949.

— Quero alguma idéia nova, que acalme os países pobres ressentidos com nossa concentração no Plano Marshal — disse Truman a Dean Acheson já indicado para suceder ao general Marshall como secretário de Estado.

O assessor presidencial Clark Clifford, logo após as eleições de novembro de 1948, já tinha pedido ao Departamento de Estado sugestões para o discurso inaugural, inclusive "um manifesto democrático dirigido aos povos do mundo e não apenas ao povo americano". O pedido não despertou atenção nos altos escalões do Departamento de Estado, mas provocou a imaginação de um jovem repórter, Benjamin Hardy, que trabalhara no Brasil como representante do "Office of the Coordinator of Interamerican Affairs". Hardy preparou um memorando em que dizia que os Estados Unidos, enquanto assoberbados pelo Plano Marshall, dificilmente poderiam devotar somas maciças a investimentos nos países pobres. De outro lado, a principal necessidade desses países eram realmente reformas administrativas, melhoria de pessoal e preparação de projetos que passariam a ser financiados tão cedo se avançasse mais na reconstrução da Europa. O memorando de Hardy não despertou maior interesse no secretário de estado interino, Robert Lovett, nem em Paul Nitze, então subchefe do *staff* de planejamento de política externa, que depois se tornaria um dos maiores peritos em

---

[29] Hernán Santa Cruz tinha adquirido notoriedade ao propor que o Conselho de Segurança investigasse os obscuros eventos que levaram ao *coup d'état* comunista em Praga, em janeiro de 1948. Foi o primeiro caso de implantação do comunismo pela técnica do "assalto ao parlamento". Seria a técnica tentada sem sucesso nas "Frentes Populares", em vários países europeus. Segundo o fez notar à época o delegado inglês, essa intervenção branca em Praga marcava uma "separação de caminhos" entre a União Soviética e as democracias aliadas. Terá sido um dos elementos contributivos da Guerra Fria. Santa Cruz foi também um dos grandes promotores da criação da Cepal (Comissão Econômica para a América Latina), reivindicando para o Chile que essa organização se sediasse em Santiago.

desarmamento. A idéia teria perecido nos desvãos burocráticos, não fosse a tenacidade de Hardy que, violando os canais burocráticos do Departamento de Estado, dirigiu-se diretamente a George Elsey, adjunto de Clark Clifford, o assessor da Casa Branca, que fora encarregado de fazer o primeiro rascunho do discurso inaugural.[30]

Assim, o programa ampliado de assistência técnica, relutantemente tolerado pela Delegação norte-americana na Assembléia Geral em Paris, em dezembro de 1948, se tornaria o famoso "Ponto Quatro" do discurso inaugural de Truman, em janeiro de 1949, que objetivava o lançamento de "um grande programa para tornar os benefícios do avanço científico e progresso industrial para a melhoria e crescimento das áreas subdesenvolvidas".

Os primeiros três pontos eram I) o apoio às Nações Unidas, então em fase formativa, assim como às novas nações emergentes do jugo colonial; II) a continuação da política de recuperação econômica do Plano Marshall e, III) o fortalecimento das nações livres contra a agressão. O ponto III se baseava na Resolução do senador republicano Vandenberg, votada em 11 de junho de 1948, que expressava apoio a "arranjos coletivos para a defesa individual e coletiva", como revide ao *coup d'état* comunista em Praga, seis meses antes. A Resolução Vandenberg seria o ponto de partida para a criação da OTAN, em abril de 1959.

Estávamos no início da *guerra fria*, marcado por quatro eventos importantes, que já mencionei: a recusa de Stálin em permitir o processo de eleições livres e democráticas em sua zona de influência na Europa Oriental, contrariando as expectativas do Tratado de Yalta; a rejeição soviética à proposta de internacionalização do átomo, apresentada pelos Estados Unidos através do Plano Baruch, de 17 de julho de 1946, que previa controle internacional sobre todos os aspectos da política nuclear, inclusive a produção de urânio e tório; a negativa de Stálin em permitir que os países da Europa Oriental aceitassem o convite para serem partícipes do Plano Marshall de reconstrução européia; o golpe de estado na Tchecoeslováquia, em fevereiro de 1948, que implantou o regime comunista, através da técnica de infiltração parlamentar, que depois ficou conhecida como *assalto ao parlamento*. O símbolo mais dramático da guerra fria foi, sem dúvida, o bloqueio de Berlim, em 24 de junho de 1948, a que os aliados responderam com a Ponte Aérea, que durou até maio de 1949.

O Ponto IV do discurso de Truman só começou a ser implementado quando o Congresso Americano aprovou, em junho de 1950, o "Act for International Development". Nessa lei se autorizava o estabelecimento de comissões mistas para

---

[30] O episódio é contado em detalhes por Clark Clifford, em seu livro de memórias, *Counsel for the president*, Anchor Books, New York, 1991, pgs. 248-251.

a montagem de programas de ajuda externa, técnica e econômica. Nessa mesma ocasião, aproveitando a oportunidade de uma reunião de embaixadores americanos no Rio de Janeiro, o chanceler Raul Fernandes propôs a formação da Comissão Mista Brasil-Estados Unidos. O acordo respectivo foi firmado entre Raul Fernandes e o embaixador americano, Herschell Johnson, ainda no governo Dutra, em dezembro de 1950.

VOLTANDO ÀS

ORIGENS

◆

O CHOQUE DO
RETORNO

A volta ao Brasil, em fins de 1949, depois de sete anos ininterruptos em Washington e Nova York, para *roer cruzeiros* — como dizia Raul Fernandes — não podia deixar de ser um choque cultural. Tinha adquirido uma visão cosmopolita, que pelo resto da vida me vacinaria contra os *ismos* perversos do nacionalismo e do estatismo. Continuava, entretanto, um tímido bugre de Mato Grosso. Pus-me a contemplar o caminho percorrido desde às origens. Eu viera de longe e de baixo.

Nasci num *annus terribilis* e num mês cruel. O ano foi 1917, em plena I Guerra Mundial, poucos meses antes da revolução comunista de outubro, o mais sangrento experimento de engenharia social de todos os tempos. Nesse *annus terribilis* o mundo entrava na era do coletivismo, em que a primazia do indivíduo cedia lugar à intrusão do Estado. O mês era abril, que o poeta T. S. Elliot descreveu como "o mais cruel dos meses, misturando memória e desejo".

Abril de 1917 fora particularmente cruel. Os aliados fracassariam na sangrenta ofensiva da primavera no Somme e na Champagne, e, depois, na terceira batalha de Ypres. Nesta última grande carnificina apareceria um personagem sinistro, o gás de mostarda. Abril de 1917 foi também o mês em que os Estados Unidos entraram na guerra, mudando fundamentalmente o balanço das armas e do poder. O signo é Aries, o signo dos voluntariosos, sob o qual nasceram o ditador Hitler, na Europa e o ditador Vargas, no Brasil. Este nascera num *annus mirabilis* — 1883 — no qual morria Marx e nascia Keynes.

Nasci na remota Cuiabá, fundada em abril de 1719, pelos bandeirantes fluviais das "Monções", que vieram prear índios e acabaram encontrando ouro no Rio Coxipó. Antonio Pires de Campos, marcador de índios e aventureiro, subiu o Paraguai e o São Lourenço, em 1718, e aprisionou uma carga de índios para as lavouras do litoral. Foi seguido por outro aventureiro, Pascoal Moreira Cabral, que avançou por um tributário do Rio Cuiabá, à busca de índios, mas foi fragorosamente derrotado por índios coxiponeses. Ao voltar acabrunhado ao acampamento, foi acolhido com gritos exultantes pelos monçoeiros que ficaram. Tinham descoberto ouro no rio Coxipó! Ali foi fundado o aldeamento de Cuiabá.[31] O povoado de Cuiabá se tornaria cidade um século depois, em 1818, e, finalmente, capital provincial, em 1829, quando, após a proclamação de Independência, a Capitania de Mato Grosso e Cuiabá se transformou na Província de Mato Grosso.[32] Só era atingível a cavalo e em lombo de burro pela rota de Goiás, ou, menos rusticamente, por navios que, a partir da ponta dos trilhos da Estrada de Ferro Noroeste, em Porta Esperança, subiam até Corumbá e depois pelo Rio Paraguai, São Lourenço e Cuiabá, atravessando o grande Pantanal. A viagem mais civilizada, para os abastados, era por via fluvial, descendo-se de barco até a Bacia do Prata e daí por mar até Santos e Rio de Janeiro.

---

[31] Para retraçar a história da gente do Pantanal, de que tenho apenas vagas memórias de infância, vali-me abundantemente do livro do escritor Augusto César Proença, publicado pela Universidade de Campo Grande, intitulado: *Pantanal: Gente, tradição e história*. É um comovente memorial da vida dos pioneiros.

[32] A primeira capital da Capitania fora Vila Bela da Santíssima Trindade, fundada por Rolim de Moura Tavares, em 1752, assim consolidando, contra os espanhóis, uma faixa da fronteira norte, junto ao Guaporé. Vila Bela tornou-se depois um exemplo da pureza da raça negra, ali bela e esbelta. Com a mudança da capital, emigrou para Cuiabá a população burocrática e militar, de origem portuguesa. E, segundo a lenda, uma epidemia misteriosa de febre amarela dizimou os brancos restantes, enquanto que os negros demonstraram maior resistência. As ruínas da Igreja e da sede do governo são vestígios de prosperidade e imponência arquitetônica.

PROFESSOR
SONHADOR

Tenho apenas nevoentas recordações de meu pai — o professor Valdomiro de Oliveira Campos — um paulista que fora a Mato Grosso como membro da famosa missão Rizzo, de reforma do ensino. Era uma operação de assistência técnica do governo paulista à remota província do Oeste. Que a missão Rizzo se mostrou eficaz, prova-o o fato de que, durante muito tempo, Cuiabá se vangloriava de ser, das capitais brasileiras, a que tinha menos analfabetos.

Quando papai morreu, já de volta ao interior de São Paulo, era o ano da rebelião dos 18 no Forte de Copacabana, 1922. Eu tinha apenas cinco anos.

Sessenta anos depois, quando em campanha eleitoral para o Senado Federal, descobri na cidade pachorrenta de Poconé, à beira do Pantanal do Norte, uma lembrança curiosa do professor Valdomiro. Mostrou-ma uma eleitora, que dirigia a Biblioteca Municipal. Era um pedaço de papel amarelado, na realidade uma página de um jornal local, com um edital do professor Valdomiro, diretor do Grupo Escolar, anunciando a criação de uma escola de taquigrafia. Aí pelas alturas de 1913, lançar-se, no Pantanal, uma escola de taquigrafia era algo entre idealista e visionário!

Papai tinha algumas preocupações literárias e históricas. Lembro-me de um prefácio que escreveu para uma obra de Alfredo Ellis sobre José Bonifácio, o patriarca da Independência. O aspecto curioso é que se enfocava José Bonifácio menos sob o ângulo de político, que de cientista e cristalógrafo.

Dos nossos líderes da Independência, José Bonifácio foi sem dúvida a figura mais culta e versátil, representando, no contexto brasileiro, papel algo semelhante ao de Benjamin Franklin, cientista e filósofo, na independência americana. Após sua graduação como advogado em Coimbra, foi denunciado à Inquisição, em 1789, por negar a existência de Deus. Protegido por amigos, Bonifácio conseguiu uma bolsa de estudos para cursar, em Paris, química e geologia, e depois, mineralogia e metalurgia em Freiburg. Sua reputação científica viria a florescer na Suécia, onde descobriu e deu nome a quatro espécies e subespécies de minerais.

Papai se casara com Honorina, uma moça de São Luiz de Cáceres, a antiga Vila

Maria, fundada em 1778, na margem esquerda do rio Paraguai, como posto de paragem para fiscalização dos quintos devidos à Coroa.

Fundou-a o capitão geral Luiz de Albuquerque de Mello Pereira e Cacéres, que governou durante 17 anos a Capitania de Mato Grosso e Cuiabá. Coube-lhe a tarefa de consolidar a fronteira oeste do Brasil, contra incursões de paraguaios e espanhóis, aliados ocasionalmente aos *índios canoeiros*, os ferozes paiaguás. Luiz de Albuquerque buscou a aliança dos *índios cavaleiros*, os guaicurús, e com eles concluiu um pacto de amizade em 1791. À figura legendária de Luiz de Albuquerque se deve a fundação não só de Vila Maria, mas também de Albuquerque (depois, Vila de Corumbá), em 1778, e de São Pedro d'El-Rey (hoje Poconé), em 1781. Foi o verdadeiro herói conquistador da fronteira sul do Mato Grosso.

As ligações familiares eram assaz imbricadas, pelo casamento de primos. Havia os Pereira Leite, os Leite de Barros, os Paes de Barros, os Campos, os Couto e o clã maior dos Gomes da Silva. Parte dessa consanguinidade se deve à fertilidade dos velhos do Livramento, vilarejo perto de Cuiabá, cujos habitantes eram depreciativamente chamados de "papa bananas". O casal Francisco Patrício Leite de Barros e Antonia Leite de Barros (pitorescamente chamados de Nhonhô Fancho e Nhanhá Antônia), teve 10 filhas e 4 filhos, que cresceram e se reproduziram biblicamente, complicando a árvore genealógica.

Na família de minha mãe, havia dois rapazes e cinco irmãs, quatro das quais sobreviveram, tornando-se bonitas donzelas, chamadas "as bonitas irmãs de Cáceres". Todas foram longevas, atingindo minha mãe a robusta idade de 97 anos. Talvez varasse o centenário, não fora uma queda que lhe fraturou a bacia. Lúcida, ativa e interessada em política, revelando apenas uma exasperante surdez que se recusava a confessar. Mas confessou-me um dia que tinha medo.

— Medo de quê?— perguntei-lhe.

— Medo de não morrer — respondeu-me com um sorriso enigmático.

A fama de que Cáceres produzia mulheres bonitas deveria ser justificada à época, mas quando anos mais tarde visitei a cidade, em campanha eleitoral para o Senado, verifiquei ser essa fama desapontadoramente exagerada.

Em 1917, em Cuiabá, duas irmãs casadas — Honorina e tia Anália — vieram a morar numa mesma casa, numa rua pitorescamente apelidada de Beco do Meio (havia também o Beco do Fofo e o Beco do Quente). Ali nascemos, com dois dias de diferença, eu em 17 e meu primo Tocary, em 19 de abril de 1917.

Deixei Cuiabá com apenas seis meses de idade, pois papai retornou às suas bases paulistas, tornando-se diretor dos grupos escolares de Apiaí, no Vale da Ribeira, e Penápolis, no Oeste de São Paulo. Morreu nesta última cidadezinha do Oeste paulista, ainda jovem, com apenas 33 anos. Dizia-se que com *nó nas tripas*, mas suponho que se tratasse de enfarte, acidente genético que depois viria colher-me na velhice. Apenas duas nebulosas lembranças me restam dessa primeira infância: ter engolido uma moeda de vintém em Apiaí e ter sido mordido por um cachorro hidrófobo em Penápolis, sofrendo, na barriga, uma terrível injeção imunizadora.

INFÂNCIA NO
PANTANAL

Quando papai morreu, sem deixar herança apreciável, minha mãe, a viúva Honorina, desamparada, com dois filhos pequenos, voltou para Mato Grosso. A essa altura, boa parte da família havia emigrado para o Pantanal da Nhecolândia, vizinho a Corumbá.

Não conheci meu avô, Vicente Alexandre de Campos, que, vindo de Cáceres, se radicara naquelas bandas. Era escriturário da Fazenda Firme, e conseguiu amealhar alguns recursos em terras e gado, insuficientes para dar abastança a seus sete filhos. Certamente, à mamãe, quase nada coube na partilha. Constava ser Vicente uma figura pitoresca. Tendo enviuvado, casou-se, em segundas núpcias, com uma mulher muito mais jovem. Advertido das armadilhas criadas pela diferença de idade, respondeu assim à advertência que lhe fizera seu irmão João Batista, de Cuiabá: — Sei que não é apenas uma desgraça. São três desgraças: para mim, para meus filhos e para minha jovem esposa.

E morreu seis meses depois, talvez fatigado pelo exercício dos deveres conjugais...

Ouvia sempre falar de meu tio-avô de Livramento, o Nheco Caolho, cabra irreverente, inteligentíssimo, repentista, tocador de sanfona e de viola de cocho nas rodas de cururu, boêmio convicto, e feio como a necessidade. Quando um sacana lhe perguntou se feiúra doía, ele, prontamente, respondeu:— Se dói eu nunca ouvi você gemer...

Seu Nheco Caolho tinha um primo, também irreverente como ele, que namorava uma donzela por nome *Ana Coruja* (o apelido sempre foi uma tônica em Livramento). Um dia, o primo mexeu com ele e ele então saiu com estes versinhos:

> "Meu primo Milu,
> Comigo você não graceja,
> Eu já vi sua namorada
> Voando em riba da igreja
> Quem dá beijo na coruja,
> Não alcança o que deseja."

Outro versinho de Nheco Caolho, este mais filosófico:

"Abaixo de Deus é ouro,
Abaixo de ouro é a razão
O que ouro não arruma,
Não tem mais arrumação."

Falecido meu pai em estranhas terras paulistas, mamãe fez a longa viagem de volta à Nhecolândia. Éramos aparentados dos Gomes da Silva, mas, por assim dizer, os "primos pobres" da família. Minha tia, Ana Faustina, tinha-se casado com um abastado fazendeiro, Paulino Gomes da Silva. Este era um dos seis filhos de Joaquim Eugênio Gomes da Silva, o Nheco, do clã dos Gomes da Silva, descendentes do barão de Vila Maria e desbravadores do Pantanal do Sul, esse admirável santuário ecológico entre os rios Negro, Taquari e Paraguai. Passamos a residir na fazenda Alegria, que fora fundada em 1900, no coração do Pantanal. Os meios de transporte eram o cavalo e o carro de boi, complementados, na longa estação das águas, que vai de novembro a março, pela canoa e os batelões. O cavalo e a canoa eram veículos indispensáveis. Aliás, as duas maiores tribos de índios que habitavam a região, eram, precisamente, os índios *cavaleiros* e os índios *canoeiros*, respectivamente os guaicurús e os paiaguás.

A estória do Pantanal do Sul começou com o barão de Vila Maria, cujo baronato foi uma peripécia na qual a caridade não compensa e a honraria vem acompanhada de desgraça. Na minha primeira infância no pantanal, as crianças ouviam dos mais velhos, constantemente, a saga do barão e de sua mulher Maria da Glória.

Joaquim José Gomes da Silva, assim se chamava o barão de Vila Maria, era filho ilegítimo de um padre — José Gomes da Silva — que, saltando a cerca do celibato, se apaixonara por uma *bugra* de Cáceres, a Rosa Teresa. Joaquim José era um "menino do diabo", que de certa feita, entrou na igreja, bebeu o vinho do padre e mijou no cálice. Quando morreu o Padre Gomes, Joaquim José, herdeiro de uma pequena herança, casou-se com uma prima, Benedita Fausta de Campos, enviuvando logo depois.

Desafiando, como o pai, as convenções éticas da época, apaixonara-se em Cáceres por uma menina de 13 anos, sua prima, Maria da Glória, e ante a compreensível oposição da família, que desdenhava o mascate filho de padre, tornou-se protagonista de um escândalo. Pura e simplesmente, raptou a menina, irmã do major de Milícias, João Carlos Pereira Leite, herdeiro da famosa fazenda Jacobina, um imponente latifúndio de 240 léguas quadradas, a 30 quilômetros de Cáceres, com 100 mil reses soltas (tantas — dizia-se — que não podiam ser arrebanhadas por falta de cavalos...). A fazenda Jacobina tornara-se internacionalmente famosa, por ter sido visitada, em 1827, pelo barão de Langsdorff, consul geral no Brasil do tzar Alexandre I, em sua terceira expedição ao interior do Brasil. Langsdorff se impressionou com a vastidão da fazenda, com sua imponente sede, o "Engenho da

Estrada Real", com a férrea disciplina imposta aos peões e aos escravos por Maria Josefa, a matriarca da família, atlética de corpo e de espírito. Imodestamente, o major João Carlos gabava-se de ter tantas terras quanto o rei de Portugal!

Indignado pelo rapto da menina, o major, enviou uma escolta para prender o indesejado cunhado. Mas este escapulira para Poconé, casando-se em segredo, com a cumplicidade do pároco local, que o dispensou do impedimento do parentesco, para depois emigrar à busca de terras a desbravar na região da Vila de Corumbá, às margens do rio Paraguai.

O BARONATO PERDIDO E O
BARONATO GANHO

Por ironia do destino, como depois se verá, o título de barão de Vila Maria fora originalmente designado para o major João Carlos Pereira Leite, como oficial da milícia e grande desbravador de terras para o Império. Mas essa comenda foi suspensa em castigo por um ato de caridade considerado hostil ao imperador. É a interessante estória do degredado Sabino, o herói da Revolução baiana da *Sabinada*.

Sabino, ou melhor, o dr. Francisco Sabino Alves da Rocha Vieira, era uma figura fascinante, cujas peripécias vale a pena recordar.[33] Um misto de médico, político e jornalista. Como médico, um apóstolo; como político, um exaltado; como jornalista, um demolidor. Suas tendências liberais e republicanas o levaram a insurgir-se contra a Regência, aderindo ao movimento da proclamação da "República da Baía", em 1837, da qual se tornou a figura mais proeminente. Era um movimento separatista semelhante ao deflagrado dois anos antes, em 1835, no Rio Grande do Sul, com a República do Piratini.

Espadachim e demolidor, atividades que coexistiam com singular devoção à ciência e medicina, Sabino era uma personalidade controversa. Fora julgado em dois processos de homicídio, nos quais alegou legítima defesa, e incriminado também pela morte acidental de sua mulher, após uma cena de ciúmes. Conseguiu escapar das penas, não sem experimentar a humilhação de um ano de prisão.

O ideário inicial da Revolução de 1837, a que Sabino aderiu com sua habitual combatividade, visava a desligar a Bahia *inteira e perfeitamente* da "Central do Rio de Janeiro". Após dissensões internas, entretanto, o movimento, que se baseava em dois ideais hostis ao Império — a *Independência* e a *República* — acabou perdendo sua nitidez ideológica. A *República Bahiana*, tal como acontecera dois anos antes à *República do Piratini*, acabou declarando que:

---

[33] A melhor estória da vida de Sabino se encontra no livro, *A Sabinada*, de Luís Viana Filho, Ed. José Olympio, Rio de Janeiro, 1938. Dele me servi abundantemente para descrever o périplo de Sabino na província de Mato Grosso.

"A separação da província em Estado Independente era até a maioridade de Sua Majestade o Imperador Senhor Dom Pedro II".

O *jeitinho* brasileiro havia engendrado a figura pitoresca da *República Provisória*.

Mas isso não apaziguou a Regência, que mobilizou tropas fiéis ao Império, aproveitando-se do fato de que a *Sabinada* se confinara à metrópole de Salvador, descuidando-se os revolucionários de se articular no Recôncavo. Após uma luta de quatro meses, foi sufocada a rebelião, em março de 1838.

Sabino foi condenado ao enforcamento pelo Tribunal do Júri, que se reunira, em 2 de junho de 1838, para julgar os chefes civis do movimento. O júri ficou chamado de *Júri de sangue*, em vista de uma frase do promotor Carvalho e Silva, que exclamara perante os jurados: — É preciso aplacar com o sangue dos revolucionários a poeira da revolução...

Os réus da *Sabinada* apelaram para julgamento em novo júri popular e depois para o Tribunal de Relação, mas este, em julho de 1839, confirmou a pena de enforcamento. Houve um apelo para o Supremo Tribunal de Justiça, mas antes que este se pronunciasse, sobreviria, em agosto de 1840, o decreto de anistia para todos os delitos políticos, por ocasião da Declaração de Maioridade do imperador Dom Pedro II.

A pena de morte seria comutada pela pena de degredo. No caso de Sabino, o local de degredo seria a Província de Goiás, para a qual se deslocou, a cavalo, do Rio de Janeiro, numa longa e áspera travessia.

Recebido com desconfiança na Província, Sabino, como médico dedicado, venceu as resistências e tornou-se líder do Partido Liberal na capital de Goiás, sem deixar de hostilizar o presidente da Província, José de Assis Mascarenhas, num jornalzinho chamado *O Zumbi*, de que eram publicados apenas 12 exemplares, para escapar à violência da censura. Mascarenhas se indignou com a denúncia de suas arbitrariedades e promoveu o degredo de Sabino para lugar ainda mais remoto, o forte do Príncipe da Beira, construído em 1776, pelo capitão-geral Luiz de Albuquerque, às margens do rio Guaporé.

Sabino partiu para Mato Grosso em agosto de 1844, alcançando Cuiabá em 16 de outubro, após uma viagem de 48 dias. A parada de nove dias na capital da província não foi um descanso, pois uma irrupção epidêmica pôs à prova sua dedicação de médico. Partiu para o Forte de Beira, em 25 de outubro, mas sobreveio um episódio que indica a tenacidade quase suicida do grande liberal. Sabino, varando o sertão, chegara à cidade de Mato Grosso, em 5 de dezembro. Ali permaneceu sete meses, ao fim dos quais recebeu comunicação de que o imperador Pedro II, num ato de clemência, autorizara seu regresso à província de Goiás. Sabino recusou a magnanimidade e, estranhamente, solicitou e conseguiu um *habeas corpus* para prosseguir até o local do castigo, o forte do Príncipe da Beira. Desapareceu da cidade de Mato Grosso e logo depois, alcançado por uma escolta, teve que retomar o caminho do sul, indo parar em Poconé. Novamente o agitador se tornou um apóstolo, pois grassava uma epidemia e a Câmara Municipal de Poconé dirigiu-se ao presidente da Província solicitando autorização para que Sabino lá permanecesse. Denegado o pedido, e sabendo que o próprio chefe da polícia viria prendê-lo, Sabino, que a essa altura era considerado um benemérito pela população local, desinteressada esta da querela entre monarquistas e republicanos, buscou refúgio na Fazenda Jacobina, onde o major Pereira Leite o homiziou com cordialidade.

Suas andanças médicas não abrandaram sua cabeça de panfletário político e, naquele ambiente rústico, redigiu um pequeno jornal, *O Bororo*, em que defendia seu ideário republicano e liberal. Morreu no dia de Natal, 25 de dezembro de 1846, sendo sepultado na pequena capela da Fazenda Jacobina.

A benemerência do imperador não chegava ao ponto de tolerar o apoio aos inimigos da Coroa. E o título de barão de Vila Maria, prometido ao major João Carlos, foi engavetado pela burocracia da Corte.

Filho bastardo, mas descomplexado, mascate tinhoso e dinâmico, Joaquim José Gomes da Silva, requereu várias sesmarias e, a partir de 1847, suas terras se estendiam desde as montanhas mineirosas (de ferro e manganês) do Urucum, até os pantanais do Taquari, Paraguai, Jacadigo e Aquidauana. O centro da região passou a ser a fazenda dos Piraputangas, perto do Urucum. A partir de 1850, com a abertura à navegação do rio Paraguai, Gomes prosperou com o comércio e a venda de gado. Em 1862, seria agraciado com o título nobiliárquico de barão de Vila Maria que, por ironia da história, deveria ter cabido ao seu cunhado, o senhor da Jacobina. Mas a glória precederia por pouco o desastre.

Em 27 de dezembro de 1864, os paraguaios subindo o rio, tomaram o Forte Coimbra, cuja guarnição debandou para Cuiabá, e invadiram Corumbá. Esta cidade só se viu livre dos paraguaios em 1867, o *ano da bexiga*, assim chamado porque uma epidemia de varíola dizimou a população.

As fazendas que o barão havia formado, Piraputangas e Firme, foram saqueadas e incendiadas, e o gado transportado de vapor para o Paraguai. O barão fugiu a cavalo, com a mulher, fâmulos, um séquito de escravos e um saquinho de diamantes, para cobrir despesas, numa longa cavalgada de vários meses até o Rio de Janeiro, a fim de notificar o imperador Pedro II da invasão. Mas parco consolo obteve. Ao voltar a Corumbá, estava de novo pobre e endividado. A ocupação paraguaia havia desorganizado o sistema de posse de terras e um seu procurador português, desonesto, havia contraído dívidas, falsificado títulos e vendido terras, apossando-se inclusive da sede de Piraputangas. Numa cena semelhante às que conhecemos do *farwest* americano, matara o juiz e incendiara o cartório como queima de arquivos...

O barão não desanimou. Conseguiu resgatar algumas poucas terras daquele usucapião primitivo e voltou-se para a política. Ingressou no Partido Conservador e se tornou vereador e primeiro presidente da Câmara Municipal de Corumbá. Fez nova viagem ao Rio de Janeiro a fim de pleitear uma concessão para explorar o minério de ferro dos morros do Urucum. Mas morreu ao voltar, a bordo do vapor Madeira, quando passava por Montevidéu, em abril de 1876. Tinha 52 anos. Como a atestar a dura fibra da família, a baronesa empreendeu novamente uma longa viagem à capital do Império para pleitear inutilmente da Corte, recorrendo ao prestígio do "famoso advogado Ruy Barbosa", uma indenização pelos prejuízos causados à família pela Guerra do Paraguai... O pleito foi frustrado e tornou-se uma ousadia inútil. Viajar dos confins de Mato Grosso à capital imperial era, naquela época, muito mais um risco que uma aventura...

A SAGA DA
NHECOLÂNDIA

Surgiu então a Nhecolândia, cujas peripécias eu ouvia, fascinado, como criança, nos serões à luz do lampião, defendendo-me dos mosquitos, pólvoras e mutucas na fazenda Alegria.

Falecido o barão, seu filho Joaquim Eugênio Gomes da Silva, apelidado Nheco, resolveu voltar de Cáceres para verificar o que sobrara do espólio da família. Descobriu que sua melhor chance seria desbravar novas terras baixas ao norte e leste de Corumbá, menos desejáveis pelas recorrentes inundações do Rio Paraguai. Havia se casado em Livramento, vilarejo perto de Cuiabá, com Maria das Mercedes, uma das dez filhas de Nhonhô Fancho e Nhanhá Antônia. Tivera que vender 25 reses para financiar a operação matrimonial. O casamento lhe trouxe uma batelada de primos e cunhados, que viriam depois a participar do desenvolvimento da Nhecolândia.

Maria das Mercedes, que eu só conhecia como a tia Xexê, tinha alma de pioneira, com enorme capacidade para enfrentar a rusticidade dos matos e dos campos alagados do Pantanal. Com um filho pequeno nos braços, subiu de batelão, com remos e zingas o rio Paraguai, procurando, com Nheco, os vestígios da fazenda Firme, depredada e abandonada após a invasão paraguaia.

Assim se instalou no Pantanal o clã dos Gomes da Silva. Para auxiliá-lo no desenvolvimento do Pantanal, Nheco procurou atrair cunhados e primos de Livramento e Cáceres, com a promessa de terras boas para o gado, ao longo de cerca de 100 léguas de domínio. Meu avô, Vicente Alexandre de Campos, ali se instalou para fundar uma fazenda — o retiro Paraíso. As terras baixas da Nhecolândia, nome dado em homenagem ao desbravador, abrangiam cerca de 23.5 mil quilômetros quadrados, mais de um sexto dos 140 mil quilômetros quadrados que constituem o Pantanal matogrossense. Nheco comandou o que, por assim dizer, se poderia chamar uma grande operação comunitária, fazendo doações de terras aos que se animassem a participar da rude aventura. A família paulista de meu pai — os Souza Campos de Campinas — acabaria mais tarde se aparentando também com os Gomes da Silva, pois um primo de papai, Leôncio Nery se casaria com Otília, uma das filhas de Nheco. O casal produziria uma grande pintora, Wega, que adquiriu fama por seus quadros abstracionistas, de vigoroso colorido e desvairados desenhos.

Ao retornar de São Paulo, minha mãe viúva foi acolhida na fazenda Alegria, onde morava sua irmã, Ana Faustina, casada com o segundo dos filhos de Nheco, Paulino Gomes da Silva. A sede da fazenda era um casarão de madeira, com um *balancinho de carandá*, para proteger dos bichos, e duas belas e altas palmeiras carandás nos fundos.

Lembro-me ainda de tio Paulino. Figura bondosa e rude. Sofria de uma forma de esclerose, a distrofia progressiva, que lhe criava dificuldades no andar e lhe trouxera uma contorsão facial e um estranho esgar. Mas era um rijo vaqueiro, bom de laço e, surpreendentemente para quem enfrentava duros problemas de subsistência numa região bravia, preocupado com problemas políticos e sociais.

Ficou-me na memória de menino um episódio que demonstra as brutalidades da vida pioneira. Tio Paulino foi chamado de madrugada para atender um vaqueiro boliviano seu amigo que, de vez em quando, lhe presenteava com melancias e couros de onça. O vaqueiro e caçador fora atacado por um cachaço, espécie de porco selvagem, que o eventrou, deixando pendente as vísceras. Tio Paulino municiou-se de uma agulha e barbante de costurar couro, e, munido de álcool e pinga (álcool para desinfetar e pinga para narcotizar), costurou a barriga do vaqueiro. Este teve pouca sobrevida, mas seu ingresso na eternidade, motivado por um cachaço, foi facilitado por uma boa dose de cachaça...

O filho mais jovem de tio Paulino, chamado Nheco em homenagem ao avô, era objeto de minha admiração e inveja. Seis anos mais velho que eu, robusto e bonitão, era bom de cavalo e de laço, coisas em que eu, pequeno e franzino, revelava singular incompetência. Viríamos a nos reencontrar anos mais tarde, quando Nheco estudava veterinária em Belo Horizonte e eu ali cursava o seminário, fazendo teologia. Nheco em sua fazenda Palmeiras, na Nhecolândia, à margem do rio Paraguai, foi um pioneiro na introdução de várias gramíneas, como a braquiária, e os capins Napier e Pangola e iniciou a criação de búfalos na região. Foi também um dos pioneiros na criação do Nelore no Pantanal.

Na minha ótica de primeira infância, o Pantanal me parecia mais perigoso que belo. Tinha medo das cobras (a jararaca, a cascavel e a sucuri) e das onças (parda e pintada), então abundantes nas várzeas e capões. A suprema forma de coragem era a caçada de onça com zagaia. Também levara o *susto da piranha*, quando entrei desprevenido na *baia* adjacente à Fazenda Alegria. Quase perdi o dedão do pé direito. Era infernal o incômodo dos mosquitos, os pólvoras e as mutucas. Nas longas viagens de carro de boi, comia-se carne-seca e farinha de mandioca, ou assava-se um pacu pescado no rio. Bebia-se de manhã o "tererê", isto é, o guaraná ralado em língua de pirarucu. De vez em quando se matava um boi para o churrasco. O pacu era o peixe favorito e democrático, pois de fácil pesca.[34]

— Pacuzão para os ricos, pacuzinho para os pobres, pacu p'ra nós todos, era o refrão dos vaqueiros.

As bebidas eram o guaraná ralado e o indefectível chimarrão. Deste diziam os vaqueiros ser a melhor das bebidas pois:

> "Mantinha o vaqueiro tesudo,
> punha a criança a dormir,
> trazia a amante de volta,
> matava a sogra, de sobra."

A beleza do Pantanal, com seus corixos, baías e várzeas, que no começo das chuvas pareciam jardins formais, com riqueza de flora e fauna, só entraria na minha percepção trinta anos mais tarde, quando ali voltei, como superintendente do BNDE, ciceroneando uma turma de banqueiros do Eximbank, de Washington, que queria avaliar as perspectivas da *Nhecolândia*. O projeto a ser financiado era a dragagem do Paraguai. Somente então, com o sacolejar do *jeep*, mais cômodo que o do carro de boi, percorri belas fazendas como Nhuvaí, Campo Neta e Aliança. Vi a bela alternância das salinas, lagoas salobras, com praias brancas, e as lagoas doces, com vegetação nas margens. E a belíssima revoada das garças, dos *tuiuiús*, das cabeças secas, colheireiros e baguaris. E a sinistra paciência dos jacarés nos corixos, aguardando debaixo de árvores frondosas, a queda de ovos e filhotes de garças.

É perene a ameaça das enchentes. O Pantanal é a grande depressão do centro da América do Sul. O plateau que vem de São Paulo cai em patamares até o Pantanal, que fica a 180 metros de altitude, em comparação com a foz do Prata. As enchentes se devem a uma *garganta*, em território paraguaio, que não deixa as águas fluírem com a velocidade necessária para evitar as enchentes. Durante estas, o gado fica em *tesos*, bem mais altos, numa elevação de cerca de 1 metro de altura, chamados, bizarramente, de *cordilheiras*.

Como escreveu Lévi-Strauss: "A terra guarda a moleza das primeiras idades. Os rios ainda mudam de lugar. As águas são espraiadas, como se o terreno houvesse permanecido jovem demais, para que os rios tivessem tempo de escavar seus leitos."[35]

O pantanal é resto de um oceano paleozóico, um imenso mar pré-histórico que dividia ao meio as terras que formariam o continente sul-americano.

---

[34] Um primo da mesma idade, Manoel de Barros, o único poeta da família, que vivia numa fazenda próxima, assim verseja sobre nosso ambiente infantil: "me criei no pantanal de Corumbá, entre bichos do chão, pessoas humildes, aves, árvores e rios"...

[35] Apud Augusto César Proença, em *Raízes do Pantanal*, Ed. Itatiaia, Belo Horizonte, 1989, pg. 11.

Em termos de reserva ecológica é certamente das maiores do mundo, sem paralelo em extensão e variedade ictiológica e ornitológica. Seu potencial turístico só recentemente começou a ser explorado. Uma contribuição importante para a divulgação mundial do significado ecológico do Pantanal foi a do fotógrafo e cineasta sueco Arne Sucksdorff, cujos trabalhos foram por mim encorajados quando estive no ministério do Planejamento. Também escritor e pintor, Sucksdorff ficou mundialmente famoso por seus documentários sobre a natureza. Alguns dos membros do Cinema Novo foram seus alunos, entre eles, Glauber Rocha, Joaquim Pedro de Andrade e Arnaldo Jabor. Em 1968 casou-se com uma brasileira e, fascinado pela região, viveu no Pantanal até 1992, quando retornou ao seu país.

A imensidão do pantanal não tem equivalente nas Américas ou em outros continentes. Diferencia-se bastante dos charcos da Indonésia ou das terras baixas da Birmânia (hoje Myanmar), mais parecidas estas com o Delta amazônico.

O pantanal foi o habitat de dois grupos indígenas: os paiaguás, índios canoeiros, que atacavam as monções paulistas e os guaicurús, índios cavaleiros, que se aliaram aos bandeirantes e cooperaram para a expansão portuguesa na área.

Durante a guerra do Paraguai, a chamada "guerra da tríplice aliança", o pantanal foi palco da "Retirada do Sará", um grupo de homens e mulheres, que após a invasão dos soldados de Solano Lopez, em 1864, abandonaram o Forte de Coimbra, empreendendo uma longa caminhada até Cuiabá.

No início da Primeira República, Mato Grosso — que a escassez de comunicações tornava uma grande ilha do extremo oeste — foi sacudido por várias conturbações. Em 1892, uma conspiração secessionista que visava a proclamar uma república autônoma. Era um impulso de descentralização, semelhante aos que haviam ocorrido no Império, com a Sabinada na Baía e a República de Piratini, no extremo Sul. Em 1906, um outro conflito que gerou uma das grandes tragédias da Primeira República. Foi o fuzilamento e degolamento de dezessete homens, cujas vísceras foram lançadas nas escuras águas da Baía do Garcez. Os assassinados eram partidários de Generoso Ponce, uma figura dominante da época. Era uma curiosa mistura de seminarista transformado em soldado, e depois em caudilho militar, alcançando enorme prestígio político. Foi senador da República e exerceu por duas vezes a presidência do estado. Em 1892, Ponce lutara contra os separatistas, e em 1906 pegaria novamente em armas para depor o presidente do estado, acusado de despotismo e excessivo servilismo ao poder central. O crime da Baía do Garcez foi dramatizado em dois candentes discursos de Rui Barbosa no Senado Federal. Era um mau presságio para nossas débeis instituições republicanas...[36]

---

[36] Ver O *conflito campo-cidade no Brasil — Os homens e as armas*, Joaquim Ponce Leal, Itatiaia, 1988, 2ª ed.

O PADRECO,
FILHO DA COSTUREIRA

Mamãe era orgulhosa demais para viver na fazenda como parente pobre. E eu precisava ir à escola. Aos sete anos fui para Corumbá para me matricular no curso primário da Escola Santa Teresa, dos padres italianos. Tenho vaga lembrança do padre Dízio, gordo e rubicundo, mestre no ensino e na palmatória, e do incidente da prisão, nas cercanias do colégio, do romântico sargento Aquino, rebelde do motim de 1924, depois fuzilado.

Mamãe resolveu tentar a vida em São Paulo e lançou-se sozinha, com dois filhos, na longa viagem de volta. Era uma áspera viagem naqueles dias. De carro de boi, durante um dia e uma noite, até a Fazenda Firme, e outro tanto até o porto da Manga, no rio Paraguai. Daí, pelo velho vapor de rodas *Fernandes Vieira*, rio abaixo até Porto Esperança, onde chegavam os trilhos da Noroeste do Brasil. Depois, uma semana no trenzinho Maria Fumaça até Bauru, de onde se tomava o trem, mais civilizado, da Companhia Estrada de Ferro Paulista, até São Paulo. Uma das conseqüências da chegada dos trilhos da Noroeste até às margens do rio Paraguai, em 1914, foi a gradual transferência do eixo econômico de Corumbá, baseado no transporte fluvial, para Campo Grande, para onde passou a marchar o gado da região, em demanda de São Paulo. O trem assassinou o rio...

O trenzinho da Noroeste só viajava de dia e havia pouso em Aquidauana, Campo Grande, Três Lagoas e Araçatuba, no oeste paulista. O comboio chacoalhava, havia poeira e o problema dos passageiros era proteger a pele e a roupa das fagulhas da Maria Fumaça.

Em São Paulo, mamãe empregou-se como governanta numa casa que me parecia faustosa, de um fazendeiro paulista, Alberto Cardoso, na rua Bonita. Matriculou-se numa academia de corte e costura, e, terminado o curso, resolveu enfrentar uma nova aventura. Emigrou para Guaxupé, uma cidade montanhosa do sul de Minas, que era um entroncamento ferroviário e um empório de cafeicultura. Pelas alturas de 1927, era uma cidade próspera, no auge do café, felicidade que durou pouco. Em 1929, ocorreria o *crash* da Bolsa de Nova York, a Grande Depressão e a crise do café.

Mamãe abriu uma academia de corte e costura e tinha apreciável clientela entre as moçoilas locais. Guaxupé marcou um grande ponto de inflexão em minha vida.

Ia à Igreja e seduzia-me a aura mística e a opulência da liturgia. Resolvi entrar no seminário e seguir a carreira do sacerdócio. Havia uma consideração prática importante. O seminário era uma excelente escola e, além do mais, gratuita. Minha consideração, entretanto, era mais mística que pragmática. Acreditava-me tocado pela vocação.

Parecia estranho, mas o Seminário de Nossa Senhora Auxiliadora, um casarão perdido nas montanhas, tinha um ensino de alto nível. O reitor e professor de filosofia, o monsenhor Faria, tinha sido treinado no Colégio Pio Brasileiro de Roma e absorvera bastante bem a filosofia escolástica, dividida em várias disciplinas, ensinadas em latim — a lógica maior, a lógica menor, a ontologia, a cosmologia e a ética. Tinha particular atração pela história da filosofia, que era a única janela através da qual nos embebíamos de Kant e de Hegel. O professor de ciências, física e química, era o cônego Baffa, italiano, de bom nível intelectual.

Fiz no seminário um internato de seis anos, abrangendo humanidades e filosofia. Tornei-me um excelente latinista, com tinturas de grego e hebreu, e sólida formação filosófica. Cheguei a escrever na época um opúsculo intitulado 'De demonstratione rationale existentiae Dei', em que discutia os vários argumentos ontológicos. Estudei bastante música e cantochão. Mas a melhor bagagem intelectual foi sem dúvida o aprendizado da filosofia escolástica e, sobretudo, da lógica aristotélica. Àparte a matemática, não existe treinamento comparável, em termos de disciplina de raciocínio.

Estudavam-se várias línguas, exceto precisamente o inglês, que mais tarde, como diplomata e economista, viria a ser meu instrumento principal de trabalho. E havia um bocado de *decoreba*. Eu costumava recitar trechos das *Éclogas* e da *Eneida* de Virgílio, e três inteiros cantos da *Divina comédia* de Dante, com sobras para o *Orlando furioso* de Ariosto e a *Gerusaleme liberata*, de Tasso.

Anos depois, verifiquei, com surpresa, que San Tiago Dantas, hospedado comigo na embaixada em Washington, depois de deixar o ministério da Fazenda no governo Goulart, já doente de câncer, não tinha ficado imune ao decoreba latino. Em melancólicos serões na embaixada, entregávamo-nos ao esporte de rivalizar na recitação, de memória, das *Éclogas* virgilianas. Meu domínio do grego era mais modesto. Exercitava-me na leitura da Bíblia, na versão dos Septuaginta, dos diálogos de Platão e da *Anábasis* de Xenofonte. Não ousava embarcar na leitura de Homero ou dos grandes dramaturgos.

A vida de interno no seminário era pobre, austera e dura. Alimentávamo-nos mal e tínhamos um reforço pitoresco da dieta. No recreio da noite, cozinhávamos mandioca das plantações que nós próprios seminaristas fazíamos no sítio do colégio, e assávamos tanajuras, um abundante inseto no *campus*. A *bunda da tanajura*, algo com gosto de batata palha, era nosso refinamento culinário, para suplemento da magra dieta. Para experimentar meu autodomínio de nervos ia à noite ao portão do cemitério atrás do colégio, assustando-me com a assombração: os fogos de Santelmo.

Não me recordo, no seminário, de experiências de homossexualismo, freqüentes em internatos masculinos. A depravação máxima era a masturbação, além do platônico erotismo despertado pelas meninas do colégio de freiras, que conosco cantavam cantochão nas missas da catedral.

Naturalmente concupiscente, consegui manter absoluta castidade. Vivíamos famintos no seminário, mas isso ao invés de acalmar parecia excitar os furores da carne. Valia-me do cilício, argolas de arame farpado que, pressionadas contra o braço e as virilhas, afastavam, através da dor, os pensamentos lúbricos. Acumulei assim na casta adolescência uma enorme reserva do *direito de pecar...*

Como primeiro da turma, fui escolhido para secretário do bispo, um "belhomem" sergipano, dom Ranulfo da Silva Farias, prelado de Guaxupé. O posto era desejado e alguns colegas invejosos se admiravam de que dom Ranulfo tivesse escolhido "o filho da costureira". Foi um alívio substancial da dieta e do confinamento, pois acompanhava dom Ranulfo nas visitas pastorais e nos banquetes da diocese. A diocese compreendia os dois ramos da ferrovia Mogiana, que se entroncavam em Guaxupé. Os limites extremos da diocese eram Passos, de um lado, e Alfenas, do outro. Viajávamos ora no trem da Mogiana, ora num velho Studebaker do bispado, ora em lombo de cavalo. Fazíamos, os seminaristas, longas caminhadas em visita às fazendas da região, de onde trazíamos laranjas e bananas, benvindos reforços da dieta. Alguns de meus colegas de seminário, como o Hermínio Malzone e o Gerardo Reis, se ordenaram sacerdotes e viriam a tornar-se, aquele, arcebispo de Governador Valadares, e este, bispo de Diamantina. O mais inteligente de todos, o Orlando Vilella, tornou-se um professor de filosofia e um escritor de mérito, mas sua excessiva rebeldia o impediu de ascender na hierarquia. Morreu apenas padre, depois de lecionar durante anos na PUC (Pontifícia Universidade Católica), de Belo Horizonte. Éramos rivais. Eu o derrotava por escassa margem nas aulas e ele me derrotava por larga margem no xadrez... Uma outra figura interessante era o José Carrato, de prodigiosa memória historiográfica, que tirou a batina ao mesmo tempo que eu, tornando-se depois professor de história em universidades paulistas.

Apesar de se julgar uma secular meritocracia, o sistema de seleção para a carreira eclesiástica premia às vezes a mediocridade e o conformismo. Nunca entendi porque um colega de turma, fundador de uma obra social que se antecipou por muitos anos às preocupações atuais com os meninos de rua, bom músico (era o flautista da orquestra do seminário, enquanto eu tocava contrabaixo) continua até hoje padre e vigário do interior. Colegas menos bem dotados percorreram os vários graus da hierarquia. Entre os meus contemporâneos no seminário, há hoje cônegos, monsenhores, bispos e arcebispos.

Quando recentemente reclamei da injustiça a um colega bispo, respondeu-me ele: — O padre Carlos não subiu na carreira por três motivos: ficou muito de esquerda, o que é contornável; viveu maritalmente com uma ex-aluna do colégio de freiras, o que é também contornável; mas não acredita em Deus desde os tempos do seminário, o que é incontornável.

O episódio mais interessante ocorreu na Revolução Constitucionalista de 1932. Os revolucionários de São Paulo representavam uma ala do constitucionalismo liberal, que havia formado em 1926 o Partido Democrático de São Paulo. Derivavam sua inspiração da campanha de Rui Barbosa, contra o candidato presidencial, em 1910, e tinham o apoio de profissionais liberais e da emergente classe média. Eram os desiludidos de Getúlio. Haviam apoiado a Revolução de 1930, em protesto contra as máquinas políticas regionais, que manipulavam a sucessão presidencial. Mas logo se desapontaram, ao perceberem a vocação autoritária de Getúlio, com sua tradição do positivismo castilhista. O autoritarismo de Getúlio era apoiado àquela altura pelos *jovens tenentes*, que receavam que a restauração democrática imediata facilitaria às tradicionais máquinas políticas, a manipulação eleitoral e o bloqueio às reformas sociais.[37]

O erro grave dos revolucionários de São Paulo foi, além de inadequada coordenação com núcleos rebeldes de outros estados, deixar que o movimento constitucionalista assumisse o colorido de movimento regional separatista. Isso habilitou Getúlio a mobilizar o antagonismo de mineiros e gauchos. A hostilidade ao regionalismo paulista superou a simpatia pela causa constitucionalista.

Minha mãe tinha ido a São Paulo quando eclodiu o levante. As comunicações com São Paulo foram interrompidas por combates nas fronteiras. As forças constitucionalistas de São Paulo, comandadas por um legendário comandante Romão, ameaçavam invadir Guaxupé. O governo mineiro, chefiado por Olegário Maciel, se solidarizou com Vargas. O comando legalista enviara um batalhão da Força Pública para enfrentar a ameaça de invasão paulista em Guaxupé. Ouvia-se à distância, na fronteira, a matraca das metralhadoras e o ronco de canhões. Não tendo

---

[37] Thomas Skidmore qualifica apropriadamente os "jovens tenentes" como "semi-authoritarian nationalists". Enunciavam idéias um pouco vagas sobre moralização administrativa, serviços sociais e nível de conscientização nacional, que a seu ver teriam mais importância substantiva imediata que a democracia formal. Habilmente, Getúlio procurou consolidar o apoio do "tenentismo". Juracy Magalhães foi nomeado interventor na Bahia, Juarez Távora tornou-se uma espécie de vice-rei do Nordeste, e João Alberto Lins e Barros foi designado interventor em São Paulo. Sem amigos perpétuos e inimigos irredutíveis, Getúlio era um mestre na arte de cooptação...

para onde ir, fiquei no seminário sozinho, pois os demais alunos haviam debandado para reunir-se com suas famílias nas cidades vizinhas. Tive que conviver quase três meses, entre julho e setembro de 1932, com a soldadesca, indisciplinada e pouco higiênica, no velho prédio do seminário, comendo a horrível dieta de campanha.[38] Refugiava-me principalmente na capela e, num isolamento temeroso, desenvolvi intenso misticismo. Pela única vez na vida experimentei, em longo jejum, um arroubo místico, sentindo-me transformado pelo que eu julgava ser uma visão da Virgem Maria. É uma sensação estranha de transcendência, em que a alma parece separar-se do corpo, carregada por uma visão de mistério...

Terminei, em fins de 1933, os seis anos de humanidades e filosofia que constituíam o Seminário Menor. Descobriria mais tarde as enormes vantagens do treinamento na lógica escolástica. Como instrumento de apuro de raciocínio, o estudo das línguas clássicas e da filosofia escolástica mais que compensaram, ao longo dos anos, as deficiências seminarísticas do treinamento matemático. Às vezes, em noites de insônia, me ponho a recitar as regras do silogismo:

Tum re tum sensu triplex modo terminus esto.
Aeque ac praemissae extendat conclusio voces...

O estudo de teologia só poderia ser feito no Seminário Maior de Belo Horizonte, sede da arquidiocese, para onde me transladei em começo de 1934. Minha mãe emigrou para o Rio de Janeiro, onde se tornou governanta na casa de Catita, uma prima do Pantanal, filha de Paulino, que tendo deixado Mato Grosso para estudar no Rio, se casara com o ilustre engenheiro Luiz Hildebrando Horta Barbosa. Era um positivista, bom matemático, e um santo homem, que, como engenheiro do ministério da Justiça, construiu, no tempo de Getúlio Vargas, o Hospital das Clínicas e os primeiros pavilhões da Universidade Federal na Ilha do Fundão. Procurou, sem êxito, converter-me do catolicismo ao positivismo, mas tornou-me um razoável conhecedor da obra filosófica de Augusto Comte.

O Seminário de Nossa Senhora Auxiliadora situava-se no bairro da Gameleira, em frente ao Instituto Agrícola João Pinheiro, num lugar então ermo, bastante distante da cidade. Foi engolfado pelo crescimento urbano e lá hoje funciona a PUC.

O seminário, de construção nova, era bem mais confortável que o casarão de Guaxupé, este de paredes rachadas e instalações sanitárias quase sempre entupi-

---

[38] Anos depois vim a saber que Kubitschek, que em 1932 era simplesmente o "Dr. Juscelino" do Hospital Militar, estivera brevemente em Guaxupé, supervisionando a transferência de soldados feridos nas lutas da serra da Mantiqueira para hospitais em Varginha e Guaxupé. Nossos caminhos se cruzariam vinte e três anos mais tarde, em condições bem mais favoráveis... Thomas Skidmore, *Politics in Brazil — 1930-1964*, Oxford University Press, New York, 1967, pgs. 9-12.

das. O esporte que praticávamos no recreio era o voleibol, tendo eu me tornado um razoável *levantador*. Um divertimento pitoresco, numa cidade abundante de escorpiões, era provocar o suicídio dos escorpiões. Para isso bastava acender-se um barbante com álcool junto as frestas do pátio interno e encostar um bocal de garrafa. Os escorpiões ali entravam. Fazia-se depois um círculo de barbante embebido em álcool e gasolina. Ao incendiá-lo, os escorpiões se suicidavam revertendo o rabo envenenado sobre as costas.

O treinamento em humanidades e filosofia era superior em Guaxupé, o que fez com que a *"turma de Guaxupé"* exercesse certo grau de liderança intelectual. Estudei teologia dogmática e moral, mas a disciplina que, de futuro, me seria mais útil foi o direito canônico, pelo simples fato de que, quando deixei o seminário para candidatar-me, três anos mais tarde, ao concurso do Itamaraty, não tinha dinheiro para pagar os cursinhos e tive que me valer, no estudo do direito internacional público e privado, das lições de direito canônico e direito romano que aprendera nos bancos seminarísticos. A exegese das Sagradas Escrituras nos era ensinada pelo padre Jorge Eliano, do rito siríaco. A disciplina mais suave era a história da arte sacra de que tínhamos um excelente professor, o padre Mollengraf. A teologia não exige o treinamento lógico de filosofia escolástica, mas tem a vantagem de estimular o pensamento abstrato. Afinal, como disse Anatole France, no *Abbé Jerôme Coignard*, *"la théologie est une science qui traite, avec une minutieuse exactitude, de l'inconnaissable"*... Dos meus colegas de Belo Horizonte, alguns ascenderam ao episcopado, como dom Geraldo Maria, hoje arcebispo de Aparecida do Norte. Tendo convivido pouco em Belo Horizonte, pois ele era mais jovem e ainda cursava filosofia, fiquei grande amigo de Antonio Olinto, que se tornaria romancista famoso, mais conhecido, aliás, no exterior que no Brasil (suas obras foram traduzidas em 29 línguas, variando desde o sueco ao servo-croata).

A biblioteca do seminário era assaz pobre, mas com enorme tempo de solidão, eu devorava o que havia. A decoreba era de estilo no seminário. Recitava várias das éclogas de Virigílio e bons trechos da *Eneida*. Lia com mais dificuldade as *Odes* de Horácio. Fui obrigado a dominar bem o latim pois que os livros de texto de filosofia e teologia, assim como as aulas, eram nessa língua, que eu manejava com destreza como instrutor de teologia. Memorizei três cantos inteiros da *Divina Comédia* de Dante. Dos clássicos franceses era de bom tom nas classes de humanidades exibir familiaridade com Corneille e Racine. Romances, só dos católicos franceses — Mauriac, Bernanos e Claudel. Felizmente, nem Eça de Queiroz nem Machado de Assis eram proibidos, o que contribuiu para desenvolver meu sentido de humor. Depois, poetastro frustrado, me tornei insaciável devoto dos poetas de minha geração — Manuel Bandeira, Jorge de Lima, Murilo Mendes e Carlos Drummond de Andrade.

Decidido a ascender ao sacerdócio, recebi das mãos de dom Antonio dos Santos Cabral, o arcebispo de Belo Horizonte, o tonsurato e as quatro ordens menores — o *ostiarato*, o *leitorato*, o *acolitato* e o *exorcistato*. Nunca tive ocasião de exorcizar os demônios bíblicos, mas em compensação especializar-me-ia depois no exorcismo dos *demônios econômicos* do nacionalismo, do estatismo e do protecionismo, que tanto contribuíram para o nosso atraso econômico. Por ter completado o curso de teologia antes da idade canônica de 22 anos, não pude receber as ordens maiores — o sub-diaconato, o diaconato e o presbiterato, não tendo assim feito os votos de obediência e castidade.

Esse período de espera de dois anos foi fatal para a minha vocação. Como primeiro aluno, tinha direito a bolsa para estudar no Colégio Pio Brasileiro de Roma, mas faltavam recursos para tanto.

Foi um interregno de angústia e dúvida, assim como de rebeldia intelectual. Rebelava-me contra o *Index librorum prohibitorum*, o que me levou a crer que não teria paciência para a mansa aceitação do dogma. E duvidava de que a minha reprimida concupiscência não viesse, no futuro, a transformar-me num violador do voto da castidade.

Ansiava, secretamente, por ler os hereges — Renan, Voltaire, e os romances proibidos de Anatole France e Zola. E não me satisfazia a versão desidratada de Kant e Hegel, do compêndio oficial de história da filosofia. Mais tarde, estudaria alemão para ler a *Crítica da razão pura* e a *Crítica da razão prática*. Mas o meu alemão nunca foi além do *Werther* de Goethe e do *Wilhelm Tell* de Schiller, inadequado para penetrar na densa selva do pensamento kantiano.

A descoberta da perda da vocação, longamente cultivada como um programa de vida, é um episódio doloroso, que dá a impressão que a impotência de chegar ao céu é um convite às chamas do inferno. Durante muitos anos tive pesadelos, acordando em suores, como se tivesse comigo um Deus zangado a me excomungar...

Abandonado o casulo seminarístico, que torna a gente encabulado e indefeso, tive que ganhar a vida. Não eram muitas as oportunidades de emprego para um *erudito analfabeto*, pois os diplomas do seminário de nada valiam, salvo para o magistério primário e secundário.

Chegou-me então um convite salvador para lecionar no ginásio de padres espanhóis claretianos, em Batatais, no interior de São Paulo. Quase nada sabia sobre Batatais. Ouvira que era a terra de Altino Arantes, que fora presidente de São Paulo, e vizinha a Brodowski, onde nascera Portinari, já então um pintor de reputação firmada. Tinha duas fábricas, uma de tecidos e outra de chapéus, esta fadada à obsolescência tecnológica pela mudança da moda. Mais importante, ficam perto de Ribeirão Preto, onde meu tio, Francisco Cardoso, era gerente do Banco de São Paulo. Isso me garantiria fugir do tédio nos fins de semana.

Passei a lecionar latim e gramática histórica, com conhecimento de causa, e também astronomia, coisa que tive que estudar apressadamente, salvando-me das críticas porque os alunos, na maioria filhos de fazendeiros de café, não tinham o menor interesse nessas matérias. Acredito que minhas aulas os deixassem virginalmente ignorantes. Aproveitei a ocasião para inscrever-me no *tiro de guerra*, então sediado no colégio. Defrontei-me com a hostilidade gratuita do sargento Martins, o instrutor. Singularizava-me para admoestação, pela minha má pontaria no fuzil e descompasso na marcha.

— Acerta o passo, padreco — dizia ele. Tá pensando que mijo de padre é Santos Óleos?

Os sargentos costumam ter sua própria filosofia. Contou-me o Araújo Castro, colega meu no Itamaraty, que, quando cursava o CPOR, no Rio de Janeiro, o sargento, ouvindo dizer que ele, como diplomata, estaria em breve viajando para o exterior, proferiu um julgamento definitivo: — Soube que você vai para Porto Rico. Vai viver no estrangeiro? Que horror! Para começar, todo estrangeiro para mim é corno...

AMOR À
PRIMEIRA VISTA

Morávamos numa república no próprio Colégio São José, quatro professores. Um deles era o Electro Bonini, belo rapagão, que provocava paixões nas moçoilas locais. Hoje é proprietário de uma universidade em Ribeirão Preto. Outro, era o Jarbas Pontes, professor de português, mas realmente interessado em mecânica e eletricidade, áreas em que revelava bastante capacidade inventiva. Estava noivo da mais velha das quatro bonitas irmãs Tambellini. Convidou-me um dia para visitar suas futuras cunhadas. Foi um convite fatal para um desajeitado *defroqué*. Uma das irmãs, loura e esbelta, chamava-se Stella. Acredito que foi amor à primeira vista. Coisa de filme! Dois anos depois, quando já tinha obtido emprego no Itamaraty, voltei a Batatais para casar-me com Stella, minha primeira namorada. É minha companheira há 53 anos, razoável *record*, se comparado à rotatividade marital de nossos dias... Na realidade, algo digno de menção no *Guinness book of Records*. Nelson Rodrigues dizia que só com muito cinismo se chega às bodas de prata. Eu ultrapassei as bodas de ouro...

O casamento me trouxe um grande amigo, meu cunhado Flávio Tambellini, jornalista de excepcional talento e verve. Quando tocado por uma infusão etílica, era o melhor *causeur* que já encontrei. Sua obsessão era o cinema. Trabalhou com Jânio Quadros, quando governador de São Paulo e induziu-o a criar a Comissão Estadual do Cinema, que fomentava, com prêmios, a produção nacional. Quando Jânio assumiu a presidência da República, foi criado, por proposta de Flávio, o GEICINE (Grupo Executivo da Indústria Cinematográfica) que operou paralelamente ao INCE (Instituto Nacional de Cinema Educativo), que tinha sido criado por Roquete Pinto, ainda no governo Vargas. Flávio presidia a ambas as organizações.

O primeiro filme, produzido por Flávio e dirigido por Rubem Biáfora, foi *Ravina*, que revela a influência do William Wyler de *Morro dos ventos uivantes*. Depois, atribulado por apertos financeiros, recuperando-se ainda de um desastre de automóvel que o fez perder uma das vistas, Flávio dirigiu *O beijo*, baseado na peça de Nelson Rodrigues *O beijo no asfalto*. Foi um filme algo rebuscado e desigual, num estilo reminiscente do expressionismo alemão. Nele figuravam atores que depois se tornariam famosos, como Jorge Dória, Reginaldo Faria e Nelly Martins. Betty Faria, então iniciante, teria um pequeno papel coadjuvante.

Numa de suas excentricidades, Flávio, à procura de um ator para *O beijo*, descobriu num avião um comissário de bordo que lhe pareceu tipo o adequado. Exceto que tinha dentes acavalados e suava demais. Depois de vários conselhos para melhorias estéticas, não aproveitou o ator senão numa cena em que ele é visto de costas, tirando fotografias. E suando em bicas...

Seguiu-se um outro filme, *Até que o casamento nos separe*, adaptação da peça *Pais abstratos*, de Pedro Bloch, com Mário Benvenuti e Vera Barreto Leite.

No começo da década dos setenta, Flávio faria o filme *Um whisky antes um cigarro depois...*, com Geraldo Del Rey, Neila Tavares e Sandra Brea, baseado em dois contos de Orígenes Lessa e Dalton Trevisan (Flavinho Tambellini, que depois seguiria a carreira do pai como diretor cinematográfico, estreou no filme como ator coadjuvante). Apesar de descuidado, foi um sucesso de bilheteria, uma das poucas vezes em que Flávio sacrificou o cuidado artístico pelo instinto comercial. Viria depois a fase de colaboração de Flávio com José Rubem Fonseca. Dessa época é o filme *Relatório de um homem casado*, com José Lewgoy, Françoise Fourton e Leila Cravo. O último, e de longe o melhor dos filmes de Flávio, foi *Extorsão*, com *script* original de José Rubem. Figuravam no elenco Kate Lyra, Arlete Sales, Paulo César Pereio e Roberto Bonfim. Tive que emprestar meu apartamento para alguns cenários, o que me tornou coadjuvante relutante.

Com seu apostolado cinematográfico, Flávio, quando fui alçado ao ministério do Planejamento, não descansou enquanto não consenti em apresentar a Castello Branco um projeto de decreto-lei, elaborado com auxílio de Bulhões Pedreira, que criava o INC (Instituto Nacional do Cinema), em substituição aos organismos existentes. E procurava, ao mesmo tempo, operacionalizar o sistema de incentivos fiscais criado pela Lei de Remessa de Lucros de 1962. Esses incentivos consistiam na opção dada, às distribuidoras de filmes estrangeiros, de abater 40% do imposto sobre a remessa de lucros derivados da exibição de filmes estrangeiros, contanto que aplicassem quantia equivalente na produção ou co-produção de filmes brasileiros.

Mal suspeitava eu que mesmo nessa área artística, surgissem controvérsias suscitadas por esse meu velho inimigo, o *nacionalismo de fancaria*. Arguiam alguns cineastas, que depois se congregaram num movimento chamado *cinema novo*, que o sistema de descontos fiscais sobre a tributação de filmes estrangeiros, ao invés de subsídios orçamentários, descaracterizaria a *brasilidade* dos filmes, pois que os produtores nacionais teriam que discutir seus projetos com as distribuidoras estrangeiras, que obviamente fariam uma seleção crítica das propostas, a fim de obter algum retorno. A oposição se estendia também à própria criação do INC, em novembro de 1966. Os *cinemanovistas* alegavam que a criação do INC concentraria demasiado poder nas mãos do governo, inclusive o poder de censura. Mas a questão era muito mais ideológica. Se fosse escolhido para presidente alguns dos membros do clã *cinemanovista*, as objeções desapareceriam misteriosamente, pela sedução do dinheiro e poder. Para um estranho, como eu, às intrigas e ciumeiras da arte, a objeção parecia absurda. Tratava-se de simples racionalização administrativa, pela extinção de dois órgãos paralelos e competitivos, o Geicine e o INCE, com economia de gastos e aumento de eficiência.

As peripécias administrativas dos mecanismos de apoio ao cinema nacional foram um exemplo perfeito da lei de *entropia burocrática*. Flávio, que conhecia a estória da luta pelos incentivos e as batalhas burocráticas ideológicas para sua implantação, ficou pouco tempo no INC. No governo Costa e Silva foi substituído por um documentarista gaúcho, Durval Gomes Garcia. Graças à influência do secretário administrativo, Moniz Viana, manteve-se por algum tempo continuidade de orientação. Mas, ao longo da existência do INC, de 1966 a 1969, quando foi criada a Embrafilme (D.L. 862, de setembro de 1969), permaneceu uma surda tensão entre os *realistas*, que desejavam operacionalizar o sistema de incentivos existente, e os *ideólogos do cinema novo*. Entre estes se incluíam Glauber Rocha, Nelson Pereira dos Santos, Cacá Diegues, Leon Hirszman e o produtor Luiz Carlos Barreto. Inquestionalmente talentosos, sentiam-se também frustrados porque o surto do *cinema novo* coincidiu com a ascendência da televisão, de linguagem mais simples e direta que os discursos de *denúncia social*, a que se entregavam os cineastas. Os *cinemanovistas* tiveram o mérito de colocar em foco temas nativistas; e o demérito de, com certo grau de hipocrisia, favorecerem um sistema de subsídios diretos à produção. Esses subsídios, administrados pela própria classe, viriam mais tarde a privilegiar grupelhos ideológicos, que consideravam o pagamento de empréstimos uma espécie de obscenidade capitalista...

Conseguiram, afinal seu objetivo *nacionalistóide*, com a criação da Embrafilme, como empresa financiadora, em 1969. Os recursos dos incentivos fiscais, antes administrados pelos contribuintes, através de co-produções, passaram a ser depositados no Banco do Brasil à disposição da Embrafilme. Dirigida inicialmente por Ricardo Cravo Albim, a Embrafilme foi depois sujeita a grande descontinuidade administrativa, com suspeitas, periodicamente averiguadas, de malversação de fundos, através de alguns empréstimos descriteriosos a grupos privilegiados, quase todos, por sinal, cultores da temática do *cinema novo*. O chamado *calote dos cineastas*, tornou-se uma rotina administrativa. A Embrafilme e seu órgão normativo, o Concine, acabaram sendo extintos na reforma administrativa inicial do governo Collor.

A persuasividade de Flávio não se limitou a engajar-me no sistema de incentivos, que ele estava procurando utilizar também para a produção de filmes educativos, alguns dos quais bastante interessantes, como os sobre a moeda e inflação, valendo-se Flávio amplamente da melhor filmoteca educativa disponível, que era a do Canadá. Induziu-me, ainda que contrariando fundamente minha aversão liberal a reservas de mercado, a reafirmar, junto com o ministro da Indústria e Comércio, um antigo decreto getuliano sobre a exibição compulsória de filmes nacionais de longa metragem, coisa que certamente não elevaria nosso nível cultural.

Essa experiência confirmou meu ceticismo quanto à eficácia das reservas de mercado, das quais a primeira foi a navegação de cabotagem, sob dom João VI. A proteção aos navios transformou-se um século depois num hino aos caminhões! Não menos elucidativo é o contraste entre a televisão e o cinema. Aquela nunca teve nem reserva de mercado nem subsídios fiscais e creditícios e tornou-se internacionalmente competitivo com suas novelas. Salvo honrosas exceções, a filmoteca nacional é artigo de consumo interno.

Flávio foi ceifado por um câncer, ainda jovem, aos cinqüenta anos, e dele me lembro com saudades. Contrastando com meu temperamento macambúzio e introvertido, Flávio era extrovertido e hilariante. Foi através dele que me tornei amigo de Nelson Rodrigues, o dramaturgo, de Jorge Dória, o ator, de José Rubem Fonseca, o escritor, e de Jorge Ileli, o cineasta. Do grupo de São Paulo eram seus amigos os diretores Rubem Biáfora e Walter Hugo Khoury.

Aproximei-me bastante de Nelson Rodrigues, talvez o melhor fazedor de frases que já conheci. Nelson já tinha uma vasta e criativa bagagem, como controvertido dramaturgo. Já havia talvez transposto sua fase mais criativa que começara em 1941, com a peça *A mulher sem pecado*, seguido de sua verdadeira obra prima o *Vestido de noiva*, de 1943. Quando o conheci, em 1964, suas últimas peças tinham sido *Beijo no asfalto*, de 1960, e *Otto Lara Resende ou Bonitinha mas ordinária*, de 1962. Estava trabalhando numa de suas obras-primas, *Toda nudez será castigada*. Nelson transferia para personagens estranhas sua própria safra de tragédias pessoais. Tivera-as abundantes. A morte do pai, Mário Rodrigues; o assassínio do irmão Roberto; o nascimento de uma filha cega e sua própria condição física de tuberculoso intermitente.

Nelson percebera, muito antes de seus colegas de boemia, a fatal perversão do socialismo, o que o levara a um certo grau de tolerância em relação ao autoritarismo da época revolucionária. Sabia que a alternativa comunista seria incomparavelmente mais sangrenta. Talvez tivesse percebido isso desde a invasão da Hungria, em 1956, e a denúncia dos expurgos de Stálin, que, para ele, como para muitos outros, representou um ponto de inflexão ideológica. Foi a *grande desilusão*.

Nelson foi injustamente acusado de delator de colegas de esquerda ao regime militar. O contrário aconteceu. Nelson usou da influência que conquistara junto a alguns militares, pela sua implacável ridicularização das esquerdas, para proteger amigos contra a exacerbação repressiva da época. Suas relações com o regime eram ambivalentes. De um lado, a direita, inclusive os militares, consideravam perigosas e deletérias suas peças, que feriam os tabus éticos da época. Carlos Lacerda, por exemplo, chamara Nelson Rodrigues de *tarado* e o acusava de ser "um dos instrumentos do plano comunista para destruir a família brasileira". Nelson foi, aliás, uma das grandes vítimas da censura durante o período revolucionário, tendo o seu livro *O casamento* temporariamente interditado.[39] De outro lado, os militares o admiravam pela coragem com que desafiava o modismo esquerdizante da *intelligentzsia* da época e ridicularizava a esquerda católica dos *padres de passeata*. Lembro-me de uma de suas frases cáusticas sobre Jean-Paul Sartre, então o xodó das esquerdas, que, visto em retrospecto, parece bem menor que seu rival liberal da época, Raymond Aron, este sim, um grande filósofo social:

> "Sartre mete o pau nos Estados Unidos, e, ao mesmo tempo, cospe na memória de Pasternak. O nosso intelectual de esquerda não suspira contra a Cortina de Ferro. Lá a inteligência é diariamente estuprada. Ninguém diz nada".

Essa cruel ambivalência o atingiu em cheio quando seu próprio filho, Joffre, militante do MR-8, caiu nas malhas da repressão militar, e foi preso e torturado por sua participação em ações terroristas.[40]

No meio das *tensões de insolubilidade* que eu sentia no ministério do Planejamento, tentando ao mesmo tempo conter a inflação e evitar a recessão, nada mais relaxante que receber um telefonema do Flávio, convidando-me para uns drinques de fim de tarde com o Nelson. Tornei-me um de seus *irmãos íntimos*. Nelson tinha razão ao dizer que a impopularidade da política econômica me tornava mais solitário que Robinson Crusoé, numa ilha deserta do Caribe, *sem radinho de pilha*. E chamava-me de *idiota da objetividade*, pela minha recusa a adoçar, com uma pitada de demagogia, o bolo amargo da lógica econômica.

Flávio tinha uma terminologia ousada, às vezes escatológica, mas sempre pitoresca. Certo dia, estávamos ele e eu conversando com nossos filhos Flavinho e Bob, respectivamente, dois belos rapagões. Eis que uma jovem atrizinha, pela qual Flávio nutria secretos e inconfessados desejos, telefona a um e depois a outro dos rapazes, à busca de companhia para um drinque, um cinema ou um passeio na

---

[39] A censura da época era construtivamente ineficiente. De um lado, interditou-se o livro *O casamento*, depois que já haviam sido vendidos 8.000 exemplares, por suposto atentado à ética familiar (dizia-se que o livro continha 147 palavrões). De outro, desinterditou-se, em dezembro de 1965, *Álbum de família*, talvez mais corrosivo que aquele.

[40] Para uma boa descrição dessas trágicas ambivalências, ver Ruy Castro, *O anjo pornográfico*, Companhia das Letras, São Paulo, 1992, pgs. 405-418.

praia. Ambos recusaram, com relativa indiferença, alegando cansaço ou véspera de exames. Isso deixou Flávio indignado.

— Veja a diferença — disse-me ele — no nosso tempo arranjar mulher dava um bocado de mão de obra. Tínhamos que fazer serenatas idiotas, enviar flores e aturar a presença de tias, velhas e bisbilhoteiras, fiscalizando nossos encontros com as namoradas no cinema. Essa nova geração é abastecida e displicente...

E acrescentou: — Nós, Roberto, éramos da geração do pau aflito. Estes são da geração do pau tranqüilo...

Não fiquei mais que alguns meses em Batatais. A vida na província era monótona, e o horizonte, curto para minha ambição.

Dizia-se naquela época que um brasileiro de classe tinha que ter três experiências: ser um bacharel, ter tido gonorréia e escrever poesia aos 16 anos. Escapei das duas primeiras experiências. Mas caí na terceira. Escrevi alguns curtos poemetos, à moda dos *haikais* japoneses. Lembro-me de um:

"Lança teus olhos ao mar pela hora redonda
E aprende na folha que cai a geometria da queda."

Tive suficiente autocrítica para lançar meus *haikais* na lata de lixo, destino assaz merecido.

Em meados de 1938, parti para a aventura de ganhar a vida na grande cidade. Vieram então as peripécias da rua da Relação, com que iniciei esta estória.

PRIMEIRAS EXPERIÊNCIAS DE PLANEJAMENTO

◆

A BUROCRACIA
DOS CONTROLES

Uma das mais gratificantes experiências da minha vida foi a participação, como conselheiro econômico, na Comissão Mista Brasil-Estados Unidos. Experiência gratificante pela contribuição que a Comissão trouxe sob dois aspectos. Primeiro, a implantação no Brasil de técnicas de análise de projetos e de rentabilidade e, segundo, sua contribuição essencial para a criação do BNDE, encarregado de prover a contrapartida, em cruzeiros, para os financiamentos estrangeiros obtidos através da Comissão.

Anteriormente, ao regressar em fins de 1949, da função de secretário na Missão da ONU, em Nova York, minhas tarefas não tinham sido particularmente excitantes. No Itamaraty, fui recrutado para a Comissão Consultiva de Acordos Comerciais, cuja função era negociar acordos bilaterais de *clearing*, ou seja, de comércio de compensação, visando sobretudo à boa utilização dos saldos brasileiros remanescentes das exportações durante a guerra. A negociação mais interessante foi com a Alemanha Ocidental, a que já me referi alhures.

Fui depois convidado por Luiz Simões Lopes para servir na CEXIM, da qual era ele diretor, como analista de política internacional. A CEXIM àquela época tinha um elenco de valiosos talentos, cabendo ressaltar entre eles Mário da Silva Pinto, Henrique Capper de Souza e Aldo Franco, os dois primeiros versados em metalurgia e mineração e o segundo em operações cambiais e comerciais, às quais se havia dedicado no Banco do Brasil. Na CEXIM, que àquela ocasião tinha boa respeitabilidade sob a liderança austera de Luís Simões Lopes, verifiquei duas distorções.

A primeira era que o controle direto de importações por via de licenças e quotas era um instrumento grosseiro de controle de balanço de pagamentos. Convenci-me de que esse sistema de controle, por via de licenças e quotas, é fértil em distorsões. Uma delas é o perigo de corrupção. Com taxas cambiais sobrevalorizadas é enorme o apetite de importar, e o beneficiário de uma licença de importação aufere lucros de monopólio, pela inexistência de competição. Não só as licenças se tornavam um bem valioso a ser comprado, como geravam um comércio espúrio; importadores revendiam as licenças, servindo como testas-de-ferro, a fim de auferir lucros monopolísticos. A demanda de importações era em parte artificial.

A segunda distorção derivava dos critérios de essencialidade. Vedava-se completamente a importação dos bens de consumo chamados *não essenciais*, ao mesmo tempo em que se procurava facilitar a importação dos bens essenciais, incluídos entre esses os bens de equipamento. A intenção era boa, e o efeito, perverso. Não havendo impostos internos sobre o consumo de não-essenciais, aumentava-se artificialmente a lucratividade desses setores, tornando-se sua produção bem mais atraente que a dos produtos industriais básicos. Ficavam assim estimulados os investimentos na produção não essencial, em detrimento da produção essencial. Era um modelo perverso de substituição de importações pela produção doméstica. Convenci-me de que essa diferenciação de essencialidade poderia ser melhor tratada por via de tarifas aduaneiras diferenciais, e não por licenças e quotas. Mais tarde evoluí para uma posição mais radical — a tarifa deveria ser única, como no modelo mais recentemente adotado pelo Chile, de modo a não se criar proteção artificial, distribuindo-se os incentivos à produção segundo as reais vantagens comparativas. Taxas cambiais realistas e flutuantes (em vista das condições inflacionárias da economia brasileira) acopladas a uma tarifa aduaneira única, passaram a ser parte do evangelho que nunca tive ocasião de praticar (são conselhos de perfeição, que o Brasil nunca conseguiu absorver).

Participei de uma decisão errada. Essa foi a liberalização de importações, num momento em que a taxa cambial sobrevalorizada do cruzeiro criava um incentivo natural à importação, ao mesmo tempo em que desincentivava as exportações.

Houve vários componentes na decisão da CEXIM, em 1951, de afrouxar o controle de importações. Um deles foi a preocupação antiinflacionária. O aumento de importações incrementaria a oferta e abateria pressões inflacionárias. O segundo motivo foi o excessivo otimismo provocado pela alta temporária dos preços de café, e pelo comportamento relativamente bom das exportações, no primeiro semestre de 1951. O terceiro foi a teoria do "abastecimento acautelatório". Receava-se que a intensificação do esforço armamentista nos Estados Unidos, em virtude da guerra da Coréia, redundasse em escassez da oferta internacional de insumos industriais e bens de equipamento, cuja importação já havia sido comprimida ao longo da II Guerra mundial. Na realidade, o conflito coreano não teve as repercussões que temíamos, nem no tocante à sua duração, nem no tocante à escassez de produtos manufaturados nos Estados Unidos e Europa. O resultado líquido foi acumularmos estoques *estratégicos* além do que teria sido realmente necessário, agravando-se com isso a penúria cambial. A política é assim sintetizada na mensagem enviada por Getúlio Vargas ao Congresso Nacional na abertura da Sessão Legislativa de 1952:

"Com a liberalização das importações... esperava o governo ter três efeitos: atenuar a pressão inflacionária pelo aumento da oferta de bens estrangeiros no mercado nacional, repor os estoques desfalcados pelas restrições anteriores às compras externas e possibilitar o abastecimento de algumas mercadorias, cuja aquisição no exterior consistia medida previdente, em face do agravamento da crise política internacional."

Se a decisão era em si justificável, a lentidão em sua implementação e a falta de agilidade para reversá-la, quando a situação internacional evoluiu de forma diferente, contribuiu, sem dúvida, para a geração do problema de atrasados comerciais, que viria a se manifestar agudamente em fins de 1952. Como testemunho da falta de agilidade burocrática no ajuste à conjuntura, basta lembrar que o controle de importações havia sido demasiado rígido em 1948/49 e primeiro semestre de 1950, levando a uma situação crítica no tocante a estoques essenciais para indústrias, sendo também altamente insatisfatório o abastecimento de máquinas e equipamentos e veículos. De outro lado, a decisão de liberalização tomada no segundo semestre de 1951 foi de lenta execução e não reversada a tempo, quando se alterou a conjuntura internacional.

Minha atuação como consultor da CEXIM não era particularmente atraente, a não ser pela absorção de um contingente alentado de informações sobre a estrutura industrial brasileira e suas deficiências. Serviu também de boa educação no tocante às ineficiências do sistema de controle direto de importações, e a os perigos de corrupção administrativa que isso encerrava.

Muito mais atraente era a oportunidade, que para mim se oferecia, de participar dos trabalhos da Comissão Mista Brasil Estados-Unidos de Desenvolvimento Econômico. É a estória que conto a seguir.

AS AMBIGUIDADES
CONSTRUTIVAS

A CMBEU representaria um novo estágio evolutivo nas relações Brasil-Estados Unidos, em comparação com as comissões mistas anteriores: a Missão Cooke, em 1942, durante a guerra e a Missão Abbinck, em 1948. A primeira visava a aumentar a produção local de produtos essenciais anteriormente importados e melhorar o sistema de transporte e o grau de auto-abastecimento. A segunda, passava também à análise macroeconômica dos problemas brasileiros de inflação e balanço de pagamentos, com vistas a criar condições propícias ao desenvolvimento e facilitar a absorção de capitais externos, dentro da doutrina neoliberal de que o papel dinamizador caberia ao setor privado. Ao Estado caberia basicamente o papel de coordenador dos investimentos. Nenhuma das duas envolvia qualquer compromisso de financiamento por órgãos americanos ou internacionais. A seção brasileira da Missão Abbinck era chefiada por Octávio Gouveia de Bulhões. Começou a destacar-se então a personalidade de San Tiago Dantas, que foi o relator da Comissão de Comércio e Estudos Gerais e da Subcomissão de Investimentos.

Como já ficou dito, a CMBEU nascera em contexto diferente. Avolumava-se no pós-guerra uma queixa generalizada do descaso dos Estados Unidos pelos seus vizinhos do sul, em contraste com o ativismo revelado pelo Plano Marshall no tocante à Europa. Não podendo o governo de Washington ficar indiferente a essa percepção de injusto tratamento, a resposta foi o lançamento do Ponto IV no discurso inaugural do presidente Truman, em janeiro de 1949. Era uma tentativa de resposta parcial a essas inquietações. Não havia nesse discurso nenhuma promessa específica de financiamento, mas era perceptível uma mudança de rumo e uma demonstração concreta de preocupação com o problema desenvolvimentista. Intensificar-se-iam os trabalhos de assistência técnica a fim de se aumentar a capacidade absorptiva dos países da área. Paralelamente, o Banco Mundial, aliviado pelo Plano Marshall da tarefa de reconstrução européia, poderia deslocar recursos para as áreas subdesenvolvidas. Tornar-se-ia um Banco de Desenvolvimento, antes que de Reconstrução.

O Ponto IV só teve sua implementação objetivamente deslanchada, com a aprovação de verbas orçamentárias (assaz modestas), através do "Act for International

Development", em junho de 1950.[41] Essa lei autorizava a formação de comissões mistas dos Estados Unidos com países interessados em programas de ajuda técnica e econômica. O Brasil foi um dos oito países que acolheram a idéia.

Raul Fernandes, o ministro do Exterior do governo Dutra, que, conforme já vimos, manifestara tibieza e ceticismo em relação ao programa de assistência técnica da ONU (votado na III Assembléia Geral da ONU em Paris, em dezembro de 1948), que serviu de inspiração para o Ponto IV, não perdeu tempo em perceber a mudança de clima. Aproveitando a oportunidade ensejada por uma reunião, no Rio de Janeiro, dos embaixadores dos Estados Unidos na América Latina, em abril de 1950, propôs a criação de uma comissão Mista Brasil-Estados Unidos. O objetivo de Raul Fernandes era vincular, tão explicitamente quanto possível, a assistência técnica a um amplo programa de investimentos.

Lembro-me de que compareceu a essa reunião George Kennan, então diretor do "Policy Planning Staff" do Departamento de Estado. Já se tinha tornado famoso, como autor putativo, sob o pseudônimo de *Mr. X*, do penetrante artigo 'The sources of soviet conduct', publicado na revista *Foreign Affairs*, em julho de 1947. Era a primeira explicitação da *policy of containment*, que por muito tempo nortearia as relações dos Estados Unidos com a União Soviética. Como já foi dito, a tese era que seria inútil tentar uma apaziguação com a União Soviética. Esta tinha uma insopitável tendência expansionista, que perseguiria tenazmente, em parte pelo apostolado ideológico inerente à teoria marxista, em parte pela *psicose de cerco*. Julgava-se ameaçada pelos países capitalistas. Os líderes soviéticos, entretanto, eram sensíveis à lógica do poder militar e evitariam confrontação armada. A posição americana deveria ser de *contenção do expansionismo* em diversas frentes, à espera de que as dificuldades internas, oriundas da ineficiência do sistema socialista, viessem a transformar o império soviético num país *normal*, disposto à cooperação. A política de contenção tinha sido elemento conceitual importante nos planos Truman e Marshall.[42]

Enquanto para Marx o capitalismo seria derrotado por suas contradições internas, para Kennan também o socialismo, aparentemente monolítico, sofria de suas

---

[41] A verba pedida por Truman em junho de 1949 fora de US$45 milhões, reduzida pelo Congresso para US$34.5 milhões, no "Act for International Development".

[42] Nos anos cinqüenta Kennan modificaria sua posição. Em vez da *policy of containment*, passou a advogar uma *policy of disengagement*. Esta consistia na criação de uma zona neutra, não nuclear, na Europa Central, com retirada de tropas americanas e soviéticas, e aceitação de uma Alemanha neutralizada e unificada. Opôs-se por isso ao rearmamento alemão e ao ingresso da Alemanha Ocidental na OTAN, em 1955. A política de desengajamento gerou acerba controvérsia entre Kennan e Dean Acheson, sob o qual Kennan servira no Departamento de Estado, e sofreu também contestação por parte do chanceler Adenauer, oposto à neutralização da Alemanha.

contradições internas: a ânsia de liberdade eventualmente corroeria o igualitarismo e o consumidor não seria, indefinidamente, massa de manobra do planejador.

Como funcionário do Itamaraty, tive breve contato com Kennan e entreguei-lhe, por iniciativa própria, um memorando sobre a *policy of containment*. A idéia fundamental era que a contenção do comunismo, para os Estados Unidos, era um problema de defesa externa; para os países subdesenvolvidos, como o Brasil, era um problema de desenvolvimento interno. A idéia nada tinha de original. Tornou-se depois um jargão largamente usado na era de Juscelino, e constituiu o cerne da argumentação deste no lançamento da Operação Pan-Americana.

A proposta brasileira de Raul Fernandes só foi aceita em dezembro de 1950, quando Getúlio Vargas já havia sido eleito presidente da República e escolhido João Neves da Fontoura para futuro ministro do Exterior. Este começou a participar das negociações a partir de novembro, nos últimos dois meses do governo Dutra.

Vargas, quando assumiu o poder, em 31 de janeiro de 1951, entreteve-se pessoalmente com Nelson Rockefeller, representante do governo americano na cerimônia de posse. Ficou então acordada uma aceleração das negociações. Em fevereiro viria ao Brasil o secretário-adjunto para Assuntos Americanos, Edward G. Miller Junior, acompanhado de Francis Adams Truslow, que futuramente seria designado chefe da seção americana da CMBEU. Pela primeira vez foi mencionada uma cifra de US$250 milhões, a ser fornecida pelo Banco Mundial e pelo Eximbank, para os projetos que a CMBEU viesse a considerar prioritários.

Quando João Neves, como ministro do Exterior, compareceu a Washington no mês seguinte, por ocasião da IV Reunião de Chanceleres Americanos, convocada para discutir a guerra da Coréia, houve discussões diretas com o Banco Mundial e o Eximbank e também com Mr. Edward Muller, que deixou entrever a possibilidade de a soma ser elevada para US$300 milhões. Era um elastecimento da posição americana e representava um passo na direção da meta de US$500 milhões, pleiteada pelo ministro da Fazenda, Horácio Lafer, sob instruções do presidente Vargas.[43] Conquanto instalada a CMBEU em julho de 1951, o acordo definitivo só foi assinado quando da visita do ministro da Fazenda, Horácio Lafer, a Washington, para a Assembléia Anual do Banco Mundial e do FMI, em setembro do mesmo ano. No memorando de entendimento então firmado, menciona-se a cifra global de Cr$10 bilhões (US$540 milhões), para o financiamento de um plano de "reabilitação econômica e reaparelhamento industrial", previsto para cinco anos.

---

[43] Para uma boa discussão dessas peripécias negociais, ver Sérgio Besserman, *A política econômica no segundo governo Vargas*, FGV, Rio de Janeiro, 1987, pgs. 39-41.

A assinatura do memorando foi precedida de reuniões no Departamento de Estado e do Tesouro, às quais compareci, junto com os ministros Lafer e João Neves da Fontoura, Valentim Bouças, Glycon de Paiva, Walther Moreira Salles, então diretor executivo da SUMOC. A responsabilidade da designação de técnicos para reforço do lado americano seria do Banco Mundial, e para isso tivemos um entendimento com seu presidente, Eugene Black.

Henry Kissinger costumava dizer que muitos tratados só se tornam possíveis graças a *ambiguidades construtivas*. Ambiguidades não faltaram, de ambos os lados, nas tratativas relativas à CMBEU.

Nos bastidores de Washington havia uma surda luta entre o Banco Mundial e o Eximbank. Aquele, chefiado então por Eugene Black, tinha uma espécie de arrogância tutorial. Insistia em ser o único financiador dos projetos de longo prazo, limitando-se o Eximbank ao financiamento de créditos de curto e médio prazo, em apoio de exportações norteamericanas. Mr. Black e o presidente do Eximbank, Herbert Gaston, reagiam em função de grupos de pressão diferentes. Para Black, a influência marcante era o mercado financeiro de Nova York, onde eram vendidos os *bonds* do Banco Mundial. Para Gaston, a clientela relevante era a comunidade norteamericana de comércio exterior. No ver de Black, somente o Banco Mundial teria condições de vincular os empréstimos a um saudável comportamento macroeconômico dos devedores. Chegou mesmo a ameaçar o México e o Paraguai de suspensão de seus empréstimos, se insistissem em recorrer ao Eximbank.

Essa pretenção de ser o *único financiador* era vista ambivalentemente pelo governo americano. Do lado favorável, havia o fato de que os ônus financeiros seriam repartidos com outros países membros, diminuindo-se a pressão sobre os recursos orçamentários do Eximbank. Além disso, como entidade multilateral, o Banco Mundial poderia exercer pressão em favor de *políticas racionais* de saneamento financeiro e abertura a capitais privados, sem criar problemas políticos no relacionamento bilateral. Mas havia também aspectos desfavoráveis. O Eximbank dispunha de amplo apoio na comunidade exportadora americana, e rejeitava firmemente as pretenções monopolísticas do Banco Mundial, no financiamento do desenvolvimento latino americano. Além disso, a conveniência do disciplinamento dos devedores pelo Banco Mundial encontrava limites. O governo americano desejava reservar-se uma margem de manobra, caso a ortodoxia financeira do Banco Mundial conflitasse com prioridades políticas a serem instrumentadas por via do Eximbank. Uma dificuldade adicional era a relutância técnica de ambos os bancos, face a suas normas estatutárias, de se comprometerem previamente com metas financeiras globais, como as desejadas pelo governo brasileiro.

O Brasil, por sua vez, não escapava a comparáveis ambilavências. O relacionamento com uma agência internacional, como o Banco Mundial, evitaria acusações de excessiva dependência bilateral e permitiria compras de equipamentos nos países europeus. De outro lado, a permanência do Eximbank nos permitiria mobilizar em nosso favor os exportadores americanos, desinteressados estes das exigências de bom-comportamento macroeconômico impostas pelo Banco Mundial. Esta última consideração se tornou importante quando, mais tarde, Mr. Black cancelou os financiamentos ao Brasil, até que *puséssemos a casa em ordem*. No período de vacas magras, que durou de 1953 a 1961, somente um financiamento, o da hidroelétrica de Furnas, foi concedido pelo Banco Mundial, enquanto vários créditos foram obtidos do Eximbank. Este, no governo Kubitschek, tomou a seu cargo o financiamento de vários projetos de infraestrutura, incluídos no Plano de Metas.

A INSTALAÇÃO DA COMISSÃO MISTA BRASIL - ESTADOS UNIDOS (CMBEU)

Instalada oficialmente a CMBEU, em 19 de julho de 1951, foi designada do lado brasileiro, uma equipe intelectualmente forte, com diversificada experiência. O chefe, escolhido pelo ministro da Fazenda, Horácio Lafer, era o engenheiro gaúcho Ari Frederico Torres, misto de empresário e técnico, ex-diretor do Instituto de Pesquisas Tecnológicas de São Paulo (IPT), com trabalhos interessantes no campo do cimento protendido e do sinter metalúrgico. Os conselheiros técnicos eram o notável geólogo Glycon de Paiva Teixeira, ex-diretor do Departamento Nacional de Produção Nacional, e Lucas Lopes, engenheiro ferroviário, que depois se especializou em energia elétrica e foi um dos fundadores da CEMIG. O conselheiro-financeiro era Victor Bouças, presidente do Conselho Técnico de Economia e Finanças, veterano da Conferência de Bretton Woods, e paciente negociador dos inúmeros contenciosos com portadores de títulos brasileiros. O secretário-executivo era Vítor da Silva Alves, ex-funcionário das Nações Unidas, que viria depois a ser nosso diretor no BIRD. Como único funcionário do Itamaraty então formalmente graduado em economia, fui designado conselheiro econômico.

Do lado americano, houve um acidente imprevisto. A escolha da equipe ficara a cargo do Banco Mundial. Eugene Black designou um homem de sua confiança, corretor da Bolsa de Valores de Nova York, Francis Adams Truslow, que já havia visitado o Brasil durante as negociações de Edward G. Miller Jr., em janeiro de 1951. Era um advogado de mérito, de ilustre ascendência familiar, e bem reputado nos círculos financeiros e bancários. Truslow faleceu durante a viagem de navio de Nova York ao Rio de Janeiro. Seu sucessor foi o embaixador Merwin Bohan. Conquanto sem treinamento especializado, era um homem de invulgar bom senso, dotado de bonomia e fácil comunicação através do *portunhol*, pois dominava bem o espanhol, ainda que com a forte pronúncia dos texanos. A desvantagem é que não tinha, como Truslow, a intimidade de Eugene Black. A vantagem era que também não participava do seu conservadorismo ortodoxo. Ao contrário, tinha certa indulgência em relação ao irracionalismo do comportamento brasileiro, e boa percepção das limitações políticas à prática da austeridade econômica em nosso meio. De outubro de 1951 a agosto de 1952, foi substituído pelo economista J. Burke Knapp, funcionário do Banco Mundial, que mais tarde viria a ser um de seus vice-presidentes.

A seção americana engajara um grande número de peritos em áreas especializadas como transporte ferroviário, marítimo e fluvial, energia elétrica, metalurgia, construção naval, agricultura e indústrias básicas. Meus mais estreitos contatos eram com os economistas Phillip Glaessner, ex-funcionários do Federal Reserve Board, Reynold Carlson, consultor do Banco Mundial, e Howard du Temple, jovem economista graduado da Universidade de Minnesota.

No comunicado de Washington, de setembro de 1951, os bancos financiadores expressaram:

> "Seu interesse e sua determinação de prover os fundos necessários em moeda estrangeira, a fim de por em execução os projetos incluidos no plano e aprovados pelos respectivos bancos, ficando entendido que todos os projetos apresentados deverão ser previamente estudados e recomendados pela Comissão Mista Brasil-Estados Unidos."

O documento não especificava as responsabilidades de financiamento de cada um dos bancos, referindo-se apenas à cifra de Cr$10 bilhões (US$540 bilhões) para um plano de cinco anos de "reabilitação econômica e reaparelhamento industrial".

Essa *ambigüidade construtiva* era inevitável na época. Mas viria posteriormente a gerar controvérsias de interpretação. A ambiguidade era inevitável, porque pelos seus estatutos os bancos não poderiam assumir compromissos com somas globais, sem referência a projetos específicos. Além disso, estava longe de ser resolvida a disputa jurisdicional entre o Banco Mundial e o Eximbank. Somente mais tarde se chegaria a uma forma de compromisso, segundo a qual ao primeiro caberia o financiamento de projetos de energia e agricultura, e ao Eximbank os investimentos em transporte, particularmente ferrovias e portos. A área de mineração ficaria dividida entre os dois bancos.

Problemas de interpretação não demoraram a surgir. Para Mr. Black as somas indicadas eram meras ordens de magnitude; e a aprovação da CMBEU, uma condição necessária, porém não suficiente. Os órgãos do Banco Mundial reavaliariam os projetos à luz de seus próprios critérios e, na visão tutelar de Mr. Black, tudo estaria condicionado a um saudável comportamento macroeconômico da nossa conjuntura. Os brasileiros propendiam a considerar o montante em moeda estrangeira de entre US$250 a US$300 milhões, como um "crédito inicial", a ser expandido até a cifra de US$500 milhões, originalmente proposta por Vargas. E não interpretavam o acordo como condicionando a economia brasileira a normas de comportamento equivalentes às costumeiras nas cartas de intenção ao FMI.

Após a reunião de Washington, Lafer seguiu para Nova York, para contatos com círculos financeiros. Seu objetivo, agora que tinha conseguido o apoio de Washington para corrigir as mais gritantes falhas da infraestrutura, era encorajar investidores privados a aplicar recursos no país. Nelson Rockefeller patrocinou seus contatos com círculos financeiros e bancários de Wall Street.

Ao voltar ao Rio, numa lufada de otimismo, anunciou o lançamento de um programa de reabilitação econômica e reaparelhamento industrial (depois conhecido como Plano Lafer), de Cr$20 bilhões em cinco anos. Era mais um apelo imaginativo que uma proposta meditada, pois que o acordo efetivamente concluído, e para o qual se havia criado a instrumentação da CMBEU, era de Cr$10 bilhões. Lafer perfilhara a tese getuliana de que o acordo de Washington deveria ser interpretado como um passo inicial e não um limite de compromissamento. E contava com o efeito multiplicador dos investimentos de infraestrutura para deflagrar um movimento de investimentos privados. Era um caso de ousadia napoleônica:— "On s'engage... et puis on voit".

Mal sabia ele que poucos meses depois, no discurso de fim de ano, Getúlio Vargas denunciaria a "espoliação" da remessa de lucros de capitais privados, oferecendo ao nacionalismo brasileiro um *leitmotiv*, que envenenaria o debate econômico por muitos anos.

Lafer não perdeu tempo em obter a instrumentação jurídica para o Plano de Reabilitação Econômica e Reaparelhamento Industrial. Conseguiu obter apoio legislativo para dois dos documentos básicos, a Lei nº 1474, que criou o "Fundo de Reaparelhamento Econômico", com o propósito explícito de servir de contrapartida aos financiamentos externos agenciados pela CMBEU, e a Lei nº 1518, que autorizava o executivo a contratar ou avalizar empréstimos externos. Esses diplomas foram aprovados, respectivamente, em novembro e dezembro de 1951. A terceira peça do tripé, a Lei nº 1628, que instituiu o BNDE, seria votada seis meses depois, em 18 de junho de 1952.

OS PROJETOS DA
COMISSÃO MISTA

Voltemos, entretanto, à CMBEU. Nos dois anos de trabalho — julho de 1951 a julho de 1953 — a CMBEU aprovou 41 projetos que exigiriam um total de US$392 milhões, dos quais vieram a ser financiados US$186 milhões, assim mesmo com bastante atraso, em vista da tensão irresoluta entre o Banco Mundial e o Eximbank. Aquele, a rigor, cessou financiamentos ao Brasil, em virtude da agravação da situação cambial, a partir do segundo semestre de 1952, e de desentendimentos quanto à política macroeconômica do Brasil e ao tratamento de capitais estrangeiros.

Os financiamentos aprovados pela CMBEU assim se distribuíam por setores, sendo os cruzeiros referentes às despesas locais e os dólares aos bens e serviços importados:

SETORES DE ATIVIDADE	IMPORTÂNCIA	
	Cr$ 1.000	US$ 1.000
I — Agricultura	-	23.000
II — Armazenagem	206.000	4.125
III — Energia Elétrica	1.997.000	129.746
IV — Ferrovias	6.411.760	144.683
V — Indústrias básicas	180.000	16.860
VI — Portos e navegação	1.160.342	66.957
VII — Rodovias	-	6.661
Total	9.955.102	392.032

Mas, como já foi dito, a contribuição mais importante do CMBEU talvez não tenha sido estritamente financeira. Foi sua contribuição para implantar sistemáticas de análise custo/benefício e cálculos de rentabilidade, em substituição à velha tradição de desembolsos por requisições burocráticas, desapoiadas em cálculos de viabilidade. Hoje essas análises são rotina, tanto na administração pública quanto na administração privada, mas, àquela altura, esta metodologia tinha caráter inovador. Além de projetos específicos, a Comissão preparou análises globais dos problemas de transporte ferroviário, navegação de cabotagem e dragagem, operações portuárias e rodoviárias, energia elétrica, metalurgia, indústrias de base, construção naval, armazenamento de grãos e outros problemas da agricultura.

Outra contribuição importante, por conter uma análise razoavelmente inovadora da conjuntura brasileira, foi o relatório final da CMBEU. Parte dele foi escrito por mim no Rio de Janeiro, com a colaboração de Otávio Dias Carneiro, e parte em Washington, onde trabalhei a quatro mãos com Phillip Glaessner, o economista chefe da seção americana. A análise é eclética, procurando escapar às controvérsias ideológicas de então, ou seja, a batalha dos *ismos* — monetarismo e estruturalismo, nacionalismo e desenvolvimentismo. Voltaremos a esse assunto mais tarde.

As prioridades de investimento eram tão óbvias que não provocavam angústias decisórias. Havia que atacar os *pontos de estrangulamento*, sobretudo em energia e transportes. Esse binômio, enfatizado por Lucas Lopes, viria depois a ser a *piéce de resistance* de Juscelino Kubitschek, como governador de Minas Gerais.

Mais tarde, no BNDE, diversificar-se-ia a faixa de investimentos para alcançar indústrias básicas e agro-indústrias. Os conceitos iniciais de *pontos de estrangulamento* e *criação de externalidades* foram então complementados pela teoria dos *pontos de germinação* e das *vinculações produtivas à montante e à jusante*. Era de certa maneira uma antecipação da teoria de Albert Hirschman sobre as *backward and forward linkages*, em seu livro *The strategy of economic development*, publicado em 1958.[44] Refinamentos dos critérios de escolha, em termos de produtividade marginal social, viriam mais tarde.

---

[44] Albert Hirschman, *The strategy of economic development*, Yale University Press, 1958.

O PLANEJAMENTO SETORIAL E OS
MODELOS DA COMISSÃO ECONÔMICA
PARA A AMÉRICA LATINA (CEPAL)

O planejamento da CMBEU, depois adotado também no Plano de Metas, era de natureza setorial. Mas já havia, sem dúvida, preocupação na tecnocracia com a consistência macroeconômica dos planos setoriais. Foi por isso que, na fase preparatória do governo Kubitschek, Lucas Lopes e eu próprio preparamos, juntamente com o Plano de Metas, um programa de reforma cambial (de modo a preservar a viabilidade do balanço de pagamentos) e um programa de estabilização monetária (de modo a evitar explosão inflacionária). Ambos esses programas, como veremos depois, despertaram pouco interesse em Juscelino, mais um tocador de obras que um estadista de perspectivas. Somente anos depois, com o PAEG e o frustrado Plano Decenal de Castello Branco, viríamos a integrar o planejamento setorial com visões macroeconômicas.

A alternativa que naquela época se apresentava à Comissão Mista, ainda em termos vagos, era o *planejamento integral*, defendido pela Cepal, em grande parte sob a influência de Celso Furtado. Eu tinha curiosidade intelectual por essa metodologia, então em gestação, que transformaria o Estado em agente capaz de garantir o desenvolvimento auto-sustentado. Visitei Santiago do Chile, em janeiro de 1953, como diretor econômico do BNDE, para solicitar a assistência técnica da Cepal para o planejamento brasileiro, indicando expressamente a Raul Prebisch o desejo de contarmos com Celso Furtado como chefe do grupo da Cepal. A metodologia nos foi exposta na 5ª. Sessão da Cepal, no Rio de Janeiro, em 1953, quando Prebisch acordou em enviar ao Brasil Celso Furtado e Regino Botti (economista cubano de grande criatividade que depois ocuparia posição de relevo no início do governo Fidel Castro), para formarem a Seção cepalina do grupo misto BNDE/Cepal.

Meu interesse na metodologia cepalina misturava curiosidade intelectual e ceticismo pragmático. Já àquela ocasião eu era bem menos otimista que a Cepal no tocante à capacidade governamental de *coordenar racionalmente o mercado*; e bem menos pessimista em relação às supostas inelasticidades da agricultura e das exportações. Por isso mesmo, dois anos depois, em fins de 1955, quando comecei a trabalhar no Plano de Metas de Juscelino, ative-me ao método mais modesto de *planejamento setorial*. Utilizei os trabalhos do grupo misto BNDE/Cepal (que se desenrolaram entre 1954 e 1955) como fonte de informação antes que como metodologia reitora.

A diferença entre as duas conceituações é assim descrita em competente estudo de Ricardo Bielschowsky:

"O planejamento "seccional" corresponde à localização de alguns setores que constituem "pontos de estrangulamento" e/ou "pontos de germinação" da economia e à definição de objetivos setoriais, de modo que o Estado, através de uma série de mecanismos, promova uma política econômica visando garantir as taxas de investimento necessárias. Estas, porém, são calculadas de forma relativamente independente de projeções globais e de estimativas das demandas intersetoriais da economia. Já o método da Cepal, utilizado por Furtado, pretende-se muito mais abrangente. O objetivo subjacente aos trabalhos do órgão é o planejamento global da economia. Parte-se de uma meta macroeconômica de crescimento, predefinida de acordo com o levantamento das possibilidades de expansão do sistema como um todo e calculada com base em estimativas da relação capital/produto, da taxa de poupança, e nos termos de troca. As projeções setoriais são então feitas de acordo com as taxas de crescimento previstas e levando em consideração a dinâmica da procura final e das relações intersetoriais".[45]

Eu estava certo em minha intuição. A metodologia da Cepal nunca foi aplicada com êxito na América Latina. Os experimentos chilenos (sob Salvador Allende) e peruano (sob o general Velasco Alvarado), que mais se aproximaram do modelo cepalino, foram rotundos fracassos. O planejamento integral era ilusório, sem o autoritarismo socialista. E o autoritarismo socialista provou-se, no correr dos anos, um misto de tirania política e ineficiência econômica.

Os estruturalistas da Cepal tiveram uma curiosa evolução: passaram de um ingênuo otimismo planificador, em torno da industrialização substitutiva de importações, na década dos cinqüenta, para um excessivo pessimismo nos anos sessenta quando, desapontados com o esgotamento desse modelo, sucumbiram a teorias estagnacionistas. A cura da estagnação não estaria mais no planejamento e sim na redistribuição de renda por reformas sociais. Na primeira fase, os cepalinos criticavam o sub-investimento; na segunda, o sub-consumo.

Minhas dúvidas sobre o planejamento integral haviam sido inicialmente des-

---

[45] Ver Ricardo Bielschowsky, *Pensamento econômico brasileiro: O ciclo econômico do desenvolvimentismo*, IPEA/INPES, Rio de Janeiro, 1988, pg.181. O livro de Bielschowsky é referência indispensável por sua análise balanceada e percuciente das controvérsias ideológicas da época.

pertadas pela famosa controvérsia entre Celso Furtado e Octávio Bulhões, em fins de 1953. Bulhões arguía que o método da Cepal de "fixar a soma e a distribuição dos investimentos necessários à obtenção de determinado ritmo de crescimento da renda nacional", seria imaginar um "processo exogêno de crescimento". Nas economias de mercado, isto é, num regime econômico de progresso espontâneo, a *relação de preços* é que é a base essencial da realização dos investimentos, "enquanto que no regime de planejamento — dizia ele — a relação de preços resulta dos investimentos projetados". O método cepalino substituiria a dinâmica da acumulação privada, pelo voluntarismo das inversões programadas exogenamente. Isso levaria a uma expansão forçada do setor público, para além da área da infraestrutura, onde a presença governamental é importante para a criação de economias externas.

Durante certo tempo, pareceu-me atraente a dicotomia popular na época: o desenvolvimento das nações de industrialização madura tinha sido um processo espontâneo (*supply induced*) liderado pelo empresário shumpeteriano que criava a oferta; o desenvolvimento industrial, mais recente, dos países em desenvolvimento, seria derivado (*demand induced*) em resposta a pressões sociais e ao efeito emulação. Caberia então aos governos uma função promotora, para induzir a oferta, suprindo a escassez de empresários schumpeterianos.

A terminologia seria apenas um pouco diferente, na formulação de Prebisch. Desenvolvimento e subdesenvolvimento não seriam *fases* de um mesmo processo histórico, senão que processos qualitativamente diferentes. A industrialização dos chamados países periféricos era tida como *problemática*, pela heterogeneidade de suas estruturas, que teria de ser compensada pela intervenção planejadora do estado. Numa terceira versão, farinha do mesmo saco, formulada pelos partidários da teoria da dependência, haveria uma diferenciação entre *desenvolvimento independente* e *desenvolvimento dependente*, ou entre capitalismo dos países ricos, de um lado, e *capitalismo associado*, de outro.

A falácia dessas diferentes taxonomias só viria a ser contundentemente demonstrada na década dos oitenta, com o espetacular sucesso das economias *periféricas* do leste asiático, que, numa estranha reversão de posições, passaram a provocar, nos países do centro, o receio de *desindustrialização*. A experiência asiática demonstrou que a diferença relevante não é aquela entre desenvolvimento *espontâneo* ou *derivado*, *central* ou *periférico*, *dependente* ou *independente*. A diferença relevante é entre o desenvolvimento orientado para a exportação, que impõe o constrangimento da eficiência, ou o desenvolvimento *introvertido*, que acoberta ineficiências através do protecionismo...

Para mim, já na década dos cinqüenta se tinha tornado claro que a suposta diferença entre o desenvolvimento *schumpeteriano* e o desenvolvimento *derivado* não justificaria o intervencionismo governamental. O raciocínio do professor Gudin me parecia de lógica implacável.

Dizia ele: "Nos países subdesenvolvidos, a bacia cultural de recrutamento é a mesma, quer para funcionários públicos, quer para empresários privados. Se inexistem empresários schumpeterianos no setor privado, por que imaginar que eles vicejam no setor público?"

Donde a conclusão de que, quanto mais subdesenvolvido o país, mais perigosa é a intervenção governamental. Os riscos da incompetência privada são limitados; os erros da incompetência pública, ilimitados. *Get your prices right*, e não *make your prices right*, seria a fórmula.

Rompido no BNDE com Getúlio Vargas, e transferido pelo Itamaraty para Los Angeles em fins de 1953 (só voltando ao Brasil em março de 1955), tive lazer para meditação. Distanciei-me cada vez mais do estruturalismo da Cepal, aproximando-me do liberalismo de Gudin e Bulhões. Tive ocasião de distilar minhas críticas ao estruturalismo num ensaio crítico apresentado a um grupo de estudos sobre a América Latina, organizado pelo "Twentieth Century Fund", em Santiago do Chile, em fins de 1959. O ensaio crítico, que apresentei na época, foi publicado em 1961 numa coletânea organizada pelo relator da conferência, professor Albert O. Hirschman.[46]

Meu crescente ceticismo se fulcrava em três percepções. A primeira era referente ao caráter supostamente congênito das inelasticidades cepalinas — a inelasticidade das exportações e da produção agrícola. Cada vez me parecia mais claro que elas eram induzidas por intervenções governamentais mal concebidas. A segunda se referia à suposta superioridade da alocação de investimentos, segundo as prioridades do planejador, antes que pelo sistema de preços. A terceira se referia às relações mecanicistas, como as derivadas do teorema Domar-Harrod, isto é, a relação capital/produto. Dependendo da qualidade do investimento, a mesma relação capital/produto poderia ser compatível com variável espectro de resultados. Já começavam então a ser divulgadas as análises de Edward Dennison e Theodore Schultz sobre os insumos não-convencionais — educação e tecnologia, não-quantificáveis na relação capital/produto.

---

[46] Ver Roberto de Oliveira Campos, 'Two views on inflation in Latin America', em *Latin American Issues*, coletânea editada por Albert O. Hirschman, *The Twentieth Century Fund*, New York, 1961, pg. 69-79.

A BATALHA
DOS "ISMOS"

O início da década dos cinqüenta fora de intenso debate ideológico, que eu costumava chamar de *batalha dos ismos*. Em seu excelente ensaio de historiografia econômica, antes citado, Richard Bielschowsky distingue naquele período cinco correntes de pensamento, a saber:

> "Três variantes de desenvolvimentismo (setor privado, setor público não-nacionalista e setor público nacionalista); o neo-liberalismo (à direita do desenvolvimentismo) e a corrente à esquerda do desenvolvimento".

Bielschowsky classifica-me como *desenvolvimentista não-nacionalista*, classificação em que se incluíriam também os outros membros da seção brasileira da Comissão Mista e, indubitavelmente, o ministro da Fazenda Horácio Lafer. Este, desde seus tempos como deputado no governo Dutra, já falava na necessidade de uma *mística do desenvolvimento*. Mas, partidário de ampla participação do capital estrangeiro, não poderia ser classificado entre os *desenvolvimentistas nacionalistas*.

A expressão *mística do desenvolvimento* era freqüentemente usada no debate econômico da época. Lafer, concordando neste ponto com o grupo da Cepal usava-a num sentido positivo de mobilização para o desenvolvimento. Gudin se referia a essa expressão num sentido depreciativo: era apenas uma fantasiosa justificativa para o intervencionismo governamental.

A análise de Bielschowsky é substancialmente acurada, conquanto se possa acusar de inadequada a expressão "desenvolvimentismo não-nacionalista". Todos nos considerávamos, como eu costumava dizer, nacionalistas de *fins*, porém não necessariamente de *meios*. A fórmula ideal, que eu costumava pregar, era o nacionalismo de *fins*, o internacionalismo de *meios* e o supra-nacionalismo de *mercado*. A expressão "liberal desenvolvimentistas" teria sido talvez a verbiagem mais acurada.

Minhas divergências com Gudin e Bulhões, muito comentadas na época, eram talvez mais de ênfase que de substância. E diminuíram rapidamente, à medida que adquiri maturidade intelectual e experimentei desilusões quanto à eficácia do serviço público. Gudin e Bulhões tinham alergia às palavras *planejamento* e *desenvolvimentismo*, que eu defendia com ousadia juvenil.

Bem interpretado — dizia eu — o planejamento é um instrumento neutro, que pode tanto inviabilizar a economia de mercado (pelo planejamento socialista) como auxiliá-la (pela clara definição de áreas próprias e de áreas impróprias de intervenção governamental).

Inclinava-me também, mais que os mestres neoliberais, a aceitar a ênfase cepalina sobre substituições de importações, admitindo certa validade nos argumentos cepalinos sobre os *fatores adversos*, que tornariam a industrialização uma saída necessária para os desequilíbrios externos.[47]

E costumava citar os três argumentos básicos que justificariam, nos países subdesenvolvidos, um esforço de planejamento e um grau de intervenção estatal dispensável nas economias maduras: (a) a debilidade da iniciativa privada; (b) a necessidade de concentração de recursos, por via fiscal, em virtude da inexistência de um mercado de capitais capaz de mobilizá-los; e (c) a faculdade telescópica do governo para investimentos de longa maturação. Cheguei mesmo — *horresco referens* — à tolice, que Gudin nunca me perdoou, de escrever o seguinte:

"As objeções de Hayek e Von Mises sobre a irracionalidade dos preços e de fatores nas economias planificadas teriam sido destruídas, em grande parte, pela análise de Barone, Taylor e Lange".

Nada disso aconteceu. Demoraria algum tempo, mas no fim da década dos oitenta, com a queda do Muro de Berlim e o colapso do marxismo, verificou-se que as objeções dos liberais austríacos às economias planificadas, proferidas na década dos vinte, eram absolutamente válidas e incrivelmente proféticas.

Se meu enfoque eclético no relatório da CMBEU me levava a reconhecer a contribuição de fatores estruturais e institucionais na explicação da peculiar vulnerabilidade do Brasil e da América Latina à inflação, estava longe de me tornar um *estruturalista*, diferenciando-me nisso de Celso Furtado. As inflexibilidades estruturais tornavam esses países *vulneráveis* às pressões inflacionárias, mas não exerciam papel causal. A crença na centralidade da expansão monetária como causa de inflação era a ponte que me ligava aos *monetaristas*.

As contribuições da CMBEU à política econômica brasileira podem ser assim capituladas: a) a introdução de técnicas de análise custo/benefício; b) a identifica-

---

[47] Bielschowsky assim resume os argumentos cepalinos em favor da ISI (Industrialização substitutiva de importações): "a) a mudança do centro cíclico para os Estados Unidos, cujo baixo coeficiente de abertura externa reduz o impacto positivo do crescimento econômico internacional sobre as economias periféricas; b) lenta expansão da demanda internacional de gêneros alimentícios e matérias-primas (lei de Engel, etc.); c) uso e abuso de protecionismos alfandegários pelos países desenvolvidos; d) deterioração dos termos de troca contra os países exportadores de produtos primários; e e) oscilação cíclica do comércio internacional. Bielschowsky, op. cit., pg. 408.

ção de pontos de estrangulamento e a captação de investimentos para corrigi-los (tarefa que só viria a ser implementada mais vigorosamente com o Plano de Metas do governo Kubitschek; c) a proposta de criação do BNDE, como órgão de fornecimento de contrapartida, em cruzeiros, dos financiamentos externos obtidos para os projetos da CMBEU; d) o diagnóstico geral da economia brasileira no início da década dos 50, com um desintoxicante ecletismo, útil numa época em que começavam a surgir elementos de radicalização ideológica.

Cabem aqui alguns comentários sobre esse relatório, que influenciou bastante o pensamento econômico da época.

A análise era eclética, procurando-se escapar às controvérsias ideológicas de então, ou seja, a batalha dos *ismos* — monetarismo, estruturalismo, nacionalismo e desenvolvimentismo. Esse ecletismo se revela sobretudo na análise do fenômeno inflacionário.[48]

Enumeravam-se fatores estruturais e institucionais na explicação da inflação crônica. Mas o que diferencia essa análise da visão estruturalista da Cepal é que, enquanto nesta esses fatores explicavam a inflação, na visão da CMBEU denotavam apenas uma vulnerabilidade maior às pressões inflacionárias. A inflação não seria entretanto um fenômeno estrutural e sim monetário. Só ocorreria se houvesse permissividade na política monetária, em resposta às pressões. Entre os fatores estruturais e institucionais explicativos da vulnerabilidade inflacionária, figurariam os seguintes: a) escassa poupança voluntária para atender aos impulsos da industrialização acelerada; b) insuficiência da capacidade de importar (inclusive por falta de financiamento externo), o que levava a um racionamento da importação de bens de consumo, privilegiando-se as importações de bens de capital; c) mudanças estruturais rápidas, uma vez demarrado o processo de desenvolvimento, que provocam alterações na procura mais rápidas que os ajustamentos possíveis do lado da oferta; d) estrutura de produção agrícola menos elástica que a dos países temperados, pelo atraso tecnológico da agricultura tropical e por suas exportações não consistirem de produtos básicos, que poderiam ser desviados para o consumo interno.[49]

---

[48] Para uma ponderada análise do ecletismo do relatório, ver Lourdes Sola, *The political and economic constraints to economic management in Brazil, 1945-1963*, tese de doutorado na Universidade de Oxford, mimeo, parte I, pgs.72-82.

[49] Minhas idéias sobre a "vulnerabilidade" inflacionária da economia brasileira foram depois desenvolvidas em monografia apresentada à mesa-redonda da International Economic Association, celebrada no Rio de Janeiro, em agosto de 1957. O documento, escrito originalmente em ingles, faz parte de uma coletânea organizada pelo professor Howard S. Ellis, traduzida depois para o espanhol. Vide "Dessarollo economico e America Latina", Fondo de Cultura Economica, México, 1960, capítulo IV. O título é "Roberto Campos, la inflacion y el crecimiento equilibrado", pg. 94/126, com comentários dos professores Gottfried Haberler, Theodore Shultz e Henry Wallich.

Outra contribuição análitica do relatório da CMBEU, se refere às vissicitudes da política cambial. No exame da política de taxas fixas, adotada a partir de 1947, destacam-se aspectos positivos e negativos. O positivo era o estímulo à produção interna resultante da combinação do protecionismo tarifário com uma subvenção cambial implícita para as importações de equipamentos, matérias-primas e combustíveis. O rationale era que a desvalorização cambial, antes de contida a inflação, redundaria apenas na queda dos preços de café e dos produtos primários exportados, cuja demanda se supunha relativamente inelástica em termos de preço. O aspecto negativo, naturalmente, era criar-se um tipo de industrialização excessivamente dependente de insumos e combustíveis importados.

Realisticamente, apontava o relatório que o fomento à industrialização substitutiva de importações (ISI), por via de taxas cambiais sobrevalorizadas e restrição de importações, sobrevivera sua vida útil.[50] O desequilíbrio das contas externas ameaçava tornar-se crônico. Formularam-se dois "caveats". Primeiro, que o processo de substituição de importações não alivia, a curto prazo, o balanço de pagamentos podendo agravá-lo pela demanda de insumos e bens intermediários importados. Segundo, que o crescimento industrial acelerado teria como subproduto uma demanda derivada de importações.

O relatório discute duas possíveis alterações da política cambial para aliviar pressões sobre o balanço de pagamentos, envolvendo ambas o abandono da irrealística paridade então vigente: a) desvalorização cambial acoplada a impostos de importação, utilizando-se a receita destes decorrente para o financiamento de setores chaves (o que exigiria uma nova lei de tarifas); b) desvalorização cambial acompanhada de sobretaxas cambiais temporárias sobre os produtos importados.

Como se relatará mais tarde, dois anos depois de extinta a CMBEU, propus um esquema semelhante ao ministro da Fazenda, José Maria Whitaker, no governo Café Filho. Era uma proposta de adoção de uma "taxa flutuante" de câmbio, para preservar exportações, acoplada a sobretaxas cambiais temporárias, que atuariam como tarifas aduaneiras sobre a importação. Esse projeto fracassou lamentavelmente. O Brasil perderia uma oportunidade de se tornar um super-exportador, antes de os tigres asiáticos entrarem na liça.

---

[50] Durante certo período a política de sobrevalorização da taxa cambial, acoplada ao controle governamental de importações, como meio de orientar recursos para a acumulação de capital, tivera um tríplice efeito: a) um efeito subsídio, pela redução do preço relativo do equipamento e insumos básicos; b) um efeito protecionista, ao restringir a competição com similares domésticos; e c) um efeito lucratividade, aumentando os incentivos à produção doméstica comparativamente às exportações.

A conjuntura em que operava a CMBEU se deteriorou rapidamente no segundo semestre de 1952 e, ainda mais, no primeiro semestre de 1953. Acumularam-se atrasados comerciais, que levaram o governo a se concentrar no problema da insolvência cambial de curto prazo, colocando em segundo plano os projetos de longo prazo da CMBEU. A lei do mercado livre de câmbio (aprovada em janeiro de 1953, e que desfaria o mal-estar criado pelo discurso de fim de ano de Getúlio Vargas, em 1951, seguido de limitações retroativas à remessa de lucros) não chegou a tempo de aliviar a crise cambial. As exportações reagiram lentamente. Ao pleitear o governo brasileiro, do Eximbank, um empréstimo de emergência de US$ 300 milhões, afinal concedido em abril de 1953, exarcebaram-se as diferenças entre esse banco e o Banco Mundial. Arguia Mr. Black, presidente do Banco Mundial, que essa acomodação enfraqueceria a pressão sobre o governo brasileiro para corrigir as irracionalidades de sua política econômica. Entre as irracionalidades brasileiras se destacava a campanha do *petróleo é nosso* em favor do monopólio petrolífero, que acabaria sendo votado pela Lei 2.004, de outubro de 1953. Isso seria, na ótica de Mr. Black, o supremo absurdo. As restrições à remessa de lucros já haviam desencorajado o ingresso de capitais, e a discussão sobre o monopólio do petróleo configurava uma tendência de proibição do ingresso de capitais numa área crítica para restauração da solvência brasileira. Éramos um país endividado e insolvente, que rejeitava capitais estrangeiros, numa das poucas áreas para as quais seria possível atraí-los.

Muito mais importante para o ocaso da CMBEU foi a mudança do governo americano com a ascensão ao poder do Partido Republicano, pela posse do presidente Eisenhower, em janeiro de 1953. A ideologia econômica daquele país orientou-se num sentido marcantemente privatista, com a magnificação do papel dos investimentos privados e retração dos investimentos com fundos oficiais.

O governo norte-americano optou assim pela desativação da CMBEU, em julho de 1953, após dois anos de funcionamento. A comunicação foi feita pelo embaixador Herschell Jonhson, tendo o ministro do Exterior, João Neves, se esforçado por pospor a decisão até a planejada visita ao Rio de Janeiro de Milton Eisenhower, irmão do presidente Eisenhower.

As motivações de Washington para a extinção abrupta da CMBEU não são até hoje totalmente claras. A explicação mais corrente à época era a suposta *guinada nacionalista* de Vargas. Mas, como o faz notar Sérgio Besserman, três outros fatores podem ter sido, de facto, as causas decisivas: (1) a mudança de governo nos Estados Unidos; (2) a tentativa do Banco Mundial de exercer uma função tutorial sobre a política econômica dos países demandantes de crédito, assim como o conflito entre essa instituição e o Eximbank, com inevitáveis reflexos sobre os países da América Latina e, em particular, o Brasil; (3) o colapso cambial do país, que forneceu maturação e pretexto para a mudança de atitude do Banco Mundial".[51]

Em junho de 1953, aliás, Vargas recomporia o seu ministério, afastando Horácio Lafer, substituído por Oswaldo Aranha na pasta da Fazenda, enquanto que João Neves da Fontoura era substituído por Vicente Rao, na pasta do Exterior. Deixaram, assim, o governo os dois signatários brasileiros dos acordos de Washington, que encaravam a criação da CMBEU como parte vital da estratégia brasileira de crescimento. O novo ministério teria outras prioridades.[52]

1953 foi aliás um ano de grandes transformações mundiais. Houve a morte de Stálin, à qual se seguiu um intervalo de *détente*. Subiram ao poder governos conservadores nos Estados Unidos e na Inglaterra, com a eleição do presidente Eisenhower e a volta de Churchill como primeiro-ministro. Nem tudo, porém, foram notícias favoráveis. Mao Tsé-Tung unificaria a China consolidando-a sob o regime comunista e lançaria seu primeiro plano qüinqüenal. Nos Estados Unidos atingia seu auge a histeria anticomunista do senador McCarthy, como absurdo questionamento da lealdade de líderes políticos e militares, incluído entre estes o general Marshall, acusado de ter "perdido" a China.

---

[51] Ver Sérgio Besserman, op. cit., pgs. 87-88.

[52] Oswaldo Aranha considerava o problema dos atrasados comerciais, a ser resolvido pelo menos parcialmente pelo empréstimo de emergência de US$300 milhões solicitado ao Eximbank, mais relevante que os investimentos de longo prazo da CMBEU. E, ante a mudança de clima nos Estados Unidos, com o advento do governo Eisenhower, o embaixador Walther Moreira Salles, então em Washington, teria avançado a Alzira Vargas, que visitou aquela capital em abril de 1953, que nossa insistência em manter a CMBEU seria "inábil e pouco interessante para o Brasil... (sendo mais do interesse pessoal de Ari Torres, Lafer e Neves do que nosso). Ap. Sérgio Besserman, op. cit., pg. 88.

GETÚLIO VARGAS E A
VISITA DE DEAN ACHESON

Durante os trabalhos da Comissão Mista Brasil-Estados Unidos, ocorreu um episódio que merece ser contado: a visita de Dean Acheson ao Brasil. O secretário de Estado do governo Truman chegou ao Rio de Janeiro no dia 2 de julho de 1952. É pena que só tenha visitado o Brasil praticamente ao fim de seu mandato.

Para Dean Acheson, o Brasil foi uma revelação. Europeucêntrico, pertencia, por assim dizer, à escola peninsular da política externa norte-americana, tendente a priorizar a Europa. Seu sucessor, Foster Dulles, ao contrário, era acusado pelos europeus de "asiático", pelo seu grande envolvimento na terminação do controle do conflito da Coréia e pela sua preocupação na criação de pactos regionais de defesa, como a CENTO, no Oriente Médio, e a SEATO, no Extremo-Oriente. Essa era a preocupação que Acheson mais tarde descreveria como a *pactomania* americana. O governo Roosevelt fora a única época em que a América Latina fora priorizada, quando o secretário de Estado Cordell Hull desenvolveu a política da boa-vizinhança. Era a escola chamada *continentalista*. Mas desde o início da II Guerra Mundial, o interesse prioritário, obviamente, se deslocara para a Europa e Japão, reconcentrando-se na Europa no imediato pós-guerra, quando surgiu a guerra fria.

Para Acheson o Brasil foi uma surpresa. Achou o país menos subdesenvolvido do que imaginava e manifestou-se favoravelmente surpreendido com o grau de sofisticação intelectual que aqui detectou. Mas era o fim do governo Truman e pouco tempo e pouco espaço de poder lhe restavam. Depois confessou ao seu assistente e amigo Edward Miller, então secretário-adjunto para assuntos latino-americanos, que começava a ver méritos no *key country approach*. O Brasil lhe parecia um *país-chave*, que merecia concentração de apoio, tática que teria talvez mais rendimento que o esfarinhamento do auxílio americano em vários países menores.

Além de conhecer o Brasil, o interesse de Acheson era, ante as repetidas acusações de negligência benigna (*benign neglect*), explicar que essa desatenção era temporária, resultante do surgimento de um novo problema após o Plano Marshall, a saber, o conflito da Coréia, que estava então em sua fase aguda e só viria a ser resolvido na administração Eisenhower, poucos anos depois. Já durante a IV Reunião de chanceleres americanos, em Washington, em março de 1952, havia Acheson indicado que, uma vez terminado o conflito da Coréia, voltaria a ser priorizada a América Latina. Nesse intervalo era preciso dar alguma satisfação ao grande vizinho do Sul.

Dean Acheson foi recebido no aeroporto pelo chanceler João Neves da Fontoura, e pelo ministro da Justiça Francisco Negrão de Lima. O Itamaraty designou dois de seus funcionários para servirem de oficiais de ligação entre Acheson e os diferentes departamentos interessados do governo brasileiro. Um deles, encarregado da ligação política, era o embaixador Décio Moura. Fui encarregado da ligação econômica, principalmente por ser o conselheiro econômico brasileiro na Comissão Mista Brasil-Estados Unidos e por ter sido já indicado para diretor econômico do recém-criado BNDE.

Coube-me, aliás, a desagradável tarefa de ser o intérprete das frustrações brasileiras perante dois ilustres visitantes americanos: Dean Acheson e Milton Eisenhower, irmão do presidente Eisenhower. Ambos visitaram a CMBEU. Acheson em julho de 1952, quando os trabalhos estavam em pleno curso, e Milton Eisenhower, um ano depois, quando o governo republicano, recém-chegado ao poder, decidira encerrar as atividades da Comissão.

Quando Milton Eisenhower visitou a CMBEU, em 27 de julho de 1953, tinha-se acumulado uma razoável safra de desentendimentos. Meu discurso foi de queixa em relação ao Banco Mundial, que, àquela época já havia esfriado apreciavelmente em seu apoio ao programa. Uma das críticas desse banco era que a CMBEU trabalhava no exame de projetos específicos, sem planejamento geral. Meu argumento era que o planejamento global do desenvolvimento seria de valor duvidoso, tendo em vista deficiências de informação e incapacidade operacional do aparelho burocrático, além do fato de esse tipo de planejamento contradizer a filosofia privatista dos acordos de Bretton Woods. Parecia também severa demais a acusação do Banco Mundial de imperfeições na escolha de prioridade e de certas irracionalidades de comportamento. Erros da espécie tinham sido comuns no desenvolvimento norte-americano, que nunca foi linear, e sim marcado por avanços e recuos. Uma terceira objeção nossa é que o Banco Mundial se revelava às vezes mais próximo da mentalidade de banco comercial do que de banco de desenvolvimento, pela excessiva preocupação de não correr riscos. Finalmente, havia que levar em conta a necessidade de se combinar adequadamente a *carrot and stick policy*. A receita do Banco Mundial era *botar a casa em ordem antes*. Mas os governos deveriam às vezes ser seduzidos para fazer o que é necessário ao seu próprio bem. E, certamente, nosso processo de reformas seria facilitado se o Banco Mundial nos desse um crédito de confiança, aprovando alguns projetos, mesmo numa situação macroeconômica ainda insatisfatória.

Os discursos foram considerados *duros* pelos ouvintes. Mas credite-se aos anglo-saxões a capacidade de compreender, sem mágoa, argumentos adversários, desde que neles percebam honestidade.

Dean Acheson veio a tornar-se um grande amigo pessoal, amizade que me foi extremamente útil quando, anos depois, fui designado embaixador em Washington. Uma segunda vantagem foi que, graças à minha designação para oficial de ligação econômica, tive a oportunidade única de conhecer de perto o presidente Vargas, em reunião marcada no Catete para as 15:30hs do dia 3 de julho de 1952. Antes da chegada de Acheson, o assessor internacional de Getúlio Vargas, Cleanto de Paiva Leite, havia-me solicitado, e ao Otávio Dias Carneiro, prepararmos um documento com sugestões para a entrevista de Getúlio com Acheson. Fizemo-o um documento pretensiosamente apelidado de *Memorando dos quatorze pontos*, uma frívola reminiscência dos *quatorze pontos* do presidente Wilson, na Conferência de Versalhes, em 1919.

Não sei se Getúlio chegou a ler o documento. Certamente não dava indicações disso ao se iniciar a entrevista com Acheson. Eu fora convocado para comparecer ao Catete com antecedência de quarenta e cinco minutos para falar com o presidente, que desejava informações e sugestões sobre a visita. Quando cheguei ao Catete, à hora aprazada, encontrei Getúlio na sala de despachos, andando de um lado para o outro, fumando um faustoso charuto. Convidou-me a andar com ele e perguntou-me logo que sugestões tinha para o encontro. Não sem antes, com paternalismo gaúcho, lembrar-me que eu tinha uma vinculação pessoal com ele.

— O senhor — disse Getúlio — foi por mim nomeado para o ministério das Relações Exteriores.

Respondi-lhe: — Sim, senhor presidente, por concurso.

Lembrou-me em seguida que eu tinha sido também por ele promovido. Evitando passar à defensiva, acrescentei logo: — Por merecimento, Excelência.

Declarou finalmente que pretendia nomear-me para diretor econômico do BNDE, em atenção aos trabalhos que fizera na Comissão Mista. Era visível o seu propósito de estabelecer uma relação de dependência pessoal. Agradeci-lhe a intenção e passamos a discussões mais concretas. Expus a Getúlio que deveríamos explorar o sentimento de dívida para com o Brasil, pela sua participação na guerra, que Dean Acheson já havia explicitado antes, durante a Reunião de chanceleres em Washington. Mas não deveríamos esperar coisas tão ambiciosas como um novo Plano Marshall. Era melhor mantermo-nos num patamar realista, pleiteando alguns financiamentos concretos, ainda que setoriais, à espera de que, cumprido o fim do conflito coreano, pudéssemos voltar com mais credibilidade à tese do Plano Marshall para a América Latina.

— E que sugestões tem o senhor de imediato? — perguntou Vargas.

Respondi-lhe que poderíamos fazer três coisas: a) pedir uma aceleração dos empréstimos que estavam sendo considerados pelo Export-Import Bank; b) reafirmar o compromisso americano de financiar os projetos em elaboração pela Comissão Mista Brasil-Estados Unidos, através de sua influência no Banco Mundial, e c) singularizar um setor, no qual o auxílio americano poderia vir rápido e indolormente. Referia-me ao reequipamento de nossa frota de marinha mercante, dizimada durante a guerra. Tínhamos perdido 39 navios, ou seja, praticamente 79% da frota. Mais concretamente, poderíamos pedir a cessão imediata de *Liberty ships* da frota de reserva mantida nos portos americanos, como excedentes de guerra. Havia disponíveis pelo menos doze navios, construídos em série, da frota CVM. Seria difícil para os americanos recusar esse tipo de auxílio, visto que se tratava de sobressalentes do esforço de guerra, os chamados *navios em naftalina*, mantidos em diferentes portos americanos. A reativação desses navios, sem pagamento pelo Brasil, não representaria um esforço incompatível com o esforço da guerra coreana, e era ao mesmo tempo extremamente útil para a recomposição de nosso comércio exterior. Getúlio Vargas apenas sacudia a cabeça, em sinal de concordância, mas pouco reagia às minhas colocações.

Quando Acheson chegou, às 15:30hs, foi logo introduzido no salão de reuniões. Fui convidado para ficar, pois poderia servir de intérprete brasileiro, complementando a tarefa do intérprete americano que acompanhara o embaixador Herschell Johnson. Sentaram-se em redor da mesa, do lado americano Dean Acheson, Edward G. Miller e o embaixador Johnson. Do lado brasileiro, João Neves da Fontoura, Horácio Lafer e Walther Moreira Salles. Getúlio presidia o encontro e eu fiquei à sua direita, como intérprete.

Aberta a reunião, Acheson dirigiu a conversação exatamente do modo como eu previra. Os Estados Unidos se sentiam endividados em relação ao Brasil, pelo seu auxílio durante a guerra, mas esperavam que compreendêssemos que eventos subseqüentes, como o deflagrar da guerra fria, as ameaças de comunismo na Europa e ultimamente o conflito na Coréia, tinham absorvido não só as atenções, como os recursos financeiros americanos. Isso obrigara seu país a pospor temporariamente um esforço mais maciço de auxílio para o desenvolvimento da América Latina. Estava, entretanto, disposto a examinar propostas do governo brasileiro, que seriam atendidas na medida das possibilidades americanas. Houve a seguir um silêncio embaraçoso. Esperava-se que Getúlio Vargas iniciasse a resposta, mas ele se confinou a um mutismo inquietante.

Após esse silêncio embaraçoso, Vargas respondeu, ultralaconicamente, a Acheson, com uma só frase: — Nós precisamos de navios.

Para evitar maior embaraço, fiz uma interpretação construtivista. O presidente queria dizer que o Brasil saíra da guerra com sua frota mercante destroçada, em vista da ação dos submarinos alemães e da obsolescência acelerada. De outro lado, os Estados Unidos mantinham ociosos em seus portos um grande número de navios do grupo chamado *Liberty Ships*, tornados excedentes pelo esforço de guerra. Isso permitiria um auxílio imediato, sem o tempo que seria exigido pela construção de navios novos. Acheson acenou com a cabeça, num sentido de assentimento e a discussão pouco depois se generalizou, espraiando-se por iniciativa de Lafer, que falava razoavelmente o inglês, para outros tópicos, inclusive café e equipamento para refinarias de petróleo. Seguiu-se-lhe João Neves, que enfatizou nosso interesse na aquisição de refinarias e se queixou da tendência desfavorável de nossas relações de troca. Mais tarde, um pouco mais desinibido, Vargas insistiu em sublinhar que tinha voltado ao poder, por grande maioria popular, em eleição *genuinamente democrática*.

Apesar da pouca fluência oratória de Vargas, Acheson guardou dele boa impressão. Refere-se simpaticamente a Getúlio em seu livro de memórias, *Present at the creation.*

Quando deixávamos a reunião, Acheson voltou-se para mim e sussurrou-me: — Nunca vi uma tradução tão imaginosa, meu caro rapaz. O senhor vai longe na carreira.

Ali se iniciava uma grande amizade, que mantive com Acheson ao longo dos anos. Tive melhor sorte que meu amigo Décio Moura, que mantinha uma pose mais empertigada e formal de diplomata. Mais tarde perceberia que Acheson era um homem de grandes amizades, ódios substanciais e memória de elefante. Quando regressava de um aborrecido almoço, Acheson, que ficara hospedado em uma faustosa mansão na Gávea, cedida por Walther Moreira Salles, convidou Décio Moura, cerca das 15:00hs, para tomar um drinque. Décio, impertigado, respondeu com supremo insulto, pretendendo ser jocoso: — *Gentlemen never drink before sunset.* (Cavalheiros não bebem antes do crepúsculo).

Acheson, que se considerava um perfeito *gentleman* inglês, enfureceu-se. E guardou ao longo dos anos um peculiar rancor. Quando fui embaixador em Washington, entre 1961 e 1964, Acheson era um comensal freqüente na embaixada. Convidei-o várias vezes para almoço e invariavelmente comparecia pontualmente às recepções. Ao saudar-me na fila de recepção, nunca esquecia de perguntar-me: — *Where is that son of a bitch that never drinks before sunset?* (Onde está aquele filho-da-puta que nunca bebe antes do crepúsculo?), referindo-se a Décio Moura.

Respondi-lhe de uma vez que Décio se encontrava em Roma, como embaixador: — É mais do que ele merece — retorquiu Acheson.

De outra feita, tendo sido Décio praticamente rebaixado de posto, pois fora transferido de Roma para Beirute, Acheson, ao ouvir meu comentário sobre o rebaixamento de posto, respondeu: — É certamente um posto mais ajustado aos seus méritos.

Vargas era extremamente inibido no tratamento de problemas internacionais com líderes estrangeiros. Viajara pouco. Sua única visita ao exterior fora à Argentina, para se encontrar com o presidente Justo. Sua percepção da nova arquitetura internacional do pós-guerra era assaz limitada. Lembro-me de que costumava referir-se à ONU como *aquele tribunal*.

O Getúlio que conheci pessoalmente era o Getúlio da quarta fase, após seu retorno, *nos braços do povo*, como presidente constitucional. A primeira fora a fase conspiratória, de 1930 a 1937, à busca de poderes ditatoriais. A segunda, já no Estado Novo, de 1937 a 1943, fora uma fase reformista, em que Vargas procurara combinar nacionalismo, industrialismo e assistencialismo, segundo o modelo fascista-corporativo. Na terceira, a partir de 1942-43, Getúlio, tendo optado pela aliança com as democracias na II Guerra, procurara criar uma imagem mais democrática, talvez na esperança de uma legitimação eleitoral que só viria na quarta fase, nos anos 50, após o interregno Dutra.

A industrialização brasileira passara de *espontânea* nos anos 30, estimulada pela dramática queda da capacidade de importar associada à manutenção da renda interna pela política do café, a um sistema de *industrialização planejada*, através da intervenção governamental. Durante a II Guerra Mundial, o clima era certamente favorável ao intervencionismo estatal, não só nos regimes nazista e comunista, mas nos próprios Estados Unidos, que já o tinham experimentado com o *New Deal*, e tiveram que se mobilizar para a economia de guerra.

No começo dos anos 50, quando Getúlio retornou ao poder, havia, como nota Skidmore, três correntes — a neoliberal, que havia ressurgido timidamente no governo Dutra; a desenvolvimentista-nacionalista, apoiada pelos militares e por grupos industriais; e a nacionalista-radical, dos que acreditavam na teoria da exploração capitalista, como explicação do subdesenvolvimento.[53]

Tipicamente ambivalente, Getúlio misturava concessões à ortodoxia liberal e ao internacionalismo (ao promover a formação da CMBEU), com atitudes de desenvolvimentismo nacionalista, ao confiar o planejamento da infraestrutura à assessoria do Catete, que impugnava a participação estrangeira nos chamados *commanding heights* da economia.

Vargas foi a personalidade mais complexa e cambiante que conheci em minha vida pública. Teve várias encarnações que, trinta e um anos depois de conhecê-lo pessoalmente, eu descreveria, em discurso no Senado Federal, como um "museu weberiano de configurações do poder: o poder revolucionário, o carismático, o ditatorial e o constitucional".

---

[53] Ver Thomas Skidmore, *Politics in Brazil, 1930-1964*, Oxford University Press, New York, 1967, pgs. 87-90.

Numa análise recente, mais sofisticada, Bolívar Lamounier e Edmar Bacha descrevem o regime de Vargas, durante o Estado Novo, como *autoritário* porém não *mobilazacional*. Foi autoritário ao suprimir os partidos e as eleições (o slogan caricato era *voto não enche barriga*). Não chegou a ser *mobilizador*, pois Getúlio não tentou criar uma organização política, em moldes fascistas, nem sequer um partido político hegemônico, como o PRI (Partido Revolucionário Internacional) do México.[54]

Sua arquitetura política consistiu naquilo que os citados analistas chamam de *construção tripedal*, com três suportes:

1. Um esquema corporativista de cooptação das classes trabalhadoras por uma carta de direitos (a CLT), de inspiração mussoliniana;

2. Um modelo político *consociativo*, que não visava propriamente à criação de maiorias estáveis, ou à acomodação de minorias étnicas, lingüísticas ou religiosas (como em alguns países europeus), mas antes a ensejar dois tipos de acomodação: um certo grau de pluralismo político para dar espaço a conflitos dentro das elites; e um certo grau de balanço de poder regional nas relações centro-periferia;

3. Finalmente, um presidencialismo plebiscitário, que pressupunha um líder carismático, com conseqüente concentração de autoridade e amplo recurso ao *"culto da personalidade.*[55]

Alguns analistas dividem a segunda administração de Vargas em três períodos, no primeiro dos quais se realizou a visita de Acheson (julho de 1952). René Dreifuss, desta vez com razoável acurácia, assim descreve a evolução da política getuliana entre 1951 e 1954:

"A primeira fase foi caracterizada por uma forte presença empresarial, uma política anti-inflacionária e uma procura entusiástica da ajuda econômica dos Estados Unidos. Essa fase terminou em meados de 1953 sob a pressão conjunta de sindicatos e diversos grupos nacionalistas. O governo fracassou em sua tentativa de controlar a inflação, enquanto os benefícios da ajuda

---

[54]Ao contrário de Vargas, outros líderes latino americanos, como Péron ou Haya de la Torre, procuraram criar partidos próprios — o Peronista, na Argentina e o APRA, no Peru. Vargas preferiu fomentar o surgimento de dois partidos — o PTB e o PSD, buscando assim o apoio de duas clientelas diferenciadas — o operariado urbano e a burguesia rural. Na contenda eleitoral de 1945, imaginava proteger-se, e ao mesmo tempo preparar seu retorno, lançando a candidatura do marechal Dutra, seu ministro da Guerra. Segundo relata Juracy Magalhães, Vargas apresentava uma razão pitoresca para profetizar a vitória de Dutra sobre o brigadeiro Eduardo Gomes:— "Dutra ganharia de Eduardo Gomes porque Dutra sabia que era burro, enquanto o outro pensava que era inteligente"...

[55] Boa parte dessa análise é derivada da monografia ainda por ser publicada de Bolívar Lamounier e Edmar Bacha, intitulada *Democracy and economic reform in Brazil*, pgs. 14-16.

externa não se concretizavam. Em meados de 1953, o ministério foi reorganizado e começou a segunda fase. Apesar de manter as suas opções abertas, tanto em relação ao bloco oligárquico-industrial quanto aos Estados Unidos, ao nomear Oswaldo Aranha, Vicente Rao e José Américo de Almeida, Getúlio Vargas recorreu intensamente às classes trabalhadoras como um grupo de pressão. Ele substituiu o seu ministro do Trabalho por João Goulart, um jovem militante do PTB do Rio Grande do Sul, seu protegido político e que assumiu o seu cargo com um enfoque muito mais radical. Nesta segunda fase, a crescente polarização política e ideológica em torno de assuntos nacionalistas e trabalhistas andou passo a passo com uma crescente oposição do Exército a Getúlio Vargas, e, conseqüentemente a João Goulart, culminando com o famoso memorando dos coronéis assinado em fevereiro de 1954, por mais de 80 oficiais influentes, o que levou à demissão de João Goulart e do ministro da Guerra, general Estilac Leal, nacionalista e getulista. A terceira fase foi inaugurada sob considerável pressão militar, pressão esta fortemente apoiada por empresários e pelo governo americano. Esta fase foi, na verdade, uma longa sucessão de manobras getulistas defensivas e com propósitos definidos e limitados, manobras que foram intensamente atacadas no Congresso e na imprensa por políticos mordazes e agressivos, como Carlos Lacerda, figura de proa da UDN do Rio de Janeiro; essa fase culminou com um golpe de estado e o suicídio de Getúlio, em 1954".[56]

Até hoje se discute a extensão e significado do nacionalismo de Vargas. Fabricou-se toda uma idealização mitológica, atribuindo-se-lhe um projeto concreto de *nacional-desenvolvimentismo*. Em minha visão, não havia nada de tão orgânico como se imaginou na literatura econômica posterior dos nossos *nacionalistas*. Vargas me parecia muito mais um pragmático preconceituoso do que um ideólogo raivoso. Sem dúvida adotou algumas atitudes que pareciam denotar um nacionalismo rábido. Em defesa da tese nacional-desenvolvimentista pode-se alegar o famoso discurso de 31 de dezembro de 1951, quando acusou as multinacionais de expoliação pelo excesso na transferência de lucros. Vargas, ao que parece, fora alimentado por estatísticas espúrias, que comparavam apenas o ingresso pontual de capitais e a remessa de rendimentos, sem medir os efeitos diretos e indiretos dos capitais estrangeiros. Logo depois recuou um pouco em sua mensagem ao Congresso, em começo do ano seguinte, e não opôs resistência à votação da Lei n.º 1.307, que estabelecia um mercado livre para a remessa de rendimentos. Instinti-

---

[56] Apud., René Armand Dreifuss, 1964: *A conquista do estado,*Vozes, Petrópolis, 1981, pg. 32.

vamente, Vargas reconheceu a necessidade de uma retificação, porque o impacto de suas declarações, interpretadas como fundamentalmente hostis aos capitais estrangeiros, foi enorme, provocando imediata cessação do fluxo de investimentos externos e também uma zangada reação, sobretudo por parte do presidente do Banco Mundial, Eugene Black. Sem dúvida, essa declaração foi um dos fatores do pouco entusiasmo revelado pelo Banco Mundial no financiamento dos projetos da Comissão Mista Brasil-Estados Unidos.

O máximo que se pode dizer é que Getúlio Vargas explorava um nacionalismo oportunista, antes que ideológico. Chamei-o de *pragmático preconceituoso*, porque tinha uma visão falsa dos méritos relativos do investimento direto, em contraste com empréstimos e financiamentos. Simpatizava com a tese então defendida por Luís Carlos Prestes, de que os empréstimos estrangeiros poderiam ser aceitáveis para auxiliar o desenvolvimento econômico, porém não os investimentos diretos. O pretexto era que os investimentos diretos, particularmente quando feitos por grandes empresas, acabavam permitindo-lhes ingerência nos negócios internos, enquanto os empréstimos não afetavam a soberania.

Não se percebia àquela época que o contrário pode e soi acontecer. Os investimentos diretos significam que os investidores, com fábricas locais, rede de vendas e um complexo de interesses criados, participam das vicissitudes do país e enfrentam riscos cambiais e ameaças à sua propriedade, que os tornam absolutamente dependentes da boa-vontade do país hospedeiro. Além disso, particularmente no pós-guerra, o sentido de soberania dos governos havia sido dramaticamente reforçado com o êxito de movimentos anti-colonialistas. Mais importante ainda, os investimentos diretos geram um fluxo de dividendos, que além de dependerem da existência efetiva de lucros, não gozam de garantias governamentais para a remessa. Isso, ao contrário dos empréstimos, onde o pagamento de juros e amortizações é exigível, independentemente da sorte econômica do projeto. Como costumava dizer à época, os investimentos diretos geram *sócios complacentes*, enquanto que os empréstimos podem gerar *credores implacáveis*.

Há finalmente uma vantagem definitiva dos investimentos diretos sobre os empréstimos. É que aqueles trazem consigo, embutidas, organização, assistência técnica e acesso a mercados externos.

Mais tarde, a evolução iria demonstrar que os investimentos diretos são cambialmente mais baratos do que os empréstimos. Estes, àquela época, cobravam juros internacionais de aproximadamente 6% (acrescidos de comissões de intermediação) e, em anos futuros, com a alta da taxa de juros, representavam ônus muito maior. Os investimentos diretos, por sua vez, na média, se tinham traduzido em remessas de lucros não superiores a 4 ou 5% do capital aplicado. Curiosamente, foram dois homens com visões diferentes e antagônicas do processo de desenvolvimento — Eugênio Gudin e Juscelino Kubitschek — que lograram por termo ao viés getulista contra capitais de risco. Gudin, ao editar a Instrução nº 113, da SUMOC, que criou o mecanismo de entrada de capitais sob a forma de equipamentos sem cobertura cambial. E Kubitschek, cujo Plano de Metas era, em sua parte industrial, baseado principalmente no aliciamento de empresas estrangeiras para instalação no Brasil.

O CONSELHEIRO
DE PRESIDENTES

Acheson pertence a uma ilustre galeria de notáveis conselheiros de presidentes. Nos Estados Unidos, muito mais do que no Brasil, se reverencia a experiência dos grandes homens públicos. Conheci três dos mais eminentes. Acheson, John McCloy e Averell Harriman. Todos esses conselheiros, recrutados por Roosevelt para auxiliar no esforço de guerra, serviram a um ou outro dos presidentes que lhe sucederam, mas eram sempre convocados independentemente de sua posição política, por presidentes democráticos ou republicanos, por ocasião de grandes crises nacionais.[57] Acheson servira com Roosevelt, temporariamente como sub-secretário do Tesouro, sendo por este demitido quando adotou posição crítica em face do que ele descrevia como "sabotagem da conferência monetária internacional de 1933", quando Roosevelt, sob o impacto da depressão, recusou-se a cooperar na manutenção do padrão ouro. Deflagrada a guerra, Roosevelt convidou-o novamente para o Departamento de Estado, onde ficou encarregado de assuntos econômicos internacionais.

Foi nesse posto que o conheci, vendo-o à distância, quando, como jovem secretário, eu fora designado para a Conferência de Bretton Woods. Acheson era o porta-voz americano na Segunda Comissão, relativa ao Banco Mundial e a ele se atribui a responsabilidade principal na redação dos estatutos. Era o interlocutor de Keynes, o presidente da Segunda Comissão.

Sua estatura havia crescido desde então. No governo Truman serviu novamente como subsecretário de Estado, numa época de grandes transformações, até ser

---

[57] Como evidência da interpenetração partidária na política externa, basta lembrar que o republicano John Foster Dulles participou da Conferência de São Francisco, que aprovou a Carta das Nações Unidas, como membro da delegação bipartidária dos Estados Unidos. E foi nomeado por Truman para acompanhar o secretário de Estado, general Marshall, à Conferência de Moscou, em 1947, que tratou de vários problemas da guerra fria. Ainda sob Truman, desempenhou importante papel na negociação do Tratado de Paz com o Japão, em 1951, que restaurou a soberania japonesa, mantendo a presença de bases americanas nas ilhas. Havia, entretanto, pouca amizade entre Dulles e Acheson. Acheson considerava seu sucessor no Departamento de Estado como uma mente unidimensional, que só pode "perseguir um objetivo de cada vez".

finalmente designado, em 1949, no início do segundo mandato de Truman, como secretário de Estado em substituição ao general Marshall.

Acheson participara das grandes decisões: o Plano Truman, que salvou a Grécia e a Turquia do envolvimento comunista; o Plano Marshall; a Ponte Aérea de Berlim e a Guerra da Coréia. Esta lhe traria grandes aborrecimentos pessoais. Num famoso discurso em Washington, no National Press Club, Acheson havia listado as áreas de interesse vital para a defesa americana, e nela não estava incluída a Coréia. Acheson se defendeu da acusação de ter omitido a Coréia do Sul como parte do *perímetro de defesa*, dizendo que não caberia fazer uma lista exclusiva, e que, na realidade, a Coréia estava subentendida em sua menção a *outras áreas do Pacífico*. Mas os republicanos insistiam em acentuar sua responsabilidade pela *sinalização ambígua*, considerada pelos coreanos do norte como uma luz verde para o ataque.

O segundo incidente em que se envolveu Acheson foi o caso Alger Hiss, funcionário do Departamento de Estado que tinha desempenhado papel relevante na redação da Carta das Nações Unidas, em São Francisco. Com a histeria anticomunista que se apossou do país após o movimento deflagrado pelo senador Joe McCarthy, Alger Hiss foi acusado de espionagem pelo jornalista Whitaker Chambers. Houve um rumoroso processo político e Dean Acheson, em depoimento no Congresso, foi leal a seu subordinado, expressando incredulidade quanto à suposta traição. Hiss, entretanto, foi julgado culpado e afastado de suas funções diplomáticas sob a incriminação de perjúrio. Quase meio século depois, em 1992, a abertura dos arquivos da KGB em Moscou, após o fim da guerra fria, indicou nada constar sobre atividades de espionagem de Alger Hiss. Mas Acheson não teve chance de ver sua intuição confirmada pela história, pois morreu em 1971, aos 78 anos de idade.

A ironia da história é que, acusado de *mole* em relação ao comunismo, por membros do Partido Republicano, que o chamavam de *red dean* (o deão vermelho), passou a ser depois conselheiro de governos republicanos como os de Eisenhower e Nixon. Era então visto como um proponente da *linha dura* nos sucessivos conflitos emergentes, como, por exemplo, o do Vietnã, em relação ao qual foi consultado por Eisenhower, e depois por Nixon. Atribui-se-lhe a teoria do *dominó*, esposada por Eisenhower, segundo a qual a queda de um bastião como o Vietnã implicaria a comunistização dos países limítrofes. No caso dos mísseis em Cuba, consultado por Kennedy, assumiu uma posição dura, favorecendo o bombardeio das bases de mísseis soviéticos em Cuba.

Acheson se tornou um eficiente crítico da política de seu sucessor John Foster Dulles. Em particular achava que faltava credibilidade à política de *retaliação maciça*, pois não acreditava na exequibilidade do uso de armamento nuclear em conflitos puramente regionais. Foi também um crítico da tibieza de Eisenhower em adotar uma política preventiva em relação ao Vietnã. Parecia favorecer uma ação mais enérgica em apoio aos franceses na fase inicial do conflito, conquanto mais tarde tenha recomendado a Nixon pronto desengajamento, em virtude do impasse criado no Vietnã pelo auxílio soviético e chinês aos vietcongs. Adotou também postura crítica em relação à posição americana de retirar apoio à iniciativa franco-britânica de captura do Canal de Suez, o que em sua visão comprometeria irremediavelmente a posição da Europa Ocidental no Oriente Médio e fortaleceria o fanatismo islâmico sob Nasser.

Durante sua visita ao Brasil em 1952, tive oportunidade de um segundo contato no dia 4 de julho, que, apesar de feriado, por ser a data da independência dos Estados Unidos, foi para Acheson dia de trabalho. Compareceu ele à Comissão Mista Brasil-Estados Unidos, reunida no ministério da Fazenda. Fui o principal orador da parte brasileira e pronunciei um discurso, àquela ocasião considerado um pouco agressivo, pelas críticas que fiz à política americana, minudenciando algumas colocações que fizera a Acheson em caráter privado. Indiquei certas contradições que dificultavam nosso trabalho. Os americanos entoavam loas à iniciativa privada mas exigiam rigoroso planejamento governamental antes da aprovação de projetos. Pediam que fizéssemos planos de longo prazo, enquanto as dotações de verbas para o auxílio externo eram estritamente em bases anuais, criando dúvidas sobre a continuidade do planejamento. Lembrei ainda as freqüentes recaídas protecionistas dos Estados Unidos, que criavam barreiras às exportações dos países subdesenvolvidos, diminuindo sua capacidade de pagamento e aumentando a necessidade de financiamentos para a importação. E adverti quanto ao perigo de os financiamentos externos serem na prática anulados pela queda de preços de produtos de base, que constituíam essencialmente a exportação dos países subdesenvolvidos, em vista da ausência de mecanismos de estabilização de preços, como aquele que o professor Gudin havia sugerido em Bretton Woods: a criação de uma organização internacional de comércio, que daria atenção à estabilidade dos preços de produtos primários.

Acheson recebeu as minhas críticas com bom humor, e não deixou que elas interferissem com seu vaticínio anterior de que, jovem e bem-articulado, eu estaria destinado a um futuro promissor.

Infiel à sua própria recomendação de que o "primeiro requisito de um estadista é ser chato" (*dull*), Acheson tinha um excelente *sense of humour*. Lembro-me de que dizia de si mesmo ser um "excelente produto da criação", pois combinava a virtude e o vício em doses adequadas.

— Meu pai — dizia ele — é um bispo anglicano, o que acentua o lado da virtude. Minha mãe, é filha de um destilador de whisky, o que me dá um razoável coeficiente de vício.

Não resistia a um *mot d'esprit*, mesmo quando perigoso. Os ingleses nunca lhe perdoaram o famoso apotegma: "A Inglaterra perdeu um império e não encontrou ainda uma missão".

A CRIAÇÃO DO

BANCO NACIONAL

DO DESENVOLVIMENTO

ECONÔMICO

(BNDE)

A INSTRUMENTAÇÃO
DO DESENVOLVIMENTO

A criação do Banco Nacional de Desenvolvimento Econômico pela Lei n? 1.628, de 20 de junho de 1952, foi precedida de várias controvérsias. A primeira, era a de se a contrapartida em cruzeiros dos financiamentos externos, recomendados pela CMBEU, deveria ser feita por via de impostos ou de empréstimos compulsórios. Falava-se em "empréstimos compulsórios" por não existia àquela ocasião um mercado de títulos *voluntários* do governo, pois que a inflação já existente tornava pouco atraentes as obrigações do Tesouro, a juros fixos de 6%, ou seja, metade da inflação corrente. Em favor da tese dos impostos, havia o argumento de que essencialmente o banco se destinaria a financiar projetos de infraestrutura, normalmente considerados como atividades próprias de governo, e de limitado interesse para o investimento privado. A favor da tese do empréstimo compulsório, militava o argumento de que seria mais fácil persuadir as entidades recipientes a fazer projetos de viabilidade e análises de custo e benefício, se o dinheiro tivesse que ser reembolsado com amortização e juros.

Uma alternativa considerada foi a criação de uma sociedade de economia mista. A hipótese foi descartada não apenas pela indisponibilidade de capitais privados para investimentos de longo prazo, como porque os estatutos do principal financiador — o Banco Mundial — exigiam garantia do Tesouro ou de entidade governamental. Descartou-se também a hipótese de canalizar os recursos através de entidades já existentes. Estas, ou eram entidades creditícias oficiais, que dispensavam recursos à base de garantias, sem análise do mérito do projeto, ou entidades orçamentárias, que atuavam mediante requisição de recursos, sem justificativa de rentabilidade. Nosso interesse na época era criar instituições que agissem à base de análise de rentabilidade e projetos de viabilidade e não por desembolsos a fundo perdido.

Triunfou assim a tese favorável à criação de uma autarquia bancária.[58] O proje-

---

[58] Em 1971, com a aprovação da Lei n.º 5.662, de 21 de junho, o BNDE deixou de ser uma autarquia federal para transformar-se em empresa pública, sendo o governo autorizado, se conveniente, a convertê-lo em sociedade de economia mista. Essa autorização não foi usada. Sua vinculação administrativa inicial era ao ministério da Fazenda, passando depois, com a reforma administrativa (D.L. 200, de 1967), a subordinar-se ao ministério do Planejamento e Coordenação Geral e, subseqüentemente, à Secretária de Planejamento da presidência da República (até 1979). Vinculou-se a seguir ao ministério de Indústria e Comércio e, de novo, ao ministério do Planejamento. Foi vítima de um minueto burocrático, renovado em cada reforma administrativa, à mercê da personalidade mais forte, ou mais contida, dos ministros competidores na busca do poder.

to da Lei n.º 1628 foi trabalhado com afinco e competência por Guilherme Arinos, funcionário do Banco do Brasil, e então assessor do ministro Lafer. No esquema de empréstimo compulsório, impunha-se um adicional do imposto de renda, exacionado por cinco anos, para reembolso nos cinco anos subseqüentes; mais tarde esse período foi prorrogado por mais dez anos, e eventualmente o empréstimo compulsório foi substituído por imposto permanente. Um elemento adicional incluído na lei foi a obrigatoriedade, tese controvertida à época, de as empresas privadas de seguro e capitalização depositarem no BNDE até 25% de suas reservas técnicas. Esse dispositivo foi depois substituído pelo compromisso de aplicarem, em projetos definidos como prioritários pelo BNDE, pelo menos 60% dos recolhimentos a que estavam obrigados. As Caixas Econômicas Federais deveriam depositar até 4% do valor de seus depósitos, e os órgãos da previdência até 3% de sua receita anual, dispositivos ingênuos que subestimavam a vasta resistência da burocracia instalada a partilhar recursos.

Um outro ponto de debate era se deveria haver a vinculação de recursos a setores específicos, ou se os recursos deveriam ser administrados como um fundo geral de desenvolvimento, alternando-se flexivelmente a destinação dos recursos em função de prioridades cambiantes. Inicialmente prevaleceu a primeira visão, depois modificada pela criação de fundos específicos para ferrovias, marinha mercante, eletricidade e rodovias.

Havia então na burocracia brasileira o hábito arraigado de obter verbas governamentais para projetos, às vezes grandiosos, com base numa simples exposição de motivos, sem detalhamento claro de objetivos, cronograma de implementação, cálculos de custo e benefício e análise de rentabilidade. Essa perspectiva começou a ser mudada com os trabalhos da CMBEU e a implantação do BNDE.

O empréstimo compulsório foi subseqüentemente resgatado pelo BNDE, mas, com a aceleração da inflação, esse resgate tornou-se puramente simbólico, de vez que pago em cruzeiros desvalorizados. Não havia ainda surgido o instituto da correção monetária e os juros eram sujeitos à lei de usura, o que na realidade, em face da inflação existente, impossibilitava a obtenção de juros reais.

Do grupo brasileiro que trabalhou na Comissão Mista Brasil-Estados Unidos, três foram destacados, para participar da fundação do BNDE. Ari Frederico Torres, como diretor superintendente e eu próprio, como diretor econômico, encarregado da organização do Departamento Econômico. Ao diretor Glycon de Paiva coube a organização do Departamento Técnico. Um outro técnico do grupo, Lucas Lopes, passou a fazer parte do Conselho de Administração.

Na estrutura então concebida para o BNDE, os poderes não estavam concentrados na presidência e sim na superintendência. É que o ministro Lafer, sob cuja égide se criara o banco, desejava acumular as funções de ministro da Fazenda e presidente do BNDE, o que certamente o inibiria no exercício de funções executivas num banco ainda em formação. Por isso os estatutos previam a concentração de poderes executivos em mãos do diretor-superintendente.

O banco nasceu sob bons auspícios. Ari Torres era um misto de empresário e tecnocrata, e houve a preocupação imediata da diretoria em implantar o princípio de recrutamento por concursos de provas, evitando assim a tentação do empreguismo. Aliás, as organizações tecnocráticas no Brasil que melhor sobreviveram foram aquelas que desde o início adotaram o princípio do concurso público como método de ingresso. Além das Forças Armadas, que têm seu sistema de treinamento contínuo, figuram, entre as meritocracias, o Itamaraty, que inaugurou o sistema de concurso público em fins de 1937; o Banco do Brasil, que já operava nesse regime; e, àquela ocasião, uma outra entidade extremamente importante no planejamento orçamentário e no disciplinamento do pessoal — o DASP. Subseqüentemente, parte das funções do DASP passaram a ser absorvidas pelo ministério do Planejamento, particularmente as referentes ao planejamento orçamentário.

O BNDE não reteve por muito tempo suas características de purismo tecnocrático. É que o diretor-superintendente, Ari Torres, que residia em São Paulo e achava extremamente fatigante a tarefa de viagens semanais, passou a desinteressar-se da conduta ativa do banco e acabou submetendo sua renúncia ao presidente Vargas. Este, ao contrário de indicar, como esperava o ministro Lafer, uma pessoa afinada com a orientação do ministro da Fazenda, preferiu designar um homem de sua confiança pessoal, infelizmente com total despreparo econômico e, curiosamente, também sem peso político específico. Tratava-se do advogado José Soares Maciel Filho, jornalista e industrial de tecidos. Como jornalista, lançara em 1933 o diário *A Nação*, no qual defendia o governo Vargas. Em 1935, fundaria outro jornal, *O Imparcial*, inicialmente de oposição ao ditador, passando a dar apoio a Vargas em 1937, na campanha contra a subversão comunista. Bizarramente, durante algum tempo ele veio a desempenhar duas funções cruciais na administração. Entre 1952 e 1954, acumulou a superintendência do BNDE com a diretoria executiva da SUMOC.

Lembro-me a propósito de um episódio embaraçoso que documenta o despreparo de Maciel Filho, para ambas as funções. Ele era apelidado pitorescamente de *Maciel Bundinha*, numa óbvia subestimação de suas dimensões físicas.

Pediu-me ele, recém-nomeado superintendente do Banco Nacional de Desenvolvimento Econômico, que o apresentasse ao embaixador Merwin Bohan, chefe da Seção Americana da Comissão Mista Brasil-Estados Unidos. Bohan estava ainda no Brasil dando os arremates finais no trabalho da CMBEU. O embaixador manifestara apreensão ante o fato de que, com o retardamento do processo legislativo, que criaria o BNDE e estabeleceria a mecânica do empréstimo compulsório, talvez não houvesse a contrapartida necessária para viabilizar os financiamentos em moeda estrangeira recomendados pela Comissão Mista. Esses financiamentos, provenientes do Eximbank ou do Banco Mundial, não compreendiam o financiamento de despesas locais. Visando a tranqüilizar Bohan sobre a capacidade brasileira de cumprir o compromisso, Maciel fez-me assistir a uma humilhante conversa, demonstradora de nosso supino grau de subdesenvolvimento econômico. Falando um *portunhol* de província, gaúcho que era, disse Maciel Filho ao estarrecido embaixador: — Ne se preocupen ustedes por el problema de la contrapartida en cruzeiros. Es que el doctor Getúlio Vargas me ha nombrado al miesmo tiempo para ser el diretor ejecutivo de la SUMOC e el presidente del BNDE. Así tendré em mis manos el control de la moneda. Si hubiera la necessidad de proveer la contrapartida em cruzeiros me cabe el poder de emitir moneda en la SUMOC.

O embaixador Bohan olhou-me, e a Maciel Filho, com olhos esbugalhados, imaginando o que ocorreria ao processo inflacionário brasileiro se um homem com essa percepção das coisas continuasse por algum tempo na SUMOC.

— *Es un loco, es un loco, damn it* — murmurava.

Fiéis ao princípio de preservação de rentabilidade do banco e de análise e viabilidade dos projetos pela mensuração da relação custo/benefício, Glycon de Paiva, pelo Departamento Técnico e eu, pelo Departamento Econômico, vetamos vários projetos nitidamente de cunho político e sem embasamento técnico, favorecidos por Maciel Filho. Dizia-nos ele, de vez em quando, que estávamos enganados ao pensar que o BNDE era uma organização exclusivamente técnica.

— Na realidade — dizia — inexistem no governo organizações estritamente técnicas. É inevitável a injeção de motivações políticas no próprio BNDE, pois se trata de um instrumento de governo e o dr. Getúlio Vargas assim quer usá-lo.

Nem mesmo o princípio do concurso público de provas e títulos parecia importante para Maciel Filho. Dizia-nos que concordava em que o recrutamento fosse mantido à base de concurso, para cerca de 80% do pessoal. Mas seria necessário que lhe reservássemos uma quota de apadrinhamento político de 20%.

— Isso — afirma ele — é a necessária e inevitável taxa de meretrício político, ou seja, a quota de filha-da-putismo...

Logramos, todavia, implantar o princípio do concurso público, que mais tarde se revelaria importante defesa da instituição contra o empreguismo e a excessiva politização. A outra defesa contra a politização estava embutida na lei: o diretor-superintendente teria mandato fixo de cinco anos e os diretores, de quatro anos. O instituto dos mandatos fixos, entretanto, é coisa de difícil implantação na cultura burocrática brasileira. Não funcionou nem no BNDE nem no Banco Central, como depois veremos.

Para cargos de direção foram recrutadas pessoas de excepcional capacidade de trabalho. Entre as mais relevantes notava-se o engenheiro Eros Orosco, encarrega-do do Departamento Técnico, e José Luiz Bulhões Pedreira, encarregado de assun-tos jurídicos, que mais tarde se revelariam ambos figuras exponenciais. A Eros Orosco, que já vinha há tempos trabalhando num programa de nacionalização de peças da indústria automobilística, coube depois, durante o governo Kubitschek o trabalho técnico fundamental em que se embasou o GEIA — Grupo Executivo da Indústria Automobilística — que viria a planejar e supervisionar a implantação da indústria automobilística no Brasil. Bulhões Pedreira viria a ser o grande autor de alguns dos textos legislativos fundamentais não só no BNDE, no início do governo Kubitschek, como depois na revolução de 1964, quando o governo Castello Branco iniciou a temporada de reformas estruturais.

AS ASSESSORIAS
PARALELAS

Paralelamente ao trabalho do BNDE, de financiamento de projetos de infraestrutura, operava diretamente no Catete um grupo de trabalho chefiado pelo assessor da presidência, Rômulo de Almeida, que enfocava também, sob outro ângulo, o desenvolvimento da infraestrutura. Nesse grupo figuravam Cleanto de Paiva Leite, Jesus Soares Pereira, Inácio Rangel e Accioly Borges, que pertenciam à corrente dos *técnicos nacionalistas,* que se congregavam no Clube dos Economistas, uma associação cultural voltada para o ativismo político.[59]

Poder-se-ia dizer que no BNDE a mentalidade era privatista, pois se acreditava que, na medida do possível, a implantação e operação dos serviços de infraestrutura deveriam ficar entregues à iniciativa privada. Não se aceitava o conceito de que os investimentos em infraestrutura exigissem a formação de monopólios estatais. Era recente a experiência da industrialização brasileira, que só fora possibilitada pela construção da infraestrutura pelo capital privado, notadamente estrangeiro. A grande responsável pela industrialização de São Paulo e Rio de Janeiro não tinha sido outra senão o malsinado polvo canadense, a Brazilian Traction Light and Power! Também o desenvolvimento industrial não teria sido possível sem os investimentos de capitais estrangeiros, predominantemente ingleses, em portos e ferrovias.

Em sua erudita análise das controvérsias ideológicas da época, alhures citada, o professor Ricardo Bielschowski chama esse grupo de *desenvolvimentistas não*

---

[59] Lourdes Sola, em sua já citada tese de doutorado na Universidade de Oxford, *The political and economic constraints to economic managment in Brazil, 1945-1963,* usa a expressão "técnicos nacionalistas" para a assessoria do Catete, em contraposição aos "técnicos cosmopolitas" da CMBEU e do BNDE. Na fase inicial do segundo governo Vargas, esses dois grupos coexistiram pacificamente, por algum tempo, servindo à habitual ambivalência de Vargas: os "técnicos cosmopolitas" facilitariam a absorpção de recursos externos, e os "nacionalistas" satisfariam as pressões ideológicas do nacional-populismo. Alguns membros do Clube dos Economistas, entretanto — Américo Barbosa de Oliveira e Américo Curi — trabalharam na CMBEU, assim como Hélio Jaguaribe, que serviu de consultor jurídico. No governo Kubitschek, haveria novamente um período de temporária convergência entre os dois grupos na execução do "Plano de Metas", até a guinada nacionalista de junho de 1959, que levou à ruptura com o FMI.

nacionalistas, em contraste com o grupo *desenvolvimentista-nacionalista*, representado por Rômulo de Almeida e Jesus Soares Pereira.[60]

Conquanto a análise de Bielschowski seja objetiva e correta, a designação é menos feliz. Todos nos considerávamos nacionalistas. A diferença essencial era metodológica. Os chamados *desenvolvimentistas não estatistas* acreditavam na imprescindibilidade da cooperação do capital estrangeiro, mesmo nas atividades de infraestrutura, enquanto que os *desenvolvimentistas nacionalistas* acentuavam a tônica da intervenção governamental e eram hostis à participação de capital estrangeiro nos chamados *setores estratégicos*, que incluíam a infraestrutura básica de energia e transportes.

As linhas divisórias entre os diferentes grupos não eram tão nítidas, entretanto, como o fazia crer a literatura da época. *Os desenvolvimentistas-não-nacionalistas*, ou para usar um termo melhor, *desenvolvimentistas liberais* tinham muitos pontos em comum com a escola liberal clássica, chefiada por Eugênio Gudin e Octávio Bulhões. Comungavam com estes na preocupação com problemas de estabilização monetária, na aceitação do investimento privado como motor do desenvolvimento, na oposição ao estatismo e na abertura para capitais estrangeiros. Deles se diferenciavam apenas na crença, um pouco ingênua, no planejamento estatal.

O grupo do Catete, que assessorava o presidente Vargas, partia de outra visão. Defendia que o estado deveria ser o grande promotor do desenvolvimento. Daí emergiram vários projetos, como o da Petrobrás e o da Eletrobrás. O mais controverso foi, sem dúvida, o relativo ao petróleo. Ao sair das mãos da assessoria de Vargas, o projeto da Petrobrás parecia bastante racional.[61] Tratava-se apenas de firmar a presença do governo no setor através da criação de uma empresa estatal

---

[60] Ver Bielschowski, op. cit., pg. 8.

[61] Ainda que bastante nativista, o projeto de Vargas, enviado ao Congresso com a Mensagem n.º 469, de 6.12.51, e valentemente defendido por Rômulo de Almeida nas audiências da Câmara dos Deputados, permitia modesta participação de capitais estrangeiros. Num capital de dez milhões de contos, da Petrobrás, uma subsidiária de empresa estrangeira só poderia deter quatro mil contos, com direito a voto; para perfazer 7,5% do capital, que permitiriam a nomeação de um diretor, seriam necessárias duzentas empresas, pulverização ridícula em negócios petrolíferos. A mensagem governamental continha entretanto um parágrafo ambivalente (aparentemente introduzido por Jesus Soares Pereira, mais nacionalisteiro que Rômulo de Almeida), usado por Eusébio Rocha para interpretar a posição de Vargas como favorável ao monopólio absoluto:

"O governo e o povo brasileiros desejam a cooperação da iniciativa estrangeira no desenvolvimento econômico do país, mas preferem reservar à iniciativa nacional o campo do petróleo, sabido que a tendência monopolística internacional dessa indústria é de molde a criar focos de atritos entre povos e governos. Fiel, pois, ao espírito nacionalista da vigente legislação de petróleo, será essa empresa genuinamente brasileira, com capital e administração nacionais".

não-monopolista. Essa tese poderia ser facilmente absorvida, até mesmo pelos adversários da estatolatria.

Houve uma tríplice aliança entre militares, que promoveram a campanha do *petróleo é nosso*, comunistas que se opunham às multinacionais de petróleo (estas então uma espécie de demônio de plantão) e, curiosamente, membros de um partido supostamente conservador, a UDN, destacando-se aí a figura de Bilac Pinto. Este teve forte apoio do deputado Eusébio Rocha, líder do PTB paulista, que anos depois ampliaria sua posição nacionalisteira através de intensa campanha contra os contratos de risco, no governo Geisel.

Razões boas havia para alguma presença do estado no setor. Primeiro, não se tinha certeza de que, detentoras alhures de fontes baratas de petróleo, as grandes empresas se interessariam em fazer, no ritmo por nós desejado, investimentos na busca de um petróleo provavelmente caro e para um mercado interno então mesquinho. Segundo, conviria adquirirmos tecnologia e experiência até mesmo para podermos fiscalizar o comportamento e aferir a atividade das empresas estrangeiras. Terceiro, a presença do governo, provocando associações e dividindo riscos, poderia até mesmo ser agente catalítico para atrair capitais externos. Mas a presença do Estado, para ser eficaz, não precisa ser monopolística, pois ele dispõe de imenso poder regulatório que pode ser utilizado para temperar, com motivação social, a dinâmica do lucro privado.

Se a proposta original de Vargas era razoável, a inserção feita no Legislativo, do conceito de monopólio estatal era, ao contrário, inútil e contraproducente, pois redundaria em renunciarmos à maximização de investimentos no Brasil.[62]

Coube à UDN contribuir para transformar o projeto num documento nacionalista e monopolista. Não se sabe até hoje a motivação precisa do partido; se apenas pretendia complicar a vida de Vargas, tornando a iniciativa arriscada ou inviável, ou se obedecia a um instinto de preconceituoso nacionalismo. A verdade é que dessa aliança resultou o monopólio da Petrobrás, que certamente diminuiu o fluxo potencial de recursos para o Brasil e retardou enormemente o objetivo da autosuficiência, aliás até agora, 40 anos depois, não alcançado. Assim, um casamento de contrários, o pensamento *desiderativo* e o preconceito *ideológico*, expulsaram o

---

[62] O teor relativamente moderado da mensagem de Getúlio sobre a Petrobrás pode ter ocultado uma manobra maquiavélica. É essa pelo menos a interpretação de um de seus mais íntimos colaboradores, o líder do governo, Gustavo Capanema, em discurso no Senado Federal: "Ela teria sido propositalmente feita permitindo a participação das multinacionais do petróleo, porque o Presidente tinha certeza de que a oposição iria emendar o projeto, votando pelo monopólio. Ele, Getúlio, ficaria bem com os americanos, e obteria, por via oblíqua, o que era na verdade o seu intento". Apud Jarbas Passarinho, *Na planície*, Editores CEJUP, Belém do Pará, pg. 64.

pensamento *realista*.[63] Parecia-nos, a mim e ao Glycon, muito mais inteligente deixar que, com recursos estrangeiros, se desenvolvesse rapidamente o potencial
petrolífero e que, se necessário, mais tarde, como o havia feito por exemplo o
México, se nacionalizassem as empresas. Primeiro absorver investimentos e dividir
os riscos, para depois recolher resultados, parecia-nos a fórmula racional.[64]

Glycon certamente falava com conhecimento de causa. Estivera intimamente
ligado à descoberta do petróleo na Bahia. Foi, na realidade, um dos pioneiros, sem
reclamar fanfarras nacionalistas. Deturpada muitas vezes pela imprensa, a estória
merece ser recontada. Houve assertivas precipitadas da existência de petróleo em
Lobato, na Bahia, por Oscar Cordeiro, um comerciante da Bolsa de Mercadorias de
Salvador, o qual, ainda que sem base científica, teve o mérito de incrível tenacidade, chocando-se com a apatia burocrática do ministério da Agricultura. Sua fé de
pioneiro não foi à época adequadamente reconhecida, nem hauriu proveito de sua
descoberta. Foi ele que enviou a Sílvio Fróes de Abreu, no Instituto Nacional de
Tecnologia, no Rio de Janeiro, as primeiras amostras do óleo extraído de uma
cacimba praieira próxima a uma escarpa de *gneiss*. A idéia da existência de petróleo em Lobato era antiga, e havia também expectativas quanto à região de Riacho
Doce, nas Alagoas.[65] No catálogo da Exposição Nacional de Artes e Ofícios, no Rio

---

[63] A atitude da UDN é tanto mais incompreensível quanto seu presidente, Odilon Braga, dirigira
quatro anos antes a elaboração do Estatuto do Petróleo, de 1948, que permitia a participação de
40% de capital estrangeiro na refinação e transporte de produtos petrolíferos. Aparentemente teve
êxito a técnica de intimidação a que freqüentemente recorrem os "nacionalisteiros". Odilon Braga
fora acusado de estar a serviço dos trustes internacionais. Para mim, que acompanhara à distância
os debates, a grande surpresa foi o apoio de Aliomar Baleeiro e Armando Falcão à tese do monopólio absoluto. Não eram nativistas extremados e tinham consciência da necessidade de suplemen-
tarmos, com capitais externos, a magra poupança nacional. Baleeiro, além de tudo, era excelente
fiscalista e conhecia bem a penúria do Tesouro, com seus déficits crônicos.

[64] Glycon de Paiva teve também papel importante na descoberta e exploração do manganês do
Amapá. O manganês da Serra do Navio fora descoberto acidentalmente por um comerciante que
por lá passando colheu amostras de um minério escuro e esquisito. Entregou essas amostras a
Janari Nunes, então interventor no Amapá e que viria a ser depois presidente da Petrobrás. Janari
Nunes enviou as amostras para o DNPM. A comprovação do minério foi feita em laboratório "in
loco" por Glycon de Paiva, o qual sugeriu que se delimitasse uma área de concessão. O primeiro a
obter uma autorização de pesquisa e lavra foi Augusto de Azevedo Antunes, engenheiro civil de São
Paulo, que explorava minério de ferro. Daí nasceu a ICOMI S/A, que depois se associou à Betlehem
Steel e se tornou a principal exploradora e exportadora de minério de manganês do Brasil.

[65] O romance do petróleo no Nordeste é uma longa história. Um dos teimosos pioneiros, anteriores
a Oscar Cordeiro, foi o engenheiro alagoano Edson de Carvalho, que em 1932 fundara a
Companhia Petróleo Nacional S/A, para explorar ocorrências de exsudações de óleo no campo
Riacho Doce, nas Alagoas. A existência de petróleo na região era questionada pelo Serviço
Geológico e Mineralógico do Brasil, então dirigido por Eusébio Paulo de Oliveira. Fora também
pessimista a avaliação do geólogo Oppenheimer, recomendado a Edson pelo diretor do Serviço

de Janeiro, em 1875, figurava uma menção a amostras de petróleo da Bahia, que passou despercebida à época. Por algum tempo se discutiu se o petróleo era natural ou mera infiltração de óleo industrializado. As características eram *sui generis*. O petróleo não revelava traços de cinza nem de enxofre e distilava a 150 graus, como se fosse nafta. As evidências não eram concludentes e somente uma análise química permitiria deduzir as origens do óleo...

Mário da Silva Pinto, então analista do laboratório do DNPM (Departamento Nacional de Produção Mineral) recomendou um estudo geológico da área. As exsudações poderiam ser simplesmente uma *chapapotera*, ou restos de depósitos industriais de óleo. Esta última hipótese era plausível, pois próxima à área tinha existido um antigo depósito de óleo da Companhia Docas da Bahia.

Estávamos em 1937. O geólogo e químico Sílvio Fróes de Abreu foi à Bahia para ver *in loco* a exsudação do óleo. Era uma escarpa de *gneiss* e o óleo aflorava a uns 30 a 40 metros da rocha, nas areias da praia. Havia que verificar a existência ou não de uma falha geológica.

Ao voltar, Sílvio Fróes de Abreu persuadiu Guilherme Guinle — de quem era consultor — a financiar a ida de uma comissão de técnicos para avaliar as estruturas. Convidou dois amigos do DNPM, Glycon de Paiva, geólogo interpretador, e Irnack do Amaral, geofísico, para a aventura. Glycon aproveitou sua licença prêmio e Irnack solicitou licença especial, embarcando os três para trabalhar na Bahia. Em três a quatro meses esmiuçaram a geologia do Recôncavo. A escarpa era de rocha cristalina e o petróleo exsudava da rocha sedimentar cretácea. Reportaram de volta a Guilherme Guinle e este subvencionou a publicação de uma monografia intitulada: *A geologia do petróleo do Recôncavo*.

Em face disso, o DNPM, então sob a chefia de Luciano Jacques de Moraes, despachou sondas para Lobato. O primeiro furo foi seco, mas encontrou-se óleo no segundo, um pouco mais afastado da escarpa, na sondagem 139. Estenderam-se as pesquisas a outros locais e foi afinal descoberto o campo de Candeias.

Assim, se a Oscar Cordeiro coube a intuição teimosa, o mérito econômico e científico da descoberta coube a três cientistas — Sílvio Fróes de Abreu, Glycon de

americano Marc Malamphy. Ao persuadir o renomado empresário, Henrique Lage, dono da Companhia de Navegação Costeira, a se tornar sócio da Companhia Petróleo Nacional, Edson obteve acesso a uma sonda Oil well, com capacidade para 1.500 metros, que substituiria uma sonda federal, enviada a Riacho Doce e depois retirada, em virtude do ceticismo do DNPM sobre a ocorrência de petróleo nas estruturas indicadas. Estabeleceu-se acrimoniosa disputa técnica que se tornou política, na qual se envolveu Monteiro Lobato, que descrevia como "sabotagem" o ceticismo dos técnicos oficiais, enquanto estes alegavam que a empresa de Edson era uma "arapuca para atrair investidores incautos". Com a criação do Conselho Nacional do Petróleo, em 1938, a empresa foi desativada por ordem do general Horta Barbosa.

Paiva, e Irnack do Amaral — assim como ao patrocinador da pesquisa, o empresário Guilherme Guinle. Curiosamente, nenhum deles, precisamente porque tinham uma visão realista dos problemas econômicos e geológicos, se engajou na campanha do *petróleo é nosso* (o único a se descrever como *nacionalista moderado* foi Irnack do Amaral, que viria depois a ser presidente da Petrobrás no fim do governo Castello Branco).

Na visão dos *desenvolvimentistas não estatistas*, o conhecido mal dos monopólios estatais é que não permitem termos de comparação. Não sabemos, aliás, até hoje se a Petrobrás é realmente uma empresa eficiente.

Desde que fundada a Petrobrás, foram descobertas e ativadas enormes províncias petrolíferas: a Nigéria, o Alaska, o Mar do Norte, a Indonésia, e mais recentemente a China continental. O desenvolvimento da prospecção do petróleo no Brasil tem sido lento. Apenas em parte, isso se pode atribuir à pobreza das estruturas geológicas. Parte da responsabilidade cabe à ineficiência da Petrobrás, assim como ao senso distorcido de prioridades da empresa, pelo desvio de recursos para atividades ancilares, estranhas à área do monopólio. Cabem legítimas dúvidas quanto à competitividade da empresa. Se, por exemplo, ela tivesse que pagar aos estados detentores de jazidas terrestres ou de plataformas submarinas, *royalties* comparáveis àqueles que os grandes *trustes* de petróleo pagam aos sheiks árabes ou aos governos hospedeiros, é muito provável que o lucro se convertesse em prejuízo.

Até hoje a Petrobrás não paga, a título de *royalties*, senão 5% do valor do óleo bruto produzido, enquanto que as empresas multinacionais vêm sendo obrigadas, através de crescente evolução, em resposta à pressão contínua dos países anfitriões, a pagar várias vezes esse montante. Apesar disso, logram competir no mercado internacional e no próprio mercado brasileiro. Costumo dizer que o estado do Rio de Janeiro, onde se extrai a maior parte do petróleo brasileiro, é um estado mendicante, que seria rico se fosse um emirado...

Mantive ao longo dos anos a convicção de que o modelo misto de exploração, ou seja, o modelo de mobilização de capitais ao invés de restrição de capitais, teria sido benéfico para o país e extremamente vantajoso para os estados e municípios petrolíferos. O modelo misto foi adotado com excelentes resultados no Canadá e na Inglaterra, onde, a par de várias multinacionais de petróleo, existem companhias estatais que servem, por assim dizer, de padrão de aferição. No fim da década dos setenta, a Inglaterra privatizou as três empresas estatais que tinha: a British Petroleum, a British Oil e a British Gas. No momento em que escrevo (1993), o primeiro-ministro Edouard Balladur anuncia a decisão de privatizar a estatal francesa Elf Aquitaine, como contribuição para o saneamento do déficit fiscal. A Itália planeja privatizar suas duas empresas estatais — a ENI e a AGIP.

Após o colapso do modelo socialista, as ex-repúblicas soviéticas, notadamente a Rússia e o Cazaquistão, se abriram à participação estrangeira no petróleo, através de concessões ou contratos de risco. A China comunista adotou amplamente o sistema de contratos de risco, o que ocorreu também no Vietnã. Mesmo na América Latina, a Argentina e o Peru e a Bolívia liquidaram seus monopólios estatais.

A tendência de desmonopolização das empresas estatais, acompanhada ou não de privatização, se tornou avassaladora na década de 90. Na década de 60, havia quinze monopólios estatais; na de 70, o número subiu para vinte; declinou para dezessete, na década de 80; nesta década, só restam seis. Além dos países do Golfo Pérsico — Kuwait, Irã, Iraque e Arábia Saudita — apenas o México e o Brasil mantem seus monopólios estatais, sendo todos esses países exportadores, exceto o Brasil.[66]

Cada vez mais, a Petrobrás e a PEMEX assumem o caráter de idiossincrasias fetichistas.

---

[66] Num país importador de petróleo como o Brasil, a monopolização é absurda. Significa que se prefere importar petróleo estrangeiro a importar capitais que o produzam no país. Até hoje não foi desmentida a melancólica assertiva do general Juarez Távora, na década dos cinqüenta, quando, da discussão do Estatuto do Petróleo: "Nenhum país subdesenvolvido conseguiu tornar-se autosuficiente e exportador aplicando seus escassos recursos financeiros e tecnológicos na pesquisa e lavra do petróleo". Apud Gilberto Paim, *Petrobrás — Um monopólio em fim de linha*, Topbooks, 1994, pg. 216.

CAPÍTULO VI

O NACIONALISMO
VARGUISTA

O começo da década dos 50 foi, entretanto, vincado por uma potente irrupção nacionalista, que era aliás uma marca tradicional do pensamento varguista. Vargas sempre preferiu, como já mencionei, financiamentos a investimentos diretos e, em duas ocasiões pelo menos, excitou a fúria nacionalista.

A primeira, no seu discurso de fim de ano, de dezembro de 1951, que já comentei aqui, no qual dramatizou como um fator cambial negativo as remessas de lucros das empresas estrangeiras. Esse discurso, com seu colorido demagógico, marcou uma inflexão do debate. A partir de então a tese nacionalista, que se centrava sobretudo na argumentação protecionista e antiimperialista, passou a centrar-se no problema da remessa de lucros.

A segunda contribuição, ainda mais dramática, para a criação no Brasil de um nacionalismo xenofóbico foi, naturalmente, a carta-testamento (cuja redação é por alguns atribuída ao *Maciel Bundinha*, conquanto outros achem que ele apenas datilografou o manuscrito de Getúlio), que atribui os obstáculos ao desenvolvimento brasileiro à ação das *forças ocultas*, codinome que passou a significar a exploração estrangeira. Essa parte do pensamento varguista foi depois acentuada por Leonel Brizola que, por cerca de 30 anos transformou as *perdas internacionais* em bode explicativo do fracasso do desenvolvimento brasileiro.

O grupo da Comissão Mista/BNDE havia perdido a batalha ideológica para o nacionalismo-petrolífero, com a passagem da Lei n? 2004, que criou a Petrobrás em outubro de 1953. Acabou perdendo também uma outra batalha, essa de menor intensidade ideológica, a da organização do sistema de eletricidade. O BNDE não participou da montagem dos grandes monopólios estatais, porque tanto Glycon de Paiva como eu favorecíamos o estímulo do desenvolvimento dessas atividades, através da iniciativa privada.

O planejamento do sistema de eletricidade foi confiado ao *grupo do Catete*, no qual as figuras ideológicas dominantes eram Rômulo de Almeida e seu assessor, Jesus Soares Pereira. Esse grupo era estatizante, isto é, considerava inadmissível a presença de capitais estrangeiros nos setores básicos, considerados estratégicos.[67]

---

[67] Um dos membros do grupo, Ignácio Rangel, viria tempos mais tarde a adotar posição mais matizada e realista. Passou a advogar um sistema de "privatização controlada". O estado licitaria concessões de serviços públicos a empresas privadas, que teriam o direito de exploração. Estas, podendo dar garantias reais aos financiadores, teriam mais flexibilidade na captação de recursos no mercado financeiro a taxas mais baixas. Isso viabilizaria maiores investimentos e/ou redução de tarifas, com impacto favorável sobre a atividade econômica.

Era uma derivação do socialismo fabiano inglês, segundo o qual deveria caber ao governo o controle dos *commanding heights* (alturas de comando) da economia. Citavam não só considerações estratégicas, como também considerações práticas, isto é, a deterioração dos serviços de energia e telecomunicações, até então em mãos privadas. No ver do grupo do BNDE, a deterioração óbvia dos serviços públicos resultava unicamente do fato de que a combinação de inflação com tarifas rígidas destruía a rentabilidade dos serviços públicos. O remédio natural seria portanto uma tarifação realista. Além disso, os desequilíbrios da economia brasileira dificultavam a vinda de capitais internacionais de financiamento. O corretivo aqui seriam políticas de estabilidade monetária e saneamento do balanço de pagamentos, mediante taxas cambiais realistas. Admitir a incapacidade do setor privado para trabalhos de infraestrutura, seria não apenas negar a história brasileira, como encorajar uma perigosa expansão das atividades do estado, que deviam se concentrar nos setores clássicos onde a presença estatal é insubstituível como educação, saúde, segurança e justiça. Por isso não despertava simpatia no BNDE a criação do mecanismo da Eletrobrás.

Entre os tecnocratas ligados ao BNDE sobressaía a figura de Lucas Lopes, que fora conselheiro da Comissão Mista Brasil-Estados Unidos no setor, e que chefiava o chamado *grupo da Cemig*. O grupo da Cemig não era propriamente desfavorável à participação estatal. Apenas achava que as propostas do grupo do Catete, que não incluía gente experimentada em planejamento de energia elétrica, eram ingênuas. Os *cemiguianos* preferiam a *estadualização* à *federalização* da energia. Arguiam eles, com razão, que a tentativa do grupo do Catete de, juntamente com a criação da Eletrobrás, fazer aprovar pelo Congresso um Plano Nacional de Eletrificação, seria transformar o Fundo Nacional de Eletrificação, a ser criado, em puro desperdício, pela multiplicação de pequenas obras selecionadas segundo critérios políticos.

A criação da Eletrobrás acabou sendo diferida e viria a ser votada apenas em abril de 1961, já no governo Jânio Quadros, e instalada na administração Goulart, em fevereiro de 1962.

Após a morte de Getúlio Vargas, com Gudin na pasta da Fazenda e Lucas Lopes no ministério de Viação e Obras Públicas, voltara a prevalecer uma filosofia menos estatizante.

Foi no interregno de Café Filho que tive oportunidade de expor, em julho de 1955, minha visão da problemática brasileira, em conferência promovida pelo Fórum Roberto Simonsen, em São Paulo. O título da conferência era "As três falácias do momento brasileiro". Até hoje, quase quarenta anos depois, não encontro muito que retificar na minha postura de então. Identificava eu então as três falácias do momento brasileiro como sendo o *nacionalismo temperamental*, exemplificado no caso do petróleo;[68] o *socialismo ingênuo* e o *distributivismo prematuro* de que havíamos tido uma dramática demonstração na proposta de Jango Goulart, apresentada em janeiro de 1954, de simplesmente duplicar o salário mínimo por decreto, do dia para a noite. Foi um gesto demagógico que contrariou profundamente Oswaldo Aranha, então ministro da Fazenda, e que seria um dos elementos futuros do atrito que levou ao fim do regime de Getúlio, em agosto do mesmo ano.

---

[68] Vitoriosa a tese do monopólio, minha especulação intelectual se orientou no sentido de escogitar fórmulas de compromisso que nos permitissem absorver capital e tecnologia estrangeiros, dividindo riscos e resultados, de forma conciliável com o que há de essencial (e não de simplesmente fanático) na tese do monopólio. Na aludida conferência, adumbrei a idéia de "contratos de participação". Sem êxito, obviamente, pois havia uma maré montante de fervor ideológico, cuja intensidade só hoje, em retrospecto, nos é dado entender. A tal ponto que o geólogo Walter Link, contratado por Juracy Magalhães para a Petrobrás e organizador de seu Departamento de Exploração, se viu mais tarde transformado em *bête noire*, simplesmente por ter feito um relatório cientificamente honesto, ainda que infelizmente pessimista, sobre o caráter ingrato das nossas estruturas geológicas interioranas. Voltei ao tema dos "contratos de participação" quando presidente do BNDE, em 1958, propondo os "contratos aleatórios", para viabilizar a exploração das concessões brasileiras de petróleo na Bolívia, que adormeciam há 20 anos, desde o Tratado de Roboré. Esse episódio é descrito em pormenor em capítulo adiante sobre os anos de Kubitschek.

RUPTURA COM
VARGAS

Voltemos entretanto ao BNDE. Minha permanência e a de Glycon de Paiva, na fase formativa da instituição, não foi de longa duração. Pouco mais de um ano depois de instalado o banco, apresentamos, em 22 de julho de 1953, nossa carta conjunta de renúncia a Getúlio Vargas, uma vez que Maciel Filho insistia na politização da organização. Apensado à carta havia um relatório em que criticávamos as violações, por Maciel Filho, do princípio de decisão colegiada, suas imprudências administrativas, os deslizes contábeis e o perigo de uma distorção de prioridades.

Nossa renúncia coincidiu aproximadamente com a demissão de Horácio Lafer. Havia crescente oposição à política, que se julgava recessiva, de Lafer, que foi afinal substituído por Oswaldo Aranha, em 13 de junho. Antes de se demitir, Lafer havia proposto a Getúlio Vargas um programa antiinflacionário ortodoxo, que acentuava a necessidade de redução de investimentos estatais em obras públicas, de restrição de crédito por parte do Banco do Brasil, de controle rigoroso do redesconto e de liquidação dos débitos bancários com a Caixa de Mobilização.[69]

Oswaldo Aranha, seu sucessor, para minha surpresa, endossou inicialmente as políticas ortodoxas de Lafer, mas não teve possibilidade de executá-las, em parte pelo novo empuxe inflacionário que seria gerado em maio do ano seguinte pelo aumento de 100% do salário mínimo. Esse empuxe inflacionário seria reforçado pela alta conjuntural dos preços de café e pelo próprio impacto da indispensável desvalorização cambial. Em sua gestão relativamente curta, Oswaldo Aranha teve

---

[69] Com sua típica mania de balanço de poder — eu costumava dizer que Getúlio ouvira falar do balanço de poderes no concerto europeu e no balanço entre poderes no sistema americano e aplicava esse conceito dentro do poder executivo — foram nomeados ao mesmo tempo Aranha, de tendências econômicas conservadoras, para a pasta da Fazenda, e Jango Goulart para a do Trabalho, com previsível exacerbação de reivindicações salariais. Jango Goulart acabaria demitido do ministério do Trabalho, em fevereiro de 1954, sendo substituído por Hugo de Faria. Simultaneamente foi também destituído o ministro da Guerra, general Ciro de Espírito Santo Cardoso, enfraquecido pela publicação do 'Manifesto dos coronéis', que advertia contra a ameaça comunista e protestava contra a exigüidade das verbas do Exército e a duplicação do salário mínimo proposta por Goulart. Exercitando sua política de "gangorra", Getúlio Vargas anunciaria em 1º de maio, sob pressão do PTB, essa duplicação, que causara a demissão de seu proponente.

um grande mérito e um grande demérito. O grande mérito foi a Instrução n° 70, da SUMOC, de outubro de 1953, que, ao invés de taxa fixa de câmbio, acoplada ao controle quantitativo de importações, instituía os leilões de câmbio, ficando as importações classificadas em cinco categorias. Criava-se assim alguma flexibilidade no sistema cambial. Ao mesmo tempo, os ágios hauridos nos leilões de importação passavam a constituir recursos fiscais.[70]

O grande demérito foi a política de valorização do café, em que se empenhou a fundo, tentando aproveitar as temporárias vantagens que ocorreram no mercado internacional em virtude da geada de 1953. Essa valorização artificial, conduzida com o apoio de Marcos de Souza Dantas, então diretor do Banco do Brasil, criaria em breve uma situação insustentável e resultou em gravíssimos prejuízos cambiais para o Brasil em virtude, parcialmente, da resistência norte-americana, estimulada pelo senador La Folette, à política de valorização artificial, que ele descrevia como uma "espoliação brasileira", numa fase da escassez temporária do produto.

Nossa querela, a de Glycon de Paiva como diretor técnico e minha, como diretor econômico, com Maciel Filho, era de natureza técnico-política. Maciel insistia no ponto de vista de que o BNDE não devia ser apenas um instrumento de desenvolvimento econômico, senão também que um instrumento de afirmação política do governo Vargas. As tensões foram se agravando e chegaram ao clímax quando Maciel Filho quis forçar a diretoria a aprovar um projeto que os órgãos técnicos consideravam não-prioritário e economicamente inviável — a implantação no Rio de Janeiro de uma fábrica de locomotivas, a IRFA. O mercado nacional à época era pequeno, a localização provavelmente errada e não havia grupos empresariais capazes de levar adiante o empreendimento em bases sadias. Nossa objeção terminante ao projeto acabou sendo transmitida ao presidente Vargas, que manifestou apoio à posição de Maciel Filho. Pedimos exoneração do BNDE — Glycon de Paiva e eu — em carta a Getúlio Vargas de 1° de julho de 1953, protestando contra aquilo que em nosso *purismo tecnocrático* considerávamos ser um desvirtuamento do banco.

Voltaríamos depois ambos ao BNDE. Em agosto de 1954, Glycon de Paiva, logo após a queda de Getúlio, foi convidado por Gudin para presidir o banco. E eu viria

---

[70] Este aspecto, em particular, levou Gudin a endossar a Instrução n° 70 como expediente temporário melhor que o sistema de taxas fixas. Se esterilizada a receita de ágios, lograr-se-ia importante efeito desinflacionário. Mas essa esterilização jamais ocorreu.., Entretanto, como observou Mário Henrique Simonsen, a Instrução n° 70, se tinha a vantagem de evitar as licenças de importação, "deixava nas mãos do governo duas outras decisões altamente discricionárias: como classificar as importações segundo categorias, e como distribuir as disponibilidades dos leilões segundo essas categorias".

a ser reconvocado, deixando o consulado em Los Angeles, em março de 1955. O outro amigo que havia trabalhado conosco na CMBEU, Lucas Lopes, passara a ser ministro de Viação e Obras Públicas. A tríade de tecnocratas voltaria ao centro do poder. Antes, porém, cabe-me descrever meu interlúdio na Califórnia.

INTERLÚDIO NA

CALIFÓRNIA

◆

A DEFLAÇÃO DE PERSONALIDADE: DE DIRETOR A CARIMBADOR

Voltando ao Itamaraty, pedi posto no exterior. O único, imediatamente disponível, era o menos desejável — Dakar. O último, mais apetitoso, era Londres, que exigia o mais longo período de espera. Havendo uma vacância em Los Angeles, em intervalo razoavelmente curto, aceitei o posto de chefia do consulado.

Meu problema era, portanto, o de ajustar-me a um *status* técnica e socialmente rebaixado. A posição de diretor do BNDE era importante, pois se tratava do primeiro Banco de Desenvolvimento estatal do Brasil, encarregado, como já referi, da execução dos projetos da Comissão Mista Brasil-Estados Unidos. Era a culminação da minha carreira de *desenvolvimentista*.

Deixei o Brasil pelo navio *Argentina*, da Moore McCormack, rumo a Nova York, onde participei da VII Sessão da Assembléia Geral da ONU. Tive como companheiros de viagem o então deputado udenista, Magalhães Pinto, e o advogado paulista Sampaio Dória, designados membros da delegação brasileira à ONU, assim como o dr. Rinaldo de Lamare, o grande pediatra, que depois se tornou um dileto amigo. Meu companheiro freqüente dos fins de tarde em Nova York era Gilberto Amado, que se hospedava no Beverly Hotel. No frio e ventoso inverno nova iorquino, caminhávamos à noitinha, da sede da ONU, junto ao East River, para o hotel. Ao chegar ao apartamento, Gilberto ritualmente servia o whisky, ligava a vitrola, acendia a lareira e desabava cansado sobre o sofá.

— Whisky, lareira, Beethoven e presença de mulher, eis a síntese da civilização ocidental — dizia. E acrescentava: — Falta a mulher.

Ali se alojavam também dois outros membros da delegação, o senador Ferreira de Souza e o deputado Benedito Valadares. Benedito tinha uma preocupação esquisita. Insistia em discursar numa das reuniões da ONU e desejava fazê-lo numa das línguas oficiais, o francês. Redigi o discurso, com alguns involuntários insultos à língua de Racine e treinei o Valadares, frente ao espelho, para pronunciar a arenga com sotaque de Pará de Minas...

Depois atravessei o continente, de automóvel, percurso que consumiu uma semana e me familiarizou com a pujança e os ricos contrastes da paisagem americana, dos Apalaches ao Vale do Mississipi, aos desertos e à agricultura irrigada da Califórnia. Detive-me a contemplar uma estática paisagem do Grand Canyon, uma das maravilhas da natureza. Dessa visão me lembraria todas as vezes que, como embaixador em Londres, visitava a bela Escócia, famosa pelo whisky, belas mulheres e pela parcimônia que raia pela sovinice. Segundo o anedotário, uma professorinha americana, pergunta aos alunos: — Quem construiu o Grand Canyon?

— Deus — responde um aluno.

— A natureza — responde um segundo.

— Nada disso — diz um terceiro. Foi um escocês que perdeu um vintém num campo de golfe e está até hoje cavoucando para achá-lo.

Los Angeles, mais que qualquer lugar do mundo, é onde se reclama com mais encarniçamento, um dos direitos fundamentais enunciados por Jefferson: a busca da felicidade — *The pursuit of happiness.*

Impossível para mim ser feliz em Los Angeles. O problema de todo mundo lá é a inflação do *ego.* O meu era exatamente o contrário. Tratava-se de uma deflação de personalidade.

A função consular em Los Angeles era muito mais humilde: visar passaportes, legalizar faturas comerciais, e, mais pitorescamente, de vez em quando solicitar às autoridades policiais a liberação de marinheiros bêbados, presos na prisão de San Pedro, o porto próximo de Los Angeles. Eu tinha passado de *policy maker* a carimbador de faturas e passaportes.

Uma vez que outra, tinha eu também que obter recursos para o saneamento financeiro, não de empresas e sim de indivíduos. Mais precisamente, de atores brasileiros aspirantes ao sucesso cinematográfico e que, perdidas as esperanças, deixavam uma sequela de dívidas.

AUTORES E
ATORES

Naquela época, viviam em Los Angeles algumas personalidades famosas. Talvez a principal fosse Igor Stravinsky, o grande compositor russo do *Sacre du printemps*. Em torno de Stravinsky se havia construído todo um folclore. Contava-se que uma buliçosa atriz lhe havia perguntado porque ele, um compositor austero, de alta espiritualidade, havia escolhido para residência não só Los Angeles, mas sim Hollywood, ou seja, mais precisamente a parte mais cafona ou *kitsch*, da cidade?

— A razão é simples — respondera Stravinsky. A única maneira de se escapar de Hollywood é viver lá. (*The only way to escape Hollywood is to live in it*).

Uma outra figura ilustre vivendo ali era o escritor inglês Aldous Huxley, o autor famoso de *Contraponto* e *Brave new world*. Além de romancista era um psicólogo e um místico, que gostava de fazer experiências com alucinógenos. Já àquela época, estava quase cego. Huxley tinha uma definição interessante de Los Angeles. Como se sabe, é uma cidade esparramada ao longo de uma vasta área conectada por enormes extensões de auto-estradas e intimidantes trevos de tráfego. Essa configuração particular faz com que os losangelenos considerem perfeitamente normal convidar para um almoço ou cocktail a sessenta ou oitenta quilômetros, distância que a maioria dos citadinos percorre diariamente de automóvel, em razão da virtual inexistência de transportes coletivos. Charles Boyer, o ator francês, cunhara aliás uma interessante definição do *pedestre* em Los Angeles: "É um indivíduo que encontrou lugar para parquear seu carro". Dizia-se também que em Los Angeles todo mundo tem carro, só que os ricos usavam suas *Mercedes* para ir ao banheiro...

Aldous Huxley chamava Los Angeles de *Twenty four hamlets in search of a city* (24 aldeias à busca de uma cidade). De longe, a personalidade mais fascinante de Los Angeles, que infelizmente só vim a conhecer ao fim da missão, era Romain Gary, o cônsul-geral da França. Somente depois vim a saber de sua vida brava e aventurosa. De origem russa, naturalizado francês, lutara durante a II Guerra Mundial na força aérea da França Livre como piloto e navegador, primeiro na África, depois no Oriente Médio e finalmente na Inglaterra. Sobrevivera a 20 missões de bombardeio na Europa Ocidental. Herói de guerra, cercava-o o halo romântico dos que conversaram com a morte. Lembro-me de uma recepção em sua residência, a que compareceram os *moguls* de Hollywood, estrelas consagradas e abundantes *starlets*. Era casado com uma inglêsa excêntrica — Leslie — de quem se dizia que havia proposto a Romain usar a aliança como um brinco, na orelha, pois os piratas eram excitantes. Romain já era famoso por seu livro *Educação européia*, publicado ao fim da guerra. Sua grande façanha, um escândalo literário na época, foi ter ganho duas vezes o Prêmio Goncourt, uma com seu próprio nome, em 1956, e outra sob o pseudônimo de Émile Ajar, em 1975. Romain detestava as longas viagens de automóvel a que Los Angeles o condenava. Apesar de aviador, tinha medo de acidentes em prosaicas estradas. Costumava dizer que "em Los Angeles perde-se metade da vida atrás de um *guidon* de automóvel, quando não se perde toda".

Nunca imaginei que Romain Gary, alegre e jovial, acabasse tendo uma história pessoal tão trágica. Acompanhei de longe o seu sucesso, frustrado por não termos tido convivência. Em Hollywood acrescentou à sua carreira literária uma carreira cinematográfica, como roteirista e diretor de cinema. Dois de seus livros — *As raízes do céu* e *Lady L* — foram transformados em filmes famosos. Casou-se em 1963 com a bela atriz Jean Seberg, com quem fez um estranho e controvertido filme — *Os pássaros não morrem no Peru*. Jean Seberg suicidou-se em Paris, em 1979, em condições misteriosas, após uma infusão de barbitúricos. E Romain se suicidaria um ano depois com um tiro na boca. Ambos conheceram a beleza e saborearam o sucesso. Mas o sucesso não os reconciliou com o mundo.

Em nenhuma cidade do planeta a localização determina tão precisamente quanto em Los Angeles o *status* social. Eu alugara uma casa em Rexford Drive, Beverly Hills, cercada de um simpático jardim. Logo aprendi que me inserira na alta classe média. Beverly Hills é seccionada por três grandes *boulevards* paralelos: Sunset, Santa Mônica e Wilshire, situando-se neste último o grande comércio.

A secção mais prestigiosa da Rexford Drive, onde viviam alguns atores de cinema e magnatas das duas outras grandes tribos de Los Angeles — os *tycoons* do petróleo e da indústria aeronáutica — se situava ao norte do Sunset Boulevard, celebrizado num clássico filme com Gloria Swanson. Um pouco abaixo, entre Sunset e Santa Mônica os residentes perdiam um pouco de *status*, na escala das celebridades. No terceiro trecho, onde me situava, entre Santa Mônica e Wilshire, a gente se classificava na alta classe média. Abaixo de Wilshire Boulevard era definitivamente a pequena burguesia. A localização em diferentes segmentos de uma mesma rua sinaliza perceptíveis posições na hierarquia social. O endereço conta.

À parte a deflação de personalidade, Los Angeles até que se prestaria a um interlúdio hedonístico. O clima é bom, apesar do *smog*, que de vez em quando azucrina os olhos. Talvez seja a única cidade do mundo, além de Beirute, onde a uma distância de pouco mais de 200 kilômetros se tem o banho de mar em Malibu

Beach e as pistas de ski de Sierra Nevada. A piada corrente entre os brasileiros era que existia uma diferença entre a praia de Copacabana e a praia de Malibu. Em Copacabana deita-se na praia e olha-se as estrelas. Em Malibu deita-se sobre as estrelas e olha-se a praia. (*In Copacabana Beach one lies on the beach and looks at the stars; in Malibu Beach one lies on the stars and looks at the beach...*).

A vida social em Los Angeles era intensa, mas participar dela era difícil para um funcionário casado, de salário modesto. Não havia como reciprocar as festanças organizadas pelos ricos magnatas da indústria do cinema, da indústria de petróleo ou da indústria aeronáutica. Cheguei mesmo a fazer uma pitoresca sugestão ao Itamaraty: os cônsules designados para Los Angeles deveriam ser preferivelmente solteiros ou então casados ricos. Em todas as festas a preocupação dos anfitriões era alcançar um certo grau de equilíbrio biológico, dada a superabundância de mulheres. Os diplomatas solteiros, pouco importa se homo, hetero ou bissexuais, estavam em alta demanda. Sua presença era motivo de gratidão. Os casados em nada contribuiriam para atenuar o desequilíbrio biológico. Meu vice-cônsul, Raul de Smandek, além de personalidade excepcionalmente comunicativa e de grande proeza poliglótica, era intensamente demandado. Uma das razões, sem dúvida significativa, era ser inveterado celibatário.

Na colônia cinematográfica de Los Angeles, minha mais estreita amizade foi com o ator canadense Walter Pidgeon. Este se celebrizara, particularmente pelo seu filme *Mrs. Minniver*, com Green Garson, drama sentimental sobre a vida na Inglaterra durante a II Guerra Mundial. Walter era um grande contador de *limericks*, os versinhos picarescos de rimas imaginosas que encontram na língua inglesa sua melhor expressão. Reuniamo-nos para um drinque em minha casa quase todos os fins de tarde, quando Walter deixava o estúdio. Ambos colecionávamos *limericks* e os trocávamos *allegro con gusto*.

Baseado em rimas freqüentemente exóticas, os *limericks* são quase intraduzíveis. E quando o são ficam sem graça. Lembro-me de um dos preferidos de Walter que, casualmente, se verte em português lisamente:

> *"There was a girl of utmost fridigidity*
> *Whose mores were of the utmost rigidity*
> *But whenever she would drink*
> *She would immediately sink*
> *Into a state of amourous liquidity."*

A versão portuguesa seria:

"Era uma jovem de extrema frigidez
cuja moral era de extrema rigidez
mas sempre que bebia
ela imediatamente caia
num estado de amorosa liquidez."

Mal saberia eu que depois, na carreira de embaixador, o domínio dos *limericks* me seria extremamente importante. É que, particularmente em Londres, os começos de conversações sociais são inibidos e difíceis. A tendência irresistível do inglês é abrir a conversa queixando-se do clima, em tom injustamente depreciativo. À parte o fim do outono e início do inverno, quando escurece cedo, é grande a umidade e o chuvisco é teimoso, Londres tem um clima perfeitamente aceitável, sem extremos de frio ou de calor. Os *limericks* me serviam para quebrar o gelo e estabelecer um certo grau de intimidade. Quando embaixador em Washington, valia-me também, e vastamente, da minha fornida coleção de rimas trêfegas.

Walter Pidgeon salvou-me da obscuridade consular divulgando nos meios artísticos de Los Angeles um comentário espirituoso que lhe fizera. Certo dia, após farta dose de whisky, Walter confidenciou-me que se sentia frustrado pois era um dos poucos atores em Hollywood que ainda estava casado com a primeira mulher. Permanecer casado no *movie set* era falta de imaginação, digna de um pequeno-burguês. Àquela época, mais do que hoje, a mania prevalecente entre as mulheres era o adelgaçamento. Parece que a tela de cinema, assim como a televisão, têm o peculiar dom de adicionar alguns quilos à silhueta. Emagrecer era a palavra de ordem. Mulheres que na tela pareciam jocundas e sinuosas, na vida real se revelavam magras, quase mesmo raquíticas. Desiludi-me, por exemplo, ao conhecer pessoalmente Arlene Dahl uma atriz que julgava linda. Vista em pessoa, o rosto bonito se enquadrava num corpo magérrimo, sem as ondulações fundibulares que os latinos tanto apreciam. Suspeito que as curvas de Marilyn Monroe eram mais fotográficas que anatômicas. Quando Walter se queixou de sua falta de imaginação em preservar a estabilidade matrimonial, ponderei-lhe que existia uma fácil explicação para a sucessão dos divórcios em Los Angeles.

— A razão — disse-lhe eu — porque existe essa mania de divórcio em Los Angeles é que as mulheres são tão magras que os homens emigram de esqueleto a esqueleto à procura de um pedaço de carne para apalpar.

Depois de deixar Los Angeles mantive infreqüentes contatos com Walter Pidgeon. Lembro-me que me telefonou quando de sua passagem pelo Rio de Janeiro, em meados de 1955. Como já tinha um jantar marcado com San Tiago Dantas, convidei-o para dele participar, apesar de consciente de que não seria, para um requestado artista, a melhor utilização de tempo na sensual metrópole carioca. Expressou admiração pela fauna feminina local. San Tiago, com seu talento polivalente, surpreendeu-nos com erudita dissertação sobre a diferença de perfil anatômico entre as anglo-saxãs e as brasileiras, beneficiárias estas de generosidades fundibulares atribuíveis à conexão africana.

Na colonia brasileira em Los Angeles, minha maior amizade foi com o amazonense Arthur Soares Amorim. Tinha ajudado o brigadeiro Montenegro na criação dessa notável instituição — o ITA (Instituto de Tecnologia Aeronáutica) de São José dos Campos. Fizera um curso de engenharia aeronáutica no Massachussets Institute of Techonology (MIT). Quando o conheci estava em Los Angeles supervisionando a construção da refinaria de Manaus, cujo projetista era uma firma local, a Fluor Corporation. De tez morena, cabelos prematuramente encanecidos e impecáveis ternos brancos, o Artur fazia sucesso nos meios femininos de Hollywood. Anos depois viria a ser meu chefe de gabinete no ministério do Planejamento. Foi o montador paciente dessa delicada peça de engenharia burocrática — a Operação Amazônia — menina dos olhos do presidente Castello Branco. Este, tendo sido comandante militar na Amazônia, conhecia de perto os difíceis problemas de desenvolvimento da área.[71]

---

[71] Para uma descrição detalhada da Operação Amazônia ver Luís Viana Filho, *O governo Castello Branco*, José Olympio, Rio de Janeiro, 1976, pgs. 253-255. Ver também cap. XIV, 15.2. adiante.

OS ANÕES GIGANTES
DO CINEMA

À parte visitas aos estúdios, habitualmente conduzindo hóspedes brasileiros curiosos de conhecer a intimidade das ribaltas cinematográficas, apenas com extrema parcimônia eu organizava recepções, em vista de seu custo exorbitante para o modesto salário consular. Para elas convidava um número substancial de artistas; alguns deles interessados ainda no exoticismo brasileiro, que Carmen Miranda, minha vizinha a poucas quadras, numa seção mais nobre de Beverly Hills, havia tão habilmente cultivado em shows e filmes durante a II Guerra Mundial. A participação do Brasil no conflito nos tornara certamente o país mais simpático da América Latina, do ponto de vista americano, e os balangandãs de Carmen continuavam a fazer sucesso.

Lembro-me de uma festa dada em homenagem a Martha Rocha, que então participara do concurso de "Miss Universo" em Long Beach, em 1954. Martha perdera o primeiro lugar precisamente por um defeito que no Brasil consideraríamos jocunda qualidade: duas polegadas de superávit nos quadris! Para a festa que lhe ofereci em minha casa, convidei várias personalidades de Hollywood, algumas das quais pressurosas em atender ao convite, pois recentemente tinham visitado o Brasil, com hospitaleira acolhida. Lembro-me que compareceram, dentre outros, John Wayne, Robert Cummings, Fred McMurray, Edward G. Robinson e Jeffrey Hunter, ator ainda estreante. Luigi Luraschi, então diretor de relações públicas da Paramount Pictures, pediu-me permissão para trazer duas jovens *starlets*, que desejavam alargar seus contatos nos meios cinematográficos de Hollywood. Uma delas era Kim Novak, cujo primeiro filme, *Pushover*, ainda não havia sido exibido, e a outra, Mara Corday, que abandonou a profissão após dois ou três filmes. Eram as mais bonitas mulheres da festa. Talvez porque estivessem em começo de carreira, não haviam sido submetidas à dieta de emagrecimento, característica das estrelas mais aclimatadas a Hollywood. Lembro-me de que compareceram, das atrizes consagradas, Jane Wyman, Ann Miller, Loretta Young, Barbara Rush e Rhonda Flemming. Sem dúvida, a atriz que mais me impressionou pela beleza madura foi Jeanne Crain, então mãe de quatro filhos, mas admiravelmente esbelta, com cabelos louros e essa tez de porcelana, encontradiça nas irlandesas.

Um dos ilustres visitantes de Los Angeles foi o compositor Heitor Vila-Lobos. Permaneceu vários meses, contratado para escrever a trilha sonora do filme *Green mansions*, de Andrey Hepburn. Era bom papo, sobretudo no intervalo entre implacáveis e redolentes charutos. Estava no auge de sua produtividade, que foi enorme — cerca de cinco mil peças — com criatividade melódica maior que a densidade harmônica. Dizia-se que quando o produtor do *Green mansions* lhe telefonou angustiado porque faltavam quinze minutos de música na trilha sonora, Vila-Lobos lhe respondeu: — *No problem*. Passe em casa hoje à noite.

Tornei-me amigo de Carmen Miranda. Ela já tinha passado seu apogeu, mas ainda era uma celebridade em Hollywood, com shows no Ciro's, no Mocambo e no Coconut Grove, os *nightclubs* mais freqüentados da época. Acolhia hospitaleiramente os brasileiros para serões musicais, que serviam também de treinamento para os shows de música brasileira do "Bando da lua". Nesse grupo musical a personagem mais interessante era o Joe Carioca, que tocava cavaquinho no restaurante "Maquis". Foi ele que inspirou Walt Disney no desenho do famoso papagaio "Zé Carioca". Tinha uma especialidade singular. Fora técnico do Instituto Butantã de São Paulo, e, quando tocado por vapores etílicos, punha-se a recitar nomes de cobras em latim. Carmem Miranda tinha crises de depressão, sentindo que seu estilo provocante e buliçoso deixara de ser uma coqueluche em Hollywood. Encontrei-a algumas vezes com ar melancólico, num contraponto à sua exuberância nas telas, talvez pelo uso excessivo de tranquilizantes. Despedi-me dela com carinho em março de 1955, para nunca mais vê-la.

Não sendo a tarefa consular particularmente desafiante, desenvolvi — apesar de me faltarem *qualidades cênicas*, como dizia Gilberto Amado — atividades de relações públicas em favor do Brasil. Tornei-me um bom orador de sobremesa, pois que aceitava convites dos numerosos Rotary Clubs e Lion's Clubes, e de associações de aposentados (por isso mesmo de infinita paciência), desejosos de conhecer um pouco da conjuntura latino-americana. Esse treinamento valeu-me depois quando, como embaixador em Washington e Londres, era freqüentemente convidado para oratória de sobremesa. Nos países anglo-saxões, indefectivelmente, o orador tem que começar com uma piada e adotar um estilo autodepreciativo. Não dá para usar a retórica pomposa dos latinos. A regra é que só é tomado a sério o orador que não se toma a sério.

Vim depois a saber, pela leitura do famoso livro de Paul Johnson — *A history of the jews* — de uma curiosidade que não me havia ocorrido na época.[72]

Os responsáveis pela estilização do *american way of life* e sua transformação em

---

[72] Paul Johnson, *A history of the jews*, Weidenfeld and Nicolson, London, 1987, pgs. 464-466.

cultura mundial, através do impacto do cinema, não foram os americanos pioneiros ou os protestantes carrancudos, e sim um grupo de judeus que marcharam para a Califórnia, provindos de Nova York ou dos *guetos* europeus, à busca da terra prometida...

Todos os fundadores dos grandes estúdios — Universal, Twenty Century Fox, Paramount, Warner Brothers, Metro-Goldwyn-Mayer e Columbia Pictures, apresentavam quatro características comuns. Tinham origem judaica, eram imigrantes ou filhos de imigrantes, provinham de desesperada pobreza, e eram todos baixinhos. Paul Johnson cita o comentário do historiador cinematográfico Phillip Fremd:

> "Uma pessoa poderia ter manejado uma foice a metro e meio do solo, numa reunião dos grandes do cinema, sem por em risco muitas vidas; raramente vários deles teriam ouvido o zumbido".

Carl Laemmle, fundador da Universal e Marcus Loew, criador da Metro-Goldwyn-Mayer eram de origem alemã. William Fox, fundador da Twenty Century Fox, era judeu húngaro, os irmãos Warner, judeus poloneses e Louis B. Mayer, judeu russo. Também eram judeus os grandes produtores Daryl Zanuck e Adolph Zukor, grandes diretores como Billy Wilder e Fred Zimmerman, assim como os irmãos Marx, que trouxeram ao cinema um humor sardônico e contagioso.

Gradualmente, como fez notar o professor Thomas P. Hatz, da Universidade do Texas, um estudioso de *hollywoodiana*, desenvolveu-se uma especialização: a Metro-Goldwin-Mayer, que se vangloriava de ter todas as maiores estrelas, fazia musicais e melodramas glamourosos; a Warner Brothers optou por uma visão sombria do mundo em dramas sociais (vidas de Zola e Pasteur); a Universal concentrou-se nas histórias de terror (Frankestein, Drácula e Múmias) ou comédias ingênuas; na International Pictures, Selznick dedicou-se a adaptações literárias, aventuras eróticas e superproduções mastodônticas.

Os *moguls* do cinema eram, em quase todos os casos, homens de berço desprivilegiado, capazes por isso mesmo de transmitir às massas desprivilegiadas mensagens de esperança. Prosperaram graças a um exercício implacável de atividade criadora. Escaparam dos *guetos* para um mundo de sonhos. O cinema foi a primeira cultura de massa que o Ocidente desenvolveu...

Talvez seja por isso que uma das mais correntes anedotas em Los Angeles era sobre os cinco judeus que criaram confusão no mundo. Para Moisés, o importante eram as tábuas de leis; para Cristo, a caridade; para Karl Marx, o capital; para Freud, o sexo. Já para Einstein, tudo era relativo... A propósito de Einstein, contava-se uma estória verdadeira. O grande magnata da imprensa William Randolph Hearst, cuja influência na vida americana provocou a descrição da imprensa como o "quarto poder", homenageou Einstein com um jantar no famoso castelo que construíra em São Simeão, na Califórnia.[73] O castelo fora utilizado como cenário para o clássico filme *Citizen Kane* (1941), de Orson Welles, cuja personagem central, Charles Foster Kane, parecia reproduzir na tela as excentricidades e a megalomania de Hearst. Durante o jantar a atriz Marion Davies, nunca acusada de brilho intelectual, e companheira de Hearst por trinta anos, teria pedido a Einstein uma definição simplificada do princípio da relatividade: — É simples — respondeu-lhe Einstein. Dois fios de cabelo numa cabeça é muito pouco; dois fios de cabelo numa sopa é um horror. Tudo é relativo...

---

[73] Frustrado em suas ambições de ter um mandato político, Hearst se dedicou à tarefa de exercer influência política através da mídia. Atribui-se às vitriólicas citações de Hearst contra a Espanha, em reportagens sensacionalistas no *New York Journal*, parte da responsabilidade pelo movimento de opinião pública que levou à guerra entre os Estados Unidos e a Espanha, em 1898, da qual resultou a intervenção em Cuba e a conquista das Filipinas.

ENTRE A LÓGICA
E SHAKESPEARE

Para consolar-me um pouco de ser apenas um espectador e não mais um ator na cena do desenvolvimento brasileiro, procurei aperfeiçoar o meu instrumental cultural, fazendo bom uso desse período de ostracismo. Cursei como ouvinte um curso de lógica matemática na Universidade da Califórnia, no campus de Westwood. Foi meu professor o grande econometrista suíço Karl Brunner, que viria a ser depois um dos líderes da renascença das teorias monetaristas, na década dos oitenta. Exerceu influência intelectual não apenas no neomonetarismo americano como também no seu equivalente inglês — o thatcherismo. Nas classes da UCLA, sentia-me humilhado porque meu equipamento matemático rudimentar me inferiorizava em relação a vários outros alunos. Lembro-me particularmente de um sueco, que me humilhava por sua extraordinária rapidez na percepção da topologia e da teoria dos conjuntos. Na University of Southern Califórnia assisti a cursos de filosofia e de literatura inglesa. A filosofia beheviorista parecia algo estranha ao meu *back-ground* de filosofia escolástica e teológica. Tirei mais proveito do curso de literatura. Quando menino, no seminário, habituara-me a memorizar cantos inteiros de Virgílio e Dante. Não logrei semelhante façanha no manuseio de Shakespeare, mas tornei-me razoável shakespereano. O bardo inglês não só me serviu de fonte para infindas citações em minha oratória de sobremesa, mas também de *limericks* utilíssimos nas transas diplomáticas.

Houve várias interrupções em meu ostracismo. Em fevereiro de 1954 recebi solicitação do novo presidente do BNDE, Walder Sarmanho, para prestar um depoimento no senado americano, a convite do senador Homer Capehart, de quem me tornei amigo, então chairman do Banking and Currency Committee. Fora criado um subcomitê para avaliar as operações do Eximbank e seu relacionamento com o Banco Mundial.

Walder Sarmanho era irmão da primeira dama Darcy Vargas. Conheci-o em Washington pois a ele estava subordinada a Seção Comercial da embaixada, na qual eu trabalhara durante a II Guerra Mundial. Como ele não conhecia inglês, ficava a meu cargo todo o trabalho de redação e contatos com as autoridades americanas.

Minha missão em Washington seria dar testemunho ao subcomitê sobre a utili-dade do Eximbank como instrumento de financiamento para o desenvolvimento econômico da América Latina.[74] A nova ideologia americana sob o secretário do Tesouro George Humphrey, era intransigentemente privatista, a ponto de se cogitar da não-renovação dos recursos do Eximbank, o único instrumento federal de apoio ao comércio exterior. No mínimo esperava Humphrey que o Eximbank se confinasse a créditos de curto e médio prazo, em apoio a exportações norte-americanas, ficando os financiamentos desenvolvimentistas a longo prazo entregues apenas ao Banco Mundial. A defesa do Eximbank no Banking and Currency Committee virme-ia a ser de grande utilidade no futuro, pois em julho de 1956 estaria eu negociando com esse banco, como integrante da Missão Lucas Lopes, a liberação de financiamentos para os projetos da CMBEU, que passaram a ser parte importante do Plano de Metas do governo Kubitschek.

Pouco depois receberia um convite de Dag Hammarskjöld, o secretário-geral da ONU, para visitá-lo em Nova York. Ofereceu-me, acredito que por sugestão de Raul Prebisch, o cargo de *deputy undersecretary for economic affairs*, a ser criado numa reforma administrativa que planejara. Enquanto não obtinha autorização do Comitê Administrativo da ONU para essa pretendida- reorganização, oferecia-me temporariamente um cargo de diretoria no Departamento Econômico, que tinha duas divisões: a Stability Division e a Development Division. Manifestei-lhe estranheza ao ser convidado para a Stability Division, pois como planejador desenvolvimentista me achava melhor equipado para a Development Division. Na primeira função, eu seria uma *displaced person*. De qualquer maneira, ponderei-lhe, não desejava abandonar o serviço diplomático. Sentia que ainda tinha missões a cumprir em meu país. Minha presunção logo se provaria correta, pois pouco depois seria reconvocado para o BNDE.

Nunca mais voltei a ver Hammarskjöld. Era uma personalidade carismática, com bagagem filosófica e preocupações místicas e poéticas. Em 1957, ganhou o Prêmio Nobel da Paz, juntamente com Lester Pearson, primeiro-ministro do Canadá, pela sua contribuição `a resolução do conflito do Canal de Suez, em 1956. Tornei-me depois amigo de Pearson, com quem trabalhei na preparação do relatório 'Partners in Progress', do Banco Mundial.

Hammarskjöld veio a morrer tragicamente, em 1960, num desastre de avião no Congo Belga, atribuído por alguns a sabotagem. Hammarskjöld tomara a iniciativa de enviar uma força de paz ao Congo Belga, logo após a independência, em 30 de

---

[74] O Eximbank deve sua sobrevivência ao relatório Capehart, preparado por um subcomitê do Banking and Currency Committee do Senado, que após "hearings" em Washington e visitas à America Latina, recomendou não só a manutenção como a ampliação das atividades desse banco De um modo geral, o Eximbank era fortemente apoiado pela "foreign trade community", enquanto que o Banco Mundial tinha mais apoio na comunidade financeira de Nova York, onde eram comercializados os *bonds*.

junho de 1960, tentando evitar o agravamento da guerra civil intertribal entre Patrick Lumumba, que tinha simpatias russas, e Moise Tshombe, líder da província de Katanga, mais favorável aos ocidentais. Os soviéticos objetaram a essa intervenção e, em setembro de 1960, pediram a renúncia de Hammarskjöld e a criação de uma *troika*, com um representante ocidental, um dos países comunistas e um dos países neutros.

A proposta foi rechaçada, pois obviamente implicaria a paralisia do mecanismo decisório já em si altamente emperrado da ONU. Mas amargurou os últimos dias de vida de Hammarskjöld. Paradoxalmente, uma das contribuições de Hammarskjöld fora precisamente afirmar a independência do secretário-geral face às pressões das grandes potências, notadamente os Estados Unidos.

• Aos 4 anos, à direita
do pai, o professor
Waldomiro Campos,
com a mãe, D. Honorina,
e a irmã Catarina.
Abril de 1921.
Foto: Arquivo do autor.

• Primeiro à direita, em pé, com
o time de futebol do Seminário
Nossa Senhora Auxiliadora de
Guaxupé (MG). 1928.
Foto: Arquivo do autor.

• *No Seminário Nossa Senhora*
Auxiliadora de Guaxupé,
primeiro em pé à esquerda.
Sentados: Dom Ranulfo da
Silva Farias, bispo de Guaxupé,
e Monsenhor Faria, reitor do
Seminário. Novembro de 1933.
Foto: Arquivo do autor.

• *Aos 12 anos, ainda em*
Guaxupé. 1929.
Foto: Arquivo do autor.

• *Com o compaheiro*
de seminário, padre
Orlando Vilela, na
Pedra da Moreninha,
em Paquetá. 1935.
Foto: Arquivo do autor.

• *D. Honorina de Campos,*
mãe do autor, aos 95 anos. 1986.
Foto: Arquivo do autor.

• *Entre o presidente Getúlio Vargas
e o secretário de Estado
americano Dean Acheson
em julho de 1952, no Palácio do
Catete. Da reunião participam
ainda João Neves da Fontoura,
ministro do Exterior, Horácio
Lafer, ministro da Fazenda,
e o embaixador Walther
Moreira Salles.*
Foto: Agencia Nacional.

• *Com o secretário de Estado
Dean Acheson durante sua
visita ao Brasil. Junho de 1952.*
Foto: Agencia Nacional.

• *Com Horário Lafer na*
Casa da Manchete. São Paulo.
Ao fundo, Victor da Silva Alves,
secretário da Comissão Mista
Brasil-Estados Unidos,
cumprimenta Adolpho Bloch
(de costas). 1952.
Foto: Manchete.

• *Com Martha Rocha, durante o Concurso Miss Universo, no Ambassador Hotel, Los Angeles.*
27.7.1954. Foto: Irving L. Antler.

• *Cônsul em Los Angeles, com o ator James Cagney e Miguel Osório de Almeida, então secretário*
de embaixada. 1954. Foto: Arquivo do autor.

• *Em Roma, com o primeiro-ministro italiano Amintore Fanfani.*
24.3.1961.
Foto: United Press/Ansa.

• *Com Douglas Dillon, secretário do Tesouro americano no governo Kennedy.*
Washington. 1962.
Foto: City News Bureau.

• *Recebendo das mãos de Octávio Gouveia de Bulhões o Prêmio Homem de Visão. 1961.*
Foto: Manchete.

• *Na Casa Branca, apresentando credenciais de embaixador do Brasil ao presidente John Kennedy. 18.10.1961.* Foto: Associated Press.

• *Com o então governador Carlos Lacerda durante sua visita a Washington por ocasião da assinatura de empréstimo do BID para obras do Guandu. 1962.* Foto: City News Bureau.

• *Embaixador em Washington, com Eleonor Roosevelt no programa de TV "A América Latina em face de Cuba". 1962.*
Foto: Folha de São Paulo.

• *Com João Goulart e San Tiago Dantas, após discurso do presidente brasileiro no Congresso americano. 4.4.1962.*
Foto: Arquivo do autor. (pág. ao lado)

• *Em Washington, com o então ministro da Justiça Robert Kennedy. 1963.*
Foto: City News Bureau.

• Com D. Stella, sua esposa, e o
filho Luís Fernando durante homenagem ao assistente
especial de John Kennedy, Arthur Schlesinger.
Ao fundo, o ministro-conselheiro Jorge Alves Maciel. Washington. 1962.
Foto: City News Bureau.

• Com Lyndon Johnson,
vice-presidente dos
Estados Unidos, em sua
fazenda de Pedernales,
no Texas. Ao fundo, o
embaixador Lesseps
Morrison, delegado
americano à OEA. 1963.
Foto: Manchete.

• *Com o historiador Arthur*
Schlesinger, assessor especial
da Casa Branca, em
Washington. 1962.
Foto: City News Bureau.

• *Embaixador em Washington, acompanhando*
o então ministro da Fazenda San Tiago Dantas num
encontro com o presidente Kennedy. Março de 1963.
Foto: Manchete.

• *Em conversa com o*
assessor especial de
Kennedy, embaixador
Averell Harriman, e o
senador Hubert
Humphrey. 1963.
Foto: Arquivo do autor.

• *Em recepção na embaixada
em Washington, com o
secretário de Estado Dean
Rusk (centro) eo secretário
do Trabalho Arthur
Goldberg. 1963.*
Foto: City News Bureau.

*• Com D. Stella, durante
jantar oferecido ao
presidente Castello Branco.
Rio de Janeiro. 1963.*
Foto: Manchete.

A CONFERÊNCIA
DE QUITANDINHA

O suicídio de Vargas, em agosto de 1954, trouxe ao ministério da Fazenda, no governo Café Filho, um velho amigo, o professor Eugênio Gudin, que logo convocou o Octávio Gouvêia de Bulhões para a SUMOC. Recebi a notícia, meio incrédulo, por telefonema do Valentim Bouças. Passei logo um telegrama a Gudin: *"Alba lapide marcare diem. O Brasil não merece tanto. Too good to be true"*.

Chegavam, enfim, ao poder, dois economistas tecnicamente bem-equipados, obcecados na solução do crônico problema da inflação. Como receava, era bom demais para ser verdade. Gudin só ficou no ministério entre agosto de 1954 e abril de 1955, num país dividido e atordoado pela morte de Getúlio e num clima internacional hostil e pouco preparado para aceitar o irracionalismo brasileiro. Carente de capitais, o Brasil recusava a cooperação estrangeira no petróleo, cujas importações oneravam o balanço de pagamentos. As restrições à remessa de dividendos, impostas por Getúlio, eram consideradas uma insensata hostilização da contribuição externa, tanto mais quanto o volume de remessas estava longe de significar a sangria cambial de que se falava. E no começo do Governo Eisenhower o secretário de Estado Humphrey proclamava a tese de que a responsabilidade do desenvolvimento cabia aos capitais internos, suplementados por capitais estrangeiros privados, não fazendo sentido injetar dinheiro público para financiar os preconceitos do nacionalismo antiamericano contra os investidores privados estrangeiros. Abundava nessa tese, talvez ainda mais vigorosamente, Eugene Black, o presidente do Banco Mundial, que havia suspenso quaisquer financiamentos ao Brasil, mesmo para projetos aprovados pela Comissão Mista Brasil-Estados Unidos, à espera de que o país "botasse a casa em ordem".

Paradoxalmente, Gudin, o ministro brasileiro que tinha consagrado toda a vida a pregar a disciplina financeira interna e a abertura externa, foi talvez o que menor compreensão encontrou na finança internacional!

Dois meses antes da posse, Gudin me enviara, com pedido de críticas e comentários, um seu artigo sobre *produtividade*, a ser publicado na *Revista Brasileira de Economia*. Nesse artigo ele discutia, *inter alia*, o voluntarismo de nossas intervenções no mercado de trabalho, através da fixação de níveis de salário mínimo criadores de desemprego ou promotores de inflação, como o fora a duplicação do mínimo proposta em janeiro de 1954, como parte da autopromoção petebista de Jango Goulart, e decretada por Vargas em maio. Enviei-lhe alentados comentários, mas caí na tolice de argüir que a tese de Manoilesco, esposada pela Cepal, como justificativa para a teoria da industrialização substitutiva de importações, tinha um certo *rationale*, se aceita a premissa da redundância de trabalhadores com produtividade marginal zero nas zonas rurais. Em sua resposta, em 5 de julho de 1954, Gudin, um fino ironista, transmitiu-me a observação de Bulhões: "Isso é um Manoilesco reformado pelo Campos"...

E acrescentou, pitorescamente: "E por falar em conjuntura aqui lhe mando a parte referente ao salário mínimo do mês de junho, escrita por este seu criado Matias. Devo dizer-lhe que, mesmo para usar a linguagem tão "mild" que você aí verá, ainda tive que resistir aos temores do Garrido e do Kafka. Ao saírem aconselhei-os a passar numa farmácia e adquirir uma boa dose de Voronoff para o Garrido e de Vitamina B-12 para o Kafka. A verdade é que o problema econômico está inteiramente posto de lado, na dependência do problema político e da campanha eleitoral, cujo lema por parte do governo parece ser o de dar tudo a todos (à custa do Brasil, naturalmente...)".

Consciente da minha subocupação na Califórnia, Gudin procurou dar-me tarefas atenuadoras do ostracismo. Nomeou-me delegado à IX Reunião das Partes Contratantes do GATT, em outubro de 1954, em Genebra. Lembro-me de que me defrontei em azedo debate, com um homenzarrão francês de extrema-esquerda, André Phillipe, cuja voz estentória me fez chamá-lo de *monsieur Jupiter Tonitruant*. Era o tempo em que se discutia, em benefício das ex-colônias africanas, asiáticas e caribenhas, a criação do STABEX, o Fundo de Estabilização dos preços de matérias-primas. Argumentei, sem êxito, que se os países europeus desejavam discriminar contra os países latino-americanos, dando às ex-colônias passe-livre ao Mercado Comum Europeu e promovendo a sustentação de preços, deveriam dar alguma compensação financeira à América Latina. Uma maneira de fazê-lo seria o compromisso de dar empréstimos e financiamentos à América Latina, pelo menos no montante equivalente à receita fiscal dos direitos de importação sobre produtos latino-americanos, que estivessem sofrendo discriminação, comparativamente aos produtos coloniais isentos. Obviamente, a idéia não encontrou simpatia por parte das ex-metrópoles coloniais. Devo a André Phillipe uma distinção que achei interessante entre os países *autoritários liberais* e os países *autoritários totalitários*. Esta última classificação é aplicável às ditaduras comunistas, de ideologia dogmática e monopartidária. A expressão *autoritário liberal*, aplicar-se-ia a alguns tipos de autoritarismo latino-americano, que admitiam vários partidos e mantinham a democracia como valor ideal, transposta a fase do autoritarismo de transição. Anos mais tarde, como embaixador em

Londres, era a expressão de que me servia para descrever o autoritarismo liberalizante de Geisel.

A mais benvinda interrupção em meu interlúdio californiano foi a convocação por Gudin para que viesse ao Rio a fim de participar da delegação à Conferência Econômica Interamericana, que se reuniria em 22 de novembro de 1954, no hotel Quitandinha, em Petrópolis, com a participação dos ministros da Fazenda do continente. Em 17 de agosto eu recebera, em Los Angeles, de meu ex-colega, do lado americano, na Comissão Mista Brasil-Estados Unidos, o embaixador Merwin Bohan, uma longa carta em que enviava um rascunho da declaração que pretendia fazer na reunião do Conselho Econômico e Social Interamericano em 17 de agosto de 1954 e que, presumivelmente, representaria a posição americana na Conferência de Quitandinha. Bohan pedia minhas críticas e sugestões.

Respondi-lhe, apreensivo, em 31 de agosto. A meu ver, se o projeto de resolução representava não um ponto de partida e sim o máximo de concessão que os Estados Unidos pretendiam fazer, a conferência seria um fracasso, aumentando a quota de frustração nas relações interamericanas. Imaginava que o objetivo norte-americano na Conferência deveria ser: a) exercer um impacto *político*, revivendo a política de boa vizinhança num contexto dinâmico (em vez da política de *apatia cordial* no pós-guerra); b) exercer um impacto *econômico*, através de medidas capazes de acelerar o desenvolvimento econômico da América Latina, reduzindo assim sua vulnerabilidade à desordem social e à infiltração comunista.

Se fosse esse o *rationale*, ele certamente não seria atendido pela proposta declaração americana no CIES. Esta se limitava a uma rotineira demonstração de interesse no desenvolvimento da América Latina, acrescida de uma oferta de assistência técnica e promessas de uma modesta expansão nos recursos do Eximbank. A ênfase era sobre a *self reliance* dos países latinos, sua responsabilidade pela mobilização dos recursos da poupança interna e a necessidade de melhoria de clima para os investimentos privados.

Havia um abismo conceitual entre as duas posições. Da ótica latino-americana, seria necessário um programa comparável ao Plano Marshall, para investimentos básicos na modernização da infra-estrutura, até mesmo para possibilitar a atração de capitais privados. Os Estados Unidos tinham compreensivelmente dado prioridade no imediato pós-guerra à reconstrução européia e haviam logo depois sido engolfados pela guerra da Coréia. Chegara o tempo para uma dinâmica e criadora atitude em relação aos países do Continente. Se essa postura parecia ter encontrado aceitação no final do governo Truman — Dean Acheson, por exemplo, em viagem ao Rio de Janeiro, em julho de 1952, dissera a Getúlio Vargas, que debelada a crise coreana, a América Latina seria a prioridade natural — a atmosfera mudara completamente no começo do governo Eisenhower. O secretário de Estado Dulles se absorveu no trabalho de armar um *cordon sanitaire*, que além do fortalecimento da OTAN, atribuía prioridade estratégica à formação de alianças anticomunistas no Oriente Médio e na franja asiática. A rigor, a própria aceitação da idéia de uma conferência econômica na América Latina era uma ramificação de considerações estratégicas. Dulles, preocupado com o governo esquerdista de Jacobo Arbenz na Guatemala, havia tentado, na Décima Conferência Interamericana de Caracas, em março de 1954, obter um convênio continental para lutar contra os governos que fossem dominados por comunistas na América Latina. Na ânsia de angariar votos, havia prometido um conclave especificamente voltado para questões econômicas. O projeto de convênio fracassou, mas ficou a promessa de uma conferência para discutir reivindicações econômicas. O secretário do Tesouro Humphrey, por sua vez, advogava um desengajamento americano no suprimento de fundos públicos, não só para entronizar o investimento privado como motor do desenvolvimento, como por duvidar da capacidade absortiva dos países latino-americanos com suas incompetentes máquinas estatais.

Logo ao chegar ao Rio tive clara percepção desse divórcio de posições. Em preparação da conferência, Raul Prebisch havia congregado na sede da Cepal, em Santiago, um grupo de personalidades latino-americanas entre as quais figuravam o senador Eduardo Frei, depois presidente do Chile, Carlos Lleras Restrepo, depois presidente da Colômbia, Rodrigo Facio, da Costa Rica, Evaristo Araiza, do México, Garcia Olano, da Argentina e, como representante brasileiro, Cleanto de Paiva Leite, diretor do BNDE. O propósito do grupo era redigir uma proposta a ser apresentada na reunião do Quitandinha. As metas ambiciosas contemplavam uma espécie de Plano Marshall mirím: 1 bilhão de dólares anuais, durante 10 anos, a ser supridos pelo Banco Mundial; 600 a 650 bilhões provindos do Eximbank, e 300 a 350 milhões de investidores privados. Pleiteava-se também a criação de um "Fundo Interamericano para o Desenvolvimento Industrial, Agrícola e Mineral", como principal agente financeiro para os empresários latino-americanos. A julgar pela consulta que me havia enviado Merwin Bohan, era de se esperar uma acolhida glacial...

Não foi diferente o resultado. Gudin, ao qual eu havia apresentado um longo relatório analítico intitulado 'Notas sobre a Conferência Econômica Interamericana do Rio de Janeiro', me havia pedido que preparasse uma minuta para o discurso de abertura em 22 de novembro, que seria pronunciado pelo presidente Café Filho.[75]

---

[75] O relatório em tela analisava exaustivamente os vários aspectos da cooperação econômica interamericana, incluindo a questão dos investimentos diretos, dos investimentos em carteira (portfolio), apoio à iniciativa privada latino-americana, tarifas e comércio exterior, paridade de preços, contratos para compra de materiais estratégicos. Uma idéia interessante e original, que formulei juntamente com Raul Prebisch, seria a criação de um "Fundo Interamericano de Investimentos", conce-

Alinhavei uma arenga em torno de cinco temas principais: a) A prosperidade, como a paz, é indivisível; b) Deve haver continuidade nas iniciativas de cooperação econômica, evitando-se entusiasmos de emergência, seguidos de "apatia cordial"; c) Da mesma forma que a cooperação política assenta no princípio do mútuo respeito, a cooperação econômica deve assentar no princípio de *mútua vantagem;* d) Era necessário romper-se o círculo vicioso: a instabilidade da América Latina criava um clima desfavorável para investimentos públicos e privados e a falta de investimentos, resultando em baixa produtividade e estagnação econômica, criava instabilidade; e) Mesmo reconhecendo-se que os investimentos privados deveriam ser o motor do desenvolvimento, o fato é que esses investimentos não se viabilizariam sem investimentos públicos na infra-estrutura.

O discurso de Café Filho não fez muita mossa. A conferência logo se transformou numa conversa de surdos entre três fortes personalidades — Gudin, ministro da Fazenda, Humphrey, secretário do Tesouro e Raul Prebisch, convidado especial a título de secretário executivo da Cepal. Gudin defendia o privatismo, Prebisch o intervencionismo e Humphrey, o absenteísmo. Eugene Black, o presidente do Banco Mundial, achava de irresistível comicidade a fixação para o seu banco de uma meta global de investimentos, coisa que a seu ver dependeria do exame de projetos específicos, da avalização da capacidade absortiva e da aceitação pelos países de adequada disciplina financeira. Provavelmente o maior fator de irritação fosse a idéia do fundo de desenvolvimento regional, que diminuiria o semimonopólio do Banco Mundial no financiamento dos programas da América Latina e sua capacidade de exigir políticas econômicas racionais dos países mutuários.[76]

Como uma das recomendações do comitê da Cepal visava à ampliação dos recursos emprestáveis do Eximbank, a delegação americana concentrou-se nesse aspecto da proposta, ignorando as postulações mais amplas. A operação *desbaste* praticada pela delegação norte-americana em cima das proposições mais ambicio-

---

bido de forma a estimular a empresa privada latino-americana. Esse fundo se formaria com a renúncia fiscal, pelo Tesouro americano, da receita relativamente modesta (50 a 100 milhões de dólares) provinda do imposto de renda exacionado das empresas norte-americanas que operassem na América Latina. Esses recursos, anualmente depositados não seriam utilizados para empréstimos e serviriam exclusivamente como garantia da pontualidade do pagamento de juros e da liquidez de títulos de empresas privadas latino-americanas, lançados no mercado norte-americano. Com a credibilidade dada pelo Fundo, o setor privado da América Latina obteria acesso regular aos mercados financeiros de Nova York. A idéia entretanto não prosperou. Os próprios países latino-americanos optaram pela criação de um ambicioso Fundo de Empréstimos, que acabou não se materializando senão muito mais tarde, com a criação do BID.

[76] Para uma explicação pormenorizada dos eventos da Conferência, ver Carlos Sanz de Santamaria, *Interamericanismo contemporâneo*, Ed. Plaza & James, Bogotá, 1985, pgs. 47-51.

sas dos latino-americanos teve aspectos cômicos. O espirituoso delegado colombiano Lleras Restrepo, irritado com as repetidas emendas americanas, que adelgaçavam cada vez mais o projeto de resolução, declarou que a postura de Humphrey o fazia lembrar da estória dos bêbados no porto de Barranquilla. Enxergaram próxima ao cais uma *tienda* com anúncio em gás néon: "aqui se vende pescado fresco".

— *Que desperdicio* — disse um deles. *Se podria economizar gás néon eliminando la palabra "aquí".*

— *Tambien la expresión "se vende" es un desperdicio, porque las "tiendas" no son para rrecibir donativos"* — disse o outro.

Acrescentou o terceiro: — *Porque no sacar la palabra "fresco?" Sería inconcelible anunciar-se pescado podrido.*

Um marinheiro americano bêbado que por ali passava, disse que não era preciso nenhum letreiro de vez que pelo cheiro se sabia tratar-se de pescado. Ele estava procurando um lupanar e não havendo nenhum por perto, só poderia ser uma loja de peixes...

Pouco sobrou após a *operação desbaste*, a não ser uma menção à ampliação dos recursos do Eximbank, coisa que já fazia parte do *position paper* que Mervin Bohan me havia enviado em agosto.

O esforço não seria entretanto totalmente frustrado. Muitas luas haviam passado. Em abril e maio de 1958, a acolhida hostil a Nixon no Peru e na Venezuela sinalizava a extensão do sentimento antiamericano. Aproveitando habilmente a situação de crise, que forçaria Washington a reconsiderar sua política de *benign neglect* (descuido benigno) em relação aos vizinhos do sul, Kubitschek lançaria, com espalhafato, em 28 de maio, a Operação Pan-Americana. O comando econômico, na segunda administração Eisenhower, passara às mãos de Robert Anderson, menos ideologizado que Humphrey, e disposto a dar mais espaço ao Departamento de Estado, cujo subsecretário, Douglas Dillon, que deixara a embaixada em Paris para se integrar na administração Eisenhower, tinha mais familiaridade com os problemas latino-americanos. Em 12 de agosto de 1958, em declaração perante o CIES, em Washington, Dillon indicou que os Estados Unidos estavam finalmente preparados para "considerar o estabelecimento de uma instituição interamericana de desenvolvimento regional, que conte com o apoio de todos os países membros". O BID iniciaria suas atividades em fevereiro de 1960.[77]

Um episódio pitoresco amenizou minhas preocupações durante a enfadonha

---

[77] Segundo Arthur M. Schlesinger Jr., op. cit., p. 190, Dillon, para sobrepujar as objeções do Tesouro, valeu-se de uma sugestão feita a Eisenhower, da criação de um banco para o Oriente Médio, como meio de agradar aos árabes. Essa idéia pareceria absurdamente discriminatória contra a América Latina, que desde a Primeira Conferência Internacional, em 1889-1890, em diversas

Conferência. Ao chegar ao Rio, vindo de Los Angeles, encontro um recado de um velho amigo peruano, O. Faura. O recado dizia: "Detesto a solidão. Conto com sua assistência técnica para contatos sociais". Era um peruano, funcionário da ONU, excelente tradutor de inglês e espanhol. Conhecêramo-nos em Genebra, onde durante quatro meses, em dois anos seguidos (1948-49), eu trabalhara nas delegações brasileiras ao Conselho Econômico e Social da ONU (ECOSOC) e no GATT. Decidimos alugar juntos um aprazível apartamento na Route Malagnou, partilhando as despesas. Eu trabalhava insanamente, pois nosso delegado no GATT estava com dispnéia, o delegado adjunto, apaixonado por uma ruiva romena, aparecia nas sessões em estado catatônico, cabendo-me saltar estouvadamente de comitê para comitê. Eu chegava à noite esfalfado ao apartamento, com pilhas de documentos, e encontrava o folgado tradutor quase sempre em companhia feminina plural e internacional. Lembro-me de uma modelo suíça, Gladys, uma italiana chamada Eliana, uma baronesa austríaca divorciada e uma russa espalhafatosa, que, segundo o Faura, era barulhenta no ato amoroso e lhe arranhava as costas. De vez em quando aparecia uma indiana, num *sari* elegante, mas a coisa era aparentemente platônica porque, dizia o Oscar, "as orientais têm cheiro de almíscar"...

Nunca consegui entender o fascínio que Faura exercia sobre o mulherio. Gordo, de baixa estatura, com cara de índio inca, com uma cabeça que desabava sobre os ombros, com escassa intermediação do pescoço, nada menos parecido com um Dom Juan... Falava pouco francês e o salário de tradutor da ONU não era excitante. Tocava violão, desfolhando canções mexicanas e servia uma potente mistura de conhaque e cointreau, mas isso não bastaria para a sedução, a não ser que dispusesse de generosas e secretas dimensões. Atrasado em meu horário na ONU, abri um dia a porta do banheiro para deslocar o Faura, que preguiçosamente cantava no chuveiro. Embaraçado, saiu nu do chuveiro e verifiquei que, abaixo da barriga, ao sul do equador, suas dimensões eram subdesenvolvidas. Era o que os australianos chamam de "passarinho debaixo da varanda".

— Não entendo mais nada — disse-lhe.

Faura enrolou-se numa toalha, envergonhadíssimo, e me explicou: — Amigo Campos, *es chiquito, verdad, pero manõso y cumplidor*...

Telefonei para o hotel Excelsior no Rio para dizer ao Faura que lamentava não ter capacidade logística para tornar agradável sua estada no Rio, pois tinha chega-

---

reuniões interamericanas pleiteara o estabelecimento de uma organização financeira regional, inicialmente sob a forma de banco comercial e depois como organização de desenvolvimento. Já em 14 de abril de 1890, o plenário da 1ª Conferência Interamericana, aprovara o relatório de uma Comissão Especial, subscrito aliás pelo delegado brasileiro, Salvador de Mendonça, recomendando a criação de um Banco Interamericano!

do de Los Angeles e não tinha gado de reserva no curral. Fiquei desapontado ao saber que já deixara o hotel, tendo partido para Petrópolis.

No dia seguinte, embarquei para o hotel Quitandinha, para me registrar como membro da delegação brasileira. Enquanto preenchia a ficha, ouço um sussurro "oh, oh, oh", de admiração. Era o Faura que entrava no *hall* comboiando uma linda mulher, pele alvíssima, cabelos negros, colar de pérolas e um vestido preto. O sussurro era de admiração invejosa. Por limitação de espaço, aconselhava-se que os delegados fossem desacompanhados, e à parte o secretariado, recrutado sem preocupações estéticas, não havia mulheres à vista.

— *Olá, amigo Campos, vamos a tomar un trago en el bar com mi "querida".*

Ouvi então a estranhíssima estória.

Tratava-se de uma viúva, segunda esposa de um rico milionário, que deixara, junto com a fortuna, três filhos do primeiro matrimônio. Falecido recentemente com um confuso testamento, instaurou-se logo uma feia briga pela partilha e Armanda — era esse o seu nome — enojada com a cupidez e insensibilidade dos herdeiros — abandonara a casa disposta a renunciar à vil disputa. Refugiou-se no Hotel Excelsior para pensar o que fazer. Estava sentada junto ao telefone, chorando convulsamente, enquanto aguardava a arrumação do quarto. Nesse preciso momento, nem um minuto antes, nem depois, desce o Faura disposto a se embebedar para escapar da solidão. Vendo o choro convulso, convida Armanda para um drinque.

— Era tal meu sentido de solidão — contou-me ela — que qualquer pessoa, um leproso mesmo, que me dirigisse a palavra afetuosamente provocar-me-ia uma efusão de gratidão.

Assim começara o inverossímil romance. Faura resolvera seu problema sem necessitar de meu incompetente apoio logístico. Só Deus entende as mulheres. Ou melhor, só o diabo...

ADEUS ÀS
OSTRAS...

Houve um episódio pitoresco em minha convocação, para retorno ao Brasil. Contou-me Lucas Lopes que em uma das reuniões do ministério Café Filho, Gudin lhe atirara um bilhete do outro lado da mesa. No bilhete lia-se: "Vamos convocar o nosso Roberto?".

Lucas esqueceu o bilhete no cinzeiro. No dia seguinte, ele e Gudin viram, com espanto, a notícia nos jornais. O que era uma simples sugestão passou a ser, em resultado de bisbilhotice jornalística, irreversível decisão.

Lembro-me do telefonema de Glycon de Paiva, informando-me da intenção de Gudin, porque coincidiu com um tremor de terra de grau quatro na escala Richter. À parte o susto com o misterioso ronco do solo, e rachaduras nas paredes do consulado em Sunset Boulevard, enfrentei airosamente minha primeira experiência sísmica. Felizmente meus filhos, Bob e Sandra, que estavam cursando a escola pública primária de Beverly Hills, nem sequer se aperceberam do evento.

Em março de 1955 eu retornava ao Brasil. Terminava meu primeiro período de ostracismo. Certamente menos relevante para a história humana que o de Alcebíades... Abria-se uma época de turbulência política, mas de excitante experimentação econômica. Tinha eu 38 anos, suficientemente jovem para ter surpresas, insuficientemente velho para ter sabedoria.

O CHAPÉU E A BENGALA

◆

EUGÊNIO GUDIN,
O PROFETA SEM CÓLERA

Sobre Gudin, como ministro da Fazenda, falarei mais tarde. Contemplo-o agora na perspectiva mais ampla de filósofo cultural, escritor e estadista. Ninguém exerceu maior influência sobre minha formação de economista do que Eugênio Gudin. Foi a mais multifacetada das figuras, capaz de combinar a um tempo a intensidade do raio laser e a alegria cromática do arco-íris. Não era apenas um economista, conforme a recomendação de Hayek, que dizia não ser "um bom economista quem era apenas um economista". Gudin tinha algo parecido com um humanista da Renascença. Uma de suas qualidades era a boa cultura literária, sobretudo francesa, a paixão pelas artes, sobretudo a música, uma pitada de hedonismo no vinho, na mesa e no culto à beleza, o *quantum satis* de matemática, para o cultivo das ciências exatas, sem esquecer que a economia trata do mais inexato dos fenômenos — o comportamento humano. A outra peculiaridade foi completar 100 anos, morrendo em 1986, traído, como dizia ele, pelas partes baixas do corpo, mas com plena lucidez nas partes que contam. Visitei-o pouco antes de se tornar centenário. Lembrando-me de um mecenas das artes musicais, sir Robert Meyer, que ao completar seu centenário em Londres, escreveu um livro *My first hundred years*, aconselhei Gudin a repetir essa façanha: — Não — respondeu-me ele. O livro que gostaria de escrever charmar-se-ia *A amante que me enganou.*

Falava do Brasil, a amante que ele mais amou, e aquela que mais o corneou...

Há grandes homens que são como pirâmides: projetam um cone de sombras. Há grandes homens que são como faróis: projetam um cone de luz. Luz de dimensão maior que sua silhueta.

Conheci Eugênio Gudin, como já relatei, na Conferência Monetária de Bretton Woods, em 1944, na qual se forjou o sistema monetário internacional do pós-guerra, pela criação do FMI e do Banco Mundial. Gudin já era economista famoso, internacionalmente o mais conhecido e mais reputado de nossos cientistas sociais. Eu era apenas um segundo secretário de embaixada, uma espécie de protozoário diplomático, cujas três únicas realizações eram: escrever poesias, cedo consignadas a merecido esquecimento; freqüentar cursos noturnos de economia, como vacinação pragmática contra um passado seminarístico; e cultivar um socialismo romântico, subconscientemente talvez convencido de que quem não é socialista aos 20 anos não tem coração, e quem assim permanece aos 40 anos, não tem imaginação... Admirava Gudin, um pouco de longe, vendo-o acotovelar-se com Dean Acheson, Lord Keynes, Edward Bernstein e sir Denis Robertson, líderes intelectuais daquele conclave, enquanto minha humilde missão era criptografar telegramas para o Itamaraty...

Gudin cumpriu com êxito várias carreiras. A de engenheiro de pontes e barragens. A de diretor de serviços de infra-estrutura (ferrovias, eletricidade, telecomunicações), obsecadamente preocupado com custos e eficiência. A de empresário privado, capaz de apresentar balanços estimulantes. A de professor de economia, de renome internacional, e decano da pesquisa econômica no Brasil. A de literato e *causeur*, expositor de fatos e esgrimista de idéias. E — *last but not least* — ministro da Fazenda, dos melhores que o país já conheceu.

Nessa vasta trajetória de êxitos que ao mesmo tempo nos serve de exemplo e nos provoca inveja, há que notar apenas três carreiras prematuramente abortadas: a de político, por simples inapetência, e às vezes pela recusa de transformar um "ponto de vista num princípio", e de abandonar o "princípio pelo proveito"; a de exportador de laranjas, por causa da insensibilidade dos governos à "verdade cambial": e a de "baixo" da ópera de Recife, pela insensibilidade artística do meio ambiente. O fato de não ser um político não o impediu de ser "um estadista". Pois, para usar o aforismo de Winston Churchill, estadista são aqueles que, como Gudin, pensam na próxima geração, enquanto o político pensa na próxima eleição.

Mas a faceta de Gudin que mais me interessava era a do profeta, ainda que, com o passar dos anos, a cólera do profeta hebreu fora substituída pela abrangente serenidade dos sábios gregos. Com pendor quase masoquista, Gudin se entregou ao difícil ofício de soletrar o futuro, buscando ver além da curva do horizonte. Sempre preocupado em viabilizar um projeto brasileiro, o qual para muitos se tornou uma junção espúria do preconceito e da emoção, quando deveria ser casamento fecundo da verdade com a razão.

Dentre os economistas brasileiros, não conheço ninguém que tenha logrado manter a coerência implacável e a fria objetividade de Gudin, sem ceder à moda e ao maneirismo ingênuo da puberdade — de que alguns só se livram na menopausa e outros carregam até a senectude. Consideremos aquilo em que Gudin acertou e vários de nós erraram:

• Muito antes da crise do petróleo e sofrendo grande objurgação pessoal, Gudin insistiu em que a rigidez do monopólio estatal impediria ou retardaria a aplicação de volume adequado de recursos na pesquisa; na realidade, somente após duas crises petrolíferas, que nos levaram a grave endividamento externo, é que o panorama petrolífero brasileiro desvenda promessas que poderiam ter sido alcançadas antes, se dividíssemos riscos para multiplicar oportunidades.

• Muito antes da crise do petróleo, Gudin protestava contra nosso desbalanceado entusiasmo por rodovias e aerovias, descurando-se o transporte ferroviário e marítimo.

• Muito antes que o empresariado despertasse para os perigos do intervencionismo estatal, Gudin nos advertia da "socialização sub-reptícia" resultante da proliferação de empresas estatais e da concentração da poupança nacional nas mãos do Estado. Afinal de contas, dizia ele, o motor da economia é o empresário e não o funcionário.

• Muito antes que a "explosão demográfica" fosse dramatizada como problema nacional e internacional, Gudin, machucado pelo espetáculo da miséria no Nordeste e pelo crescimento das metrópoles selvagens, pregava o planejamento familiar como meio de poupar recursos para investimentos diretamente produtivos, e melhorar as possibilidades de nutrição, saúde e educação das novas gerações.

• Mesmo durante a fase de fascínio incontido pela industrialização, Gudin acentuava a importância de investimento na agricultura, e sobretudo no aumento da produtividade agrícola, como instrumento de contenção de preços, solvência cambial e melhoria de renda das massas rurais.

A GRANDE CONTROVÉRSIA
E A IMAGEM INJUSTA

Um dos espetáculos intelectuais mais interessantes da história econômica brasileira foi a famosa controvérsia entre Eugênio Gudin e Roberto Simonsen, em 1944. Essa controvérsia foi sistematicamente apresentada pela *mídia*, impregnada de nacionalismo, de forma injusta para Gudin e simpática para Simonsen. Este era visualizado como o defensor da industrialização, então identificada com desenvolvimentismo e independência, enquanto Gudin era apresentado como defensor de uma postura colonial de defesa da produção primária. Em suma, uma postura antiindustrializante. Aquele era um progressista. Este, um reacionário. Era uma grotesca deformação da verdade.

A diferença é que Gudin insistia em que o processo industrializante deveria observar as linhas de vantagens comparativas e deveria caber principalmente ao setor privado, sem se relegar a agricultura à posição de vaca leiteira para financiar a industrialização.[78] E criticava a combinação de taxas cambiais sobrevalorizadas (que puniam a agricultura) e excessivo protecionismo (que privilegiava a indústria). Disso, arguia ele, resultariam pressões inflacionárias e dificuldades cambiais. Ao passo que Gudin enfatizava a produtividade, Simonsen endeusava acriticamente a industrialização. A análise das vantagens comparativas lhe parecia secundária, pois elas poderiam ser artificialmente criadas durante o aprendizado possibilitado pela proteção contra importações. Simonsen se apoiava nas teses de Manoilesco, depois convincentemente refutadas por Jacob Viner, em conferências feitas na Fundação Getúlio Vargas, a convite de Gudin.

A tese de Simonsen seria reforçada, no fim da década dos 40, pelas doutrinas da CEPAL, da "industrialização substitutiva de importações", como único remédio para as crises cambiais. Era prevalecente, à época, o pessimismo exportador. O *export oriented growth* era algo que só muito mais tarde, na década dos 80, adquiriria respeitabilidade, à luz do espetacular sucesso dos "tigres asiáticos".

---

[78] Note-se o comentário de Gudin: "Indústria não é sinônimo de prioridade, como agricultura não é sinônimo de pobreza... Indústria ou agricultura de boa produtividade é que são sinônimos de prosperidade". Gudin, *Inflação, importação e exportação, Café e crédito, Desenvolvimento e industrialização*, Agir, Rio de Janeiro, pg. 210.

A controvérsia Gudin/Simonsen poderia, sob certos aspectos, ser comparada à famosa disputa, na Itália dos anos 20, entre Luigi Einaudi, um liberista, e o filóso-fo Benedetto Croce. Aquele defendia o ponto de vista de que a liberdade política era inseparável da liberdade econômica. Propugnava o "liberismo", enquanto que Croce perfilhava o liberalismo, não vendo incompatibilidade entre o liberalismo político e alguma restrição à liberdade econômica, que ele associava a um "hedonismo utilitário".

Croce triunfou no curto prazo. No longo prazo, Einaudi estava com a razão. O dirigismo econômico acabou se transformando em autoritarismo político.

Na grande controvérsia brasileira, Simonsen triunfou no curto prazo. O Brasil embarcou num processo de industrialização fechada, extremamente protecionista e ineficiente. O resultado foram, como previa Gudin, inflação e crises cambiais crônicas.

No longo prazo, foi Gudin que tinha razão. O atual movimento mundial de abertura econômica, integração de mercados e liberalização comercial na América Latina teve nele um grande precursor.

DEMOCRATA SEM
DEMOCRATICE

Gudin foi um dos poucos economistas brasileiros que não se deixaram seduzir nem pelo keynesianismo nem pelo estruturalismo, popularizado este na década dos 50 pela Cepal. O estruturalismo foi, no contexto latino-americano, o contraponto intelectual do keynesianismo nos países industrializados. Gudin permaneceu *impérvio* às duas grandes idiossincrasias da Cepal: a propensão ao intervencionismo estatal e ao "dirigismo" planificador. Talvez com algum exagero, Gudin parecia associar o conceito de "planejamento", que é em si mesmo politicamente neutro, a uma perversão socializante, de estilo ideológico. Aqui é que se revela mais fundamente sua afinidade com os postulados do individualismo econômico da escola austríaca, baseada nos três conceitos de Menger: a) A utilidade subjetiva (em contraposição aos gostos objetivos); b) O método atomístico (que exclui a previsibilidade do comportamento); c) Os fenômenos orgânicos (que, ao contrário dos fenômenos pragmáticos, não nascem de desígnio consciente). Nada agradaria mais a Gudin, e nada horrorizaria mais os keynesianos, marxistas e estruturalistas, do que a definição de Hayek, segundo a qual a tarefa da economia seria apenas explicar "as conseqüências não intencionais da ação humana".

Ao rejeitar o Estado intervencionista, assistencial e planejador, que sobrestima tanto seu grau de informação como sua eficácia operacional — e por isso agrava as imperfeições do "mercado", ao invés de corrigi-las — Gudin rejeitava, *a fortiori*, os postulados subjacentes, nem sempre plenamente conscientizados, da doutrinação cepalista: o pseudonacionalismo preconceituoso, que subestima a utilidade e sobreestima a periculosidade do capital estrangeiro; a "teoria de dependência", que transforma posições temporariamente inferiores de mercado, inerentes ao subdesenvolvimento, em categorias de dominação política; o "Estado empreiteiro", que por milagre pretende ter maior capacidade empresarial que a soma de suas partes, esquecendo-se de que, no plano econômico, o Estado é muito mais um "exator" que um "ator".

Ainda aqui, Gudin foi bom profeta. Hoje o mundo está sacudido por aquilo que os franceses chamam *la nouvelle vague anti-étatique*. Generaliza-se o desapontamento com o Estado empresário e regulador. E surgem, não só no mundo ocidental, mas também no mundo socialista, movimentos de desestatização e desregulamentação. "Mais mercado e menos Estado" deixou de ser um sonho de economistas libertários, para se tornar uma exigência pragmática nas sociedades que se querem eficientes.

Pessoalmente, sou imensamente grato a Eugênio Gudin, pela sua insone luta contra três deformações de nossa mentalidade: o "pseudo-nacionalismo", o "pseudo-igualitarismo" e o "pseudo-liberalismo". O "pseudo-nacionalismo" é o daqueles que pensam que o nacionalismo se comprova com férvidos discursos, quando a nação precisa é de resultados. Nacionalismo é criar empregos; é amar seu país, sem odiar os outros. O pseudo-igualitarismo é o daqueles que pensam ser possível assegurar a todos o "sucesso", quando na realidade o máximo que a sociedade pode fazer é facilitar a todos o "acesso". Se insistirmos em castigar o sucesso, ao invés de melhorar o acesso, acabaremos, como dizia Lord Acton, tornando vã a esperança da liberdade, em virtude de uma fatal paixão pela igualdade. O pseudoliberalismo é o daqueles que pensam que é possível ser liberal em política e intervencionista em economia, quando, se alguma coisa a história nos ensina, é que a concentração do poder econômico no Estado acaba infirmando, mais cedo ou mais tarde, o pluralismo político.

Gudin foi um democrata que não confundiu "democracia" com *democratice*. E muito menos com demagogia. Ele desconfiava tanto do radical como do demagogo. Este porque fabrica frustrações ao prometer mais do que pode dar; aquele porque destrói sob o pretexto de reformar.

Convém aqui distinguir como categorias distintas que são, "liberalismo" e "democracia". A primeira dessas categorias é a mais fundamental, pois liberalismo é uma doutrina sobre o que a sociedade deve ser; democracia é um método, variável no tempo, de organizar a sociedade para esse fim. Donde serem muito mais concebíveis "graus" de democracia do que graus de liberalismo.

Democrata sem *democratice*, Gudin não alimentava ilusões sobre as dificuldades de sua prática. Dir-se-ia mesmo que alimentava saudável pessimismo. Essas dificuldades têm raízes no plano político e no plano econômico. No plano "político", a administração pacífica dos conflitos — que é a essência da democracia — pressupõe consenso básico sobre as instituições. O que pressupõe, por sua vez, um certo grau de homogeneização cultural. No plano "econômico", as necessidades de acumulação de capital exigem a contenção de pressões distributivistas, que a prática democrática libera, e às vezes açula. Gudin costumava citar Myrdal, segundo o qual "a história não registra um só exemplo de país onde se tenha atingido com sucesso a plena democracia de sufrágio universal, sem que primeiramente se tivesse conseguido um nível bastante elevado de padrão de vida e um alto grau de igualdade de oportunidade".

Myrdal tem certamente a história a seu lado. As duas grandes e mais antigas matrizes democráticas — a Inglaterra e os Estados Unidos — conduziram seu processo de industrialização sob a égide de "democracias elitistas" e não de "democracias populares", pois que, sob variados artifícios, se excluíam da franquia eleitoral os pobres, os analfabetos, os negros e, durante muito tempo, as mulheres. Pode-se dizer que esses países somente atingiram a democracia de massa quando já haviam completado sua modernização econômica e atingido o consumo de massa. E Gudin costumava lembrar que na história brasileira o único período prolongado de normalidade democrática, de Prudente de Morais a Epitácio Pessoa, teve características de "democracia elitista". A democracia se tornou mais instável precisamente quando buscava tornar-se mais "autêntica", pela incorporação das massas.

Não é de estranhar, assim, que no universo político, até a década dos 80, em que predominaram numericamente nações subdesenvolvidas, o autoritarismo fosse a "regra" e a democracia a "exceção". É o que se poderia chamar de "normalidade do anormal". De um total de 150 nações e mininações, o número de democracias autênticas mal chegava a duas dúzias, com apenas meia-dúzia de países subdesenvolvidos. Na taxonomia política corrente, talvez a distinção mais relevante fosse entre regimes "autoritários-liberais" e "autoritários-totalistas". Estes, que incluíam as chamadas democracias populares da Europa Oriental, pregavam intolerância ideológica e conflito de classes e caracterizavam-se igualmente pelo culto da personalidade e ausência de mecanismos consensuais de substituição de liderança. Os regimes autoritário-liberais se consideravam transitórios, admitindo variados graus de tolerância ideológica e de repressividade política, mantendo a democratização como objetivo ideal e aceitando o pluralismo econômico.

Quando Gudin faleceu, em 1986, o Brasil começava seu novo esforço de normalização democrática. Essas épocas são prenhes de esperanças "ingênuas" e julgamentos "injustos". Há uma valorização excessiva do "civilismo"(esquecendo-nos todos que a mais rija ditadura que experimentamos foi a do civil Getúlio Vargas), e uma depreciação excessiva da *performance* do sistema militar-tecnocrático inaugurado em 1964. Gudin, com a longa perspectiva de quem nasceu ainda no Império e assistiu ao nascimento, paixão, morte e ressurreição de nossas várias "repúblicas", nos acautelou contra esses dois exageros — esperança ingênua e julgamento injusto.

Sua receita para nossa peripécia política da época era a volta à Constituição de 1967, que considerava a "mais realista de nossas Constituições". Ela garante participação popular direta na eleição para o Legislativo em níveis municipal e estadual de governo, mas atribui ao colégio parlamentar a eleição presidencial, para evitar o "plebiscito de demagogos" em que se haviam transformado nossas contendas sucessórias. Reforça-se a iniciativa do Executivo em matéria econômica, a fim de evitar desordem orçamentária, mas preserva-se a função revisora, crítica, denegatória ou ratificadora do Parlamento.

Tratava-se, a seu ver, de um esforço imperfeito, porém meritório, de criar um Executivo forte porém não-autoritário, de conciliar centralismo com federalismo, de reforçar a disciplina econômica sem mutilar liberdades políticas, de regular a intervenção do Estado sem extinguir o pluralismo dos agentes produtivos.

A grande lição de Eugênio Gudin, o fraturador de mitos e profeta incômodo, através das várias carreiras que cumpriu — engenheiro, economista, estadista, escritor — foi a de agir com compaixão e pensar sem paixão. Pois aquela auxilia o entendimento e esta perturba a ação.

Com Gudin, a história cometeu singulares injustiças. Morreu centenário, no albor da *perestroika* e antes da queda do muro de Berlim. Não teve o doce prazer de se provar correto em seu próprio tempo.

Os Azares
da Ministrança

Regressei do consulado em Los Angeles, com grandes esperanças. Com a morte de Getúlio, desfizera-se, assim pensava eu, a aliança nacional-populista, abrindo espaço para um grau maior de racionalidade na política econômica. A vertente "nacionalista" inibia a absorção de capitais e tecnologias externas, agravando nossas carências. A "vertente populista" tinha um viés inflacionário, ao desvincular salários de produtividade e ao criar distorções, por via de subsídios.

Um segundo motivo de esperança era a excepcional qualidade do time econômico, no início do governo Café Filho: Gudin no ministério da Fazenda, Octávio Bulhões na SUMOC e Clemente Mariani, no Banco do Brasil. Gudin, com a experiênia de empresa e sólida formação teórica; Bulhões, com um profundo conhecimento de finanças públicas; e Clemente Mariani, com experiência política e conhecimento operacional do sistema bancário — um verdadeiro *dream team*.

Globalmente, aliás, o gabinete de Café Filho era de excepcional qualidade. Lucas Lopes, no ministério da Viação e Obras Públicas; Juarez Távora, no Gabinete Militar e na secretaria geral do Conselho de Segurança Nacional; Raul Fernandes, no ministério do Exterior; Cândido Mota Filho, na Educação; na Justiça, Seabra Fagundes. Das pastas militares, eu conhecia bem o almirante Amorim do Vale (havíamos trabalhado juntos na embaixada em Washington, durante a II Guerra Mundial), e respeitava, como figura legendária o brigadeiro Eduardo Gomes. Não conhecia o então general Henrique Teixeira Lott, precisamente aquele que viria a representar papel fundamental, mais tarde, na deposição de Café Filho.

Depois das esperanças, vieram as desilusões. Uma, pequena e a outra, grande. A pequena desilusão foi não ter sido chamado por Gudin a colaborar no processo decisório das questões macroeconômicas. Não havia razão para isso, pois não poderia eu acrescentar nada, nem em termos teóricos nem em termos práticos, ao cabedal do *dream team*. Mas, jovem, fogoso e desabastecido de humildade, imaginava que minha vivência internacional me tornaria mais útil do que realmente era. Fui nomeado diretor-superintendente do BNDE, substituindo Maciel Filho, enquanto Glycon de Paiva assumia a presidência do banco, em substituição a Waldir Lima Sarmanho. Gudin, de vez em quando, pilheriava: — O seu banco, o

BNDE, é um banco de verdade, daqueles onde a gente pode empinar papagaios, ou é um tamborete burocrático?

O segundo desapontamento foi não ter persuadido Gudin da imprescindibilidade da reforma cambial. Gudin partia do princípio de que a prioridade absoluta era o combate à inflação. Os ágios cambiais resultantes das taxas múltiplas de câmbio, nos leilões, serviam como suplemento de recursos fiscais. A unificação das taxas e abolição da tributação sobre exportações pareciam-lhe um problema postergável. Acreditava que um rápido choque deflacionário permitiria uma estabilização cambial, sem desvalorização da taxa média de câmbio. Eu ṕartia de uma visão diferente. Não havia tempo de espera para a simplificação cambial, pela urgente necessidade de estimular exportações. As categorias múltiplas de exportação tinham um efeito funesto; os exportadores gastavam mais energia no esforço político de buscar tratamento cambial mais favorável, do que na pesquisa de mercado. E a receita de ágios de importação poderia ser obtida mais racionalmente mediante a reforma das tarifas aduaneiras.

Basicamente, a diferença era que Gudin confiava mais do que eu na possibilidade de um rápido declínio da inflação. E conseguiu aliás, em poucos meses, resultados bastante surpreendentes, através de cortes fiscais e contenção de crédito. Reduziu corajosamente as subvenções ao petróleo importado, controlou o crédito através das Instruções nºs 106 e 108, da SUMOC, que exigiam a transferência à SUMOC de 14% do acréscimo de depósitos bancários à vista e de 7% dos depósitos a prazo. Estes foram rigorosamente esterilizados, prática inédita. Conseguiu reduzir à metade o déficit fiscal previsto, através de cortes orçamentários, não sem graves atritos com seus colegas de ministério. Nos seus oito meses incompletos de governo, a expansão média mensal dos meios de pagamento foi reduzida à metade, e a taxa de inflação mensal declinou de 1,95% para 0,94%. Bons tempos, aqueles!

Esses resultados foram importantes, principalmente porque Gudin se defrontava com uma atmosfera inclemente, quer interna quer externa. Internamente, Gudin recebera duas bombas de retardamento. Uma, o aumento de 100% do salário mínimo, que Vargas decretara quatro meses antes, após famosa e demagógica proposta populista de Jango Goulart. A opinião pública se tornara hostil ao novo governo, visto que a morte dramática de Getúlio ressuscitara os mitos do nacional-populismo, numa espécie de compensação romântica. Aprendi quão perigoso é interromper-se a "decomposição dos mitos". O Brasil levaria dez anos para exorcizar o mito getulista. Houvesse Vargas completado o seu período, sob a carga de corrupção e incompetência administrativa, com sinais visíveis de senilidade, e o mito se teria transformado em desilusão. A tragédia do suicídio transformou um ex-ditador fatigado em mártir reverenciado. O próprio Perón, em sua última fase de governo, tendo, a par de meritórias conquistas sociais, desvitalizado a sólida economia argentina, era um mito em decomposição. Seu banimento rancoroso interrompeu o processo de decomposição do mito e ele voltou reabilitado, detentor de esperanças mágicas e implantando uma inovação constitucional: o sistema presidencialista "familiar", fazendo de Isabelita sua sucessora.

A morte de Allende, no Chile, receava eu que fosse um novo exemplo de cristalização de um mito. Vivo, seria apenas um caso de falta de objetividade no julgamento político e de desconhecimento de verdades econômicas rudimentares. Morto, passaria a ser um símbolo da inquieta busca de uma "terceira via". Felizmente os militares chilenos desenvolveram razoável eficiência econômica e, ajudados pela conjuntura internacional adversa ao socialismo, esmaeceram o mito.

Internacionalmente, a conjuntura era também desfavorável a Gudin. Ninguém mais que ele mereceria apoio na operação de saneamento das finanças brasileiras, pois aliava competência, objetividade e disposição para a abertura econômica. Mas o FMI, com seus procedimentos lentos, dificilmente atenderia a uma situação emergencial. No Banco Mundial, imperava Eugene Black, pouco compreenssivo em relação à irracionalidade brasileira de rejeitar capitais privados para o petróleo e mendigar empréstimos oficiais para sua crise de pagamentos. George Humphrey, no Tesouro americano, defendia uma ideologia ultraprivatista e bloqueava os canais de auxílio internacional. Em peregrinação a Washington, Gudin, para adiar a bancarrota cambial, teve de obter de bancos privados um empréstimo de US$200 milhões, por cinco anos, com garantia de nossas reservas de ouro.

Surgiu então um episódio que deu nome a esse capítulo — o do chapéu e bengala. Desejoso de obter o apoio do governador de São Paulo, Jânio Quadros, para a candidatura presidencial de Juarez Távora, dispôs-se Café Filho a aceitar as injunções de Jânio para a designação de um paulista para o Banco do Brasil, supostamente mais complacente em relação aos produtores de café. Isso implicaria o sacrifício de Clemente Mariani, no Banco do Brasil, quebrando-se a coesão antiinflacionária da equipe.

Gudin era um homem de rígidos princípios e sentido de lealdade aos colaboradores. Pôs o chapéu, pegou a bengala e se demitiu.

Naqueles tempos — dizia ele — os homens assim demonstravam seus princípios: pegavam a bengala e o chapéu e iam embora. Hoje, os ministros se apegam ao cargo desavergonhadamente. Não se usam mais, nem bengala nem chapéu.

REFORMA CAMBIAL OU O
SUPEREXPORTADOR FRACASSADO

Recebi com frieza a substituição de Gudin pelo ministro José Maria Whitaker, em 13 de abril de 1955. Os dois velhos — Gudin com 69 anos, e Whitaker com 89 anos, tinham obsessões maniqueístas. Gudin dizia ter ido para o ministério para combater a inflação.

— Não havia outra razão — dia ele — para eu ser ministro.

O refrão de Whitaker, amigo e admirador de Gudin era: — A única razão para eu ser ministro é fazer a reforma cambial.[79]

Glycon de Paiva e eu visitamos o novo ministro, para pedirmos exoneração, pois tínhamos sido reconduzidos ao BNDE por Gudin e a ele nos sentíamos ligados emocional e ideologicamente. Recusou de pronto nossa demissão.

— Fiquem — declarou. Estão em um setor especializado, que pouco conheço. Dêem-me eficiência e eu lhes darei independência.

Lembro-me de que Whitaker, assoberbado com os problemas da pasta, começou a conversa dizendo que o ministério da Fazenda era uma moenda. Irreverente como sempre, Glycon respondeu gracejando: — Onde os papéis engravidam como processos; donde os ministros saem exprimidos como bagaço.

— E o senhor é o bagaço...

Eu discordava de Whitaker em suas medidas iniciais de afrouxamento dos dispositivos antiinflacionários impostos por Gudin, consubstanciados nas Instruções 106 e 108 da SUMOC, que estabeleciam depósitos compulsórios e elevavam as taxas de redesconto. Como entusiasta da cruzada antiinflacionária, diante desse afrouxamento, Octávio Bulhões demitiu-se da superintendência da SUMOC.

Para Whitaker, os financiamentos produtivos à indústria e comércio, para um ciclo de negócios de 120 dias, não seriam inflacionários. Inflacionários seriam apenas os financiamentos para cobertura de déficit público.

---

[79] Whitaker, hábil banqueiro paulista, era uma figura avuncular respeitável. Dizia que sua "safra de netos" era quase igual à sua safra de café. Fora ministro da Fazenda no governo provisório de Getúlio Vargas (1930-1931). Recusara esse cargo antes, quando sondado por Washington Luís e voltaria a recusá-lo anos mais tarde, quando convidado pelo presidente Dutra. Foi também presidente do Banco do Brasil no governo Epitácio Pessoa (1921-1922).

Minhas idéias sobre controle monetário eram bem mais próximas das de Gudin, mas Whitaker me seduziu com o seu propósito obsessivo de efetuar a reforma cambial. Eu achava, como ele, que o sistema das taxas múltiplas de câmbio estabelecido pela Instrução n? 70 da SUMOC, havia exaurido sua utilidade. Para Whitaker o sistema cambial então vigente era uma exação fiscal e uma expropriação injusta. Seu propósito era unificar as taxas, eliminando o confisco cambial do café.

Nossas motivações eram diferentes, embora o propósito fosse o mesmo. Para mim o importante na reforma cambial era criar no Brasil uma orientação exportadora, pondo fim à concentração excessiva, herdada das teorias cepalinas, na substituição de importações.

Mais por intuição do que por análise, eu propugnava para o Brasil da época uma atitude semelhante à que depois foi desenvolvida pelos tigres asiáticos — uma orientação exportadora — em que a taxa cambial seria estritamente neutra, sem as manipulações tradicionais no Brasil, que resultam quase sempre em taxas cambiais sobrevalorizadas, ora subvencionando as importações, ora tributando as exportações. Escrevi para Whitaker um memorando secreto sobre a reforma cambial, indicando a urgência da medida, delineando as alternativas técnicas para efetuá-la, e fazendo uma avaliação das conseqüências, principalmente no tocante aos possíveis efeitos inflacionários.

Enunciavam-se a seguir os pré-requisitos prudenciais da reforma : (a) uma política de contenção fiscal, monetária e creditícia, visando a neutralizar, tanto quanto possível, o impacto inflacionário da desvalorização; (b) apressamento da revisão das tarifas das alfândegas, que substituiriam as sobretaxas cambiais na função de contensoras da importação. Havia percalços na desvalorização, mas inexistiam alternativas em virtude da estagnação das exportações. O empuxe inflacionário seria menor que o alegado pois, no tocante às importações gerais, elas já eram encarecidas pelos ágios, que desapareceriam. O impacto se exerceria mais sobre os produtos subvencionados, como o trigo e o petróleo, atenuado, nesse último caso, pela corajosa medida de Gudin, de redução substancial do subsídio aos combustíveis. Havia pouco receio de uma deterioração nas relações de troca, pois se a demanda de café é globalmente inelástica em função de preços, tem bastante elasticidade no tocante a um país isolado; e o Brasil poderia recuperar mercados perdidos com a frustrada tentativa de valorização de preços na gestão Aranha. (As importações de café brasileiro pelos Estados Unidos, que em 1950 representavam 51,7% do total, cairam para 37,2% em 1954). Tenderia a haver uma transferência de renda para os exportadores em geral, mas essa pressão inflacionária seria em parte compensada pela cessação das bonificações de exportação, processo burocrático custoso e distorsivo.

Entre os dois métodos alternativos de simplificação do sistema cambial — o da taxa livre flutuante e o da pauta mínima — optava-se pelo primeiro, para evitar expectativas de periódicas mudanças nas quotas de retenção.

A se fazer qualquer modificação no sistema cambial — concluia eu — é preciso fazê-lo por forma a eliminar, de uma só vez, todas as manipulações. A não ser através da adoção do mercado de taxa livre puro e irrestrito, não parece haver cura para esse mal.

Na fase de transição, haveria uma redução gradual do "confisco do café", até a unificação final das taxas, esperando-se que o acréscimo do volume exportado diminuisse os dispêndios da compra de estoques e sustentação interna de preços. Concluía-se finalmente que:

"Ante a expectativa de desvalorização já criada no Brasil e no exterior pelas sucessivas modificações do sistema cambial, e tendo em vista a presente estagnação de exportações, é inevitável uma reforma cambial. Essa, entretanto, só surtirá efeito se for drástica e definitiva. A despeito dos perigos inerentes a uma "desvalorização aberta", não parece haver alternativa a essa medida drástica. Consistiria ela na revogação da paridade oficial, permitindo-se que tanto exportações como importações se liquidassem pelo mercado livre; as importações seriam gravadas por sobretaxas fixas, conforme a categoria de essencialidade do produto, as quais, superpostas à taxa do mercado livre, substituiriam o sistema vigente de taxa oficial mais ágio. Poder-se-ia considerar uma quota de retenção cambial para o café, porém unicamente no caso de lograrem êxito os entendimentos com os demais países produtores para o estabelecimento de uma disciplina de preços e estoques.

O objetivo fundamental e dominante do novo sistema seria o incentivo às exportações. Os ajustamentos no lado da importação seriam conseqüênciais. Tendo em vista: a) a inexistência de reservas cambiais; b) a inconveniência de controles diretos (quantitativos) de importação — teríamos que pensar em termos de taxas flexíveis, num mercado livre orientado, porém não rígidamente controlado, até que as próprias forças do mercado cristalizassem a taxa em torno de um nível de equilíbrio.

A viabilidade do sistema exigiria uma consolidação, a longo termo, do grosso dos compromissos governamentais a curto e médio prazo. Essa proposta de consolidação talvez tivesse boa acolhida do governo norte-americano e do Fundo Monetário, porém unicamente se ligada a um plano drástico e completo de reforma cambial."[80]

---

[80] O documento intitulava-se 'Memorando sobre a reforma cambial', dirigido pelo dr. Roberto Campos ao ministro da Fazenda. Encontra-se em meu arquivo pessoal, e foi publicado no livro de José Maria Whitaker, *O milagre de minha vida*, São Paulo, 1978, pgs. 286-295. Ver Anexo I.

A reforma cambial teria marcado uma oportuna ruptura com a tradição de pessimismo da Cepal quanto à elasticidade das exportações. A meu ver, havíamos explorado, além de qualquer limite prudencial, o processo de substituição de importações. Esse, ao desincentivar a diversificação das exportações através da manutenção de taxas cambiais sobrevalorizadas, perpetuava o desequilíbrio no balanço de pagamentos. Desvalorizações periódicas tinham a desvantagem de gerar movimentos especulativos, à medida que se acentuava a percepção dos agentes econômicos da sobrevalorização cambial, além de colocarem um problema fundamental — o governo não teria condições de determinar, com qualquer grau de precisão, a taxa de equilíbrio. Nessas condições era inútil um esforço de adivinhação. Se a taxa escolhida fosse a taxa de equilíbrio, não era preciso declará-la porque o mercado a praticaria; se fosse uma taxa artificial, adviriam distorções.

Fui encarregado da consulta ao FMI, previamente à desvalorização cambial. Minha argumentação perante o *board* do FMI em Washington era que, em vista de um processo inflacionário crônico, que conviria debelar, mas sem certeza de sucesso, e que coexistia com uma escassez cambial premente, a solução mais racional para o Brasil seria deixar que as taxas flutuassem, até que se encontrasse um ponto de equilíbrio. Seria impossível para o governo determiná-lo *a priori*. E qualquer erro na fixação da taxa geraria novas expectativas de desvalorização, com movimentos especulativos e desmoralização do governo.

Para minha surpresa, a reação da diretoria executiva do FMI foi assaz tíbia. Havia relativamente pouca experiência com o sistema de taxas flutuantes, tendo ele sido praticado apenas pelo Peru e Canadá, em prazos curtos, sem resultados convincentes. Vários dos diretores, inseguros para palmilhar território não mapeado, recomendaram a solução tradicional de desvalorização para paridades fixas. Protestei que isso nos traria de volta às desvalorizações periódicas, com ondas especulativas. Em minha discussão com o representante norte-americano na diretoria do Fundo, Frank Southard, notei da parte dele um receio bizarro de que o Brasil, muito mais propenso à substituição de importações do que à promoção de exportações, se tornasse um supercompetidor, particularmente em algodão e açúcar, dois produtos que criavam uma área de competição entre os dois países. Tranqüilizei-o dizendo que o Brasil estava longe de ser um agressivo exportador. O propósito da adoção da taxa flutuante era meramente cessar a contínua punição que se impunha aos exportadores, através de taxas de câmbio sobrevalorizadas. Muito tempo ainda levaria o Brasil para se livrar da idéia de que a sobrevalorização das taxas de câmbio, barateando importações, é um meio válido de conter a inflação.

No jargão do FMI há várias nuances de decisão da diretoria. Usa-se às vezes a expressão "o Fundo aprova", às vezes "toma nota, com aprovação" e, finalmente, apenas "toma nota", o que significa simplesmente que se registra intenção do governo, sem compromissamento formal do Fundo. Esta última disposição foi finalmente adotada. O Fundo não objetaria, mas também não daria um endosso formal à proposta brasileira. Do nosso ponto de vista, entretanto, o resultado já era satisfatório porque se havia cumprido a obrigação de consulta e foram reconhecidos os propósitos do governo brasileiro de simplificar o sistema de câmbio e dar-lhe maior realismo.[81]

Ao regressar ao Brasil, uma surpresa me esperava. O ministro Whitaker decidira submeter o assunto à consideração do gabinete. Disse-lhe que via com apreensão essa perspectiva. Os demais ministros de estado representavam interesses setoriais e não tinham a visão de conjunto do ministro da Fazenda. Era possível que se preocupassem com a extinção ou diminuição de subsídios cambiais para as importações que eram de seu interesse, esquecendo-se do panorama global.

Quando chegamos ao palácio do Catete, para a reunião do gabinete com o presidente Café Filho, Whitaker pediu-me que esperasse na antesala, pronto para prestar qualquer esclarecimento que se fizesse necessário. Ao que sei, ele esperava de seus colegas uma aprovação meramente perfunctória, tendo em vista que estava agindo em assunto de sua especialidade e assumindo plena responsabilidade.

O resultado foi, entretanto, diferente. Como receava, surgiram logo problemas setoriais. O ministro da Aeronáutica, brigadeiro Eduardo Gomes, revelou preocupações quanto à elevação dos preços de combustíveis, aviões e peças de avião importadas; o ministro da Agricultura, Munhoz da Rocha, arguiu semelhantemente no caso da importação de tratores, esquecendo-se de que a agricultura seria a maior beneficiária da reforma cambial, pela abolição do confisco cambial sobre as exportações agrícolas; o ministro da Justiça, embora não tivesse objeções jurídicas a opor, fez reservas à aplicação da reforma, que instituiria sobretaxas de importação, sem audiência do Congresso. Somente o ministro de Viação, Octávio Marcondes Ferraz, expressou apoio entusiástico. Raul Fernandes, conquanto simpático à posição de Whitaker, não se manifestou. Café Filho havia, aparentemente, sondado Juarez Távora, candidato à presidência da República, que, um pouco

---

[81] Em carta a Whitaker, de 6 de setembro de 1955, Edward Bernstein, então diretor de pesquisas do FMI, assim se expressou: "A proposta foi apresentada de forma muito eficiente ao Executive Board do FMI, pelos senhores Paranaguá e Campos. Em realidade, não me lembro de nenhuma apresentação de proposta feita por representantes de um país estrangeiro que haja sido mais persuasiva do que a que foi feita pelos dois representantes brasileiros... O senhor Campos revelou os excepcionais conhecimentos técnicos de que é tão bem dotado. Ninguém poderia ter feito nada melhor do que esses dois representantes do Brasil". Apud José Maria Whitaker, *Seis meses, de novo, no ministério da Fazenda*, 1956, pg. 79.

ambiguamente, julgou a reforma "de necessidade premente para a nossa economia", mas alvitrou modificações a vários dispositivos. Aliás, Café Filho se preocupou também em consultar os demais candidatos à presidência — Juscelino Kubitschek e Adhemar de Barros Filho — ambos os quais declinaram assumir co-responsabilidade na decisão. Sentindo-se desprestigiado e ferido em seus brios, Whitaker pediu demissão, em caráter irrevogável. A reforma cambial estava morta.[82]

O sucessor de Whitaker, por apenas três meses, foi Mário Câmara, chamado de seu posto na delegacia do Tesouro do Brasil em Nova York. Mário Câmara carecia, obviamente, de condições políticas para enfrentar o problema. Limitou-se a procurar manter as rédeas de controle monetário, restabelecendo as instruções da SUMOC de controle de crédito e de redesconto, anteriormente promulgadas por Eugênio Gudin. Mário era um sensato funcionário, sem maiores vôos intelectuais ou políticos. Lembro-me de que era totalmente descomplexado, para desespero de Gilberto Amado que, baixinho e atarracado como ele, não tinha o mesmo grau de desenvoltura social. Durante um baile em Nova York, a que assistia com Gilberto Amado, vi Mário Câmara dançando com uma loura de avantajada estatura, mal ultrapassando-lhe os seios. Gilberto Amado, invejoso, comentou: — Lá vai Mário Câmara, em plena macacalidade. Devia ter todos os complexos e não têm nenhum.

Lá se fora minha intenção de tornar o Brasil um país de orientação exportadora! Poderíamos ter sido um precursor na década dos 50 do que seriam os tigres asiáticos na década dos 80.

Depois eu viria a fazer duas outras tentativas, igualmente frustradas, de liberação da taxa de câmbio. Uma delas foi durante o governo Jânio Quadros, quando o ministro da Fazenda, Clemente Mariani, concordou na edição da Instrução nº 204 da SUMOC, que liberou as taxas de câmbio, que inicialmente se desvalorizaram em 100% e depois se estabilizaram até a renúncia de Jânio, quando voltaram a ser implantados controles de câmbio. A terceira tentativa ocorreu em outubro de 1965, no governo Castello Branco. Foi feita uma substancial desvalorização cambial, considerada realista, e o Banco do Brasil, instruído para operar um sistema de câmbio flutuante, cotando na abertura do câmbio as taxas do dia anterior, com variações de 10% para mais ou para menos, conforme fosse a tendência do mercado. Também esta tentativa fracassou pela ameaça de instabilidade política resultante da minirebelião de oficiais da linha dura na Vila Militar, em novembro, estimulada por Carlos Lacerda.

---

[82] O episódio é descrito em detalhes no livro de José Maria Whitaker, *Seis meses, de novo, no ministério da Fazenda*, Rio de Janeiro, 1956, pgs. 76-96.

FORMANDO UMA
MERITOCRACIA NO BNDE

Quando regressamos ao BNDE, Glycon de Paiva e eu, encontramos o banco bastante mudado. Os severos critérios de recrutamento por concurso haviam sido consideravelmente flexibilizados. Encontramos nos gabinetes da presidência e da superintendência um grupo de secretárias de apreciáveis qualidades estéticas, recrutadas sem concurso. Em nosso estrito moralismo resolvemos revigorar o sistema de concurso público. Previsivelmente, as meninas bonitas, ou não se candidataram ao concurso, ou foram em grande parte reprovadas. A geração concursada para o nível secretarial era intelectual e profissionalmente muito melhor preparada, porém, de um modo geral, de lamentável qualidade estética. O dia em que se procedeu à demissão coletiva das não-concursadas, e admissão coletiva das concursadas, foi humanamente penoso, regado a choros e protestos. Fiquei comovido quando, como diretor-superintendente, tive que assinar as portarias de demissão. Com sua tradicional verve, Glycon procurou consolar-me: — Não se preocupe, Roberto, essas meninas são tão bonitas que não ficarão desamparadas. Demitidas viverão muito melhor "de metidas".

Restabelecemos, a partir de 1956, o sistema de concurso público de provas, com a preocupação de criarmos uma meritocracia. Houve um incidente curioso. Quando me preparava para efetivar as nomeações dos aprovados nos concursos de economistas e engenheiros, recebi notificação da secretaria do Conselho de Segurança Nacional, de que alguns dos nomeados tinham "antecedentes ideológicos" duvidosos, como membros ou simpatizantes do Partido Comunista. A objeção era algo bizarra, de vez que Juscelino, já então empossado na presidência da República, cortejava as esquerdas, aglomeradas sob a liderança do vice-presidente Jango Goulart. Entre os impugnados figuravam, lembro-me, os economistas Juvenal Osório Gomes (depois presidente da CSN) e Ignácio Rangel (que servira na assessoria do Catete sob o presidente Vargas) e o engenheiro Roberto Saturnino Braga, anos depois meu colega no Senado Federal e eleito, em 1984, prefeito do Rio de Janeiro. Assumi a responsabilidade de ignorar a advertência da secretaria do Conselho de Segurança, alegando não se ter explicitado no edital do concurso nenhuma exigência da espécie, e não haver dúvidas sobre a capacidade técnica dos candidatos.

Em meu retorno como diretor-superintendente, no governo Café Filho, e subseqüentemente durante o governo Kubitschek, preocupei-me em tornar o BNDE independente de contribuições do erário público. Buscava nesse particular seguir o exemplo da Nacional Financera, do México — a Nafimsa — que se financiava vendendo seus próprios títulos no mercado. Com a inflação crescente e os obstáculos criados pela Lei de Usura ao pagamento de juros reais, inventei um esquema que foi apresentado ao Congresso juntamente com o PEM — Programa de Estabilização Econômica — de Lucas Lopes, em outubro de 1958. Segundo esse projeto, criar-se-ia dentro do BNDE um Fundo de Desenvolvimento Industrial, que emitiria obrigações de desenvolvimento, permitindo ao banco captar recursos independentemente do Tesouro Nacional. Conforme relato no capítulo "Os anos de Juscelino", essa parte do Programa de Estabilização Monetária foi prontamente engavetada no Congresso, por iniciativa do deputado Magalhães Pinto, sob o pretexto equivocado de que se tratava de uma medida estatizante, quando na realidade se destinava a criar recursos adicionais para financiamento do setor privado. Até hoje o BNDE não criou uma fonte própria de financiamento.

Minha preocupação com a preservação do valor real do capital mutuado pelo banco numa fase de aceleração inflacionária era antiga. Na Lei n? 2.973, de 26 de novembro de 1956, que prorrogou a vigência do Fundo de Reaparelhamento Econômico e reformulou as atividades do banco, logrei fazer aprovar dois dispositivos que permitiam contornar-se as restrições da Lei de Usura, cujo teto anual de juros (12%) se havia tornado irrealista em vista da aceleração inflacionária. O primeiro era a extensão, ao BNDE, da faculdade de que já gozava o Banco do Brasil, de transformar os empréstimos já concedidos em ações do capital social da empresa devedora. O segundo era a permissão para proteger os capitais emprestados contra a depreciação monetária, mediante a fixação do montante da dívida num valor constante, através da chamada "cláusula de escala móvel". Era uma antecipação do instituto da correção monetária, cuja aplicação se generalizaria anos depois, com a reforma do sistema fiscal e financeiro, no governo Castello Branco.

CRITÉRIOS DE
PRIORIDADE

As decisões sobre prioridades de investimento, na fase inicial do BNDE, eram fáceis, e de certa forma pré-determinadas. Em vista da escassez de transporte e energia, levando à subutilização da capacidade industrial existente e a altas perdas agrícolas, a ênfase natural seria a melhoria da relação capital/produto e a obtenção de um efeito antiinflacionário.

A CMBEU havia formulado os seguintes critérios para os projetos: a) deveriam ser direcionados para a eliminação de gargalos, visando a criar condições básicas de crescimento econômico; b) deveriam complementar, antes que substituir, investimentos privados; c) deveriam ser susceptíveis de implementação razoavelmente rápida; d) deveriam ser financiados por meios não-inflacionários.

Era o que se convencionou chamar de "teoria dos pontos de estrangulamento", que orientou as atividades do BNDE durante quase uma década.[83]

Na segunda fase do BNDE, dominada pela preparação e implementação do Plano de Metas, do governo Kubitschek, os critérios foram refinados para levar em conta os "pontos de germinação", ou seja, as repercussões do investimento para adiante e para trás da cadeia produtiva, conceito depois sofisticadamente estilizado pelo professor Albert Hirschman em sua teoria das *forward and backward linkages*.

Aproveitando estudos da Confederação Nacional da Indústria e da Comissão de Desenvolvimento Industrial (órgão consultivo que envolvia representantes do governo e do setor privado), o BNDE passou a explicitar critérios de prioridades por setores e por projetos.

Releva notar que a flexibilidade decisória não era completa. A legislação original do banco estabelecia algumas prioridades estatutárias, como ferrovias, transporte marítimo, eletricidade e armazenamento agrícola. E quando a legislação foi revista, em 1956, para prorrogação do empréstimo compulsório, inseriu-se o requisito de que 25% dos fundos fossem aplicados nas regiões subdesenvolvidas no nordeste, norte e centro-oeste.

---

[83] Ver Roberto Campos, 'Retrospect of development plans', no livro editado por Howard S. Ellis, *The economy of Brazil*, University of California Press, Berkeley, 1969, cap. 11.

Nessa segunda fase do BNDE, as prioridades foram diferenciadas entre "prioridades setoriais" e "critérios para projetos específicos".

As prioridades setoriais eram avaliadas em função dos seguintes fatores:

1º Inadequação corrente da produção, indicada pelo valor e elasticidades das importações e pelo consumo de divisas;

2º Insuficiência prospectiva da produção, avaliada pelo crescimento da demanda;

3º Efeitos positivos líquidos sobre o balanço de pagamentos;

4º Imprescindibilidade do auxílio governamental, no caso de investimentos intensivos de capital e longa maturação;

5º Repercusão favorável sobre a utilização de matérias-primas e de fatores disponíveis no país, assim como sobre a expansão dos demais setores.

As prioridades dos projetos específicos seriam decididas pela aplicação da análise convencional de custo/benefício, dando-se atenção *inter alia* ao seguinte:

1º O banco se considerava um financiador residual, abstendo-se de financiar projetos capazes de levantar fundos no mercado privado;

2º Priorizar-se-iam projetos que envolvessem: a) inovações tecnológicas capazes de elevar a produtividade setorial; b) gerassem economias de escala; e c) exercessem maior impacto favorável sobre a economia em geral e sobre a arrecadação de tributos.

3º Levar-se-ia em conta a estrutura de capital do projeto, dando-se preferência a empresas "abertas" sobre as "fechadas", e a projetos que, *ceteris paribus*, envolvessem um grau maior de participação nacional.[84]

A contribuição do BNDE para a racionalização da nossa política econômica foi adequadamente descrita por Lourdes Sola nos seguintes termos:

"O BNDE foi uma das instituições-chave no processo de formação de decisões econômicas nos anos 50, em vista das múltiplas funções que exercem. As principais foram: a) a de principal intermediário financeiro entre as

---

[84] A posição do BNDE, naquela fase, não tinha ainda o cacoete *nacionalisteiro*, que viria a se manifestar sobretudo na década dos oitenta, com o clima criado pela Lei de Informática. No relatório do ano de 1957, assim se descreve a política do BNDE: "É fator secundário, também, no exame dos pedidos de financiamento, a nacionalidade das empresas. O banco, de fato, não distingue entre organizações nacionais e estrangeiras, assegurando, a umas e outras, a sua cooperação. A atitude se originou em decisão proferida pelo presidente Vargas, em 1953, em relação a financiamentos a empresas de capitais estrangeiros, recomendados pela CMBEU. Esforços devem ser realizados, quando a organização interessada não for brasileira, no sentido de obter maior participação de fundos brasileiros na constituição do correspondente capital social. Se a providência não for bem sucedida, pode o banco suplementar os capitais da organização estrangeira, sob a forma, porém, de participação societária, sempre que possível. Ver BNDE, 'Exposição sobre o programa de reaparelhamento econômico, exercício de 1957', pg. 208.

agências internacionais de crédito e os grupos privados ou empresas estatais; b) a de agência planejadora, na medida em que definiu a política de investimentos e assumiu a responsabilidade da preparação de projetos específicos; c) a de agência privilegiada, através da qual o estado garantia a redistribuição do poder em favor de grupos industriais dedicados ao atendimento do mercado interno. Ao dar acesso preferencial a novos recursos e crédito favorecido, minimizou os riscos envolvidos em investimentos novos nas áreas prioritárias de bens de equipamento, bens duráveis de consumo, internos básicos, transporte e energia".[85]

---

[85] Ver Lourdes Sola, pg. 91. Parece insopitável no Brasil a tentação dos tecnocratas de transformar a missão *supletiva* que as constituições conferem aos agentes públicos no domínio econômico, em missão *tutelar* ou de *comando gerencial*.

A EVOLUÇÃO
DO BNDE

Ao longo dos anos, o BNDE trouxe importante contribuição ao desenvolvimento do país. Conseguiu criar um grupo tecnocrático estável, não sem escapar a uma excessiva burocratização. A idéia original de se dar estabilidade gerencial através do sistema de mandatos fixos não funcionou, e a superintendência e a diretoria, não menos que a presidência, ficaram expostas às vicissitudes político-eleitorais. Meu sucessor no BNDE, quando renunciei em julho de 1959, aos cargos que acumulava de presidente e superintendente, foi o almirante Lúcio Meira, intimamente vinculado ao Plano de Metas, pois presidira o GEIA. Exerceu a função por um ano e meio, sendo substituído pelo brigadeiro Faria Lima, administrador competente que, nomeado por Jânio Quadros para a presidência do BNDE, em março de 1961, deixou-a em setembro, logo após a renúncia de Quadros. A deterioração qualitativa da administração do banco se acentuou no início do governo Goulart. Jango designou Leocádio Antunes, um político e economista gaúcho, que exerceu o cargo de presidente por quase dois anos. Tratava-se de figura pitoresca, vítima da ironia selvagem de Carlos Lacerda, que, magnificando acusações de improbidade administrativa, chamava-o de "Percentauro dos pampas".

A mudança dos presidentes implicava quase sempre a substituição do superintendente, o qual, em princípio, afligiria um mandato fixo de 5 anos e dois diretores, cujo mandato seria de 4 anos. Rotatividade ainda maior, com conseqüências deploráveis para a estabilidade monetária, teria a administração do Banco Central, criado em 1964, cujo presidente e diretores teriam, teoricamente, um mandato de 6 anos. Como veremos mais tarde, esses mandatos foram desrespeitados por Costa e Silva, que se arrogou as funções de "guardião da moeda", atribuição típica dos bancos centrais. Aliás, os dois pilares em que assenta a independência dos bancos centrais — o mandato fixo da diretoria e a proibição de financiamentos ao Tesouro — se tornaram dispositivos anedóticos na tradição administrativa brasileira.

O BNDE atravessou várias fases. Entre 1952 e 1956 foi o banco da infraestrutura. A partir de 1956, tornou-se o banco do Plano de Metas, com importante função na expansão industrial. A partir de 1965 diversificou seu leque de atividades, passando a usar a intermediação de bancos privados para o repasse de fundos especiais, como o FINAME e o FIPEME. No período Geisel tornou-se o banco da substituição de importações em resposta à crise de petróleo. No governo Figueiredo, pelo decreto-lei nº 1.940, de 25 de maio de 1982, foi encarregado da administração do Finsocial, passando a chamar-se BNDES — Banco de Desenvolvimento Econômico e Social. Subseqüentemente, dedicou-se a programas de modernização e reestruturação industrial. No governo Collor, tornar-se-ia o banco das privatizações.

Seu período mais dinâmico coincidiu com o governo Kubitschek, quando seu presidente, Lucas Lopes, tornou-se ex-ofício, secretário-geral do Conselho do Desenvolvimento. Essa função de coordenação geral das operações de desenvolvimento dentro do Plano de Metas foi exercida primeiro por Lucas Lopes (1956-58) e, depois, por mim próprio (1958/59), quando Lucas ascendeu ao ministério da Fazenda. Assim o BNDE acumulou suas funções de financiamento setorial com responsabilidades mais amplas de coordenação macroeconômica. Formou-se então um conjunto de elite, sendo as chefias de departamento exercidas por figuras de projeção nacional, como Mário da Silva Pinto (Departamento Técnico), Ewaldo Corrêa Lima (Departamento Econômico), Plínio Cantanhede (Departamento Financeiro), Luiz Hildebrando Horta Barbosa (Departamento de Controle) e Luiz Gonzaga do Nascimento e Silva (Departamento Jurídico). Uma verdadeira meritocracia! Era também uma organização enxuta e austera. Tinha 350 funcionários e ocupava um prédio alugado na rua 7 de setembro. Ainda não havia começado a mania de sedes faustosas para as estatais.

Datam dessa época alguns macroprojetos fundamentais para a industrialização brasileira, como os da Ishikawajima Harima e Verolme, na construção naval; os projetos de Três Marias e Furnas, na eletricidade; os projetos da Usiminas e Cosipa, no aço; a Brown Boveri, a Mecânica Pesada, e a Companhia Brasileira de Alumínio (do grupo Votorantim), no setor de indústrias básicas. No período Kubitschek foi intensa também a atividade do banco na infra-estrutura, pois a maioria dos projetos da CMBEU tinham tido seus financiamentos externos interrompidos no fim do governo Vargas e ao longo do governo Café Filho, para serem finalmente retomados pelo Eximbank no início do governo Kubitschek.

Acompanhei, com atenção, ao longo dos anos, a trajetória dessa organização, que ajudara a criar. Graças ao recrutamento por concurso público, o BNDE manteve uma saudável tradição meritocrática, com nível técnico bastante satisfatório. Não escapou, naturalmente, ao vício do burocratismo e complacência com a irrupção do nacional-estatismo.

Houve erros de julgamento. Na fase de exagerado entusiasmo pela substituição de importações, no período Geisel, o BNDE provocou um superdimensionamento da indústria de bens de capital, ao ofertar financiamentos excessivamente subvencionados a essa indústria. Passou também a financiar setores, como a petroquímica, para as quais haveria capitais privados mobilizáveis, nacionais e estrangeiros.

As distorsões criadas por taxas cambiais sobrevalorizadas, assim como por juros reais temporariamente negativos no mercado externo e subvencionados no mercado interno, induziram o financiamento de setores e projetos nos quais o Brasil não tinha perspectivas duradouras de vantagens comparativas. Na década dos 80, quando se acirrou o nacional-protecionismo das "reservas de mercado", o banco passou a adotar posturas nacionalisteiras, aderindo à política de informática, que resultou em projetos inviáveis.

Essa deformação "nacionalisteira" levou também ao desvirtuamento do FINAME, cujo conceito básico era o estímulo à produção local, nacional ou estrangeira, cabendo ao consumidor a liberdade de escolha (*user's credit*).

Ao se tornar, no governo Collor, a agência de privatização, o BNDES passou a defender um saudável redimensionamento do Estado, refletindo a tendência mundial de retorno do Estado às suas funções clássicas.

O S   A N O S   D E

J U S C E L I N O

◆

CONHECENDO
KUBITSCHEK

"Quem quiser ser inimigo de Juscelino deve ficar pelo menos a seis léguas de distância. O homem é uma pilha de simpatia humana" — disse-me San Tiago Dantas, em uma de nossas freqüentes conversas durante a fase pós-getuliana, quando almejávamos criar um grupo de "jovens turcos" — alguns não tão jovens — com coesão ideológica e ideário modernizante.[86] Seríamos aspirantes ao poder e nos considerávamos capazes de exercê-lo. Era um grande e utópico desenho. Ao invés de nos concentrarmos num único partido, distribuir-nos-íamos entre vários deles, com vistas às futuras eleições congressuais, para sermos o fermento modernizador. San Tiago propunha que eu disputasse pela UDN matogrossense; ele próprio correria pelo PTB de Minas Gerais, Demósthenes Madureira de Pinho, pela UDN da Bahia e Luiz Simões Lopes pelo PSD do Rio Grande do Sul. Seríamos, assim sonhava ele, um "fermento na massa".

Consultado a respeito da possibilidade de se convocar também um grupo de empresários para disputar as eleições, a fim de contrabalançar o empuxe da "esquerda negativa", Horácio Lafer, ele próprio uma curiosa mistura de filósofo, empresário e político, lançou água na fervura: — O eleitor não gosta de empresários — disse ele. Mas política é mais uma vocação do que uma opção. Minha opção, àquela altura, era tecnocrática. San Tiago Dantas também tentou seduzir-me com a possibilidade de ingresso no PTB.

— A postura de líder populista não condiz com o meu perfil — respondi-lhe. E você sofrerá no PTB de um problema de "rejeição", tratamento que os partidos populistas costumam dar aos intelectuais.[87]

Minha opção tecnocrática se consolidou quando tive, através de Lucas Lopes, a

---

[86] Com sua tradicional irreverência, Nelson Rodrigues inventaria uma descrição mais pitoresca: Juscelino era um "cafajeste dionisíaco". Feroz como sempre, Carlos Lacerda chamava-o de "janota matreiro", o que não o impediu anos depois de recorrer ao prestígio de Juscelino quando da formação da Frente Ampla, em 1968.

[87] Tratava-se de profecia fácil. A primeira rejeição ocorreu em meados de 1959, quando San Tiago Dantas foi convidado pelo presidente Kubitschek para ministro da Agricultura. A forma sutil de veto foi a tergiversação do PTB em rejeitar, de pleno, como queria Kubitschek, a formação de

oportunidade de conhecer Juscelino Kubitschek, "a pilha de simpatia humana", a que se referia San Tiago. Lucas fora antigo companheiro na Comissão Mista Brasil-Estados Unidos e se tornou ministro da Viação e Obras Públicas dos governos Café Filho e Nereu Ramos.[88]

Kubitschek lançou-se candidato na convenção do PSD, em março de 1955 e buscou, logo depois, reconstruir a aliança tão temida por Lacerda, entre o PSD e o PTB. Isso restabeleceria o antigo eixo varguista, o que dava origem a grande frustração para a UDN, cuja oposição a Getúlio, liderada pela ferocidade tribunícia de Carlos Lacerda, fora em grande parte responsável pela queda do segundo governo Vargas. A perspectiva do surgimento de um eixo Juscelino-Jango era assim extremamente mortificante, em particular para Carlos Lacerda. Salvo o breve interregno de Jânio Quadros, esse "pacto populista" dominaria a política brasileira por quase oito anos.

Lucas Lopes estava eminentemente credenciado para a tarefa de formulação de programas de governo. Já em Minas Gerais, como presidente da CEMIG, fora o autor do famoso binômio "Energia e Transporte", cuja realização assegurou a Juscelino um período de construtiva governança. O problema presidencial era obviamente de dimensões muito mais amplas. Discutindo comigo o assunto — eu era então superintendente do BNDE, por convocação de Eugênio Gudin — Lucas pediu-me sugestões sobre a denominação possível para o programa de governo de Kubitschek. Respondi-lhe que um termo extremamente popular na literatura desenvolvimentista da época era "metas" (*targets*). Sugeri que o programa se chamasse "Programa de Metas". A expressão "programa" seria preferível a "plano". Escrevi a Lucas, em 2 de maio de 1955, uma carta em que explicava minha alergia à palavra "plano", nos seguintes termos:

"Prefiro de longe a expressão mais modesta 'programação'. Isso porque a idéia de planejamento é tecnicamente associada a várias coisas que não são

---

uma CPI sobre a construção de Brasília. Juscelino se opunha à CPI por considerá-la uma tática dilatória, engenhada por Carlos Lacerda, para obstaculizar a mudança da capital. Somente após San Tiago ter sido "desconvidado", é que o PTB se solidarizou com o PSD na rejeição da CPI. A segunda rejeição ocorreu quando da eleição para a sucessão de Tancredo Neves, que renunciara como primeiro-ministro do governo parlamentarista, em junho de 1962. Apesar de ter ele próprio proposto o nome de San Tiago, João Goulart não fez nenhum esforço para mobilizar os votos do PTB. San Tiago, que despertava reservas na UDN e no PSD, foi rejeitado por 174 votos a 110. Com sua enorme capacidade e fértil imaginação, ele poderia ter salvo o regime parlamentarista, o que não interessava a João Goulart, que teria no primeiro-ministro Brochado da Rocha um subserviente advogado da restauração presidencialista, através do plebiscito de 6 de janeiro de 1963.

[88] Lucas Lopes deixou o governo Café Filho no final de janeiro de 1955, depois que o presidente deu apoio a um manifesto dos chefes militares contra a candidatura de JK. Retornaria ao ministério, convocado por Nereu Ramos, em novembro do mesmo ano.

praticáveis estatística e administrativamente no Brasil como, por exemplo, (a) Delimitação de metas quantitativas de produção; (b) O escalonamento temporal das realizações; (c) Escolha do agente executivo (iniciativa privada, pública, etc) e (d) O contingenciamento de recursos através de controles diretos (controle de câmbio, racionamento de matérias-primas, alocação de meios de transporte, etc). Dado que nossa iniciativa privada não é de todo estagnada, que o nosso regime jurídico-constitucional é o de democracia liberal e, finalmente, que nos faltam dados técnicos para qualquer planejamento de modelo socialista, seria mais realístico (e no fundo mais útil) pensarmos em termos de 'programação'.

Nessa carta, eu enunciava dois postulados que manteria constantemente ao logo dos anos. O primeiro era o repúdio às teses estruturalistas da "inflação desenvolvimentista".

"... ainda que possa dar sensação temporária de euforia, a inflação estrangula inexoravelmente o desenvolvimento econômico, pela distorção de investimentos que provoca e pelas tensões sociais que traz em seu bojo."

O segundo era a defesa do estado *minimalista*:

"...a atividade gerencial do estado deve ser reduzida a um mínimo possível e confinada àqueles setores da infra-estrutura cujo produto é simples e não exige refinamentos de mercado para sua absorção."[89]

Aliás, Lucas Lopes havia tido a concepção fundamental, e eu dado uma contribuição marginal, no delineamento geral de uma estratégia de desenvolvimento, através de um documento que foi básico na formulação do Plano de Metas, e que se chamaria *Diretrizes Gerais para o Desenvolvimento Econômico*.

A expressão "Plano de Metas" deu lugar a uma curiosa estória, um pouco folclórica. Conta-se que, refestelado na ampla banheira da casa de seu cunhado, Júlio Soares, na Pampulha, em Belo Horizonte, com a presença de Lucas Lopes, Israel Pinheiro e o próprio Júlio Soares, Juscelino perguntara a Lucas: — E então, como vão os seus trabalhos? Certamente que não podemos mais ficar no "binômio" de Minas Gerais. De outro lado, se usarmos a expressão "polinômio" ficaremos expostos ao ridículo. Chamar-nos-iam de "algebristas". Que nome sugere você?

— Programa de Metas — respondeu Lucas Lopes.

— Essa não — disse Israel Pinheiro. Já somos chamados de "metedores" e isso comprometeria ainda mais nossa reputação.

---

[89] Carta a Lucas Lopes, em 2 de maio de 1955. Arquivo do autor.

— Nada disso — declarou Juscelino. O nome não é tão comprometedor assim. Essa reputação não é nada má. Pelo menos indica que a gente faz coisas....

Ficou ali selado, anedoticamente, que o programa se chamaria "Plano de Metas". Juscelino, como previra Lucas Lopes, preferia a palavra "plano", mais concreta, à palavra "programa", que lhe soava demasiado tímida e genérica.

Ao cabedal de informação herdado da Comissão Mista Brasil-Estados Unidos, se juntavam os resultados de uma Comissão BNDE-Cepal, para cuja chefia eu próprio, ainda quando diretor do BNDE, no governo Vargas, sugerira a Raul Prebisch o nome de Celso Furtado.

A essa altura, eu ainda não havia rompido com os postulados da Cepal, conquanto nunca tivesse aderido fanaticamente à doutrina da substituição de importações, nem acreditasse tão firmemente quanto os cepalinos nas famosas inelasticidades: a inelasticidade da oferta agrícola e a inelasticidade das exportações.

Mais tarde, em 1956, em conferência organizada pela Cepal, no Chile, teria eu a oportunidade de formular mais explicitamente minhas reservas. Em um artigo, depois inserido num livro editado por Albert Hirschman, sob o título *Latin american issues*, defendi a tese de que muito do que se considera rigidez estrutural na América Latina é meramente o resultado de políticas equivocadas, prosseguidas por tempo suficiente para gerar distorções.[90]

Assim, a inelasticidade das exportações resultava em boa medida da tendência latino americana de manter sobrevalorizadas as taxas de câmbio. Da mesma maneira, a inelasticidade da oferta agrícola era imputável menos a deficiências da estrutura agrária do que à inadequação dos preços fixados para o produtor rural.

---

[90] Albert Hirschman, *Latin american issues, the Twentieth Century Fund* , N.Y., 1961. Nas páginas 69-93, se encontra o artigo '*Two views on inflation*' que marca meu divórcio das teses cepalinas. Foi nesse artigo que usei pela primeira vez as expressões "monetarismo" e "estruturalismo", para designar as *two views on inflation*. Essas denominações foram logo incorporadas à literatura econômica da época e simbolizaram, por assim dizer, o *divortium acquarum* entre as duas interpretações do tenaz fenômeno inflacionário da América Latina.

O TRÍPTICO DO
DESENVOLVIMENTO

O Plano de Metas se tornou a *pièce de resistance* da campanha eleitoral de Juscelino. O antigo binômio Energia e Transporte havia-se transformado numa seriação de objetivos mais ambiciosos, abrangendo não só a infra-estrutura, mas indústrias básicas.

O Plano de Metas foi validamente criticado, à sua época, por ser essencialmente um programa setorial, sem adequada análise macroeconômica. Era um conjunto de projetos relativos a energia, transportes, alimentação, indústrias básicas e educação técnica, agrupados em 30 metas setoriais. Representava uma evolução natural da técnica de planejamento, oriunda da Comissão Mista Brasil-Estados Unidos. Esta se havia concentrado na correção dos "pontos de estrangulamento" da economia, cujas prioridades eram óbvias. Com os trabalhos do BNDE e do Plano de Metas, desenvolveu-se a teoria dos "pontos de germinação". Isso envolvia uma análise um pouco mais sofisticada das "vinculações para frente" (*forward linkages*) e "vinculações para trás" (*backward linkages*), popularizadas alguns anos depois pelo teorista do desenvolvimento, Albert Hirschman.

O grupo misto BNDE-Cepal já havia elaborado projeções macroeconômicas de crescimento, segundo a teoria "voluntarista" da Cepal. Partia-se de uma meta global de crescimento, calculada de modo a assegurar o pleno emprego da mão-de-obra e diminuir o *gap* de nível de industrialização e renda em relação aos países desenvolvidos, para depois avaliarem-se os recursos disponíveis. Determinava-se assim o duplo *gap* — o de recursos e o de balanço de pagamentos — a ser coberto por ações planejadas para a captação de recursos nacionais e internacionais.

Tanto Lucas Lopes como eu tínhamos consciência da necessidade da formulação de medidas macroeconômicas, de modo a compatibilizar o Plano de Metas com um razoável grau de estabilidade de preços e viabilidade cambial. Por isso, apresentamos a Kubitschek não apenas o Plano de Metas, mas um tríptico. Um desses elementos seria uma austera *programação monetária e fiscal*, a fim de se amealharem recursos a serem devotados à tarefa de investimentos desenvolvimentistas. O segundo elemento seria uma *reforma cambial*. Por reforma cambial entendíamos a liberação das taxas de câmbio, que deveriam ser reguladas pelas forças do mercado, para contra-arrestar a tradição brasileira de taxas cambiais sobrevalorizadas. Estas tinham sido responsáveis por toda a sorte de distorções. De um lado, encorajavam demasiado as importações, que, depois, tinham de ser contidas por um complexo sistema de sobretaxas cambiais. De outro lado, desestimulavam as exportações, levando a uma complexa estrutura de subsídios. O custo administrativo e os erros de previsão impunham um ônus fantástico à economia. Defendia eu, então, minha velha idéia, quase realizada ao tempo do ministro José Maria Whitaker, no governo Café Filho, da taxa de câmbio flexível.

O terceiro elemento seria o programa de investimentos, ou mais especificamente, o *Plano de Metas*. Lucas Lopes sabia, e eu apenas pressentia, que este seria o segmento da programação geral que mais atrativos teria para Kubitschek. Ele era essencialmente um tocador de obras, com mentalidade mais de vigoroso empreiteiro que de sereno estadista. Os fatos viriam depois confirmar esta previsão.

Nesse entremeio, organizei um grupo de trabalho para desenvolver as diretrizes gerais, acordadas com Lucas Lopes. Daí nasceu, como primeiro documento, um programa de estabilização monetária, bastante sofisticado para a época, que se desdobrava em 11 alentados capítulos:

— Crescimento da economia
— Inflação
— Balanço de pagamentos
— Investimentos
— Finanças públicas
— Renda nacional
— Situação monetária
— Evolução do balanço de pagamentos
— Estimativa do balanço de pagamentos para 1955
— Previsão do balanço de pagamentos para 1956; e
— Perspectivas de longo prazo

Num dos apêndices se analisavam os principais produtos de exportação e importação, e no último fazia-se uma avaliação crítica do complexo sistema de ágios e bonificações criado pela Instrução n.º 70 da Sumoc, de 9 de outubro de 1953.

As preocupações centrais óbvias eram a contenção da inflação e o saneamento do balanço de pagamentos. Em ambos os casos, indicavam-se medidas corretivas. O documento intitulava-se modestamente 'Perspectivas da Economia Brasileira'.[91]

Numa espécie de vacinação preventiva contra as teses dos defensores da "inflação desenvolvimentista", o Grupo de Trabalho dava especial ênfase às "conseqüências negativas da inflação", assim enumeradas: pressão sobre o balanço de paga-

---

[91] Nesse documento colaborou a fina flor da tecnocracia da época: Evaldo Corrêia Lima, Sebastião Sant'Anna e Silva e Juvenal Osório Gomes, pelo BNDE; Sidney A. Latini, Ricardo Moura e Olindo Knust, pela SUMOC; Dênio Nogueira, pelo Conselho Nacional de Economia; Gerson Augusto da Silva, pelo ministério da Fazenda, e Alexandre Kafka, pela Fundação Getúlio Vargas.

mentos, distorção de investimentos, tensões sociais, impossibilidade de planejamento e previsão empresarial, e desestímulo à poupança privada. Como "ações
corretivas", recomendavam-se: uma política de contenção orçamentária, uma política de controle de crédito, o sofreamento de reivindicações salariais e melhor utilização da capacidade produtora. No tocante à correção do desequilíbrio do balanço
de pagamentos, além da condição prévia do combate à inflação, recomendavam-se
duas providências: uma reforma cambial baseada num sistema de taxa flexível e a
reforma das tarifas aduaneiras, substituindo-se o sistema de taxas específicas por
percentuais *ad valorem*. Dava-se ênfase à necessidade de uma política ativa de
exportação e de aumento do ingresso de capitais estrangeiros.[92]

Kubitschek tomou conhecimento, em linhas gerais, dessa análise já após a eleição, durante reunião convocada para o hotel Quitandinha, em Petrópolis, no início
de novembro de 1955. Por coincidência, essa reunião ocorreu no mesmo dia em
que estourou uma crise política gerada pelo famoso discurso do coronel Jurandir
Mamede no enterro do general Canrobert Pereira da Costa, interpretado como uma
tentativa de impugnação militar à eleição de Juscelino.

Na reunião do hotel Quitandinha, Juscelino se impressionou agradavelmente
com o caráter compreensivo e elaborado da proposta, e desagradavelmente com o
tom restritivo das "ações corretivas". Após sua posse, porém, tudo foi rapidamente
relegado ao esquecimento.

Apesar de repetida e enfadonha doutrinação, nunca consegui imunizar Juscelino
contra a sedução da "inflação desenvolvimentista". Em almoço na *Manchete*,
pouco antes de sua morte, em 1976, Juscelino repetiu-me que, apesar dos meus
esforços de persuasão, continuava acreditando que "imprimir papel moeda era
inflacionário quando a emissão se destinava ao custeio do funcionalismo, não
porém se a destinação fosse o pagamento de obras produtivas". Tratava-se de uma
formulação pedestre e simplória da tendência estruturalista da época.

Mais sofisticadamente, a "visão estruturalista" afirmava que a industrialização
de economias subdesenvolvidas só é possível com um certo nível de inflação administrada, enquanto o tratamento antiinflacionário ortodoxo soçobraria nos escolhos
da estagnação. Não havia àquela época, o exemplo dos tigres asiáticos, que, na
década dos 80, apesar da crise do petróleo, conseguiram acelerado crescimento
econômico com políticas ortodoxas de estabilidade econômica.

---

[92] A recomendação relativa à reforma de tarifas alfandegárias foi depois implementada pela reforma aduaneira de 1957, que substituiu o sistema de ágios de importação por tarifas diferenciadas.
A reforma cambial baseada em taxa flutuante, que eu havia defendido desde o tempo do ministro
José Maria Whitaker, não foi implementada. A situação do balanço de pagamentos deteriorou-se
grandemente, e, ao fim do governo Kubitschek, o Brasil estava em moratória cambial.

A alergia de Kubitschek a esses exercícios macroeconômicos derivava de enxergar neles restrições bloqueadoras do desenvolvimento acelerado — os "cinqüenta anos em cinco" — que planejara deflagrar. "Cinqüenta anos em cinco, mesmo às caneladas", dizia ele. Glycon de Paiva, então meu colega no BNDE, definiria o estilo Kubitschek como sendo "rumo ao Norte, pé na tábua, fé em Deus e improvisação"...

Essa alergia era, sem dúvida, partilhada pelo primeiro ministro da Fazenda, o deputado mineiro José Maria Alkmin, totalmente jejuno em matéria econômica, conquanto reputado perito em manipulação política. Sua nomeação foi inesperada, pois se dava por certo que o posto seria ocupado por Lucas Lopes. Este, mais tecnocrata que político, com grande experiência quer como executivo, quer como planejador, tinha idéias muito claras sobre o "constrangimento" de recursos e sobre a futilidade, a longo prazo, do "desenvolvimentismo às caneladas".

A tecnologia e a massa de dados das "projeções" viriam depois a ser utilizadas no PEM — Programa de Estabilização Monetária, para o período de setembro de 1958 a dezembro de 1959 — em cuja elaboração trabalhei com Lucas Lopes, quando este sucedeu a Alkmin no ministério da Fazenda, em junho de 1958. O PEM só foi submetido por Juscelino ao Congresso em 27 de outubro do mesmo ano. Era tarde demais. É infalível regra maquiavélica que o mal se faz de uma só vez e o bem a conta-gotas. Planos de austeridade monetária e fiscal devem ser lançados no início de governo, para criar, de imediato, um clima antiinflacionário e para aproveitar o crédito de confiança dado aos governos noviços.

A nomeação, que parecia esdrúxula, de Alkmin para o ministério da Fazenda no primeiro gabinete de Juscelino, resultara da necessidade, alegada pelo presidente, de premiá-lo pela vigorosa defesa, no Congresso, do resultado das urnas, num momento em que persistiam pressões para anulação das eleições. Talvez a preterição de Lucas Lopes refletisse o desejo subconsciente de Juscelino de ter um ministro mais moldável e complacente, e menos refreador de seus planos expansionistas.

Vista em retrospecto, essa nomeação garantiu que o programa de Juscelino levasse a uma aceleração da inflação e a um descalabro cambial, problemas que desabariam em cheio sobre o governo Jânio Quadros. É que Alkmin se opôs à reforma cambial e deu pouca atenção ao programa de austeridade orçamentária. Quando, certa vez, visitei Alkmin para adverti-lo da necessidade de, pelo menos, executar o programa de economias orçamentárias preparado pelo DASP, ele abriu a gaveta, onde se acumulavam processos, e disse-me: — Você não é político, Roberto. Corte de gastos não se anuncia. O melhor é chamar os políticos, assinar os processos de liberação de verbas e depois trancafiá-los na gaveta. Os políticos partem satisfeitos e o dinheiro não sai.

— O problema — respondi-lhe — é que, à simples notícia de despacho dos processos, as entidades interessadas começam a autorizar contratos com fornecedores e empreiteiros, criando fatos consumados. Mais tarde fica impossível resistir à liberação de verbas.

Pelo que se vê, já naquela época se fazia uma distinção nada sutil entre o "é proibido gastar" e o "é proibido pagar". Este último mandato é bem mais fácil que aquele.[93]

---

[93] Subseqüentemente, em discurso na Câmara dos Deputados, Alkmin reconheceria as vantagens de um programa sistemático de economia sobre o mero retardamento dos processos e da liberação de verbas, à espera de que, com a mobilização dos grupos afetados, a liberação se transformasse num favor político. O procedimento empírico quase nunca resulta em economias de custeio, recaindo o sacrifício sobre os investimentos, especialmente os de mais longo prazo, na infra-estrutura. Um outro mérito da formalização do programa de economias seria explicitar o sacrifício do governo, evitando que o ônus principal do combate à inflação recaísse sobre o setor privado. Finalmente, sob o ponto de vista internacional, somente um programa explícito e formal teria credibilidade como estratégia antiinflacionária. Alkmin fora levado a reconhecer intelectualmente o problema mas nunca abandonou a "tecnologia da gaveta"... Passei a chamá-lo desde então de "gavetólogo".

O PÉRIPLO
PRESIDENCIAL

O intervalo entre a eleição de Juscelino e sua confirmação pelo Tribunal Eleitoral, foi uma das épocas de maior turbulência da história brasileira. Afastado do governo por motivo de saúde, Café Filho foi sucedido pelo presidente da Câmara dos Deputados, Carlos Luz, que contava com o apoio político da UDN e de grupos militares para impedir a posse de Juscelino. Carlos Luz, por sua vez, foi deposto pelo chamado movimento de 11 de novembro de 1955, que colocou no governo o presidente do Senado, Nereu Ramos.

Por algum tempo, o Brasil se viu na bizarra situação de ter três presidentes: o presidente licenciado, Café Filho; seu substituto legal, Carlos Luz, que se recusou a aceitar sua deposição; e Nereu Ramos, que tomou posse na madrugada seguinte ao golpe de Estado desferido pelo general Lott.

Se a reação de Juscelino aos ensaios de disciplinamento econômico era frígida, sua reação ao Plano de Metas era mais que proporcionalmente cálida. Juscelino havia ganho a eleição sem recorrer a minúcias de quantificação das famosas metas. Tinha métodos mais simples de incendiar o entusiasmo popular. Além de bandeira eleitoral, o Plano de Metas, tal como o binômio anterior, constituiria um elemento de mobilização psicológica. Era praticamente impossível amarrar Juscelino, um sonhador incoercível, a objetivos concretamente definidos e rigorosamente vincula-dos a esquemas de financiamento. Imaginavam os tecnocratas que, com a prefixa-ção pública das metas, Juscelino ficaria mais protegido de incursões clientelescas e teria menos espaço para o exercício de imaginação criadora. Subestimávamos inge-nuamente a prodigiosa energia desse animal político que começou logo propondo, e surpreendentemente obtendo, do Congresso, a lei sobre a transferência da capital para Brasília. Coisa que os tecnocratas jamais priorizariam num Plano de Metas, num país acossado pela inflação.[94]

---

[94] Em seu livro de memórias, *Por que construí Brasília?*, Kubitschek conta que foi provocado, durante a campanha eleitoral para a presidência, a comprometer-se com a mudança da capital, pela pergunta de um interpelante num comício em Jataí, em 4 de abril de 1955, nos confins de Goiás. Antônio Carvalho Soares, que se encontrava perto do palanque, perguntou-lhe se daria cumprimento ao dispositivo das "Disposições Transitórias" da Constituição de 1946, que previa a mudança da capital. Juscelino embaraçou-se por um momento, pois o Plano de Metas não incluía tal objetivo. Acabou, no enlevo do palanque, formalizando esse compromisso. Mais tarde, num desabafo no Palácio das Laranjeiras, declarou-me amuado, em tom chistoso, que construiria Bra-

É interessante notar que, antes da eleição de Juscelino, Lucas Lopes hesitara muito em recorrer ao auxílio dos "tecnocratas do BNDE". Ele sabia que, basicamente, a simpatia de João Batista Pinheiro, Miguel Osório de Almeida e eu próprio se voltava para o udenismo. Não parecia diferente a inclinação de Edmundo Barbosa da Silva, do Itamaraty. Tínhamos uma certa atração pela figura do Juarez Távora, que nos parecia mais inclinado a aceitar pontos de vista técnicos. Juscelino também sabia disso. E com a sua incapacidade de ter ressentimentos, absorveu sem questionamento nossa colaboração, que reconhecia valiosa, pois compendiávamos toda uma relativamente longa tradição de planejamento.

Juscelino planejara uma visita ao exterior antes de tomar posse. Isso tinha um duplo propósito. Em primeiro lugar, explicar aos governos e aos investidores as novas disposições governamentais de promover um plano de desenvolvimento baseado essencialmente na iniciativa privada. Em segundo lugar, livrar-se dos assédios clientelescos. A viagem foi sucessivamente adiada, à espera da confirmação dos resultados eleitorais pelo Superior Tribunal Eleitoral. Isso só viria a acontecer bem mais tarde, em 7 de janeiro. A viagem de Juscelino começou, assim, antes de oficialmente confirmados os resultados do pleito. Partiu ele do Rio de Janeiro em 4 de janeiro.

Em meados de novembro de 1955, fui convocado para uma reunião com Lucas Lopes no apartamento de Augusto Frederico Schmidt, na rua Paula Freitas, em Copacabana. Juscelino havia pedido a colaboração do Itamaraty para a organização de sua viagem de presidente eleito. O secretário-geral do ministério, embaixador Antônio Camilo de Oliveira, designou para essa tarefa Edmundo Barbosa da Silva, chefe do Departamento Econômico do Itamaraty e meu colega da "turma dos 18", que ingressara no Itamaraty em abril de 1939. Edmundo era mineiro, de Curvelo, cidade rival de Diamantina. E Antônio Camilo imaginou que sempre é bom deixar que dois mineiros se entendam.

Edmundo encontrou Juscelino andando para lá e para cá no apartamento. Havia poucas dúvidas sobre o roteiro. Juscelino queria contatar, sobretudo, países com investimentos no Brasil ou com potencialidades comerciais. Os Estados Unidos seriam o ponto óbvio de partida. Na Europa, os mais relevantes eram a Alemanha Federal, a Inglaterra e a França, mas, ante convites insistentes dos países interessados, a viagem se estendeu também à Holanda, Bélgica, Espanha e Portugal. Na Itália visitar-se-iam o Quirinal e o Vaticano.

Começou-se depois a discussão de nomes para a comitiva. Edmundo respondeu a Juscelino que não havia ainda cogitado do assunto, mas entendia que a comitiva, que teria de tratar de questões econômicas, não poderia prescindir de minha colaboração.

---

sília em parte para se livrar dos quatro tiranos da *mídia*: o Paulo Bittencourt, do *Correio da Manhã*, o Assis Chateaubriand, do *O Jornal*, o Orlando Dantas, do *Diário de Notícias*, e o Roberto Marinho de *O Globo*. "Esses tiranetes" — disse ele — "ficarão surpresos quando se virem reduzidos a editores de jornais de província"...

— Esse não — explodiu Schmidt — saltando no meio da sala, onde passejava, nervoso. É cor de rosa, arrogante e teimoso.[95]

Sentado mais distante e entretido na leitura de documentos, eu nem ouvira o comentário. Àquela época minhas idéias reformistas, que pouco variaram desde então, exceto pelo meu crescente ceticismo em relação ao dirigismo governamental e meu crescente respeito pelas forças de mercado, eram tidas como eivadas de radicalismo esquerdizante.

Lucas Lopes agarrou Schmidt pelo braço, levando-o para o corredor, no visível intento de pacificá-lo. Quando regressaram à sala, Schmidt não repetiu objeções ao meu nome.

Mais tarde, com ele trumbicaria várias vezes durante o governo Juscelino. Ele se opunha à reforma cambial e à programação antiinflacionária dos "técnicos insensíveis". Parece, aliás, que era minha sina esbarrar no Schmidt. O presidente Castello Branco também lhe dedicara amizade e, quando iniciado em 1964 o arrocho antiinflacionário, Schmidt predizia terríveis desastres. Considerava-me o "amor de perdição" de Castello Branco.

Schmidt era um estranho dublê de poeta e empresário. Seus inimigos diziam que como empresário era bom poeta e vice-versa. Exercia sobre Juscelino enorme fascinação intelectual. Juscelino adorava as frases de efeito que Schmidt costumava produzir, assim como as bárbaras simplificações que costumava imprimir a temas econômicos. Lembro-me de uma das suas frases favoritas: a descrição das nações que hoje chamamos do Terceiro Mundo, como "a retarguarda incaracterística". Essa expressão figurou na carta do presidente Juscelino ao presidente Eisenhower, em 1958, sobre a Operação Pan-Americana.

Schmidt era extremamente ciumento de seu relacionamento especial com Juscelino. Lembro-me da irritação com que, certa vez, me telefonou. É que Juscelino me havia pedido para preparar o texto de um discurso sobre tema econômico. Fiz uma minuta assaz ascética, indo direto à matéria. Ao lê-la, Juscelino disse:

---

[95] Minha rotulagem como conservador ou "homem de direita" me parece uma curiosa ironia da história, pois durante a maior parte de minha carreira tecnocrática fui acusado de "esquerdista". Há a propósito dois episódios interessantes. Já relatei que Oswaldo Aranha, quando presidente da Assembléia Geral da ONU, em 1947, despachou-me para a Conferência de Comércio e Desenvolvimento, em Havana, ante queixas do secretário-geral Trygvie Lie de que um jovem delegado brasileiro, "mancomunado com os russos", lhe estava criando dificuldades no Comitê Administrativo. Mais tarde, em 1951, em discurso de fim de ano, Getúlio Vargas provocou grande celeuma ao denunciar a sangria de divisas que nos era imposta pelo capital estrangeiro espoliativo. Fui então designado para um grupo de estudos criado no ministério da Fazenda para verificar as bases estatísticas em que presumivelmente se baseara Getúlio Vargas em seu rompante nacionalista. Quando Sidney Latini solicitou a Aldo Franco, diretor da Cexim, o fornecimento de dados sobre balanço de pagamentos, este perguntou se não seria perigoso entregar dados confidenciais a esse "cor de rosa" do Campos. Aldo Franco logo revisou sua opinião e se tornou depois um grande amigo e colaborador, como diretor do Banco Central no governo Castello Branco.

— Precisamos adicionar a este seu estilo seco algumas borboletagens do Schmidt.

Pegou o telefone e, na minha frente, disse ao Schmidt: — Vou lhe enviar um texto preparado pelo Roberto Campos para que você acrescente umas borboletagens.

Schmidt, ferido em sua vaidade, telefonou-me insultado: — Desde quando o meu papel é fazer borboletagens para os seus textos esqueléticos?

A delegação que acompanhou Juscelino em sua viagem, como presidente eleito, incluía o deputado mineiro Guilhermino de Oliveira, habilidoso manobrista político, dotado de bom senso econômico, e o Oswaldo Penido, secretário-particular do Juscelino. A retaguarda diplomática, além de Carlos Calero, então secretário de embaixada, era garantida pelo Edmundo Barbosa da Silva, a quem coube a responsabilidade da complicada logística da viagem. José Sette Câmara, então cônsul em Florença, convocado por Juscelino, veio juntar-se à comitiva em Haia. Eu me encarregaria da logística econômica, preparando documentos de trabalho sobre cada um dos países a serem visitados. Nesses documentos, além de dados gerais, econômicos e políticos sobre cada país do roteiro, eu listava também algarismos sobre comércio e investimentos e, quando pertinentes, observações sobre os problemas bilaterais existentes.

Fazer *briefings* econômicos para Juscelino não era tarefa fácil. Impacientava-se com as minudências sobre balança comercial e contencioso de investimentos. Eu não perdia oportunidade para vender minhas teorias sobre o combate à inflação e a necessidade de uma reforma cambial (liberação da taxa) para estimular exportações. Juscelino reagia instintivamente a ambas as teses. Em matéria de câmbio, Schmidt e Alkmin haviam-no intoxicado com a idéia de que "reforma cambial derruba governo". Nunca consegui persuadi-lo de minhas teses senão por curto intervalo. As dúvidas logo voltariam.

Lembro-me de que uma vez, ante o caleidoscópio de informações que Edmundo Barbosa e eu lhe prestávamos sobre a conjuntura econômica internacional, Juscelino, com humilde espontaneidade, confessou que se julgava "paroquial". Como prefeito, julgara-se plenamente capacitado para ser governador, estranhando depois a complexidade da tarefa. Como governador, achara que a curul presidencial não apresentaria dificuldades maiores.[96] Mas agora se dava conta de uma dimensão totalmente nova — a dimensão internacional.

---

[96] Gustavo Capanema dizia ironicamente: "Se Juscelino for eleito, o Brasil terá o seu maior prefeito." A história inicial de Juscelino revela a importância da sorte (ou, como dizia Maquiavel, da *fortuna*) no destino dos grandes homens. Traumatizado pelo fechamento do Congresso em novembro de 1937, pela implantação do Estado Novo getuliano, que lhe acarretara a perda do mandato de deputado federal, Juscelino decidira dedicar-se exclusivamente à carreira médica. Benedito Valadares, confirmado como governador de Minas Gerais, convidou-o logo depois para prefeito de Belo Horizonte. Juscelino recusou o posto, preferindo ser designado chefe de cirurgia do Hospital

Sua humildade, porém, durou pouco. Com um sorriso de vingança ponderou logo depois: — Vocês, técnicos, sabem um bocado, mas quem foi eleito presidente sou eu..

Nem a tarefa do Edmundo, nem a minha, eram invejáveis. Edmundo tinha que lidar com um fator de instabilidade na programação. É que Juscelino planejara visitar a Inglaterra, mas ameaçava cancelar a visita se não pudesse avistar-se com a rainha Elizabeth II.

— Não quero falar só com o número dois — dizia.

A rainha se encontrava no castelo de Balmoral, na Escócia. A programação teve de ser alterada drasticamente, quando, finalmente, o encarregado de negócios da Grã-Bretanha visitou Juscelino para comunicar-lhe que a rainha viria especialmente a Londres para recebê-lo. Felizmente, Edmundo Barbosa da Silva havia preparado dois planos de viagem — o Plano A, que não incluiria a Inglaterra, e o Plano B, que a incluiria. Quando chegou a notificação da audiência real, Juscelino já se achava em Washington, hospedado na Blair House. Edmundo gastou a madrugada recompondo o complexo itinerário.

Na viagem, Juscelino demonstrou de sobejo qualidades atléticas. Foram nove países visitados em três semanas, sem contar o Vaticano.

No caminho para os Estados Unidos, houve uma parada técnica na República Dominicana, que foi transformada em jantar oferecido pelo então presidente, o generalíssimo Trujillo. Na cidade abundavam faixas de boas-vindas a Juscelino e de exaltação ao "Grande Benefactor de la Patria".

Após uma noitada em Ciudad Trujillo, seguimos para um *breakfast* com o presidente Eisenhower, que descansava em Key West, na Flórida, recuperando-se de um enfarte.

Militar. Valadares, desapontado, resolveu oferecer o cargo ao seu amigo Edson Alvares da Silva, presidente do Banco Hipotecário de Minas Gerais. Sendo hora de almoço, não conseguiu contato telefônico imediato. Pouco depois, volta Juscelino ao palácio, ansioso e esbaforido, precisamente no momento em que Edison retornava o telefonema do governador. Juscelino fora repreendido por D. Sarah por sua falta de visão ao recusar uma brilhante oportunidade política e declarou seu interesse em aceitar o cargo. Benedito hesitou por alguns momentos em decidir qual dos dois nomearia, e acabou não concretizando o convite ao Edison Oliveira, que aguardava no telefone. "Não é nada urgente", disse ele, "depois conversaremos". E renovou o convite a Juscelino. Assim, em poucos minutos se alterou o curso da história brasileira. Esse episódio foi relatado pessoalmente por Benedito ao escritor Antonio Olinto. A prefeitura de Belo Horizonte, que administrou com dinamismo, foi o trampolim que levou Juscelino à governança do Estado e, oito anos depois, à presidência da República. Foi um brilhante salto da cirurgia urológica para a arquitetura política.

VISITA AOS
ESTADOS UNIDOS

Minha preparação documental para a viagem de Juscelino havia sido minuciosa. Tinha escrito um documento de 15 páginas, com uma análise da situação e um plano de ação, dieta literária excessiva para um impaciente executivo como Juscelino. Os capítulos mais importantes eram intitulados "Retrospecto sumário da política norte-americana em relação à América Latina" e "Problemas de cooperação entre os Estados Unidos e o Brasil".

Numa recapitulação de vinte anos, escrevia eu, a política americana em relação à América Latina atravessara três fases distintas, refletindo três escolas de pensamento político exterior: *a escola continentalista*, *a escola peninsular* e a *escola geopolítica*. Pelo seu interesse histórico, vale a pena reproduzir o ensaio burocrático sobre a geopolítica continental:

"Ao longo dos últimos vinte anos, a política norte-americana em relação à América Latina atravessou três fases distintas, que pautaram a ação do Departamento de Estado e que constituem mesmo escolas de pensamento político-exterior.

A primeira fase é a do grupo continentalista, a segunda a da escola peninsular, a terceira a da escola geopolítica. A escola continentalista dominou a atuação do Departamento de Estado durante todo o período rooseveltiano até a Segunda Guerra Mundial. Baseava-se ela na premissa de que a área prioritária — estratégica e politicamente — de interesse para os Estados Unidos era a área latino-americana, como primeira linha de defesa.

A segunda escola, a peninsular, emergiu das condições especiais criadas pela Segunda Guerra Mundial. A área prioritária passou a ser então a península européia, diretamente exposta à pressão soviética.

A terceira escola, a geopolítica, implica uma mudança de ênfase da península européia para a Ásia, provocando assim um deslocamento gradual do apoio econômico e político norte-americano, da Europa para a Ásia, à medida que se fortifica a união ocidental e aumenta a pressão soviética, através da China comunista, sobre a lúnula marítima asiática.

As duas últimas escolas têm alguma coisa em comum: ambas se baseiam no reconhecimento de que o interesse político e econômico norte-americano se deve orientar preferencialmente para a salvação das áreas de maior pressão ideológica, ou seja, a Europa no imediato após-guerra e a Ásia em período mais recente.

Quanto à América Latina, após o decesso da escola continentalista, cujo último expoente foi Sumner Welles, a política norte-americana tem oscilado entre duas tendências diferentes. A primeira baseada no tratamento igual e uniforme dos países latino-americanos, ou seja, a teoria do "balanço de forças". A segunda, no postulado de que, sendo escassos os recursos norte-americanos, mais valeria a pena concentrar esforços em países-chave, com condições de liderança política e econômica, capazes de formar áreas de solidariedade, sobre as quais se apoiaria a política norte-americana.

Acheson foi um representante da primeira escola até praticamente o fim da sua gestão, quando veio ao Brasil e se deu conta da nossa importância no cenário latino americano, do nosso impulso de desenvolvimento, e da profunda desigualdade que existia entre a circunstância brasileira e a de vários outros países da América Latina.

Infelizmente, quando se convertia Acheson da escola do tratamento igualitário para o *key-country approach*, caiu a administração democrática, produzindo-se uma descontinuidade na formulação da política norte-americana. Essa descontinuidade se traduziu, por exemplo, na eliminação da Comissão Mista Brasil-Estados Unidos, que havia sido uma primeira tentativa de aplicação do *key-country approach* à área latino-americana.

O secretário Dulles, por treinamento político e vocação, se tem preocupado mais com problemas da reconquista ideológica da Ásia, pressionada violentamente pelos focos comunistas na China, Indochina, etc. Tem-se assim alheiado dos problemas latino-americanos, concentrado que está no esforço de completar a consolidação da posição na Europa e promover uma "posição de força", ideológica e militar, na Ásia.

Para preenchimento desse vácuo na sua política latino-americana, recorrem os círculos governamentais à teoria de que o desenvolvimento econômico da América Latina e o reforço da solidariedade política deveriam ser tentados predominantemente através da cooperação do capital privado; o auxílio governamental ou se confinaria à assistência técnica ou exerceria papel meramente supletivo nos setores pouco atraentes para o capital privado.

A América Latina seria, portanto, a área preferencial de capitais privados, capitais esses que, por riscos políticos, não podem partilhar a fundo a tarefa de desenvolvimento econômico da Ásia e que, mesmo na Europa, encontram graves incertezas devido à proximidade do mundo comunista. Assim, ao passo que na Europa e na Ásia, a iniciativa governamental foi primordial no financiamento no após-guerra, a teoria adotada para a América Latina é a de que a principal mola de desenvolvimento econômico deveriam ser os capitais privados. Essa tese, aliás já defendida durante a administração democrática, foi esposada com convicção ainda maior pela administração republicana e está na raiz da posição do Departamento de Estado e, sobretudo, do Tesouro norte-americano, infenso este último à expansão de financiamentos governamentais e convicto da necessidade de uma ampliação de financiamentos privados.

É corrente nos órgãos responsáveis pela política norte-americana, um certo grau de apreensão ante as tendências da evolução política e econômica do Brasil, e a ameaça de um "divórcio de posição" capaz de comprometer o sentido de solidariedade do continente.

Persiste lá a convicção de que é necessário, e mesmo inadiável, um esforço maior de cooperação com o Brasil, mas há substancial dissensão quanto aos métodos a ser adotados e à escolha da oportunidade para esse esforço conjunto.

Como já ficou dito, a política norte-americana tem revelado um certo grau de descontinuidade, oscilando, ao longo do período de após-guerra, entre o tratamento igualitário e o postulado dos países-chave.

A primeira dessas políticas é, indubitavelmente, a mais cômoda, e para ela inevitavelmente se orientam os secretários de Estado, quando ainda incipientes no cargo e preocupados com problemas extra-continentais. Gradualmente, à medida que se aprofundam em problemas latino-americanos, sentem a enorme disparidade de circunstância econômica e política entre os países do Sul e se orientam para um tratamento diferencial através da seleção de áreas especiais de esforço.

Essa hesitação é agravada por uma indeterminação *reflexa* de nossa parte. Oscilamos entre um nacionalismo temperamental e um pan-americanismo romântico, sem grande organicidade e sentido pragmático.

Nesse contexto, o lançamento de um esforço amplo e intenso de cooperação econômica entre os Estados Unidos e o Brasil exige um mínimo de pré-condições que, do lado americano, seriam decisivas para marcar a oportunidade desse esforço de cooperação econômica.

Essas condições podem ser assim sumariadas:

a) Evidência de que o Brasil marcha para um período de relativa estabilidade de preços, através de jugulação da inflação interna.

b) Um grau razoável de estabilidade política, que crie a presunção de que um esforço de cooperação econômica não será subitamente interrompido.

c) Uma política realista em matéria cambial, isto é, a adoção de uma estrutura cambial que ofereça a perspectiva de tornar viável o balanço de pagamentos. Até o momento, acreditam os americanos que os nossos esforços se têm concentrado na redução de importações como instrumento de reequilíbrio do balanço de pagamentos, sem que a rigor nos tenhamos preocupado com o caminho alternativo, sob vários aspectos mais útil e eficaz, que é o da promoção de exportações.

d) A quarta condição — que reconhecem ser politicamente mais difícil e de solução algo mais lenta — é uma revisão da política petrolífera, de modo a criar condições em que o capital estrangeiro possa concorrer com o capital estatal brasileiro na pesquisa e industrialização do petróleo.

Convencidos os norte-americanos de que as três primeiras condições podem materializar-se, e de que algum esforço se fará no sentido da satisfação da quarta condição, é de se presumir que consintam no lançamento de um esforço sério de cooperação econômica, envolvendo uma massa maior de financiamentos para o Brasil."

No *breakfast* com Eisenhower, convalescente de enfarte, não se tratou aprofundadamente de nenhum assunto. As colocações de Eisenhower eram breves e coordenadas, como a de um oficial de estado-maior, que lera bem seu *brief*.[97] Juscelino expressou a esperança de que se fortificassem as relações entre os dois países. Eisenhower respondeu que já tinha transmitido instruções a Washington, onde Juscelino teria oportunidade de conversações mais substantivas. Reiterou sua intenção de dar apoio financeiro ao programa do novo governo, pois o desenvolvimento e a estabilidade política do Brasil eram importantes para o mundo ocidental.

Das informações que tinha da situação brasileira, parecia-lhe que o Brasil enfrentava um duplo perigo econômico — o da inflação e o do desequilíbrio nos pagamentos externos — este último em grande parte conseqüência da necessidade de importação de produtos de petróleo.

— O Brasil — continuou Eisenhower — é livre e soberano para decidir sua política petrolífera, mas os sucessivos pedidos de auxílio norte-americano para resolver crises cambiais indica a necessidade de o país enfrentar realisticamente o problema, recorrendo, se isso for considerado necessário e útil, ao capital estrangeiro, que pode ser europeu em vez de americano, se tal parecer politicamente mais palatável.

Esse tema repontaria depois nas conversas em Washington com o secretário de Estado John Foster Dulles. Juscelino respondeu habilmente que, como governante

---

[97] Eisenhower, apesar de seu sorriso simpático, nunca foi famoso pelo seu *sense of humour*, ao contrário de Kennedy, um piadista irreverente. Mas atribui-se a Eisenhower, quando visitou o Brasil em fevereiro de 1960, um lampejo de humor. Ao passar, com sua procissão de automóveis, em frente ao prédio da UNE, na Praia do Flamengo, viu uma enorme faixa com os dizeres: *We like Fidel Castro*. "Eu também", disse ele, voltando-se para seus acompanhantes. "Ele é que não gosta de mim".

num regime democrático, cabia-lhe cumprir a lei do monopólio estatal, mas que reconhecia o angustiante problema cambial e procuraria intensificar o esforço de pesquisa da Petrobrás.

À pergunta de Eisenhower sobre que cooperação poderiam os Estados Unidos dar ao desenvolvimento brasileiro, respondeu Juscelino que tinha já preparado um programa de investimentos para o qual seriam imprescindíveis financiamentos externos.

Um pouco embaraçadamente, Eisenhower revelou apreensões quanto à infiltração esquerdista na administração brasileira, aludindo ao incessante esforço comunista para dividir as nações do mundo ocidental e subverter as instituições democráticas.[98] Com certeza desconfiava da aliança de Juscelino com Jango, que representava, a seu ver, uma abertura para a esquerda... Aliás, a preocupação com as conseqüências políticas da aliança janguista com Kubitschek aflorou várias vezes durante a visita. Juscelino se revelou hábil esgrimista nas entrevistas com a bisbilhoteira imprensa americana.

Edmundo Barbosa da Silva e eu vimos com satisfação que o nosso *briefing* tinha sido eficaz, inclusive na antecipação de vários dos quesitos formulados. Juscelino se declarou um "centrista progressista". E, numa espécie de reminiscência ampliada do binômio mineiro, indicou que os três grandes problemas do Brasil estavam no trinômio "energia, transportes e alimentação". Referiu-se à criação de *joint-ventures* para a implementação de medidas recomendadas pela Comissão Mista Brasil-Estados Unidos, à eliminação de obstáculos a investimentos norte-americanos no Brasil e à necessidade de se concluírem as negociações de um acordo internacional do café, abrangendo produtores e consumidores.

---

[98] Eisenhower indicou que, se interessasse ao governo brasileiro, poderia ser-lhe dada assistência técnica para a criação de uma agência ou departamento para análise e filtragem de informações político-estratégicas. Talvez fosse uma alusão velada à CIA, criada em 1949, no governo Truman. No Brasil esse tipo de trabalho era então feito, assaz inadequadamente, pelo Conselho de Segurança Nacional. Subseqüentemente, alguns oficiais brasileiros, chefiados pelo coronel Humberto de Mello, viriam a especializar-se na área de informações. Quando Eisenhower visitou o Brasil, em fevereiro de 1960, instou com Juscelino para reatar as relações rompidas com o FMI, insinuando que essa organização adotaria pontos de vista mais flexíveis. E repisou sua antiga preocupação com a infiltração comunista no Brasil, que tornaria necessário um reforço dos órgãos de segurança. Juscelino autorizou Walther Moreira Salles a restabelecer o diálogo com o FMI, o qual concedeu mais tarde um crédito de US$47,7 milhões. E procedeu à criação do SFICI (Serviço Federal de Informações e Contra-Informações) e de Seções de Segurança Nacional nos ministérios civis, subordinados à secretaria geral do Conselho de Segurança Nacional. Essa a raiz remota do SNI, criado em 1964, podendo-se dizer que esse organismo não foi uma invenção puramente militar, e sim uma evolução do SFICI, criado no governo Kubitschek. Ver Moniz Bandeira, *Brasil-Estados Unidos. A rivalidade emergente*, Rio, Civilização Brasileira, 1989, p. 93.

A última entrevista de Juscelino à imprensa, em Nova York, ocorreu em 8 de janeiro de 1956.[99] Lembro-me de que um jornalista lhe fez três perguntas: se pretendia suprimir a corrupção na burocracia; se tinha intenção de desautorizar a promessa do vice-presidente eleito, sr. João Goulart, de duplicar o salário dos trabalhadores; e que pretendia fazer em relação à dívida externa do Brasil? Juscelino saiu-se airosamente. Em resposta ao primeiro quesito, disse que "não permitiria corrupção alguma, a fim de evitar perturbações em sua obra de governo". Quanto ao segundo, declarou que o sr. Goulart não prometera dobrar o salário dos trabalhadores. Havia apenas declarado, como o próprio Juscelino o fizera, que se "deveria dar aos trabalhadores um salário capaz de lhes propiciar uma vida digna". No que se refere à dívida externa (já então, como hoje, uma preocupação renitente na história brasileira), respondeu que não o assustava o tamanho da dívida, mas apenas o seu perfil. Prosseguiu Juscelino dizendo que se esforçaria por consolidar a dívida em prazo mais longo, de modo que os volumosos pagamentos dos próximos anos não frustrassem o seu programa de desenvolvimento econômico.[100]

Na visita a Washington, Kubitschek foi recebido pelo secretário de Estado, John Foster Dulles, e, falando ao Congresso norte-americano, onde foi saudado pelo vice-presidente Richard Nixon, acentuou os temas tradicionais da identidade de opções básicas pela democracia e livre iniciativa. Declarou que o Brasil, em matéria de política mundial, não tinha visão muito diferente da dos Estados Unidos, e que a fraternidade entre os dois países estava suficientemente comprovada pela aliança em duas guerras mundiais.

A conversa com o secretário Dulles foi bastante genérica. Juscelino era apenas um presidente eleito, incapaz, portanto, de assumir compromissos. Dava para perceber, entretanto, uma fundamental diferença de enfoque entre os dois estadistas. Para Juscelino, o importante era o desenvolvimento econômico. Atingido este, amortecer-se-iam as pressões sociais e, portanto, o perigo do comunismo que tanto preocupava Washington. Dulles partia de um ponto de vista diferente. A infiltração comunista poderia ocorrer independentemente da situação econômica ou das tradições religiosas ou culturais.

Essa diferença de enfoque viria a se manifestar novamente quando Dulles visitou o Brasil em agosto de 1958, enviado por Eisenhower para significar a atenção

---

[99] Ficamos todos impressionados com o prestígio de que o cônsul-geral Hugo Gouthier gozava junto ao prefeito de Nova York, Robert Wagner, que deu ao presidente eleito um tratamento mais cálido que o protocolar. O aspecto pitoresco é que Gouthier, quando secretário em Londres, dera assistência a Wagner quando este vagueava um pouco perdido pelas ruas londrinas, após uma bebedeira.

[100] Quando ouço agora, 33 anos depois, as lamúrias sobre nosso endividamento externo, não posso deixar de ter a impressão de que o Brasil pouco mudou e nada aprendeu.

que lhe merecera a famosa carta de Kubitschek, de 18 de maio, propondo a Operação Pan-Americana. Preparei uma exposição sobre a economia brasileira a ser apresentada a Dulles numa reunião com várias autoridades no Itamaraty. E servi de intérprete numa entrevista de Dulles com Kubitschek no palácio Laranjeiras. Kubitschek passou a criticar a obsessão anticomunista da política exterior norte-americana, argüindo que somente através do desenvolvimento se obteria a imunização contra o comunismo; e que por muito tempo ainda as tradições católicas do Brasil nos assegurariam relativa tranqüilidade quanto à subversão totalitária. Dulles argüiu, com bastante realismo, que não se poderia afirmar ser o desenvolvimento uma vacina contra a subversão comunista, pois a Tchecoslováquia caíra presa do comunismo com uma das economias mais prósperas da Europa. E mesmo Cuba, ao início do fidelismo, tinha duas vezes a renda *per capita* do Brasil e quase cinco vezes a renda do nordeste brasileiro, se bem que talvez mais injustamente distribuída. Quanto à religião, lembraria apenas que os dois maiores partidos comunistas não-russos do mundo eram o da França e o da Itália, nações ambas católicas, e que a Polônia permanecia comunista, apesar da maioria católica. E acrescentou, em um dos raros sorrisos de homem já ferido pela doença, que se bem tivesse um filho jesuíta, tinha de registrar o fato de que os mais débeis partidos comunistas do mundo eram precisamente os dos países protestantes anglo-saxões...

CORTEJANDO
INVESTIDORES

A visita de Juscelino aos Estados Unidos durou quatro dias. Dali partiu ele para um exaustivo périplo que o levaria à Holanda, Inglaterra, Luxemburgo, Bélgica, França, Alemanha, Itália, Vaticano, Espanha e Portugal.

A sucessão de jantares e entrevistas políticas e econômicas fatigaria qualquer jovem atleta. O *tour de force* foi o dia 12 de janeiro de 1956, quando Juscelino esteve em três países — na Inglaterra, para o café da manhã; no Grão-Ducado de Luxemburgo, para o almoço seguido de visita à usinas de aço da ARBED; na Bélgica, à noite, para um jantar oficial. Nesse jantar, Juscelino se impressionou sobretudo com a sofisticação intelectual e o *savoir faire* internacional de Paul Henri Spaak, o ministro do Exterior, que eu conhecera em Nova York como presidente da Assembléia Geral da ONU.

A viagem a Londres, como ficou dito, só fora confirmada após iniciado o périplo intercontinental. Depois de curta estada na Holanda, onde Juscelino foi recebido pela rainha Juliana, desembarcamos em Londres, já de fraque e cartola, diretos do aeroporto para um almoço com o *foreign secretary*, Selwyn Lloyd. À tarde, Juscelino visitou a rainha e, à noite, foi recebido em 10 Downing Street pelo primeiro-ministro.

Tive o privilégio de sentar-me à mesa ao lado de Harold MacMillan, então chanceler do Exchequer e depois primeiro-ministro, após a queda do gabinete Eden, como seqüela da crise do Canal de Suez. MacMillan revelou certo enfado na discussão de temas econômicos. Como bom aristocrata inglês, havia sido treinado como um *generalist*. Pertencia à ala *wet* dos tories, mais propensos a absorver a retórica da justiça social dos trabalhistas e a defender o *welfare state*.

— Os trabalhistas falam de reformas sociais; os conservadores as fazem — dizia ele.

Edmundo Barbosa da Silva e eu passamos a alcunhar o périplo Holanda, Inglaterra, Grão Ducado de Luxemburgo e Bélgica, de "circuito das quatro mulheres", pois que Juscelino foi recebido na Holanda pela rainha Juliana, na Inglaterra pela rainha Elizabeth II, em Luxemburgo pela grã-duquesa Carlota e, na Bélgica, pela rainha-avó Elizabeth — aí muito emocionado porque, como jovem telegrafista, viajara a Belo Horizonte em 1922 para ver os novos reis da Bélgica.

Para Juscelino, esses contatos políticos eram uma espécie de adrenalina. Ele estava desempenhando um grande papel: a abertura do Brasil para o mundo. Sua preocupação era atrair investidores estrangeiros, convencido de que o processo de desenvolvimento industrial, através do endividamento, tinha fôlego curto. Era necessário partir para a atração de capitais de risco, com vistas a promover um salto de industrialização. Era para isso que se havia desenhado um Plano de Metas, cujo cumprimento, no tocante a vários setores, como indústria automobilística, aço, construção naval e mecânica pesada, dependeria essencialmente da indução de capitais estrangeiros.

Tratava-se de uma revolução conceitual em relação ao estreito nacionalismo da era de Getúlio. Vargas tinha uma visão mesquinha e ciumenta do desenvolvimento. Talvez se tenha encarniçado nesse ponto de vista em conseqüência da grande controvérsia do petróleo, onde triunfara o ponto de vista nacionalista. Juscelino tinha um pensamento muito mais moderno. O que interessava era "onde está a fábrica e não onde mora o acionista". Em sua viagem proclamava continuamente a disposição do Brasil de acolher investimentos estrangeiros para o Plano de Metas.

Seu esforço mais concentrado nesse sentido foi feito na Alemanha, que já tinha ressurgido da guerra com grande ímpeto industrial, como uma fonte potencial de iuvestimentos. Juscelino era conhecido e admirado na grande indústria alemã, em função de seu esforço para a implantação da Mannesman em Minas Gerais. Com extraordinária ousadia, havia garantido o suprimento de energia a essa empresa, para pânico dos técnicos da CEMIG, que não se julgavam preparados para esse fornecimento. Na realidade, foram as indústrias alemãs, em grande parte, as pioneiras na implementação das metas da indústria automobilística. Somente depois é que as tradicionais firmas americanas, como a Ford e a General Motors, se decidiram a converter as oficinas de montagem em usinas de fabricação integrada.

Em sua viagem a Dusseldorf, Juscelino procurou suscitar o interesse de investidores, convidando-os a visitar o Brasil para a verificação *in loco* das oportunidades de investimento. Àquela ocasião doze grandes industriais revelaram interesse, mas uma única firma, a DKW, depois absorvida pela Volkswagen, se candidatou a produzir imediatamente no Brasil, formando, em associação com uma empresa brasileira, a DKW-VEMAG. Somente mais tarde a pregação frutificaria, com a vinda da Volkswagen (inicialmente para produzir a Kombi). A Mercedes Benz havia começado antes, em 1954, graças aos esforços do empresário polonês, Alfred Jurzykowski, com a montagem de caminhões, visando à nacionalização gradual.

Os pontos altos da visita foram a conversa de Juscelino com Ludwig Erhart, o ministro da Economia no auge de seu prestígio como inspirador da economia social de mercado, e, subseqüentemente, o almoço que lhe foi oferecido pelo chanceler Adenauer, com a presença de Erhart.

Fui apresentado, com o resto da comitiva, ao velho chanceler. Não podia imaginar que, cinco anos depois, em março de 1961, visitaria Adenauer e Erhart, como emissário de Jânio Quadros, para negociar a consolidação da dívida brasileira, pois a febre desenvolvimentista de Kubitschek, sua relutância em desvalorizar a taxa cambial para promover exportações e, finalmente, sua ruptura com o FMI, haviam levado o país a uma bancarrota cambial.

Antes da visita à Alemanha, Juscelino passara dois dias em Paris, de 13 a 15 de janeiro. Essa cidade lhe despertava recordações sentimentais, pois 25 anos antes ali fizera cursos de urologia com o professor Maurice Chevassu, no Hospital Cochin. Foi homenageado com um almoço pelo presidente Coty e discursou, num francês razoável, em jantar oferecido no Hotel Ritz por industriais franceses, com a presença do primeiro-ministro Edgard Faure. Com bastante *sense of humour* declarou Faure que se sentia embaraçado em ser o anfitrião pois era um primeiro-ministro, mas *pas tout à fait*, demissionário que estava. Mas havia um certo equilíbrio, porque o presidente eleito era um presidente, mas *pas tout à fait*.

A situação francesa era economicamente desconfortável e politicamente delicada. Na conversa com o presidente René Coty, repontou o tema do comunismo, com colorido diferente daquele de Washington. Os comunistas haviam, nas eleições gerais, aumentado sua participação no parlamento e, provocando agitação sindical, ameaçavam tornar o país ingovernável. Delineava-se a "crise de governabilidade" que dois anos mais tarde levaria ao retorno do general De Gaulle e à reforma constitucional de 1958. A agitação sindical e o sangrento conflito da Argélia foram os estopins da crise. Antoine Pinay, que depois viria a ser o "salvador do franco", era então ministro do Exterior e não perdeu tempo em fazer recriminações quanto à inadimplência brasileira em relação aos *porteurs de titres* das empresas encampadas por Vargas durante a guerra. Esse contencioso só viria a ser resolvido oito anos depois, no governo Castello Branco.

Com a irreverência típica dos parisienses, René Coty era chamado de "presidente prostático". Não sendo das personalidades mais relevantes da política francesa, teve a sorte de estar operado da próstata quando eclodiu na França uma raivosa controvérsia entre os "cedistas", partidários da formação da Comunidade Européia de Defesa (CED), e os "anticedistas", que viam no projeto uma cessão da soberania francesa e receavam o rearmamento alemão, ainda que controlado pela Comunidade. O debate se passionalizou incrivelmente, ficando do lado "cedista" Guy Mollet, Antoine Pinay, Paul Reynaud e Joseph Laniel. Do lado anticedista ficaram os "gaullistas", assim como Herriot, Daladier e Vincent Auriol (ex-presidente da República). Caiu o gabinete Reynaud-Laniel e, ao fim de uma crise ministerial, a primeira ministrança foi confiada a Mendès-France, em junho de 1954. Este teve de enfrentar, de início, dois "abacaxis": o conflito da Indochina, onde os franceses tinham sido derrotados pelos comunistas vietnamitas em Dien Bien Phu, e o envenenado problema da CED.

A criação da CED resultara, curiosamente, de uma proposta francesa que levou os seis países fundadores do futuro Mercado Comum Europeu a assinar o tratado de defesa conjunta em 27 de maio de 1952. O tratado não foi ratificado pela França ao longo de dois anos de acrimonioso debate, e a situação mudou num sentido favorável aos "anticedistas". Morrera Stálin, em 1953, o conflito da Coréia se estabilizara e, diminuída a ameaça soviética, prevaleceu o orgulho da soberania francesa em dimensionar livremente seu poderio militar. Quando caiu o gabinete Mendès France, no outono de 1954, surgiu o nome de René Coty como uma personagem conciliatória, pois que, em seu leito de enfermo, não sofrera a abrasão do debate. Rejeitada então a CED, fortaleceu-se a OTAN, da qual a França participava desde sua fundação em 1949, mas que não era tipicamente européia, pois dela participavam os Estados Unidos e o Canadá. Quando De Gaulle voltou ao poder em 1958, reabriu-se o antigo debate. Cada vez mais crítico da suposta sujeição da OTAN aos americanos, o que a seu ver implicava expor a França ao perigo de uma "guerra automática" decidida por outros países, De Gaulle, em julho de 1966, desvinculou a França do comando conjunto aliado, cujo quartel-general se transferiu para Bruxelas. A França permaneceria na OTAN, mas não participaria do comando integrado.

Lembro-me de um detalhe pitoresco, quase ao fim da visita de Juscelino. Houve um jantar *black tie*, oferecido pelo casal Charles Schneider, líderes do grupo Schneider-Creusot, que viria depois instalar no Brasil a Mecânica Pesada, localizada em Taubaté — um dos importantes projetos industriais do Plano de Metas. Sentei-me num canto da mesa, ao lado do poeta Vinicius de Moraes, então secretário de embaixada em Paris. Quando começou a aborrecida discurseira, Vinicius me convidou para sorrateiramente deixarmos a festa para uma excursão pela noite de Paris. Dirigimo-nos ao *night club* Eléphant Blanc, onde Vinicius, em companhia de amigos brasileiros, se dedicou ao seu esporte preferido — o levantamento de copos.

Deixei-o e fui revisitar a Place Pigalle, que não via desde 1948, quando participara da IV Reunião da Assembléia Geral da ONU. Fui logo abordado na noite fria por uma "escrava do amor", ruiva e esbelta, que deve ter achado bizarra a minha peregrinação em *black tie* pelo distrito vermelho.

— *Vous me semblez assez triste. Voulez-vous faire l'amour?*

— *Merci, madame, je suis très fatigué* — respondi-lhe.

— *C'est dommage, monsieur. Je m'apelle Mimi, je suis très cochonne et on dit que j'ai une langue de velours.*

Retornei casto ao Hotel Crillon, porém carregado de pensamentos lúbricos e um pouco impressionado com a originalidade da proposta.

A visita à Itália comprovou mais uma vez as qualidades atléticas do presidente eleito. No dia 17 de janeiro chegávamos a Roma, onde Juscelino foi recebido pelo embaixador Alves de Souza e ficou hospedado na embaixada, então já instalada no belíssimo palácio Doria Pamphili, situado na Praça Navona. Anos mais tarde, ao visitar esse palácio, diria Augusto Frederico Schmidt: "Isso é um bocado de embaixada. Agora só falta achar um país digno dela." Era minha primeira visita à Itália. Lembrei-me do aforismo que James Boswell atribuía ao Dr. Johnson: "Um homem que não conhece a Itália terá sempre um complexo de inferioridade".

Houve um suntuoso almoço no Quirinale com o presidente Gronchi e uma recepção na Villa Madama, oferecida pelo primeiro-ministro Segni. No dia seguinte, uma visita ao cemitério dos pracinhas, em Pistóia. Fui liberado para ficar em Roma e aproveitei o dia para visitar detidamente o Vaticano, já que a visita ao Papa Pio XII, marcada para o dia seguinte, seria regida por estreitos limites protocolares. Juscelino se encantou com um almoço com 18 cardeais, organizado pelo embaixador Décio Moura, e ficou comovido com o discurso do Papa, ao recebê-lo no Vaticano. Disso extraiu dividendos políticos. O jornalista Danton Jobim expediu um despacho para o Brasil intitulado *Roma locuta est*, na esperança de exorcizar dúvidas sobre a questionada posse de Juscelino. Tempos depois, Juscelino se lembraria da pompa do almoço dos cardeais e dizia-se admirador da capacidade do Itamaraty de "organizar o supérfluo". Gostou tanto do almoço cardinalício que não pôde comparecer a um compromisso no Tesouro. Barbosa da Silva e eu, a instâncias do embaixador Alves de Souza, visitamos o ministro do Tesouro para apresentar embaraçadas desculpas.

Como ex-seminarista, bastante versado em história sacra e razoável latinista, os museus do Vaticano apresentavam para mim interesse cultural e emotivo. Ao ser conduzido pelo guia à Pinacoteca, não pude deixar de me lembrar de um pitoresco incidente com Goethe. Com a meticulosidade alemã, o grande gênio estudara a história da Pinacoteca e mostrou irritação quando o guia — provavelmente um substituto do titular em férias — lhe apontou um Pinturicchio como sendo um Raphael.

— *Signore Goethe, per capire queste cose in Italia* — observou o guia, embaraçado — *fa bisogno um puó di confusione.*

No dia 20, embarcamos para Madri, onde a acolhida que nos deu o embaixador Rubens de Mello foi menos que cálida, conquanto tivesse conseguido que o generalíssimo Franco comparecesse ao aeroporto. Tinha simpatias udenistas e talvez ainda entretivesse dúvidas sobre a posse de Juscelino. Houve uma benvinda pausa turística, que nos permitiu visitar o Palácio do Prado, Toledo e o Escurial. Ficáramos hospedados no Palácio La Moncloa, anos depois celebrizado pelo Pacto Social de Moncloa.

Logo após a chegada, Juscelino foi homenageado com um almoço pelo genera-

líssimo Franco. Este, certamente, não tinha o *physique du role*. Baixo, rechonchudo, com voz de falsete e mãos pequenas e moles, não exsudava o carisma dos
grandes líderes, o que tornava inexplicável o furor majestático que o habilitou a
encher um quarto de século da vida espanhola. Contava-se àquela ocasião uma
piada madrileña. Ao penetrar certa vez na sala de reuniões do gabinete, Franco
não foi percebido por dois ministros — quase chegavam às vias de fato, em áspera
discussão.

— *Porque se pelean ustedes?* — perguntou o generalíssimo.

— *Hablamos de politica* — *generalíssimo* — responderam os ministros.

— *Hagan como yo* — disse Franco — *que nó me meto en politica...*

Apesar de sua menor importância econômica, e talvez por causa disso, os espanhóis tentaram aprofundar discussões econômicas durante uma visita que fizemos
ao INI (Instituto Nacional da Indústria). Era o templo do dirigismo espanhol,
atuando como órgão promotor e operador das indústrias, o que eu considerava
positivamente um mau exemplo. O INI não escapou ao destino que em vários países acomete órgãos governamentais de política industrial: tornou-se um hospital de
indústrias deficitárias. Àquela época, entretanto, o INI parecia um modelo bem-
sucedido de dirigismo.

À noite, após o banquete oficial, Edmundo Barbosa da Silva e eu pedimos licença para nos retirar, pois planejávamos uma excursão noturna para ver uma autêntica dança "flamenga". Juscelino manifestou inveja. Gostaria de acompanhar-nos,
mas se a notícia chegasse ao Brasil, Carlos Lacerda o acusaria de "pé-de-valsa"...

O périplo de vinte dias se encerrou em Portugal. Ficamos hospedados no belo,
porém gélido, palácio de Queluz, no qual nascera e falecera Pedro I. Social e politicamente, o evento mais interessante foi o faustoso banquete oferecido pelo presidente Craveiro Lopes no palácio da Ajuda. Sempre me impressionou o prosaico
senso do concreto revelado pelos portugueses na denominação dos lugares públicos. Há o Cemitério dos Prazeres, o palácio da Ajuda e o Paço das Necessidades.

Economicamente, o evento mais significativo foi a reunião matinal de 23 de
janeiro com o primeiro-ministro Antônio Salazar. Ambos madrugadores, a reunião
foi marcada para as sete da manhã. Interessava a Juscelino saber o segredo salaza-
riano da estabilidade de preços e firmeza da moeda. Salazar — talvez o único
ditador incorruptível da história — não desapontou.

— O segredo — disse Salazar — é um governo forte com austeridade fiscal e
cortes drásticos de gastos públicos.

— E quanto tempo seria necessário? — continuou Juscelino.

— Talvez cinco anos para colher os frutos — respondeu Salazar.

Lembro-me de que depois, comentando a reunião, Juscelino encolheu os
ombros num gesto frustrado. — Imaginem que receita — disse ele. Como ter um

governo forte, se até recentemente sequer sabia se poderia tomar posse? E o velho quer me proibir de gastar, a única coisa que sei fazer bem. E depois, agüentar cinco anos... Será que esse velho espera que eu arreie o cavalo para o meu sucessor montar?

Comentei com Barbosa da Silva: — A receita do velho Salazar se resume numa frase de Eça de Queiroz — "Bom entendimento e firme querer".

Carlos Lacerda diria, anos depois, quando Salazar completava 70 anos, que era "o mais inteligente, o mais lúcido, o mais implacavelmente lúcido dos anacronismos".

O COBRADOR
DE TAREFAS

Tendo começado a trabalhar com Juscelino logo após a sua eleição, em 3 de outubro de 1955, com ele colaborei até a minha exoneração da presidência do Banco Nacional do Desenvolvimento Econômico, em julho de 1959. Quando comecei a auxiliar Lucas Lopes na preparação das metas e do programa de estabilização monetária, eu estava na superintendência do BNDE, cuja presidência era exercida por Glycon de Paiva. Éramos chamados, Lucas, Glycon e eu, os "três mosqueteiros". Mantínhamos os três um velho relacionamento que vinha desde o tempo da Comissão Brasil-Estados Unidos. Esperávamos que a tríade se mantivesse indivisa no governo Kubitschek. Inicialmente se acreditava que Lucas Lopes seria ministro da Fazenda, o que facilitaria que continuasse intacta a equipe do BNDE. Com a decisão de Juscelino de deslocar Lucas Lopes para a presidência do BNDE, criou-se uma zona de atrito. Propus a Glycon de Paiva que ocupasse o meu posto de diretor-superintendente, ao qual eu renunciaria, podendo continuar como simples diretor do BNDE ou retornar ao Itamaraty, onde tinha sido preterido na lista de promoções, sob pretexto de "absenteísmo".

Glycon, entretanto, considerou que era um sacrifício da minha parte e que para ele a transferência representaria, de qualquer maneira, uma *capitis diminutio*. Preferiu retirar-se para a vida privada, e suas relações com Lucas Lopes tornaram-se tensas. Foi um episódio lamentável, de vez que se tratava de duas grandes personalidades, cuja colaboração os teria mutuamente reforçado. Glycon tinha um sólido *background* técnico e um conhecimento panorâmico da realidade brasileira. Era um dos nossos mais eminentes geólogos e possuía uma rara qualidade — um extraordinário *sense of humour*.

Juscelino iniciava seu governo numa fase de grande conturbação; sua posse havia sido questionada, o sistema de apoio era instável.[101] Juscelino enfrentara aguda competição eleitoral e fora eleito por uma percentagem de 35,67% do eleitorado, consideravelmente inferior à de Dutra (55,3%) e à de Vargas (48,7%). Jânio Quadros, em 1960, logrou obter 48,3%. A preocupação de legitimação pela eficácia desenvolvimentista era uma constante no comportamento de Juscelino.

---

[101] Como apropriadamente faz notar Maria Victoria de Mesquita Benevides, "o sistema era estável no jogo das forças políticas, mas instável do ponto de vista institucional". Ver *O governo Kubitschek*, Rio de Janeiro, Paz e Terra, 1970, p. 252.

Ele havia conseguido reconstruir a coalizão populista PSD-PTB com a qual Getúlio havia recapturado o poder, mas essa própria reconstituição da base política do varguismo acirrava a oposição da velha UDN, que se sentia frustrada com o retorno dos varguistas ao poder, quando imaginava ter-se iniciado uma era nova com a queda de Getúlio. A UDN encontrava, por sua vez, apoio no grupo militar antigetulista, que se havia congregado em torno de Juarez Távora, candidato derrotado por Juscelino à presidência da República. Adhemar de Barros, o outro candidato derrotado, constituía uma força à parte, que teria de ser cooptada principalmente em base clientelesca. Ante tantas dificuldades, foi quase miraculoso que Juscelino conseguisse ser o único presidente civil que, no período de após-guerra, conseguiu transmitir o poder normalmente ao seu sucessor.[102]

Trabalhar com Juscelino era uma tarefa estimulante e ao mesmo tempo cansativa. Fustigava-me, querendo apressadamente o desdobramento das metas. A seu ver, meu trabalho era meticuloso, porém lento. Quando me cobrou resultados mais rápidos, respondi-lhe: — O senhor quer um Plano de Metas para ser cumprido, ou uma lista de obras para ser exibida?

Ele não tinha grande noção de horário de trabalho e era capaz de despertar na tecnocracia singular devoção, levando-a a uma espécie de voluntariado patriótico em tempo de trabalho. Era quintessencialmente um motivador. Tinha plena consciência de que a essência da democracia é a administração de conflitos e revelou-se exímio equilibrista político.

Sua primeira tarefa de balanceamento era entre os interesses conservadores do PSD e o trabalhismo populista do PTB. Jango tinha sido seu companheiro de chapa como vice-presidente e sentia-se forte, pois, bizarramente, tinha tido, nas eleições de 3 de outubro de 1955, meio milhão de votos a mais que Juscelino. Na partilha dos despojos, ficou com a fatia clientelesca, que compreendia os ministérios da Agricultura e Trabalho e o controle dos Institutos de Pensões e Aposentadorias, com suas verbas razoavelmente flexíveis e imensas possibilidades de clientelismo.

Uma UDN irredentista, uma classe militar dividida, uma coalizão potencialmente instável e uma posse em estado de sítio — eis o legado que cabia a Juscelino administrar. À parte o jogo de forças políticas, a nação se embrenhava em profundas controvérsias de natureza ideológica, centradas particularmente nos temas do nacionalismo e do desenvolvimentismo.

---

[102] A pasta mais cobiçada pelas esquerdas era a do Trabalho. Cauteloso, Juscelino designou para ela, como ele próprio diz, um "não-comunista", Parsifal Barroso. Quando este se desincompatibilizou para concorrer a deputado federal, em junho de 1958, Juscelino teria convidado Rômulo Almeida, "para me proteger um pouco contra o Jango". A missão não pareceu atraente a Rômulo, que declinou o convite.

AS CONTROVÉRSIAS
IDEOLÓGICAS

Da mesma maneira que a década anterior, a dos anos 40, havia sido marcada pelo longo e acerbo debate entre o protecionismo e o liberalismo comercial, na década dos 50 atingiu seu apogeu a questão nacionalista. Talvez os dois detonadores tenham sido a controvérsia sobre a remessa de lucros e a questão do petróleo. Como já foi dito aqui, em seu famoso e contundente discurso de passagem do ano, em 1951, Vargas reviveu suas velhas teses xenófobas. Sempre fora atraído por interpretações conspiratórias da história e via o atraso brasileiro como em parte decorrente da ação espoliadora dos *trustes*. Aliás, poucos anos depois, em sua carta-testamento, voltaria a essa responsabilização, carente naturalmente de maior comprovação histórica. No discurso de 31 de dezembro de 1951, Vargas denunciava a ação dos trustes que provocavam no Brasil uma sangria de divisas, mas tanto a base teórica de argumentação como os dados estatísticos eram precários. Em seu raciocínio ele tendia a comparar, como era costume na época, duas coisas diferentes — o fluxo de rendimentos e o estoque de capital.

A exacerbação de remessa de rendimentos num ano, ou mesmo em um período isolado, tem significação limitada, pois pode corresponder ao resultado diferido do estoque de capital acumulado anteriormente. De outro lado, não se pode extrair conclusões sobre o efeito positivo ou negativo do capital estrangeiro com base exclusivamente na comparação setorial entre ingressos líquidos de capitais e remessas de juros e dividendos. A avaliação da contribuição do capital estrangeiro é muito mais complexa. Exigiria medir-se, do lado do consumo de divisas, não apenas as remessas de juros, amortização de capital e dividendos, mas também o valor dos insumos importados por empresas estrangeiras. Do lado positivo, dever-se-ia contar não apenas o ingresso líquido de capitais de empréstimo e de risco, mas também o benefício resultante da substituição líquida de importações e da receita de divisas resultante da operação de empresas estrangeiras. Isso para não falar em conseqüências indiretas, com a transferência de tecnologia e *know-how* administrativo e o efeito multiplicador sobre investimentos locais. Esse balanço é complexo. Se esse exercício holístico tivesse sido feito à época, provavelmente teria demonstrado contundentemente que os investimentos estrangeiros deixavam para a nação um saldo extremamente positivo.

O segundo elemento de excitação da controvérsia era a questão do petróleo, a que já fiz referência. Getúlio Vargas enviou ao Congresso um projeto de lei sobre a criação da Petrobrás bastante mais moderado que aquele que emergiu do debate legislativo. Era criada a Petrobrás, porém não em caráter de monopólio, e se mantinham em mãos privadas as concessões de refinarias existentes à época. Bizarramente, apesar de sua retórica pseudoliberal, a UDN endossou com entusiasmo a tese, até agravando-a, de vez que não só encampou a solução monopolística advogada pela esquerda radical, como até mesmo o cancelamento das concessões já dadas às refinarias privadas. Prevaleceu o primeiro ponto, ainda que não o segundo.

O irracionalismo da solução era evidente. Privávamo-nos da cooperação de capitais de risco, numa área em que o resultado da prospecção é aleatório e diferido, e em que havia capitais privados disponíveis no mercado internacional. A religião da Petrobrás teve um efeito inebriante. Quarenta anos depois continuamos sob o império desse mito...

São várias as tipologias aplicadas para a interpretação das posições político-econômicas dos distintos grupos da época. Thomas Skidmore fala em três correntes: a neoliberal, a desenvolvimentista-nacionalista, e a nacionalista-radical.[103] Juscelino se enquadraria na definição de nacionalista-desenvolvimentista. Essa classificação se aplicaria também a Vargas, conquanto este freqüentemente descambasse para posições mais parecidas com as dos nacionalistas-radicais.[104]

Hélio Jaguaribe adota outra tipologia. Distingue ele entre cosmopolitismo e nacionalismo, cada um deles com subvariantes. No caso do cosmopolitismo, haveria a corrente liberal e a corrente desenvolvimentista. No caso do nacionalismo, as subdivisões seriam novamente entre liberais e desenvolvimentistas. Lourdes Sola, adotando conceituação semelhante, refere-se aos "técnicos nacionalistas" e aos "técnicos cosmopolitas". Ricardo Bielschowsky, por sua vez, sugere uma classificação um pouco mais sofisticada. Haveria basicamente três correntes: a neoliberal, a desenvolvimentista (subdividida esta em duas, a desenvolvimentista não-nacionalista e a desenvolvimentista nacionalista) e, finalmente, a corrente socialista.

Se chamado a autoclassificar-se, Juscelino provavelmente se inseriria na corrente desenvolvimentista-nacionalista. Seu nacionalismo, entretanto, era bas-

---

[103] Thomas Skidmore, *Politics in Brazil 1930-1964* , New York, Oxford University Press, 1967, p. 87-92.

[104] Ricardo Bielschwsky, *Pensamento econômico brasileiro*, Rio de Janeiro, IPEA, 1988, Parte I, p. 37 a 283. O professor Guido Mantega classifica as tendências em função dos modelos adotados. Distingue entre dois grupos: os modelos não-marxistas e os modelos marxistas. No primeiro grupo classifica o "modelo brasileiro de desenvolvimento", o "modelo de substituição de importações". O segundo grupo compreenderia o "modelo democrático-burguês" e o "modelo de subdesenvolvimento capitalista". Ver Guido Mantega, *A economia política brasileira*, Petrópolis, Vozes, 1987.

tante mais arejado que o de Getúlio. Juscelino nunca partilhou do viés getuliano da interpretação conspiratória da história. A hostilidade aos trustes internacionais não fazia parte do seu vocabulário. Como dizia Lucas Lopes, a diferença entre capital nacional e estrangeiro era pouco relevante para Juscelino; o relevante era a diferença entre capital que contribuía para "criar riqueza" e "capital especulativo".

Revelava ele, sem dúvida, um toque de antiamericanismo, alegando a indiferença com que fora recebido seu plano de desenvolvimento e a falta de sensibilidade de Washington às "aspirações latino americanas". Onde ele enxergava, com ridículo exagero, atitudes conspiratórias era nas organizações internacionais, particularmente no FMI, supostamente interessado na "aniquilação do Brasil" e em manternos na situação colonial de fornecedores de matérias-primas.

Uma outra diferença é que não se notava em Juscelino, ao contrário do que acontecia com Getúlio, nenhum viés estatizante. Pagava obviamente seu cumprimento político à Petrobrás, mas notava-se que não tinha fanatismo pelo monopólio, e o "Plano de Metas" foi baseado, em grande parte, num esforço deliberado de captação de capitais estrangeiros, aos quais se concediam incentivos e mesmo subsídios.

O Plano de Metas não poderia ter sido desenvolvido em sua parte industrial sem dois elementos. De um lado, a cooperação maciça do capital estrangeiro na implantação de várias indústrias como a automobilística, a petroquímica, a de construção naval, a indústria elétrica e a mecânica pesada. De outro, o excelente instrumento criado pelo professor Eugênio Gudin com a Instrução n.º 113, de janeiro de 1955, que permitia aos investidores a internação de equipamentos "sem cobertura cambial". As duas coisas se casaram: a disposição de Juscelino de recorrer a investimentos de risco (contrastando com a tendência getulista de preferência por capitais de empréstimo) e o mecanismo, criado por Gudin, das importações sem cobertura cambial.

Extremamente controvertida à época, e acusada de representar uma desvantagem para as empresas nacionais, a Instrução n.º 113 veio a representar contribuição fundamental para o surto industrial do período Kubitschek. Indiretamente, trouxe grande impulso ao desenvolvimento da própria indústria nacional, pois que abriu oportunidades para inúmeras empresas atuarem como fornecedoras de peças ou provedoras de serviços. A indústria automobilística, por exemplo, dificilmente teria surgido com a velocidade com que surgiu, não fora a combinação de abertura para capitais de risco e a sistemática de importação sem cobertura cambial da Instrução n.º 113.

As indústrias selecionadas para esforço especial no Plano de Metas eram indústrias essencialmente germinativas, com vinculações para diante e para trás, num sentido hirschmaniano, abrindo-se assim imensas oportunidades a uma industrialização correlata, em benefício de empresas brasileiras.

O desenvolvimento industrial da era Juscelino foi basicamente privatista, contrastando com dois outros períodos da história brasileira em que se notou um franco viés estatal: a industrialização da era Vargas e, posteriormente, a industrialização do período Geisel, baseada em grandes projetos estatais de substituição de importações.

O ESTILO DE
GOVERNO

Juscelino, que se tinha provado um dinâmico administrador na governança de Minas Gerais, preocupou-se, desde o início, em marcar um novo estilo de governo, com bastante panache. No dia seguinte à posse, 1º de fevereiro de 1956, convocou a primeira reunião de gabinete para um horário pouco convencional — 7 horas da manhã — e iniciou seu governo com a assinatura do decreto que criava o Conselho do Desenvolvimento Econômico, encarregado precisamente da supervisão e desenvolvimento do Plano de Metas. O Conselho do Desenvolvimento era composto originalmente dos ministros da Fazenda, Justiça, Marinha, Guerra, Viação e Obras Públicas, acrescidos dos chefes da Casa Civil e Militar, do presidente do Banco do Brasil e do presidente do BNDE. Somente mais tarde, em 1959, essa composição incluíria os ministros da Educação e Cultura, do Trabalho e Previdência Social, do Comércio e Indústria, e o diretor-geral do DASP. Era um órgão superior de coordenação.

O Conselho nunca se operacionalizou, mas isso teve pouca importância porque o órgão realmente ativo era a secretaria geral do Conselho, chefiada por Lucas Lopes, que acumulava as funções de presidente do BNDE. Este dava o suporte logístico e fornecia boa parte do pessoal técnico encarregado do Plano de Metas.

Dois detalhes curiosos merecem ser mencionados. O primeiro foi uma reunião do grupo econômico do governo — ministro Alkmin, Lucas Lopes, Edmundo Barbosa da Silva e eu próprio — com a delegação americana que acompanhava o vice-presidente Nixon, designado por Eisenhower como seu representante oficial na posse de Juscelino. Em reunião no palácio do Catete, no dia seguinte à posse, foi apresentada ao vice-presidente Nixon e a Henry Holland, secretário de Estado assistente para Assuntos Interamericanos, uma exposição do programa de governo.

Tratava-se de um memorando cuidadosamente elaborado, que começou a ser lido pelo ministro Alkmin, que logo me passou a palavra, pois, jejuno em matéria econômica, se sentia inibido na apresentação do documento. Nessa exposição preliminar do programa de governo se esboçava a orientação que pretendíamos seguir para promover a recuperação das finanças do país e a realização do Plano Nacional do Desenvolvimento Econômico.

Além da propositura de um esquema de reestruturação da dívida externa a prazos curto e médio, para possibilitar a obtenção de novos financiamentos, abordavam-se outros assuntos de interesse recíproco das relações entre o Brasil e os Estados Unidos da América, tais como café, aquisição de excedentes agrícolas, problemas relativos à energia atômica etc. Holland impressionou-se com o grau de preparo da equipe econômica e confidenciou-me depois: — Tenho uma curiosa impressão: esta será uma das transmissões de governo mais contestadas politicamente e melhor planejadas economicamente.

Esse documento, depois elaborado e pormenorizado por um grupo informal de trabalho, com participação do Departamento Econômico do ministério das Relações Exteriores, serviu de base para negociações que ulteriormente desenvolveu João Goulart, o qual, em 23 de abril, foi designado por Kubitschek para uma visita aos Estados Unidos.

O governo Kubitschek certamente não sofria, em seu início, nem de perplexidade, nem de escassez de idéias. Já a partir da proclamação da candidatura de Juscelino na convenção do PSD, em março de 1955, Lucas Lopes se havia aplicado a trabalhar na mensagem do candidato e, subseqüentemente, na preparação do documento "Diretrizes do Desenvolvimento", para o qual me pediu algumas contribuições. Logo em seguida foram também apresentadas pelo ISEB algumas sugestões, de aproveitamento menor, pois já vinham carregadas dessa mistura de filosofia e ideologia que caracterizava os trabalhos do Instituto. A tríade intelectual mais influente era composta de Hélio Jaguaribe como cientista político, Guerreiro Ramos como sociólogo e Ewaldo Corrêa Lima, como economista.

Entretanto, o Instituto rapidamente se entregou a um radicalismo ideológico — visando à criação de uma "ideologia nacionalista de desenvolvimento" — que provocou uma profunda cisão. Acabou sendo dominado pela quadrilha de ideólogos radicais — Roland Corbisier, Álvaro Vieira Pinto, Nelson Werneck Sodré e Guerreiro Ramos, sendo que este último, um sociólogo respeitável, acabou também dissidente.

Participei, sem entusiasmo, em companhia de Oscar Lorenzo Fernandes, meu colega do Itamaraty, de algumas das reuniões do ISEB, preocupado com a maré montante do irracionalismo nacionalista, um misto de protomarxismo e complexado antiamericanismo.

Inicialmente, os cinqüenta membros do Conselho Consultivo, do qual participávamos Lucas Lopes e eu, formavam um arco-íris ideológico, abrangendo personalidades tão contrastantes como Gilberto Freyre, Horácio Lafer, Miguel Reale, Hermes Lima e San Tiago Dantas.

O ISEB fora criado em junho de 1955, ainda no governo Café Filho, sob a égide do ministério da Educação. Substituiu o IBESP, organização privada de intelectuais preocupados com a problemática brasileira. Alguns dos fundadores almejavam transformá-lo numa alternativa à Escola Superior de Guerra. Seria uma espécie de desenvolvimentismo à paisana, enfocando-se a ideologia do desenvolvimento sob um prisma multicultural e não meramente estratégico.

Em seu primeiro ciclo de conferências, o ISEB manteve saudável ecletismo. Como nota Caio Navarro de Toledo, podiam-se se distinguir várias propostas diferentes: *reformismo* (aceitação de mudanças porém sem transformação das relações de produção); *antipopulismo* e *moralismo institucional* (melhores instituições e princípios morais como remédio para a crise); *antiestatismo* (papel meramente supletivo do Estado); e *tecnocratismo*.[105] Mas logo se manifestaram clivagens mais profundas. Lucas Lopes e eu lutávamos pela *via tecnocrática*, visando a criar instituições e mobilizar recursos para o desenvolvimento, enquanto que o ISEB se embrenhava em discursos filosóficos sobre "alienação", "colonialismo" e "dependência", ora reproduzindo conceitos marxistas, ora procurando dar respeitabilidade a velhos *slogans* cepalinos.[106]

A desintegração do ISEB começou com um episódio dramático em fins de 1958: o *julgamento* do politólogo Hélio Jaguaribe, em razão da publicação de seu livro *O nacionalismo e a atualidade brasileira*. Conquanto filiado às teses nacional-desenvolvimentistas, Jaguaribe ousava admitir uma eventual colaboração de capitais estrangeiros no setor petrolífero, sobretudo na petroquímica. Distinguia corretamente entre "nacionalismo de fins" e "nacionalismo de meios". A conspiração contra Jaguaribe fora inicialmente urdida por Guerreiro Ramos, que acabou pouco depois tornando-se ele próprio um dissidente do ISEB, acusando esse órgão de se ter transformado em "agência eleitoreira" e "escola de marxismo-leninismo".

Levantamo-nos em defesa de Jaguaribe, contra as utopias desvairadas dos radicais, Anísio Teixeira, Cândido Mendes e eu próprio. Estranha foi a posição de Roland Corbisier, que tendo feito a revisão do livro, aderiu depois aos hipernacionalistas.

— Reviu mas não viu — pilheriava eu.

---

[105] Ver Caio Navarro de Toledo, *ISEB: Fábrica de ideologias*, Ed. Ática, 1982, passim.

[106] Entre os abstrusos conceitos desenvolvidos pelo ISEB figurava o das "duas burguesias": a "entreguista", ligada ao capital estrangeiro, e a "nacionalista", mobilizável para o combate ao imperialismo. Guerreiro Ramos falava na polarização entre a "nação" e a "antinação", sendo a primeira constituída pelos setores "produtivos", e a segunda pelos setores "estáticos e parasitários" da sociedade. O Brasil sofreria de uma "dupla alienação": a decorrente do próprio sistema capitalista e a decorrente da condição de subdesenvolvimento. O fenômeno da "alienação cultural" era descrito por Cândido Mendes como *mimetismo*, por Vieira Pinto, como *reflexo do reflexo*, e por Nelson Werneck Sodré como *transplantação*. Segundo Hélio Jaguaribe, a verdadeira ideologia do desenvolvimento deveria ser elaborada de modo a satisfazer os requisitos de *representatividade e autenticidade*. Ver Caio Navarro de Toledo, op. cit., p. 42-43. Ver também René Dreifuss op. cit. p. 25.

O mais tenaz crítico de Jaguaribe passou a ser o filósofo Álvaro Vieira Pinto, que falava alucinadamente no "nacionalismo como categoria suprema da inteligibilidade histórica" (sic); chamava a nação de "universal concreto" e dizia, com ar sério, despautérios, como o seguinte: "A nação subdesenvolvida perde a sensibilidade para a história, que lhe aparece como um relato de acontecimentos destinado a sancionar a dominação que ostenta".

Não menos gongoricamente, Corbisier pontificava que "não haverá desenvolvimento sem a formulação prévia de uma ideologia do desenvolvimento nacional". Corbisier acabou obtendo de Juscelino um decreto que abolia o Conselho Consultivo e reforçava os poderes da Congregação, por ele dominada.

Bizarramente, essa exacerbação ideológica ocorria precisamente quando sociólogos e politólogos do porte de Daniel Bell, Seymour Lipset e Raymond Aron acusavam mundialmente a ocorrência de um fenômeno de "desideologização".

O julgamento de Hélio Jaguaribe foi para mim uma lição melancólica sobre as perversões fanáticas de que são capazes os "intelectuais enragés". Uma nota cômica foi a convocação de uma assembléia extraordinária da UNE, para passar sentença sobre o livro de Jaguaribe. Como eu próprio estava sendo julgado e condenado pela UNE, a propósito do petróleo boliviano, não me surpreendeu a ousadia dos pivetes filósofos.

A destramelada ideologização do ISEB tornou-o instrumento pouco útil para a finalidade que Juscelino pretendia ao prestigiá-lo: mobilizar a *intelligentzia* nacional a favor do Plano de Metas. Em sua fase final, no governo Goulart, o ISEB se empenharia no movimento político das "reformas de base", que eram muito mais uma gesticulação esquerdeira do que um meditado programa de ação.

O ISEB foi extinto através de um decreto de 13.04.64, logo após a deposição do presidente Goulart. Foi assinado por Ranieri Mazzilli, presidente interino, causticamente apelidado por Guimarães Rosa de "modess": — Está presente — dizia o criador de Riobaldo e Diadorim — no melhor lugar, nos piores momentos, para evitar derramamento de sangue...

UMA CONVERSA COM
RICHARD NIXON

O vice-presidente Richard Nixon, chefe da delegação norte-americana à posse de Juscelino, foi convidado por Kubitschek para visitar, no dia seguinte, a usina de Volta Redonda. No velho DC-3 presidencial, que Juscelino usava com grande periculosidade nas suas peregrinações pelo Brasil para a supervisão de obras, além de Nixon e do presidente Kubitschek, viajamos também Lucas Lopes e eu. Cabia-me servir, em parte como intérprete, e em parte como oficial de ligação da missão visitante com a equipe econômica do novo governo.

Nixon fora por nós pressionado para obter uma solução imediata para um pedido de empréstimo da usina de Volta Redonda que tramitava no Export-Import Bank. Teve que se pendurar ao telefone para obter autorização de Washington para o anúncio do empréstimo. Havia uma diretriz implícita do governo Eisenhower de sempre procurar evitar anúncios de empréstimos nas visitas de dignitários, pois a criação dessa expectativa tornaria o envio de missões americanas ao exterior um exercício extremamente dispendioso. E certamente contrariaria a política assaz restritiva do secretário do Tesouro, George Humphrey, nunca acusado de liberalidades em matéria de financiamentos oficiais. Nixon anunciou o empréstimo em breve discurso que se seguiu ao pronunciamento de Juscelino em Volta Redonda.

Tive oportunidade, antes e depois dessa viagem, de conversar com o vice-presidente Nixon. Lembro-me de que ele discutiu, sem qualquer entusiasmo ou convicção, um plano que me havia sido apresentado por um construtor americano, John Wynans, visando a trazer uma contribuição para a solução dos crônicos problemas cambiais brasileiros. A idéia consistiria na construção de uma usina de sinter em Vitória, para a sinterização do minério itabirito para exportação aos Estados Unidos em contratos de longo prazo (visualizava-se um período de dez anos), com pré-pagamento. A esse tempo, a exploração da taconita nas montanhas do Mesabi, em Minesota, estava se tornando crescentemente dispendiosa, tornando interessante a busca de alternativas. O benefício para o Brasil seria garantir receita cambial antecipada por via de exportações, livrando-se de empréstimos emergenciais para alívio da crise de balanço de pagamentos. Do ponto de vista americano, o possível interesse seria não só garantir um fornecimento a longo prazo, como obter um desconto sobre os preços internacionais vigentes na época das entregas de minérios.

As objeções ao esquema eram óbvias e não escaparam a Nixon. Do lado americano, não existia nenhuma organização centralizada de compras, a não ser para materiais estratégicos estritamente definidos, que poderiam ser comprados pela Commodity Credit Administration. Minério de ferro era algo cuja importação dependia essencialmente da mobilização de interesses das companhias privadas produtoras de aço. A fixação da fórmula de descontos para pré-pagamento das entregas a prazo seria um complicador adicional.

Lembro-me de um aspecto bizarro da nossa discussão subseqüente. Acentuei a Nixon a imprescindibilidade de uma rápida ação americana para aprovação dos projetos de desenvolvimento, há longo tempo preparados pela Comissão Mista Brasil-Estados Unidos, e engavetados quando chegou ao poder a administração de Eisenhower. Insisti em que o Brasil tinha de manter uma alta taxa de crescimento, quanto mais não fosse para a absorção dos excedentes demográficos de mão de obra, gerados pela explosão populacional.

Nixon manifestou estranheza ante o caráter negativo que eu atribuía à explosão demográfica. A seu ver, com enormes espaços vazios, o Brasil não tinha que se preocupar particularmente com o problema demográfico. Adivinhava em minhas palavras uma certa simpatia por programas de planejamento familiar, que ele aparentemente associava à idéia da liberalização do aborto. Como é sabido, o aborcionismo era uma tese duramente combatida pela ala conservadora do Partido Republicano, a que Nixon pertencia.

Expliquei não estar propriamente propondo nenhuma fórmula específica de contenção da explosão demográfica, embora este me parecesse um problema sério para o Brasil devido à baixa capacidade de investimento. E acrescentei que territórios vazios não se ocupam apenas com pessoas. É necessário anteriormente criar-se uma infraestrutura de apoio, que exigiria investimentos. Referi-me então à "armadilha populacional": o crescimento demasiado rápido da população exige que se apliquem meramente na infraestrutura social e na manutenção de estoque de capital existente, recursos que, se aplicados em setores diretamente produtivos, poderiam gerar um excedente maior de investimentos. Isso permitiria mais tarde uma ocupação racional do *hinterland* vazio.

Desde aquela época, Glycon de Paiva e eu — Glycon com muito mais profundidade e tenacidade — nos preocupávamos com os efeitos da explosão demográfica. Na realidade o Brasil, ao contrário dos países asiáticos que hoje formam o grupo dos "tigres", nunca teve uma política demográfica consistente. Os centros de objeção ao planejamento familiar eram não só a Igreja, como também as próprias Forças Armadas e certos setores empresariais, como descobri com certa surpresa quando anos mais tarde procurei suscitar o assunto durante o governo Castello Branco.

Não valia a pena questionar os tabus conservadores do Partido Republicano. O relevante para o Brasil naquele momento era o financiamento da expansão de Volta Redonda, que Nixon anunciou ao visitar a usiha.

OS ACORDOS DE
WASHINGTON

De importância decisiva para o Plano de Metas seria a retomada de financiamentos de projetos anteriormente processados através da Comissão Mista Brasil-Estados Unidos. O pedido de retomada desses financiamentos havia sido apresentado durante a exposição feita a Nixon e Holland por ocasião da posse do presidente Kubitschek.

Juscelino soube aproveitar politicamente uma oportunidade que se lhe oferecia. O presidente Eisenhower estava interessado na convocação de uma conferência interamericana no Panamá em junho de 1958, em parte como um esforço genuíno de reaproximação latino-americana, e em parte como preparação eleitoral, pois desejava concorrer a um segundo mandato. Houve insistente convite a Kubitschek para participar dessa conferência. Juscelino negaceou habilmente, alegando que não lhe parecia haver matérias suficientemente concretas a discutir, e insinuando que os Estados Unidos estavam duplamente em falta com o Brasil: os trabalhos da Comissão Mista tinham sido desativados, e os projetos por ela aprovados não haviam sido financiados. Essa provocação sensibilizou Washington.

Em reunião realizada no Palácio do Catete em 23 de abril, Juscelino decidiu aproveitar a viagem de João Goulart aos Estados Unidos para dar prosseguimento a essas negociações. A visita era basicamente de reciprocidade, tendo em vista a presença do vice-presidente Nixon na posse de Kubitschek, mas foi aproveitada para propósitos mais pragmáticos. A 27 de abril, foi designado para acompanhar João Goulart o ministro João Batista Pinheiro, que conhecia bastante bem, em nível técnico, os objetivos definidos pelo Conselho do Desenvolvimento. Curiosamente, a designação de João Batista Pinheiro foi feita sem sequer consulta ao Itamaraty. Era um dos exemplos de "diplomacia paralela", que se tornariam cada vez mais freqüentes, pois várias vezes Juscelino recorreu a Augusto Frederico Schmidt como uma espécie de embaixador informal, ignorando a cadeia de comando formal do Itamaraty.

João Batista Pinheiro embarcou com João Goulart em junho de 1956, e quando este se deteve em Porto Rico, resolveu prosseguir viagem, de vez que, com total despreparo, João Goulart levava discursos em português, que não tinham sequer sido traduzidos. Relata João Batista Pinheiro que Goulart, que em Washington ficou hospedado na Blair House, teve uma longa entrevista com o secretário de Estado John Foster Dulles, presenciada também por Henry Holland, secretário de Estado assistente para Assuntos Interamericanos. Nessa oportunidade, abordado sobre o problema do comunismo no Brasil, Goulart fez sentir que a melhor forma de combatê-lo seria pela elevação dos padrões de vida da classe operária, mediante maior assistência financeira ao Brasil, permitindo acelerar-se o processo de industrialização. Enquanto o comunismo era para os Estados Unidos um problema externo a ser resolvido fora das fronteiras pela diplomacia e pelas Forças Armadas, no Brasil se tratava de um problema interno, gerado pelo pauperismo. Por instigação de Pinheiro, relembrou um memorando, com solicitação específica de financiamentos, que havia sido apresentado por ocasião da visita de Nixon ao Brasil. Goulart teria também na ocasião visitado Eisenhower, mas a conversa foi em parte protocolar. Eisenhower achava-se então ainda em recuperação do enfarte que havia sofrido.

Logo após, o Departamento de Estado pediu que Pinheiro permanecesse em Washington para negociações econômicas mais detalhadas com o Banco de Exportação e Importação. Nessas reuniões foram analisados documentos preparados pelo Conselho do Desenvolvimento, tendo sido indicada a disposição do governo americano de pôr fim ao impasse que se havia estabelecido desde o término do funcionamento da Comissão Mista Brasil-Estados Unidos. Os projetos elaborados por aquela Comissão deveriam ser em teoria financiados pelo Banco Mundial, mas este, alegando a instabilidade política e a carência de diretrizes econômicas firmes no Brasil, manifestou desinteresse pelo financiamento. O Eximbank, de outro lado, se sentia inibido não só por esse entendimento original, mas porque sua própria existência estava sendo questionada. Na primeira fase do governo Eisenhower a ideologia privatista e a preocupação com o déficit orçamentário cercearam drasticamente as atividades do Eximbank. Foram mesmo iniciadas audiências no Congresso norte-americano sobre a conveniência de sua extinção. Eu próprio, conforme já relatei, prestara depoimento no Banking and Currency Committee, em que defendia aquela instituição como extremamente útil ao desenvolvimento latino-americano, pela sua contribuição ao financiamento de projetos de infra-estrutura.

No início do governo Kubitschek essa fase crítica do Eximbank havia sido superada, e, durante a visita de Goulart, o embaixador Amaral Peixoto foi notificado pelo Eximbank de que desejaria que uma missão brasileira de alto nível visitasse Washington para retomar o financiamento dos programas da Comissão Mista Brasil-Estados Unidos. A missão brasileira se compôs de Lucas Lopes, eu próprio, o ministro Otávio Dias Carneiro e João Batista Pinheiro. Em visita a Washington em julho de 1956, obtivemos três compromissos diferentes. Em primeiro lugar, como passo inicial da retomada de colaboração financeira, uma série de emprésti-mos correspondentes ao total dos projetos elaborados pela Comissão Mista Brasil-Estados Unidos, além da ampliação das usinas hidrelétricas de Paulo Afonso e Camargos-Itutinga, no montante de US$151.400 milhões. Segundo, uma forma de alívio cambial automático, pelo qual as prestações devidas do Export-Import Bank seriam automaticamente adiadas caso as disponibilidades em dólares no Brasil caíssem a níveis inferiores aos mínimos compatíveis com a satisfação de nossas obrigações financeiras e o atendimento das necessidades de importação. Terceiro, um novo acordo para a aquisição de trigo em condições favorecidas.

Esse conjunto de acordos pode ser considerado como a demarragem do Plano de Metas no tocante à infraestrutura, e como o fim do relativo isolamento do Brasil em relação a financiamentos internacionais de origem oficial. As relações com o Banco Mundial continuariam ainda frígidas. Entre 1955 e 1964, o Banco Mundial só viria a fazer um financiamento importante para a hidrelétrica de Furnas, cuja pitoresca negociação relato em outro capítulo. As negociações com o Eximbank, em julho de 1956, impediram que o trabalho da Comissão Mista Brasil-Estados Unidos se confinasse a uma "cativante incursão no reino da fantasia", para usar a expressão de Walmsley, funcionário do Departamento de Estado, ao se referir às duas comissões mistas anteriores — a Missão Cooke e a Missão Abbink, aquela durante a II Guerra Mundial, e esta, no imediato pós-guerra.

A Reunião de
17 de Março

No primeiro mês do governo Kubitschek o tema da reforma cambial voltou à tona. Os preços do café estavam em severa queda e prenunciava-se uma crise cambial. O ambiente de incerteza, provocando hesitação nos exportadores, aconselhava pronta decisão. Juscelino resolveu convocar de Washington o representante brasileiro no Fundo Monetário Internacional, Otávio Paranaguá, e, por minha sugestão, solicitou também a presença do diretor de pesquisas do Fundo, Edward Bernstein, que sabia profundo conhecedor do caso brasileiro. Não foi possível entretanto tomar uma decisão imediatamente. É que, mal iniciado o governo, sobreveio, no dia 11 de fevereiro de 1956, a mini-rebelião militar de Jacareacanga. Juscelino teve que se concentrar na solução desse problema, que refletia rivalidades e dissensões adormecidas nas Forças Armadas. Contornou o incidente com grande destreza e exibição de espírito democrático, ao propor a anistia aos revoltosos depois da prisão do major Velloso, em 29 de fevereiro.

Enquanto isso, prosseguiam as discussões da reforma cambial no seio do governo. Inúmeras reuniões foram efetuadas, às vezes com a presença de Juscelino, às vezes simplesmente com Alkmin, cuja posição era extremamente hesitante no caso. Lembro-me que Edmundo Barbosa da Silva e eu gastamos, a pedido de Alkmin, uma noite inteira a calcular minuciosamente as repercussões da reforma cambial sobre os preços críticos — trigo, petróleo e papel de imprensa — a fim de acalmar as apreensões do ministro. Este explicou já estar convencido da imprescindibilidade da reforma, desejando apenas verificações estatísticas complementares. No dia seguinte, com os cálculos feitos e a minuta da Instrução da SUMOC preparada, procuramos Alkmin, que nos havia marcado entrevista para às 9 horas no ministério da Fazenda. Estremunhados, procurámo-lo por toda parte sem encontrá-lo; não estava no Catete, nem no seu apartamento no Rio de Janeiro. Quando finalmente o encontramos, cerca de 11 horas, num gabinete-esconderijo no 14º andar do ministério da Fazenda, e lhe apresentamos a minuta da Instrução, assim como os cálculos tranqüilizantes, para dizer-lhe que estava tudo preparado para a decisão, respondeu ele, naquela sua voz de baixo operístico: — Bom, está tudo deliberado, porém nada decidido.

É que o trabalho de persuasão que tentávamos fazer durante o dia era anulado ao fim da tarde por Augusto Frederico Schmidt, que não se cansava de proclamar os efeitos devastadores da reforma cambial sobre o custo de vida. Proposição de sinceridade duvidosa, de vez que sua real preocupação era com o aumento do preço de máquinas têxteis que havia encomendado na Irlanda para tecelagem de linho. Seu *slogan*, "reforma cambial derruba governo", impressionava tanto a Alkmin quanto a Juscelino.

Premido para tomar uma decisão, Kubitschek marcou uma reunião para o dia 17 de março às 7 horas da noite, no Catete. Em seu livro de memórias *Cinqüenta anos em 5*, Kubitschek dá como presentes à reunião José Maria Alkmin, ministro da Fazenda, Lucas Lopes, secretário geral do Conselho de Desenvolvimento e presidente do BNDE, Sebastião Paes de Almeida, presidente do Banco do Brasil, Paulo Poock Corrêa, diretor de câmbio do Banco do Brasil, Tancredo Neves, Casimiro Ribeiro, Otávio Paranaguá, Inar de Figueiredo, diretor-executivo da SUMOC, e eu próprio. E como convidado especial, Edward Bernstein, diretor do Departamento de Pesquisas do Fundo Monetário Internacional. Ao que me lembro, estava também presente Edmundo Barbosa da Silva. Como registra Juscelino em suas memórias, havia uma profunda divisão no grupo.

Lucas Lopes pediu-me para fazer uma exposição e traduzir em parte as ponderações de Bernstein. Éramos firmemente favoráveis à reforma cambial Lucas Lopes, Paulo Poock Corrêa, Casimiro Ribeiro, Edmundo Barbosa da Silva e eu. Esperávamos contar com a maioria, mas aguardava-nos uma surpresa. Otávio Paranaguá, nosso representante no Fundo Monetário, que havia assistido à minha apresentação do programa de reforma ainda no governo Café Filho, sob o ministro Whitaker, era tido por todos nós como partidário da reforma, o que tenderia a inclinar a balança a favor dos reformistas. Surpreendentemente, entretanto, posicionou-se ao lado de Alkmin cochichando-lhe, com ar bajulador, argumentos contrários à reforma. Alkmin acabou tendo também o apoio de Sebastião Paes de Almeida, Tancredo Neves e Inar de Figueiredo.

As linhas de raciocínio eram claras. A solução que advogávamos, os reformistas, para a crise cambial era à flutuação da taxa de câmbio para fomentar a diversificação e a expansão das exportações. A tese do ministro da Fazenda era que poderíamos obter recursos cambiais através da sustentação dos preços do café, sem correr o risco do impacto da desvalorização sobre o custo de vida.

A mudança de posição de Otávio Paranaguá foi para nós surpreendente. Não acredito que se tratasse de convicção intelectual. Aparentemente desejava ficar nas boas graças de Alkmin porque seria candidato, na reunião do FMI daquele ano, à reeleição como diretor brasileiro. Bernstein, como o único estrangeiro na sala, sentiu-se em situação embaraçosa. Como técnico — disse ele — não podia senão expressar um ponto de vista técnico, e esse seria favorável ao realismo cambial.

Mas o êxito de qualquer reforma dependeria da convicção de seu executor, no caso o ministro da Fazenda, que lhe parecia contrário à tese. Caberia ao presidente tomar a decisão, levando necessariamente em conta não só o lado técnico quanto o político.

Segundo Juscelino em suas memórias, houve uma votação formal da qual teria resultado um empate. Assim relata ele o evento:

"Acabamos de ouvir diversas opiniões e constatamos que profundas divergências reinam no que diz respeito à reforma cambial. Verifico, entretanto, que os que têm responsabilidade política no governo são contra a reforma, mostrando-se a favor delas apenas os técnicos. Caberá a mim pois, como presidente, dar o voto de Minerva. Fico com meu ministro da Fazenda."

E conclui o presidente: "Estava salvo o Plano de Metas."[107]

Trata-se de uma hipérbole. O que se assegurou naquele momento foi a certeza de uma grave crise cambial para o Brasil. Essa crise, certamente prejudicial ao Plano de Metas, veio a deflagrar-se no fim do governo Kubitschek e foi agravada pela ruptura com o Fundo Monetário Internacional. Na raiz dessa ruptura estava o velho problema de sobrevalorização das taxas cambiais no Brasil, levando a um declínio de exportações e a uma crise cambial ininterrupta, que se prolongou por vários anos. O modelo de "inflação com sobrevalorização cambial" como instrumento de fomento à industrialização estava esgotado.

Ao sairmos da sala, disse Juscelino com ar contrafeito, a mim e ao Edmundo Barbosa: — Já tenho as pernas amarradas! Vocês querem amarrar meus braços também. É isso que a reforma faria...

Perdeu o Brasil naquele dia e naquela hora uma ocasião ímpar e oportuna de mudança do modelo substitutivo de importações (com descaso das vantagens comparativas) para um modelo exportador. O Brasil perdeu uma segunda oportunidade de se tornar um super-exportador antes que os tigres asiáticos entrassem na liça, a partir de meados da década dos 60.

Desapontado com a derrota, passei a trabalhar numa *second best solution*. O esquema de taxa flutuante que, sob o ministro Whitaker apresentara ao FMI, contemplava a manutenção de sobretaxas cambiais temporárias, até que se fizesse uma reforma das tarifas aduaneiras. Estas eram específicas e não *ad valorem*, e, com a inflação, haviam perdido significado como instrumentos de proteção à produção nacional. Minha intenção era ensejar uma simplificação do sistema cambial, mas o argumento protecionista, no Congresso e no empresariado, parecia muito mais simpático. Lucas Lopes e eu pusemos à disposição do ministério da Fazenda técnicos do BNDE, para auxiliarem no trabalho que já vinha sendo feito visando à

---

[107] *50 anos em 5*, 3º. vol., de *Meu caminho para Brasília*, Bloch Editores, Rio de Janeiro, 1978, p. 41.

substituição do mecanismo de proteção, implícito na diferenciação cambial, por tarifas *ad valorem* explícitas e estáveis, como aliás vinha sendo demandado por nossos parceiros no GATT. A reforma aduaneira foi passada pela Lei n.º 2.344, de agosto de 1957, na qual se criou o Conselho de Política Aduaneira. Conquanto não fosse abolido o sistema de taxas múltiplas de câmbio da Instrução 70 da SUMOC, reduziram-se de sete para quatro as taxas cambiais. Permaneceram apenas duas categorias de importação, além da taxa do "mercado livre" para capitais e turismo, e da "taxa preferencial" para petróleo, trigo, papel de imprensa e fertilizantes.

Curiosamente, ao longo dos anos, repontam as acusações de que o Brasil adotou um modelo exportador e concentrador de renda. Como na maior parte do período que medeou entre o governo Kubitschek e períodos recentes, as taxas cambiais estiveram sistematicamente sobrevalorizadas, o modelo do Brasil está longe de ser um modelo exportador. Este é, sim, o modelo do Japão e dos tigres asiáticos, que insistiram em manter taxas cambiais realistas e que, incidentemente, lograram uma boa distribuição de renda. O que Juscelino fizera, no momento, não foi salvar o Plano de Metas; foi perpetuar um modelo distorcido de desenvolvimento.

A META
FARAÔNICA

Além do desapontamento pelo fracasso da unificação cambial, aguardava-me um outro. Tratava-se do anúncio por Juscelino da sua meta-síntese, que se sobreporia às trinta metas traçadas pelo Conselho do Desenvolvimento. O que ele chamava de "meta-síntese" — a construção de Brasília — eu denominava a "meta faraônica".

Em 18 de abril de 1956, Juscelino formalizaria sua decisão de construir a nova capital. Pretendia assinar a mensagem encaminhando ao Congresso o projeto de lei pertinente, numa cerimônia em Goiânia, para onde voara a caminho do Amazonas. Em virtude de intempérie climática, o avião acabou tendo que descer perto de Anapólis e o ato foi assinado num barzinho perto do aeroporto. Mas a falta de pompa e circunstância em nada subtraiu determinação do presidente. Obviamente, essa nova meta nascia sem previsão adequada de levantamento de recursos. Juscelino havia se decidido, para usar'uma expressão de Wilson Figueiredo, a "percorrer o caminho do desenvolvimento no lombo da inflação".

As conseqüências inflacionárias seriam óbvias. Estima-se que a construção de Brasília tenha custado entre 2.5 e 3% do PIB da época, mas nunca se chegou a uma avaliação completa dos custos porque, além de verbas orçamentárias, foram usadas também contribuições da Caixa Econômica, de autarquias, dos Institutos de Previdência, que para isso desviaram somas destinadas à construção de habitações populares, e um empréstimo do Export-Import Bank, concedido excepcionalmente (pois que não se destinava à cobertura de importações) graças a um apelo pessoal direto de Juscelino ao presidente Eisenhower. A idéia de que Brasília se financiaria com o produto da venda de terrenos era obviamente fantasiosa. Não se tendo tornado nem um pólo industrial, nem um pólo comercial auto-sustentável, Brasília viria a transformar-se ao longo dos anos numa inexorável fonte de déficits anuais cobertos pelo Tesouro.

Brasília era, aliás, um dos poucos temas em que tinha eu divergências apreciáveis com Lucas Lopes. Minha atitude em relação à nova capital era de antagonismo e a dele, de simpatia moderada. A mudança da capital fora prevista nas Constituições de 1891 e 1934. Nos anais da Constituição de 1891 figura uma declaração bombástica de Pedro Américo:

"É absolutamente necessário que a capital, o "cérebro da nação" saia do Rio para livrá-la de suas influências maléficas e imorais que visam a enfraquecer a autoridade nacional, e colocá-la no centro do país, no Planalto, livre de pressões locais, para irradiar a sua ação benfazeja, uniforme e indistinta a todos os pontos do país."

A idéia da mudança desapareceu na Constituição de 1937 (provavelmente por sugestão de seu redator principal, Francisco Campos) e ressuscitou nas "Disposições transitórias" da Constituição de 1946. Durante os debates da Constituinte de 1946, Juscelino, baseado nos estudos de Lucas Lopes, propôs que a localização fosse no Triângulo Mineiro, mas essa proposta foi derrotada em virtude de movimento liderado por Henrique Novais, favorável à localização no Planalto Central. Subseqüentemente, designado membro da Comissão de Localização da Nova Capital, constituída em 19 de novembro de 1947 e chefiada pelo general Poli Coelho, Lucas Lopes reafirmaria, sem êxito, sua tese favorável aoTriângulo Mineiro, como sendo a *core area* (área medular) do Brasil, logisticamente mais acessível que o Planalto Central. Sugeriu, ainda, em seu voto vencido, que a mudança se fizesse em três etapas de cinco anos, fórmula mais prudente do que a "construção a toque de caixa" do governo Juscelino.

A obsessão planaltina talvez se tenha originado numa sugestão um pouco romântica de Varnhagen, de que a futura capital fosse localizada no ponto de convergência das bacias do Amazonas, São Francisco e do Prata, em ponto onde, com "um tiro de fuzil se pudesse atingir as águas das três bacias". A localização definitiva de Brasília só seria definida em 15 de abril de 1955, subseqüentemente à recomendação da Comissão chefiada pelo marechal José Pessoa, nove anos após a votação da Constituição de 1946.

O plano de Lucas Lopes era bastante mais racional que o subseqüentemente adotado. A localização no Triângulo Mineiro ter-se-ia beneficiado de uma infra-estrutura já existente, efetuando-se gradualmente a mudança da capital ao longo de três qüinqüênios. Nunca aceitei o argumento de que Brasília fosse necessária para a ocupação do vasto centro-oeste. Este mesmo objetivo poderia ter sido conseguido se recursos equivalentes fossem aplicados na construção de rodovias e na produção de energia, que permitissem o desenvolvimento mineral e agropecuário da região. Pode-se dizer, em realidade, que o desenvolvimento do centro-oeste se deveu mais à domesticação agrícola do cerrado, como resultado de pesquisas sobre soja da Fundação Rockefeller e da Embrapa que propriamente à construção de Brasília. Nenhum dos símiles históricos me parecia relevante. A cidade de Washington nascera com o apoio dos estados menores para apaziguar a disputa entre Nova York e Filadélfia, o mesmo se aplicando a Camberra, ponto de equilíbrio entre as cidades rivais de Sidney e Melbourne. A construção de Ankara, na

Turquia, se justificava por ser Istambul, a velha capital, situada junto à fronteira da Grécia, tradicional inimiga. Islamabad, no Paquistão, foi construída para deslocar o centro de gravidade para o norte, ante a vulnerabilidade de Karachai à penetração hindu. O velho argumento de que o Rio de Janeiro, como capital marítima, estaria exposta a bombardeios navais perdera sentido na era da guerra aviônica e balística. E inexistiam rivalidades regionais suficientes para justificar a mudança da capital.

Mesmo a estrada Belém-Brasília, para mim, só fazia sentido se interpretada como uma ligação Santos-Belém, do Atlântico sul para o Atlântico médio, ou seja, como o eixo transcontinental brasileiro. Nesse sentido, é equivalente aos grandes eixos transcontinentais, como as ferrovias leste-oeste, nos Estados Unidos, que ligavam o Atlântico ao Pacífico; a Transiberiana ou os eixos ferroviários transcanadenses.

A meu ver, Brasília provocaria uma inútil desorganização administrativa, e a "meta-síntese" perturbaria, ao invés de auxiliar, a execução do Plano de Metas. Não imaginava, entretanto, que Brasília tivesse outros subprodutos. Como, infelizmente, não levou a um grau apreciável de descentralização decisória, o resultado foi um encarecimento dos custos administrativos, pois que empresas e indivíduos passaram a se deslocar constantemente para o Planalto Central, à espera de decisões burocráticas. Acredito também que Brasília tenha contribuído, por um acidente sociológico perverso, para aumentar a taxa de corrupção administrativa. Enquanto a capital estava num grande centro industrial, comercial, financeiro e acadêmico como o Rio de Janeiro, os funcionários públicos podiam fazer "bicos", i.é, ter ocupações suplementares que compensassem o magro estipêndio que, em certas épocas, recebiam. Em Brasília não existem praticamente ocupações alternativas, e os "bicos" foram substituídos pelas propinas burocráticas. Juscelino percebia meu antagonismo a Brasília e considerava-o uma síndrome de pessimismo tecnicista.

MÃOS À OBRA

Cessada a excitação da posse, urgia meter mãos à obra: tratava-se de operacionalizar o Plano de Metas. A tarefa era dupla. De um lado, sistematizar a captura de recursos internos, e de outro, por em moção o financiamento internacional para alguns dos projetos componentes das metas, que haviam sido preparados desde o tempo da Comissão Mista Brasil-Estados Unidos, dissolvida em 1953. Esses projetos, como já foi dito, não tinham sido financiados, não só por causa da instabilidade política do Brasil, como porque o governo republicano, de Eisenhower, recém-chegado ao poder, nutria pouco entusiasmo pelos esforços de planejamento governamental. Sua filosofia era fazer com que o desenvolvimento econômico da América Latina resultasse, principalmente, da operação de capitais privados.

Nas longas discussões, ao longo da formulação das Diretrizes Gerais e do Plano de Metas, Lucas Lopes e eu detectávamos quatro tipos de problemas. Primeiro, a metodologia do planejamento; segundo, a metodologia da implementação; terceiro, o levantamento de recursos internos; quarto, o levantamento de recursos externos.

Quanto à metodologia de planejamento, não havia inovações a fazer em relação à experiência da Comissão Mista. Alguns insumos adicionais haviam sido trazidos pelo grupo misto BNDES-Cepal, ao qual já fiz referência.

Entretanto, a técnica de planejamento por projeções macroeconômicas, utilizada pelo grupo misto BNDE-Cepal, era de escassa aplicação. A falta de dados sobre as matrizes intersetoriais, segundo o modelo de Leontieff, tornava esse modelo um esforço voluntarista, de pouca aplicabilidade prática.

O Plano de Metas, que se centrou em cinco setores fundamentais — energia, transportes, alimentação, indústria de base e educação — utilizou largamente alguns conceitos oriundos da Comissão Mista. O primeiro conceito era o de "pontos de estrangulamento", isto é, a percepção óbvia de que existiam certas áreas de demanda insatisfeita que estrangulavam a economia. Esses setores mais óbvios eram energia, transportes e alimentação. Na tecnologia de planejamento da Comissão foram utilizados, de acordo com o Banco Mundial, que se esperava fosse a principal fonte de financiamento, alguns critérios para a decisão sobre os projetos. Teriam preferência aqueles que (1) levassem à eliminação de pontos de estrangulamento ou à criação de condições básicas para o crescimento econômico;

(2) fossem complementares, e não substitutivos de investimentos privados; (3) fossem capazes de realização relativamente rápida, e (4) pudessem ser financiados por meios não-inflacionários.[108]

Um segundo conceito, elaborado depois no BNDE, era o de "pontos de germinação", a saber, investimentos que seriam possibilitados pela solução dos problemas de infra-estrutura e que geravam novas vinculações para diante e para trás (*forward and backward linkages*), na linguagem de Albert Hirschman. Um terceiro conceito era o dos "pontos de estrangulamento externo", definidos pelas limitações à capacidade de importar. Daí surgiam dois subcritérios: os diretos e os indiretos. A determinação dos critérios diretos era simples; a prioridade era determinada simplesmente pelo peso relativo dos produtos nas listas de importações. Era esse o caso da indústria automobilística; das metas de petróleo, das metas de energia e da meta de trigo no setor de alimentação. Havia também critérios indiretos, fundados na noção de "demanda derivada". Verificado o grau de interdependência entre os setores econômicos, determinavam-se os insumos intermediários, a saber, as indústrias de insumos básicos.

A "demanda derivada" foi também fator importante na determinação das metas do quinto setor — a educação — por se perceber que a aceleração do desenvolvimento econômico criaria um ponto de estrangulamento em termos de pessoal técnico para as atividades produtivas.

No seu estudo sobre o Plano de Metas, assim resume Celso Lafer a metodologia adotada:

"A técnica de planejamento do Plano de Metas resulta da visão geral da economia brasileira... Uma vez identificados os setores e, dentro dos setores, as metas — através do emprego integrado dos conceitos de pontos de crescimento, pontos de estrangulamento internos e externos, interdependência dos setores e demanda derivada — o plano procurou fixar para cada meta um objetivo. A quantificação desse objetivo, em regra geral, foi feita da seguinte maneira: foram elaborados estudos das tendências recentes da demanda e da oferta do setor e, com base neles, projetou-se, por extrapolação, a composição provável da demanda dos próximos anos, na qual também se considerou o impacto do próprio Plano de Metas. Os resultados dessa extrapolação é que permitiram a fixação de objetivos quantitativos a serem atingidos durante o quinquênio. Esses objetivos foram continuamente

---

[108] Esses critérios eram uma versão mais sofisticada dos critérios chamados "estrutural, conjuntural e cambial" usados pela CEXIM em 1951 e depois pela CACEX, após a Instrução nº 70, de setembro de 1953, para o controle de importações, como instrumento de política econômica.

testados e revistos durante a aplicação do Plano, através do método de aproximações sucessivas que constituiu, por assim dizer, o mecanismo de *feed back* do Plano de Metas, conferindo-lhe as características de um planejamento contínuo."[109]

No tocante à metodologia de implementação, havia duas alternativas. Uma, de caráter institucional, seria acelerar o esforço de reforma administrativa para melhor capacitação do mecanismo burocrático, trabalho necessariamente de longo prazo e que vinha sendo empreendido pela CEPA — Comissão de Estudos e Planejamento Administrativo — criada ainda em 1953. Outra, pragmática, a criação de grupos paralelos à administração normal. Era o que, graças aos trabalhos de Celso Lafer e Maria Victoria Benevides, ficou conhecido como "administração paralela".[110] Havia duas vantagens no artifício da administração paralela. De um lado, servia para contornar vetos legislativos, mais fáceis de aplicar aos setores normais da administração. De outro, permitia um recrutamento em base estritamente meritocrática, praticamente imune a pressões clientelísticas.

A administração paralela era constituída a partir de órgãos existentes, como por exemplo o BNDE, o Banco do Brasil (Cacex) ou a SUMOC, ou, em alguns casos, por órgãos novos como os grupos de trabalho, os Grupos Executivos e o Conselho de Política Aduaneira, criado este pela reforma da tarifa das alfândegas de 1957. Esses instrumentos, por assim dizer, se tornaram os órgãos de ponta da administração brasileira.

O problema da coordenação se resolveu na prática, em relação ao setor privado, pela criação dos Grupos Executivos, que incorporavam as diferentes entidades administrativas envolvidas. No tocante ao setor público, a coordenação se fazia principalmente através do BNDE, dado que este dispunha de três instrumentos — os recursos do programa de reaparelhamento econômico, os avais e garantias para a obtenção de financiamentos externos e, finalmente, os recursos vinculados dos diferentes fundos que eram administrados pelo BNDE ou ali depositados. Durante um certo prazo, o BNDE chegou, na realidade, a controlar uma massa de recursos equivalente a 5% do PIB.

Foram trinta as metas fixadas, cada uma delas desdobrada em inúmeros projetos específicos. Os setores abrangidos foram os seguintes: primeiro, o setor de energia,

---

[109] Celso Lafer, 'O planejamento do Brasil: observações sobre o Plano de Metas (1956/1961)', em Betty Mindlin Lafer (org.), *Planejamento no Brasil* , São Paulo, Perspectiva, 1970.

[110] Maria Victoria Benevides descreve a administração paralela como "uma forma sub-reptícia de obter uma delegação de poderes negada pela Constituição". Op.cit. p. 224. Ver também Lourdes Sola, *The political and economic constraints to economic management in Brazil, 1945-1963*, tese de doutorado apresentado à Universidade de Oxford, mimeo, 1982, p. 141.

com 43,4% do investimento, subdividido em metas de energia elétrica, energia nuclear, carvão mineral, produção de petróleo e refino de petróleo. Segundo, o setor de transportes, que abrangia 29,6% do investimento, subdividindo-se em metas de reaparelhamento ferroviário, construção ferroviária, construção e pavimentação de rodovias, serviços portuários e de dragagem, marinha mercante e transportes aeroviários. O terceiro setor era o de alimentação, com 3,2% dos investimentos, envolvendo metas para trigo, armazéns e silos, armazéns frigoríficos, matadouros industriais, mecanização da agricultura e fertilizantes. O quarto setor era o de indústrias de base, que absorvia 20,4% dos investimentos. Subdividia-se nas seguintes metas: siderurgia, alumínio, metais não-ferrosos, cimento, álcalis, papel e celulose, borracha, exportação de minérios de ferro, indústria automobilística, indústria de construção naval, indústria mecânica e de material elétrico pesado. O quinto setor era o de educação, contemplado com 3,4% dos investimentos, sendo a meta principal a formação de pessoal técnico orientado para o desenvolvimento.

Voltemos entretanto ao fio da meada. Depois da mensagem do candidato e das Diretrizes Gerais de Desenvolvimento, houve um ingente trabalho de análise das perspectivas da economia brasileira e o início de execução do Plano de Metas. Eu havia dado alguma colaboração, a partir da mensagem do candidato. Vale a pena, aliás, pelo interesse histórico, reproduzir um trecho de minha carta a Lucas Lopes, em maio de 1955, já citada aqui. Nessa carta eu revelava apreensão quanto ao desenvolvimentismo inflacionário, indicava as graves limitações técnicas ao planejamento geral e manifestava a doutrina do governo *minimalista*, que mantive coerentemente ao longo de várias décadas. À luz da atual discussão sobre o processo de privatização iniciada no governo Collor, a carta me parece revestir-se de um surpreendente grau de modernidade. Escrevia então a Lucas Lopes:

"Considero, outrossim, indispensável esclarecer mais a fundo o papel que se pretende atribuir ao Estado na tarefa promocional. Tenho para mim que, com o uso de três expressões um pouquinho pedantes, se poderia fixar bem os conceitos. Eu diria que, na medida do possível, o Estado deve ser predominantemente um manipulador de incentivos. Isto quer dizer que, tanto quanto possível, ele deve agir por vias indiretas, exemplo: política de crédito, política fiscal, subvenções, tarifas etc., antes que por via de controles diretos, como racionamento de câmbio, licenças de importação, alocação de matérias-primas etc. No tocante a investimentos, o Estado deveria ser apenas *um investidor pioneiro*, que se retiraria de campo transferindo-se para outra atividade logo que terminada a fase pioneira, ou ainda *um investidor supletivo*, que compensaria as ocasionais debilidades da iniciativa privada. Isso quer dizer que o Estado seria o investidor principal, porém preferivelmente não monopolista, apenas nos setores da infraestrutura. Mesmo aqui admitir-se-ia uma gradação.

Nos setores ferroviário e rodoviário tornou-se praticamente impossível a iniciativa privada e o Estado tem que continuar com a parte do leão, até que se logrem restaurar condições que tornem a participação nesses setores possível para a iniciativa privada.

No setor da energia já a posição do Estado deve ser mais modesta, por estar ainda viva, ou ser facilmente ressuscitável, a iniciativa privada. O Estado deveria, assim, investir pioneiramente, buscar capitais privados através do sistema de sociedades de economia mista e, finalmente, aumentar a lucratividade da indústria para atrair capitais privados.

Já no setor de indústrias básicas a ação do Estado deve ser discreta. Sou favorável ao Estado-espoleta, que deflagra um processo de industrialização num determinado setor, mas transfere a responsabilidade tão rapidamente quanto possível à iniciativa privada. Resumindo:

a) O desenvolvimento orientado não representa um meio de aumentar o grau de intervenção do Estado, mas visa antes a substituir a intervenção esporádica descoordenada do Estado pela formulação de um programa orgânico, dentro do qual a iniciativa privada conheça as metas gerais que o desenvolvimento econômico exige e os incentivos que o Estado está disposto a proporcionar.

b) Como investidor, o Estado deve exercer funções apenas pioneira e supletiva, exceto nos setores de infra-estrutura. Neste, deve o Estado continuar a expandir a sua ação, sem descurar, entretanto, a criação de condições que possibilitem uma eventual transferência de parte desses serviços para a iniciativa privada. Em princípio, a atividade gerencial do Estado deve ser reduzida a um mínimo possível e confinada àqueles setores da infra-estrutura cujo produto é simples e que não exige refinamentos do mercado para a sua absorção.

c) À medida que for possível reinteressar a iniciativa privada no financiamento dos setores de infra-estrutura, liberará o Estado recursos para investimentos indispensáveis ao desenvolvimento econômico, e que nunca poderiam ser financiados pela iniciativa privada, tais como educação, saneamento, irrigação, colonização etc."[111]

---

[111] Carta a Lucas Lopes, 2 de maio de 1955. Arquivo do autor.

NA FUNÇÃO
DE "CURINGA"

Lucas Lopes, entre 1956 e 1958, e eu próprio, entre 1958 e 1959, exercemos ambos, como secretários executivos do Conselho do Desenvolvimento, um papel de "curinga", supervisionando os diferentes Grupos Executivos. Desses, sem dúvida o mais famoso foi o GEIA — Grupo Executivo da Indústria Automobilística — presidido pelo ministro de Viação e Obras Públicas, almirante Lúcio Meira, e criado pelo decreto nº 39.412, de 16 de junho de 1956. Eu dele fazia parte como superintendente do BNDE. Os outros membros eram Eurico de Aguiar Salles (diretor executivo da SUMOC), Joaquim Inácio Tosta Filho (diretor da Cacex), Paulo Afonso Poock Corrêa (diretor da carteira de câmbio do Banco do Brasil) e Eros Orosco (secretário executivo). Para Juscelino a indústria automobilística era emblemática, uma espécie de passaporte para a modernidade tecnológica.

A despeito da fanfarra inovadora, o GEIA era na realidade a culminação de um longo esforço. Desde 1951, pelo decreto nº 29.806, de 26 de julho, se fixavam normas para a implantação gradativa da indústria automobilística. Estas, entretanto, só ganharam consistência em 1953, quando, com o advento do sistema de taxas múltiplas de câmbio, se viabilizou a concessão de incentivos à indústria de autopeças. Foram várias as entidades, anteriormente ao GEIA, envolvidas no desenvolvimento da indústria automobilística, notadamente a CIFER (Comissão de Investimentos e Financiamentos Registráveis), subordinada à SUMOC; e a Subcomissão de Tratores, Jipes e Automóveis, subordinada à Comissão de Desenvolvimento Industrial. No final do governo Vargas fora criada a CEIMA (Comissão Executiva da Indústria de Material Automobilístico), que não chegou a funcionar.

O ato constitutivo do GEIA fixava normas para a aprovação de projetos da indústria automobilística, com previsão de incentivos de ordem fiscal e cambial. A partir daí, fixaram-se, em decretos complementares, normas para a aprovação de projetos específicos relativos a caminhões, jipes e, finalmente, automóveis. Esses incentivos eram rigidamente condicionados a coeficientes de nacionalização dos componentes. Antes da criação do GEIA, não faltaram idéias bizarras. Lucas Lopes relata duas delas. Uma, era a criação de um monopólio estatal para a indústria automobilística. Outra, a de concessão de "câmbio de custo" para a importação de milhares de carros europeus, que depois seriam vendidos com o ágio mais alto, da quinta categoria, devendo o lucro cambial ser aplicado numa fábrica de automóveis no Rio Grande do Sul!

A implantação da indústria automobilística era, sem dúvida, a menina dos olhos de Kubitschek e uma espécie de "pedra de toque" do êxito do programa de industrialização. A meta inicial era assaz modesta — 100 mil veículos automotores em 1960. Foi depois revista para 347 mil. O grau de implementação — 92,3% — foi surpreendentemente elevado de vez que em 1960 foram produzidos 321.200 mil veículos. O índice de nacionalização, projetado para 95% em 1960, atingiu na realidade cerca de 90%.

Meu entusiasmo na implementação da meta da indústria automobilística era bem mais matizado do que o de seus dois principais líderes: um era o almirante Lúcio Meira, que se entregou à tarefa com fervor passional, e outro, o cérebro do GEIA, o engenheiro Eros Orosco, cuja lendária capacidade de trabalho de longe excedia seu azedume de temperamento. Começara trabalhando comigo em 1952, na fase formativa do BNDE, quando já se interessava pela elaboração de um programa de nacionalização gradativa das peças da indústria automobilística. O meio de acalmar-lhe a "bílis", e despertar em seguida sua extraordinária criatividade, era dar-lhe cada manhã uma proposta de trabalho. Eros reagia violentamente, estraçalhando a lógica da proposição. Conseguida essa vitória, psicologicamente satisfeito, passava a dar o melhor de si. Foi ele, sem dúvida, a alma e o cérebro do GEIA em sua fase inicial. Quando Orosco se desentendeu com o almirante Lúcio Meira, a responsabilidade de operacionalizar o programa coube a Sidney Latini, secretário executivo, que teve papel fundamental na administração dos incentivos ao programa de nacionalização e na seleção de projetos. Tratando-se de um setor em que se digladiavam grandes interesses e no qual as licenças de importação de componentes eram acirradamente disputadas, é surpreendente que essa grande montagem não tenha sido tisnada pela acusação de corrupção e favorecimento indébito.

Tínhamos no GEIA um grupo imbuído da missão a cumprir, com total dedicação de tempo, e entusiasmo quase fanático. A anedota da época era que a saudação matinal dos "geianos" se fazia através de um versinho:

"Como vais Mercedes, Benz?
Austin, Austin
A gente Nash, Borgward e Morris
Nem se Ford nem se sai de Simca..."

Menos ideologizado talvez que os demais, eu entretinha dúvidas quanto à seriação de objetivos. Acreditava que, ao invés de se tentar a substituição simultânea das importações de automóveis, caminhões e ônibus, utilitários, jipes e tratores, dever-se-ia começar o processo de industrialização pelos automóveis, deixando-se para fases ulteriores os caminhões e tratores. A razão é que, num período de indústria nascente, durante a curva de aprendizado, os custos unitários seriam naturalmente elevados. O carro de passageiro, sendo apenas parcialmente um instrumento de trabalho, mas basicamente um instrumento de recreio, podia tolerar preços maiores que os dos caminhões destinados ao transporte de massa e os dos tratores, a serem adquiridos pela agricultura. Quando estivesse um pouco mais avançada a indústria de automóveis de passageiros, haveria certamente um barateamento de componentes, o que permitiria tornar menos dispendiosa a fabricação de tratores e veículos utilitários.

Não era essa, entretanto, a visão da maioria dos investidores, que preferiam começar pela produção de veículos utilitários. Variava, aliás, grandemente o grau de entusiasmo no engajamento na aventura da industrialização automobilística. Os americanos — Ford e General Motors — com posição firmada no mercado, prefeririam continuar com as importações de veículos CKD — *completely knocked down* — enquanto os europeus (sobretudo os alemães) tinham maior receptividade às propostas de nacionalização de componentes. O primeiro motor fundido no Brasil, em 1955, foi destinado ao caminhão Mercedes Benz. Foi fabricado pela SOFUNGE em fundição construída por Othon Barcellos, inaugurada por Juscelino em novembro de 1955, quando ainda presidente eleito.

Minha segunda reserva dizia respeito ao grau de nacionalização. Entendia que uma meta demasiado ambiciosa de nacionalização, num mercado ainda restrito, impediria que nos beneficiássemos de economias de escala. Favorecia eu, assim, meta mais modesta, de cerca de 60%, como índice de nacionalização a ser atingido em 1960. Meu argumento empírico era que, mesmo num país altamente industrializado como a Inglaterra, os componentes locais na fabricação de tratores não excediam esse nível. Era tal, entretanto, o entusiasmo substitutivo, que minhas dúvidas foram consideradas mais timidez que prudência, e as metas de nacionalização foram fixadas com exagero de velocidade e intensidade. Em 1960, o coeficiente de nacionalização atingiria 90%.

Um dos problemas com que tive de me haver no BNDE foi o financiamento de projetos da indústria automobilística. O primeiro apresentado foi o da Volkswagen, que queria financiamento para iniciar no Brasil a produção do seu primeiro veículo, a Kombi. Impus no BNDE a regra de que o financiamento com fundos públicos às empresas estrangeiras só deveria ser concedido na proporção da participação brasileira no capital das empresas, sendo assim um indutor para que elas se abrissem à participação nacional. Esse foi o critério aplicado à Volkswagen, que, em 1958, teve financiados 20% de seu projeto de investimentos — num montante de Cr$150.000 — parcela que correspondia exatamente à participação do grupo Monteiro Aranha no capital. Das outras empresas, apenas a Ford chegou a iniciar tratativas para financiamento no BNDE. Julgou, entretanto, impraticável e contraproducente a abertura do capital da subsidiária à participação brasileira. Alegava a diretoria da empresa que os acionistas locais se veriam desapontados porque não se antecipavam lucros apreciáveis na primeira fase de implantação; e, se lucros houvesse, a empresa preferia devotá-los integralmente a reinvestimentos. Propôs, então, um interessante esquema alternativo. A Ford ofereceria a acionistas brasileiros *share certificates*, isto é, certificados de subscrição de ações da empresa matriz, em Detroit. Isso teria para o acionista brasileiro a vantagem de propiciar dividendos mais seguros, porque baseados no desempenho global da empresa, e não no projeto brasileiro ainda em maturação. Seria também uma incursão de brasileiros no mercado internacional, o que teria um efeito didático. Para atender às óbvias objeções de que o Brasil não estava em condições de exportar capitais e de que os dividendos no exterior deviam estar sujeitos ao controle cambial, a Ford propôs (1) assumir o compromisso de que todos os fundos angariados de investidores brasileiros seriam reinvestidos no Brasil, sem nenhuma transferência para o exterior, e (2) depositar os dividendos porventura devidos na agência do Banco do Brasil em Nova York a qual notificaria a SUMOC dos pagamentos a serem feitos a investidores brasileiros, cabendo a esta decidir sobre a internação desses recursos. O sistema me pareceu interessante. Apresentado porém à SUMOC, defrontou-se com uma reação negativa. Nem a Mercedes Benz nem a General Motors se interessaram por empréstimos do BNDE, ante a condicionante de participação do capital local.

Uma das grandes controvérsias da época foi provocada pelo projeto do Simca, patrocinado pelo general Macedo Soares e por Magalhães Pinto. Em seu périplo europeu, Juscelino se havia impressionado com a modernidade tecnológica da fábrica de Poissy, perto de Paris. Encorajou os franceses a investir no Brasil e estes lhe enviaram uma carta de intenções. Foi um embaraço para Juscelino. Além do apoio técnico do general Macedo Soares, o projeto tinha grande apoio político dos mineiros, porque a fábrica se instalaria em Belo Horizonte. Mas previa grande subsídio cambial, através da importação de veículos acabados, e não se conformava ao rígido esquema do GEIA de nacionalização de componentes. Os tecnocratas do GEIA, liderados por Eros Orosco, queriam rejeitar o projeto. A fórmula conciliatória, pois que Juscelino desejava anunciar o investimento na comemoração do 50º aniversário de Belo Horizonte, em 15 de agosto de 1957, foi aprová-lo com 17 exigências de nacionalização. O projeto do Simca, depois transferido para São Paulo, nunca realmente frutificou, em vista da visível subcapitalização, quer do grupo francês, quer dos sócios brasileiros. As instalações foram posteriormente adquiridas pela Chrysler, que havia assumido o controle da Simca na França.

Um dos heróis, injustamente esquecidos, da saga da indústria automobilística foi o polonês Alfred Jurzykowski, responsável pela implantação da Mercedes Benz no Brasil. Era um aventureiro genial. Alto e esbelto, de tez rosada, cabeça raspada homogeneizando a calvície, pose autoritária, tinha sido oficial de cavalaria do exército polonês durante a Segunda Guerra Mundial. Nada mais parecido com um *junker*. Derrotada a Polônia, emigrou para os Estados Unidos. Passou a fornecer rações para o exército americano, inclusive produtos chocolateiros, com cacau importado primeiro da República Dominicana e depois do Brasil. Enriqueceu exportando material excedente de guerra, *war surplus material*. Desenvolveu um comércio de compensação, exportando cacau brasileiro para os Estados Unidos e importando triangularmente automóveis e caminhões Mercedes Benz para o Brasil. Atraído pelas novas perspectivas, decidiu aqui radicar-se, dedicando-se de corpo e alma à promoção da indústria automobilística. Passou a importar caminhões CKD da Mercedes Benz, cuja montagem era feita em grandes galpões na rua Bela, no Rio de Janeiro. Procurou induzir a Mercedes Benz a se instalar industrialmente no Brasil, prometendo aos alemães participação paritária. Essa decisão se tornaria no futuro fonte de conflitos, mas em troca assegurou-nos assistência técnica sem pagamento de *royalties*.

Em 1958, acompanhado do embaixador Sérgio Corrêa da Costa e dos membros do GEIA, Sidney Latini, Fernando Luna e coronel Montagna, visitou a matriz da Daimler Benz em Stuttgart, na tentativa de induzir essa empresa a fabricar no Brasil os carros de passageiros 180D e 180S.

Se o projeto de fabricação de automóveis não vingou, por alegada insuficiência de mercado — argumento usado também pela General Motors e Ford, que somente após a lei de tarifas de 1957 se encorajaram a investir em carros de passageiros, para não perderem o mercado — a produção de caminhões começará a partir de 1954.

O grande técnico de Jurzykowski era um genial mecânico austríaco, Ludwig Winkler, alto, bigodudo e rubicundo, que presidia às operações de montagem na rua Bela, no Rio de Janeiro. Tinha um passado aventuroso. Casado com uma chinesa da Manchúria, fora mecânico chefe, encarregado da logística dos exércitos de Chiang Kai-Chek na luta do Kuomintang contra os comunistas de Mao Tse-Tung. Sem capital adequado, confiante apenas em sua criatividade, chegou a montar uma pequena fábrica de tratores e caminhões, a Deutz, no Nordeste.

Nos primórdios da indústria automobilística brasileira, os alemães foram os investidores mais afoitos. Os ingleses chegaram a ter um projeto aprovado da Land Rover, pouco depois abandonado. Os japoneses, cuja indústria era secundária na época, nunca foram além do jipe Toyota. Os italianos, da Fiat, optaram pela Argentina e só anos mais tarde, no governo Rondon Pacheco, se instalariam em Minas Gerais. Os suecos, da Volvo e Scania Vabis, não figuraram na primeira leva de investidores. Os franceses, depois da experiência frustrada da Simca, somente viriam a participar por pouco tempo através da associação entre a Ford e a Renault, chegando a produzir no Brasil o Dauphine. Os americanos tinham posição preeminente, através da General Motors e Ford, e, posteriormente, da Chrysler, em operações de montagem, mas demonstraram inicialmente ceticismo em relação à viabilidade da indústria de automóveis, na qual só se engajaram mais firmemente a partir da Lei de Reforma das Tarifas, em 1957. O pioneirismo na produção de automóveis coube a uma empresa mista da Kayser com investidores brasileiros, nos projetos de "jipes" e automóveis da Willys Overland.

No balanço, a implantação da indústria automobilística foi um sucesso desenvolvimentista. O pesado encargo dos subsídios cambiais à importação de componentes foi logo neutralizado pela receita de impostos sobre a nova produção. A indústria automobilística é uma típica indústria hirschmaniana, com amplas vinculações para diante e para trás na cadeia produtiva.

O excesso de proteção ao longo dos anos, criando um substancial mercado interno cativo, certamente não contribuiu para a modernização tecnológica. A defasagem tecnológica se agravou, nos anos 80, com as restrições da lei de informática à eletrônica embarcada. Dois outros fatores de encarecimento e desmodernização da indústria, hoje obsoleta pelos padrões internacionais, foram a exigência de completa nacionalização de componentes (o "nacionalismo de insumos") e a excessiva carga fiscal.

Se o GEIA foi o mais glamouroso dos grupos executivos, outros surgiram de considerável importância para o Plano de Metas. Um deles foi o GEICON — Grupo Executivo da Indústria da Construção Naval; o outro foi o GEIMAPE, que impulsionou a indústria de bens de capital, logrando atrair para o Brasil alguns dos maiores grupos internacionais da indústria pesada, como a Siemens e Voith, da Alemanha, o grupo Schneider-Creusot, da França (mecânica pesada) e o Grupo Ansaldo, da Itália (Coensa).[112]

Lucas Lopes teve uma contribuição pessoal muito importante na execução de duas metas. Uma, a da expansão siderúrgica, e outra, a da construção naval. Em ambos os casos, por um construtivo acidente. Certo dia teria ele sido procurado no BNDE pelo embaixador japonês no Brasil, Hioshiro Ando. Este revelou preocupação ante o fato de que uma alta representação de indústrias japonesas, com patrocínio governamental, estava em visita ao Brasil e desejava estudar a possibilidade de se associarem na implantação de uma usina siderúrgica integrada, que teria um efeito de demonstração da capacidade tecnológica do seu país. O Japão estava em avançado estágio no seu processo de reconstrução, tendo sido particularmente beneficiado pelo enorme acréscimo de demanda de produtos industriais, oriundo do esforço americano da guerra na Coréia.

---

[112] No governo Castello Branco os Grupos Executivos foram agrupados no Conselho de Desenvolvimento Industrial, subordinado ao ministério de Indústria e Comércio, com a participação dos ministros da área econômica e do Conselho de Segurança Nacional. O GEIA e o GEIMAPE foram fundidos no GEIMEC (Grupo Executivo da Indústria Mecânica). Ao GEIMEC coube supervisionar a atualização da indústria automobilística e também o desenvolvimento da indústria mecânica em geral, que ficara a cargo do GEIMAPE, durante o governo Kubitschek.

Curiosamente, a missão japonesa fora mal recebida em São Paulo, tendo-lhe sido dito que já lá havia "japoneses demais". Lucas Lopes, depois de consulta ao presidente Kubitschek, encaminhou o grupo japonês para Minas Gerais, onde estava em gestação a idéia da Usiminas. A partir daí o Conselho do Desenvolvimento, através do engenheiro Amaro Lanari, organizou uma negociação, que levaria finalmente à construção da Usiminas com participação dos japonêses em 40% do capital. O BNDE garantiria os financiamentos em cruzeiros e o Export-Import Bank do Japão, o financiamento em moeda estrangeira.

Essa montagem financeira foi bastante superior àquela da COSIPA. Esta havia nascido como uma empresa mista de capitais do governo de São Paulo e da iniciativa privada, mas só obteve financiamentos para equipamento através de *supplier's credits*, de prazo relativamente curto, pois que o Brasil não estava, naquele momento, tendo acesso a financiamentos de longo prazo do Banco Mundial. Com a marcha da inflação os capitais privados perderam fôlego, o mesmo acontecendo com o Estado de São Paulo, e a usina acabou sendo absorvida pelo BNDE.

O ano de 1957 foi o ano dourado da cooperação japonesa. Festejava-se o primeiro cinqüentenário da imigração japonesa, que começara em 1907. O Japão tinha motivos para um relacionamento especial com o Brasil, não apenas em virtude da colônia japonesa, como também porque o Brasil fora o primeiro país a restabelecer com ele relações diplomáticas, após a guerra, e o primeiro a reabrir suas portas à imigração japonesa. A visita de Lucas Lopes a Tóquio teve assim grande ressonância. Foi ele recebido pelo imperador Hirohito e também recepcionado no Keidanren — a Federação das Indústrias Japonesas — onde fez uma longa exposição sobre o Plano de Metas.

Foi nessa ocasião que nasceu a idéia da implantação da indústria japonesa de construção naval no Brasil — a Ishikawajima Harima — através de contatos desenvolvidos no Japão entre Lucas Lopes e o presidente da empresa, Toshio Doko, homem de extraordinário dinamismo e de grande amizade pelo Brasil. Doko procurou estabelecer como pré-condição para a implantação do estaleiro de construção naval no Rio de Janeiro a autorização para que fosse localizado na ponta do Caju, com acesso ferroviário ao Cais do Porto e apoio financeiro do BNDE aos sócios brasileiros.[113]

Os méritos e deméritos do Plano de Metas foram fartamente analisados em nossa literatura econômica recente.[114] Houve "pecados" genéricos e específicos em

---

[113] A implantação do estaleiro Verolme havia sido estimulada pelo próprio Kubitschek, quando de sua visita à Europa como candidato eleito.

[114] Para análises mais detalhadas, ver Celso Lafer, '*O planejamento no Brasil: observações sobre o Plano de Metas*'; em Betty Lafer (org), *Planejamento no Brasil*, São Paulo, Perspectiva, 1970; Maria Victória de Mesquita Benevides, *O governo Kubitschek,* Rio de Janeiro, Paz e Terra, 1956;

sua execução. Os genéricos foram a aceleração inflacionária e a insolvência cambial no fim do período Kubitschek. Entre os específicos, podem catalogar-se a falta de abertura para exportações, a inadequada atenção à educação e à agricultura, o viés industrial em favor da indústria de bens de consumo durável e de bens de produção, gerando excessiva demanda de insumos importados, e, finalmente, a gritante inadequação do sistema financeiro às exigências da industrialização acelerada, falha que só viria a ser atenuada com a reforma do sistema financeiro empreendida no governo Castello Branco.

Juscelino deixou o país com aceleração inflacionária e uma grave crise cambial, conforme Lucas Lopes e eu havíamos profetizado. O sistema de "inflação com sobrevalorização cambial" havia de muito sobrevivido à sua utilidade. E era incapaz de atender à tríplice tarefa de (a) sustentar a importação subvencionada dos produtos politicamente sensíveis; (b) financiar a industrialização acelerada; e (c) atender às reivindicações dos exportadores tradicionais. Mas tínhamos dado um salto industrial qualitativo e quantitativo, além do feito democrático de uma transição política normal. A inflação desenvolvimentista era um meio precário, mas factível, de acomodação das pressões contraditórias da antiga coalizão nacional-populista. Estava longe de ser uma experiência de "desenvolvimento sustentável", para usar a linguagem dos modernos ecologistas...

Houve uma correta percepção das vantagens do capital de risco, comparativamente ao endividamento, no fomento da indústria de transformação. As malsinadas multinacionais nos permitiram um salto tecnológico e organizacional. *Last but not least*, houve uma racional divisão de tarefas entre a iniciativa governamental, centrada na provisão da infra-estrutura, e a iniciativa privada, que foi o motor principal do esforço de industrialização.

Juscelino havia criado o que se poderia chamar de ideologia "futurível", transformando o desenvolvimentismo numa fonte de otimismo psicológico e legitimação política. Escapou assim ao "nacionalismo complexado" da era Vargas e ao radicalismo marxista, alternativas certamente piores. E conseguiu temporariamente uma convergência entre os "técnicos nacionalistas" (Furtado, Rômulo de Almeida) e os "técnicos cosmopolitas" (Campos, Lucas Lopes) em torno do Plano de Metas. O *divortium acquarum* viria mais tarde, com o abandono, em 1959, do Programa de Estabilização e a ruptura com o FMI. Os cosmopolitas só voltariam a se tornar *policy makers* após a Revolução de 1964, quando prevaleceu a corrente neoliberal.

João Paulo dos Reis Velloso, *O último trem para Paris*, Rio de Janeiro, Nova Fronteira, 1986; Antônio Cláudio Sochaczewski, em *A ordem do progresso*, Campus, 1990, cap.VII; Lourdes Sola, *The political and ideological constraints to economic management in Brazil, 1945-1963*, tese de doutorado na Universidade de Oxford, mimeo., caps. III e IV.

MEU PRIMEIRO ENCONTRO
COM A INFORMÁTICA

A propósito dos Grupos de Trabalho, lembro-me de um detalhe curioso. Em agosto de 1958, ocorreu-me a idéia de constituir um grupo de trabalho para examinar a aplicação no Brasil de computadores eletrônicos. A indústria estava em fase incipiente. Não haviam ainda surgido os computadores pessoais, que levaram à explosão da informática na década dos 80. Eram ainda os computadores de válvula, do tipo ENIAC. Interessava-me examinar a possibilidade de melhoria no aparato estatístico governamental, através da implantação da computação eletrônica. Em 19 de agosto de 1958, como secretário geral do Conselho do Desenvolvimento, enderecei exposição de motivos a Juscelino, na qual pedia autorização para criar o GEACE — Grupo Executivo da Aplicação de Computadores Eletrônicos. Foi nomeado para presidi-lo o ministro Otávio Augusto Dias Carneiro, que teve como principais colaboradores o capitão de corveta Geraldo Nunes da Silva Maia, da Diretoria de Eletrônica da Marinha, o Teodoro Oniga, do Instituto Nacional de Tecnologia, e o professor Jorge Kafuri, da Escola Nacional de Engenharia.[115] O GEACE foi formalmente constituído em 13 de outubro do mesmo ano, e teria como um de seus objetivos estudar a possibilidade da implantação de uma indústria de peças, que levasse eventualmente a uma produção integrada de bens de informática.

O grupo apresentou, em janeiro de 1959, um excelente relatório em que estimava o mercado potencial brasileiro para computadores; sugeria medidas para incentivar a implantação de centros de processamento de dados no país, dentre elas a criação de um CPD do governo (que deu origem anos mais tarde ao SERPRO), destinado a preparar recursos humanos.

Fui, assim, o primeiro homem público brasileiro a tomar uma iniciativa concreta em matéria de informática. Parece cômico que, muitos anos depois, em 1984, assistiria eu a uma absurda irrupção de nacionalismo, que resultou na Lei nº 7.232,

---

[115] Os outros membros do grupo eram os senhores Luiz Carlos da Costa Soares, assessor do Conselho do Desenvolvimento, o capitão de fragata Paulo Justino Strauss, da Petrobrás, e Helmut Schreyer, da Escola Técnica do Exército.

extremamente restritiva e intervencionista em matéria de informática. Tivéssemos seguido num caminho mais manso e metódico, enfatizando mais o *software* que o *hardware*, e estaríamos mais avançados no processo de modernização brasileira.

OS GRANDES
PROJETOS ENERGÉTICOS

No setor de energia elétrica os dois grandes projetos eram Três Marias e Furnas. O projeto de Três Marias, patrocinado pela CEMIG, não encontrava objeção em Minas Gerais. Era um projeto essencialmente mineiro. O mesmo não acontecia em relação a Furnas. A montagem que Lucas Lopes desejava fazer contemplava a criação de uma companhia mista, da qual participassem o governo mineiro e o governo paulista. A opinião política mineira estava entretanto dividida. Achava-se que Furnas, situada inteiramente em território mineiro, mas cujo consumo seria maciçamente direcionado para a indústria paulista, transformaria Minas numa "caixa d'água" de São Paulo.

A meta de energia elétrica se desdobrou basicamente em torno de alguns grandes projetos, para os quais se destinariam recursos do Fundo Federal de Eletrificação, criado por legislação sancionada nos primeiros dias do governo Café Filho. Na formulação dessa legislação do setor de energia elétrica prevaleceu a inspiração algo estatizante da Assessoria Econômica de Vargas, chefiada por Rômulo de Almeida. Compunha-se ela essencialmente de quatro peças: a regulamentação do imposto único sobre energia elétrica, previsto na Constituição de 1946; a criação do Fundo Federal de Eletrificação; o Plano Nacional de Eletrificação e a criação da Eletrobrás.

Como já relatei ao discutir a história da criação do BNDE, nem Glycon de Paiva nem eu simpatizávamos com o Plano Nacional de Eletrificação, que era mera listagem de obras, sem adequado embasamento de projetos ou avaliação de prioridades. Não víamos também urgência na instalação da Eletrobrás, que representaria uma nova estrutura burocrática centralizante. No folclore jornalístico da época, atribuía-se o adiamento da criação da Eletrobrás a pressões das concessionárias (AMFORP e Light), coisa absolutamente inverídica. Conquanto essas empresas não vissem com simpatia a concentração de recursos na *holding*, sua impopularidade e carência de apoio político agiam como inibidores das pressões que desejassem fazer. Somente o vezo conspiratório da época poderia levar Getúlio Vargas, em sua dramática carta-testamento, à gongórica assertiva de que "a Eletrobrás fora obstaculizada até o desespero".

A tibieza em relação à Eletrobrás provinha sobretudo das pressões das empresas estaduais, como a CEMIG, de Minas Gerais e a USELPA, de São Paulo, que receavam excessiva intervenção federal através dessa *holding* e não desejavam que o Fundo Federal de Eletrificação fosse nela centralizado. Quando Lucas Lopes assumiu a presidência do BNDE, em substituição a Glycon de Paiva, endossou esse ponto de vista.

Deve-se dizer, a bem da verdade, que as posições eram bem mais matizadas. Pode-se mesmo falar em três escolas de pensamento: a dos *privatistas*, a dos *estadualistas* e a dos *federalistas*. Para os privatistas, como Glycon de Paiva e eu próprio, era desnecessária a estatização dos serviços, pois isso implicaria renunciar à colaboração de investidores estrangeiros, num setor intensivo de capital. O problema, a nosso ver, era basicamente de demagogia tarifária. A defasagem entre tarifas e inflação de custos havia desencorajado investimentos privados no setor, mas a solução real repousaria numa reformulação realista do sistema tarifário.[116] Os *estadualistas* — concentrados notadamente na CEMIG e na USELPA — favoreciam a intervenção estatal, mas desejavam que ela se fizesse através das empresas "*estaduais*" de energia elétrica. Receavam que a criação da Eletrobrás redundasse em centralismo burocrático e irrealismo tarifário, além de levar a um esfarinhamento de recursos em dezenas de projetos, sem embasamento técnico, mas incluídos, por influências políticas, no Plano Nacional de Eletrificação. Ambos os grupos se aliavam na oposição ao "federalismo centralizador" da montagem engenhada pela assessoria de Vargas no Catete.[117]

Como a Eletrobrás só veio a ser instalada anos depois, em junho de 1962, no governo Goulart, os recursos do Fundo Federal de Eletrificação ficaram por bastante tempo disponíveis para utilização pelo BNDE.

O projeto de Três Marias tinha uma fonte de financiamento específica porque podia beneficiar-se dos recursos equivalentes a 1% da receita tributária, destinados pela Constituição de 1946 ao aproveitamento do vale do São Francisco e geridos pela Comissão do Vale de São Francisco. O artifício usado foi criar-se uma associação da Comissão com a CEMIG. A Comissão financiaria a barragem e o reservatório, e a CEMIG construiria a usina e obras complementares.

---

[116] Já antes, nos primórdios do BNDE, quando se desenhava a contenda entre os nacional-desenvolvimentistas (grupo do Catete) e os desenvolvimentistas liberais (grupo do BNDE), eu havia denunciado a básica irracionalidade da postura estatizante. Sendo os investimentos na infra-estrutura de energia e mineração intensivos de capital e de longa duração, o país teria um ritmo maior de capitalização se angariasse capitais estrangeiros para a criação de economias externas, liberando o capital nacional para investimentos de giro mais rápido, que acelerassem a formação de poupança. O nacionalismo temperamental seria *self defeating*. O problema do controle acionário me parecia secundário. Através de seu poder de domínio, o governo poderia ter controle regulatório, independentemente do controle gerencial ou patrimonial.

[117] Ver Lucas Lopes, *Memórias do desenvolvimento*, Rio de Janeiro, Centro de Memória da Eletricidade no Brasil, 1991, ps. 150-57.

Bastante mais controvertida era a obra de Furnas, a ser construída num *canyon* abaixo da confluência dos rios Grande e Sapucaí. Para evitar a concentração dos recursos do Fundo Federal de Eletrificação num só projeto estadual, concebeu-se a criação de uma empresa — Centrais Elétricas de Furnas — que teria como acionistas o estado de São Paulo, o estado de Minas Gerais e, eventualmente, empresas concessionárias.

Houve uma explosão de ciúme interestadual. Entendiam círculos políticos mineiros que Furnas desviaria recursos necessários à obra de Três Marias para beneficiar os consumidores do Rio e São Paulo. "Minas fica com os municípios inundados e São Paulo com a energia, diziam os irredentistas mineiros". "Minas não pode ser a caixa d'água de São Paulo", tonitruava o governador Bias Fortes. Num plano mais pragmático, argüia-se que Juscelino poderia inaugurar pelo menos um dos geradores de Três Marias, enquanto as glórias de Furnas ficariam para outros governos. Acrescentava-se ainda, maliciosamente, que o objetivo da obra seria beneficiar o "polvo da Light".

São Paulo, de outro lado, defendia a tese de que a obra absorveria recursos que poderiam ser destinados a uma usina puramente paulista, a de Caraguatatuba.

Essa usina, na serra de Santos, havia sido desenvolvida pela equipe técnica do Departamento de Águas e Energia Elétrica. Barrar-se-ia o rio Paraíba para atirá-lo serra abaixo, concepção semelhante à da represa Billings, da Light. Teria a desvantagem de rarefazer o fluxo d'água em todo o vale do Paraíba. A atenção dos paulistas foi depois despertada para as potencialidades energéticas do Paranapanema e sobretudo do rio Paraná. Neste último rio se construiu inicialmente a barragem de Jupiá (1962-69), enquanto que a de Ilha Solteira teve sua demarragem já no governo Castello Branco, em 1966.[118]

Foi um grande trabalho de engenharia política de Lucas Lopes amainar quer as objeções mineiras, quer as objeções de Jânio Quadros. O argumento mais persuasivo para este último foi saber que os recursos a serem subscritos por São Paulo pro-

---

[118] Uma controvérsia interessante, que começara a delinear-se àquela época entre os grupos de eletricidade de Minas e São Paulo, se referia à prioridade de aproveitamento dos desníveis do rio Grande ou do rio Paraná. Os mineiros da CEMIG, talvez os mais competentes planejadores da época, tinham desenvolvido estreita vinculação com o Banco Mundial, que financiou as usinas de Itutinga e Furnas. Lograram persuadir aquela instituição de que o esquema racional seria aproveitar primeiro os desníveis do rio Grande e eventualmente do Paranaíba, antes de se atacarem obras no rio Paraná, pois que a vazão média deste último seria afetada pelos aproveitamentos dos afluentes a montante. Os interesses paulistas eram diametralmente opostos. Priorizavam o rio Paraná, que permitiria usinas de maior potência unitária, com a vantagem logística do transporte de material pela Estrada de Ferro Noroeste. Em visita a Washington, em 1964, conversei com técnicos do Banco Mundial. Estes insinuaram que os investimentos no rio Paraná deveriam ser postergados, a não ser que ficasse demonstrado que os aproveitamentos a montante não aumentariam em mais de 6% a vazão média do Paraná. De outra maneira, os critérios de otimização aconselhariam a exaus-

viriam da quota paulista do Fundo Federal de Eletrificação que, de outra forma, ficariam nos cofres do BNDE. O passo seguinte era a obtenção de financiamento estrangeiro pelo Banco Mundial, que havia muito tempo tinha interrompido seus financiamentos ao Brasil.

Em agosto de 1957, veio ao Rio o vice-presidente do Banco Mundial, Burke Knapp, que havia residido no Brasil como presidente da seção americana da Comissão Mista Brasil-Estados Unidos, na qual tinha trabalhado intimamente comigo e com Lucas Lopes em 1951 e 1952.

Lucas Lopes e eu costumávamos chamar o empréstimo de US$73 milhões do Banco Mundial à Central Elétrica de Furnas de "empréstimo naval", pois basicamente o trabalho definitivo de persuasão de Burke Knapp foi realizado durante um passeio de barco que organizei na Guanabara, durante sua visita ao Rio de Janeiro em agosto de 1957, quando retornava de uma conferência econômica em Buenos Aires.[119]

Furnas foi, por assim dizer, uma obra-chave para o desenvolvimento da tecnologia brasileira de grandes barragens. Foi aberta uma concorrência internacional,

---

tão, primeiramente, dos aproveitamentos dos afluentes a montante. Transmiti essa posição aos planejadores paulistas, que aceleraram seus estudos técnicos para justificar a racionalidade do desenvolvimento imediato das localizações no rio Paraná, pois que o incremento da vazão média resultante dos projetos a montante seria modesto, e de qualquer modo facilmente aproveitável pela instalação de máquinas adicionais em Jupiá e Ilha Solteira. Haveria três argumentos favoráveis às obras do Paraná: a) economia de escala (5.800 mil megawatts, só no complexo Urubupungá, que compreendia os sítios de Jupiá, Ilha Solteira e Três Irmãos no Tietê); b) logística barateada pela Estrada de Ferro Noroeste; e c) economias de transmissão pelo suprimento de blocos energéticos às cidades do Oeste Paulista. Com o surto acelerado de crescimento econômico na segunda metade da década dos 60, a controvérsia perdeu sentido, em virtude da expansão acelerada da demanda, que acabou justificando, além de Furnas, várias outras usinas no rio Grande (Jaguara, Estreito, Igarapava, Volta Grande, Marimbondo, Porto Colômbia, Água Vermelha), além de aproveitamentos no Paranaíba (São Simão, Itumbiara, Cachoeira Dourada e Emborcação). Uma outra dificuldade encontrada pelo Banco Mundial nos financiamentos a São Paulo era a multiplicidade de empresas estaduais, em número de 13, sendo as principais a CHERP (rio Pardo), a CELUSA (Urubupungá) e a USELPA (Paranapanema), com proliferação gerencial e desperdício administrativo. Esse problema só se atenuaria mais tarde, com a fusão dessas empresas na CESP, em dezembro de 1966. A controvérsia entre paulistas e mineiros só viria a ser finalmente resolvida no governo Castello Branco, quando, com a presença do presidente, foi lançada a pedra fundamental de Ilha Solteira, em abril de 1966. O Banco Mundial, entretanto, continuou a priorizar os investimentos no rio Grande, enquanto que as obras do rio Paraná foram financiadas pelo BID e por *supplier's credits* de governos europeus. Eu próprio promovi essa saudável competição entre fontes alternativas de financiamento. Conforme relato no cap. XIV, 16.7, os soviéticos, quando de minha visita a Moscou em setembro de 1965, haviam ofertado empréstimos para Ilha Solteira, que teria no contexto latino-americano efeito propagandístico e promocional comparável ao da represa de Assuan, no mundo árabe.

[119] O episódio é descrito em detalhes em meu livro *A moeda, o governo e o tempo*, Rio de Janeiro, Apec Editora, 1964, ps. 23-28.

como o exigiam os estatutos do Banco Mundial, saindo vencedora a firma inglesa George Wimpey, que se associou no Brasil à Construtora Nacional. Um dos empreiteiros subcontratantes foi José Mendes Junior, que ali adquiriu experiência para depois criar uma grande empresa de obras públicas — a Mendes Junior — e se tornou construtor de várias hidrelétricas.

Se os Grupos Executivos eram uma interessante peça de engenharia administrativa, havia que fazer também a engenharia financeira. O método adotado foi a criação de fundos de recursos vinculados. Assim foram criados o Fundo de Reaparelhamento Portuário e o Fundo de Reaparelhamento de Marinha Mercante. O problema ferroviário e rodoviário foi atendido de outra forma. Fez-se uma revisão em profundidade, através de um grupo de estudos que analisou a experiência internacional de financiamento rodoviário, da estrutura de preços de combustíveis. Daí surgiu finalmente a nova lei do imposto único sobre combustíveis, de novembro de 1956.

IRONIAS DO
DESTINO

Talvez o trabalho mais notável de engenharia financeira da época tenha sido a revisão do imposto único sobre combustíveis. Foi obra de um grupo de trabalho bastante eclético, a que presidi, reunindo um elenco de personalidades de alta competência, cujos esforços resultaram na Lei n.º 2.975, de 27 de novembro de 1956.[120]

Os dois pontos principais do trabalho foram uma revisão da estrutura de preços, segundo coeficientes internacionais de refino, e a transformação do imposto sobre combustíveis, que até então se compunha de taxas específicas, numa tributação *ad valorem*. A nova lei do imposto único sobre combustíveis contemplava uma alocação de recursos que beneficiava, ao mesmo tempo, o sistema de transportes e a Petrobrás. Setenta e cinco por cento da receita eram destinados ao Fundo Rodoviário, 10% para a Rede Ferroviária Federal, principalmente com o propósito de desativar ramais deficitários, enquanto 15% seriam direcionados para a Petrobrás, no período 1957-1961. Pode-se mesmo dizer que sem a transformação do imposto único, de imposto específico, rapidamente erodido pela inflação, em *ad valorem* (que permitia uma evolução dinâmica da receita em função das varia-

---

[120] Faziam parte do grupo, Luiz Simões Lopes, Edmundo Régis Bittencourt, Emerson Nunes Coelho, Herculano Borges da Fonseca, Francisco de Assis Figueiredo, José Luiz Bulhões Pedreira, Jacinto Xavier Martins e Heitor Lima Rocha. Os trabalhos foram coordenados por Plínio Cantanhede. A Petrobrás foi representada pelo seu diretor financeiro, Heitor Lima Rocha, um dos mais competentes funcionários da empresa que acabaria sendo injustamente demitido em 1961, quando, no governo parlamentarista, sugeriu que a empresa fosse contábil e administrativamente reorganizada, separando-se as atividades de pesquisa e exploração, refino, transporte e distribuição. Seria a aplicação do conceito moderno de centros de custos e produtividade. A idéia foi exposta a Tancredo Neves, primeiro-ministro, que a aceitou em princípio, mas vetada pelo ministro das Minas e Energia, Gabriel Passos. Reagindo à proposta, que traria transparência às suas atividades, a Petrobrás demitiu o funcionário e continuou com sua contabilidade unificada, uma perfeita caixa preta que impede a mensuração correta da produtividade dos diferentes estágios da atividade petrolífera e facilita subsídios interdepartamentais. O grupo se beneficiou enormemente da colaboração de Manoel Thompson Motta, profundo conhecedor da estrutura internacional de preços de petróleo, que desempenharia depois papel fundamental na reformulação da sistemática de preços do D.L. n.º 61, do governo Castello Branco.

ções cambiais), a Petrobrás teria tido o destino falimentar que em diversas épocas ameaçou suas congêneres na América Latina, como a PEMEX do México e a YPF — Yacimientos Petroliferos Fiscales — da Argentina.

A correção cambial e o sistema de revisão trimestral da estrutura de preços prevista na Lei n.º 2.975, depois aperfeiçoada pelo D.L. n.º 61, de 1965, já no governo Castello Branco, permitiram à empresa razoável estabilidade no fluxo de recursos. Esses dois diplomas legais tinham com objetivos:

• A eliminação de subsídios;
• A preservação da rentabilidade das refinarias da Petrobrás, garantindo à empresa um fluxo regular de recursos para investimentos;
• O financiamento de investimentos em transporte, através da criação do Fundo Rodoviário;
• A fixação de uma política de preços compatível com a estrutura de refino e os diferenciais de preço nos mercados internacionais.

Por ironia do destino, dois dos maiores antagonistas do formato monopolista da Petrobrás, Eugênio Gudin e eu próprio, fomos chamados a dar uma contribuição vital para a vida da empresa. Gudin, ao alocar em 1954 divisas escassas às importações da Petrobrás, com caráter prioritário, numa fase de grande penúria cambial.

— A tese do monopólio é absurda — dizia o velho mestre — pois nos priva de capitais de risco e desvia o governo de suas funções clássicas. Mas lei é lei e tem de ser cumprida...

Eu exerceria papel semelhante em 1956, ao batalhar pela revisão da lei do imposto único sobre combustíveis, que beneficiou duplamente a Petrobrás. Primeiro, deu-lhe uma receita dinâmica, baseada num imposto *ad valorem*. Segundo, criou uma estrutura racional de preços do petróleo, que refletiam coeficientes internacionais ajustados à estrutura de refino. Aos inimigos do monopólio, coube, curiosamente, a responsabilidade de operacionalizá-lo em horas críticas... E aos amigos da Petrobrás, a responsabilidade de provocar deformações na estrutura de preços, que reduziram o potencial de investimentos da empresa. Foi no governo Geisel que, como o faz notar M. F. Thompson Motta:

"na composição do preço da gasolina e do diesel foram incluídas duas parcelas espúrias e sem nenhum sentido econômico ou técnico: 1) FUP para uniformização parcial dos preços em todo o país, no valor de 6,5% do preço ao consumidor; 2) subsídios cruzados — destinados a subsidiar determinados derivados de petróleo."[121]

---

[121] Ver M. F. Thompson Motta, 'Subsídios cruzados', artigo em *O Estado de São Paulo*, 10 de janeiro de 1994, p. B-2.

A primeira possibilitou inúmeras fraudes, pela dificuldade de fiscalização do transporte num país de dimensões continentais, além de distorcer o cálculo de vantagens comparativas reais das diferentes regiões. Os subsídios cruzados sobreestimularam o consumo de alguns produtos, em grande descompasso com a estrutura de refino.

OS TECNOCRATAS
NO MINISTÉRIO DA FAZENDA

Em junho de 1958, Alkmin deixava o ministério da Fazenda. Atribuía-se sua saída à pressão dos produtores de café, irritados com a projetada elevação das quotas de retenção de café na safra 1957-58. Mas a razão por ele alegada era provavelmente autêntica: Alkmin desejava desincompatibilizar-se para concorrer à eleição para a Câmara dos Deputados.

Juscelino aproveitou a ocasião para fazer uma reforma ministerial mais ampla, que abrangeu as pastas da Justiça, Saúde e Trabalho. Também se exonerou o ministro do Exterior, José Carlos de Macedo Soares, que não fora pessoalmente escolhido por Juscelino, pois figurara no governo de transição dè Nereu Ramos. Alegou razões de saúde, mas é provável que se sentisse desprestigiado pela crescente propensão de Juscelino ao exercício de uma "diplomacia paralela", principalmente através de Augusto Frederico Schmidt, que se julgava inspirador e co-proprietário da Operação Pan-Americana.

Em 25 de junho, Lucas Lopes assumiu a pasta da Fazenda.[122] A situação não era fácil, porque as condições econômicas se deterioravam rapidamente. O "desenvolvimentismo às caneladas" começava a cobrar seu preço. A inflação estava em rápida aceleração, passando de 7% no ano todo de 1957 para 9% no primeiro semestre de 1958. Contribuíam para as pressões inflacionárias a sustentação dos preços do café, a aceleração de investimentos (particularmente em rodovias e na construção de Brasília) e a seca no Nordeste. As perspectivas do balanço de pagamentos eram sombrias, pois que o complexo sistema cambial não mais resistia ao tríplice encargo de financiar os bônus aos exportadores, suplementar receitas do governo e cobrir a compra de excedentes de café. Os entendimentos com o FMI, encetados por Alkmin, visavam à obtenção de um crédito *standby* de

---

[122] Assustado com a nomeação de Lucas Lopes, Augusto Frederico Schmidt, que se achava em Washington participando de uma conferência sobre a Operação Pan-Americana, passou um lacônico telegrama de protesto a Juscelino: "Ai! ai! ai! Schmidt". O sucessor de Macedo Soares na pasta do Exterior foi Negrão de Lima, que também se ressentia das incursões da "diplomacia paralela" de Schmidt, mas que, íntimo de Juscelino, exibia maior resistência. O ocaso da influência schmidtiana só viria a ocorrer a partir do momento em que Horácio Lafer, personalidade mais forte, passou a gerir a política externa.

US$37 milhões, que serviriam de alavancagem para US$100 milhões do Eximbank e US$58 milhões de bancos privados americanos. Culminaram numa carta de intenções, assinada por Alkmin em 26 de maio, contendo restrições draconianas, obviamente irrealistas, que ele aceitara, seja por não perceber seu pleno impacto, seja por desespero em relação à crise cambial, seja por subestimar a gravidade do descumprimento. Essa carta foi, aliás, prontamente descumprida, dando início a uma longa tradição de "cartas de más intenções", quer em governos militares quer em civis.

Uma das primeiras tarefas de Lucas Lopes foi explicar, em carta a Per Jacobsson, do FMI, a inviabilidade do cumprimento imediato das promessas de Alkmin, que envolviam a suspensão abrupta da política de financiamento do café, cortes orçamentários indiscriminados, abrangendo tanto custeio como investimentos, e a sustação de registros de *suppliers' credits* já negociados para o Programa de Metas. Essas medidas seriam reestudadas, para aplicação mais gradualista, num plano global de estabilização. Três das retificações urgentemente necessárias, que Lucas Lopes teria de enfrentar, eram todas politicamente desagradáveis: a desvalorização cambial, a redução dos preços de sustentação do café e a atualização dos "preços políticos", isto é, as tarifas defasadas de serviços públicos, que ocultavam uma substancial inflação reprimida.

A situação, obviamente, era igualmente penosa para Juscelino. Havia que mudar de rumo, mas ele não queria dar a impressão de estar inaugurando uma guinada ortodoxa. Juscelino certamente nunca se deu conta da terrível ameaça que a Carta de Intenções, assinada por Alkmin, teria representado para o seu querido Plano de Metas!

É possível que tenha influído em sua decisão de nomear Lucas Lopes o agravamento da situação cambial, porque se prenunciava um déficit de balanço de pagamentos estimado em US$300 milhões, superposto a um déficit de Cr$200 milhões no ano anterior. Isso tornaria conveniente um empréstimo de médio prazo que exigiria uma programação financeira bastante mais meticulosa que as improvisações voluntaristas de Alkmin. Em suas memórias, relata Juscelino que nomeara Lucas Lopes com alguma preocupação:

"O motivo dessa preocupação tinha por base certa discrepância no que dizia respeito à maneira de encararmos a situação nacional. Lucas inclinara-se ante os princípios dos economistas da escola ortodoxa e, ao convidá-lo para a pasta da Fazenda, julguei que deveríamos ter uma conversa séria, a fim de acertarmos nossos relógios. Ele era técnico e, nessa condição, deveria gerir os assuntos da pasta da Fazenda. Teria a mais ampla liberdade de ação, principalmente levando-se em conta a delicada situação financeira do país, naquela ocasião ameaçada pela deterioração dos preços do café no mercado internacional. Só fazia questão de uma coisa: que não criasse qualquer embaraço à liberação das verbas destinadas ao Programa de Metas. Sobre isto, era intransigente, tinha um programa a cumprir e iria cumprí-lo".[123]

É óbvio que a preocupação de Juscelino não se centrava tanto no Programa de Metas, pois que Lucas Lopes fora o grande engenheiro das metas e se tinha esforçado para a criação de fundos especiais que viabilizassem o programa. A preocupação de Juscelino era, indubitavelmente, com a meta não programada: a meta-síntese, Brasília.

Com a ascensão de Lucas Lopes ao ministério da Fazenda, passei a exercer a presidência do Banco Nacional de Desenvolvimento Econômico e, concomitantemente, a posição de secretário executivo do Conselho do Desenvolvimento, João Batista Pinheiro foi designado diretor-superintendente interino. Reunido com Lucas Lopes, logo após a posse, antecipei-lhe que iríamos enfrentar borrascas.

Éramos ambos, Lucas e eu, considerados "cosmopolitas" (ou "desenvolvimentistas não nacionalistas", para usar a expressão de Ricardo Bielchowsky) e sofríamos grande oposição dos "nacionalistas" radicais, que, sem nenhuma forma concreta de mobilização da poupança nacional, hostilizavam ideologicamente a aproximação com o Fundo Monetário Internacional e a absorção de capitais estrangeiros. Ponderei a Lucas que seria conveniente termos no time alguém que pudesse representar um elo com essa corrente (a meu ver irracional) de pensamento.

Sugeri-lhe então que persuadisse Juscelino a convidar Celso Furtado para a posição, que se vagara, de diretor executivo da SUMOC. Lucas obteve de Juscelino autorização para esse convite. Procurei desesperadamente, numa quinta-feira, comunicar-me com Celso Furtado que, nessa ocasião, se achava como leitor visitante na Universidade de Cambridge, na Inglaterra. Graças à precariedade dos serviços telefônicos e ao fato de que havia um fim de semana prolongado, não consegui contato com Celso. Foi uma felicidade, pois Celso não teria nenhuma vocação para o cargo de executor de políticas monetárias restritivas. Seus interesses sempre foram na linha do institucionalismo e do planejamento. Nunca se debruçara sobre o problema monetário e sua visão da questão de balanço de pagamentos era também superficial.

---

[123] Juscelino Kubitschek, *Cinqüenta anos em cinco*, 3? volume de *Meu caminho para Brasília*, Rio de Janeiro, Bloch Editores, 1978, p. 223. Em discurso que ficou famoso, pronunciado em 1956, antes de assumir o ministério, como paraninfo de uma turma de economistas, Lucas Lopes criticara a falta de ação do governo, em conivente disciplicência com uma "inflação galopante de 2% ao mês". Juscelino se irritou com a declaração, interpretada na época como oposição frontal à política de Alkmin. Ver Lucas Lopes, *Memórias do desenvolvimento*, Rio de Janeiro, Centro da Memória da Eletricidade no Brasil, 1991, p. 221.

Declarando-se incapaz de esperar mais, devido à pressão de São Paulo para a designação de um paulista, Juscelino acabou optando pelo nome de José Garrido Torres para diretor-executivo da SUMOC. Excelente escolha, pois Garrido tinha melhor entendimento dos problemas de controle monetário e creditício. Manteve-se, entretanto, a autorização para o convite a Celso Furtado, quando vagasse uma das diretorias do BNDE. Celso foi nomeado em 1958 e, conforme entendimento prévio, designado para se ocupar no BNDE exclusivamente dos problemas do Nordeste. Participou, em substituição a Cleanto de Paiva Leite, como representante do banco no Grupo de Trabalho sobre o Desenvolvimento do Nordeste (GTDN), criado pelo Conselho do Desenvolvimento. Preparou um famoso relatório sobre o Nordeste e suas possíveis soluções, intitulado "Uma política de desenvolvimento econômico para o Nordeste". A região fora devastada em 1958 por uma das grandes secas periódicas, levando Juscelino a conceber a OPENO, Operação Nordeste.[124] Daí nasceriam o Conselho de Desenvolvimento do Nordeste, com a participação dos governadores da região, instalado em Recife em abril de 1959, e a SUDENE, que só veio a ser criada, após intensos debates no Congresso, pela Lei nº. 3.692, de dezembro do mesmo ano. A seca de 1958 atingira proporções dramáticas, desconhecidas desde a última grande estiagem de 1932: o DNOCS teve de empregar 400 mil flagelados e o DER 140 mil, quando o maior número anteriormente assistido fora de 200 mil retirantes, em 1932. O relatório do general Orlando Ramagem, enviado por Kubitschek ao Nordeste para verificar o grau de eficácia da assistência federal aos flagelados, pintava em cores dramáticas um quadro de ineficiência, descoordenação e corrupção. Vicejava a "indústria da seca", espécie de parasita do monturo. A experiência posterior revelaria que a "indústria da seca" é um parasita resistente aos mais variados antibióticos.

O GTDN dedicou-se ao estudo das soluções possíveis para o Nordeste, mas o insumo crítico para a criação da SUDENE, em seu formato final, veio de José Sette Câmara, então subchefe da Casa Civil, a quem Juscelino havia recomendado que desse especial atenção à montagem de um sistema permanente e eficaz de auxílio à região. Enquanto Celso Furtado concebeu a criação de um órgão interdepartamental para coordenar as atividades federais na região, Sette Câmara, ciente de uma

---

[124] Juscelino costumava citar o "catálogo das secas": a grande seca de 1790-1793; a de 1824-1825, acompanhada de uma epidemia de varíola; a mortífera seca de 1877-1879, que levou Pedro II a promover a emigração de nordestinos para a Amazônia, onde escaparam da seca mas morreram de malária: a de 1915, com 30 mil mortos, e a de 1932. Nas secas realmente dramáticas, a solução tem sido a criação de novos organismos ou projetos com missão salvadora. Em 1877, foi criada a Inspetoria de Obras contra as Secas; em 1951, o Banco do Nordeste; em 1958, a SUDENE; finalmente, em 1972, lançar-se-ia a proposta da Transamazônica. E o problema continua até hoje irresoluto. É que não existe "uma" grande solução e sim um conjunto de microsoluções...

rebelião dos governadores nordestinos, que receavam uma perda de influência no direcionamento de recursos, evoluiu para um conceito mais marcadamente político. A SUDENE seria supervisionada por um conselho, do qual participariam, além das entidades regionais, os governadores da área. Foi essa estrutura que afinal prevaleceu.[125]

Para o grupo tecnocrático que trabalhava com Lucas Lopes, sua ascensão ao ministério da Fazenda, em 25 de junho de 1958, reabriu a oportunidade de se resgatarem os dois outros componentes do tríptico originalmente apresentado a Juscelino — o programa de estabilização e a reforma cambial. Somente o Plano de Metas havia merecido o engajamento político e o entusiasmo emocional de Juscelino. Mas era convicção dos tecnocratas que sua execução isolada levaria o Brasil a uma indesejável aceleração inflacionária, senão a uma crise cambial desastrosa. Ambas as coisas viriam aliás a ocorrer. Menos de três anos depois, Walther Moreira Salles e eu, o país já em bancarrota, embarcávamos para o exterior, a fim de juntar os cacos para restaurar o vaso da confiança. Por tempo fugaz, aliás. Como era fácil ser profeta!

---

[125] Celso Furtado criticava a "solução hidráulica", isto é, a obsessão da construção de açudes, sem providências complementares de irrigação. Ao invés de combater as secas deveríamos aprender a conviver com elas: "A ação do governo deveria privilegiar a produção de alimentos, tanto no semiárido como nas terras úmidas litorâneas, hoje monopolizadas pela cana-de-açúcar, e deveria criar as bases de uma industrialização, única forma de absorver a mão-de-obra atualmente subempregada." Ver Celso Furtado, *A fantasia desfeita*, Rio de Janeiro, Paz e Terra, 1989, p. 44.

O PLANO DE ESTABILIZAÇÃO MONETÁRIA
(PEM) E SUAS TRIBULAÇÕES

Há dois documentos brasileiros de grande importância técnica que, por razões fortuitas, foram condenados ao esquecimento. Um deles foi o PEM — Programa de Estabilização Monetária — já mencionado. Outro, muito mais tarde, ao fim do governo Castello Branco, foi o Plano Decenal de Desenvolvimento Econômico e Social, ao qual nos referiremos em capítulo adiante.

Preparado entre julho e setembro de 1958, o PEM era uma versão mais sofisticada e abrangente do documento "Perspectivas da economia brasileira", apresentado a Juscelino antes da posse, mas adicionava-lhe um colorido desenvolvimentista. A partir mesmo da introdução, explicitava-se o objetivo de assegurar compatibilidade entre o programa antiinflacionário e o Plano de Metas, e se procurava, por assim dizer, "racionalizar" a construção de Brasília. Era o preço político a pagar para se obter o assentimento de Juscelino a um trabalho que ele receava demasiado "enviesado", no sentido ortodoxo.[126]

A introdução abordava três tópicos: 1. Os objetivos do Programa de Estabilização Monetária; 2. A compatibilidade entre o programa de estabilização e o Plano de Metas e 3. Os princípios básicos do programa de estabilização.

Estabelecia-se de início que ele se desenvolveria em duas fases: na primeira — fase de transição e reajustamento que se estenderia até o fim de 1959 — procurar-se-ia reduzir drasticamente o ritmo de incremento de preços. Seria tolerado um certo grau de expansão monetária, mas unicamente para que a economia pudesse absorver, sem desemprego, o impacto de reajustamentos salariais para a recomposição do poder aquisitivo das classes de rendimentos fixos. Nesse período o objetivo seria duplo. Sob o ponto de vista econômico, corrigir distorções criadas pela inflação na distribuição de renda, na alocação dos investimentos e nos preços do setor externo da economia. Sob o ponto de vista social, fazer com que os reajustamentos

---

[126] Ao contrário do Plano de Metas, que despertou grande atenção de analistas e historiadores econômicos, o PEM, documento de valor técnico superior, que foi o precursor de três planos subseqüentes — o Programa de Ação do Governo Parlamentarista (1961), o Plano Trienal (1963) e o PAEG (1964), foi consignado a imerecido esquecimento. A melhor análise do PEM é, sem dúvida, a de Lourdes Sola, em sua já citada tese de doutorado pela a Universidade de Oxford, intitulada *The political and economic constraints to economic management in Brazil, 1945-1963*.

do salário nominal se traduzissem em melhoria do salário real, ao invés de serem imediatamente frustrados pela alta de preços.

Na segunda fase, a fase de estabilização, a partir de 1960, procurar-se-ia adequar a expansão dos meios de pagamento ao ritmo de incremento do produto real, com vistas a assegurar uma razoável estabilidade de preços internos e o reequilíbrio das contas externas. Os objetivos enunciados eram, portanto, da mais pura ortodoxia.

Já a partir do item segundo da introdução, havia a preocupação de assegurar que o programa de estabilização seria compatível com o Plano de Metas. Num esforço didático para contrabalançar o viés estruturalista dominante na época, se enunciavam os malefícios da inflação, assim classificados:

— Distorção de investimentos
— Dificuldade de planejamento e provisão empresarial
— Pressão sobre balanço de pagamentos
— Desestímulo à poupança privada
— Tensões sociais

Esta seção concluía com uma declaração monetarista, que vale a pena reproduzir:

"A verdade inapelável é que uma expansão de meios de pagamento, além do ritmo de crescimento possibilitado pelo acréscimo da capacidade produtiva da economia, acréscimo por sua vez governado por fatores físicos e técnicos, resulta em aumento de preços e não em aumento do produto ou aceleração da taxa de desenvolvimento... A disponibilidade de bens e serviços da economia brasileira tem aumentado no período de 1948 a 1957 a uma taxa média de aproximadamente 5% ao ano, ao passo que o ritmo anual de expansão de meios de pagamento tem, em média, excedido de 20%."

E arrematava-se:

"O resultado da expansão imoderada de crédito e meio de pagamento tem sido aumentar os preços sem contribuir para acelerar o ritmo de incremento da produção real do país."

Discutia-se logo a seguir o desequilíbrio financeiro do setor público, afirmando-se estar o governo convencido de ser desejável e possível executar o Programa de Metas num ambiente de estabilidade. Esse programa representaria apenas entre 4 a 6% do Produto Nacional Bruto previsível nos próximos anos, situando-se assim perfeitamente dentro da capacidade normal de poupança do país. E acrescentava-se que uma das preocupações fundamentais na elaboração do PEM havia sido precisamente a de assegurar financiamento não-inflacionário para o Plano de Metas e confiná-lo a proporções perfeitamente suportáveis.

Os recursos alocados ao Plano de Metas representariam não mais que 40% dos investimentos programados para o período. As demais despesas de investimento já tinham provisão de receita através de "fundos especiais", criados em governos anteriores, e constituídos por tributos de destinação específica ou recursos oriundos de vinculações constitucionais.[127]

Economias poderiam também ser alcançadas se corrigidos dois fatores de pressão inflacionária: em primeiro lugar, a contínua elevação das despesas de custeio, particularmente dos gastos com pessoal ativo e inativo. Em segundo lugar, o impressionante desperdício decorrente da pulverização de dotações para pequenas obras, desapoiadas em projetos técnicos ou esquemas financeiros adequados.

A conclusão, tranqüilizadora para Juscelino, expressava-se nos seguintes termos:

"Afigura-se possível conciliar o objetivo do prosseguimento dos programas de desenvolvimento com o da correção dos desequilíbrios financeiros do setor público — correção essa fundamental em qualquer esforço de estabilização monetária — desde que seja adotada moderação nos gastos de consumo (ficando seu incremento sempre subordinado à obtenção de novas receitas) e que os investimentos sejam concentrados em projetos tecnicamente maduros e suceptíveis de serem executados de forma rápida e coordenada".

Essa seção do PEM concluía com um esforço catequético de demonstrar que o Programa de Estabilização, longe de obstaculizar o Programa de Metas, poderia auxiliá-lo. Primeiro, porque os orçamentos de custos se tornariam menos instáveis. Segundo, porque diminuiria a excessiva pressão sobre o mercado de fatores, permitindo mais rápida execução das obras. Em terceiro lugar, porque tenderia a melhorar, na constância dos demais fatores, a posição do balanço de pagamentos, o que facilitaria a obtenção de financiamentos externos.

A conclusão final merece ser citada:

"Cumpre não esquecer que o desenvolvimento econômico real se mede pelo número de projetos concluidos e não pelo número de projetos iniciados e depois relegados ao abandono, ou indefinidamente adiados pela escassez de

---

[127] Em 31 de agosto de 1954, nos primeiros dias do governo Café Filho, foi criado o Fundo Federal de Eletrificação (Lei n.º 2.308), administrado pelo BNDE. Em 2 de agosto de 1955, instituiu-se a Taxa de Melhoramento e Renovação Patrimonial (Dec. n.º 37.686), cobrada sobre as tarifas ferroviárias e vinculada a esse setor. Em 27 de dezembro de 1955, já no governo Nereu Ramos, foram criados o Fundo Nacional de Pavimentação (80%) e o Fundo para substituição de ramais ferroviários deficitários (20%), pela lei n.º 2.698, aos quais seriam alocados 30% das sobretaxas arrecadadas sobre a importação de petróleo e derivados. Já no governo Juscelino, em 27 de novembro de 1956, houve um fundamental melhoramento na sistemática de tributação de combustíveis (Lei n.º 2.975), passando o impôsto único sobre combustíveis a ser *ad valorem*, sendo 40% da receita alocados à União e o restante aos estados, municípios e Distrito Federal. Durante cinco anos (até 31 de dezembro de 1971) 10% de ambas as parcelas seriam destacados para construir o capital da Rede Ferroviária Nacional.

fatores reais. Num regime de inflação, começa-se mais do que se deve e conclui-se menos do que se pode."

Era, naturalmente, uma declaração do óbvio. Mas, como costumava dizer Nelson Rodrigues, "só os gênios percebem o óbvio".

Mais tarde, já no governo militar, quando foram lançados os planos nacionais de desenvolvimento, a partir do governo Geisel, verificou-se sistemático esquecimento desse princípio. Vários grupos de projetos, como o Programa Nuclear, a Ferrovia do Aço e a Açominas, foram iniciados sem previsão adequada de recursos para sua terminação e, ou ficaram incompletos, ou se tornaram exageradamente dispendiosos. Eram projetos de impacto, com "recursos a definir".

Vale ainda a pena citar alguns dos chamados "princípios básicos do Programa de Estabilização". Um deles era que:

"Num ambiente de estabilidade monetária, o processo de desenvolvimento econômico se conduz com mais segurança e continuidade".

O segundo era que:

"A melhoria do padrão de vida dos assalariados não pode ser atingida pelo reajustamento periódico e maciço dos salários nominais, os quais, na ausência de uma política estabilizadora, tendem a ser anulados pela inflação de preços e custos".

O terceiro continha uma recomendação discreta em favor da reforma cambial que havia sido rejeitada no início do governo:

"Sem prejuízo dos esforços que devem ser feitos para atrair capitais, a correção do desequilíbrio dos nossos pagamentos externos tem que assentar essencialmente sobre uma expansão das exportações, eliminando-se ao mesmo tempo, gradualmente, as taxas cambiais de favor que subvencionam a procura de determinados bens de importação".

Ressuscitava-se assim, ainda que de forma pouco explícita, a tese da reforma cambial, que visaria a dar ao Brasil uma orientação exportadora e terminar o longo período de supremacia intelectual da doutrina cepalina de priorização da substituição de importações. Como disse Lourdes Sola, reconhecia-se a exaustão do modelo de "inflação com sobrevalorização, como mecanismo de redistribuição intersetorial de recursos reais".[128]

Em outro parágrafo se tornava ainda mais clara a nova orientação:

"Dever-se-á tornar o setor de exportação mais atrativo que qualquer outro no sentido de corrigir a distorção verificada no passado. As providências se orientarão no sentido de procurar, sempre que possível, um mesmo nível

---

[128] Ver Lourdes Sola, op., cit., p. 166.

para o valor interno e o externo da moeda, além de obviar ao máximo os óbices administrativos no processamento das vendas ao exterior".

O PEM podia ser considerado, à época, um documento de acentuado valor técnico e foi assim conceituado pelos economistas do Fundo Monetário Internacional que o examinaram. Os problemas, como freqüentemente sói acontecer, não seriam problemas de concepção e sim de implementação.

A instrumentação do controle da inflação se basearia essencialmente em três pontos. Primeiro, o *controle da expansão monetária*. Fixavam-se tetos para a expansão dos meios de pagamento, incluindo tetos globais de incremento do saldo de papel moeda, tetos do Banco do Brasil e dos bancos comerciais vis-à-vis da Carteira de Redescontos, tetos de crédito por setores do Banco do Brasil, taxas de expansão de crédito estacional, taxas mensais de expansão dos empréstimos e depósitos dos bancos comerciais, tudo isso compondo um programa geral de disciplinamento da expansão monetária do período de agosto de 1958 a dezembro de 1959.

Um segundo instrumento do controle antiinflacionário seria a *correção do desequilíbrio financeiro do setor público*. Formulavam-se recomendações tendentes à limitação de despesa e acréscimo de receita, visando sempre a compatibilizar o programa de estabilização com a execução das metas. Planejava-se um esforço fiscal adicional, mediante a revisão da estrutura dos tributos de renda, consumo, selo, assim como certas taxas e emolumentos. Visava-se a estabelecer processos mais racionais de arrecadação e fiscalização a fim de propiciar um aumento efetivo da receita pública. Através do sistema de "opções fiscais" (precursoras dos incentivos fiscais da legislação posterior) procurava-se estimular poupanças do setor privado, orientando-as para investimentos prioritários dentro das diretrizes gerais do Plano de Metas.

Para 1959, ano a ser coberto pela disciplina prevista no PEM, previa-se uma despesa total de 158 bilhões de cruzeiros, com uma receita de 148 bilhões de cruzeiros, resultante, em parte, dos recursos orçamentários já previstos, e, em parte, das revisões fiscais. O déficit seria coberto na proporção de 6 bilhões por letras do Tesouro, e de 4 bilhões por financiamentos do Banco do Brasil.

REFORMA FISCAL
INOVADORA

O PEM continha uma extensa revisão da legislação fiscal. Talvez convenha notar três inovações importantes então propostas ao Congresso. A primeira consistia na instituição de um sistema de "depósitos para investimento" que, mais tarde, adquiriria grande desenvolvimento e que serviu de base à criação do sistema de incentivos fiscais. Facultava-se às pessoas jurídicas optar, em sua declaração de lucros, pela constituição de "depósitos para investimentos" em importância igual ao imposto devido, acrescido de 50%. Esses "depósitos para investimento" só poderiam ser aplicados por autorização, e sob a fiscalização de uma Comissão de Investimentos que compreendia o ministro da Fazenda, o presidente do BNDE, o diretor da Divisão do Imposto de Renda, o diretor da Carteira de Crédito Industrial do Banco do Brasil, o diretor executivo da SUMOC, o diretor da Cacex e um representante do Conselho Nacional de Economia. As aplicações se fariam em projetos específicos, nos setores julgados prioritários para o desenvolvimento econômico nacional.

A segunda inovação era a permissão para a correção do registro contábil do valor original dos bens do ativo imobilizado, pela aplicação dos coeficientes determinados pelo Conselho Nacional de Economia. Essa correção poderia ser feita a qualquer tempo, até o limite dos coeficientes vigentes na época. Era uma medida precursora da reforma fiscal de julho de 1964, que tornou obrigatória a atualização dos ativos.

Uma terceira inovação merece algum destaque pois, se adotada, teria representado uma transformação substancial dos mecanismos financeiros do BNDE. Eu próprio havia proposto criar-se, em favor do BNDE, a possibilidade de levantamento de recursos em nome próprio, desvinculando-o assim de sua dependência de verbas do Tesouro, ou de empréstimos compulsórios. O sistema concebido envolveria a criação, no BNDE, de um fundo especial denominado "Fundo de Investimentos Industriais", destinado a prover recursos para investimentos em empreendimentos privados nos setores básicos da economia. O capital desse fundo variável seria dividido em duas partes: a) capital do BNDE e b) capital constituído pela subscrição das quotas de participação em circulação. Segundo o mecanismo proposto, o BNDE incorporaria sua parcela de capital no fundo mediante a trans-

ferência, pelo valor nominal, das ações recebidas em contrapartida aos financiamentos industriais que concedesse.

O aspecto importante e inovador da proposta é que se criaria um mecanismo
indireto de correção monetária que permitiria ao BNDE emitir "Certificados de
Participação do Fundo de Desenvolvimento Industrial". Contrariamente às obrigações do Tesouro, que tinham juros fixos e nenhuma fórmula de correção do principal, o certificado de participação no "Fundo de Investimento Industrial" do BNDE
dava ao titular das quotas o direito a um dividendo mínimo e cumulativo de 8% ao
ano, em moeda corrente, garantido pelo BNDE. Mas, além disso, daria também
direito de participação no lucro líquido apurado anualmente pelo fundo, que excedesse esse dividendo mínimo. Assim a remuneração do comprador teria dois componentes, um de renda fixa e um de renda variável, representado este pela participação no lucro líquido apurado pelo fundo em suas aplicações. Essa segunda parte
seria equivalente a uma modalidade embrionária de correção monetária, pois que
presumivelmente a rentabilidade das ações incorporadas ao fundo refletiria os efeitos inflacionários sobre a renda das empresas.

Seriam várias as vantagens do sistema: 1. O BNDE se tornaria independente de
suprimentos de recursos do Tesouro para investimentos industriais, levantando
seus recursos no mercado, através dos certificados de participação; 2. Os certificados de participação, ao contrário dos títulos de renda fixa, teriam um componente
variável, que traria alguma proteção contra a inflação, facilitando sua aceitação
pelo mercado; 3. O fundo de investimentos se aplicaria exclusivamente em benefício do setor privado, podendo o BNDE continuar recebendo alocações do Tesouro
para os investimentos de infra-estrutura.

A administração do fundo de investimentos seria orientada por uma junta
governativa de oito membros, paritária entre o setor público e o privado. Nela figurariam o diretor-superintendente do BNDE, o diretor do BNDE encarregado do
Fundo de Investimentos Industriais, o diretor da Carteira de Crédito Agrícola e
Industrial do Banco do Brasil e um membro do conselho de administração do
BNDE. Os quatro outros membros proviriam do setor privado, sendo eleitos pelos
titulares das quotas de participação no fundo. O presidente nato da junta governativa, com direito a voto de qualidade, seria o presidente do BNDE. Os membros da
junta governativa teriam mandato de três anos.

Infelizmente esse projeto não despertou maior simpatia. Na Comissão
Econômica da Câmara, ocupou-se dele o deputado Magalhães Pinto que, bizarramente, o interpretou às avessas. Na realidade, o projeto se destinava a criar um
mecanismo regular de captação de recursos pelo BNDE para reciclagem *em favor
do setor privado*, que teria responsabilidade participativa na administração do
fundo. Mais que isso, teria um direito de co-gestão.

Magalhães Pinto viu no projeto uma tentativa "estatizante por parte do BNDE" (sic). A proposta não teve ulterior tramitação. Deixei a presidência do BNDE em julho de 1959 e as administrações posteriores do não se interessaram pelo assunto. O banco, eficaz na mobilização de recursos externos, continuou, no plano interno, preso às tetas do Tesouro. Ou antes, preferiu ficar, ao longo dos anos, na confortável (conquanto humilhante) posição de "gigolô" do Tesouro...

A CONTROVÉRSIA
SOBRE O PEM

O PEM não teve destino melhor nem pior que os vários programas de estabilização que, ao longo do tempo, foram tentados na economia brasileira. A única exceção terá sido talvez o PAEG, graças ao empenho pessoal de Castello Branco, que a ele dedicou vigoroso apoio político.

O PEM não podia ter sido lançado em momento mais desfavorável internacionalmente. Conquanto houvesse respeito pela qualidade técnica do plano, havia ceticismo em relação à sua implementação, pois o acordo *standby* com o FMI, assinado por José Maria Alkmin, fora objeto de repetidas violações. Politicamente, sabia-se que o compromisso passional do presidente era com o Plano de Metas e a construção de Brasília.

Para Juscelino, o PEM era basicamente um exercício tecnocrático, que ele via com certa apreensão, pois no fundo preferia ao tecnicismo de Lucas Lopes o voluntarismo empírico de Alkmin. A obsessão de Brasília tornava-o rebelde a qualquer tipo de programação. Em suas memórias assim se refere Juscelino ao PEM, em observação que provavelmente reflete exatamente suas convicções da época:

> "O Plano de Estabilização, elaborado sob a supervisão de Roberto Campos, teria de refletir — como, de fato, refletiu — mais uma precaução técnica do que política. Era seco, rigidamente racional."

O primeiro obstáculo ao sucesso do PEM era assim a própria ambivalência de Juscelino. No fundo, deixava-se seduzir pelas alegações estruturalistas de que não havia cura monetária para a inflação, sendo ela unicamente sanável, a médio e longo prazo, por investimentos estruturais. Além disso, ao mesmo tempo em que queria assegurar recursos para investimento no Programa de Metas, insistia em manter um câmbio artificialmente barato para as importações chamadas "essenciais", assim como tarifas subvencionadas para os serviços públicos. Era "desenvolvimentista" no econômico e "consumista" no político.

No plano congressual, os debates sobre o PEM foram intensos porém superficiais. A UDN fazia uma oposição sistemática às propostas governamentais e não queria associar-se à reforma fiscal, que naturalmente lhe acarretaria um certo grau de impopularidade. Taticamente, a UDN postulava uma fundamental incompatibilidade entre a estabilização monetária e o Plano de Metas. O bloco do governo — PSD e PTB, detentor da maioria formal, tergiversava em seu apoio, receando os impostos chamados "recessivos" do plano. O PEM propunha que o aumento de salários do funcionalismo fosse vinculado à reforma fiscal, e implementado com uma defasagem de seis meses para permitir um influxo de receitas. Isso certamente não contribuiu para a popularidade do plano no seio do Legislativo. Este decretou, em dezembro de 1958, um aumento do salário mínimo em nível bastante superior à inflação, e forçou também uma antecipação do reajuste salarial do funcionalismo, reativando expectativas inflacionárias. O otimismo desenvolvimentista de Juscelino se espraiava para a frente salarial, com o agravante de que um dos componentes da coligação governista, o PTB, presidido por João Goulart, fora o promotor dos maciços aumentos dos salários nominais na fase final do governo Vargas, e relutava em atribuir aos salários qualquer responsabilidade pela inflação de custos. A não votação, pelo Congresso, no primeiro trimestre de 1959, de reforço significativo nos tributos, selou negativamente o destino do PEM.

A classe empresarial, sobretudo em São Paulo, ensaiava forte oposição às restrições de crédito, encorajadas nisso aliás pelo próprio presidente do Banco do Brasil, Sebastião Paes de Almeida, que, vindo de um *background* industrial, considerava altamente nocivo o disciplinamento do crédito. Perfilhava a doutrina do "direito divino" da duplicata...

Essa antinomia entre ministros da Fazenda, com programas contracionistas, e presidentes do Banco do Brasil, com viés expansionista, não era novidade na história brasileira. Repetir-se-ia no governo Kubitschek o mesmo dilema do governo Vargas, quando o ministro da Fazenda, Horácio Lafer, pensando em termos macroeconômicos, procurava contrair o crédito, enquanto Ricardo Jafet, presidente do Banco do Brasil, pensando em termos microeconômicos, buscava expandí-lo, sob o *slogan* "crédito para a produção não é inflacionário". Como Lafer era de origem judaica e Jafet de origem árabe, dizia-se que Getúlio Vargas era tão maquiavélico que queria demonstrar que o Brasil tinha uma idéia para resolver incruentamente o conflito do Oriente Médio...

Seriam precisamente os inconvenientes da mistura de atribuições do Banco do Brasil — em parte autoridade monetária, em parte banco comercial, em parte banco rural — que justificariam mais tarde, no governo Castello Branco, a criação do Banco Central com atribuições específicas de controle da moeda. Infelizmente, nascido independente, o Banco Central veio a tornar-se um agente do ministério da Fazenda para financiamento de déficits do Tesouro.[129]

---

[129] O relato dessas experiências de descoordenação foi um dos argumentos que Bulhões e eu usamos para persuadir Castello Branco a dar alta prioridade à criação do Banco Central como regulador supremo da expansão monetária. Entretanto, a lei não "pegou", pois no governo do presidente Sarney, um quarto de século depois de criado o Banco Central, registrou-se um conflito aberto entre Maílson da Nóbrega, ministro da Fazenda, contracionista, e o presidente do Banco do Brasil,

A oposição de grupos empresariais ao PEM, notadamente da CNI, assumiu aspectos bizarros. Alguns técnicos da linha nacionalista e estruturalista, ligados a grupos industriais, passaram a defender a expansão inflacionária de crédito como um mecanismo permanente, e ainda válido no caso brasileiro, de transferência de recursos do consumo para investimentos. Era a velha tese da "poupança forçada", a que o professor de Cambridge Nicholas Kaldor, então em visita ao Brasil, havia dado novo *glamour*. Enquanto persistissem condições de subdesenvolvimento, em que o fator escasso era o capital e não o trabalho, e dado o baixo poder de barganha dos assalariados, políticas expansionistas de crédito constituíam a principal opção para o aumento da taxa de investimentos da economia. Essa tese contrariava frontalmente as premissas do PEM, de que a pressão salarial já se havia traduzido em inflação de custos, sendo necessário recorrer à política fiscal para o financiamento não-inflacionário do Plano de Metas. E a política fiscal teria que contemplar moderada progressividade no imposto de renda e não apenas tributação do consumo.

Uma terceira oposição provinha do setor cafeeiro. Os cafeicultores tinham reivindicações que haviam sido complacentemente atendidas pelo ministro Alkmin, mas que conflitavam com os objetivos e a sistemática do PEM. Essas reivindicações, apresentadas ao Congresso pelo senador Lino de Matos e apoiadas pelo governador Carvalho Pinto, a quem Lucas Lopes se dirigiu repetidamente para solicitar maior realismo no tratamento do problema, se consubstanciavam em quatro itens: 1. Financiamento para a renovação dos cafezais velhos; 2. Fixação de preços mínimos em níveis superiores ao preço internacional; 3. Concessão do câmbio de custo para adubos e demais produtos essenciais para a lavoura, e 4. Reforma cambial por etapas, a saber, redução gradual do confisco.

Os objetivos eram em si contraditórios, pois que a manutenção do câmbio de custo para adubos e demais produtos essenciais era em parte financiada pelo confisco cambial do café.

Camilo Calazans, expansionista. No ensaio humorístico "A técnica e o riso", de 1966, eu havia formulado a primeira "lei de Kafka", a "lei do comportamento discrepante": "sempre que o ministro da Fazenda se entrega à austeridade financeira, o Banco do Brasil escancara os cofres quase com a inevitabilidade de uma lei natural, ou vice-versa". No primeiro ministério do segundo governo Vargas (1951-1953) os atores eram Lafer e Jafet. No segundo gabinete (1953-54), os papéis se inverteram, de vez que o ministro da Fazenda, Oswaldo Aranha, era mais expansionista que Souza Dantas, no Banco do Brasil. No governo Kubitschek, Lucas Lopes, ministro da Fazenda por um ano, a partir de junho de 1958, era contracionista, e Sebastião Paes de Almeida expansionista, no Banco do Brasil. Quando Paes de Almeida, em junho de 1959, ascendeu ao ministério da Fazenda, continuou expansionista, mas Maurício Bicalho, no Banco do Brasil, abria o cofre com lágrimas nos olhos. Foram raros os momentos de harmonia, citando-se entre eles o caso da dupla Eugênio Gudin-Clemente Mariani, no governo Café Filho. Ver Roberto Campos, *A técnica e o riso*, APEC, 1966, p. XXXIII.

Como forma de pressão, os fazendeiros do Paraná e São Paulo organizaram a famosa "marcha da produção", que deslocaria centenas de caminhões e tratores até o Palácio do Catete, para obter alterações na política do café. A "marcha da produção" teve de ser contida com a mobilização de força federal, por solicitação do ministro Lucas Lopes ao ministro interino da Guerra, general Coelho Neto, de vez que o general Henrique Lott estava viajando para os Estados Unidos.

A controvérsia sobre o PEM se agudizou com a introdução de disputas tradicionais de tipo ideológico entre monetaristas e estruturalistas. Os monetaristas defendiam o ponto de vista de que a inflação brasileira nada tinha de original em suas causas — déficits governamentais, expansão de crédito e pressão salarial — nem comportava outros remédios que os da farmacopéia tradicional. Os estruturalistas preferiam interpretações ligadas à rigidez das estruturas e à inelasticidade da oferta.

Um outro matiz da controvérsia era entre os supostos "nacionalistas" e os chamados "entreguistas". Aqueles, com total irrealismo, viam no que era um simples esforço de disciplina antiinflacionária uma abjeta submissão aos imperativos de agências financeiras internacionais, particularmente o FMI. Estes, eram cônscios de que o Brasil só teria a ganhar com um programa que, visando à estabilidade monetária interna, mantivesse abertos os canais de contato e as fontes de financiamento externo. A politização da questão se agudizaria com a crescente tensão e a subseqüente ruptura com o FMI, que merece descrição mais detida.

A Estratégia
da Ruptura

A controvérsia sobre as taxas múltiplas de câmbio era antiga. Alkmin, pouco antes do término de sua gestão, tinha enviado a Washington, para discutirem a prorrogação do *standby* do FMI, os senhores Paulo Poock Corrêa e Casimiro Ribeiro, respectivamente diretor da Carteira de Câmbio e assessor do ministério da Fazenda. Como lhe parecessem lentos os entendimentos com o FMI sobre o *standby*, telefonou ele a Casimiro Ribeiro, dizendo que enviaria o diretor da CACEX, Inácio Tosta Filho, para ajudar nas negociações. Era um presente de grego e, no ver de Casimiro, um perfeito desastre.

O FMI tinha uma visão talvez um pouco dogmática da urgente necessidade de unificação das taxas cambiais. Achava, não sem razão, que o regime de taxas múltiplas envolvia um sistema fiscal disfarçado e arbitrário, pelo qual se confiscava a receita de determinadas exportações, para subvencionar importações tidas como preferenciais. Isso distorcia os preços relativos, encorajando, aliás, precisamente o consumo de produtos de cuja importação o Brasil era quase inteiramente dependente, como gasolina, trigo e papel de imprensa.

Como era previsível, a presença de Tosta Filho, que a rigor considerava a CACEX uma espécie de "alfaiataria cambial", na qual o diretor ajustava as taxas conforme seu julgamento da lucratividade ou essencialidade dos setores, só fez complicar o problema. Não era possível o diálogo entre Per Jacobsson, diretor-executivo do FMI, e Henry Constanzo, o chefe da Divisão do Brasil, de um lado, e Tosta Filho, de outro. Casimiro relata uma bizarra conversa. Tosta Filho teria dito: — "Essa idéia da taxa única é uma besteira. Eu tenho uma taxa para cada região do país e, mais ainda, para cada estação do ano".

Per Jacobsson procurou demonstrar que, num sistema de taxas múltiplas, havia um sistema fiscal disfarçado. Confiscávamos a receita de alguns produtos de exportação para subvencionar outros. Isso por decisão individual do diretor da CACEX, sem intervenção, quer do Conselho da SUMOC, quer do Congresso Nacional. Prosseguiu Jacobsson: — "O senhor age por contra própria, segundo seu arbítrio".

Respondeu Tosta: — Mas eu é que julgo. Uns não precisam porque tem muitos lucros, outros precisam. O senhor está sendo prepotente. Eu tenho tantos estudos acadêmicos quanto o senhor, e tenho a prática que o senhor não tem.

E passou a queixar-se de que, retido em Washington por uma semana para as discussões com o FMI, as exportações brasileiras haviam parado.

— Ah, é isso! — ironizou Jacobsson. Os senhores não têm um sistema cambial. Têm uma pessoa cambial...

Tosta passou a deblaterar como um fanático e Jacobsson apenas resmungava:

— Jamais ouvi tanta besteira.

Terminou-se a conversa com um sussurro de Tosta a Casimiro Ribeiro:

— Vou dar uma canelada nesse gordo...

Enquanto trabalhava na preparação do PEM, enviado ao Congresso em outubro de 1958, Lucas Lopes retomava pacientemente o fio da meada, à busca de uma fórmula de ajustamento cambial palatável para Juscelino e menos irrealista que a política de Alkmin. Em dezembro de 1958, surgiu uma oportunidade de conversa direta, sem espalhafato publicitário, com Per Jacobsson, que, além de economista e banqueiro, tinha invejável cultura humanística. É que Lucas Lopes e eu fôramos convidados para uma visita a Nova York, onde receberíamos o grau de doutores, *honoris causa*, pela Universidade de Nova York. Aproveitamos a ocasião para uma rápida esticada a Washington. Fomos recebidos para uma conversa informal por Jacobsson, personalidade que reapareceria em vários episódios interessantes da história econômica brasileira. Encontramos boa receptividade. Jacobsson sabia que éramos ambos favoráveis à simplificação do sistema cambial e à unificação das taxas. O problema era, entretanto, a velocidade de implantação desse programa, pois eram conhecidas as resistências de Juscelino à idéia da eliminação do câmbio de custo para os produtos favorecidos. Lucas estava marchando para o realismo cambial por aproximações sucessivas. Em agosto de 1958, elevara o chamado "câmbio de custo" para Cr$53 por dólar e, em outubro, para Cr$80.

As preocupações de Jacobsson, entretanto, eram mais amplas, pois além da defasagem da taga cambial não lhe tinham escapado outros problemas, como os encargos financeiros da sustentação dos preços do café e da repressão das tarifas públicas.

— Os senhores subestimam — resmungava ele — as distorções dos preços relativos.

Lembro-me de que Lucas Lopes explicou a Jacobsson a necessidade de maior flexibilidade política do FMI.

— Já obtive o máximo possível do presidente — disse Lucas. Somos o último reduto da racionalidade.

Essas palavras eram proféticas. Cinco meses depois, Juscelino proclamaria estrepitosamente a ruptura com o FMI!

De volta ao Rio de Janeiro, Lucas Lopes, em janeiro de 1959, faria uma mini-reforma cambial, a duras penas extraída de Juscelino. O reajustamento cambial foi acelerado pela elevação do câmbio de custo a Cr$100 por dólar, e as exportações de manufaturados foram liberadas para o mercado livre (Instrução nº 167 da SUMOC). Pela Instrução nº 181, de abril de 1959, também os fretes foram lançados no mercado livre. Os preços do café seriam fixados em nível que reduzisse a necessidade de sustentação.

As dificuldades se avolumaram a partir de então. Juscelino não consentia em eliminar as subvenções à importação e ao consumo dos produtos políticos, a saber, gasolina, trigo, papel de imprensa e fertilizantes, embutidas na taxa cambial. O ajustamento de janeiro teve as desvantagens das minireformas, pois encerrava o ônus político de uma desvalorização, que encarecia importações, sem a vantagem, que o realismo cambial traria, de estimular exportações.

O episódio bem demonstra os exasperantes conflitos de objetivos na ação governamental. Lucas planejava compensar parcialmente o impacto da desvalorização cambial sobre os preços dos combustíveis, mediante a redução da alíquota do imposto único sobre combustíveis. Mas isso despertaria as iras de um outro setor — os poderosos empreiteiros da construção rodoviária — que tinham nesse imposto sua principal fonte de financiamento. E os empreiteiros, como dizia Getúlio Vargas, pertencem a um dos maiores partidos da nação — o PR, Partido Rodoviário.

As conversações de Casimiro Ribeiro e Poock Corrêa, que retornaram a Washington para consultas com o FMI, foram inconclusas. Este parecia estar testando nossos limites de resistência, mas certamente não desejava um rompimento com o Brasil.

Quando Lucas Lopes tomou alguns dias de descanso em Caxambu, em fins de maio, para livrar-se de uma estafa, sofreu um enfarte. Com isso paralisou-se o mecanismo decisório. Poock Corrêa e Casimiro Ribeiro telefonaram-me de Washington angustiados, à busca de instruções. Casimiro expôs-me que, basicamente, não havia razões técnicas para discordarmos da posição de Jacobsson. Não era em absoluto uma posição de estrito monetarismo ou de oposição ao Programa de Metas. A preocupação de Jacobsson era que a distorção dos preços relativos favoreceria o consumo de bens importados e excitaria a demanda de serviços de infra-estrutura, ao mesmo tempo que se reduzia a capacidade do país de nela investir. Na realidade, tudo se passava como se Jacobsson estivesse no papel de "desenvolvimentista" e Juscelino no de "consumista".[130]

---

[130] Havia críticas válidas que se podiam fazer à rigidez conceitual do FMI, que entretanto não justificavam a "ruptura" que levou o Brasil à bancarrota cambial. Num *post mortem* do episódio que fiz em 1961, em conferência na OCDE, em Tegel, Berlim Ocidental, assim as enunciei: 1. O FMI não dava a devida atenção às perdas comerciais dos países subdesenvolvidos, em virtude da deterioração das relações de troca; 2. Era irrealista a insistência na simultaneidade das medidas internas monetárias e fiscais e a desvalorização cambial; 3. O FMI tendia a subestimar a resistência política a programas rígidos de estabilização; 4. Os programas de cortes fiscais sofriam da "falácia da agregação", subestimando a importância da preservação de investimentos corretivos de pontos de estrangulamento causadores de inflação.

Preocupado com as tarefas da presidência do BNDE e com o funcionamento dos grupos de trabalho do Conselho do Desenvolvimento, eu estava um pouco alheado dos eventos na área cambial. Além disso, minhas relações com Juscelino haviam esfriado, em virtude do abandono a que ele, intimidado pela campanha "nacionalista", me relegara no caso do petróleo da Bolívia. Pedi, assim, ao Maurício Bicalho, diretor da Carteira de Redescontos, que informasse Juscelino da comunicação que eu recebera. Juscelino telefonou-me e marcou uma reunião no mesmo dia à noite no Palácio do Catete. Lá cheguei com Bicalho. O presidente estava de mau humor, passando as mãos nos cabelos, como era seu costume, e de vez em quando resmungava: — Não aguento mais essa gente!

Queria chamar de volta imediatamente nossos representantes e chegou mesmo a pedir ao ajudante de ordens uma ligação para o Poock Corrêa em Washington. Tentei explicar-lhe que a posição do FMI, conquanto rígida demais na questão do câmbio, estava longe de ser absurda. Nossa taxa cambial, apesar do ajuste de janeiro, continuava desatualizada. O mesmo poderia ser dito no tocante às tarifas defasadas de serviços públicos. O FMI tinha razão em insistir que a desatualização cambial nos criaria em breve sérios problemas de balanço de pagamentos. Disse a Juscelino que uma possível saída seria aceitarmos o compromisso de proceder à extinção dos subsídios cambiais, escalonando entretanto a execução dessa medida no tempo. Juscelino chegou, por um momento, a admitir essa hipótese, contanto que se lhe reservasse o direito de julgar da oportunidade política da medida, oportunidade que ele acreditava viria somente depois das eleições de 1960.

— Isso — ponderei — dificilmente seria aceito pelo FMI, pois nesse ínterim (mais de um ano de espera) a situação cambial se deterioraria agudamente.

Insisti em que, de qualquer maneira, se aguardasse o retorno do Lucas, que há tempos estava trabalhando em mecanismos alternativos para suavizar o impacto do reajuste cambial sobre os preços críticos.

— Você tem a mania da reforma cambial — disse-me Juscelino.

Senti que na cabeça dele repontava o velho refrão da dupla Alkmin-Schmidt: "reforma cambial derruba governo". Concordou entretanto em adiar qualquer providência imediata e disse-nos que convocaria um almoço no Catete para o dia seguinte. Para esse almoço convidaria também Amaral Peixoto, que acabara de deixar a embaixada em Washington, e Walther Moreira Salles, que para lá partiria em julho. Coube a Walther suceder a Amaral Peixoto na difícil e tensa fase pósruptura.

Quando comparecemos ao palácio para o almoço, aguardava-nos uma surpresa, que todos consideramos indelicada. Aberta a porta da sala de reuniões, já lá se encontravam Celso Furtado, Cleanto de Paiva Leite e Ewaldo Corrêia Lima, que tinham sido convocados mais cedo, aparentemente para instrumentarem Juscelino para o debate. Os três, que trabalhavam comigo no BNDE, pertenciam à chamada "corrente dos técnicos nacionalistas". Já haviam obviamente persuadido Juscelino da inevitabilidade, senão da desejabilidade, de uma confrontação com o FMI. Amaral Peixoto, Walther Moreira Salles e eu entreolhamo-nos chocados ante essa invasão da ala moça confrontacionista. Juscelino aparentemente não nos tinha chamado para "debater". Já havia perfilhado a "estratégia da ruptura".

Celso Furtado falava no "monetarismo vesgo" do FMI, acusando-o de prepotência. Desejava aparentemente que o Brasil assumisse a liderança latino americana no protesto contra as descabidas "intervenções do FMI" na política de países latinoamericanos. "Chegara a hora de demonstrar que não somos subalternos", dizia ele. Cleanto de Paiva Leite, resmungava: — São uns monetaristas; são os grandes responsáveis por tudo o que acontece na América Latina.

Percebi que àquela altura Juscelino já havia embarcado na teoria conspiratória da história, alimentada inclusive intelectualmente pelas teses do desenvolvimentismo nacionalista do ISEB. Referia-se indignadamente ora a "uma conspiração contra Brasília", ora a uma "conspiração contra o desenvolvimento brasileiro". Diz ele, textualmente, em suas memórias:

> "Uma única conclusão se impunha, portanto: a de que o seu comportamento (do FMI) obedecia a um esquema secreto, tendo por objetivo conservar as nações subdesenvolvidas da América Latina sempre subdesenvolvidas."

E, logo a seguir:

> "Não digo que essa política fosse o resultado de um plano elaborado no interior do Fundo. Talvez fosse melhor defini-la como conseqüência de um *gentlemen's agreement* estabelecido entre as grandes potências, com o objetivo de conservar as nações subdesenvolvidas como simples fornecedoras de matérias-primas e fornecendo seus produtos a preços impostos por grupos financeiros internacionais."[131]

Juscelino se persuadira, ou fora persuadido, de que a mobilização nacionalista do país reconquistar-lhe-ia espaço político. Passou logo a tomar providências para o famoso comício de junho, em que discursaria ao lado de Luís Carlos Prestes, especialmente convidado para a cerimônia da ruptura. Dessa estranha parceria Juscelino-Prestes, estava nascendo um novo demônio do nosso irracionalismo — o FMI.

Relata Casimiro Ribeiro que Juscelino lhe telefonou para Washington determinando sua volta imediata. Casimiro repetiu os argumentos desfavoráveis à ruptura. Jacobsson havia feito objeções em nível técnico, mas não havia ainda

---

[131] Juscelino Kubitschek, *50 anos em cinco*, op. cit., p. 253.

negociações formais, nem o assunto havia sido levado ao *board* do Fundo, sendo, portanto, pouco racional o anúncio espalhafatoso de uma confrontação irremediável.

Os argumentos de Jacobsson não eram desprezíveis. O PEM, segundo o diretor executivo do FMI, representava um significativo avanço no ordenamento da economia brasileira, particularmente no que diz respeito ao disciplinamento do crédito do Banco do Brasil. Faltava uma normalização do sistema de câmbio e um entendimento mais claro sobre a recomposição das tarifas públicas, cuja defasagem reduzia a capacidade de investimentos na infraestrutura, essenciais ao Plano de Metas. Jacobsson parecia ansioso por evitar qualquer ruptura. Estava, ao contrário, preocupado em obter alguns melhoramentos na proposta brasileira, a fim de torná-la mais palatável para o *board*.

Em visita de despedida a Jacobsson, Poock Corrêa e Casimiro Ribeiro forem insistentemente solicitados a recomendar ao presidente Kubitschek o prosseguimento dos entendimentos. Alegava Jacobsson que ele estava sendo o verdadeiro desenvolvimentista, dado que o programa apresentado por Kubitschek (o PEM) era satisfatório do ponto de vista estritamente monetarista. Entretanto, continha distorções de preços relativos desfavoráveis ao desenvolvimento. Na prática, as teses de Juscelino, a saber, a manutenção do câmbio de custo para os produtos importados e das tarifas subsidiadas de serviços públicos, eram uma subvenção ao consumo, que subtraía recursos que poderiam ser destinados ao investimento.

— O seu presidente — disse Jacobsson — é um fanático pelo investimento, mas na realidade o que está fazendo é subvencionar o consumo. Assim sendo, o programa se tornará insustentável.

Ao chegar ao Brasil, Casimiro e Poock Corrêa apresentaram a Juscelino um memorando descritivo da evolução das consultas em Washington. No Palácio do Catete encontraram um grupo reunido em torno de Juscelino. Lá estavam os "confrontacionistas" Celso Furtado e Cleanto Leite. Para surpresa de Casimiro, também Horácio Lafer, líder do PSD na Câmara e ex-ministro da Fazenda, parecia contaminado de belicosidade em relação ao FMI. Caíram em ouvidos moucos as advertências de Casimiro de que essas bravatas nacionalistas não fariam senão estancar o fluxo de capitais de risco e de investimentos para o Brasil, agravando uma situação cambial já de si delicada.

Como animal político de instintos superagudos, Juscelino percebeu que as oposições internas à questão, associadas à crescente hostilidade ao FMI, criavam uma excelente oportunidade para um gesto de *panache* nacionalista. As dificuldades internas tornavam oportuna a busca de um bode expiatório externo. As correntes nacionalistas radicais tinham dois bagaços para sua moenda: a mistificação do petróleo na Bolívia e a percepção de um impasse com o FMI. A imprensa comunista, que havia concentrado seus ataques em Lucas Lopes e em mim, como "lacaios de Wall Street", passou a acusar desinibidamente o próprio Juscelino. Ainda em maio, o vice-presidente Goulart fez uma declaração retomando o velho tema de Vargas, de responsabilização das remessas de lucros pela crise nacional. Numa dessas terríveis simplificações da história, Juscelino acabou intoxicado pela idéia de que tinha de optar entre a retidão financeira pedida pelo FMI e seu esfuziante empuxe desenvolvimentista. Foi aí que se entregou à mobilização de apoio popular para o comício de ruptura, durante o qual falaria ao povo da sacada do Catete, tendo a seu lado Luís Carlos Prestes.

Senti um travo de melancolia, na percepção de que o país marcharia rápido para a insolvência, e fiquei assustado com a indiferença de Juscelino em relação ao seu velho amigo Lucas, prostrado num leito de enfermo. Criatura doce, de poucos ódios, Juscelino estava revelando um extraordinário egoísmo, de que os políticos são capazes quando percebem a sombra de uma ameaça à sobrevivência.

Do meu gabinete no BNDE, no sétimo andar da rua Sete de Setembro, vi passar a caravana que se mobilizara em direção ao palácio do Catete. A nota pitoresca eram os cartazes: "Abaixo o imperialismo!" "Abaixo o FMI", "Abaixo Lucas Lopes", "Abaixo Roberto Campos". E, mais pragmaticamente, havia um cartaz que dizia: "Abaixo o custo de vida!"

Depois da cerimônia de ruptura com o FMI, Juscelino solicitou ao deputado Horácio Lafer que lesse na Câmara dos Deputados uma nota oficial sobre as conversações com o FMI, na qual se declarava que o governo não podia admitir que a transação constituísse "pretexto para discussões intermináveis, incompatíveis com nosso crédito e não condizentes com a linha de cordial cooperação e respeito mútuo".

Terminava a fase da convivência amigável entre os "técnicos cosmopolitas" e os "técnicos nacionalistas", propiciada pela "ideologia futurível" do Plano de Metas. Estes últimos formariam uma nova coalizão com os "políticos profissionais", dos quais os mais destacados foram Alkmin e Lafer. Estes passaram a adotar posturas mais típicas do PTB e da Frente Parlamentar Nacionalista, agrupamento de pequena dimensão mas de grande capacidade de vocalização. Para Alkmin, era uma doce vingança. Rebelando-se contra o FMI, faria esquecer a "carta de intenção" assaz submissa, que assinara em 1958. Mais difícil de entender foi a adesão à estratégia de ruptura por parte de Lafer, que tinha uma visão bastante ortodoxa do processo inflacionário e certamente se dava conta do esgotamento do modelo de inflação com sobrevalorização cambial.

A exploração nacionalista do episódio trouxe, a curto prazo, grandes dividendos políticos para Juscelino. Foi intensa a mobilização popular. A medida satisfazia nossa primitiva necessidade de odiar e servia como anestésico para as aflições do presente.[132]

No ver de Juscelino, como relata em suas memórias, "tinha sido salvo o Plano de Metas". Em realidade, ele tinha apenas decretado a permanência de um modelo errado de desenvolvimento. Errado e insustentável. E tinha condenado o país à bancarrota cambial...[133]

---

[132] O diálogo com o FMI só foi reatado, temporariamente, em 1960, quando o embaixador Walther Moreira Salles, após a visita do presidente Eisenhower ao Brasil em fevereiro, foi autorizado a reabrir negociações com o FMI, obtendo poucos meses depois um crédito de US$47,7 milhões.

[133] O segundo semestre de 1959 foi de contínua tensão para Juscelino, ante a aceleração inflacionária, a crise cambial e o início de debates sobre a sucessão presidencial. Na madrugada de 31 de dezembro, sofreu um minienfarte. Seu médico, o dr. Aloysio Salles, prescreveu-lhe repouso absoluto, recomendando o cancelamento da reunião do gabinete prevista para as 19 horas, e imediata partida para descanso mais tranquilo no Palácio Rio Negro, em Petrópolis. Juscelino recusou-se a cancelar a reunião, na qual faria o tradicional discurso de final de ano, de prestação de contas e saudação à nação. Acabou confiando ao ministro da Justiça, Armando Falcão, a tarefa de ler o discurso. Este justificaria a ausência de Juscelino pretextando estar ele fortemente gripado e afônico. A preocupação de Juscelino era minimizar o problema e superar logo a indisposição física, pois não queria, de modo algum, passar o poder, mesmo temporariamente, a Goulart, que a seu ver estava mais para "chefe de quadrilha" que "chefe de Estado".

OS ACORDOS
DE ROBORÉ

Não é raro, na discussão econômica brasileira, associar-se irracionalismo de comportamento a uma interpretação conspiratória da história. Em nenhum caso, entretanto, estas características me pareceram mais evidentes do que na rumorosa discussão sobre os Acordos de Roboré.

Em 1938, o Brasil havia adquirido, através dos Acordos de Roboré, o direito à exploração de uma área de concessão de petróleo na Bolívia. Essa área seria explorada por empresas mistas brasileiro-bolivianas. Vinte anos depois, ou seja, em 1958, nada havia sido feito. O Brasil estava a braços com seu próprio problema de dinamizar a Petrobrás, então carente de recursos e magra de resultados. E à Bolívia, obviamente, não sobravam capitais para a tarefa.

O governo boliviano passou então a pressionar o Brasil para a implementação dos acordos, atento ao significado econômico que teria para a Bolívia o desenvolvimento da atividade petrolífera. Depois de longas negociações, ainda em 1958, foram assinadas as "Notas Reversais" ao Tratado de Roboré. Previamente à assinatura dessas notas, o coronel Janari Nunes, presidente da Petrobrás, havia-se interessado em obter da Bolívia autorização para que a Petrobrás — empresa estatal — pudesse participar da exploração, coisa então vedada pelo Código de Minas boliviano. Não teve êxito em suas gestões.

As "Notas Reversais" modificavam substancialmente o Tratado de Roboré. O Brasil sacrificava mais de metade da área, retendo apenas 40% da extensão prevista. Mas, em troca, a exploração que anteriormente teria que ser feita por firmas mistas brasileiro-bolivianas (sendo que, por interpretação, os bolivianos entendiam ter direito a participação igualitária), passou a poder ser feita por firmas exclusivamente brasileiras. Obviamente, a expressão "exclusivamente brasileiras" tinha que ser interpretada por contraste à situação anterior, em que as firmas tinham que ser obrigatoriamente brasileiro-bolivianas. Mas não continha nenhuma definição específica da expressão "empresa brasileira". Destarte, a expressão "empresa brasileira" teria de ser interpretada à luz do Código Comercial brasileiro, o qual considerava como tais as sociedades constituídas segundo as leis brasileiras e que aqui tinham sua sede de administração.

Admitida a imprescindibilidade de capitais estrangeiros de risco para viabilizar a operação, concebeu-se um *modus faciendi* em dois planos. A *holding* controladora seria uma empresa brasileira, com maioria de dois terços de capital nacional. Na empresa exploradora, que operasse na Bolívia, as empresas estrangeiras supridoras de capital de risco poderiam ter participação majoritária estrangeira. O *rationale* para essa montagem era que, àquela ocasião, a legislação do Imposto de Renda norte-americano permitia deduzir-se desse imposto as despesas de exploração, mesmo no exterior, desde que feitas por companhias sob controle americano. Esse dispositivo constituía poderoso incentivo às empresas daquele país para se associarem a empresas brasileiras na Bolívia: não perderiam os seus incentivos fiscais e obteriam acesso ao nosso mercado.

Tratava-se de uma triangulação vantajosa para todos. A Bolívia tinha petróleo, mas não dispunha de capitais, nem mercado interno expressivo. O Brasil tinha amplo mercado, mas suas empresas privadas (únicas que poderiam operar na Bolívia, pois o Código de Minas boliviano vedava o ingresso de empresas estatais) não tinham capitais, nem tecnologia, para enfrentar sozinhas os riscos da pesquisa. E para as empresas americanas (e eventualmente a Shell Oil, que já operava na Bolívia), o acesso ao mercado brasileiro — escoadouro natural para o petróleo das jazidas da vertente oriental dos Andes — seria um incentivo para associações com empresas brasileiras na zona de concessão. Um subproduto eventual dessa associação poderia ser a valorização das concessões obtidas pelas empresas estrangeiras em outras áreas a que tinham livre acesso pelo Código de Mineração boliviano.

Eram essas as hipóteses de trabalho que presidiram à formulação dos "princípios gerais para a seleção das empresas encarregadas da exploração do petróleo da Bolívia", por um grupo de trabalho interdepartamental. Esse grupo se compunha do ministro do Exterior, José Carlos de Macedo Soares (acolitado pelo ministro Álvaro Teixeira Soares, do Itamaraty), do general Mário Poppe de Figueiredo, presidente do Conselho Nacional de Petróleo, de Lucas Lopes, presidente do BNDE, do coronel Alexínio Bittencourt, representante do Conselho de Segurança Nacional no Conselho Nacional de Petróleo, de Jesus Soares Pereira, representante do ministério da Viação e Obras Públicas, de Inácio Tosta Filho, diretor da CACEX, e do professor Cardoso de Melo Neto, diretor-executivo da SUMOC.

Representei Lucas Lopes em algumas das discussões, mas não imaginava que isso fosse a origem de um grande infortúnio. Kubitschek designara o BNDE para executor do acordo, e como Lucas Lopes foi alçado ao posto de ministro da Fazenda, coube-me a responsabilidade da implementação. O BNDE se encarregaria da parte executiva, isto é, de fazer as licitações para as empresas brasileiras que se quisessem associar para o empreendimento na Bolívia. Posteriormente, na Comissão Parlamentar de Inquérito que versou o assunto, o deputado Sérgio Magalhães aventou a tese de que o executor dos "princípios gerais" deveria ter sido o Conselho Nacional de Petróleo. Essa proposta veio tarde demais para me poupar uma aborrecida experiência de confrontação com o hipernacionalismo tupiniquim. A escolha do BNDE se deveu meramente ao fato de que o esquema envolvia a mobilização de recursos em moeda nacional e estrangeira, o que exigiria capacidade analítica das propostas financeiras, atribuição natural do BNDE.

Por motivos bizarros, que até hoje escapam à minha compreensão, explodiu uma reação nacionalista no Brasil, com grande mobilização estudantil e com a estranha participação de Carlos Lacerda. O nacionalismo, útil na vida de certos povos, particularmente em sua fase formativa, pode se prestar a extremas exibições de irracionalidade. Foi esse certamente o caso. Não se tratava de explorar o solo brasileiro e sim o solo boliviano. Faz pouco sentido econômico, não tendo senão valor mágico emocional, dizer-se que o "petróleo é nosso". Mas isso seria talvez compreensível como uma dessas reações mágicas em que é fértil o nacionalismo, no tocante ao petróleo extraído no território nacional. É absurdo aplicá-lo aos hidrocarbonetos situados num país vizinho, cuja legislação permitia a participação de empresas privadas estrangeiras, porém não a participação de empresas estatais, cujos interesses poderiam em certos momentos identificar-se com o dos governos e tornar-se objeto de pressão diplomática.

Dois membros do grupo de trabalho viriam depois a criar problemas. Quando o grupo já havia feito o julgamento das propostas, chegou um expediente do coronel Alexínio Bittencourt, baseado aparentemente em memorando preparado por Jesus Soares Pereira, pleiteando um critério completamente diferente. O governo brasileiro colocaria à disposição das firmas interessadas a quantia de US$15 milhões a título de capital de risco. Respondi-lhes que haviam ambos assinado o documento dos princípios gerais, que já havia sido feito o julgamento das firmas qualificadas e que a proposta de qualquer maneira me parecia irrealista, pois não indicava qual a fonte dos recursos em dólares, nem quem correria o risco de insucesso.

Após meticuloso estudo, o grupo de trabalho do BNDE, que incluía especialistas de porte como Mário da Silva Pinto, geólogo e metalurgista; Ewaldo Corrêia Lima, diretor econômico, e Bulhões Pedreira, do departamento jurídico, credenciou cinco empresas para operação na Bolívia, três em caráter prioritário e duas em caráter supletivo. As três consideradas mais qualificadas foram a União Brasil-Bolívia, empresa criada pela Refinaria União, a Petróleo Andino S/A (Petrolanza) e a Brabol Petróleo Brasil-Bolívia S/A. Os grupos Galdeano e Oscar Hermínio foram classificados em plano inferior ao das três primeiras, após uma análise de três critérios: (1º) capacidade de levantar recursos em cruzeiros, aferida pelo capital próprio, pelo capital de grupos de apoio e pelos limites de créditos bancários e registros cadastrais; (2º) capacidade técnica; e, finalmente, (3º) capacidade de levantar recursos em moeda estrangeira. Os dois primeiros critérios já conferiam à União

Brasil-Bolívia, à Petrolanza e à Brabol clara superioridade sobre as duas outras empresas, pelo compromisso de mobilizar recursos de vários grupos financeiros e não apenas de empresários isolados.

Mesmo eliminando-se por completo o critério de moeda estrangeira, a classificação não seria diferente. O BNDE, portanto, nada havia imposto a nenhuma empresa, tanto assim que aceitou todas as três modalidades de financiamento que lhe foram propostas: a União Brasil-Bolívia preferiu um *swap* bancário; a Petrolanza propôs-se obter financiamento de risco, e a Brabol apresentou uma combinação de financiamento de risco (com participação nos resultados) e empréstimo convencional. O que me parecia mais realista àquela ocasião eram os "empréstimos aleatórios", cuja amortização ficaria na dependência da obtenção de resultados. Era uma antecipação da fórmula de "contrato de serviço com participação no risco e no resultado", ou seja, o "contrato de risco" a que a Petrobrás recorreria a partir de 1985, quando o general Geisel, sob a pressão da crise de petróleo, passou a admitir a participação estrangeira na prospecção do petróleo em solo brasileiro.[134]

Longe estava eu de pensar que o que parecia ser um julgamento técnico cristalino se transformasse numa enorme controvérsia ideológica. Dois fatores contribuíram para isso. De um lado, a criação de uma Comissão Parlamentar de Inquérito, na Câmara dos Deputados, oriunda de uma denúncia do coronel Alexínio Bittencourt sobre irregularidades na Petrobrás. Segundo, uma campanha orquestrada pelo grupo Galdeano, e depois patrocinada por Carlos Lacerda, alegando intenções excusas de privilegiamento de capital estrangeiro no processo de seleção.

A Comissão Parlamentar de Inquérito cedo se desviou de sua tarefa inicial — averiguação de irregularidades na Petrobrás — para se concentrar, sob a pressão de grupos nacionalistas, na questão boliviana. Tive de comparecer a nada menos que três sessões, duas públicas e uma secreta. O ponto de vista nacionalista era expresso sobretudo pelos deputados Sérgio Magalhães e Bento Gonçalves. A eles se associou Lacerda, interessado como sempre em criar dificuldades ao governo e fazer uma certa "pose" nacionalista.

---

[134] Ao propor a fórmula dos "empréstimos aleatórios", lembrava-me dos empréstimos naúticos (*foenus nauticum*) dos mercadores venezianos no século XIII. Estes financiavam galeras que buscavam especiarias trazidas por caravanas da Ásia aos portos do Oriente Médio. Eram contratos de risco, também chamados pelo nome genérico de *commendae*. Caso a carga sobrevivesse às tempestades e aos piratas, o lucro seria dividido entre o financiador e o armador, mas aquele incorreria no risco total da perda. O pitoresco nome popular que os venezianos davam ao *foenus nauticum* era *prezzo dal batticuore* (o preço das batidas do coração assustado). Em meu curso de pós-graduação na Universidade de Columbia, em Nova York, em 1948, eu preparara, por recomendação do grande antropólogo Karl Polanyi, uma monografia sobre as leis medievais da usura, em que o assunto era discutido. Esse estudo foi publicado no meu livro *Ensaios de história econômica e sociologia*, Rio de Janeiro, Apec Editora, 1964, p. 13-14.

Armava-se ao mesmo tempo uma batalha judicial, porque Galdeano havia contratado os serviços de Nehemias Gueiros, um grande advogado por quem eu tinha respeito intelectual. Verifiquei, entretanto, que no ardor da afirmação profissional, esse homem doce era capaz de grande crueldade. Atribui-se a ele ter inventado a alcunha de "Bob Fields" que, convenientemente espalhada pela imprensa e insuflada aos estudantes e políticos de esquerda, criou uma deformação de imagem que prejudicou enormemente minha vida profissional, além de me trazer sérias inibições políticas. Anos depois, em 1976, quando o convidei para jantar na embaixada em Londres, onde estava a passeio, Nehemias confessou-me seu arrependimento. Reconheceu que se tratara de uma doentia exploração. Mas era tarde para reparar o dano causado...

Lacerda moveu uma campanha política, raivosa e eficaz, contra o projeto de exploração por empresas mistas. Com sua enorme capacidade de liderança e aliciamento psicológico, logrou mobilizar não só a classe política mas também a classe estudantil. Assim, uma solução simples e objetiva, a única compatível com as realidades econômicas de então, assumiu a aparência de um complô sinistro, antagonístico aos interesses da nação.

Juscelino Kubitschek amedrontou-se com essa explosão absurda de um nacionalismo irrelevante. O mesmo aconteceu com Negrão de Lima, ministro do Exterior, que dizia ser desaconselhável excitar-se esse tipo de antagonismo. Fiquei eu então, como presidente do BNDE, sozinho na arena, tentando demonstrar a razoabilidade do projeto. Tive de comparecer a comissões de inquérito na Câmara dos Deputados e ouvir diatribes ofensivas sobre um suposto interesse em defender a participação de conglomerados estrangeiros. Acabou vitoriosa, sob meu protesto, a tese de que somente empresas puramente nacionais podiam se engajar na exploração boliviana.

Uma de minhas mágoas é que um dileto colega do Itamaraty, o ministro Otávio Dias Carneiro, amigo e compadre — que eu havia trazido para o BNDE, e a quem havia designado para "representar-me no Conselho Nacional de Petróleo" — acabou aderindo ao irrealismo nacionalisteiro do relator da matéria no CNP, Jesus Soares Pereira, um ideólogo de esquerda, ingênuo em sua sobrestimação da eficácia de soluções estatizantes. Quando recriminei Otávio por sua adesão ao irracionalismo, respondeu-me: — É racional levar-se em conta, no raciocínio econômico, a irracionalidade brasileira.

Quebrado o vaso da confiança, nossa amizade nunca se restaurou.

O fracasso era tão inevitável como previsível, pois nossas empresas não tinham capacidade financeira suficiente para enfrentar os riscos da pesquisa. A mais ousada e tecnicamente habilitada, a União Brasil-Bolívia, operadora da refinaria de Capuava no Brasil, apoiada na assistência técnica da Gulf Oil Corporation, chegou a investir US$5 milhões, sem nada descobrir. Uma outra empresa, chefiada por

Antônio Sanchez Galdeano, também se mobilizou para a exploração, porém mal chegou a iniciá-la. Um terceiro grupo, chefiado por um farmacêutico-político, Oscar Hermínio Ferreira, comprando uma velha sonda da Petrobrás, chegou a se instalar na Bolívia e até a encontrar um horizonte promissor. Entretanto, faltavam a todas essas empresas tecnologia; o governo brasileiro não dispunha de recursos em divisas para financiar os equipamentos necessários; e mesmo que se dispusesse, como o fez, a dar aval, não havia financiamentos estrangeiros disponíveis para a fase de risco da pesquisa petrolífera.

A Comissão Parlamentar de Inquérito da Câmara dos Deputados serviu de palco para acusações totalmente infundadas mas que, exploradas pela ala nacionalista, provocaram um razoável grau de intoxicação da opinião pública, particularmente de grupos estudantis então politicamente ativos. Uma das acusações era de que o BNDE forçara as empresas a se associarem com firmas estrangeiras. Outra era de que os grupos Galdeano e Oscar Hermínio não teriam sido classificados no primeiro grupo porque se recusavam a aceitar a participação estrangeira. Uma terceira era de que o financiamento com participação nos resultados, ou seja, o empréstimo aleatório, seria uma violação da lei de usura! (sic) Argüía-se ainda que o governo deveria fornecer divisas, ao câmbio de custo, para auxiliar as empresas brasileiras na Bolívia.

O relatório da Comissão Parlamentar de Inquérito terminava com propostas absolutamente irrealistas. Pronunciava-se contra a formação de empresas mistas, ainda que com participação estritamente minoritária de capitais estrangeiros.

Como não poderia parecer publicamente indisciplinado, questionando as absurdas conclusões da Comissão Parlamentar de Inquérito, fiz circular um documento em que refutava uma a uma as conclusões da Comissão. O documento se chamava "Excursão ao reino do impossível". Talvez vale a pena transcrevê-lo, pelo interesse histórico que tem, reconsiderando-se agora, à luz do tempo, o irracionalismo prevalecente na época.

"Começou a Comissão desvirtuando seus objetivos. Criada para averiguar denúncias contra a Petrobrás, logo abandonou esse assunto, por pressão de parlamentares nacionalistas, passando a se concentrar no problema lateral do petróleo da Bolívia. As razões são fáceis de entender: o inquérito começava a revelar os sérios erros da política da Petrobrás, como, por exemplo, a atribuição de apenas 25% dos recursos ao problema fundamental da pesquisa de novas áreas; a exploração predatória dos campos do Recôncavo, cujas reservas não excedem de cinco anos do atual consumo brasileiro; as excessivas despesas com publicidade e relações públicas, e quiçá mesmo com contribuições disfarçadas para assegurar a eleição de alguns parlamentares; o excessivo investimento em petroleiros, antes que tenhamos óleo para transportar, e antes de reformarmos a nossa legislação mercante e portuária, que condena os transportes marítimos a uma situação de déficit permanente pelo excesso de tripulação e ineficiência dos portos; o esfacelamento de recursos de várias atividades industriais no ramo de petroquímica, que melhor poderiam ser atendidas pela iniciativa privada, limitando-se o Estado a uma função controladora.

A primeira e grande vitória dos parlamentares que se intitulam "nacionalistas" — a muitos dos quais, aliás, melhor se aplicaria o título de "comuno-negocistas" — foi fazer com que as atenções da Comissão se desviassem para o Acordo de Roboré. Em estranho casamento, a eles se ligou o sr. Carlos Lacerda, movido pela sua tradicional obsessão de criar dificuldades ao governo, ainda que com isso o maior sofredor seja a própria nação.

A segunda grande vitória foi recusar a única solução exeqüível para o problema boliviano e recomendar, ao invés, soluções que são ou tecnicamente impossíveis ou francamente ilegais.

Com efeito, que métodos recomenda a Comissão para a obtenção das divisas necessárias? A concessão de câmbio com privilégio de custo e o empréstimo convencional com garantia bancária. Reconhece ainda como admissíveis, se bem que não desejáveis, as operações de *swap* e a compra de divisas no mercado livre.

É estranho que a Comissão Parlamentar de Inquérito tenha recomendado insistentemente a concessão de câmbio com privilégio de custo. Tal solução é tecnicamente impraticável por dois motivos:

1. O governo não dispõe de dólares, visto que mesmo a Petrobrás e as importações de óleo estão sendo financiadas com recursos provindos do Fundo Monetário Internacional e de bancos norte-americanos, sob o rótulo disfarçado de financiamentos para cobertura do déficit do balanço de pagamentos.

2. As empresas privadas brasileiras não teriam capacidade de mobilizar recursos em cruzeiros para a compra de câmbio à vista, e não teriam resistência financeira para enfrentar sozinhas o risco total da operação.

Mais estranho ainda é que uma Comissão Parlamentar tenha recomendado ao Executivo um procedimento francamente ilegal. É que, nos termos da Lei de Tarifas, não se pode aplicar o câmbio de custo a investimentos fora do território nacional. Deveriam os parlamentares primeiro votar as leis necessárias, ao invés de criticar o Executivo por não ter adotado soluções ilegais.

O segundo dos métodos sugeridos, isto é, o empréstimo bancário convencional, sem participação nos resultados, sofre de iguais percalços.

Primeiramente, esse financiamento é de obtenção extremamente difícil durante a fase de pesquisa, não só pelo elevado risco, como porque esta exige principalmente serviços técnicos, e não créditos de fornecedores de equipamento. Mesmo durante a fase de lavra, não é habitual esse tipo de operação, conquanto se torne algo mais viável, por envolver a compra de equipamento financiado. Mesmo assim, tanto a Argentina como a França, recentemente, após haverem concluído sozinhas a fase de pesquisa, tiveram que recorrer a financiamentos aleatórios para o desenvolvimento rápido das jazidas encontradas, por ser difícil o acesso a financiamentos bancários comuns.

Mas não parou aí a Comissão de Inquérito. Recomendou também "empréstimos convencionais com garantia bancária".

Nos termos da legislação atual, quando os bancos oficiais garantem empréstimos, têm de exigir das empresas o empenho do seu patrimônio e outros bens que garantam a recuperação do dinheiro. Dado o vulto dos recursos exigidos, seria praticamente impossível às empresas brasileiras hipotecarem o seu patrimônio para garantia de um investimento de risco na Bolívia, quando todas elas necessitam de mobilizar outros recursos bancários para investimentos internos.

Se, por outro lado, é intenção da Comissão Parlamentar recomendar que a garantia seja dada por conta e risco do BNDE, estaria ela concitando o governo a violar duas leis: a lei interna brasileira, pois que não existe autorização legal para investimentos de risco no exterior; e a lei boliviana, porque o Código de Petróleo Boliviano proíbe a participação direta ou indireta de governos estrangeiros nas operações na Bolívia.

Restam dois outros métodos: o *swap*, que a própria Comissão de Inquérito reconhece encerrar vários inconvenientes — o primeiro dos quais é precisamente ser apenas um empenho antecipado da receita cambial e não uma adição líquida aos recursos do país — e, finalmente, o recurso ao mercado livre, cuja instabilidade torná-lo-ia grotesco como base de uma operação petrolífera.

Conclui, finalmente, a Comissão, dizendo ser inconveniente o financiamento aleatório e condenável o critério do BNDE que o admitiu.

Já o BNDE esclareceu que os critérios não são seus, e sim do governo. Estaria assim a Comissão condenando o próprio governo, atitude pouco compreensível quando têm maioria na Comissão os representantes de partidos governamentais. Indica, além disso, o BNDE, que se trata do método mais habitual de financiamento da pesquisa petrolífera no mundo inteiro e que, na atual conjuntura cambial, é o único capaz de permitir a execução do Acordo de Roboré sem sacrificar ou impossibilitar outros investimentos no interior do país e sem obrigar o governo à posição desconfortável de transferir para a Bolívia parte dos empréstimos que ainda tem que pedir e obter no exterior.

De tudo isso resulta estar a Comissão Parlamentar de Inquérito interessada, pura e simplesmente, em fazer demagogia, ou então, em sabotar eficazmente o Acordo de Roboré. Sendo improvável e talvez injusta a segunda hipótese, é inescapável a conclusão de que os parlamentares preferiram ficar no terreno fácil da demagogia a enfrentar objetivamente os fatos.

O bizarro, em tudo isto, é que a Comissão Parlamentar de Inquérito parece ter praticado uma justiça salomônica às avessas. Não deu razão ao coronel Alexínio onde ele tinha razão, isto é, no tocante aos deslizes da Petrobrás. Deu-a, entretanto, onde o coronel não estava certo, isto é, em propugnar para a Bolívia uma solução impraticável.

E a própria Comissão, após esmiuçar o assunto, que soluções recomendou como alternativas ao financiamento aleatório admitido pelo BNDE? Nada menos, como ficou acima demonstrado, que soluções ilegais ou impossíveis.

Mas os fatos são teimosos e, mais cedo ou mais tarde, terão de ser enfrentados, senão pela Comissão, ao menos por esta sofredora economia brasileira."

As concessões na Bolívia foram abandonadas e o Brasil acabou perdendo-as. Comigo ficou apenas o travo da derrota e uma grande frustração. Como mato-grossense, sempre me interessei pelos problemas da Bolívia e achava que um suprimento regular de petróleo, através de oleoduto ou gasoduto, mudaria a geopolítica brasileira, criando condições para um desenvolvimento mais rápido do sul de Mato Grosso e oeste de São Paulo. Ao mesmo tempo, o poder de compra dado pelo petróleo transformaria o país vizinho num cliente privilegiado da indústria paulista.

Ambos os países teriam muito a lucrar. Não desisti da idéia. Ressuscitei-a novamente no governo Castello Branco, agora não mais em relação ao petróleo, e sim ao gás boliviano, que pesquisas posteriores revelaram ser mais abundante que o petróleo. Junto com o ministro Mauro Thibau, apresentei ao presidente Castello Branco, e através dele ao Conselho de Segurança, o projeto para o aproveitamento do gás boliviano através de um gasoduto, que se estenderia de Santa Cruz de la Sierra até São Paulo, com possíveis derivações para o norte do Paraná e o sul de Minas. Mas isso é história para outro dia...

O caso do petróleo da Bolívia não seria a primeira nem a última vez em que me defrontaria com a "indústria do nacionalismo". Através do Programa de Metas e das atividades do BNDE, acreditava estar dando uma importante contribuição ao nacionalismo industrial, mas acabei sendo vítima da "indústria do nacionalismo". Isso já havia ocorrido em escala menor no começo do governo Kubitschek quando, no Banco Nacional de Desenvolvimento, havia decidido aprovar um empréstimo em favor da American Can, que desejava iniciar a produção de latas de alumínio com tecnologia mais moderna no Brasil. Ergueu-se uma forte campanha da indústria paulista, sob a capa de "nacionalismo". No fundo era mera concorrência comercial. O grupo Matarazzo, que produzia latas, estava associado no Brasil a uma rival da American Can, a Continental Can. Esta financiou uma forte campanha contra o ingresso de sua concorrente, que traria tecnologia mais moderna. O que era apenas suja competição comercial entre duas multinacionais passou a ser objeto de uma campanha nacionalista. Houve um certo grau de covardia no governo. O assunto chegou a ser discutido em reuniões da SUMOC, com resultado negativo. O curioso é que os imberbes ideólogos da UNE, ativistas da esquerda, participaram de uma campanha "nacionalista" financiada por uma multinacional, contra outra empresa estrangeira!

A única vantagem do episódio foi habilitar-me a expressar, de forma magoada e contundente, meu ponto de vista sobre a irracionalidade do nacionalismo. Em entrevista ao *Jornal do Brasil*, que teve grande repercussão, assim me expressei:

"É necessário distinguir entre o nacionalismo como fim e como método de ação. Na medida em que objetiva o progresso social, um grau maior de autonomia econômica e a melhoria do padrão de vida, confunde-se com o patriotismo. Não é inovação, a não ser pela maneira zangada e intolerante com que se expressa. Quando, entretanto, se passa do terreno dos fins para o campo metodológico, começam as dificuldades, porque: a) o nacionalismo é eficaz como método de eliminação do colonialismo político, mediante a simples afirmação emotiva de um grupo nacional, que deseja perseguir o seu próprio destino; b) adquirida a soberania política, o nacionalismo é pouco eficaz em preservá-la visto que, nos conflitos modernos, nenhuma nação pode defender-se isoladamente, como o prova o associativismo regional de defesa; c) o nacionalismo pode ser contraproducente como método de desenvolvimento econômico; este se baseia na aceleração de investimentos, o que pressupõe, *ex definitione*, para os países subdesenvolvidos, ou a compressão do consumo e o trabalho escravo dos regimes ditatoriais, ou a aceitação do capital e tecnologia estrangeiros, para compensar temporariamente a insuficiência da poupança nacional".

No caso brasileiro, acrescentei, há vários tipos de nacionalismo. Há um que se poderia chamar de "demagógico", cuja raiz é psicossocial, traduzida num simples complexo de inferioridade ante o estrangeiro e num processo inconsciente de transferir para o exterior a culpa do nosso atraso. O outro tipo é o do nacionalimo "estatista", freqüente sobretudo nas regiões mais subdesenvolvidas do país, onde a iniciativa privada se apresenta com caráter feudal e o Estado como agente omisso, porém paternal. Há um nacionalismo monopolístico explorado sobretudo por alguns industriais, que além da legítima proteção da tarifa aduaneira, desejam criar uma tarifa política, que impeça o ingresso de competidores estrangeiros.

O episódio de Roboré teve um desfecho melancólico. Graças a uma intensa mobilização *nacionalista* financiada por interesses empresariais contrariados, grupos parlamentares e estudantes excitados (aos quais não faltou o apoio tribunício de Carlos Lacerda, interessado em maximizar a confusão) promoveram manifestações hostis em frente do BNDE. Realizou-se uma passeata, que teve de ser contida policialmente, com cartazes como: "Abaixo Bob Fields", "Fora com o petróleo da Bolívia", sendo eu finalmente queimado em efígie na rua São José.[135] Sobrevivi à cerimônia, não sem certo nojo, de vez que a dignidade do fogo deveria ser reservada à extinção de coisas mais nobres. Senti-me como um Giordano Bruno ou um Savonarola do *pays tropique*!

O que, sobretudo, me impressionou no episódio foi o completo acovardamento da tecnocracia governamental, assim como dos líderes políticos, em face da explosão nacionalista. O ministro do Exterior, Francisco Negrão de Lima, e o presidente Kubistchek haviam aprovado os princípios gerais e designado o BNDE para seu executor. Não lhes fora apresentada nenhuma acusação substantiva válida de infidelidade no desempenho. Calaram-se, entretanto, à espera que passasse o vendaval. Juscelino não dedica a esse episódio senão uma frase em suas memórias, marcada aliás por inacurácias:

> "Em fevereiro de 1959, os estudantes do Rio, numa manifestação de repulsa à atitude de Roberto Campos que, no cumprimento de um dispositivo do Acordo de Roboré, autorizara duas firmas norteamericanas a explorar o petróleo boliviano, colocaram faixas na sede do BNDE, exigindo sua demissão."

Tudo errado! A decisão do BNDE se referia a empresas mistas e não a empresas americanas. Estas, dentro do Código de Minas boliviano, poderiam, se o quizessem, obter concessões próprias, independentemente do Acordo de Roboré. Estávamos assim sendo mais realistas que o rei. E Juscelino estava simplesmente dando uma de "Pilatos". Sabia a verdade, mas decidiu lavar as mãos.

---

[135] Lembro-me ter recebido no BNDE uma comissão de estudantes da UNE que se declararam dispostos a dar-me uma "oportunidade de prestar esclarecimentos" antes que eles finalizassem seu julgamento. Irritei-me com a empáfia estudantil e retruquei-lhes: "Há um ligeiro engano. Os senhores não são juízes e eu não sou réu. Enquanto não concluírem seus estudos e retribuírem à sociedade o custo do treinamento, os senhores são apenas parasitas e não heróis do desenvolvimento." Expulsei-os da sala. Tenho de admitir que o enterro em efígie, que subseqüentemente me infligiram, foi altamente merecido...

DE VOLTA
AO OSTRACISMO

No primeiro semestre de 1959, senti que tinha chegado à fase de rendimentos decrescentes. Eu tinha sido de grande utilidade para o governo, e acredito para o país, na fase de montagem do Plano de Metas e nas negociações internacionais com credores e investidores. A "administração paralela", através dos Grupos de Trabalho e dos Grupos Executivos, tinha atingido um grau de eficiência e motivação poucas vezes alcançado na burocracia brasileira. Tinha visto o melhor e o pior de Juscelino. Do lado melhor, seu espírito generoso, sua capacidade magnética de mobilização, seu dinamismo político e destreza na administração de conflitos. Do lado pior, seu aventureirismo financeiro, sua propensão a deslocar a culpa para inimigos externos, sua capacidade, quando isso lhe dava rendimento político, de converter o leite da ternura humana numa intoxicação mercurial de ciúme do poder.

Minhas relações com Juscelino se haviam gradualmente esfriado. Eram fatores cumulativos. Juscelino sentia minha latente hostilidade pela sua dileta pirâmide "Brasília". Eu nunca me refizera da derrota da reforma cambial e do programa de estabilização, cuja importância Juscelino gravemente subestimara, com dois resultados facilmente profetizáveis: aceleração da inflação e bancarrota cambial.

O início de 1959 foi para mim amargo. Sentia-me injustiçado ao ter que assumir sozinho a responsabilidade pela fórmula de aproveitamento do petróleo boliviano, que resultara de decisão interministerial coletiva, enfrentando o bestiário "nacionalista". E via com apreensão que, ante as dificuldades internas, Juscelino optaria pela solução populista tradicional — a inculpação de "inimigos externos". Era a estratégia de ruptura com o FMI, decidida quando Lucas Lopes jazia prostrado em leito de enfermo. Com a substituição de Lucas por Sebastião Paes de Almeida no ministério da Fazenda, exauria-se qualquer possibilidade de políticas macroeconômicas racionais. Extremamente simpático, mas frivolamente acomodatício, Sebastião simplesmente não tinha percepção do fenômeno inflacionário. Na Assembléia dos governadores do FMI e do BIRD, em fins de 1959, provocou sustos e risos ao anunciar que o Brasil crescera no ano anterior mais de 40%, sem distinguir entre o crescimento do PIB nominal e do PIB real, este, naturalmente, bem mais modesto. Paes de Almeida jamais questionaria as "prioridades" de Juscelino e endossava inteiramente a tese popular do empresariado paulista de que "o crédito para a produção não é inflacionário"; ou seja, como dizia eu, "o direito divino da duplicata". Não era homem que se inquietasse com a solvência cambial. Ante a escassez de divisas, agudizada pela ruptura com o FMI, passou a vender os PVC's, promessas de venda de câmbio para entrega futura, naturalmente sem lastro de reservas. Usava abundantemente o mecanismo de *swaps* bancários de curto prazo, conseguindo assim empurrar com a barriga o financiamento de importações correntes. Essa bomba de retardamento viria, naturalmente, a explodir mais tarde, já no governo Jânio Quadros, quando Walther Moreira Salles e eu próprio tivemos que empreender uma grande operação de saneamento cambial, por via de consolidação de débitos nos Estados Unidos e na Europa, conforme descreverei adiante.

Senti que em face da radicalização nacionalisteira de Juscelino, tinha me tornado um incômodo no governo. Dispus-me a pedir exoneração do BNDE, atitude que sabia ser bem recebida, até porque facilitaria a Juscelino uma urgente manobra política. Desejava ele trazer de volta ao Brasil o almirante Amaral Peixoto, então embaixador em Washington, cuja liderança no PSD seria indispensável para a montagem de qualquer esquema de sucessão presidencial. Teria que dar a Amaral Peixoto um posto ministerial, e as preferências do embaixador eram pelo ministério de Viação e Obras Públicas, um dos mais importantes para a manipulação política. O posto estava então ocupado pelo almirante Lúcio Meira. Minha saída do BNDE facilitaria enormemente uma composição indolor, passando Lúcio Meira à presidência do BNDE, cuja operação ele conhecia bastante bem, através da participação do banco no suporte logístico do GEIA.

Antes de pedir exoneração, fiz saber a Juscelino que insistia na abertura de um inquérito administrativo sobre minha gestão no BNDE, particularmente no caso de Roboré, em que eram profusas as calúnias. Não desejava sair sob suspeita, e tinha certeza de que o inquérito comprovaria minha lisura. Juscelino, através de seu secretário particular, Oswaldo Penido, fez-me um apelo para que não insistisse no inquérito. Tinha absoluta certeza de minha retidão de comportamento e declarava que estava cedendo a contingências políticas, num momento de debilidade do governo. Dar-me-ia novas missões.

Foi o que realmente fez. Em setembro, reunir-se-ia em Bogotá a III Sessão do Comitê dos 21 da Aliança para o Progresso. Dessa delegação participaria como principal delegado Augusto Frederico Schmidt. Juscelino pedia-me que aceitasse ser delegado adjunto, e sugeriu jocosamente: — Veja se refreia o Schmidt. Num momento de arroubo, pode declarar guerra aos Estados Unidos, senão no plano militar, pelo menos no plano retórico.

A reunião de Bogotá revestiu-se de grande importância. Marcou uma inflexão norteamericana em relação à América Latina, talvez em resposta ao desafio da

Operação Pan-Americana de Kubitschek, talvez por alarme em relação à acolhida
surpreendentemente hostil a Nixon em sua viagem à Venezuela e ao Peru em 1958.
A reunião me foi útil, por travar conhecimento mais íntimo com Douglas Dillon,
então subsecretário de Estado e chefe da delegação americana. Viria a encontrá-lo
novamente, já como secretário do Tesouro de Kennedy, na reunião da Aliança para
o Progresso em Punta del Este. Tornei-me seu amigo no meu período de embaixador em Washington.

Na Ata de Bogotá, foi criado o Fundo de Progresso Social, no valor de US$500
milhões. Destes, US$394 milhões seriam administrados pelo recém-criado BID,
que se instalaria formalmente em janeiro de 1960, satisfazendo a uma antiga aspiração latino-americana. Os recursos restantes financiariam programas da AID
(Agency for International Development) e da OEA. Juscelino, naturalmente, considerou essa quantia "irrisória", à luz dos 200 milhões de habitantes na América,
esquecendo-se da baixa capacidade absorptiva da região, em virtude de ineficiência administrativa...

A Ata de Bogotá recomendou o estabelecimento de um "programa interamericano de desenvolvimento social", complementando a Operação Pan-Americana, ao
enfatizar certos aspectos nesta omissos: (a) a necessidade de transformação social e
institucional; (b) a urgência dos investimentos sociais; (c) a importância da auto-
ajuda; (d) a obrigação, a ser assumida pelos latino americanos, de executar certas
tarefas econômicas, sociais e financeiras. Enquanto o enfoque da OPA era mais
economicista, o da Ata de Bogotá seria mais holístico.

A interpretação do evento por Schmidt era vastamente mais pitoresca. Ao
regressar de Bogotá, em entrevista à imprensa, declarou ele, como "vitória brasileira", que os americanos tinham abandonado a "tese do Fundo Monetário
Internacional", isto é, a exigência de que "a casa seja posta em ordem" como pré-
condição de eficácia dos programas de ajuda externa.

— Você quer — dizia eu a Schmidt — preservar o "direito de bagunça".

Na realidade, a concessão máxima de Dillon tinha sido aceitar a tese da "simultaneidade de esforços": o auxílio externo poderia ser concomitante às reformas
internas.

Talvez com um certo remorso pela frieza com que me havia tratado no incidente
de Roboré, Juscelino promoveu-me, em outubro, a ministro de primeira-classe no
Itamaraty, poupando-me a humilhante pedincharia, tradicional nas promoções na
carreira diplomática.[136]

---

[136] Castello Branco costumava dizer-me que as promoções no Itamaraty e as brigas militares sobre
a aviação embarcada rivalizavam-se em provocar-lhe dores de cabeça.

Esse interregno de ostracismo permitiu-me dedicar um pouco mas de tempo à docência da cadeira de Moeda e Crédito na Faculdade de Economia da Universidade Federal do Rio de Janeiro, então Universidade do Brasil, cadeira em que havia sucedido ao professor Gudin. A turma de 1960 foi excepcionalmente brilhante, sendo que alguns dos seus membros vieram a alcançar projeção em diversas profissões. Entre eles figuravam Carlos Moacyr Gomes de Almeida, que se tornou importante incorporador imobiliário, Maria da Conceição Tavares, uma economista de visão provocante e controvertida, e Roberto Teixeira da Costa, financista e, depois, presidente da Comissão de Valores Mobiliários.

Na saída do BNDE, acompanharam-me vários colegas do Itamaraty — Miguel Osório de Almeida, Geraldo Holanda Cavalcanti e Lindenbergh Sette — que eu havia atraído para o banco e para o Conselho do Desenvolvimento, pelo interesse que tinham em planejamento econômico. Passaram a enfrentar problemas de sobrevivência, ao perderem as gratificações que suplementavam os magros salários do Itamaraty. Isso, e mais o desejo que tínhamos, Lucas Lopes e eu, de manter unido e coeso esse núcleo de talentos, que aliavam conhecimentos de planejamento econômico e experiência internacional, levaram-nos à criação da Consultec, uma consultoria privada para investidores e planejadores. Seria um ganha-pão comercial e não um órgão de complôs tecnocráticos. Ainda funcionário público, abstive-me de participar acionariamente. Os acionistas fundadores foram Lucas Lopes, Jorge Oscar de Mello Flores e Mário da Silva Pinto (que fora diretor técnico do BNDE). Em caráter *part-time*, prestávamos serviços à Consultec, eu próprio e Mário Henrique Simonsen. A organização adquiriu logo sólida reputação pela qualidade dos projetos e dos estudos de viabilidade. Tornou-se um importante e disputado centro de treinamento para jovens economistas. Hoje é um núcleo de vanguarda nos estudos de balanço social e gestão estratégica de empresas, sob a coordenação de Luís Fernando da Silva Pinto e José Antônio Rodrigues, da primeira geração de estagiários da Consultec.

Com a guinada "nacionalista" de Juscelino, no final do governo, a Consultec passou a ser encarada na época como um núcleo de pensamento ortodoxo, o que provocou suspicácia e antagonismo das esquerdas. Criar-se-ia mais tarde, num livro fantasioso do sociólogo René A. Dreifuss, 1964 — *A conquista do Estado*, a idéia de que a Consultec era um anel de "poder burocrático empresarial", servindo de *"think tank"* para projetos conspiratórios de conquista do poder. Essa suspicácia foi alentada pelo fato acidental de que vários dos participantes da Consultec, como eu próprio, Mário Simonsen e Mauro Thibau (este contratado para exame de um projeto específico da Hanna Mining Company), nos tornamos ministros de Estado, em diferentes períodos da Revolução, enquanto outros vieram a ocupar cargos de destaque na administração. Isso não resultou de nenhum projeto político, e sim do simples fato de que alguns dos melhores cérebros tecnocráticos da época, imbuídos do espírito de "racionalidade capitalista", foram recrutados pela Consultec para a análise de projetos específicos. O que era um "bico" financeiro para funcionários mal-pagos passou a ser interpretado, dentro da paranóia ideologizante da época, como uma semente de conspiração técnico-burocrática. Seria uma espécie de réplica conservadora do "transformismo molecular", expressão usada pelo marxista Antonio Gramsci para caracterizar um método de captura de poder, usado pelas esquerdas.

Nada mais surpreendente para os que trabalhavam na Consultec, onde a figura-chave foi a de Mário da Silva Pinto, todos politicamente desmotivados, e sem militância partidária, do que terem passado a ser descritos, anos depois, como astutos manobristas políticos de uma aliança entre tecnocratas, militares e a burguesia mercantil. Pitorescamente, os ex-tecnocratas do BNDE e do Conselho do Desenvolvimento, então relegados ao ostracismo, foram tipificados como um "caso de entrincheiramento burocrático-empresarial". Foram essas as expressões hiperbólicas usadas por René A. Dreifuss em sua análise ideologicamente deformada.[137]

Tornei-me por essa época reqüestado conferencista internacional. Alcançara bastante projeção internacional como economista, particularmente por minha participação na redação do famoso relatório 'Trends in international Trade', do GATT, também conhecido como 'Relatório Haberler'. Em janeiro de 1958, quando ainda superintendente do BNDE, eu havia sido convidado, por decisão da XII Sessão das Partes Contratantes do GATT, para participar da preparação, em Genebra, de um relatório sobre as perspectivas do comércio internacional, em colaboração com Gottfried Haberler, professor de economia de Harvard, James Meade, professor de economia política de Cambridge, e Jan Tinbergen, professor de programação de desenvolvimento no Instituto Holandês de Estudos Econômicos Avançados, em Roterdam. Uma das preocupações fundamentais na época era o surto de protecionismo agrícola, traduzido em medidas restritivas do comércio internacional de produtos agrícolas e alimentícios, e a acumulação de estoques excedentes desses produtos. Isso levava a bruscas variações nos preços das *commodities*, com impacto desfavorável sobre as receitas de exportação dos produtores primários. Daí resultava, a seu turno, um crescimento de suas exportações inferior ao necessário para financiar importações indispensáveis ao desenvolvimento.

O relatório dessa comissão, presidida por Haberler, foi considerado uma obra pioneira sobre os problemas de protecionismo agrícola e intervenção comercial. Discutiram-se os méritos e deméritos relativos das várias formas de suporte do

---

[137] Ver René Armand Dreifuss, *1964 — A conquista do poder*, Ed. Vozes, 1981, Cap. III, 2.

comércio agrícola internacional, inclusive estoques-tampão, fundos-tampão, acordos sobre produtos de base, instrumentos todos de atenuação da instabilidade de preços. Analisaram-se também os méritos e deméritos das duas principais técnicas de protecionismo agrícola — suporte de preços mínimos e pagamentos compensatórios para estabilizar o nível de renda dos produtores, visando a determinar seus efeitos sobre a estabilização de preços e problemas de superprodução. Deu-se particular ênfase, no tocante aos sistemas de integração comercial que tinham surgido com a formação do Mercado Comum Europeu (e seus esquemas preferenciais de associação dos países ex-coloniais com as antigas metrópoles), à conveniência de modelos associativos conducentes à "criação de comércio", ao invés do simples "desvio de comércio". Participei, principalmente, da redação do capítulo IV, relativo ao "efeito das políticas sobre futuras perspectivas agrícolas". Desenvolvi então uma idéia que pretendia apresentar como relatório independente. Visava a induzir o FMI a atacar mais nevralgicamente o problema do balanço de pagamentos de países subdesenvolvidos, dependentes da exportação de produtos de base. Segundo esse esquema, o FMI poderia adquirir estoques de produtos excedentários de produtores primários em crise de balanço de pagamentos, dentro das seguintes condições: (a) O país produtor se engajaria em programas de contenção da produção, para corrigir tendências de superprodução; (b) O FMI poderia adquirir estoques excedentes, a preços de mercado, podendo vendê-los se o preço internacional excedesse o mínimo acordado por ocasião da compra, empregando os recursos assim hauridos para liquidar débitos dos países vendedores; (c) Esse último teria a opção de recompra dos estoques, cobertos juros e despesas de armazenamento, em caso de reação favorável do mercado. Era um método de aliviar as crises de superprodução de café e outros produtos primários, contribuindo, ao mesmo tempo, para o disciplinamento da produção. A proposição, até certo ponto, revertia à crítica antiga do professor Gudin, em Bretton Woods, de que o sistema financeiro internacional nascera manco, pois não atenderia ao problema dos produtos de base, fonte de dificuldades do balanço de pagamentos para os países subdesenvolvidos. Não havendo unanimidade em torno de minha proposta, o professor Haberler me induziu a retirá-la, no propósito de evitar o enfraquecimento das recomendações globais, que já representavam importante avanço na consideração dos problemas gerados pelo protecionismo agrícola nos países industrializados. A idéia ressurgiu mais tarde, sob forma diferente, com a instituição no FMI de um fundo de compensação pela queda das receitas de exportação de produtos de base.

Em virtude de minha colaboração para o Relatório Haberler, fui eleito para a presidência do II Comitê da Reunião das Partes Contratantes do GATT, na primeira quinzena de fevereiro de 1959.

Não fiquei muito tempo entregue ao *otium cum dignitate*. Passei a cooperar com o embaixador José Sette Câmara num projeto interessante. Juscelino o designara para governador-interino da Guanabara, durante o período da transferência da capital para Brasília. Pediu-me Sette Câmara que coordenasse um grupo de trabalho para sugerir medidas compensatórias do esvaziamento econômico e financeiro que iria sofrer o Rio de Janeiro com a transferência da capital para o Planalto. Participaram do grupo de trabalho, entre outros, Glycon de Paiva, Luiz Simões Lopes, Jorge Oscar de Mello Flores, Raul Cotia e Vitor da Silva. Desenhamos duas idéias importantes. Uma, a criação de uma agência de desenvolvimento, a CODEG — Companhia de Desenvolvimento e Investimentos da Guanabara — sob a forma de uma sociedade anônima, com participação do governo estadual e da iniciativa privada, para financiamento ou subscrição de capital de novas empresas. Essa idéia seria depois aproveitada por Carlos Lacerda sob a designação de COPEG — Companhia de Progresso da Guanabara — instaurada como um minibanco de desenvolvimento. Futuramente seria transformado no BADERJ, de discutível atuação pela politização gerencial a que foi submetido.

A outra proposta, mais importante, não foi aproveitada. Em parte pela oposição de outros estados, particularmente São Paulo, receosos das vantages concorrenciais que teria o Rio, em parte pelo incompreensível desinteresse tanto de Carlos Lacerda como de Negrão de Lima, os primeiros governadores da Guanabara. Era o projeto da Zona Franca de Santa Cruz, a ZOFRAN. Criar-se-ia, por lei federal, uma zona de processamento de exportações na Guanabara. A administradora da Zona Franca S/A seria uma empresa mista tripartite, sendo 1/3 do capital subscrito pela União, 1/3 pelo estado da Guanabara e 1/3 pela iniciativa privada.[138]

As condições do Rio eram excepcionalmente favoráveis, possivelmente melhores que as de Hong Kong, num sentido físico, pela existência de duas baías contíguas, de bom calado, Guanabara e Itacuruçá, a pequena distância uma da outra, possibilitando a criação de um corredor de exportação. O Rio poderia ter-se tornado uma grande cidade-entreposto, antes que Hong Kong, Cingapura ou Kao-hsiung, em Taiwan, atingissem o extraordinário desenvolvimento que alcançaram nas décadas de 70 e 80. Perdida essa áurea oportunidade, o Rio sofreu gradual decadência como centro comercial e financeiro, estando hoje mais próximo da lúgubre pobreza de Calcutá do que do esfuziante dinamismo de Hong Kong.

O estado do Rio de Janeiro se tem caracterizado, aliás, por uma saga de oportunidades perdidas. A ZOFRAN, exeqüível naquela ocasião, pois a nação se sentia

---

[138] A técnica de "zonas francas", sob diversas denominações ("zonas de comércio exterior", nos Estados Unidos, "zona livre", no Panamá, "portos livres", na Europa), era bastante usada no exterior. No Brasil, o único precedente era a Zona Franca de Manaus, cuja criação fora autorizada em 1957, mas que só foi implementada dez anos depois, no governo Castello Branco.

endividada em relação ao Rio, esvaziado pela mudança da capital, teria transformado a BELACAP, de grande centro político e financeiro, num grande empório comercial, à maneira de Hong Kong. Uma segunda oportunidade surgiria, anos mais tarde, em 1971. Estava eu na iniciativa privada e trabalhei com o professor Octávio Bulhões e Teóphilo de Azeredo Santos no projeto do Rio-Dólar. Seria um mercado de câmbio extraterritorial, com isenção fiscal e plena liberdade para depósitos e transações em moeda estrangeira, aproveitando-se a infra-estrutura financeira já existente. Estávamos nos primórdios da expansão do mercado eurodóllar, que atingiria depois seu apogeu com a primeira crise de petróleo, que gerou intensa reciclagem dos petrodólares, e a subseqüente criação dos "paraísos fiscais". Nesse caso, houve forte oposição do Banco Central pela míope preocupação de não abrir mão dos controles cambiais.

Nas eleições de 1960, votei, cheio de esperanças, em Jânio Quadros, acreditando em sua vassoura moralizadora, e simpático às suas idéias privatistas. Foi uma alternância de esperanças e desapontamentos, que constituem a estória do capítulo seguinte.

M I N H A S

E X P E R I Ê N C I A S

C O M   J Â N I O   Q U A D R O S

◆

ONDE ESTÃO
OS INIMIGOS?

— O povo não gosta de amar. O povo gosta de odiar. Onde estão os inimigos?

Foi o que me perguntou Jânio Quadros. A pergunta era estranha, e a hora ainda mais: 6:45 da manhã. Tinha sobre a mesa um papel com várias anotações em lápis vermelho. Chamara-me a Brasília para discutir o texto de uma entrevista que daria na televisão, em 12 de março de 1961. Explicaria a reforma cambial, ou seja, a Instrução nº 204, da SUMOC, a ser editada no dia seguinte, que tinha por objetivo a desvalorização da taxa de câmbio e a unificação do mercado cambial

Dos vários ministros da Fazenda com quem convivi, Clemente Mariani foi o único suficientemente corajoso para a implementação desse meu velho sonho: fazer com que o Brasil escapasse às repetidas crises de balanço de pagamentos mediante uma taxa flutuante de câmbio, que seria um mecanismo automático de incentivo às exportações e de contenção das importações. Como já foi relatado, o ministro Whitaker tentara fazê-lo, sem sucesso, no governo Café Filho, e Lucas Lopes, no início do governo Kubitschek.

A situação cambial herdada era a de "desenvolvimentismo a qualquer custo" de Kubitschek e não podia ser mais caótica. O seu último ministro da Fazenda, Sebastião Paes de Almeida, havia encontrado uma fórmula de emitir dólares: vendia PVCs — promessas de venda de câmbio — para entrega posterior de divisas que, a rigor, não existiam. Mas no fim do governo, o truque perdera credibilidade. Os leilões de câmbio tiveram de ser totalmente suspensos no último mês do governo Kubitschek. Os atrasados comerciais, correspondentes às coberturas de câmbio vendidas e não transferidas, totalizavam US$300 milhões. As promessas de câmbio vendidas com ágios já arrecadados e gastos alcançavam US$136 milhões, e as vencíveis até 31 de julho de 1961 subiam a mais de US$218 milhões. Os *swaps*, ou seja, as operações de troca de moeda nacional por moeda estrangeira, liquidáveis a curto prazo, atingiam a US$387 milhões. As letras a pagar emitidas para a utilização das linhas de crédito aos correspondentes do exterior montavam a cerca de US$80 milhões. Como se isso não bastasse, os débitos a curto prazo relativos a obrigações assumidas com entidades financeiras internacionais, cuja liquidação fora diferida para o novo governo, alcançavam quase US$800 milhões. Em suma, os compromissos de cobrança a curto e médio prazo a descoberto totalizavam cerca de US$1,8 bilhões, ou seja, quase o dobro da receita cambial de exportações em moeda conversível. Só no ano de 1961 os compromissos da dívida montavam a US$600 milhões. O déficit global esperado do balanço de pagamentos poderia alcançar US$741 bilhões, enquanto que o déficit orçamentário interno se elevava a US$440 bilhões, praticamente o dobro da receita prevista para 1961. O "desenvolvimentismo a caneladas" tinha afinal cobrado seu preço...

Clemente Mariani, com o apoio de Octávio Bulhões, diretor-executivo da SUMOC, obteve autorização de Jânio Quadros para uma medida heróica. Uma desvalorização brusca do câmbio para uma taxa flutuante, ao invés de sucessivas desvalorizações que geravam especulação e que, por chegarem sempre atrasadas em relação à inflação, apenas postergavam o problema.

A Instrução n.° 204 da SUMOC representava um esforço de realismo cambial. Elevava-se imediatamente a taxa do chamado "câmbio de custo", aplicável a certas importações consideradas críticas, para o nível de 200 cruzeiros por dólar, ou seja, uma desvalorização de 100%, sendo pouco depois abolido o câmbio de custo. As exportações (exceto o café, sujeito a uma taxa de retenção) e as importações de categoria geral se processariam à taxa de mercado livre. O sistema de promessas de venda de câmbio seria substituído pela entrega de letras de importação contra o depósito, por 150 dias no Banco do Brasil, pelos importadores, do valor correspondente à importação.[139]

Medidas dessa natureza exigiam obviamente explicações, principalmente porque os seus beneficiários, isto é, os exportadores, tinham baixa capacidade de vocalização, ao passo que os importadores botavam a boca no mundo. Clemente Mariani, talvez por sugestão de Bulhões, que conhecia o memorando que eu havia preparado por ocasião da frustrada reforma Whitaker, pediu-me que escrevesse algumas notas para servir de roteiro à exposição de Jânio Quadros na televisão. O documento tinha o título: "Notas para o discurso de Jânio Quadros sobre a Instrução n.° 204". Lembro-me de uma frase de que Jânio havia gostado: "Entender bem os problemas é um começo de solução. Enfrentá-los corajosamente é metade do êxito".

O documento falava na "mentira cambial" na qual vivíamos (expressão que Jânio sublinhara em vermelho) e nos "dois equívocos". O primeiro era imaginar-se que o propósito da reforma cambial era estimular importações, quando seu propósito real era liberar e expandir exportações. O segundo era acreditar que os artifí-

---

[139] A reforma cambial iniciada pela Instrução n.° 204, veio a ser complementada em 27 de junho, pela Instrução n.° 208 da SUMOC, que promoveu a unificação total das taxas de câmbio, isentou do depósito prévio importações de equipamentos indispensáveis ao parque industrial e autorizou, *inter alia*, o diretor executivo da SUMOC a intervir no mercado de títulos, utilizando pela primeira vez o sistema de *open market* dos bancos centrais.

cios cambiais contribuíam para moderar a inflação (o câmbio de custo ficara congelado desde 1959 e a inflação não parava de subir).

Procurei arrebanhar a maior soma possível de argumentos técnicos a meu dispor. Enfatizei particularmente as distorções criadas pelo câmbio de custo no tocante às chamadas "importações críticas" — petróleo, trigo e papel de imprensa.[140] Ponderei em minha argumentação que, através do câmbio favorecido, estávamos incentivando o consumo de produtos que oneravam sobremodo nossa pauta de importações. No caso do petróleo, além de se incentivar um consumo de um bem importado, estagnava-se a receita da Petrobrás, de vez que esta se baseava numa taxa *ad valorem* sobre o custo CIF das importações, artificialmente barateadas pela distorção cambial.[141]

No caso do trigo, as importações subvencionadas inviabilizavam os esforços da produção nacional, condenando-nos a grande dependência de importações freqüentemente interrompidas, ou pela falta de divisas ou pela preferência dada, pelos países exportadores, aos compradores de países de moeda forte.[142] Finalmente, no caso do papel de imprensa, estávamos dando uma subvenção indiscriminada às importações, além de dificultarmos sobremodo a expansão da indústria de papel no país.

Acentuei obviamente o lado favorável, isto é, o impulso que seria dado às exportações. Jânio exibiu na televisão um gráfico que demonstrava que (exceto no período 1954-1955, quando as curvas se aproximavam) as importações tinham uma taxa de crescimento anual três vezes superior à das exportações. Usando argumentos freqüentemente avançados por dois nordestinos — Clemente Mariani e Celso Furtado — mencionei que o sistema cambial, com seu viés antiexportador, acoplado ao protecionismo para as indústrias do Sul, agravava os desequilíbrios regionais, pois as regiões mais pobres eram principalmente exportadoras. Com menor

---

[140] Jânio para se exorcizar da tentação de ceder aos pedidos da *mídia* de um ajustamento gradual da taxa aplicável às importações de papel de imprensa, escrevera ao lado: "Incluir o papel. Exemplificar. Não irei por etapas. Receberá o mesmo tratamento".

[141] A reforma do imposto único sobre combustíveis, de novembro de 1956, no governo Kubitschek, havia dinamizado a receita da Petrobrás pela substituição do imposto específico sobre a importação de petróleo em imposto *ad valorem*, aumentando-se a receita na proporção da desvalorização cambial. Mas tendo o câmbio de custo permanecido invariável de janeiro de 1959 a março de 1961, a receita da Petrobrás sofrera grave corrosão inflacionária. Um dos argumentos citados em favor da Instrução nº 204 era que a Petrobrás, com seus recursos contidos pelo câmbio de custo, tivera que tomar Cr$1.5 bilhões emprestados do Banco ao Brasil.

[142] A Argentina não quis, por muito tempo, comprometer-se com cifras maiores de fornecimento, porque era paga em moeda-convênio e queria gerar dólares. Daí nossa grande dependência das importações de trigo americano pela "Public Law 480" título 4.

ênfase, ponderei que a taxa cambial artificial desencorajava o ingresso e encorajava o egresso de capitais.

— Onde estão os inimigos? — repetiu Jânio Quadros.

— Que inimigos? — perguntei.

— Ora, é fácil encontrá-los — respondeu Jânio. Não direi apenas que a elevação da taxa cambial aumenta as receitas da Petrobrás; direi que ela diminui os lucros abusivos dos trustes internacionais de petróleo. Ao invés de falar no aumento da produção do trigo nacional, por que não vergastar os moinhos da multinacional Bunge Born, que se beneficiam do aumento de consumo excitado pela vantagem cambial? Quanto ao papel da imprensa, mostrarei o quilo de papel representado pelas edições dominicais do jornal *O Estado de São Paulo*, que obviamente não representam uma urgência do bem estar nacional.

— É um enfoque diferente — acrescentei — talvez natural num político mas que provocaria certos pudores num técnico.

Jânio Quadros deu por finda a entrevista. Saí do palácio um pouco deprimido. Voltando ao Rio de Janeiro, resolvi fazer um teste de sensibilidade política. Ao tomar um táxi, perguntei ao chofer que achava ele da reforma fiscal anunciada por Jânio Quadros na véspera, e se isso não lhe causava dificuldade, pois o preço teria de aumentar e haveria perda de freguesia.

— É verdade — respondeu-me — vou ter que pagar mais pela gasolina e cobrar dos fregueses mas, se como diz o presidente, é para diminuir os lucros da Esso, tudo bem, eu aguento.

Verifiquei que, em termos de psicologia popular, Jânio estava anos-luz à minha frente.

Notei que Jânio, sempre preocupado em dar uma no cravo e outra na ferradura, fizera uma outra anotação à margem do papel, indicando sua preocupação de atender a reclamos nacionalistas e aumentar encargos fiscais sobre o empresariado:

"Mensagens a serem enviadas:
a) Lucros extraordinários;
b) Imposto sobre a renda;
c) Remessa de lucros para o exterior"

Assim, as medidas que aumentavam o custo de vida para os pobres seriam contrabalançadas por reformas destinadas a afligir os ricos.

Misturando ingredientes nacionalistas e reformistas, ao mesmo tempo que buscava uma reconciliação com o FMI, Jânio lograria confundir internamente a esquerda nacionalista, e, externamente, obter o apoio de Washington para um amplo programa de reestruturação da dívida. É a peripécia que relato a seguir.

MISSÃO NA EUROPA

Jânio talvez tivesse estranhado meu silêncio e ausência após a eleição. Dávamonos bem antes da posse. Como dois mato-grossenses, éramos até certo ponto aves raras no cenário político. Quando presidente do BNDE, visitara-o várias vezes, em São Paulo, para discutir financiamentos para projetos de energia elétrica e armazenagem agrícola. Minha visita mais demorada fora em 11 de novembro de 1958, quando, a pedido de Lucas Lopes, lhe levei um exemplar do *Programa de Estabilização Monetária* de Juscelino, que pareceu despertar nele maior interesse que no próprio Juscelino. Eu simpatizava com a ênfase de Jânio sobre a austeridade administrativa e sua crítica à ineficiência do "Estado patrão". Cheguei a preparar alguns textos para sua campanha presidencial, aos quais sabiamente ele não deu atenção, pois entendia de comunicação popular muito mais do que qualquer escriba.

Senti-me desorientado quando Jânio deu sua guinada "esquerdista" em política externa. Eu fora machucado pela irracionalidade nacionalista, no caso do petróleo da Bolívia e da ruptura de Juscelino com o FMI, e esperava de Jânio uma boa dose de racionalidade e pragmatismo, ingredientes faltantes na cena brasileira.

Depois de alguns dias desse primeiro encontro, sobre a reforma cambial, Jânio convocou-me novamente a Brasília. Perguntou-me por que estava arredio, como se estivesse a indicar que não queria cooperar com o seu governo. Expliquei-lhe a razão, e ele, abruptamente, disse que me reservava uma função interessante: a de embaixador em Bonn, onde eu usaria meus conhecimentos financeiros para criar um novo eixo que aliviasse nossa dependência em relação a Washington. Achei a idéia exótica. Respondi-lhe haver várias razões para que um diplomata experiente se encantasse com uma missão em Bonn, exceto a de criar um eixo financeiro independente.

— É total a dependência de Bonn em relação a Washington, pois somente a força americana impede a União Soviética de liquidar a presença ocidental em Berlim. Não há como criar-se um eixo financeiro alternativo. O voto dominante nas organizações financeiras internacionais é americano, e a economia alemã, conquanto em rápida restauração, não dispõe de massa de manobra suficiente — disse-lhe.

Jânio calou-se, olhando para o alto, visivelmente amuado, como se eu não estivesse mais na sala. Quando tomei a iniciativa de me retirar, alegando que ia pedir licença do Itamaraty para entregar-me a atividades privadas, Jânio voltou a si e disse-me: — Então o senhor vai ser meu embaixador em Paris.

— O problema — respondi-lhe — é que não tenho graças sociais para o posto em Paris.

Era a gota d'água! Jânio bateu na mesa, irritado, como se me quisesse expulsar da sala, e disse: — Desde quando um embaixador de Jânio Quadros precisa ter graças sociais?

Deixando o palácio do Planalto, fui ao Itamaraty para indagar das formalidades burocráticas da licença para tratamento de interesses particulares, dirigindo-me depois ao aeroporto. Lá chegando, encontrei uma mensagem, um pouco críptica, para voltar imediatamente ao palácio do Planalto.

Walther Moreira Salles contou-me, anos depois, o que se passara. Pouco depois de minha saída pela manhã, Walther entrara no gabinete de Jânio. Tinha sido chamado pelo presidente, que queria encarregá-lo das negociações financeiras de consolidação da dívida brasileira e desejava urgência. Walther, que já havia recusado a embaixada em Washington, dispôs-se a aceitar o difícil encargo de fazer o périplo internacional da dívida. Mas ponderou que, com a premência do tempo, necessitava de um auxiliar que se encarregasse da parte européia, que implicaria viagens a diversos países. Ele já teria as mãos cheias negociando com as autoridades e as agências internacionais de Washington.

— Quem o senhor sugere? — perguntou-lhe Jânio.

— Parece-me — respondeu Walther Moreira Salles — que o mais experiente e qualificado é o Roberto Campos.

— Mas este senhor é um indisciplinado — respondeu-lhe Jânio. Aqui esteve há pouco e recusou os dois postos que lhe ofereci, Bonn e Paris.

Pensou um pouco e em seguida perguntou ao ajudante de ordens: — Onde está o Campos?

— Creio que foi para o aeroporto — respondeu o ajudante.

— Então intercepte-o — disse Jânio.

Era essa a razão de minha reconvocação. Jânio explicou-me que necessitava de meus serviços para, em estreita coordenação com Moreira Salles, que partiria para Washington, encarregar-me das negociações financeiras na Europa. Respondi-lhe que não hesitaria em cooperar com Walther. Era uma missão a curto prazo, que depois me liberaria para outros planos não-burocráticos.

Jânio abriu então a gaveta e tirou dois papéis.

— Acredito — disse ele — que há dinheiro na Europa.

Um dos papéis era um memorando que continha uma oferta fantasmagórica de um "Instituto Finanziario Italiano", localizado em Milão. Este oferecia ao governo brasileiro um empréstimo de US$2 bilhões, em quatro parcelas semestrais, juros e amortização a acordar, a serem depositados à ordem do governo brasileiro num banco em Zurique! Num simples relancear verifiquei que se tratava de uma picaretagem.

— Esse dinheiro não existe — disse-lhe. Se existisse na Itália um instituto capaz de mobilizar semelhantes somas eu o conheceria. Conheço o IMI — Instituto Imobiliare Italiano —, a Medio Banca, a Banca Nazionale del Lavoro e a Banca Comerziale. E nenhum deles poderia mobilizar semelhante soma. Para se ter uma idéia do irrealismo da proposição, basta lembrar que há pouco tempo esteve em Bonn o secretário do Tesouro americano, Robert Anderson, pleiteando dos alemães uma contribuição de US$700 milhões para acorrer às despesas das forças de ocupação e socorrer o balanço de pagamentos norte-americano...

O segundo memorando continha uma oferta de financiamento de dez anos, a juros extremamente baixos, para a compra de dez mil pequenos motores de energia elétrica ou tratores agrícolas e de construção. Ponderei a Jânio que essa oferta em nada contribuiria para a solução dos problemas brasileiros. De resto, financiamento para a exportação de equipamento europeu era fácil de obter, mesmo nas difíceis condições econômicas do Brasil, pelo interesse dos diversos países em dar ocupação a suas indústrias de bens-de-produção.

— Créditos de exportação não são problema — disse-lhe. O de que o Brasil necessita são três coisas. Primeiro, capital de giro imediato, sob forma de um crédito *standby* ou direito de *over draft* em favor do Banco do Brasil, para acorrer a pagamentos correntes e evitar que continue a acumulação de atrasados comerciais. Em segundo lugar, consolidar a médio e longo prazo as dívidas já contraídas pelo Brasil e que representam um ônus insuportável, concentrado em 1961 e 1962. Terceiro, créditos de longo prazo para projetos de infraestrutura, sujeitos a duas condicionantes: a apresentação pelo Brasil de projetos viáveis e a obtenção de créditos a prazo bastante longo, com razoável carência para evitar o erro de iniciarmos projetos de rendimento de longo prazo com base em créditos de curto e médio prazo.

Eu tinha em vista os financiamentos inadequados, através de *supplier's credits* como o da COSIPA e de alguns projetos estaduais de eletricidade. Os dois primeiros itens, entretanto, seriam os mais importantes: capital de giro e consolidação das dívidas. Jânio concordou com meu plano de ação e recomendou-me urgência quanto ao início das negociações.

Não sei até hoje qual a origem dos esquisitos documentos que lhe haviam sido dados. Nem sabia eu que, com sua preocupação em dar uma no cravo e outra na ferradura, Jânio entretinha a idéia de uma terceira frente de negociação: uma missão comercial ao Leste europeu, que seria confiada ao jornalista João Dantas. A missão Dantas viria a causar um incidente diplomático, que depois relatarei.

Vistas em retrospecto, minha missão à Europa e o envio de João Dantas para negociações na Europa Oriental representavam, na estratégia de Jânio, a contra-partida econômica da "política externa independente". Nesse sentido, o sarcástico comentário de Lacerda não é despropositado:

"Era uma política externa pretensiosa, mas sob certos aspectos criadora e inovadora, como as relações com os países do Leste. Era uma política que ele chamava afro-asiática. Isso num país como o Brasil, cujo eixo é eminen-temente ocidental e cujos recursos teriam que vir do Ocidente. Não tínha-mos o que vender para a Ásia nem para a África, nem que comprar, nem muito menos capitais a importar."[143]

Procurei ser extremamente econômico na formação da delegação. Meus auxilia-res foram o secretário Geraldo Holanda Cavalcanti, do Itamaraty, e, como perito em questões cambiais, o dr. Lázaro Bauman, da Carteira de Câmbio do Banco do Brasil. Na fase final de conclusão de acordos, participou também o diretor da Carteira de Câmbio, Werther de Azevedo.

Walther Moreira Salles tinha tido razão em sua conversa com Jânio Quadros. Os montantes envolvidos nos acordos europeus eram apenas uma fração daquilo que numa admirável negociação, talvez das melhores a que tenho assistido na história brasileira, Walther conseguiu realizar em Washington. A consolidação de débitos na Europa equivalia, "grosso modo", ao montante de cerca de US$300 milhões, cujo reescalonamento fora acordado com o Eximbank. Mas enquanto o Eximbank era um só banco, obedecendo à legislação de um único país, na missão européia tive que lidar com 53 bancos comerciais e 8 bancos centrais, esparramados em 9 países.

À simples logística das viagens se somavam outras dificuldades. A legislação era diferente nos países credores, sendo que em alguns inexistiam dispositivos legais que permitissem a consolidação e a dilatação de compromissos financeiros. Era o caso, por exemplo, da Itália e do Japão. Em alguns dos países, os débitos brasilei-ros eram pequenos e pequeno também o interesse das autoridades em negociações com um país relativamente inexpressivo no conjunto global de suas contas.

Em carta escrita a Jânio Quadros em 30 de maio de 1961, assim me expressei:

"A consolidação européia tem semelhança e divergências com o esquema acordado *vis-a-vis* do Export-Import Bank. Os montantes se aproximam — US$330 milhões nos Estados Unidos contra US$299.1 milhões na Europa, exclusive a Suécia, e US$316.8 milhões se incluírmos esse país. Nos Estados Unidos era tecnicamente mais simples, pois o único credor era uma institui-

---

[143] Ver Carlos Lacerda, *Depoimento*, Rio de Janeiro, Nova Fronteira, 1977, p. 284.

ção governamental, o Eximbank. Na Europa, a dívida se fragmenta entre centenas de fornecedores, alguns garantidos e outros não, por institutos oficiais de seguro. Na maioria dos casos, foi preciso recorrer a autorização legislativa para os créditos de refinanciamento. Além disso, há muito menos flexibilidade nas questões de prazo, de vez que, ao contrário do Eximbank, os prazos máximos habituais na Europa são da ordem de 10 anos. Essas características e mais a multiplicidade dos países envolvidos exigiram que enorme esforço de coordenação fosse realizado, que somente se tornou possível graças a assistência do ministro Baumgartner e do chefe do Departamento de Finanças Externas do ministério das Finanças francês, sr. Jean Sadrin, assim como do governo norte-americano, que por duas vezes enviou altos funcionários do Tesouro e do Eximbank, para participarem das reuniões em Paris."[144]

A consolidação com o Japão apresentava especiais dificuldades, precisamente pela ausência de dispositivos legislativos sobre consolidação de débitos. O governo japonês enviou um representante a Paris, o sr. Inamura, que expressou assentimento aos princípios gerais da consolidação, sem entretanto comprometer definitivamente seu governo, que pretendia concluir um acordo bilateral específico a ser agenciado através do Itamaraty e da embaixada do Japão.

Um detalhe assaz humilhante, que me enraiveceu ainda mais em relação ao monopólio da Petrobrás, foi o fato de ter que negociar em Londres com a Shell Internacional um esquema de consolidação, no prazo de três anos, dos atrasados de petróleo, que montavam a US$13.2 milhões, correspondentes a fornecimentos efetuados antes de 6 de dezembro de 1960, e ainda não liquidados. Após consulta ao ministro Mariani e ao diretor da Carteira de Câmbio, Werther Azevedo, concluí um acordo para o pagamento dessa dívida em prestações mensais crescentes, a partir de setembro de 1961.

O Brasil, orgulhoso na rejeição de capitais estrangeiros para a pesquisa de petróleo, não tinha dinheiro sequer para pagar as contas diárias de importação de combustível! Humilhação semelhante seria enfrentada pelo ministro Clemente Mariani, por quem fui convocado para uma ida a Nova York e Washington, a fim de acertar os ponteiros entre as negociações de Walther Moreira Salles nos Estados Unidos e as negociações européias. Num hotel em Nova York, em 16 de maio, vi o ministro empenhar-se numa negociação semelhante de consolidação de débitos de fornecimentos correntes de petróleo no valor de US$70 milhões, com representantes de empresas norte-americanas de petróleo, inclusive a Gulf e a Esso. Outro pensa-

---

[144] Carta ao presidente Jânio Quadros em 30.5.61. Arquivo pessoal do autor.

mento me ocorreu. Quão certo havia sido meu vaticínio a Juscelino de que a ruptura com o Fundo Monetário Internacional e o atraso na reforma cambial levaria o país à bancarrota!

Na referida carta a Jânio, expliquei a evolução das complexas negociações que abrangiam: 1. O problema da consolidação; 2. Créditos *standby*; 3. Créditos de curto prazo, e 4. Empréstimos para o desenvolvimento. No tocante ao último item, o único país realmente preparado para auxílio de longo prazo, superior a dez anos, era a Alemanha.

Minha preocupação no tocante a créditos de longo prazo era escapar à bitola habitual de dez anos, com vistas a prazos mais longos, isto é, acima de quinze anos, que considerava indispensáveis para empreendimentos na infraestrutura. Procurava também assegurar que uma parcela dos financiamentos fosse conversível em cruzeiros, para cobertura de despesas locais de construção civil e compra de equipamentos nacionais, procurando ainda evitar o sistema de créditos estritamente vinculados a fornecimentos do país financiador. Como o único país cuja legislação permitia investimentos da espécie era a Alemanha, concentrei então meu esforço em firmar o princípio da participação brasileira no Fundo Alemão de Desenvolvimento Econômico, que até então vinha sendo reservado para aplicação nos países mais tipicamente subdesenvolvidos da África e da Ásia.

AS AGRURAS
DO PÉRIPLO

Minha primeira parada na peregrinação financeira foi em Roma. Nossos débitos para com a Itália eram reduzidos e havia a complicação adicional de que não havia ainda sido votada a esperada "Lei Martinelli", que autorizaria a Itália a dar créditos financeiros. Até então a única forma de financiamento eram os créditos de exportação.

Figuei hospedado na sede da embaixada do Brasil, o recém-comprado palácio Doria Pamphili, na Piazza Navona, em frente ao magnífico chafariz de Bernini. Tinha sido uma excelente aquisição do embaixador Hugo Gouthier pois, a um preço relativamente baixo, havia conseguido um monumento arquitetônico italiano. Gouthier tinha sido antes autorizado por Juscelino a construir um edifício moderno para a embaixada, possivelmente com desenho de Oscar Niemeyer. Pediu ao governo italiano autorização para comprar um bloco de edifícios na Piazza Barberini. A autorização foi negada, com a sugestão de que se construísse um edifício moderno em lugar espaçoso, em bairro situado no caminho do aeroporto. Surgiu, então, a oportunidade de se negociar a compra do palácio Doria Pamphili, permissão relutantemente dada pelo governo italiano. Saímos ganhando na troca... A ironia da história é que o papa da família Pamphili — Inocêncio X — que reinou entre 1644 e 1655, havia confiscado os bens dos Barberini, aparentados com seu antecessor, Urbano VII, inculpando-os de extorsão.

Gouthier gozava de larga aceitação no círculo diplomático e burocrático da Itália e tinha adicionado à embaixada um elemento pitoresco. Contrastando com os bustos e pinturas clássicas da galeria, exibia na sala de estar uma coleção de pintores modernos, inclusive brasileiros. Pareceria uma cacofonia e, no entanto, compunha-se uma esquisita harmonia.

Alojei-me na câmara do papa Inocêncio X, na qual havia antigamente uma comunicação secreta para a *Chiesa*. Há afrescos com formas desnudas no teto, e, segundo a história medieval, Inocêncio X ali recebia sua amante, que passava da igreja à câmara amorosa por essa passagem secreta.

Fui visitado àquela ocasião, na embaixada, por Enrico Mattei, o controverso presidente da empresa estatal de petróleo ENI. Mattei era considerado grande inimigo dos *trustes* petrolíferos e nacionalista rábido. Em sua visita, indicou que a

ENI gostaria de cooperar com outra estatal, a Petrobrás do Brasil, e achava que sua colaboração, através da participação no esforço de pesquisa, deveria ser bem-vinda, pois ambas as empresas tinham que lutar contra o domínio dos *trustes* internacionais. Pedi-lhe que apresentasse uma proposta concreta, mas, ao voltar ao Brasil, não soube se seu projeto tivera seguimento. Mattei pereceu anos depois num desastre de avião que a crônica da época atribuiu à sabotagem de concorrentes internacionais.

Nossa dívida para com a Itália correspondia apenas a *suppliers credits*, fornecidos principalmente pelos dois maiores bancos governamentais, a Banca Nazionale del Lavoro e a Banca Comerziale. No primeiro, o meu interlocutor foi Ettore Lolli, figura importante no mercado bancário e segurador, que iria tornar-se mais tarde um de meus melhores amigos europeus, e, no segundo, Carlo Barbieri, pessoa de larga cultura e tino financeiro. Nas discussões com as autoridades italianas, que obviamente consultaram as agências de crédito de outros bancos europeus, ficou firmada uma estratégia. A missão brasileira teria negociações individuais com os países credores, ficando quaisquer concessões subordinadas a dois requisitos: a) aprovação pelo Clube de Paris, o qual então só se havia reunido uma vez para tratar da consolidação dos débitos da Argentina, e b) luz verde do Fundo Monetário Internacional, indicando que o governo brasileiro tinha um programa satisfatório de ajuste.

Em minha estada visitei Amintore Fanfani, então primeiro-ministro, que sabia amigo do Brasil pois residira algum tempo no Rio Grande do Sul. Eu o conhecia de leitura. Quando estudante de pós-graduação na Universidade de Colúmbia, um dos professores mais eruditos, Karl Polanyi, autor de um livro clássico de sociologia econômica, *The great transformation*, supervisionou um trabalho que apresentei intitulado "Uma interpretação institucional das leis medievais de usura". Nesse trabalho, eu citara muitas vezes um livro de Fanfani, *Le origini del spirito capitalistico in Italia*, publicado em 1933. Minha tese era uma crítica à teoria de Max Weber de que a ética protestante, oriunda da grande Reforma, estava na raiz da eclosão do capitalismo moderno. Argüía eu que, quando eclodiu a Reforma, a Europa já havia experimentado pelo menos um século de intensa atividade capitalista nas cidades italianas, notadamente Veneza e Florença, assim como no sul da Alemanha e em Flandres.

Relembrei, junto com Fanfani, nossas disquisições sobre os canonistas do *Quattrocento*, como São Bernardino, Santo Antonino e o cardeal Gaetano, que juntos urdiram justificativas para a cobrança de juros *ratione damni emergentis, lucri cessantis* e *debiti postulantis*. Fanfani gostou dessa excursão pela teologia medieval e prometeu inteiro apoio nas negociações.

Comentei com Fanfani que, para mim, o verdadeiro milagre da Itália, que iniciara sua escalada de crescimento na década dos 50, não era o desenvolvimento econômico e sim a conciliação entre crescimento econômico e instabilidade política. Era uma difícil arte de engenharia social.

— Nada disso — disse-me Fanfani. O governo italiano é o mais estável da Europa, apesar do constante rodízio de gabinetes.

Ante minha surpresa, explicou: — Em nenhum outro país europeu um mesmo partido governa o país ininterruptamente, ainda que em diferentes coalizões, desde a II Guerra Mundial. O similiar mais próximo é o Japão, onde o Partido Democrático Liberal está no poder desde 1955, através de suas diferentes facções. Na Itália, o Partido Cristão Democrático, que se iniciou sob a direção de De Gasperi, está no poder desde 1945. A verdade é que mudam os gabinetes, mas os ministros são substancialmente os mesmos. O senhor me vê hoje aqui como primeiro-ministro. Amanhã serei ministro do Exterior e tenho certeza de que daqui a dez anos, se voltar à Itália, encontrar-me-á em algum posto. O mesmo sucede com Segni, Andreotti, Moro, Colombo. Somos, na verdade, um país de grande estabilidade política.

Tive que conceder o ponto. Era um ângulo de que não me havia apercebido. No fundo, entretanto, acredito que o milagre da reconciliação entre crescimento econômico e instabilidade política está no fato de que o Banco da Itália, ainda que legalmente subordinado ao Tesouro, na prática adquiriu considerável grau de independência. Houve no pós-guerra mais de 50 gabinetes e apenas seis presidentes do Banco Central.

Quando saimos de seu gabinete, defrontamo-nos, como é habitual, com os *paparazzi*, isto é, os agressivos repórteres que por ali perambulam à espera de algum visitante ilustre. Quando se armaram as câmeras para o retrato, disse-me Fanfani, com ar brejeiro: — *Qui, finisce la democrazia e comincia la fotocrazia.*

Minha segunda parada foi em Berna, capital suíça. Eram pequenos os débitos brasileiros, sendo nosso maior interesse obter a participação suíça no crédito *standby* para socorrer a emergências cambiais do Banco do Brasil. Os entendimentos se processaram principalmente com o Banco Central do país, que promoveu discussões coordenadas com os três grandes bancos credores — a Union des Banques Suisses, a Sociètè des Banques Suisses e o Crédit Suisse. Previsivelmente, as autoridades suíças, país com tradição de moeda estável, debruçara-se com ânimo crítico sobre o problema de estabilização que havia sido formulado pelo ministro Clemente Mariani com a colaboração dos dois negociadores, Walther Moreira Salles e eu próprio.

Enquanto os italianos tinham uma saudável tradição inflacionária e provavelmente partiam do princípio cínico de que tanto o problema inflacionário como o de balanço de pagamentos do Brasil não eram susceptíveis de solução a curto prazo, com os suíços a coisa era diferente. Tendiam a considerar ambas as situações — a inflação e o desequilíbrio de pagamentos — não apenas como um pecado econômico, mas também como um deslize moral, que indicaria uma "sociedade frouxa". Foi mais difícil minha tarefa de persuasão, não faltando um detalhe pitoresco.

Num jantar oficial, sentei-me ao lado do presidente da Societé des Banques Suisses, o dr. Schweitzer, eminente figura de banqueiro com um toque de estadista. Com uma certa dose de mau gosto, resolvi, a determinada altura, queixar-me do puritanismo financeiro dos banqueiros suíços. Não apenas esperavam receber juros, mas tinham o desplante de acreditar que o principal também lhes seria pago. Recitei-lhe os versículos 34 e 35 do capítulo VI do Evangelho de São Lucas, santo remédio para embaraçar credores zangados:

Versículo 34: E se vós emprestardes àqueles de quem esperais receber, que merecimento é o que vós tereis? Porque também os pecadores emprestam uns aos outros, para que se lhes faça outro tanto.

Versículo 35: Amai, pois, a vossos inimigos: fazei bem, e emprestai, sem daí esperardes nada. E tereis muito avultada recompensa, e sereis filhos do Altíssimo, que faz bem aos mesmos que lhe são ingratos e maus.

Schweitzer esboçou um sorriso constrangido. Acredito que só se tenha convencido da minha retidão monetária e fiscal três anos mais tarde, quando, já no governo Castello Branco, dei cumprimento às promessas de saneamento financeiro e cambial que fizera durante minha visita à Europa e que, obviamente, foram prontamente esquecidas, após a sucessão de Jânio Quadros, por João Goulart.

Numa pré-libação dos problemas que se apresentariam em Paris com os *porteurs de titres*, também os suíços tinham uma reclamação a fazer, relativa ao empréstimo à Prefeitura do Rio de Janeiro, em 1904. Os portadores suíços não tinham feito a opção pelos planos A ou B prevista na grande negociação da dívida externa de 1943 e por isso os pagamentos haviam sido interrompidos. Tratava-se de um resíduo de pequena monta — US$800 mil — e já havia dinheiro bloqueado em Londres suficiente para essa liquidação entre os remanescentes do plano B. Recomendei ao Brasil que se fizesse imediatamente essa limpeza de terreno.

Minha terceira parada foi Paris, sob vários aspectos talvez a mais importante. Levava uma carta protocolar de Jânio Quadros ao presidente De Gaulle. Visitei-o em 31 de março de 1961, às vésperas dos feriados pascais.

Era um momento difícil. A situação econômica da França era ainda precária e a situação política conturbada. Explodiam bombas de plásticos, os famosos *plastiques*, colocados por terroristas argelinos em vários pontos de Paris. Uma delas explodiu perto do Banco de França, onde, poucos minutos antes, eu visitava seu presidente, o dr. Brunet.

De Gaulle havia enunciado, meses antes, seu propósito de descolonização da Argélia, assunto que dividia a população francesa e sobretudo as Forças Armadas, emocionalmente apegadas às conquistas do márechal Liautey na Argélia. De Gaulle resolvera lancetar o tumor da crise ao anunciar num discurso — do qual ficou famosa a expressão *Français, je vous comprend* — que ele estava dando uma guinada fundamental. Tendo sido chamado do exílio de Colombey les-deux-Églises, na esperança de que consolidasse o império francês, acabara aceitando a descolonização argelina. Já se haviam iniciado as delicadas negociações entre franceses e argelinos em Evian, cidade balneária às margens do lago Léman, chefiadas, do lado francês, pelo ministro Louis Joxe e, do lado argelino, por Ben Bella, um líder que, como saturninamente costumam fazer as revoluções, foi depois longamente aprisionado.

A entrevista com De Gaulle, interessante por traduzir alguns dos conceitos e preconceitos do general, descreverei em outro capítulo. Basta aqui notar que, no fim da entrevista, ele telefonou em minha presença ao ministro das Finanças, Wilfred Baumgartner, determinando que a França se propusesse assumir a liderança política das negociações, para cuja reunião final, dizia, o ministério das Finanças deveria oferecer as facilidades de Paris. Com efeito, o ministério das Finanças, que tinha então como diretor-geral André de Lattre, e como diretor de Operações Internacionais o competente inspetor de finanças Jean Sadrin, passou a exercer a coordenação burocrática das conversações com os diversos países e preparou os documentos a serem submetidos na rodada final do já então denominado "Clube de Paris". Anteriormente este só se reunira em Paris uma vez para a discussão da dívida da Argentina. Tornou-se um sucessor natural do "Clube de Haia" que, no imediato pós-guerra, fora o ponto focal das discussões sobre problemas de balanço de pagamentos dos países europeus, liquidação de débitos e discussão da restauração da conversibilidade das moedas.

Após a complexa negociação brasileira, o Clube de Paris passou a ser o ponto de encontro tradicional para as numerosas renegociações de dívidas dos países da América Latina, África e Ásia, que se sucederam no curso dos anos. Esperava eu, aliás, que aquela negociação fosse a primeira e última operação brasileira de mendicância financeira internacional. É por isso que leio com melancolia, no momento em que escrevo, as atribulações do ministro Marcílio Marques Moreira que, em fevereiro de 1992, trinta e um anos depois, acaba de obter um acordo de consolidação com o Clube de Paris, envolvendo não só débitos vincendos como até débitos vencidos e não pagos. Isso prova que, em trinta anos, o país não melhorou nem o seu grau de prudência, nem o seu grau de solvência cambial!

O embaixador brasileiro, àquela época, era Alves de Souza. Seu perfil era mais de diplomata político do que econômico. Interessava-se, entretanto, pelas discussões e, tratando-se de um homem extremamente avaro em matéria de elogios, elevou-me o moral ao dizer que, pela primeira vez, na sua experiência diplomática, o Brasil havia enviado um grupo tecnicamente competente e com documentação razoavelmente convincente, ingressando no processo negocial sem recursos a lirismos políticos.

Duas coisas me impressionaram nessa famosa estada em Paris. Primeiro, a deplorável negligência brasileira em resolver o problema dos *porteurs de titres* de companhias como a São Paulo Railway e a Vitória Minas, que tinham sido financiadas pelo lançamento de bônus no mercado europeu no começo do século. Desapropriadas essas empresas por Getúlio Vargas, durante a II Guerra, a um preço considerado pelos credores como meramente simbólico, colocou-se durante anos a fio o problema das compensações.

O processo rolava no Judiciário e na burocracia brasileira, sem solução. O próprio De Gaulle mencionou, logo no início da entrevista, que deveríamos, para começo de conversa, remover esse "lixo" que entulhava as relações franco-brasileiras. Como mero delegado para negociações de consolidação, carecia eu de autoridade para encaminhar qualquer solução para o problema dos *porteurs de titres*, agudíssimo em Paris e apenas um pouco menos barulhento em Londres. Limitei-me a recomendar ao governo pronta atenção ao assunto, a título de demonstração de *fairness*, e com o fito de remover obstáculos a qualquer negociação financeira futura que empreendesse o Brasil.

O assunto permaneceu irresoluto até o advento do governo Castello Branco, quando alinhei a solução desse problema entre as "áreas de atrito" de urgente eliminação. A disputa foi liquidada em 1964, de forma satisfatória para o Brasil e razoável para os credores.

Uma segunda impressão foi a da alta qualidade da tecnocracia francesa. Era surpreendentemente homogêneo o refinamento intelectual dos *inspecteurs des finances*, que formavam a maior parte da tecnocracia com que tive de negociar. Acredito que o sistema de recrutamento da administração francesa, a partir da École Nationale d'Administration, da École Normale e das escolas de engenharia, seja o mais refinado e consistente do mundo. Não encontrei nada de parecido com essa homogeneidade burocrática na administração norte-americana, com a qual mais tarde conviviria durante meu período em Washington, nem na burocracia inglesa, apesar de sua reconhecida eficácia na administração de um complexo império.

Isso faz com que, *inter alia*, o problema da privatização seja na França bem menos importante que em outros países, sobretudo os da América Latina. Na França costuma-se encontrar na gestão das empresas estatais administradores treinados nas mesmas fontes de que se abastecem as grandes empresas privadas (exceto, naturalmente, empresas familiares que ainda não adotaram administrações profissionais). No Brasil, o recrutamento para o gerenciamento das estatais é extremamente heterogêneo e altamente politizado, além de sofrer da instabilidade natural proveniente dos rodízios partidários. Nestas condições, é freqüente um vasto desnível de competência e flexibilidade entre os administradores estatais e o das grandes empresas privadas. Durante certo tempo, o DASP atuou como uma espécie de École Nationale d'Administration embrionária, mas o esforço não teve continuidade. Na realidade, somente quatro grupos burocráticos, recrutados por concurso, conseguiram manter um certo grau de homogeneidade profissional — o Banco do Brasil, o BNDE, o Itamaraty e as Forças Armadas.

Confirmou-se em Paris a estratégia já delineada em Roma, a saber, que primeiramente haveria entendimentos bilaterais com os países credores, seguidos por uma reunião de coordenação final em Paris. Essa reunião, na qual foi assinada a Ata de Paris, realizou-se em 24 de maio de 1961.

Minha terceira parada foi Londres. Ali, como na Suíça, encontrei uma postura assaz severa em relação à instabilidade inflacionária e ao endividamento brasileiro. A embaixada, depois da saída de Assis Chateaubriand, que ao mesmo tempo surpreendera e encantara os ingleses com seus exoticismos, estava ocupada pelo encarregado de negócios Antonio Castello Branco, meu colega de turma no Itamaraty.

As discussões foram centralizadas sob o comando de sir Leslie Crick, do Banco da Inglaterra, profundo conhecedor dos problemas latino-americanos, e em particular do Brasil, que visitava regularmente como observador do Banco da Inglaterra. Sir Leslie Crick foi depois extremamente cooperativo nas negociações finais do Clube de Paris. Visitei toda a comunidade bancária de Londres, notadamente o Lloyd's Bank, que tinha importante engajamento comercial na América Latina, e a Casa Rothshild, cujas vinculações com o Brasil datavam do período imperial.

Nos meus contatos com o Foreign Office verifiquei haver considerável curiosidade em relação ao real significado e alcance da "política independente" adumbrada por Jânio Quadros, cujos enfoques principais eram (a) Um apoio mais agressivo ao movimento anticolonialista; (b) Uma discreta simpatia pelo terceiro-mundismo e (c) Desatrelamento do Brasil da política pró-americana, através de gestos de simpatia por Cuba. Era até certo ponto uma "estratégia de pirraça".

O interesse britânico nos países latino americanos era limitado. Suas prioridades continuavam sendo os países da Commonwealth, para os quais se dirigiam os escassos recursos então disponíveis. Em matéria financeira, os ingleses defendiam uma posição bastante ortodoxa. Somente mais tarde viriam a experimentar o fenômeno conjugado da inflação interna e déficits de balanço de pagamentos que, em 1976, no governo trabalhista, os levaria à humilhante situação de recorrer ao Fundo Monetário Internacional. Este exigiu, como é de praxe, um severo programa de contenção fiscal, além de um reajuste realista na taxa cambial. E a discussão no Parlamento e na imprensa, a que assisti como embaixador em Londres, era redolente das mesmas acusações de "submissividade ao FMI e rendição ao capitalismo internacional" que até hoje caracterizam as disquisições brasileiras sobre o tema. Naquelas alturas (1961), nem os Estados Unidos nem a Inglaterra haviam conhecido o problema da *estagflação*, animal já conhecido na América Latina, mas que só viria a exibir sua feia face na Europa na década dos 70, particularmente após a primeira crise do petróleo.

Fiz também uma curta visita à Suécia, um país que já tinha importantes investimentos no Brasil. Os dois mais importantes grupos de investidores eram o de Axel Johnson, casado aliás com uma brasileira, e o do velho *tycoon* industrial Marcus Wallemberg, em cuja casa fui recebido. Além de líder de um grande complexo industrial, com ramificações mundiais assaz fortes no Brasil (Erickson, Electrolux, Scania Vabis), o grupo Wallemberg detinha também o controle do Enskilda Bank que, junto com o Scandinaviska Bank, tinham sido os principais financiadores do Brasil. Impressionou-me o alto nível técnico dos diretores do banco, com os quais mantive proveitosa discussão, não apenas sobre o débito brasileiro mas também sobre a problemática inflacionária já então crônica na América Latina.

Convidado pelo barão Carl De Geer do grupo do Enskilda Bank, visitei a cidade de Upsala e sua famosa universidade. No caminho, detivêmo-nos na casa ancestral dos De Geer em Löfstra, onde se mantinham conservadas velhas instalações de produção de ferro e aço de mais de cem anos, ali implantadas pelos ascendentes de De Geer, flamengos emigrados da Bélgica, e que trouxeram para a Suécia a tecnologia da produção de aço.

Aproveitei a oportunidade para entreter-me com dois economistas que há muito conhecia e admirava, Bertil Ohlin e Gunnar Myrdal. Eram economistas bivalentes, pois combinavam brilho teórico e ativismo político, transitando facilmente da academia para o parlamento. Ohlin foi líder do Partido Liberal e ministro do Comércio, e Myrdal, senador social-democrata e também ministro do Comércio e Indústria. Ganharam ambos o prêmio Nobel: Myrdal em 1974 e Ohlin em 1977. Myrdal com a peculiaridade de ter dois prêmios na família. Sua mulher, Alva Myrdal, que conheci na ONU como diretora do Departamento de Bem Estar Social, receberia o prêmio Nobel da Paz em 1982.

Eu ouvira aulas de Bertil Ohlin quando estudante na Universidade de Colúmbia, em Nova York, e conhecia bem sua contribuição para a teoria do comércio internacional, sintetizada no chamado "teorema Hecksher-Ohlin" sobre a equalização dos preços de fatores através do comércio internacional. Em artigo publicado na *Revista Brasileira de Economia*, de junho de 1950, intitulado 'Lord Keynes e a teoria da transferência de capitais', eu tinha esposado o ponto de vista de Ohlin em sua famosa controvérsia com Keynes sobre as reparações de guerra.

Conhecera Myrdal em Genebra, como diretor da Comissão Econômica da Europa, posto que exerceu por dez anos, entre 1947 e 1957, época em que compareci a várias reuniões do GATT. Depois com ele participei de seminários sobre desenvolvimento econômico organizado por Raul Prebisch. Tendo começado a vida como economista teórico, com importantes contribuições sobre teoria econômica e o papel das expectativas (a ele se deve a introdução dos conceitos de *ex ante* e *ex post* para marcar a diferença entre a intenção de poupar e investir e a realização efetiva de investimentos), tornou-se depois um importante cientista social. São seminais seus dois livros de análise sociológica, o primeiro sobre o problema dos negros na América e o segundo sobre o desenvolvimento do suleste asiático (*The Asian drama*).

Sempre achei realista a visão de Myrdal, que outros achavam pessimista, sobre a dificuldade de compatibilização, nos estágios iniciais, da democracia política com a acumulação capitalista; sobre os perigos da "causação circular", que faz com que a pobreza gere mais pobreza; e sobre os obstáculos ao desenvolvimento criados pela frouxidão e corrupção no cumprimento dos contratos (a *soft society*, por contraste com a sociedade contratualista). Myrdal se referia à *soft society* como uma doença típica do suleste asiático, particularmente da Índia, objeto principal de seu estudo, mas poderia estar falando também da América Latina.

Anos mais tarde, numa demonstração de imparcialidade que se tornou controvertida, a Academia Real de Ciências da Suécia fez partilharem do mesmo prêmio Nobel de economia, em 1974, duas personalidades de visão conflitante: Hayek, o grande patrono do liberalismo, e Myrdal, cultor devoto do *welfare state*. Este se dizia um social-democrata, oposto tanto ao liberalismo quanto ao socialismo marxista. Hoje, ante os abusos do assistencialismo nos anos 80 é muito possível que Myrdal sentisse mais afinidade com o ceticismo de Hayek sobre a benevolência do estado.

E o transbordamento do sucesso dos tigres asiáticos, para os seus vizinhos do suleste da Ásia, através de um saudável efeito-emulação, talvez o tornasse mais otimista sobre a possibilidade de transformação das *soft societies* em sociedades capitalistas eficazes.

Na Bélgica encontrei bastante simpatia, oriunda dos vínculos tradicionais, que, no plano histórico, datavam da visita do rei Alberto I e, no plano econômico, dos trabalhos pioneiros da Siderúrgica Belgo-Mineira. Além da ARBED, a grande *holding* do aço, cujos destinos estavam ligados ao Brasil através do cordão umbilical da Siderúrgica Belgo-Mineira, um outro influente grupo, o Solvay, tinha também antigos interesses na indústria química no Brasil. Esses contatos foram extremamente úteis para quebrar um certo grau de frieza do Banco Nacional da Bélgica, então dirigido por sr. Ansiaux, um monetarista convicto, que encarava com horror a esbórnia monetária da América Latina. Entretanto, quem mais me auxiliou nessa visita foi entretanto, Louis Camu, presidente do Banco de Bruxelas, que depois exerceria um papel extremamente construtivo quando das reuniões de finalização da Ata de Paris.

A visita à Holanda foi também breve. Os grandes pontos de contato no Brasil eram o Banco Holandês Unido, já aqui instalado, e a Phillips, com enorme tradição no terreno da eletrônica de consumo. Meus entendimentos principais no tocante à consolidação de dívidas foram com o Banco Holandês Unido e o Banco de Amsterdam.

O INCIDENTE
DE PANKOV

No plano financeiro, de longe as negociações mais importantes seriam na Alemanha Ocidental. As razões eram óbvias. A Alemanha Ocidental já era à época nosso maior investidor e parceiro comercial na Europa e, naturalmente, também nosso maior credor. Acresce que a Alemanha era o único dos países europeus que já tinha aprovado legislação específica sobre créditos de longo prazo para desenvolvimento, desvinculados da exportação de mercadorias. Era o Fundo Alemão de Desenvolvimento, que me interessava por ensejar uma mudança no estilo dos financiamentos. Várias das nossas obras de energia elétrica ou indústrias pesadas tinham sido financiadas com *supplier's credits*, obviamente inadequados quer em termos de prazo de carência quer de prazo de amortização.

Estava munido de uma carta de Jânio Quadros ao chanceler Adenauer. Não esperava ser recebido mas, para minha agradável surpresa, fui convocado e mantive uma conversa de 45 minutos com o "Chanceler de ferro". Essa conversa é descrita mais adiante.

Depois de me avistar com Adenauer, visitei Ludwig Erhard, o pai do "milagre alemão", então ministro da Economia. Como profissional do mesmo ofício, dele esperava uma acolhida mais cordial. Ouviu minha exposição financeira um pouco enfadado, entre baforadas de charuto, e acabou dizendo-me que proporia a criação de um comitê interdepartamental para a análise do caso brasileiro. Como é freqüente nos comitês interdepartamentais, havia uma ala dura e uma ala *soft*. A ala *soft* era representada pelo ministério do Exterior, então sob a chefia de Heinrich von Brentano. A ala mais dura, pelo ministério das Finanças, cujo negociador era Reinhart, assim como pelo Bundesbank.

Para minha felicidade eu tinha, como negociador, duas vantagens. Vários dos negociadores alemães lembravam-se de que, doze anos antes, as posições estavam invertidas. Eu trabalhava na Comissão Consultiva de Acordos Comerciais do Itamaraty, após a guerra, durante a penosa fase de reconstrução alemã. Os alemães eram então os mendicantes; solicitavam através de acordos de compensação bancária, créditos para o pagamento de fornecimentos essenciais como algodão, café e cacau do Brasil, produtos cuja exportação era por nós racionada no mercado mundial, a fim de maximizarmos o rendimento em divisas fortes. Moeda forte era o que os alemães não tinham. Sua moeda de pagamento, com a indústria desmantelada pela guerra, se limitava a uns poucos produtos como vinhos e brinquedos. Havia inclusive dúvidas sobre a viabilidade econômica da Alemanha, devastada e dividida.

Àquela ocasião eu tomei, no seio da Comissão de Acordos Comerciais do Itamaraty, uma posição generosa, favorável à concessão de quotas pedidas pela comissão negociadora alemã, chefiada pelo barão Von Maltzen. Dela fazia parte também Felix Prentzel, que eu viria a encontrar do outro lado da mesa na visita a Bonn, em 1961. Essa minha atitude não fora esquecida.

De outro lado, contava com dois apoios importantes. O primeiro era o do dr. Herman G. Abs, uma figura invulgar de financista e estadista, com grande sensibilidade musical e artística, que era então presidente do Deutsche Bank e foi depois presidente do Conselho de Administração da Mercedes Benz. Era desusadamente indulgente em relação a nossas esbórnias tropicais e compreendia minhas agruras · de negociador, pois fora o grande encarregado da composição das dívidas e do esquema de reparações alemães no imediato pós-guerra. Viria depois a conhecer bem o Brasil ao se tornar membro do Conselho de Administração da Brazilian Traction Light and Power.

Outro aspecto favorável era meu conhecimento com Karl Blessing, presidente do Bundesbank, que se familiarizara com meus trabalhos na formulação do Programa de Estabilização Monetária no governo Kubitschek e sabia das minhas preocupações antiinflacionárias e da minha defesa constante do realismo cambial.

As conversações para a consolidação de dívidas e concessão de créditos *standby* foram relativamente tranqüilas, com a participação do Deutsche Bank, do Dresdner Bank e do Commerz Bank. Mais difícil foi a aceitação, em princípio, da inscrição do Brasil como candidato a financiamentos do Fundo Alemão de Desenvolvimento, que, conforme antes assinalei, permitia empréstimos de prazo mais longo, entre 15 a 20 anos, mas que fora inicialmente reservado para os países de maior subdesenvolvimento relativo na Ásia e África. Somente depois de um meu apelo em carta a Von Bretano e uma intervenção pessoal de Abs junto a Adenauer, foi possível o assentimento do Comitê Interdepartamental a essa nossa pretensão.[145]

A recomendação obtida do Comitê Interministerial era no sentido de se atribuir ao Brasil, com preferência para projetos no Nordeste, US$50 milhões para desembolso em 1961-62, dentro das condições flexíveis do Fundo de Desenvolvimento e US$50 milhões em forma de créditos comerciais ampliados, podendo ir até 15 anos

---

[145] Cartas a Henrich von Brentano e Hermann G. Abs, de 25 de abril de 1961. Arquivo do autor.

de prazo. A inclusão do Brasil entre os candidatos a fundos de longo prazo foi aceita no comunicado da reunião de Paris, em 24 de maio, declarando-se o governo alemão "preparado para estender ao Brasil financiamentos de longo prazo e manifestando o propósito de iniciar negociações para a análise de projetos concretos". O *standby* montaria a US$32 milhões e os débitos consolidados a US$135 milhões.

Quando as negociações com a Alemanha Federal já estavam alinhavadas surgiu um incidente que quase invalidou meu esforço negocial e que certamente inviabilizaria o acordo de Paris. É que Jânio Quadros, seguindo a técnica da conciliação dos inconciliáveis, havia designado uma missão integrada por técnicos de agências governamentais, sob a chefia do jornalista João Dantas, que entre os meses de abril e junho visitou a Albânia, Bulgária, Romênia, Polônia, Tchecoslováquia, Iugoslávia e Hungria, para a conclusão e ampliação de acordos comerciais. Tratava-se de acordos bilaterais de comércio e pagamento, habitualmente firmados entre o Banco do Brasil e os bancos nacionais dos países respectivos (exceto no caso da Iugoslávia, onde se negociava de governo a governo). Não sei se deliberada ou acidentalmente, criou-se grande confusão no tocante aos entendimentos de Dantas com a Alemanha comunista, cujo governo era sediado em Pankov. O que anteriormente existia era apenas um ajuste internacional bancário, assinado em 23 de setembro de 1958 pelo presidente do Banco do Brasil, Paes de Almeida, e o delegado do Deutsche Noten Bank, George Kulessa.

Por sugestão de João Dantas, Jânio Quadros autorizou a extensão da missão negociadora à Alemanha Oriental em 12 de maio, sem explicitar que se tratava de missão meramente oficiosa. Poucos dias depois, em 16 de maio, atendendo a ponderações do ministro do Exterior, Afonso Arinos, Jânio expediu um memorando *secreto* ao Itamaraty, no qual esclarecia que a missão João Dantas à República Democrática Alemã não teria *caráter oficial*. Extrapolando de suas instruções, o embaixador Dantas passou a negociar um protocolo comercial e deu entrevista à imprensa alemã dizendo ter firmado um "Protocolo de conversações". Neste se continham expressões que, no jargão diplomático, implicavam algum grau de reconhecimento oficial. Os signatários designavam-se como "partes"; mencionavam-se propostas a ser feitas "aos dois governos"; o "representante brasileiro" recomendaria ao seu governo a proposta do "representante da República Democrática Alemã"; finalmente, o protocolo era assinado pelo "ministro do Comércio Exterior da República Democrática Alemã, Julius Balcow, e pelo embaixador do Brasil, João Dantas". Anunciava também a vinda ao Brasil do ministro Balcow, para assinar o pacto.[146]

---

[146] O incidente é descrito com riqueza de detalhes por Afonso Arinos em *A alma do tempo*, Rio de Janeiro, José Olympio, 1979, p. 939-944.

Manifestei imediatamente minhas apreensões ao secretário Arnaldo Vasconcelos, lotado em Bonn, que passou um telegrama ao Itamaraty indicando a grave repercussão da medida na Alemanha Ocidental. A Ata de Paris já fora assinada em 24 de maio, mas o governo de Bonn fez notar que politicamente lhe seria difícil dar implementação aos entendimentos. É que, por disposição legal, a República Federal estava obrigada a romper relações com países que estabelecessem relações diplomáticas com a República Democrática, como havia recentemente acontecido no tocante à Iugoslávia. Era o que então se chamava de "Doutrina Hallstein".[147] O momento era de suma tensão entre as duas Alemanhas. Poucas semanas depois, na reunião de cúpula de Viena, Kruschev daria um ultimato a Kennedy para a assinatura do tratado de paz entre as duas Alemanhas, o que implicaria reconhecimento da Alemanha comunista e abolição dos direitos das potências de ocupação. Colocou-se o perigo de conflito nuclear, de vez que o ultimato era inaceitável para o Ocidente. Em agosto de 1961, erguer-se-ia o Muro de Berlim.

Telefonei imediatamente a Vasco Leitão da Cunha, secretário-geral do Itamaraty, dando-lhe conta da explosividade emocional e política do problema. Este assumiu a responsabilidade de desautorizar, em 31 de maio, mediante comunicado oficial do Itamaraty, a iniciativa do embaixador Dantas. João Dantas não estava incumbido de nenhuma missão diplomática junto ao governo de Pankov e não podia por isso assinar convênios em nome do Brasil. Deveria agir como delegado comercial e não como embaixador.

Vasco Leitão da Cunha assumiu pessoalmente a responsabilidade, por não ter podido comunicar-se a tempo com o ministro Afonso Arinos. Em 30 de maio, em carta ao presidente Jânio Quadros, assim me expressei:

"Conquanto se reconheça na Alemanha Ocidental a inevitabilidade da ampliação de nossas trocas com a parte Oriental, qualquer aproximação que se revista de solenidade diplomática, que possa ser interpretada como um começo de reconhecimento político, provoca violenta reação. No momento, existe mesmo uma hipersensibilidade em relação ao problema, não só pela possibilidade de se reabrir a crise de Berlim, como por acontecimentos recentes que permitiram a abertura de um consulado da República Oriental alemã na Síria. Por disposição legal, aliás, a República Federal se vê obrigada a romper relações com países que estabeleçam relações diplomáticas com a República Democrática, como aconteceu recentemente em relação à Iugoslávia. Pareceria prudente não dificultarmos a conclusão de

---

[147] A Doutrina Hallstein só viria a ser abandonada em 1970, quando o chanceler Willy Brandt restaurou relações diplomáticas com a Alemanha Oriental.

entendimentos frutuosos com a Alemanha Ocidental, mediante prematura
aproximação política com a Alemanha do Leste, assunto que deverá ser
retomado mais tarde."

A reação de Jânio Quadros ao incidente foi despropositada e neurótica.
Determinou a Afonso Arinos que repreendesse o secretário Arnaldo de Vasconcelos
pela comunicação absolutamente realista que este enviara de Bonn. Queria que
Afonso Arinos demitisse Vasco Leitão da Cunha imediatamente, coisa que o
chanceler se recusou a fazer antes de ouvir as razões de Vasco. Este, entretanto,
com a elegância que o caracterizava, antecipou-se à determinação de Jânio
Quadros, apresentando seu pedido de exoneração.

Era um desastroso resultado. Vasco era um dos mais experientes e respeitados
diplomatas da carreira, *un chevalier sans peur et sans reproche*. E eu entrei em
aguda depressão por ter sido, por assim dizer, o detonador do processo, de vez que
fora o meu telefonema a Vasco Leitão da Cunha enfatizando a gravidade da situação e a necessidade de uma pronta correção, que o levaram a desautorizar publicamente o embaixador João Dantas.

Salvou-se entretanto o entendimento com a Alemanha. Mas em vista das complexas formalidades, o acordo com a Alemanha Ocidental acabou sendo assinado
em 23 de setembro de 1961, já no início do governo Goulart.

De volta a Paris, no Plaza Athénéé, encontrei à tarde o embaixador João Dantas
numa roda com seus assessores Villar de Queiroz e Guilherme Figueiredo, que o
haviam acompanhado na missão aos satélites socialistas. Referia-se depreciativamente à negociação na Europa Ocidental, que no seu ver ter-nos-ia dado uns míse-
ros US$300 milhões, enquanto que a sua negociação na Europa Oriental se havia
traduzido na abertura de créditos no montante de US$2 bilhões!

— Com a grande vantagem — dizia ele — de serem pagos não em moeda, e sim
em mercadorias.

Villar de Queiroz, bom e experiente negociador diplomático, sorria embaraçado ante o primitivismo do raciocínio. É que na Europa Ocidental havia efetiva
capacidade de fornecimento de mercadorias, e os acordos, ao restaurar nosso crédito, permitiam a retomada de um fluxo regular de financiamentos. O comércio
com os países da Cortina, de outro lado, se fazia através de acordos de troca,
sendo os saldos liquidados em conta de compensação. A maioria desses países
não tinha capacidade de fornecer mercadorias em caráter competitivo, incapacidade essa que se agravaria no curso do tempo e que seria brutalmente revelada
30 anos depois, com o colapso dos regimes socialistas. Em alguns dos países o
Brasil acumulou vultosos saldos em moeda-convênio, inconversível, que acabaram sendo liquidados com deságio, através de operações triangulares. O caso
mais conhecido foi o de nossos créditos à Polônia, configurados nas promissórias

que passaram a ser chamadas de "polonetas" e que figuram na categoria dos "débitos impagáveis".

Quando perguntei a Guilherme Figueiredo o que havia feito nessa expedição à Europa Oriental, respondeu-me realisticamente que "nos Balcãs tinha participado de "balcanais" e na Bulgária tinha cometido "bulgaridades"...

Se a negociação européia e os entendimentos preliminares com o Japão haviam tido bons resultados, a negociação de Walther Moreira Salles em Washington tinha sido simplesmente espetacular, talvez a melhor a que assisti em toda a minha longa experiência de mendicância financeira. O sumário apresentado a Jânio por Mariani assim se desfolhava:

"a) Negociações Moreira Salles:

Créditos prorrogados	
1. FMI	US$140 milhões
2. Eximbank	US$602 milhões
3. Bancos particulares	US$114 milhões
4. Companhias de petróleo	US$ 70 milhões
Subtotal	US$926 milhões
Créditos novos	
1. FMI	US$160 milhões
2. Eximbank	US$168 milhões
3. Tesouro	US$170 milhões
4. Bancos particulares	US$ 48 milhões
Subtotal	US$546 milhões
Créditos especiais	
1. Acordos do trigo	US$ 70 milhões
2. Doações ao Nordeste	US$ 34 milhões
Total das negociações em Washington	US$ 1.576 milhões

b) Negociações de R. Campos com a Europa e Japão:

1. Empréstimos consolidados	US$229 milhões
2. Créditos "standby"	US$120 milhões
3. Créditos de curto prazo	US$ 50 milhões
Subtotal	US$469 milhões
Entendimentos com o Japão	US$ 73 milhões
Total Europa/Japão	US$542 milhões"

A folga total obtida no conjunto pelas missões Moreira Salles/Roberto Campos assegurava ao Brasil uma posição cambial tranqüila, dando tempo e espaço para a solução do problema fundamental — o ajuste interno. Em conjunto, essas negociações abrangeram o montante de US$2.118 milhões, extremamente elevado para a época. Essa delicada arquitetura financeira, penosamente construída, ficou seriamente comprometida com o vendaval de instabilidade política resultante da renúncia de Jânio, em 25 de agosto.

O CLUBE DE PARIS

A reunião do Clube de Paris, em 24 de maio de 1961, foi o ponto culminante das negociações. A ela compareceram os representantes dos governos da Bélgica, França, República Federal da Alemanha, Itália, Holanda, Suécia e Reino Unido. Fiz uma exposição sobre a conjuntura brasileira e o programa de ajuste, uma das várias que faria ao longo de minha carreira, pois o Brasil é um país que vive prometendo ajustar-se, sem nunca o fazer. Moreira Salles relatou os entendimentos com o governo americano e o FMI. Foi inestimável o auxílio prestado por John Leddy, secretário-adjunto do Tesouro, e por Harold Linder, presidente do Eximbank. Segundo o formato que depois se tornou tradicional, edita-se um comunicado (Ata de Paris) na reunião multilateral, no qual se fixam as cláusulas gerais que são depois individualizadas em negociações bilaterais com os diferentes países credores, o que permite levar em conta peculiaridades no relacionamento comercial e de reinvestimentos. Assim o acordo bilateral com a Inglaterra foi assinado em 21 de julho de 1961, seguido pelo acordo com a Itália, em 3 de agosto. Já os acordos com a França e Alemanha viriam a ser concluídos em 19 e 22 de setembro, respectivamente, no ambiente conturbado pela renúncia de Jânio.

Os principais aspectos da consolidação européia foram os seguintes:

1. O Brasil pagaria aos exportadores europeus os créditos nos respectivos vencimentos, mas seria reembolsado pela diferença entre os pagamentos feitos e a anuidade máxima acordada. Essa anuidade seria de 20% dos pagamentos devidos em 1961 (a partir de 1º de junho), 3% dos devidos em 1962, 30% dos devidos em 1963, 5% dos devidos em 1964 e 65% dos devidos em 1965. A diferença entre a anuidade paga pelo Brasil e o total dos pagamentos aos exportadores constituiria a margem de refinanciamento dada pelos países participantes.

2. A consolidação seria por dez anos, vigorando a partir de 1º de junho de 1961 a 31 de maio de 1971, abrindo-se a possibilidade de, nos acordos bilaterais, alcançar-se prazo maior.

Em carta dirigida a Jânio Quadros pelo ministro Mariani em 4 de junho de 1961, sumariavam-se os resultados consignados na reunião de Paris, que haviam atingido US$459 milhões, se incluídos a consolidação de dívidas e os créditos *standby* e de curto prazo. A isso se deveriam acrescentar US$73 milhões, referentes a créditos japoneses, cuja negociação se formalizaria mais tarde, através de entendimentos diretos entre o Itamaraty e o Gaimusho (Ministério do Exterior do Japão).

Paralelamente ao refinanciamento dos compromissos comerciais brasileiros, labutei afanosamente para concluir em 15 de junho negociações com um consórcio de 53 bancos privados europeus da Alemanha, Bélgica, Inglaterra, Itália, Holanda, Suíça e Suécia. Nesse protocolo assinado em 31 de julho em Paris, esses bancos, com a aprovação dos respectivos governos, concediam créditos no valor de US$110 milhões ao Banco do Brasil, com a mesma finalidade do crédito aberto naquela ocasião pelo FMI. A utilização desses créditos se faria em três *tranches*: a primeira, de 30%, logo após a assinatura do protocolo; a segunda, em 1º de janeiro de 1962, e a terceira, a pedido do Banco do Brasil, até 1º de junho de 1962. O Banco do Brasil sacou só a primeira parcela, pois o terremoto político deflagrado pela renúncia de Jânio levou o FMI e os bancos privados a suspenderem desembolsos.

O episódio foi tão mais frustrante quanto a delicada engenharia financeira na Europa exigira um longo processo e um penoso périplo de três meses nas capitais européias.

UMA CONVERSA COM
PER JACOBSSON

Antes da conclusão das negociações em Paris, fui chamado pelo ministro Clemente Mariani a Nova York e Washington. Mariani fora convidado pelo secretário do Tesouro Douglas Dillon, que com ele se avistara durante reunião da Junta de governadores do BID, no Rio de Janeiro, em abril de 1961, para visitar Washington e presidir a fase final das negociações da missão Moreira Salles.[148]

Interrompi minhas andanças européias em obediência a essa convocação, que tinha dois propósitos: primeiro, coordenar minhas negociações com os entendimentos mais volumosos e abrangentes de Moreira Salles com as agências do governo americano; e segundo, obter um sinal verde do Fundo Monetário Internacional. Naquela altura, o governo Kennedy, supinamente interessado na conclusão rápida das negociações com o Brasil, e influenciado pelos assessores Arthur Schlesinger e Richard Goodwin da Casa Branca, que criticavam a "insensibilidade política do FMI", não condicionava seu apoio à manifestação desse órgão. Essa manifestação, entretanto, era considerada indispensável, seja pelos governos europeus, seja pelos credores privados.

Em 8 de maio de 1961, partimos de Nova York para Washington, Mariani, Moreira Salles e eu próprio, para entendimentos com Per Jacobsson, diretor gerente do FMI. A solicitação de apoio basear-se-ia apenas numa exposição de política financeira, sem nenhum acordo formal com essa instituição. O FMI estava favoravelmente predisposto, em virtude da coragem revelada por Jânio Quadros na reforma cambial da Instrução n.º 204, e do programa de austeridade anteriormente anunciado por Mariani. Era necessária, entretanto, alguma forma de exposição analítica do programa. Não tendo sido preparado no Brasil nenhum texto coordenado, fui encarregado de redigi-lo durante a viagem de quatro horas de trem de

---

[148] Quando Dillon se entrevistou com Jânio em Brasília, este lhe disse que seu governo "deveria ser apoiado por todos os meios possíveis porque era a última barreira à comunistização da América Latina". Em resultado do encontro, foram removidas as cláusulas de pagamento em dólares das compras de trigo, segundo o título IV da Lei n.º 480. Além disso, o governo americano fez doações substanciais da contrapartida em cruzeiro das dívidas, para que fossem aplicadas em projetos sociais. Jânio distribuiu arbitrariamente as somas doadas, chegando mesmo a incluir um certo montante para a reforma de instalações sanitárias no estado do Piauí!

Nova York a Washington. O documento apresentado a Jacobsson foi adequadamente descrito por Moreira Salles como "fantasmagoria ferroviária". A tarefa para mim não era difícil. Já havia preparado o programa de reforma cambial, submetido por Whitaker ao Fundo Monetário, a exposição sobre a situação econômica brasileira, engavetada por Alkmin, no começo do governo Kubitschek e o próprio PEM — Programa de Estabilização Monetária — que Juscelino submeteu ao Congresso em 1958, com resultados frustrantes. Minha *expertise* era assim inquestionável.

Tivemos uma reunião bastante amena com Jacobsson, que ficou de marcar, depois de estudar o papel, a reunião do *board* do Fundo Monetário para a terceira semana de maio. Depois da primeira visita a Jacobsson, em 8 de maio, retornamos a Nova York, pois Mariani tinha três tarefas específicas a executar. Tinha que negociar com bancos privados, primeiramente a prorrogação do empréstimo de US$200 milhões, com garantia ouro, sucessivamente renovado, e, em segundo lugar, renovar um empréstimo de US$58 milhões, vencível em agosto de 1961. A terceira missão, humilhante como a que eu enfrentara em Londres, e concluída em 16 de maio, foram entendimentos para concessão de um prazo de três anos para pagamento dos atrasados de petróleo da Petrobrás, no valor de US$70 milhões.

A reunião final com Jacobsson acabou sendo antecipada de dois dias, para 17 de maio, a pedido de Clemente Mariani, que teria de estar de volta ao Rio nesse dia para assistir ao casamento de sua filha Maria Clara com Sérgio Lacerda, e desejava, logo à chegada, anunciar o acordo global envolvendo o Fundo Monetário, os credores norte-americanos e os credores europeus.

Em 7 de junho de 1961 viria o *gran finale*. Nessa data Clemente Mariani, em carta a Jânio Quadros, sumariava o esforço de limpeza de terreno e abertura de perspectivas do Brasil no exterior.[149]

Lembro-me que durante o almoço de despedida que nos ofereceu Jacobsson ele me disse que, quaisquer que fossem as debilidades de argumentação em nosso documento, estava disposto a fazer um ato de fé em Jânio Quadros.

— Gosto dos estadistas escritores — disse ele — e parece-me que seu presidente é um escritor escorreito e profundo conhecedor da gramática. Intuitivamente, acredito nos estadistas escritores, dos quais os mais recentes no panorama europeu foram Churchill e De Gaulle.

E passou a contar seu contato com De Gaulle, em 1958, ao visitar Paris. De Gaulle fora reconvocado para o poder depois de um voluntário ostracismo durante a IV República. Entreteve-se por algum tempo a explicar sua preocupação de restaurar a glória e o poder da França como fator indispensável ao equilíbrio europeu.

---

[149] Os dados estão contidos na Exposição n° BR-286, de 4 de julho de 1961, apresentada por Clemente Mariani ao presidente da República. Arquivo Clemente Mariani. CPDOC/FGV, 61-07-04.

— Meu general — ter-lhe-ia dito Jacobsson — antes de pensar na glória da França é preciso restaurar o poder do franco. Sem moeda não há grande potência.

De Gaulle levou um choque, silenciando-se, meditabundo. A partir daí teria convocado Antoine Pinay que, com sua política de austeridade e o lançamento do empréstimo ouro, logrou em pouco tempo debelar a inflação e restaurar o franco.

— Espero que o mesmo aconteça no Brasil — murmurou Jacobsson, num visível esforço de autopersuasão.

A renúncia de Jânio que viria menos de três meses depois fez de Jacobsson um mau profeta. Aliás, fez de todos nós maus profetas...

Dois anos mais tarde, em março de 1963, quando San Tiago Dantas, como ministro de Jango Goulart, visitou em minha companhia o Fundo Monetário Internacional como parte do ritual de negociação, numa situação novamente crítica para o Brasil, lembrei o episódio a um Jacobsson embaraçado. Disse-lhe que talvez tivesse confiado "demais" em Jânio Quadros e parecia estar confiando "de menos" em San Tiago Dantas. Meditou ele por um momento e retrucou-me com um comentário sobre Calígula atribuído a Tácito: — *Omnium consensu capax imperandi nisi imperasset* (Pelo consenso geral seria capaz de governar se não tivesse governado).

A ALIANÇA PARA O PROGRESSO
E A
CARTA DE PUNTA DEL ESTE

Pouco depois de minha chegada ao Rio, aguardava-me uma nova missão. Era participar da delegação brasileira à reunião extraordinária do CIES — Conselho Interamericano Econômico e Social — em nível ministerial que se reuniria em Punta del Este entre 15 e 16 de agosto de 1961.

Fiel à sua tradição de "dar uma no cravo e outra na ferradura", Jânio Quadros compôs bizarramente a delegação. O chefe era Clemente Mariani, ministro da Fazenda, conservador em política e liberal em economia. Para surpresa geral, foi convidado para assessor Leonel Brizola, então governador do Rio Grande do Sul, que já havia embarcado numa retórica extremista, cultivando o nacionalismo de esquerda. Arthur Bernardes, ministro da Indústria e Comércio, e Luiz Simões Lopes, então presidente da Fundação Getúlio Vargas, eram de estirpe conservadora. Edmundo Barbosa da Silva e eu éramos também delegados. Servíamos de elementos de apoio e procurávamos manter a tradicional atitude prudencial do Itamaraty. Participavam ainda da delegação, como assessores, Hélio Beltrão, Celso Furtado, Ernane Galvêas e José Luiz Bulhões Pedreira.

A reunião extraordinária em nível ministerial havia sido convocada por iniciativa americana. Era a consumação do programa da Aliança para o Progresso que Kennedy havia lançado em seu famoso discurso de 13 de março de 1961 na Organização dos Estados Americanos. Era também a culminação de uma longa evolução, no sentido do maior engajamento norte-americano no desenvolvimento do continente, que tinha recebido especial impulso com o lançamento da Operação Pan-Americana por Juscelino Kubitschek, em maio de 1958.

Desde a campanha presidencial Kennedy vinha revelando atitude assaz crítica ante a política negligente dos Estados Unidos *vis-à-vis* a América Latina. A perda de Cuba e a desastrosa visita de Nixon, insultado na Venezuela e no Peru, passaram a ser temas da campanha eleitoral. A Operação Pan-Americana atuou, para usar uma expressão de Graydon T. Upton, então subsecretário do Tesouro para Assuntos Internacionais, como uma espécie de "catalisador operacional".

Mas a percepção da necessidade de uma mudança de política em relação à América Latina tinha começado antes. Talvez a conversão mais importante à causa tenha sido a de Douglas Dillon, a partir de sua participação como subsecretário do

Tesouro na conferência dos ministros da Fazenda em Buenos Aires, em agosto de 1957. Douglas Dillon viria depois, no governo Kennedy, a ser secretário do Tesouro, durante o lançamento da Aliança para o Progresso. Quando ainda subsecretário, subscrevera a Ata de Bogotá, de setembro de 1960, a que já fiz referência.

O nome Aliança para o Progresso nasceu pitorescamente. Relata Richard Goodwin que, numa excursão de campanha ao Texas, desejoso de criar uma denominação especial para a nova política latino-americana de Kennedy, relanceou por acaso num ônibus um periódico em espanhol intitulado *Alianza*. Buscava um sucedâneo imaginoso para a política da "boa vizinhança" de Franklin Roosevelt. *Alianza* parecia um bom nome. Mas *Alianza* para quê? Ao voltar a Washington, Goodwin mencionou seu problema a Karl Meyer, do *Washington Post*, um repórter que tinha grande interesse na América Latina. Este, após consultar um amigo — Ernesto Bittencourt, que trabalhava na Organização dos Estados Americanos e fora adepto de Fidel Castro, tornando-se depois dissidente — indicou que o nome era excelente mas seria preciso agregar-lhe conteúdo descritivo. Sugeriu a expressão *Alianza para el Desarrollo*. Goodwin objetou entretanto que, para o *yankee* Kennedy, com a sua pronúncia mista de irlandês e bostoniano, a palavra *desarrollo* seria impronunciável. Acordou-se então na palavra *progreso*, que tem um fácil correspondente em inglês — *progress*.[150]

Consta que entre os assessores de Kennedy chegou a ser discutida a hipótese de se adotar o nome jusceliniano de Operação Pan-Americana. Surgiram entretanto três razões negativas. Primeiro, o receio de se antagonizar Jânio Quadros, recém-eleito numa campanha vituperativa contra Kubitschek. Segundo, o fato de a concepção da Operação Pan-Americana ser assistencialista, pois acentuava a tônica de "auxílio" para o desenvolvimento, enquanto Kennedy desejava afirmar a tônica "reformista". Terceiro, o receio de ciúmes de outros países latino-americanos.

A conferência se reuniu no Hotel São Rafael, em Punta del Este. Os delegados que despertavam maior curiosidade eram Douglas Dillon, o secretário do Tesouro americano, que se esperava terçasse armas com Che Guevara, então ministro da Indústria em Havana.[151] Este vinha cercado de uma aura de revolucionário romântico. Participara do movimento reformista de esquerda de Jacob Arbenz na Guatemala, em 1953, derrotado pela intervenção da CIA, e fora um dos poucos sobreviventes da emboscada de Alegria de Pio, na qual as forças do ditador Batista por pouco não exterminaram os guerrilheiros de Fidel Castro na Sierra Maestra. Era uma figura de trato agradável, com roupa de combate, botas, uma boina preta

---

[150] Richard Goodwin, *Remembering America*, New York, Harper and Row, 1988, p. 109.

[151] Para assumir o ministério da Indústria, Che Guevara abandonara o posto de presidente do Banco Nacional, onde se divertia emitindo papel-moeda, assinado com o apelido de "Che". Chamava a revolução cubana de "socialismo com *pachanga*" (sense of humour).

e, fiel ao estilo castrista, compulsivo fumador de charutos. Para minha surpresa, revelou-se bom debatedor e razoavelmente familiarizado com a processualística parlamentar, coisa implausível ante o seu *background* de médico e revolucionário. Uma das mais interessantes figuras da Conferência era Don Pedro Beltrán, ministro da Fazenda do Peru, um banqueiro conservador de ampla cultura e bastante *sense of humour*. Che Guevara a ele se referia como *Don Pedro Beltrán el espantoso*. Lembro-me de seu queixume ao fim de uma longa reunião em que se propunham drásticas reformas na estrutura econômica e social da América Latina.

— *Nos sacan la tierra para darla a los pobrecillos* — dizia ele — *nos cargan de impuestos, si no los pagamos nos meten en la carcel. Después hablan de estabilidad social y politica y social en la America Latina!...*

Antes da conferência trabalhei arduamente na preparação de um documento substitutivo da proposta americana. Esta desenvolvia algumas idéias enunciadas genericamente no discurso de 13 de março do presidente Kennedy, que lançara em Washington o Programa da Aliança para o Progresso. O documento americano intitulado "Ajuste para o estabelecimento de uma Aliança para o Progresso dentro do quadro da Operação Pan-Americana" era bastante bem elaborado e representava considerável inflexão na política dos Estados Unidos. Propunha como objetivos gerais o desenvolvimento econômico, a mudança estrutural e a modernização política.

Contrariando a orientação anterior de ênfase sobre o capital privado e assistência técnica, o programa norteamericano envolvia substancial investimento de fundos públicos que poderiam alcançar US$20 bilhões num período de dez anos. Em contrapartida, exigia-se dos latino-americanos a apresentação de programas de investimento e de reforma, abrangendo reforma fiscal e reforma agrária. Admitia-se o "planejamento" como importante instrumento de progresso, contrastando com a ênfase anterior sobre o desenvolvimento espontâneo por via da iniciativa privada.

Ao passo que a Operação Pan-Americana era um grito de alarme e um pedido de assistência, sem especificação de reformas internas, a proposta americana da Carta de Punta del Leste, substancialmente aceita no final dos debates, colocava grande ênfase sobre as reformas estruturais — reforma fiscal, reforma agrária, habitação, saneamento e educação.

Trabalhei intensamente numa reformulação da proposta americana, que a tornasse aceitável para os demais países latino-americanos. Conseguiu-se chegar a um texto chamado "Documento 105", subscrito conjuntamente pelas delegações do Brasil, Argentina, Chile, Estados Unidos, México e Peru. Do lado americano, os principais colaboradores na formulação do documento foram Lincoln Gordon, John Leddy, secretário-assistente do Tesouro, Arturo Morales Carrión, secretário-assistente para os Estados latino-americanos e Richard Goodwin, assessor de Kennedy.

Ainda que consultor da delegação, Brizola não participava ativamente dos debates. Era, por assim dizer, um partido de oposição e tinha freqüentes atritos com Clemente Mariani, chegando mesmo a escrever uma carta de renúncia, quando não lhe foi permitido falar no plenário em nome da Delegação. Brizola não manifestava maior interesse no ideário reformista de Kennedy. Preferia acreditar que se tratava de uma nova artimanha norte-americana, um pouco mais simpática que as anteriores para, sob o pretexto de encorajar reformas, preservar sua dominação:

— Se quiserem nos ajudar sinceramente — dizia ele — por que não assinam um cheque em branco, pois somos nós que devemos decidir sobre reformas, projetos e prioridades?

Debalde tentei argüir com Brizola que postular reformas e exigir projetos não era nenhum absurdo imperialista. Como governador gaúcho, deveria saber que nem o Banco do Brasil nem o BNDE costumavam assinar cheques em branco. Para começo de conversa, se os Estados Unidos alocassem recursos aos países, sem reformas e projetos, surgiriam guerras regionais para decidir quem ficaria com o cheque maior. Aliás, uma clivagem já se havia manifestado em Punta del Este. Liderados pelo Uruguai, os países pequenos manifestavam apreensão ante um possível abiscoitamento de recursos pelos países maiores e de maior peso político na América Latina, *los grandes territoriales*, como os chamava o chefe da delegação uruguaia. Foi necessário inserir cláusulas que recomendavam atenção especial aos países de menor desenvolvimento relativo, os quais seriam beneficiários de um Fundo de Emergência. Quando o presidente do Uruguai suscitou a questão dos "resultados concretos", sem o que se evidenciaria o fracasso da Conferência, Clemente Mariani conseguiu evitar um confronto entre o presidente anfitrião e a delegação americana. Em conseqüência, Dillon fez uma oferta de US$60 milhões e desafiou os uruguaios a apresentar projetos concretos dentro de 90 dias. O único projeto apresentado foi o da ampliação de um manicômio em Montevidéu, o que revela que assistência técnica para projetos era um fator limitativo mais sério que a disponibilidade de recursos...

Brizola, aliás, já se havia transformado numa fábrica de conflitos. Em 1959, encampara a subsidiária da AMFORP — Companhia de Energia Elétrica Rio-Grandense — em Porto Alegre, e em janeiro de 1962 viria a encampar a Companhia Telefônica Nacional, subsidiária da ITT — International Telephone and Telegraph Company — a preços de confisco. Isso daria início a um longo contencioso com os Estados Unidos, que atravessou o período Kennedy e só veio a ser resolvido pelo presidente Castello Branco.

A retórica de Che Guevara era menos agressiva do que hiperbólica. As propostas cubanas eram nitidamente ideológicas. Abrangiam a estatização do ensino, a nacionalização de empresas estrangeiras dedicadas à agricultura e à exploração mineral, e a transformação de quartéis em escolas. A preocupação cubana fundamental não parecia ser dar vitória a seus pontos de vista, mas simplesmente provocar o debate de suas idéias e alardear as realizações do governo cubano. Uma das suas preocupações era acentuar que o ideário reformista da Aliança para o Progresso só fora proposto por Washington como reação à revolta de Cuba contra os Estados Unidos.

Guevara se estendia liricamente sobre as perspectivas de desenvolvimento industrial de Cuba. A industrialização e a fuga à monocultura seria, aliás, uma de suas obsessões. Chegou a predizer que Cuba figuraria em dez anos entre os maiores produtores de aço da América Latina!

Tempos depois, referindo-se a Che Guevara, o embaixador soviético em Washington, Anatole Drobrynin, diria a Richard Goodwin: — Che Guevara era impossível; ele queria uma pequena usina de aço, uma fábrica de automóveis. Nós lhe dissemos que Cuba não era suficientemente grande para dar suporte a uma economia industrial. Eles, os cubanos, precisavam de moeda forte e a maneira de tê-la era fazer aquilo que eles sabem melhor fazer — o açúcar.

Brizola ouvira com visível entusiasmo o primeiro discurso de Guevara e não conseguiu ocultar sua vibração quando das intervenções cubanas nos debates. Era evidente seu desejo de deitar fala, seguramente em consonância com os pronunciamentos daquele que tanto admirava. No decorrer da Conferência, Brizola acabou por compreender que as intervenções brasileiras obedeciam a uma diretriz comandada pelo chefe da delegação e executada pelos seus diversos membros, seja em moções, participação em comitês ou intervenções em plenário etc. Havia uma ordem de hierarquia, obedecendo a praxes que desconhecia. Daí suas reticências à ação de Clemente Mariani, que o tratava com toda a consideração, mas não lhe dava função específica. Essa incompreensão que, a qualquer momento, poderia resultar em atrito com Mariani, levou um dos delegados brasileiros a almoçar com Brizola, em companhia de um diplomata sediado no Uruguai, mas com algumas vinculações com o Rio Grande, a fim de fazê-lo entender que nada era feito por Mariani para diminuir sua importância como consultor. O chefe da delegação estaria sempre pronto a ouví-lo. A entrevista foi cordial, mas a compreensão foi nula. Uma noite, ao regressar tarde de um jantar, Clemente Mariani recebeu uma carta delicada de Brizola, na qual, invocando necessidade imperiosa de sua presença em Porto Alegre, comunicava seu regresso imediato à sua capital. Mariani certamente entenderia suas razões, e não se suscetibilizaria pela sua inopinada decisão de, sem aviso prévio, desligar-se da delegação.

Mariani, no dia seguinte, manteve longo contato telefônico com Afonso Arinos para evitar que o gesto de Brizola acabasse sendo mal entendido por Jânio. Mariani dera mostra de sua correção e integridade, pois só fora a Montevidéu para atender a um apelo formal do presidente, apesar de já estar demissionário do ministério da Fazenda. Dizia mais tarde que conseguira manter sigilo sobre sua demissão para não criar problema para a Missão. Entretanto, já havia concluído que não tinha condições para continuar a trabalhar com Jânio, dadas as repetidas ingerências deste até em problemas corriqueiros do ministério. Quando somou os "bilhetinhos" recebidos — 340 — chegou à conclusão de que não havia condições de trabalho consistente. Mas não queria dar ensejo a que sua saída, já decidida antes de partir para Montevidéu, fosse confundida com atritos com Brizola.

O MAU-OLHADO
DE CHE GUEVARA

Um episódio lateral interessante foi o contato entre Che Guevara e Richard Goodwin. É até hoje obscuro quem tomou a iniciativa da conversa que Goodwin descreve como "casual". Segundo o assessor de Kennedy, a primeira demonstração de interesse partiu de Che Guevara que, vendo Goodwin fumar charutos compulsivamente, teria dito a um dos delegados argentinos: — Aposto que ele não ousaria fumar charutos cubanos...

Quando o argentino repetiu essa conversa a Goodwin, ele respondeu que, ao contrário, gostaria de fumar cigarros cubanos mas eles eram simplesmente indisponíveis na América. No dia seguinte, Goodwin encontrou em seu quarto no hotel uma grande caixa de charutos com o selo cubano e desenhos das cores nacionais. Da chave pendia uma pequena bandeira cubana e um bilhete de Guevara que rezava: "Uma vez que não tenho cartão de visitas, tenho de escrever; uma vez que escrever para um inimigo é difícil, me limito a estender minha mão."

Dillon, consultado por Goodwin, teria em princípio aceito que houvesse um encontro sem compromissos. Mas retirou seu assentimento quando, em rábido discurso, Che denunciou a Aliança como imperialismo econômico, fadado a fracassar por ser irrealista "esperar que os privilegiados façam uma revolução contra os seus próprios interesses". E aludia ao "inexorável jogo das forças históricas", que trabalhavam a favor do comunismo.

Terminada a conferência, quando já hospedado no hotel Victoria Plaza, em Montevidéu, Goodwin relata ter sido convidado por um delegado brasileiro, presumivelmente Barbosa da Silva, para uma festa de aniversário em honra do delegado brasileiro na ALALC — Associação Latino-Americana de Livre Comércio. O aniversariante, em cujo apartamento se realizou a reunião, era Gerson Augusto da Silva, um dos nossos melhores fiscalistas que, cinco anos mais tarde, no governo Castello Branco, representaria o ministério da Fazenda na elaboração do Código Tributário de 1966. Aparentemente, havia uma pequena conspiração, armada por um membro da delegação argentina, o jovem Rodriguez Larreta, não se sabe sob a influência de quem, para ensejar um seu contato com Guevara. Este, acompanhado de dois guarda-costas, só chegou à festa às duas da manhã, ali permanecendo até às 5:30h. Viera de um comício em Buenos Aires, onde havia provocado grande tumulto. Durante a recepção, teria confirmado ao delegado argentino, Rodriguez Larreta, que gostaria de ter uma conversa privada com Goodwin. Este consultou Barbosa da Silva, que não manifestou objeções a participar desse encontro. Escapando ao barulho da festa, reuniram-se num quarto ao lado Guevara, Goodwin, Barbosa da Silva e Rodriguez Larreta.

Em 19 de agosto de 1961, Barbosa da Silva fez um relatório completo da conversa ao Itamaraty, retransmitido imediatamente a Jânio Quadros, que se aprestava para receber Che Guevara em Brasília. As versões de Barbosa da Silva e Richard Goodwin (em seu livro *Remembering America*) são substancialmente coincidentes. Houve um começo bizarro. Depois de algumas amenidades introdutórias, disse Guevara que devia agradecer aos Estados Unidos a invasão frustrada da Baía dos Porcos, que havia feito o povo cerrar fileiras em torno do governo da Revolução. Depois de ter ouvido um *don't mention it*, meio constrangido, de Goodwin, Che Guevara lhe disse do interesse de Cuba em manter relações com os Estados Unidos, porque, além da perda do mercado preferencial do açúcar, todo o seu sistema de transportes e equipamento industrial dependiam de peças de reposição dos Estados Unidos. Se houvesse esse reatamento do comércio, Cuba estaria disposta a vincular parte de sua receita de exportação de açúcar para indenizar as propriedades americanas desapropriadas. E ajuntou que não era intenção do governo cubano atacar Guantanamo, o que apresentava como prova das suas boas intenções. A esta altura, Goodwin replicou: — *What a pity! because if you did, we could have reciprocated!*

Ou seja, tentado o ataque, unir-se-ia a opinião pública americana para adotar medidas mais drásticas contra o governo de Fidel.

Durante a conversa, Goodwin mostrou interesse em saber se Fidel, durante sua permanência em Sierra Maestra, havia tido acesso à literatura marxista, para aprofundar seus conhecimentos e preparar um programa de governo. A resposta de Che Guevara foi pronta: — Fidel nada sabia, nem lia sobre marxismo. Se alguém conhecia alguma coisa, era eu! Os livros raros, que disputávamos entre nós, eram romances policiais, que devorávamos para vencer o tédio da espera!

Vasco Leitão da Cunha havia sustentado que Fidel procuraria consolidar-se no poder, mas não iria comunizar o país, pois não iria trair velhos companheiros de luta, que não eram comunistas. Mas, boicotado pelos Estados Unidos e vendo esvaziar-se seu discurso revolucionário, acabou caindo sob a influência do Partido Comunista cubano, que tinha poucos seguidores, mas uma cúpula muito ativa. E Fidel ter-se-ia afastado de alguns de seus melhores amigos da jornada de Sierra Maestra, à medida que o minúsculo PC, certamente monitorado pela Rússia, veio a fornecer-lhe elementos para consolidar seu controle sobre Cuba.

A entrevista, supostamente secreta, provocou grande celeuma nos Estados

Unidos. Goodwin já era acusado de esquerdista e o incidente agravou as acusações. Até o moderado David Rockefeller se juntou ao radical de direita, senador Burke Hickenlooper, para expressar desconfiança sobre o papel de Goodwin no tocante a assuntos latino-americanos. Goodwin, como é freqüente entre os "liberais" americanos, costumava referir-se depreciativamente à empresa privada na América Latina como composta de "elites egoístas"...

Dois meses depois da Conferência, em 23 de outubro, eu ouviria a estória contada pelo próprio Goodwin, durante almoço na embaixada em Washington para o qual convidei também Dean Acheson, antigo secretário de Estado, e Arthur Schlesinger, assessor da Casa Branca. Eis a comunicação que enviei ao Itamaraty sobre esse almoço:

> "O titular cubano teria principiado por enumerar certas dificuldades norte-americanas em relação a Cuba, a saber, a) O fato de que a revolução cubana é irreversível, inexistindo a possibilidade de conversão de Fidel Castro a uma linha mais moderada, porquanto o mesmo está convencido da necessidade do socialismo em Cuba. Mesmo resolvido o problema cubano, existiriam outras Cubas em perspectiva no continente. A seguir, o senhor Guevara teria enumerado as seguintes dificuldades enfrentadas por Cuba: a) A existência de atividades terroristas, levadas a cabo pelo "underground"; b) A oposição da Igreja Católica; c) A oposição da burguesia mercantil e dos pequenos proprietários que se recusam a aceitar o regime socialista; d) A falta de peças sobressalentes para a manutenção de equipamento industrial e de transporte, de produção e fabricação americana, implicando a paralisação da indústria; e) Escassez de divisas para compra em países ocidentais. Terminada essa análise, Guevara disse a Goodwin que, em face do quadro por ele apresentado, os Estados Unidos nada perderiam em reabrir seu comércio com Cuba, desejando ele saber se algum auxílio poderia ser proporcionado dentro da Aliança para o Progresso. Acrescentou Goodwin haver achado simplista e ingênuo o raciocínio de Guevara, baseado nas premissas anteriores. Assinalou igualmente o assessor presidencial americano as divergências existentes entre o discurso otimista pronunciado por Guevara na Conferência de Punta del Este e a análise feita recentemente no "Congresso da Produção", em Havana, que apontara as sérias deficiências da produção de bens de consumo e descumprimento das metas de produção cubanas."

Um ponto enfatizado no relatório de Barbosa da Silva e não mencionado por Goodwin, era a insistência de Guevara em que Cuba, por ser um país socialista, nutria natural simpatia por sistemas semelhantes, mas isso *não implicava aliança política*. Edmundo Barbosa, depois que Goodwin se retirou alta madrugada, frisou a Guevara a importância dessa declaração de que as simpatias ou afinidades do regime cubano não seriam levadas ao ponto de uma aliança política, ou outra forma de afiliação com a União Soviética.

Guevara anunciou o desejo de se avistar com os presidentes Frondizi e Quadros, motivado aparentemente pelo seu interesse em obter desses governos a reafirmação de uma linha não-intervencionista, que afastasse qualquer hipótese de intervenção coletiva para imunizar Cuba de influências soviéticas.[152]

Apesar de idolatrado como símbolo romântico da luta revolucionária contra o imperialismo americano, Guevara parecia mais um homem de mau olhado, comprometendo a carreira de várias personalidades que contactou após Punta del Este. O primeiro prejudicado foi o próprio Goodwin, que acabaria perdendo espaço na Casa Branca, sendo afinal deslocado para o Departamento de Estado, onde sua ação ficou cerceada pelo novo secretário-adjunto para a América Latina, Edwin Martin, homem de forte personalidade, que via com maus olhos a interferência de assessores presidenciais nas decisões do Departamento de Estado.

Em Buenos Aires, Guevara planejara uma entrevista "secreta" com o presidente Arturo Frondizi, coisa impossível de vez que a espionagem militar acompanhava todos os passos do presidente. O vazamento da notícia provocou reações desfavoráveis na imprensa e grande irritação dos militares, que passaram a acusar o chanceler Mojica de acomodação com os comunistas. Mojica acabou sendo demitido dois meses depois, numa tentativa de Frondizi de aplacar desconfianças. Mas ele próprio, Frondizi, estava consideravelmente debilitado e, em março de 1962 seria derrubado por um golpe militar.

De Buenos Aires, Guevara se dirigiu a Brasília para uma entrevista com Jânio Quadros. Isso nada teria de anormal pois Guevara exercia a função de ministro da Indústria. Mas houve o incidente da condecoração que Jânio lhe outorgou, com estardalhaço publicitário, em 19 de agosto, uma semana antes da renúncia. Isso parecia ser parte da "estratégia de pirraça" com os Estados Unidos, uma das idiossincrasias de Jânio. O gesto, obviamente, não foi visto com simpatia pelos militares, mas quem mais capitalizou o protesto foi Carlos Lacerda, que tinha chegado a Brasília no mesmo dia em que ocorrera a condecoração.[153] O episódio, que Lacerda julgava mais pitoresco do que propriamente importante, serviu-lhe depois de munição quando, em discussão com Pedroso Horta, ministro da Justiça, passou a suspeitar que Jânio Quadros planejara o estabelecimento de um regime

---

[152] Ofício secreto da embaixada em Washington ao Itamaraty, n.º 1191, de 23.10.61. Arquivo do autor.

[153] O surrealismo da condecoração de Che Guevara teve um repique também bizarro. No mesmo dia, 19 de agosto, Lacerda, de regresso ao Rio, condecorou, em represália, o líder anticastrista Manoel Antonio de Verona, da Frente Revolucionária Democrática Cubana. O episódio ficou conhecido como a "guerra das condecorações".

de exceção, alegando sua impossibilidade de obter do Congresso as reformas necessárias.

Outro atingido pelo mau olhado de Guevara foi o chanceler Afonso Arinos. Como relata ele em suas memórias, não assistira à conversa com Guevara, nem sequer sabia da decisão de Quadros de condecorá-lo. Entretanto, anos mais tarde, em 1964, houve quem propusesse a cassação de seus direitos políticos, em virtude das simpatias esquerdistas reveladas no episódio da condecoração.[154]

A única participação de Arinos havia sido a transmissão a Jânio Quadros de uma proposta de carta a ser enviada ao governo cubano, pedindo a cessação das perseguições religiosas em Cuba. O pedido viera do Núncio Apostólico, acompanhado de um minucioso relatório do Vaticano.

O próprio Guevara marcharia mais tarde para um destino trágico. Em 1965, abandonou Cuba para dedicar-se a uma aventura revolucionária na Bolívia, onde acabou sendo aprisionado e morto em La Higueras, na Serra de Pucarai, em 1967. São até hoje obscuros os motivos do estremecimento entre Fidel e Guevara. Há quem estabeleça uma distante analogia com a cisão Stálin-Trostki. Este último queria universalizar a revolução comunista, enquanto Stálin acreditava exeqüível a "revolução num só país".

Fidel, depois de várias tentativas frustradas, e humilhado pelo recuo na crise dos mísseis, adiara temporariamente a idéia de exportar a revolução para a América Latina. Irrealisticamente, Che se insurgiu contra a traição "russa", quando Kruschev cedeu ao ultimato americano para a retirada dos mísseis.[155] Em seu último discurso público, em Argel, em fevereiro de 1965, Che, amargurado, denunciou os russos por imporem relações econômicas "imperialistas" aos países subdesenvolvidos. E desenvolveu, em seu livro *Guerra de guerrilhas* a teoria do "foquismo", isto é, a criação de vários focos revolucionários contra a cidadela capitalista.

O revolucionário romântico escolhera um mau lugar para implantar a revolução castrista. Como observou Goodwin, a pobreza por si só não é combustível para uma revolução ideológica, e sim a coexistência entre pobreza e privilégio. Na Bolívia todos tinham ficado pobres depois da revolução de 1952, que distribuiu a terra aos camponeses e acabou com a oligarquia do estanho. Não havia muito que tirar dos ricos.[156]

---

[154] Afonso Arinos, *A alma do tempo*, op. cit, p. 917.

[155] Conta-se que Anastas Mikoyan, sobrevivente de vários expurgos de Stálin e primeiro-ministro adjunto, que foi enviado a Cuba por Kruschev para explicar a um irritado Fidel Castro o recuo de Moscou no caso dos mísseis, teria, "após uma análise da situação cubana", concluído que o "socialismo é incompatível com a rumba"... Enquanto isso avultavam os protestos nas ruas de Havana, com o refrão: "Nikita, Nikita / O que se da no se quita".

[156] Richard Goodwin, op. cit., p. 206.

O sonho da Aliança para o Progresso como uma revolução transformadora na América Latina não teria vida longa, mas isto é história para outro capítulo. Naquela ocasião, ao sairmos de Punta del Este, tive a impressão de que alcançáramos genuíno progresso na montagem de um sistema de desenvolvimento na América Latina. Assim me referia eu aos resultados da reunião extraordinária do Conselho Interamericano que criou a Aliança para o Progresso, e que representava um avanço significativo em relação ao último episódio de coordenação do movimento interamericano, ou seja a Ata de Bogotá, de setembro de 1960:

> "Os resultados da reunião extraordinária do CIES, em nível ministerial, representam a aceitação total de pontos de vista defendidos persistentemente pelo Brasil, mais especialmente após o lançamento da Operação Pan-Americana.
>
> Esses resultados podem ser, em seus aspectos mais relevantes assim resumidos: 1) aceitação da idéia de metas de desenvolvimento aferíveis em termos tanto absolutos quanto relativos. Em termos absolutos, foi aceita a meta de uma taxa crescimento da renda "per capita" superior a 2,5% ao ano. Em termos relativos, foi aceita a tese de que se impõe uma redução da distância entre os países desenvolvidos e os subdesenvolvidos, no tocante ao nível de renda individual; 2) aceitação da idéia de programação global como base do esforço de desenvolvimento da América Latina e conseqüente abandono da idéia de que a assistência financeira deve ser atendida apenas para a execução de projetos específicos; 3) afirmação da intenção americana de financiar o esforço de desenvolvimento dos países latino-americanos; 4) aceitação da idéia de que o grosso dos financiamentos seja feito por capitais públicos, abandonando-se, dessarte, a tese algo irrealista de que o desenvolvimento deve ser primordialmente por investimentos privados; 5) admissão da necessidade de reformas institucionais, capazes de assegurar que o esforço de desenvolvimento não significará apenas um aumento da riqueza global, mas também uma divisão mais equitativa dos frutos do desenvolvimento econômico; 6) estabelecimento de um mecanismo internacional capaz de facilitar a obtenção de financiamentos não só de fontes norte-americanas, mas também de entidades financeiras internacionais e de outros países industrializados".[156]

Pouco depois, em Washington, a OEA designaria, para operacionalizar a carta da Aliança para o Progresso e analisar projetos e programas dos diversos países, o

---

[156] Relatório da delegação brasileira à Reunião Extraordinária do CIES, em nível ministerial, em Punta del Este (5 a 17 de agosto de 1961), p. 25. Arquivo Clemente Mariani, CPDOC/FGV, CMa. 61.06.26.

chamado "Comitê dos Nove Peritos", do qual participaria Rômulo de Almeida. O "desenvolvimentista" intelectualmente mais forte do grupo era o professor húngaro Paul Rosenstein-Rodan, naturalizado inglês, muito conhecido dos brasileiros como professor do MIT e da Boston University. Rodan, que se tornou meu grande amigo, era uma figura pitoresca. Tinha especial tolerância pela esbórnia inflacionária, preocupando-se mais em estimular o crescimento segundo a teoria do *big push*, isto é, o avanço simultâneo de investimentos, mutuamente reforçantes em várias frentes. Lembro-me de uma sua famosa estória. Quando consultor do Banco Mundial, recebeu a visita de um ministro da Fazenda de país da América Central. Este se derramou em elogios à notável estabilidade de preços e da taxa cambial do dólar em seu país.

— E o crescimento econômico? — perguntou Rodan.

— Estamos atravessando um período de estagnação, — respondeu o ministro.

— Então, — treplicou Rodan, — não é vantagem, pois a castidade não é virtude se for devida à impotência.

O Comitê dos Nove Peritos foi apenas o primeiro dos órgãos colegiados a tentar a instrumentação da Carta de Punta del Este. Um ano depois, ante o lento progresso das reformas sociais na América Latina e dos desembolsos norte-americanos, analisados na Conferência do CIES no México, em outubro de 1962, foram convidados dois ex-presidentes, Juscelino Kubitschek e Alberto Lleras Camargo (Colômbia), para apresentarem sugestões de dinamização da Aliança. Dessas recomendações, apresentadas a uma reunião de ministros da Fazenda e da Economia em São Paulo em novembro de 1963, nasceu um novo organismo de coordenação — o CIAP (Comitê Interamericano da Aliança para o Progresso), do qual eu viria a participar entre 1964 e 1967, como ministro do Planejamento do governo Castello Branco.

A SURPRESA DA RENÚNCIA

Ao voltar ao Rio, em junho, uma surpresa me aguardava. Fui chamado por Afonso Arinos que me comunicou o envio de uma mensagem de Jânio ao Congresso, indicando-me para embaixador em Washington. Desta vez, Jânio não se dera ao trabalho de consultar-me.

Longe estava eu de imaginar que uma pessoa e um tema engajariam minha atenção nos próximos três anos. O tema era a Aliança para o Progresso. A pessoa, Leonel Brizola. Meu projeto de vida mudaria drasticamente.

Jânio Quadros apresentou sua renúncia em 25 de agosto de 1961. As razões para esse gesto permanecem até hoje obscuras. A interpretação mais plausível é a de que seria um golpe teatral, contando ele com uma reação popular que o reconduzisse ao governo com poderes discricionários. Havia precedentes históricos. O mais nobre, que talvez figurasse nos sonhos de Jânio, fora o de De Gaulle, que abandonara voluntariamente o poder em 1947, indo para o seu retiro em Colombey-les-deux Églises até que o conflito da Argélia e a deterioração político-moral da IV República o trouxessem de volta. Havia o exemplo de Nasser, por quem Jânio nutria estranha admiração. Derrotado na guerra contra Israel, renunciou e acabou, após comoção popular, retornando como ditador. O precedente menos nobre era o de Péron, na Argentina, que, afastado pelos militares em 1945, voltaria ao poder nos braços de uma rebelião popular. Ou talvez pensasse Jânio na retirada e retorno de Getúlio, que, deposto em 1945, voltaria nos braços do povo nas eleições de 1950.

Elemento ponderável nos seus cálculos terá sido talvez a consciência que tinha da profunda suspicácia dos militares em relação ao esquerdismo de Goulart e os devaneios de sua *entourage* sobre a implantação de uma república sindicalista. A ausência de Goulart em missão à China comunista era um elemento conjuntural agravador da suspicácia.

Os indícios de que Jânio planejava algo indefinido eram escassos e raros. Relata Afonso Arinos que, ao receber em Brasília a visita do presidente Manoel Prado, do Peru, foi chamado de urgência por Jânio para uma conversa assaz críptica. Convidando-o para um whisky no Alvorada, Jânio, sem precisar o motivo da urgente convocação, relatou-lhe aereamente que, em Londres, se conserva uma luz vermelha sempre acesa sobre o palácio do Parlamento. Cada cidadão inglês — dizia o presidente — pegaria em armas para evitar que aquela luz simbólica se apagasse. Era a luz da liberdade do povo; o sinal de participação no governo do Estado. De chofre, perguntou a um Arinos embasbacado: — Ministro, Vossa Excelência pegaria também em armas para defender este Congresso que aí está?[157]

Raimundo Padilha relatou também a Edmundo Barbosa da Silva que ficara surpreso quando, durante uma audiência, Jânio passara a criticar duramente o Congresso, onde reconhecia "somente 15 ou 16" representantes que lhe mereciam respeito, dentre os quais se encontrava, naturalmente, o próprio Padilha...

Afonso Arinos diria depois que, além de razões pessoais inexplicáveis, havia uma razão institucional para a renúncia: a contradição entre a concentração de poder nas mãos do presidente da República e a fragmentação dos partidos em virtude da representação proporcional. O Brasil seria, diz ele, um dos poucos países que admitem um sistema dual de presidencialismo e representação proporcional. Tancredo Neves enumeraria três fatores: a falta de comunicação entre o Executivo e alguns setores fundamentais como o Congresso e as Forças Armadas; a falta de instrumentos operacionais para a governança, em virtude da desatualização da Constituição de 1946, que enfraquecera exageradamente o Executivo; e os efeitos imprevisíveis da reforma cambial.[158]

O que foi imprevisível foi a surpreendente eficiência do Congresso, numa sexta-feira em que raramente há quorum, no registro da renúncia, rapidamente definida como um "ato unilateral". Ao Congresso somente caberia registrá-la.

Segundo versão atribuída ao marechal Odilo Denys, os três ministros militares, ao saberem da carta de renúncia (prontamente aceita por Auro de Moura Andrade e José Maria Alkmin) foram, muito comovidos e apreensivos, pedir a Jânio para retirá-la, pois se a rasgassem ele poderia escrever outra. Jânio os tratou com a maior rispidez, mantendo sua decisão. Ao saírem da sala, o brigadeiro Grün Moss deu conta de que havia esquecido o quepe e voltou para apanhá-lo. Qual não foi sua surpresa ao encontrar Jânio às gargalhadas com seus auxiliares imediatos. Ele

---

[157] Afonso Arinos, *A alma do tempo*, p. 972/973.

[158] Entrevistas de Afonso Arinos e Tancredo Neves à *Folha de São Paulo*, em 23.08.81. Apud, Lourdes Sola, op. cit, p. 287. Continua obscura a participação de Carlos Lacerda no episódio. Em entrevista na televisão, em São Paulo, depois de sondagens do ministro da Justiça Pedroso Horta sobre seu apoio a uma reforma da Constituição para limitar os poderes do Congresso, Lacerda insinuou que o comportamento de Jânio apresentava perigos para a normalidade constitucional. Relata Juracy Magalhães, em entrevista concedida à revista *Momento Legislativo* (agosto de 1993, n.° 27, p. 15) que, consumada a renúncia de Jânio, recebeu um telefonema de Carlos Lacerda dizendo que o Jango não iria assumir a presidência. E acrescenta: "Lacerda articulava desesperadamente seu próprio nome, numa eleição indireta pelo Congresso".

havia contado com a repulsa militar a Jango, e esperava que Denys, Heck e Grün Moss organizassem uma junta militar e realizassem um levante, após o qual ele seria chamado para que pudesse assumir de novo o governo, aí já com poderes discricionários para alterar a Constituição. Como os ministros militares não tomaram as rédeas do governo e ficaram em Brasília, foram surpreendidos pela rapidez da ação de cúpula do Congresso. Perderam o controle da situação e atemorizaram-se pela reação do general Machado Lopes, que sucumbiu ao movimento de "defesa da legalidade", encabeçado por Brizola. Este mal poderia imaginar que, cerca de 30 meses depois, não só não poderia impedir a fuga daquele que ajudara a assumir a presidência, como teria, a seu turno, de marchar para o exílio!...

Na realidade, como nota o historiador Skidmore, vários antagonismos haviam sido gerados por Jânio Quadros que, compositamente, explicam a passividade da população e a pressurosa aceitação da renúncia pelo Congresso. Skidmore lista seis fatores de antagonismo: 1) A inquietação de políticos ameaçados pelo estilo inquisitorial de Jânio; 2) O receio da burocracia, ameaçada de expurgos e demissões; 3) A preocupação de industriais e comerciantes com os efeitos recessivos do programa de ajuste; 4) A frustração dos políticos udenistas, que imaginavam ver em Jânio um elemento dócil e encontraram um governante imprevisível; 5) O oficialato, confuso com as inovações da política externa de Jânio Quadros; 6) Os líderes trabalhistas e intelectuais de esquerda, que se queixavam do sacrifício social desigual pedido pelo programa de estabilização e questionavam a ausência de prioridades de desenvolvimento econômico.[159]

As atitudes de Jânio em política externa nunca foram fáceis de entender. Havia dificuldade em separar o que era convicção histórica do que era gesticulação teatral. A explicação convencional, e provavelmente a única racional, é que Jânio fazia um constante ato de equilibrismo entre "ortodoxia econômica" no plano interno e "heterodoxia compensatória na política internacional".

Ao lançar as bases da "política externa independente" administrada por Afonso Arinos e depois desenvolvida por San Tiago Dantas no Itamaraty, Jânio retomava parte do ideário da Operação Pan-Americana de Kubitschek, adicionando-lhe uma nuance nacionalista, e explorava a margem de flexibilidade deixada pelo impasse entre as superpotências na era da bipolaridade. No plano concreto, as manifestações heterodoxas de Jânio começaram antes da posse, com as exóticas visitas a Cuba e ao Egito. Vieram depois (a) As críticas ao patrocínio americano na invasão da Baía dos Porcos, em nome do princípio de não-intervenção; (b) A ênfase sobre o anticolonialismo, através da política africanista, depois retomada no governo Médici; (c) A ênfase sobre o comércio com os países do Leste (como alternativa

---

[159] Ver Thomas Skidmore, *Brasil de Getúlio a Castello*, 8ª edição, Paz e Terra, 1985.

ingênua à hegemonia ocidental); e (d) O apoio ao restabelecimento das relações diplomáticas com a União Soviética (concretizada por San Tiago Dantas no governo Goulart) e com a China (concretizada no governo Geisel).[160]

Com a renúncia de Jânio Quadros em agosto de 1961, vários dos acordos bilaterais específicos não chegaram a ser implementados, e a maioria dos compromissos de desembolso dos empréstimos norteamericanos foi sustada.

Caberia ao próprio Walther Moreira Salles, como primeiro ministro da Fazenda do governo parlamentarista de Jango Goulart, e a San Tiago Dantas, como segundo ministro da Fazenda no período janeiro/junho de 1963, após a restauração presidencialista, a penosa tarefa de recolher os cacos do vaso de confiança quebrado. E a mim, como embaixador em Washington, ajudá-los nessa angustiada tarefa. Walther e eu passaríamos de arquitetos de reconstrução financeira a consertadores de ruínas.

Duas vezes, em menos de um decênio, estaria a economia brasileira exposta a duros choques políticos. Em ambos os casos, os líderes explicavam seus gestos em função de fatores externos, ou diabos invisíveis. Getúlio Vargas, em sua carta-testamento, se referia às forças e interesses anti-populares contra ele desencadeadas. Jânio Quadros, em sua carta de renúncia, às "forças terríveis". Em ambos os casos os demônios estavam intramuros. Nem Getúlio nem Jânio possuíam a suprema virtude democrática: paciência na administração dos conflitos. Quando penso em ambos, não posso deixar de refletir na veríssima sentença da Helena shakesperiana: *"Our remedies oft in ourselves do lie which we ascribe to heaven"* (Muitas vezes em nós mesmos está o remédio que nós imputamos aos céus).

---

[160] As relações comerciais com a União Soviética haviam sido estabelecidas em dezembro de 1959, pela missão chefiada por Edmundo Barbosa da Silva. Foram objeto de um "termo de entendimento" entre os chefes das duas delegações, já que um acordo formal de comércio seria considerado como "reconhecimento implícito", o que Juscelino não se julgava em condições de fazer, devido à resistência da Igreja e de certos círculos militares.

MISSÃO JUNTO À CASA BRANCA

◆

O ALGODÃO
ENTRE CRISTAIS

Encontrei-me com San Tiago Dantas em sua casa da rua Dona Mariana, em Botafogo, numa tarde chuvosa de setembro de 1961. Ele acabara de ser convidado para ministro do Exterior no primeiro gabinete parlamentarista do governo João Goulart.[161]

— Você está condenado a ser o algodão entre cristais — disse-me ele. Agora mesmo, talvez mais do que antes, é que você precisa ir para a embaixada em Washington. Apesar de meus esforços e das inclinações basicamente mansas de Jango, ele poderá ser levado pela esquerda negativa a assumir posições radicais. Isso faz necessário termos em Washington alguém que conheça profundamente a psicologia e a política norte-americana e tenha uma visão realista da nossa conjuntura interna. Além disso, o ponto crucial de nossas relações será econômico e você, melhor que ninguém, está equipado para isso pela sua longa experiência, quer na Comissão Mista Brasil-Estados Unidos, quer no BNDE, quer no governo Kubitschek.

San Tiago costumava dizer que a tarefa da "esquerda positiva" deveria ser evitar a ruptura de diques" e criar "ilhas de racionalidade".

Respondi a San Tiago que já havia iniciado entendimentos para passar à iniciativa privada. Estava decepcionado com a vida pública e precisava reforçar minhas combalidas finanças, pois como burocrata nada amealhara. Isso, entretanto, seria secundário. A dificuldade realmente importante era que um embaixador é um representante pessoal do presidente da República. Presume-se, no mínimo, num posto delicado como Washington, que tenha afinidades eletivas com as diretrizes presidenciais e capacidade de acesso imediato ao presidente. Eu não tinha ligações, nem ideológicas nem pessoais, com João Goulart. Isso era uma série desvantagem que nenhum artifício de esperteza diplomática poderia elidir.

---

[161] Em meados de julho, San Tiago havia sido convidado, e, em princípio aceito, ser o chefe da Missão Permanente na ONU, o que implicaria o temporário sacrifício de sua carreira política. Jânio o escolhera entre três nomes para substituir o embaixador Cyro de Freitas Valle, que deixava a Missão na ONU . Os outros nomes propostos pelo ministro do Exterior. Afonso Arinos, eram Prado Kelly e Bilac Pinto. Pouco depois, com a renúncia de Quadros. San Tiago viria a ser ministro do Exterior no gabinete parlamentarista de Tancredo Neves. Ver Afonso Arinos. *A alma do tempo*. p. 971.

— Roberto — continuou San Tiago — você não pode se negar a essa tarefa patriótica. E depois, ainda que você não tenha ligações pessoais com Jango, tem-nas comigo, o ministro do Exterior. Nossa amizade é antiga, nossa proximidade de pontos de vista considerável. E não vejo ninguém melhor no horizonte.

Logo depois chegou Tancredo Neves, já eleito primeiro-ministro. Tancredo reiterou o convite de San Tiago.

— Se você — disse-me ele — tem a confiança do ministro do Exterior e do primeiro-ministro, terá também a do presidente.

E pediu-me logo a seguir que, antes de embarcar, fizesse um esboço de programa de governo.

— Você — acrescentou Tancredo — já tem experiência nisso. É useiro e vezeiro em planejamento, desde a Comissão Mista Brasil-Estados Unidos e o Plano de Metas do Juscelino. A rigor, no Brasil, os problemas não mudam; apenas se tornam mais difíceis — concluiu com um muchocho irônico.

Meus contatos anteriores com Tancredo Neves tinham sido durante o governo Kubitschek. Como superintendente do BNDE, eu acompanhava Lucas Lopes nas reuniões do conselho da SUMOC, presididas pelo ministro da Fazenda José Maria Alkmin. Tancredo Neves delas participava como diretor, desde abril de 1956, da Carteira de Redescontos do Banco do Brasil, função que acumulava com a vice-presidência do Banco.[162] Intrigavam-me as sutis farpas que os três ilustres mineiros trocavam entre si. À saída de uma das reuniões ousei perguntar ao Alkmin qual o significado das alusões misteriosas. Com sua voz de baixo enrouquecido, respondeu-me ele: — Não queira entender, Roberto, disputa do PSD mineiro é assunto para adultos...

Dediquei-me nos dias antes de partir para Washington a alinhavar um programa de governo. Tancredo tinha razão. Não variavam os problemas nem as soluções propostas. Reuni em meu apartamento do edifício Amsterdam, na Avenida Atlântica, no Leme, o advogado José Luiz Bulhões Pedreira, e passamos noites a fio, juntamente com o Mário Simonsen, cujo invulgar talento estava apenas desabrochando, no afã de costurar um plano de governo. Mauro Salles, assessor de imprensa de Tancredo, se encarregaria de dar polimento literário.

Bulhões Pedreira havia trabalhado no BNDE e na COPLAN, organismo de planejamento criado por Jânio Quadros sob a direção de Cândido Mendes de Almeida.

---

[162] Tínhamos uma antiga divergência econômica. Como diretor do Banco de Crédito Real de Minas Gerais, e conselheiro de Juscelino, então governador de Minas, Tancredo se opusera ao Plano de reforma cambial do ministro José Maria Whitaker, em 1955, do qual eu era o principal inspirador. Acredito que as hesitações de Juscelino, quando lhe foi proposta, no início do seu mandato presidencial, a implantação de um regime de taxas flutuantes de câmbio, refletisse em parte a influência de Tancredo.

A COPLAN herdara todo o acervo de pesquisas e planos acumulados pelo velho Conselho do Desenvolvimento do governo Kubitschek.

Fizemos às pressas um programa para o governo parlamentarista. Era um *pot pourri* das idéias desenvolvimentistas da época, com forte ênfase, naturalmente, sobre o "impostergável problema de curto prazo" — a inflação. O programa listava sete objetivos gerais, inclusive, com lírico otimismo, uma taxa de crescimento real de 7,5% ao ano; a promoção do pleno emprego, a redução das tensões oriundas da má distribuição de renda, a redução das desigualdades regionais, a melhoria do balanço de pagamentos e a correção de deformações estruturais da economia... *Excusez du peu...*

Mencionava-se a necessidade de reformas institucionais, como a criação do Banco Central e do Banco Rural, assim como a reforma da legislação bancária e medidas de estímulo ao mercado de capitais. Talvez a coisa mais sensata do programa fosse a recomendação de uma taxa cambial única, fixada em nível realista, de vez que o regime de taxas múltiplas se tornara desnecessário em virtude da reforma tarifária de 1957, que estabelecia tarifas *ad valorem* como instrumento de proteção. Mesmo isso era um retrocesso em relação à livre flutuação da taxa de câmbio, implantada pela Instrução n.º 204, de Jânio Quadros, que teve de ser abandonada depois da crise política da renúncia.

Contemplavam-se três níveis de planejamento: o Plano de Emergência do Conselho de Ministros (1961), o Plano Qüinqüenal e o Plano Perspectiva (20 anos).

Várias dessas idéias viriam a ser posteriormente implementadas no governo Castello Branco (Banco Central, Lei do Mercado de Capitais, Plano Decenal), testemunhando o longo hiato entre a idéia e a execução, hiato agravado pela extrema instabilidade política da época.

Ao concluirmos, exaustos, a tarefa, pilheriou Bulhões Pedreira que tínhamos fabricado um "Programa das Tesouras", porque a monotonia dos problemas brasileiros nos permitia simplesmente recortar textos de bolorentas propostas... O PEM (Programa de Estabilização Monetária) de Kubitschek (1958), o Programa de Emergência de Tancredo Neves (1961), o Plano Trienal de Celso Furtado (1963) e o Programa de Emergência de Castello Branco (1964) foram todos ensaios tecnocráticos, dos quais só o último tornou-se um compromisso político firme do chefe da nação. Foi também o único a surtir efeito na contenção da crônica moléstia inflacionária.

A grande e desastrosa inovação na metodologia de combate à inflação eclodiria vinte anos mais tarde com a vitória dos heterodoxos do Plano Cruzado. Estes iniciaram os congelamentos e confiscos que provocaram a "estagflação" dos anos recentes.

UM EMBAIXADOR
POR METAMORFOSE

Minha indicação para Washington, por Jânio Quadros, me viera como uma surpresa. Eu tinha retornado da missão financeira à Europa, da qual me desincumbira satisfatoriamente. Era o problema, que eu julgava temporário, e que depois se revelou irritantemente permanente, da consolidação da dívida externa. Jânio Quadros se impressionara com comentários favoráveis à minha visita em carta que recebeu do general de Gaulle, da qual só vim a saber anos depois. Após ter recusado convites para Bonn e Paris, seja pelo fastio de missões governamentais, seja por discordar da guinada "nacionalista" de Jânio Quadros, aparentemente destinada a agradar o público interno da esquerda brasileira, pela qual eu sempre mantive robusto desprezo, Jânio não perdeu tempo com novas consultas. Em julho de 1961, enviou ao Senado mensagem com minha indicação para a embaixada em Washington. O governo americano concedera o *agrément*. Fui notificado disso pelo ministro Afonso Arinos.[163]

— Essa missão — disse ele — o senhor não pode recusar pois é um coroamento de carreira.

A mensagem ao Congresso não teve tramitação burocrática até a renúncia de Jânio Quadros, em agosto de 1961. Recuperara eu, assim, a liberdade para passar ao "outro lado da cerca", a iniciativa privada. Mas o apelo de San Tiago Dantas operou a metamorfose de transformar-me de embaixador de Jânio Quadros em embaixador de Jango Goulart. Uma esquisita metamorfose, que me seria lançada em rosto, anos depois, por

---

[163] A primeira escolha de Jânio Quadros para embaixador em Washington fora Walther Moreira Salles. "Esse homem — dissera-me Jânio Quadros, ao me convidar para embaixador em Bonn — tem enorme faculdade de persuasão. Considero uma façanha ter representado em Washington, com êxito, governos tão diferentes como os do Getúlio e Kubitschek". Walther recusou o convite, alegando precisamente que, por já ter estado duas vezes no cargo, uma terceira incumbência revelaria falta de imaginação, quer da parte do incumbente, quer da parte do mandante. Confidenciou-me depois ter dito ao Jânio que "Roberto Campos seria, pela sua experiência e conhecimentos em Washington, o mais indicado para a tarefa". Após meu retorno das negociações financeiras na Europa, Jânio não se deu ao trabalho de convidar-me. Simplesmente determinou que o Itamaraty pedisse *agrément* ao governo americano, o que foi feito em 17 de junho de 1961, e, obtida resposta favorável, enviasse ao Senado a mensagem de indicação.

Carlos Lacerda, deliberadamente esquecido de que, como funcionário de carreira, eu estava cumprindo uma missão e não fazendo uma opção ideológica.[164]

Esperavam-me dias assaz atribulados, uma vez que a atitude brasileira em relação a Washington, se não confrontacionista, estava longe de ser cordial.

Minha estada em Washington coincidiu, aproximadamente, com o período dos "mil dias" do presidente Kennedy. Com a "Nova Fronteira", Kennedy lançava um estilo de governo que se pretendia idealista e reformista. A política em relação à América Latina e ao mundo subdesenvolvido se caracterizaria pelo abandono do "maniqueísmo" da era Eisenhower. John Foster Dulles, o secretário de Estado de Eisenhower, considerava o neutralismo um sinal de indiferença ética, pois implicaria colocar num mesmo plano o totalitarismo e os valores democráticos. Arthur Schlesinger, que se tornou um dos principais assessores de Kennedy, sumariava os principais aspectos da política de Dulles como sendo "a confiança exclusiva no poder nuclear, a fé nos pactos militares, a intolerância em relação aos neutros e a concepção da diplomacia como um sub-ramo da teologia".[165]

Kennedy achava, diferentemente, que o melhor meio de conter a expansão soviética era estimular uma conduta "independente" dos países do Terceiro Mundo. Encarava o nacionalismo como um aceitável antídoto contra o comunismo.

— Importante — dizia ele — não é que os países "pensem" como os Estados Unidos, mas que "não pensem" como a União Soviética.[166]

Nesse mundo pluralista, as nações seriam livres para buscar suas próprias fórmulas de salvação, desde que não subvertessem o balanço mundial do poder. Dulles tinha sido um ideólogo. Kennedy se pretendia um pragmático. "Um idealista sem ilusões", como costumava dizer.

Henry Kissinger disse certa feita que alguns governos novos pretendem reformar o mundo: mas há alguns que chegam a pretender criá-lo de novo. O governo da "Nova Fronteira" de Kennedy estava nesta última categoria.[167]

---

[164] Três anos mais tarde, numa famosa carta-catilinária dirigida ao presidente Castello Branco, diria Lacerda a meu respeito, com sua inexcedível mordacidade: "Esse tecnocrata encontra justificação para qualquer política e sempre servindo-se do mesmo jargão econômico."

[165] Arthur Schlesinger, *A thousand days*, Boston, Houghton and Mifflin Company, 1965, p. 299.

[166] Em política externa os democratas eram menos ideologizados que os republicanos. Dean Acheson, o ex-secretário de estado de Truman, criticava severamente a "pactomania" de seu sucessor John Foster Dulles, que pressionava os países para uma opção entre o Leste e o Oeste. "Tanto faz para nós se eles (os países) ficarem afastados, desde que não caiam sob o imperialismo sino-soviético". Apud Douglas Brinkley, *Dean Acheson*, Yale University Press, 1982, p. 42.

[167] Washington vibrava com brilho intelectual e um entusiasmo um pouco ingênuo. Questionavam-se as antigas certezas da modorrenta era Eisenhower. Mas duras provas estariam por vir para o jovem time de Kennedy. Lembro-me de duas piadas da época. Uma era a da moça que recorrera ao juiz para o terceiro divórcio. Explicou que continuava insuportavelmente virgem: o primeiro marido fora um homossexual; o segundo, um velho inapetente para os prazeres da carne; e o terceiro, um jovem intelectual que se sentava na cama, sem planos carnais, imitando-se a exaltar a excitação dos planos da Nova Fronteira... Depois, quando em 28 de maio de 1962 ocorreu uma crise na Bolsa de Valores, reminiscente do *crash* de 1929, dizia-se que se havia descoberto o *cocktail Kennedy* — *stocks on the rocks*...

Quando cheguei a Washington, em 2 de outubro de 1961, a imagem do Brasil estava longe de ser a de uma potência emergente. O brilho da aventura desenvolvimentista de Kubitschek e da transição democrática para Jânio Quadros desaparecera com a renúncia deste último. Ficara apenas uma impressão de instabilidade, e no plano econômico, de frustração, porque Kennedy se havia esforçado grandemente, frente a um Congresso hostil, para propiciar a renegociação da grande dívida externa herdada de Kubitschek.

A transição para o parlamentarismo foi recebida em Washington com alívio, pois afastava a perspectiva de uma guerra civil. Duvidava-se, entretanto, de sua eficácia funcional. Poucos analistas políticos estavam preparados para apostar na estabilidade dessa solução, resultante de uma acomodação emergencial e não de profunda opção política. A penosa reaproximação com o Fundo Monetário Internacional, cuja luz verde fora necessária para a renegociação da dívida externa, estava assim interrompida.

Um fator tranqüilizante, certamente, foi a designação de Walther Moreira Salles para o ministério da Fazenda. Tratava-se de personalidade conhecida e respeitada em Washington. Não sendo da carreira, havia ocupado aquela embaixada duas vezes, uma no governo Getúlio Vargas, de junho de 1952 a agosto de 1953, e outra no governo Kubitschek, de agosto de 1959 a fevereiro de 1960. Logo ao deixar a embaixada em Washington foi-lhe cometida por Jânio Quadros, recém-empossado, a tarefa de negociação da vasta dívida externa deixada pelo governo Kubitschek. Como narrei no capítulo X, Walther fez o trabalho em Washington, enquanto eu cumpria missão semelhante na Europa Ocidental.

Walther Moreira Salles e eu temos um ponto de contacto: servimos de ponte de ligação entre vários governos. No governo Vargas, quando ele era nomeado embaixador em Washington, tornei-me o primeiro diretor econômico do BNDE. Quando voltou, pela segunda vez à embaixada em Washington, em agosto de 1959, eu acabara de exercer a presidência do BNDE no governo Kubitschek. Tínhamos partilhado tarefas, sobrevivendo a governos. Num país conhecido por sua instabilidade política e descontinuidade administrativa, trata-se de um miraculoso exemplo de continuidade.

A FASE DE
"COOPERAÇÃO CONFIANTE"

Ansiosos por limitar as repercussões desfavoráveis da severa derrota da abortada invasão de Cuba, o governo norte-americano, e Kennedy pessoalmente, se haviam empenhado a fundo num programa de consolidação de dívidas e de abertura de novos créditos para o Brasil, a fim de apoiar o programa de reconstrução financeira do presidente Quadros. Kennedy havia ficado pessoalmente mortificado pelo fracasso da aventura da invasão cubana, e, conseqüentemente, pelo namoro fidelcastrista de Jânio Quadros. Não foi sem algum esforço de "racionalização" que se lançou nesse inusitadamente amplo programa de auxílio. Essa racionalização pragmática consistia em interpretar a atitude brasileira como sendo de alcance meramente tático, sem qualquer contaminação ideológica. No balanço dos resultados, acreditavam os planejadores da "Nova Fronteira" que a "abertura para a esquerda" de Jânio fosse um preço "populista" a pagar internamente, pela adoção de uma política conservadora no plano financeiro, e reformista no plano social.

Como o "neutralismo brasileiro" parecia incapaz de afetar substancialmente o equilíbrio internacional de forças, ao passo que a inflação poderia levar a um cataclisma social favorável à esquerda, entendiam os Estados Unidos que a heterodoxia política de Jânio Quadros seria de sobra compensada pelo saneamento econômico e financeiro que o consideravam capaz de empreender. Reconhecia-se também que, impossibilitado pela inflação e pelo descalabro cambial, de erguer a bandeira desenvolvimentista de Kubitschek, e compelido pelas circunstâncias a um programa interno de austeridade, o único meio imediato de projeção da imagem presidencial seria uma afirmação agressiva da personalidade externa do país, respondendo a uma profunda reclamação nacional. Esse o *rationale* do apoio norte-americano aos generosos esquemas financeiros negociados por Moreira Salles em Washington. Esse apoio foi também importante nas negociações que eu próprio conduzira com governos e bancos comerciais europeus. Todos eles reconheciam a América Latina como uma "área de interesse especial" para os Estados Unidos. Mas, ao contrário de Washington, insistiam numa "luz verde" do FMI.[168]

---

[168] O brilhante acordo Moreira Salles não foi condicionado à luz verde do FMI. Primava àquela ocasião o desejo de Kennedy de recompor a posição norte-americana na América Latina, após a derrota da Baía dos Porcos, e o Brasil seria parte importante nesse desenho. Alguns dos assessores de Kennedy, notadamente Arthur Schlesinger e Richard Goodwin, não escondiam sua aversão

Quando cheguei a Washington para assumir a embaixada, em 2 de outubro de 1961, tudo havia mudado. Jânio Quadros renunciara, aparentemente num cálculo errado sobre a intensidade do protesto popular contra o ato da renúncia. A crise constitucional, resultante da oposição de ponderáveis setores nacionais à ascensão ao poder de João Goulart, havia encontrado solução contemporizadora no regime parlamentarista. Simultaneamente, o disciplinamento financeiro de nossa economia, através de programas antiinflacionários que haviam servido de fundo de quadro nas negociações Moreira Salles/Mariani, se tinha esboroado, com nossa proverbial inadimplência.

Ao novo embaixador em Washington cabia uma tarefa difícil de "explicação". Explicar o episódio da confrontação entre as Forças Armadas e Goulart, desembocando no compromisso parlamentarista para evitar uma guerra civil. Explicar o abandono dos programas de saneamento financeiro. Explicar que a postura interna do governo era basicamente centrista, apesar de trazido ao poder, essencialmente, por uma conjugação de legalismo-oportunista e esquerdismo-latente. Explicar a postura brasileira no caso cubano, problema que a opinião pública norte-americana encarava com passionalidade irracional.

O protocolo de apresentação de credenciais em Washington é simples, cuidadosamente simples. Para poupar tempo, trocam-se apenas os discursos por escrito. Nada da pompa e circunstância que depois presenciaria na Inglaterra, quando da apresentação de credenciais à rainha. Em Washington, em nada difere o dia das credenciais de uma jornada comum, a não ser pelo fato de que o novo embaixador é conduzido de sua residência até a Casa Branca numa limousine do Departamento de Estado, enfeitada com dupla bandeira, a norte-americana e a do representado.

No meu discurso, entregue ao presidente Kennedy, não fui bom profeta. Num dos trechos dizia:

> "Bastam palavras breves para enunciar os objetivos básicos do meu país, conquanto alcançá-los exija paciência e trabalho penoso: a preservação da paz no mundo, e da solidariedade neste continente, paz e solidariedade que

---

ao FMI, a cujos programas faltaria "sensibilidade política" na apreciação dos efeitos recessivos. Schlesinger dizia ironicamente que, se os critérios do FMI governassem os Estados Unidos no século XIX, o desenvolvimento teria sido mais lento. Ao pregar a ortodoxia fiscal às nações em desenvolvimento, estariam os americanos comportando-se como uma "prostituta que, após se locupletar com os lucros do ofício, acredita que a virtude exige o fechamento dos prostíbulos". Tradicionalmente, o Departamento do Tesouro é propenso a usar o FMI como um escudo defensivo contra concessões financeiras, enquanto o Departamento de Estado advoga maior flexibilidade política. Dois anos mais tarde, quando San Tiago Dantas aportou a Washington como ministro da Fazenda de Goulart, após o plebiscito presidencialista, a situação havia mudado completamente. Prevalecia o ponto de vista do Tesouro de que não se poderia "desprestigiar o FMI", o qual deveria aprovar o programa brasileiro e monitorar sua execução.

estão ambas angustiosamente ameaçadas; a aceleração do desenvolvimento; a atenuação das desigualdades econômicas e sociais entre pessoas e regiões. É importante alcançarmos esses objetivos sem sacrifício dos valores democráticos... pela promoção de reformas oportunas ao invés da impredizível cirurgia das revoluções".

Mal sabia que três anos depois, falhadas as reformas, seria eu o cirurgião econômico da Revolução de 1964. Em seu discurso de resposta, Kennedy foi bastante generoso em recordar minhas missões anteriores nas Nações Unidas, aludindo ao fato de que meu primeiro posto diplomático fora Washington, 22 anos antes. Também ele se revelou otimista quanto à solidez da democracia brasileira:

"O Brasil tem uma brilhante tradição de mudanças políticas sem violência", dizia o texto da Casa Branca, "e nós acabamos de assistir a uma nova prova de sua devoção aos processos democráticos pela solução pacífica de uma grave crise".

Kennedy e eu rivalizávamos em ser maus profetas!...

Minha primeira conversa com Kennedy seguiu-se à apresentação das credenciais no dia 18 de outubro de 1961, no Salão Oval da Casa Branca. Alto, corado, de cabelos ruivos cortados rente, Kennedy exsudava carisma com seu sorriso fácil. A aparência atlética escondia uma vida marcada pela doença e pela dor. No Pacífico tivera sua coluna seriamente afetada em agosto de 1943, quando um destróier japonês, *Amagiri*, seccionou pelo meio o barco-patrulha que comandava nas ilhas Salomão. Salvou-se a nado, puxando pelos dentes o salva-vidas de um companheiro. Tivera malária e ciática e, em 1954, recebera a extrema-unção após uma infecção pós-operatória. Dizia-se que sofria de insuficiência adrenal e as dores lombares nunca o abandonaram.

UMA CONVERSA
COM JACK KENNEDY

Reteve-me Kennedy longamente no salão oval, além dos limites protocolares. Lançou-me, em estilo brusco e direto, várias perguntas. A primeira foi se considerava boas as chances de consolidação do parlamentarismo como um sistema viável de governo, nas condições políticas do Brasil. Aparentemente influenciado pelo seu conhecimento histórico da técnica marxista das "frentes populares", expressou o receio de que o parlamentarismo facilitasse a infiltração de esquerda e a radicalização das posições. Respondi-lhe que o Brasil não chegara totalmente inexperiente ao parlamentarismo, de vez que o praticara durante 57 anos no Império; que havia vários anos o Congresso brasileiro vinha considerando, com crescente apoio, projetos de estabelecimento do regime parlamentarista; que o periódico traumatismo das violentas contendas presidenciais e da disputa da posse seria amenizado no novo regime; e que a necessidade de coalizões para governar tenderia a abrandar o radicalismo de posições, inclusive de esquerda.

Entretanto, lembrando o dito de Talleyrand de que "os diplomatas usam as palavras para ocultar o pensamento", acrescentei que, honestamente, teria que indicar algumas dificuldades: as experiências bem-sucedidas de parlamentarismo se haviam realizado em países com dois, ou no máximo três partidos políticos, ao passo que no Brasil tínhamos três grandes e nove pequenos partidos. Além disso, nosso parlamentarismo tinha sobrevindo como solução de emergência para uma grande crise política, e não como resultado de uma evolução calma e consciente. Tudo dependeria portanto do sucesso do primeiro gabinete em se firmar perante a opinião pública, e do estabelecimento de uma relação funcional adequada entre o primeiro-ministro e o presidente.

A segunda pergunta de Kennedy se referiu à capacidade do regime parlamentarista para organizar um programa sério de combate à inflação. Receava, aparentemente, que a necessidade de conciliação política de diversas facções parlamentares e a ameaça de descontinuidade da administração, debilitassem o vigor da luta antiinflacionária.

— Nenhum país — disse ele — ferindo um tema que em conversas subseqüentes amiúde repisaria — pode resistir a uma inflação prolongada e violenta, sem convulsão social, terminando quase sempre no sacrifício das liberdades democráticas.

Respondi-lhe haver no caso brasileiro fatores positivos e negativos. Entre estes, figurava a ameaça de descontinuidade, inerente ao regime parlamentarista. Entre os primeiros, o crescente cansaço do povo brasileiro com a inflação e seu crescente desapontamento com o desenvolvimentismo inflacionário, de um lado, e de outro, a considerável melhoria do nível de conhecimentos técnicos da administração sobre problemas monetários e fiscais. Esse conhecimento era revelado, por exemplo, no programa de governo apresentado ao Parlamento pelo gabinete Tancredo Neves. (Como autor anônimo desse programa eu estava sendo obviamente imodesto...).

A última pergunta de Kennedy se referia ao tema, para ele constrangedor e obsessivo, das relações em Cuba. Paradoxalmente, consegui um certo grau de aproximação com o jovem presidente, situação alcançada por poucos embaixadores, por dois motivos nada estimulantes. Um deles era a amolação das encampações, por Leonel Brizola, das subsidiárias da AMFORP e da ITT, que provocaram repetidos protestos no Congresso americano, protestos que Kennedy não podia simplesmente ignorar. Muito mais importante, porém, era a sua preocupação quanto à evolução da política externa do Brasil.

Estávamos no auge da guerra fria. Acabara de ser erguido, em agosto de 1961, o muro de Berlim, o símbolo mais concreto da guerra fria. Para Kennedy, a infiltração da esquerda radical em vários escalões do governo Goulart (sublinhada talvez com exagero pelos seus órgãos de inteligência e segurança), assumia as proporções de um pesadelo. A "perda do Brasil" seria algo tão grave, senão mais grave, do que a chamada "perda da China" para o maoísmo, tragédia enfrentada pelo governo Truman após o fracasso da missão à China do general Marshall, em 1949. A responsabilidade histórica por essa derrota diplomática é até hoje discutida pelos historiadores.

Kennedy era particularmente sensível à acusação de "moleza". Ele próprio havia, durante a campanha eleitoral, criticado Eisenhower pela perda de Cuba. E havia sido criticado por Nixon pelo pouco fervor na repulsa às intenções agressivas da China comunista no tocante às ilhas de Quemoy e Matsu. Kennedy enfrentava um dilema. A situação era, no tocante a Cuba, "agora ou nunca" porque (a) A brigada cubana em treinamento na Guatemala, assaz heterogênea pois abrangia elementos que haviam lutado contra Batista e outros que lutaram contra Castro, estava organizada e pronta para o combate; (b) A Guatemala estava sob pressão para fechar os campos de treinamento e os recrutas, se desmobilizados, ao voltar aos Estados Unidos proclamariam seu ressentimento; e (c) As forças armadas de Castro começavam a se fortalecer com armas russas e a volta dos pilotos cubanos de aviões MIGS, treinados na Tchecoslováquia. O receio da perda de Cuba prevaleceu sobre o conselho prudencial que o próprio Kennedy enunciara durante a campanha, no famoso discurso de Tampa, na Flórida (publicado porém não pronunciado): "Qualquer medida contra Cuba devia ser concertada com os países latino-americanos, como Roosevelt fizera no tocante aos países do Eixo".[169] Não foram muitos os que se pronunciaram contra a invasão, notando-se entre esses oponentes explícitos Arthur Schlesinger, assessor da Casa Branca, e William Fullbright, presidente da Comissão de Relações Exteriores do Senado.

O episódio do desembarque na Baía dos Porcos, que se encerrou com uma vitória de Fidel Castro, tinha marcado Kennedy profundamente. Ele herdara um plano já manufaturado pela CIA no governo Eisenhower, e cometera o erro fatal de implementá-lo pela metade. Podiam-se conceber duas atitudes possíveis para os Estados Unidos: abster-se de qualquer engajamento ou engajar-se até a vitória. Feitas as coisas pela metade, ficou apenas o sabor amargo da derrota.

Kennedy se submeteria a um novo teste de política internacional em sua entrevista com Kruschev em junho de 1961, em Viena. Nessa reunião de cúpula, o velho e experiente estadista soviético se confrontava com o jovem e inexperiente presidente americano. Kennedy, menos versado que Kruschev na retórica ideológica, revelou entretanto vigor e criatividade no diálogo, tornando injusta a piada então corrente em Washington: "Qual a diferença entre Kruschev e Kennedy? — O primeiro diz *nyet* e o segundo, *not yet* ."

Sucessivas crises impuseram a Kennedy um rápido amadurecimento. A crise de Cuba foi apenas uma delas. Entre sua posse e a reunião de cúpula com o líder soviético em Viena, agravou-se o conflito no Laos, onde se instalara, pelos Acordos de Vietiane, de novembro de 1957, uma bizarra coalizão tripartite visando a assegurar a neutralidade do país. Tarefa aliás quase impossível de equilibrismo político, particularmente pela presença dos guerrilheiros comunistas do Pathet Laos.[170]

Outra fonte de tensão era o problema de Berlim. Os russos ameaçavam assinar unilateralmente um tratado de paz que formalizaria o reconhecimento da Alemanha Oriental, então enfraquecida pela maciça fuga de pessoal, que motivaria em agosto de 1961 a construção do muro de Berlim. Um acordo unilateral Moscou-

---

[169] A posição embaraçosa de Kennedy derivava em parte das ásperas críticas que fizera, quando candidato, em discurso de campanha, proferido em Cincinati, em 6 de outubro de 1960, ao inábil tratamento dado por Eisenhower ao problema cubano. As críticas eram (a) O antiamericanismo da revolução cubana resultava da "falta de imaginação e compaixão para atender às necessidades do povo cubano" (denegação de ajuda externa); (b) A associação demasiado íntima entre as diretrizes do governo de Washington e os interesses das empresas americanas hostilizadas pelo governo cubano; (c) O apoio anteriormente dado ao sanguinário regime do ditador Batista (ofício n? 1.150, de 7 de outubro de 1960, da embaixada em Washington — Arquivo pessoal do autor). Como sói acontecer, as críticas do candidato passaram a ser as torturas do presidente.
[170] Contava-se em Washington que quando o negociador americano Averell Harriman disse a Kruschev: "Nós torcemos o braço de Phoumi (o líder laociano aliado de Washington) para que ele se comporte", respondeu Kruschev: "Na Rússia nós torceríamos uma outra coisa"...

Berlim abriria o caminho para o questionamento da presença das forças de ocupação — americanas, inglesas e francesas — na administração quadripartite, e representaria uma alteração inaceitável no balanço de poder. Como se isso não bastasse, os Estados Unidos sofreram a humilhação psicológica da pioneira viagem orbital de Iuri Gagárin, em abril de 1961.[171] A essa proeza tecnológica, Kennedy se propôs revidar lançando o programa do "Homem na lua", que culminou no êxito da primeira descida no satélite da terra oito anos depois, em julho de 1969.

Kennedy passou a explicar-me, depois, em tom um pouco mecânico, como se tratasse de arenga muitas vezes repetida, que a oposição americana a Fidel Castro nunca se dirigira contra os aspectos de reforma social da revolução cubana, e sim contra sua crescente subordinação aos soviéticos e suas tentativas de exportação da revolução, através da infiltração subversiva nas débeis estruturas sociais e políticas da América Latina.[172]

— Cuba — continuou Kennedy — é pequena demais para representar um pro-

---

[171] Era a segunda humilhação tecnológica experimentada pelos Estados Unidos em face da União Soviética, gerando uma grande controvérsia (a *gapmanship*) sobre o hiato tecnológico. Distinguiam-se dois tipos de *gaps*. O *gap* na exploração espacial e o *gap* dos mísseis militares. A primeira humilhação, ainda no período Eisenhower, fora o lançamento do Sputnik, em outubro de 1957, enquanto os americanos estavam ainda desenvolvendo o projeto Vanguard e experimentando sucessivos fracassos. O chefe do gabinete de Eisenhower, Sherman Adams, tentara, com mau gosto, minimizar o impacto do Sputnik declarando que Washington não estava interessada em "basketball no espaço". A segunda humilhação foi por em órbita o primeiro cosmonauta, Iuri Gagárin, em abril de 1961, no mesmo mês em que Kennedy sofria o revés da invasão da Baía dos Porcos. A superioridade americana na pesquisa espacial só foi definitivamente restaurada oito anos depois, com a descida do homem na lua. No plano militar, também a criação soviética alcançou superioridade em mísseis balísticos intercontinentais por um período de 15 meses, entre agosto de 1957, quando lançou seu primeiro ICBM (Intercontinental Ballistic Missile), de múltiplo estágio, e novembro de 1958, quando o foguete ATLAS americano completou seu primeiro vôo balístico de 6.325 milhas entre Cabo Canaveral e a Ilha de Ascensão. Entretanto, os Estados Unidos sempre mantiveram confortável superioridade em bombardeiros nucleares. Apud William Manchester, *The glory and the dream*, New York, Bantam Book, 1975, p. 788-795.

[172] Em telegrama ao Itamaraty de 19 de outubro de 1961, assim sumarizei essa parte da conversa: "Perguntou-me então o presidente Kennedy se o novo governo alteraria a posição relativa a Cuba. Respondi-lhe negativamente, dado que o gabinete reafirmara fidelidade aos princípios de não-intervenção e autodeterminação, devendo entretanto a política externa ser conduzida sem aspectos provocativos. O presidente expressou desapontamento ante o que descreveu como quatro incompreensões básicas de vários países latino-americanos em relação a Cuba: 1) O conflito não é bilateral e sim continental, pois se Cuba é apenas uma humilhação para os Estados Unidos, é um perigo para o restante da América Latina, econômica, social e militarmente mais vulnerável ao comunismo; 2) A disputa não resulta das reformas sociais de Fidel Castro, em si mesmas aceitáveis, ou das expropriações de capitais, assunto facilmente negociável, senão que assenta em razões ideológicas; 3) Os países da América Latina subestimam a gravidade da infiltração ideológica promovida por Cuba nos meios estudantis, sindicais e militares, infiltração capaz de sabotar o sucesso da Aliança para o Progresso; 4) A reconciliação com Castro seria impossível, por estar ele inteiramente subjugado pela ideologia marxista, revelando menos independência que alguns dos satélites soviéticos, e muito menos que Nkrumah e Sekou-Touré, por exemplo, que seguem a linha neutralista. Indicou

blema de poder para os Estados Unidos; também não constitui ameaça política e social ante o vigor das instituições americanas. O perigo é muito mais direto para a América Latina, que pode ser seduzida por soluções violentas e antidemocráticas, transformando-se então numa base ideológica perigosa para todo o sistema ocidental.

Perguntou-me, finalmeute, qual o sentido real da atitude do presidente Quadros no caso cubano.

— Qual o efetivo simbolismo de gestos como a condecoração a Che Guevara? Difere a postura do novo governo parlamentarista daquela do governo anterior? — perguntou com certa ansiedade.

Respondi-lhe, com toda a franqueza, que havia ainda àquela altura profunda simpatia em vários setores da vida brasileira pela revolução cubana, que consideravam reformista e nacionalista, além de se configurar como um desafio de David a Golias, postura sempre simpática aos que se sentem inferiorizados pelo subdesenvolvimento. A síndrome de David — disse-lhe — era pitorescamente descrita na gíria americana como *simpathy for the underdog*.

A atitude de Quadros respondia, dessarte, a motivações complexas. De um lado refletia esses sentimentos. De outro, havia contribuído para acalmar a oposição das esquerdas à política antiinflacionária. Respondia, finalmente, ao desejo profundo do Brasil de afirmação de sua personalidade internacional, ainda que talvez com risco de subestimação da periculosidade desestabilizadora do caso cubano.

San Tiago Dantas viria depois, em entrevista com Kennedy, a repisar esse desejo de afirmação internacional, usando a expressão "política externa independente". (Kennedy deu-lhe a famosa resposta de que só os países pequenos podem pretender ter uma política externa independente, pois que a ninguém importam as conseqüências de seus atos. As grandes potências sofrem sempre à injunção de consultar os aliados, não provocar os inimigos e não alienar os amigos...).

---

finalmente que aumentava a pressão interna, sobretudo no Congresso, em favor da demonstração da solidariedade latino-americana contra Castro e perguntou se havia alguma evolução nas idéias brasileiras a esse respeito. Respondi não haver clima no Brasil para ação coletiva, nem sob forma de intervenção, nem sequer sob a forma mais moderna de rompimento de relações ou bloqueio. Qualquer tentativa dessa espécie no momento poderia gerar enorme tensão interna, não só no Brasil como em vários outros países da América Latina, transformando em interno um conflito que é hoje extrínseco. Acentuei que continuávamos acreditando que o isolamento de Cuba destruindo alternativas tenderia a acelerar o processo de sovietização, tornando-o irreversível. Além disso, como o problema tinha raízes sociais e econômicas, outros focos poderiam surgir alhures, parecendo portanto mais construtivo: 1) Intensificar o esforço de desenvolvimento democrático dentro da "Aliança para o Progresso", de modo a tornar cada vez menos atraente o desenvolvimento totalitário: 2) Divulgar a documentação porventura existente sobre a intervenção cubana sob a forma de infiltração ideológica: 3) Tornar claro que a oposição norte-americana se referia apenas à satelitização de Cuba pelo comunismo, e não às reformas sociais ou à liberdade de escolha de regime econômico".

Entretanto, acrescentei, era forçoso reconhecer que Quadros se havia excedido, passando a confundir a afirmação de nossa personalidade externa com atitudes provocatórias, quase infantis, ao passo que as crescentes indicações de subordinação da política cubana à influência soviética começavam a esmaecer o brilho nacionalista da revolução cubana. Isso ainda não era claramente percebido pela opinião pública. A meu ver seria impossível qualquer modificação de nossa posição política, a não ser em face de evidência muito mais concreta de alienação do "comunismo nacional" de Fidel Castro ao jogo de dominação soviética, caracterizado pelo comunismo internacional.

Sabia eu que, no íntimo, Jânio Quadros achava que o episódio da Baía dos Porcos revelava ser o jovem presidente americano uma personalidade frágil e insegura. Tratava-se de um erro de avaliação que, dois anos depois, seria desmentido com a vigorosa atitude de Kennedy na crise dos mísseis, um soberbo exemplo de *crisis management*.

— Que nos aconselharia fazer? — perguntou-me Kennedy — pois que o apoio e simpatia do Brasil serão decisivos para a sobrevivência da democracia na América Latina.

Respondi-lhe que em primeiro lugar ter-se-ia que acentuar a nota positiva: provar que a Aliança para o Progresso constituía uma solução eficaz de desenvolvimento democrático. Em segundo lugar, evitar uma solução de força para o problema cubano, de vez que isso unificaria a América Latina em torno da tese da não-intervenção. Em terceiro lugar, diferenciar claramente entre a aceitação americana do reformismo social, e sua oposição unicamente à satelitização de Cuba pelo comunismo. Em quarto lugar, divulgar mais amplamente, se disponíveis, provas de alienação da economia e da política externa cubana à dominação soviética, assim como das tentativas de infiltração subversiva na América Latina. Em suma, concluí, a única forma parecia ser a da "espera vigilante".

— Todas essas soluções — acrescentou Kennedy — são boas mas são lentas. Receio que o Brasil subestime os perigos do expansionismo ideológico cubano. Certamente que procurarei ativar de todas as maneiras a Aliança para o Progresso. Mas isso é uma rua de mão dupla. Sem reformas sociais e sem o combate à inflação na América Latina, o nosso auxílio será de pouca valia. E, tragicamente, a atitude indiferente de vários países face ao problema cubano provoca ressentimentos no Congresso americano, dificultando a votação das verbas de auxílio externo necessárias a implementação da Aliança para o Progresso.

Acrescentou que já havia nomeado o chefe da nova Agência de Desenvolvimento Internacional (AID), que coordenaria a participação americana na Aliança para o Progresso, com instruções para acelerar esse programa.[173] E expressou a esperança de que o Brasil preparasse também o mecanismo administrativo e de planejamento para acelerar os investimentos e as reformas de base.

— Volte a mim — acrescentou — quando tiver sugestões ou problemas. Preferivelmente sugestões — disse sorrindo — porque problemas não me faltam. Se me abri tanto com o senhor é porque o sei profundo conhecedor do meu país, das nossas virtudes, assim como de nossos vícios. E porque sei que tomou parte importante na formulação da Carta de Punta del Este.

Ao deixar o salão oval da Casa Branca, onde se realiza a cerimônia da apresentação das credenciais, senti-me surpreso e lisonjeado com o tempo que me fora concedido. Todos os temas que preocupavam Kennedy repontariam teimosamente, irresolutos, ao longo da minha missão.

---

[173] Ao criar a Agência para o Desenvolvimento Internacional (AID), Kennedy pretendia fundir diferentes e descoordenadas agências no campo de auxílio ao desenvolvimento econômico, notadamente a ICA (International Cooperation Administration) e o Development Loan Fund, mas também os programas Food for Peace e o Peace Corps. Estes últimos programas continuaram entretanto independentes em virtude sobretudo do prestígio de seus gestores, Sargent Schriver, cunhado de Kennedy, e George McGovern, depois senador e candidato à presidente da República. Vistas em retrospecto, as revoluções burocráticas no programa de ajuda externa, que sempre teve um vigoroso e versátil inimigo no deputado Otto Passman, presidente do Comitê de Verbas, fazem com que as reformas administrativas no Brasil pareçam um milagre de continuidade. Sucederam-se a Mutual Security Administration em 1951, a Foreign Operations Administration em 1953 e a International Cooperation Administration em 1955. Só no quinquênio Eisenhower houve 8 chefes da ICA. Mesmo a nova agência, AID, sofreu de instabilidade. Quando San Tiago Dantas chegou a Washington para negociações financeiras, em 1963, o comunicado conjunto foi assinado por David Bell, que era o quarto diretor em dois anos de funcionamento da agência. Seus antecessores tinham sido James Riddleberger (1959-61), Henry Labouisse (1961) e Fowler Hamilton (1961-62). Ver Arthur Schlesinger, op. cit., p. 586.

WASHINGTON
REVISITADA

Washington não me era exatamente uma cidade estranha. Fora meu primeiro posto no exterior. Ali chegara em 4 de julho de 1942, em plena II Guerra Mundial, como terceiro-secretário de embaixada, forma protozoária da vida burocrática.[174] Lá estava quando morreu Franklin Roosevelt, em 12 de abril de 1945. Quase vinte anos depois regressava àquela capital como embaixador e lá viveria a comoção histórica internacional do assassínio de Kennedy, em 1963.

Minha tarefa em Washington era algo facilitada pelos contatos desenvolvidos na formulação da Carta da Aliança para o Progresso, em Punta del Este, ao fim do governo Jânio Quadros. Lá reencontrara o secretário do Tesouro, Douglas Dillon, um homem bastante seco de abordagem, mas profundamente arguto, assaz compreensivo em relação à anárquica situação financeira do Brasil.

Muito mais tarde, em 1969, ambos de retorno à iniciativa privada, seríamos companheiros na formulação do Relatório da Comissão Pearson, do Banco Mundial. Sob a capa de um banqueiro frio, Dillon ocultava uma personalidade de gosto artístico e inesperado *sense of humour*. Em março de 1963, quando terminaram as duras negociações de San Tiago Dantas como ministro da Fazenda de João Goulart, em sua missão para obter endosso internacional de seu programa de estabilização monetária, Dillon ofereceu-lhe um jantar de despedida a que compareci como embaixador. Em sua saudação, disse Dillon que se havia esmerado em homenagear a cultura francesa de San Tiago oferecendo-lhe os melhores vinhos — o Chateau Haut Brion — das quintas que havia comprado na França e, como sobremesa, o clássico *crèpe Suzette*. Ao agradecer, San Tiago fez notar que os homens se dividem em duas categorias: os que gostam de *crèpe Suzette* e os que gostam de *Suzette sans crèpe*. "Eu gosto das duas..." pilheriou San Tiago.

---

[174] 4 de julho é ao mesmo tempo a data nacional e um dia aziago. Três grandes presidentes — John Adams, Thomas Jefferson e James Monroe — morreram num 4 de julho, os dois primeiros em 1826, e Monroe, em 1831. O mês de julho, na história americana, tem o caráter agourento do mês de agosto no Brasil. Quatro presidentes — Zachary Taylor, Martin von Buren, Andrew Johnson e Ulysses Grant — morreram no mês de julho. Garfield foi ferido de morte em 2 de julho de 1881 e Warren Harding tombaria enfermo em 27 de julho de 1923, morrendo a 2 de agosto. Apud Harry Truman, *Where the buck stops*, New York, Warner Books, p. 44.

Um curioso episódio permitiu-me abreviar o processo de familiarização com personalidades de Washington. Estava residindo na capital um jornalista do *New York Times* — Tad Szulc — que depois se tornou autor de vários livros, dos quais o principal seria talvez *Fidel*, uma biografia do líder cubano. Tad havia residido no Brasil e tinha familiares no Rio de Janeiro. Logo que cheguei a Washington, em começo de outubro de 1961, recebi um convite para um *cocktail* em sua residência, perto da embaixada, três ou quatro dias depois. Informou-me de que teria uma oportunidade invulgar de encontrar não só jornalistas mas políticos e altos funcionários do governo, o que seria uma rápida introdução à *intelligentsia* e à *priviligentzsia* de Washington.

Acolhi pressurosso ao convite. Realmente lá encontrei a fina flor da política e da alta administração de Washington, todos os quais respeitavam grandemente a influência de um importante repórter do *New York Times*, formulador de opinião sobre os rumos e segredos de Washington. Depois de várias apresentações, encostei-me na parede por um momento para saborear um *scotch*. Vejo então dirigir-se a mim em tom agressivo uma jovem americana, com ar um pouco *hippy*. Sem maiores rebuços, perguntou-me: — Ouvi dizer que você é o novo embaixador do Brasil. Quero dizer que sua embaixada é uma droga...

Surpreso ante a agressividade, respondi-lhe que não esperava que minhas deficiências fossem descobertas tão depressa, mas queria saber que *gaffe* de estreante teria eu cometido. Respondeu-me ela que era hábito das embaixadas apoiar e encorajar talentos artísticos de seus respectivos países quando se apresentavam em Washington. Ela estava hospedando em sua casa um verdadeiro gênio pianístico — João Carlos Martins — sem que tivesse conseguido despertar a menor atenção dos diplomatas brasileiros.

— O mínimo — dizia ela — que se poderia fazer seria prestigiá-lo com uma recepção após o concerto inaugural, para apresentá-lo ao mundo cultural de Washington.

Respondi-lhe que isso seria fácil em termos materiais. Eu poderia fornecer a embaixada, os *drinks* e os petiscos. Entretanto, tendo chegado há apenas quatro dias, meus conhecimentos sociais eram extremamente limitados. Por que não dividir a tarefa? Minha *droga* de embaixada ofereceria as instalações físicas e ela, como mecenas de saias, convidaria as pessoas para a *"droga de um cocktail"*.

Ela aceitou o desafio. Tad Szulc esclareceu-me logo que se tratava de Ann Mansfield, filha do líder da maioria no Senado, Mike Mansfield, que mais tarde se tornaria meu grande amigo. Depois de se afastar do Senado, foi por onze anos embaixador em Tóquio. E lá tive ocasião de visitá-lo em 1988, de regresso de uma viagem à China, tendo me surpreendido com seu enorme conhecimento da vida chinesa. Ele fora membro da missão do general Stillwell, que tentou, no começo da

II Guerra Mundial, fazer uma aliança entre os comunistas e o Kuomintang, para combate ao Japão. Em visita a Chungking,[175] em janeiro de 1988, verifiquei com surpresa existir, no antigo quartel-general de Chiang Kai-Chek, uma fotografia em que Mansfield figura na companhia do general Stillwell e desses depois mortais inimigos — Mao Tsé-Tung e Chiang Kai-Chek.

Ann conhecia bem não só o meio diplomático como o círculo político de Washington. O concerto inaugural da carreira de João Carlos Martins — tocando peças de Bach, que o consagrariam mais tarde como grande intérprete — foi um sucesso. E a recepção na embaixada permitiu-me contatos com uma gama diferenciada de políticos, burocratas e artistas.

Esse, aliás, não seria meu único esforço de abertura de oportunidades artísticas. Talvez o mais importante tenha sido a apresentação da "bossa nova". Essa onda musical, a grande inovação do fim dos anos 50 e começo dos 60, surgira havia meses no Brasil, mas só se tornou um "acontecimento" nos Estados Unidos após dois concertos que marcaram a história da "bossa nova", em fins de 1962. O primeiro se realizou em novembro, em Nova York, no Carnegie Hall, habitualmente reservado a exibições de música clássica. A esse concerto compareceu Adlai Stevenson, então representante americano na ONU. O segundo foi o concerto no Lisner Auditorium em Washington, em dezembro. Organizei uma recepção na embaixada, à qual compareceu em peso o mundo político e diplomático de Washington, interessado na novidade musical. Ali estavam João Gilberto (que deu um susto no pessoal da embaixada ameaçando não comparecer), Tom Jobim, Luiz Bonfá, Carlos Lyra, Oscar Castro Neves, Sérgio Mendes, Sérgio Ricardo, Roberto Menescal e Agostinho dos Santos. Compareceram também os promotores da "bossa nova" nos Estados Unidos, Felix Grant, Stan Getz, Lalo Schiffrin e Charles Byrd. Foi um sucesso artístico e propagandístico.

---

[175] Passei quatro dias em Chungking, em pleno Ano Novo chinês, ilhado não só pelo cancelamento de vôos, mas por um incrível *fog*, que me fez ver a cidade sob um halo de mistério. Chungking, situada num promontório, na confluência dos rios Yangtze e Chialing, é chamada o "caldeirão do Yantze". É famosa pelo quentíssimo verão e pelos *fogs* de outono.

UMA QUESTÃO
DE IMAGEM

Não me havia enganado sobre as dificuldades do posto. Percebi logo existir em Washington uma sutil e secreta classificação de embaixadores. Em primeiro plano, os embaixadores das grandes potências. Esses tinham ponderação específica, independentemente de suas qualidades pessoais. Os mais importantes eram o embaixador inglês, Ormsby-Gore (que em 1964 herdaria o título de lord Harlech), amigo íntimo da família Kennedy, e Hervé Alphand, veterano diplomata francês, de grande charme pessoal.[176] Já quase no fim do meu mandato, despontava como personalidade marcante Anatoly Dobrynin, que sucederia a Ivan Menshikov e reteria o posto de embaixador soviético em Washington durante duas décadas.

Em segundo lugar, vinham os embaixadores de "países-problema", como Israel, ou os beneficiários de uma "relação especial", como seria o caso do México e do Canadá. O embaixador mexicano, Carrillo Flores, era um homem de letras e orador sofisticado, tendo exercido com distinção o cargo de ministro da Fazenda.[177]

O Brasil estava numa terceira categoria. Nem era grande potência nem constituía propriamente um "país-problema", isto é, marcado por imediata periculosidade. Nesse caso, os embaixadores têm que abrir espaço próprio nos contatos oficiais. Percebi logo que minha melhor chance seria enfatizar minhas vinculações acadê-

---

[176] Ormsby-Gore era objeto de inveja no corpo diplomático. O presidente o conhecera desde suas repetidas visitas a Londres, onde seu pai, Joseph Kennedy, acusado aliás de veladas simpatias hitleristas, fora embaixador de Roosevelt junto à Corte de Saint James, no começo da II Guerra Mundial. Rumorejava-se em Washington que a designação de Ormsby-Gore para embaixador em Washington fora sugerida ao primeiro-ministro Macmillan pelo próprio Jack Kennedy. Ormsby-Gore se transformou numa espécie de conselheiro especial de Kennedy, com suficiente intimidade para influenciar a política americana no tocante a questões tão diversas como a crise do Laos e a resposta à implantação de mísseis soviéticos em Cuba.

[177] A embaixada em Washington foi uma sementeira de ministranças. Entre os meus colegas da época figuravam José Antonio Mayobre, ex-economista da Cepal, que conhecera as prisões do tirano venezuelano Perez Jimenez e que se tornou depois personalidade polivalente na Venezuela, tendo exercido as funções de presidente do Banco Central, ministro da Fazenda e ministro de Minas e Hidrocarburos. Foi substituído por Enrique Tejera Paris, depois ministro do Exterior. Representava a Argentina Roberto Alemán, economista de persuasão ortodoxa, que foi ministro da Fazenda do governo Frondizi. Durante certo tempo foi embaixador chileno Radomero Tomic, da ala esquerda da Democracia Cristã e depois candidato derrotado à presidência do Chile.

micas, pois que vários dos assessores de Kennedy tinham sido recrutados no ambiente universitário, principalmente de Harvard. Era esse o caso de Robert McNamara, secretário da Defesa, de McGeorge Bundy, de Walt Rostow e Karl Kaysen. Eu tinha a vantagem de já conhecer bem dois membros da equipe de Kennedy. Um era Walter Rostow, com quem havia trabalhado no Programa da Aliança para o Progresso, e outro, Richard Goodwin, que havia comparecido à Conferência de Punta del Este em agosto de 1961, quando se redigiu a carta da Aliança para o Progresso. Goodwin era uma espécie de secretário particular de Kennedy, e junto com Ted Sorensen, um dos *ghost writers* das falas presidenciais.

A piada corrente em Washington, atribuída aos opositores de Kennedy no Partido Republicano, era de que a fórmula de sucesso na Nova Fronteira era "ir para Harvard e virar à esquerda". Kennedy, a quem não faltava *sense of humour* , tomava conhecimento dessas piadas. De certa feita, quando recebido na Universidade de Yale como doutor *honoris causa*, teve a frase famosa: "A melhor coisa do mundo é combinar um diploma de Harvard com uma educação de Yale."

Tornei-me depois grande amigo e admirador do historiador Arthur Schlesinger, que ao longo dos anos havia acompanhado a evolução política da América Latina e fora um dos inspiradores filosóficos da Aliança para o Progresso. Tinha o título de "assistente especial" do presidente Kennedy e contribuía com insumos intelectuais para uma grande variedade de decisões de política externa.

No verão de 1962, quando as famílias estavam ausentes de Washington, formei uma espécie de "clube dos quatro mosqueteiros". Jantavam freqüentemente na embaixada Tad Szultz, Bill Rogers, então diretor de Assuntos Latino-Americanos na AID — Agência para o Desenvolvimento Internacional, e Michael Blumenthal, secretário-adjunto para Assuntos Econômicos no Departamento de Estado, um duríssimo negociador, perito em questões comerciais e porta-voz do Departamento de Estado para *commodities*, inclusive o café. Blumenthal viria depois a ser secretário do Tesouro, na administração do presidente Carter.

Registre-se, a propósito, a extraordinária e admirável capacidade norte-americana de integrar no *mainstream* de sua vida econômica e política as mais diversas fontes culturais e raciais. Michael Blumenthal atingiu o posto de secretário do Tesouro sendo um judeu de origem alemã nascido em Xangai. E Henry Kissinger, judeu alemão emigrado para os Estados Unidos, viria a tornar-se o mais influente dos secretários de Estado da recente história americana, responsável por decisões cruciais de política externa, particularmente durante o lancinante caso Watergate, que resultou na renúncia do presidente Nixon. Esse grau de autoconfiança na capacidade de integração nacional é algo notoriamente ausente na vida brasileira...

Após uma rápida análise da situação, verifiquei que devia concentrar meus contatos em três grupos. Primeiro, e obviamente, os auxiliares da Casa Branca e os funcionários do Departamento de Estado e do Tesouro. Em segundo lugar, a classe política, em face da "divisão de poderes" entre o Congresso e o Executivo. Curiosamente, uma das funções do Legislativo americano, que me deu grande trabalho, era a alocação de cotas de açúcar, sujeita à Subcomissão de Assuntos Agrícolas da Câmara, na qual a figura dominante era o deputado Cooley.

No Senado, visitava repetidamente o senador William Fullbright, presidente da Comissão de Relações Exteriores. Devo a Fullbright ter aprendido a jamais confundir, como é freqüente entre os diplomatas estrangeiros, o Foreign Affairs Committee da Câmara dos Representantes e o Foreign Relations Committee do Senado.

— Jamais confunda — disse-me Fullbright. Os senadores são velhos demais para ter *foreign affairs*. Só podem ter *foreign relations*.

Tornei-me amigo do senador Hubert Humphrey e do líder da maioria, senador Michael Mansfield. Um outro grande amigo era o senador Javitz, de Nova York. Sentia grande afinidade intelectual pelo senador Eugene McCarthy, professor de ciência política, a quem fui apresentado por Barbara Ward, a famosa economista inglesa, com quem participei de várias conferências internacionais.

Hubert Humphrey, depois derrotado como candidato à presidência da República, era um homem de agudo intelecto e especial simpatia humana. Auxiliou-me num momento extremamente difícil, em que se preparava a Missão San Tiago Dantas, em meio à grande hostilidade da imprensa, chegando um dos jornalistas mais ligados à alta administração a caracterizar o terceiro gabinete de Goulart, formado após o plebiscito, como sendo composto de "radicais demagogos" e de "esquerdistas antiamericanos". Os ânimos se acirraram ainda mais quando um jornalista do Copley News Service, Louis R. Stein, teve suas credenciais cassadas junto ao Itamaraty por acusações insultuosas ao governo brasileiro.

O senador Hubert Humphrey assumiu a defesa do Brasil no Senado, ressaltando haver no governo do Brasil muitos homens profundamente dedicados aos princípios da democracia e pedindo transcrição nos anais do Congresso americano do editorial do *Washington Post*, intitulado 'Dealing with Brazil'. Vale a pena citar o texto.

"In the past few months, Brazil has received ample and unsolicited criticism in the United States for its failure to set its house in order . What Brazil now needs is support and encouragement in carrying out an anti-inflationary program that is long overdue... Brazil is not a banana republic and is on the threshold of great power status."

Na Câmara dos Representantes, Dante Fascell, presidente da Subcomissão de Assuntos Latino-Americanos, e o democrata Claude Pepper, eram os que mais simpatia revelavam pelos problemas latino-americanos.

No meio jornalístico, cultivei com respeito a amizade de Walter Lippman — politólogo *doublé* de jornalista. Ele e Marquis Childs eram os formadores de opinião do

Washington Post. Em Nova York visitei mais de uma vez John Oakes, o editor do *New York Times* e avistei-me também com Henry Luce, então editor da revista *Life*, uma das mais buliçosas publicações americanas, famosa sobretudo pela sua esplêndida cobertura fotográfica de eventos. Phillip Geyelin, do *Wall Street Journal*, Dan Kurzman, do *Evening Post*, e Karl Meyer, redator dos editoriais do *Washington Post* sobre a América Latina, eram meus freqüentes comensais.[178]

O diplomata é essencialmente um fabricador de imagens. Não é à toa que o grande diplomata inglês, sir Henry Wotton, cunhou frase famosa: "Um embaixador é um homem honesto que é enviado ao exterior para mentir em favor do seu país."

A fabricação de imagens pode levar a estranhos paradoxos. Como embaixador de João Goulart em Washington, cabia-me demonstrar que João Goulart não era um radical de esquerda, mas apenas um "reformista", admitidamente um pouco confuso. Treze anos depois, como embaixador em Londres, cabia-me persuadir o governo e a opinião pública britânica de que o presidente Geisel não era um radical de direita, mas sim um liberalizador em potencial. Em ambos os casos eu estava dizendo "quase" a verdade.

Mas, se tive relativo êxito em fabricar imagens alheias, nunca tive sorte na correção de minha própria. Isso resultou de que boa parte de minha mocidade na carreira diplomática se consumiu no afã de negociar empréstimos para o Brasil, seja para projetos como Volta Redonda ou a usina de Paulo Afonso, seja principalmente para tapar buracos deixados pela nossa intemperança cambial. Vi-me na esquisita posição de defender no exterior políticas que acerbamente combatia *intramuros*.

Ao tempo de Juscelino, escrevia-lhe memorandos em prol da adoção de uma severa disciplina monetária e fiscal. Já como negociador de empréstimos em Washington, exortava as agências internacionais a um enfoque sociológico da inflação como "um instrumento cruel e grosseiro, porém politicamente viável de extrair recursos para investimentos" (sic). E, como embaixador de Jango, fui desenterrar na história americana a plataforma do Partido Populista de William Jennings Bryan

---

[178] Tendo chegado a Washington em 2 de outubro de 1961, lancei-me imediatamente, mesmo antes da apresentação de credenciais, numa *blitzkrieg* de relações públicas. Minha agenda assim registra: 10 de outubro — almoço na embaixada com jornalistas; 16 de outubro — almoço com personalidades: E. W. Bernstein (FMI), Dean Acheson (ex-secretário de Estado), Richard Goodwin e Arthur Schlesinger (assessores da Casa Branca), John Leddy (secretário adjunto do Tesouro) e Per-Jacobsson (diretor-gerente do FMI); 25 de outubro — almoço com a diretoria do Eximbank: Samuel Waugh, Robert Whitcomb, Hawthorne Arey e Seymour Pollock. Felizmente o cozinheiro francês, François Chevalier, era dotado de grande criatividade, e a mesa da embaixada ficou famosa.
— "Não me subestime, posso roubar-lhe o cozinheiro" — pilheriou o presidente Kennedy após a recepção que Jango Goulart lhe ofereceu na embaixada, em abril de 1962.
François Chevalier era bem apessoado e, quando nas recepções havia desequilíbrio biológico entre homens e mulheres, divertia-me apresentando François como monsieur le baron Chevalier. Era bom dançarino e fazia sucesso.

de 1892, que traçava sinistro retrato da corrupção política e desintegração econômica do capitalismo americano, para tentar dar algum sentido, através de um paralelo
histórico, ao caos administrativo e econômico do nosso pseudotrabalhismo. Tratava-
se — argüia eu — do preço a pagar pela incorporação das massas incultas ao processo político... Em discurso perante a Brazilian Chamber of Commerce, no Waldorf
Astoria, em Nova York, deixei perplexa a platéia de empresários e burocratas americanos ao começar enfaticamente meu discurso com uma frase acusatória:

> "Estamos em meio de uma nação trazida à beira de uma verdadeira ruína
> moral, política e material. A corrupção domina as urnas, a legislatura, o
> Congresso e atinge até a beca judicial. O comércio em estado de prostração;
> nossas casas cobertas de hipotecas; empobrecido o operariado; concentrada
> a posse das terras nas mãos de capitalistas. Os frutos do labor de milhões
> são audaciosamente roubados, indo avolumar... as fortunas de poucos... Há
> mais de um quarto de século que vimos assistindo à luta dos dois grandes
> partidos, visando o poder e o esbulho. Nem mesmo agora prometem eles
> qualquer reforma substancial... propõem sacrificar no altar de Mamon nos-
> sos lares, nossas vidas e nossos filhos."

Era dos Estados Unidos de ontem e não do Brasil de hoje que falava William
Jennings Bryan, um dos maiores oradores americanos e candidato dos Partidos
Democrata e Populista nas eleições presidenciais de 1896.

Vi-me assim submerso no estranho paradoxo de ser considerado em Washington
nacionalista intransigente, enquanto de volta ao Brasil combatia posturas irracionais e suicidas, expondo-me à acusação de contaminação cosmopolita. É que
nenhuma negociação da dívida ou solicitação de empréstimo se poderia conduzir
com a mentalidade silvestre de nosso nacionalismo botocudo, definido de certa
feita pelo poeta Augusto Frederico Schmidt como a atitude de quem se aproxima
do americano dizendo: "Me dá um dinheirinho aí, seu canalha imperialista!..."[179]

---

[179] Uma das minhas mais pitorescas experiências no tocante ao problema da "dupla personalidade" ocorreu em fins de 1963, quando, convocado pelo Itamaraty, compareci à Câmara dos
Deputados, onde a Frente Parlamentar Nacionalista organizara uma "maratona nacionalista" para
impugnar o acordo com a AMFORP. Fui argüido por cerca de 17 horas, em dias sucessivos, pelos
deputados da Frente sobre "o escândalo da compra das concessionárias". Enquanto os deputados
se revezavam na inquisição, eu respondia sozinho às indagações repetitivas, mais incomodado
finalmente com a monotonia do assunto do que com a consistência das interpelações. A maratona
terminou pela madrugada. Ao chegar ao Hotel Nacional, cruzei com um grupo dos deputados
nacionalistas com que me defrontara na Câmara. Entre eles, o sargento Antônio Garcia, deputado
pelo PTB da Guanabara, o único eleito entre os sargentos que, contrariando disposições legais que
proibiam aos graduados das Forças Armadas exercer mandato parlamentar, se candidataram à
Câmara. Os deputados haviam já começado as libações e estabeleceu-se um ambiente de confraternização etílica. Iniciei um diálogo com o sargento Garcia. Declarou-se impressionado com a

Esse penoso e humilhante *métier* de angariador de recursos impediu-me de participar de três confortáveis indústrias, talvez as mais eficientes do país: a "indústria do bode expiatório", através da qual, ao invés de analisarmos nossos defeitos, transferimos a culpa a outrem; a "indústria do pseudo-nacionalismo", como um meio de proteger a ineficiência e escapar da competição, e de mascarar complexos de inferioridade; e, finalmente, a "indústria da buzina", que consiste em vociferar críticas sem propor alternativas, pois em política, tal como no tráfego, é muito mais fácil apertar a buzina do que consertar o motor.

---

minha capacidade de memorizar dados e desová-los no momento oportuno. No auge do entusiasmo, chegou a dizer que eu possuía um "cérebro eletrônico" (sic). E completava:
— "É disso que precisamos, de um cérebro eletrônico". E após algumas libações, acrescentou:"Venha você para o nosso lado. Nós botamos o povo na rua e você entra com o cérebro eletrônico. Vai ser mole."
Engoli, surpreso, umas boas doses de whisky e perguntei-lhe como se operaria essa transformação. Como poderia vir eu a ser encarado como líder nacionalista?
O sargento Garcia foi enfático: "Dois discursos contra os Estados Unidos; faça dois discursos contra os Estados Unidos."
O sargento Garcia talvez tivesse razão.

KEYNESIANOS:
PROGRESSISTAS E REACIONÁRIOS

Vista em retrospecto, a década dos 60 foi, mundialmente, de otimismo econômico. Na década dos 70, de outro lado, tiveram que ser enfrentados dois choques com penosos ajustes: o primeiro choque de petróleo, em 1973, e o segundo, em 1979. A década dos 80 se iniciaria com a grande depressão da era Reagan e a crise da dívida, seguindo-se-lhe um período de ininterrupta prosperidade, a partir do fim de 1983 até 1990, prosperidade aliás de que o Brasil não participou, sacudido pela crise da dívida.

A década dos 60 fora a década dos milagres. No Japão, o primeiro-ministro Ikeda lançava o seu programa de "duplicação da renda nacional em 10 anos", objetivo alcançado, aliás, em apenas sete anos. Falava-se ainda no milagre alemão e mesmo no milagre italiano. A Itália tinha conseguido metabolizar o comunismo sem prejuízo do crescimento, e lograra essa estranha conciliação entre uma economia formal estagnada e uma economia informal dinâmica. Na França surgia com prestígio o planejamento indicativo como uma nova sistemática de planejamento. Ao fim da década e até a primeira crise de petróleo, México e Brasil experimentariam uma fase de crescimento acelerado. Depois de um começo de década difícil no Brasil, com instabilidade política e desaceleração do crescimento, seguiu-se uma fase de expansão a partir de 1968, que duraria até a primeira crise de petróleo.

Quando cheguei a Washington, em 1961, o ambiente era menos otimista. Kennedy havia prometido com seu programa da Nova Fronteira colocar o país em movimento, depois do que os democratas chamavam de "o modorrento período Eisenhower".

O debate intelectual em Washington sobre os meios de vitalização da economia norte-americana era fascinante. Kennedy se preocupava com dois problemas. Um deles era o contraste, desfavorável para os Estados Unidos, das taxas de crescimento econômico, que eram bastante mais elevadas na Europa. Isso levou Kennedy a se interessar durante algum tempo pelo segredo francês do "planejamento indicativo". O outro problema era a percepção da sobrevivência de importantes bolsões de pobreza na rica sociedade americana.

Dois problemas econômicos surgiam obsessivamente no debate de Washington. Um era como curar a recessão que se aprofundara no ano de 1960. Outro, que fazer em termos de desenvolvimento econômico das regiões subdesenvolvidas? Este último problema atraía sobretudo a atenção dos desenvolvimentistas. Um documento-chave do período intitulava-se 'A proposal — key to a more effective foreign policy', preparado por Walter Rostow e Max Milikan, em Boston. Rostow estava então elaborando sua famosa teoria dos "estágios do crescimento". O grupo dos desenvolvimentistas compreendia, além da dupla acima citada, Rosenstein Rodan, John Kenneth Galbraith e Lincoln Gordon, este último detentor de considerável experiência em vista de sua participação na instrumentação do Plano Marshall. No tocante à economia interna, delineavam-se duas escolas de pensamento — a escola estruturalista e a fiscalista.

Como faz notar apropriadamente Arthur Schlesinger, era uma reprodução, em outra moldura, do debate entre as duas alas do *New Deal*, a que eu havia assistido, quando jovem secretário de embaixada durante o período Roosevelt: a ala institucionalista de Rexford Tugwell, Adolphe Berle e Gardner C. Means, que enfatizavam a restauração econômica através da reorganização social, e os keynesianos do segundo *New Deal*, Mariner Eccles e Laughlin Currie, que advogavam déficits fiscais como estimulantes da atividade econômica. Já me referi a esse paralelo, ao relatar minhas experiências como jovem secretário de embaixada em Washington.[180]

As duas figuras dominantes, uma no lado teórico e outra no lado prático, eram Walter Heller, presidente do Conselho de Assessores Econômicos de Kennedy, e, no lado prático, Douglas Dillon, secretário do Tesouro. Kennedy propiciou uma certa reabilitação aos economistas teóricos, que se haviam eclipsado durante a era Eisenhower, pois o secretário do Tesouro George Humphrey tinha mal oculto desprezo pelos teorizadores sem experiência de negócios.

Kennedy se propôs um objetivo ousado — elevar a taxa de crescimento real do GNP para 5% anuais e criar 25 mil empregos novos por semana por um decênio, tendo em vista o rápido crescimento da população, de cerca de 20%, na década dos 50. Estabelecer-se-ia mais tarde um interessante debate sobre a distinção entre "pobreza" e "desemprego". O debate se havia iniciado quando Averell Harriman era governador de Nova York e propôs à legislatura um estudo sobre "as causas e remédios da pobreza". A "pobreza" passou então a ser identificada como algo separado do "desemprego". Este tinha causas cíclicas, enquanto que a pobreza era basicamente um problema estrutural, insolúvel pela simples aceleração do crescimento. Exigiria antes medidas estruturais em termos de treinamento e educação.

Dois dos livros mais influentes da época eram o *The affluent society*, publicado em 1958 por Galbraith, sobre as perversões do consumismo e da riqueza em des-

---

[180] Para uma interessante discussão do assunto, ver Schlesinger, op. cit., p. 625-631.

caso de investimentos de infra-estrutura, e o livro de Michael Harrington, de 1962, intitulado *The other America*, cujo tema era especificamente o fenômeno da pobreza.

Gradualmente passaram a cristalizar-se duas correntes econômicas que poderiam descrever-se como a escola "estruturalista" e a escola "fiscalista", conquanto Galbraith, com sua habitual mordacidade, preferisse designá-las como "keynesianos progressistas" e "keynesianos reacionários". Os estruturalistas defendiam a tese de que o caminho a seguir seria o aumento de despesas públicas pela aceitação de déficits fiscais como instrumento de ativação econômica. Os fiscalistas pensavam diferente. Acentuavam sobretudo o *fiscal drag* (breque fiscal). A idéia, defendida principalmente por Heller, era a de que, à medida que se expande a produção, as altas alíquotas fiscais automaticamente subtraem poder aquisitivo e brecam a expansão da produção antes de se chegar ao pleno emprego. A esse argumento teórico se juntava outro argumento prático. Eisenhower tinha conseguido instilar no público a idéia de que o dispêndio público é um pouco pecaminoso e encerra o perigo da inflação. A solução fiscalista seria então a redução de impostos para a aceleração do investimento principalmente através de dois instrumentos — a liberalização de deduções para depreciação e a concessão de créditos fiscais para estímulo de investimentos.

A escola estruturalista, de outro lado, acreditava que o meio mais rápido de sair da recessão seria a expansão do gasto público, abandonando-se o conceito de equilíbrio orçamentário "anual" em favor do conceito de equilíbrio orçamentário "ao longo de um ciclo econômico". A recessão, que começara em 1960, atingira seu ponto mais agudo pouco depois da posse de Kennedy, em fevereiro de 1961, quando alcançou 8,1% da força de trabalho. Haveria assim dois freios: o "freio fiscal", que acentuava a insuficiência da demanda agregada a ser corrigida pela redução de impostos, e, de outro lado, o "freio laboral", resultante de imperfeições no mercado de mão-de-obra, que só poderiam ser corrigidas pela modernização desse mercado através de investimentos em educação, treinamento de pessoal, redesenvolvimento urbano e maior mobilidade laboral.

Kennedy encontrava dificuldades em persuadir o Congresso a abandonar a tese republicana da era Eisenhower de que um orçamento equilibrado é o critério de sucesso na política econômica. Oscilava entre o desejo de promover o pleno emprego e o receio de imprudência fiscal. Infelizmente o keynesianismo não tinha receita para isso. Rostow costumava dizer que: "Como chegar ao pleno emprego sem inflação" é um capítulo que Keynes nunca escreveu.

Na realidade Kennedy atingiria um interessante compromisso. Em maio de 1963 ele diria a Walter Heller: — Primeiro nós daremos ênfase ao "seu" corte de impostos; depois vamos ter o "meu" programa de dispêndio público.

Ambas essas coisas contribuíram para a retomada substancial do crescimento. As despesas públicas cresceram cerca de 5 bilhões de dólares por ano e o programa de redução fiscal teve efeitos positivos. Em certa medida, Heller se antecipava à *supply side economics* que viria a tornar-se a doutrina oficial nos tempos de Reagan.

As duas personalidades centrais de política econômica eram assim o secretário do Tesouro Dillon, e Walter Heller, presidente do Conselho de Assessores Econômicos. Como o faz notar Schlesinger, Dillon exerceu um importantíssimo papel, pois só um banqueiro poderia tornar o keynesianismo "responsável", sob a ótica de Wall Street. Schlesinger avança mesmo o comentário de que as duas conversões importantes da recente história americana teriam sido a conversão ao internacionalismo do senador Vanderberg, no período Roosevelt, e a conversão de Dillon ao keynesianismo, no período Kennedy. O crescimento alcançado no governo Kennedy foi de 5,6% ao ano, substancialmente superior ao objetivo, que parecia impossível, de 5% de crescimento real. Aquele sob cuja opinião não pairavam dúvidas era Galbraith, embaixador na Índia, que bombardeava a Casa Branca com conselhos de ousadia em matéria de déficit público. Galbraith era um incansável defensor do gasto público comparativamente ao privado, por ser aquele, supostamente, melhor orientado para as prioridades estruturais e sociais. Os conselhos de prudência de Heller lhe pareciam um exemplo de keynesianismo reacionário. Naturalmente, Galbraith seria o protótipo do keynesianismo progressista...[181]

---

[181] Para uma análise balanceada da controvérsia econômica ver Arthur Schlesinger, op. cit., p. 620, 631 e 1110-1114.

A FASE DE
COOPERAÇÃO ESPERANÇOSA

Caracterizarei a primeira fase das relações de Kennedy com o Brasil como de "cooperação esperançosa". A segunda, após a crise da renúncia de Quadros, em agosto de 1961, pode ser chamada de "expectativa cautelosa". A terceira, no momento inicial da restauração presidencialista, foi a de "cooperação cética", e a última, após a demissão de San Tiago Dantas, em 1963, de "espera angustiada". Mas continuemos a vasculhar a memória.

O período que vai de minha chegada a Washington, em outubro de 1961, à visita do presidente Goulart aos Estados Unidos, em abril de 1962, foi bastante atribulado. Começavam a surgir as primeiras tensões entre Goulart e o gabinete parlamentarista. Já em 1º de maio de 1962, João Goulart pronunciava veemente discurso em Volta Redonda, no qual repetia o *slogan* das "reformas de base" e reclamava o retorno ao regime presidencialista.

O programa antiinflacionário só foi retomado de forma hesitante e ineficaz. A exacerbação da pressão da esquerda nacionalista, por seu lado, se revelou em três frentes. Primeiro, a discussão na Câmara da versão Celso Brant do projeto de lei de remessa de lucros, de colorido xenófobo, e de motivação predominantemente antiamericana, provocando imediata fuga de capitais nacionais e estrangeiros. Segundo, a pressão em favor de uma atitude neutralista ou "abstencionista" na Conferência dos Chanceleres em Punta del Este, em janeiro de 1962, convocada para assegurar o apoio político latino-americano à condenação do regime cubano e ao isolamento de Fidel Castro. Terceiro, a desapropriação, por Brizola, em março de 1962, pouco antes da visita de Goulart a Kennedy, da subsidiária da ITT em Porto Alegre, agravando o trauma causado pela desapropriação, dois anos antes (maio de 1959), da subsidiária da AMFORP, em ambos os casos mediante depósito de indenização meramente simbólica, caracterizando-se propósito de confisco. A estratégia de Brizola para elevar a temperatura do ponto de fusão "nacionalista" e dar-lhe uma tendenciosidade antiamericana parecia clara: agravar a tensão cubana no plano externo; criar disputas econômicas, no plano interno.

Intenso esforço diplomático teve que ser dispendido por San Tiago Dantas como ministro do Exterior, e por mim, como embaixador, para nos desviarmos de uma "rota de colisão" entre o nacionalismo passional, manipulado pelas nossas *esquerdas*, e o irredentismo igualmente passional de Washington frente ao desafio cubano.

Talvez a mais difícil de minhas tarefas tenha sido procurar demonstrar a inoportunidade da convocação, proposta pelos americanos, da VIII Reunião de Consulta dos Chanceleres em Punta del Este, em janeiro de 1962. E, após convocada, explicar que a posição "neutralista" do Brasil refletia apenas realismo político e não simpatia ideológica pelo regime castrista.[182]

Procurei apresentar a atitude brasileira em Punta del Este como sendo um compromisso realista: de um lado, a declaração reconhecia a incompatibilidade jurídico-ideológica do marxismo-leninismo com a democracia representativa postulada na Carta da OEA. De outro, salientava a inexistência na mesma Carta de pressupostos políticos que validassem a exclusão de um Estado membro. Essa dupla linha de ação do governo brasileiro reconhecia o problema advindo da implantação de um regime marxista no continente, mas sustentava ao mesmo tempo que antepor sanções políticas, sem base jurídica válida, constituiria terapêutica inadequada para males que tinham profunda origem sócio-econômica. A nosso ver, o isolamento de Cuba só faria agravar o problema, na medida em que implicava um reconhecimento de que a questão escapava ao âmbito continental interamericano, tornando-se definitivamente parte do conflito Estados Unidos-União Soviética, sem que os países da região pudessem exercer qualquer ação moderadora, da qual o Brasil não descria de todo.

---

[182] Talvez seja interessante rememorar os antecedentes da matéria. Fi-lo numa extensa "análise da situação", enviada a San Tiago Dantas pela embaixada em Washington, em 27 de dezembro de 1961, cujo capítulo II se intitulava "Necessidade de atualização do sistema interamericano como sistema de segurança coletiva do hemisfério". Além dos norte-americanos, os países do Caribe, assim como Venezuela e Colômbia, preocupados com a infiltração subversiva, advogavam uma posição dura em relação a Cuba. Sumariei a proposta colombiana, sugerindo que o Brasil adotasse uma posição "ativista intermediária", evitando tanto o *abstencionismo* como o *intervencionismo*. A posição ativista-intermediária visava a evitar uma ação unilateral dos Estados Unidos contra Cuba, que levaria à destruição do sistema interamericano, e incluía os seguintes elementos (1) Reconhecimento de que a tradição continental é contrária às sanções *ofensivas*, devendo ser afastada *in limine* a idéia de qualquer ação militar; (2) Reconhecimento da validade de *sanções* defensivas, a serem aplicadas de forma graduada, em função do grau de ativismo subversivo de Cuba. Essas sanções abrangeriam (a) Rompimento de comunicações; (b) Estabelecimento de uma comissão de vigilância; (c) Ruptura de relações diplomáticas, e (d) Sanções econômicas. A idéia seria o estabelecimento de um "cordão sanitário", destinado a impedir a exportação da "ditadura do proletariado". A decisão em Punta del Este foi extremamente dividida. Todos os países (exceto Cuba, naturalmente) apoiaram a "declaração de incompatibilidade" de Cuba com o sistema interamericano e sua exclusão da Junta de Defesa Interamericana; 19 votaram pela criação de um comitê consultivo de peritos, contra atividades subversivas; 17 votaram pela suspensão do tráfico de armas com Cuba; e 16 votaram em favor do estudo de medidas de ampliação do embargo comercial.

Procurei também elucidar exaustivamente à imprensa e membros do Congresso as fundamentais diferenças entre a "política de independência" do Brasil e o "neutralismo" convencional dos chamados países não alinhados.[183] Estes se preocupavam em formar uma terceira força, enquanto nós nos considerávamos integrados no sistema interamericano. Achavam-se em disponibilidade institucional, experimentando com variadas formas de autoritarismo e socialismo, enquanto nós havíamos escolhido o modelo institucional da democracia representativa. Adotaram em geral modelos de economia fechada, com hostilidade a capitais estrangeiros, enquanto nós procurávamos atraí-los em algumas áreas específicas sujeitas a restrições constitucionais. Finalmente, estávamos dispostos a considerar o marxismo-leninismo incompatível com os princípios do sistema interamericano. Expus

---

[183] Quando ainda ministro do Exterior do governo Jânio Quadros, Afonso Arinos havia elaborado, em linhas semelhantes, uma distinção entre *neutralidade, neutralismo* e *independência*. A posição de neutralidade era historicamente característica de países como a Suécia e Suíça, que se puseram à margem dos conflitos europeus. O neutralismo era uma postura de não alinhamento no conflito Leste-Oeste, habitualmente associado à ideologia terceiro-mundista. A posição brasileira seria "independente", solidária nas obrigações resultantes das alianças interamericanas, mas descompromissada nas relações extra-continentais. Em seu livro de memórias, hoje reunido em *A alma do tempo*, Arinos trata com grande injustiça a política externa do governo Castello Branco, caracterizando-a como "política de alienação". É particularmente cáustico em relação ao caso da intervenção na República Dominicana, em que o Brasil teria sucumbido ao que ele chama de "submissão demissionária". Entretanto, o cerne da posição de Castello Branco era inatacável. Era um caso elementar de *realpolitik*. Após a crise dos mísseis em Cuba, com ameaças de confrontação nuclear, tornou-se claro que nenhuma das superpotências toleraria uma alteração do balanço de poder em uma área considerada de "interesse vital". Isso levou Kruschev a intervir na Hungria em 1956 e Brejnev a invadir a Tchecoslováquia em 1968. Da ótica americana, a infiltração esquerdista na República Dominicana, estimulada por Fidel Castro, configurava uma ameaça ao balanço de poder. O dilema para a América Latina era entre assistir passivamente a uma intervenção unilateral ou aceitar o princípio de co-responsabilidade no sistema interamericano. Isso não só nos permitia exercer uma influência moderadora das ações americanas como nos daria autoridade para exigir dos Estados Unidos consulta prévia em qualquer intervenção no continente.
As esquerdas brasileiras sempre interpretaram com demagogia e obtusidade a proposta, vigente nos anos 60, de criação de uma Força Interamericana de Defesa. Era o único meio, entretanto, de se dar à Organização dos Estados Americanos alguma influência prática, de significação em certa medida comparável à posição da OTAN *vis à vis* a Comunidade Econômica Européia. Longe de ser uma submissão aos interesses americanos, a Força Interamericana seria um inibidor de intervenções *unilaterais* pelo vizinho do Norte. Seria uma demonstração da disposição latino-americana de defender sua cultura e seus valores, e obrigaria o vizinho do Norte a um sistema de consulta prévia para (a) Verificar a gravidade da ameaça ao continente; (b) A disponibilidade e capacidade de contingentes interamericanos para ação coletiva. Episódios típicos que viriam a acontecer na década dos 80, como Granada, Nicarágua e Panamá, poderiam ter sido objeto de ação coletiva e não individual do governo americano. O assunto é discutido em pormenor mais adiante.

esses argumentos em carta publicada no *New York Times*, em resposta a um editorial desse jornal.[184]

Ao defender a posição brasileira contrária à expulsão de Cuba do sistema interamericano, tinha sempre o cuidado de fazê-lo com uma filigrana que passou despercebida do Itamaraty: fazia-o em nome do princípio pragmático da não-intervenção, e não do princípio político da autodeterminação dos povos. Este só me parece plenamente aplicável aos regimes democráticos, nos quais não pode existir por longo tempo discrepância entre a autodeterminação do povo e o arbítrio governamental, em virtude da periódica substituição da liderança. Nos regimes totalitários, de direita ou de esquerda, como no exemplo castrista, não se pode presumir coincidência entre a vontade popular e a autodeterminação do governo.[185]

---

[184] San Tiago Dantas, em comunicação ao Itamaraty durante a Conferência de Punta del Este, assim se expressou: "Quero consignar, de maneira especial, a atuação brilhante que vem desenvolvendo o embaixador Roberto de Oliveira Campos nos Estados Unidos da América para esclarecer a imprensa norteamericana e modificar as reações da opinião pública e do Congresso daquele país, em relação à nossa atitude. Sua carta ao *New York Times*, em resposta a um editorial contrário à nossa política, constitui uma afirmação modelar de nosso ponto de vista e igualmente sua conversa com alguns senadores e deputados de maior influência no Congresso trouxe benéfico resultado". (Telegrama de 24.1.62. Arquivo pessoal do autor).

[185] O conceito de "intervenção", tido em Brasília como facilmente caracterizável, era em Washington bastante relativizado. Na ótica americana, as operações que viriam a ocorrer na República Dominicana e depois na Nicarágua, El Salvador e Granada, eram sempre descritas como "contraintervenção". A intervenção teria ocorrido antes, sob a forma de ações subversivas fomentadas ou financiadas pela União Soviética, ou seu satélite cubano, visando a uma alteração no balanço regional do poder. A definição de Brasília, explicitada em carta de Goulart a Kennedy, em 24 de outubro de 1963, no auge da crise dos mísseis, era mais rígida e convencional. Essa carta, minutada por San Tiago Dantas, teve sua versão final modificada pelo próprio Jango, que assim se expressou: "É, pois, compreensível que desagrade profundamente à consciência do povo brasileiro qualquer forma de intervenção num Estado americano, inspirada na alegação de incompatibilidade com o seu regime político, para lhe impor a prática do sistema representativo por meios coercitivos externos, que lhe tiram o cunho e a validade. Por isso o Brasil, na VIII Reunião de Consulta de Chanceleres Americanos, se opôs à imposição de sanções ao regime cubano, tanto mais que não eram apontados então, como só agora veio a suceder, fatos concretos em que se pudesse prefigurar a eventualidade de um ataque armado". Nessa mesma carta, Goulart expõe os melindres do Brasil quanto ao "Colégio Interamericano de Defesa", que deveria ater-se a problemas técnicos e de segurança *externa*, evitando apreciar questões de segurança *interna*. A posição oficial do governo, expressa através do Itamaraty, era que, ao criar esse órgão, a Junta Interamericana de Defesa havia exorbitado de suas funções. Meu colega, o embaixador Ilmar Pena Marinho, chefe da delegação junto à OEA, referia-se a esse órgão como uma "academia de golpes de Estado". No entanto, meu adido militar na embaixada em Washington, o general Orlando Ramagem, recebia instruções diretas do EMFA, no sentido de prestigiar o Colégio Interamericano de Defesa. Obviamente, reproduziam-se no seio do governo brasileiro as tensões internas entre a visão dos diplomatas e a visão dos militares, a que eu assistia em Washington. Em variadas questões, havia um contraponto entre a visão do Departamento de Estado, preocupado com susceptibilidades políticas e formalismo jurídico, de um lado, e, de outro, a percepção dos órgãos de segurança — Pentágono e CIA — e da Casa Branca. A carta de Goulart a Kennedy pode ser encontrada nos arquivos do Itamaraty, sob referência MRE-SSE/124/920, (42)(22). Anexo único. Ver sobre o assunto Moniz Bandeira, op. cit., p. 174-175.

Logrei razoável êxito, a despeito da emocionalidade do problema, e pelo menos nos círculos governamentais a posição adotada por San Tiago Dantas passou a ser contemplada com menos injustiça. Na verdade, tratava-se de uma posição bastante severa com relação a Cuba. Aceitava, é verdade, a coexistência como um dado de fato — em vista do impasse nuclear e da renúncia por Washington a uma solução de força — mas sugeria a imposição a Cuba de um "estatuto de obrigações negativas", cuja violação implicaria sua expulsão do sistema, e até mesmo a imposição das sanções previstas no artigo 8º do Tratado do Rio de Janeiro. Estas não excluíam como *ultima ratio* a hipótese de intervenção armada. A neutralização de Cuba através de um estatuto de "obrigações negativas" tinha sido uma brilhante invenção de San Tiago Dantas, visando conciliar os princípios de autodeterminação e não-intervenção com as necessidades de defesa do sistema interamericano. Citei abundantemente, em defesa de San Tiago, um trecho do seu famoso discurso em Punta del Este:

"A aceitação deliberada e permanente de uma ideologia política que contradiz e combate o organismo continental gera uma situação irrecusável de incompatibilidade, de que não podem deixar de ser extraídas conseqüências jurídicas."

Washington, entretanto, sob enorme pressão passional da opinião pública, refletida em Capitol Hill, enxergava na atitude brasileira uma preocupação juridicista e ingênua, frente às realidades brutais do expansionismo ideológico soviético. Na ótica de Washington, o Brasil subestimava os perigos da infiltração comunista, ao qual, diziam, seria mais vulnerável que os outros dois grandes países — o México e a Argentina. Aquele, por ter a mística de sua própria revolução. Esta, porque seu mais elevado padrão de vida atenuaria as pressões sociais.

Naquele clima de grande tensão da guerra fria parecia herético admitir, mesmo indiretamente, qualquer formulação jurídica que reconhecesse a presença no continente de regimes comunistas, ainda que sob cautelas destinadas a esterilizar quer a influência militar soviética, quer a possibilidade de práticas subversivas.

Mais tarde, por ocasião da confrontação entre os Estados Unidos e a União Soviética em outubro de 1962, ocorreu o que o Brasil receava e procurara evitar em janeiro, na reunião de Punta del Este: a internacionalização do problema cubano, que escapou à ação moderadora do sistema interamericano, transformando-se num episódio vulgar da guerra fria.

OS CONFISCOS
DE BRIZOLA

Meu desentendimento com Brizola na Conferência de Punta del Este tinha sido apenas um prenúncio de maiores dissabores. À encampação da Companhia de Energia Elétrica Rio-Grandense, subsidiária da American & Foreign Power, em 1959, sobrepôs-se, em março de 1962, um mês antes da visita de Goulart aos Estados Unidos, a da Companhia Telefônica Nacional, subsidiária da ITT. Esta deflagrou um enorme estardalhaço publicitário que rapidamente repercutiu no Congresso americano. Isso levou o senador Bourke Hickenlooper a apresentar sua famosa emenda à lei de auxílio externo dos Estados Unidos, vedando qualquer espécie de auxílio a governos que tivessem confiscado empresas norte-americanas sem adequada compensação. Já haviam surgido problemas similares para os investidores norte-americanos na Indonésia e no Ceilão, mas pode-se considerar que a emenda Hickenlooper foi essencialmente um subproduto dos confiscos de Brizola. As encampações de Porto Alegre, acompanhadas de depósitos de quantias apenas simbólicas (US$400 mil contra US$10 milhões pretendidos pela companhia), revelando intenção confiscatória, ameaçavam provocar uma reação em cadeia no Brasil, rivalizando-se vários governadores no desejo de exibir masculinidade nacionalista.

Consciente das pressões que sofria no Congresso americano para estabelecer medidas defensivas e punitivas que dissuadissem tentativas de confisco — isto é, desapropriação desacompanhada de justa indenização — o presidente Kennedy manifestou-me repetidamente, desde a apresentação de minhas credenciais em Washington, sua inquietação pelos acontecimentos. De um lado, a encampação confiscatória tenderia a deteriorar o clima de investimentos privados não só no Brasil, mas em toda a América Latina. De outro, o Congresso em Washington dificilmente resistiria ao argumento de poderosos contribuintes, segundo os quais o dinheiro do auxílio externo indiretamente estaria financiando confiscos arbitrários de propriedades norte-americanas.

Os diversos projetos de emenda à lei do auxílio externo, notadamente a emenda Hickenlooper, eram considerados por Kennedy uma imprudência política e um desastre diplomático, criando um ambiente hostil à Aliança para o Progresso. Mas dificilmente o Executivo conseguiria bloqueá-los, se não se encontrasse solução pacífica para os litígios. Tal como ele enxergava, uma solução pacífica, através de uma nacionalização sem atritos, traria vantagens ao Brasil. O volume de ajuda externa que se poderia mobilizar para o Brasil ao longo dos anos, superaria de muito qualquer soma a ser paga como indenização; não se afugentariam os investidores privados, considerados importantes também por outros países da América Latina desejosos de atrair capitais; finalmente, evitando criar uma atmosfera conflitiva, o Brasil preservaria a possibilidade de liderar, se o quisesse, o grande movimento reformista da Aliança para o Progresso. San Tiago Dantas, como ministro do Exterior, e eu próprio, como embaixador em Washington, pusemo-nos a trabalhar uma forma de *nacionalização pacífica* mediante a compra das entidades encampadas, com o tríplice propósito de (a) Dar racionalidade e operacionalidade ao nacionalismo passional de Brizola; (b) Clarear a atmosfera para a visita, já planejada, de Goulart a Washington, em abril de 1962; (c) Tornar desnecessárias as restrições legislativas na lei do auxílio externo, restrições que prejudicariam todo o mundo subdesenvolvido. Foi ponderado a Goulart que esquemas semelhantes de nacionalização pacífica, com compra das instalações com pagamento a longo prazo, haviam sido praticados no México e na Colômbia, e considerados nos círculos políticos como *vitórias nacionalistas*.

Durante a visita de Goulart a Washington, como a seguir relatarei, foi consagrado um entendimento de princípio sobre a tese da nacionalização pacífica. De regresso ao Brasil, entretanto, Goulart absorveu-se, de um lado, na luta pelo plebiscito e restauração dos poderes presidenciais, e, de outro, deixou-se intimidar pelo radicalismo nacionalista de Brizola, que insistia no puro e simples confisco das instalações. Apesar das angustiadas advertências de Kennedy, que eu transmitia ao Brasil com monótona regularidade, somente um ano depois, em abril de 1963, se rubricou um memorando de entendimento com a AMFORP, corporificando a transação, em termos amplamente favoráveis ao Brasil. A essa altura, já havia sido votada a emenda Hickenlooper. Assim mesmo, a crescente passionalidade do radicalismo brizolesco intimidou a tal ponto nossos governantes, que passaram a adotar uma postura pilatesca, restando a San Tiago Dantas e a mim próprio a responsabilidade de enfrentarmos considerável desgaste político e uma onda de incompreensão e covardia. A transação foi finalmente concluída, em condições aliás melhoradas, já no governo Castello Branco, incorporando-se importante acervo ao patrimônio nacional, contra pagamento a longo prazo, em parte reinvestido em participações minoritárias em outras empresas no país, sem dano para o clima de investimentos. As peripécias de eliminação dessa área de atrito serão depois relatadas.

Ao longo dos debates sobre a emenda Hickenlooper, afastei-me da prudência e discrição exigidas dos embaixadores, para ativamente proselitizar no Congresso americano contra a aprovação da emenda. Os argumentos genéricos sobre a imprudência política da medida, a rigidez diplomática assim criada, ou a atmosfera desfavorável resultante para a Aliança para o Progresso — dado que a ajuda externa passaria a ser descrita como instrumento de coação — faziam relativamente pouca mossa em congressistas preocupados com as acusações dos contribuintes sobre a negligência legislativa em proteger investimentos no exterior contra confiscos arbitrários. Tive mais êxito com alguns argumentos de ordem pragmática: escudadas na proteção da emenda Hickenlooper, algumas empresas norte-americanas poderiam exigir compensações absurdas ou desarrazoadas, que impediriam a nacionalização pacífica; ou ainda, nos regimes de autonomia federativa, existentes em vários países latino-americanos e alguns asiáticos, qualquer líder regional exaltado poderia, por um simples ato de desapropriação confiscatória, bloquear o programa de auxílio externo para o país inteiro, exercendo de fato, indiretamente, um poder de veto sobre a política exterior norte-americana... Em vários casos pude notar nos legisladores aquela reação típica que se atribui aos políticos mineiros: "O senhor mudou minha opinião porém não o meu voto..."

Das duas empresas — a AMFORP e a ITT — esta última, apesar dos valores envolvidos serem menores, revelava muito maior belicosidade e ativismo no *lobby* legislativo. Seu presidente à época era Harold T. Geneen, personalidade vigorosa e, ao que se dizia, forte financiador de campanhas eleitorais. A ITT, sob sua direção, viria depois a ser acusada de interferência na política chilena visando à derrubada de Allende.

Vi-me assim na bizarra posição de defender as estripulias de Brizola. Em carta a Geneen, em 9 de outubro de 1962, protestei contra a publicação de um panfleto intitulado 'The expropriation of ITT in Rio Grande do Sul — a threat to the Alliance for Progress'. Tive que dar tratos à bola para demonstrar que não houvera "denegação de justiça", como argüia Geneen, pois o assunto ainda estava pendente de solução judicial, e que a compensação por expropriação, segundo cânones do direito internacional privado, exigia pagamento em *useful currency* (moeda utilizável) e não necessariamente em *convertible currency* (moeda conversível), como pretendia a ITT. A longa controvérsia viria mais tarde a regularizar-se mediante um empréstimo à Standard Electric, subsidiária da ITT, de US$7,3 milhões em termos concessionais.[186]

---

[186] Ver Moniz Bandeira, op. cit., p. 122.

AS TENSÕES
EMERGENTES

A acumulação de tensões entre os dois países tornou oportuno rever-se o convite anteriormente feito a Quadros para uma visita aos Estados Unidos, na esperança de que um entendimento pessoal entre os chefes de estado contribuísse para eliminar as áreas de atrito. Houve um breve momento de hesitação protocolar no Departamento de Estado entre convidar Goulart, como chefe de Estado, ou Tancredo Neves, como primeiro-ministro e chefe do governo.[187] A preocupação de Kennedy com a situação brasileira é revelada pelo fato de que já em julho de 1961 havia manifestado interesse em encontrar-se com Jânio Quadros, sugerindo uma data em novembro para uma visita oficial e outra em setembro, para um encontro sem protocolo, que poderia realizar-se, à opção de Jânio, em Washington ou em Porto Rico. A inesperada renúncia de Quadros em agosto de 1961 tornou a proposta obsoleta. O convite a Goulart e sua esposa para visitarem os Estados Unidos foi confirmado em mensagem de Kennedy em dezembro de 1961, e a visita foi marcada tentativamente para 13 e 14 de fevereiro de 1962.

Confirmada a aceitação por Goulart, e sabendo que eu pretendia fazer uma visita preparatória ao Brasil, Kennedy chamou-me para acentuar a conveniência de se estudar rapidamente um mecanismo de nacionalização pacífica das empresas norte-americanas de serviço público, para evitar que sucessivas desapropriações, no estilo Brizola, seguidas de disputa sobre indenizações, criassem contínuos incidentes de política externa. Esses incidentes eram demasiado pedestres para perturbar as

---

[187] Tancredo Neves teria sido um melhor interlocutor intelectual para Kennedy, mas a opção pelo convite a Goulart provou-se correta. É que Tancredo renunciaria à presidência do Conselho de Ministros em 28 de junho de 1962, ostensivamente para desincompatibilizar-se, pois desejava concorrer à reeleição como deputado federal. É provável que, subjacente a essa decisão, houvesse a percepção de que o regime parlamentarista teria duração precária, em virtude da inospitada aspiração de Goulart de recaptura de plenos poderes presidenciais, objetivo alcançado após o plebiscito de janeiro de 1963. Em suas memórias, Daniel Krieger assim caracteriza a atuação de Tancredo: "O deputado Tancredo Neves — primeiro presidente do Conselho — homem de talento, sagaz e realista, sentiu a fragilidade da fórmula adotada para pôr termo à crise eclodida com a renúncia do sr. Jânio Quadros. A sua conduta evidenciou total vinculação com o presidente que o indicara, sem preocupar-se com a Câmara dos Deputados que o aprovara e da qual era delegado". Ver Daniel Krieger, *Desde as Missões*, p. 162.

relações entre os dois maiores países do continente, mas suficientemente contundentes para levar o Congresso norte-americano, eventualmente, a atitudes negativistas em matéria de ajuda externa. Mencionou ainda suas duas preocupações, espécie de refrão nos seus pensamentos sobre o Brasil: o perigo social da inflação, e nossa "subestimação" da periculosidade da infiltração comunista na América Latina.

A visita de Goulart aos Estados Unidos, que acabou se realizando entre 3 e 9 de abril de 1962, sem a presença da sra. Goulart, marcou uma pausa na deterioração das relações entre os dois países. Cordialmente recebido, Goulart dissipou temporariamente algumas de suas suspeitas, algo primitivas, sobre o domínio dos trustes na vida norte-americana e um suposto reacionarismo conspiratório do Departamento de Estado. E Kennedy, por um fugaz momento, vislumbrou a possibilidade de encontrar nele um líder reformista de centro, dotado de habilidade para comunicação com as massas e capaz de empalmar a liderança vacante da Aliança para o Progresso na América Latina, que por direito caberia ao Brasil, não só como a maior massa continental, mas também por ter sido o iniciador da Operação Pan-Americana.[188]

Kennedy se deslocou para receber Goulart na Base Andrews, e depois voamos num barulhento helicóptero do Exército para Washington, onde Jango se hospedou na casa oficial de hóspedes, em frente à Blair House. Era a minha primeira experiência de helicóptero e, atuando como intérprete, a viagem para mim foi uma gritaria. Faziam parte da comitiva oficial de Goulart San Tiago Dantas (ministro do Exterior), Walther Moreira Salles (ministro da Fazenda), general Amaury Kruel (Chefe da Casa Militar), senador Barros de Carvalho, deputado Saldanha Derzi, embaixadores Hugo Gouthier e Mário Gibson Barbosa, Domício Velloso (Presidente da Confederação Nacional da Indústria), e Clodsmith Riani (deputado e presidente da Confederação Nacional dos Trabalhadores na

---

[188] Quando Kubitschek lançou a Operação Pan-Americana eu era diretor-superintendente do BNDE, mas não tomei parte na redação da carta ao presidente Eisenhower. Achava que o Brasil, antes de reclamar auxílio norte-americano, deveria fazer suas reformas internas e "botar ordem na casa". Foi precisamente este condicionamento do auxílio externo a reformas internas que diferenciou a proposta da Operação Pan-Americana do ideário da Aliança para o Progresso. Esta era um programa. Aquela, uma queixa. Cabe reconhecer, entretanto, que se o lance político de Kubitschek não deflagrou um Plano Marshall para a América Latina, como ele esperava, também não foi estéril. A aceitação por Dulles e Eisenhower da idéia da criação do BID — Banco Interamericano de Desenvolvimento — em julho de 1958, foi uma resposta defasada ao desafio da Operação Pan-Americana". Também o foi a criação do Fundo do Progresso Social na Ata de Bogotá, em 1960. Não estávamos então na época do "tudo pelo social", pois houve desapontamento no Brasil e na América Latina, não só pelo montante (US$500 milhões), considerado modesto, mas porque o Fundo era apelidado de "medida" assistencialista, quando o necessário seriam investimentos na infraestrutura econômica. Àquela altura nossa retórica desenvolvimentista não se preocupava muito com a "dívida social".

Indústria).[189] Os preparativos foram meticulosos. Enviei a San Tiago Dantas o projeto de um memorando com uma análise assaz completa dos problemas de nosso relacionamento com os Estados Unidos, com recomendações específicas sobre cada um deles.

— Mas são 32 páginas — telefonou-me San Tiago. Jango jamais lerá esse catatau![190]

Enviei-lhe então um compacto em cinco páginas que ele me pediu, ao chegar a Washington, que fosse comprimido para três páginas, praticamente um roteiro para discussão. Mas não tenho certeza de que Jango, que absorvia mais na conversa que na leitura, tenha sequer lido o papelucho. Era o seguinte o índice do intimidante documento:

I. Política exterior.

1. Sistema interamericano e o problema de Cuba.

2. Integração latino-americana.

II. Problemas de natureza econômica.

Aliança para o Progresso (a) problemas fundamentais; (b) comissões mistas.

III. Fundo de estabilização das receitas de exportação.

IV. Acordo a longo prazo de café.

V. O problema de suprimento de trigo norte-americano ao Brasil.

VI. O problema das exportações brasileiras de açúcar para os Estados Unidos.

VII. Balanço de pagamentos e empréstimos para o desenvolvimento econômico.

VIII. Medidas internas brasileiras. Racionalização na cafeicultura.

IX. Investimentos privados norte-americanos nos serviços públicos no Brasil.

X. Comunidade Econômica Européia. Restrições as importações de produtos latino-americanos.

XI. Mercado Comum Europeu. Apoio à posição dos países subdesenvolvidos.[191]

---

[189] O protocolo americano estabelece um limite de dez pessoas para a comitiva "oficial". A delegação brasileira era, entretanto, mais numerosa, incluindo, além dos acima citados, Herbert Moses (presidente da ABI), Samuel Wainer, Manoel Francisco do Nascimento Brito, Edmundo Monteiro, Antonio de Pádua Chagas Freitas (então deputado federal e presidente do Sindicato dos Proprietários de Jornais), Adolfo Bloch, Frank Mesquita (chefe do cerimonial do palácio), Eugenio Caillar (secretário da presidência da República) e capitão Luiz Paulo Henrique Rego. A imprensa se fez representar através de um batalhão de 50 jornalistas. Houve no Brasil alguns protestos contra a visita de Goulart, notadamente por parte do Sindicato dos Portuários de Santos e de arquitetos paulistas, que reclamavam da interferência americana na economia nacional.

[190] Ver Anexo II — Memorando para o presidente João Belchior Marques Goulart, em preparação de sua visita ao presidente John Kennedy — embaixada do Brasil em Washington — abril de 1962.

[191] No anexo III, acha-se transcrita a carta que escrevi ao presidente Goulart em 2 de abril de 1962, transmitindo minhas previsões sobre os assuntos que o presidente Kennedy provavelmente abordaria e um roteiro para a conversa com o presidente Kennedy, na Casa Branca, no dia 3.

A primeira reunião entre Kennedy e Goulart se realizou na Casa Branca em 3 de abril. Estava marcada para as 14:30h e foi precedida de um almoço. Kennedy nos recebeu inicialmente em seu gabinete, com bastante bom humor e uma piada que me pareceu de mau gosto.

— Agora — disse ele — vamos fazer um acordo bom para os trabalhadores. Os acordos anteriores eram bons sobretudo para os banqueiros e industriais.

Moreira Salles e eu, que havíamos sido negociadores dos acordos durante o governo Jânio Quadros, entreolhamo-nos um pouco chocados. Tratava-se de uma maneira canhestra, talvez inspirada por Goodwin, de sublinhar a mudança de clima depois da Aliança para o Progresso, ou de tocar a fibra populista de Jango. Moreira Salles foi pronto no revide.

— Não, senhor presidente. Nossos acordos anteriores com o secretário Dillon foram úteis não só para banqueiros e industriais mas também para os trabalhadores, pois nossas indústrias parariam por falta de insumos importados. E também sofreriam os trabalhadores nas indústrias americanas de exportação, pois não teríamos como pagar nossas importações.

Kennedy sorriu um pouco embaraçado, e logo após, convidando-nos para passar à sala de refeições, deu um tapinha no ombro de Walther e comentou:

— *Well done, Walther* (Bom trabalho!).

No almoço, os discursos foram curtos e protocolares. Lembro-me de que disse a San Tiago Dantas: — Generalidades brilhantes, nas quais o futuro inscreverá seu próprio sentido!

De volta, as duas delegações se dirigiram para a sala de reuniões enquanto os dois presidentes, acompanhados apenas dos intérpretes, se reuniram por quase duas horas no Salão Oval. Na sala de reuniões, ficamos, de um lado da mesa, San Tiago Dantas, Moreira Salles, Gibson Barbosa, Hugo Gouthier e eu próprio, cabendo-me a tarefa de explicar a posição brasileira. Do outro lado, sentaram-se Rusk, secretário de Estado, Dillon, secretário do Tesouro, o embaixador Gordon e Richard Goodwin. Como os presidentes demorassem em seu *tête à tête*, começamos as discussões, que depois tiveram que ser praticamente reencetadas quando os presidentes retornaram ao Salão Oval.

Dean Rusk fez uma exposição sobre a evolução das negociações sobre desarmamento após a conferência dos ministros do Exterior dos 18 países membros da Comissão de Desenvolvimento em Genebra, na qual San Tiago Dantas fora o representante brasileiro.[192] Acentuando seu interesse no prosseguimento dos esfor-

---

[192] Nessa ocasião o Brasil se definiu como "potência não-alinhada" e "desvinculada de qualquer bloco político militar" (declaração bizarra, de vez que o Brasil continuava membro do Tratado Interamericano de Assistência Recíproca, de 1957). Oito países — Brasil, Suécia, México, Índia, Nigéria, República Árabe Unida, Birmânia e Egito — assinaram a "Declaração das oito potências não-alinhadas", que continha um apelo para a suspensão dos testes com armas atômicas.

ços, Rusk reiterou a oposição americana à reunião de cúpula proposta por Kruschev, antes de serem acordadas medidas concretas.[193] O terceiro assunto discutido foi a crise argentina resultante da deposição, um mês antes, do presidente Arturo Frondizi. Dean Rusk propôs, com ampla concordância de San Tiago, que os Estados Unidos e o Brasil adotassem uma linha comum, expressando desagrado por qualquer solução de força que interrompesse a normalidade democrática.

San Tiago comentou a seguir discussões que tivera com o chanceler português Franco Nogueira, em Lisboa, sobre a guerra colonial em Angola. Abria-se a possibilidade de o Brasil tomar parte numa solução associativa, em que ficasse garantida a autonomia dos territórios portugueses e à qual os Estados Unidos dariam cooperação econômica e técnica.

Ao entrar na sala de conferência, acompanhado de Kennedy, Jango exibia um ar satisfeito. Aparentemente, a conversa confidencial transcorrera bem.[194] Jango Goulart se sentia um pouco inibido, e sendo eu o mais fluente em inglês e autor dos *position papers*, acenou-me para que fizesse a apresentação do lado brasileiro. A gama de assuntos discutidos foi ampla, cobrindo diversos pontos da agenda que eu havia comunicado ao Itamaraty. A delegação americana, através de Rusk e depois, mais brevemente, através do próprio Kennedy, formulou comentários sobre temas de política exterior extracontinentais, tais como o desarmamento, o acordo de suspensão dos testes nucleares, as tensões de Berlim Ocidental, Angola e colônias por-

---

[193] Anteriormente, em 14 de fevereiro, eu fora convocado ao Departamento de Estado juntamente com o embaixador mexicano Carrillo Flores, por instruções de Kennedy, para tomarmos conhecimento da carta que Kennedy e o primeiro-ministro britânico MacMillan haviam dirigido a Kruschev solicitando sua atenção pessoal para as negociações do desarmamento em Genebra, de modo a se quebrar o impasse registrado desde a Declaração de Acordo de Princípios de setembro de 1961, assinado bilateralmente entre os Estados Unidos e a União Soviética. O objetivo era evitar a retomada de testes nucleares. Kruschev respondeu propondo que a reunião do Comitê dos Dezoito sobre rearmamento, que se realizaria em Genebra em 14 de março, começasse com uma reunião de chefes de estado, ante a inconveniência de se deixar o assunto "em mãos de burocratas". Kennedy pediu o apoio do Brasil e do México ao ponto de vista dos aliados ocidentais de que a reunião se confinasse aos ministros do Exterior, com receio de que uma reunião de cúpula se transformasse num foro propagandístico para Kruschev. Preferiam os aliados antes verificar a possibilidade de algum entendimento concreto sobre a fiscalização internacional dos armamentos, sobre a verificação de sua destruição e sobre medidas de desarmamento parcial. A reunião de cúpula deveria aguardar a maturação desses entendimentos.

[194] João Goulart convidou Kennedy e Jacqueline para visitar o Brasil em julho ou agosto, mas a visita nunca chegou a ser seriamente planejada. O embaixador Lincoln Gordon desaconselhou-a, por perceber que o único interesse obsessivo de Goulart, ao retornar de Washington, era a campanha pela restauração dos plenos poderes presidenciais. O grande prejudicado na estória fui eu próprio. A visita de Kennedy foi sucessivamente adiada e depois tentativamente marcada para outubro. Como neste mês estourava a crise dos mísseis em Cuba, a visita de Kennedy nunca se realizou.

tuguesas. Kennedy referiu-se rapidamente à crise política argentina resultante da deposição do presidente Frondizi, deposição que Goulart injustamente acreditou provocada pelos Estados Unidos, quando, pelo contrário, estes procuraram desesperadamente desencorajar tal aventura.[195]

Kennedy confirmou a proposta de Rusk de uma política conjunta visando a desencorajar as violações do processo democrático na América Latina.[196] Buscando auscultar as impressões brasileiras, voltou a repisar o tema do expansionismo ideológico soviético, acentuando, desta vez, com base na experiência que tivera no Senado, como membro do Comitê de Assuntos Trabalhistas, as perigosas tentativas de infiltração comunista nos sindicatos norte-americanos nos primeiros anos do pós-guerra.

No plano das relações bilaterais, a discussão cobriu campos variados. Um deles foi a Aliança para o Progresso, queixando-se Kennedy da ausência de planos brasileiros de desenvolvimento, e Goulart da morosidade burocrática dos organismos em Washington, com sua insistência em planos globais e reformas necessariamente lentas. Foram mencionados o combate à inflação e o problema dos investimentos estrangeiros, havendo Goulart exposto o esquema de nacionalização pacífica de concessionárias de serviço público, contra pagamento a longo prazo, como alternativa à desapropriação litigiosa. Mencionou-se a necessidade do apoio americano ao acordo do café, então em negociação, assim como nossa pretensão de ver elevadas nossas quotas de exportação de açúcar para o mercado norte-americano.

---

[195] Bizarramente, a deposição de Frondizi se deveu em grande parte à insatisfação dos militares argentinos com sua atitude pouco enérgica em relação a Fidel Castro e à infiltração comunista.

[196] A instabilidade política na América Latina viria a ser uma das graves dificuldades na implementação da Aliança para o Progresso, criando embaraçosos problemas para Kennedy. O golpe que depôs o presidente Arturo Frondizi, na Argentina, ocorrera em março de 1962, pouco depois da Conferência de Punta del Este. Seguir-se-iam a deposição do presidente Prado, no Peru, em 18 de junho, e, no ano seguinte, os golpes militares da Guatemala e do Equador.
Em longa análise, enviada ao Itamaraty em junho de 1963, sublinhei duas peculiaridades. De um lado, a seqüência clássica das ditaduras militares latino-americanas: queda do governo, suspensão das garantias constitucionais, deposição do presidente, fechamento do Congresso, proibição de atividades políticas e fusão do executivo e legislativo, na pessoa de um líder militar ou civil tutelado. De outro, a ambivalência das reações norte-americanas, derivada da diferença de percepções político-estratégicas entre o Departamento de Estado e os órgãos de defesa — Pentágono e CIA. A interrupção do processo democrático era motivo de séria preocupação para o presidente Kennedy pessoalmente, e para o Departamento de Estado, dentro da tese de que o aperfeiçoamento da democracia representativa é um dos meios eficientes de combate à infiltração comunista no hemisfério. Do ponto de vista dos setores militares de Washington, entretanto, os governos resultantes de golpes militares seriam "mais úteis" aos interesses da segurança continental do que os regimes constitucionais. Num primeiro momento, tendia a prevalecer a primeira posição: condenação firme a qualquer atentado à democracia representativa. Seguia-se-lhe uma fase de apaziguamento e acomodação, em que os militares recomendavam a aceitação do fato consumado, salvando-se a face pela promessa dos novos regimes de restabelecerem eleições em prazo curto.

Como acontece com os comunicados nas reuniões de cúpula redigidos pelos *sherpas*, isto é, os assessores tecnocráticos que têm tempo para minudentes discussões, o comunicado conjunto publicado no fim da visita se refere a vários tópicos, alguns dos quais mal aflorados na conversa entre os presidentes. Assim, o comunicado, depois dos rotineiros protestos de amizade e solidariedade na causa democrática, reafirma a adesão dos dois governos à Carta de Punta del Este, com seu ideário reformista; acentua o papel importante do sindicalismo democrático; refere-se aos esforços brasileiros para criar mecanismos de planejamento, seleção de prioridade e preparação de projetos no quadro da Aliança para o Progresso; registra a satisfação dos dois governos com o programa de cooperação para o desenvolvimento do nordeste; consigna que nos entendimentos para a nacionalização das concessionárias de serviço público "será mantido o princípio de justa compensação, com reinvestimento em outros setores importantes para o desenvolvimento econômico do Brasil"; expressa apoio à integração regional através da ALALC; e explicita o apoio americano à conclusão de um acordo mundial sobre café e a gestões conjuntas junto à Comunidade Econômica Européia para eliminação dos excessivos impostos que oneram o consumo de produtos de base latino-americanos.

A agenda de Goulart em Washington foi extremamente carregada. Recebeu visitas, na Blair House, dos presidentes do Banco Mundial (Eugene Black), do presidente do BID (Felipe Herrera) e do diretor-executivo do FMI (Per Jacobsson). O presidente do Eximbank (Harold Linder) acompanhou o secretário do Tesouro, Douglas Dillon, numa entrevista de uma hora com Goulart no dia 4 de abril, de

---

No caso específico do golpe argentino, discutido na reunião entre Goulart e Kennedy na Casa Branca, verificou-se precisamente essa seqüência: durante os 12 dias da crise argentina, o presidente Kennedy acentuou a necessidade de solução do problema por via democrática, pois do contrário o auxílio dentro do programa da Aliança para o Progresso pareceria um apoio americano à anulação das eleições e à ditadura militar; perpetrado o golpe e preso Frondizi, foi suspensa qualquer ajuda econômica; empossado um civil, o presidente José Maria Guido, criou-se um clima de apaziguamento; em 18 de abril, 20 dias depois do golpe, foi reconhecido o novo governo argentino; em 7 de maio, o ministro do Exterior, Del Carril, advogava inteira fidelidade ao Ocidente e repulsa à política neutralista; em 7 de junho, restabelecia-se o fluxo de ajuda econômica.
No caso peruano, entre maio e julho de 1963, a seqüência foi semelhante. Deposto o presidente Manoel Prado, em 18 de junho, por ter recusado a exigência militar de cancelamento das eleições que deram a Haya de la Torre votação inferior ao terço constitucional, os Estados Unidos chagaram a romper relações diplomáticas com o Peru, suspendendo qualquer ajuda econômica e militar. O golpe era descrito por Kennedy como "sério retrocesso" para a Aliança para o Progresso. Esfriados os ânimos, seguiu-se uma fase de apaziguamento e, finalmente, em 17 de agosto (29 dias depois do golpe), os Estados Unidos reconheceram a Junta Militar como "governo provisório", comprometendo-se este a promover eleições ainda em 1963. Recomeçou também a ajuda econômica. Essa análise é encontrada em relatório intitulado 'Política externa americana', que enviei ao Itamaraty com o ofício nº 516/900.1 (22), de 13 de junho de 1963.

• *Com Charles de Gaulle, na*
recepção oferecida
pelo presidente Castello Branco
por ocasião da visita do líder
francês ao Brasil, Brasília.
Outubro de 1964.
Foto: Manchete.

• *Em Brasília, com Heinrich Lübke, presidente da Alemanha, durante a visita no Brasil. 7.5.64.*
Foto: Arquivo do autor.

• *Tomando posse como ministro do Planejamento do governo Castello Branco. Na foto, o presidente Castello Branco e o então chefe da Casa Civil, Luís Viana Filho. Palácio do Planalto. 20.4.1964.*
Foto: O Globo.

To Roberto Campos, my goodfriend and esteemed Statesman of the hemisphere – with warm regards

Hubert H. Humphrey

• Com o vice-presidente
americano Hubert Humphrey e
Juracy Magalhães, embaixador
em Washington. 1965. Na
dedicatória lê-se: "A Roberto
Campos, meu bom amigo e
estimado estadista do Hemisfério
— Com calorosas saudações,
Hubert Humphrey
Foto: Arquivo do autor.

• Exercitando-se ao piano com o filho
Luiz Fernando. Ao fundo, D. Stella e a filha Sandra.
10.12.1964.
Foto: O Globo.

• *Com o presidente Castello*
Branco e o ministro da Fazenda
Octávio Gouveia de Bulhões
(de costas) em despacho no
Palácio Laranjeiras. 1964.

Foto: Arquivo do autor.

• *Com Lincoln Gordon (embaixador americano no Brasil),*
Octávio Marcondes Ferraz (presidente da Eletrobrás),
George Woods (presidente do Banco Mundial) e
Octávio Gouveia de Bulhões (ministro da Fazenda),
no canteiro de obras da usina de
Ilha Solteira. Julho de 1965.

Foto: Arquivo do autor.

• *Com o presidente Castello*
Branco, o embaixador americano
no Brasil Lincoln
Gordon, e o economista e
historiador Walt Rostow,
assistente especial do presidente
Kennedy. Rio de Janeiro.
Novembro de 1965.
Foto: Manchete.

Ao Ministro Roberto Campos, homem de
Estado de grande relevo, muito maior no futuro
pelo muito que já fez e pelo muito que ainda fará
serviço do Brasil, com o reconhecimento e a estima
de H. Castelo Branco

ROSENFELD

Brasília, 14 Março 67

• *Com Mário Henrique Simonsen (à esquerda) e Octávio Gouveia de Bulhões. 28.7.1969. Rio de Janeiro.*
Foto: Folha de São Paulo.

• *Com Daniel Krieger e Gustavo Capanema. Brasília. 4.12.74.*
Foto: Ricardo Penna. Abril Imagem.

• *Foto oficial do presidente Castello Branco com dedicatória:*
"Ao Ministro Roberto Campos, homem de Estado de grande relevo, muito maior no futuro pelo muito que já fez e pelo muito que ainda fará a serviço do Brasil, com o reconhecimento e a estima de H. Castello Branco. Brasília, 14 de março de 1967."
Foto: Rosenfeld/Rio. (pág. ao lado)

• *O ministério do final do governo Castello Branco: 1a fila: Ademar de Queiroz (Guerra), Carlos Medeiros (Justiça), o presidente Castello Branco, Zilmar Araripe (Marinha), Juracy Magalhães (Relações Exteriores). Na 2ª fila: Raymundo Aragão (Educação), Juarez Távora (Viação e Obras Públicas), Octávio Gouveia de Bulhões (Fazenda), Severo Gomes (Agricultura), Luís Gonzaga do Nascimento e Silva (Trabalho), Eduardo Gomes (Aeronáutica). Na 3ª fila: Ernesto Geisel (Chefe da Casa Militar), Roberto Campos (Planejamento), Mauro Thibau (Minas e Energia), Raymundo de Brito (Saúde), Paulo Egídio Martins (Indústria e Comércio), João Gonçalves de Souza (Coordenação de Assuntos Regionais) e João Navarro da Costa (Casa Civil). Palácio do Planalto. 27.10.76.* Foto: Abril Imagem.

• *Em Londres com Zélia Gattai, Nair de Carvalho, D. Stella e Jorge Amado. 3.6.1976.* Foto: Folha de São Paulo.

• *Em Londres, num almoço em homenagem a Cristina Foyle, dona de uma das maiores cadeias de livrarias da Inglaterra. À direita, o advogado e historiador Paulo Mercadante. 15.9.1978.*
Foto: Zora Seljan.

• *Na recepção no Guild Hall de Londres, entre D. Stella e Amália Lucy, durante a visita do presidente Ernesto Geisel à Grã-Bretanha. 7.5.1976.*
Foto: Luís Humberto. Abril Imagem.

• *Entre Nilo Coelho e Ulysses Guimarães, cumprimentando o presidente Ronald Reagan no Palácio da Alvorada durante sua visita ao Brasil.*
Dezembro de 1982.
Foto: Official White House.

• *Com o primeiro ministro de Singapura, Lee Kuan Yew. Stana. 5.5.79.*
Foto: Arquivo do autor.

• *A esquerda, foto oficial como embaixador em Londres com a Ordem da Rainha Victoria para a abertura do Parlamento. 1977.*
Foto: John Brown.

• *Com José Sarney no*
Senado. Brasília. 1982.
Foto: Arquivo do autor.

• *Em campanha para o Senado pelo PDS na cidade*
de Alto Garça. Mato Grosso. 28.7.82.
Foto: Carlos Namba. Abril Imagem.

• *Durante a campanha para o Senado.*
Pantanal. Junho de 1983.

Foto: Orlando Brito. Abril Imagem.

• *Com Antonio Carlos*
Magalhães. Julho de 1983.
Foto: Gildo Lima. Abril Imagem

• *Estréia no Senado em julho de 1983.*
Foto: Orlando Brito. Abril Imagem.

que participei, juntamente com San Tiago Dantas, Moreira Salles e os embaixadores Hugo Gouthier e Mário Gibson Barbosa.

A visita de Goulart era descrita como de cortesia e aproximação política, sem objetivos financeiros específicos. Mas, além de um empréstimo ao Nordeste de US$131 milhões, como parte de um programa global de US$276 milhões (para o qual o governo brasileiro contribuiria com US$145 milhões), Moreira Salles obteve a liberação de US$129 milhões que ele próprio havia negociado durante o governo Jânio Quadros. Esses fundos haviam sido congelados após a crise da renúncia. E o FMI adiou o pagamento de US$20 milhões devidos pelo Brasil.[197]

Era visível a preocupação americana de estender o tapete vermelho para Goulart. Foi o único presidente brasileiro a discursar duas vezes no Congresso americano. Fizera-o como vice-presidente de Kubitschek, quando retribuiu a visita de Nixon, em junho de 1956. E foi novamente recebido como presidente, em sessão conjunta do Congresso, em 4 de abril de 1962. Outra deferência especial foi a visita aos subterrâneos secretos do Comando Aéreo Estratégico na Base de Offut, em Omaha, de onde se controlam os mísseis nucleares. Offut sediava também os bombardeiros nuclares B-52, que se revezavam no ar em alerta permanente. A parte mais impressionante para Goulart, como maravilha eletrônica, foi a sala do comando subterrâneo, com comunicação telefônica instantânea com mais de 40 bases espalhadas pelo mundo. O comandante da base, general Thomaz S. Power, levou-nos de helicóptero a inspecionar um silo do míssil balístico intercontinental *Atlas*, no vale do Missouri, em Iowa, antes da partida de Jango para Chicago, em 7 de abril.

Em seu discurso na sessão conjunta do Congresso, em 4 de abril, sob a presidência do vice-presidente Lyndon Johnson, Goulart exibiu uma atitude um pouco mais crítica e desinibida do que na Casa Branca. Inicialmente, exorcizando-se das acusações de esquerdismo, expressou o ponto de vista de que a convivência pacífica com o comunismo demonstraria que "a democracia representativa é a mais perfeita forma de governo para a exploração das liberdades individuais". No tocante à Aliança para o Progresso, advertiu ser irrealista condicionar os desembolsos dos financiamentos externos a "rigorosos planos econômicos e sociais globais" ou à "prévia eli-

---

[197] O acordo de cooperação financeira e técnica para o desenvolvimento do Nordeste foi assinado por San Tiago Dantas, após a partida de Goulart para Chicago. Gradualmente, os Estados Unidos passaram a dar preferência a empréstimos diretos aos estados e municípios, em lugar da União, à medida que cresciam os receios de infiltração comunista no governo central e que se descumpriam os programas de estabilização. Era a teoria da concentração de esforços nas "ilhas de sanidade". Os contínuos ataques de Brizola ao imperialismo, não desautorizados frontalmente por Goulart, em contraste com a postura mais cooperativa de outros governos estaduais, tornavam explicável, conquanto politicamente inaceitável, essa atitude discriminatória.

minação da instabilidade". O auxílio à América Latina deveria ser imediato e nas proporções do Plano Marshall. No tocante às concessionárias estrangeiras de serviços públicos, os estatutos deveriam ser revistos a fim de eliminar as possibilidades de conflito "suscetíveis de envenenar as relações entre países amigos". Mas isso não significaria nenhuma prevenção contra os capitais estrangeiros, que teriam adequada compensação e poderiam ser transferidos para outros setores onde sua cooperação financeira e técnica seria benvinda. Era uma reafirmação da doutrina de "nacionalização negociada" acordada, em princípio, com o presidente Kennedy.

Menos convincentemente, Goulart expôs a situação inflacionista das finanças brasileiras, cuja causa se situaria na baixa dos preços de matérias-primas depois da guerra. Era a velha lamúria sobre a falta de um Plano Marshall:

> "Enquanto a Europa depois da guerra recebeu uma ajuda total dos Estados Unidos, sem se fazer distinção entre aliados e antigos inimigos, os países latino-americanos não se beneficiaram de nenhum plano de cooperação internacional, e não contaram, para revigorar sua economia, agravada pela inflação, com outra coisa senão com a exportação de produtos em bruto."

Finalmente, afirmou Goulart que o Brasil respeitaria todos os compromissos internacionais assumidos e se identificava plenamente com os princípios democráticos do Ocidente.

— Nem por isso — concluiu — somos menos partidários da coexistência pacífica entre o mundo democrático e o mundo socialista, e de um desarmamento progressivo, pois o conflito entre os dois blocos não pode ser resolvido militarmente.

O discurso de Goulart exerceu bom impacto. Referiu-se a ele, elogiosamente, o líder da maioria no Senado, Mike Mansfield, que o chamou de "corajoso e construtivo". O senador George Sparkam, também democrata, do Alabama, considerou-o "extremamente franco e capaz de produzir excelentes resultados". O senador George Aiken, do Partido Republicano, considerou-o "amistoso e compreensivo". As ovações parecem ter sido genuínas, mais do que simplesmente corteses.

Além de Washington, Goulart visitou Nova York e Chicago. Não faltou em Nova York a tradicional carreata, com chuva de papéis e serpentinas lançados dos arranha-céus, em companhia do prefeito Robert Wagner, que fora ao aeroporto recebê-lo. Teve um almoço com o secretário-geral da ONU U Thant, e deu logo após uma conferência de imprensa assistida por cerca de 200 jornalistas, revelando bastante habilidade. Conseguiu desfazer a impressão de que era um misto de esquerdista e playboy. Não era apenas o goodtime Johnny a que se referiam os jornalistas, traduzindo o apelido "Joãozinho boa pinta", como o chamavam donzelas cariocas. Duas das perguntas se referiam à "questão esquerdista". Uma era se seria possível conviver com a Cuba atual. Goulart respondeu que o Brasil defendia a fórmula de coexistência e mantinha relações com os países comunistas e socialistas. No caso de Cuba, esse relacionamento poderia ajudar esse país a retornar ao sistema democrático. A uma pergunta sobre Francisco Julião e suas ligas camponesas no Nordeste, respondeu que se tratava de "um fenômeno político ligado à situação social". A popularidade de Julião baixaria à medida que melhorassem as condições sociais. Esquivou-se habilmente a opinar sobre o golpe militar na Argentina, dizendo apenas que lamentava o que havia ocorrido internamente e desejava que o próprio povo argentino encontrasse uma solução democrática para a situação.

No tocante aos confiscos de Brizola, a resposta foi hábil. O Brasil, ao nacionalizar as empresas americanas de serviços públicos, simplesmente reconhecia que, com a desatualização tarifária e subseqüente deterioração dos serviços, as empresas nesse setor se haviam tornado impopulares e fontes de malentendidos, mas que desejava que esses capitais fossem para outros setores da economia, onde sua colaboração seria bemvinda.

O governador Nelson Rockefeller ofereceu um jantar com a presença de líderes políticos e empresariais. Jango discursou em banquete oferecido pela Pan-American Society, esmerando-se em demonstrar, perante um audiência bastate cética, a receptividade brasileira a capitais estrangeiros.

Num esforço de melhoria de imagem, pedi a Andrew Haskell, presidente do grupo *Time-Life* e também, àquela ocasião, presidente da Sociedade Interamericana de Imprensa, que organizasse um almoço íntimo no recém-construído arranha-céu da empresa. Esse almoço permitiria um encontro com os elementos mais influentes da mídia novaiorquina. Dele participei, juntamente com San Tiago Dantas, Walther Moreira Salles, Hugo Gouthier e Lincoln Gordon. Ante um Goulart silencioso, San Tiago afirmou que nossa reforma agrária seria capitalista e não comunista. Explicou a política brasileira, oposta à expulsão de Cuba do sistema interamericano, pela preocupação de não privá-la futuramente de uma alternativa razoável de reintegração no continente.

— Não somos nem neutralistas, porque estamos integrados no sistema interamericano de defesa, nem comunistas; somos independentes — concluiu San Tiago.

Simpático no contato pessoal, Goulart era pouco articulado na exposição de idéias. Não aproveitou das oportunidades de contatos informais, mais proveitosos que discursos formais. Talvez a melhor oportunidade perdida tenha sido após a recepção de despedida na embaixada, na noite de 4 de abril. Com o auxílio de Lincoln Gordon consegui que ficassem para um jantar leve, no sótão da embaixada que eu convertera de depósito de material num salão de debates, toda a elite do poder de Washington, para uma conversa informal com Jango. Lá estavam Rusk, secretário de estado, MacNamara, da Defesa, Robert Kennedy, procurador-geral, John McCone, diretor da CIA, Walt Rostow e Arthur Schlesinger,

assessores da Casa Branca, Lincoln Gordon e o economista John Kenneth
Galbraith, embaixador na Índia, convidado pelo seu relacionamento especial com
o presidente Kennedy. Do lado brasileiro figuravam, além do presidente Goulart,
Moreira Salles, San Tiago Dantas, e o deputado Herbert Levy, incorporado à última hora à delegação como convidado especial. O embaixador Lincoln Gordon
conspirara comigo para possibilitar essa conversa de alto nível, viabilizada apenas pela preocupação existente em Washington com o "caso brasileiro", visto sob
dois aspectos — deterioração econômica e aproximação com Cuba. Esperava eu
que Goulart se valesse dessa oportunidade singular para, num ambiente descontraído, discorrer sobre a conjuntura brasileira e seu programa de governo. Isso
me ajudaria no esforço de transformar sua imagem de "esquerdista radical" em
reformista prudente.

Apesar de minhas repetidas provocações para que Jango expusesse seu ideário e
programa de governo, a conversa não se estruturou tematicamente e pouco a pouco
os interlocutores passaram a falar com seus vizinhos. Além de se provar pessoalmente simpático, Goulart pouco falou, inibido talvez pelo seu desconhecimento do
inglês e pelo brilho da *intelligentzsia* washingtoniana reunida à volta da mesa.
Num momento de descontração, Galbraith manifestou-me que o meu problema de
representar um presidente tão desinformado em economia era pior que a tarefa
que ele tinha em relação a Kennedy.

— Jack — disse Galbraith — não entende nada de economia mas pelo menos
sabe onde está a veia jugular. E sabe que ela não está na bunda (*in the ass*). O seu
presidente, ao contrário, parece pensar que a veia jugular está *in the ass*.

Pouco depois, Galbraith, extrovertido e irônico, começou a teorizar, sob meu
protesto, sobre a inconveniência de o Brasil aceitar a unificação da taxa cambial
sugerida pelo FMI.

— As taxas múltiplas de câmbio, dizia ele, podem e devem ser usadas pelos países subdesenvolvidos como instrumento de taxação de exportações e de barreira
diferenciada contra importações.

Objetei logo que tínhamos no Brasil uma longa e penosa experiência com um
complexo sistema de taxas múltiplas, de que só recentemente, no governo Jânio
Quadros, nos havíamos libertado. A taxa de câmbio, argumentei, devia ser unificada, porém flutuante, em razão das condições inflacionárias da economia brasileira.
A aceitação de taxas flutuantes contrariava a sabedoria convencional da época,
mas me parecia utópica a manutenção de paridades fixas em países sujeitos a processos inflacionários e crônico déficit de balanço de pagamentos. As desvalorizações periódicas fariam a emenda pior que o soneto, pois a expectativa de desvalorização gerava periódicas ondas de especulação, com os desastrosos e habituais subprodutos — represamento de exportações, aceleração de importações e efeitos

negativos sobre o ingresso de capitais. Isso viria a tornar-se sabedoria convencional nos anos 70, quando os Estados Unidos se viram forçados a abandonar, em 1971, a conversibilidade do dólar em ouro, e depois, em 1973, o sistema de paridades fixas. As taxas múltiplas, disse a Galbraith, transformavam os exportadores em "lobistas" à busca de classificação na categoria mais favorecida e burocratizavam enormemente o sistema. Além disso, a multiplicidade de taxas prejudicava as exportações e impunha ao câmbio tarefas que melhor poderiam ser desempenhadas por tarifas aduaneiras. Lincoln Gordon, conhecedor da experiência brasileira, apoiou-me na crítica às taxas múltiplas. Galbraith, conhecido por sua atitude depreciativa em relação ao FMI, manifestou estranheza ante o fato de um representante de país subdesenvolvido "aceitar teorias esposadas por agências internacionais". Houve um penoso silêncio de desaprovação. Walther Moreira Salles olhou-me, perplexo, pois sabia-me um amigo de Galbraith e tinha experiência própria dos inconvenientes de taxas múltiplas nos leilões de câmbio. Galbraith logo reconheceu o *faux pas* e, segundo me contou Moreira Salles, depois escreveu uma carta a Goulart desdizendo-se e proclamando-me um dos mais competentes diplomatas em Washington e autêntico defensor dos interesses brasileiros.

Verifiquei que a confraria dos economistas é muito desunida. O chiste em Cambridge era que quando se reuniam dois economistas ingleses, sendo um Lord Keynes, havia pelo menos três opiniões diferentes, pois Lord Keynes seguramente teria duas. E às vezes contraditórias. Se Galbraith se reunisse ao grupo haveria pelo menos seis, pois ele também consideraria monótono ter apenas uma opinião.

O CALENDÁRIO
DE LIBERAÇÃO

Há um episódio pouco conhecido e que por muito tempo permaneceu confidencial, mas que vale a pena relatar. Ao fim das negociações, durante a visita de Goulart, fui chamado por Dean Rusk ao Departamento de Estado, primeiro a sós e depois acompanhado por San Tiago Dantas, para discussão confidencial e urgente. Era o tema do conflito de Angola, que San Tiago havia mencionado rapidamente,na reunião da Casa Branca. Tratava-se, nada mais nada menos, do que evitar que Angola viesse a se tornar um novo Congo Belga, cena de embates sangrentos. Tinha-se de contemplar a hipótese de o conflito congolês extravasar das fronteiras, ameaçando a posição portuguesa, e, mais perigosamente ainda, transformando Angola em palco para a rivalidade das grandes potências.

Os Estados Unidos não tinham condições de dialogar com Portugal sobre a matéria sem comprometer o esquema da defesa ocidental, pois sua interferência provocaria reações antagônicas à cooperação de Portugal com a OTAN e à utilização das bases nos Açores (que seriam vitais se se agravasse o conflito sobre Berlim). Além disso, qualquer iniciativa americana seria interpretada pelos russos como intervenção, e pelos portugueses como ambição de substituir os investidores portugueses na África por interesses econômicos americanos.[198]

O Brasil, entretanto — dizia Rusk — pelas suas raízes históricas e condições afetivas, poderia dialogar com Portugal e talvez desenvolver o esquema de uma Comunidade Luso-Brasileira que abrangesse, além de Angola, outras colônias africanas, como instrumento de pacificação. Os Estados Unidos estariam dispostos a cooperar economicamente, proporcionando amplos recursos financeiros para um banco ou organização de desenvolvimento, administrado pelo Brasil e Portugal, para acelerar investimentos nas colônias e prepará-las para a independência.

---

[198] Relata Afonso Arinos que, quando em visita a Portugal em abril de 1961, o ministro do Exterior, Marcelo Matias, se queixara de que os americanos na ONU estavam encorajando agitação nas colônias portuguesas de Ultramar em Goa e Angola. As queixas eram especificamente dirigidas contra Averell Harriman, conselheiro especial de Kennedy, Chester Bowler, subsecretário no Departamento de Estado, e Adlai Stevenson, delegado na ONU. Ver *Planalto*, Rio de Janeiro, José Olympio, 1968, p. 147.

Respondemos, San Tiago Dantas e eu, que a idéia que Franco Nogueira se dispusera a considerar num momento explosivo das relações de Portugal com a colônia, era interessante e perigosa. *Interessante* porque projetaria politicamente o Brasil, dando-lhe uma dimensão política extracontinental. E porque, se bem-sucedida, contribuiría para tornar pacífico o processo de descolonização. *Perigosa*, porque o engajamento político poderia, pouco a pouco, transformar-se em engajamento militar, coisa totalmente inaceitável para o Brasil.

Além disso, dada nossa posição anticolonialista, teríamos que condicionar qualquer ação a um "calendário de liberação", compromisso para o qual não estávamos certos que estivesse Portugal psicologicamente preparado. E se a idéia fosse mal interpretada pelos africanos, o Brasil acabaria fatalmente antagonizando o mundo subdesenvolvido. De qualquer modo, o assunto era grave e delicado, e não comportava consultas telegráficas, tendo assim que aguardar, apesar da urgência, discussões pessoais de San Tiago Dantas com os membros do governo brasileiro, e talvez mesmo sondagens junto a congressistas brasileiros de maior influência.

De volta à embaixada, pediu-me San Tiago Dantas para amadurecer o problema. Daí resultaram idéias sobre um plano tripartite. A comunidade luso-brasileira teria três órgãos. Um primeiro órgão chamado "Comissão do Mercado Comum", administraria uma união aduaneira entre Brasil, Portugal e territórios africanos, a ser constituída com um gradualismo aceitável para Portugal, pois do lado brasileiro não haveria desvantagens. O segundo órgão seria uma "Organização de Desenvolvimento", apoiada num Banco de Desenvolvimento Ultramarino. Este seria financiado principalmente por contribuições americanas e de organismos internacionais, e administrado conjuntamente por Portugal e pelo Brasil (que se valeria da experiência adquirida no BNDE e na SUDENE), recrutando-se também administradores africanos. Haveria finalmente um "Conselho de União Política", composto de cinco membros portugueses (preferivelmente nascidos nas colônias), cinco brasileiros e cinco angolanos, ao qual caberia implementar um "calendário de liberação". Imediatamente se organizariam eleições municipais, com pleno acesso e igualdade de voto para os angolanos, iniciando-se outrossim treinamento intensivo destes, em administração e ciência política. Ao fim de cinco anos, promover-se-iam eleições provinciais e ao fim de dez anos eleições "nacionais", inaugurando-se então o período de "autodeterminação" (porém não de independência, pois Portugal reteria ainda as pastas da Defesa e Relações Exteriores). Ao fim de quinze anos, haveria completa independência, sendo aí a Comunidade transformada em Federação. Esse calendário de liberação, aparentemente lento, refletia as apreensões criadas pela experiência congolesa, em que a independização apressada inaugurou um período de anarquia e guerras tribais.

Essas idéias permaneceram líricas. Ao voltar ao Brasil, Goulart absorveu-se cada vez mais no afã de afirmar seus poderes presidenciais recém-conquistados. Evoluiu para uma radicalização de esquerda, como reação ao antagonismo que sentia nos grupos de centro. E a política exterior se tornou cada vez mais ideológica, vocalmente radical em sua posição anticolonialista (e portanto incapacitada de diálogo com Portugal), mas ao mesmo tempo incapaz de qualquer iniciativa prática.

Curiosamente também, o ambiente internacional na África se amainou, concordando os Estados Unidos e a Rússia temporariamente numa *hands-off policy*. Quase miraculosamente, Portugal conseguiu neutralizar a infiltração congolesa e, amainado o perigo, a idéia da Comunidade perdeu para Lisboa qualquer atrativo imediato.

Entretanto, como brasa sob as cinzas, o conflito colonial prosseguiu, numa dessas "marchas de insensatez" a que se referia Barbara Tuchman, até que com a Revolução dos cravos em 1974, Portugal, exangüe, se resignasse à perda do império. Curiosamente, se executado o calendário de liberação, que San Tiago e eu visualizávamos, Angola teria atingido pacificamente o estágio de autodeterminação, sem a longa e cruenta guerra civil.[199]

---

[199] No Departamento de Estado, um dos grandes advogados da idéia do "calendário de liberação" era o subsecretário George Ball. Em duas visitas a Portugal e uma extensa (e pouco protocolar) correspondência, tentou inutilmente persuadir Salazar a aceitar imediatamente o *princípio* de autodeterminação das colônias, diferindo para depois sua implantação gradual, após um interregno preparatório. Salazar argumentava que juridicamente os territórios africanos não eram "dependentes" e sim integrados à metrópole. E que, saindo Portugal da África, só haveria três hipóteses todas desfavoráveis: lideranças tribais que fariam regredir a região a condições primitivas; pseudoindependência, pela incapacidade econômica dessas áreas de viver sem maciço auxílio externo; substituição da influência portuguesa pela de terceiros países, o que poderia levar à formação de partidos sob rótulo comunista, visando à "neutralização ideológica e estratégica" da África. Ver George W. Ball, *The past has another pattern*, W. W. Norton and Co., N. Y., 1973, p. 278-282.

O PLEBISCITO DO PRESIDENCIALISMO

Em fins de 1992, quando comecei a escrever estas memórias, o grande tema nacional era o plebiscito sobre sistemas de governo — presidencialismo, parlamentarismo ou monarquia — marcado para 1993 pela Constituição de 1988. Trinta anos antes, eu aguardava angustiadamente em meu posto em Washington o plebiscito sobre a restauração do presidencialismo, marcado para 6 de janeiro de 1963. Ironias da história!

Durou pouco a imagem de Goulart como líder centrista, que eu afanosamente buscara construir na mídia americana. Logo ao voltar ao Brasil, desinteressou-se do papel brasileiro na Aliança para o Progresso, empenhando-se na luta pelo plebiscito sobre a restauração presidencialista, do que resultou crescente desorganização da máquina administrativa, e comprometimento cada vez maior com as esquerdas operosas na mobilização sindical e eleitoral.

Com as sucessivas remodelações de nosso gabinete, a visita de Kennedy ao Brasil, marcada para julho, foi postergada para setembro e depois para outubro de 1962, quando a grande confrontação nuclear forçou seu adiamento indefinido. A visita foi reprogramada para fins de 1963, quando sobreveio a tragédia de Dallas.

Minha missão em Washington não era nada facilitada pela mudança de gabinetes. Tancredo Neves deixaria a presidência do Conselho de ministros em 26 de junho de 1962. A indicação de San Tiago Dantas, em quem eu via uma tábua de salvação, foi rejeitada pela Câmara de Deputados. Essa rejeição talvez tenha mudado para pior a história brasileira, pois San Tiago era a personalidade da época melhor qualificada para viabilizar o regime parlamentarista.

Auro de Moura Andrade foi indicado em 1º de julho, e aprovado pela Câmara dois dias depois. Houve protestos dos sindicalistas, que ameaçavam greve geral. Não chegou a formar um gabinete, limitando-se a explicar que "não houve renúncia, apenas devolução da indicação recebida". Personalidade forte, o senador Moura Andrade dificilmente se amoldaria ao estilo de Goulart, que era o de exercer poderes presidenciais, sem a responsabilidade de viabilização do governo. No caso específico, Moura Andrade queria compor o gabinete por acordo com os partidos políticos, enquanto Goulart insistia em ter o controle pessoal das escolhas.

Em 10 de julho, foi aprovado o nome de Francisco Brochado da Rocha, que permaneceu no cargo apenas três meses, renunciando ao ser rejeitada sua proposta de antecipação do plebiscito parlamentarista. Em 18 de setembro foi nomeado o professor Hermes Lima, do Partido Socialista, que entretanto só recebeu sanção parlamentar em 29 de novembro, depois de seis votações. O PTB o considerava "muito moderado". Hermes Lima, que logo depois acumularia a primeira ministrança com a pasta do Exterior, tomou posse já com a data marcada para o *referendum* sobre a restauração do presidencialismo, cabendo-lhe apenas dar a extrema-unção ao regime parlamentarista.[199]

A experiência parlamentarista tinha sido uma solução emergencial, que não fincou raízes populares. O Brasil continuava à espera de um líder carismático. Após um ano de instabilidade e "conflito institucional", a manutenção do presidencialismo não interessava às classes médias nem ao empresariado, ansiosos por segurança e normalidade; nem aos trabalhadores, que o associavam ao conservadorismo, e nem aos militares, que viam no presidencialismo o caminho para a restauração da ordem e da autoridade.[200]

---

[200] Originalmente, o plebiscito fora previsto para o início de 1965. O primeiro-ministro Brochado da Rocha propôs sua antecipação para 7 de outubro de 1962. Tendo essa antecipação, assim como um pedido de delegação de poderes, sido negados pelo Congresso, Brochado da Rocha renunciou no dia 14 de setembro, falecendo doze dias depois. Em 15 de setembro a data do plebiscito foi fixada por lei complementar para 6 de janeiro de 1963.
[200] Ver Moniz Viana, *O governo João Goulart*, Civilização Brasileira, 1974, p. 62.

A GRANDE
CONFRONTAÇÃO

Raros os governos que escapam à fatalidade de um grande conflito. No caso do presidente Kennedy, o fantasma que o atormentou durante todo o mandato, culminando afinal em sua vitória política na crise dos mísseis, foi o problema cubano. Ainda no seu período teria início, timidamente, através da designação de "assessores" (que afinal chegaram a cerca de 16.000), a participação americana numa outra grande tragédia, a do Vietnã, que atormentou o governo do presidente Johnson e a primeira parte do governo Nixon, provocando uma funda rachadura na psiquê americana. Como ninguém aprende da história, tragédia semelhante ocorreria à União Soviética com a invasão do Afeganistão, ordenada por Brejnev, em dezembro de 1979.

Após o desastre da Baía dos Porcos, em abril de 1961, um outro desdobramento da crise cubana viria em 21 de novembro de 1962, quando foi aprovada uma resolução do Congresso norte-americano expressando a determinação dos Estados Unidos no sentido de (1) impedir, inclusive coercitivamente, a propagação, por força ou ameaça de força, do regime cubano a outros países do continente; (2) impedir o aumento da capacidade militar cubana, apoiada em suprimentos externos; (3) colaborar com a OEA e exilados cubanos no sentido de apoiar as "aspirações de autodeterminação" do povo cubano.

Havia propostas ainda mais radicais. O senador democrata George Smathers apresentou projeto de resolução aprovando a organização de um governo cubano no exílio e propondo a criação de uma aliança militar hemisférica destinada a derrubar o governo de Fidel Castro. Já o ex-presidente Nixon sugeria o cerrado bloqueio de Cuba. Uma semana antes da descoberta dos foguetes ofensivos em Cuba, a jornalista Georgia Shokosky, em artigo publicado em cadeia de jornais, alegava que a única solução que restava aos Estados Unidos era "invocar a doutrina Monroe e, aplicando unilateralmente a emenda Platt, invadir e ocupar o país, como já o fizera antes".

Entretanto, a postura da Casa Branca continuou bem mais moderada. Limitava-se a algumas medidas de natureza econômica, como por exemplo a discriminação contra companhias de navegação do Ocidente que ainda mantinham linhas para Cuba, ou de natureza política, através de pressões junto a governos centro e sul-americanos para que formassem um subpacto militar no modelo da OTAN.

No plano militar, houve a convocação de 150.000 reservistas, medida que entretanto poderia ter sido atribuída menos ao conflito de Cuba do que ao problema de Berlim Ocidental. Houve também a decisão de aceitar no Exército americano, em unidades especiais, cubanos que seriam treinados como força de guerrilha.

Certamente, o mais solene e angustioso momento dos mil dias de Kennedy foi a confrontação com Kruschev sobre os mísseis nucleares no mar das Caraíbas, em outubro de 1962. Era a terceira confrontação com o líder soviético. A primeira fora em março de 1961, quando a União Soviética, violando os acordos de Vientiane, de novembro de 1957 (que previam a neutralização do Laos, sob um governo de coalizão), passou a intensificar seu apoio militar à facção comunista — o Pathet Laos — visando à dominação comunista desse país, de importância estratégica para o controle do vale do Mekong. A segunda, fora na reunião de cúpula em Viena, em junho de 1961, quando Kruschev lançou um *ultimatum* para a conclusão de um acordo de paz com a Alemanha Oriental, que poria fim à ocupação aliada de Berlim.

A opção trágica que se apresentava em outubro de 1962 era entre uma catástrofe nuclear ou uma desmoralização do sistema defensivo ocidental, com alteração fundamental do balanço de poder numa área de interesse vital para os Estados Unidos. Várias hipóteses foram consideradas no "Comitê Executivo da Crise" (EXCOM — Executive Committee of the National Security Council), cujos principais componentes eram os secretários Dean Rusk, do Departamento de Estado, Bob McNamara, da Defesa, Douglas Dillon, do Tesouro, Maxwell Taylor, chefe do Estado-Maior das Forças Armadas, John McCone, diretor da CIA, Paul Nitze, o grande perito em desarmamento, e Dean Acheson, ex-secretário de Estado, único participante de fora da administração.

A decisão dramática, e correta, foi a "resposta graduada": nem a invasão de Cuba, nem o bombardeio aéreo das bases dos mísseis, nem sequer o bloqueio integral, mas simplesmente a "quarentena" de armas conforme aliás eu havia prognosticado em comunicação ao Itamaraty. A expressão "quarentena", mais imprecisa, foi considerada preferível à expressão "bloqueio", que tem clara conotação bélica.

Várias respostas alternativas haviam sido consideradas. Uma delas, aventada por Adlai Stevenson, representante americano na ONU, mas prontamente rejeitada, seria barganhar a retirada dos mísseis cubanos contra a desativação dos mísseis americanos na Turquia e Itália, ou ainda o abandono pelos Estados Unidos da base de Guantanamo, em troca da desmilitarização de Cuba. Outra, seria expandir a "quarentena" para abranger também petróleo e lubrificantes, o que em pouco tempo paralisaria a economia cubana. Uma terceira, preferida por Acheson, Paul Nitze e o general Taylor, seria um ataque aéreo às bases em Cuba, o que poderia envolver a morte de soldados e técnicos soviéticos e provocar uma resposta seme-

lhante, através de ataques russos às bases turcas.[201] Contra essa opção pesou negativamente a memória do ataque japonês a Pearl Harbor: "O ataque aéreo — dizia
Bob Kennedy — seria um Pearl Harbor às avessas." A opção final foi a "quarentena", limitada ao embargo de mísseis e componentes, dando-se tempo a Kruschev
para um recuo tático e uma solução negociada.

Segundo Michael Beschloss, autor de exaustiva pesquisa sobre o episódio,
Kennedy, na fase inicial das deliberações, havia mencionado, como uma possibilidade, recorrer-se à proposta brasileira na ONU de uma zona desnuclearizada na
América Latina, em troca de uma garantia territorial para todos os países da área
(o que indiretamente implicaria renúncia à invasão de Cuba). Era algo que me
havia ocorrido intuitivamente. Em 23 de outubro, um dia após a divulgação da
descoberta dos mísseis, telegrafei à Secretaria de Estado sugerindo que o Brasil
propusesse formalmente na ONU a desnuclearização da América Latina, transformando em resolução uma sugestão contida no discurso de Afonso Arinos na abertura da XVII Assembléia Geral, em 20 de setembro de 1962. Esse projeto de resolução chegou a ser preparado por Arinos e pelo embaixador Araújo Castro, obtendo logo o apoio expresso da Bolívia, Chile e Equador e simpatia discreta dos
Estados Unidos. A resolução, entretanto, não chegou a ser formalmente apresentada. É que o compromisso de desnuclearização da América Latina só faria sentido
se fosse unânime. Mas Cuba introduziu um obstáculo irremovível. Queria que a
resolução abrangesse também os territórios "latinos" em poder dos americanos,
isto é, Porto Rico e Flórida! Mais tarde, já passada a confrontação, o projeto brasileiro foi criticado em reunião de embaixadores no Departamento de Estado, pela
República Dominicana, Guatemala e Venezuela, os quais erroneamente vislumbra-
vam em nosso projeto um propósito oculto de reintegração de Cuba no sistema
interamericano e queriam que o assunto fosse tratado na OEA e não na ONU.

O período de receio de uma colisão nuclear durou de 22 a 28 de outubro, data
em que Kruschev comunicou sua decisão de desmontar os mísseis em Cuba, em
troca do compromisso de Kennedy de não invadir esse país. Em carta de 26 de
outubro, Kruschev havia indicado duas condições: a não invasão de Cuba e o desmantelamento dos mísseis *Jupiter* na Turquia. Esse desmantelamento já fora ante-

---

[201] Sabe-se hoje, transpostos 30 anos da crise cubana, que chegaram a ser examinadas no EXCOM
várias opções envolvendo ataques aéreos. A primeira seria um "golpe cirúrgico", bombardeando-se
apenas as bases de mísseis. A segunda seria um bombardeio, por cinco dias, de pontos estratégicos
da ilha, seguido de invasão. Na terceira opção, a invasão seria precedida de 18 dias de bombardeio. Os mísseis cubanos eram do tipo SS-04, com alcance de 1.020 milhas náuticas (capazes de
atingir a capital dos Estados Unidos). Duas das bases se destinavam ao míssil SS-5, com alcance
de 2.200 milhas náuticas, que não chegaram a ser instalados. Estimava-se estarem na ilha 15.000
soldados e técnicos soviéticos; na realidade havia cerca de 42.000, o que tornaria a invasão uma
missão sangrenta.

riormente sido decidido por Kennedy, pois os mísseis se haviam tornado obsoletos, mas o presidente não desejava aceitar explitamente essa medida como pré-condição para a retirada dos mísseis cubanos.[202]

Na tarde que antecedeu à comunicação de Kennedy, em 21 de novembro, os embaixadores latino-americanos foram convocados para uma reunião no Departamento de Estado, onde lhes foram mostradas fotografias tiradas por aviões, que indicavam mísseis em fase de instalação em Cuba. O secretário de Estado Rusk declarou que isso criava um problema grave e vital, não só para a segurança dos Estados Unidos, mas também da América Latina, e que o governo norte-americano solicitaria a convocação de uma reunião especial da OEA para discutir medidas apropriadas ao caso.

Lembro-me de que recebi uma convocação de Rusk para comparecer à Casa Branca, onde estivera conferenciando com Kennedy. Indo direto ao assunto, disse-me que tinha de fazer, em nome do presidente, um apelo da maior gravidade. Os Estados Unidos haviam tomado a decisão de estabelecer um bloqueio contra os navios soviéticos que se dirigiam para Cuba e pediria o endosso desse gesto à OEA. Tratando-se de uma questão tão importante e vital, seria de todo desejável a unanimidade. Os relatórios que recebia do Brasil indicavam ambivalência da opinião pública, e mesmo do governo brasileiro, em relação à questão cubana. Pedia-me que interviesse diretamente junto ao presidente Goulart para recomendar-lhe que o Brasil desse o consentimento necessário para um voto unânime na OEA. Respondi-lhe que sem dúvida falaria com o presidente mas que, burocraticamente, as instruções teriam que ser transmitidas ao nosso delegado na OEA, o embaixador Ilmar Pena Marinho, com o qual eu mantinha estreito contato. Logo a seguir perguntou Rusk: — Será que no Brasil já se tem consciência da gravidade do problema dos mísseis? Eles estarão num primeiro momento apontados para os Estados Unidos, mas poderiam a qualquer instante ser direcionados para a América Latina. E isso, em mãos de Fidel Castro, dar-lhe-ia um terrível poder de chantagem.

Respondi-lhe que, a meu ver, a opinião pública brasileira tinha evoluído significativamente. A simpatia inicial para com a atitude cubana refletia a simpatia que

[202] Pesquisas mais completas, relatadas no livro *The crisis years*, de Michael R. Beschloss, New York, Burlinghan Books, 1991), revelam que Robert Kennedy, membro do Comitê de Emergência, havia admitido informalmente ao agente e jornalista soviético Georgi Bolshakov, de quem Kruschev se servia em sua peculiar mania de "diplomacia paralela", que a retirada dos mísseis *Jupiter* da Turquia poderia fazer parte do acordo. Adlai Stevenson, o delegado americano na ONU, se inclinava também por essa concessão. Era conhecida a suspicácia de Kruschev contra a burocracia diplomática, o que o levava ao bizarro hábito de usar agentes estranhos ao serviço para sondagens importantes. Assim, as primeiras indicações de afrouxamento da posição soviética na crise cubana foram feitas num jantar de John Scali, correspondente da American Broadcasting Company, que tinha fácil acesso à Casa Branca, com André Fomin, funcionário da embaixada soviética.

normalmente desperta a luta de Davi contra Golias. Os acontecimentos recentes, entretanto, lançavam nova luz sobre o assunto. Cuba, ao aceitar os mísseis russos, tinha-se tornado um joguete da guerra fria. Não se tratava de uma asserção de independência mas antes de uma aceitação de dependência em relação ao bloco soviético, prejudicando assim seu direito à autodeterminação. Haveria sem dúvida reclamos da esquerda radical, e talvez da ala brizolista, mas Goulart tinha condições políticas para fazer valer uma decisão impeditiva da instalação de mísseis através da fórmula da "quarentena", que me parecia uma resposta "graduada e prudente".

Voltei à embaixada com extrema angústia e apreensão e passei o resto da tarde tentando comunicar-me pelo telefone com o presidente Goulart. Só consegui alcançá-lo cerca de meia-noite, ou já na madrugada brasileira. Transmiti ao presidente Goulart o pedido de Kennedy, enfatizando que este dissera tratar-se de "uma questão vital" para os Estados Unidos e que, se as posições fossem reversas, os Estados Unidos jamais falhariam ao Brasil numa questão plausivelmente definida como "vital". O pedido norte-americano era de que o Brasil votasse na OEA favoravelmente à decisão sobre o bloqueio dos navios soviéticos. Ela seria mais forte se fosse unânime.

Goulart perguntou-me se havia perigo de uma guerra nuclear caso os soviéticos decidissem romper o bloqueio. Respondi-lhe que os Estados Unidos não podiam recuar, sob pena de desmoralização do sistema defensivo ocidental, e que contavam com superioridade nuclear tão positiva que qualquer revide russo seria suicida. Mesmo que a União Soviética lançasse um primeiro ataque e destruísse 60% do poderio nuclear americano, os Estados Unidos poderiam com o restante destruir toda a União Soviética.[203]

---

[203] Segundo estimativas atribuídas à CIA, a margem de superioridade em balísticos intercontinentais era no mínimo de 4 para 1. Hoje se sabe que a inferioridade russa era ainda maior. Os soviéticos tinham apenas 44 mísseis intercontinentais e 155 bombardeiros de longo alcance. Os Estados Unidos dispunham de 156 mísseis intercontinentais, 144 mísseis instalados nos submarinos *Polaris* e 1.399 bombardeiros estratégicos. O aventureirismo fracassado de Kruschev em Cuba foi uma das razões de sua queda em 1964. Brejnev, que logo monopolizou o poder, sobrepondo-se aos dois outros membros da "troika" — Kosygin e Podgorny — empenhou-se em vingar a humilhação, lançando-se numa busca desesperada da "paridade nuclear". Chegou mesmo a alcançar, no fim da década dos 70, considerável superioridade em balísticos intercontinentais, de maior precisão no primeiro ataque, enquanto que os Estados Unidos baseavam sua estratégia numa "tríade" — aviões, submarinos nucleares e mísseis. Esse esforço armamentista desesperado provocou exaustão da economia soviética ao fim da era Brejnev, quando as despesas de armamento chegaram a absorver mais de 25% do PIB. Talvez encorajado por relatórios da CIA sobre a desorganização da economia soviética, o presidente Reagan lançou um novo desafio tecnológico, o programa SDI — Iniciativa de Defesa Estratégica. Inicialmente ridicularizado como "Guerra nas Estrelas", a SDI talvez tenha sido o fator determinante da volta da União Soviética à mesa de negociação sobre desarmamento em Genebra, da qual se afastara quando os Estados Unidos e a OTAN se revelaram firmes na instalação dos mísseis *Pershing*, de médio alcance, na Europa ocidental, em revide à instalação pela União Soviética dos mísseis SS-20, de médio alcance.

— Essa — disse eu — é a estimativa aritmética das forças, mas nunca se pode prever a loucura humana. O ataque japonês a Pearl Harbor, por exemplo, foi uma grosseira subestimação do poderio norte-americano. O mais provável será um recuo tático dos soviéticos, não se excluindo a possibilidade de uma ação diversionista em Berlim, na Turquia ou no Irã, onde a posição estratégica russa é infinitamente mais favorável.[204]

Acrescentei a Goulart que seria embaraçoso para o Brasil recusar cooperação numa matéria de tal importância, além de que correríamos o risco de ficar totalmente isolados, pois a descoberta dos mísseis alterava inteiramente os dados do problema.[205] Fidel Castro, que já era visto com extrema suspicácia pela Colômbia e Venezuela, pelo apoio que dava às guerrilhas, parecia agora um perigo muito mais concreto.

— O senhor fica autorizado a prometer o voto do Brasil — respondeu-me Goulart.

Ponderei-lhe que as instruções deveriam ser imediatamente transmitidas ao nosso embaixador na OEA, Ilmar Pena Marinho.

Dean Rusk compareceu pessoalmente à sessão da OEA, em 23 de novembro, a qual se transformou em Reunião de Consulta, conforme previsto no art. 12 do Tratado do Rio de Janeiro. Enfatizando a gravidade da matéria, defendeu o projeto de resolução americano que se desdobrava em dois parágrafos. No primeiro, se autorizava o bloqueio contra a transferência de armas. No segundo, se autorizava o pleno emprego da força armada, "se as circunstâncias assim o exigissem". Jango, cumprindo sua palavra, autorizou a votação do primeiro parágrafo. Tornou-se assim unânime — 19 a 0 — a aprovação da "quarentena". No tocante ao segundo parágrafo, o embaixador Ilmar Pena Marinho se absteve, explicando que a posição brasileira era que o emprego de força para impedir a concretização da ameaça militar em Cuba se subordinasse a "prévia comprovação, por observadores da ONU, do arsenal soviético na ilha". Só na hipótese de tornar-se impossível a investigação, justificar-se-iam então providências ofensivas na forma do artigo n.º 53 da Carta da ONU.

---

[204] Uma coincidência ominosa — felizmente apenas uma coincidência — foi que na mesma semana em que se deflagrou a crise dos mísseis, a China abria hostilidades contra a Índia nas fronteiras do Himalaia, dando a falsa impressão de que as duas potências comunistas agiam coordenadamente.

[205] Conforme depois fui informado, a Argentina, em resposta ao apelo de Kennedy, daria cooperação bem mais prestimosa. O presidente Guido determinou o envio ao Caribe de dois destróieres — *Rosales* e *Espora* — a fim de participarem do bloqueio a Cuba e autorizou a Aeronáutica a mandar uma esquadrilha de três aviões, com a missão de patrulha, busca e salvamento. Ver Moniz Bandeira, *Estado nacional e política internacional na América Latina*, São Paulo, Ensaio, 1993, p. 175.

Segundo o então ministro do Exterior Hermes Lima, essas instruções diferenciadas haviam sido redigidas por Goulart, de próprio punho, nos termos seguintes:

"1) Concordar com a transformação do Conselho da OEA em reunião de
consulta, procurando antes coordenar essa posição com países que nessas
questões vêm votando com o Brasil. 2) Propor e defender a modificação da
resolução, sobretudo do parágrafo segundo, pedindo como medida preliminar a constatação da existência de material bélico ofensivo por comissão das
Nações Unidas para que as provas apresentadas não possam vir a sofrer
qualquer constatação no seu objetivo de exploração de sentido político e
psicológico prejudicial a quaisquer ações futuras. Coerente posição assumida nosso país resolução n.º 8 adotamos Punta del Este, podemos admitir a
inspeção de navios a fim verificar transporte cargas, armamento poder
ofensivo. Qualquer outra resolução fora dessas linhas básicas, desejo ser
ouvido com antecedência."[206]

A opinião pública brasileira estava mais dividida e confusa do que eu esperava.
O desfecho não satisfez nem a extrema-direita nem as esquerdas radicais (inclusive
Brizola, que acusou o embaixador Pena Marinho de "desobediência às instruções"). A extrema direita não via por que não autorizar-se o uso da força, ou até
mesmo a invasão da ilha. As esquerdas se apoiavam numa fidelidade ingênua ao
princípio de autodeterminação, como se não estivéssemos no cruel mundo da *realpolitik*, um de cujos princípios, adotado por Kruschev na invasão da Hungria em
1956, era a inaceitabilidade de uma alteração do balanço de poder numa área tida
como de "interesse vital" pelas potências hegemônicas.

Poucos dias após a grande confrontação, tive breves momentos de conversa com
Kennedy. Insistiu ele em manter na agenda a visita de estagiários da Escola Superior
de Guerra do Brasil, que aportaram a Washington alguns dias após a decisão crítica
do bloqueio. Kennedy dirigiu-lhes algumas palavras no jardim da Casa Branca,
acentuando que só mesmo a extraordinária importância que atribuía ao Brasil o
levava a recebê-los numa hora tão grave. Após a cerimônia, chamou-me ao seu
gabinete de trabalho para perguntar-me como havia sido recebido o incidente dos
mísseis pela opinião pública brasileira. Respondi-lhe ter informações fragmentárias,
mas que a revelação da existência em Cuba de armamento nuclear soviético tivera

[206] Ver Hermes Lima, *Travessia — Memórias*, Rio de Janeiro, José Olympio, 1964, p. 267-272. O
Brasil chegou a fazer uma tentativa de mediação, encarada por Washington com ceticismo.
Goulart enviou a Havana, para parlamentar com Fidel Castro, o general Albino Silva, chefe da
Casa Militar. Ele comunicaria a Fidel que o Brasil defendia o princípio de auto-determinação e se
opunha à invasão de Cuba mas não compactuava com a instalação na ilha de bases de mísseis
soviéticos. Ver Moniz Bandeira, op. cit., p. 79-80.

efeitos dramáticos, seja desiludindo os que acreditavam no caráter "nacionalista" da revolução castrista, seja intimidando aqueles que antes duvidavam da periculosidade do fenômeno cubano no contexto do balanço de poder da América Latina.

— E o senhor, pessoalmente — perguntou-me Kennedy — como se sente aqui em Washington, na "mosca" do tiro dos projéteis russos? Eu, pelo menos, tenho os subterrâneos de Camp David...

— Refugiar-me-ei na adega da embaixada — respondi-lhe — pois acredito no provérbio francês: "Entre a calamidade e a catástrofe há sempre lugar para uma taça de champanhe."

Kennedy riu gostosamente e pediu a um dos assistentes para anotar a piada...

Era a segunda vez em dois anos que a guerra nuclear deixara de tornar-se uma hipótese impensável. Após a reunião de cúpula de Viena, em julho de 1961, Kruschev avançara intransigentemente a intenção de assinar unilateralmente um tratado de paz com a Alemanha Oriental, o que infringiria os direitos das tropas de ocupação. A disposição em Washington era de resistir a essa tentativa de "alteração do balanço de poder numa área vital", ainda que isso envolvesse o risco de uma confrontação nuclear. Com a ereção do muro de Berlim em agosto de 1961, a União Soviética considerou ter dado uma resposta "dura" e gradualmente abandonou o ultimato para revisão dos direitos ocidentais em Berlim.

Em reunião com o *staff* da embaixada, fiz o seguinte balanço da crise cubana, depois comunicado ao Itamaraty:

"As vantagens da crise para os Estados Unidos foram a relativa desmoralização de Castro, o desmantelamento das bases soviéticas e o apoio unânime dos governos americanos e europeus. Para a União Soviética, o reforço de garantia norte-americana de não-invasão, a globalização da questão cubana e a dramatização do problema das bases norte-americanas e mísseis no exterior. O custo para os Estados Unidos foi um possível agravamento da imagem belicista. Para a União Soviética, os custos foram mais pesados: a perda de prestígio decorrente do aparente recuo, o custo financeiro da instalação e desmantelamento das bases de mísseis, os possíveis problemas criados nas relações com os demais países socialistas que não receberam armas atômicas, a deterioração do relacionamento com Fidel Castro e o fortalecimento da linha dura anti-soviética nos Estados Unidos. Tudo somado, entretanto, parece que a União Soviética não se saiu de todo mal da crise e a chamada "vitória" dos Estados Unidos foi em parte aparente. Parece implausível a idéia de que a União Soviética tenha julgado possível construir as bases em segredo. Deve ter havido um erro de cálculo dos soviéticos e a humilhação resultante teve muito a ver com a queda de Kruschev no ano seguinte. Impossível saber o que os soviéticos tinham em

mente.[207] Talvez fosse uma tentativa mais séria de barganhar a retirada dos
mísseis na Turquia e na Itália, caso as bases cubanas se tornassem operacionais. Quanto a Fidel Castro, perdeu prestígio no episódio, havendo passado por mero fâmulo de Moscou. Apareceu como figura secundária e
dependente, e perdeu o discreto apoio que tinha de países como o Brasil.
Sua única vantagem parece ter sido o reforço da garantia norte-americana
de não-invasão".[208]

---

[207] No ver de Dean Acheson, encarregado por Kennedy da missão confidencial de explicar a De
Gaulle e ao chanceler Adenauer as razões da atitude americana, os objetivos da União Soviética
eram claros: aumentar em 50% a capacidade de "primeiro golpe" da União Soviética; desmistificar a noção da hegemonia americana no hemisfério ocidental; e extrair de Kennedy um preço
exorbitante para a remoção dos mísseis, de modo a desacreditá-lo na Europa e Ásia. Apud
Douglas Briekley, em *Dean Acheson — The cold war years*, New York, Yale University Press,
1992, p. 158.
[208] Ver Anexo IV — Análise da crise cubana — ofício confidencial nº 994/920 (22) 24 h (74)
enviado ao Itamaraty pela embaixada do Brasil em Washington, no qual se pormenoriza a cronologia da crise.

BOB KENNEDY,
O IRMÃO CONSELHEIRO

Meus contatos com Robert Kennedy foram infreqüentes, mas suficientes para provocar-me um misto de admiração e apreensão. Admiração pelo vigor juvenil, quase felino; pela exsudante vontade de poder; pelo óbvio talento de organização e manipulação; pela enorme capacidade de absorver fatos. Apreensão ante a quase crueldade do seu espírito competitivo; a perigosa velocidade de julgamento; e o contraste entre uma genuína preocupação ética na escolha dos fins e o descaso, quase desalmado, por qualquer outro valor que não a eficiência, na escolha dos meios. Partilhava com John Kennedy, se é que nela não o superava, a mais básica das qualidades do animal político: o gosto do poder e a capacidade de manipulá-lo. Intelecto tão agudo quanto o do irmão, porém menos erudito; melhor organizador e provavelmente administrador mais exato. Tinha, porém, modesto abastecimento de duas qualidades que sobravam a John Kennedy: o *sense of humour* e o sentido da história.

Este, castigado pela dor física e longamente imobilizado pela doença, aprendera a rir para não chorar; e absorvera, nos gestos da história, o relativismo da ascensão e da queda. Em Bob Kennedy, mesmo nos seus momentos mais generosos, nunca se sabia onde terminava a unção doce do apóstolo e começava o fervor terrível do escoteiro.

Como secretário da Justiça, o contato de Robert Kennedy com problemas latino americanos era apenas ocasional. Desempenhou papel importante e, para minha surpresa, extremamente moderado, na confrontação sobre os mísseis em Cuba, quando influenciou o irmão adversamente à tese de bombardeio e invasão, em favor da "resposta controlada", ou seja, o bloqueio marítimo que forçou o recuo de Kruschev. Ganhou-se, assim, vitória política fundamental, redimindo o desastroso episódio da Baía dos Porcos.

Seu primeiro envolvimento mais direto com o caso brasileiro ocorreu em dezembro de 1962. Num almoço com autoridades norte-americanas na embaixada em Washington, fui informado, inopinadamente, que Robert Kennedy prolongaria sua viagem ao Panamá, estendendo-a até o Brasil, para uma visita extra-oficial ao presidente Goulart. Iria a título de confidente íntimo e emissário pessoal do presidente Kennedy. Aparentemente a sugestão da visita proviera do embaixador Lincoln Gordon.

Ponderei que, se tivesse sido consultado a tempo, desaconselharia a viagem, pois ambos os objetivos me pareciam inoportunos. Um deles era — em vista do crescente antagonismo do Congresso americano a programas de ajuda externa a países que tivessem confiscado propriedades americanas — manifestar apreensão ante o nosso descaso na execução do entendimento Kennedy-Goulart, durante a visita deste último a Washington, sobre a nacionalização pacífica das empresas de serviços públicos encampadas por Brizola. Nossa inércia no assunto encorajaria elementos negativistas do Congresso americano a amputar verbas de ajuda, não só para o Brasil, mas para toda a América Latina. O outro objetivo, muito mais delicado, era ponderar a Goulart as dificuldades políticas que a crescente infiltração comunista, em diversos escalões do governo, assim como nas organizações sindicais, interporia à colaboração econômica sincera e abundante que os Estados Unidos poderiam dar ao desenvolvimento brasileiro quando, após o plebiscito (no qual os serviços de inteligência davam como certa a vitória de Goulart), fosse restaurada a normalidade administrativa. A esperança era que esses elementos de informação não fossem ignorados por Goulart ao decidir sobre a constituição do novo ministério presidencialista, evitando-se uma radicalização de posições, que eliminaria as perspectivas da Aliança para o Progresso e criaria novas zonas de atrito, num hemisfério apenas convalescente do grave susto de uma confrontação nuclear a propósito dos mísseis em Cuba.

Objetei, tardiamente, que a primeira gestão era válida (pois que o compromisso existia), mas inoportuna. Preocupado prioritariamente com a vitória no plebiscito, Goulart nada faria que alienasse qualquer fração da "esquerda nacionalista", imbuída de antagonismo ao capital estrangeiro e possuída de furor confiscatório. E a segunda, perigosa. A não ser por um exercício diplomático de heróica competência, a gestão poderia ser interpretada não apenas como amigável mas intervencionista, provocando precisamente a radicalização que se procurava evitar. Acertei na primeira previsão: o entendimento Goulart-Kennedy somente veio a ser cumprido, em condições aliás melhores para o Brasil, na gestão Castello Branco. Quanto à segunda, verifiquei com alívio que o primeiro ministério presidencialista de Goulart representava um compromisso — misturando ingredientes radicalistas, moderados e tecnocratas — tendo como ponto alto San Tiago Dantas, na pasta da Fazenda. Este era encarado em Washington com injusto ressentimento (por causa de sua atuação incompreendida na discussão do caso cubano em Punta del Este), mas também com positivo respeito, pelo brilho da inteligência e seriedade de propósitos.

Quando da visita de San Tiago Dantas a Washington em março-abril de 1963, em busca de soluções para uma desastrosa situação de insolvência cambial, episódio que descreverei a seguir, Robert Kennedy visitou-nos na embaixada. A conversa foi, entretanto, genérica e formal, limitando-se ele a expressar a esperança de que o Brasil recuperasse a estabilidade política, e viesse a desempenhar papel de liderança na consecução dos objetivos da Aliança para o Progresso. Ofereceu-se para interpretar nossas aspirações junto ao irmão, caso emperrassem os canais burocráticos.

Ponderamo-lhe que a melhor contribuição que nos poderia dar seria fazer ver às autoridades monetárias de Washington que o problema brasileiro, de consolidação de dívidas e empréstimos para desenvolvimento, não poderia ser tratado como mera negociação financeira, pelas óbvias repercussões de uma crise da economia brasileira sobre a própria segurança continental.

Alguns meses mais tarde visitei-o longamente ao despedir-me, já demissionário, da embaixada em Washington, pouco após o assassinato do presidente Kennedy. Encontrei-o envelhecido pela tragédia, com ar distante e machucado. Disse-me que conhecia o meu esforço, em situação ingrata, para evitar uma intensificação de atritos e impedir a rutura de pontes entre os dois países. E com inesperada rudeza perguntou-me: — Por que deserta a luta agora?

Respondi-lhe que um embaixador é um intérprete e não um formulador de doutrinas. Mas precisa ter um mínimo de concordância ou será mau intérprete. E esse mínimo há tempos me faltava... Além disso, os embaixadores devem ter alguma capacidade de influenciar seu governo, para que o exercício da missão não se confunda com o conforto da omissão. Quanto a mim, faltava-me naquele momento tanto credibilidade como intérprete, como capacidade de influenciar meu próprio governo.

— Ao invés de interpretar aqui políticas que julgo erradas — acrescentei — devo lutar em meu país para modificá-las...

Como bom ativista, Kennedy reconheceu a validade do argumento. Mas estava cansado e ferido, com ar de fera acuada pelo destino...

ICH BIN EIN
BERLINER

Vista em retrospecto a vitória de Kennedy na confrontação com Kruschev foi menos completa do que parecia. De um lado, conquanto a Casa Branca negasse ter-se dado como *quid pro quo* a promessa de retirada dos mísseis *Jupiter* da Turquia, hoje se sabe que ela fazia parte de um acordo secreto agenciado por Bob Kennedy e comunicado a Kruschev através de um dos agentes informais, o jornalista Bolsherov, que o líder russo, desdenhoso dos canais diplomáticos, freqüentemente usava. De outro lado, Kennedy não conseguiu extrair de Kruschev, em contraponto ao compromisso de não-invasão, a promessa de que Cuba não seria mais usada como base de subversão e infiltração na América Latina. Na realidade, a falta de compromisso da espécie criou dificuldades para os governos posteriores de Carter e Reagan, que tiveram de se haver com a subversão comunista na Nicarágua e com as guerrilhas de El Salvador, financiadas pela União Soviética através de Cuba.

Note-se aliás que no episódio dos "contra", já no governo Reagan, minha interpretação é bastante diferente da habitual. Sempre achei que a ofensiva fracassada dos "contra" fora um sucesso e não uma derrota da política externa de Reagan. Teria sido uma derrota se comparada ao objetivo de derrubar o governo sandinista (coisa que aliás ocorreu posteriormente, por via eleitoral); mas uma vitória, se referida ao objetivo mais modesto e realista de "aumentar o custo" para a União Soviética. Na realidade, o apoio aos "contra" nunca custou aos Estados Unidos mais que 50 a 70 milhões de dólares anuais. No auge do conflito, o fornecimento de armas, petróleo e apoio logístico à Nicarágua chegou a custar 1 bilhão de dólares por ano para a União Soviética, o que, somado à mesada cubana, atingiu um total anual de 5 a 6 bilhões de dólares. Isso representa nada menos que um terço do custo médio anual do engajamento soviético nas chamadas "guerras de libertação", custo esse estimado em 15 bilhões de dólares. Esses gastos, financiados na era Brejnev através da alta dos preços de petróleo, tornaram-se insuportáveis na era Gorbatchev, que se inaugurou em 1985, precisamente quando se acentuava a baixa dos preços de petróleo.

Talvez o melhor discurso da carreira de Kennedy tenha sido sua oração na American University, em 9 de junho de 1963, que representou uma abertura pacifista. O próprio Kruschev o declarou "o melhor discurso americano desde Roosevelt". O objetivo era educar a nação para a inevitabilidade e conveniência de uma *détente* nuclear. Era um claro impulso para a conclusão de um acordo de banimento de testes nucleares, há muito negociado inconclusivamente. O nó górdio da questão era o número de inspeções *in loco* por representantes de ambas as partes. Havia pouca discrepância em relação à instalação de detetores sísmicos não-tripulados. Os soviéticos só queriam admitir uma ou duas inspeções e, gradualmente, evoluíram para o nível de três — Kennedy e McMillan partiram de uma exigência de 20 para um nível aceitável de 7. Essa controvérsia, duríssima na época, perdeu mais tarde grande parte de sua importância, com o desenvolvimento dos satélites espiões.[209]

Algumas das frases dessa oferta pacifista de Kennedy são memoráveis:

"A que espécie de paz me refiro, e qual a paz que procuramos? Não a Pax Americana imposta ao escravo... não apenas a paz em nosso tempo, mas a paz para todos os tempos".

No final do discurso, Kennedy anunciou a disposição dos Estados Unidos de não fazer testes nucleares atmosféricos se outros países se abstivessem de fazê-lo.

Poucos dias depois, em 20 de junho de 1963, era assinado um acordo, talvez o mais significativo dos 17 anos de negociação de acordos de desarmamento, instalando uma *hotline* telefônica (telefone vermelho) entre a Casa Branca e o Kremlim. Até então, apesar do perigo de hecatombe nuclear, as comunicações entre as duas superpotências nucleares dependiam da rádio de Moscou e do homem na bicicleta da Western Union! Poucos dias depois, Kennedy, evitando passar pela França (pois De Gaulle era suspicaz em relação à *détente* e, decidido a embarcar em seu programa nuclear, tinha pouco interesse na proibição de testes atmosféricos) visitou Berlim, onde fez seu memorável discurso para a multidão junto ao "muro da vergonha":

"Dois mil anos atrás
o refrão mais orgulhoso era
civis romanus sum;
hoje, no mundo da liberdade,
o refrão mais orgulhoso é
Ich bin ein Berliner".

---

[209] Em julho de 1963, Kruschev, em discurso em Berlim Oriental, mudou de posição, declarando que jamais abriria suas portas a "espiões da OTAN". Atribui-se-lhe depois o comentário jocoso de que havia tanta probabilidade de os soviéticos permitirem viagens de inspetores como de um sultão oriental permitir a entrada de homens no harém... Ver Michael Beschloss, *The crisis years*, p. 602.

E avançou até hoje a mais simples e melhor defesa do capitalismo democrático:

"A liberdade tem muitas dificuldades, e a democracia não é perfeita, mas nunca tivemos que erigir um muro para manter o nosso povo dentro e impedi-lo de nos deixar."

Alguns anos mais tarde, visitando Washington na era Carter, quando a América, humilhada pelo episódio dos reféns no Irã, era afligida por uma onda de pessimismo, a anedota corrente era que a diferença fundamental entre a "Nova Fronteira" e a "era Carter" se cifrava em que, enquanto Kennedy podia dizer que era um berlinense, Carter só poderia recorrer a expressões alimentícias chulas, como, *Ich bin ein Hamburger* ou *Ich bin ein Frankfurter*...

Depois de uma visita de quatro dias à Irlanda, Kennedy se deteve na Inglaterra, por apenas um dia, encontrando-se com MacMillan em Sussex, ao invés de Londres. A viagem fora desaconselhada, pois o gabinete MacMillan estava em extrema debilidade, afetado pelo caso Profumo, o escândalo sexual da época.

Da Inglaterra, Kennedy voou para Roma, onde passou dois dias. Era a sagração do papa Paulo VI. Ali teve uma entrevista improvisada com Jango Goulart, propiciada por Hugo Gouthier, então embaixador em Roma. A embaixada em Washington não fora notificada dessa entrevista, que se revelou fria e sem utilidade prática. Goulart tinha aparentemente dois objetivos. Um era explicar a Kennedy as dificuldades políticas que o impediam de cumprir o acordo de nacionalização pacífica das empresas de eletricidade da AMFORP, que havia sido adumbrado durante sua visita a Washington em abril de 1962. O outro era solicitar uma prorrogação do débito de 25 milhões de dólares então vencido, em momento de crise cambial.

O tratado de banimento de testes nucleares na atmosfera era uma tenaz preocupação de Kennedy. Não apenas por dificultar a escalada armamentista russa mas também para desencorajar a proliferação nuclear em outros países. As preocupações mais fundas eram em relação a França e à China, ambas na fase inicial da corrida da proliferação.

Segundo o historiador Beschloss — o fato era desconhecido à época — Kennedy teria autorizado seu principal negociador, o embaixador Averell Harriman, para que, junto com o delegado inglês Lord Hailsham, fosse a Moscou a fim de sondar Kruschev sobre um esquema de cooperação, pelo qual os Estados Unidos procurariam dissuadir a França de empreender testes nucleares, enquanto Kruschev faria o mesmo em relação à China. A nuclearização da China, mais perigosa para os russos, era também vista com certa apreensão por Kennedy.

Na realidade, esse esforço cooperativo não se realizou. De Gaulle estava mais do que nunca decidido a romper o monopólio nuclear dos Estados Unidos e da Grã-Bretanha, e enxergava na aquisição de capacidade armamentista nuclear pela França também uma garantia de hegemonia na comunidade econômica européia, em face do crescente poderio econômico da Alemanha. De Gaulle não se deixara impressionar pela numerosa adesão de países ao tratado de banimento e encarava com desdém a oferta americana de informações técnicas equivalentes às que seriam obtidas em testes atmosféricos nas ilhas francesas do Pacífico.

A China tinha também feito grandes progressos em suas instalações nucleares em Lop Nor e estava pouco propensa a atender a pressões de Moscou. Pouco depois, aliás, houve a ruptura definitiva entre Kruschev e Mao Tsé-Tung, um dos importantes acontecimentos do decênio, e que representou uma substancial mudança no equilíbrio de poder na Ásia. Essa brecha seria depois aproveitada por Kissinger na sua viagem secreta a Pequim em julho de 1971, que possibilitou o reatamento das relações entre Washington e Pequim e preparou a visita oficial de Nixon em fevereiro do ano seguinte. O relacionamento bilateral, de base ideológica, entre Moscou e Pequim cedeu lugar a uma delicada triangulação, bem orquestrada por Zhou Enlai, que soprava quente e frio, ora aproximando-se, ora afastando-se da política de Washington.

O importante do episódio é que a ruptura entre Moscou e Pequim foi a primeira e clara manifestação de que, ao contrário do que esperava Lênin, a solidariedade internacional do comunismo não se sobreporia aos interesses do nacionalismo. O primado do nacionalismo sobre a ideologia viria a ser depois dramaticamente demonstrado no processo de desintegração do império soviético, na era Gorbatchev.

Kennedy partiu para Dallas assaz deprimido. Havia recebido de Kruschev, após a assinatura, em 10 de outubro, do tratado limitado sobre banimento de testes atmosféricos, uma carta em que o líder soviético sugeria a busca de solução para outros assuntos, tais como Berlim, proliferação nuclear, e os meios de evitar ataques de surpresa. Essa carta não foi respondida nos dias que restavam a Kennedy. Numa de suas curiosas contradições, a carta viria logo depois que Kruschev retomara as provocações em Berlim, ao deter, durante 48 horas, um comboio americano que levava provisões para a cidade.

A FASE DA
"COOPERAÇÃO CÉTICA"

A terceira fase das relações de Kennedy com o Brasil pode ser descrita como de "cooperação cética". Iniciou-se com o plebiscito presidencialista de janeiro de 1963.

Os visíveis sinais de instabilidade política, a partir de meados de 1962, quando se sucederam dois primeiros ministros — Brochado da Rocha e Hermes Lima — e a rápida deterioração da situação econômica, provocavam ansiedade em Washington. Houve várias visitas ao Brasil. As mais importantes terão sido talvez a de Mike Mansfield, o líder da maioria no Senado, e a de Herbert May, secretário-adjunto para assuntos latino-americanos. Em seu relatório, Mansfield listava fatores favoráveis e negativos ao Brasil. Entre os primeiros, figuravam as riquezas naturais, a tradição pacifista e o nível de desenvolvimento já alcançado no centro-sul. Entre os negativos, apontava, o crônico desequilíbrio financeiro e fiscal e as injustiças na distribuição de renda causadas pela inflação e pelos problemas explosivos da miséria urbana.

O relatório de May me induziu a uma áspera troca de correspondência com o Departamento de Estado. Senti-me uma personalidade esquizofrênica. No Brasil, era considerado "entreguista". Em Washington, um desabrido nacionalista, capaz de argumentação ousada e rude. Escrevi uma carta pessoal a Herbert May, em 19 de setembro de 1962, criticando a posição da administração democrática que me parecia repetir atitudes pouco esclarecidas dos republicanos no tratamento dos problemas brasileiros. Era o "enfoque neorepublicano", que caracterizei como "moralista" ao invés de "sociológico", com endeusamento da "estabilidade de preços" como valor supremo, sem atenção a dois outros valores — a taxa de crescimento e o grau de abertura e mobilidade social. Procurei demonstrar a falsidade das racionalizações que pretendiam justificar o tratamento da "linha dura" que Washington queria dar ao caso brasileiro. Questionei a validade das reclamações quanto à carga real colocada sobre os Estados Unidos pela ajuda externa, lembrando que a assistência externa dada ao Brasil era inferior, em magnitude, às nossas perdas pela deterioração das relações de troca de nossas exportações. O que os americanos perdiam como contribuintes estavam ganhando como consumidores, ainda que sem premeditação. Mencionei a existência de dois paradoxos no comportamento de Washington — o paradoxo cruel e o paradoxo alegre. O paradoxo cruel era que a nova política "dura" resultaria num fluxo de recursos para o Brasil inferior ao que recebíamos antes da Aliança para o Progresso, pois as exigências para qualquer desembolso eram perfeccionistas e proibitivas. O paradoxo alegre era que Washington implicitamente reconhecia que o crescimento do Brasil era bastante superior ao de outros países mais bem comportados. Esses tinham menos inflação e menos crescimento. O Brasil, mais inflação mas também mais rápido crescimento. Que é que constitui melhor medida de desempenho: maior crescimento real ou maior estabilidade de preços?

Pelo interesse histórico, essa análise desabrida, que certamente amoleceu um pouco o dogmatismo de Washington, é transcrita no Anexo V. Herbert May, que havia servido no Rio de Janeiro como representante do Tesouro americano, considerou-a como a mais espirituosa, competente e articulada defesa da "bagunça brasileira"...[210]

Durante a campanha do plebiscito, agravou-se o imobilismo administrativo do governo Goulart, ao mesmo tempo em que se tornava mais estridente a retórica nacionalista e antiamericana, açulada pela "esquerda negativa" de Brizola. Foi o tempo em que o embaixador Lincoln Gordon, descoroçoado de obter decisões do governo federal, sugeriu ao Departamento de Estado a política de "ilhas de sanidade", dando-se preferência a projetos de governos estaduais que apresentassem programas de infraestrutura social no quadro da Aliança para o Progresso.

Protestei informalmente junto ao Departamento de Estado contra essa "ação centrífuga", que me parecia politicamente imprópria, e mesmo perigosa. Mas meus protestos não tinham intensidade passional. Afinal de contas era melhor ter alguns projetos estaduais financiados do que privarmo-nos dos fundos da Aliança para o Progresso...

Esperava-se que a votação expressiva em favor da restauração dos poderes presidenciais criasse para Goulart ampla base de apoio no centro e na esquerda moderada, habilitando-o a evitar perigosas concessões à esquerda ultramontana. Imaginava-se que, completada a "correção biográfica" do cerceamento do poder presidencial, que Goulart encarava como insuportável injustiça, se dedicasse ele a provar sua eficiência como administrador, com o mesmo vigor que antes dedicara a provar a inoperância do parlamentarismo.

Conquanto a visita a que já me referi, de Robert Kennedy ao Rio de Janeiro, em dezembro de 1962, como enviado especial, não houvesse surtido efeito no sentido de

---

[210] Era tal a confusão deixada pelo caótico endividamento a curto prazo do governo Kubitschek que, quando encarregado por Jânio Quadros das negociações da dívida externa, Walther Moreira Salles verificou que os dados da SUMOC sobre o endividamento externo eram incompletos e teve que recorrer a Herbert May, funcionário de Washington, para analisá-los. Ver Anexo V, carta do embaixador do Brasil em Washington ao sr. Herbert May, Deputy Assistant Secretary for Economic Affairs, 19.9.62.

induzir Goulart a aprofundar uma composição centrista, nem de levá-lo a cumprir o compromisso de eliminação de áreas de atrito, a oportunidade aberta pelo resultado do plebiscito ressuscitou esperanças. Estas se acentuaram quando San Tiago Dantas, nomeado ministro da Fazenda em janeiro de 1963, começou a formular uma política financeira realista e equilibrada, indicando firme disposição de controlar o processo inflacionário. Algumas das medidas iniciais, tomadas no contexto do Plano Trienal formulado por Celso Furtado, foram corajosas. Suspenderam-se os subsídios ao petróleo e trigo. Em abril de 1963, a taxa cambial foi desvalorizada em 30%. Elevaram-se as tarifas ferroviárias e fretes de marinha mercante, e transformou-se em *ad valorem* o imposto específico sobre energia elétrica, que sofrera grande corrosão inflacionária. Pela Instrução n.º 234 da SUMOC, impunha-se um teto para expansão de crédito do Banco do Brasil ao setor privado. O déficit de caixa do Tesouro para 1963 não deveria exceder Cr$300 bilhões. Mais difícil ainda, propunha-se manter os aumentos salariais do funcionalismo no máximo em torno de 40% a partir de abril, mediante envio de mensagem ao Congresso.[211]

Logo após a posse de San Tiago Dantas, reativei velhos planos de negociações financeiras para apoio ao Brasil, engavetados durante a fase de instabilidade administrativa do regime parlamentarista. E procurei demonstrar a Washington que a desconfiança relativa à posição do ex-chanceler no caso cubano, quando da Conferência de Chanceleres em Punta del Este, no ano anterior, era bastante injusta, merecendo ele integral apoio no programa de estabilização. Talvez o meu maior sucesso na melhoria da imagem brasileira tenha sido persuadir Walter Lippman, então o maior *opinion maker* em Washington, da seriedade do esforço planejado por San Tiago e da conveniência de um apoio ao programa corajoso do Plano Trienal. Em artigo publicado no *Washington Post*, em 4 de abril de 1963, e depois transcrito nos anais do Congresso, assim se expressou Walter Lippman:

"Se estudarmos o acordo recém-concluído em Washington entre o ministro das Finanças do Brasil, Dantas, e mr. Bell, que administra a agenda externa, não se pode senão admirar a coragem política do governo Goulart. Para acabar com a inflação e restaurar sua credibilidade internacional, o governo

---

[211] É escusado dizer que essa promessa seria a primeira a ser descumprida. Logo que San Tiago retornou ao Brasil, Jango, cedendo a pressões políticas, concordou num aumento de 70% para o funcionalismo, reacendendo expectativas inflacionárias e inviabilizando a meta de redução do déficit fiscal. Com o otimismo característico de todos os planos brasileiros de estabilização, o Plano Trienal previra 25% de inflação para todo o ano de 1963. Mas já no primeiro trimestre a inflação atingiu 16%, enquanto o déficit fiscal foi o dobro do planejado. Para uma boa descrição das dificuldades internas de execução do Plano Trienal, ver Lourdes Sola, op cit., cap. VII, 2.1 e 2.2, p. 340-365.

brasileiro adotou um programa que só um governo forte, forte em sua fonte de apoio, ousaria empreender."

E concluía, de forma tão enfática, que passei a acreditar um pouco mais na minha capacidade de formador de imagens falsas:

"É um programa espantoso". Diz-se entretanto que o governo Goulart, que está à esquerda do centro, é suficientemente forte para executar tal programa. Devemos esperar que isso aconteça, e certamente a administração agiu bem em ajudá-lo. Pois seria difícil indicar qualquer item em nosso programa global de ajuda externa que, se bem-sucedido, faria maior bem."

San Tiago Dantas hesitara bastante antes de partir para Washington a fim de iniciar negociações financeiras. Teria preferido primeiro demonstrar alguns resultados no ordenamento da vida financeira da nação, a fim de poder negociar a partir de uma situação de força e não de fraqueza. Ele tinha recebido minhas advertências sobre o clima político prevalecente em Washington. Entretanto, a desesperada situação cambial não lhe deixava alternativa. O país estava à beira de uma declaração de insolvência.

Ocorreram, outrossim, duas coincidências desfavoráveis. Uma, a divulgação do relatório da comissão chefiada pelo general Lucius Clay, com um reexame dos programas de ajuda externa norte-americana. O relatório concluía com uma visão bastante pessimista da eficácia do auxílio externo, quer na promoção do desenvolvimento econômico, quer na angariação de simpatia nos países ajudados. E concluía pela inoperância dos programas de ajuda, antes que os países tomassem "medidas internas de melhoria de clima para investimentos privados".

A segunda, foi a divulgação, magnificada e distorcida pelos jornais, de declarações do embaixador Lincoln Gordon perante o Commitee of Foreign Affairs da Câmara dos Representantes, sobre infiltração comunista em diversos escalões da administração brasileira.[212] Os comentários de Gordon revelavam imprudência diplomática, mas estavam longe de implicar má-fé, pois Gordon vinha batalhando internamente na administração americana em busca de um tratamento mais favorável para o Brasil. Suas declarações registravam um fato amplamente criticado na imprensa e no parlamento brasileiros, sem daí inferir que a infiltração tivesse atingido grau suficiente para influenciar significativamente o processo decisório

---

[212] As declarações de Gordon não tinham nenhuma incorreção fatual. Limitavam-se a registrar fatos alardeados pela própria imprensa brasileira. O texto relevante era o seguinte: *"Their number (dos comunistas) is small, but their influence is much larger than those small numbers would suggest. The principal field of infiltration and influence is in the labor unions. In the government itself there has been infiltration. The student movement is another major area of penetration with the National Student Union now being dominated by communists."*

brasileiro.[213] Essa ilação entretanto foi feita pela imprensa, criando-se uma situação politicamente constrangedora. Os setores de esquerda no Brasil se levantaram em armas pedindo a retirada do embaixador americano como *persona non grata*. Argumentei junto a órgãos de imprensa e setores conservadores do Congresso americano que infiltração comunista existia na maior parte das burocracias da Europa Ocidental e também nos próprios Estados Unidos, sendo ilegítima a inferência de que isso se traduzisse em políticas adversas ao sistema ocidental.

Vi-me obrigado, entretanto, por instruções expressas de Jango Goulart, a lavrar um protesto oficial, entregue ao secretário de Estado em exercício, George Ball. A situação só se acalmou quando este emitiu, em 19 de março, um comunicado oficial do Departamento de Estado que dizia textualmente: "O Departamento de Estado não considera que a influência comunista no governo brasileiro seja um fator determinante na orientação política do país."

Houve em todo caso um subproduto útil. Ferido pelas acusações que lhe foram feitas, Gordon se aplicou diligentemente a trabalhar com San Tiago Dantas e comigo para extrair o melhor acordo possível, dentro das circunstâncias. E as circunstâncias eram difíceis, mesmo do lado americano. Também os Estados Unidos enfrentavam uma situação de déficit em seu balanço de pagamentos que, só no primeiro trimestre de 1963, se estimava em US$700 milhões. A proposta orçamentária de 1963-1964 apresentava um déficit que tenderia a aumentar em função da redução de impostos que Kennedy sugerira ao Congresso, com o propósito de acelerar o ritmo de crescimento econômico do país. A isso se sobrepunham dificuldades legais. O Export-Import Bank não podia assumir compromissos vultosos, de vez que sua *Charter*, renovável a cada cinco anos, expiraria em 30 de junho de 1963. A isso se acrescia o fato, que constituía um dos maiores obstáculos à implementação da Aliança para o Progresso, de que as provisões orçamentárias normais da AID — Agência para o Desenvolvimento Internacional — eram anuais. En-

---

[213] A imprensa divulgara uma críptica declaração de Luís Carlos Prestes, secretário-geral do Partido Comunista, ao ser recebido com pompa pelo governador Miguel Arraes no palácio das Princesas, na capital pernambucana: "Os comunistas estão no governo, mas ainda não no poder." A cobertura dada pela imprensa americana à infiltração subversiva no Brasil era abundante e documentada, em virtude sobretudo dos despachos do jornalista Louis Stein, do Copley News Service, que acabou sendo declarado *persona non grata* no Brasil. Stein entregou ao deputado Cramer, da Flórida, pormenorizado relatório sobre as Ligas Camponesas de Francisco Julião, no Nordeste, sobre o treinamento de guerrilheiros em Cuba e sobre a infiltração nos meios sindicais e universitários. As ligas camponesas pregavam a reforma agrária "na lei ou na marra". Além de Luís Carlos Prestes, os dois ativistas mais citados eram o próprio Julião e seu imediato, Clodomiro dos Santos Moraes (este provavelmente o líder intelectual do movimento). Ambos haviam acompanhado Jânio Quadros quando, como candidato à presidência da República, visitara Havana em abril de 1960. Cramer pediu a transcrição no *Congressional Records* dos despachos de Stein e deflagrou intensa campanha contra o acordo do empréstimo Dantas-Bell.

quanto a Carta da Aliança para o Progresso encorajava o planejamento plurianual, a praxe orçamentária americana requeria o comprometimento de fundos de apoio em base anual. Criava-se assim uma insegurança de programação.

As negociações em Washington, em março de 1963, foram difíceis e frustrantes. Havia de um lado, sincero desejo de impedir a deterioração econômica do Brasil e uma excelente impressão da organicidade da concepção financeira de Dantas. As reformas prometidas no "Plano Trienal" de Celso Furtado se enquadravam nos princípios da Aliança para o Progresso e eram em si mesmas bastante ortodoxas, em que pese a retórica antimonetarista de Celso. Costumava eu dizer-lhe que nada mais parecido com um monetarista do que um estruturalista no poder.

San Tiago se fizera acompanhar de dois de seus subsecretários, Bulhões Pedreira e Dias Leite, ambos competentes. Bulhões Pedreira trabalhara na COPLAN — a Comissão de Planejamento do governo Jânio Quadros — e comigo elaborara o programa financeiro do governo parlamentarista. Outro membro da delegação, também escolado na dura experiência de negociar periódicas crises brasileiras, era Casimiro Ribeiro, então funcionário da SUMOC. Pus à disposição de San Tiago o secretário Marcílio Marques Moreira, cuja função era, principalmente, assegurar contínua ligação entre a delegação, em suas negociações com autoridades financeiras, e o Departamento de Estado.

A transformação da proposta brasileira num documento programático envolvendo projeções trienais foi um duro trabalho que, por falta de municiamento do Brasil, teve que ser executado em longas noitadas na embaixada. O documento apresentado à Agência de Desenvolvimento Internacional era analiticamente competente e elencava um rosário de medidas que depois se tornariam "promessas padrão" nas negociações com o FMI: redução do déficit fiscal, realismo tarifário e cambial, disciplinamento do crédito bancário, atenuação do protecionismo comercial, etc.

As perspectivas cambiais para o triênio eram negras. Estimava-se um déficit cambial de US$602 milhões em 1963, 344 milhões em 1964 e 175 milhões em 1965. Passei a chamar o triênio coberto pelo Plano Trienal de "triênio da miséria cambial". Entre os motivos explicativos desses pesados déficits, poder-se-iam lembrar os seguintes: (1) incompressibilidade das necessidades brasileiras de importação; (2) dificuldades na ampliação das exportações; (3) deterioração das relações de troca; (4) pesada incidência, no período considerado, de compromissos financeiros decorrentes de empréstimos de prazo inadequado (*supplier's credits*) e financiamentos de déficits anteriores de balanço de pagamentos a curto e médio prazo.

Havia, de outro lado, uma longa tradição de descumprimento de compromissos pelo Brasil. Outros fatores negativos eram: a contínua oscilação de Goulart entre a *esquerda positiva* de Dantas e a *esquerda negativa* de Brizola;[214] a contínua tolerância ante a infiltração vermelha nos sindicatos; e, no Congresso norte-americano, o recrudescimento da oposição conservadora a verbas de auxílio externo, derivado em parte da frustração criada pelas dificuldades de balanço de pagamento, mas também de outras causas. Entre estas figuravam a resistência européia em partilhar os encargos de auxílio externo, a lentidão das reformas de base na América Latina e o ressentimento pela atitude pouco compreensiva, senão mesmo hostil, de vários de nossos países à cooperação de capitais privados estrangeiros. Um dos exemplos dessa hostilidade era a Lei de Remessa de Lucros, aprovada em setembro de 1962, que absurdamente excluía da base de capital para cálculo das remessas legais de dividendos, os lucros gerados e reinvestidos no país.[215]

Quase trinta anos depois, em 1991, Marcílio Marques Moreira, no governo Collor, como ministro da Economia e Planejamento, enviaria ao FMI uma carta de intenção em tudo semelhante àquela de cuja redação participara como jovem secretário da embaixada em Washington. Na carta de San Tiago, de 23 de março de 1963, ao diretor da AID, Daniel Bell, listavam-se providências antiinflacionárias, inclusive as "câmaras setoriais" para controle de preços, que voltariam a se tornar populares trinta anos depois, nos governos Collor/Itamar Franco. Isso atesta a repetitividade de nossos erros e nossa infinita capacidade de prometer e descumprir.

O vulto do auxílio que então se conseguiu mobilizar — US$398.5 milhões — foi substancial, mas como a liberação imediata era de quantia pequena, cerca de US$84 milhões, o efeito no Brasil foi, como se receava, psicologicamente negativo. O gradualismo do desembolso refletia em parte a preocupação legítima de Washington de correlacionar seu esforço financeiro com o auxílio dos europeus e do Fundo Monetário Internacional, em função de seu desejo de com eles dividir os encargos da ajuda externa, e em parte, a desconfiança existente quanto à percepção intelectual, por parte de Goulart, da gravidade do problema da inflação. Duvidava-se, finalmente, de sua disposição para enfrentar a inevitável impopularidade dos reajustamentos corretivos. A principal dificuldade negocial, aliás, não provinha tanto do governo americano, sensível a argumentos políticos, e sim de sua incapacidade de abrandar as exigências do FMI, cuja luz verde era necessária para a implementação do calendário do desembolso. O FMI insistia na obtenção de um compromisso, em si mesmo não desarrazoado, mas de impossível aceitação no con-

---

[214] A piada da época era que havia uma terceira esquerda: a *esquerda festiva*, que tinha no álcool seu principal combustível ideológico. — "Sem o Antonio's" — chacoteava Nelson Rodrigues — "o esquerdista não estará completa e definitivamente equipado"...

[215] O absurdo da proposição é que se as empresas fizessem o "passeio do capital estrangeiro", remetendo os lucros para o exterior e reinvestindo-os subseqüentemente, teriam um capital registrado maior do que aquelas que reinvestissem diretamente os lucros. Essa deformação só seria corrigida no governo Castello Branco.

texto político vigente. Esse compromisso envolveria três condições: controle da inflação no prazo de um ano, antes que em três anos; liberação da taxa de câmbio, e congelamento temporário de salários, coisa impalatável para Goulart.

Em ácido e confidencial debate no Departamento de Estado, sem o consentimento de Dantas, descrevi o dilema cruel em que se achava o ministro da Fazenda. O acordo era tolerável no fundo, porém pouco atraente na forma. E no contexto do Brasil de então, Dantas poderia fortalecer-se politicamente com uma ou outra das posições extremas. Ou uma rutura de negociações, excitando o paroxismo nacionalista, e procurando mobilizar nossos próprios recursos internos pela via do ressentimento e da arregimentação ideológica, ou uma grande vitória externa, evidenciadora do apoio internacional e capaz de compensar as frustrações inerentes ao período de inflação corretiva. Uma solução intermediária, conquanto economicamente útil para abrandar a espiral inflacionária, poderia ser politicamente desastrosa.

Cheguei a meditar com Dantas, ao longo de duas noites de insônia, a possibilidade de uma rutura de negociações. Mas chegamos ambos à conclusão de ser impraticável qualquer mobilização eficaz do sentimento nacionalista para um duro programa de austeridade, congelamento salarial e racionamento de trigo e combustíveis, que seriam necessários na hipótese de cessação da ajuda externa. O governo não tinha coesão suficiente, e o nosso nacionalismo era em grande parte gesticulação verbal de líderes ambiciosos, sem a fibra, a pureza e a organicidade mental necessárias para a aventura grave de desenvolvimento introvertido. Para não falar no perigo de uma captura do poder político pela esquerda brizolista, tão corrupta como ineficiente. Não havíamos atingido aquilo que San Tiago chamava "a temperatura de ruptura". Houve crescente politização das decisões econômicas, seguida daquilo que Hirschman chamava de "escalação ideológica".[216]

---

[216] San Tiago Dantas, premido pelo risco de que vingassem propostas de estatização parcial do comércio exterior brasileiro, com conseqüências sérias, e pela necessidade política de fazer algo rapidamente, diante da pressão das esquerdas, num momento em que o bloco socialista havia chegado ao máximo de seu poder e prestígio, levou consigo para a viagem à Polônia, em 1962, seu ex-discípulo Oscar Lorenzo Fernandez (a quem convidaria depois para a Carteira de Câmbio da SUMOC e para uma das suas subsecretarias no ministério da Fazenda) e encarregou-o de fazer um levantamento tão completo quanto possível das economias do Leste europeu, tendo em vista as nossas possibilidades de comércio e investimentos. Lorenzo, que havia sido, na minha gestão, chefe do Departamento Econômico do BNDE e membro do Conselho do Desenvolvimento, chegou a conclusões realisticamente pessimistas quanto às possibilidades comerciais dos países socialistas, e elaborou um relatório exaustivo, no qual, adotando a metodologia do BNDE e do Conselho de Desenvolvimento, propôs a criação de um mecanismo do tipo "grupo de trabalho", com a participação dos órgãos públicos e de representantes dos setores interessados, de acordo com as circunstâncias, sem interferir no comércio normal. A Coleste (Comissão de Desenvolvimento do Comércio com o Leste Europeu) acabou sendo adotada e, apesar dos esforços de alguns no sentido de ideologizá-la, pela sua estrutura não burocrática, ela não se prestou a isso. Não faltaram incidentes pitorescos durante a viagem de San Tiago a Washington. Na véspera da divulgação do comunicado Dantas-Bell, o assessor de imprensa de Goulart, Raul Ryff, convocou uma conferência de imprensa em Brasília para anunciar, com grande espalhafato, a ativação da

Em maio, Goulart tinha sofrido uma derrota séria, com a rejeição, pelo Congresso, de sua proposta de reforma agrária. Contra essa reforma, de tipo "antagonístico", se uniram o PSD e a UDN. Numa última e baldada tentativa de separar o PSD da UDN, Goulart nomeou ministro da Justiça Abelardo Jurema, um hábil articulador político, que recebeu uma missão já tornada quase impossível.[217]

Os acontecimentos que se seguiram são conhecidos. Goulart, politicamente acovardado pela perspectiva de perder para Brizola a liderança das esquerdas, passou a fazer concessões cada vez maiores a um extremismo econômico inviável. Gastou-se na agitação reformista, descumpriu os compromissos assumidos com Kennedy para a eliminação de áreas de atrito, e acabou sacrificando San Tiago Dantas, a quem a doença roubara parte de sua capacidade de manipulação administrativa e parlamentar.

Logo depois, Carvalho Pinto, ex-governador de São Paulo, seria escolhido ministro da Fazenda, numa tentativa de composição centrista com as classes produtoras, rebeladas contra o arrocho creditício. E também para se proteger de Brizola, então deputado do PTB, que reivindicava publicamente para si a ministrança da Fazenda. Brizola, aliás, aconselhava Goulart a dar um "golpe preventivo", o que inevitavelmente geraria uma reação equivalente do lado conservador. Carvalho Pinto se esforçou por reativar o Plano Trienal e chegou a pensar num acordo de *standby* com o FMI, como meio de escapar a pressões internas por uma moratória de pagamentos externos até 1965. Mas a rápida deterioração da situação fiscal e cambial, e o ceticismo de Washington quanto à capacidade de Goulart de resistir à radicalização da esquerda, tornavam o esquema irrealista.

Coleste. Dada a animosidade do Congresso americano em relação ao Brasil, o acordo de empréstimo exigira de Kennedy um penoso esforço de persuasão legislativa. George Ball, Subsecretário de Estado, convocou-me, irritadíssimo com a provocação. "Não temos objeções a que o Brasil negocie com a Cortina de Ferro, até porque não temos mercado suficiente para o café. Mas por que escolher justamente a véspera do anúncio de um importante acordo nosso com o Brasil para o anúncio espalhafatoso da Coleste, com discursos agressivos?". "É importante — respondi-lhe — não se confundir gafe com agressão. A Coleste estava em gestação no útero burocrático há mais de nove meses e chegou o momento do parto. Não se trata de opção ideológica." Ball sorriu amuado. A tentação de brandir o comércio com o Leste — de importância apenas marginal — como uma alternativa ao engajamento com o sistema financeiro ocidental, que exigiria maior disciplina financeira, era recorrente na vida brasileira. O envio, por Jânio Quadros da missão João Dantas à Europa Oriental, que relatei em outro capítulo, ao mesmo tempo em que eu negociava em Bonn e Paris, é um outro exemplo dessa síndrome.

[217] Desde a renúncia do gabinete Tancredo Neves, em junho de 1962, com o recrudescimento do debate sobre a questão da reforma agrária, as clivagens partidárias perderiam nitidez, configurando-se gradualmente dois blocos: de um lado, a Frente Parlamentar Nacionalista e, de outro, a Ação Democrática Brasileira, que congregava os elementos antijanguistas.

Era a segunda vez que me encontrava com o radicalismo nacionalista, que parece ser o desembocadouro natural dos políticos frustrados com o doloroso problema do ajuste inflacionário. E o curioso é que se chega ao nacionalismo por duas vertentes queridas do político brasileiro — o *populismo* e o *desenvolvimentismo*. Kubitschek rompeu com o FMI, em 1959, porque os programas de austeridade interferiam com seus sonhos desenvolvimentistas. Goulart abandonaria o plano de saneamento financeiro de San Tiago Dantas em junho de 1963, porque o achava incompatível com a preservação de sua popularidade. Assim, tanto o desenvolvimentismo como o populismo acabaram se refugiando no ancoradouro emocional do nacionalismo radical.

Ao longo desse período, a atitude brasileira em relação à Aliança para o Progresso passou a ser cada vez mais sinuosa e incoerente, como se alguns de seus compromissos nos tivessem sido impostos ao invés de voluntariamente aceitos em Punta del Este.

OUTROS EVENTOS...
ALGUNS BIZARROS

Um desenvolvimento positivo foi minha aproximação com George Woods, um banqueiro de Boston que substituíra Eugene Black, que por 13 anos presidira o BIRD. Vislumbrava-se o fim da longa dieta de inanição a que o Brasil havia sido submetido. Entre 1953 e 1965, nenhum empréstimo havíamos obtido do Banco Mundial, exceto o da hidrelétrica de Furnas, que Lucas Lopes e eu negociamos num construtivo passeio de barco na Guanabara, em 1958, a que me referi alhures.

Black, sempre preocupado com *sound loans* em seu portfólio, para não comprometer a vendabilidade dos *bonds* do banco no mercado de Wall Street, nunca contemporizou com nossa irracionalidade de comportamento macroeconômico. Éramos um país — dizia ele — que "tinha bons projetos e péssima política". Sua zanga começou ainda ao tempo da CMBEU, quando Getúlio, sem base estatística, aliás, proferiu o famoso discurso de 31 de dezembro de 1951, acusando as multinacionais de remessas predatórias de lucros. Getúlio estabeleceu restrições à remessa de dividendos e, como se isso não bastasse, embarcou logo depois no projeto do monopólio da Petrobrás. Isso, para Black, era o cúmulo da irracionalidade: um país subdesenvolvido, com escassa poupança interna, desencorajava os investidores de risco e rejeitava o capital estrangeiro numa área crucial para o balanço de pagamentos, e para a qual poderiam ser angariados capitais privados. Parecia-lhe ridículo financiar um país com esse tipo de política, pois, ao invés de promover uma elevação do nível global de investimentos, o Banco Mundial estaria apenas viabilizando a manutenção de preconceitos xenófobos.

— Um país — repetia ele — que rejeita capital privado de risco, preferindo para endividar-se por via de empréstimos oficiais, não entende o problema do desenvolvimento.

Além de sua quizília com o Eximbank, a que me referi ao discutir a CMBEU, Black adquirira uma zanga pessoal pela qual me tornara involuntariamente culpado. Quando visitou o Brasil em janeiro de 1951, manifestando desejo de conhecer o sul do Brasil, onde a imigração européia, a seu ver, criara melhores condições culturais de desenvolvimento, levei-o a Porto Alegre. Impressionou-se bem com a cidade e o ambiente de tonalidades européias. O projeto que lhe apresentei, e que me parecia imediatamente financiável, era no setor de eletricidade: um empréstimo à Comissão Estadual de Energia Elétrica, para a hidrelétrica de Jacuí.

Black concordou em apressar a tramitação. Um dos incentivos para azeitar a burocracia era o desejo de fazer com que a assinatura do empréstimo coincidisse com a data de aniversário de Getúlio Vargas, em abril de 1951. Não contávamos entretanto com um estorvo ideológico-burocrático. O diretor da companhia era um competente e probo engenheiro, Noé de Freitas, cujo único defeito era um nacionalismo rábido. Mais especificamente, um antiamericanismo larvar. Concordou relutantemente com o empréstimo do Banco Mundial, fixado em US$25 milhões, em condições que me pareciam ideais: cinco anos de carência, vinte de amortização, juros de 4,5% ao ano. Mas sua xenofobia o levou a retardar a negociação do contrato, que, muito depois da data prevista, acabou sendo assinado em Washington, por ele e Brochado da Rocha, que depois viria a ser primeiro-ministro na fase parlamentarista do governo Goulart. Em sua suspicácia xenofóbica, Noé chegara ao ponto de acreditar que o empréstimo tinha sido articulado expressamente para permitir a sobrevivência da distribuidora, a Companhia de Energia Elétrica Rio-Grandense, subsidiária da AMFORP, em Porto Alegre, cujos serviços eram precários, por deficiências no suprimento de energia. Para Noé, o Banco Mundial, apesar de agência internacional, era dominado pelos americanos e estava interessado em apoiar empresas americanas. O sonho de Freitas era ver encampada a distribuidora local, sonho que viria a ser realizado anos mais tarde, em 1959, quando o governador Brizola desapropriou a empresa, gerando aguda controvérsia, alhures descrita, com o governo americano. Intransigente, Freitas nunca sacou o dinheiro, chegando a pagar US$900 mil de *commitment fee*. O empréstimo acabou sendo cancelado pelo Banco Mundial e seu montante subdividido em três empréstimos menores, para a Light do Rio, para a Uselpa de São Paulo e para a Hidroelétrica Furnas em Minas, um delicado balanceamento geopolítico. Em vez da hidrelétrica, Freitas preferiu comprar geradores termoelétricos da Tchecoslováquia, com sete anos de prazo e dois de carência, com subseqüente encarecimento de energia. Acredito que esse atraso energético contribuiu em parte para que o ritmo de industrialização do Rio Grande do Sul fosse mais lento que o de Minas Gerais e São Paulo, que fizeram grandes desenvolvimentos hidrelétricos, com apoio do Banco Mundial e do BID. Até hoje, a Companhia Estadual de Energia Elétrica do Rio Grande do Sul não trouxe nenhuma contribuição notável a não ser na geração de déficits.

Quando George Woods, banqueiro de Boston, menos dogmático, sem a tara das memórias negativas, substituiu Black no Banco Mundial, voltei à carga para obter uma modificação da política dessa organização. Argumentei com Woods que, se bem nossa política macroeconômica continuasse instável e questionável, não fazia sentido que o Banco Mundial transformasse o Brasil num exportador de capitais. Se o banco não estivesse disposto a aumentar seu "risco Brasil", que pelo menos mantivesse o mesmo nível de engajamento, reemprestando-nos tudo o que pagássemos a título de amortização e juros. E concordamos em começar por um programa de assistência técnica, para prepararmos uma prateleira de projetos através de grupos mistos de planejamento, com técnicos estrangeiros financiados pelo Banco Mundial e uma contrapartida de técnicos nacionais.

Foi essa a origem de vários grupos de planejamento. Na energia elétrica, formou-se a Canambra (Canadian, American and Brazilian Comission), que congregou duas firmas canadenses e uma americana, contratadas pelo Banco Mundial para o planejamento de energia elétrica na região centro-sul do país. A idéia original fora da Cemig, que contactara o setor de assistência técnica da ONU, visando a obter auxílio para o planejamento em sua área de concessão. Encaminhado o assunto pela ONU ao Banco Mundial, este sugeriu que a tarefa fosse ampliada para cobrir toda a região centro-sul, de forma a permitir a interligação de sistemas interestaduais. Para o setor de transportes, constituiu-se o Geipot, no qual várias firmas estrangeiras, selecionadas pelo Banco Mundial segundo as especializações ferroviária, rodoviária e portuária, se congregaram com técnicos brasileiros para o estudo de projetos de transporte integrado e intermodal. Para as ferrovias, o Banco Mundial designara uma empresa americana; para rodovias, uma francesa e uma dinamarquesa; e para portos, uma firma holandesa. A engenharia de transportes no Brasil não estava totalmente atualizada e os trabalhos do Geipot, onde foram treinados inicialmente 85 e depois duas centenas de engenheiros, promoveram um salto considerável na tecnologia dos transportes. Tiveram a vantagem de implantar análises de custos e benefícios, substituindo o voluntarismo improvisador até então prevalecente em nossos transportes. Ficara entendido que nenhum financiamento internacional seria concedido sem o aval técnico do Geipot e se esperava que essa disciplina se aplicasse também aos investimentos federais internos.

Essa norma foi prestigiada até que, no governo Médici, o coronel Andreazza, ministro dos Transportes, se lançasse em projetos megalomaníacos, como a Transamazônica ou a Perimetral Norte, que dificilmente passariam no teste de prioridade e rentabilidade. A Transamazônica — dizia eu — se baseava numa falsa analogia. As estradas transcontinentais que fazem sentido são as que ligam um oceano a outro, ou fontes de matérias-primas a bacias industriais. No primeiro caso, estão as rodovias e ferrovias transcontinentais nos Estados Unidos e Canadá, assim como a ferrovia transiberiana. Analogia válida no Brasil seria a Belém-Brasília, através da qual Santos, no Atlântico Sul, se conecta com o Atlântico Equatorial, em Belém. A Cuiabá-Santarém e a Cuiabá-Porto Velho seriam também analogias válidas. A Transamazônica e a Perimetral ligariam o sertão árido do Nordeste ao deserto úmido da Amazônia, ou seja, a pobreza à miséria. E seriam paralelas ao rio Amazonas, uma grande estrada fluvial subexplorada.

Foi constituído um terceiro grupo para o planejamento da siderurgia. O Banco Mundial contratou a firma Booz Allen, que trabalhou com um grupo de engenheiros brasileiros, liderados pelo general Edmundo de Macedo Soares, com larga experiência do assunto, como um dos planejadores de Volta Redonda.

Com exceção da Canambra, que começou suas operações ainda no governo Goulart, os demais grupos só passaram a operar eficazmente quando me tornei ministro do Planejamento, no governo Castello Branco. Apoiava-me muito nesses grupos por três motivos. O primeiro, era dar racionalidade e apoio técnico ao planejamento. O segundo, era defensivo: escudado numa crítica nacional e internacional de alto calibre, tinha melhores condições de resistir a pressões de estados e regiões para investimentos de duvidosa rentabilidade. O grupo misto de siderurgia reprovou, por exemplo, alguns projetos regionais como a Siderama, no Amazonas, a Usiba, na Bahia, e a Aços Piratini, no Rio Grande do Sul, os quais acabaram sendo depois construídos e se mostraram economicamente não competitivos. Segundo as projeções do Grupo Misto, o mercado de aço no Brasil deveria situar-se em cerca de 17 milhões de toneladas em 1980, devendo a expansão siderúrgica situar-se nessa bitola, com alguma margem para exportação. No otimismo que contagiou o país com o milagre brasileiro, essa estimativa prudencial foi abandonada. Programava-se uma expansão que poderia atingir mais de 30 milhões de toneladas, o que era uma extrapolação sentimental do mercado. Acusadas de impatriótico pessimismo, as previsões do grupo misto acabaram sendo absolutamente corretas.

O terceiro motivo era comprometer o Banco Mundial, pelo menos moralmente, a se engajar no financiamento dos projetos selecionados. Não havia compromisso formal, mas uma expectativa técnica fundada de que isso ocorresse.

Dois outros grupos semelhantes foram planejados. Um, através de cooperação entre o Banco Mundial e o BNDE, para funcionamento de silos e armazéns, tema que provocou menos interesse do que os outros. Foi abortado o último dos grupos que planejara criar, como ministro do Planejamento: o referente às telecomunicações. Houve aqui interferências nacionalistas. Com a criação da Embratel e a estatização, por compra, da Companhia Telefônica Brasileira, da Light, prevaleceu o ponto de vista de tratamento puramente nacional desse setor, descrito como "estratégico".[218]

---

[218] Um de meus desapontamentos no governo Castello Branco foi não ter sido capaz de manter no setor privado a telefonia. A Embratel nascera estatal, em virtude do Código de Telecomunicações (Lei n? 4.117), de agosto de 1962, do governo Goulart, mas o serviço telefônico no eixo Rio-São Paulo era da Light and Power. O serviço se havia deteriorado, pelo tradicional irrealismo tarifário. A Brazilian Traction estava sendo pressionada para vender as empresas, sob a ameaça inclusive de encampação pelo governador Lacerda, que não queria ser menos nacionalista que Brizola, o qual encampara a ITT no Rio Grande do Sul. Foram abertas negociações para a compra negociada e nomeada uma comissão negociadora, sob a presidência do comandante Euclydes Quandt de Oliveira, de linha estatizante. O Contel, de outro lado, era presidido pelo almirante José Claudio Frederico Beltrão, de linha privatista. Este acabou se afastando, sendo substituído pelo comandante Quandt, que mais tarde viria a ser ministro das Comunicações do governo Geisel. Durante cerca de quatro meses, enquanto se procediam às negociações com a Light, Octávio Bulhões e eu procuramos incentivar grupos privados a se mobilizarem para operar na telefonia. Foram ouvidos vários empresários, como Augusto Azevedo Antunes, Otávio Marcondes Ferraz, Jorge de Mello Flores, Paulo Ayres Filho e Antonio Ermírio de Moraes, sem que se conseguisse formalizar um grupo comprador. O vulto da transação, mais de US$90 milhões, num mercado de capitais quase inexistente, e com a pouca densidade do nosso capitalismo da época, tornava difícil a mobilização de recursos. Seria necessário apoio governamental maciço aos empresários privados, o que, aos olhos dos militares estatizantes, invalidava a tese privatista. Além disso, os brutais reajustamentos

Cabe-me registrar um fato extremamente pitoresco. Numa de minhas visitas ao Brasil, como embaixador em Washington, em meados de 1963, à procura de bons projetos para a retomada de financiamentos do Banco Mundial, procurei no Rio o então ministro de Viação e Obras Públicas do governo de Goulart, Expedito Machado. Quando comecei a lhe expor o problema, a sala foi literalmente invadida por líderes sindicais do Lloyd Brasileiro, que tinham um fato grave a denunciar ao ministro. Fiz menção de sair da sala, para não privar das confidências, quando Expedito me acenou para ficar. Com tonitruante vozeirão, o líder, com forte sotaque nordestino, começou sua arenga: — Ministro, quero denunciar ao senhor e à nação um crime da maior gravidade. Querem impelir o Lloyd Brasileiro para o caminho infame do lucro!

Aparentemente, algumas reivindicações salariais não haviam sido atendidas, e isso denotava obcena preocupação capitalista do Lloyd com a lucratividade.

— Como é que o ministro vai sair dessa? — murmurei.

A resposta de Expedito veio pronta.

— Não se preocupem, meus senhores. O déficit será logo restabelecido. O Lloyd não se afastará de sua tradição!...

— Gene Black tinha razão — murmurei. Este país não tem jeito...

Não faltaram episódios bizarros em Washington. Um deles tem a ver com a aviação embarcada, tema que tantos dissabores causou a Castello Branco, que teve de substituir três ministros da Marinha e três da Aeronáutica, até encontrar uma fórmula de compromisso.

Numa de minhas ausências de Washington, o encarregado de Negócios, Miguel Osório de Almeida, recebeu instruções do Itamaraty para que pedisse ao Departamento de Estado, em junho de 1962, licença de exportação para aviões de treinamento T-28 para uso, aparentemente, no porta aviões *Minas Gerais*, cuja compra Kubitschek autorizara no desejo de pacificar grupos militares inquietos.

O problema é que se estabelecera uma passional controvérsia interna entre os ministérios da Marinha e Aeronáutica, aquele desejoso de ter sua arma aeronaval independente, e este apegado ao texto legal, que submetia as atividades aéreas à Aeronáutica. Essa controvérsia interna chegou ao conhecimento de Washington.

---

tarifários para viabilizar investimentos no sistema seriam, graças à tradicional deformação cultural brasileira, inaceitáveis em favor de empresas privadas e mansamente tolerados em favor de estatais. Ao se instituir o sistema de autofinanciamento, pela compra de telefones contra a entrega de ações, a esperança era que se faria uma privatização gradual em favor dos usuários. Isso pressuporia, entretanto, a entrega de ações ordinárias. Mas os grupos estatizantes, depois de empossados na empresa, passaram a emitir apenas ações preferenciais, entregues aliás defasadamente, sem correção monetária, com prejuízo para o usuário investidor. Consolidou-se assim a gestão estatal da empresa, depois transformada em 1972 na Telebrás, que consolidou a estatização do sistema, com os resultados conhecidos: endividamento externo e ineficiência interna.

Nosso pedido de licença de exportação foi devolvido, até esclarecimentos nossos sobre a jurisdição respectiva das duas forças. Estabeleceu-se uma guerrilha interna entre os nossos adidos — o capitão de mar e guerra Hilton Berutti, adido naval, e o coronel Arthur Carlos Peralta, adido da Aeronáutica, cada um puxando a brasa para a sua sardinha.

A Comissão Naval de Compras insistia em apresentar diretamente ao Escritório de Controle de Munições do Departamento de Estado pedidos de licença de exportação de equipamento aeronáutico (aviões T-28 e sobressalentes), provavelmente com receio de que o encaminhamento através da embaixada abrisse oportunidade a protestos da Aeronáutica. A resposta padrão do Departamento de Estado era que as licenças somente seriam dadas, mediante pedido formal do "governo do Brasil". Um carregamento que a Comissão de Compras da Marinha conseguiu fosse embarcado no navio *Barroso Pereira*, sem licença, em Norfolk, foi rudemente embargado em 12 de dezembro de 1962 pela Alfândega e a Guarda Costeira americana, que apreenderam a carga, abordando o navio *manu militari*. A Marinha protestou contra a ação violenta das autoridades, mas não era cabível nenhum protesto diplomático por ser patente nosso procedimento irregular.

A Comissão Naval de Compras, obcecada em contornar as objeções da Aeronáutica, passou depois a pedir e obter licenças para componentes isolados, como motores Pratt Whitney e *kits* de conversão utilizáveis nos aviões T-28, o que provocou novos pedidos de esclarecimento do Departamento de Estado sobre o real destinatário final.

Quando regressei a Washington, obtive do Departamento de Estado a liberação do equipamento "sob custódia da embaixada", até que o governo brasileiro decidisse em nome de qual agência brasileira seria pedida a licença de exportação. As respostas do Itamaraty eram ambíguas, indicando contínua dissensão interna, agravada pelo fato de que o subsecretário de Estado do ministério, Renato Archer, como ex-oficial de Marinha, não primava pela imparcialidade.

Para complicar a matéria, em 24 de junho de 1963, o Departamento de Estado nos passou nota em que afirmava ter informações de que encomendas de aviões para o nosso navio-aeródromo estavam sendo colocadas na Europa, o que provocara protestos de competidores americanos, inibidos no fornecimento pela briga entre a Aeronáutica e a Marinha.

Acabei sugerindo ao Itamaraty que reativássemos o antigo pedido de licença de exportação, apresentado em junho de 1962, especificando desta vez como destinatário o EMFA, ao qual caberia dirimir a controvérsia *intramuros*, poupando-nos o embaraço do conflito aberto em Washington.

Somente em 9 de julho de 1963, um ano depois do pedido de licença original, a embaixada era autorizada a pedir licença para a exportação do material, consignado desta vez à presidência da República. Caberia ao pobre Jango Goulart, em meio às suas múltiplas atribulações com a inflação e a política salarial, desempatar entre a Marinha e a Aeronáutica!

A questão jurisdicional só viria a ser definitivamente resolvida no governo Castello Branco, em maio de 1965.[219]

Dois outros eventos merecem registro. O primeiro se refere às famosas "areias monazíticas". O episódio me vacinou contra a tentação brasileira de sobrestimar a importância das "riquezas minerais". Lembrava-me da obsessão do velho almirante Álvaro Alberto, nas Nações Unidas, com a importância do urânio e do tório brasileiro, como cacife de ingresso no "clube nuclear", por via da fabricação de artefatos nucleares. As areias monazíticas, fontes de tório, e as "terras raras" figuravam entre os produtos sujeitos a monopólio estatal de exportação. Serviriam de base à nossa pretensão de obtermos "compensações específicas", de natureza não comercial, pelo seu fornecimento aos Estados Unidos. Conforme já relatei, no começo da década dos 50 houvera uma briga jurisdicional entre o Conselho Nacional de Pesquisas, ligado ao Conselho de Segurança Nacional, que queria o controle dos fornecimentos, e o Itamaraty, que, por inspiração do ministro João Neves da Fontoura, criaria a CEME (Comissão de Exportação de Materiais Estratégicos), deslocando para a esfera político-diplomática a implementação de entendimentos confidenciais para a exportação da monazita para os Estados Unidos, concluídos no governo Vargas.

O assunto ressurgiu, com ar de escândalo, no governo Kubitschek, quando Lacerda passou a acusar Juscelino de facilitar a exportação das areias monazíticas para beneficiar seu amigo, Augusto Frederico Schmidt, co-proprietário da Orquima, que fazia o processamento de terras raras segundo tecnologia desenvolvida pelo técnico Kurt Weil.

Juscelino foi defendido pelo líder na Câmara, Vieira de Melo, e pelo deputado da Ala Moça do PSD, Renato Archer. Este, entretanto, reencontrando seu velho professor, o almirante Álvaro Alberto, absorveu as teorias conspiratórias do almirante, traumatizado pelo abortamento do seu velho sonho de enriquecer urânio pela importação de ultracentrífugas alemãs, interceptadas por americanos e ingleses, interessados em evitar a proliferação nuclear.

---

[219] Luís Viana Filho assim explica a controvérsia: "Um balanço das opiniões dos órgãos técnicos mostrara o seguinte: conquanto o Estado Maior da Armada dizia que os aviões em operação no *Minas Gerais* deviam pertencer à Marinha e ser operados por aviadores navais, o Estado Maior da Aeronáutica entendia que toda e qualquer aeronave militar seria da FAB, e por ela operada, sem subordinação ao Comando da Esquadra. O EMFA (Estado Maior das Forças Armadas) ficava a meio caminho, não definindo com sutileza a subordinação dos aviões em operação a bordo." Op. cit., p. 200-201.

As areias monazíticas e as terras raras passaram logo a ser parte do bestiário nacionalista. Criou-se uma Comissão de Inquérito na Câmara, que prontamente produziu uma mitologia energética. Possuidores de jazidas de areias monazíticas e tório, o Brasil e a Índia adquiriram enorme capacidade de barganha como detentores de um combustível essencial para os reatores auto-regeneradores de tório, que seriam a próxima etapa da evolução tecnológica. Fantasiava-se que navios aportavam secretamente no Espírito Santo para contrabandear areias monazíticas, e havia quem julgasse ser tão valiosa essa matéria-prima que aviões clandestinos seriam empregados nesse contrabando. Tudo se tratava de "pensamento desiderativo". A tecnologia se encaminhou na direção do urânio enriquecido e os reatores auto-regeneradores de tório se tornaram perspectiva cada vez mais distante.

Quando cheguei a Washington como embaixador, três anos depois da campanha da "areia monazítica é nossa", o panorama havia mudado em desfavor da mitologia do tório. As posições se inverteram. Os Estados Unidos, abastecidos de areia monazítica em seus estoques estratégicos, não tinham interesse em continuar as importações. O interesse se limitava a terras raras, assim mesmo a preços inferiores aos do entendimento original. Abriu-se um contencioso em torno do preço a ser pago pelos embarques já efetuados de terras raras.

O governo brasileiro, que sobrestimara a importância das areias monazíticas no período da guerra da Coréia, reclamando compensações específicas pela sua exportação, tinha acabado por absorver os estoques da empresa Orquima, para os quais não tinha utilização. Recebia eu em Washington instruções para promover a venda desse material, mesmo que fosse em troca de trigo. A humilhante resposta foi que, dadas as despesas de transporte e armazenagem, seria preferível para Washington oferecer trigo ao Brasil, através das semidoações da Public Law 480 (o pagamento seria em cruzeiros e ficaria depositado no Brasil em fundos para financiamento de projetos locais, preferivelmente na área social), do que importar o incômodo produto. A "monazítica é nossa", como anteriormente o "petróleo é nosso", foi uma recaída brasileira na mitologia primitiva da deificação dos recursos naturais.

O último dos bizarros episódios têm a ver com o nascimento da TV Globo. O grande avanço tecnológico da televisão de Roberto Marinho se deveu em parte ao acordo de cooperação técnica e financeira com o grupo Time Life. Os entendimentos foram feitos em Nova York, diretamente por Roberto Marinho, à base do seu crédito pessoal e profissional, sem qualquer participação da embaixada em Washington. Soube depois que tinha tido ofertas de duas outras cadeias — a BBC, de Londres, e a ABC, de Nova York. Só vim a saber do acordo por telefonema de despedida de Roberto, com o qual tinha naquela época apenas conhecimento superficial. Somente depois nos tornaríamos grandes amigos. Seu rival, Assis Chateaubriand, já então acometido por cruel trombose, que eu admirava pela sua

luta no Senado contra o monopólio da Petrobrás e pela sua capacidade de "chantagem construtiva" na criação do Museu de Arte de São Paulo (MASP), possuiu-se
da idéia de que eu havia cooperado para facilitar o acordo da Globo. Perito na
aleivosia, insultou-me em vários artigos, como o "Tartufo do pantanal".

Ironicamente, enquanto Roberto Marinho nada solicitara à embaixada, fora eu
visitado em Washington por João Calmon, dos *Diários Associados*. Conversando
comigo, expressou pessimismo quanto à possibilidade de um desenlace democrático
do governo Goulart, pesadamente infiltrado pelos ideólogos da República
Sindicalista. Seria justificável — dizia ele — um apoio do governo americano aos
grupos engajados na trincheira da preservação democrática. Ponderei-lhe que, conquanto divergindo ideologicamente de Goulart, e prestes a pedir demissão ante as
notícias de que San Tiago Dantas — meu ponto de contacto com a administração
brasileira — deixaria o Governo, teria que manter lealdade formal ao presidente.
Estava fora de questão qualquer ação junto ao Departamento de Estado em apoio a
órgãos da mídia brasileira. Isso despertaria justificadas acusações de intervencionismo. A única coisa que poderia fazer em favor dos *Diários Associados*, ou de qualquer outra cadeia jornalística brasileira, para atenuar as dificuldades que várias
delas sentiam na importação de papel de imprensa, seria encaminhar recomendações ao Export-Import Bank, dentro do seu programa normal de financiamento de
exportações. Essa atitude certamente não aplacou Assis Chateaubriand, que insistia
em atribuir-me uma inexistente parcialidade em favor da cadeia competidora.

Ao regressar ao Brasil, sendo pouco depois designado ministro do Planejamento, a
situação se agravou. Em entrevista no "pinga fogo", da Televisão Tupi, em São Paulo,
fui instado a negar licença de importação para equipamentos de televisão a serem
importados pela TV Globo. Respondi que não só o assunto era da alçada do ministério
da Fazenda e não do Planejamento, como não havia nenhuma base legal para sustar
as importações, pois as formalidades tarifárias e cambiais tinham sido cumpridas.

Só anos depois, amainados os ânimos, visitei Chateaubriand em São Paulo, imobilizado e afásico pelo derrame cerebral que o afetara. Foi, por assim dizer, um
reencontro no leito de morte, seródio e triste, porque, afinal de contas, tínhamos
afinidade ideológica.[220]

---

[220] Chateaubriand, no Senado Federal, foi um dos poucos votos contrários à lei n.º 2.004. Pela sua
coragem em enfrentar os tabus nacionalistas eu o chamara, em artigo publicado em dezembro de
1960, uma "palmeira em terra de bananeiras". Abundava em qualidades pitorescas, sendo um
desses homens que se podia odiar ou admirar, mas a quem não se pode ser indiferente. Era um
autêntico "bandido da Renascença", pois não hesitava a recorrer à chantagem e extorsão contra
empresários, no afã de construir o patrimônio artístico do Museu de Arte de São Paulo. Suspeito
que seu herói na história medieval fosse Cesar Borgia. Chateaubriand procurou-me um dia no
BNDE, pleiteando um empréstimo para compra de linotipos para sua cadeia jornalística.
Ponderei-lhe que o investimento não estava enquadrado nos critérios de prioridade. —Mas dou-
lhe garantias, disse-me ele. — Que garantias?, perguntei-lhe. — Ora, quadros, obras de arte, coisas que

Desse grande equívoco resultou que durante certo tempo polarizei injusta inimizade de três vultos importantes e passionais da vida brasileira — Brizola, Lacerda
e Assis Chateaubriand. Bizarramente, atribuíam-me na história brasileira uma
importância maquiavélica, sobrestimando grandemente o poder de um tecnocrata
sem expressão política própria e pouco hábil no jogo do poder.

Boa parte da rotina da embaixada em Washington era dedicada à diplomacia comercial. Um dos problemas era *herdar* parte das quotas de importação de açúcar, liberadas
pela ruptura com Cuba. Anteriormente, como é sabido, Cuba, Porto Rico e Havaí eram
os supridores preferenciais, e esses dois últimos se tornavam fortes candidatos a absorver as quotas cubanas. Para o Brasil a exportação de açúcar para os Estados Unidos era
interessante pelo sobrepreço, que pagavam, comparativamente ao mercado mundial.
Ao deixar a embaixada, eu havia conseguido incluir no Sugar Act, de 1962, uma quota
básica de 180 mil toneladas curtas anuais, não sem termos de recorrer à contratação de
lobistas, praxe habitual nas tratativas com o Congresso americano. Conquanto inferior
às nossas expectativas, era um êxito significativo, de vez que, com exceção de Cuba, a
maior quota estatutária estabelecida anteriormente no Sugar Act fora de 190 mil toneladas. Buscamos aliados nos exportadores americanos de trigo, e quotas extras eram de
vez em quando obtidas por operações vinculadas entre os dois produtos.

Em matéria de café, os esforços se concentravam sobretudo na elaboração,
negociação, aprovação e aplicação do novo convênio internacional de café, de

---

você semibárbaro não sabe apreciar. Enfureceu-se quando lhe respondi que isso não se enquadrava
nas "garantias reais" previstas nos regulamentos bancários.
Vinte anos depois, quando cheguei a Londres como embaixador, Assis Chateaubriand ainda era
lembrado nos círculos londrinos como o mais pitoresco dos enviados à Corte de Saint James.
Celebrizara-se presenteando a Rainha Elizabeth com um grande e belo diamante, sem usar a discrição requerida nos negócios com a Corte. Irreverentemente, após jantares na embaixada, sentava-
se no chão e convidava a aristocracia inglesa a imitá-lo, para ter contato com os costumes tropicais.
Pilheriava que tinha sangue europeu pois seus antepassados índios haviam canibalizado, em 1556,
o bispo Sardinha, náufrago nas costas do Brasil. Chegou a condecorar Churchill com a
"Ordem dos Jagunços", que este aceitou com a característica tolerância inglesa para o exótico.
— *Mr. Chateaubriand*, dizia um cronista social, *speaks English with as much skill as that of a bad
cook preparing a steak à la Chateaubriand.* Cometera, em 1952, a dispendiosa excentricidade de
organizar, com o costureiro Jacques Fath, um baile a fantasia no Castelo de Corbeville, perto de
Paris, com dignitários e cineastas. Chegou ao baile montado num alazão, envergando uma fatiota de
couro cru. Tendo conseguido a presença de dona Darcy Vargas e de sua filha Alzirinha, criou um
grande embaraço político para Getúlio.
Sempre tive incontida admiração pela capacidade de Chateaubriand de cultivar amores transcontinentais. Enquanto nós, os ordinários mortais, namorávamos vizinhas da esquina, para Chateaubriand nada havia de extraordinário em enviar flores por telegrama a uma namorada na Austrália.
O que me fazia lembrar um dos primeiros amigos que, como ex-seminarista, conheci ao chegar
jovenzinho ao Rio de Janeiro. Era um libanês, R. Karam, personalidade algo misteriosa, sempre vestido de preto, que me mostrava de vez em quando um retrato de sua rubicunda e invisível noiva, que
morava na Pérsia, em Kermanshah. Para mim o homem que tinha uma noiva em Kermanshah era
uma figura tão pitoresca como a do "homem que sabia javanês", do conto de Lima Barreto.

1962, e em obter, com êxito, o apoio do governo americano para que os representantes da Comunicade Econômica Européia, interessados apenas nos cafés africanos, viessem a abandonar sua atitude negativa em relação ao acordo internacional. Este fora um dos temas versados na conversa entre Goulart e Kennedy, no encontro dos dois presidentes, em abril de 1962. Houve dificuldades no Senado americano na ratificação do acordo antes da data limite de dezembro de 1963, mas através de meu empenho pessoal junto a vários senadores amigos, o acordo acabou sendo ratificado em tempo útil. E tivemos a vantagem adicional de o candidato brasileiro, João de Oliveira Santos, ser aceito como o primeiro presidente da Organização Internacional do Café (OIC).

Em relação ao fornecimento de trigo ao Brasil, em termos concessionais — vantajosos porque 80% da contrapartida em cruzeiros ficaria disponível para investimentos e operações de assistência técnica através do BNDE — foram concluídos dois acordos, o IV e o V, durante minha gestão em Washington. Mas não foi possível concluirmos o acordo plurianual que almejávamos, de três a cinco anos, sobretudo em vista da oposição de princípio da Argentina, nosso tradicional fornecedor, à concorrência privilegiada do trigo americano, em termos concessionais.

Desde que estamos no capítulo dos eventos bizarros, cabe alusão a fatos explorados com bastante sensacionalismo em recentes biografias do presidente Kennedy. Refiro-me ao atletismo sexual dos irmãos Kennedy, comprovando a vitalidade emocional dos irlandeses. Curiosamente, à época em que servi em Washington, nada transpirava sobre o assunto nos círculos diplomáticos. Na própria mídia americana, bisbilhoteira e contumaz invasora da privacidade, não me lembro de ter visto menção aos pecadilhos sexuais de Jack Kennedy. Experiências extra-matrimoniais pareciam implausíveis, não fosse por outra razão que o ritual de vigilância da Casa Branca. E o casamento com Jacqueline era tido como glamouroso e satisfatório. Somente anos depois viria à tona seu *affair* com Marlyn Monroe, que aliás partilhava generosamente seus favores entre os dois irmãos, Jack e Bob. Este, pai de onze filhos, tinha pose de puritano. Somente uma vez tive uma vaga presunção de interesses amorosos de Kennedy. Quando da recepção oferecida por Jango Goulart a Kennedy, por ocasião da visita presidencial de abril de 1962, submeti ao *staff* da Casa Branca a lista de convidados, que foi aceita com uma sugestão, facilmente compreensível, de que fossem enviados alguns convites em branco, caso fossem lembradas outras pessoas. Lembro-me de ter detectado entre os hóspedes na recepção da embaixada uma bela senhora desconhecida, que me pareceu algo deslumbrada de circular entre as grandes personalidades de Washington. Tempos depois, num coquetel, um funcionário da Casa Branca agradeceu-me o serviço involuntariamente prestado. Era que tinha chegado a Washington um antigo *flirt* de Kennedy, da Califórnia, que insistia de todas as maneiras em ver o presidente, *for old time's sake*. Tratava-se de coisa impraticável no ritual palaciano. Convidada para uma recepção na embaixada brasileira, sentir-se-ia honrada e veria o presidente, ainda que de longe, dispensando-o de maiores intimidades. Não se tratava, concluí eu, senão de uma reminiscência sentimental isolada.

Por que meios e métodos, oficiais ou oficiosos, conseguiram os irmãos Kennedy evitar qualquer vazamento na bisbilhoteira mídia de Washington, permaneceu para mim um mistério, tanto mais quanto biografias recentes de Kennedy revelam-no um atleta sexual.[221] Nas sociedades latinas, as aventuras amorosas de presidentes e líderes políticos são encaradas com tolerância e até mesmo admiração. Nas sociedades anglo-saxãs a hipocrisia é maior e grande o perigo político. De qualquer maneira a infidelidade matrimonial tem sido freqüente em grandes líderes mundiais, como hoje se sabe a propósito de Franklin Roosevelt, mesmo paralítico, e de Mao Tsé-Tung, que o revisionismo chinês admite ter sido um devorador de donzelas. Mesmo na Inglaterra vitoriana, Lloyd George, primeiro-ministro, não se inibia em passear de carruagem com a amante. Dos *founding fathers* da nação americana, sabe-se que George Washington era um pai da pátria num sentido mais que meramente simbólico, e que o versátil Jefferson, violinista, arquiteto e estadista, trespassou a barreira racial, procriando com uma escrava. Talvez o poeta Carlos Drummond de Andrade tivesse razão em dizer que a fidelidade deveria ser uma virtude facultativa...

Um dos políticos americanos por quem tinha mais admiração era Nelson Rockfeller, então governador de Nova York e amigo sincero do Brasil. Conhecia-o desde os tempos da II Guerra Mundial, quando ele era coordenador para Assuntos Interamericanos no Departamento de Estado, e eu, jovem secretário diplomático. Após uma recepção na embaixada, em fins de 1963, quando ficamos sós, abastecidos por consideráveis infusões alcoólicas, Nelson confidenciou-me que enfrentava um dilema. Apaixonado que estava por uma mulher mais jovem, desejava divorciar-se, mas receava que isso prejudicasse sua pretenção de lançar-se candidato à presidência da República, na convenção do Partido Republicano, em 1964.

— Por que — perguntei-lhe eu — neste país tão cheio de mulheres bonitas, parece de rigor para os estadistas casarem-se com mulheres de escassas prendas estéticas?

---

[221] Lembro-me, a respeito, de um pitoresco evento. Quando embaixador em Londres, assisti a uma inesperada *boutade* numa entrevista de televisão que se seguiu a um espirituoso e versátil show de Shirley McLaine. O trêfego apresentador desfechou inesperadamente uma pergunta embaraçosa: — É verdade que a senhora, como várias jovens atrizes de Hollywood, teve um *affair* com o presidente Kennedy? Enrubescida e enraivecida, Shirley respondeu: — *Absolutely not*. Agravando sua irreverência, o entrevistador perguntou-lhe se não considerava indecente que um líder mundial, em meio a suas responsabilidades cósmicas, perdesse tempo no exercício de *chasser les femmes*. Shirley deu-lhe uma resposta arrasadora: — *It is better to screw a woman than to screw a country*. (É melhor transar com uma mulher que estuprar um país)...

A observação não se aplicava a Jackie Kennedy, mas era certamente verdadeira a respeito dos seus três antecessores — Roosevelt, Truman e Eisenhower.

— Roberto — respondeu-me ele — nós somos descendentes de puritanos e para os puritanos a cama não é lugar para divertimento (*the bed is no place for fun*)... É por isso que falamos sempre em "dever" e não em "prazer" conjugal.

Nelson não alcançou seu sonho de chegar à presidência da República. Mas exerceu por dois anos a vice-presidência, após a substituição de Nixon por Gerald Ford, em virtude da crise de Watergate. E repetiu, em nível estadual, a façanha do presidente Roosevelt. Foi reeleito quatro vezes governador do estado de New York. Apesar de republicano tradicional, colaborou com a administração democrática de Roosevelt durante a emergência bélica. Tornei-me também amigo de seu irmão mais moço, David Rockefeller. David dirigiu o Chase Manhattan Bank, um dos grandes financiadores do Brasil em nossas sucessivas crises de dívida externa, e presidiu por muitos anos o Council of the Americas, organização do intercâmbio econômico e cultural com a América Latina. Poucos americanos terão contribuído mais do que David para aplainar atritos resultantes da peculiar relação de amor e ódio entre latino-americanos e yankees. Nelson patrocinou importantes investimentos em variadas atividades, em conjunção com brasileiros, envolvendo pesquisa agrícola, pecuária, indústria e mercado de capitais. Valiosíssima para o Brasil foi a contribuição da Fundação Rockefeller para saneamento e saúde pública, através do treinamento médico e prevenção de epidemias. O clã dos Rockefeller teve grande influência na vida americana desde o fim do século passado. O patriarca, do que se pode chamar de uma "dinastia capitalista" foi John Davidson Rockefeller, fundador da Standard Oil Company (Ohio), cujo poder monopolístico, considerado agressivo, foi um dos motivos da passagem da Lei Antitruste de 1890 (Sherman Act). Batista devoto, de grande austeridade pessoal, o magnata do petróleo dedicou os últimos anos de sua vida, a partir de 1897, inteiramente à filantropia, tendo criado o Instituto Rockefeller para Pesquisas Médicas em 1901, e a Fundação Rockefeller, em 1913. Pertencia ao seleto clube dos bucaneiros convertidos à filantropia e ao mecenato, como os Carnegies e os Mellons. O capitalista filantropo é uma espécie pouco encontradiça fora do ecúmeno norte-americano e animal raríssimo em nossas plagas...

AS FRUSTRAÇÕES DA ALIANÇA PARA O PROGRESSO

Conhecedor da história íntima desse programa de cooperação — visto que participara ativamente da redação quer da Ata de Bogotá quer da Carta de Punta del Este — procurei situar-me em Washington numa posição de *crítica construtiva*, separando as objeções *válidas* das *espúrias*. A Aliança para o Progresso da era Kennedy resultara de uma prolongada reflexão, iniciada em governos anteriores, sobre os problemas da ajuda externa. A revisão da política do *benign neglect* em relação à América Latina começara, como já foi dito, na administração Eisenhower, sob o impacto de dois desafios: o *desafio cubano*, da ideologia castrista e o *desafio brasileiro*, da Operação Pan-Americana. Kennedy tinha seu próprio revisionismo. Queria substituir o maniqueísmo ideológico da política externa de John Foster Dulles por uma postura "idealista e reformista".

Havia, no *background*, várias teorias sobre a ajuda externa, podendo-se mencionar três, em particular: uma pessimista, uma tecnocrática e outra sociológica.

A primeira fora formulada pelo professor Hans Morgenthau. Segundo ele, a maior parte do auxílio destinado aos países subdesenvolvidos fluía para benefício de grupos hegemônicos corruptos e ineficientes, sem atingir o grosso da população. De outro lado, os países ricos usavam o auxílio externo para uma variedade de propósitos políticos ou militares, desvinculados, e em alguns casos contraditórios, dos objetivos de desenvolvimento econômico. Classificava ele os programas em seis tipos: assistência humanitária, auxílio à subsistência, auxílio sob a forma de propinas para induzir comportamento favorável ao doador, ajuda militar, financiamento de projetos de prestígio e, finalmente, ajuda genuína ao desenvolvimento. E denunciava a existência de falsas correlações. Uma seria entre a injeção de capital e tecnologia externa e desenvolvimento interno. Certos países sofrem de limitações de recursos humanos ou físicos tais que os tornam incapazes de desenvolvimento. O efeito positivo da injeção de recursos pode ser eliminado se não houver reformas políticas e econômicas que desbanquem os grupos hegemônicos, que desejam manter o *status quo*; de outro lado, essas reformas poderiam gerar revoluções incontroláveis. Outra falsa correlação seria entre a ajuda para o desenvolvimento econômico e o desenvolvimento de instituições democráticas. Às vezes a compreensão do processo democrático está confinada a uma minoria. Finalmente, é ilusório presumir-se que o desenvolvimento econômico leva a uma política externa pacífica. O desenvolvimento da União Soviética habilitou-a, por exemplo, ao exercício de uma política exterior expansionista.

Essas considerações levaram Morgenthau à conclusão, um pouco cínica, de que a ajuda externa, sob rótulo idealista, em nada diferia da política diplomática, da política militar, ou da propaganda. São todas simples armas no arsenal político da nação.

A segunda visão, mais otimista, era condensada num famoso relatório de Chester Bowles, assessor do presidente Kennedy para problemas de países subdesenvolvidos. Preocupava-se Bowles em estabelecer princípios e termos de referência precisos, para dar eficácia aos programas assistenciais. Os quatro critérios gerais, depois desdobrados em medidas específicas, seriam: (a) O objetivo da ajuda externa seria criar e fortalecer nações independentes, capazes de tomar suas próprias decisões, num contexto de democracia política; (b) A assistência deve contemplar tanto aspectos econômicos como sociais, visando a um crescimento econômico e social equilibrado; (c) Alta prioridade deve ser dada ao desenvolvimento rural, pois é nos campos que se encontra a maior parte da população do mundo subdesenvolvido; (d) O auxílio deve ser concentrado em países que possuem habilidade e capacidade para acelerado e integrado desenvolvimento político e econômico (países-chave).

O terceiro enfoque, mais sociológico e sofisticado, e o que mais influência exerceu na formulação da Aliança para o Progresso, foi o de um grupo de professores do MIT (Massachusetts Institute of Technology), liderados por Max Millikan, Blockner, Walt Rostow e Rosenstein-Rodan. Na análise do interesse dos Estados Unidos no "processo transicional" de modernização das sociedades transicionais, dever-se-ia ter em mente os seguintes objetivos: (a) Os países deveriam ser capazes de manter sua independência, especialmente em relação a potências hostis aos Estados Unidos; (b) Esses países não deveriam recorrer à violência em suas relações internacionais; (c) Deveriam ser capazes de manter e organizar governos sólidos, dispostos a se absterem de controles totalitários; (d) Deveriam aceitar os princípios da sociedade aberta, e aceitar medidas internacionais para o controle econômico, político e social.

No tocante a empréstimos para o desenvolvimento, sugeria-se que os critérios econômicos para a assistência externa fossem explicitados claramente e firmemente aplicados; que o auxílio fosse de longo prazo; que o capital oferecido fosse adequado em quantidade e flexível na aplicação; que a preparação de Planos Nacionais de Desenvolvimento e a colaboração entre os países subdesenvolvidos e as organizações financeiras internacionais fossem encorajadas. As nações eram classificadas em três grupos, para efeito de ajuda externa:

• Sociedades neotradicionais,

• Sociedades transicionais e

• Sociedades em processo ativo de modernização.

Esse era o *background* a partir da qual se procurou construir uma base ideológica para o desenvolvimento econômico e social da América Latina. Tanto na reunião o Comitê dos 21, em Bogotá, como na redação da Carta da Aliança para o Progresso, em Punta del Este, alinhei-me com o ideário reformista, que me parecia mais positivo que o tom suplicante e algo lamuriento da Operação Pan-Americana, que acentuava mais a ajuda externa que as reformas internas.

O apelo ideológico da Aliança para o Progresso me parecia forte, correspondendo basicamente a antigas aspirações, pelo menos retóricas, da América Latina: (a) Um ataque frontal ao problema do desenvolvimento econômico; (b) A busca da justiça social, através de reformas estruturais; (c) A manutenção e aperfeiçoamento das instituições democráticas.

Um aspecto negativo foi que os líderes latino-americanos nunca empalmaram a Aliança como projeto "nacional" dos seus países. Faltava-lhe a aura emocional, e a participação quase religiosa, característica do nacionalismo e do comunismo. Mais tarde eu viria a perceber que essa baixa capacidade de produzir mitos é característica tanto do capitalismo quanto da democracia. Produzem resultados práticos, mas é diminuta sua capacidade de fabricar mitos. O socialismo, de outro lado, é mais forte na produção de mitos que de resultados.

A Aliança reteve sempre o sabor de uma proposta americana ou multilateral. Dos líderes da época, os que mais se interessaram pela ideologia da Aliança foram Eduardo Frei, no Chile, e Alberto Lleras Camargo, na Colômbia. Como já disse anteriormente, um dos sonhos de Kennedy era convencer Jango Goulart a assumir a liderança do movimento. Este, entretanto, tinha por obsessão a recaptura dos poderes presidenciais, e seus ímpetos reformistas eram superficiais.

A relativa abulia administrativa do governo Goulart criou situações frustrantes, que inibiam o desembolso de fundos da Aliança para o Progresso, gerenciados em Washington pela USAID — Agência para o Desenvolvimento Internacional. Isso levou o embaixador Gordon a propor ao Departamento de Estado a canalização direta de fundos para alguns governos estaduais sem preconceitos antiamericanistas, deixando de lado as repartições federais. Era a teoria da "ilhas de sanidade". Não era fácil ajudar um governo inibido pelas contínuas objurgações de Brizola ao "imperialismo norte-americano".

Um veículo natural para a Aliança para o Progresso teria sido a Sudene, que desde sua criação, em 1959, fora dirigida por Celso Furtado. Kennedy acompanhava com atenção e inquietação (em vista da ideologia esquerdista de Miguel Arraes e das Ligas Camponeses de Francisco Julião) a situação nordestina. Celso Furtado foi convidado, em julho de 1961, a visitar Washington, onde se avistou com o presidente Kennedy, ainda durante o governo Quadros. E, por ocasião da visita de Goulart a Washington, em abril de 1962, San Tiago Dantas assinou um acordo de US$131 milhões para a chamada "Operação Nordeste". Furtado, entretanto, nunca fora entusiasta da Aliança para o Progresso, talvez por considerá-la mais "assistencialista" que propriamente "desenvolvimentista".

Quando, depois da Revolução, cheguei ao ministério do Planejamento, verifiquei a necessidade de uma completa reorientação da Sudene. Concluí que, no período de implantação e funcionamento inicial da Sudene, podiam ser identificadas o que chamava de "quatro deformações": a ênfase *estatizante*, o *preconceito ideológico*, o preconceito *"nacionalista"*, e a obsessão *industrializante*.

A burocracia original da Sudene parecia aceitar apenas a contragosto o sistema de incentivos fiscais em benefício da empresa privada. Donde uma seleção exagerada de prioridades (como se o burocrata conhecesse mercados e demanda melhor que o industrial) e intermináveis delongas na aprovação dos projetos, provavelmente na esperança de que o desânimo do empresário e a procrastinação dos empreendimentos acabasse devolvendo os recursos ao governo, pela perempção do prazo de vigência dos depósitos. O recrutamento se orientou tendencialmente para técnicos de inclinação socializante, quando não marxista, aparentemente menos interessados em fazer funcionar o sistema capitalista do que em apressar-lhe o desenlace. No primeiro Plano Diretor e na Lei Fundamental, somente se previa a aplicação dos incentivos fiscais a firmas nacionais ou sob controle nacional.[222] Disso resultou que algumas grandes empresas estrangeiras do sul, nos ramos da indústria mecânica e elétrica, por exemplo, detentoras de vultosos recursos fiscais e boa experiência técnica e administrativa, não pudessem participar do sistema de incentivos. Finalmente, apesar da ênfase do relatório original sobre a reestruturação agrária, a Sudene em suas atividades práticas enfatizou muito mais a infraestrutura e a indústria do que a agricultura, negligenciando também, paradoxalmente, a educação, elemento habitualmente fundamental no planejamento socialista.

Essa combinação de atitudes viciadas fez com que o rendimento inicial da Sudene, em termos de projetos aprovados e utilização de recursos externos prometidos pela USAID, fosse bastante inferior à generalizada expectativa do Nordeste.

Dois outros problemas afetaram a Aliança em seu nascedouro. De um lado, ondas de instabilidade política na América Latina, com a implantação de regimes ditatoriais na década dos 60. De outro, a tendência desfavorável das relações de

---

[222] Esse viés antiamericano (as multinacionais naquela época eram associadas à dominação americana) manifestou-se também em outros países latino-americanos. A chamada "Resolução 24", quando da formação do Bloco Andino, excluía dos incentivos à integração industrial dos países da região as empresas multinacionais, que seriam precisamente as mais capazes de montar esquemas de complementaridade industrial naqueles mercados.

troca das exportações latino-americanas. Como procurei demonstrar várias vezes ao Departamento de Estado, particularmente numa famosa controvérsia com Lincoln Gordon, a queda dos preços de exportações primárias, *vis-à-vis* as importações de produtos industrializados, neutralizava em grande parte o efeito positivo do influxo de capitais.

Como embaixador em Washington, procurei colocar-me numa posição de "crítica construtiva" das peripécias da Aliança, separando as objeções válidas das espúrias. Em discursos na Universidade Georgetown, em Washington, e na Palmer House, em Chicago, indiquei as "antinomias básicas" que me pareciam dificultar a operação da Aliança. Primeiro, a contradição entre o "efeito impacto" e as "condições de máxima eficácia". O "efeito impacto" exigiria investimentos rápidos, mesmo antes de se formularem políticas macroeconômicas corretas ou de se melhorar a infraestrutura, coisas que lhes dariam maior eficácia. Segundo, a antinomia entre o desenvolvimento econômico e o social. Terceiro, o dilema entre "reforma consentida" e "mudança revolucionária". Os interessados em manter os confortos do *status quo* só admitiam mudanças graduais, enquanto que os "revolucionários" poderiam trazer mais caos que progresso. O quarto dilema era entre planejamento econômico e livre empresa. O quinto, o choque entre a inspiração política e a inércia burocrática. O sexto, a antinomia "comércio *versus* ajuda". A queda dos preços de exportação cancelaria os benefícios do investimento externo.

Procurei, em suma, no ambiente de pessimismo que cercou a Aliança após seu primeiro ímpeto, separar as objeções "válidas" das "espúrias".

Aquelas me pareciam ser: 1. O emperramento burocrático da Agência do Desenvolvimento Internacional e a insuficiência das verbas votadas pelo Congresso norte-americano; 2. A desvinculação entre a assistência externa e o comércio exterior, com o resultado de que o enfraquecimento da posição exportadora da América Latina poderia anular, como de fato anulou, o auxílio recebido; 3. O conflito entre objetivos de curto e longo prazo. Estes pressupunham reformas de base e estabilização financeira. Aqueles exigiam uma rápida mobilização política e psicológica em torno da Aliança, que somente se poderia alcançar mediante projetos de impacto imediato, mesmo antes que entrassem em moção propostas reformistas, ou que estivessem claramente formulados programas de estabilização.

As objeções espúrias referiam-se predominantemente a uma suposta finalidade "assistencial", e não "desenvolvimentista", da Aliança. Essa acusação, avançada freqüentemente no Brasil, derivava a meu ver, primeiramente, de uma subestimação da importância dos investimentos sociais em habitação, educação e saneamento, como fatores de produtividade econômica e de tranqüilidade social; e, em segundo lugar, do desconhecimento da Carta de Punta del Este, que previa o financiamento de planos *nacionais*, elaborados por iniciativa de cada um dos governos, aos quais caberia determinar, autonomamente, a dosagem relativa dos investimentos sociais e econômicos.

Na realidade, na divisão de culpas pela inoperância da Aliança no período de 1961 a 1963, grande parte da responsabilidade coube à própria instabilidade política e descontinuidade administrativa do Brasil, e à carência de planejamento, dado que o Plano Trienal, preparado em fins de 1962, não tivera vigência efetiva por mais de um trimestre.

A outra objeção espúria era de que a insistência norteamericana em reformas de base representava mera tática dilatória. Na verdade, correspondia a uma profunda convicção, gerada pelo episódio cubano, de que o modelo de desenvolvimento democrático nas condições sociais de hoje torna esse processo ineficaz e insustentável, se não acompanhado de um esforço de abrandamento das injustiças sociais.

Expus essas idéias em longa carta, que transcrevo no Anexo VI, ao então ex-presidente Juscelino Kubitschek, quando este me visitou na embaixada em Washington, em 6 de dezembro de 1962, e se entrevistou com o presidente Kennedy.[223] Fora convidado, juntamente com o ex-presidente colombiano Alberto Lleras Camargo, para analisar as causas do esmorecimento da Aliança para o Progresso e propor medidas de dinamização.

Mais tarde, no governo Castello Branco, procurei ressuscitar o combalido evangelho reformista da Aliança. As grandes reformas, discutidas adiante no capítulo 12, conformavam-se a essa visão: reforma agrária, reforma fiscal, regulamentação do mercado de capitais, reforma administrativa, eram coisas previstas na Carta de Punta del Este, como peças arquitetônicas do ideário do capitalismo democrático.

Fui o representante brasileiro no CIAP — Comitê Interamericano da Aliança para o Progresso — comparecendo a várias sessões em Washington, sob a presidência do embaixador colombiano Carlo Sanz de Santamaria, que fora ministro da Fazenda da Colômbia e participara dos primórdios da Aliança. A figura mais interessante no Comitê era Walt Rostow, assessor de Kennedy e, depois, do presidente Johnson, autor da famosa teoria do *take off* em seu livro seminal *Stages of growth*.

O CIAP analisava a performance dos diferentes países e recomendava assistência financeira internacional, quer para projetos quer para o balanço de pagamentos, mas sofria de certas ambigüidades. Em tese, suas recomendações teriam força decisória. Mas no governo americano e, sobretudo no Congresso, não havia simpatia pela partilha do poder decisório com um novo grupo internacional além das organizações multilaterais tradicionais — BID, Banco Mundial e FMI, onde o voto

---

[223] Ver Anexo VI, carta do embaixador do Brasil em Washington ao senador Juscelino Kubitschek sobre a Aliança para o Progresso — 6 de dezembro de 1962.

é ponderado, permitindo ao Tesouro maior área de influência. O CIAP funcionou por alguns anos e representou importante papel disciplinar no tocante às políticas macroeconômicas da América Latina.

Suas operações se encerraram em 1974. Chegara a era Johnson da *good society*, voltada mais para os problemas internos, ao mesmo tempo que a política externa foi assoberbada por uma nova prioridade — sair do atoleiro do Vietnã. Com a eleição de Nixon e sua política de *good partnership*, voltaram a se afirmar os valores do individualismo, crescendo o ceticismo em relação à política "planificadora" da Aliança para o Progresso.

A América Latina sofreu um processo de marginalização na política externa norte-americana, assim como no intercâmbio comercial. É famoso o chiste de Kissinger. Quando lhe perguntaram sobre a crise chilena com a ascensão de Salvador Allende ao poder, teria respondido: — Não há mais lugar para crises na minha agenda.

E, sarcasticamente, completou: — O Chile é uma espada... apontada diretamente para o coração da Antártida...[224]

---

[224] Para uma história pormenorizada e competente das peripécias do CIAP, ver Carlos Sanz de Santamaria, *Interamericanismo contemporâneo*, Bogotá, Plana & Sanes/História, 1985, p. 337-365.

A FASE DA
"ESPERA ANGUSTIADA"

A partir da mudança de gabinete em junho de 1963, percebi que Goulart embarcaria numa orgia inflacionária, que procuraria justificar alegando a obsolescência das estruturas, somente retificável por reformas violentas, com tonalidade esquerdista. Sua recusa tanto em apoiar Kubitschek, já candidato à reeleição, como em construir um candidato trabalhista, transmitiu-me a certeza de que não cogitava de um desfecho eleitoral normal.

A visão em Washington se tornara cada vez mais pessimista, à medida que o Partido Comunista no Brasil desfraldava desinibidamente a bandeira da República Sindicalista. A infiltração esquerdista, que a CIA acompanhava de perto, dominava três organizações: a UNE (União Nacional dos Estudantes), a Petrobrás e os sindicatos do setor de transportes, que criaram o Pacto de Unidade e Ação (PUA). Washington identificara ainda como componente da trama subversiva as Ligas Camponesas de Francisco Julião e o "Grupo dos Onze" de Leonel Brizola.

Na realidade, a articulação de Brizola era mais ampla. Buscou expandir a Frente de Mobilização Nacional que criara em 1962, em apoio às "reformas de base", dando-lhe um caráter de "alternativa revolucionária" para encaminhamento da situação brasileira. Aglutinaram-se nessa Frente a CGT, a UNE, a Frente Parlamentar Nacionalista, as Ligas Camponesas e o Comando dos Sargentos e Marinheiros.

Receava-se que Goulart, sobrestimando sua capacidade de cavalgar o tigre, acabasse sendo um novo Kerensky. Era aliás o que Carlos Lacerda profetizava abertamente. O presidente Kennedy disse-me, quando acompanhei estudantes brasileiros em visita à Casa Branca, que a situação brasileira lhe causava insônia, perplexo por não saber como ajudar um governo que aparentemente não queria se ajudar a si mesmo. Respondi-lhe, sem muita convicção, que talvez a excessiva cautela com que os Estados Unidos haviam agido durante as negociações Dantas-Bell tivesse enfraquecido irremediavelmente a posição daqueles que tinham o equipamento mental e a firmeza moral para a dura tarefa de recuperação econômica. Não tendo tido visão suficiente para enfrentar um moderado risco financeiro — acrescentei — os Estados Unidos estavam correndo um grande risco político.

Kennedy se queixava de nossa inadimplência no cumprimento do projeto de nacionalização pacífica das empresas americanas de utilidade pública, acordado durante a visita de João Goulart. Num momento de imprudência, perguntou-me: — Quando é que os senhores botam um governo capaz de cumprir seus compromissos?

Respondi-lhe provocadoramente: — Será isso uma insinuação para que eu me rebele contra o meu próprio governo?

Kennedy percebeu o *faux pas* e comentou com visível embaraço: — Talvez isso não seja uma idéia totalmente absurda.

Em seus últimos dias no ministério da Fazenda San Tiago era já um homem doente. Em 25 de julho, pouco após sua exoneração, acompanhado do seu médico, o dr. Cruz Lima, veio a Washington, para exames médicos, hospedando-se comigo na embaixada. O dr. Cruz Lima confidenciou-me que suspeitava tratar-se de câncer na mama, mas que ocultara o diagnótico a San Tiago Dantas.

— Ele ainda tem ambições políticas — disse-me Cruz Lima — e seria um desastre psicológico se lhe cortássemos as esperanças.

A punção pulmonar e respectiva biópsia, feitas em 9 de agosto no hospital da Universidade George Washington, confirmaram nossas piores suspeitas. O câncer da mama já havia produzido metástase, atingindo os vasos linfáticos, o que inviabilizava uma solução cirúrgica. Os médicos da Universidade se sentiam na obrigação moral de informar ao paciente de sua curta sobrevida. A pedido de Cruz Lima, escrevi uma carta à administração do hospital, assumindo a responsabilidade pela *não* revelação da irreversibilidade da moléstia.

Não foi difícil persuadir San Tiago de que sua afecção podia ser descrita como "moléstia do colágeno", grave porém não fatal. San Tiago queria viver e queria nisso acreditar. A equipe médica do hospital, numa leitura errada de chapas de raio X, concluiu que a metástase já havia atingido a coluna cervical e que o paciente voltaria ao Brasil de maca e não teria sobrevida superior a seis meses. O diagnóstico era cruel demais. San Tiago tomou o avião de volta normalmente, ainda que sob dor intensa, não sem antes explicar a mim e ao Cruz Lima seus planos para a revitalização da esquerda positiva do PTB contra o radicalismo de Brizola.[225] Teve sobrevida de mais de um ano. O fim veio rápido depois que, ao visitar um centro francês de oncologia, em Nancy, foi-lhe revelado o diagnóstico fatal.

Pedi exoneração em agosto de 1963, sentindo que, totalmente incapaz de influenciar o meu próprio governo, cessara minha utilidade como embaixador.

---

[225] Num supremo esforço físico, San Tiago Dantas se empenharia na tarefa da qual procurei dissuadi-lo, de formação, em janeiro de 1964, de uma frente única das esquerdas, em torno de um programa mínimo de reformas de base, aceitável ao mesmo tempo por brizolistas, comunistas e alas reformistas do PTB e do PSD. A conciliação entre a "esquerda positiva" e os "nacionalistas radicais" era impossível, tanto mais quanto estes últimos, sobrestimando sua força, sentiam o bafo quente do poder. A reação do líder comunista, Luís Carlos Prestes, à proposta de Dantas foi, aliás, bem mais moderada que a de Brizola. Este, num jornaleco semanal chamado *Panfleto*, passou a acusar Dantas de "entreguismo", insinuando abjetamente que ele extraíra proveito pessoal dos "Acordos do trigo" com os Estados Unidos. Através do *Panfleto* e da Rádio Mayrink Veiga, Brizola procurou reviver o "Grupo dos onze", desta vez não para assegurar a posse de Goulart e sim para empurrá-lo para a ilegalidade revolucionária. Sobre os últimos dias do governo Goulart, na ótica de um dos seus colaboradores mais ativistas, ver Darcy Ribeiro, *Aos trancos e barrancos*, Ed. Guanabara, 1985, cap. 'O golpe de 1964', itens 1740 a 1811.

Havendo dado a vitória à linha Brizola, com a exoneração em junho de 1963 de San Tiago Dantas (que juntamente comigo havia procurado dar cumprimento ao compromisso de eliminação de áreas de atrito, assumido quando da visita presidencial a Kennedy em abril de 1962), Goulart entendeu haver já alimentado suficientemente o "Moloch" nacionalista.[226] Decidiu conservar-me como bode de reserva, para sacrifício em momento politicamente mais azado. Dizia-se nos corredores da casa que meu substituto seria ou Octávio Dias Carneiro, então diretor superintendente da SUMOC, ou Vasco Leitão da Cunha. Hugo Gouthier era às vezes mencionado. Mas o suspense continuava.

O Itamaraty, por sua vez, entrou em fase extremamente conturbada. Evandro Lins e Silva e o embaixador João Augusto de Araújo Castro sucederam-se como chanceleres, em curto prazo.[227]

Os desentendimentos com os Estados Unidos foram-se agravando, tudo culminando na reunião do Conselho Econômico e Social Interamericano em São Paulo, em novembro de 1963, quando o Brasil assumiu atitude totalmente negativa em relação à Aliança para o Progresso, com tal falta de objetividade e fúria passional que conseguiu alienar a um tempo os Estados Unidos e os demais países da América Latina, isolando-se numa postura incompetente e ressentida. O único resultado prático da reunião foi a criação de um grupo de alto nível — o CIAP (Comitê Interamericano de Aliança para o Progresso) — para avaliação dos planos de diferentes países e recomendação às agências financiadoras sobre a alocação de recursos. A criação desse organismo de coordenação fora recomendada pelas duas personalidades eminentes, os ex-presidentes Lleras Camargo (da Colômbia) e Juscelino Kubitschek, convidados por resolução do CIES no México, em outubro de 1962, para sugerirem medidas de dinamização da Aliança para o Progresso.[228]

---

[226] Com a mudança do gabinete, caíram também o general Amaury Kruel, que deixou o ministério da Guerra, e Antônio Balbino, ministro da Indústria e Comércio, ambos os quais, como membros da CONESP, haviam aprovado as negociações para a nacionalização negociada das empresas americanas de utilidade pública. Com seu proverbial destempero verbal, Brizola, então deputado e vice-líder da maioria, reivindicara, em entrevista de rádio e televisão, no dia 28 de maio de 1963, o afastamento dos três ministros — San Tiago, Kruel e Balbino — descrevendo-os como "traidores dos interesses nacionais". Explicar em Washington como o cunhado do presidente, vice-líder da maioria, assim se referia aos ministros de Estado designados para implementar um entendimento firmado por Goulart era tarefa surrealista, superior às minhas forças...

[227] Quando Araújo Castro foi nomeado ministro do Exterior, sendo ele um colega do Itamaraty, vislumbrei a possibilidade de um relacionamento profissional mais tranquilo. Lembro-me que, de saída para um coquetel, passei ao Araújo Castro um telegrama brejeiro, recomendando à minha secretária que o endereçasse para a residência particular do ministro. Por um equívoco, ela o remeteu ao Itamaraty pelo código oficial, causando compreensível escândalo burocrático. O telegrama lia: "Sursum corda! Afinal um profissional. Considere-se de saco puxado. Roberto Campos." Fui repreendido por ter usado linguagem imprópria em comunicações oficiais.

[228] Mais tarde, como ministro do Planejamento do governo Castello Branco, eu viria a ser por três anos o representante brasileiro no CIAP.

Não tendo recebido resposta ao meu pedido de exoneração, solicitei insistentemente autorização para vir ao Brasil, a fim de expor pessoalmente que o desgaste de minha autoridade como representante do governo me impedia definitivamente de continuar no posto.

Ao saber de minha decisão, Kennedy fez-me notificar, por um oficial de gabinete, que me chamaria a visitá-lo tão cedo tivesse lazer, para uma longa conversa não apenas sobre o Brasil, mas sobre o destino da Aliança para o Progresso e o panorama conturbado da América Latina.

Não me chamou, entretanto. Não o vi mais. Cheguei ao Brasil em 18 de novembro de 1963, e quatro dias depois Kennedy morria, de morte absurda, numa tarde absurda, vítima de violência estéril.

Kennedy — contra o conselho de Stevenson, que havia estado no Texas e recebido uma cusparada na face em Austin, em outubro de 1963, e que sentia o ambiente inflamado — foi a Dallas numa viagem "não política", mas que se destinava na realidade a levantar dinheiro para a campanha democrata e conciliar uma briga entre dois líderes, o governador John Connally, conservador, e o senador liberal Ralph Yarborough.

O assassinato de Kennedy equivaleu a um terremoto mundial. Ninguém melhor que o embaixador Charles Bohlen resumiu a frustração mundial: — Tenho a impressão que o futuro se afastou do presente.

Conta-se que, na confusão do assassinato, o serviço secreto seqüestrou o vice-presidente Johnson, com receio de que se tratasse de um complô para matar toda a alta cúpula do governo norte-americano. No bafafá que se seguiu, os auxiliares, que carregavam a maleta com os códigos nucleares, perderam Johnson de vista, de modo que, durante cerca de meia hora, as forças nucleares dos Estados Unidos não podiam ser deflagradas. A boataria era infernal. Os culpados do assassinato seriam a União Soviética, Cuba e "os comunistas". [229]

---

[229] Em setembro de 1963, Fidel Castro declarou cripticamente em recepção na embaixada do Brasil em' Havana que os Estados Unidos haviam planejado seu assassinato. Na realidade, a CIA havia contratado Rollando Cubela Secades, no começo de setembro, em São Paulo, para induzi-lo a fazer a execução. Cubela — um médico como Che Guevara, e antigo líder guerrilheiro que havia matado o chefe da inteligência militar de Batista e ocupado o palácio presidencial antes da chegada de Castro a Havana — havia declarado que protestava contra a presença soviética em Cuba e que Castro traíra a revolução. O serviço de contra-inteligência de Fidel descobriu o complô e Cubela foi condenado à morte em Havana, sentença depois cumutada para prisão perpétua. O recrutamento de Cubela foi um episódio da *Operation Mongoose*, imaginada por Robert Kennedy em 1962, como uma "vendetta", após a derrota na Baía dos Porcos. A "operação conduzida pela CIA envolvia espionagem, propaganda e sabotagem, mas a partir de certo ponto foram retomados os esforços da Máfia para a liquidação física de Fidel Castro. Ver Beschloss, p. 639-640. Sobre a *Operation Mongoose*, ver Thomaz C. Reeves, *A question of character*, Prima Publishing, Rocklin, 1982, p. 277-278.

Logo que cheguei ao Brasil procurei avistar-me com João Goulart, para forçar uma decisão sobre minha exoneração. Recebeu-me em Brasília na tarde do dia 22, quando o rádio e televisão já transmitiam a dramática notícia do assassinato de Kennedy. Goulart aceitou meu pedido de demissão e perguntou sobre meus planos, sugerindo que eu talvez pudesse tentar uma experiência política. Respondi-lhe que meus planos de aprender algo "do outro lado da cerca", na iniciativa privada, haviam sido apenas postergados. Chegara agora o tempo.

Jango pediu-me que voltasse imediatamente a Washington para os funerais de Kennedy e ficasse ainda algum tempo, após a posse do vice-presidente Johnson, para que este não interpretasse minha retirada como uma solução de continuidade em nossas relações.

A delegação brasileira aos funerais foi presidida pelo senador Auro de Moura Andrade. Lembro-me do surdo rufar dos tambores numa tarde chuvosa de novembro, como se a natureza se associasse ao choro das pessoas. Uma centena de chefes de Estado acompanharam o cortejo. O ataúde repousava sobre uma carreta de artilharia, do Capitólio até a Catedral de Saint Mathews.

Para os americanos era um momento de choque e humilhação. Sua grande democracia era também uma democracia violenta. Nada menos que quatro presidentes — Lincoln, Garfield, McKinley e Kennedy — morreram assassinados.

As cerimônias fúnebres de Kennedy foram ao mesmo tempo sóbrias e majestosas. Eu sentia o coração pesado dos que vêem o mundo subitamente mais vazio. Como terceiro-secretário de embaixada, dezoito anos antes, assistira aos funerais do presidente Roosevelt.

Tinha-se completado um dos longos ciclos da política americana, caracterizada, seguindo Arthur Schlesinger, pela oscilação pendular entre governos voltados para o "propósito público" e os voltados para o *private interest*. A era Kennedy representaria um retorno à política de Roosevelt, após o interregno republicano de Eisenhower. Este acentuava os valores do capitalismo e da livre empresa, enquanto que as duas administrações democráticas acentuavam a responsabilidade social do governo.[230]

Essa, naturalmente, a interpretação de um historiador filiado ao Partido Democrático. Os republicanos teriam uma visão diferente. Para eles, o Partido Democrático era o "partido dos interesses especiais" — *tax and spend*, e o Partido Republicano, o dos "interesses nacionais". Curiosamente, no último quarto de século estabeleceu-se um bizarro balanço de poderes. O Partido Republicano ganhou todas as eleições presidenciais (exceto a de Jimmy Carter), mas os democratas retiveram na maior parte do tempo o controle de uma ou das duas casas do

---

[230] Arthur Schlesinger, *The cycles of american history*, André Deutsch, London 1987, pgs. 26/27.

Legislativo. De certa forma o Partido Republicano ficou sendo o partido "presidencial" e o democrático o partido "parlamentar". Se um novo ciclo se inicia com a eleição do presidente Bill Clinton, em novembro de 1992, só o futuro dirá...

Após os funerais houve uma recepção para os dignitários estrangeiros no Departamento de Estado. Recordo-me que ao chegar à recepção fui apresentado pelo embaixador francês, Hervé Alphand, ao presidente Charles de Gaulle. Coincidentemente chegavam ao mesmo tempo dois embaixadores americanos — o economista John Galbraith, embaixador na Índia, e Ben Stefanski, líder trabalhista, em missão na Bolívia. Não poderia haver maior contraste. Galbraith esguio e enorme, com mais de dois metros; Stephanski gordinho e baixinho. De Gaulle, ao ser apresentado a Galbraith, sem atentar para Stephanski, fez um cumprimento elogioso: "Folgo em saber que sua estatura física nada fica a dever à sua estatura intelectual." Stephanski, que foi apresentado a seguir, ouvira embaraçado o comentário. Com enorme presença de espírito, De Gaulle apressou-se a dizer: "O que não significa que bons perfumes não sejam às vezes engarrafados em frascos pequenos"...

Somente deixei Washington em 18 de janeiro de 1964. Tive um certo grau de satisfação, antes da partida, ao ler um editorial do *Washington Post*, em 5 de janeiro, que fazia um comentário pouco habitual sobre a partida de um diplomata.

> "Mr. Campos is the general iconoclast who persuades by disarming with his wit. He has had the exceptionally dificult task of interpreting the politics of a country whose best informed residents are sometimes confused about the direction of events. But without doing violence to fact, mr. Campos has put the best face on Brazil's troubles and it was in good part due to his ability as a diplomat that president Goulart's visit last year was such a success."

O Departamento de Estado providenciou minha visita de despedida ao presidente Johnson. Conhecia-o como vice-presidente e excelente manipulador legislativo, na posição de presidente do Senado. Na realidade, boa parte do programa legislativo de Kennedy, inclusive a legislação sobre direitos humanos, só viria a ser aprovada com Johnson.

Arthur Schlesinger, assessor da Casa Branca, manifestou-me, num almoço, sua inquietação quanto à possibilidade de um desfecho antidemocrático no Brasil, que poderia advir de um dos dois extremos: uma radicalização de Goulart na direção da República Sindicalista, ou uma reação conservadora com apoio militar. Era uma especulação que se tornara freqüente na imprensa brasileira, particularmente em função de dois bizarros episódios: a minirebelião dos sargentos, em Brasília, em 12 de setembro, os quais chegaram a aprisionar o presidente da Câmara, e a mensagem de Goulart ao Congresso, apresentada em 4 de outubro e retirada três dias depois, pedindo a decretação do estado de sítio.

Eu me sentia tão perplexo quanto Schlesinger em relação ao curso dos acontecimentos. Limitei-me a dar-lhe a resposta padrão: a mentalidade legalista era ainda dominante nas Forças Armadas, e estas não interviriam a não ser em caso de comoção social ou ameaças à disciplina militar.

Curiosamente, ambas as coisas viriam a acontecer, em rápida sucessão, no primeiro trimestre de 1964, como se Goulart estivesse possuído de um instinto suicida. Sua atitude frouxa e adulatória em relação aos sindicalistas e o encorajamento de greves como fator de mobilização popular transformaram a república sindicalista em anarquismo sindical. O famoso comício de 13 de março, em que foram desapropriadas as refinarias privadas, e foi decretada a faculdade da SUPRA para desapropriar terras marginais às ferrovias e rodovias, provocou a desconfiança da classe média e dos ruralistas. A tolerância em relação aos marinheiros rebelados em 25 de março, e o discurso aos sargentos em 30 de março, tocaram no ponto mais sensível do dispositivo militar — a disciplina hierárquica. Quase dez anos antes, em 5 de agosto ode 1954, o assassínio, de motivação política, de um major da Aeronáutica, desencadearia eventos que levaram ao suicídio de Getúlio. Em março de 1964 Goulart cometeria um suicídio político ao afrontar o princípio da hierarquia, basilar nas Forças Armadas.

Segundo observa Moniz Bandeira, referindo-se a depoimento de Kubitscheck ao historiador Hélio Silva, não faltaram advertências a Goulart. Na tarde do dia 31 de março, quando a rebelião já começara em Minas Gerais, Juscelino teria procurado Goulart para propor uma "solução política" para a crise, mediante a substituição do ministério por outro de corte conservador, a punição dos marinheiros e o lançamento de um manifesto de repúdio ao comunismo. O interesse de Kubitscheck era preservar a legalidade institucional, pois contava retornar à presidência da República nas eleições de 1965. O general Amaury Kruel ofereceu-se como mediador, propondo o fechamento da CUT e da UNE, a intervenção nos sindicatos e o afastamento dos auxiliares de Goulart, caracterizados como comunistas. Goulart considerou as propostas humilhantes, pois se tornaria um presidente "meramente decorativo".

OS FELINOS
PROGRESSISTAS

Deixando Washington, parti para uma longa viagem ao Extremo Oriente. Fora convidado para fazer uma conferência sobre "Política monetária nos países em desenvolvimento" pelo Banco Central do Paquistão, então instalado em Karachi. Proferi outra conferência na Universidade de Delhi, fazendo depois uma rápida excursão a Agra para ver o Taj-Mahal, uma das maravilhas do mundo.

Tive a oportunidade de visitar Cingapura, Hong Kong e Taiwan, hoje descritos como "tigres asiáticos" mas que àquela época me pareciam gatos doentios. Transformar-se-iam em felinos progressistas. Cingapura participava então de uma federação com a Malásia, da qual seria expelida em 1965. Foi uma sorte, pois, sob a liderança esclarecida de Lee Kwan-Yew experimentaria um longo período de extraordinário crescimento econômico. Naquela época, a renda de Cingapura por habitante era comparável à do Chile, Argentina ou México. Hoje é cinco vezes mais alta. Superou até mesmo a renda por habitante de sua antiga metrópole imperial, a Inglaterra.

Participei de um seminário na Far Eastern Economic Commission, da ONU, em Bangkok. As agruras do tráfego infernal só foram atenuadas por uma visita ao templo do "Buda de Esmeralda" (Wat Phra Kaeo) no complexo do palácio real. Lá cheguei à tardinha, acompanhado do encarregado de negócios Lindolfo Leopoldo Collor. Era hora de fechamento do templo e, quando nos íamos retirando, um bonzo de cabeça raspada e túnica de açafrão ofereceu-se para mostrar-nos o monumento do Buda de Esmeralda, completado em 1882. O bonzo era um estudante de inglês e pensou que nós estivéssemos falando essa língua. O curioso é que me esfregava as mãos com suspeita ternura. Tivemos que levá-lo a jantar na embaixada, e apenas a custo dele nos livramos.

— Não esperava jamais — disse a Lindolfo — ver um bonzo veado!

Minha próxima parada foi Hong Kong. Carente de recursos naturais e sobrepovoado, nada indicava que esse modesto entreposto viria a ser um dos maiores centros comerciais e financeiros do mundo. Lembrei-me ter lido que Lord Palmerston, primeiro-ministro inglês quando da Segunda Guerra do Ópio com a China, em 1856, entretinha dúvidas sobre o valor desse "grupo de ilhas rochosas" no Pacífico! O que não o impediu de forçar a China a ceder-lhe, em 1860, a península de Kowloon no continente, que dá um pouco mais de espaço respiratório e fornece água a Hong Kong.[231]

A convite de um colega do Itamaraty, Milton Telles Ribeiro, encarregado de negócios em Taipei, detive-me por um dia na capital taiwanesa, a caminho do Japão. Taipei, à parte o bloco de edifícios governamentais, pareceu-me pouco mais que uma grande favela. Taiwan estava começando sua grande reforma monetária, espicaçada pela perspectiva de sustação do auxílio americano.

— *We have to rise by our own bootstraps* — disse-me o ministro do Exterior.

E acrescentou: — Aprendemos uma lição. O que nos derrotou na China não foi o exército de Mao. Foi a inflação.

Muitos anos depois, ao revisitar Taiwan, em 1984, defrontando-me com um modelo bem-sucedido de "desenvolvimento com estabilidade", verifiquei que a lição tinha sido aprendida.

Terminei a expedição com uma visita a Tóquio, para discursar no Keidanren, numa tentativa de persuadir investidores japoneses de que os problemas do Brasil eram de curto prazo e nossa economia continuava sendo uma boa aposta, depois de superado nosso *time of troubles.*

Tinha sido convidado pelo velho prócer da indústria japonesa, Toshio Doko. Conhecêramo-nos durante as negociações no governo Kubitschek para a implantação do estaleiro da Ishikawajima Harima, no Rio de Janeiro. Visitei também uma das grandes fábricas da Toshiba, cujo hall, cheio de exortações ao trabalho, tinha um ar de produtividade.

O presidente da Nippon Steel organizou-me uma visita ao extremo sul, na ilha de Kyushu, onde se localizava, em Kita-Kyushu, a usina de aço Tobata Steel Works, que, com 4 milhões de toneladas, era uma das maiores do mundo, e já então altamente automatizada, bem antes da era da robótica.

Era a primeira de minhas viagens ao Japão, ao qual retornaria cinco vezes. O ano de 1964 era especial para o Japão. Tóquio parecia um canteiro de obras, preparando-se para dois grandes eventos: as Olimpíadas, no verão, e, no outono, a reunião do FMI e do Banco Mundial. Era, por assim dizer, o *rito de passagem* do Japão para o *Clube dos ricos*, oficializando-se como superpotência econômica. Mais de vinte anos mais tarde, a Coréia do Sul, com a reunião do FMI e do Banco Mundial em 1985, e as Olimpíadas de 1988 em Seul, marcaria também sua transição da retaguarda incaracterística dos subdesenvolvidos para a posição de *newly industrialized country*, como o maior dos quatro tigres asiáticos. Em minhas via-

---

[231] Lord Palmerston, que exerceu duas vezes a primeira-ministrança (em, 1855-58 e 1859-65) era chamado Lord Cupido pelos seus inúmeros casos amorosos. Revelou-se também um cultor da *realpolitik*, atribuindo-se-lhe o famoso mote: "A Inglaterra não tem amigos; só interesses..."

gens seguintes ao Japão, para conferências internacionais, encontrei sempre grandes mudanças, quer na densificação industrial e tecnológica, quer na surpreendente eficácia do controle da poluição no complexo Tóquio-Yokohama. E sempre
admirei, ao visitar as velhas cidades, como Kyoto (com Sansunjungendo, o Templo
dos mil Budas) e Nara, como capital religiosa (com a estátua gigante de Buda no
Templo Todai), a capacidade japonesa de conciliar requintes da tecnologia moderna com os untuosos ritos do budismo e do xintoísmo.[232]

---

[232] Numa dessas visitas, em companhia do pintor Manabu Mabe, vim a conhecer Akio Morita, o
genial presidente da Sony, de quem me tornaria amigo ao longo dos anos. Acredito mesmo tê-lo
influenciado em sua decisão de instalar sua empresa no Brasil. Curiosamente, por causa de uma de
suas idéias, que seria um de seus poucos insucessos. Aconselhei-o a escapar da superconcentração
industrial no eixo Rio-São Paulo e lhe sugeri a alternativa de Curitiba. Morita tinha desenvolvido a
tecnologia dos videocassetes Betamax. Imaginava ele — e com isso concordei — que no Brasil se
poderia desenvolver um grande mercado para vídeos educativos sobre educação e saúde, que presumivelmente contariam com seguro mercado governamental. Na realidade, nossos governos
nunca perceberam adequadamente as virtualidades desses instrumentos educativos. E depois, o
padrão Betamax viria a ser deslocado competitivamente pelo padrão JVC, da Matsushita. Lembro-
me de que uma vez, num jantar com Mabe e Morita, em Tóquio, indaguei-lhe sobre o nosso frustrante mistério: "Como o Brasil, rico de riquezas minerais, conseguia ser pobre, e o Japão, delas
privado, se enriquecia?" Morita respondeu-me com uma teoria original: possuir riquezas minerais
pode ser fator negativo. Quando as minas se exaurem ou se tornam antieconômicas, seus detentores, por motivos sociais, são obrigados a mantê-las subsidiadas e ineficientes, como acontece com
as minas de carvão na Inglaterra e Alemanha e as jazidas de ferro no nordeste da França. "O
Japão" — disse ele — "é livre para comprar mundialmente no fornecedor mais barato e aproveita-
se de um dos grandes avanços tecnológicos no século XX — a drámatica redução de fretes marítimos nos *bulk carriers*". E concluiu, cripticamente: "O que conta no desenvolvimento são três coisas: matéria cinzenta no cérebro, portos profundos no mar e ... (hesitando um momento na resposta) ameaças à sobrevivência, coisa que nunca aconteceu ao Brasil, que não tem terremotos nem
inimigos externos credíveis." Bem pensada, a teoria é plausível.

OS IDOS DE MARÇO

Enquanto no Oriente, recebia esparsas notícias da trágica deterioração da situação brasileira. Mas isso já se desenhava claramente antes de minha partida. A saída de Carvalho Pinto do ministério da Fazenda, em dezembro de 1963, substituido por Ney Galvão, funcionário submisso a Goulart, indicava o completo abandono dos esforços de estabilização monetária. O Plano Trienal, cujo objetivo era "desenvolvimento sem inflação", teria um fim melancólico: "Inflação sem desenvolvimento". Ironicamente, em vários muros do Rio de Janeiro, havia a inscrição: "contra a inflação, Brizola é a solução". Este se sentia frustrado por se considerar o sucessor natural de Carvalho Pinto no ministério da Fazenda para patrocinar uma guinada radical. Goulart, com seu *background* de latifundiário, estava longe de ser o protótipo de um esquerdista radical. Mas estava sendo impelido para a radicalização na perigosa esperança de cavalgar o tigre da esquerda, sem ser por ele comido.

Ao longo de minha estada em Washington, não podia deixar de admirar a abrangência e atualidade das informações da Casa Branca sobre a evolução dos acontecimentos no Brasil. Além dos profissionais da CIA, Washington mantinha no país dois esplêndidos analistas: o embaixador Lincoln Gordon e o adido militar, coronel Vernon Walters, um soldado-diplomata, com intensa e afetiva conexão com militares brasileiros desde os campos de batalha da Itália, na II Guerra Mundial.[233] E o sistema de comunicações da embaixada americana no Rio com o Departamento de Estado era vastamente superior ao primitivo sistema de códigos do Itamaraty.

---

[233] Jango sempre teve suspeitas de que a grande camaradagem de Walters com oficiais do Exército brasileiro que serviram na FEB, o levasse a confundir o dever de informação, que tinha como adido militar, com solidariedade em conspirações. Sua intimidade maior era com Castello Branco, pois se alojaram, durante algum tempo, no último andar de um pequeno hotel em Porretta Terme, na campanha para a conquista de Monte Castelo, na rota de Bolonha. O então tenente-coronel brasileiro, com enorme sangue frio, em meio aos bombardeios da artilharia alemã, se recusava a descer para o abrigo, dizendo que, como brasileiro tropical, preferia o risco das granadas, ao frio do porão. Acontece que o diário comunista *Novos rumos* publicara uma longa reportagem, segundo a qual o coronel Walters teria sido enviado ao Brasil especialmente para derrubar Goulart e estabelecer um governo satélite. Transformando Walters em superhomem, o tablóide lhe atribuía a derrubada de personalidades tão díspares como o rei Farouk, do Egito, o presidente Frondizi, da Argentina e o presidente Prado, do Peru, além de ameaçar golpes contra os *sheiks* árabes que não outorgassem vantagens petrolíferas aos Estados Unidos. Em uma de minhas visitas ao Brasil, Jango recomendou-me investigar a procedência do boato. Declarei-lhe que conhecia bem Walters, como um soldado-diplomata de alto valor ético, e prudente demais para extravazar dos limites legítimos da adidança militar. Àquela altura a fé de ofício de Walters já era impressionante. Servira de intérprete, e até mesmo conselheiro, em conferências internacionais dos presidentes

Sabiam, portanto, que havia há bastante tempo no meio militar brasileiro uma *conspiração defensiva*, objetivando a defesa da disciplina militar e a prevenção de um golpe sindical de esquerda. Mas essa conspiração defensiva só se transformaria em "conspiração ofensiva", a partir de 20 de março, quando o general Castello Branco, chefe do Estado-Maior do Exército, expediu sua famosa circular, que permitia contornar escrúpulos legalistas ao definir os pré-requisitos da intervenção militar. As duas ameaças a conter, mencionadas no documento, seriam a dissolução do Congresso para a convocação da "Constituinte para as Reformas de Base" e o desencadeamento de mobilizações grevistas, pela CGT. Mais importante ainda foi a explicitação subseqüente dos casos concretos em que se deflagraria a intervenção militar. Que Vernon Walters era arguto analista, capaz de deduzir um desenho conspiratório a partir de informações esparsas, colhidas em conversas com seus inúmeros amigos militares, prova-o o seguinte telegrama que enviou ao Departamento de Estado em 27 de março, quatro dias antes da deposição de Jango:

> "... os conspiradores aparentemente concordaram em que os seguintes eventos serão causa suficiente para entrarem em ação: 1) o fechamento de uma ou de ambas as Casas do Congresso; 2) violência contra o Judiciário, por parte do governo; 3) assassinato ou atentados contra líderes democratas, civis ou militares; 4) prisões indiscriminadas de líderes democratas, civis ou militares; 5) greve geral de inspiração política; 6) dar às Forças Armadas

---

Truman e Eisenhower, tendo também trabalhado no Plano Marshall e na OTAN. Era amigo devotado do Brasil e sua amizade com militares brasileiros não tinha conotações políticas, tendo sido forjada nos campos de batalha na Itália. Em seu livro de memórias, *Silent missions*, Vernon se refere acuradamente a esse episódio (exceto no tocante à sobrestimação de meus méritos pessoais):"Certa ocasião Roberto Campos, um brilhante milagre econômico, que era então embaixador de Goulart nos Estados Unidos, chamou-me de lado para dizer-me: 'Walters, que verdade há nessas estórias de que você está conspirando? O próprio presidente Goulart me perguntou se você devia ser expelido'. Eu respondi: 'Senhor embaixador, dou-lhe minha palavra de honra como um oficial do Exército americano que não há nisso um grão de verdade. Eu conheço os brasileiros demasiado bem, e sei que refugiariam prontamente interferências estrangeiras em seus negócios internos. Fazê-lo, seria agir contrariamente às minhas instruções. Trabalho arduamente, contudo, para descobrir o que está acontecendo ou poderá acontecer, da mesma forma que o senhor, ou qualquer outro funcionário brasileiro faria no país junto ao qual estão acreditados.' O embaixador me agradeceu e disse que acreditava em mim e comunicaria isso ao presidente Goulart." Vernon Walters, *Silent missions*, Doubleday & Co. Inc., 1978, p. 376-77. Na realidade, não houve necessidade de nenhuma colusão com estrangeiros para a derrubada de Goulart. A ineficiência de sua liderança foi agravada, nos últimos meses, por uma radicalização de esquerda, com grave sobrestimação da força do dispositivo sindical e subestimação da reação do dispositivo militar. Parecia estranho que Walters tivesse, em telegrama de 27 de março ao Departamento de Estado, adivinhado até mesmo a data do levante — 31 de março. Mas, como ele próprio me explicou depois, a previsão era fácil: a revolução não poderia ter ocorrido durante o carnaval ou a quaresma, e certamente não na Semana Santa. E seria ridículo se eclodisse em 1º de abril, o dia da mentira. Trinta de março era o domingo de Páscoa. Só restava o dia 31 como data provável. Se a explicação *non è vera è ben trovata*...

missões obviamente inconstitucionais; 7) importantes movimentos de tropas destinados a ameaçar qualquer parte do território nacional."[234]

Especulou-se muito sobre a participação americana no movimento de 31 de março. A meu ver em nada influenciou seu desfecho. A impressionante sucessão de erros de Goulart, no primeiro trimestre de 1964, pressionado por Brizola e Miguel Arraes no sentido de uma radicalização de esquerda, foi equivalente a um suicídio político. No curto espaço de dezoito dias sucederam-se três provocações de tintura esquerdista: o comício de 13 de março, a rebelião dos marinheiros no dia 27 e a festa dos sargentos no dia 31. Era a "marcha da insensatez", para usar a metáfora de Barbara Tuchman.[235]

Terá havido, sem dúvida, em Washington, uma sensação de alívio. O receio da "perda do Brasil" para as esquerdas tinha sido, por algum tempo, um pesadelo comparável ao da perda da China, em 1949. A movimentação de navios, descrita como "Operation brother Sam", partindo do Caribe para a costa brasileira, era parte de um planejamento de contingência, que nenhuma superpotência se absteria de fazer em área de interesse vital. Não envolvia tropas de desembarque e sua existência era desconhecida no Brasil. Tanto poderia servir para a proteção de cidadãos americanos, atitude normal em situações de conflito, como para desencorajar subversões de esquerda, que alterassem o balanço estratégico de poder. Durante o período da guerra fria ambas as superpotências faziam operações de "mostra da bandeira" nas áreas sensíveis, particularmente no Mediterrâneo e Oriente Médio.

Nenhum órgão de inteligência, minimamente competente, deixaria de levar em conta vários cenários alternativos para o Brasil, mais prováveis que uma sucessão democrática normal:

---

[234] Esse telegrama figura entre os documentos relativos à operação "Brother Sam", pesquisados na Biblioteca Lyndon Johnson, em Austin, Texas, e publicados no livro de Marcos Sá Corrêa, *1964 — visto e comentado pela Casa Branca*, Porto Alegre, L & PM, 1967, p. 118.

[235] Num exemplo de história fabricada, Darcy Ribeiro, em seu já citado livro *Aos trancos e barrancos* (item 1793), diz textualmente: "Preparando-se para um levante militar, o governador Magalhães Pinto reestrutura o secretariado do governo de Minas Gerais com um ministério nacional, entregando a pasta das Relações Exteriores a Afonso Arinos, *que solicita a intervenção armada norte-americana e é atendido*. Assim é que a operação *Brother Sam*, em lugar de dirigir-se para Santos — a fim de apoiar Adhemar de Barros, conforme prometera Lyndon Johnson, reconhecendo o Estado de São Paulo como país independente e aliado beligerante caso ele se insurgisse contra o governo de Goulart — lança-se precipitadamente para Vitória, com o objetivo de socorrer e sustentar o governo de Minas Gerais com "homens, armas, combustíveis e rancho". Essas afirmações são puramente ficcionais. Não condizem com a postura, orgulhosamente independentemente de Afonso Arinos (que aliás foi por curto tempo ministro do Exterior na fase parlamentarista do governo Goulart), não encontram confirmação em nenhum registro histórico, e, quando eclodiu a revolução de 1964, a força tarefa americana se encontrava a onze dias de navegação das costas do Brasil!

• Autoritarismo de esquerda (república sindicalista);

• Prosseguimento da "anarquia peleguista", levando à hiperinflação e subseqüente radicalização;

• Guerra civil de confrontação ideológica.

Nenhuma dessas hipóteses se verificou e a chamada "Operation brother Sam" foi desativada quando os navios estavam ainda no Caribe, longe das costas do Brasil.[236]

Seria aliás ingênuo pensar que uma operação de monta, como seria qualquer projeto de intervenção no Brasil, pudesse ficar secreta. Na estrutura democrática americana, nada podia ser feito sem consulta formal ou informal ao Congresso e detectação pela imprensa mais bisbilhoteira do mundo. E certamente os Estados Unidos não agiriam militarmente sem procurar antes obter algum tipo de endosso legitimante através da OEA. Afinal de contas, o receio de uma radicalização de esquerda no Brasil era partilhado por vários de nossos vizinhos.[237]

Desde que deixei a embaixada, só voltei a avistar-me com o presidente Johnson após as eleições de 1964, em reunião na Casa Branca, à qual compareci como membro

---

[236] Em entrevista dada ao correspondente Paulo Sotero, publicada no *Estado de São Paulo* em 31 de março de 1994, o embaixador Lincoln Gordon admite a paternidade da idéia da "Operation brother Sam" e assim a descreve e justifica: "A idéia foi minha. Recomendei a organização e despacho da força naval no dia 27 de março de 1964, a partir do Comando Sul dos EUA, no Panamá. Ela nasceu de uma crescente preocupação, a partir do fim de 1963, início de 1964, de que a situação política estava se deteriorando rapidamente no Brasil e que poderia haver uma reação militar, ou mesmo duas reações militares — uma contra Goulart, outra a seu favor — com a possibilidade de uma guerra civil. Neste caso, julguei que a presença da bandeira americana em navios ao largo da costa do Rio ou de Santos — ou em ambos os lugares — poderia ter dois efeitos úteis. O primeiro seria o de desencorajar o lado antiamericano numa guerra civil, que, naquelas circunstâncias, seria o lado pró-Goulart. O segundo objetivo era assistir na eventual remoção do enorme número de civil americanos que estavam no Brasil — não me lembro o número exato, mas havia dezenas de milhares de pessoas, civis e militares, engajados em programas de cooperação e assistência. E uma das responsabilidades de um embaixador é sempre tentar tirar os cidadãos de seu país de situações críticas no exterior. Alega-se que essa operação foi planejada com os conspiradores militares brasileiros anti-Goulart. Isso é absolutamente falso e sem fundamento. E você não precisa tomar minha palavra como prova disso. Quando o golpe começou, na manhã de 31 de março, a força-tarefa estava a 11 dias do Rio e apenas zarpara do Caribe. Nenhum brasileiro sabia de sua existência. E, por sinal, não era uma força militar de combate. Era, essencialmente, uma força para mostrar a bandeira. Além do porta-aviões *Forrestal* e sua escolta normal, havia três navios-tanque, um com gasolina comum, outro com gasolina de aviação e um terceiro com diesel. A razão é que parte da contingência que me preocupava derivava da presença, na liderança do sindicato dos petroleiros, de vários comunistas conhecidos e membros de partidos da esquerda radical: era a possibilidade de sabotagem das refinarias de petróleo e oleodutos."

[237] Ver Marcos Sá Corrêa, op. cit., p. 45-53, e também Paulo Francis, *Trinta anos esta noite*, São Paulo, Companhia das Letras, 1994, p. 176.

do CIAP (Comitê Interamericano da Aliança para o Progresso) em companhia de Walt Rostow, um velho amigo, que representava os Estados Unidos nesse comitê. Eu admirava o nobre escopo da "teoria da arrancada" *(take off)*, de Rostow, que eu descrevia como o "manifesto anticomunista". Ao invés dos estágios do determinismo marxista, feudalismo, burguesia mercantil, capitalismo industrial e socialismo, teríamos independentemente de sistemas ideológicos, a transmutação da sociedade *tradicional* para a sociedade *transicional*. Nesta se processaria a "arrancada para o desenvolvimento", passando-se em seguida à sociedade *industrial* madura e à *civilização* de *alto consumo*.

— É otimismo — dizia-lhe eu. Na América Latina, temos que formular uma "teoria da recaída", pois vários países, que pareciam ter decolado — notadamente a Argentina — experimentaram periódico retrocesso. A possibilidade de impasse no *take off* se situava, a meu ver, na armadilha populacional, na disputa entre as aspirações de bem estar e as exigências da acumulação, no conflito entre inflação e desenvolvimento.

Quando nos aproximamos de Johnson para os cumprimentos, notei que estava cumprimentando com a mão esquerda. Tinha sido vitorioso na campanha eleitoral, mas a mão direita estava em chagas, após apertar a mão de milhões de eleitores.

— Você tem sorte — disse-me Rostow. O aperto de mão desse texano é de quebrar ossos.

Se Kennedy foi um grande promotor de idéias, Johnson foi um grande manipulador legislativo. Aquele foi mais criador. Este, mais eficaz. O julgamento histórico de Johnson é perturbado pelo seu frustrante engajamento no conflito do Vietnã. O que é, em si mesmo, um cruel ardil da história, pois fora Johnson, como líder da minoria, que em 1954 obstruíra definitivamente o engajamento americano em apoio dos franceses em Dien Bien-Phu, alegando tratar-se de uma "guerra colonialista"...[238]

---

[238] Um dos motivos da intervenção no Vietnã foi o *teorema dos dominós*, implícito na política asiática dos Estados Unidos desde o conflito da Coréia e vocalizado sobretudo por John Foster Dulles, na administração Eisenhower. Era o receio de que, se os comunistas dominassem o Vietnã do Sul, cairiam na esfera soviética, como uma fileira de dominós, a Tailândia, a Malásia e a Indonésia. O que aconteceu foi o contrário. Os comunistas do Vietnã passaram a matar os comunistas do Camboja, que, por sua vez, já haviam matado mais de um milhão de compatriotas. Era uma guerra por procuração, de vez que os vietnamitas tinham o apoio soviético, e o Kmer Vermelho, o apoio chinês. Enquanto isso, Tailândia, Malásia e Indonésia entraram numa fase de desenvolvimento capitalista capaz de fazer inveja aos *sociais-democratas* da América Latina, atarantados na busca de uma *terceira via*. O *efeito-dominó* ocorreu na Europa e não na Ásia. A vitória do sindicato Solidariedade na Polônia provocou um *dominó ao reverso*, fazendo desabar, em curta sucessão, entre 1989 e 1990, os regimes comunistas da Hungria, Tchecoslováquia, Alemanha Oriental, Romênia e Bulgária. A única coisa que se pode dizer é que a história não muda. O que muda são os historiadores.

O GOVERNO

CASTELLO BRANCO

◆

UM CONVITE,
UM COMANDO

Era um domingo, 19 de abril de 1964. Ao voltar para casa, de um passeio de barco na Guanabara, encontrei um recado de Luís Vianna Filho, designado chefe da Casa Civil, para que fosse imediatamente a Brasília. O presidente Castello Branco tinha urgência em ver-me.

Meus pensamentos àquela altura estavam muito distantes de funções de governo. Depois de uma longa e frustrante experiência, da qual o último capítulo havia sido a embaixada em Washington e o penúltimo a presidência do BNDE, era tempo de retomar meu plano de fazer um pé-de-meia na iniciativa privada, postergado quando San Tiago Dantas me persuadira a aceitar a missão em Washington.

Meu anfitrião naquele passeio fora Alfredo Jurzykovski, um polonês com biotipo de *junker* alemão. Tinha sido o principal responsável pela implantação da Mercedes Benz no Brasil. Conhecia-me desde os tempos do GEIA, no Conselho do Desenvolvimento, simpatizava comigo e insinuou que desejava ver-me como seu sucessor na presidência da Mercedes Benz. O salário seria obviamente atraente, permitindo-me em rápido tempo amealhar um patrimônio que não lograra formar numa longa carreira tecnocrática.

Retornei o telefonema de Luís Vianna: — Venha já — disse-me ele — a matéria é urgente.

Peguei o primeiro avião para Brasília e lá cheguei à noitinha. Castello Branco recebeu-me na biblioteca do palácio da Alvorada. Conhecíamo-nos apenas superficialmente. Tínhamo-nos cruzado sem dúvida na Escola Superior de Guerra, onde fui várias vezes conferencista. Nosso primeiro contato fora na IV Reunião de Consulta dos chanceleres americanos, convocada em virtude do conflito da Coréia, que se iniciara em 25 de junho de 1950. A agressão comunista à Coréia do Sul derivou de um erro de cálculo. Kim Il-Sung, o ditador comunista, não imaginava que os Estados Unidos reagiriam vigorosamente a uma incursão numa área de interesse secundário para o ocidente, e que não havia sido expressamente incluída no "perímetro de defesa" mencionado em pronunciamentos de autoridades de Washington.

A reação americana, de outro lado, assentava em vários motivos. No plano dos princípios, a recusa a qualquer mudança territorial pela força. No plano diplomático, o fato de que havia sido adotada a chamada *policy of containment*, originalmente sugerida no famoso "telegrama longo" de George Kennan, então secretário da embaixada em Moscou. A idéia fundamental da política de contenção era resistir a qualquer expansão do poderio soviético, à espera de que as tensões internas do sistema, resultantes de sua rigidez ideológica e irrealismo econômico, transformassem a União Soviética num "país normal", capaz de abandonar sua obsessão ideológica de destruir o capitalismo. A expansão soviética tinha sido contida na Grécia e na Turquia pelo plano Truman e a Europa ocidental estava sendo salva do comunismo pelo plano Marshall. Mas houve dois reveses: em 1948, o golpe parlamentar que implantou o comunismo na Tchecoslováquia e, em 1949, a perda da China com a vitória de Mao Tsé-Tung sobre os nacionalistas chineses.

A IV Reunião de Consulta teve lugar em Washington, em março de 1951. O ministro das Relações Exteriores era então João Neves da Fontoura. Na delegação, San Tiago Dantas era delegado e assessor político, e eu assessor econômico. Castello Branco coadjuvava o general Paulo de Figueiredo e se mantinha extremamente discreto e reflexivo. A delegação militar compreendia o brigadeiro Nélson Lavenère Wanderley, que se tinha destacado na campanha da FAB na Itália. Do lado naval, os almirantes Sílvio Mota e Pena Boto, este último visceralmente anticomunista. Adquiriria depois notoriedade como comandante do cruzador *Tamandaré*, no qual se abrigaram o presidente Carlos Luz e Carlos Lacerda, quando da tentativa, em 1955, de impugnar a posse do presidente eleito Juscelino Kubitschek.

Talvez Castello Branco se tenha lembrado do meu nome para o ministério do Planejamento em virtude das "análises da situação" que eu costumava apresentar nas reuniões da delegação brasileira. Em minhas intervenções, procurava avaliar criticamente as áreas de coincidência e as de conflito entre os interesses brasileiros e americanos. Na minha percepção era óbvio que o principal objetivo americano na convocação da Reunião de Consulta era de antemão impossível: alinhar pelo menos alguns países latino-americanos nas forças internacionais da ONU que lutavam na Coréia.[238] O único país que se dispôs a enviar um pequeno contingente de voluntários foi a Colômbia. Já sob o ponto de vista econômico, os objetivos eram dois. De

---

[238] O envolvimento da ONU na guerra da Coréia só se tornou possível porque a votação no Conselho de Segurança ocorreu quando a União Soviética estava boicotando suas reuniões, em protesto contra a recusa da ONU em reconhecer o governo comunista chinês como o legítimo representante da China, cuja cadeira no Conselho de Segurança era então preenchida pelos nacionalistas de Chiang Kai-Chek. Se presente, a União Soviética teria provavelmente criado um impasse pelo exercício do direito de veto. O Brasil, ainda no governo Dutra, se recusava a enviar tropas à Coréia. A irreverente anedota, corrente no Rio de Janeiro, era que ante insistentes apelos de Eisenhower, o presidente Dutra respondeu com um lacônico telegrama: "culhões". Nem a CIA nem os diplomatas brasileiros sabiam como interpretar esse código. Alguém se lembrou de consultar Carmem Miranda, que vivia em Los Angeles. A resposta veio rápida: "isso significa que o Brasil participa mas não entra."

um lado, obter a cooperação dos países latino-americanos no regular abastecimento de matérias-primas destinadas ao esforço de guerra; de outro, justificar perante os latino americanos a impossibilidade do atendimento, por Washington, dos crescentes reclamos para que o Plano Marshall, que socorrera a Europa, tivesse um desdobramento através de plano similar para a América Latina.

A primeira prioridade, diziam os delegados norte-americanos, depois de preservada a Europa ocidental do comunismo, seria impedir a expansão da influência soviética e chinesa na Ásia. A Coréia do Sul, sob essa ótica, era uma fronteira importante de contenção da onda comunista. O Japão estava ainda em fase de reconstrução. A dominação da península pelos comunistas de Pyongyang, seria uma projeção do poder sino-soviético no mar do Japão, criando instabilidade na área.[239] Uma vez contida a ameaça comunista na franja asiática, como já havia sido contida no continente europeu, seria então o tempo próprio para os norte-americanos se volverem para os problemas mais concretos do desenvolvimento latino-americano. Essa a posição de Dean Acheson, secretário de Estado do presidente Truman.

Lembro-me de ter dito, em minha primeira "análise de situação" para a delegação brasileira, que seria irrealista esperar dos Estados Unidos um engajamento maior na assistência econômica à América Latina. Entretanto, muito se poderia fazer através da colaboração técnica para a formulação de projetos viáveis de desenvolvimento, cujo financiamento seria feito inicialmente pelo Banco Mundial e o Export-Import Bank, sem prejuízo do esforço de guerra. Formar-se-ia, por assim dizer, uma prateleira de projetos a serem mais tarde plenamente desenvolvidos, quando se desanuviassem as carregadas nuvens de guerra no Oriente. Deveríamos assim explorar as virtualidades da Comissão Mista Brasil-Estados Unidos, criada em dezembro de 1950, nos últimos dias do governo Dutra, precisamente para a preparação de projetos de desenvolvimento, em cujo financiamento se engajariam o Banco Mundial e o Eximbank, de Washington.

---

[239] Quando se realizou em Washington a IV Reunião, as fortunas aliadas na Coréia tinham melhorado. Após a invasão de surpresa em junho do ano anterior pelas tropas de Pyongyang, que capturaram Seul e avançaram para o sul, o general MacArthur, através de brilhante desembarque por trás das linhas inimigas em Inchon forçara o recuo dessas forças para o norte do paralelo 38. Em novembro, houve um revés, com o ingresso no conflito de forças chinesas, que transpuseram novamente a fronteira reconquistando Seul, mas tiveram que retirar-se para o norte ante a contra-ofensiva de MacArthur. Os chanceleres latino-americanos não sabiam àquela altura do intenso conflito de bastidores em Washington. Truman e Acheson queriam uma guerra limitada, para evitar engajamento maior da China. MacArthur insistia em liberar toda a península, até a fronteira chinesa no rio Yalu, usando, se preciso, o poderio nuclear. A insubordinação de MacArthur levaria à sua demissão por Truman, num episódio dramático que ocorreu em abril de 1951.

A preocupação do ministro João Neves da Fontoura era subordinar o fornecimento de materiais estratégicos — manganês, urânio, berilo, tântalo, colúmbio e areias monazíticas — a "compensações específicas" a serem obtidas do governo norte-americano. Tratava-se obviamente de matéria para negociações bilaterais, à margem da Reunião de Consulta. Os "compromissos específicos" visariam a investimentos para a produção no Brasil de insumos que, além de utilização militar, servissem a variados propósitos, como o enxofre e o nitrogênio sintético. O objetivo mais imediato de João Neves da Fontoura era obter prioridade para a fabricação e instalação de refinarias de petróleo no Brasil. Era comum, àquela altura, particularmente nos círculos militares, sobrestimar-se a importância estratégica de nossos minérios radioativos, cuja exportação tornou-se monopólio estatal pela Lei n.º 1310, de janeiro de 1951, que criou o Conselho Nacional de Pesquisas, cujo fundador foi o almirante Álvaro Alberto. Ao longo do tempo, várias exportações de areias monazíticas foram autorizadas, habitualmente em troca de trigo, surgindo sempre problemas na determinação do que seriam as "compensações específicas".[240] Infelizmente, a tecnologia nuclear se orientou para os reatores de urânio e não para os auto-regeneradores de tório, o que privou o Brasil e a Índia, detentores de jazidas de tório, da potencialidade energética e da capacidade de barganha que imaginavam ter no cenário mundial.

Tentando manter equilíbrio entre pressões contraditórias, Vargas negou o envio de tropas à Coréia, mas autorizou, pouco depois da Reunião de Consulta, o Acordo Militar com os Estados Unidos (denunciado pelo presidente Geisel em 1977) e a exportação de areias monazíticas, sem exigência explícita de "compensações específicas". Essas exportações passaram a ser autorizadas pela CEME (Comissão de Exportação de Materiais Estratégicos), subordinada ao Itamaraty e criada em 1952. A criação da CEME gerou lutas intestinas em nossa burocracia de defesa, pois que subtraiu do Conselho de Segurança Nacional a exclusividade no controle da exportação de materiais estratégicos.

Castello geralmente silenciava, meditabundo, durante as reuniões. O extrovertido, entre os assessores militares, era realmente o almirante Pena Boto, que ia ao extremo de posar como estrategista, indicando deficiências estratégicas e táticas do general McArthur. Dava, enfim, lições sobre como ganhar a guerra da Coréia. Aliás, essa vaidade didática não é incomum entre os brasileiros que discutem estra-

---

[240] A doutrina das "compensações específicas", como já foi notado, tinha sido formulada pelo almirante Álvaro Alberto, eleito presidente da Comissão de Energia Atômica da ONU no biênio 1946-48. Previa que os países detentores de reservas de materiais físseis não deveriam negociá-los apenas em termos financeiros, mas exigir "compensações específicas" sob a forma de reatores, equipamentos e assistência técnica para a produção de energia atômica.

tégia internacional. Lembro-me que muitos anos mais tarde ouvi Kissinger queixar-se de que Azeredo da Silveira, nosso chanceler durante o governo Geisel, não se cansava de dar lições sobre como resolver a crise do Vietnã. Com sua conhecida mordacidade, disse-me Kissinger: — Há dois casos clínicos de paranóia indiscutíveis no mundo, a minha paranóia e a do ministro Silveira. Em diferentes níveis de desempenho, naturalmente...

Castello deve ter guardado boas impressões, na época, de minha capacidade analítica. Soube depois que, nas consultas para a formação do ministério, havia opinado meu velho amigo, o geólogo Glycon de Paiva, que a esse tempo se havia tornado uma figura importante no IPES — Instituto de Pesquisas Econômicas e Sociais, trabalhando em estreita colaboração com o general Golbery do Couto e Silva. Também o dr. Júlio de Mesquita Filho, editor do jornal *O Estado de São Paulo*, havia fortemente apoiado minha designação, o que o tornou alvo de várias objurgações de Lacerda. Este vituperava o ministério, composto, segundo ele, de "conservadores" e "entreguistas". Meu nome figurava outrossim numa lista preparada por Jorge de Mello Flores, coordenador do IPES em assuntos legislaltivos, para um dos três ministérios — Relações Exteriores, Fazenda ou Planejamento (a ser criado). Vários militares lhe manifestaram estranheza ante essa sugestão, mencionando precisamente a pecha de "entreguista" que a imprensa me assacava: — Vocês não conhecem o Roberto — retrucou Mello Flores. O que eu sei é que já foi chamado de "comunista".

Dispensando rodeios em nossa entrevista noturna no palácio da Alvorada, Castello foi direto ao ponto.

— Chamei-o, senhor embaixador, porque a Lei Delegada n.º 2 me faculta a designação de dois ministros extraordinários. Pretendo persuadir o general Cordeiro de Farias a aceitar a responsabilidade da coordenação dos assuntos regionais, particularmente do Nordeste. Será, por assim dizer, o meu "ministro das catástrofes". Para o outro lugar imaginava solicitar sua cooperação, para retomar os trabalhos do ministério do Planejamento, interrompidos na última fase do governo Goulart.

Respondi-lhe que me sentia honrado com o convite, mas pretendia dedicar-me, por alguns anos pelo menos, à iniciativa privada. Já me cansara de fazer planos de governo, logo abortados por inibição ou por covardia política. Além do Plano de Metas, fizera para o presidente Juscelino Kubitschek dois programas de estabilização de preços — um antes da posse e outro em meados de 1958, sob a orientação de Lucas Lopes. Ambos tinham como complemento necessário um programa de liberalização da taxa cambial. Nenhum deles chegou à fruição, sendo realizado apenas o Plano de Metas, acrescido da "meta-síntese" inventada por Juscelino — a construção de Brasília — com os previsíveis resultados de inflação acelerada e bancarrota cambial. No governo parlamentarista de Tancredo Neves preparara também um programa de governo. Não durou mais que três meses.[241]

— O problema — acrescentei — é que num país desorganizado pela inflação é impossível planejar um crescimento, sem uma dolorosa preparação de terreno. A fase inicial da luta contra a inflação é plena de desapontamentos. Os resultados são lentos; muitas vezes o começo da luta contra a inflação resulta em mais inflação, pela necessidade de corrigir preços defasados, notadamente no setor público. Há que cortar orçamentos, limitar o crédito, e não deve ser afastada a hipótese de um período recessivo.[242]

Observei, finalmente, que não conhecera até então nenhum político disposto a atravessar esse inverno de impopularidade. Castello amuou-se um pouco e disse-me:

— Talvez o senhor me subestime. Não tenho preocupações eleitoreiras. Dedicar-me-ei a salvar o país do caos. A única coisa que o senhor precisa fazer é persuadir-me intelectualmente de que seu programa está correto, de que não há alternativas mais suaves. Se disso estiver persuadido, comprometo-me a executá-lo e enfrentarei as conseqüências políticas. Podemos conversar, portanto, sem essa preocupação. Caso aceite, urgiria discutir quais os métodos de organização possíveis para o planejamento.

Respondi-lhe que havia a rigor três modelos básicos, todos com vantagens e desvantagens. Um dos modelos seria o do planejamento indiano, que se faz através de um Conselho de Desenvolvimento. Este é na realidade o Conselho de ministros,

---

[241] Além de ter participado, tinha eu assistido a várias tentativas de estabilização no Brasil, todas frustradas por covardia ou descontinuidade política. A primeira foi a do professor Gudin, de setembro de 1954 a abril de 1955. Gudin não ficaria senão oito meses no governo. A segunda foi a proposta pelo ministro Lucas Lopes, em 1958, que terminou em 1959 com a decisão de Kubitschek de romper com o FMI. A terceira foi ao tempo de Jânio Quadros, sob o ministro Clemente Mariani, experiência interrompida com a renúncia do presidente, em agosto de 1961. No governo parlamentarista de Tancredo Neves foi preparado um programa de estabilização, que não chegou a ser aplicado em virtude da renúncia de Tancredo à primeira-ministrança em junho de 1962, para propósitos de desincompatibilização. A outra experiência tímida ocorreu com o Plano Trienal de Celso Furtado e San Tiago Dantas. O programa de estabilização começou a ser aplicado após a restauração do governo presidencialista, em janeiro de 1953, mas foi acolhido apenas parcialmente, e abandonado com a demissão coletiva do ministério, em junho de 1963. Também o *slogan* das "reformas" era velho na política brasileira. Goulart havia desfraldado a bandeira das reformas de base, principalmente no tocante à reforma agrária e à reforma habitacional, em parte como manobra diversionista para ocultar sua pouca inclinação pela tarefa imediata e impopular de combate à inflação, mediante programas de austeridade. No Plano Trienal, mencionava-se a necessidade de quatro reformas — reforma bancária, agrária, fiscal e administrativa.

[242] Mais tarde, em discurso no Senado Federal, em 2 de outubro de 1964, me referiri aos percalços da "fase de transição": a inflação corretiva, o perigo recessivo e o conflito entre o consumidor, que deseja controle e tabelamento de preços, e o produtor, que reclama liberdade e incentivos.

presidido pelo primeiro-ministro e munido de uma secretaria do Plano, cujo chefe
é o secretário-executivo do Conselho de Desenvolvimento. Um segundo modelo
possível seria o do "Commissariat général du Plan", da França, onde o responsável
é um comissário vinculado ao gabinete do primeiro-ministro, que se encarrega de
fazer uma coordenação de duplo tipo: coordenação ministerial, através de grupos
de trabalho interministeriais, e coordenação setorial, através de grupos de trabalho
orientados para setores específicos, com a participação do empresariado privado. O
terceiro possível modelo seria criar-se um ministério do Planejamento. A vantagem
seria a de ter-se alguém diretamente responsável pela coordenação planificadora,
podendo-se dele cobrar resultados. A desvantagem é que esse ministro, em sua
tarefa de coordenação, poderia despertar rivalidades se quisesse se tornar na prática um superministro. Acrescentei que não seria útil, a meu ver, a criação de um
superministério, não só porque isso despertaria querelas burocráticas, como porque
é uma longa tradição brasileira o contato direto entre os ministros e o presidente
da República. Se tivessem que passar através do filtro de um coordenador especial,
os ministros se sentiriam diminuídos. Se insistissem em apelar para o presidente,
ter-se-ia apenas criado uma nova instância burocrática.[243]

— Como resolver então o problema de forma mais organizada e estável? —
indagou Castello Branco.

Redargüi que na minha visualização o coordenador seria o próprio presidente,
que estabeleceria uma rigorosa disciplina funcional. Os ministros seriam instruídos
para só despachar diretamente com o presidente os assuntos intraministeriais.
Todos aqueles que envolvessem repercussões fora do ministério teriam um tratamento diferente, podendo ocorrer duas hipóteses. Se o problema de repercussão
extra-ministerial fosse apenas de coordenação de ações, sem conflitos decisórios,
bastaria que os ministros pertinentes, em suas exposições de motivos, obtivessem
também a assinatura do ministro do Planejamento. Este se encarregaria de medir e
avaliar as repercussões do ato sobre os outros setores. Se houvesse, entretanto, um

---

[243] A idéia de planejamento no Brasil assumia proporções míticas e se tornou componente indispensável na retórica política. Mas se o mito era estável como objetivo, o processo era extremamente
instável. Eu mesmo assistira às mais variadas experiências. Inicialmente a Comissão Mista Brasil-
Estados Unidos, de cujos trabalhos se originou o BNDE. Depois, o Conselho do Desenvolvimento,
de Kubitschek, orientador do Plano de Metas. No governo Jânio Quadros, coexistiram o Conselho
do Desenvolvimento, não desativado, e a COPLAN (Comissão Nacional de Planejamento), criada
em agosto de 1961, pouco antes da renúncia. A COPLAN funcionara intermitentemente ao longo
do governo parlamentarista, sendo seu *staff* utilizado por Celso Furtado, designado ministro sem
pasta (encarregado do Planejamento), em setembro de 1962, e ministro do Planejamento, na restauração presidencialista de janeiro de 1963. Com a reforma ministerial de junho de 1963, desapareceu o gabinete extraordinário do ministro do Planejamento e foi criada a Coordenação
Nacional do Planejamento, subordinada diretamente ao presidente da República.

conflito decisório entre ministérios, o remédio adequado seria a criação de grupos interministeriais. Dessa forma lograríamos implantar um mecanismo de ação efetivo, sem as complicações advindas da criação de um superministério. Mas isso requereria um exercício de disciplina. Caberia ao presidente dirimir casos limítrofes, que são abundantes, e estar atento nos despachos ministeriais para aqueles problemas e casos cujo desfecho não se confinasse à área de um único ministério.

— De qualquer maneira — concluí — mais importante que o organograma é o humanograma.

— Vou pensar sobre o assunto — disse-me Castello.

Ponderei então ao presidente que precisava de um certo tempo para reorganizar minhas atividades e consultar a família.

— Tempo é exatamente o que nos falta — disse o presidente. Não posso deixar de completar imediatamente o meu ministério. A consulta à família pode ser feita pelo telefone e o senhor tem a minha garantia de que apoio político não lhe faltará. Sempre aprendi a assumir responsabilidades. O senhor toma posse amanhã.

O que era um convite passou a ser um comando.[244]

Para quebrar um momento de embaraçoso silêncio, passei a expor minha teoria, um pouco cínica, sobre a história administrativa brasileira. Havia uma fatídica alternância entre "governos empreiteiros" e "governos contadores". Preferia essa metáfora à habitual alusão às duas fases — a fase Campos Salles e a fase Rodrigues Alves, a primeira de arrumação da casa e a segunda, de obras. Lembrava-me de que Oswaldo Aranha propusera a Getúlio que se comportasse inicialmente como um Campos Salles, na esperança de tornar-se depois um Rodrigues Alves. O mesmo conselho fora dado por Lucas Lopes a Kubitschek. Este respondera propondo a "meta-síntese", a construção de Brasília!... Quanto ao primeiro governo revolucionário, para o qual me estava convidando Castello Branco, não havia por que ter ilusões. Seria um "governo contador". Juscelino deixara contas a pagar, Jânio não tivera tempo de pagá-las, e Jango as havia aumentado ainda mais.

— Mas há um consolo — acrescentei. Não podendo fazer obras, temos que nos concentrar em fazer "reformas". E nossas instituições precisam de reformas.

Castello sorriu, encabulado, e eu me penitenciei mentalmente por esse prematuro exercício de *humour*. Estava começando minha carreira de ministro com uma gafe. Mais tarde, ao longo de três anos, verifiquei que o *sense of humour* — esse

---

[244] Tomei posse em 20 de abril, numa cerimônia simples em que Castello completava seu ministério. Foram empossados na mesma data Mello Batista, ministro da Marinha, Lavenère Wanderley, ministro da Aeronáutica, assim como Vasco Leitão da Cunha, ministro do Exterior, e Arnaldo Sussekind, ministro do Trabalho, os dois últimos já ministros no governo provisório da Junta Militar.

"pudor da razão perante a vida" — na bela expressão do poeta Raul Pederneiras, era mercadoria de que Castello estava bem abastecido. Sabia rir de si mesmo, o que é uma excelsa qualidade humana, indispensável num estadista. Não era infenso a contar piadas a seu próprio respeito. Lembro-me de quatro. Uma se referia ao general De Gaulle, que visitou o Brasil em outubro de 1964.

. — Dizem — relatou Castello — que dei de presente ao general De Gaulle um Volkswagen em que, com sua alentada estatura, não podia entrar. Em revide, ele me presenteou um cachecol. Logo a mim que não tenho pescoço... O que esse pessoal não sabe é que não ter pescoço é uma coisa útil; não se pode, por exemplo, morrer na guilhotina.

Lembro-me também que, de certa feita, quando Octávio Bulhões e eu levávamos uma pilha de decretos para assinar, chacoteou ele com um sorriso irônico: — Sabem por que me chamam de cabeça chata? É que os ministros Bulhões e Campos, quando despacham comigo, me dão um tapinha na cabeça e dizem: assina isso aí, Castello.

Conquanto nos mostrasse, a Bulhões e a mim, consideração e respeito, Castello se permitia ferroadas irônicas. Preocupado um dia com a avalanche de projetos e decretos que lhe apresentávamos, disse-nos ele: — Os senhores me perdoem, mas são "pseudojuristas". Tenho que fazer pentear esses textos pelos bacharéis da UDN.

Referia-se provavelmente a Milton Campos, Pedro Aleixo e Bilac Pinto, cujo julgamento tinha em alta conta.

A outra estória é verdadeira. Em visita à Paraíba, desfilou com o governador João Agripino numa das ruas do centro. Uma garota se aproximou e disse incontida: — Puxa, como ele é feio!

Castello cutucou o braço de Agripino e disse: — Isso é com o senhor, governador.

Em outra ocasião ainda, quando Israel Pinheiro, governador de Minas Gerais, se queixou de que Bulhões faltara à sua palavra, não liberando verbas prometidas a Minas Gerais, respondeu Castello: — Governador, o dr. Bulhões é um homem de palavra. Acontece que não é um homem de memória.

Quando ia me levantando, dando por finda a entrevista, Castello disse que já se ia esquecendo de uma coisa. Antes de convidar-me, falara com o dr. Bulhões, ministo da Fazenda, que se manifestara contrário à criação de um ministério do Planejamento.

— É fonte permanente de conflitos — teria ponderado o dr. Bulhões. Pode criar uma dualidade na política econômica, que perturba a sua concepção e execução. Mas — continuou Castello — quando comuniquei que pensava escolher para o posto o embaixador Roberto Campos, ele reagiu imediatamente, dizendo que retiraria sua objeção.

Bulhões já me conhecia de longa data e entre nós havia total afinidade ideológica. Tratava-se de uma *avis rara*. Era um brasileiro sem inveja, esse mau hálito da alma.

Ao tomar conhecimento do novo ministério não pude senão admirar a autoconfiança de Castello, pois convidara homens como Milton Campos, Juarez Távora, Cordeiro de Farias, Octavio Gouvêa de Bulhões, Vasco Leitão da Cunha (sucedido por Juracy Magalhães) e o brigadeiro Eduardo Gomes, todos com uma projeção pública e uma bagagem de experiência política e administrativa superiores às dele. Não é raro que os presidentes receiem ser ofuscados pelos ministros, o que os leva a preferir assessores a colaboradores. Sempre acreditei haver uma diferença fundamental, por exemplo, entre Castello Branco e Geisel. Aquele preferia colaboradores, e este, assessores.

Castello era um nome de grande respeitabilidade na área militar, mas sem experiência administrativa ou projeção política, artes nas quais não havia sido treinado. Ainda que se pudesse presumir que sua especialização em logística e planejamento militar constituísse boa preparação para a administração civil, os princípios básicos são diferentes: a logística militar se baseia na *requisição* de recursos, enquanto que a administração civil se baseia na *competição* por recursos.

A argúcia política, assim como a arte do estadismo, de outro lado, parecem ser inatas. Ainda que possam ser polidas e aperfeiçoadas, não são artes aprendidas pelo estudo. Através da história, os reis-filósofos não têm sido mais bem-sucedidos que o mobilizador de multidões, o manipulador de precintos ou o comandante de exércitos. Castello não sofria inibições nem complexos e se revelou um consumado maestro da orquestra ministerial.

UM IDEÁRIO,
POSITIVO

Iniciava-se um novo capítulo em minha vida. Não sei se foi um período de envelhecimento ou de simples amadurecimento. O fato é que me tornei uma das personalidades mais controvertidas, mas também, ouso crer, mais inovadoras do cenário de então. Castello Branco iniciava seu governo em condições inauspiciosas. Aliás, uma curiosidade da história brasileira é que dois dos governos mais eficazes dos últimos decênios — o de Kubitschek e o de Castello Branco — se iniciaram sob maus presságios. Juscelino, mesmo depois de derrotada a tese udenista da maioria absoluta, tivera sua posse ameaçada. Foi preciso o contragolpe de 11 de novembro, com a deposição do presidente interino e de seu substituto, para que os resultados da eleição de outubro de 1955 fossem respeitados.[245] Mas o contragolpe gerara profundas cicatrizes entre correntes militares. Juscelino teve logo depois que enfrentar as rebeliões de Jacareacanga e Aragarças.

Quando Castello Branco tomou posse, já havia três candidatos à presidência, esperançosos todos de galgar à curul presidencial após um curto interregno, pois não restava a Castello senão a complementação do mandato de João Goulart, que terminaria em 31 de janeiro de 1966. Ademar de Barros fora lançado pela convenção do PSP (Partido Social Progressista), realizada em 25 de fevereiro de 1964. Juscelino fora aclamado candidato a um segundo mandato na convenção do PSD (Partido Social Democrático) em 20 de março. Carlos Lacerda já era candidato da UDN (União Democrática Nacional) desde a convenção realizada em Curitiba, em 1963, e esperava ver sua candidatura oficialmente confirmada na convenção da UDN, marcada para 10 de abril de 1964.

Mas as dificuldades de Castello eram predominantemente de outra natureza. Provinham da cisão militar entre os "moderados" (grupo da Sorbonne) e a "linha dura".[246] Para os moderados, como Castello, a Revolução de 1964 devia ser concebi-

---

[245] O humorista Aporelly dizia que naquele dia faltaram café (Café Filho) e luz (Carlos Luz) no Catete, e só havia pão de Lott (alusão ao marechal Lott).

[246] Segundo o brazilianista Alfred Stepan, dos 104 generais em serviço ativo em 1964, os dez que lideravam o grupo da Sorbonne no governo Castello Branco partilharam as seguintes características: tinham sido membros do corpo docente da ESG; tinham feito cursos no exterior; tinham cursado uma das três grandes escolas de comando; tinham tomado parte na campanha da Itália; pertenciam às armas tecnicamente mais avançadas. Alfred Stepan, *The military in politics*, Princeton University Press, 1971, p. 237-240

da como uma restauração democrática. Independentemente das intenções pessoais de Goulart, a infiltração da extrema esquerda na administração e a crescente frustração econômica tinham levado o país a uma radicalização. Pairava no ar o espectro da "revolução sindicalista". Para a "linha dura", entretanto, as prioridades eram diferentes. A guerra à corrupção e à subversão era um objetivo em si mesmo, postergando-se a "restauração democrática" até que estivesse concluída a tarefa moralizadora.

Um ano e pouco mais tarde eu teria a percepção indelével desse conflito de objetivos. Em agosto de 1965, estava despachando com Castello Branco em seu gabinete no palácio das Laranjeiras quando foi anunciada a chegada do general Costa e Silva, ministro da Guerra, acompanhado do general Juan Ongania, então chefe do Estado-Maior da Argentina. Fiz menção de retirar-me.

— Fique — disse-me Castello — o general Ongania manifestou desejo de saber algo sobre o planejamento brasileiro.

Assisti então a um diálogo inesquecível, que explica bem as futuras peripécias políticas dos dois países. Ongania, depois de protestos de fraternidade, declarou que falaria com a franqueza de um chefe militar para outro. A seu ver, a revolução brasileira fizera um trabalho incompleto.[247] Não expurgara duas fontes de corrupção: a classe política, clientelesca e ideologicamente confusa, e o Poder Judiciário, que sancionava o *status quo* e dificultaria as verdadeiras reformas institucionais. Adiantou que, se as Forças Armadas eventualmente assumissem o poder na Argentina, fechariam o Congresso e fariam *tabula rasa* do Judiciário, para a necessária limpeza institucional.[248]

---

[247] Atribui-se a Ongania o plano de "uma aliança entre os Exércitos da Argentina e do Brasil, a fim de construir o núcleo de uma força interamericana e circundar os dois países com uma *fronteira ideológica*, como uma medida preventiva contra a expansão do comunismo. Apud Moniz Bandeira, *Estado nacional e política internacional na América Latina*, São Paulo, Ensaio, 1993, p. 204-205.

[248] Dentro do dispositivo revolucionário, havia uma curiosa variante. Lembro-me de ter ouvido o velho brigadeiro Eduardo Gomes, figura que eu contemplava reverencialmente, dizer a Castello Branco que um dos graves erros da Revolução fora não ter expurgado o Poder Judiciário. Este, segundo ele, era até mais corrupto que o Poder Executivo e o Legislativo, aos quais se havia aplicado o estatuto da cassação. O conservadorismo (em si desejável) das cortes cria dificuldades a movimentos renovadores. Quando eu era jovem secretário de embaixada em Washington, durante a II Guerra Mundial, ouviam-se ainda os ecos da grande controvérsia sobre a tentativa do presidente Roosevelt de *packing of the Supreme Court* (enchimento da Suprema Corte). Esta questionava a constitucionalidade de algumas medidas intervencionistas do "Social Security Act" e do "Agricultural Adjustment Act", consideradas essenciais para o *New Deal*. Após prolongada controvérsia com o Senado, que se recusava a aumentar o número de juízes pretendido por Roosevelt, este teve afinal a oportunidade de, entre 1938 e 1940, em resultado de morte ou aposentadorias, designar cinco juízes de tendências mais socializantes. Entre estes figuraram alguns expoentes da história jurídica americana, como Hugo Black, Felix Frankfurter e William O. Douglas, que legitimaram várias políticas intervencionistas do *New Deal*. Castello Branco buscou contornar o conflito entre o legalismo formal e as exigências revolucionárias pela ampliação, possibilitada pelo Ato Institucional n.º 2, do número de juízes do Supremo Tribunal, de 11 para 16. Essa ampliação foi

Na realidade, dez meses depois, em junho de 1966, Ongania lideraria o golpe militar argentino que depôs o presidente Ilia. Fez exatamente o expurgo que pregara: fechou o Congresso e substituiu o Judiciário.

Castello ouviu a exortação entre surpreso e irritado. Respondeu apenas: — Meu general, é agradável não partilhar o poder, mas é perigoso não partilhar responsabilidades. Prefiro reeducar a classe política. Manterei o Congresso e o Judiciário. Nunca deixarei o Exército nu perante o povo.

Esse episódio revela que Castello tinha instintiva consciência daquilo que Samuel Huntington chama de "legitimação processual". A manutenção das instituições e ritos da democracia (Congresso, Judiciário e rodízio eleitoral) caracterizam o regime como um "autoritarismo de transição", facilitando uma futura restauração democrática.[249]

Sem explicitar minha análise, senti que minha interpretação da crise brasileira se assemelhava à de Castello. O imediato deflagrador da crise política fora o populismo estatizante e esquerdista de Goulart. A Revolução de Março era o resultado e não a causa do impasse institucional, a que Goulart pretendia escapar pela implantação de uma república autoritária sindicalista. A intervenção militar fora algo relutante, tendo em vista a tradição legalista das Forças Armadas, a que Castello imaginava dar continuidade. Por isso ele favorecia uma autolimitação dos poderes e da duração do processo revolucionário, assim como a preservação substancial da instrumentação política e judiciária — o Congresso, o Supremo Tribunal Federal e os próprios partidos políticos (estes só viriam a ser dissolvidos pelo Ato Institucional n.º 2, de outubro de 1965, que representou uma vitória da linha dura).

Se o populismo de Goulart foi o detonador imediato da crise, ela vinha de mais longe. Vargas havia interrompido ditatorialmente o processo político brasileiro. Nunca teve um programa de coesão social ou uma estratégia coerente de desenvolvimento, mas foi um mestre da *política de gangorra*, oscilando entre o autoritarismo e o populismo, entre o realismo econômico e o nacionalismo incompetente, entre o conservadorismo rural e o sindicalismo peleguista. Através de improvisações, por vezes brilhantes, a *política de gangorra* teve esgotada suas possibilidades durante o regime Kubitschek, quando o desenvolvimentismo nacionalista alcançou um período de euforia, mas também criou uma safra de impasses: aceleração infla-

---

sancionada na Constituição de 1967, mas revogada pela Emenda Constitucional n.º 1, de outubro de 1969. Anteriormente, entretanto, já no governo Costa e Silva, a composição do Supremo Tribunal havia sido alterada pela aposentadoria compulsória, em janeiro de 1969, de três juízes — Evandro Lins e Silva, Hermes Lima e Victor Nunes Leal — tidos por contestadores da Revolução. Essa mutilação do Tribunal, que Castello se abstivera de fazer, foi possibilitada pela edição do Ato Institucional n.º 5, de dezembro de 1968, que suspendeu as garantias de vitaliciedade, inamovibilidade e estabilidade.

[249] Ver Samuel Huntington, *The third wave*, University Oklahoma Press, 1993, ps. 258/259.

cionária, insolvência cambial, nacionalismo temperamental, quebra da disciplina sindical, estudantil e militar, e imobilismo legislativo.

Às habituais características do "populismo latino-americano" — ideologia confusa, com abuso de terminologia socializante, processos inviáveis de redistribuição de renda, nacionalismo irracional e estatização ineficiente — o regime Goulart acrescentara uma excepcional inapetência administrativa. E também outras contradições: a política salarial premiou os sindicatos politicamente mais mobilizáveis, criando uma espécie de aristocracia do proletariado; as massas rurais foram politicamente excitadas mas economicamente feridas, de um lado pelo congelamento de preços agrícolas e, de outro, pela inflação de preços industriais. Os aumentos tributários seguiram a linha de menor resistência — impostos indiretos, que ferem as classes assalariadas, enquanto que a estagnação de investimentos, nacionais e estrangeiros reduziu as oportunidades de emprego e o avanço tecnológico da massa operária.

O movimento de 64 tem de ser entendido como um processo detonado pela interação das condições internas com o contexto internacional da época. O quadro externo era o da guerra fria, que a União Soviética parecia estar ganhando: crescimento a taxas muito altas, prevendo ultrapassar a economia americana até o fim do Segundo Plano Septenal (1972); dianteira na tecnologia militar nos mísseis e nos satélites; guerrilhas "antiimperialistas" em todo o Terceiro Mundo, com o apoio soviético, reduzindo à defensiva o bloco ocidental; e expansão geográfica que nada parecia poder deter com a ocupação por dentro da Tchecoslováquia em 48, o socialismo na China em 49, o empate na Coréia em 52, e o conflito do Vietnã, reiniciando-se depois da derrota francesa em 1954. Mais perto de nós, eletrizando as esquerdas latino-americanas, a vitória da Revolução em Cuba em 59. A crise dos mísseis neste país, em 62, por pouco não levara o mundo à confrontação nuclear.

O governo Goulart já nascera de uma dessas inconseqüências políticas em que o Brasil é pródigo: o presidente eleito por um partido, o vice-presidente por outro. Goulart, eleito por uma fração minoritária do eleitorado, e com o apoio suspeito das lideranças sindicais "peleguistas", evidentemente não tinha mandato legítimo para promover mudanças radicais no país. Mas era isso o que se anunciava na campanha pelas "reformas de base" e nas aparentes tentativas de promover a indisciplina nas Forças Armadas e de assustar a "burguesia" com ameaças tais como o "grupo dos onze". A infiltração das esquerdas era visível, e as classes médias sentiam medo, como não é difícil compreender. Para os que acreditam na inocência idílica das esquerdas desse tempo, é bom lembrar que importantes frações delas pouco depois optariam pela luta armada no Brasil (e na América Latina em geral), entrando pela década de 70 a dentro. Hoje, à distância, e depois da humilhante experiência de uma dúzia de anos de queda da renda per capita, pode parecer que as coisas estavam, naquele tempo, mais para o carnaval do que para a Internacional. Mas a verdade é que a tentativa estulta de jogar sargentos e cabos contra a oficialidade das Forças Armadas, nas circunstâncias, era uma ameaça séria, que poderia ter feito correr muito sangue. No Chile, dez anos mais tarde, uma situação parecida seria tratada com muito maior dureza do que no Brasil.

De qualquer forma, é preciso dizer que o país estava, economicamente, num beco sem saída, inviabilizado por uma herança institucional, jurídica e fiscal pré-moderna, antiempresa, corporativa, ainda dos anos 30, em especial por uma legislação sindical e trabalhista inspirada na Carta del Lavoro do fascismo italiano, que criara distorções insuperáveis, como o chamado "passivo trabalhista" das empresas.[250]

---

[250] É interessante especular até que ponto o colapso da democracia no Brasil foi devido à grave incompetência político-administrativa de Goulart, à sua ambivalência face ao radicalismo de esquerda e à safra de impasses daí decorrente, e até que ponto refletiu um "efeito contágio" da onda autoritária mundial que constituiu uma espécie de *zeitgeist*, o espírito do tempo.

Samuel Huntington desenvolveu a tese das ondas e refluxos periódicos da democratização no mundo. Na década dos 60 e começos dos anos 70 teria ocorrido uma guinada mundial na direção do autoritarismo, de tal forma que um terço das democracias que funcionavam em 1956 tinha optado por regimes autoritários até 1974/75. Esse fenômeno foi particularmente dramático na América Latina, surgindo vários regimes que O'Donnell e Huntington chamam de "autoritarismo burocrático".

No Brasil, a instauração do parlamentarismo, em 1961, resultou em parte de pressões do estamento militar. No Peru, em 1962, os militares interviram no processo eleitoral. Assumiriam abertamente o poder, em 1964, no Brasil e na Bolívia, em 1966 na Argentina, em 1968 no Peru, no Equador em 1972, e no Uruguai em 1973. Fenômeno idêntico ocorreu em outros continentes. Os militares subiram ao governo, em 1961, na Coréia do Sul, e adquiririam poderes ditatoriais, em 1973. Houve golpes militares na Indonésia, em 1965, e na Grécia, em 1967. Em 1975, o presidente Marcos imporia a lei marcial nas Filipinas e Indira Gandhi declarava um regime de emergência na Índia. Em Taiwan e Cingapura houve autoritarismo civil sob a égide de um partido dominante.

A onda autoritária começaria a refluir em 1974, com a revolução anti-salazarista, seguida pelo início da redemocratização na Espanha, após a morte do generalíssimo Franco, em 1975. O nadir das democracias foi alcançado em 1974. Nesse ano, a proporção dos países praticantes da democracia baixara a 24,6% do total de nações independentes, comparativamente a 45,3% em 1922, após a primeira guerra mundial. A onda autoritária sofreu um refluxo nos meados da década dos 70. Surgiu uma onda democratizante, que se alastrou com o colapso do comunismo em 1990, de sorte que, em 1992, se restauraria a proporção das democracias (45,4%) aproximada da de 1922, num universo muito maior de nações.

. O mundo estaria hoje atravessando uma terceira onda de democratização desde o século XIX. Essas ondas de democratização, interrompidas por refluxos autoritários, teriam, segundo Huntington, a seguinte periodicidade:
— Primeira onda de democratização   1828-1926
— Primeiro refluxo autoritário   1922-1942
— Segunda onda de democratização   1943-1962
— Segundo refluxo autoritário   1958-1975
— Terceira onda de democratização   1974-?

É de se esperar que a terceira onda seja mais duradoura que as anteriores, conquanto existam três elementos negativos no panorama. A descolonização africana deu lugar a vários regimes autoritários. A ascensão do fundamentalismo islâmico é desfavorável ao avanço democrático. Na Ásia, os países de cultura confuciana apresentam rápido progresso econômico, mas é duvidosa a compatibilidade do sistema de valores confucianos com o individualismo das democracias clássicas. As dificuldades de transição do socialismo para a economia de mercado, nos países ex-comunistas, e os desapontamentos daí decorrentes, poderiam produzir uma regressão autoritária. Ver Samuel Huntington, op. cit., Capítulo I, pgs. 3-30.

Essa, a minha *gestalt* mental e minha visão do mundo, no início do governo Castello Branco.

A cerimônia de posse, na manhã de 20 de abril de 1964, foi curta e felizmente desprovida de qualquer vestígio de oratória tropical. Tive que fazer declarações à imprensa logo depois da posse e comecei enunciando aquilo que seria a filosofia básica do ministério do Planejamento. O papel do planejamento estatal não era asfixiar a iniciativa privada e sim, ao contrário, disciplinar os investimentos públicos e racionalizar a ação do governo, construindo assim uma moldura dentro da qual a iniciativa privada poderia operar com segurança. Relembrando o que dissera a Castello Branco, acrescentei que uma das mais urgentes tarefas do ministério do Planejamento seria o planejamento de reformas democráticas, visando à busca de soluções concretas e não à transmissão de imagens pessoais. Observei ainda que todos os homens de boa vontade e senso comum no Brasil reconheciam que "nossa taxa de eficiência econômica estava muito abaixo do que poderíamos alcançar e que nossa taxa de injustiça social estava muito além daquela que deveríamos tolerar". Numa tentativa de moderar ímpetos de distributivismo prematuro, disse também que sem desenvolvimento não existe riqueza a distribuir; mas sem justiça social não existirão nem continuidade nem estabilidade, e as instituições estarão permanentemente ameaçadas.

Castello não perdeu tempo. Marcou a primeira reunião plenária do gabinete para 23 de abril. Cabia-me preparar pelo menos um esboço de programa de governo a ser apresentado. Voltei ao Rio com um misto de entusiasmo pela tarefa e pânico pela responsabilidade. Na realidade, o gabinete "extraordinário" do ministério do Planejamento era absolutamente "ordinário". A rigor, não existia. Havia um conjunto de salas no sexto andar do velho edifício do ministério da Fazenda, na Avenida presidente Antônio Carlos, no Rio de Janeiro. Celso Furtado, meu predecessor, não chegara a estruturar funcionalmente o ministério. Fora designado ministro sem pasta em setembro de 1962, no último gabinete parlamentarista de Hermes Lima, com a função de preparar um plano de governo para o restante do mandato de Goulart — essa foi a origem do Plano Trienal. Com a restauração do presidencialismo, em janeiro de 1963, passou a figurar no primeiro gabinete presidencialista, com a designação de ministro extraordinário para o Planejamento. Dedicou-se afanosamente à preparação do Plano Trienal, para o qual aproveitou elementos anteriores do Programa de Estabilização Monetária de Juscelino, do Plano de Metas e dos esboços e programas de estabilização formulados ao tempo de Jânio Quadros e, depois, no início do governo parlamentarista.

Celso Furtado tinha bom entrosamento com San Tiago Dantas, então nomeado ministro da Fazenda. Ambos tinham percepção clara das urgências fundamentais: conter a inflação, reorganizar a economia e sanear o balanço de pagamentos. As soluções propostas não eram originais porque, como dizia Tancredo Neves, os problemas no Brasil haviam permanecido monotonamente idênticos ao longo dos últimos governos, e a constância dos problemas impossibilitava grande originalidade nas soluções.

Do ponto de vista de Celso Furtado e San Tiago Dantas, o Plano Trienal seria uma oportunidade para restaurar a racionalidade no comportamento do governo. Do ponto de vista de João Goulart, teria sido sobretudo um truque propagandístico para facilitar a restauração do presidencialismo. No fundo, entretanto, repugnavam-lhe visceralmente as soluções propostas de cortes orçamentários, contenção de salários e desvalorização cambial. Esta foi corajosa, ao nível de 30%, mas relutantemente consentida. Mentalmente João Goulart se defendia contra medidas de austeridade, politicamente desgastantes, recorrendo ao *slogan* das "reformas de base". Estas não eram por ele visualizadas como complemento ao programa de estabilização, e sim como substituto politicamente aceitável, pois que a atenção pública seria desviada dos problemas urgentes de conjuntura para os problemas permanentes de estrutura.

O Plano Trienal teve duração efêmera. Já em junho de 1963 João Goulart promovia uma reforma de gabinete, da qual resultou essencialmente a eliminação do ministério extraordinário do Planejamento. Quando assumi o cargo, em abril de 1964, não restavam senão salas vazias no sexto andar do ministério da Fazenda. Salas vazias, com mobiliário desconfortável. Lembro-me que no gabinete do ministro havia um velho sofá, com estofamento de couro furado, de onde saltavam molas, agressivas para as calças dos visitantes. Na sala ao lado, uma mesa com dez cadeiras de madeira dura, sem estofamento. Meu adjunto propôs logo requisitarmos "mobiliário à altura". Pensei um momento e respondi-lhe: — Nada disso, transformemos o desconforto em defesa. Quando receber visitantes — governadores, prefeitos ou deputados — à busca de verbas, indicarei logo que os sofás furados demonstram a total penúria de verbas governamentais; e as cadeiras duras da sala de reunião fariam com que as reuniões sejam curtas, para não testar demasiado a resistência das nádegas.

Um dos meus primeiros problemas era escolher o chefe de gabinete, que era a personalidade fundamental do ministério, exercendo a função de vice-ministro. Castello me havia dado liberdade para escolher os auxiliares, dizendo-me que a mim caberia organizar-me e a ele cobrar resultados. A primeira idéia que me surgiu foi convidar um dos mais brilhantes profissionais do serviço público, o dr. Eliezer Batista, que tinha sido presidente da Vale do Rio Doce e ministro de Minas e Energia durante curto lapso de tempo, no governo parlamentarista. Tinha-o conhecido muitos anos antes, quando era simples engenheiro na Vale do Rio Doce. Sempre me fascinaram sua enorme bagagem de conhecimentos técnicos e seu refrescante *sense of humour*. Era sobretudo um homem de grande imaginação criadora, qualidade relativamente escassa na burocracia brasileira. Cometi o erro de fazer a indicação a Castello Branco, para dele obter luz verde, sem antes consultar Eliezer. Castello Branco, ao verificar que Eliezer tinha sido ministro de João Goulart, ponderou que poderia haver objeções nos setores militares. Lembrava-se vagamente de acusações que haviam sido feitas, de que a Vale do Rio Doce financiava faustosas estadas de líderes peleguistas, apoiadores de João Goulart, no hotel Copacabana, no Rio.

— Nessas condições — disse ele — gostaria de ouvir primeiro uma opinião da secretaria do Conselho de Segurança.

Adiantei logo que, se a objeção era a participação no governo Goulart, eu deveria ser impugnado, pois tinha sido embaixador em Washington. E ele próprio, Castello, fora chefe do Estado-Maior das Forças Armadas. Quanto às esbórnias dos líderes peleguistas, declarei que era costume de João Goulart dar instruções diretas aos diretores de companhias governamentais, que ele entendia serem úteis para seus propósitos políticos. Eu tinha absoluta certeza de que Eliezer Batista jamais pactuaria com desmandos administrativos.

Castello chamou-me depois para dizer que se considerava os serviços de Eliezer indispensáveis poderia convidá-lo, ficando responsável como avalista. Fui, pressuroso, dar a boa nova a Eliezer Batista, que me recebeu indignado.

— Que é que levou você a pensar — disse ele — que eu consentiria em trabalhar com esses gorilas, que fabricam fofocas sobre a lisura funcional de membros das administrações anteriores? Risque meu nome da lista, concluiu numa lufada de mau humor, traço incaracterístico de sua personalidade.

Voltei-me então para uma segunda escolha, a do advogado José Luiz Bulhões Pedreira, que havia aprendido a admirar desde os tempos do BNDE como uma cabeça extremamente criativa, um desses raros advogados que conseguem dar operacionalidade jurídica aos confusos esquemas dos economistas. Naquela época o recebera com prevenção, pois vinha indicado pelo superintendente Maciel Filho, designado por Getúlio Vargas para substituir Ari Torres, o primeiro superintendente do BNDE. Maciel Filho não primava pela capacidade de selecionar pessoal. Mas tive que rever meus preconceitos rapidamente. Bulhões Pedreira se revelou excepcionalmente qualificado, munido de grande espírito público e invulgar capacidade de trabalho. Quando o sondei, para oferecer-lhe o cargo, estava à frente de um próspero escritório de advocacia. Recebi uma nova trumbicada. Tampouco ele, fatigado por suas experiências no BNDE e depois na Comissão de Planejamento no governo Jânio Quadros, se manifestava inclinado a uma nova aventura burocrática.

Acabei designando para a secretaria geral um antigo e respeitável funcionário do ministério da Fazenda, perito em finanças públicas e minucioso conhecedor das intricácias burocráticas — Sebastião Sant'Ana e Silva.

Castello Branco disse-me depois, repetidamente, que eu havia feito duas boas escolhas para o Planejamento, que o faziam lembrar-se dos *inspecteurs de finances* que formavam a nata da administração francesa e garantiam a estabilidade e continuidade durante a louca dança dos governos parlamentares. Os dois "grandes funcionários" — como dizia Castello — eram Sebastião Sant'Ana e Silva e José Nazareth Dias. Este incorporava a longa e respeitável tradição do DASP. Teve papel fundamental na redação do decreto-lei n? 200, da Reforma Administrativa. A Comissão de Reforma era presidida por Hélio Beltrão, mas o trabalho duro de coordenação de pontos de vista setoriais, amaciamento de rivalidades e laboriosa composição do texto devem ser atribuídas, com justiça retrospectiva, a Nazareth Dias.

A tarefa era intimidante. Tive momentos de pânico e depressão. Havia que construir um ideário para a Revolução. À parte os projetos de reforma, elaborados pelo IPES com a colaboração de alguns militares, que eram propostas legislativas antes que um programa revolucionário, os deflagradores efetivos do movimento se limitavam ao mote simplista: "Combate à corrupção e à subversão". Castello Branco gostava, aliás, de usar a palavra "superversão", ou seja, a subversão por cima, expressão que havia sido cunhada, acredito eu, pelo embaixador americano Lincoln Gordon. A "superversão" derivava do fato de que João Goulart estimulava a mobilização, que julgava lhe ser politicamente favorável, dos sindicatos politizados, como o dos ferroviários e marítimos. Criava dissensões na hierarquia militar ao apoiar os chamados "generais do povo", mais políticos que profissionais, e também ao tolerar a rebelião dos sargentos e praças inferiores.

Castello tinha aguda consciência da importância de se criar um ideário positivo. Sua obsessão era demonstrar ao Brasil, e ao mundo, que a Revolução de 1964 era uma revolução modernizante e não uma típica quartelada latino-americana. Não seria, como dizia Balzac sobre Napoleão, "apenas uma opinião que encontrou suas baionetas".

O GRANDE
DESENHO

Visto na longa perspectiva da história, o trabalho de modernização institucional de Castello Branco foi catedralesco. Gradualmente se formou um grande desenho que abrangia o econômico, o social, o político e o administrativo. No plano econômico e financeiro, foi profundo o impacto reformista, quer no tocante a atitudes, quer no tocante a instituições. No plano social houve a preocupação de se formular uma política salarial compatível com o combate à inflação e, ao mesmo tempo, promover uma estratégia social através do Fundo de Garantia do Tempo de Serviço, do Banco Nacional de Habitação e do Estatuto da Terra. No campo político, cuidou-se da reforma eleitoral e da reestruturação partidária, assim como da reconstitucionalização do país. No plano administrativo houve uma tríplice preocupação — a restauração da moralidade administrativa, a modernização dos instrumentos burocráticos e a implantação de técnicas de planejamento.

Esse abrangente e complexo desenho não era visualizado no começo do governo. Quando me reuni com assessores pela primeira vez, no vazio ministério do Planejamento, disse aos meus auxiliares que a criação de um ministério, a partir da estaca zero, exigiria um esforço de imaginação para encontrar nichos burocráticos vazios ou abandonados. Tínhamos que fazer uma pesquisa de mercado burocrático, a fim de concentrarmos as atividades iniciais do gabinete do ministro extraordinário em três tarefas. Primeiro, chamar para o novo ministério a solução dos "abacaxis", isto é, dos conflitos interministeriais irresolutos. Em segundo lugar, cuidar da eliminação das áreas de atrito internacional, que impediam o fluxo de financiamentos. Em terceiro lugar, promover eficazmente as reformas de base que, no período Goulart, não tinham passado de *slogans* propagandísticos. Era esse o caso principalmente das reformas urbana e agrária.

Na primeira reunião do gabinete, em 23 de abril de 1964, apresentei uma visão panorâmica da problemática brasileira e um ensaio de soluções. Foi o Documento de Trabalho nº 1, distribuído aos ministros antes da reunião e que, à época, surpreendeu pela abrangência de cobertura, agudeza de análise e realismo de soluções. O Documento de Trabalho nº 1 intitulava-se "A crise brasileira e diretrizes de recuperação econômica".[251] Seria interessante reproduzir o índice do trabalho apresentado improvisadamente, mas que resultava da maturação de minha longa experiência em diferentes postos do governo. O temário era o seguinte:

I — O panorama da crise brasileira
    1. Inflação acelerada
    2. Paralisação do crescimento
    3. Crise cambial
    4. Crise de motivação
II — Perspectivas para 1964
    1. Agravamento da inflação
    2. Continuação e declínio da atividade econômica
III — As raízes do desequilíbrio econômico
    1. Raízes do processo inflacionário
    2. Raízes da crise de estagnação
    3. Raízes da crise cambial
    4. Raízes da crise de motivação
IV — Um elenco de medidas corretivas

    1. Combate à inflação
      a. Medidas fiscais
      b. Ações sobre as expectativas
      c. Ação de emergência sobre a oferta

    1.1. Percalços da política antiinflacionária
    2. Reativação da economia
    3. Correção do desequilíbrio cambial
    4. Sustar a crise de motivação
      a. Programa antiinflacionário de emergência
      b. Campanhas específicas
      c. Reformas estruturais de carácter psicosocial ou
        instrumental

Em minha visão, as características principais da crise brasileira de então incluíam, além da inflação acelerada, da paralisação do crescimento, da crise cambial, uma crise de motivação, derivada do alto grau de inquietação psicossocial.

Eram melancólicas as perspectivas para 1964, anteriores à Revolução. Previa-se uma aceleração da inflação e um contínuo declínio da atividade econômica, em virtude da retração dos investidores nacionais e da virtual cessação de investimentos estrangeiros.

---

[251] Ver Anexo VII — Documento de Trabalho nº 1 — Exposição feita pelo ministro do Planejamento na 1ª reunião do gabinete do presidente Castello Branco — 23 de abril de 1964.

Quanto às raízes do processo inflacionário, eu argüia que elas tinham variado no curso do tempo, mas ultimamente a responsabilidade primordial cabia aos déficits governamentais e à contínua pressão salarial. Aqueles geravam inflação de procura, e esta, inflação de custos. Mais complexas eram as raízes da crise de estagnação, cabendo aí salientar dois grupos de fatores: os político-institucionais e os resultantes de erros ou indeterminações da política econômica. Alinhei entre os fatores político-institucionais: a) a constante tensão política criada pela desarmonia entre o Executivo federal, de um lado, e o Congresso Nacional e os governos estaduais, de outro; b) a propensão estatizante, criando contínuo desestímulo e ameaças aos investidores privados; c) as paralisações sucessivas de produção pelos comandos de greve, freqüentemente com objetivos claramente políticos; d) a incerteza criada nos meios agrícolas pela ameaça de aplicação de uma indefinida reforma agrária, baseada sobretudo em desapropriações, sem critérios objetivamente conhecidos.

Mais graves ainda, seriam talvez os erros ou indeterminações da política econômica. Os fatores principais eram os seguintes: a) a conjugação da propensão estatizante com a inflação de custos e a intensificação de movimentos grevistas, desencorajando o investidor nacional; b) o clima de estatismo e xenofobia, revelada esta sobretudo na regulamentação restritiva da Lei de Remessa de Lucros, que fizera cessar virtualmente o ingresso dos capitais estrangeiros de investimento, e por repercussão, dos próprios capitais de empréstimo; c) o desestímulo a investimentos na agricultura, pelas incertezas quanto à atividade da Superintendência da Reforma Agrária (SUPRA) e à natureza indefinida das promessas de reforma agrária; d) a contínua "entropia" dos serviços públicos, cujo já reduzido nível de eficiência declinava celeremente em virtude do represamento tarifário, da politização da gerência e da exacerbação de reivindicações salariais fora de proporção com a capacidade econômica e a produtividade das empresas.

O problema seguinte era a crise cambial. Havia-se chegado a um impasse cambial em virtude: a) da conjugação de custos e preços com uma taxa cambial sobrevalorizada; b) da tendência declinante dos preços de exportação, particularmente o café, ao longo do período 1954 até meados de 1961; c) da cessação do fluxo de capitais de empréstimo e da ajuda externa, em virtude de ameaças de nacionalização de vários setores da indústria (como a indústria de carnes, farmacêutica e os minérios); d) da fuga de capitais nacionais, como reflexo da instabilidade política e ameaças de esquerdização, provocando paralelamente a repatriação de capitais estrangeiros.

A última das crises era a crise de motivação. Não existia nenhum projeto nacional de desenvolvimento capaz de traçar rumos e aliciar o entusiasmo da população. A instabilidade política e a inapetência administrativa do governo Goulart tinham criado um vácuo de comando e de motivação. Um dos resultados era termos ficado, no setor econômico, entre "um capitalismo sem incentivos e um socialismo sem convicção". As classes empresariais sofriam de uma crise de desconfiança; as classes operárias se viam frustradas ante a inexequibilidade das promessas demagógicas; e, finalmente, certos grupos psicologicamente mais voláteis, como a classe estudantil, não encontravam escoadouro para sua impulsividade idealista, descambando para falsas soluções radicais.

Ao diagnóstico seguia-se a terapêutica. A eliminação da herança inflacionária exigiria um concerto de medidas catalogadas em três grandes grupos: a) medidas fiscais; b) ação sobre expectativas; c) ação de emergência sobre a oferta.

Num ensaio de realismo, apontavam-se os percalços da política antiinflacionária, mencionando-se especialmente os seguintes. Primeiro, a inevitabilidade de uma recessão industrial temporária, resultante da eliminação da demanda especulativa e acautelatória, isto é, fuga da moeda em busca de mercadorias, característica das fases de inflação aguda. Adiantei que, conquanto um certo grau de recessão da procura fosse inevitável no período de reajuste, importaria não se agravar o fenômeno por uma contenção abrupta do crédito, antes de se lograr uma contenção de custos governamentais, com o fito de liberar recursos para o setor privado. Em segundo lugar, a resistência popular ao reajustamento de tarifas públicas. Cunhei então a expressão "inflação corretiva", para designar o inevitável reajuste dos preços relativos desorganizados pela compressão de tarifas, seja por demagogia política seja por errôneas tentativas de subvencionar serviços públicos como instrumento antiinflacionário. Estabeleci uma distinção entre a "inflação corretiva", que é um impulso controlado, o qual, ao diminuir as emissões do Tesouro, abre caminho para a estabilização de preços, e a "inflação espiral", resultante do descontrole monetário. Aquele seria um mal menor que a "inflação espiral". Esta não tinha qualquer virtude corretiva. Era antes agravada pelas subvenções cambiais e tarifárias, quando financiadas pela emissão de papel moeda.

Expliquei que a cura de uma inflação crônica seria equivalente à extirpação de um câncer. A cirurgia é inevitável mas há que minimizar os riscos pós-operatórios, o principal dos quais seria o desemprego transicional. Para minimizar esse risco, deveria ser contemplado um elenco de quatro medidas. A primeira seria uma ativação imediata da indústria de construção civil, como grande absorvedora de mão-de-obra; mas isso teria como pré-condição a mobilização de poupanças voluntárias. Segundo, o encorajamento à exportação, mediante desburocratização e câmbio realista, o que teria a dupla vantagem de criar empregos e melhorar a posição cambial. Terceiro, a reativação da produção agrícola, que seria estimulada pela liberação de preços internos e livre exportação, além da eliminação da ameaça dos confiscos de terras. A quarta seria a remoção das áreas de atrito e restrições legais que dificultavam o ingresso de capitais estrangeiros, quer de empréstimo quer de risco.[252]

Para a correção do desequilíbrio cambial, elencavam-se várias medidas como: a) reorientação do sistema cambial para promoção e diversificação de exportações, mantendo-se taxas cambiais realistas e, tanto quanto possível, unificadas; b) reativação do ingresso de capitais e investimentos privados estrangeiros, o que pressuporia o abandono de atitudes estatizantes e expropriatórias, assim como uma revisão da posição no tocante à Lei de Remessas de Lucros. Como medidas complementares, contemplavam-se a retomada de entendimentos para obtenção de financiamentos de largo prazo de instituições internacionais e a execução de um programa de consolidação de dívidas.

A crise de motivação tinha que ser enfrentada pelo lançamento de um programa de emergência, destinado a combater eficazmente a inflação, pela promoção de campanhas específicas, como campanhas de exportação ou de incremento da produtividade agrícola ou industrial. Mais importante ainda seria o lançamento de reformas de estrutura. Dentre estas caberia distinguir as de caráter psicossocial e as de caráter instrumental. Entre aquelas, sobressaíam a reforma habitacional, a agrária e a fiscal. As reformas de sentido psicossocial teriam um efeito econômico (geração de empregos), um efeito social (abrandamento de tensões), e um efeito cosmético, destinado a melhorar a imagem interna do novo regime junto às massas, perturbadas por um sentimento de orfandade e de "sebastianismo" em relação aos líderes que as nutriam de promessas demagógicas. Um possível subproduto das reformas seria melhorar-se a imagem externa do regime, caracterizada pela falsa visão, existente em alguns países, de que a Revolução teria sido uma reação de direita, que seria pendularmente seguida por uma reação de esquerda.

No elenco de reformas instrumentais, as mais importantes, *inter alia*, seriam uma reforma constitucional dos dispositivos de natureza fiscal e uma reforma administrativa, visando sobretudo à reforma de estatutos obsoletos, de efeitos econômicos negativos, como o Código de Navegação Marítima e a legislação portuária.

---

[252] Essa preocupação em minimizar efeitos recessivos teve êxito parcial. Em nenhum dos anos do ajuste (1964-1967) o crescimento foi inferior a 2,1% positivos. Houve entretanto desapontamentos. O programa de construção civil tardou em demarrar, por dificuldades de gerenciamento no BNH, apesar de ter sido o primeiro projeto importante apresentado ao Congresso. Também a melhoria do clima para capitais estrangeiros só se traduziria em ingresso substancial de capitais a partir de 1968, pois as empresas tinham que rever projetos e certificar-se da durabilidade da abertura internacional da economia. Nos programas antiinflacionários da década dos 80 e particularmente após os Planos Collor I e II, não houve cuidado comparável no planejamento de medidas anti-recessivas e o PIB declinou, em termos reais, em 1981-83 e 1990-91, com índices de desemprego mais elevados que os da fase Castello Branco.

Finalmente, acentuava-se a importância da reforma bancária, visando sobretudo à formação de um Banco Central independente, responsável pela política monetária.

Em relação às reformas de base, duas decisões se impunham de imediato, uma sobre prioridades e outra quanto ao mecanismo de elaboração. No concernente às prioridades, tinha-se que levar em conta não só a urgência objetiva do problema mas também a existência de projetos já em tramitação no Legislativo, o que implicaria canalizar-se o ímpeto reformista na seguinte ordem de apresentação: reforma fiscal de emergência, reforma educacional, reforma agrária, reforma bancária, reforma administrativa e reestruturação definitiva do sistema fiscal.

O mecanismo de planejamento seria a criação de grupos de trabalhos interministeriais, nos quais se juntariam o ministro do Planejamento e os ministros setoriais diretamente interessados.

Castello e seus ministros, nessa primeira reunião do gabinete, se impressionaram favoravelmente com a largueza da visão panorâmica, a propositura de medidas corretivas concretas e a ausência de objurgações sobre os erros passados. As "medidas corretivas" foram aprovadas numa segunda reunião do ministério, em 30 de abril de 1964.

— Mãos à obra — disse Castello. A tarefa é ingente, os obstáculos grandes, e o tempo curto.

AS ÁREAS
DE ATRITO

Posteriormente à reunião do gabinete, tive uma conversa a sós com Castello. Indiquei-lhe que gostaria de me dedicar especialmente a duas tarefas: uma, a promoção de reformas de base, particularmente a reforma habitacional e a reforma agrária; e outra, a remoção de áreas de atrito. As reformas de base eram desafios lançados durante o governo João Goulart, sem programação definida, mas com vigor suficiente para se tornarem uma aspiração das massas. Quanto às áreas de atrito, urgia eliminá-las, para desbloquear investimentos estrangeiros, seja de risco seja de empréstimo. Havia um problema genérico — a retomada e a atualização dos acordos da dívida externa — e vários contenciosos específicos.

Desde a "juscelinada", de 1959, o Banco Mundial deixara de financiar o Brasil. Conforme já relatei, quando embaixador em Washington, tornei-me amigo de George Woods, recém-nomeado presidente do Banco Mundial. Aceitou ele meu argumento de que, conquanto a instabilidade econômico-financeira do Brasil pudesse inibir a diretoria do Banco Mundial em aprovar novos empréstimos, não seria razoável que o banco se recusasse a reemprestar pelo menos as amortizações e juros recebidos. Já era punição suficiente que o Banco Mundial não aumentasse seu "risco Brasil". Seria sadismo transformar-nos em "exportadores de capital"... George Woods concordou com a tese e comprometeu-se a liberar empréstimos correspondentes às quantias recebidas. Mas insistia em que fizéssemos uma arrumação da casa, pois isso permitiria grande ampliação das atividades do Banco Mundial. E, em linguagem mais polida que a de De Gaulle, referia-se aos "irritantes", que desgastavam a imagem do Brasil.

Como negociador de dívidas na missão de Jânio Quadros à Europa, em abril e maio de 1960, e depois como embaixador em Washington no governo Goulart, eu sentia na carne as humilhações do negociador brasileiro, seja pela inconstância e incompetência de nossa política econômica, seja por desnecessários atritos criados ao longo do tempo por ações impensadas, senão mesmo mesquinhas.

Essa experiência específica de negociador de dívidas em três governos — Kubitschek, Quadros e Goulart — me indicava a importância de apresentarmos alguns resultados concretos e firmes diretrizes de política econômica, para obliterar a noção de que o Brasil só era capaz de promessas frívolas, prontamente descumpridas sob o pretexto de "inviabilidade política". Promovemos logo, Bulhões e eu, uma atualização da taxa cambial, para aumentar as exportações, e eliminamos, num gesto considerado corajoso, as subvenções às importações de petróleo, trigo e papel de imprensa. De outro lado, o Programa de Ação Econômica do Governo — PAEG — já estava delineado, dando a nossos negociadores elementos de convencimento quanto à consistência técnica de nossos programas, baseados num tríptico que apelidei de "desinflação, desenvolvimento e reformas".

Reproduzindo o que se fizera em 1961, no governo Quadros, quando Walther Moreira Salles se encarregara das negociações nos Estados Unidos, e eu próprio na Europa, Octávio e eu escolhemos dois grupos de negociadores diferentes. O encarregado das negociações nos Estados Unidos foi Trajano Pupo Neto. Na Europa, o negociador seria José Sette Câmara, então embaixador em Berna. Complementarmente, Garrido Torres, nomeado presidente do BNDE, se dirigiria ao Japão, fechando o cerco ao "triângulo dos credores".

A estratégia da renegociação da dívida foi decidida em reuniões no ministério da Fazenda, das quais eu participava juntamente com Bulhões, Dênio Nogueira, então diretor-executivo da SUMOC, Casimiro Ribeiro, diretor da Carteira de Redesconto do Banco do Brasil, e os dois negociadores, Sette Câmara e Pupo Neto.

A dívida externa era asfixiante, não tanto pelo seu montante (US$3.8 bilhões, em janeiro de 1964), como pelo seu perfil: 48% exigíveis no biênio 1964-65, muito além de nossas perspectivas de receita cambial.

As negociações foram até certo ponto facilitadas pelo fato de os dois responsáveis pela política econômica — os ministros da Fazenda e do Planejamento — terem bastante vivência internacional e contatos bancários desenvolvidos desde Bretton Woods. Mas tínhamos que lutar contra o clima desfavorável criado pela imprensa de esquerda, segundo a qual a Revolução brasileira era apenas uma "quartelada direitista" latino-americana, incapaz de promover transformações sociais. Nos círculos conservadores, circulava outra versão: os militares dariam uma guinada nacionalista, agravando-se as restrições aos capitais estrangeiros.

A reputação do Brasil havia sido seriamente abalada quando da ruptura de Juscelino Kubitschek com o Fundo Monetário Internacional, seguida de bancarrota cambial, com insolvência nos pagamentos da dívida e acumulação de atrasados comerciais.

Subseqüentemente, havíamos adicionado à instabilidade política um alto grau de instabilidade econômica. Houvera uma reconciliação de breve duração com o FMI no tempo de Jânio Quadros e, ulteriormente, contatos quando da missão San Tiago Dantas no governo Goulart, em março de 1963, visando à postergação da recompra de saques brasileiros. Aos credores, não faltavam outrossim lembranças desagradáveis de uma pseudo-negociação, iniciada no governo Goulart, em 1963, junto ao OCDE, por negociadores bisonhos, desprovidos de dados rudimentares sobre a dívida e desapoiados em programas concretos de estabilização. Isso gerou a impressão de que Goulart desejaria uma manifestação negativa dos credores, como uma desculpa para a "moratória" advogada por alas radicais de seus partidos de apoio. O fato é que tínhamos descumprido sistematicamente todos os programas de estabilização monetária apresentados. E, naturalmente, o país estava de novo em bancarrota...

Sette Câmara regressou à Europa em fins de maio de 1964, visitando Berna, Bonn e Londres, antes da reunião preparatória dos credores do Clube de Haia, em Paris, em 10 de junho, seguida da reunião decisória, em 30 de junho. Desta participaram os Estados Unidos, a Alemanha, a Itália, a Inglaterra, a Suíça, o Japão, a Bélgica, os Países Baixos e a Áustria, além de observadores do FMI, do Banco Mundial e da OCDE. Não faltaram, naturalmente, recriminações quanto ao nosso passado de inadimplência e manifestações de suspicácia quanto à nossa leviandade crônica no trato de problemas da inflação e déficits orçamentários. Felizmente, a essa altura, Bulhões e eu já havíamos negociado com o FMI um acordo *standby* de US$125 milhões e, com a Agency for International Development, de Washington, um aporte de US$ 50 milhões. Em 1? de julho foi aprovado o reescalonamento de 70% da dívida brasileira na Europa, com dois anos de carência e cinco de pagamento, restabelecendo-se as condições que eu havia obtido durante o governo Jânio Quadros.

As negociações nos Estados Unidos, com bancos privados, se iniciaram em outubro, com uma originalidade. Em vez de funcionários ou diplomatas, a presidência das negociações coube a Trajano Pupo Neto, empresário paulista que participara da direção do National Citibank e era então presidente da Anderson Clayton, firma tradicional radicada no Brasil, especialista em *commodities*. Trajano tinha bons contatos em Wall Street, mas se intimidou com o inusitado da tarefa, pois desconhecia os meandros das contas governamentais e as estripulias de nossa política cambial, desmoralizada na fase final de Kubitschek pela venda irresponsável de promessas de venda de câmbio, que criaram um forte passivo de curto prazo. Os acordos de consolidação que Walther Moreira Salles e eu negociáramos no governo Quadros haviam tido seus desembolsos cancelados após a renuncia do presidente. Estes só em parte haviam sido restabelecidos após o acordo Dantas-Bell, de março de 1963.

Trajano dispôs-se, entretanto, à tarefa, reforçado pela presença, na missão negociadora, de Luiz Biolchini, então diretor de Câmbio do Banco do Brasil, hábil e bem reputado operador cambial. Juracy Magalhães, embaixador em Washington, com bom acesso ao Departamento de Estado, foi fator decisivo para o sucesso das negociações. A pedido de Biolchini, fiz rápida visita a Nova York, discursando perante a comunidade de Wall Street sobre a consistência macroeconômica do

PAEG, sobre a mudança no clima econômico brasileiro desde as minhas negociações no tempo de Jânio Quadros, e sobre a inabalável decisão do presidente Castello Branco de saneamento financeiro do país, sem preocupação de popularidade a curto prazo.

No meu périplo de negociação na Europa em 1961, no governo Quadros, jurei a mim mesmo que se algum dia fosse encarregado de dirigir a política econômica do Brasil, procuraria executar um programa de saneamento financeiro que poupasse a meus sucessores semelhantes humilhações. Cumpri minha jura. O saneamento financeiro conseguido durante o governo Castello Branco, que reestruturou a dívida externa, espaçando-a no tempo, e eliminou toda a dívida de curto prazo, permitiu aos meus sucessores, praticamente até a grande crise da dívida dos anos 80, escapar às humilhações da mendicância cambial a que me vira repetidas vezes submetido.

Quando embaixador em Londres, durante os governos Geisel e Figueiredo, tive ocasião de lembrar aos ministros Delfim Netto e Mário Henrique Simonsen que eles haviam escapado das antigas humilhações de mendicância cambial. Na primeira fase de Delfim, durante o governo Médici, a posição cambial do Brasil era folgada. Com o surto de exportações que então começava, e que se acelerou bastante na fase do "milagre brasileiro", o Brasil escapou dos constrangimentos de balanço de pagamentos que haviam constituído minha dolorosa experiência. Mesmo depois da crise do petróleo, já no governo Geisel, conquanto aumentasse rapidamente o endividamento brasileiro, o acesso ao mercado internacional continuava fácil, de vez que não tinha havido ainda a moratória do México e era intensa a competição bancária para reciclar os petrodólares. A fase de mendicância cambial só voltaria a ocorrer bem mais tarde, a partir de agosto de 1982, quando, com a moratória mexicana, houve súbita interrupção dos fluxos internacionais de crédito.

Ao contrário do que diziam economistas de esquerda, tema depois muitas vezes repisado por Brizola, a dívida externa foi reduzida e não aumentada no governo Castello Branco. Ficou praticamente estacionária a dívida de médio e longo prazo, num nível em torno de 3 bilhões e 700 milhões de dólares, mas foi liquidada toda a dívida de curto prazo, composta de atrasados comerciais, *swaps* e créditos bancários de curto prazo, no valor total de cerca de 1 bilhão e 300 milhões de dólares.

Um outro *schibboleth* dos economistas de esquerda da época era que teria aumentado nossa dependência externa. O relativo sucesso na luta contra a inflação se explicaria pelo enorme influxo de recursos externos, em recompensa ao nosso conformismo a ditames internacionais. A verdade era bem outra. Em 1965 e 1966 tivemos saldos na conta corrente do balanço de pagamentos (não apenas saldos comerciais), o que significa que havia, em termos líquidos, exportação e não importação de capitais. Ao sanear a situação cambial, pela liquidação de débitos a

curto prazo e atrasados comerciais, ao mesmo tempo que aumentavam as exportações, estávamos reduzindo e não aumentando nossa dependência externa.

Havia que por mãos à obra de "despoluição ambiental". Castello reconheceu
imediatamente a importância da restauração de uma imagem confiável do Brasil
no exterior. A limpeza das áreas de atrito, que eu lhe propunha, ao abrir espaço
para uma negociação racional da dívida e fortalecimento do balanço de pagamentos do Brasil, através de um surto de exportações e da abertura para capitais de
risco, seria, esperava eu, nossa última humilhação. Castello assumiu impavidamen-
te o ônus dessa tarefa, sabendo que haveria dissabores políticos a enfrentar, pois
seríamos vilificados pelos cultores do "nacionalismo de fancaria".

Como eu mencionara a Castello Branco desde a primeira reunião de gabinete, o
contencioso era de amplo espectro. No plano global, nossa insolvência no tocante à
dívida externa ia além da irritação remanescente do rompimento de Kubitschek
com o FMI, não apagada pela "reaproximação frustrada", durante o governo
Quadros. Havia três áreas mais específicas de atrito — a européia, a americana e a
multilateral. Na área européia, o contencioso mais barulhento era o franco-brasileiro, referente aos *porteurs de titres* franceses (mas também ingleses e suíços), que
reclamavam das encampações de Getúlio Vargas durante a II Guerra Mundial.
Tratava-se de um resíduo irritante de pendências, para as quais me havia chamado
a atenção o próprio general De Gaulle, quando o visitei em missão de negociação
da dívida durante o governo Jânio Quadros. Na área americana, o problema eram
as desapropriações de Brizola e o caso das concessões de minério de ferro da
Hanna Mining Company. Na área internacional, a Lei de Remessa de Lucros, que
repercutia desfavoravelmente sobre todos os investidores estrangeiros, conquanto
fossem os americanos os protestadores mais vocais. São essas as estórias que conta-
rei a seguir.

Os Contenciosos

Dizia San Tiago Dantas que as visitas de chefe de Estado, quando mais não seja, servem como um "supositório da burocracia". Foi o que se deu no caso do contencioso franco-brasileiro. O general Charles de Gaulle havia anunciado sua intenção de fazer uma *tournée* latino-americana, que terminaria no Brasil na segunda semana de outubro de 1964. Ao meu interesse em liquidar áreas de atrito somaram-se então os interesses do Itamaraty e do Quai d'Orsay em criar um ambiente diplomático favorável.

Estávamos em setembro de 1964. Bulhões teve a excelente idéia, que eu apoiei entusiasticamente, de propor a Castello que uma comissão de parlamentares se encarregasse do assunto. Esse aval político evitaria complicados debates parlamentares. E, se bem escolhidos nossos representantes, desapareceria qualquer suspicácia de frivolidade negocial, num terreno minado por sucessivas ondas de especulação. "É um caso difícil e sobretudo sujo", disse Castello Branco ao convidar para a missão negociadora o senador Mem de Sá, do PL (Partido Libertador), e o deputado Raimundo Padilha, da UDN. O próprio Mem de Sá sugeriu que fosse convidado também um representante do PSD, e sugeriu o nome do deputado Guilhermino de Oliveira, então presidente da Comissão de Orçamento da Câmara. A indicação era excelente e foi pressurosamente acolhida.

O contencioso derivava da falta de pagamento, desde 1940, de amortização e juros aos portadores de títulos emitidos no mercado europeu no começo do século para a construção das ferrovias São Paulo-Rio Grande e Vitória-Minas. Essas estradas tinham sido encampadas por Getúlio Vargas durante a II Guerra Mundial (1940), sem entretanto o pagamento da indenização prévia em dinheiro, constitucionalmente prevista. Os juros deixaram de ser pagos desde então.

Sucederam-se negociações ao longo de vários anos, e a disputa sobre a amortização passou a ser uma disputa sobre indenizações. Chegou-se mesmo, em maio de 1956, a um acordo sobre arbitragem internacional. O débito era reconhecido, porém não honrado. Acumulavam-se encargos ao longo do tempo. A belicosa "Association Nationale des Porteurs de Valeurs Mobiliers Français" pressionava insistentemente o governo francês para obter o devido ressarcimento. Havia ondas especulativas em Bolsa quando dignitários franceses visitavam o Brasil, ou negociadores brasileiros iam à França, sempre na esperança de que se montasse um plano de resgate. Os especuladores vendiam na alta, quando surgiam esses rumores, e recompravam os títulos na baixa, quando se desmentiam as perspectivas de solução do contencioso.

Havia estudos adequados sobre o assunto, quer no Itamaraty quer no ministério da Fazenda. Pelo Itamaraty, foram encarregados de acompanhar a missão Villar de Queiroz, e, pelo ministério da Fazenda, Achê Pilar, reconhecido especialista, que trabalhava com Valentim F. Bouças no Conselho de Economia e Finanças. Bouças foi durante muitos anos um herói silencioso, com infinita paciência para amaciar a ira dos credores. Os portadores de títulos insistiam no reconhecimento de uma espécie de "cláusula ouro", pois os títulos tinham sido emitidos em francos fortes de 1903. Como o franco sofreu depois várias desvalorizações, imbricavam-se problemas de desvalorização cambial com os de depreciação do patrimônio físico dos bens encampados.

Além dessas questões técnicas, havia um outro aspecto político. A associação francesa dos *porteurs de titres* insistia em incluir na negociação também as debêntures da Companhia Port of Pará, caso juridicamente diferente, pois, conquanto os acionistas fossem principalmente americanos e franceses, a companhia era americana, incorporada no estado de Delaware. Insistíamos num tratamento separado do assunto. A pendência com a Port of Pará, que também era uma companhia desapropriada por Getúlio Vargas, só veio a ser resolvida mais tarde graças aos esforços do embaixador Edmundo Barbosa da Silva.

Após duras negociações, em que nossa missão negociadora contou com discreto apoio do Quai d'Orsay, cansado da pendenga que se tornara um maçante complicador diplomático nas relações entre os dois países, conseguimos um acordo bastante razoável, cuja honorabilidade não foi questionada. O Crédit Lyonnais, que era o banco francês incumbido pelo governo brasileiro do resgate dos títulos, acabou dando-nos um adiantamento de US$ 4 milhões para atender aos primeiros pagamentos emergenciais. Quando De Gaulle visitou o Brasil, em outubro de 1964, o "lixo" havia sido removido.

O contencioso da Port of Pará só foi resolvido mais tarde. Bulhões discutiu com Castello o nome de vários possíveis negociadores. Castello acabou se lembrando "daquele embaixador que sabe lidar com estrangeiros". Referia-se a Edmundo Barbosa da Silva, que, licenciado pelo Itamaraty, se encontrava em Nova York. Convocado, dispôs-se ao sacrifício. Era nossa sorte. Edmundo era conterrâneo e amigo de José Bonifácio, um dos líderes do PSD, que criava um caso na Câmara, toda vez que era proposta uma solução para o contencioso, alegando tratar-se de uma "falcatrua do Geraldo Rocha", seu inimigo político.[253] O hábil e tenaz advoga-

---

[253] Geraldo Rocha era um terrível panfletário, que escrevia no jornal *O Imparcial*. Seu inquietante *slogan* era "quem não é meu amigo, é meu assunto"...

do dos acionistas era Sabóia de Medeiros, que veiculou de início uma pretensão absurda — uma indenização de US$90 milhões. Num esforço de desbaste, pela dedução da depreciação e cálculo dos investimentos feitos pelo Brasil desde a encampação, Barbosa da Silva considerava "defensável" um valor residual de US$9 milhões, sobre os quais os acionistas desejavam cobrar os juros atrasados. Somente desistiram quando Edmundo argumentou que se fosse levantada a questão dos juros, que implicaria uma duplicação do pagamento, não faltariam deputados para argüir que, quando ocorrera a encampação, a companhia estava em situação pré-falimentar, de que fora salva pela encampação. O valor de US$9 milhões foi então aceito como definitivo, acertando-se o pagamento em três prestações. Quando comuniquei a Castello o fim da novela dos *porteurs de titres*, disse-lhe: — Presidente, os gaúchos me perseguem. Na embaixada em Washington sofri com os confiscos de Brizola. Agora, como ministro, sofro as conseqüências retardadas das encampações do Getúlio.

Já o contencioso americano era muito mais complexo e politicamente explosivo. Envolvia três grupos de questões. No primeiro grupo figurava o caso das concessionárias de serviço público americanas, desapropriadas por Brizola. O segundo, era representado pela cassação dos direitos minerais da Hanna Mining Company, que os havia herdado ao adquirir, em 1958, o controle acionário da Saint John del Rey Mining Company.

O terceiro problema era referente à Lei de Remessas de Lucros passada em outubro de 1962. Não se tratava de um contencioso exclusivo com os Estados Unidos porque a lei feriria igualmente investidores europeus e japoneses no Brasil, mas, dado o vulto dos interesses americanos, de longe os maiores investidores, os protestos mais vocais provinham de Washington.

— Não é de admirar — ironizava Castello. Trata-se de uma nação de protestantes...

O argumento americano era que o tratamento desincentivador dos capitais estrangeiros privados destruiria a eficácia do auxílio do governo e bancos oficiais aos projetos de desenvolvimento. Não fazia sentido que o efeito positivo do ingresso de ajuda externa, por via de capitais públicos, fosse em parte ou no todo neutralizado pela diminuição do ingresso de capitais privados. Segundo a ideologia privatista americana, o contrário deveria ocorrer. A responsabilidade principal do apoio ao desenvolvimento deveria caber não ao setor público e sim ao setor privado. A função dos investimentos públicos deveria estar de acordo com a ideologia que o Brasil aceitara na Aliança para o Progresso (Carta de Punta del Este), basicamente a de agente catalítico para investimentos privados visando à promoção de reformas e à criação da infraestrutura necessária ao desenvolvimento.

O FALSO
"FERRO VELHO"

No tocante ao caso das concessionárias AMFORP e ITT, estávamos claramente descumprindo entendimentos do governo Goulart. Nossa posição era juridicamente indefensável. A transformação do confisco de Brizola em nacionalização pacífica havia sido acordada durante a visita de Jango Goulart a Kennedy, em abril de 1962.

Naquela ocasião, o presidente Kennedy expressara a posição norte-americana nos seguintes termos, que se ajustavam à doutrina de "nacionalização pacífica" proposta por Goulart e San Tiago Dantas:

"1° — É indiscutível o direito soberano de desapropriação, mediante adequada compensação.

2° — O governo norte-americano reconhece a impossibilidade prática da continuação dos serviços públicos em mãos estrangeiras: a) por causa da inflação, num contexto de tarifas rígidas, de reajustamento politicamente difícil; b) pela inconveniência de manterem-se os pontos de atrito diplomático, inevitáveis nas circunstâncias acima.

3° — Poder-se-ia chegar a uma solução amigável, mediante a nacionalização pacífica das empresas norte-americanas, observados dois requisitos: a) que haja compensação e não-confisco, pois este último desestimularia não só o capital empregado em serviços públicos, mas todas as outras modalidades de investimento privado, o qual continua essencial ao desenvolvimento da América Latina, em vista da insuficiência de capitais públicos; b) que sejam os investidores convidados a se transferirem para outros setores, onde porventura sejam bemvindos, a fim de se obviar o argumento prevalecente no legislativo norte-americano de que não deve ser dado auxílio a países que empreguem seus recursos, não para novos investimentos, mas simplesmente para deslocar os já existentes."

Na realidade, a solução rápida prometida por Goulart se havia convertido em deliberada procrastinação.

Não foi difícil persuadir Castello Branco de que tínhamos que retomar o assunto, apesar do ambiente político envenenado. Tratava-se de um dos raros casos em que, rivalizando-se na exploração do nacionalismo, Brizola e Lacerda haviam adotado retórica semelhante. Tratava-se de um compromisso governamental e ainda que a Revolução significasse uma descontinuidade ideológica, não poderia ignorar compromissos jurídicos válidos do governo Goulart.

Sob o ângulo estritamente econômico, ponderei a Castello, parecia discutível a conveniência de desapropriação de serviços de utilidade pública, já que representavam vasto empate de capital com rendimento diferido e baixa rentabilidade média. Dada a escassez de capitais, seria em tese preferível devotar os recursos nacionais a empreendimentos de mais rápida rotação e melhor rentabilidade média. Entretanto — acrescentei — os argumentos econômicos tinham que ser confrontados com realidades político-sociais. Estas eram de tal ordem que se tornara difícil a sobrevivência de empresas privadas, e particularmente de empresas privadas estrangeiras, no setor de serviços públicos, em virtude da baixa lucratividade resultante do contraste entre a inflação acelerada de custos e tarifas relativamente rígidas, que seria tecnicamente difícil e politicamente impossível reajustar com a velocidade e na magnitude requeridas. As alternativas seriam ou o estiolamento dos serviços públicos, com generalizado racionamento, ou a intervenção estatal. Esta não produziria certamente o milagre de baixar custos ou gerar recursos *ex-nihilo*, mas permitiria financiar por via de impostos ou empréstimos compulsórios, tanto os custos de operação como o de investimento, a fim de suplementar a insuficiência das tarifas cobradas dos usuários.

Acrescentei um terceiro argumento. É que, com a passagem da lei Hickenlooper pelo Congresso americano, em agosto de 1962 (provocada em parte pelos "confiscos de Brizola"), e da revisão da lei do açúcar, o governo americano se sentiria inibido, quer em dar-nos novos financiamentos quer em confirmar o aumento que, como embaixador em Washington, eu havia conseguido nas quotas para importação de açúcar brasileiro.

Não era preciso persuadir Castello, com seu espírito legalista, de que a descontinuidade política e ideológica do governo da Revolução em relação ao governo Goulart não deveria representar descontinuidade no respeito à palavra dada aos acordos com governos estrangeiros. Dizia-lhe eu, jocosamente, que um dos problemas dos diplomatas brasileiros é que nossos governantes negociam acordos como se fossem pessoas físicas e não pessoas jurídicas...

Castello decidiu assumir a responsabilidade política da solução do problema, desejando apenas, em razão da enorme controvérsia que se havia montado, submeter a questão à sanção legislativa.

Felizmente, havia sido designado para presidente da Eletrobrás o engenheiro Octávio Marcondes Ferraz, uma figura de escol, conhecida nos meios técnicos pela sua proeza em encontrar soluções originais para o fechamento da barragem da hidrelétrica de Paulo Afonso. Moralmente era *un chevalier sans peur et sans reproche*.

Castello planejou cuidadosamente a operação. Primeiro determinou que o ministro das Minas e Energia, Mauro Thibau, profundo conhecedor das negociações anteriores e dos problemas de eletricidade no Brasil, estudasse cuidadosamente, com o presidente da Eletrobrás, o memorando de Washington, para verificar se poderiam ser negociados melhoramentos no texto inicial.

As condições tinham sido originalmente aprovadas, como se sabe, pela Conesp que, após receber a proposta da AMFORP, tinha concluído por uma avaliação do acervo, em fevereiro de 1963, de 142 milhões e 700 mil dólares, comparativamente aos 153 milhões pedidos pela empresa. Forçou-se uma nova baixa durante as negociações e a AMFORP acabou aceitando uma contraproposta da Conesp, na base de 135 milhões, dos quais 10 milhões pagáveis à vista e o restante em 25 anos.

Com seu habitual ânimo protelatório e, tendo em vista a estranha aliança política que surgira entre Brizola e Lacerda, que acusavam a transação de envolver uma compra de "ferro velho", Goulart extinguiu a Conesp e transferiu o assunto a uma nova comissão, de nível ministerial, composta dos titulares da Fazenda, da Guerra, da Viação, das Minas e Energia e da Indústria e Comércio.

Quando San Tiago Dantas, então ministro da Fazenda, viajou para Washington em 1963, para difíceis negociações com o Tesouro americano e o Fundo Monetário Internacional, Goulart se viu obrigado a escrever uma carta a Kennedy declarando que não tinha sido possível por termo às duas controvérsias — a da AMFORP e a da ITT — mas que o objetivo governamental continuava sendo o de resolver essas questões, situando-as entretanto "num complexo maior das relações entre o Brasil e os Estados Unidos".

Ao voltar de Washington, San Tiago Dantas lançou-se ativamente na solução do impasse. Convocou a Comissão Interministerial e, em 20 de abril de 1963, telegrafou-me a Washington comunicando que a Comissão Interministerial, reunida no ministério da Guerra, aprovara unanimemente as negociações com a AMFORP. Estava eu assim autorizado a firmar um memorando de entendimento. Fi-lo em 23 de abril, sendo co-signatário William Nydorf, presidente da AMFORP. Solicitava-se também um adiamento por 30 dias do pagamento da parcela inicial, equivalente a 7,4% do valor da compra. Nem isso curou a hesitação de Goulart, cuja propensão postergatória era conhecida.[254]

---

[254] O historiador Moniz Bandeira se refere a um documento do ex-ministro de Minas e Energia, Oliveira Brito, dirigido ao deputado Doutel de Andrade, no qual se alega que o *memorandum* fora assinado pelo embaixador em Washington "sem o prévio consentimento e aprovação de Goulart". A alegação é inverossímil pois que San Tiago se limitara a transmitir-me as conclusões da Comissão Interministerial, composta pelos ministros da Fazenda (o próprio San Tiago), da Guerra (Amaury Kruel), da Viação e Obras Públicas (Hélio de Almeida), da Indústria e Comércio (Antônio Balbino) e das Minas e Energia (Eliezer Batista), constituída expressamente para reexaminar o preço e as condições propostas pela Conesp. O mais provável é que, intimidado pela violenta reação de Brizola, Goulart tenha procurado minimizar sua responsabilidade na decisão. Apud Moniz Bandeira, *O governo Goulart*, Civilização Brasileira, 1977, pg. 102.

Em junho de 1963 Goulart, tendo ido à coroação de Paulo VI em Roma, teve uma entrevista pouco frutífera com Kennedy, que ali se encontrava, no fim de um périplo europeu, e explicou novamente que continuavam os esforços à busca de uma solução.

O segundo passo a ser tomado por Castello seria o reexame do memorando anterior do governo Goulart por uma comissão que incluiria, além do ministro das Minas e Energia, Mauro Thibau, também o ministro da Fazenda, o do Exterior e o do Planejamento. Essa comissão interministerial aprovou unanimemente o relatório do ministro Thibau e do presidente da Eletrobrás, que continha uma reformulação da proposta anterior. Foi então constituída uma subcomissão, chefiada pelo presidente da Eletrobrás, Octávio Marcondes Ferraz, a qual recomendou a execução do acordo de 1963 com duas condições: aprovação pelo Congresso, e uma nova e independente verificação do valor do acervo. Não houve discrepância em relação à avaliação anterior, que a rigor subestimava o acervo; mas a subcomissão propôs que a parcela de 75% do pagamento, a ser compulsoriamente reinvestido no Brasil pela AMFORP, fosse transformada num empréstimo à Eletrobrás, no valor de 100 milhões e 250 mil dólares, para atender aos agudos problemas de investimento em energia que então se apresentavam.

A questão da avaliação viria depois a ser dirimida, em forma ainda mais conclusiva, por laudo da companhia mutuamente aceita para avaliação, a Scandinavian Engineering Corporation. Esta, em junho de 1965, concluiu por um valor de 151 milhões e 400 mil dólares.

Amplamente equipado desses elementos técnicos, Castello Branco convocou o Conselho de Segurança Nacional, que se reuniu em 21 de agosto. O Conselho unanimemente aprovou o parecer do ministro Thibau, abrindo caminho para a apresentação do assunto ao Congresso.

No campo político, a bandeira do nacionalismo confiscatório de Brizola havia sido empunhada por Lacerda e também por Magalhães Pinto, governador de Minas Gerais.

Ao optar pela submissão da compra ao Congresso, Castello corria um risco deliberado. Podia-se argüir que a matéria era essencialmente de decisão executiva. E a onda nacionalista que se levantara poderia redundar em perigo de desaprovação, configurando-se então um descumprimento de um entendimento oficial do governo brasileiro.

Paradoxalmente, no Congresso, a oposição mais rancorosa à execução dos acordos provinha do PTB, precisamente o partido do presidente Goulart, que havia firmado o compromisso original. O PTB fez obstrução tanto no Senado como na Câmara, e a transação só foi aprovada em 7 de outubro, pela confortável maioria de 187 votos contra 91.

A banda de música nacionalisteira era liderada na Câmara alta pelo senador José Ermírio de Moraes. Na Câmara baixa, os oponentes mais vigorosos eram o deputado João Herculino, líder do PTB, e o deputado Matheus Schmidt. Posição peculiar foi a adotada por João Agripino, ex-ministro das Minas e Energia no governo Jânio Quadros. Conquanto reconhecesse a necessidade da transação e a validade do memorando assinado em 1963, propunha uma solução aparentemente racional, porém inexeqüível — a compra em Bolsa das ações das empresas de eletricidade. Estas haviam baixado a preços irrisórios no mercado, em face do impasse tarifário. O problema era que as ações em venda na Bolsa representavam pequena parcela do capital; o controle só poderia ser comprado se os proprietários se dispusessem a lançar em Bolsa a maioria do capital ordinário votante, o que, obviamente, estava fora de questão.

Os dados do problema eram factualmente simples mas a nossa "falta de factualidade", como me diria mais tarde um amigo inglês, impedia uma análise serena. A companhia pedira 153 milhões de dólares; a avaliação interna da Conesp, segundo variados critérios, levaria a 142 milhões; o valor acordado para a compra foi de 135 milhões de dólares, e o laudo de avaliação da empresa sueca independente indicava 151.4 milhões de dólares (na hipótese de pagamento à vista). No acordo firmado com a AMFORP previa-se um pagamento inicial de 10 milhões de dólares, e o restante em 25 anos, com três de carência. Haveria um reinvestimento compulsório de 75% sobre os quais incidiriam juros de 6,5%, enquanto que sobre a parte livre os juros seriam de 6%. Em vista da enorme necessidade de investimentos em energia elétrica, a obrigação da AMFORP de reaplicar no país, em investimentos fora da área de serviços públicos, foi convertida num empréstimo de longo prazo de US$100,2 milhões à Eletrobrás. A indenização à empresa estrangeira se transformou assim em financiamento à expansão da sucessora nacional. Longe de ser ferro velho, a idade média do equipamento era de 15 anos, comparável à da usina de Paulo Afonso, então um orgulho da engenharia brasileira.

Vista em retrospecto, a transação foi espetacularmente boa. Mas foi longa a saga. Entre o entendimento de Goulart com Kennedy, em 4 de abril de 1962, e a sanção da Lei nº 4.428, por Castello Branco, em 14 de outubro de 1964, medearam mais de dois anos.

Conforme Kennedy havia prometido em sua conversa com Goulart, o esforço financeiro brasileiro foi atenuado, pois que imediatamente após concluída a transação, a AID — Agência Internacional de Desenvolvimento — emprestou ao Brasil, com prazo de 25 anos e juros de 5,5%, 20 milhões de dólares para quintuplicar a potência da usina de Peixoto, que passou de 175.000 a 475.000 kw. Como já estavam prontas todas as obras civis, faltando apenas a instalação do equipamento, o custo marginal da expansão da usina foi muito baixo.

Mas a grande vantagem é que cessou o bloqueio imposto ao desenvolvimento do sistema nacional de eletricidade pelo impasse que se havia gerado. As empresas estrangeiras tinham perdido o ânimo de investir, em vista da inadequação das tarifas; e seria impossível dar reajustamentos tarifários na magnitude adequada, mesmo para empresas brasileiras de capital privado operando nesse setor. Transferidas as empresas para o setor estatal foi possível planejar a expansão do sistema com base em tarifas realistas. A capacidade instalada, que era de 6 milhões e 300 mil kw, ascendeu a oito milhões no fim do governo Castello Branco.[255]

O mais curioso no caso foi a coalizão espúria. Brizola havia criado o problema com suas encampações; Lacerda, não querendo ficar atrás na exploração nacionalisteira do problema, explorou emocionalmente o caso; Magalhães Pinto se associou posteriormente, por considerar a medida impopular e também como um meio de demonstrar sua oposição à política econômica global.

---

[255] O episódio é descrito em detalhes no livro de Luís Viana Filho, *O governo Castello Branco*, p. 154-160.

A SAGA DA
HANNA MINING

A outra área de atrito, objeto de um debate passional e irracional, foi o caso da Hanna Mining Company, empresa norte-americana do setor de mineração e aço. Ainda no governo Kubitschek, em 1958, ela havia comprado o controle acionário (52%) da Saint John del Rey Mining Company. Esta centenária companhia inglesa, formada em 1832, entrara em dificuldades em sua atividade principal, a mineração de ouro em Morro Velho, imprensada entre preços internacionalmente fixos do ouro e crescentes custos da mineração no Brasil. A Hanna se desfez da velha mina de ouro, vendendo-a a um grupo chefiado por Horácio de Carvalho e Fernando Mello Viana, e transferiu as jazidas de minério de ferro dos ingleses a uma outra empresa, a Mineração Novalimense, que se concentraria na exportação de minério de ferro. Reduzidos os incentivos à exportação, no fim do governo Kubitschek, a Hanna dedicou-se ao desenvolvimento de jazidas de minério de ferro no Canadá. Entrementes, o Brasil sofria de um de seus recorrentes lapsos de "bernardismo", isto é, o nacionalismo minerário que surgira nos anos 20.

Abriu-se uma contenda judicial quando o ministro Gabriel Passos, no governo Goulart, em 15 de junho de 1962, quatro dias antes de falecer, publicou um despacho no *Diário Oficial* determinando a cessação das atividades da Novalimense e a desapropriação de suas jazidas. A empresa recorreu imediatamente ao Supremo Tribunal Federal requerendo-lhe um mandato de segurança com efeito suspensivo. Estava criado um contencioso.

Diferindo nisso de muitos militares, seduzidos pelo mito das riquezas naturais do subsolo, Castello era um realista. Declarou àquela ocasião: "As reservas minerais só deixam de ser matéria inerte quando encontram o mercado." Tinha plena consciência de que minério de ferro era material abundante no mundo, tendo os mineradores que disputar num mercado fortemente competitivo.

Castello constituiu uma comissão interministerial composta dos ministros do Planejamento (Campos); Minas e Energia (Mauro Thibau); Fazenda (Octávio Bulhões); Indústria e Comércio (Daniel Faraco), e Viação (Juarez Távora), para examinar o assunto. Mais tarde foi também designado para essa comissão o general Ernesto Geisel, chefe da Casa Militar.

Neste assunto, a coesão do ministério era menos visível. Havia claramente uma linha liberal que não só desejava resolver o caso específico da Hanna, mas advogava a implantação de uma política liberal de minérios, que encorajasse a iniciativa privada e que abrangesse também a modernização do Código de Minas. Essa posição era defendida por Thibau, Bulhões e Faraco, com meu irrestrito apoio. O general Geisel, de outro lado, devoto do monopólio do petróleo, via também com simpatia as pretensões da Companhia Vale do Rio Doce de uma reserva de mercado no setor de minérios. O general Juarez Távora tinha uma posição intermediária. Se de um lado simpatizava com a tese liberal, de outro, preocupava-se em não infirmar a posição competitiva do porto do Rio de Janeiro que, acreditava ele, seria enfraquecido pelo projeto da Hanna, de construir, em associação com uma empresa privada brasileira — a Icominas — um terminal próprio na baía de Sepetiba.

Lacerda, que empunhou a bandeira nacionalista contra a Hanna com interesses predominantemente políticos, desejava também que a Cosigua (Companhia Siderúrgica da Guanabara) fosse a única beneficiária da permissão para a construção desse terminal na baía de Sepetiba.

Um complicador adicional era a posição do governador Magalhães Pinto. Não só seu posicionamento refletia a tradicional preocupação mineira de exigir compulsoriamente dos mineradores algum esforço de industrialização local — velho tema dos "bernardistas", que repisavam o *slogan* "a exportação de minérios só deixa buracos no solo" — mas estava também em forte oposição à política econômica do governo. Não escondia seu desejo de ver uma substituição da equipe. Originalmente, aliás, ele havia insinuado a Castello Branco uma barganha algo indecorosa. Ficaria ele, Magalhães Pinto, com a orientação política do governo, enquanto Castello Branco cuidaria mais da parte econômica e administrativa. Tendo sido essa insinuação de tutela política fortemente repelida por Castello Branco, Magalhães Pinto mudou de alvo. Passou a almejar ter uma participação direta no comando econômico.

O assunto foi debatido em reunião do Conselho de Segurança Nacional, em 15 de dezembro de 1964, e finalizado com a publicação em 22 de dezembro do Decreto n? 55.282. No Conselho de Segurança a única voz fortemente discrepante foi a do chefe do Estado-Maior, general Peri Costa Bevilácqua, que gongoricamente descreveu a Hanna como "uma ameaça ao Brasil". Em uma intervenção que Castello Branco depois descreveria como "impertinência nacionalística", Peri Bevilácqua manifestou estranheza ante o fato de que John McCloy, diretor da Hanna, tivesse acompanhado o embaixador Lincoln Gordon na entrevista que este solicitara ao presidente Castello Branco, em 6 de novembro, para exame do contencioso.

Castello, preocupado em ouvir todos os lados da questão, e cauteloso quanto a interpretações aleivosas de sua intenção de eliminar áreas de atrito, convocara para essa reunião o presidente da Vale do Rio Doce, Paulo Lima Vieira, e o presidente da COSIGUA, brigadeiro Guedes Muniz. Era uma forma indireta de dar alguma satisfação aos governadores. Presumia-se que Lima Vieira refletisse a posição de Magalhães Pinto, e Guedes Muniz, a de Lacerda.

Além do embaixador Gordon e de John McCloy, participaram da reunião Donald Palmer, da AID (Agência para o Desenvolvimento Internacional) e Anthony Salomon, que foi secretário-adjunto para Assuntos Econômicos no Departamento de Estado e depois viria a ser presidente do Federal Reserve Bank de Nova York. A visita de McCloy foi considerada pelos "nacionalisteiros" um acinte, quando na realidade se tratava de uma personalidade eminente por todos os títulos: ex-secretário-adjunto da Guerra durante a II Guerra Mundial, presidente do Banco Mundial em sua fase formativa (1947-49), alto comissário da ocupação da Alemanha Ocidental, *chairman* do Chase Manhattan Bank e consultor de vários governos — Roosevelt, Truman, Eisenhower e Kennedy.[256]

A motivação dos diferentes atores da peça era ambígua. Magalhães Pinto escreveu três cartas a Castello Branco, em 16 e 29 de outubro e 15 de dezembro de 1964. Na primeira carta dava uma farpada em Kubitschek, a quem atribuía liberalidade nas concessões outorgadas à Hanna, com reservas num montante de 4,5 bilhões de toneladas de minério:

— Em uma palavra — dizia ele — um grupo estrangeiro se apropriou das riquezas minerais e deste estado (Minas Gerais), sem nada pagar.

Na segunda carta fazia várias sugestões mais concretas, de apoio à Companhia Vale do Rio Doce. Essas sugestões incluíam a construção de um ramal ferroviário de Itabira a Belo Horizonte; a constituição de uma sociedade por ações, sob o controle majoritário do governo federal, para a construção e exploração do porto de Sepetiba; a preservação dos "mercados tradicionais" da Vale do Rio Doce; a obrigatoriedade, para os mineradores privados, de reinvestimento, no estado produtor, de 50% dos lucros; a colocação de 40% do capital das empresas estrangeiras à disposição do público brasileiro e a fixação de tarifas da Rede Ferroviária Federal,

---

[256] McCloy havia aliás sido recebido pelo presidente Goulart em Brasília, no começo de março de 1964. Submeteu a Jango dois planos alternativos — A e B — para a solução do contencioso com a Hanna, de forma que julgava capaz de conciliar os interesses brasileiros e americanos. Pelo Plano A, a Hanna operaria as jazidas de ferro contra o compromisso de investir US$18 milhões na construção de um porto de minérios na baía de Sepetiba. Pelo Plano B, a Hanna alugaria 50% das reservas a uma *joint venture* na qual os brasileiros teriam controle majoritário. Goulart prometeu designar uma comissão de três representantes governamentais e três da Hanna para estudarem a proposta. Mas seu governo estava em fase agônica. Poucos dias depois (13 de março) houve o comício da desapropriação de terras e encampação de refinarias, que precipitou o movimento revolucionário. O episódio é descrito por Kai Bird em *The chairman, John McCloy, the making of american establishment*, Nova York, Simon and Schuster, 1992, p. 550-52.

que não prejudicassem a competição entre os mineradores do vale do Paraopeba e do vale do Rio Doce. No fundo, Magalhães Pinto queria também cavalgar a onda nacionalista e aproveitava o episódio para fazer carga contra a equipe econômica, que ele desejava ver substituída por gente mais maleável.

O engenheiro Paulo Lima Vieira, presidente da Vale do Rio Doce, queria ter o conforto do monopólio estatal do minério. Se isso se provasse impossível, desejaria uma reserva de mercado, ou, pelo menos, uma supervisão governamental de preços para preservar a posição competitiva da Vale do Rio Doce, contra supostos concorrentes estrangeiros agressivos. Somente depois vim a saber que, numa irrupção de indisciplina corporativista, freqüente aliás nas estatais brasileiras, Lima Vieira havia financiado, através da Vale do Rio Doce, a ácida campanha do *Jornal do Brasil* contra a nova política de minérios.

Lacerda era de motivação mais complexa. Apesar de acusado pelas esquerdas de "entreguista" e, talvez por isso mesmo, insistia em desfraldar a bandeira nacionalista. Já o fizera antes, no caso da encampação das concessionárias de serviços públicos, tema em que adotava posição equivalente à de Brizola, não só porque não desejava deixar ao "cunhado do Jango" o monopólio do nacionalismo, como porque queria seguir-lhe o exemplo, através da encampação da Companhia Telefônica Brasileira (CTB da Light) e dos próprios serviços de energia elétrica dessa empresa no Rio de Janeiro.

Castello Branco tinha uma visão clara da importância do estímulo à exportação mineral do Brasil. Em 23 de junho de 1964, pelo Decreto n.º 54.042, revogava um decreto de Jango Goulart de 10 de dezembro de 1963, que atribuía ao governo ampla autoridade discricionária para encerrar atividades de mineração. Em setembro, o Congresso removeu um outro obstáculo à exportação mineral, que era o imposto estadual sobre minérios, estabelecido por Magalhães Pinto, que foi substituído por um imposto único sobre minérios, com receita a ser distribuída entre o governo federal e os governos locais.

Era impossível debater racionalmente com Carlos Lacerda, que tinha embarcado numa campanha de vilificação minha e de Mauro Thibau, acusando-nos de "entreguistas" e "defensores dos interesses da Hanna", culpados daquilo que ele chamava, gongoricamente, de "neocolonialismo ideológico". Com Magalhães Pinto procurei debater o assunto, indicando-lhe que a condição de "industrialização forçada", a ser imposta aos mineradores, era contraproducente. Simplesmente diminuiria o número de empresas interessadas na exploração de minérios do Brasil, atraídas que seriam por fontes de minério situadas em países menos propensos ao intervencionismo governamental. Debalde argumentei que a industrialização compulsória não funcionaria e nem era sequer racional. Para a economia brasileira em seu conjunto, haveria vantagem na simples exportação de minério de ferro, porque a receita cambial daí derivada poderia ser utilizada pelo Brasil para a industrialização dos setores e regiões que apresentassem vantagens comparativas. Além disso, o desenvolvimento da exportação mineral em larga escala forçaria melhoramentos no sistema de transportes, criando condições competitivas, que tornariam natural a expansão metalúrgica do país, sem a necessidade de imposições artificiais desencorajadoras do capital estrangeiro.

Tal como finalmente baixado, o Decreto n? 55.282, de 22 de dezembro de 1964, que pôs fim à controvérsia, era bastante menos liberal do que teriam desejado os quatro membros da comissão mais diretamente ligados à área econômica — Otávio Bulhões, eu próprio, Mauro Thibau e Daniel Faraco. Acentuávamos todos a importância de se distinguir entre "reservas minerais", que são cadáveres geológicos, e "riquezas minerais", que dependem de tecnologia, investimentos e mercados, coisas todas de que não tínhamos abundância.

Nossos nacionalistas, dizia eu, costumam fazer uma "elipse do processo", ao confundirem "recurso" com "riqueza". Lembrava ainda que, desanimadas pelas hesitações brasileiras, a Thyssen havia entrado em negociações com a Mauritânia e, durante o período Goulart, a própria Hanna tinha preferido concentrar-se no desenvolvimento de jazidas em Labrador, no Canadá.

O decreto fazia grandes concessões ao nacionalismo minerário prevalecente na época. Estipulava que as empresas mineradoras estrangeiras teriam que aplicar em indústrias metalúrgicas ou outras indústrias, aprovadas pelos estados, todos os seus lucros nos primeiros cinco anos e, subseqüentemente, os lucros excedentes de 12% ao ano. No caso de empresas sob controle brasileiro, essa obrigação de reinvestimento era reduzida para metade. Também as empresas estrangeiras que tivessem contratos ferroviários ou autorizações portuárias teriam que colocar 40% das ações à disposição dos investidores brasileiros. Os terminais construídos na baía de Sepetiba reverteriam ao governo depois de 30 anos, e as companhias que os utilizassem teriam que financiar a Central do Brasil para a compra de carros e locomotivas e para a reabilitação da ferrovia.

Era grande o irrealismo dessas recomendações, num mercado mundial altamente competitivo. O grupo liberal sentiu-se derrotado à época, mas teve compensação mais tarde quando, na revisão do Código de Minas, logrou fazer prevalecer uma orientação liberalizante, que permitiu um grande surto mineral no país, até que o véu do obscurantismo caísse novamente com a votação da Constituição de 1988. Esta representou uma recaída no nacionalismo minerário, que nos últimos anos provocou estagnação na pesquisa mineral e condenou o Brasil a uma crescente e desnecessária dependência do solo alheio.

Visto em retrospecto, o caso Hanna, como a maioria das contendas nacionalistas da época, se revelou absolutamente ridículo. Longe de se transformar num monstro capaz de aniquilar a Vale do Rio Doce, a Hanna acabou associando-se, com participação minoritária, à MRB — Minerações Reunidas do Brasil — sob o controle do grupo Azevedo Antunes. E ainda que não formalmente obrigada a investir na industrialização, tomou a si a responsabilidade de encorajar o estabelecimento no Brasil da indústria de alumínio em Poços de Caldas. Foi a Hanna, através do seu diretor Jack Buford, que se tornou um grande amigo do Brasil, em persuadir John Harpers, presidente da Alcoa, a criar no Brasil a Alcominas, para explorar a bauxita de Poços de Caldas, com financiamento do Banco Internacional.

Quando embaixador em Washington, durante uma fase extremamente confusa do governo Goulart, fui a Pittsburgh para encorajar o *board* da Alcoa a aprovar o investimento no Brasil. "O que há no Brasil", disse-lhes, "é uma névoa que perturbava o bom senso porém não uma noite definitiva da razão."

A Vale do Rio Doce, longe de enfraquecida com a recusa do monopólio, prosperou num mercado competitivo e viria a tornar-se mais tarde, graças sobretudo à liderança esclarecida de Eliezer Batista, a maior companhia exportadora de minérios do mundo. O monstro imperialista da Hanna era assim um "tigre de papel"...

A QUESTÃO DA REMESSA DE LUCROS

Disse alhures que dois traços são característicos da *psique* dos países em desenvolvimento: ambivalência e escapismo. Típico da ambivalência é querermos investimentos estrangeiros sem investidores estrangeiros. É querermos acelerar o desenvolvimento tecnológico e ao mesmo tempo insistir em redescobrir, orgulhosamente, a roda. Típico do escapismo é buscar desculpas externas para evitar reformas internas. É o complexo de transferência de culpa, que nos leva a uma superprodução de demônios explicativos e bodes expiatórios.

No nosso caso, os demônios têm variado no tempo e no espaço. Em meus dias de jovem — é cômico recordar — os demônios explicativos de nossa pobreza eram os *trustes* do petróleo, a Light, a remessa de lucros e a expoliação do comércio internacional por parte dos países ricos, para não falar no ridículo episódio do tório e das areias monazíticas... Mas os *trustes* foram substituídos pelos *sheiks*; a Light tornou-se uma pachorrenta empresa estatal; a remessa de lucros pelos capitais de risco — em média 5% anuais sobre o capital investido — provou-se muito mais barata que a remessa de juros sobre os capitais de empréstimo, que merecem, misteriosamente, nossa preferência. E os responsáveis pela grande expoliação do comércio internacional — os dois choques do petróleo — não foram os países industrializados e sim nossos comparsas do Terceiro Mundo.

Mais recentemente, os demônios da moda foram as empresas multinacionais. E a sangria da dívida externa. Essa justaposição é irônica porque se tivéssemos mais multinacionais como investidoras diretas de capital, teríamos tido menos endividamento. Não somos, entretanto, particularmente seletivos na escolha dos demônios. Agora, em meio à luta antiinflacionária inventamos um novo demônio, os oligopólios privados, esquecidos de que muito mais nocivos são os monopólios estatais. Esqueci-me de dizer que há um demônio de reserva permanente — o FMI, parte do bestiário das esquerdas brasileiras.

Na década dos 40, o tema talvez dominante da argumentação antiimperialista era o protecionismo. O mundo industrializado era visto como o grande inimigo da nossa industrialização. Urgia defendermo-nos contra ele.

O tema da remessa de lucros passou entretanto a dominar o debate a partir do famoso discurso de Getúlio Vargas de 31 de dezembro de 1951 em que, dramaticamente, denunciava uma trama criminosa contra a "economia", a "riqueza" e a "independência" da pátria. Essa trama era representada pela "espoliação" da remessa de lucros.[257] Tratava-se apenas de que a Carteira de Câmbio do Banco do Brasil houvera dado uma interpretação flexível, e aliás bastante lógica, a um decreto-lei de 1946, que estabelecia que a remessa anual de lucros poderia alcançar 8% do capital inicial. A Carteira de Câmbio, através de circular, passou a autorizar remessas de 8% sobre a soma do capital inicial *mais* as reservas reinvestidas. Esse tratamento era minimamente justo, pois que o reinvestimento dos lucros evitaria um simples passeio do capital. Ao invés de sair e voltar como novo investimento, os lucros ficariam no país. A querela era sem importância, quer do ponto de vista técnico quer do ponto de vista estatístico, mas tornou-se um tema de debate passional.[258]

Nossos problemas de balanço de pagamentos não provinham da remessa de lucros, fator pouco expressivo, e sim da estagnação das exportações em virtude do irrealismo da taxa cambial. A taxa oficial sobrevalorizada encorajava as remessas de lucros (que eram, por assim dizer, subsidiadas) e desestimulava o ingresso de capitais. A crise cambial do fim do governo Kubitschek, que projetou sua sombra sobre o período Quadros assim como sobre o governo João Goulart, fez reviver o tema da remessa de lucros, como uma espécie de "demônio substituto".

No fim de 1961, começou a tomar corpo a idéia de que era necessário modificar-se a disciplina de movimentação dos capitais estrangeiros e seus rendimentos. Duas tendências então surgiram no Congresso Nacional. Uma mais restritiva e radical, cujos princípios se definiram num projeto apresentado pelo deputado Celso Brant. Outra, mais realista e pragmática, cujas idéias deram origem a um substitutivo da comissão mista de senadores e deputados, relatado pelo senador Mem de Sá.

O texto finalmente aprovado, a Lei n?. 4.131, de 3 de setembro de 1962, durante o governo Goulart, constitui-se num amálgama desses dois projetos heterogêneos: manteve-se a maior parte do substitutivo da comissão mista, mas ele foi distorcido

---

[257] Passando da palavra ao fato, Getúlio baixou o Decreto n?. 30.363, que vedava o registro de investimentos, com o agravante de fazê-lo em forma retroativa, o que obrigava a uma reestimativa do valor contábil do investimento estrangeiro anteriormente registrado. Logo após o discurso de 31 de dezembro, que compreensivelmente provocou grande comoção entre os investidores estrangeiros, o ministro Horácio Lafer, apreensivo, designou um grupo de estudos para, em caráter confidencial, fazer um balanço estatístico correto do impacto dos capitais estrangeiros. Dele participei, juntamente com San Tiago Dantas, Sidney Latini e Aldo Franco. O balanço das contribuições positivas e negativas dos capitais estrangeiros, feito pelo grupo de estudos, indicava que a sangria cambial denunciada por Vargas tinha sido magnificada desmesuradamente, e que conviria uma retificação de posição. Isso provavelmente explica o recuo de Vargas num sentido mais conciliatório.

[258] Em sua mensagem ao Congresso, em 3 de janeiro de 1952, Getúlio Vargas procurou atenuar o impacto desfavorável do discurso, declarando que não fora sua intenção hostilizar os "investimentos estrangeiros legítimos". Era tarde. O assunto havia entrado na agenda nacionalista. Vide Ricardo Bielchowsky, *O pensamento econômico brasileiro*, Rio de Janeiro, IPEA, 1988, p. 420.

pela inserção de três dispositivos do projeto Celso Brant que instituíam a limitação quantitativa das remessas e das repatriações, e distinguiam entre capital inicial e capital reinvestido.

Nesse tempo, como embaixador em Washington, pude sentir imediatamente os reflexos negativos da nova legislação. Seu mais violento opositor, aliás, foi o próprio Octávio Bulhões, diretor executivo da SUMOC, que em parte se demitiu do cargo pela sua atitude crítica em relação à lei. Em famosa entrevista de televisão, quando lhe perguntaram porque não havia prontamente regulamentado a lei de remessa de lucros, respondeu que não costumava "fazer regulamentos para coisas cretinas". Disse, em seguida, que o gesto demagógico do Congresso ao desencorajar investimentos estrangeiros por essa lei restritiva era um ato de "lesa pátria". Já tinha antes manifestado a Goulart seu desacordo com as tendências esquerdistas reinantes. A aprovação da lei, com apoio do PTB, foi a gota d'água que o levou a confirmar sua renúncia.

O Brasil revelava outra vez sua incapacidade de aprender com a experiência. Toda vez que tínhamos estabelecido freios restritivos à remessa de rendimentos ou à repatriação de capitais, eles se provaram contraproducentes, enquanto que todas as liberalizações trouxeram resultados cambiais favoráveis. Entre 1946 e 1953, vigoraram restrições aos capitais alienígenas, impostas pelo decreto nº 9.025, de 27 de fevereiro de 1946, que limitou a remessa de dividendos a 8% dos capitais registrados e as repatriações a 20%. O saldo do movimento de capitais de risco nos foi desfavorável. A média anual dos ingressos não passou de 15 milhões de dólares, enquanto a das remessas subia a 47 milhões. Todas as vezes que liberalizamos a remessa de capitais os resultados foram favoráveis. Em janeiro de 1953, foi promulgada a Lei nº 1.807, que assegurou aos capitais estrangeiros, e aos seus rendimentos, ampla liberdade de movimentação pelo mercado da taxa livre de câmbio; e em 1955 o professor Gudin, pela Instrução nº 113 da SUMOC (depois incorporada ao Decreto nº 42.820, de 16.12.57), simplificou as normas para a entrada de capitais estrangeiros, sem cobertura cambial. Com essas providências, os capitais estrangeiros de risco passaram a fluir em escala considerável, ao mesmo tempo que caíam as remessas, já que a liberdade de movimentação se transformava em estímulo aos reinvestimentos.[259]

Assim, no período de 1954 a 1961 recebemos uma média anual de 91 milhões de dólares de investimentos diretos, ou seja, seis vezes mais do que no período res-

---

[259] Nos debates na Câmara sobre a revisão da lei de remessa de lucros, de que resultou a Lei nº 4.131, Aliomar Baleeiro colocava o argumento de maneira pitoresca e *tranchant*. "Paradoxalmente, a maneira de reter o capital do gringo, é não assustá-lo com a hipótese de prendê-lo. Se não prender, ele fica."

tritivo. E as remessas de lucros baixaram para a média anual de 33 milhões de dólares, ou seja, 2/3 das remessas do período anterior. Particularmente no período Kubitschek, entre 1956 e 61, a média anual dos ingressos de capitais de risco se elevou a 112 milhões de dólares e a das remessas apenas a 28 milhões.

O desincentivo trazido pela nova lei de remessa de lucros do período Goulart foi rápido. No ano de 1962, enquanto se discutia a lei (que acabou sendo votada em setembro) os ingressos caíram para 71 milhões de dólares. Em 1963, baixariam a 31 milhões de dólares. O tiro, assim, saía pela culatra. Havia prejuízo cambial e não economia cambial com a legislação restritiva.

Expus a Castello Branco, desde a primeira reunião do gabinete, a extrema importância de modificarmos a lei num sentido mais liberal. A retomada de ingressos de capitais estrangeiros era importante para melhorar o nível de investimentos, o que, por sua vez, auxiliaria na manutenção do nível de emprego. Alinhei as medidas necessárias para a correção do desequilíbrio cambial, que seriam: 1) a regularização do sistema cambial, no sentido da promoção e diversificação de exportações, mantendo-se taxas cambiais realistas e, tanto quanto possível, unificadas; 2) a reativação do ingresso de capitais e investimentos privados, o que pressuporia (a) o abandono de atitudes estatizantes expropriatórias; (b) uma revisão de posição no tocante à lei de remessa de lucros, parecendo que o método mais conveniente seria revertermos, por emenda legislativa, ao texto legislado unanimemente por comissão paritária da Câmara e do Senado (projeto Mem de Sá); (c) a remoção de áreas de atrito; (d) a retomada de entendimentos para obtenção de financiamentos de longo prazo de instituições internacionais; e (e) execução do programa de consolidação da dívida externa.

Castello aprovou os objetivos e também a estratégia. Foi enviada ao Congresso mensagem visando a corrigir e aperfeiçoar a Lei n.º 4.131 sobre a remessa de lucros, votada no governo Goulart. A mensagem visava substancialmente a expungir do texto os três malsinados artigos introduzidos pela emenda Celso Brant.

As manobras que precederam a votação da emenda Brant da lei de remessa de lucros, no período Goulart, foram interessantes e intricadas. Originalmente se havia elaborado na Câmara um projeto de lei tendente a "disciplinar a aplicação do capital estrangeiro e as remessas de valores para o exterior". A despeito dos esforços do deputado Daniel Faraco, a proposição foi aprovada e remetida ao Senado. Alertado por Octávio Bulhões das drásticas conseqüências que adviriam, o senador Mem de Sá propôs um interessante artifício ao senador Filinto Müller, líder da maioria no Senado, ou seja, a constituição de uma comissão mista de senadores e deputados, que teria o encargo de elaborar um substitutivo. Foi criada essa comissão mista, presidida por José Maria Alkmin, e tendo como relator geral o senador Mem de Sá. Faziam parte da comissão os senadores Barros de Carvalho e Ruy Carneiro (PTB),

Alaor Guimarães e Sérgio Marinho (PSD), Mem de Sá (PL), e os deputados José Maria Alkmin (PSD), Sérgio Magalhães (PTB), Monteiro de Castro (UDN) e Carvalho Sobrinho (PSP), representando diversas tendências ideológicas.

Em trabalho cuidadoso, o senador Mem de Sá procurou ouvir o pensamento de correntes ideológicas diversas, convidando para depoentes entre outros Eugênio Gudin, da ala liberal, e Caio Prado Junior, reconhecido líder intelectual da esquerda. Assim descreve o senador Mem de Sá o seu trabalho:

"De uma parte, não fixava limites para a remessa de lucros, aspiração e exigência indeclináveis dos capitais que se investem no país. De outra, porém, exigia seu registro e impunha rigorosas restrições às remessas de *royalties* de patentes de invenção e marcas de fábrica 'expressamente vetadas entre as subsidiárias no Brasil, e as matrizes, no exterior', bem como as por assistência técnica a qualquer título."[260]

O substitutivo Mem de Sá passou sem dificuldades no Senado Federal, mas de volta à Câmara foi vitimado por uma manobra regimental. Mobilizaram-se os nacionalisteiros e obtiveram, por voto de liderança na Comissão de Constituição e Justiça, a declaração de inconstitucionalidade do substitutivo, por entenderem que a matéria era de natureza financeira, de iniciativa vedada ao Senado. O pretexto era inválido porque remessa de lucros é um problema cambial, que faz parte da economia, e não propriamente das finanças.

No texto aprovado em 1962, voltaram então a figurar os três artigos críticos do projeto original de Celso Brant, que vale a pena reproduzir pelo desastroso impacto que tiveram sobre os investimentos estrangeiros.

"Art. 31 — As remessas anuais de lucros para o exterior não poderão exceder de 10% sobre o valor dos investimentos registrados.
Art. 32 — As remessas que ultrapassam o limite estabelecido no artigo anterior serão consideradas retorno do capital e deduzidas do registro correspondente para efeito das futuras remessas de lucros para o exterior.
Parag. único — A parcela anual de retorno do capital estrangeiro não poderá exceder de 20% do capital registrado.
Art. 33 — Os lucros excedentes do limite estabelecido no artigo n°. 31 desta lei *serão registrados à parte, como capital suplementar, e não darão direito a remessas de lucros futuros.*"

A ressurreição, por decisão da Câmara, desses dispositivos xenofóbicos (particularmente o art.33) alarmou as autoridades encarregadas da política econômica internacional, que sentiam mais de perto a frustração dos investidores estrangei-

---

[260] Mem de Sá, *Tempo de lembrar*, Rio de Janeiro, José Olympio, 1981, p. 199.

ros, dada a péssima repercussão da notícia nos meios diplomáticos e econômicos.[261] Afonso Arinos, ministro do Exterior, Walther Moreira Salles, ministro da Fazenda, e Miguel Calmon, seu substituto, além de Octávio Gouveia de Bulhões, diretor da SUMOC, fizeram imediatamente sentir a gravidade do 'problema. Calmon, que substituía Walther Moreira Salles, então em viagem ao exterior para renegociação da dívida externa, comunicou, alarmado, o perigo de vermos suspensos novos fornecimentos de petróleo, pois já estávamos com pagamentos atrasados. Bastaria que as companhias de petróleo exigissem pagamento prévio para novas entregas, e a economia brasileira ficaria paralisada. Afonso Arinos propôs a Mem de Sá visitarem ambos João Goulart para explicarem-lhe a gravidade da situação. Mem de Sá sugeria como única solução o veto dos três artigos em causa. Jango não quis assumir a responsabilidade do veto e propôs um artifício "pilatesco": o envio de um novo projeto à Câmara revogando os três artigos fatídicos. Encarregar-se-ia ele de instruir seu líder, Barros Falcão, para a pronta aprovação.

Octávio Bulhões e Mem de Sá prepararam rapidamente o projeto revogatório. Este foi aprovado sem dificuldades no Senado, com apoio de Daniel Krieger, líder da UDN, e de Barros Falcão, líder do PTB. Entretanto, conforme previra Mem de Sá, as dificuldades ressurgiram na Câmara, onde o projeto foi mantido em banho-maria, até que meses depois a Comissão de Justiça decretou sua inconstitucionalidade.

Os efeitos da Lei nº 4.131 são conhecidos: rápido declínio do ingresso de capitais no Brasil: perplexidade, depois transformada em hostilidade, da comunidade financeira internacional, espantada com o irrealismo brasileiro num país carente de capitais. O assunto só viria a ser resolvido no governo Castello Branco, pela Lei nº 4.390, de 16 de julho de 1964. Removeu-se a principal área de atrito — a caracterização dos lucros superiores a 10% como capital suplementar, que não geraria direito à remessa de lucros. Eliminou-se também o limite de 10% do capital registrado para remessas de rendimentos. Essa limitação era contraproducente pois induzia as empresas a remeterem o máximo permitido. Como desincentivo às remessas que excedessem de 12% do capital original, mais reinvestimentos, criou-se um imposto de renda suplemenar de 25%.

Não foi possível, entretanto, persuadir o senador Mem de Sá da conveniência de se liberalizar a remessa de *royalties* de patentes e marcas entre subsidiárias e

---

[261] Uma das dificuldades da lei era que criava situações pitorescas para os investimentos mais antigos no país, especialmente os ingleses. A lei sobre remessa de lucros só reconhecia o capital registrado na moeda de origem. O Moinho Fluminense, empresa britânica, estava no Brasil há mais de um século e seu capital tinha resultado da venda de trigo importado numa caravela. Outro caso curioso era o dos imigrantes portugueses, cujo capital teria sido o trabalho braçal. Ao retornarem aposentados a Portugal não tinham direito a remessas sobre os rendimentos de suas empresas no Brasil, pois não havia ingresso registrado do capital original!...

matrizes no exterior. A remessa, assim como a dedutibilidade do imposto de renda (até 5% do valor das vendas) só foi permitida no caso de empresas nacionais ou empresas mistas com maioria de capital nacional. De outra forma, argüía-se, as remessas podiam tornar-se um artifício para escapar às restrições da transferência de lucros, artifício atraente enquanto a taxa oficial de câmbio permanecesse sobrevalorizada em relação ao mercado paralelo. Sem dúvida, infrações da espécie poderiam ocorrer mas, argumentava eu, desconhecer que os *royalties* são custos efetivos que, na praxe internacional, são rateados entre a matriz e as subsidiárias, seria "legislar pela exceção". Esse constrangimento à transferência de tecnologia não parecia grave na conjuntura da época. Somente em anos mais recentes, com a aceleração das mudanças tecnológicas, a tendência liberalizante do mercado de capitais em quase todo o mundo, e a acirrada concorrência entre os países em desenvolvimento em busca de capitais, a legislação brasileira passou a ser percebida como demasiado restritiva. A Lei nº 8.383, de dezembro de 1991, reconhece a dedutibilidade dos *royalties* sobre marcas e patentes assim como das despesas de assistência técnica, que continuam entretanto sujeitas ao imposto suplementar de renda de 25%. Esse imposto, que já foi eliminado por outros países latino-americanos, seria reduzido para 15% em 1992, 10% em 1993, 5% em 1994, extinguindo-se em 1995. Em matéria de investimentos estrangeiros, o Brasil continua anacronicamente restritivo, particularmente agora que outros países latino-americanos e até mesmo os países ex-comunistas eliminaram quaisquer restrições a entradas de capital e à saída de rendimentos.

Um Esforço
de Racionalidade

Durante os meses que mediaram entre a primeira reunião do gabinete e 14 de agosto, dediquei-me *full time* à preparação de um programa de estabilização que se chamou PAEG — Plano de Ação Econômica do Governo 1964/1966.[262] Além de Octavio Bulhões, colaboraram nesse trabalho Bulhões Pedreira e Mário Henrique Simonsen.[263] A este último se deve a sugestão da fórmula salarial, originalmente aplicada ao setor público e depois estendida ao setor privado pela Lei n? 4.725/65.

Eu havia proposto a Castello Branco o planejamento em *três* estágios. No *primeiro*, que seria nitidamente um programa de emergência, faríamos um diagnósti-

---

[262] O PAEG foi preparado entre abril e agosto de 1964 e amplamente divulgado como o Documento n? 1 do EPEA — Escritório de Planejamento Econômico Aplicado — publicado em novembro de 1964.

[263] Ainda antes do governo Castello, como desejava conciliar atividades empresariais com tarefas acadêmicas e de planejamento, eu sugerira a empresários paulistas a criação de uma associação de pesquisas que pudesse fazer uma avaliação permanente das políticas econômicas do governo Goulart, então instáveis e caóticas, mas sobretudo formular cenários alternativos e análises de perspectivas. Criou-se então em São Paulo a ANPES — Associação Nacional de Planejamento Econômico e Social, presidida pelo empresário Teodoro Quartim Barbosa. Fui seu primeiro secretário geral e convidei para diretor técnico Mário Simonsen. Mal havíamos começado os trabalhos e chegou-me o convite de Castello para o ministério do Planejamento. Simonsen e eu embarcamos então de corpo e alma na preparação do PAEG, com secundária atenção à ANPES. Preocupados, muito justamente, com nosso absenteísmo, os patrocinadores, entre os quais se destacavam Gastão Vidigal, do Banco Mercantil, e Sérgio Mellão, do Brasil, pediam-nos que visitássemos São Paulo para dar conta de nossas atividades. Apresentei-lhes as idéias fundamentais do PAEG, que obviamente eram consoantes com a ideologia da livre empresa (apesar dos receios empresariais de excessivo rigor na concessão de crédito) e ao mesmo tempo apresentei minha renúncia, pela impossibilidade de conciliação das tarefas. Simonsen continuou na ANPES pouco tempo mais, porém, carioca irredutível, detestava os deslocamentos para São Paulo. O curioso da história é que os empresários patrocinadores insistiram em que indicássemos substitutos. Ambos propusemos que o novo secretário geral da ANPES fosse o jovem economista Antônio Delfim Netto. Este depois recrutou Afonso Celso Pastore para o Departamento Técnico. Delfim se tornou três anos mais tarde ministro da Fazenda e Pastore foi brilhante presidente do Banco Central, no governo Figueiredo. Assim, em curto espaço de tempo, a ANPES se tornou uma plataforma de decolagem para a vida pública de três ministros — Campos, Delfim e Simonsen. A piada corrente entre os economistas nos anos 70 era: "Pesquisar na ANPES é o caminho mais curto para mandar em Brasília"...

co e uma declaração de política geral, desenvolvendo-se um simples programa de coordenação das atividades governamentais no domínio econômico. Os dados quantitativos globais seriam utilizados a título meramente indicativo. Seria, em outras palavras, uma estratégia de desenvolvimento e um programa de ação para os dois anos (1964/66). O planejamento seria inicialmente tipo "torre de marfim", pela absoluta impossibilidade de mobilização empresarial e de debate político.

Num *segundo* estágio, iniciado em 2 de fevereiro de 1965, pelo Decreto nº 55.722, se criaria o Consplan, Conselho de Planejamento, um mecanismo participativo baseado na consulta a setores e grupos de interesse, os quais passariam, por assim dizer, a fazer contínuas avaliações críticas do processo de implementação. O Consplan seria o primeiro experimento na estruturação formal da função de consulta no planejamento brasileiro. A composição do Consplan envolvia quatro representantes trabalhistas, quatro da indústria, um membro do Conselho Nacional de Economia, quatro profissionais (incluindo dois economistas, um sociólogo, um engenheiro), três representantes de empresas e organizações estatais e regionais de planejamento e, finalmente, um representante dos meios de comunicação de massa.[264]

No discurso inaugural do Consplan, Castello propunha uma luta em cinco frentes: contra o *fatalismo do consumidor*, que crê inexorável a alta de preços; contra a *indiferença do produtor* à qualidade e preços, habituado a produzir num ambiente inflacionário e protecionista; contra a *ilusão dos assalariados*, habituados a reclamos salariais desvinculados da produtividade, gerando uma espiral de preços; contra a *frustração do poupador*, que ante a erosão de suas economias, se entrega ao consumismo ou à fuga de capitais; contra a *leviandade dos consumidores* conspícuos, cuja ostentação é um insulto aos pobres.

O *terceiro* estágio seria a preparação de um "plano decenal" a título de contribuição para a continuidade de planificação nos governos seguintes. Isso incluiria

---

[264] Como o fez notar o professor Georges-André Fiechter em *Le régime modernisateur du Brésil-1964/1972* (Institut Universitaire de Hautes Études Internationales, Genève, 1972, p. 82), a criação do Consplan revelou um desejo de abertura crítica. Um dos seus membros, o professor Dias Leite, tornou-se um dos mais competentes e articulados críticos do PAEG. Para ele, a chave do desenvolvimento nacional seria o fortalecimento de um "núcleo de expansão econômica" (transportes, petróleo, energia elétrica, siderurgia e minério de ferro), sob o controle do Estado, para dinamizar a economia. Suas receitas, não facilmente operacionalizáveis, incluíam um aumento forçado da propensão à poupança, um aumento da participação do Estado no produto e um aumento da eficiência econômica. As objeções de Dias Leite, respondidas no Consplan por Delfim Netto, encontraram grande eco no Conselho Nacional de Economia, onde Fernando Gasparian desenvolveu intensa campanha contra o PAEG, explorando três temas: o nacionalismo, o protecionismo e o repúdio à recessão. Gasparian pertencia à categoria que eu descrevia irritadamente como "os burgueses de esquerda", que praticam um "capitalismo de balcão" e um "socialismo de salão".

uma estratégia de longo prazo de desenvolvimento, assim como o desenvolvimento de vários planos setoriais.

Expus a Castello minha teoria "racionalista". A Revolução de 1964 fora um rude apelo à realidade; uma tentativa de substituir a paixão pela razão, na direção dos negócios econômicos. Castello concordou em seguida com minha análise dos "três mitos fundamentais" da algaravia populista: a) um desenvolvimento sustentado pode ser conciliado com uma inflação galopante; b) os salários reais podem ser aumentados livremente pelo governo, independentemente do aumento de produtividade; c) pode-se conduzir uma política "nacionalista", sem ter em conta os constrangimentos econômicos e sociais do Brasil.

Passando ao plano do diagnóstico, formulei as seguintes observações:

• No plano conjuntural havia uma inflação que atingira 25% no primeiro trimestre de 1964 o que, em progressão geométrica, resultaria em 144% ao ano; havia preços artificialmente congelados por razões político-sociais — trigo, leite, gasolina, aluguéis, papel de imprensa, serviços de utilidade pública etc. — e um paternalismo salarial que havia criado um grupo privilegiado entre os sindicalistas, uma espécie de "aristocracia do proletariado".

• No plano estrutural, registrava-se uma crise da produção agrícola e insuficiência do sistema de distribuição; a industrialização fora desequilibrada, centrada sobre a substituição de importações em desmedro das exportações, subvencionando-se a adoção de técnicas pouco absorvedoras de mão-de-obra; e finalmente, caracterizava-se na situação de subinvestimento na infra-estrutura material e humana de educação, habitação e transportes.

• No plano institucional, havia a falta de órgãos capazes de formular e executar uma política financeira e ausência de um mercado financeiro organizado.[265]

Ponderei a Castello que seria inevitável explicitarmos uma série de objetivos defluentes desse diagnóstico, com a condição fundamental de que distinguíssemos entre objetivos "condicionantes" e objetivos "condicionados". O objetivo *condicionante* teria que ser indiscutivelmente o controle da inflação, porque se isso não fosse feito todos os demais objetivos, como a distribuição de renda ou o saneamento do balanço de pagamentos, seriam inviáveis. Era inevitável, acrescentei, que o presidente mencionasse os cinco objetivos tradicionais: retomar o crescimento econômico, corrigir disparidades setoriais e regionais, adotar uma política de investimentos capazes de absorver quantidades crescentes de mão-de-obra e, finalmente, corrigir tendências deficitárias do balanço de pagamentos. Mas era importante que

---

[265] O Banco Central, concebido inicialmente como entidade independente, viria a ser criado através da Lei 4.535, de dezembro de 1964. A Lei do Mercado de Capitais (Lei nº 4.728) é de 14 de julho de 1964.

esses objetivos fossem hierarquizados, dando-se absoluta prioridade ao objetivo condicionante — a cura da inflação. Nesse ponto eu marcava uma posição que se poderia dizer "monetarista-ortodoxa", contrariamente à posição "desenvolvimentista", que acreditava na possibilidade de se atingir simultaneamente o objetivo de queda da inflação e aceleração do crescimento.

A estratégia proposta seria uma estratégia que se poderia denominar de "gradualismo rápido". Isso diferencia a postura do PAEG de alguns programas posteriores que Mário Henrique Simonsen designaria como "gradualismo a passo de cágado".

O PAEG diferenciava claramente entre os *objetivos* e os *instrumentos*. Os cinco *objetivos* enunciados eram rituais e clássicos, no sentido de que haviam norteado vários esforços anteriores de planejamento. Eles seriam: a) acelerar o crescimento e desenvolvimento econômico do país, interrompido no biênio 1961-63; b) conter progressivamente o processo inflacionário durante 1964 e 65, objetivando-se um razoável equilíbrio dos preços a partir de 1966; c) atenuar os desníveis econômicos setoriais e regionais e as tensões criadas pelos desequilíbrios sociais, mediante a melhoria das condições de vida; d) assegurar, pela política de investimentos, oportunidades de emprego produtivo à mão-de-obra que continuamente aflui ao mercado de trabalho; e) corrigir a tendência a déficits descontrolados do balanço de pagamentos, que ameaçam a continuidade do processo de desenvolvimento econômico pelo estrangulamento periódico da capacidade para importar.

Mais importante que a enunciação de objetivos genéricos foi a explicitação dos *instrumentos* — política financeira, política de produtividade social e política econômica internacional.

No capítulo da política financeira, os temas versados eram a redução do déficit orçamentário, a política tributária, a política monetária, a política bancária e os investimentos públicos. No capítulo referente à política de produtividade social, incluía-se, como necessidade urgente, a formulação de uma política salarial, da política agrária, da política habitacional e de uma política educacional. Finalmente, no campo da política econômica internacional, buscar-se-ia uma reformulação da política cambial e de comércio exterior, a consolidação da dívida externa e o estímulo ao ingresso de capitais estrangeiros. A ênfase dada aos instrumentos chamados "política de produtividade social" desmente a freqüente acusação, então lançada e depois repetida ao longo do tempo, de desatenção aos aspectos sociais.

Olhando em retrospecto, parecem-me curiosas algumas objeções que se faziam na época à política econômica do governo Castello Branco. Acostumei-me a ouvir dois tipos de objeção que me pareciam infundadas. A primeira, formulada freqüentemente por jornalistas estrangeiros que me visitavam, era de que a Revolução resultara de uma aliança entre militares conservadores e a burguesia empresarial nacional. Respondi-lhes simplesmente que os militares tinham severos preconceitos em relação à classe empresarial. Parte da minha doutrinação era persuadi-los da importância do lucro como um instrumento de eficiência, quando na realidade tendiam a considerar o lucro como uma espécie de secreção do egoísmo capitalista. A mentalidade militar, pelo menos na época, estava longe do que se poderia chamar de espírito capitalista. Muito pelo contrário, a tendência era socializante.

A segunda objeção se referia à suposta insensibilidade social do governo. Na realidade nenhum programa anterior havia explicitado com tanta clareza a necessidade de políticas de "produtividade social", abrangendo quatro aspectos: salários, reforma agrária, habitação e educação.

GRADUALISMO VERSUS
TRATAMENTO DE CHOQUE

O enfoque gradualista do PAEG se opunha ao choque radical, proposto por alguns economistas, mas defendido sobretudo pelo Fundo Monetário Internacional. Não foram fáceis, aliás, as discussões com o FMI, o que torna inverídica e ridícula a acusação de que a administração Castello Branco se tivesse caracterizado por uma abjeta submissão ao ponto de vista dessa instituição...

Em três pontos a filosofia do PAEG diferia daquela recomendada pelo FMI. Em primeiro lugar, este julgava necessário um tratamento de choque, por acreditar que a abordagem gradual permitiria a formação de resistências políticas, que acabariam comprometendo o plano. Na estratégia gradualista, previam-se três fases de ajustamento: a fase de inflação corretiva, a fase da desinflação e a fase de estabilidade de preços.[266]

Em segundo lugar, o FMI não aceitava a idéia da correção monetária, que o ministro Bulhões e eu considerávamos necessária, precisamente em decorrência da adoção de uma estratégia gradualista. Enquanto a inflação não fosse debelada, seria necessário um mecanismo de indexação, com quatro objetivos (a) preservar o estímulo à poupança; (b) atualizar pelo seu valor real os ativos das empresas; (c) desencorajar a protelação dos débitos fiscais e (d) finalmente, criar um mercado voluntário de títulos públicos.

Uma terceira e séria divergência com o FMI era que o ministro Bulhões e eu relutávamos em aceitar metas quantitativas estritas, quer no tocante à taxa de inflação, quer ao déficit público. Alegávamos que o importante seria acordarmos com o FMI uma "estratégia" antiinflacionária e fazermos uma "escolha de instrumentos" tecnicamente adequados. O ritmo preciso de aplicação das medidas deveria ser uma questão de "julgamento político", a cargo do governo.

---

[266] O *rationale* do tratamento gradualista, em vez da opção de choque, propugnada pelo FMI, é exposto em pormenor no PAEG, ed. cit., p. 33. Minha disputa, e a do professor Bulhões, com o FMI, sobre a inviabilidade do tratamento de choque no PAEG repete, melancolicamente, igual debate cinco anos antes, sobre o PEM do governo Kubitschek. Também o PEM era considerado demasiado gradualista como estratégia antiinflacionária. Apenas os personagens mudaram. Em vez da dupla Campos-Lucas Lopes, o novo time era Campos-Bulhões. Ver Thomas Skidmore, *Politics in Brazil*, New York, Oxford University Press, p. 176-78.

Foi impossível entretanto persuadir o FMI da inconveniência de metas quantitativas trimestrais e anuais. Não cedeu ao argumento de que não havia suficiente conhecimento técnico para se postular relações matemáticas entre expansão monetária e déficit, de um lado, e taxa de inflação, de outro. E de que, além disso, dados os múltiplos objetivos a serem atingidos, haveria mister flexibilidade para reconhecer êxitos parciais em alguns dos objetivos, ainda que não traduzidos em sucesso antiinflacionário imediato.

O FMI insistiu, entretanto, na fixação de metas quantitativas. Os meios de pagamento deveriam aumentar não mais que 70% em 1964, 30% em 1965 e 15% em 1966. Presumia-se, de forma mais ou menos mecanicista, que este objetivo seria compatível com uma previsão de redução da inflação para 25% em 1965 e 10% em 1966. Em ríspidos debates, Bulhões e eu acusávamos o FMI de *irrealismo* e *mecanicismo*. Irrealismo porque desejava aplicar ao Brasil um tratamento de choque baseado numa falsa analogia com as hiperinflações européias do pós-guerra. Nesses casos, havia condições objetivas diferentes daquelas do Brasil. A inflação era aguda, porém não crônica; não tinha havido a deformação na composição de ativos, que é característica das inflações crônicas. Esta, no Brasil, levara as empresas, como medida de autoproteção, a se imobilizar, reduzindo ao máximo o capital de giro não protegido contra a inflação. Nessa hipótese, um controle monetário demasiado rígido, sem dar tempo às empresas de mudar a composição de seus ativos, poderia deflagrar um processo generalizado de falências, com grave perigo de estagnação econômica. Em segundo lugar, as economias européias, abaladas por devastações de guerra, eram mais plásticas para aceitar violentas cirurgias porque se haviam debilitado enormemente os interesses consolidados. Em terceiro lugar, a cura da inflação na Europa foi facilitada por maciços programas de auxílio externo, inclusive o Plano Marshall, o que não seria realista esperar no caso da América Latina.

Ninguém definiu melhor a diferença com a hiperinflação alemã, por exemplo, do que Herman Abs, um grande banqueiro e estadista, que me disse de certa feita que a inflação alemã era um "abcesso", que se poderia lancetar, enquanto a inflação brasileira era um "envenenamento", cuja depuração teria que ser mais lenta.

O *mecanicismo* consistia em postular relações unívocas e previsíveis entre a taxa de expansão monetária e o déficit fiscal, de um lado, e a taxa de inflação do outro.

Bulhões era mais otimista que eu quanto à possibilidade de rápida desaceleração inflacionária. Meu ceticismo provinha de que a enorme defasagem dos preços e tarifas públicas (inflação reprimida) nos obrigaria a violentos reajustamentos tarifários que, no curto prazo, impactariam negativamente sobre os índices do custo de vida. Essa diferente percepção estava na raiz de nossa única séria dissensão. Eu favorecia uma taxa flutuante de câmbio, que preservasse as exportações, em face do aumento de custos domésticos, enquanto Bulhões acreditava que as minidesvalorizações denotariam falta de confiança no rápido controle da inflação.

A despeito de acerbos debates, não foi possível persuadir o FMI a abandonar seus postulados mecanicistas. Para eles não bastaria um acordo sobre uma estratégia antiinflacionária e sobre os instrumentos básicos de combate à inflação. Isso porque o Brasil tinha uma larga tradição de inadimplência e, conquanto houvesse percepção da seriedade de propósitos do novo governo, a junta governativa do FMI insistiria em ter metas verificáveis de controle.

— *We need verifiable benchmarks* — era a resposta slogânica dos negociadores do FMI.

Como não nos era possível prescindir do acordo com o FMI, dado que sem ele não se poderia começar a negociar a consolidação das dívidas cambiais em atraso com banqueiros e governos estrangeiros, cedemos relutantemente às exigências dessa instituição, indicando entretanto que, em nosso julgamento, a experiência revelaria a necessidade de flexibilização.

Outra coisa não aconteceu. A taxa de expansão monetária em 1965 foi de 70% contra uma previsão de 25%. Entretanto, fatores supervenientes justificaram amplamente esse desvio. De um lado, houve uma fenomenal colheita agrícola (acréscimo de 13,8% em relação a 1965), obrigando o governo a comprar e a estocar cerca de 25 milhões de sacas de café. De outro lado, registrou-se um superávit em conta corrente, com efeitos monetários expansionistas, ao contrário do esperado déficit em conta corrente, que teria efeito deflacionário. E o inesperado saldo em conta corrente não poderia ser esterilizado pela venda de títulos públicos, pela inexistência de mecanismos de *open market*. O mecanismo de *open market* só foi sistematizado em 1966, quando já se tinha implantado o sistema de correção monetária, usando-se inicialmente obrigações do Tesouro de prazo longo, próximos da data de vencimento.

O mau desempenho, em termos de expansão monetária, era assim de sobra compensado pelo bom e inesperado desempenho em matéria de balanço de pagamentos. A performance fiscal, graças a uma combinação de maior receita de impostos e corte de gastos, foi excelente. Como proporção do PIB, o déficit público nominal declinou de 4,2% em 1962, para 3,2% em 1964, para 1,6% em 1965 e para apenas 1,1% em 1966. E o que é mais importante, a forma de financiamento do déficit melhorou. Em 1965, a percentagem do déficit financiado por emissões de papel-moeda foi de 45% e em 1966 foi todo ele financiado pela venda de títulos públicos, sem emissão de papel-moeda e sem impacto maior sobre a taxa de juros.

Parte do folclore das esquerdas da época, então como hoje intelectualmente subnutridas, era a acusação de uma outra falsa submissividade: o PAEG teria sido uma imposição americana, um transplante de normas ortodoxas do capitalismo ianque. Na realidade, o objetivo de combater a inflação e promover reformas estruturais era simples imperativo de bom senso. Há várias maneiras de cair na inflação, mas uma só maneira de dela sair: ajustar o ritmo de expansão monetária ao ritmo possível de crescimento do produto. Isso é verdade tanto em economias capitalistas como em economias socialistas.

O PAEG não era, assim, uma doutrina de Washington. Era uma reflexão realista sobre os problemas nacionais, utilizando-se o instrumental clássico. Ortodoxia é, no fundo, a compilação das experiências que deram certo. Nas décadas subseqüentes ao PAEG viriam vários planos heterodoxos. Todos buscaram originalidades desnecessárias e nenhum deu certo. É tempo — como diz Tom Jobim — de os brasileiros pararem de admirar o que não deu certo.

A CONTROVÉRSIA
SOBRE PLANEJAMENTO

Conquanto nunca tivesse um entusiasmo dogmático pelo planejamento, minha visão do problema era então um pouco ingênua. Assim me expressava na introdução ao PAEG:

"A ação do setor público no sentido de melhor conduzir o sistema econômico à consecução dos objetivos escolhidos pela comunidade, notadamente em países subdesenvolvidos, baseia-se em princípios pouco controvertidos, tais como:
a) O livre jogo das forças de mercado não garante necessariamente a formação de um volume desejável de poupança; b) o sistema de preços nem sempre incentiva adequadamente a formação de economias externas (investimentos em educação, estradas etc.), dada a desvinculação entre a respectiva rentabilidade e a produtividade social correspondente; c) o livre jogo das forças de mercado não leva necessariamente a uma distribuição satisfatória da renda nacional entre pessoas e regiões; d) a eficácia do sistema de preços pode ser apreciavelmente distorcida pelas imperfeições espontâneas ou institucionais do mercado."[267]

Hoje, depois de exposto por tempo muito mais longo à pregação de Von Mises e Hayek, reconheço que eram válidas as críticas que fazia Eugênio Gudin à minha ingenuidade de planejador. Os princípios que eu chamava de "pouco controvertidos", acima enumerados, na realidade podem ser objeto de larga controvérsia. Se é verdade que o livre jogo das forças de mercado não garante necessariamente a formação de um volume desejável de poupanças, é também verdade que iniciativas governamentais mal concebidas acabam desestimulando a poupança. É válido o princípio de que ao governo cabe uma responsabilidade importante na formação de economias externas, mas é necessário lembrar que essa ação pode ser compartilhada. Assim, investimentos na infraestrutura econômica como energia, transportes e comunicações podem e devem ser partilhados com a iniciativa privada.

---

[267] Programa de Ação Econômica do Governo 1964-1966, Documentos EPEA, novembro 1964, p. 13.

Historicamente, aliás, a infraestrutura brasileira de energia elétrica, ferrovias, telefones e portos nasceu de investimentos estrangeiros, de ingleses, americanos, canadenses e franceses. Sem a tecnologia herdada da Brazilian Traction e da Bond & Share, o desenvolvimento da CEMIG e da Eletrobrás teria sido muito mais lento.

É relativamente recente o preconceito de que os chamados "setores estratégicos" devem ser de propriedade estatal. Os interesses estratégicos do governo podem ser preservados pelo poder eminente de regulação do Estado, sem necessidade de controle acionário. O governo pode exercer controle regulatório, sem controle gerencial, e controle gerencial, sem controle patrimonial. A idéia de que o governo deve estatizar os *commanding heights* da economia é um dos piores legados do socialismo fabiano. Passou a fazer parte de nossa "sabedoria convencional", sendo acriticamente aceito como um postulado "nacional-desenvolvimentista". Por curiosa ironia, os mais ousados programas atuais de privatização são precisamente os conduzidos pelo governo Thatcher na Inglaterra. É uma vacinação contra o socialismo fabiano.

O grande prestígio da idéia de planejamento no Brasil só foi comparável à extensão de seu fracasso. Por muito tempo, em torno da palavra "planejamento" se desenvolveu toda uma mitologia. Assim, Juscelino Kubitschek obteve consideráveis dividendos políticos do seu Plano de Metas, no qual via um elemento de formação de consenso e de mobilização. Jânio Quadros, partindo de orientação política oposta, foi também levado a estabelecer uma Comissão de Planejamento, em maio de 1961; para João Goulart, o Plano Trienal, preparado por Celso Furtado, era um instrumento para obter respeitabilidade em face da classe média, amedrontada pelo radicalismo, e das classes empresariais, duvidosas de sua orientação esquerdista.

Castello Branco trazia um engajamento maior em relação à idéia de planejamento, refletindo sua experiência de oficial de Estado-Maior. Para ele o planejamento era um instrumento de racionalização da ação governamental e do estabelecimento de um grau razoável de coerência administrativa e continuidade.

Nessa época, as dúvidas sobre a relevância do planejamento, num contexto de estatísticas inadequadas, instabilidade política e descontinuidade administrativa, eram confinadas a um ciclo relativamente pequeno de economistas liberais e empresários tradicionalistas. Em todos os níveis de governo — federal, estadual ou municipal — havia uma aceitação formalística e acrítica da imprescindibilidade do planejamento. Isso, a despeito de ser inadequado o mecanismo de implementação burocrática e do fato de que o alcance de cónsenso político estava habitualmente confinado a objetivos muito gerais, que não significavam um compromisso operacional válido por parte dos partidos políticos.

Não me faltava consciência desses problemas ao meter mãos à tarefa de planejamento, dividida, como se mencionou antes, em duas partes: a preparação de um programa de emergência para o período 1964/1966 e, subseqüentemente, a de um plano decenal, como contribuição a futuros governos, num desejo um pouco ingênuo de assegurar continuidade à obra administrativa.

A percepção das dificuldades, que se classificavam em três grupos — ideológicas, técnicas e institucionais — não era motivo de desânimo. Àquela altura eu não estava ainda preparado para a humilde tese de Hayek, para quem a economia não é senão o "estudo das conseqüências imprevistas da ação humana".

O debate ideológico centrava-se na compatibilidade ou não do planejamento geral ou compreensivo com a dinâmica do capitalismo, baseada esta na livre empresa e na economia de mercado, de um lado, e no processo de barganha política dos sistemas democráticos, do outro. Certamente que a existência ou não dessas incompatibilidades seria função da abrangência do planejamento, dos métodos de alocação de recursos e da natureza do mecanismo de implementação. Nas democracias políticas — isso é verdade também nos regimes autoritários com forte setor privado — mesmo os planos nacionais mais compreensivos são meramente indicativos, no tocante ao setor privado, e freqüentemente mais coordenativos que mandatórios, em relação às subdivisões regionais.

Notadamente, ao contrário do que sucede nos regimes socialistas, o planejamento, no mundo ocidental, quer nos países desenvolvidos, quer nos países em desenvolvimento, sofre vários constrangimentos. Estes decorrem seja da predominância da livre empresa no grosso da atividade econômica, seja da soberania cambiante do consumidor e da não arregimentação da mão-de-obra. Nesses casos, a formulação de política tem que resultar de compromisso e barganha política, antes que do poder normativo de uma autoridade planejadora central.

Sustentava eu, entretanto, que, conquanto seja limitado o grau de planejamento compatível com a preservação de estilos não-socialistas de crescimento, a utilização do planejamento não significaria necessariamente, como alguns liberais brasileiros pretendiam, uma espécie de perversidade socialista. O planejamento, num sentido genérico, é em si mesmo politicamente neutro. Poderia abrir a porta para a socialização, ao estimular controle governamental excessivo e dirigismo econômico. Mas poderia ser também utilizado para fortalecer a iniciativa privada, "substituindo intervenções erráticas e perturbadoras do governo por políticas definidas; clarificando os campos respectivos de ação do governo e da iniciativa privada; apontando os objetivos gerais de crescimento e estabelecendo incentivos para a ação empresarial".

Muito do debate no Brasil entre os "intervencionistas" e os "liberais" sobre a necessidade e os perigos do planejamento — sendo os intervencionistas supostamente autoritários e os liberais supostamente democratas genuínos — não fazia muito sentido *in abstracto*.

Só adquiriria relevância à luz de compromissamento ideológico e métodos de operação. Praticamente, todos os planos brasileiros (sem excluir o Plano Trienal do governo Goulart, que poderia ser suspeitado de tendências socializantes) colocavam ênfase sobre o fortalecimento do setor privado. E, desde que não havia disciplina compulsória de implementação, diminuía a força da acusação de intervencionismo. Na realidade, as intervenções perturbadoras e socializantes encontradiças na vida brasileira, que resultaram num alargamento da área de operação governamental muito além da capacidade administrativa da burocracia, ocorreram independentemente dos desígnios dos planejadores.

Mais relevante talvez na discussão que as objeções ideológicas ao planejamento, eram as limitações de natureza técnica e institucional. Os constrangimentos técnicos são conhecidos. Resultam de deficiências estatísticas, da escassez de material humano, da larga participação do setor agrícola (cujo planejamento é dificultado pela atomização das unidades produtoras), assim como da enorme variabilidade resultante do setor externo (exportações e ingresso de capital).

No plano institucional, os obstáculos ao planejamento compreensivo eram vários. Primeiro, a existência de subdivisões políticas autônomas, o que limitaria o planejamento federal a um mero esforço de coordenação. Em segundo lugar, a inadequação da máquina de implementação. Os planos são em geral concebidos por técnicos, mas têm de ser implementados através da máquina burocrática. Assim, enquanto os planejadores constituem uma espécie de burocracia "weberiana", interessada na racionalidade e especialização de estruturas, os planos têm que ser implementados por uma burocracia "prismática", para usar a classificação de Fred Riggs, interessada esta mais na preservação do seu *status quo* que no desempenho. Terceiro, a falta de um mecanismo político de formação de consenso. O personalismo e faccionalismo dos partidos políticos tradicionais tornam difícil um esforço de formação de consenso e ainda mais difícil o comprometimento com a implementação de objetivos específicos de planejamento. A isso se acrescenta a instabilidade política. Precisamente pela dificuldade de formação de consenso, os planos representam pouco mais do que um compromisso pessoal do chefe do Executivo, sendo a instabilidade dos planos proporcional à instabilidade das lideranças.

De 1956 a 1964, houve nada menos do que quatro presidentes — Kubitschek, Quadros, Goulart e Castello Branco — cada um deles anunciando substanciais mudanças, não tanto nos objetivos gerais, como nas prioridades específicas e técnicas de implementação. Isso levou muitos economistas e cientistas sociais a questionarem a relevância de esforços de planejamento, num contexto político instável.

Limitar-se-iam eles a recomendar um enfoque muito mais modesto, baseado na criação de "ilhas de racionalidade".[268]

Ao longo da gestação do PAEG, abriram-se duas controvérsias. Uma, de muito maior respeitabilidade, provinha das observações do professor Gudin, que via na idéia do planejamento uma das grandes idiossincrasias da Cepal: a propensão ao intervencionismo estatal e ao dirigismo planificador. Para Gudin, cultor da escola austríaca, a ciência econômica não tinha outro propósito senão "explicar" as conseqüências não-intencionais da ação humana. Gudin rejeitava *in limine* o estado intervencionista, assistencial e planejador. Nossas divergências, entretanto, eram talvez mais semânticas do que reais. Para mim, o planejamento não era senão uma tentativa de racionalizar a ação governamental e não de modificar fundamentalmente o comportamento humano.

A outra linha de objeção era de caráter político e seu arauto principal era o governador Carlos Lacerda. Especialista em criar bonecos de palha para depois destruí-los, Lacerda descrevia o PAEG como um "código de intervencionismo e dirigismo estatal", aplicado a uma economia "socializante sem ser socialista, com um palavreado liberal e atos intervencionistas". Achava o PAEG comprometido pelo vício original de tomar o complexo econômico, numa sociedade democrática, como algo que pode e deve ser objeto de um planejamento ou programa global. E pleiteava a adoção de uma "política de soluções práticas, adaptável às circunstâncias". Em vez do planejamento, caberia perseguir um "oportunismo econômico", capaz de aproveitar os fatores favoráveis que viessem a surgir e não sofrer, por sua rigidez, os desgastes dos fatores contrários.[269]

---

[268] Coincidentemente com o declínio do keynesianismo, surge hoje um áspero revisionismo em relação ao "dogma dirigista", subjacente às teorias do *development economics*. A mais compacta e articulada crítica é a do professor Deepak Lal, em *The poverty of development economics*, London, (Institute of Economic Affairs, 1984). Deepak Lal questiona as quatro premissas básicas do "dogma dirigista". Primeiro, a crença que o mecanismo de preços tenha de ser "corrigido" pela intervenção governamental. Segundo, que a tarefa essencial do governo seja traçar e implementar uma estratégia de crescimento, que enfatiza a administração de agregados macroeconômicos, subestimando as reações microeconômicas dos agentes no mercado. Terceiro, que o liberalismo comercial do século XIX não seja válido para os países em desenvolvimento, justificando-se restrições do comércio e pagamentos. Quarto, que para aliviar a pobreza e melhorar a distribuição de renda seja necessária contínua intervenção governamental através de controles de preços, salários e orientação da produção. Deepak Lal cita evidências empíricas para demonstrar que as imperfeições burocráticas são piores que as imperfeições do mercado. A Índia, intervencionista, teve menos êxito que os tigres asiáticos, mais liberais. Os países que interferiram menos com as forças do mercado e mantiveram corretos os preços relativos lograram maior ritmo de crescimento e maior bem estar. *Get your prices right* é a fórmula, particularmente no tocante aos dois preços-chaves: a taxa de juros, que deve ser positiva, e a taxa de câmbio, que deve ser realista.

[269] Carlos Lacerda, carta ao presidente Castello Branco em 17/5/65, transcrita no livro *Dez anos depois*, de Claudio Lacerda, Rio, Nova Fronteira, 1987, p. 104.

A objeção era basicamente injusta. Na própria introdução ao PAEG, se explicitava o sentido do planejamento numa economia democrática com as seguintes palavras:

"A idéia de planejamento não é incompatível com a predominância da livre empresa no sistema econômico. As nações mais tradicionalmente capitalistas recorrem pelo menos a um embrião de planejamento ao programarem seus investimentos públicos e ao fixarem a sua legislação econômica. Reciprocamente, nenhuma economia real abandona por completo as forças do mercado. O mundo real compõe-se assim de mistura de planejamento e de sistemas de mercado. As proporções da mistura variam conforme os regimes econômicos, mas os sistemas nunca chegam a se substituir por completo. Faz parte do conteúdo essencial de um plano o conjunto das decisões governamentais concernentes à política econômica. Numa economia onde predomina a livre empresa, esse conteúdo forçosamente se restringe à esfera de decisões dos poderes públicos."

E, finalmente:

"O PAEG não tem a pretensão de apresentar-se como um plano global de desenvolvimento, mas apenas como um programa de ação coordenada do governo no campo econômico. As quantificações globais utilizadas são de caráter meramente indicativo. Procurou-se, ainda assim, formular uma estratégia de desenvolvimento e um programa de ação para os próximos dois anos, período em que se lançariam as bases para um planejamento mais orgânico e de longo prazo."

Visto em retrospecto, havia na formulação do PAEG um certo grau de otimismo ingênuo. Procurava-se reproduzir no Brasil a teoria do "planejamento indicativo", que à época parecia bem-sucedido na França. Mais ainda que no PAEG — documento forjado em apenas quatro meses — no Plano Decenal adotar-se-ia intensamente a sistemática francesa de grupos setoriais, com representantes do setor privado, para a formulação de estratégias específicas de desenvolvimento, unindo-se a visão teórica dos economistas sobre prioridades e alocação de recursos à experiência prática do setor privado.

À luz da experiência européia recente, não é claro que o modelo francês tenha sido particularmente bem-sucedido. Sem dúvida terá contribuído para acelerar a modernização da indústria francesa no período do pós-guerra. Mas pode-se arguir que sem nenhum mecanismo formal de planejamento — simplesmente pela liberalização econômica e obediência a sinalizações do mercado — a Alemanha Federal conseguiu resultados talvez superiores. Objeto de aguda controvérsia até hoje é medir-se a eficácia real do tipo de planejamento japonês corporificado no MITI (Ministry of International Trade and Industry), que se tornou um mito famoso nas discussões do planejamento. O extraordinário sucesso obtido pelo Japão na escolha de setores de ponta, na coordenação de esforços e na "graduação" tecnológica das indústrias reabilitou para muitos a idéia de planejamento governamental. O MITI entretanto se limita a duas tarefas. De um lado, explicitar a visão governamental sobre os setores prioritários, visão que reflete a "capacidade de pensamento telescópico" do governo, isto é, uma visão de longo prazo. De outro, um esforço de coordenação de atividades privadas, principalmente através da oferta de créditos e incentivos.

A percepção de uma capacidade divinatória atribuída ao MITI japonês vem sendo entretanto bastante questionada ultimamente. Tem havido erros e acertos. O MITI, por exemplo, aconselhava às indústrias japonesas do setor automobilístico fusões e incorporações, a fim de compactar o número de empresas, para que se tornassem capazes de concorrer com os gigantes americanos. A indústria desobedeceu. Não houve a compactação empresarial e, ao revés, o acirramento competitivo permitiu às múltiplas indústrias japonesas grande sucesso em nichos de mercado.

Também a recomendação para que, na eletrônica e informática, as firmas deixassem de competir na pesquisa, fundindo seus esforços, foi desobedecida com proveito pelas empresas japonesas. Mantiveram suas organizações de pesquisa separadas e competitivas, e lograram extraordinário avanço na informática e eletrônica. E a expansão planejada da indústria de construção naval resultou em excesso de capacidade, que teve de ser penosamente corrigido.

Dúvidas semelhantes se podem avançar em relação ao modelo sul-coreano. Também ali a intervenção planejadora governamental levou, na década dos 70, a um esforço exagerado na criação de indústrias pesadas como o aço, a construção naval e, num plano diferente, a petroquímica, tudo resultando num grave superdimensionamento. Houve entretanto um recuo oportuno, e o desenvolvimento industrial se orientou no sentido da diversificação em indústrias de alta tecnologia. O importante na Coréia foi manter uma taxa cambial neutra entre exportações e importações, deixando que o mercado selecionasse as indústrias mais competitivas.

O Brasil engajou-se no planejamento industrial intensivo de substituição de importações, mais ou menos à mesma época em que a Coréia do Sul, isto é, após a primeira crise de petróleo, na década dos 70. Mas não manteve as sinalizações corretas em termos de taxa de juro positiva e taxa cambial realista, de sorte que as deformações foram muito mais profundas e muito menor a flexibilidade de adaptação. Sobretudo porque a "exportabilidade" era vista como um subproduto e não uma preocupação fundamental do modelo industrial.

A estratégia de "gradualismo rápido" do PAEG se viu logo entre dois fogos. A prioridade absoluta da luta contra a inflação despertava a oposição de numerosos economistas que, imbuídos das idéias cepalinas, ainda viam na inflação um estimulante necessário ao desenvolvimento. De outro, os peritos das organizações monetárias internacionais (FMI e Banco Mundial), assim como os representantes de governos credores do Brasil, que atribuíam uma virtude quase mística ao retorno imediato da estabilidade da moeda, favorecendo assim o tratamento de choque.

Aos principais autores do PAEG — Octávio Bulhões, Bulhões Pedreira, Mário Henrique Simonsen e eu próprio — não faltavam uma visão ampla das dificuldades e uma visão modesta das possibilidades.

A primeira dificuldade residia no conflito entre estabilidade e desenvolvimento. A conjunção fortuita e artificial de uma inflação acelerada com substancial desenvolvimento no período pós-guerra, até o fim da era Kubitschek, levou muitas pessoas a acreditar que a inflação era um acompanhamento necessário, senão um fator causal, do desenvolvimento. Isto era contrário a toda a experiência internacional e veio a ser dolorosamente desmentido pela experiência brasileira ulterior, inclusive no início da década dos 60 e depois, mais dramaticamente, nos anos 80, quando a aceleração da inflação foi acompanhada de estagnação e mesmo retrocesso. O penoso reajustamento da produção a um formato mais consistente com condições monetárias estáveis — eliminando-se a formação de estoques especulativos e a fuga para os bens duráveis de consumo como substituto para a moeda — causa atritos políticos que levam freqüentemente ao abandono prematuro dos programas de estabilização, sob o atraente *slogan* de "salvar o país da estagnação".

Um segundo conflito decisório centra-se na questão do "nacionalismo *versus* absorção de recursos externos". De há muito se reconhece que o impulso passional do nacionalismo pode ser uma força potente na mobilização de energias para o desenvolvimento, e no condicionamento das massas para os sacrifícios requeridos. De outro lado, tende a fomentar padrões irracionais de comportamento, tornando mais difícil a absorção de tecnologia e levando a uma rejeição acrítica do investimento estrangeiro, antes que as fontes locais de poupança tenham sido mobilizadas para preencher a brecha.

Além desses conflitos decisórios, os problemas maiores, que se sabia teriam de ser enfrentados pelos planejadores brasileiros ao formatar sua visão do futuro, seriam (1) A alta taxa de crescimento demográfico endógeno, (2) A exaustão do modelo de substituição de importações como propulsor do crescimento, (3) As restrições externas do balanço de pagamentos, e, *last but not least*, a instabilidade política. Esta última é uma condicionante particularmente vital. É irretorquível a constatação de Albert Walterston, em sua análise das experiências de planejamento do desenvolvimento, de que:

".... Quando os líderes de um país com governo estável são profundamente devotados ao desenvolvimento, as inadequações de qualquer forma particular de planejamento usado — ou mesmo a falta de qualquer planejamento formal — não impedirão seriamente o desenvolvimento do país. De outro lado, na ausência de um compromisso político ou estabilidade, a mais avançada forma de planejamento não trará nenhuma contribuição significativa para o desenvolvimento de um país."[270]

Os percalços da descontinuidade foram melancolicamente ilustrados pelo fato de que o Plano Decenal, legado por Castello Branco à administração Costa e Silva como uma contribuição de planejamento estratégico, foi por esta prontamente consignado ao esquecimento, por ser interpretado como um esforço de tutelagem. Entretanto, o Plano Decenal era uma contribuição importante. Sanava algumas das objeções merecidamente formuladas ao PAEG.

Os avanços do Plano Decenal sobre os esforços anteriores eram de tríplice natureza. Primeiro, muito maior atenção era dada aos setores sociais, particularmente à educação. O planejamento educacional anteriormente feito se baseava principalmente em dados de crescimento demográfico, o que levava a uma rigidez ineficaz na distribuição do investimento em educação. O novo enfoque era baseado em estudos de demanda efetiva de mão-de-obra, do que resultava um planejamento de investimentos mais diretamente relacionado com o perfil da procura de mão-de-obra especializada. Além disso, um ponto central era o investimento em habitação, contemplado não só como um estabilizador social mas como uma contribuição importante para a criação de empregos. Um terceiro avanço do Plano Decenal era a atenção detalhada dada à agricultura, em vista da relevância do crescimento da produtividade agrícola para controlar a inflação e assegurar a viabilidade do balanço de pagamentos. Entretanto, a contribuição técnica decisiva do Plano Decenal era o planejamento macroeconômico e a construção de modelos. Pela primeira vez, nesse plano, se relacionava o planejamento setorial com uma moldura mais ampla de políticas monetária, fiscal e de comércio exterior.

Várias estratégias alternativas eram analisadas, e testes de consistência aplicados, a fim de se determinar a compatibilidade entre os objetivos de crescimento e a estabilidade de preços, assim como a preservação da viabilidade do balanço de pagamentos. Curiosamente, o Plano Decenal estimava que a taxa máxima de crescimento que a economia brasileira podia atingir, diante dos constrangimentos do crescimento demográfico, da inflação e do balanço de pagamentos, seria de aproximadamente 5,5% anuais. Taxas de crescimento muito maiores, da ordem de 8 a 10%, foram subseqüentemente atingidas, mas não sem provocar tensões, seja

---

[270] Albert Waterston, *Development planning: Lessons of experience*, Baltimore, John Hopkins Press, p. 6.

inflacionárias, seja de balanço de pagamentos, que tornaram essas taxas de crescimento não-sustentáveis. Um ritmo mais modesto de desenvolvimento poderia provavelmente resultar num crescimento mais sustentável a longo prazo.[271]

---

[271] O Plano Decenal foi elaborado pelo EPEA, para cuja supervisão eu havia designado João Paulo dos Reis Velloso, que conhecera como estagiário na Universidade de Yale quando recebi, como embaixador em Washington, o prêmio "Chubb", distinção concedida por essa universidade a acadêmicos e estadistas. O EPEA mobilizou vários grupos de trabalho setoriais, abrangendo funcionários públicos e empresários, segundo metodologia semelhante à do Commissariat Général du Plan, na França. Colaborou também, sobretudo na modelagem macroeconômica, um grupo de economistas da Universidade de Berkeley, na Califórnia, chefiado pelo professor Howard S. Ellis. Entre esses economistas figuravam Albert Fishlow, Joel Bergsman e Samuel Morley. Vários dos trabalhos desse grupo foram publicados no livro *The economy of Brazil*, organizado pelo professor Howard S. Ellis. Reis Velloso viria a ser futuramente ministro do Planejamento dos governos Médici e Geisel. O secretário geral do EPEA foi Victor Alves da Silva, que foi diretor no BID e durante muitos anos supervisionou a revista APEC, formando um núcleo de resistência ao intervencionismo econômico e de defesa da economia de mercado.

O DEBATE SOBRE O PAEG

O PAEG teve existência atribulada. Já foram mencionadas as duas críticas básicas, a crítica *política* de Carlos Lacerda e a crítica *técnica* das agências internacionais. Estas se referiam sobretudo à heterodoxia do tratamento gradualista.

Vista em retrospecto, a situação era bizarra. Internamente acusava-se o PAEG de ser um programa monetarista e ortodoxo: e internacionalmente se julgava que fosse um perigoso exercício de gradualismo, quando a gravidade da inflação brasileira sugeriria um tratamento de choque.

Mas passemos às outras objeções. Podem ser classificadas em três grupos – as objeções *estagnacionistas*, as *nacionalistas* e as *distributivistas*.

O PAEG era acusado de ter provocado uma violenta crise recessiva e de, possivelmente, condenar o país a uma prolongada estagnação. A realidade, naturalmente, era diferente. A taxa de crescimento havia caído para 1,6% em 1963, o último ano do governo Goulart. Nos três anos de aplicação do PAEG — 1964-65 e 66 — a taxa de crescimento foi sempre positiva, o que desmente a hipótese *estagnacionista*. Na realidade, foi um dos raros programas de estabilização, relativamente bem-sucedido, em que se logrou conciliar a queda da inflação com a manutenção do crescimento.[272]

A segunda objeção era de tipo *nacionalista* e se apresentava sob vários aspectos. Uma das reclamações provinha da penúria de capital de giro das empresas nacionais, comparativamente às estrangeiras. Obviamente, isso não era nenhum resultado intencional do programa de estabilização. Provinha em grande parte do fato de que, quando foi instituída a correção monetária sobre os débitos fiscais, as empresas brasileiras, que costumavam postergar o pagamento de impostos para vê-los diluídos pela inflação, sentiram-se subitamente privadas de capital de giro, comparativamente às multinacionais. Estas tinham maior pontualidade fiscal e recorriam menos a técnicas de postergação no pagamento de impostos.

A outra reclamação, acerbamente discutida na época, se referia à Instrução 289 da SUMOC, de 14 de janeiro de 1965. Na realidade essa instrução era um melhoramento

---

[272] Para uma análise técnica balanceada dos aspectos teóricos e práticos do PAEG, ver o ensaio de Rubens Penha Cysne. "Income and demand policies in Brazil", na coletânea *Banking and financial deepening in Brazil*. Macmillan. 1990. pgs. 55-87. O autor enfatiza corretamente que o PAEG não era meramente um programa de estabilização, mas abrangia importantes reformas estruturais.

do sistema de *swap* privado, introduzido em 1953 para captar divisas, num período de forte desequilíbrio do balanço de pagamentos. Disso resultara um saldo devedor de cerca de US$364 milhões, herdado pelo governo revolucionário. A Instrução 289 retirava do Tesouro o risco de câmbio, que passava a ser assumido pelo destinatário dos fundos. A garantia única dada, indubitavelmente importante, era a autorização da repatriação das divisas no vencimento do contrato, sempre à taxa do dia.

A justificativa essencial era instituir-se uma fonte permanente de injeção de meios externos, uma espécie de *working capital fund*, extremamente útil, particularmente em vista da difícil posição do balanço de pagamentos. De outro lado, como havia necessidade de limitação da expansão de crédito para propósitos antiinflacionários, seria interessante canalizar a procura de crédito por parte das empresas estrangeiras para a captação de recursos externos, diminuindo-se assim sua competição com as empresas nacionais no mercado bancário interno.

A Instrução 289 era aberta indiferentemente a firmas nacionais e estrangeiras, mas na realidade estas últimas estavam mais capacitadas para valer-se dela. Era uma contingência inevitável da escassez de divisas. As objeções à 289 muito se assemelhavam às objeções anteriormente formuladas à Instrução 113, no tempo do professor Eugênio Gudin. Acusada de privilegiar empresas estrangeiras, foi na realidade um instrumento que permitiu a indução de capitais externos para a execução do Programa de Metas do presidente Kubitschek, com enorme efeito multiplicador na geração de empregos e investimentos locais. Em sua ausência, dificilmente esse programa se teria concretizado, perdendo-se o efeito multiplicador que abriu novas oportunidades para o empresariado brasileiro.

A outra objeção se referia à pretendida desnacionalização da indústria nacional, com base em exemplos específicos de empresas nacionais nos setores farmacêuticos, têxteis ou de mecânica fina. A objeção se baseava numa visão puramente setorial do problema. Numa economia capitalista dinâmica, haverá sempre processos simultâneos de desnacionalização e renacionalização. Àquela altura dos acontecimentos, tinha havido na realidade mais nacionalizações do que desnacionalizações, pois que o ingresso de capitais estrangeiros diretos, em 1964-65, se limitara a US$172 milhões, enquanto que a renacionalização resultante da compra de empresas de utilidade pública e da nacionalização da Hanna Mining Company atingia US$231 milhões.

Era fácil de conceber o tríplice motivo por que alguns setores, inclusive o farmacêutico, eram particularmente vulneráveis à desnacionalização. O prolongado controle de preços havia debilitado extremamente as empresas nacionais, que dependiam apenas do mercado interno, enquanto que as multinacionais podiam gerar seus lucros em operações externas. Em segundo lugar, dada a escassez de câmbio, as empresas nacionais tinham mais dificuldade de importar matéria-prima que as multinacionais, que podiam obter financiamentos da matriz. Em terceiro lugar, a indústria estava dando saltos tecnológicos, passando da era das sulfas para os antibióticos e isótopos. Essa rápida evolução tecnológica exigia uma base de pesquisa inacessível às empresas nacionais.

Muito ao contrário do que deixavam entrever os "nacionalistas", tinha havido constante preocupação com a criação de condições para a expansão da indústria nacional. Nada menos que cinco programas diferentes haviam sido criados, a saber:

• O Finame (Fundo de Financiamento para Aquisição de Máquinas e Equipamentos Industriais), criado em 1964 para financiar a venda a prazo de bens de produção produzidos no Brasil;

• O Fundece (Fundo de Democratização do Capital das Empresas), criado em 1964 para fornecer às empresas industriais o complemento de capital circulante necessário ao pleno emprego dos meios de produção;

• O Funtec (Fundo de Desenvolvimento Técnico-Científico), criado também em 1964 para financiar cursos de pós-graduação e programas de pesquisa nas indústrias de base e formação de técnicos de nível médio e superior nas ciências exatas;

• O Finep (Fundo de Financiamento para Estudos, Projetos e Programas), criado em 1965 para o financiamento de programas de desenvolvimento econômico, direcionados para a substituição das exportações e a integração vertical agricultura/indústria; e finalmente,

• O Fipeme (Programa de Financiamento de Pequenas e Médias Empresas), criado em 1965, como um mecanismo de distribuição dos fundos de assistência às pequenas e médias empresas, fornecidos pelo Banco Interamericano de Desenvolvimento.

Releva notar que o Finame foi inicialmente financiado com utilização dos fundos de contrapartida dos empréstimos para a compra de trigo americano (Public Law 480), sendo assim um imaginoso uso de recursos estrangeiros depositados no país, para o financiamento da expansão da indústria nacional.[273]

O mito da desnacionalização tem extraordinária ressurgência no curso do tempo. Na realidade, *stricto sensu*, a desnacionalização é fenômeno raro e improvável. Só ocorreria (a) se o empresário brasileiro doasse seu patrimônio ou o vendesse ao estrangeiro abaixo do valor patrimonial, ou (b) se o investidor estrangeiro pudesse fisicamente transferir o patrimônio para o exterior. O que na realidade

---

[273] Desses diversos fundos, o único que não chegou a operar efetivamente foi o Fundece, do qual fora encarregado o Banco do Brasil. À parte o fato de que a tarefa escapava um pouco à sua rotina de empréstimos, houve pouco interesse em sua utilização por parte das empresas nacionais carentes de capital de risco. Era que os ativos das empresas estavam fortemente subavaliados em virtude da inexistência de correção monetária sistemática dos ativos. Um outro motivo era a tradição de empresa fechada, traço cultural que, numa época em que praticamente inexistia o mercado de capitais, era prevalecente na indústria.

ocorre é uma mutação patrimonial. O vendedor brasileiro recebe divisas que o habilitam a emigrar para outro ramo de atividades, abandonando setores mais exigentes de capitais e tecnologia. O resultado *nacional* pode ser otimizante, se a empresa nacional vendida não tinha capacidade de se expandir, por motivos financeiros ou técnicos.

A objeção é de caráter mais emocional que racional. É interessante notar que ela reponta mesmo em países desenvolvidos de tradição liberal, como os Estados Unidos, que agora sofrem de uma "invasão japonesa". Surgem argumentos bizarros de que os japoneses estariam comprando empresas "na bacia das almas", em razão do dólar barato. A questão é que, se o investimento é feito em dólar barato, também o fluxo de seus rendimentos sofrerá com a desvalorização. Nem é de se recear o perigo de uma maciça deserção dos estrangeiros. Se o fizessem, sofreriam uma perda patrimonial que beneficiaria os nativos, os quais, aí sim, poderiam recomprar propriedades a preços de banana. Na realidade, como diz Milton Friedman, se risco há é risco para os japoneses, que passam a ser sócios das vicissitudes da economia americana.

Outra objeção, contrariada também por dados empíricos, seria o "esvaziamento" tecnológico das empresas adquiridas, com transferência da pesquisa para as matrizes. Estudos recentes dos professores Krugman e Graham para o Institute of International Economics, de Washington, demonstram que nas empresas supostamente desnacionalizadas, o valor adicionado por trabalhador e o gasto em pesquisa e desenvolvimento, por trabalhador, teriam aumentado.[274]

A terceira crítica, finalmente, era de natureza *distributivista*. Refletia em parte preconceitos ideológicos antes que objetividade analítica. Na raiz do problema estava a velha questão do "estruturalismo" *versus* "monetarismo" na América Latina. Os estruturalistas da Cepal acusavam os chamados "monetaristas ortodoxos" de dar excessiva prioridade à estabilização de preços, em detrimento de medidas de retomada do crescimento e ataque à pobreza.

Na realidade, como o fez notar Albert Fishlow, o objetivo principal do governo Castello Branco nem era a estabilização. Era fazer o capitalismo funcionar.[275] A

---

[274] Para um sumário da discussão sobre o assunto, ver *The Economist*, Londres, edição de 16/12/89, p. 65.

[275] Albert Fishlow, um dos severos críticos da "ortodoxia" do período Castello Branco, assim se expressa: "Mesmo durante o período Castello Branco, o objetivo principal não era a estabilização; era fazer funcionar o capitalismo de mercado. No longo prazo esses dois objetivos eram percebidos como compatíveis, e até mesmo indispensavelmente ligados; no curto prazo, eles poderiam conflitar — sempre com desvantagem para a estabilização". Ver, deste autor, 'Some reflections on post-1964 brazilian economic policy', em *Authoritarian Brazil*, editado por Alfred Stepan, Yale University Press, 1973, p. 80.

política de contenção salarial era interpretada não como um simples esforço de conter a inflação de custos, e sim de restaurar a capacidade de investimento público e privado, como único meio de aumentar a demanda de mão-de-obra e atenuar efetivamente a pobreza. Em termos simplificados, a disputa era entre os que, como eu e o professor Bulhões, acreditavam que a pobreza só pode ser eliminada pela absorção do excedente de mão-de-obra, e os que acreditavam que a pobreza era curável pela redistribuição direta de renda via acréscimos salariais.

Vista num longo retrospecto histórico, a controvérsia se tornou ridícula. Os heterodoxos e estruturalistas tiveram vitorioso seu direito de experimentar fórmulas mágicas de "justiça social", após a restauração democrática de 1985.

Foram então implantados vários planos heterodoxos — o Plano Cruzado (1986), o Plano de Consistência Macroeconômica (Plano Bresser Pereira de 1987), o Plano Verão (1989) e os Planos Collor I (1990) e Collor II (1991). A despeito das protestações de "justiça social", houve queda dramática do salário real, alto nível de desemprego e inflação, queda de participação dos salários na renda nacional e prolongada "estagflação". Isso num mundo que, entre 1983 e 1990, experimentava um inusitado período de prosperidade sincrônica. Vista em retrospecto, a cruel recessão do governo Castello, sob os "ortodoxos", foi um ajuste suave (em nenhum ano o crescimento foi inferior a 2,1% positivos), em comparação com a brutal recessão dos heterodoxos na segunda metade da década dos 80!

Longe de revelar indiferença social, a fórmula de contenção salarial do governo Castello Branco era em si eminentemente racional. Abandonava-se a tradicional recomposição dos salários pelo "pico" — rapidamente corroído pela inflação — em favor da recomposição do salário real dos últimos 24 meses, que foi o que a economia realmente pôde dar ao assalariado. A isso se agregavam um coeficiente estimado de produtividade e metade da taxa da inflação programada (tendo em vista que os reajustamentos salariais seriam anuais). Há que reconhecer duas distorções na implementação prática da fórmula: a) pelo menos em alguns setores o aumento de produtividade foi superior à média arbitrada de 2% ao ano, o que teve a vantagem de reforçar a capacidade de investimento das empresas; e (b) o resíduo inflacionário foi substancialmente maior que o admitido na fórmula, e levado em conta nos reajustes salariais de 1966. Este último defeito viria a ser formalmente corrigido no governo Costa e Silva, quando era ministro do Trabalho Jarbas Passarinho. Foi acrescentado à fórmula um quarto fator, destinado a corrigir a subestimação do resíduo inflacionário no período anterior.

Indiscutivelmente, a aplicação da fórmula levou a um declínio temporário do nível do salário mínimo real e, indiretamente, do salário médio urbano. Albert Fishlow, cuja crítica da fase Castello Branco, publicada nos anos 70, passou a ser referência-padrão das esquerdas brasileiras, calculou em 20% a redução do salário mínimo real entre 1964 e 1967, com redução algo menor no tocante ao salário médio industrial. Isso pareceria um alto preço social para o ajuste, não fosse o fato de que nos governos precedentes, Quadros e Goulart, o salário mínimo real caíra na mesma proporção, sem as vantagens de longo prazo, alcançadas no ajuste do período Castello Branco: profundas reformas estruturais, atualização de tarifas públicas, saneamento cambial e reequilíbrio do setor público.[276]

Uma das críticas mais contundentes e injustas de Albert Fishlow, depois repetida à saciedade pelas esquerdas brasileiras, era que as prioridades da administração Castello Branco eram a "destruição do proletariado urbano como uma ameaça política, e o restabelecimento de uma ordem econômica, engendrada para a acumulação de capital privado".[277]

Longe do propósito sadístico de extermínio do proletariado urbano, o que se propunha era a criação de um "novo trabalhismo". No novo trabalhismo, o horizonte de reivindicação se deslocaria da obsessiva reivindicação de salários nominais para diferentes formas de salário indireto: acesso à habitação, à educação, à saúde e saneamento, através de investimentos "sociais" do governo.

Grande parte do meu esforço catequético era interessar os sindicatos no "salário indireto". Como descrito em pormenor no item 11.6.1 adiante, a contenção do salário monetário era compensada por variadas formas de salário indireto, para as quais se procurava despertar a atenção dos sindicatos, os quais adquiriam novas funções: através do BNH, criaram-se as cooperativas sindicais de habitação; os sindicatos receberam verbas para administrar um sistema de bolsas para o ensino secundário; o FGTS passou a construir um pecúlio individual dos trabalhadores, que os habilitava a mudar de emprego sem perda do pecúlio acumulado; o Estatuto da Terra fazia parte de um grande desenho, infelizmente frustrado, de democratização do acesso à terra. Até mesmo a reforma do mercado financeiro, como a sistematização do crédito ao consumidor, beneficiou os trabalhadores, dando-lhes acesso aos modernos bens duráveis de consumo. Isso sem dúvida con-

---

[276] Nas críticas dos economistas de esquerda à suposta "indiferença social da política salarial do governo Castello Branco", é comum subestimar-se o efeito favorável, para os assalariados, das várias modalidades de "salário não monetário", resultantes do FGTS, do BNH, do programa de bolsas de educação e do Estatuto da Terra, (este implementado apenas parcialmente). Para pormenores ver "O projeto social", pgs. 715-20 adiante.

[277] Parte do argumento assentava no fato da cassação de lideranças sindicais politizadas, com abatimento do ânimo reivindicatório dos sindicatos. Na realidade, a aplicação generalizada da fórmula salarial beneficiou os trabalhadores mais pobres e menos organizados. A capacidade reivindicatória deixou de ser privilégio dos sindicatos politicamente fortes — portuários, marítimos e ferroviários, por exemplo — que haviam se transformado numa espécie de "aristocracia do proletariado", obtendo reajustes sem qualquer relação com seu grau de produtividade relativa.

tribuiu para desmistificar a objeção de Celso Furtado, de que a indústria de bens duráveis seria vitimada por crises de subconsumo, pois se destinava meramente às classes ricas, beneficiárias de uma perversa distribuição de renda. Na realidade, artigos como rádios, geladeiras e até mesmo televisões, tornaram-se bens de consumo relativamente massificados.

O último elemento do "novo trabalhismo" de Castello foi o projeto de regulamentação da participação dos empregados no lucro das empresas, adiante descrito.

Longe de indiferença social, o governo Castello Branco enfatizou com singular clareza a necessidade de uma política de "produtividade" social, composta de uma política salarial realista, uma política agrária, uma política habitacional e uma política educacional.[278]

Uma outra controvérsia entre ortodoxos e heterodoxos se centrou na mudança da política monetária restritiva do período 1964-1967 para a política creditícia mais frouxa do governo Costa e Silva. Apesar da expansão monetária de 42% em 1967, contrastando com uma expansão de apenas 15,8% (M_1) em 1966, não se agravou a inflação, graças a uma reação favorável da oferta. Na realidade, estavam contidos os principais focos inflacionários. Completara-se em 1966 a atualização de tarifas; a reforma fiscal feita pela Emenda Constitucional n⁰ 18, depois sancionada na Constituição de 1967, viabilizou o saneamento fiscal; a venda de estoques de café e açúcar, acumulados no governo Castello Branco, permitiu um orçamento monetário suplementar.

O sucesso antiinflacionário de 1967, ao contrário do que asseverava Albert Fishlow, não demonstrava a invalidade das teorias monetárias ortodoxas; ao contrário, convalidava-as, tendo em conta o inevitável *lag* técnico que existe entre a contenção monetária e o impacto sobre os preços.[279] Os efeitos defasados do arrocho monetário e fiscal de 1966 foram colhidos em anos subseqüentes, quando a

---

[278] Era comum entre as esquerdas da época "a ilusão do impasse econômico". A má distribuição de renda criaria crises de subconsumo, tornando viável a adoção de modelos revolucionários alternativos, como os construídos na China, Vietnã ou Cuba. Essa a "expectativa revolucionária" dos movimentos estudantis que eclodiram no Brasil em 1968, refletindo os ecos do "psicodrama seletivo" da revolução estudantil de Paris, em maio desse ano. Por ironia da história, 1968 foi o começo da grande era de expansão chamada de "milagre brasileiro" (1968-1973). Os marxistas dificilmente escapariam ao defeito genético de Marx. Este errou no dogmatismo da vulgata (a teoria da mais-valia) e da "miserabilização" do proletariado, mas errou muito mais na *profecia*: a explosão do capitalismo por suas contradições internas. Para uma descrição pitoresca da "ilusão do impasse econômico" *circa* 1968, ver Zuenir Ventura, *1968 — O ano que não terminou*, Rio de Janeiro, Nova Fronteira, 1988, p. 71.

[279] O professor Gottfried Haberler identifica três defasagens na correção do processo inflacionário: a defasagem do diagnóstico, a defasagem administrativa e a defasagem operacional.

melhoria das condições internacionais permitiu um surto de exportações e a absorção da capacidade ociosa.[280]

Olhando em retrospecto, o Brasil dos anos 60 apresentava configuração mais favorável que a dos "tigres asiáticos", que depois viriam a nos superar dramaticamente em termos de estratégias eficazes de desenvolvimento.

Ao deixar a embaixada em Washington, em janeiro de 1964, sem sequer sonhar que três meses depois seria ministro do Planejamento, fiz prolongada viagem ao Leste Asiático. Visitei Cingapura, Hong Kong e Taipei. Cingapura não havia ainda se separado da Malásia e começaria em 1965 sua impressionante marcha de desenvolvimento. Hong Kong sobrepovoada, totalmente desprovida de recursos naturais, parecia fadada a ser um medíocre entreposto comercial. Taipei, a capital de Taiwan, que visitei rapidamente, parecia uma grande favela.

Estavam apenas começando as grandes transformações. A Coréia, ainda com vastos sinais de destruição da guerra, lançava em 1963-1964 um programa de estabilização, seguido em 1964-1965 por um programa de liberalização comercial. Aproximadamente ao mesmo tempo, começavam as reformas em Taiwan, acicatadas pela cessação do maciço auxílio norte-americano.

De volta ao Brasil, lancei-me no PAEG a tarefa semelhante: um programa de estabilização, seguido de reformas estruturais e relativa liberalização de preços e comércio.

Era coincidência, antes que imitação. Àquela altura, não se poderia prever o enorme sucesso dos tigres asiáticos. Na realidade, de 1968 a 1973, falava-se no "milagre brasileiro", antes que no sucesso asiático, pois nossa taxa de desenvolvimento alcançara 10% anuais em média. A inferiorização do Brasil em velocidade de desenvolvimento veio a partir da primeira crise do petróleo, quando não soubemos fazer o ajuste. Ao contrário dos asiáticos, que aceitaram uma contração temporária, insistimos no crescimento acelerado, à custa de inflação e endividamento interno e externo, defeito de que também sofreu a Coréia, em menor escala.

O receituário das reformas brasileiras em meados da década dos 60 era surpreendentemente semelhante ao modelo dos tigres asiáticos. Havia observância das duas regras de ouro: juros reais positivos e taxa cambial realista. A política monetária e fiscal era ortodoxa, em ambos os casos. Admitia-se um importante papel

---

[280] As críticas de Fishlow sob o duplo aspecto — distribuição de renda e crescimento econômico — irritavam-me particularmente. Fishlow viera ao Brasil junto com a Missão Howard Ellis, da Universidade de Berkeley, para cooperar, mediante acordo entre o ministério do Planejamento e a USAID, na formulação do Plano Decenal. Além do professor Ellis, dela participaram distintos economistas como Samuel Morley e Joel Bergson, que me expunham críticas e sugestões. Fishlow não trouxe à época seus desejáveis insumos críticos, que teriam possibilitado ao ministério do Planejamento retificações de rumo. Suas críticas foram feitas *a posteriori*, nos anos 70.

para o Estado na fixação da estratégia do crescimento e na criação de condições para a modernização capitalista. Entretanto, a distribuição de renda era bastante melhor nos tigres asiáticos. Geralmente, isso se atribui a quatro fatores (1) a reforma agrária do pós-guerra, que diminuiu a pobreza rural e atenuou a concentração do poder político nas zonas urbanas; (2) o maciço esforço de educação, derivado em parte da tradição confuciana e em parte do esforço governamental deliberado de educação básica, sem o beletrismo latino; 3) a priorização das indústrias intensivas de mão-de-obra, orientadas para a exportação; (4) a implementação (exceto em Taiwan) de programas de planejamento familiar.

Alguns desses elementos, mas não todos, figuravam nas propostas do governo Castello Branco. Foi passado o Estatuto da Terra em fins de 1964, visando a melhorar a estrutura agrária. Procurou-se incentivar a educação básica, a cargo de municípios, através do "salário-educação". Projetou-se uma importante modernização do sistema educacional secundário e terciário, através do acordo entre o ministério de Educação e a USAID (United States Agency for International Development), que traria algum financiamento e aproveitaria a experiência norte-americana na modernização dos currículos. Esse acordo, contestado fortemente em meios políticos e estudantis, num surto de nacionalismo irracional, teve vida curta.

Adotou-se uma orientação exportadora. "Exportar é a solução" — tornou-se o *slogan* da época. Nada, entretanto, foi feito em matéria de planejamento familiar, em virtude da oposição da Igreja, das Forças Armadas e do próprio empresariado, o que tornaria o esforço politicamente inglório.

A trajetória brasileira de crescimento poderia assim ter sido comparável à dos tigres asiáticos (o que nos daria hoje uma renda por habitante cinco vezes superior à de 1990), não fossem os erros cometidos com o inadequado ajuste às duas crises de petróleo e com os choques heterodoxos, a partir de 1986, agravados pela política de informática e a anacrônica Constituição de 1988.

AS GRANDES REFORMAS

Frente a pressões acumuladas das elites ou das massas sobre as estruturas políticas, ensina-nos o politólogo Gabriel Almond, podem-se conceber vários tipos de resposta: a resposta repressiva, a postura indiferente, a resposta substitutiva, a resposta acomodatícia e a resposta reformista. Não seria difícil identificar, na era de Castello, as peripécias dos grandes manobreiros políticos que o precederam: Vargas, Kubitschek, Quadros, Lacerda e Goulart. Em Vargas, combinavam-se alternativamente as respostas repressiva e acomodatícia. Kubitschek e Quadros exploraram enormemente a resposta substitutiva, aquele com certo brilho executivo, mas perigosas concessões à irresponsabilidade financeira. Goulart foi acomodatício, com vagas idéias reformistas. Lacerda, com sua habitual complexidade psicológica, combinava uma tendência repressiva com respostas às vezes reformistas. A Castello Branco coube dedicar-se, com obsessiva concentração, à resposta reformista, dura e racional, muito mais de seu agrado que a azeda responsabilidade da fase repressiva da Revolução, que ele procurou desesperadamente encurtar...

Instintivamente, Castello Branco usou as reformas como instrumento de criação de um formato societal precursor do que, nos dias de hoje, na década dos 90, se descreve como "capitalismo democrático". É a conjunção da democracia política com a economia de mercado. Após o colapso do socialismo, em fins da década dos 80, tornou-se o modelo político de governança tido por superior neste fim de milênio. E talvez se torne o paradigma do próximo milênio, pois satisfaz a duas características — a universabilidade e a sustentabilidade.

As ideologias rivais — o nacionalismo e o fundamentalismo islâmico — não têm universabilidade. Os autoritarismos de esquerda e direita carecem de sustentabilidade no longo prazo, por se basearem na repressão e não no consenso.

O grande desenho arquitetônico de Castello Branco só agora é visto em adequada perspectiva, assentada a poeira do tempo e cessado o fragor da construção. No julgamento de sua obra, conta mais o ímpeto reformista do arcabouço do Estado do que a fidelidade no cumprimento de metas pontuais. O governo realizou bem menos do que prometera no controle da inflação e muito mais do que prometera na modernização das instituições. Procurou realizar a difícil transição daquilo que

Albert Hirschman chamava "as tarefas não-antagonísticas", como o planejamento e a industrialização, para as "tarefas antagonísticas", como a redistribuição da renda fiscal e a reforma agrária.

Houve um projeto político, que se desdobrou na reformulação do código eleitoral, da lei dos partidos e finalmente na Constituição de 1967 — visando a operacionalizar nossa débil democracia (após um autoritarismo de transição). As reformas econômicas visavam à modernização capitalista, isto é, à operacionalização da economia de mercado, pois oscilávamos, como costumava dizer, entre um "capitalismo sem incentivos e um socialismo sem convicção". Implicaram uma vasta reformulação institucional, abrangendo todo o sistema fiscal e financeiro. Um terceiro componente, freqüentemente subestimado, eram as reformas sociais, que visavam a criar um distributivismo racional — o Estatuto da Terra, a Reforma Habitacional e o Fundo de Garantia do Tempo de Serviço (FGTS).

O Documento de Trabalho nº 1, que apresentei à primeira reunião do gabinete, em 23 de abril de 1964, a que já fiz referência, viria a tornar-se o "catecismo das reformas".

Interessava-me particularmente a rápida reformulação de um programa habitacional, porque receava um período recessivo em função do reajuste fiscal que teríamos que fazer. Castello concordou com essa avaliação de prioridades.

Estava eu deslanchando um difícil programa em que abundariam as resistências e incompreensões. Mais tarde, em exposição na Câmara dos Deputados, assim descreveria o desafio:

> "Não temos a ilusão de que nossa tarefa será fácil. Será difícil. Temos de escapar de um cone de sombra resultante de um eclipse astronômico em que foram igualmente estuprados o bom senso e a ética. Como o escritor francês Albert Camus costumava dizer, somos uma geração realista. Todas as gerações no passado tentaram refazer o mundo. A nossa sabe que não pode fazê-lo. Mas sua tarefa é mais árdua: impedir que o mundo e a nação se desfaçam".

No famoso comício de 13 de março de 1964, que desencadeou os eventos que levaram à deposição de Goulart, tinham sido anunciadas com espalhafato três medidas. A primeira era a assinatura, pelo presidente, de um decreto que autorizava a desapropriação de terras privadas para o propósito de reforma agrária. A segunda seria a assinatura, no dia seguinte, de um decreto impondo estrito controle de aluguéis. Uma outra medida seria a desapropriação de todas as refinarias privadas de petróleo.

A resposta ao primeiro desafio indicava a necessidade de se preparar prontamente uma lei de reforma agrária. A segunda medida de Goulart era uma resposta equivocada ao problema habitacional. A escassez de imóveis urbanos de aluguel resultava, em grande parte, precisamente do congelamento de aluguéis; um decreto reforçando o congelamento só faria perturbar mais a situação.[281]

A terceira medida do comício de Goulart viria a provocar séria dissenção no gabinete Castello Branco. O general Geisel, secretário geral do Conselho de Segurança, não via urgência nem conveniência na restituição das refinarias de petróleo aos proprietários privados. Os ministros Bulhões e Thibau, e eu próprio, considerávamos extremamente importante marcar posição em favor da livre iniciativa e restaurar a confiança dos investidores, pela eliminação do confisco. Castello nos deu ganho de causa.

O programa reformista de Castello Branco se diferenciava consideravelmente do de seus antecessores. No governo Kubitschek a ênfase era predominantemente produtivista: a industrialização em marcha forçada (e a construção de Brasília) absorveriam recursos potencialmente destinados à infraestrutura social. As *reformas de base* de João Goulart tinham uma ênfase *distributivista*. Realçavam-se os conflitos distributivos, criando-se antagonismos nocivos à economia de mercado e ao desenvolvimento capitalista. Os vagos *slogans* dos economistas de esquerda da época mencionavam como objetivo das reformas "a independência econômica da nação", "a melhoria das condições sociais" e "a quebra do poder político dos latifundiários". Goulart desfraldava a bandeira das "reformas de base", como uma espécie de alternativa a medidas de estabilização, tidas como "recessivas".

O esquema de Castello Branco balanceava melhor os componentes produtivistas e distributivistas. E as reformas não seriam uma *alternativa* e sim um *complemento* a políticas de estabilidade macroeconômica.

Pretendem alguns que o grau de intervenção governamental do governo Castello Branco foi incompatível com o propósito de modernização capitalista. Representaria uma sobrevida de cacoetes dirigistas. Certamente, o grau de intervenção (no mercado de trabalho e no sistema financeiro, por exemplo) foi muito superior ao habitual nos países não socialistas. Mas o que conta não é tanto o grau de intervenção, e sim o tipo de intervenção.

Sob esse aspecto o intervencionismo da era Castello Branco apresenta semelhanças com o intervencionismo dos "tigres asiáticos" — Coréia do Sul, Taiwan e Cingapura. Para usar a expressão do economista hindu, Jagdish N. Bhagwati, a intervenção seria do tipo *prescritivo* e não *proscritivo*. No primeiro caso, atua-se mediante incentivos; no segundo, através de proibições.[282]

---

[281] O desafio reformista e as soluções propostas são discutidos, em detalhe, nas seções 11.3. e 11.4 adiante.

[282] Como o fez notar André Lara Resende, o diagnóstico da crise pela equipe econômica era "ortodoxo", acentuando-se como causadores do excesso de moeda a incompetência, o clientelismo populista e a "excessiva intervenção governamental na economia". Ver André Lara Resende, 'Estabilização e reforma', na coletânea *Ordem e progresso*, Rio de Janeiro, Campus, 1973, p. 225.

O governo começou liberando os preços e as exportações agropecuárias, tradicionalmente sujeitas a controles e congelamentos. A liberação foi seguida de uma brusca, porém temporária, elevação do preço de alimentos, que levou Augusto Frederico Schmidt, amigo de Castello Branco e meu velho adversário dos tempos do governo Kubitschek, a procurar Castello Branco para adverti-lo da "iminente catástrofe inflacionária".[283] Falava com a autoridade de grande acionista dos supermercados Disco. Octávio Bulhões e eu nos esforçamos para tranqüilizar o presidente. Essa reação de mercado seria temporária, pois a oferta se expandiria. De qualquer modo, os controles de preço tinham resultado em filas de compradores e escassez de alimentos, o que equivalia a uma inflação oculta. É o que eu chamava de "inflação socialista".

— O capitalismo tem preços flexíveis e prateleiras cheias; o socialismo, preços congelados e prateleiras vazias — dizia eu a Castello Branco.

Em matéria de preços industriais, a técnica adotada foi a de incentivos, para a contenção de preços. Isso foi feito através da criação da CONEP, que deliberadamente se chamava Comissão Nacional de Estímulo à Estabilização de Preços (Portaria Interministerial n° 71, de 23/2/65). O controle de preços era facultativo, aplicando-se apenas às empresas que voluntariamente aderissem ao sistema de contenção da inflação, auferindo, em contrapartida, alguns estímulos de ordem fiscal, creditícia e cambial. O sistema era eminentemente racional, mas até certo ponto um sonho tecnocrático, pela extrema dificuldade administrativa em se determinar os preços médios efetivamente praticados pelas empresas que tinham firmado a carta compromisso, numa época carente dos atuais instrumentos de computação informática. O controle de preços viria a se tornar compulsório no governo Costa e Silva, quando a CONEP foi substituída pelo CIP (Conselho Interministerial de Preços).

---

[283] Em 17.12.64, Schmidt enviou-me uma irônica mensagem de Natal nos seguintes termos: "É preciso que o espírito de Natal penetre mais na sua economia e que a inocência que se desprende do Deus recém-nascido faça estremecer a base racional de seus planejamentos. Desejando-lhe feliz Natal, peço-lhe que ame os seus contrários e receba o que eles dizem com a humildade intelectual própria dos grandes espíritos de sua raça. Schmidt". Nessa época, apesar de acerbas disputas e total diferença de *weltanschauung*, estava numa fase de reaproximação com Schmidt, por uma solidariedade fundamental das almas frustradas. Schmidt, grande poeta, achava acanhado o palco literário e preferia a conspiração política e a manobra econômica. A alcunha de "poeta" às vezes o irritava por denotar irrelevância prática, quando se considerava um "ativista" — política e empresarialmente. Eu, acusado de financista frio, incapaz de entender a angústia humana, tinha a frustração oposta. Daria a vida para ser poeta e escapar das atribulações do economicismo.
Em artigo que escrevi para a revista *O Cruzeiro*, em março de 1965, um mês após sua morte (que dizem ter ocorrido durante a exaltação de um ato amoroso), assim me expressei: 'O diálogo com Schmidt era pouco produtivo mas enormemente interessante... Falava em produção e desenvolvimento como se fossem um processo de encantação e exorcismo, como se não houvesse fatos e sim apenas vontades". Quando do lançamento da Operação Pan-Americana, de Kubitschek, tivemos vasto deba-

Duas das outras preocupações eram estimular a poupança, através de uma taxa real de juros positiva, e evitar discriminação contra exportações, pela prática de taxas cambiais realistas. Essas duas regras "douradas", apoiadas na austeridade fiscal, são precisamente a essência da política dos NICs (Newly industrialized countries) da Ásia.

Uma outra maneira de enfocar o assunto é descrever-se o intervencionismo do governo Castello Branco como do tipo "neoclássico", *em favor* das forças do mercado, em contraste com o intervencionismo "mercantilista", *contra* as forças do mercado. William Röepcke descreve a diferença utilizando as expressões "intervenção conforme" e "intervenção não-conforme".

Foi impressionante, e para muitos inquietante, o ativismo reformista na fase inicial do governo Castello Branco, que foi depois descrita como um ataque de "fúria legiferante". Se não se chegou ao record de Franklin Roosevelt nos seus famosos "Cem dias de governo", conseguiu-se debater e votar no Congresso, em pouco mais de um quadrimestre, reformas fundamentais como a criação das ORTN's (Obrigações Reajustáveis do Tesouro Nacional), no bojo de uma reforma fiscal, assim como a implantação do Sistema Financeiro de Habitação. No restante do ano, votar-se-iam reformas há longo procrastinadas, como a reforma agrária e a reforma bancária.

O seguinte registro cronológico dá idéia da produtividade reformista nos últimos sete meses de 1964:

10 de junho	Lei n? 4.330	Lei de greve
16 de julho	Lei n? 4.357	Reforma o Imposto de Renda e cria as ORTN's

---

te. Schmidt tivera uma brilhante e oportuna inspiração política. Mas faltava-lhe paciência para analisar as causas do subdesenvolvimento, quantificar os investimentos necessários e reconhecer que o problema latino-americano não era explicável em termos de egoísmo e indiferença norte-americanos. Algo mais seria necessário: a nossa própria decisão de reformarmos costumes e mentalidades, ajudar-nos a nós mesmos. Schmidt se irritava porque eu considerava a idéia da Aliança para o Progresso superior à OPA. Esta era um grito de alarme e uma petição de recursos; aquela um "programa de reformas" — dizia eu.

As relações de Schmidt com San Tiago Dantas foram igualmente ciclotímicas. Admiravam-se intelectualmente, mas quando San Tiago aderiu ao trabalhismo janguista, Schmidt passou a ver nele um traidor do capitalismo. Usava a expressão de Julien Benda sobre *la trahison des clercs*. Achava a política externa independente uma bobagem e vaticinava que San Tiago acabaria traído pelas esquerdas. A relação entre os dois era uma relação ambivalente, de admiração e contradição. Na defesa do empresário privado como motor do desenvolvimento, numa época em que prosperava uma cultura antiempresarial, Schmidt e eu éramos solidários. — Jango, dizia ele, vai matar o espírito empresarial, como Perón o fez na Argentina. E acrescentava: "Em breve verei na crônica policial dos jornais uma notazinha de canto de página dizendo: "Foi visto ontem, ao lusco-fusco, oculto sob um chapéu de abas largas e capa preta, esgueirando-se pelas vielas do centro, com o ar soturno dos delinqüentes, Augusto Frederico Schmidt, *indiciado* como empresário"...

21 de agosto	Lei n° 4.380	Institui o Sistema Financeiro de Habitação
29 de agosto	Lei n° 4.390	Liberaliza a lei de remessa de lucros
31 de agosto	Lei n° 4.400	Cria o salário-educação
1° de novembro	Emenda Constitucional n° 10 — Permite desapropriação de terras com pagamento em títulos especiais da dívida pública.	
17 de novembro	Lei n° 4.494	Lei do inquilinato
30 de novembro	Lei n° 4.504	Estatuto da Terra
16 de dezembro	Lei n° 4.591	Regulamenta os condomínios em edificações e incorporações imobiliárias
31 de dezembro	Lei n° 4.595	Reforma Bancária e criação do BACEN

Essa produtividade, que requeria a preparação de complexos textos legislativos, somente se tornou possível graças aos trabalhos pregressos de um *think tank*, o IPES (Instituto de Pesquisas e Estudos Sociais). Formalmente criado em novembro de 1961, reunindo empresários, economistas, sociólogos e políticos, o IPES propunha-se formular alternativas racionais e pragmáticas ao radicalismo da república sindicalista de Goulart. Através de seus Grupos de Estudo e Doutrina, coordenados por José Garrido Torres, procedia ao levantamento da conjuntura e à preparação de anteprojetos de lei sobre temas tão variados como as reformas tributária, bancária, agrária, habitacional e administrativa, a remessa de lucros, a democratização do capital e a legislação antitruste. Essas reformas seriam direcionadas para a modernização do capitalismo.

Raramente se terá congregado um voluntariado intelectual de pujança comparável à do IPES, que contava com figuras como o general Golbery do Couto e Silva, Glycon de Paiva e Jorge Oscar de Mello Flores. Alguns estudos, como os de Mário Simonsen sobre a reforma tributária, de Paulo Assis Ribeiro sobre reforma agrária, de Dênio Nogueira sobre a reforma bancária e de Jorge Oscar de Mello Flores sobre habitação popular, foram de fundamental importância no processo reformista. Felizmente, os textos do IPES eram bastante legíveis, pois o encarregado da revisão redacional era o escritor Rubem Fonseca.[284]

Estando ausente, como titular da embaixada em Washington, não participei dos trabalhos do IPES. Ao regressar, em fevereiro de 1964, busquei contato com o *think thank*. Não só tinha lá numerosos amigos como considerava que as reformas modernizantes por eles propostas eram uma implementação prática dos princípios da Carta de Punta del Este, que instituiu a Aliança para o Progresso, à qual me referi em outro capítulo.

---

[284] Para uma descrição minuciosa, ainda que preconceituosa e ideologicamente deformada, das atividades do IPES, ver *1964 — A conquista do Estado*, Petrópolis, Vozes, 1961.

A REFORMA DO
SISTEMA FISCAL

O saneamento das finanças públicas era tido como condição necessária, ainda que não suficiente, para a estabilização dos preços. E transcendia do aspecto meramente fiscal. Cogitava-se de um tríptico: reforma fiscal (aumento de receitas e corte de gastos), verdade tarifária (atualização das tarifas e outros preços públicos) e reestruturação da dívida pública, interna e externa.[285]

Já na primeira reunião do gabinete foram os ministros alertados para a imprescindibilidade da modernização do sistema fiscal, primeiro através de medidas de emergência e depois mediante uma reforma sistêmica. As medidas de emergência, que na realidade configuravam inovações de profundidade, foram consubstanciadas na Lei nº 4.357, de 16 de julho, antes mesmo da publicação do PAEG. A reforma sistêmica viria com a Emenda Constitucional nº 18, de 25 de outubro de 1966, mas só atingiria configuração definitiva com a Constituição Federal de 24 de janeiro de 1967. Na reforma de emergência, além do professor Bulhões, pessoalmente, colaboraram intensamente o advogado José Luiz Bulhões Pedreira, o economista Mário Henrique Simonsen e o fiscalista Gerson Augusto da Silva, do ministério da Fazenda. Na Emenda Constitucional nº 18 e no Código Tributário de 1966 foram figuras exponenciais o professor Rubens Gomes de Souza, de São Paulo, Gilberto Ulhôa Canto e o próprio Gerson Augusto da Silva. A reforma da "estrutura" seria complementada por uma reforma da "administração fiscal", através da instituição dos orçamentos-programa, da informatização dos serviços pela criação do Serpro e, *last but not least*, pelo treinamento intensivo de funcionários no Bureau of Budget americano e em universidades no exterior.

A grande inovação da reforma de emergência foi a aplicação, ao sistema fiscal, do instituto da "correção monetária", conseqüência lógica, aliás, da adoção de uma política "gradualista", em vez do tratamento de choque no combate à inflação. Foi

---

[285] A "verdade tarifária" provocaria naturalmente o fenômeno da "inflação corretiva", que não seria mais do que a revelação dos subsídios embutidos no déficit público. Cresceram, em termos reais, as tarifas e os preços públicos, com exceção do aço. Tratava-se no caso de medida disciplinar para pressionar a CSN a se desfazer de atividades estranhas à indústria do aço. Volta Redonda era um misto de grande imobiliária, instituto de previdência e empresa rural, que também produzia aço...

através da correção monetária que se viabilizaram os cinco objetivos da reforma, assim descritos no PAEG:

1. Obter recursos adicionais para a cobertura do déficit da União;
2. Aliviar a tributação sobre lucros ilusórios, meramente inflacionários;
3. Desencorajar o atraso no pagamento de débitos fiscais;
4. Estimular a poupança individual;
5. Criar um mercado voluntário para os títulos públicos.

A aplicação da correção monetária compulsória ao balanço das empresas teria um efeito didático, habituando-as a pensar em "termos reais". Um outro motivo, que se tornou importante quando a correção monetária foi estendida a papéis privados pela Lei n° 4.728, do Mercado de Capitais, em julho de 1965, era possibilitar contratos de longo prazo. A expressão "correção monetária" foi usada ao invés de "indexação", precisamente para significar o ajuste da moeda em conseqüência da expansão monetária e não de mudanças no lado real da economia.[286]

Note-se, outrossim, que a correção monetária, tal como originalmente concebida, era um animal inteiramente diferente do que veio a existir após 1980. Era fundamentalmente um instrumento de estímulo à poupança de médio e longo prazo, o que pressupunha renúncia à liquidez. Originalmente, na lei de Mercado de Capitais, a correção monetária somente foi autorizada em papéis, empréstimos e depósitos com prazo igual ou superior a um ano (excetuados os certificados de depósito bancário, que somente podiam ser emitidos com prazo de 18 meses ou mais) e com periodicidade mínima de três meses — a mesma adotada para as Obrigações Reajustáveis do Tesouro Nacional e a atualização de créditos fiscais. Subseqüentemente, protestos veementes de banqueiros e industriais paulistas induziram-nos a uma redução para seis meses do prazo mínimo dos depósitos e títulos com correção monetária de emissão ou aceite de instituições financeiras. Alegava-se que seis meses seria o máximo tolerável em nossa cultura inflacionária. Era o prazo tradicional das "letras de câmbio".

— No Brasil — dizia Gastão Vidigal — presidente do Banco Mercantil de São Paulo e membro do Conselho Monetário Nacional, seis meses são quase uma eternidade.

---

[286] O problema já tivera tratamento na Lei n° 3.470, de 1958, durante o governo Kubitschek, que introduziu de forma sistemática na legislação fiscal a noção de "correção monetária", em substituição à expressão "reavaliação do ativo" da legislação anterior. Essa nova "tradução monetária" podia ser feita a cada biênio, segundo coeficientes calculados pelo Conselho Nacional de Economia. Em 1963, a Lei n° 4.242 determinou a fixação anual dos coeficientes de correção. Mas a reforma mais fundamental foi a de 1964 que, além de criar as Obrigações Reajustáveis do Tesouro Nacional, estendeu formalmente a correção monetária às depreciações e à manutenção do capital de giro, eliminando as "ilusões de rentabilidade". Para uma excelente análise dessa evolução ver o livro *Correção monetária* (Rio de Janeiro, Apec, 1970), de autoria conjunta de Julian Chacel, Mário Henrique Simonsen e Arnold Wald.

No princípio da década de 1970, o Banco Central passou a utilizar as ORTNs para criar o *open market*, em operações de compra com simultânea revenda com prazos de poucos dias ou semanas, em que o instrumento financeiro era a carta ou compromisso de recompra, e o título público funcionava como lastro ou garantia. E a partir de 1976, com a expansão do *open market* e a generalização do uso das cartas de recompra, as exigências da lei sobre prazo mínimo de títulos com correção monetária tornaram-se letra morta, e os mercados de títulos de prazo médio e longo foram diminuindo até se extinguirem, remanescendo apenas o *overnight*. Criou-se, assim, uma "moeda remunerada" que, no caso dos títulos públicos, dava simultaneamente segurança, rentabilidade e liquidez.

A política de saneamento das finanças públicas surtiu efeito. Mesmo antes da Emenda Constitucional n° 18, que só se aplicaria a partir de 1967, o déficit público declinou de mais de 4% em 1964, para 1,1% do PIB, em 1966, ano em que o déficit foi totalmente financiado sem emissão de papel-moeda. Com as ORTNs tinha-se criado um mercado voluntário de títulos federais, a longo prazo, que há décadas não havia no país.[287]

Na implantação da correção monetária houve um intento *inconfessado* e um subproduto indesejado. O intuito *inconfessado* era escapar às limitações da Lei da usura, cuja revogação frontal seria politicamente abrasiva. Com uma inflação de 7,7% ao mês (144% ao ano), herdada da era Goulart, a limitação dos juros a 12% ao ano era ridícula hipocrisia. Mas as leis da usura, que têm raízes medievais, têm um renitente encanto, pois na Constituição de 1988 (Art. 192, parág. 3°) inseriu-se a vedação da cobrança de juros "reais" superiores a 12% ao ano, detalhismo absolutamente grotesco num texto constitucional.[288]

---

[287] Houve, sem dúvida, alguns artifícios para facilitar a implantação das ORTNs, como, por exemplo, a compulsoriedade de se aplicar em ORTN's o Fundo de Indenizações Trabalhistas. Durante o ano de 1965, foi também compulsória a subscrição para pessoas com rendimentos superiores a Cr$600 mil anuais. Lembro-me de um episódio pitoresco. Castello Branco havia recomendado ao professor Bulhões e a mim darmos atenção a dois "jovens promissores": José Sarney, governador do Maranhão, e Antônio Carlos Magalhães, prefeito de Salvador. Quando este último nos procurou em busca de verbas, o professor Bulhões disse-lhe não ter dinheiro, mas dispor de bons títulos para os quais se poderia "criar um mercado". Antônio Carlos aceitou tornar-se vendedor, junto à rede bancária, de Cr$10 milhões. A receita auferida permitiu-lhe financiar a abertura da avenida de fundo de vale que abriu novas perspectivas urbanísticas para Salvador.

[288] As distorções da inflação avançaram muito mais rapidamente do que a flexibilização das normas jurídicas para reconhecer o fenômeno. Essas distorções se manifestaram no campo dos contratos a prazo, no mercado de capitais, no campo fiscal, nas concessões de serviço público, nas empreitadas de obras públicas e, dramaticamente, no setor imobiliário, atrofiando o mercado de hipotecas e levando a políticas suicidas de congelamento de aluguéis. Gradualmente, as realidades do mercado se impuseram e várias adaptações surgiram, com base na "teoria da imprevisão" (*rebus sic stantibus*) e nas cláusulas de escala móvel. Para uma erudita análise do problema, ver Julian Chacel, Mário Henrique Simonsen e Arnold Wald, op. cit., cap. II.

O subproduto *indesejado* foi uma irrupção de protestos nacionalistas, por parte de empresas nacionais, que se haviam habituado a postergar o pagamento de impostos, como forma barata de obtenção de capital de giro. Na ausência de correção monetária dos débitos fiscais, a inflação corroiria rapidamente o peso do tributo. Nosso projeto de melhorar a exação fiscal passou a ser interpretado como "favorecimento das multinacionais", cujos sistemas de auditoria dificultavam a inadimplência fiscal.

Controvérsia semelhante viria a surgir com a Instrução n? 289, da Superintendência da Moeda e do Crédito — SUMOC, de janeiro de 1965. Essa medida, na realidade, abolia a vantagem que tinham as empresas estrangeiras no regime de *swaps* bancários, a que o governo Kubitschek recorrera lascivamente para a cobertura das imprudentes "promessas de venda de câmbio". Nesse regime, as empresas estrangeiras tinham sobre as nacionais a vantagem de se financiarem às taxas internacionais de juros, muito mais baixas que as domésticas. Internavam dólares sob a forma de empréstimos de curto prazo e recebiam cruzeiros para capital de giro, com o direito de recomprar os dólares à taxa fixa inicial. A Instrução n° 289 manteve o mecanismo do *swaps*, mas eliminou a garantia da taxa cambial, expondo as empresas estrangeiras ao risco de desvalorização da moeda e desonerando o governo da garantia de taxa.

No ambiente ideologizado da época, o que era uma eliminação de uma vantagem indevida para as multinacionais passou a ser considerado um favorecimento indébito... A Instrução n? 289 só viria a ser revogada em 1972, quando o BACEN dispunha de adequadas reservas cambiais. Nesse interregno, foi útil para reduzir a competição das multinacionais no mercado interno de crédito e para alargar o mercado das ORTNs, às quais essas empresas freqüentemente recorriam como *hedge* contra o risco de câmbio.

Uma crítica freqüente das esquerdas àquela época era que as modificações do Imposto de Renda agravavam a tributação sobre a pessoa física, desonerando, em termos relativos, as empresas.[289] E que isso se teria tornado um instrumento para redistribuição da renda nacional "a favor dos lucros". A alegação seria correta se se substituísse a expressão "a favor dos lucros" pela expressão "a favor dos investimentos". Um dos objetivos da reforma era exatamente o de restaurar e/ou ampliar a capacidade de investimento quer do setor público (via orçamento), quer do setor privado (via incentivos fiscais, reavaliação dos ativos e quotas realistas de depreciação). Em ambos os casos, haveria aumento na demanda de mão-de-obra, único

---

[289] Esse tipo de crítica teve sua ressonância ampliada pelo ressentimento oriundo da eliminação do privilégio de isenção de que gozavam certas categorias profissionais como jornalistas, magistrados e professores.

meio efetivo de se elevarem os salários reais. Outra consideração importante é que, salvo situações especiais, o Imposto de Renda sobre a pessoa física é intransferível, e portanto não-inflacionário, enquanto que nunca se sabe precisamente quem pagará o imposto sobre a pessoa jurídica. Tanto pode ser o acionista (pela redução dos dividendos), como o trabalhador (pela contenção dos salários), como o consumidor (pelo repasse aos preços).

A EMENDA
CONSTITUCIONAL N° 18

O segundo estágio da reforma fiscal, a reforma sistêmica — que envolveu drástica revisão estrutural — foi a Emenda Constitucional n° 18, de 25 de outubro de 1966, depois consolidada na Constituição de 1967. Foi essa emenda constitucional, modificativa da estrutura fiscal da Constituição de 1946, que permitiu a edição do novo Código Tributário.[290] A primeira tentativa da edição de um código tributário ocorrera em 1953, quando Oswaldo Aranha, ministro da Fazenda, desig-

---

[290] Em trabalho por mim prefaciado, o senador goiano Benedito Ferreira traça uma interessante história da tributação brasileira, desde o Brasil-colônia até nossos dias. "Desde cedo" — diz ele — "se fixaram algumas características que marcariam nosso sistema tributário ao longo dos anos: o centralismo, a desatenção às conseqüências econômicas da tributação e a desvinculação entre o tributo cobrado e o serviço esperado."

A primeira lei de meios votada pelo Parlamento brasileiro foi sancionada, lembra o senador, pelo decreto n° 15, de dezembro de 1830. Em 1840-1841, no início do reinado de D. Pedro II, o orçamento fiscal previa 69 itens de receita. Mas permanecia deficitário. Já em 1850, a nomenclatura fiscal discriminava nada menos que 2.019 artigos, para efeito de tributação. "Desde essa época se configuravam as duas renitentes perversões do nosso sistema fiscal: o centralismo e o déficit." Na evolução do federalismo republicano, sob o aspecto da fiscalidade, o referido autor distingue três fases: o federalismo financeiro *dual* (1891-1934), o federalismo financeiro *cooperativo* (1934 a 1965/7) e o federalismo financeiro de *integração* da Emenda Constitucional n° 18. Assim prossegue ele:

"No primeiro caso havia dualidade de poder tributário entre a União e os estados. Após a reforma fiscal de 1934, foi proibida a bitributação, delimitou-se a autonomia financeira dos estados, e os municípios foram dotados de uma esfera própria de competência tributária. A terceira fase é a do federalismo de integração, consagrado na Constituição Federal de 1967, que demarca áreas privativas de tributação para as diversas esferas de governo, limita a liberdade impositiva de estados e municípios, ao mesmo tempo que cria mecanismos para a participação destes nas receitas federais. Na substituição do Imposto Estadual de Vendas e Consignações (IVC) pelo Imposto sobre a Circulação de Mercadorias (ICM), fixaram-se alíquotas uniformes de modo a não criar obstáculos ao comércio interno do país. Ao contrário da percepção generalizada de que o sistema fiscal tenha evoluído em desfavor dos municípios, a análise fiscal revela que entre 1957 e 1983 a participação da União na receita global aumentou de 42,9% para 48,3%, a dos municípios, de 11,0% para 16,2%, enquanto que a participação dos estados declinava de 46,1% para 35,6%."

Ver Benedito Ferreira, *Legislação tributária (a história da tributação no Brasil)*, Brasília, Ed. do Senado Federal, 1986.

nara, por sugestão dos deputados Bilac Pinto e Aliomar Baleeiro, uma comissão técnica para redigi-lo, da qual participaram Gerson A. da Silva e Rubens Gomes de Souza. O texto foi enviado ao Congresso em 20 de agosto de 1954, poucos dias antes do falecimento de Getúlio, e a idéia ficou sepultada no útero legislativo. Octávio Bulhões ressuscitá-la-ia com êxito 12 anos depois.

As inovações da Emenda constitucional foram as seguintes:

• Classificaram-se os tributos por *incidência* e não pela *instância* arrecadadora, em quatro grupos — impostos sobre comércio exterior, sobre patrimônio e renda, sobre produção e circulação, e impostos especiais;

• Eliminou-se a incidência cumulativa do Imposto de Vendas e Consignações (IVC) e do Imposto de Consumo, instituindo-se impostos sobre o valor adicionado: Imposto sobre a Circulação de Mercadorias (ICM) e Imposto sobre Produtos Industrializados (IPI); neste último as incidências passaram a ser diferenciadas conforme a essencialidade dos bens, o que lhe dava um caráter "progressivo".

• Extinguiram-se vários tributos, como o imposto sobre diversões públicas, indústrias e profissões, o imposto municipal de licença, o imposto sobre vendas e consignações, o imposto sobre o consumo e, finalmente, o imposto do selo, que eu chamava jocosamente de "imposto da lambida". Todos esses, em nova configuração, foram substituídos pelo ICM, IPI, ISS (Imposto sobre Serviços) e o ISOF (Imposto sobre Operações Financeiras);

• Criaram-se dois "impostos especiais", que não fariam parte da renda tributária da União — o imposto sobre exportações e o imposto sobre operações financeiras. Ambos seriam instrumentos, aquele de política comercial (visando à estabilização de produtos de base), e este, de política monetária interna, pois que destinado a constituir uma reserva monetária;

• Os estados e municípios, além de sua capacidade tributária própria, teriam direito a duas partilhas: a partilha dos impostos básicos — renda e produtos industrializados — e a partilha dos chamados "impostos únicos", que incidiam sobre combustíveis e lubrificantes, energia elétrica e mineração.

As duas controvérsias mais acesas da época diziam respeito (a) à substituição do IVC pelo ICM e (b) ao centralismo fiscal. Receava-se que o ICM reduzisse a receita dos estados. E a inovação da incidência apenas sobre o valor adicionado parecia intimidante. Vários secretários de Fazenda estaduais avençavam a hipótese alarmista de colapso da arrecadação.

O gesto era sem dúvida ousado para a época. Poucos países haviam experimentado o sistema (notadamente a França), mas nenhum com a amplitude com que se cogitava no Brasil. O Mercado Comum Europeu somente anos depois, e em passo lento, generalizaria esse método, implantado no Brasil em menos de três meses.

Octávio Bulhões e eu listávamos as seguintes vantagens da incidência sobre o valor adicionado: a) Evitava-se a tributação em cascata, que punia os produtos com maior ciclo de produção; b) Evitavam-se incentivos à verticalização das empresas, consideração importante, sobretudo no tocante à indústria automobilística, pois se desejava que a produção de peças para as montadoras fosse descentralizada, em benefício de fabricantes nacionais; c) Criava-se um sistema de autofiscalização, pois os compradores exigiriam notas fiscais dos estágios anteriores; d) Obter-se-iam informações estatísticas para compor matrizes insumo-produto. Achávamos que uma alíquota de 12% reproduziria adequadamente a receita do antigo IVC. Delfim Netto, então secretário da Fazenda de São Paulo, liderou um pleito dos secretários estaduais para que a alíquota inicial se situasse em 15%.

Uma segunda controvérsia, que perdurou até a Constituição de 1988, tinha a ver com um suposto exagero *centralista*, pela amplitude do poder tributário da União. A acusação é em grande parte improcedente no que toca à *concepção* da reforma, conquanto o ímpeto centralista lhe tenha deformado a *execução*. A idéia era a) Eliminar o "manicômio tributário", outorgando-se apenas à União a capacidade residual de criar impostos não especificamente atribuídos a estados e municípios; b) Economizar custos de arrecadação, mediante um sistema de impostos centralmente arrecadados e, em seguida, partilhados com estados e municípios. Estes se beneficiariam do Fundo de Participação no IR e IPI e partilhariam da receita dos impostos únicos. No caso do ITR, o ônus da arrecadação ficaria com o governo federal (menos sensível que os municípios à resistência dos latifundiários), mas a receita seria integralmente repassada às entidades municipais. Além disso, esse tributo era considerado o principal instrumento de reforma agrária; c) Criar mecanismos de transferência de renda para a atenuação de desequilíbrios regionais.

Como sói acontecer, houve na prática deformações que tornaram justificada a acusação de "centralismo". A participação das subunidades da federação nas receitas do Fundo de Participação foi reduzida em 1969 de 20 para 12%, dos quais 2% na dependência da aprovação de projetos.[291] Apesar de constituir crime de responsabilidade a retenção de recursos nas mãos do governo federal, tornaram-se freqüentes os atrasos, com corrosão inflacionária da receita. O imposto único sobre

---

[291] Um subproduto indesejável dessa mutilação do Fundo de Participação foi que, compensatoriamente, estados e municípios de maior poder de pressão foram autorizados a tomar empréstimos em moeda estrangeira, que depois se rotinizaram com a Resolução 63 do BACEN e o surgimento do mercado eurodólar. Isso está na raiz do endividamento anárquico a que se entregaram estados e municípios, a partir de 1969. Durante o governo Castello, procurava-se vincular o endividamento externo a projetos de exportação (geração de divisas), de substituição de importações (economia de divisas) ou a projetos de infraestrutura (capazes de gerar aumento de produtividade dos dois setores). Essa análise das repercussões do endividamento sobre o balanço de pagamentos gradualmente perdeu importância como critério limitativo do endividamento.

combustíveis, 40% do qual iria para estados e municípios, foi gradualmente esvaziado pela criação de impostos e contribuições não compartilhadas como o Finsocial, o PIS-PASEP e o FUP (Fundo de Equalização dos Preços de Combustíveis). Na realidade, como o faz notar o professor Carlos Alberto Longo, o sistema fiscal foi destroçado, ao longo do tempo, pelo esgarçamento das fontes "tradicionais" de receita — o IR e o IPI — e a paralela atomização da arrecadação por via da proliferação de "contribuições" parafiscais (Finsocial, PIS-PASEP e Funrural). Isso não só multiplicou a burocracia da arrecadação como trouxe duas características negativas — a *aleatoridade* e a *regressividade*.

O centralismo e o elitismo de que foram acusadas as reformas fiscais do governo Castello Branco resultaram, assim, de vícios de implementação muito mais do que de pecados de concepção. A reação ao suposto centralismo resultou, na Constituição de 1988, numa vultosa redistribuição da capacidade tributária em favor de estados e municípios, sem correspondente redistribuição de funções. Particularmente danosa foi a abolição dos impostos únicos sobre energia, combustíveis e lubrificantes e produção mineral, que passaram à atribuição dos estados, privando-se a União de recursos para a manutenção e construção de rodovias-tronco, assim como de centrais elétricas interestaduais, e ensejando-se também tentativas estaduais e municipais de tributação sobre minérios exportados. Como adiante se verá, sob o ponto de vista da estrutura tributária, a Constituição de 1968 representou um lamentável retrocesso.

AS REFORMAS
FINANCEIRAS

O desenvolvimentismo de Kubitschek não se transformou em modelo de "desenvolvimento sustentado", pela fragilidade da base financeira. A primeira falha foi a atrofia fiscal do Estado, que passou a depender perigosamente do financiamento inflacionário. A reforma fiscal anteriormente discutida visava precisamente à solução desse problema. Uma segunda falha era a inadequação do sistema financeiro, que não se ajustava às exigências do surto de industrialização. As deficiências do sistema financeiro eram tanto de estrutura como de instrumentação. Sanar esta última disfuncionalidade era o objetivo de outro grupo de reformas — as reformas do sistema financeiro.

O apetite reformista se revelou intenso e célere. No espaço de menos de um ano, entre agosto de 1964 e julho de 1965, foram passadas as três leis fundamentais: a lei que criou o Sistema Financeiro de Habitação (Lei n? 4.380, agosto/64), a lei que criou o Banco Central (Lei n? 4.595, dezembro/64) e a lei de reforma do Mercado de Capitais (Lei n? 4.728, julho/65).

A lei do sistema financeiro de habitação foi a primeira a ser enviada ao Congresso Nacional, em abril de 1964, não apenas pela urgência social do problema, mas também como resposta a um desafio político. A crise de habitação era um dos *leitmotivs* das arengas demagógicas de Goulart, cujas pseudo-soluções (congelamento de aluguéis e locação compulsória de imóveis vazios) só faziam agravar o problema. O outro desafio era a reforma agrária, em relação à qual se brandia a ameaça da desapropriação, que só fazia aumentar a inquietação no meio rural.[292]

A solução do problema habitacional brasileiro era (e continua sendo) extremamente difícil, por três fatores: a explosão demográfica, acompanhada da migração rural para as zonas urbanas, e a inflação crônica, que desencoraja investimentos de longo prazo. Entre os objetivos da instituição da correção monetária, proposta em abril e aprovada em julho de 1964, figurava precisamente a viabilização dos investimentos de longo prazo, basilares no setor habitacional e de desenvolvimento urbano em geral.

---

[292] Encontra-se uma análise interessante do problema na tese de doutorado de Cláudia Maria Cavalcanti Barros Guimarães, *1964 — Estado e economia, a nova relação*, Unicamp, 1990, p. 108.

Era uma mudança substancial de enfoque. Na ausência da correção monetária das prestações, os financiamentos da antiga Fundação da Casa Popular, criada no governo Dutra, em maio de 1946, assim como dos Institutos de Pensão e Aposentadoria, transformaram-se em polpudos e insustentáveis subsídios a determinadas categorias de funcionários e trabalhadores. Entre 1930 e 1964, esses órgãos financiaram apenas 120 mil unidades, e a corrosão inflacionária das prestações impossibilitou a recomposição do capital. Da mesma forma que o BNDE fora criado como banco de investimentos públicos, e não autarquia, para firmar a idéia de projetos reembolsáveis, também o programa habitacional seria liderado por um banco — o BNH — a fim de se acentuar a idéia de solução predominantemente via mercado, e não subsídios graciosos. Procurava-se assim condicionar o acesso à casa própria, até então sujeita à dispensação política, a critérios técnicos de avaliação de garantias e comprovação de rendimento dos adquirentes, para assegurar o retorno dos financiamentos e recompor o estoque de capital social, destinado ao giro da oferta de habitação.

O SISTEMA FINANCEIRO
DE HABITAÇÃO (SFH)

A prioridade dada ao SFH, imediatamente após a reforma fiscal de emergência, visava em parte dar resposta a um dos desafios políticos do governo Goulart — o problema habitacional — e em parte servir de medida anti-recessiva durante o período de ajuste, pela ativação da indústria de construção, notoriamente intensiva de mão-de-obra. No período Goulart, era abundante a retórica e eram contraproducentes as medidas. Estas se cifravam no congelamento de aluguéis e na ameaça de locação compulsória de imóveis vazios e na desapropriação urbana. Obviamente, fora o próprio congelamento de aluguéis que agravara o problema, comprimindo duplamente a oferta: pelo desincentivo a novas construções e pelo desinteresse dos proprietários em ofertar locações. Outro problema da época eram as incorporações desordenadas, particularmente as em condomínio. Estimava-se que no país existiam 10.000 edifícios inacabados, com construção interrompida. Eram um paliteiro de andaimes. Na competição por vendas, iniciavam-se construções, a preços imprudentemente subestimados (por empreitada ou por administração), que a inflação logo tornava grotescamente irrealistas. A ausência de garantia para os adquirentes de unidades em construção ou a construir, e de punição para incorporadores e construtores inescrupulosos, resultou numa grande especulação imobiliária e numa superprodução de esqueletos arquitetônicos. O problema habitacional era assim multifacetado: financiamento de novas construções, regulação do inquilinato e normatização de condomínios e incorporações imobiliárias.

A possibilidade de uma solução inovadora se abriu com a instituição da correção monetária, proposta já em abril de 1964 no projeto de lei do BNH, cuja adoção em julho estimularia a poupança e permitiria contratos de longo prazo. E se aprofundou com a decisão de enfrentar as três facetas do problema numa visão holística, que se desdobraria ao longo do tempo em várias frentes: a) Lei de criação do Sistema Financeiro da Habitação, compreendendo o Banco Nacional de Habitação, as sociedades de crédito imobiliário e o Serviço Federal de Habitação e Urbanismo (Lei nº 4.380, de agosto de 1964);[293] b) Lei do inquilinato (Lei nº 4.494, de

---

[293] As Associações de Poupança de Empréstimo viriam a ser criadas pelo decreto-lei nº 73, de 21 de novembro de 1966.

novembro de 64); c) Regulamentação do condomínio em edificações e de incorporações imobiliárias (Lei nº 4.591, de dezembro de 1964); d) Lei de criação de medidas de estímulo à indústria de construção civil (Lei nº 4.864, de novembro de 1965); e) Lei de criação do Fundo de Garantia do Tempo de Serviço-FGTS (Lei nº. 5.107, de setembro de 1966).

A ementa da Lei nº 4.864, que "criava medidas de estímulo à indústria da construção civil", foi sugerida por Bulhões Pedreira para dar-lhe uma conotação simpática.

— Todo mundo gosta de incentivos — dizia ele.

O que tal lei fez foi basicamente consolidar, à luz das primeiras experiências, dispositivos imperfeitos, incorretos ou incompletos dos diplomas anteriores, buscando adicionar mecanismos criativos de atuação para o setor. Por sua vez, a lei sobre condomínios e incorporações imobiliárias, extremamente bem redigida, sobreviveu até hoje a todas as mudanças posteriores na política habitacional.

A necessidade de atualização de valores, quer no tocante à aquisição da casa própria quer no tocante a aluguéis em geral, era uma percepção generalizada, sem que existisse uma fórmula adequada. Carlos Lacerda, a quem se deve creditar uma boa visão do problema habitacional, já procurara aplicar no Rio de Janeiro, onde construíra a Vila Kennedy, uma forma embrionária de ajuste de prestações, cuja constitucionalidade contratual era defendida há vários anos por Arnold Wald e Mário Henrique Simonsen.

A primeira proposta legislativa concreta sobre "valores corrigidos" no campo habitacional foi num projeto apresentado à Câmara dos Deputados ainda no governo Goulart, em janeiro de 1964, pelo deputado Adauto Lúcio Cardoso, atendendo a pedido de Sandra Cavalcanti. Esta era então deputada estadual no Rio de Janeiro, serviria depois como secretária do Serviço Social no governo Lacerda e viria a desempenhar papel importante na reforma habitacional. O projeto de nº 648-64 de Adauto Lúcio Cardoso fora preparado por um grupo informal de trabalho, do qual participaram o incorporador Carlos Moacyr Gomes de Almeida, Mário Henrique Simonsen, Maria da Conceição Tavares, Jessé Montelo e a própria Sandra Cavalcanti.

O projeto autorizava o reajustamento das prestações de imóveis por construir, ou em fase de construção, "toda vez que o valor do salário mínimo seja oficialmente elevado", não podendo ser mais que proporcional ao aumento do salário. A norma do reajustamento só se aplicaria às *habitações populares*, assim definidas as com área coberta não superior a 100 m². O projeto não teve curso na conturbada atmosfera do governo Goulart.

Ao voltar de viagem ao extremo oriente, após deixar a embaixada em Washington, estabeleci contato com o *think tank* do IPES e passei a preocupar-me com o problema habitacional. Havia no IPES bons estudos sobre a matéria, feitos por um grupo coordenado por Paulo Assis Ribeiro, do qual tinham participado Glycon de Paiva, Haroldo Polland, Jorge de Mello Flores e Álvaro Milanez.

Vitoriosa a Revolução, em 1º. de abril, abria-se a possibilidade prática de execução das reformas projetadas pelo IPES. Promovi uma reunião, em 3 de abril, com Mário Henrique Simonsen e Carlos Moacyr Gomes de Almeida no apartamento do meu vizinho no Leme, o advogado Bulhões Pedreira, a fim de prepararmos um projeto de reforma habitacional, que culminaria na instituição da correção monetária e na criação do BNH. Redigido o projeto por Bulhões Pedreira, perito em dar ossatura jurídica aos devaneios dos economistas, tornou-se ele a base da Lei nº. 4.380. Lembro-me de que, já entrada a madrugada, recebi telefonema de um amigo que me comunicava uma notícia alvissareira: a designação de Octavio Gouvêa de Bulhões para ministro da Fazenda da Junta Militar. Pedia-me, ao mesmo tempo, autorização para articular meu nome para a superintendência da Sudene. Recusei prontamente a autorização.

— Não quero passar subitamente da internacionalização à regionalização — respondi-lhe.

Duas semanas depois, eu próprio fui convidado por Castello Branco para ministro do Planejamento e insisti em que a reforma habitacional fosse considerada projeto prioritário.

Enviada em abril, teve tramitação relativamente rápida, com aperfeiçoamento nas duas casas do Congresso. No Senado foram apresentadas nada menos que 108 emendas, tanto para expurgo quanto para aprimoramento do texto. O relator, senador Mem de Sá, teve a assistência de Sandra Cavalcanti e Carlos Moacyr Gomes de Almeida e contribuiu grandemente para o êxito da tramitação. Ainda assim, não menos que 30 vetos presidenciais tiveram que ser apostos.[294]

A grande dificuldade era naturalmente a aceitação do novel instituto da correção monetária, numa sociedade ainda imbuída do assistencialismo da Fundação da Casa Popular, dos Institutos de Previdência e das Caixas Econômicas, cujos financiamentos, com o surto inflacionário, se tornaram subsídios graciosos aos beneficiários (geralmente apaniguados políticos).

A Lei nº. 4.380 criava instituições, mecanismo e instrumentos. A principal instituição era o BNH, concebido como um banco de segunda linha, que teria também função coordenadora e orientadora. O mecanismo era a correção monetária. Os

---

[294] Na volta do projeto à Câmara, colocou-se um problema delicado. O Senado eliminara alguns dispositivos de sabor populista, apoiados por três líderes eminentes — San Tiago Dantas, do PTB, Franco Montoro, do PDC, e Amaral Peixoto, do PSD. Em hábil negociação, Sandra readmitiu os dispositivos, sem comprometer o governo em não vetá-los. Foram depois objeto de veto presidencial, com o que os deputados "salvaram a face" e o projeto não perdeu sua integridade.

instrumentos seriam os depósitos no sistema financeiro de habitação, as cadernetas de poupança e as letras imobiliárias. No propósito, um pouco ingênuo, de sublinhar a função social do BNH previa-se, no art. 23, uma outra fonte de recursos, jamais operacionalizada. Estabelecia-se uma subscrição compulsória de letras imobiliárias do BNH por todos os proprietários ou construtores de prédios residenciais, cujo custo excedesse de 850 vezes o maior salário mínimo vigente no país. Esse ensaio de aplicação do princípio de Robin Hood ao setor habitacional — os imóveis de luxo financiariam a habitação popular — só poderia ser operacionalizado através das prefeituras, e estas nunca se interessaram pelo assunto.

Lembro-me de um outro caso de ilusão tecnocrática. Imaginávamos, Octavio Bulhões e eu, que um instrumento favorecido seriam as letras imobiliárias. Estas, além das recém-criadas ORTNs, seriam os únicos títulos no mercado com correção monetária, apoiadas por garantia governamental e transacionadas no mercado secundário. Os depósitos de poupança pareciam bem menos interessantes, pois não eram negociáveis no mercado. Entretanto, o contrário aconteceu. As cadernetas de poupança se tornaram, ao longo dos anos, uma das principais fontes de alimentação do sistema.

O aporte de recursos mais estável e fundamental veio através do FGTS, criado em setembro de 1966, e implantado a partir de 1967. A finalidade do FGTS era criar um pecúlio financeiro permanente, em substituição ao instituto da estabilidade no emprego, que previa uma indenização somente no caso do desastre da despedida. Sua utilização como base financeira do sistema de habitação foi uma brilhante idéia de Luiz Gonzaga do Nascimento e Silva, segundo presidente do BNH, e de Mário Trindade, que lhe sucedeu. A este coube também, à base da particular convicção e esforço de José Eduardo de Oliveira Pena, implantar as cadernetas de poupança.

A presidência do BNH coube inicialmente a Sandra Cavalcanti. Ela foi a preferida por Castello Branco numa lista de seis nomes que lhe apresentei: Haroldo Polland e Carlos Frias, ambos empresários, Bulhões Pedreira, Mário Henrique Simonsen, Jorge Oscar de Mello Flores e Sandra Cavalcanti. Os argumentos que usou Castello foram os seguintes: a) Sandra conhecia bem o problema e sua atuação fora fundamental na tramitação legislativa; b) Tinha experiência prática em habitação popular, como secretária da Ação Social de Carlos Lacerda; c) A Revolução tinha por obrigação guindar uma mulher a um posto de comando, pois a "marcha da família" em São Paulo, organizada por donas de casa, fora fundamental para o êxito do movimento; d) Como secretária da Ação Social do governo Carlos Lacerda, Sandra serviria também de ponte para entendimento com os lacerdistas, dissatisfeitos, àquela altura, com a prorrogação do mandato presidencial.

Mal sabia eu que minha convivência com Sandra não seria tranqüila. Castello um ano depois a substituiria por Luiz Gonzaga do Nascimento e Silva na presidência do BNH. Credite-se a Sandra, no governo Lacerda, o mais sério esforço de desfavelização do Rio de Janeiro. Foram removidas onze favelas, entre as quais a do Pasmado. A maciça degradação urbana da BELACAP viria anos mais tarde com o governador Brizola, que não só se revelou displicente em relação às invasões urbanas, como, ao bloquear o acesso da polícia aos morros, contribuiu para transformar as favelas em antros de crime e contravenção.

Apesar de termos cooperado estreitamente na programação e tramitação das várias peças legislativas que compunham a reforma habitacional, sentia em Sandra um latente antagonismo, que se agravou à proporção que Lacerda passou a hostilizar o programa financeiro de Castello Branco. Sandra considerava-me politicamente inexperiente e intelectualmente arrogante, acusações que, de resto, não eram imerecidas.[295] Somente muitos anos mais tarde, já na Assembléia Constituinte de 1988, viríamos a estreitar laços de amizade quando Sandra na Câmara, e eu no Senado, nos achamos do mesmo lado da cerca, combatendo o intervencionismo estatizante e a xenofobia que impregnavam o texto constitucional.

Sandra não tinha experiência organizacional em operações bancárias e era tentada a atenuar a aplicação da correção monetária nos projetos da COHAB, que achava politicamente mais interessantes que os projetos privados. Receosa do descasamento entre a correção monetária das letras e a das prestações da casa própria, não desenvolveu a instrumentação das letras imobiliárias. Na minha ótica e na de Octavio Bulhões, o ônus para o governo de cobrir eventuais defasagens seria bem menor que a vantagem de mobilizar recursos privados no mercado financeiro, aliviando-se assim os encargos orçamentários. Mas, os dois lados estávamos errados. Os grandes instrumentos do financiamento da habitação popular viriam a ser a caderneta de poupança e o FGTS, este último a partir de 1967.

O programa das Cooperativas de Habitação foi lançado no Rio de Janeiro através da Instrução nº 1 do BNH, em janeiro de 1965, com grande interesse popular (nada menos de 30.000 pessoas se inscreveram). Mas poucos meses depois, a pri-

---

[295] Só vim a saber de um pitoresco incidente que ilustra essa percepção ao ler a biografia de Castello Branco por John Foster Dulles, publicada em 1980. Dulles, referindo-se à entrevista que lhe dera Sandra em novembro de 1975, assim relata o episódio: "Castello disse a Sandra que queria que ela voasse a Paris para obter informações de primeira mão sobre um boato de que Lacerda estava interessado em abandonar a governança do Rio se pudesse tornar-se um embaixador itinerante. Pediu-lhe que dissesse a Lacerda que ele, Castello, era oposto a qualquer ampliação do mandato presidencial, possibilidade mencionada por alguns congressistas. Sandra atribuiu a Rafael de Almeida Magalhães, seu desafeto, o rumor de que Lacerda estava interessado em abandonar a governança.
— Todas as pessoas — disse Sandra — têm suas fraquezas, presidente. A sua fraqueza foi nomear Roberto Campos ministro. A fraqueza de Carlos Lacerda é o Rafael. John Foster Dulles, *Castello Branco — A brazilian reformer*, Texas University Press, 1980, p. 50-51.

meira das cooperativas sofreu uma intempestiva intervenção do BNH, que paralisou o programa habitacional e desgastou a credibilidade do Banco. Minha preocupação principal com a conseqüente lenta demarragem do BNH se acentuou pela urgência da utilização do programa habitacional como instrumento anti-recessivo, em face da sua capacidade de geração de empregos para a mão-de-obra não qualificada.

Ao longo dos anos, até sua equivocada extinção no governo Sarney, o BNH trouxe importante contribuição para a solução do problema habitacional. Operou em escala limitada entre 1964 e 1967. A partir desse ano, teve seus recursos reforçados pelo FGTS e pelas cadernetas de poupança. A partir de 1971, ampliaria suas funções, tornando-se um banco de desenvolvimento urbano, engajado também em operações de saneamento básico.

Gradualmente sofreu os efeitos da "lei da entropia" burocrática. O segmento de habitações de baixa renda, que era a motivação principal, perdeu terreno, ao longo dos anos, comparativamente a operações mais rentáveis em habitações de classe média e construções comerciais. Sofreu considerável politização no recrutamento de funcionários e na escolha de projetos, quando da gestão Andreazza, ministro do Interior e candidato presidencial à sucessão do general Figueiredo. Começou aí o descasamento entre a correção monetária das prestações da casa própria e a das cadernetas de poupança, o que viria no futuro a representar substancial subsídio aos mutuários da classe média, absorvendo recursos que deveriam ser destinados à habitação popular. A pá-de-cal ocorreu no governo Sarney, em 1985, com a redução pela metade da correção monetária cobrada dos mutuários. A contínua pressão por subsídios, sob a forma de abatimentos na correção monetária das prestações, toda vez que houve endurecimento na política salarial, acabou desestabilizando o SFH, com dois resultados desastrosos: as sociedades de crédito imobiliário passaram a aplicar seus recursos principalmente em Obrigações do Tesouro e criou-se um enorme passivo no fundo de compensação das variações salariais. A absorção do BNH pela Caixa Econômica Federal, em novembro de 1986, não redundou em economias administrativas e deixou inaproveitada boa parte da *expertise* criada em 22 anos de funcionamento.

INQUILINATO, CONDOMÍNIOS E INCORPORAÇÕES IMOBILIÁRIAS

A cooperação de Sandra Cavalcanti, graças ao seu grande prestígio junto aos udenistas do Congresso, foi fundamental em dois outros projetos da área habitacional: a lei do inquilinato, de novembro de 1964, e a lei sobre o condomínio em edificações, em dezembro do mesmo ano.

O problema do inquilinato era candente. O congelamento de aluguéis, as regras de locação vigentes desde a Segunda Guerra Mundial e, nos últimos tempos do governo Goulart, a ameaça de locação compulsória de imóveis desocupados tinham drasticamente reduzido a oferta de imóveis de aluguel. O mercado não se reanimaria sem um diploma legal que fizesse retornar o equilíbrio nas relações locador/locatário e oferecesse aos locadores proteção contra a inflação. Impunha-se estender aos aluguéis o instituto da correção monetária e regulamentar o despejo.

Curiosamente, o ministério da Justiça reclamava para si a regulamentação do assunto. Havia um anteprojeto de lei do inquilinato (preparado pelo competente jurista Caio Mário Pereira, chefe do gabinete do ministro da Justiça, Milton Campos), extremamente inadequado por não prever a correção monetária, a liberdade para as novas locações ou o ajuste adequado das locações vigentes. Debates públicos e reuniões intragoverno se sucederam.

Pedi a Castello Branco uma reunião interministerial, a que compareci com Milton Campos e Caio Mário, tendo ao meu lado Sandra Cavalcanti e Carlos Moacyr Gomes de Almeida. Conseguimos a adesão de Castello ao nosso projeto, que incluía pontos de vista bem mais realistas: a) Liberação plena dos aluguéis de prédios que recebessem o "habite-se" após a vigência da lei, e autorização para contratação de correção monetária das locações, de modo a estimular novas construções; b) Correção e atualização dos aluguéis de contratos existentes, ao longo de um período de 10 anos, pela aplicação de um "fator de correção monetária" e de um "fator de depreciação" do imóvel, desde sua locação; c) revisão imediata dos aluguéis vigentes, até um nível que fosse igual a 30% do valor do aluguel original contratado, corrigido e atualizado até a data da lei.

As tabelas de correção e atualização e os aspectos matemáticos da lei foram trabalhados por Paulo de Assis Ribeiro, um dos mais ativos membros do *think tank* do IPES, que viria a desempenhar o papel fundamental também no projeto de reforma agrária. O projeto foi enviado ao Congresso para sua apreciação conjunta, em 45 dias. Aprovado, foi sancionado em 17 de novembro.

A passagem da controvertida lei do inquilinato foi facilitada pela conversão de um inimigo em aliado. O inimigo era o desembargador Luiz Antonio de Andrade, apelidado de "doutor inquilinato", pelo seu profundo conhecimento da matéria. Fora relator da lei de 1942, ainda durante a Segunda Guerra Mundial, e por isso foi convidado por Pedro Aleixo e Rondon Pacheco para assessorar a Câmara. Ferrenho inimigo da correção monetária e do reajuste compulsório (ainda que gradual) dos aluguéis antigos, coisas que considerava absurdas, acabou convertido após vários dias de debate com Carlos Moacyr Gomes de Almeida, não sem se queixar de que o jovem representante do ministério do Planejamento falava demais.

— *He talks too much* — dizia.

Convenceu-se do irrealismo de sua posição numa economia inflacionária e acabou, para surpresa da oposição, defendendo ardorosamente o projeto realista do ministério do Planejamento.

Apesar de vencido, o ministério da Justiça não se absteve de, durante a votação no Congresso, encorajar pontos de vista contrários ao projeto governamental.

Controvérsia semelhante ocorreu no tocante à lei das incorporações. Havia o grave problema dos "prédios parados", da responsabilização e da insegurança jurídica das relações entre incorporadores, construtoras e adquirentes de unidades em construção ou por construir, em economia inflacionária. Vendiam-se prédios na planta até pela metade do preço real ou previsto, com subseqüente paralisação de obras, reajustes mais ou menos arbitrários e conflitos de toda ordem. O assunto foi discutido entre o ministério da Justiça e o do Planejamento, e assim foram acordadas as linhas gerais do projeto, que aproveitaria idéias de um anteprojeto de Caio Mário e da legislação venezuelana, mas que sofreria adaptações para se tornar operacional na realidade inflacionária brasileira.

Verifiquei depois, com surpresa, que contrariamente às normas que eu havia combinado com Castello Branco sobre coordenação interministerial, o ministério da Justiça enviara ao Congresso um projeto alternativo ao nosso, bastante deformado, mas também com o prazo de 45 dias para aprovação conjunta das duas casas legislativas. Não havia outro recurso senão induzir-se algum deputado da Comissão Mista a pedir vista, a fim de prepararmos um substitutivo, que teria preferência na votação da Comissão. Confiando plenamente em Sandra Cavalcanti, o deputado Adauto Lúcio Cardoso se prontificou a patrocinar nosso substitutivo que acabou sendo aprovado com emendas. Aperfeiçoado em 1965 pela lei dos incentivos à construção civil, é a atual lei de condomínios em edificações e incorporações imobiliárias, já com quase 30 anos de sucesso.

É curioso que os ministros que mais dificultaram minha tarefa de coordenação tenham sido precisamente Milton Campos e Juarez Távora, que eu tratava com reverência, como *vires egregii*, pela admirável folha de serviço de ambos. Juarez se apaixonava pelas ovelhas de seu rebanho. Defendia intransigentemente o porto do Rio de Janeiro, já naquela ocasião fonte de dificuldades pelos altos custos e pela belicosidade grevista dos portuários. Isso impediu a aprovação de um "Código dos portos e navegação", que eu havia proposto a Castello para acabar com os privilégios da estiva e reduzir as exigências de tripulação compulsória, que até hoje prejudicam a competitividade dos navios brasileiros.

As dificuldades com Milton Campos não se limitaram aos problemas do inquilinato e do condomínio e incorporações. Excessivamente conservador, quase ao ponto do imobilismo jurídico, não foi fácil persuadir Milton Campos da necessidade de se flexibilizar o instituto de compensação pela desapropriação de terras, sem o que não se poderiam viabilizar as reformas previstas no Estatuto da Terra.

A CRIAÇÃO DO
BANCO CENTRAL

A segunda etapa da reforma financeira foi a Lei de reforma bancária (n°. 4.595, de dezembro de 1964), que criou o Banco Central em substituição à SUMOC, que o professor Bulhões fundara em 1945. A instituição de um Banco Central como autoridade monetária fora objeto de antiga e acirrada controvérsia suscitada principalmente pelo Banco do Brasil. Este era politicamente poderoso, representando uma estranha mistura de banco comercial, autoridade monetária, banco rural, banco de investimentos e *mont-de-piété*. Algumas estatais brasileiras, como o Banco do Brasil e a Petrobrás, que têm ex-funcionários eleitos para o Congresso, sempre foram agressivas na defesa de privilégios corporativos e bem mais fortes que vários partidos políticos.

A idéia havia sido adumbrada ainda nos anos 30 com a missão financeira de sir Otto Niemeyer, que visitou o Brasil em 1931. Mas o primeiro projeto concreto foi o de n°. 104, apresentado em 1950 por Correia e Castro, ministro do governo Dutra. Criava o Banco Central como órgão executor de política monetária e o Conselho Monetário como órgão normativo. Estabelecia também cinco bancos estatais especializados — o Banco Rural do Brasil, o Banco Industrial do Brasil, o Banco de Investimento do Brasil, o Banco Hipotecário do Brasil e o Banco de Exportação e Importação do Brasil. Dessa proliferação de bancos, acabou sobrando no curso do tempo a proposta do Banco Rural, que ressurgiu em vários projetos apresentados ao longo de 14 anos. Durante todo esse tempo, as três questões mais controvertidas eram (a) A vedação ou não de financiamento do déficit do Tesouro pelo Banco Central; (b) O tratamento especial a ser dado ao setor rural; (c) A redefinição do papel do Banco do Brasil.

O mais tenaz dos proponentes do Banco Central foi o deputado Daniel Faraco, que apresentou projetos em 1947, 1954 e 1962. O substitutivo Daniel Faraco de agosto de 1962 criava o Banco Central e o Banco Rural, que substituiria a Carteira de Crédito Agrícola e Industrial do Banco do Brasil.

Ao mesmo tempo, quando Brochado da Rocha se tornou primeiro-ministro do governo Goulart, em julho de 1962, surgiu a idéia de se pôr fim ao interminável debate, criando-se um Banco Central através do uso da Lei Delegada n°. 2. Cibilis Viana, então assessor de Brochado da Rocha, reviveu a idéia da criação de vários bancos estatais especializados, segundo o que se chamava então de "modelo italiano". Felizmente foi ouvido o economista Casimiro Ribeiro, da Divisão de Estudos

Econômicos e Financeiros da SUMOC, que usou um argumento convincente: o modelo italiano era na realidade o modelo fascista de Mussolini, que havia estatizado bancos privados inviabilizados na Grande Depressão dos anos 30. Tendo em vista o fortíssimo *lobby* do Banco do Brasil, Casimiro propôs uma solução camuflada: manter-se-iam a SUMOC e o Conselho Monetário e a ela seriam transferidas a Carteira de Redesconto, a Carteira de Mobilização Bancária e as funções monetárias da Caixa de Amortização. A SUMOC seria na prática um Banco Central. O projeto de lei delegada de Casimiro Ribeiro foi incorporado *ipsis litteris* ao documento oficial do governo Brochado da Rocha sobre delegação de poderes, mas não chegou a ser encaminhado ao Congresso.

Os funcionários do Banco do Brasil se mobilizaram em favor de um projeto chamado "Ney Galvão", apresentado em dezembro de 1962, que fazia exatamente o contrário: simplesmente transformava o Banco do Brasil em autoridade monetária, substituindo-se o Conselho da SUMOC por um "Conselho Nacional da Moeda e Crédito", e relegando-se para um futuro indefinido a criação do Banco Rural e de quatro outros bancos regionais de desenvolvimento.

Em março de 1963 foi apresentado um projeto conciliatório chamado "projeto Miguel Calmon-San Tiago Dantas". Esse projeto criava o Conselho Monetário, mas mantinha a SUMOC como órgão controlador e fiscalizador. Fora preparado por um grupo de trabalho convocado por Miguel Calmon e fora aceito por San Tiago Dantas que, em janeiro de 1963, lhe sucedeu no ministério da Fazenda.

Paralelamente ao que ocorria na administração Goulart, um dos vários estudos sobre reformas de base empreendidos pelo IPES, cujos GEDs (Grupos de Estudos e Doutrina) buscavam alternativas ao "nacional reformismo" de Goulart, versava precisamente sobre o tema da "reforma bancária". Esse tema havia sido discutido no IPES principalmente por Garrido Torres e Jorge Oscar de Mello Flores, mas seu maior entusiasta era o economista Dênio Nogueira, então no Conselho Nacional de Economia e na Fundação Getúlio Vargas.

O grande herói da reforma bancária foi, sem dúvida, o professor Octavio Gouveia de Bulhões. Ao contrário da maioria dos economistas brasileiros, que são favoráveis a um banco central independente antes de serem ministros da Fazenda, e o consideram incômodo logo depois, Bulhões sempre considerou a existência de um Banco Central autônomo um instrumento indispensável de estabilização monetária.[296] Essa visão foi empiricamente confirmada em estudos recentes, particularmente do professor Alberto Alesina, de Harvard, que detectou um elevado

---

[296] Uma das raras divergências ao longo dos anos entre Gudin e Bulhões referia-se exatamente à questão do Banco Central. Gudin sustentava que o BACEN não deveria existir antes de conseguido o saneamento financeiro, pois de outra forma nasceria sem credibilidade. Bulhões argüia que o BACEN seria um instrumento precioso precisamente para conseguir-se o saneamento financeiro.

grau de correlação entre a independência de bancos centrais e o êxito de políticas estabilizadoras de preços.

A obsessão de Bulhões era antiga. Logo ao voltar da Conferência de Bretton Woods, em 1944, Bulhões propôs ao ministro da Fazenda de Vargas, Arthur de Souza Costa, a criação da Superintendência da Moeda e Crédito, que seria um embrião do Banco Central. Ela foi criada pelo decreto-lei nº 7.293, de fevereiro de 1945. Teria o objetivo de coordenação da política monetária e creditícia e serviria de interlocutora para as instituições financeiras internacionais.

O desenvolvimento do embrião foi lento e difícil. Como o fez notar Pedro Malan, na década de 40 a principal função da SUMOC foi a reorganização e regulamentação do sistema bancário, com algumas limitadas atribuições na área de câmbio, particularmente no tocante ao controle de capitais externos. Na década de 50, a SUMOC passou a focalizar o problema do controle da expansão monetária e creditícia, visando sobretudo disciplinar a expansão creditícia do Banco do Brasil. Essa função era dificultada pela quase inexistência dos mecanismos clássicos de controle — o redesconto, o compulsório e o *open market*. O primeiro não era controlado pela SUMOC; o segundo tinha efeito perverso, pois sendo os depósitos feitos no Banco do Brasil, serviam para alimentar-lhe a expansão creditícia; e o *open market* só viria a funcionar na década dos 60, quando, com a correção monetária dos títulos públicos, se criou um mercado voluntário para esses títulos.[297]

Na década de 50, a SUMOC assumiu funções importantes na área de câmbio e comércio exterior, em decorrência de vários eventos: em 1951, a dramatização por Vargas do problema de remessa de lucros ao exterior e, em outubro de 1953, a edição da Instrução nº 70, que substituiu o regime da paridade fiscal pelos leilões de câmbio; em janeiro de 1955, a Instrução nº 113, que permitiu a importação de equipamentos sem cobertura cambial. No governo Kubitschek talvez a contribuição mais importante da SUMOC tenha sido a Portaria nº 309, preparada sob a gestão de Garrido Torres, mas editada pelo seu sucessor, que regulamentou as sociedades de crédito, financiamento e investimentos, supridoras de crédito de médio prazo para as nascentes indústrias de automóveis e bens duráveis de consumo. O instrumento usado era a "letra de câmbio", uma versão precoce da *securitization* de hoje. As letras de câmbio de seis meses, obtido o "aceite" de bancos comerciais, eram vendidas com deságio no mercado, contornando-se assim o teto de 12% de juros da Lei de Usura.

A ruptura de Kubitschek com o FMI, em junho de 1959, marcaria um período de desprestígio da SUMOC, que só seria interrompido temporariamente com a volta de Bulhões à Diretoria Executiva, no governo Jânio Quadros.

Com a Revolução de 1964, Octávio Bulhões foi convocado pela Junta Militar,

---

[297] Ver Pedro Malan, 'Superintendência da Moeda e Crédito', no *Dicionário histórico-biográfico brasileiro*; 1930-1983, organizado por Israel Beloch e Alzira Alves de Abreu, Rio de Janeiro, FGV-DPDOC/FINEP/Forense Universitária, 1984, p. 3281-4.

em 4 de abril, para ministro da Fazenda, cargo em que foi confirmado pelo presidente Castello Branco. Não perdeu tempo em reviver a idéia da criação do Banco Central. Convocou para a tarefa o economista Dênio Nogueira, que com ele trabalhara no Conselho Nacional de Economia e na Fundação Getúlio Vargas, conhecido por suas convicções monetaristas. Sua intenção era designá-lo para a SUMOC, mas o cargo estava preenchido pelo embaixador Otávio Dias Carneiro, que fora ministro da Indústria e Comércio dos gabinetes Tancredo Neves, Brochado da Rocha e Hermes Lima. Dias Carneiro substituíra Bulhões na SUMOC em março de 1963, após este ter-se demitido em protesto contra a Lei de Remessa de Lucros (setembro 1962), que corajosamente se recusou a regulamentar, considerando-a "um crime de lesa-pátria". A regulamentação dessa lei foi afinal baixada por Dias Carneiro em janeiro de 1964 (Lei n.° 53.451), com os resultados que Bulhões previra: paralisação de remessas ao exterior e cessação de novos investimentos. O problema só viria a ser corrigido com a revisão da lei de remessa de lucros, já no governo Castello Branco.

Dias Carneiro era um excepcional talento, com excelente cultura matemática. Fora para o BNDE a meu convite — éramos colegas, amigos e compadres — e prestou excelentes serviços na feitura de projeções de rentabilidade do Banco e no estudo do problema de energia nuclear. Nossa amizade entretanto esfriara, como já relatei, pela posição ambígua que tomou como representante do ministério da Fazenda nas discussões sobre o petróleo de Roboré. E certamente tinha pouca afinidade com a ortodoxia monetarista de Bulhões. Tendo feito excessivas concessões ao nacional-populismo da era janguista, não se sentia confortável na nova equipe. Quando pediu exoneração, em maio de 1964, Dênio Nogueira passou a ser o diretor executivo da SUMOC.[298]

---

[298] Vários incidentes levaram à exoneração de Dias Carneiro. Quando estourou a Revolução de 1964, ele estava em Genebra para a reunião de fundação da UNCTAD (Conferência das Nações Unidas sobre Comércio e Desenvolvimento), para cujo secretariado geral foi eleito Raul Prebisch. Dias Carneiro, então diretor executivo da SUMOC, substituíra na chefia da delegação o ministro do Exterior Araújo Castro, quando este voltou ao Brasil pouco depois de iniciada a reunião. O subchefe da delegação, representando o Itamaraty, era Jayme Azevedo Rodrigues, diplomata brilhante, cronicamente sequioso de certezas radicais, pois transitara do integralismo, em prise direta, para uma forma extremista de comunismo. "De Plínio Salgado para Mao Tsé-Tung", dizia-se no Itamaraty. Vitoriosa a Revolução, redigiu um violento telegrama de protesto contra o "reacionarismo de direita dos militares". Pediu ao Dias Carneiro que, como chefe substituto da delegação, autorizasse a transmissão ao Itamaraty do texto desaforado. Dias Carneiro assentiu, talvez sem se dar conta da gravidade da insubordinação. No Itamaraty, houve reação imediata do ministro Vasco Leitão da Cunha, que desligou Rodrigues da delegação e exigiu que o telegrama fosse expurgado da série de comunicações oficiais. Para cúmulo do azar, Dias Carneiro, ao se encontrar nos corredores do Palais des Nations com vários delegados do leste europeu, que deixavam a sala de reuniões na qual discursaria o delegado português, pleiteando a admissão do seu país na UNCTAD, imaginou que a reunião tivesse sido cancelada. O lugar do Brasil ficou acintosamente vazio. Criouse assim um caso diplomático. O embaixador de Portugal no Rio de Janeiro foi instruído para protestar contra a descortesia brasileira. Nosso anticolonialismo não deveria chegar ao ponto de se

A preocupação de Bulhões era a preparação rápida de um projeto de reforma bancária que, apresentado ao Congresso através de substitutivo do líder do governo, tivesse preferência sobre os projetos em curso. Estava tramitando na Câmara um pedido de urgência para o projeto Ney Galvão, certamente o pior deles, já transformado no "substitutivo Alkmin".

O corporativismo do Banco do Brasil sempre representou um obstáculo quase intransponível à criação do BACEN. Este só se viabilizou no governo Castello Branco por duas circunstâncias. Como já fiz notar alhures, Octavio Bulhões era antigo apóstolo da idéia, e o presidente designado para o Banco do Brasil, o banqueiro paulista Luiz de Moraes Barros, não participava do corporativismo de seus comandados. Lembro-me de que, numa reunião do palácio Laranjeiras, um seu jovem assessor, Paulo Lyra, divergindo do chefe, passou a argumentar apaixonadamente que seria inviável a criação do BACEN, até mesmo pela falta de recursos humanos, que só poderiam ser supridos pelo Banco do Brasil, havendo perigo de sabotagem burocrática. Isso feriu o sentimento disciplinador de Castello Branco, que passou a considerar o antagonismo do Banco do Brasil como um argumento favorável e não desfavorável à criação do BACEN. Ao sairmos da reunião, disse Castello: — Esse rapaz é ousado mas competente na defesa do erro. Tem futuro...

Por ironia da história, Paulo Lyra viria dez anos depois a presidir o BACEN, durante o governo Geisel.

Ainda antes de assumir a SUMOC, Dênio Nogueira participou de um grupo de trabalho informal que, em cerca de um mês de labor ininterrupto, apresentou a Bulhões e a mim um projeto substitutivo de banco central. Desse grupo faziam também parte Hélio Marques Viana, representando a SUMOC, Orlandy Correia, ex-funcionário do Banco do Brasil, então diretor do Banco Português, Lair Bessa, presidente da Associação dos Bancos, e Jorge Oscar de Mello Flores, presidente do Sindicato dos Bancos, este um brilhante engenheiro, com bons contatos no Congresso em decorrência de sua ação no IPES, e enorme capacidade de formulação de textos legais. Eu o chamava jocosamente de "engenheiro hidráulico e causídico".

As instruções de Bulhões visavam à transformação da SUMOC em Banco Central independente, com a finalidade de formular a política de moeda e crédito,

---

boicotar a mera presença de Portugal numa conferência patrocinada pela ONU. Dias Carneiro já era encarado com suspeitas pela diplomacia portuguesa pois, em 1961, como delegado brasileiro no GATT, em reunião presidida pelo embaixador Edmundo Barbosa da Silva, havia votado contra a admissão de Portugal nessa organização. A linha do Itamaraty, após a Revolução de 1964, deixara de ser de crítica desabrida a Portugal, adotando uma postura que se poderia chamar de "engajamento construtivo": encorajar Portugal a aceitar um "calendário de descolonização", sem hostilizar frontalmente o país amigo. Essa combinação de circunstâncias adversas tornou inevitável a exoneração de Dias Carneiro.

regulando para tanto o valor interno da moeda "de modo a prevenir surtos inflacionários ou deflacionários de origem interna e externa". Sua ação seria ao mesmo
tempo estabilizadora e anticíclica.

As discussões evoluíram no sentido da estruturação de um Sistema Financeiro
Nacional, composto da SUMOC (a ser transformada em Banco Central), do Banco
do Brasil, do Banco Nacional de Desenvolvimento Econômico e das demais instituições financeiras públicas e privadas. A autoridade monetária seria regida por um
Conselho Monetário de onze membros, dos quais apenas nove votantes.

Para assegurar a independência desse Sistema Financeiro, havia alguns dispositivos: (a) O governo não teria maioria automática no CMN, pois dos nove membros
votantes, apenas três — o ministro da Fazenda e os presidentes do Banco do Brasil
e do BNDE — seriam demissíveis *ad nutum;* os outros seis teriam mandatos de sete
anos, sendo designados pelo presidente da República, dentre brasileiros de ilibada
reputação e notória capacidade em assuntos econômico-financeiros; (b) Os conselheiros teriam de ser aprovados pelo Senado Federal; e (c) A diretoria do Banco
Central, composta pelo presidente e três diretores, seria eleita pelo próprio
Conselho dentre os seus membros.

Poderiam participar das reuniões do Conselho, sem direito a voto (a não ser
quando substitutos eventuais do ministro da Fazenda), o ministro da Indústria e
Comércio e o ministro para Assuntos de Planejamento;

O único ministro com direito a voto seria o da Fazenda, que é por dever funcional um ministro "poupador". Eu próprio insisti em que os outros dois ministros,
potencialmente gastadores, o da Indústria e Comércio e o do Planejamento, somente tivessem direito a voz, porém não a voto.

Seriam privativas do Banco Central as funções habitualmente consideradas clássicas da Autoridade Monetária — emissão de moeda, execução de serviços do meio
circulante, concessão de redesconto e empréstimos a instituições financeiras, recolhimento de depósitos bancários voluntários e compulsórios, fiscalização de instituições
financeiras e operações de *open market*. O desenho arquitetônico era perfeito.

Na prática, a lei do Banco Central "não pegou", como depois veremos. Quatro
desvios sérios em relação às funções clássicas de banco central ocorreram desde o
início. O primeiro foi a grave distorção da chamada "conta de movimento" do
Banco do Brasil, que só viria a ser formalmente extinta no governo Sarney, 24 anos
após a formação do Banco Central. É que ficara acordado que, como agente fiscal,
o Banco do Brasil continuaria a receber e movimentar depósitos do Tesouro, assim
como realizar serviços por conta do Banco Central. Inicialmente essa conta seria
liquidada semanalmente, com juros de 1% sobre o saldo devedor do Banco do
Brasil. Gradualmente se afrouxou essa exigência de liquidação, e a "conta de movimento" passou a ser uma espécie de redesconto automático dos financiamentos do

Banco do Brasil. No auge do processo, a "conta de movimento" chegou a ultrapassar a base monetária.

O segundo desvio se centrou nos depósitos voluntários dos bancos privados. Sendo parte essencial da base monetária, recebê-los é função privativa da autoridade monetária. Acertou-se, durante uma fase de transição (que depois se tornou permanente), que o Banco do Brasil fosse autorizado a recebê-los, tornando-se ele, *de facto*, autoridade monetária.

O terceiro descaminho foi a assunção, pelo Banco, de funções promocionais de fomento, sob a pressão de interesses setoriais, particularmente da área agrícola. Relata Dênio Nogueira que, nas discussões com o Congresso, admitiu essa função sobretudo para evitar que o Banco do Brasil e o BNDE cedessem às pressões para expungir dos empréstimos agrícolas a exigência de correção monetária. Mantendo essa cláusula, o BACEN evitaria que estas pressões recaíssem sobre o Tesouro. A intenção era boa mas certamente insuficiente para conjurar os perigos de desvirtuação das funções estabilizadoras de autoridade monetária. O Banco Central veio a assumir na prática funções de banco de fomento no setor agrícola, envolvendo-se também em questões relativas a comércio exterior, sistema financeiro de habitação e regulamentação de consórcios comerciais. O financiamento de fomento acabou transformando-se em financiamento inflacionário, precisamente o oposto do que deveria fazer o BACEN.

O quarto, que provocou muitos outros, foi a violação dos mandatos, que só poderiam ser interrompidos por renúncia espontânea ou perda da qualidade para o cargo.

O projeto de transformação da SUMOC em Banco Central, com plenas funções de Autoridade Monetária, foi alvo de intensos debates no Congresso. Seu relator na Comissão Especial foi o deputado Ulysses Guimarães, do PSD, com forte apoio do líder do governo Raimundo Padilha. Além das conhecidas objeções do Banco do Brasil à perda de funções e à alegada perda de sua rentabilidade, havia a oposição dos ruralistas. Estes, representados na Câmara sobretudo pelo deputado Herbert Levy e no Senado pelo senador Daniel Krieger, defendiam a criação de um Banco Rural, ou, como segunda linha de defesa, que não fosse aplicada a correção monetária aos créditos rurais. Dênio Nogueira conseguiu persuadir os congressistas de que o necessário seria não um banco especializado, mas um "sistema de crédito rural", que abrangesse o Banco do Brasil e também os bancos privados, cujas redes de agências deveriam ser cooptadas para a tarefa. Ao Banco Central caberia apoiar o sistema através do redesconto agrícola.

O projeto do Banco Central só saiu do Congresso acompanhado de uma injunção ao Executivo para enviar um projeto específico sobre o sistema de crédito rural. Para essa tarefa foi criada uma comissão especial, presidida por Severo Gomes, então diretor da Carteira de Crédito Agrícola e Industrial do Banco do

Brasil. Esse projeto sofreu numerosas emendas no Congresso, sete das quais foram vetadas. Os três vetos principais se referiam 1) À fixação da taxa de juros em nível pelo menos 1/4 inferior às adotadas para as operações bancárias de crédito mercantil; 2) À obrigatoriedade de os bancos privados aplicarem 10% dos depósitos nesses setores, e 3) À não-cobrança da correção monetária. A ferrenha oposição do senador Krieger levou à derrubada desses três vetos no Senado. Bulhões achou que a implantação do BACEN já era em si uma tarefa difícil; não conviria azedá-la por uma disputa com os ruralistas do Congresso.

A primeira diretoria do BACEN foi presidida por Dênio Nogueira, sendo eleito diretores Luiz Biolchini, um grande operador de câmbio, Aldo Franco, que temporariamente acumulou funções como diretor da Cacex, e Casimiro Ribeiro, que teve a seu cargo a Carteira de Redescontos.

No disciplinamento do redesconto, Casimiro experimentou grande oposição dos banqueiros de São Paulo, ao procurar firmar a distinção entre os "redescontos de liquidez", que deveriam ser liquidados em 15 dias e teriam juros punitivos, e os "redescontos de financiamentos" favorecidos, como os rurais, que tinham maior prazo e taxas de juros mais baixas. Conquanto os banqueiros mais conservadores fossem parcimoniosos na utilização do redesconto para fins de liquidez, generalizara-se a prática de utilização de redesconto para cobertura de déficits de caixa por prazo igual ao dos papéis de crédito, confundindo-se o redesconto de financiamento com o de liquidez. A reação dos banqueiros ao disciplinamento do redesconto se radicara de sua experiência negativa na fase final do governo Goulart, quando os redescontos para os bancos paulistas e gaúchos haviam sido arbitrariamente suspensos, por ordem do governo, o que motivou a renúncia do presidente, substituído pelo diretor da Carteira de Redescontos, Hugo Faria, como represália política pelo antagonismo do empresariado à política econômica do governo Goulart.[299]

O gesto só não teve conseqüências mais graves porque a Carteira de Redescontos, ao nível operacional, manteve o acesso ao redesconto através das agências bancárias desses bancos no Rio de Janeiro.

---

[299] O episódio é descrito nas memórias de Daniel Krieger, *Desde as missões*, Rio, José Olympio, 1977, p. 203. Jorge de Mello Flores relata um incidente pitoresco. Como presidente do sindicato dos bancos foi à Brasília visitar o diretor Hugo Faria e inquiri-lo das razões da suspensão do redesconto em São Paulo e Rio Grande do Sul. A resposta foi que os banqueiros desses estados estavam ativamente participando de conspiração contra o governo.

— Mas então, por que deixar de lado Minas Gerais onde a revolução já estourou?

Hugo Faria, assustado e incrédulo, telefonou para Belo Horizonte e obteve confirmação da notícia. Certamente os serviços de informação do governo Goulart não eram de primeira qualidade.

BANCO CENTRAL,
UMA QUESTÃO DE CULTURA

No Brasil, há leis que "pegam" e leis "que não pegam". A que criou o Banco Central não pegou. É que o Banco Central, criado independente, tornou-se depois subserviente. De austero xerife passou a devasso emissor.

Como ficou dito, em seu formato original, o BACEN podia se defender da fúria emissionista pela independência assegurada aos seus diretores através de mandatos fixos, que constituem aliás praxe internacional. Esse sonho institucional durou pouco. Dois meses antes da transmissão de poder fui, como ministro do Planejamento, instruído por Castello Branco para explicar ao presidente eleito, Costa e Silva, os capítulos econômicos da nova Constituição de 1967. Aproveitei para sugerir-lhe que pusesse termo aos boatos de substituição do presidente do Banco Central, pois a lei lhes dava mandato fixo, precisamente para garantir estabilidade e continuidade na política monetária.[300]

— O BACEN é o guardião da moeda — acrescentei.

— Ó guardião da moeda sou eu — retrucou Costa e Silva.

Foi inútil tentar persuadi-lo de que nem o Legislativo nem o Executivo costumam portar-se heroicamente na luta antiinflacionária, pois ambos são sujeitos a enormes pressões de gastança, que recrudescem nos anos eleitorais. Costa e Silva ignorou os mandatos e Delfim Netto, o novo ministro da Fazenda, não tinha fanatismo pela idéia de independência do Banco. Havia nos meios bancários paulistas

---

[300] Na conversa com Costa e Silva, mencionei-lhe também a conveniência de não se alterar imediatamente a presidência do Instituto Brasileiro do Café, então exercida pelo empresário paranaense Leônidas Bório, que tinha como seu competente assessor Alexandre Beltrão (que viria futuramente a ser diretor executivo da Organização Internacional do Café). Estávamos no meio de uma complexa negociação internacional para ampliar o Acordo Internacional do Café, pela adesão dos países consumidores, sem cuja cooperação não se conseguiria que os países produtores obedecessem às quotas de exportação. A mudança da diretoria do IBC criaria atraso e indecisão no processo negocial, que poderia afetar negativamente o mercado. Costa e Silva desatendeu à recomendação, nomeando logo para o cargo o competente empresário paulista Horácio Coimbra, bom conhecedor da indústria de café solúvel. Este, afinado com a tendência revisionista do governo, anunciou que haveria modificações na política do café, o que provocou uma paralisia temporária de vendas. Felizmente, as negociações do acordo foram logo retomadas e Coimbra se revelou um bom homem de *marketing*. Contrastando com a legendária longevidade dos mandatos dos dirigentes colombianos da política cafeeira, o Brasil sempre se caracterizou por grande instabilidade gerencial nesse setor, com altos custos de aprendizagem em sucessivos governos.

grande antagonismo a Dênio Nogueira, pelo inflexível programa de contenção de crédito que aplicara em 1966.

Lembro-me de algo pitoresco. Cheguei a propor a Costa e Silva uma operação cosmética para conciliar seu desejo de substituição de quadros com o respeito aos mandatos. Propus-me obter de Dênio Nogueira uma carta, com data em branco, na qual pediria exoneração por motivo de saúde. Costa e Silva preencheria a data mais tarde, após um interstício decente, a fim de separar a rotina da sucessão presidencial da substituição da presidência do BACEN.

— Persuadirei o Dênio — disse-lhe — a pretextar patrioticamente um câncer na próstata, em tempo oportuno.

O próprio Dênio Nogueira, cioso da preservação da imagem da independência, excogitou solução ainda mais complicada. Estando prestes a expirar o mandato de um dos membros do Conselho Monetário, o banqueiro Gastão Vidigal, este deixaria temporariamente o Conselho. Denio passaria de presidente do Banco Central a simples conselheiro, e o candidato paulista indicado por Delfim — o professor Rui Leme — ingressaria no Conselho, sendo imediatamente eleito presidente do BACEN. Dênio renunciaria após um intervalo decente, reconduzindo-se Gastão Vidigal ao Conselho Monetário, onde sua presença era importante como banqueiro ilustre e líder empresarial paulista. Essa rebuscada maquilagem não despertou maior interesse, até porque a solicitude na preservação da imagem de Banco Central independente não fazia parte de nossa cultura econômica. Ainda não faz, transcorridos quase 30 anos...

Houve uma coincidência infeliz de eventos desfavoráveis. Em setembro de 1966 já se tornara claro que a taxa cambial se tornara sobrevalorizada, com desincentivo às exportações e recorrentes rumores especulativos sobre desvalorização. Fora a recorrência desses rumores, inevitáveis quando a taxa de inflação interna supera a externa, que me levara, desde o governo Café Filho, sob o ministro Whitaker, a pleitear a adoção de uma taxa flutuante, contrariamente à preferência de Bulhões por taxas fixas, a título de âncora de expectativas. Setembro era, entretanto, um mês de intranqüilidade laboral e dissídios coletivos. Eu próprio sugeri o adiamento da desvalorização até outubro. Era o mês que precedia as eleições congressuais, e Castello Branco, tratando-se de uma decisão cujas conseqüências desabariam sobre seu sucessor, preferiu novo adiamento para que Costa e Silva, eleito presidente em 3 de outubro, pudesse ser pelo menos sondado sobre a medida. Nova postergação ocorreu porque Costa e Silva partiu logo depois para o exterior, em longa viagem, antes de designar a nova equipe ministerial que o assessoraria na decisão.

Consultado ao regressar, indicou que Delfim Netto, escolhido para ministro da Fazenda, e Nestor Jost, indicado para presidente do Banco do Brasil, fossem ouvidos. Delfim Netto manifestou apreensões quanto ao impacto sobre o custo de vida, mas entendeu logo a necessidade da medida, que lhe daria alguma tranqüilidade cambial nos primeiros meses de governo. Afinal de contas, a taxa realista favoreceria as exportações e o impacto inflacionário poderia ser debitado ao governo anterior. Nestor Jost se manifestou mais hesitante, receoso do impacto da medida sobre as finanças das empresas que tivessem dívidas em moeda estrangeira. Ponderamolhes que Bulhões e eu teríamos de assumir a responsabilidade, pois não queríamos passar o governo com uma taxa cambial visivelmente desajustada. Além disso, era nossa intenção, paralelamente à desvalorização, proceder a uma reforma monetária pela instituição do cruzeiro novo, com o cancelamento de três zeros do cruzeiro antigo. A desvalorização foi de 22,3%.[301]

Infelizmente, a essa altura estávamos já às vésperas do carnaval, o que dificultava a preparação das instruções internas e sua transmissão aos bancos e agências que operavam em câmbio.[302] O Conselho Monetário adiou a divulgação para a quarta-feira de cinzas, 8 de fevereiro, tomando as precauções necessárias para evitar vazamentos que poderiam beneficar especuladores. Haveria um feriado bancário até 13 de fevereiro, data do início de circulação do cruzeiro novo.[303] Imediatamente

---

[301] "Uma pedra no meu caminho", foi como descrevi uma inesperada entrevista do professor Eugênio Gudin, logo após a desvalorização. Adotou ele posição acerbamente crítica tanto em relação à reforma cambial (que teria aspectos inflacionários) como à implantação do cruzeiro novo (que deveria esperar até alcançarmos a estabilidade de preços). Normalmente, Bulhões e eu nos aconselhávamos com o dileto mestre antes de decisões importantes, mas a confidencialidade do ajuste cambial impedira essa salutar cautela. A reforma monetária obedecia a uma conveniência prática: os zeros da moeda se tinham tornado inadministráveis. E postergar o ajuste cambial seria pôr em risco todo um longo trabalho de saneamento cambial baseado na promoção de exportações. Bulhões e eu planejávamos atenuar o impacto inflacionário mediante uma redução nas tarifas de importação. Quando procuramos Gudin para explicar essas circunstâncias atenuantes, era tarde. Os jornais não perderam essa oportunidade de explorar essa dissensão entre os "monetaristas ortodoxos"... Tive que ir à televisão para explicar o *rationale* da dupla medida — a desvalorização cambial e a implantação do cruzeiro novo. Ver Anexo VIII — Entrevista do ministro do Planejamento sobre a desvalorização cambial e a implantação do cruzeiro novo em 10 de fevereiro de 1967.

[302] O subdesenvolvimento das comunicações era àquela altura um fator explicativo importante da frouxidão dos controles monetários e cambiais. Conta Dênio Nogueira que uma das dificuldades da instalação do Banco Central era a falta de aparelhos de telex, para comunicação com as praças cambiais e coleta de dados sobre a evolução do crédito bancário. A concessão de linhas de telex era severamente racionada pelo ministério da Viação e Obras Públicas. Quando solicitado pelo BACEN para obtenção da linha, respondeu o ministro Juarez Távora que ninguém teria privilégios e o BACEN teria de esperar, democraticamente, na fila...

[303] Imaginávamos, Bulhões e eu, com ingenuidade tecnocrática, que, com uma taxa cambial realista, renegociada a dívida externa e contido o déficit pela reforma fiscal, o cruzeiro novo se tornasse o padrão monetário definitivo. O cruzeiro, que substituíra o mil réis em 1942, vigorara um quarto de século. Ledo engano! Novas redefinições do padrão monetário se tornaram um mal crônico. Em 1970, a moeda voltou a chamar-se cruzeiro, sem corte de zeros. Em 1986, transformou-se no cruzado perdendo três zeros. Em 1989, surgiu o cruzado novo, também com corte de zeros. Em 1990 ressurge o cruzeiro, sem perda de zeros. Em 1993, de novo tivemos o corte de três zeros no cruzeiro, que passou a ser chamado de cruzeiro real. No momento em que escrevo, foi anunciada a criação de um novo indexador — a URV, como passo intermediário para a criação de uma nova moeda, o *real*.

surgiram boatos de que a postergação da desvalorização resultara em polpudos lucros para os especuladores. A acusação era infundada, pois investigações posteriores indicaram que o único comprador substancial de moeda estrangeira, na sexta-feira precedente ao carnaval, revendera-a na quarta-feira de cinzas, antes de conhecida a desvalorização. O episódio foi explorado pela oposição no Congresso, que propôs a criação de uma comissão parlamentar de inquérito, para grande irritação dos diretores do BACEN, funcionários com longa e limpa folha de serviços, que sentiram sua honorabilidade questionada. Confirmando rumores no mercado sobre a determinação do governo de desconsiderar os mandatos, Rui Leme, candidato de Delfim à presidência do BACEN, passou a manter contatos informais com gerentes do BACEN, sem a presença dos titulares, o que levou a diretoria a renunciar coletivamente, logo após a posse de Delfim.[304]

A independência do BACEN teve assim fim melancólico, não sobrevivendo ao primeiro teste. O instituto dos mandatos fixos só foi formalmente revogado no começo do governo Geisel, pela Lei n.º 6.045, de maio de 1974, proposta pelo ministro Mário Henrique Simonsen. Este argüia que os mandatos haviam perdido vigência após o Ato Institucional n.º 5. Assim, sua revogação *de jure* meramente reconhecia uma situação *de facto*. Mais tarde, em 1983, o ministro Delfim Netto reformaria e ampliaria o Conselho Monetário Nacional, que passou a contar com 24 membros, sem mandato fixo.

O tema da independência do BACEN ressurge no debate econômico nacional sempre que se agudiza o processo inflacionário. Voltou à tona durante a Constituinte de 1988, avançando-se um passo no sentido da independização, através do art.164 da Constituição, que proíbe ao BACEN financiar o Tesouro, quer direta quer indiretamente, dispositivo até hoje não regulamentado e que também "não pegou".

O debate permanece inconclusivo, mas cresce a impressão de que o Brasil não se livrará da crônica síndrome inflacionária se não tiver uma "constituição monetária" como complemento a uma reforma fiscal. E a entronização da estabilidade da moeda, como um valor fundamental e condicionante, exige uma instituição autônoma, despojada de outras funções (operações de fomento, fiscalização de instituições financeiras, controle de capitais estrangeiros) que não a regulação da moeda.

A expressão "autonomia do Banco Central" parece preferível à expressão "independência do Banco Central", pois evita a impressão de que se trata de um quarto poder. Num sistema democrático, o poder final reside no Congresso, devendo ser exercido através da aprovação de "metas monetárias anuais", paralelamente às

---

[304] Para uma descrição pormenorizada das peripécias da renúncia ao mandato pela diretoria do Banco Central, ver Dênio Nogueira, *Depoimentos*, CPDOC/FGV, 1993, p. 5.

"metas orçamentárias anuais". A relação, sempre de delicada calibragem, entre o BACEN e o Tesouro, deve ser de coordenação e não de subordinação.

Arguem os adversários da tese da autonomia do Banco Central que seria absurdo dividir o poder entre mandatários ungidos pelo voto popular e uma burocracia não eleita. O argumento pode operar também ao reverso. Precisamente porque os mandatários têm que se expor a confrontos eleitorais é que são tentados a fabricar prosperidade temporária em períodos pré-eleitorais, com sacrifício de objetivos de longo prazo da estabilidade monetária.

Mais relevante é o argumento de que o simples controle da oferta da moeda pelo Banco Central não elimina as distorções criadas pela emissão da dívida pública. Esta pode ter efeitos *inflacionários* (na hipótese de provocar alta da taxa de juros) ou *alocativos*. Estes, por sua vez, podem ser de dois tipos. Um é o fenomeno do *crowding out*, isto é, a compressão do crédito privado pelo desvio de recursos para financiamentos do governo. Outro é o efeito "redistributivo", ou seja, a transferência de renda dos que pagam os encargos da dívida (contribuintes de impostos) para as pessoas nos altos estratos de renda (que recebem os juros da dívida). É claro que, ao contrário de outros países (Estados Unidos, Alemanha, Canadá, Itália e Bélgica), nos quais um alto endividamento interno coexiste com uma inflação moderada, no Brasil todas as distorções acima referidas se exibem impudentemente, sendo particularmente notável a pressão altista da dívida pública sobre a taxa de juros.

Mas o Brasil é, sem dúvida, um caso teratológico. O BACEN, concebido originalmente como o guardião da estabilidade, adquiriu a rotatividade de uma casa de tolerância. Somente após a restauração democrática de 1985 a 1992 teve sete diferentes presidentes, à média de 12 meses por cabeça.

Como já ficou dito, pesquisas recentes, sobretudo pelo professor Alberto Alesina, de Harvard, referentes a 17 países industrializados, revelaram no período 1973-86, a existência de uma alta correlação positiva entre estabilidade monetária e grau de autonomia dos bancos centrais. Dois países recentemente, a Nova Zelândia e o Canadá, procuraram institucionalizar essa independência através da fixação de metas rígidas — 0 a 2% — de inflação anual, entronizando a estabilidade de preços como objetivo condicionante.

O mais antigo dos bancos centrais independentes é o Federal Reserve Board, de Washington. São conhecidas as "tensões criativas" entre o FED e o Tesouro, este mais preocupado com o crescimento e o emprego e aquele com a estabilidade e os preços. Quando a política fiscal é frouxa, como sucedeu no início do governo Reagan, cabe ao FED fazer um enxugamento da liquidez, através de violenta alta da taxa de juros, com efeitos recessivos.

Na Europa, o mais independente dos bancos centrais é o Bundesbank, da

República Federal Alemã, que, por lei de 1957, goza de independência formal na condução da política monetária. O presidente e os membros do conselho do Bundesbank têm mandato fixo de oito anos. É provavelmente a instituição mais prestigiosa do país, e o marco alemão deixou de ser apenas um instrumento de troca para ser um símbolo de bom gerenciamento financeiro.

Na Itália há um fenômeno curioso. Ainda que sem independência formal, o Banco da Itália, pela sua isenção política e qualidade de seus profissionais, tornou-se um quarto poder. No pós-guerra, a Itália teve perto de 50 gabinetes parlamentares e apenas cinco ou seis presidentes do Banco Central.

Na Inglaterra e na França, os bancos centrais não gozam de independência formal em relação ao Tesouro, mas quase nunca há confrontações. É que, ao divergirem do Banco Central, os ministros da Fazenda se expõem ao risco de pânico no mercado de câmbio e perturbações no mercado de capitais.

Um modelo intermediário interessante é o holandês. O Banco da Holanda aproxima-se do Bundesbank em sua tradição de independência. Em tese, o ministro da Fazenda pode expedir diretrizes para que o Banco se conforme à política do governo. Mas o Banco pode apelar para o gabinete. Este pode determinar que sejam cumpridas as diretrizes, mas nesse caso são obrigatoriamente publicadas "as razões do Banco" e as "razões do ministro", coisa extremamente desagradável pois pode gerar queda de gabinete.

É fácil a harmonia entre os tesouros e bancos centrais quando os orçamentos fiscais são equilibrados ou superavitários. Nesse caso, o Banco Central pode "bancar o bonzinho", baixando taxas de juros e deixando o crédito folgado. A situação inversa é mais provável no Brasil. O Banco Central tem que assumir a responsabilidade do arrocho monetário para neutralizar a esbórnia fiscal.

Recomeça no Brasil a discussão sobre o Banco Central independente. Ele é útil em qualquer caso, mas imprescindível em sistema parlamentarista.

Na Europa também se reabre a discussão, por motivo diferente. Planeja-se uma união monetária para 1999, e uma moeda única pressuporia um Banco Central da Comunidade Econômica Européia. O problema político é sério. Os países de moeda estável, como a Alemanha e a Holanda, insistem num banco central apolítico e legalmente obrigado a manter a estabilidade de preços. Outros países hesitam, seja por motivos de soberania, seja pelo receio da rígida disciplina financeira exigida pelos países de moeda mais forte.

A REFORMA DO
MERCADO DE CAPITAIS

O terceiro passo na criação de uma instrumentação financeira de modernização capitalista foi a lei do mercado de capitais (Lei n? 4.728, de julho de 1965), uma das primeiras peças legislativas discutidas no Consplan, criado em fevereiro de 1965. Pela lei do Banco Central já se havia reorganizado o crédito público e, através da regulamentação dos bancos comerciais, disciplinado o crédito de curto prazo. A tarefa subseqüente, mais difícil, seria criar mecanismos e instrumentos de intermediação da poupança de médio e longo prazo pelo setor privado, sob seus dois aspectos: o mercado da Bolsa de Valores e as instituições do Mercado de Capitais.

A matéria tinha sido estudada por um grupo de trabalho informal, liderado por Bulhões Pedreira, e do qual participaram Pedro Leitão da Cunha, Ary Waddington e Sérgio Augusto Ribeiro. Este último fora nomeado diretor da Caixa de Amortização, com a incumbência expressa de organizar o primeiro setor operacional de emissão e venda das Obrigações Reajustáveis do Tesouro, função que, após a criação do Banco Central, passou a ser exercida pela Gerência da Dívida Pública.

O debate interno se centrava em duas opções: o modelo anglo-saxão de especialização das funções e o modelo europeu de banco múltiplo (aplicado também parcialmente no Japão).[305] A opção inicialmente preferida foi a de rigorosa separação de funções entre os bancos comerciais (créditos de curto prazo), as sociedades de crédito e financiamento (crédito de médio prazo), os bancos de investimento (recursos de longo prazo) e as sociedades seguradoras (proteção contra riscos). O problema da habitação, como já vimos, foi objeto de legislação específica.

A opção pela compartimentalização de funções entre entidades distintas tinha duas justificativas empíricas. Uma era a experiência desfavorável de iliquidez de bancos comerciais, que usavam depósitos à vista para financiamentos imobiliários, receita de desastre sobretudo em países inflacionários. Era recente a experiência da

---

[305] No modelo alemão, os bancos comerciais podem tornar-se acionistas controladores de complexos industriais e se fazem representar nas respectivas diretorias. No Japão do pré-guerra existiam os *zaibatsu*, complexos financeiros e industriais que, no pós-guerra, se transformaram nos *keiretsu*, nos quais, além do núcleo bancário, existem participações cruzadas dentro do mesmo complexo industrial ou entre complexos afins.

CAMOB (Caixa de Mobilização Bancária), a que freqüentemente tinham de recorrer bancos comerciais excessivamente imobilizados. A segunda era a deturpação das funções de intermediação pública pelos antigos bancos familiares (Banco Cruzeiro do Sul, Banco Matarazzo, Banco Roxo Loureiro), que punham os recursos neles depositados a serviço dos próprios acionistas. A promiscuidade entre bancos e indústrias, que na Alemanha e Japão se provou mais tarde eficazes na formação de sólidos conglomerados financeiro-industriais, parecia perigosa no Brasil, ante a limitada capacidade fiscalizadora do governo e a imprevisibilidade resultante da tradição inflacionária.

O sistema da lei, como é sabido, foi depois modificado. A primeira flexibilização, a partir de 1968, se deu através da formação dos "conglomerados financeiros". A segunda, já em anos recentes, a partir de 1988, foi a oficialização dos "bancos múltiplos".

A formação dos conglomerados financeiros permitiu que várias instituições, formalmente separadas em pessoas jurídicas distintas, ficassem sob o mesmo comando grupal. Janelas múltiplas, em vez de "bancos múltiplos". Isso permitiria economizar despesas de *overhead* pelo aproveitamento de serviços e diretorias comuns. Atenderia também às conveniências da clientela, que teria nos conglomerados um supermercado financeiro, capaz de prover, sob um mesmo teto, serviços diversificados como a manipulação de cheques e depósitos, cadernetas de poupança, *underwriting* de ações e debêntures, e compra de seguros.

Num terceiro estágio, mais recente, houve uma reação contra a excessiva concentração de poder nos antigos conglomerados, liderados por bancos comerciais tradicionais. Com incentivo do Banco Mundial, o BACEN liberalizou a criação de bancos múltiplos, no intuito de fomentar maior concorrência.

Não há ainda suficiente experiência para se ajuizar do sucesso da medida. Um tipo de flexibilização que, sem dúvida, foi nocivo, consistiu na multiplicação de bancos estaduais. Estes não só competem deslealmente com o sistema bancário privado, pela captação sem custo das receitas estaduais, como se tornaram indiretamente órgãos de emissão monetária. Emprestam dinheiro a governos insolventes, principalmente em períodos eleitorais, recorrendo depois ao BACEN, que lhes dá acomodação, com receio de pânico bancário.

Outra opção importante foi a atribuição à autoridade administrativa da competência para verificar o cumprimento, pelos emissores de títulos, das exigências legais sobre divulgação de informações e fiscalização prévia da legalidade das emissões de títulos no mercado. A lei brasileira, seguindo a tradição do direito europeu, definia responsabilidades e tipificava crimes na participação nos mercados, mas a autoridade somente agia *a posteriori*, e em geral é impraticável compensar todos os danos causados por atos ilegais a milhares de investidores. Os

Estados Unidos, com base na experiência do grande *crash*, em 1929, da Bolsa de Nova York, haviam criado, em 1934, a Security and Exchange Comission (SEC), com poderes para fiscalizar permanentemente os mercados e impedir a distribuição de emissões ilegais. A lei do mercado de capitais inspirou-se nesse exemplo para atribuir ao Banco Central poderes semelhantes.

A lei incluiu uma mini-reforma da lei de sociedades por ações de 1940, com o fim de criar instrumentos necessários para o desenvolvimento do mercado, tais como as debêntures com correção monetária e conversíveis em ações, o *stock purchase warrant*, sob a forma de cupão destacável da debênture conversível, as ações e debêntures endossáveis e a sociedade anônima de capital autorizado, cujo aumento de capital não implicava reforma estatutária e que podia adquirir as próprias ações e contratar opções para a aquisição futura de ações.

A lei do mercado de capitais foi um documento complexo, extremamente sofisticado para a época, que regulou, além das matérias já referidas, as atribuições do Conselho Monetário e do Banco Central sobre os mercados; organizou o sistema de distribuição de valores no mercado, formado pelas Bolsas de Valores, os *underwriters* e as corretoras; disciplinou as Bolsas, substituiu os corretores de fundos públicos por sociedades corretoras e criou os bancos de investimento; subordinou a registro prévio no Banco Central a distribuição e emissões de títulos negociados em Bolsa ou no mercado de balcão; exigiu a coobrigação de instituições financeiras nos títulos cambiários lançados nos mercados; limitou a utilização do sistema financeiro pelas empresas que tinham acesso aos mercados estrangeiros; criou o Certificado de Depósito Bancário e o Certificado de Depósito em Garantia; regulou as sociedades e fundos de investimento; conferiu ação executiva para cobrança de contratos de câmbio e criou a alienação fiduciária em garantia, como modalidade de penhor sem tradição do bem empenhado, inspirado no *trust receipts*; isentou as operações do mercado do imposto de selo, e disciplinou novamente, de modo sistemático, as incidências do imposto de renda sobre os rendimentos dos títulos e valores mobiliários.

Dois aspectos da lei — o estatuto das sociedades anônimas e a supervisão do mercado de ações — viriam a ser objeto posteriormente de leis específicas, votadas durante o governo Geisel, e em cuja redação Bulhões Pedreira desempenhou também papel fundamental: a Lei n.° 6.404/76, que reformulou as sociedades anônimas, e a Lei n.° 6.385/76, que criou a Comissão de Valores Mobiliários, para absorver as funções de supervisão bursátil, antes atribuídas ao BACEN. Ao contrário do modelo americano, entretanto, este reteve a função de controle e fiscalização das instituições financeiras, que nos Estados Unidos não competem ao Federal Reserve Board e sim ao Conptroller of the Currency e à Federal Deposit Insurance Corporation.

A lei do mercado de capitais, conquanto tenha suscitado o desenvolvimento da tecnologia de *underwriting*, e a formação de quadros nos bancos de investimento, falhou no propósito principal de desenvolver um mercado privado de poupança de longo prazo, como alternativa e/ou complemento do crédito público do BNDE.

A responsabilidade principal cabe, sem dúvida, à persistência, e posterior agravação, do fenômeno inflacionário e, secundariamente, ao não aproveitamento, pelo mercado, das virtualidades da lei do Mercado de Capitais. Lembro-me de que, quando passei, na iniciativa privada, a presidir, em 1967, um novo banco de investimento — o Investbanco — propus ao BACEN, dentro da seção XIV da lei de Mercado de Capitais, a criação de um novo instrumento creditício privado, o "Certificado com Repactuação Automática", que se destinaria a alongar os prazos de aplicação. Os bancos emitiriam em nome próprio certificados de valores fiduciários em garantia, baseados em garantias reais das empresas tomadoras, com juros e correção monetária automaticamente repactuados em cada período de seis meses. O incentivo para os aplicadores seria uma redução do imposto de renda, até a isenção final para os papéis de mais de dois anos. O risco de corrosão inflacionária do capital e juros seria contornado pela repactuação automática cada semestre. O nível de taxas na repactuação não poderia ser inferior à média praticada por um grupo de grandes bancos, selecionados pelo BACEN. Era na realidade uma proposta de criação de uma *LIBOR* semestral, precursora do que viria a se tornar rotina no mercado eurodólar. A proposta, que não despertou interesse no BACEN, então presidido por Ernane Galvêas, teria contribuído para o alongamento do perfil da poupança privada.

Os bancos de investimento foram estimulados a desenvolver a tecnologia do *underwriting* através dos fundos criados pelo decreto-lei n? 157, de fevereiro de 1967, formados por uma dedução de até 10% do imposto de renda devido pelas pessoas físicas, e até 5%, pelas pessoas jurídicas. Depositados esses recursos nos bancos de investimento, à opção do contribuinte, destinar-se-iam eles à compra de ações, incentivando o desenvolvimento do Mercado de Capitais. Originalmente, o objetivo era a compra de ações de empresas novas, com vistas a encorajar a abertura de capital e a diversificar o elenco de ações nas Bolsas de Valores. Essa restrição foi gradualmente relaxada no curso do tempo.

O propósito de alongamento do crédito privado, por via de debêntures, e da ampliação das emissões de ações nas Bolsas de Valores, foi apenas parcialmente alcançado. Conseguiu-se, entretanto, um certo grau de desconcentração do crédito público, através de um sistema de repasse de fundos públicos do BNDE ao setor privado, por via do sistema bancário. O mais importante e flexível sistema de repasses foi o Finame, criado pelo BNDE, que instituiu no Brasil um mecanismo equivalente ao dos *supplier's credit e user's credit*, que viria a representar papel importante na industrialização brasileira. As vantagens do sistema de repasses eram (a) A maior agilidade no processamento de créditos; (b) A co-responsabilidade dos agentes financeiros privados e (c) A despolitização do crédito público, pois os agentes privados, para preservar sua solvência, tinham que observar critérios de rentabilidade microeconômica.[306]

---

[306] Curiosamente o BNDE se revelou relutante em operacionalizar o Finame e só se agilizou quando ameacei transferir o sistema para o Banco do Brasil. Explorei assim o ciúme burocrático para um propósito positivo. Ao Banco do Brasil eu havia alocado uma função diferente, a do Fundece (Fundo de Democratização do Capital das Empresas), que nunca foi operacionalizado. Ambos esses fundos foram criados com recursos estrangeiros, isto é, o fundo de contrapartida das doações do trigo norte-americano, segundo a "Public Law 480". Bizarramente, quando, na década dos 80, irrompeu o movimento nacionalistóide da informática, o BNDE começou a barrar o acesso das multinacionais, inclusive americanas, ao Finame. Por simples circular, desapoiada em lei, passou a restringir seus financiamentos às compras feitas de empresas "genuinamente nacionais", segundo a definição da Lei de Informática, isto é, com 70% do capital votante em mãos de brasileiros. Era uma abusiva extensão dessa lei, por via analógica, a outros setores. E contrariava a concepção básica do Finame, que era a de deixar aos usuários de bens de capital ampla liberdade para a escolha de equipamento, desde que fabricado em território nacional. Essa discriminação contra as multinacionais instaladas no Brasil só viria a ser levantada no governo Collor, quando já se haviam tornado visíveis os exageros nacionalistas da política de informática.

O Estatuto da Terra

Como dissera a Castello Branco desde a primeira reunião ministerial, a Revolução tinha que encontrar respostas não demagógicas para dois desafios plantados pelo pseudo-reformismo de Goulart: a questão habitacional (que poderia também ser chamada de reforma urbana) e a questão da reforma agrária.

O problema era antigo. No tocante à reforma agrária, havia duas unanimidades e dois grandes obstáculos. As unanimidades eram as seguintes: o latifúndio improdutivo é um obstáculo ao desenvolvimento agrícola e ao crescimento econômico; e a reforma agrária é um bom meio para expandir o mercado interno. Os dois obstáculos eram, de um lado, a indenização justa e prévia, "em dinheiro", para desapropriações de terras (princípio constitucional reafirmado na Constituição de 1946) e, de outro, a controvérsia ideológica sobre se a reforma deveria ser *capitalista* (com ênfase sobre a propriedade privada e a produtividade) ou *socialista* (com ênfase sobre a propriedade coletiva e a chamada "justiça social").

Não faltavam experiências internacionais a avaliar, nem projetos a analisar. No campo das reformas capitalistas, os exemplos recentes mais interessantes eram as realizadas com sucesso no leste asiático — Japão, Taiwan e Coréia do Sul. A primeira, determinada pelas forças americanas de ocupação no imediato pós-guerra, beneficiou cerca de três milhões de famílias rurais com a posse da terra. No caso da Coréia e Taiwan, credita-se à reforma agrária, aliada à ênfase sobre a educação, grande parte do sucesso do desenvolvimento com boa distribuição de renda. Em todos os três casos, a reforma agrária visou a democratizar o acesso à propriedade e não a coletivizar ou estatizar a propriedade.

O primeiro grande modelo de reforma agrária capitalista terá sido talvez o *Homestead Act*, de 1862, que visava a democratizar o acesso à terra no grande Oeste americano, quase ao mesmo tempo que a Guerra de Secessão debilitava os latifúndios sulistas do regime das *plantations*.

A outra grande vertente das reformas agrárias era a vertente coletivista ou socialista. Houve uma experiência pioneira na América Latina, a da Revolução Mexicana de 1910, que resultou, em 1915, na Lei Carranza, de desapropriação de terras, as quais seriam distribuídas a "ejidos" camponeses. Nesse sistema, a propriedade era coletiva e o usufruto, individual.

A proposta mais radical, que passou a comandar as reformas agrárias em todo o mundo socialista, foi a abolição da propriedade privada pela revolução soviética, através da Lei de Socialização da Terra, de 1918. Várias reformas agrárias, baseadas na coletivização das propriedades, foram passadas nos países da Europa Oriental. Na América Latina, a Bolívia, em 1952, e Cuba, em 1959, fizeram reformas agrárias baseadas em desapropriações, com enfoque sobre a "justiça social" antes que sobre a produtividade.

No Brasil, não faltaram projetos de diferentes matizes. Entre 1947 e 1962, haviam sido apresentados ao Congresso nada menos que 45 projetos de leis sobre reforma agrária. Getúlio Vargas criara, em 1952, a Comissão Nacional de Política Agrária, sob a direção de Thomaz Pompeu Accioly Borges, que definiu como objetivo fundamental:

"Ensejar aos trabalhadores o acesso à propriedade de modo a evitar a proletarização das massas rurais e anular os efeitos antieconômicos e antisociais da exploração da terra."

Nada foi feito de prático, sendo a dificuldade principal a exigência explicitada na Constituição de 1946 (art.141, parág. 16) de prévia e justa indenização em dinheiro. Nas constituições de 1934 e de 1937 (Estado Novo) não figurava a expressão "em dinheiro", o que em tese abriria a possibilidade de outras formas de pagamento.

No governo Kubitschek, preocupado obsessivamente com a industrialização, a questão agrária passou a um segundo plano. Falava-se antes em "racionalização" da agricultura. Um novo movimento em prol da reforma agrária foi deflagrado, no âmbito continental, pela Carta de Punta del Este, de agosto de 1961, de cuja redação participei como membro da delegação brasileira. A recomendação pertinente envolvia um delicado balanceamento entre a preocupação de produtividade e o conceito de "justiça social". Assim, entre os objetivos da Aliança para o Progresso, menciona-se:

"Promover, dentro das peculiaridades de cada país, programas de reforma agrária integral orientada para a efetiva transformação das estruturas e dos injustos sistemas de posse e exploração da terra, onde for necessário, com vistas a substituir o regime de latifúndio e minifúndio por um sistema justo de propriedade, de tal maneira que mediante o suprimento de crédito oportuno e adequado, assistência técnica e comercialização e distribuição dos produtos, a terra constitua para o homem que nela trabalha a base de sua estabilidade econômica, o fundamento do seu progressivo bem-estar e a garantia de sua liberdade e dignidade."

Era um conselho de perfeição, gongórico e idealista, ao qual o futuro daria livremente seu sentido.

AS PROPOSTAS
DE GOULART

O tema ressurgiu no Brasil, com um enfoque redistributivista, antes que produtivista, no governo Goulart. Agravara-se o problema das "tensões no campo", com o surgimento das Ligas Camponesas no Nordeste, a invasão de terras no Rio de Janeiro e o ativismo dos sindicatos rurais. Além disso, um diploma legal bem-intencionado, mas demasiado voluntarista, o Estatuto do Trabalhador Rural, aprovado em março de 1962 (Lei n? 4.214), criou problemas de desemprego rural. O Estatuto transpunha para o campo os dispositivos da Consolidação das Leis do Trabalho, sem adequada consideração das peculiaridades da atividade rural. A regulamentação trabalhista urbana, com sua rígida pactuação de salários e benefícios, era de mais difícil aplicação no campo, onde é intensa a sazonalidade das operações, e onde o salário monetário era substituído em grande parte por pagamentos *in natura* — através do cultivo de lotes familiares e alojamento nas casas de colonos.

O Estatuto do Trabalhador Rural rompeu essas relações tradicionais e, ao dar maior proteção legal aos colonos, acabou gerando grave desemprego e parcial desorganização da produção agrícola. As "crises de abastecimento", reveladas nas filas para compra de alimentos nas zonas urbanas, e depois, o fenômeno migratório dos "bóias frias", refletiram em grande parte a implantação açodada do Estatuto do Trabalhador Rural.

Pouco depois da aprovação desse Estatuto, Goulart enviou mensagem ao Congresso especificamente sobre a reforma agrária. O projeto só se viabilizaria, entretanto, se aprovada emenda constitucional revogando a exigência de indenização prévia " em dinheiro". Um projeto de emenda preparado pela bancada do PTB, que previa a indenização em títulos de dívida pública, com correção monetária parcial, ou seja, títulos resgatáveis em prestações sujeitas à correção do valor monetário em limite não excedente a 10% ao ano, foi rejeitado, após acalorada discussão no Congresso.[307]

---

[307] O próprio PTB era cético quanto às reais intenções reformistas de Jango, ele próprio latifundiário. Relata Amaral Peixoto, então líder do PSD, que, a pedido de Jango, e em companhia de Tancredo Neves, foi conversar com Doutel de Andrade, líder do PTB, sobre a reforma agrária. Este deu uma risada: — Mas o senhor acredita em reforma agrária de Jango? No dia em que ele fizer uma reforma agrária, o que vai fazer depois? Ver Amaral Peixoto, *Artes da política*, Rio de Janeiro, Nova Fronteira, 1986, p. 454.

O Congresso já havia antes rejeitado a inclusão da reforma agrária no conjunto das *leis delegadas* de intervenção no domínio econômico solicitadas pelo primeiro-ministro Brochado da Rocha, logo ao tomar posse, em junho de 1962. A delegação de poderes aprovada em agosto confinara-se às questões de agricultura, abastecimento e controle de preços.

Ao longo de 1963, o debate se tornou cada vez mais ideologizado, passando os sindicatos rurais e as Ligas Camponesas, com apoio de alguns círculos da Igreja, a uma posição de "enfrentamento". A entidade governamental encarregada do assunto, a Supra (Superintendência de Política Agrária), não era alérgica às teses de "desapropriação na marra", então veiculadas pelas esquerdas.

Goulart marchou para um crescente alinhamento com os segmentos mais à esquerda da aliança populista. O ponto culminante da querela foi o comício de 13 de março de 1964, na Central do Brasil, no qual foi assinado o decreto n? 53.770. Este declarava de interesse nacional, para fins de desapropriação, uma faixa de 10 quilômetros à margem das rodovias e ferrovias federais, assim como as terras beneficiadas por investimentos exclusivos da União, que permanecessem inexploradas, ou, mais vagamente ainda, "que fossem exploradas contrariamente à função social da propriedade".[308]

---

[308] A expressão "função social da propriedade" tem tido longo curso nos diplomas constitucionais brasileiros. Mas é uma expressão "disfuncional". Num regime de capitalismo democrático, a principal função da propriedade é proteger o indivíduo contra o arbítrio do governo. O "uso" da propriedade é que pode sofrer limitações, tendo em vista a preservação dos direitos de terceiros, a proteção do meio ambiente e a conveniência do aproveitamento de glebas ociosas.

O DEBATE SOBRE A
REFORMA AGRÁRIA

Essa a posição no início do governo Castello Branco, quando, na primeira reunião do gabinete, propus a reforma agrária como um dos itens prioritários. O ministério do Planejamento ficou encarregado da coordenação do assunto.

Expus a Castello a orientação que me propunha seguir, baseada nos seguintes conceitos:

1. A reforma não deveria ser socialista nem coletivista, modelos que a experiência provara ineficazes. Seria antes uma modernização capitalista das relações no campo.

2. A desapropriação de terras não deveria ser obsessivamente considerada como o único nem o mais genérico instrumento de reforma agrária. Não tendo o Brasil a escassez física de território, que levou outros países a priorizarem a desapropriação, podia-se considerar um elenco de instrumentos: a tributação progressiva sobre a terra improdutiva, a abertura de frentes de colonização, a humanização das relações de parceria e arrendamento. O instituto da desapropriação, por ser politicamente o mais conflituoso, e economicamente o mais incerto em seu efeito sobre a produtividade, deveria ser aplicado com moderação, reservando-se seu uso para zonas de confrontação entre latifúndios e minifúndios. A seqüência ideal seria, a meu ver, utilizar a tributação a fim de gerar recursos para a colonização, deixando-se como instrumento residual a desapropriação.

3. O enfoque produtivista do problema implicaria duas conseqüências: ênfase sobre a política agrária (crédito, assistência e política de preços) e aceitação do latifúndio produtivo, em vista das economias de escalas exigidas em certos tipos de cultura. A guerra não seria contra a grande propriedade *per se*, e sim contra a propriedade improdutiva. Ademais, a tese não deveria ser colocada em termos maniqueístas de acesso à terra, coisa que exige vocação especial, e sim de acesso a bons empregos rurais.

4. A enorme variância de densidade demográfica, grau de acessibilidade e diversidade climática, num país continental como o Brasil, impedia a adoção de fórmulas simples de limites máximos da propriedade privada. Impunham-se módulos regionais diferenciados. Como mato-grossense, tinha bem consciência de que um latifúndio em São Paulo poderia ser apenas um minifúndio em Mato Grosso.

5. O Brasil sofria pelos dois extremos: um excesso de latifúndios improdutivos e de minifúndios antieconômicos, problemas ambos de igual gravidade. No primeiro caso, a tributação progressiva poderia ser remédio eficaz. No segundo, desapropriação e colonização seriam as soluções mais adequadas.

Essas idéias, que Castello aceitou prontamente, coincidiam *grosso modo* com as aventadas em trabalhos já disponíveis no IPES-Rio. Este havia constituído, para estudos de reforma agrária, um alentado grupo de trabalho, coordenado por Paulo Assis Ribeiro, incluindo, entre outros, Garrido Torres, Dênio Nogueira, Mário Henrique Simonsen, Glycon de Paiva, general Golbery do Couto e Silva, Iris Meinberg e Edgar Teixeira Leite. Os dois últimos representavam a Confederação Rural Brasileira.

Quando assumi o comando da operação, organizei um grupo interno do ministério do Planejamento, que, além de Paulo Assis Ribeiro, incluía Luiz Gonzaga do Nascimento e Silva, José Drummond Gonçalves, Júlio Cesar Viana, Frederico Maragliano e Eudes de Souza Leão. A esse grupo se juntaram, para funções de coordenação, o ministro da Agricultura, Hugo de Almeida Leme, o presidente do BNDE, José Garrido Torres, e o diretor da Supra, José Gomes da Silva, este com três de seus auxiliares.

No caso da reforma agrária, digladiavam-se no IPES duas tendências discrepantes. A do grupo do Rio, que favorecia uma reforma agrária de tipo capitalista, com a intenção de abrandar as tensões sociais, sem prejuízo da produtividade; e a do grupo de São Paulo, que não a considerava questão de urgência e temia a desorganização da produção rural pela intimidação dos produtores. A divergência era compreensível. O IPES de São Paulo era composto de ativistas, que tiveram destacado papel na eclosão do movimento revolucionário. Um seu componente importante eram os ruralistas, que viam na reforma agrária uma convalidação das idéias janguistas. De resto, a agricultura paulista estava razoavelmente modernizada, tendo já superado as condições semifeudais que imperavam em outras regiões.[309] O IPES de São Paulo chegou mesmo a patrocinar a publicação de um panfleto — "A reforma agrária, uma questão de consciência"— redigido pelo bispo d. Eugênio Sigaud, no qual se questionava a relevância e oportunidade da medida.

---

[309] As idéias de Goulart ressumavam um intervencionismo tão radical quanto ingênuo. Na mensagem ao Congresso, de março de 1964, alvitrava-se que a produção alimentícia para o mercado interno teria prioridade sobre qualquer outro emprego da terra, sendo obrigatória em todos os estabelecimentos agrícolas e pastoris. O governo fixaria a proporção mínima da área de cultivo de alimentos nas diferentes regiões. Haveria rodízio nas terras destinadas à cultura, sendo a quarta plantação forçosamente devotada a gêneros alimentícios. Esse intervencionismo exacerbado descurava a noção de produtividade, revelava viés antiexportador e ignorava as virtualidades do comércio internacional.

A posição do IPES-Rio era mais intelectualizada e reflexiva. Via na reforma agrária um meio de fortalecer o princípio da propriedade privada e da liberdade política: "O homem que possui sua própria terra torna-se melhor defensor da sua própria liberdade."

Politicamente também, a visão do IPES-Rio era mais defensiva e legalista. O importante não seria derrubar Goulart, e sim impedir um golpe continuista das esquerdas, que bloquearia a realização das eleições presidenciais em 1965.

A inquietação na área rural brasileira tornava a discussão cada vez mais passional. Brizola desfraldava, no Rio Grande do Sul, a bandeira das desapropriações. No Nordeste, surgira o movimento protomarxista das Ligas Camponesas, de Francisco Julião; a área era particularmente explosiva por causa da confrontação entre os minifúndios do agreste e os latifúndios canavieiros do litoral. Em Minas Gerais, o agitador popular Chicão promovia motins contra os latifundiários e o movimento tinha repercussões no Rio de Janeiro, Goiás e Paraná. A própria Igreja Católica estava dividida, com tonalidades mais conservadoras no Sul e mais radicais no Nordeste, onde d. Helder Câmara fazia a pregação da "justiça no campo".

Os argumentos contra a reforma eram de natureza política, econômica e técnica. No plano político, contra ela se posicionaram os três governadores revolucionários — Carlos Lacerda, Adhemar de Barros e Magalhães Pinto — todos eles candidatos presidenciais, ansiosos por dissociar-se de políticas impopulares e de temas eleitoralmente perigosos. Lacerda chacoteava dizendo que: — As reformas de base são pretexto para todo governante que não sabe governar.

O DISCURSO DAS
QUATRO FALÁCIAS

No Congresso, a principal oposição foi a udenista. O PSD adotou atitude mais conciliatória, graças a Amaral Peixoto. Este se opunha a um projeto do seu correligionário José Joffily, apresentado ainda durante o governo Quadros, porque o considerava inconstitucional e confiscatório. Mas, juntamente com os deputados Gileno de Carli e Guilhermino de Oliveira, o líder do PSD apresentara um substitutivo que limitava as desapropriações a glebas de mais de 300 hectares e introduzia o conceito de módulos regionais.

O mais articulado opositor do Estatuto da Terra foi Bilac Pinto, e o mais engraçado, Último de Carvalho, deputado do PSD mineiro. Este ironizava o projeto dizendo: — Se roubarem a mulher do mineiro ele se conforma, porque pode arranjar outra. Mas se tirarem a terra, ele mata, porque não arranja outra.

Outros opositores sérios foram Herbert Levy, que tinha apresentado seu próprio projeto de reforma agrária em abril de 1963, e Afrânio de Oliveira, membro eleito por uma coligação paulista da UDN com o Partido Democrata Cristão e o Partido Rural Trabalhista.

O debate mais importante terá sido o que mantive, acompanhado pelo ministro da Agricultura Hugo Leme, e por meus assessores Paulo Assis Ribeiro e Luiz Gonzaga do Nascimento Silva, com o bloco udenista do Congresso, em 14 de outubro de 1964.

Bilac Pinto, orador brilhante, liderava o ataque ao projeto. Tínhamos visões discrepantes, mas, curiosamente, ambos estávamos certos, eu no curto prazo e ele no longo prazo. Para Bilac, que citava constantemente o livro de Fritz Baade, *A corrida para o ano 2000*, era essencial transferir-se para a indústria grande parte da mão-de-obra rural. Essa transferência não deveria ter como precondição um aumento de produtividade, pois que seria útil precisamente para induzir o uso de melhoramentos tecnológicos. Considerava ele inexistentes as três condições que justificariam a reforma agrária: produção agrícola insuficiente, produção a preços elevados e tensão na área rural. Para ele, a inegável tensão rural existente decorria do excesso de mão-de-obra rural, o que seria agravado pela reforma. Em suma, o problema não seria de falta de terra mas de excesso de gente.

— O problema — dizia ele — não é a terra; é o excesso de homens na zona agrária.

Bilac Pinto admitia que a tensão social era grave apenas no Nordeste, devendo concentrar-se ali o esforço reformista.

Minha visão era diferente. A migração do campo para as cidades era uma inevitável conseqüência do progresso tecnológico, mas seu ritmo teria que ser abrandado, mediante a melhoria das condições rurais, sob pena de se criarem quistos de miseráveis urbanos, pela incapacidade absortiva da indústria e insuficiência da infraestrutura. Estava eu antevendo os perigos da explosão das megalópoles, que viria a tornar-se candente alguns anos depois. Argumentei eu, num discurso na Câmara, que, ao contrário do que dizia Bilac Pinto, nosso desempenho agrícola era inadequado, pois entre 1957 e 1961 a produção agrícola crescera 3,6% e a pecuária 2%, para uma população que então crescia anualmente a taxas superiores a 3%. Havia também uma óbvia distorção fundiária em vista do aumento (revelado pela comparação entre os censos de 1950 e 1960) da percentagem da área ocupada por estabelecimentos rurais enquadrados nos dois extremos — o latifúndio e o minifúndio. Metade das novas fazendas criadas no referido período intercensitário tinha menos de 5 hectares, e 60% delas, menos de 10 hectares. Havia, outrossim, indicações de que a propriedade média ou familiar tinha maior produtividade, de vez que, segundo o censo de 1960, esse tipo de propriedade representara apenas 8% da área de 21 estados, mas atingira 26% da área cultivada, atestando a existência de numerosos latifúndios improdutivos.[310]

Meu discurso ficou conhecido como o "discurso das quatro falácias": a falácia

---

[310] A insistência de Bilac na tese de Baade, que naturalmente exigia qualificações, levou-me a uma imprudente referência ao caso dos mendigos lançados no rio Guandu pela polícia carioca, episódio que causou enorme embaraço a Carlos Lacerda, então governador da Guanabara. Declarei trefegamente que, ao advogar uma rápida emigração dos campos para a indústria urbana e, ao mesmo tempo, uma intensa automatização da indústria, Bilac estaria inconscientemente promovendo uma nova e perigosa teoria de distribuição populacional — a "solução Guandu". Meu comentário irônico deflagrou indignado debate, em que fui apoiado por Brito Velho, combativo deputado gaúcho do PL, que divertiu a audiência ao lembrar que a "solução Guandu" tinha precedentes na "solução Swift". Esse grande humorista inglês dissera em sua sátira que alguns excedentes populacionais poderiam ser convertidos em "salsichas". Serenados os ânimos, o debate se tornou mais interessante. Acordamos, Bilac Pinto e eu, em que os excedentes de mão-de-obra agrícola poderiam ser em parte absorvidos localmente, pelo desenvolvimento da agro-indústria, e em parte, pela abertura de novas áreas, coisas aliás planejadas no Estatuto da Terra. Haveria, em tese, uma terceira solução, que ambos reconhecíamos inaplicável no Brasil — a utilização de massas camponesas para obras públicas, como estradas e represas, convertendo-se a mão-de-obra em capital humano. Era uma solução aplicada na China e na União Soviética, mas que exigiria um grau de mobilização compulsória só possível em regimes totalitários.

da suficiência da produção agrícola; a falácia da eficácia da grande propriedade; a falácia da melhoria espontânea sem a intervenção governamental; a falácia do mimetismo capitalista.

A última dessas falácias consistia em imaginar-se que a reestruturação agrária no Brasil, país que se assemelhava aos Estados Unidos em suas dimensões continentais, poderia ocorrer espontaneamente na mesma velocidade em que ocorreu no vizinho do norte. Mas as condições eram totalmente diferentes. O *Homestead Act*, espécie de reforma agrária voluntária, ocorrera em 1862, moderando por muito tempo as migrações para as cidades. E quando estas ocorreram, encontraram uma economia dinâmica, muito mais capaz que a nossa de prover empregos industriais. Além de que, a urbanização ocorrera *pari passu* com a modernização tecnológica nos campos.

Bilac Pinto não podia ser acusado de excessiva objetividade, pois era grande proprietário rural, mas ocultava seu viés com grande destreza polêmica e vasto abastecimento de estatísticas. Os deputados se viram expostos a uma saraivada de estatísticas, todas plausíveis, Bilac Pinto tentando demonstrar a desnecessidade, e eu, a urgência da reforma agrária. Foi então que formulei, para consolo dos deputados, minha teoria de que as estatísticas são como o biquíni: o que revelam é interessante mas o que ocultam é essencial.

Em vários pontos, entretanto, Bilac e eu tínhamos plena concordância. Éramos ambos críticos do Estatuto do Trabalhador Rural, promulgado no governo Goulart, que representara uma tentativa açodada de transplantar para o campo a legislação trabalhista urbana, sem consideração das especificidades do meio rural. Neste, parte do salário é não-monetária, sob a forma de alimentos, do cultivo de hortas de subsistência; inexistem os encargos de transporte e locação urbana e as variedades sazonais tornam inaplicável a rigidez dos esquemas salariais urbanos. O fenômeno dos "bóias frias" foi conseqüência direta desse açodado transplante legislativo, que depois viria a ser agravado na Constituição de 1988, que eliminou formalmente a diferenciação entre salários rurais e urbanos.

Procurei, sem êxito, colocar Bilac Pinto na defensiva, citando vários documentos udenistas — o Manifesto dos Mineiros, o voto da UDN quando da redação da emenda constitucional proposta por João Goulart em 1963 (voto redigido por Aliomar Baleeiro, Pedro Aleixo e Ernani Sátyro), o projeto do deputado Herbert Levy, de 1963 — que apresentavam todos mais afinidades do que discrepâncias com o controvertido Estatuto da Terra.[311]

---

[311] Milton Campos, um dos mais respeitáveis líderes da UDN, presidira, ainda no governo Quadros, uma comissão legislativa sobre a reforma agrária. Valera-se inclusive da colaboração de "técnicos nacionalistas" da antiga assessoria de Vargas, Rômulo de Almeida, Accioli Borges e Ignácio Rangel, sendo também ouvido d. Helder Câmara, então secretário da CNBB, cujas propostas eram bastante radicais. Bilac Pinto representava assim apenas a ala mais conservadora do partido. Apud Lourdes Sola, op. cit, p. 283.

Este, disse eu, era

"Muito menos um filho da Superintendência da Reforma Agrária (Supra) do que filho da União Democrática Nacional."

A primeira afinidade era a preocupação com a "justiça social". A segunda era a ênfase sobre a tributação progressiva da "área abandonada ou reservada para especulação", que a UDN desejava ver tributada "drasticamente". A terceira era o uso do valor fiscal declarado pelo proprietário, como base para cálculo da desapropriação. A quarta era o desconto dos impostos para os fazendeiros eficientes (tributação degressiva). A quinta era a ênfase, nos projetos de colonização, sobre as "unidades agrícolas de tipo familiar". A sexta era o conceito de módulo regional.

Nada disso inibiu a oratória adversa, quer de Bilac Pinto, quer de Herbert Levy, os quais passaram a alegar que os problemas seriam basicamente solúveis através de uma adequada "política agrária" (crédito, assistência técnica e preços mínimos), sem se tocar na estrutura da propriedade. Choveram menções favoráveis a um discurso de Castello Branco em Curitiba sobre "política agrária", como alternativa ao Estatuto da Terra. Era claro, entretanto, que na visão de Castello essas medidas deveriam ser complementares e não alternativas.

A posição de Bilac Pinto recebeu considerável apoio de áreas inesperadas. Severo Gomes, que era então membro do governo, como diretor da Carteira de Crédito Agrícola e Industrial do Banco do Brasil, colocou-se frontalmente contrário à reforma, destoando da disciplina de equipe que era um dos pressupostos administrativos de Castello Branco. Como grande proprietário de terras no vale do Paraíba, sua posição podia ser acusada de inobjetividade, mas ele conseguiu mobilizar o talento satírico de Delfim Netto, então um jovem e brilhante economista de São Paulo.[312] Este chacoteava a reforma agrária, como tendente a criar "chácaras na Amazônia" e, hiperbolicamente, alegava que os tributos, como concebidos, aca-

---

[312] A transformação de Severo Gomes, de latifundiário reacionário em líder de esquerda, foi uma das mais surpreendentes metamorfoses a que assisti na política brasileira. Duas vezes ministro de governos militares, o de Castello Branco (Agricultura) e o de Ernesto Geisel (Indústria e Comércio), passou depois a se integrar na esquerda nacionalista. Sua saída do governo Geisel foi motivada por uma posição xenofóbica de questionamento da importância de atrair capitais estrangeiros, precisamente quando dois de seus colegas de ministério — Mário Henrique Simonsen e João Paulo dos Reis Veloso — participavam de seminário na Suiça, cuja finalidade era induzir investidores estrangeiros a aplicarem capital no Brasil. Nos oito anos que convivemos no Senado (1983/1990), Severo passou de latifundiário impenitente a nacional-populista, sob a proteção de Ulysses Guimarães. Tornou-se um dos corifeus da política de informática e das "reservas de mercado". Bizarramente, eu, que era considerado "socializante" no grande debate do Estatuto da Terra, passei depois a ser apodado de reacionário, enquanto que Severo passou a ser um dos próceres da chamada esquerda progressista. São exóticas as girações da política brasileira!...

bariam convertendo as grandes propriedades agrícolas, implantadas como empresas industriais, em inexpressivos minifúndios. Naturalmente, nada mais longe da idéia dos idealizadores da reforma agrária! Estes expressamente distinguiam entre o "latifúndio improdutivo" e a "empresa rural", aquele punido pela tributação progressiva, e este beneficiado por uma redução de impostos, em função da produtividade ou do tratamento adequado da mão-de-obra.

É fácil imaginar as paixões despertadas pelo tema da reforma agrária. Castello Branco foi bombardeado com cartas, exortações e ameaças dos mais variados setores. Eu tivera razão em iniciar minha exposição à Câmara dos Deputados com uma citação de Tito Lívio a propósito da primeira lei agrária do cônsul Cássio, no ano 486 antes da era cristã:

> "Foi então pela primeira vez promulgada a lei agrária, que desde aquela época até hoje, nunca mais foi discutida sem provocar as mais violentas comoções."

Durante algum tempo tive de transformar-me naquilo que Castello Branco chamava de "missionário da reforma". Foram inúmeros os debates com associações de classe, seja patronais seja sindicais. Desloquei-me para Recife a fim de debater com os sindicatos rurais, nos quais era grande e recente a comoção causada pelos discursos de Julião, o líder radical das Ligas Camponesas. Um subproduto útil foi angariar o apoio do padre Antônio Mello, que abordava a questão agrária sob um ângulo menos radical do que a hierarquia católica no Nordeste. Nesse trabalho missionário foi também incansável Paulo de Assis Ribeiro, que comigo trabalhava no Planejamento.

O CERNE DA
CONTROVÉRSIA

Ao longo de quase duas décadas no Congresso, a questão mais candente tinha sido a compensação por desapropriações. Nesse escolho haviam naufragado todos os projetos anteriores de reforma. Duas outras questões importantes eram os critérios de avaliação para cálculo de desapropriação e a definição das "áreas de conflito", às quais o instrumento de desapropriação seria aplicado.

O primeiro desses problemas era matéria de reforma constitucional, dado que a Constituição de 1946 (arts. 141 e 147) previa indenização "justa e prévia, em dinheiro".

Com a colaboração do PSD, foi finalmente redigida a Emenda Constitucional n.º 10, aprovada em 9 de novembro de 1964, que viabilizou o Estatuto da Terra. Este seria votado poucas semanas depois, em 30 de novembro.

A emenda, que se transformou no artigo 161 da Constituição de 1967, estava assim redigida:

"Art. 161. A União poderá promover a desapropriação da propriedade territorial rural, mediante pagamento de justa indenização, fixada segundo os critérios que a lei estabelecer, em títulos especiais da dívida pública, com cláusula de exata correção monetária, resgatáveis no prazo de vinte anos, em parcelas anuais sucessivas, assegurada a sua aceitação, a qualquer tempo, como meio de pagamento até 50% do imposto territorial rural e como pagamento do preço de terras públicas."

Na questão da base de avaliação para efeito do cálculo de depreciação, prevaleceu o critério algo penoso (em vista da tendência generalizada de subdeclaração), porém racional, do "valor fiscal declarado pelo proprietário". O valor das benfeitorias seria sempre pago em dinheiro, o que constituiria uma limitação à fúria desapropriante.

Reconheciam os autores do Estatuto da Terra que, na situação brasileira, a reforma agrária não era um problema nacional e sim regional, ou até mesmo simplesmente local. A desapropriação era apenas um dos instrumentos da reforma agrária e seu uso seria de competência exclusiva da União (evitando-se desapropriações "políticas" em função de querelas regionais) e limitar-se-ia às "áreas prioritárias" fixadas em decreto do Poder Executivo.

Para sinalizar-se que a política agrária e a reforma agrária teriam igual importância, criaram-se duas instituições complementares, porém distintas: o Instituto Brasileiro de Reforma Agrária (Ibra), que cuidaria da reforma agrária, e o Instituto Nacional de Desenvolvimento Agrícola (Inda), que teria a seu cargo a política agrária. Essa separação perdurou até 1970, no governo Médici, quando as duas organizações foram fundidas no Instituto Nacional de Colonização e Reforma Agrária (Incra).

UM SONHO
TECNOCRÁTICO

Acusava-se, justificadamente, o Estatuto da Terra de ser uma lei extremamente complexa. Além dos módulos regionais variáveis, a partir dos quais se calcularia a incidência dos tributos, estes seriam ajustados *progressivamente*, em função do tamanho da terra e sua proximidade do centro de consumo, e *regressivamente*, em função do grau de aproveitamento econômico e utilização social da propriedade.

Não havia entretanto alternativas a essa complexidade, em virtude das dimensões continentais do país e diversidade de situações regionais e de concentração populacional. A fórmula tradicional, e mais simples, de reforma agrária através da fixação de um limite máximo, e relativamente baixo, da dimensão da propriedade, não seria apropriada.

Sob certos aspectos, sem dúvida, o Estatuto da Terra foi um sonho tecnocrático, com modulações difíceis de aplicar num país com defasados cadastros rurais e numa época em que o uso da informática na administração pública era quase inexistente. Boa parte do governo Castello Branco foi gasta no duro trabalho de montagem de cadastros rurais, de definição de módulos regionais e de ativação da sistemática do imposto territorial rural, que seria o principal instrumento de reforma agrária. Havia nada menos que quatro milhões de propriedades a cadastrar, e era complexo o trabalho de fixar os quatro coeficientes norteadores da tributação: utilização da terra, eficiência econômica, condições sociais e rendimento agrícola.

O primeiro presidente do Ibra foi Paulo de Assis Ribeiro, nomeação assaz merecida. Conhecia bem a história nacional das tentativas de reforma agrária, estudara comparativamente as experiências internacionais e exibira um fervor apostólico na preparação do Estatuto da Terra e no *marketing* político para permitir sua aprovação. O primeiro presidente do Inda foi o agrônomo Eudes de Souza Leão. Cooperara intensamente na redação do Estatuto, como representante da antiga Supra, o engenheiro José Gomes da Silva. Era mais radical em seu enfoque do problema agrário, com alguma tintura de ideologias de esquerda.

Lembro-me de que tentei induzir Castello Branco a uma decisão que teria sido um erro. Propus-lhe que designasse d. Helder Câmara para primeiro presidente do Ibra.

— Seria — disse eu — uma maneira de disciplinar seu radicalismo em matéria de reforma agrária, mediante o bafejo quente da realidade. A Igreja fala tanto na tensão social que conviria que arcasse com a responsabilidade de reduzi-la.

Castello refletiu um pouco e respondeu simplesmente: — É um homem respeitável, mas não tem afinidades com a Revolução.

Estava certo. Dom Helder não tinha muita idéia de constrangimentos econômicos e orçamentários e, como todo o caritocrata, sobrestimava a possibilidade de resolução de problemas por um voluntarismo caridoso. Como todos os cultores da teologia da libertação, tendia a sobrestimar as realizações do socialismo e a subestimar a eficácia do desenvolvimento capitalista, quer nas cidades quer no campo. Parecia humilde em face do dissenso mas, como ironizava Carlos Lacerda, era a humildade mais bem administrada do país... E, dizia Nelson Rodrigues, só olhava para o céu para saber se devia usar guarda-chuva...

Tal como acontecera no caso da Lei n.º 4.595/64, que criou o Banco Central independente, no caso do Estatuto da Terra as intenções foram melhores que os resultados. O trio gaúcho de presidentes militares que se sucederam — Costa e Silva, Médici e Geisel — não tinha o mesmo sentido dramático do problema de acesso a terra que tinha Castello, espectador do conflito agrário do agreste nordestino, e consciente do sonho do caboclo de uma nesga de terra perto do açude. Médici era pecuarista, habituado à grande propriedade, e Geisel, medularmente preocupado com os problemas urbanos de industrialização.

Com a tíbia implementação do Estatuto da Terra, as posições gradualmente se radicalizaram, passando os sindicatos rurais de esquerda, e a chamada "ala progressista" do clero, a utilizar os conflitos agrários como instrumento de contestação anti-revolucionária. Houve um pouco mais de interesse no problema durante o governo do general Figueiredo, que desenvolveu um programa importante de assentamentos agrícolas, mas também sem utilizar adequadamente o grande instrumento reformista que seria o Imposto Territorial Rural (ITR). Este, que fora no passado municipal, e depois estadual, passara a ser federal na Constituição de 1967, precisamente para ensejar sua melhor utilização como instrumento redistributivo. No fisco federal, entretanto, não houve maior interesse em ativar este instrumento, dado que ao governo federal só cabiam os custos e as complexidades da arrecadação, sendo as receitas destinadas exclusivamente aos municípios. Em 1973, quase dez anos depois do Estatuto da Terra, a receita do imposto territorial rural havia caído para menos de 1,0% da receita da União.

Hoje se reconhece, na literatura econômica, que nossa falha em promover uma adequada reestruturação agrária foi um dos motivos para a má distribuição de renda do Brasil, comparativamente aos dois rivais asiáticos — Taiwan e Coréia do Sul. A reforma agrária foi parte do elenco de reformas desses países na década de

60, o que não só melhorou a distribuição da renda como do poder político entre as cidades e o campo, impedindo distorções de preços punitivas para a agricultura, para subvencionamento dos consumidores urbanos.

A REFORMA
ADMINISTRATIVA

Os objetivos da reforma administrativa eram prover o governo de *instrumentos* para executar *funções*. Para usar a linguagem de Castello Branco, em sua Mensagem ao Congresso de 1965, o objetivo, que a experiência provou demasiado ambicioso, seria "obter que o setor público possa operar com a eficiência da empresa privada". Ela teria assim um caráter instrumental e funcional. Buscava-se contrastar o novo modelo reformista com as tentativas anteriores de reformas formais e estruturais, que em grande parte se limitavam a mudanças de organograma.

Foram três os principais diplomas legais da reforma:

1. A Constituição Federal de 24 de janeiro de 1967, na parte referente ao "Orçamento" e à "Fiscalização Financeira e Orçamentária".

2. O decreto-lei n° 189, de 25 de fevereiro de 1967, dispondo sobre a Lei Orgânica do Tribunal de Contas.

3. O decreto-lei n° 200, de 25 de fevereiro de 1967, que dispõe sobre a administração federal e estabelece diretrizes para a reforma administrativa.[313]

O documento matriz foi sem dúvida o DL n° 200, que constituiu a única das grandes reformas de Castello Branco que não foi votada pelo Congresso.[314] Não só a conciliação de interesses para chegar-se a um novo formato foi longa, estendendo-se os debates internos no Poder Executivo até quase o fim do governo, como seria difícil conter no Legislativo pressões setoriais de interesses corporativistas, que ameaçariam a coerência do projeto. As dificuldades de tramitação legislativa são documentadas pelo fato de que nenhuma das propostas de reforma global, periodicamente formuladas, desde a criação do Dasp, em 1938, até a edição do DL n° 200 em 1967, lograram, em sua inteireza, aprovação legislativa.

O documento começa pela enumeração dos princípios fundamentais da administração pública, assim descritos:

---

[313] Para uma boa descrição dos debates que precederam o decreto-lei n° 200 ver J. de Nazaré T. Dias, *A reforma administrativa de 1967*, Rio de Janeiro, FGV, 1968.

[314] Uma outra exceção foi o Código de Mineração (decreto-lei n° 227/67). Tratava-se de um tema muito polêmico e fora antes amplamente discutido com líderes do Congresso.

I — Planejamento;
II — Coordenação;
III — Descentralização;
IV — Delegação de competência;
V — Controle.

Para alcançar os objetivos de *rendimento* e *produtividade* seria necessário disciplinar três itens fundamentais, que formariam um tripé:

• Programação governamental;
• Orçamento programa;
• Programação de desembolso.

O ministro do Planejamento preparou para o presidente da República, em 19 de agosto de 1964, um documento básico intitulado 'Algumas Medidas Consideradas Essenciais à Eficácia de uma Reforma Administrativa', que enfatizava o sentido *instrumental* da reforma. Apontava a necessidade da constituição de corpo de assessoramento da administração superior, a instituição da inspeção administrativa e o desenvolvimento de um programa de aperfeiçoamento do pessoal de nível superior. A reforma teria em vista estabelecer:

• Diretrizes superiores claras e precisas;
• Execução descentralizada;
• Coordenação, acompanhamento e controle dos programas;
• Responsabilidades definidas para com a administração e a comunidade.

O tema da Reforma Administrativa, como ocorreu no tocante às outras reformas modernizantes do governo Castello Branco, tinha uma longa história. Uma personalidade marcante por sua dedicação à matéria, ao longo de duas décadas, foi Luiz Simões Lopes, o primeiro presidente do Dasp, criado em 1938 por mandato da Constituição de 1937. A ele se devem a implantação do sistema de mérito na administração federal, o melhoramento da sistemática orçamentária e o treinamento de toda uma geração de administradores públicos, imbuídos do desejo de fazer uma "revolução brasileira nos serviços públicos". Sob inspiração do Dasp, o governo Vargas apresentou, em agosto de 1953, um projeto de reorganização da administração federal, que não chegou a ser transformado em lei.

No governo Kubitschek, em agosto de 1956, foi criada a Cepa — Comissão de Estudos e Projetos Administrativos — sob a presidência de Luiz Simões Lopes. Esta produziu vários projetos que apenas em pequena parte foram levados à fruição. O eixo do poder administrativo começava àquela época a se deslocar do Dasp, tendo sido relevante a esse respeito a criação, logo na primeira reunião do gabinete do presidente Juscelino, do Conselho do Desenvolvimento. Este viria a desempenhar papel fundamental na incorporação do conceito de "planejamento" à rotina da administração brasileira.

Um esforço mais abrangente foi realizado pelo ministro-extraordinário para a Reforma Administrativa, deputado Amaral Peixoto, ainda no governo Goulart. Dos trabalhos da comissão por ele presidida resultou o projeto da "Lei Orgânica do Sistema Administrativo Federal", de novembro de 1963. Houve também projetos específicos sobre o sistema de material e o sistema de mérito, que foram apresentados na mesma época.

Com a tenacidade que o caracterizava, Castello Branco meteu mãos à obra. Foi criada, em outubro de 1964, a Comestra — Comissão Especial de Reforma Administrativa — composta de 12 membros. Foi presidida por Hélio Beltrão, a quem deve ser dado merecido crédito pelas suas idéias de descentralização e desburocratizacão, que pregou ao longo dos anos, e que teve a oportunidade de promover quando ministro da Desburocratização do governo Figueiredo, na década dos 80. Em feliz formulação, Hélio Beltrão citava como fundamentais à reforma quatro mudanças de comportamento: a presunção de *confiança* (confiar nas pessoas e no seu critério de julgamento); a presunção de *veracidade* (acreditar que as pessoas dizem a verdade); o desapego ao *fetichismo* dos documentos, e a coragem de pagar um preço pela *simplificação* e dinamismo, eliminando-se custosos controles.

Um dos mais ativos membros da Conestra foi Luiz Simões Lopes, convidado especialmente por Castello, que desejava aproveitar-se de sua valiosa experiência em tentativas anteriores de reforma administrativa, presidente que fora da Cepa, no governo Juscelino.

O secretário executivo foi José Nazareth Dias, do ministério do Planejamento, a quem coube o trabalho campal de negociação com os diferentes ministérios envolvidos, de conciliação de conflitos e de fatigante preparação de sucessivas minutas, até o texto final. Castello Branco, que participou intensamente dos trabalhos na última fase, costumava descrevê-lo como um dos *grands fonctionnaires* da administração brasileira. A Comissão realizou 30 reuniões com representantes de diferentes ministérios e órgãos públicos.

Houve seis minutas sucessivas, indicando o grau de debate e controvérsia interna. A partir da quarta minuta, apresentada pela Comestra em junho de 1965, a coordenação dos trabalhos ficou diretamente a cargo do ministro do Planejamento, criando-se para isso a Asestra — Assessoria Especial de Estudos da Reforma Administrativa — também secretariada por Nazareth Dias. A coordenação final dos pontos de vista dos ministros de Estado, consubstanciada numa sexta minuta, redigida em setembro de 1966, coube ao próprio presidente da República, que tomaria a decisão final entre várias alternativas.

A redação final ficou na dependência de ajustamentos a serem feitos em função da elaboração da nova Constituição, cujo texto só seria apresentado ao Congresso, em convocação especial, em 12 de dezembro de 1966.

A essa altura, já se firmara o ponto de vista de que a reforma administrativa deveria ser abrangente, compreendendo a modernização da lei de licitações e do regulamento de contabilidade e a reformulação das funções do Tribunal de Contas.

AS PRINCIPAIS
CONTROVÉRSIAS

As principais controvérsias que forçaram o deferimento da reforma até os dias finais do mandato de Castello Branco foram as seguintes:

1. *A controvérsia sobre a aeronáutica civil.* Digladiavam-se dois ministros com forte personalidade e projeção política — o marechal Juarez Távora, ministro da Viação e Obras Públicas, e o brigadeiro Eduardo Gomes, ministro da Aeronáutica. O primeiro argüia que a aviação civil, como simples meio de transporte, deveria ficar sob a coordenação do ministério da Viação. Argumentava o segundo que a aeronáutica apresentava condições peculiares, a saber, a inevitável coabitação, no espaço físico dos aeroportos, da aviação militar e civil, sendo importante para esta última um controle unificado do tráfego e dos dispositivos de segurança.

Encarregado por Castello Branco de opinar para o desempate da controvérsia, inclinei-me por manter a aviação civil sob o controle do ministério da Aeronáutica. Conquanto, em termos de lógica organizacional, assistisse razão ao ministro Juarez Távora, havia considerações pragmáticas em favor da tese do brigadeiro Gomes: a) o país não tinha recursos financeiros para criar uma infraestrutura aérea civil, superposta à infraestrutura militar já existente; b) o problema de segurança de vôo seria melhor atendido se se pudesse aplicar ao setor a disciplina militar, particularmente no tocante ao controle de vôo (àquela altura os transportes civis estavam afetados por periódicas crises de grevismo).

2. *A controvérsia sobre a criação do ministério da Defesa.* Tendo assistido, como jovem secretário da embaixada em Washington, no imediato pós-guerra, às brigas interdepartamentais entre os quatro segmentos das Forças Armadas — Exército, Marinha, Aeronáutica e Fuzileiros Navais (os famosos *Marines*) — convenci-me da utilidade de um ministro da Defesa, preferivelmente civil, para desempate entre os pretendentes a verbas, poupando à presidência a tarefa de aplainar rivalidades e ensejando um enfoque econômico global do problema de defesa. Por inexistir essa avaliação prévia, os ministros do Planejamento e da Fazenda se viam expostos à pressão dos ministros militares, à busca de verbas, sem que a área econômica tivesse elementos de julgamento sobre a efetividade dos diferentes sistemas de armamento, em termos de sua relação custo/eficácia. Além

disso, a integração das Forças Armadas, indispensável em tempo de guerra, como estratégia militar, deveria ter um complemento na integração administrativa em tempos de paz.

Castello simpatizava com essa visão do problema, mas tinha consciência da passionalidade do debate interno nas Forças Armadas. E se sentia debilitado pelas feridas deixadas pela querela sobre a aviação embarcada, para a qual, a duras penas, se encontrou uma solução de compromisso, não antes de renunciarem sucessivamente três ministros das armas envolvidas, a Aeronáutica e a Marinha.

De modo geral, o Exército aceitava a idéia do ministério da Defesa, a Marinha a ela se opunha passionalmente, situando-se a Aeronáutica em posição intermediária.

A fórmula de compromisso foi o fortalecimento do EMFA e a institucionalização do Alto Comando das Forças Armadas como instrumento de integração. Para amainar a rivalidade entre as corporações, estatuiu-se que, no comando do EMFA, seria "obedecido, em príncipio, o critério de rodízio entre as Forças Armadas", princípio que passou a sofrer exceções a partir do governo Geisel.

A idéia da criação do ministério da Defesa não foi de todo abandonada. A Reforma Administrativa dispôs que o Executivo promovesse "estudos visando à criação do ministério das Forças Armadas para oportuno encaminhamento ao Congresso Nacional". E admitiu ainda, como medida provisória, que a coordenação das atividades do setor militar pudesse ser assegurada, inclusive mediante a designação de um ministro-extraordinário, como coordenador, do qual o EMFA passaria a ser órgão de assessoramento.[315]

A esperança era de que o EMFA assumisse funções de filtragem e coordenação orçamentária, permitindo uma avaliação técnica e racional da relação custo/eficácia dos sistemas de armas. Isso pouparia os órgãos econômicos da tarefa de alocar recursos apenas em função da personalidade e prestígio dos ministros militares, sem conhecimento técnico de causa. Essa esperança foi frustrada e, na prática, o EMFA ficou confinado a funções de planejamento e coordenação estratégica. As reações à idéia do ministério da Defesa se fortaleceram depois, e em 1969, durante o governo Médici, foi editado o decreto-lei n.º 900, que eliminou os artigos a ela referentes na reforma administrativa.

[315] Ver Nazareth Dias, op. cit., p. 140/141.

REFORMULANDO O
TRIBUNAL DE CONTAS

O reformismo da Comestra chocava-se contra o tradicionalismo do Tribunal de Contas. Este era fortalecido pela circunstância de que qualquer reforma substancial exigiria emenda constitucional.

As objeções dos reformistas se centravam em dois pontos. Primeiro, a exigência de "registro prévio", pelo Tribunal, das dotações orçamentárias, o que tornava o orçamento votado um documento morto até o pronunciamento do Tribunal. Este adquiria enorme poder discricionário e eram freqüentes os atrasos e acusações de corrupção no registro das verbas. Acabara prevalecendo um sistema arbitrário de "adiantamentos". A segunda objeção se referia ao obsoletismo dos dois documentos básicos em que se fulcrava a atuação do Tribunal de Contas — o Código de Contabilidade da União e o Regulamento Geral de Contabilidade. Datavam ambos de 1922, da época da contabilidade manual e eram ambos altamente burocratizantes. O Regulamento Geral de Contabilidade tinha nada menos que 926 artigos.

O cónflito se agravou quando, em outubro de 1965, a pretexto de atualizar a legislação sobre contabilidade pública, o Tribunal de Contas propôs ao presidente o envio de um projeto de lei ao Congresso, que essencialmente mantinha o *status quo*, reafirmando a vigência daqueles obsoletos estatutos, apenas com uma elevação de limites para a realização de concorrências públicas e a adição de uma longa lista de penalidades, a ser aplicadas pelo Tribunal.

Logrei persuadir Castello da necessidade de um enfoque modernizante. O Tribunal, argüia eu, concentrava suas atenções apenas nas duas extremidades do processo administrativo: o feto e o cadáver. O feto era o registro prévio das despesas orçamentárias; o cadáver, a análise da prestação de contas, no final do ano. A auditoria, a meu ver, deveria ser contínua durante o processo administrativo (auditoria de desempenho), o que permitiria identificar e corrigir falhas ao longo do processo, ao invés da ênfase sobre penalização *a posteriori*. Em substituição aos antigos códigos de contabilidade, bastariam os dispositivos da Lei n? 4.320, passada nos últimos dias do governo Goulart. Estes eram bastante mais flexíveis e seriam complementados pelas normas financeiras previstas na nova lei de Reforma Administrativa. Foi essa a orientação que finalmente prevaleceu. A reforma do Tribunal de Contas foi feita pelo DL n? 199, editado simultaneamente com a Reforma Administrativa em 25 de fevereiro de 1967.

A QUESTÃO DOS
ESTABELECIMENTOS DE CRÉDITO

O professor Bulhões, no ministério da Fazenda, defendia o ponto de vista de que todas as instituições bancárias deveriam ser vinculadas ao ministério da Fazenda, como gestor das finanças, a fim de assegurar coordenação com a política monetária. Essa posição encontrava resistência em outros ministérios, que receavam aquilo que descreviam como "obsessão monetarista" da Fazenda, o que supostamente inibiria a ação dos bancos. Enfatizavam a importância de instrumentos financeiros para apoiar a ação ministerial, alegando que o princípio da "especialização" funcional e regional servisse de contrapeso ao centralismo monetário. Essa posição era também favorecida pelos governadores.

A fórmula de compromisso foi uma distinção entre a "subordinação técnica" à autoridade monetária, explicitada no artigo 189, e a "vinculação administrativa", que ficou assim distribuída:

I — Ministério da Fazenda
   Banco Central da República
   Banco do Brasil
   Caixas Econômicas Federais
II — Ministério da Agricultura
   Banco Nacional de Crédito Cooperativo
III — Ministério do Interior
   Banco de Crédito da Amazônia
   Banco do Nordeste do Brasil
   Banco Nacional de Habitação
IV — Ministério do Planejamento e Coordenação Geral
   BNDE

INOVAÇÕES DA
REFORMA ADMINISTRATIVA

Na Reforma Administrativa, as funções dos dois ministros extraordinários — o do Planejamento e o da Coordenação dos Organismos Regionais — foram institucionalizadas, pela criação do ministério do Planejamento e Coordenação Geral e do ministério do Interior. (O nome ambicioso de "coordenação geral" foi aliás inserido por sugestão de Costa e Silva, já presidente eleito, quando informado do texto da Reforma Administrativa.)

Eu me tornei assim o primeiro ocupante do ministério do Planejamento. Pilheriando com Castello, disse-lhe que a Reforma Administrativa me havia degradado, de ministro Extraordinário para ministro ordinário!

. A posição de ministro-extraordinário para a Coordenação Regional fora preenchida pelo marechal Cordeiro de Farias, que, para grande dissabor de Castello, pediu exoneração quando soube da indicação de Costa e Silva como candidato da ARENA à sucessão presidencial. Companheiro de Castello na Força Expedicionária na Itália, com importante experiência administrativa como ex-governador de Pernambuco e Rio Grande do Sul, Cordeiro teria sido um dos candidatos preferenciais de Castello para sua sucessão, não fosse o perigo de cisão do dispositivo militar, controlado pela linha dura dos partidários de Costa e Silva. E a história brasileira talvez tivesse sido diferente... para melhor. O sucessor de Cordeiro na pasta foi João Gonçalves de Souza, que adquirira experiência em problemas regionais como superintendente da Sudene.

A organização ministerial foi dividida em cinco grandes grupos — setor político, setor de planejamento governamental, setor econômico, setor social e setor militar.[316]

O ministério da Viação e Obras Públicas foi dividido entre Transportes e Comunicações. Foi adiada proposta semelhante de separação entre Trabalho e Previdência Social, que viriam a se tornar ministérios distintos durante o governo Geisel.

---

[316] Como o faz notar Nazareth Dias, não prosperou uma antiga proposta do marechal Juarez Távora que, baseado no modelo argentino, propunha a criação de seis amplos setores denominados ministérios, aos quais se subordinariam 21 secretarias de Estado. Vide 'Juarez Távora, Racionalização Administrativa do Brasil', *Revista do Serviço Público*, abril de 1955.

Ficou também institucionalizado, como fundação, o IPEA (Instituto de Pesquisa Econômica e Social Aplicada), vinculado ao ministério do Planejamento. O FINEP, que havia sido criado em 1965, como parte do programa de estímulo ao desenvolvimento tecnológico, seria também transformado em fundação. O IPEA era então chefiado por João Paulo dos Reis Velloso, que viria depois a ser ministro do Planejamento nos governos Médici e Geisel. Velloso desviou-se um pouco da missão original que eu concebera para o Planejamento, pois o ministério passou a ter funções executivas no controle de verbas para alguns programas especiais setoriais e regionais. No meu tempo, o ministério se atinha exclusivamente a funções de planejamento e coordenação, sem interferência executiva direta. A missão principal confiada ao IPEA foi a preparação do Plano Decenal — 1967/76 — um dos documentos de mais alta sofisticação, e menor grau de utilização, na experiência burocrática brasileira.

Debatia-se também na época se deveria ou não ser criado um ministério especial para a Ciência e Tecnologia. A posição majoritária na Comestra era que a matéria deveria ficar entre as atribuições do ministério da Educação e Cultura, a fim de se assegurar entrosamento das atividades de ciência e tecnologia com a área educacional. Outros defendiam a criação de um ministério específico, idéia que anos mais tarde viria a ser empalmada por Tancredo Neves, que precisava de novos espaços ministeriais para acomodação política, e que foi posta em prática pelo presidente Sarney, em 1985. Essa idéia nunca me seduziu. A tecnologia não é um ente abstrato e sim a aplicação da ciência a ramos concretos — agricultura, indústria, telecomunicações — cobertos por ministérios setoriais. É impossível, por exemplo, separar a pesquisa genética vegetal e animal do ministério da Agricultura, porque é este que tem de responder a solicitações concretas. O mesmo cabe notar, *mutatis mutandis*, em relação às telecomunicações, à automação e ao controle de processos industriais. Países líderes em ciência, como os Estados Unidos e a Inglaterra, se contentam com um assessor científico, junto ao chefe do governo, para auxiliá-lo nas grandes opções, sendo a coordenação feita através de Conselhos Interministeriais e Associações Científicas. No Japão, orientado para o intercâmbio externo, a tecnologia fica no legendário MITI — Ministério da Indústria e do Comércio Internacional.

A solução de compromisso foi preservar-se flexibilidade no assunto, ficando o governo autorizado a designar um ministro extraordinário para a Ciência e Tecnologia, se isso fosse considerado útil para a coordenação da matéria. Esse dispositivo, entretanto, viria a desaparecer com o DL n.º 900, de 1969, já no governo Costa e Silva.

Minhas dúvidas sobre a conveniência da institucionalização desse ministério tinham pertinência. No ano seguinte à sua criação, 1986, uma análise sumária do seu orçamento revelava que 99,4% das verbas eram repasses a entidades preexistentes (FINEP, CNPq), coisa que os ministérios tradicionais fariam mais barato. Trata-se de um dispendioso guichê de repasses, situação que não mudou até nossos dias.

OUTROS PROBLEMAS
DA REFORMA

O DL n.º 200, documento abrangente mas flexível, constituiu ao longo dos anos um instrumento de modernização administrativa, conquanto vários de seus postulados fundamentais, como a rígida implantação do sistema de mérito, tivessem sido freqüentemente violados.

Nunca se conseguiu, na administração brasileira, resolver adequadamente o problema do balanceamento entre a administração direta, centralizada, e a indireta, descentralizada. Naquela é inevitável que prevaleça o "tratamento de massa" em relação a problemas de pessoal. Nesta, particularmente no tocante às autarquias e empresas que operam no domínio econômico, o recrutamento de pessoal não pode escapar a "critérios de mercado", que levem em consideração condições de recrutamento e treinamento especializado. Para atender à necessidade de especialização técnica na administração direta, criou-se a figura do contrato individual para prestação de serviços, como parte dos dispositivos sobre assessoramento superior da administração civil.

O objetivo dos autores da reforma era reduzir, tanto quanto possível, os quadros de estatutários, para eventual enquadramento de todo o funcionalismo no regime mais flexível da CLT, o que permitiria controlar-se o desincentivo à eficiência resultante do instituto da "estabilidade". A evolução subseqüente foi no sentido contrário. Na Constituição de 1988, foi decretada a instauração do regime único para os servidores. O Estatuto Único do Servidor Público, daí resultante, diminuirá a flexibilidade administrativa, além de envolver o duplo encargo (cujas repercussões orçamentárias não estão ainda totalmente mensuradas) de extensão aos celetistas da aposentadoria integral de que gozam os estatutários, beneficiando-se aqueles ainda, na transição de um sistema para o outro, do direito de saque do FGTS.

A Reforma Administrativa enfatizou as funções de planejamento e controle. Em todos os ministérios haveria uma secretaria geral, como órgão setorial de planejamento e orçamento, e uma inspetoria geral de finanças. Esta última visava transpor para o caso brasileiro a experiência bem-sucedida dos *inspecteurs des finances*, da França, que constituem a nata da administração daquele país.

Nem todas as virtualidades do DL n.º 200 foram adequadamente exploradas. Em um dos artigos, objeto de acalorado debate à época, abriram-se as portas para um processo expedito de liquidação de empresas cronicamente deficitárias, independentemente de intervenção legislativa. Se utilizado esse dispositivo, várias estatais insanáveis poderiam ter ser sido liquidadas ou incorporadas, com redução do tamanho do estado, em consonância com as tendências de privatização que passaram a prevalecer mundialmente a partir da década de 80. O artigo 178 assim reza:

"As autarquias, empresas ou sociedades em que a União detenha a maioria ou a totalidade do capital votante e que acusem a ocorrência de prejuízo continuado, poderão ser liquidadas ou incorporadas a outras entidades por ato do Poder Executivo, respeitados os direitos assegurados aos eventuais acionistas minoritários, se houver, nas leis e atos constitutivos de cada entidade."

Se a paisagem estatal continuou, ao longo dos anos, infestada de elefantes brancos, com o sacrifício do contribuinte, não foi certamente por imprevisão dos planejadores da Reforma Administrativa do governo Castello Branco.

O PROJETO SOCIAL

Durante um quarto de século, o esporte favorito dos economistas e sociólogos de esquerda, no Brasil, e de alguns *brazilianists* americanos de persuasão "liberal",[317] foi acusar o governo da Revolução de 1964 de indiferença social, traduzida em políticas ortodoxas "de alto custo social". Alegava-se crueldade no arrocho salarial e incompetência na invenção de processos indolores para a cura da inflação. No momento em que escrevo (1993), passados trinta anos, depois de vários planos "heterodoxos", congelamentos e confiscos, estamos imersos na mais profunda recessão de nossa história, com queda brutal do salário real e vergonhosa piora na distribuição de renda. Reconhece-se, afinal, que o "custo social" da desinflação do período castelista foi moderado. Em nenhum dos anos do ajuste de 1964-67, o crescimento do PIB real foi negativo, com nível de desemprego tolerável. Reconhece-se que Castello Branco tinha um projeto social bastante racional e articulado. Os dois *leitmotivs* daquilo que se podia chamar de "projeto social" eram a *democratização das oportunidades* e a *promoção de um novo trabalhismo*.

No capítulo da *democratização das oportunidades* houve um elenco de medidas, algumas já anteriormente descritas: democratização do acesso à habitação, pelo Sistema Financeiro de Habitação; do acesso à terra pelo Estatuto da Terra; do acesso à educação por instrumentos variados, como o salário educação para o ensino primário e bolsas de estudos administradas pelos sindicatos. Na Constituição de 1967 (art.168, parág. 3º, III), esboçar-se-ia um esquema racional de financiamento da educação. O ensino dos 7 aos 14 anos seria obrigatório e gratuito, na rede oficial. Nos graus superiores ao primário, substituir-se-ia o sistema de gratuidade pela concessão de bolsas de estudo para os que, demonstrando efetivo aproveitamento, provassem insuficiência de recursos. As bolsas seriam gratuitas no ensino secundário, exigindo-se posterior reembolso no caso do ensino superior.

---

[317] A palavra "liberal", no jargão político americano, ao contrário do que sucede na América Latina e na maioria dos países europeus, é identificada com posturas governamentais assistencialistas e regulatórias. Para os republicanos, nos Estados Unidos, é expressão pejorativa, aplicada aos democratas, acusados de laxismo fiscal e paternalismo social, em contraste com o "individualismo de mercado" dos republicanos.

Tudo ficou na intenção, por falta de regulamentação. A Constituição de 1988 passou, demagogicamente, ao extremo oposto: gratuidade para todos, em todos os níveis do ensino público. Mas são escassas as escolas públicas secundárias, e 75% dos universitários têm que cursar faculdades privadas!...

O NOVO
TRABALHISMO

Como já foi dito anteriormente, houve um esforço para se criar um *novo trabalhismo*. Em vez da obsessiva reivindicação de salários monetários, buscava-se enfatizar os "salários indiretos": cooperativas de habitação, bolsas de estudo, créditos para bens de consumo durável, reforma agrária, reforma previdenciária. Esses investimentos sociais, não sendo percebidos como custos diretos, não estimulavam a remarcação de preços. Numa análise que fiz à época alinhei quatro possíveis enfoques do problema. Um seria a teoria *produtivista* do *spill over effect* (o efeito transbordamento). Concentrados os investimentos nos setores diretamente produtivos, a aceleração da taxa de crescimento acabaria transbordando para os salários e consumo. Era a "solução Hong Kong". O segundo enfoque seria o *radical distributivista*, característico dos sistemas socialistas, que confiscam patrimônio e rendas privadas, para distribuição segundo critérios de "justiça social" arbitrados pelo ideólogo de plantão. Um terceiro seria o *distributivismo direto*, mediante políticas salariais frouxas de aumento de salários nominais acima da produtividade. Um quarto, pelo qual optamos, enfatizaria os *investimentos sociais*: contenção salarial nos limites do aumento de produtividade, compensada por uma generosa alocação de investimentos nos setores sociais de produtividade indireta.

O projeto social, gradualmente formulado antes que organicamente preconcebido, contemplava, assim, um elenco variado de medidas. Uma delas foi a política salarial, que beneficiou relativamente os assalariados não organizados, os quais perdiam na competição com os sindicatos politizados — ferroviários, marítimos, portuários e petroleiros. Estes, privilegiados por Goulart, ao qual davam sustentação política, e apoiados no poder de chantagem de situações monopolísticas, constituíam uma espécie de aristocracia do proletariado, com reajustes desvinculados da produtividade. A fórmula salarial, usada inicialmente para o setor público e, a partir da Lei n.º 4.725, de julho de 1965, estendida ao setor privado, era de aplicação geral, evitando essas vantagens monopolísticas. Todos os salários seriam ajustados pela média real (não pelos picos), adicionando-se-lhe um coeficiente estimado de produtividade e um resíduo inflacionário no período contratual. Houve desvios de aplicação, mas era inquestionável a racionalidade da fórmula.

Os desvios foram de dupla natureza. De um lado, a subestimação do crescimento real da produtividade. Imaginava-se originalmente que os sindicatos se apressassem em demonstrar o crescimento da produtividade setorial, para reclamar compensação adequada. Surpreendentemente não houve interesse no assunto, e o governo acabou fixando um coeficiente médio global de produtividade do nível de 2% ao ano. O incremento real de produtividade foi, entretanto, consideravelmente superior ao da fórmula, parte em virtude da cessação do grevismo, parte em virtude da austeridade creditícia e fiscal, que forçava as empresas a melhor desempenho. O diferencial a mais de produtividade beneficiou indiretamente os trabalhadores, pois que aumentou a capacidade de investimento do governo e das empresas, e portanto a demanda de mão-de-obra. Reclamação mais pertinente era a referente à subestimação do resíduo inflacionário. Era uma tentação irresistível para os governantes, que querem influenciar psicologicamente o mercado, no intuito de abater expectativas inflacionárias. Disso resultou, sem dúvida, uma compressão temporária do salário real, comparativamente ao tratamento da poupança. Houve um primeiro esforço de retificação, a partir de janeiro de 1966, quando se constatou a subestimação do resíduo inflacionário, mas um corretivo sistemático só viria mais tarde, no governo Costa e Silva, quando o ministro Jarbas Passarinho propôs a introdução, na fórmula, de um quarto coeficiente, corretivo da subestimação do resíduo inflacionário no período contratual anterior.

No *projeto social* figurou o Fundo de Garantia do Tempo de Serviço (FGTS), libertando os trabalhadores da escravidão a uma empresa, na espera frustrada da estabilidade. Eu costumava chamar a indenização de despedida dos empregados com estabilidade de "prêmio de desastre", enquanto que o FGTS seria a "criação de um pecúlio permanente".

A criação do FGTS foi uma das reformas sociais mais importantes, e mais controvertidas, do governo Castello Branco. Havia o "mito da estabilidade", tido como a grande "conquista social" do governo Vargas. Mito, porque a estabilidade, após dez anos de serviço na empresa, se havia tornado em grande parte uma ficção. Os empregados eram demitidos antes de completado o período de carência, pelo receio dos empresários de indisciplina e desídia funcional dos trabalhadores, quando alcançavam a estabilidade. Os trabalhadores, de seu lado, ficavam escravizados à empresa, sacrificando a oportunidade de emigrar para ocupações mais dinâmicas e melhor remuneradas. Os empresários perdiam o investimento no treinamento; as empresas mais antigas, que tinham grupos maiores de empregados estáveis, eram literalmente incompráveis ou invendáveis por causa do "passivo trabalhista". Muitas empresas não mantinham líquidos os fundos de indenização de despedida, ou sequer os formavam, criando-se intermináveis conflitos na despedida de empregados.

Foi precisamente um desses casos típicos de rigidez estrutural nas relações de trabalho que deflagrou a busca de uma solução mais flexível, tipo FGTS. Era o caso da Fábrica Nacional de Motores (FNM) em Xerém, no Rio de Janeiro. Era uma fábrica que tinha a sina de chegar atrasada em relação aos tempos. Concebida durante a II Guerra, para fabricação de motores de avião, tornou-se obsoleta com o fim do conflito. Começou a fabricar geladeiras e bens de consumo durável, a altos custos, com algumas atividades laterais pitorescas, como a criação de galináceos. Finalmente, com a assistência técnica da Isota Fraschini e da Alfa Romeo, foi transformada em fábrica de caminhões. Mas também chegou atrasada, pois logo depois se implantava, no governo Kubitschek, a indústria automobilística. A Mercedes Benz primeiro e, subseqüentemente, as empresas americanas General Motors, Ford e Chrysler, iniciaram a produção de caminhões, com contínua atualização tecnológica, a partir das matrizes, e com a natural flexibilidade da indústria privada. A FNM se transformou em autêntico "elefante branco", gerando pesados déficits para o governo.

A intenção de Castello era vender a FNM a interesses particulares. Pediu-me que examinasse o assunto. Depois de rudimentar análise, a ele voltei, com o veredito de que a empresa era invendável. Havia cerca de 4.000 funcionários, na grande maioria estáveis. Quem a comprasse, compraria um gigantesco passivo trabalhista. Este era um fator inibidor da compra e venda de empresas e, portanto, do capitalismo moderno, que pressupõe dinamismo industrial, através de um processo contínuo de aquisição, incorporação, fusão e cisão de empresas. Pediu-me Castello engenheirar uma fórmula capaz de criar alguma flexibilidade na relação capital/trabalho.

Daí se originou a fórmula do FGTS, de substituição da estabilidade por um pecúlio financeiro, em conta nominal do empregado, que ele poderia transportar consigo de empresa para empresa. Não haveria encargo adicional para as empresas e nenhum empuxe inflacionário, pois a contribuição de 8% do empregador, para a formação do FGTS, era compensada pela eliminação de vários encargos sociais que representavam 5,2% da folha e pelo Fundo de Indenização Trabalhista, que representava 3%.Com o apoio do ministro do Trabalho, Arnaldo Sussekind, promovi a criação de um Grupo de Trabalho no qual figuravam Luiz Gonzaga do Nascimento e Silva, então presidente do BNH e depois ministro do Trabalho, e Mário Trindade, então diretor do BNH. Mário Trindade foi auxiliado na parte atuarial por João Lyra Madeira, do IBGE, e José Américo Peon de Sá, do IRB; na parte jurídica, pelos advogados do BNH Hamilton Nogueira Filho e Edgar Porto Ramos. A Mário se deve a *trouvaille* genial do casamento entre os recursos do FGTS e o Programa de Habitação, o qual, a partir de então, deslancharia firmemente, com base num fluxo regular de recursos.

Os estudos deveriam ficar confidenciais, pois seria necessária longa preparação psicológica para a desmistificação do "mito da estabilidade". Mas, em entrevista jornalística, Castello Branco foi colhido por uma pergunta indiscreta e admitiu estar se estudando uma fórmula substitutiva da estabilidade. Isso o compeliu a anunciar formal e prematuramente o plano, num discurso em Campina Grande, na Paraíba, nas comemorações do Dia do Trabalho, em 1º de maio de 1966.

Como há males que vêm para bem, o discurso, em cuja redação colaborei, permitiu a Castello dar uma visão, pela primeira vez orgânica, do seu "projeto social". Mencionou, de início, as duas grandes tarefas com que se defrontavam os brasileiros. A primeira delas consistiria em substituir-se o "imediatismo de comportamento" por uma visão de longo prazo dos problemas nacionais. Foi esse o primeiro anúncio da elaboração de um Plano Decenal, denominado "Plano de Perspectiva", que complementaria o enfoque emergencial do PAEG.

— A segunda das nossas grandes tarefas — acrescentou Castello — é a *democratização das oportunidades*. Temos abusado do formalismo da democracia, cultivando sua forma externa e esquecendo sua substância mais profunda.

Enunciou a seguir o outro aspecto do Projeto Social — a instituição de uma nova política trabalhista, baseada no binômio bem-estar doméstico e produtividade.[318] Pelo significado histórico, vale a pena relembrar o discurso de Castello:

"Com efeito" — disse ele — "não se compreende que os *sindicatos limitem, como sempre aconteceu entre nós, sua ação à simples reivindicação salarial.* Devem eles ampliar a esfera de suas atribuições, zelando pelo associado, não somente ao promover a melhoria de seus vencimentos, mas, também, cuidando que ele possa dispor de casa própria e que receba uma educação à altura de suas necessidades profissionais. Nesse sentido, o governo vem promovendo, desde algum tempo, um movimento de *democratização das*

---

[318] O discurso de 1º de maio ensejou a Castello uma oportunidade para elencar as "conquistas sociais" da Revolução: "Numa síntese que não comporta comentários, relembrarei apenas as seguintes providências, todas da maior relevância para a classe dos assalariados: moralização da previdência social; regulamentação do direito de greve e da inspeção do trabalho; aprovação das normas de organização dos sindicatos rurais, que já orçam por 420 unidades; cobrança das contribuições empresariais em atraso, exigindo-se a correção monetária dos débitos; reajustamento e atualização no pagamento dos benefícios; extinção do empreguismo e adoção do regime do mérito, com o aproveitamento dos concursados que, durante anos, aguardavam nomeação, sempre preteridos pelos interinos apadrinhados; melhoria e expansão da assistência médica, com o prosseguimento das obras dos hospitais em construção e instalação do equipamento nos já concluídos; assinatura de convênios com as empresas privadas no sentido de serem os benefícios pagos pelas próprias empresas que, no fim do mês, descontam do volume das suas contribuições, devidas aos Institutos de Aposentadoria, os adiantamentos feitos aos operários, nos próprios locais de trabalho; estímulo aos cursos de liderança sindical; pagamento a quase duzentos mil grupos familiares, num total superior a um milhão de menores, beneficiários do abono a famílias de prole numerosa".

oportunidades, o que significa, em termos de implantação de uma nova política social, a associação dos sindicatos na promoção de uma reforma educacional, tendo em vista a realização de largos programas de treinamento e de educação dos trabalhadores sindicalizados e seus dependentes"...
"Considerando que essa deficiência educacional constituiu sério entrave ao desenvolvimento nacional, o governo, com as vistas novamente para os operários, instituiu um sistema especial de concessão de bolsas de estudo, assegurando a gratuidade do ensino e os gastos pessoais dos trabalhadores e seus dependentes, desejosos de estudarem. Ainda este ano, serão aplicados Cr$15 bilhões num programa de desenvolvimento do ensino médio — compreendendo o secundário, o industrial, o comercial, o agrícola e o normal — mediante a concessão de 40.000 bolsas de estudo"... "A distribuição dessas bolsas se fará através dos sindicatos, e o êxito do programa e a quantidade de bolsas atribuída a cada uma dessas entidades dependerão da colaboração que por elas for prestada a um aperfeiçoamento da vida sindical brasileira"...

À luz da atual ênfase sobre a "qualidade" da mão-de-obra, elemento essencial da competitividade, a insistência de Castello sobre a conscientização sindical no tocante à educação e treinamento soa singularmente presciente.

Antecipando objeções que viriam no ríspido debate que se travou sobre a estabilidade, Castello apresentou dados estatísticos que havíamos coletado para desmistificar as supostas conquistas getulistas.

"Têm-se desvirtuado as intenções do governo ao afirmar-se que pretende extinguir a estabilidade. Na realidade, a *estabilidade é hoje uma ficção* e o governo propõe que se criem condições para que uma real estabilidade venha a existir"... "Levantamentos cuidadosos indicam que, de cada 100 trabalhadores brasileiros, 29 têm menos de 1 ano de serviço, 35 entre 1 e 4 anos e 19 entre 4 e 9 anos de casa"... "Os nove anos de serviço representam barreira quase intransponível e as estatísticas registram que apenas 2 operários em cada 100 estão na faixa de 9 a 10 anos contínuos. Isso porque as empresas, receando acumular um passivo trabalhista e apreensivas também quanto ao desinteresse do trabalhador estável em relação à produtividade, resolveram valer-se da própria lei para matar a estabilidade, despedindo o operário que dela se aproxima e pagando-lhe a indenização prevista. Que adiantam as belas e justas intenções da lei diante dessa realidade que todos conhecem, temem e padecem? As estatísticas ainda registram que, na média brasileira, apenas 15 trabalhadores em cada 100 haviam alcançado estabilidade, e assim mesmo nas empresas mais antigas e nas regiões de indústrias menos dinâmicas."

A racionalidade objetiva de Castello pouco contribuiu para amainar a passionalidade emotiva do debate. Tivemos que fazer, Nascimento Silva e eu, intenso apostolado da idéia pelo rádio e televisão. O projeto foi submetido ao Consplan, previamente à sua apresentação ao Congresso. No Consplan figuravam quatro líderes trabalhistas — Ari Campista, Paulo Cabral, Paulo Nascimento Gama e José Rota — que, apesar de moderados, e no fundo céticos quanto à eficácia do instituto da estabilidade, manifestaram ferrenha oposição. Refletindo a oposição dos presidentes das Confederações de Trabalhadores na Indústria, nos Estabelecimentos de Crédito e no Comércio (esta um pouco mais moderada), apresentaram projeto alternativo, formulado pelos sindicatos, do tipo *best of both worlds*, pois que aceitava o plano do FGTS, "sem prejuízo da estabilidade". Isso representaria um acréscimo de custo empresarial sem flexibilização do regime de mão-de-obra. Constituiu-se um grupo de trabalho no Consplan, chefiado por Delfim Netto, para crítica das alternativas e para análise econômica e atuarial da proposta do governo, enquanto no BNH Mário Trindade, com atuários e advogados, trabalhava na montagem final do projeto. Como era de esperar, a inovação despertou grande oposição da Igreja, dos sindicatos e da mídia, com derramada preocupação emocional e nenhum embasamento analítico.

Antes da remessa do projeto ao Congresso, Castello, como era de seu costume, convocou líderes do governo e da oposição, para longas explanações feitas por mim próprio, por Nascimento Silva e por Mário Trindade. No Congresso, que recebeu o projeto em agosto de 1966, foi constituída uma comissão mista, de 16 membros, tendo por presidente Daniel Krieger e por relator outro gaúcho, o deputado Brito Velho, combativo líder da coligação parlamentar UDN-PL. Houve vigorosa oposição dos senadores Franco Montoro e Josaphat Marinho, cuja concessão máxima seria a chamada fórmula alemã: estabilidade aos seis meses, que poderia entretanto ser suspensa no caso de firmas em dificuldades econômicas. Era uma generosidade aparente, que poderia ser transformada em frustração real.

O esforço propagandístico que fizemos se centrava assim na demonstração de que o direito à estabilidade era um direito apenas "virtual", enquanto que o pecúlio do FGTS era um direito "real". Cálculos atuariais indicavam que haveria uma equivalência atuarial aos 18 anos de serviço entre o valor teórico das indenizações, que só seriam pagas em casos de despedida, e o valor atuarial do pecúlio, que independia dessa vicissitude.

O projeto não teria chances de aprovação no Congresso, se Castello não tivesse consentido na introdução no projeto de uma cláusula opcional, que facultava aos trabalhadores continuarem no regime de estabilidade ou optarem pelo novo sistema. Essa flexibilização foi anunciada no discurso de Campina Grande: seria dado aos operários "o direito de optarem entre o fundo de garantia do tempo de serviço e a estabilidade nos moldes hoje vigentes". A despeito do esforço pessoal de Castello, que ele considerava humilhante, de barganhar com alguns políticos concessões clientelísticas (felizmente de pequena monta), foram tantas as emendas deformadoras do projeto que o governo teve de recorrer a táticas dilatórias para que fosse editado por decurso de prazo, em 13 de setembro de 1966, transformando-se na Lei nº 5.107. Reconhecendo a validade de algumas emendas aproveitáveis, houve um fato bizarro: no dia seguinte, 14 de setembro, foi baixado um decreto-lei, incorporando-as ao texto. Assim, uma das medidas reconhecidamente mais fundamentais para a modernização capitalista do país teve origem controversa e inglória!

Além da obrigatoriedade da correção monetária dos salários em atraso, desencorajando dilações desfavoráveis aos empregados, dois outros componentes da política trabalhista do governo Castello Branco merecem ser mencionados: a unificação dos Institutos de Previdência e a participação nos lucros das empresas. Unificaram-se os institutos de previdência, antes distribuídos entre várias profissões, visando aos seguintes objetivos: (1) Diminuir os custos administrativos e operacionais dos múltiplos institutos de pensão e aposentadoria, cada um com estrutura administrativa separada; (2) Homogeneizar a qualidade da assistência, eliminando-se a distinção entre os institutos ricos e pobres; (3) Evitar a transformação dos institutos em feudos eleitorais de partidos políticos, com amplas possibilidades de corrupção. Apenas três dos Institutos, o IAPB (bancários), o IAPC (comerciários) e o IAPI (industriários) apresentavam viabilidade orçamentária; os demais, IAPM (marítimos), IAPETEC (transportes e cargas) e o IAPEESP (ferroviários) achavam-se em franca falência.

A medida foi bastante controvertida à época e a experiência posterior demonstrou que a intenção foi melhor que os resultados. O gigantismo da Previdência, que se tornou o maior orçamento da República, expôs a instituição à deterioração dos serviços. Tornou-se também frouxo o controle das contribuições, sendo os contribuintes desmotivados pela falta de percepção da vinculação entre contribuições e benefícios. Hoje, atenta à cruel ineficiência do INSS, eu favoreceria a descentralização e a privatização opcional da Previdência.[319]

O coroamento do projeto social de Castello Branco foi um projeto de lei pouco conhecido. Foi, aliás, o último projeto encaminhado ao Congresso, em 14 de março

---

[319] Houve, durante o governo Castello Branco, bastante pressão para a estatização do seguro de acidentes de trabalho. Resisti a essa pressão, receando que a frouxidão dos controles resultasse em maciça corrupção. A estatização entretanto viria a ocorrer no governo Costa e Silva, com os resultados previsíveis: a grande maioria das fraudes no antigo INPS, e agora no INSS, está vinculada a falsos atestados de incapacidade para o trabalho, ou de compensações desproporcionais aos acidentes. De outro lado, como as empresas pagam uma contribuição fixa, há pouco interesse em melhorar o treinamento preventivo de acidentes.

de 1967, um dia antes da posse do novo governo. A Exposição de Motivos era subscrita pelo presidente e pelos ministros do Planejamento (Roberto Campos) e do Trabalho (Nascimento e Silva). O projeto tomou o número 34 e sua ementa era: "Regula a integração dos trabalhadores na vida das empresas e a participação nos lucros e dá outras providências."

Tratava-se de uma tentativa sofisticada de conciliar o objetivo "redistributivo", da distribuição de lucros, com o objetivo "reprodutivo" de preservar a capacidade de investimentos das empresas.

A participação nos lucros seria objeto de plano acordado entre a empresa e seus empregados, o qual seria organizado de modo a:

"(a) Atribuir aos empregados uma parte dos lucros que excederem da adequada remuneração dos demais fatores de produção; (b) estimular o aumento da produtividade das empresas ao interessar os empregados em seu desenvolvimento."

Além de explicitar cuidadosamente as bases de determinação do lucro, de modo a preservar a capacidade de investimentos das empresas, o projeto continha três dispositivos fundamentais para estimular as empresas na negociação de planos de participação: (a) a dedutibilidade da participação dada aos empregados, do lucro operacional, para efeito do Imposto de Renda, (b) a não incorporação das participações aos direitos salariais, por serem elas eventuais e dependentes da existência de lucros; e (c) a dispensa de quaisquer encargos fiscais ou previdenciários. Admitiam-se várias modalidades de participação entre as quais (a) a distribuição de ações da própria empresa, as quais poderiam ser de tipo especial, chamadas "ações de trabalho", criadas no projeto em causa; a constituição de fundos de investimentos ou condomínios de ações; a distribuição parcial em dinheiro, e a aplicação parcial em serviços assistenciais. Haveria um Conselho Nacional de Integração do Trabalhador na Empresa (Conite) para estimular e supervisionar os acordos negociados entre as empresas e seus empregados; ficariam excluídas do âmbito da lei as empresas que tivessem cumulativamente menos de dois anos de funcionamento, menos de 30 empregados, e capital próprio ou renda bruta operacional abaixo de 50 mil ou 100 mil cruzeiros novos, respectivamente.

Legalista escrupuloso, Castello Branco não queria deixar sem implementação o princípio de participação nos lucros, que fora previsto na Constituição de 1946, e reafirmado na Constituição recém-promulgada, de janeiro de 1967.

Na transição de governo, o projeto foi prontamente arquivado no Congresso e até hoje, apesar de dezenas de projetos na Câmara e no Senado, a participação nos lucros não foi regulamentada. O tema é sem dúvida complexo e qualquer solução tem que ser basicamente por acordos voluntários, em reconhecimento à variedade de situações. Há empresas com déficits crônicos, como sucede nos serviços públicos estatais. E as disputas da determinação do lucro real, particularmente em situações cronicamente inflacionárias, podem levar a um grau de conflituosidade que anule o objetivo principal da participação, que é precisamente o estimulo à produtividade.

Anos mais tarde, quando senador por Mato Grosso, voltei ao assunto, apresentando o projeto de lei nº 138/83, sobre participação nos lucros, ao qual adiante farei referência. Reproduzia, em forma simplificada, o projeto do governo Castello Branco, acentuando que essa participação teria que ser negociada caso a caso, cabendo ao governo apenas encorajar e facilitar a implantação do sistema, isentando de encargos previdenciários e fiscais os lucros distribuídos.

O projeto chegou a ser aprovado no Senado Federal, mas também acabou sepultado no espaçoso jazigo legislativo da Câmara dos Deputados...

O PODER SINDICAL
RECONSIDERADO

Se o *projeto social* era adequado como concepção, foi um fracasso como comunicação. Os partidos trabalhistas, acadêmicos de esquerda e grande parte da mídia enfatizavam a "quebra dos sindicatos" ou a "castração do poder sindical". No caso extremo, falava-se num "sadístico propósito de destruição do proletariado urbano", para usar uma expressão do economista Albert Fishlow.

As queixas se concentravam em quatro aspectos: a intervenção governamental nos sindicatos; a fórmula salarial, a unificação dos institutos de previdência e a lei de greve. Resta-nos discutir o último aspecto.

Na realidade, o que houve foi um esforço de correção de abusos sindicais. Certamente, os sindicatos sofreram uma perda de poder político. Certamente também haviam exorbitado de suas funções sindicais. Com o apoio de Goulart, alguns se haviam transformado em autênticos partidos políticos, com enorme poder de chantagem, no caso dos sindicatos de atividades essenciais. Esse direito de paralisia foi amplamente usado, sobretudo na fase final do governo e particularmente no primeiro trimestre de 1964, quando o trabalho passou a ser um "intervalo entre greves", para usar uma expressão de um jornal da época. Não só os sindicatos se haviam transformado em partidos políticos, mas em partidos de ideologia subversiva, pois advogavam, mais ou menos abertamente, a implantação de uma república sindicalista. Era, aliás, questionável a representatividade desses líderes sindicais, pois seu radicalismo não era acompanhado pela massa dos trabalhadores, nem eram eles credenciados por eleições livres e sim escolhidos pela pressão de minorias ativistas. O controle dos institutos setoriais de pensões e aposentadorias acrescenta-va-lhes poder de corrupção. Era o diabólico binômio subversão e corrupção, cuja extinção passou a ser o lema dos revolucionários de primeira hora.

Além da intervenção para a "despolitização dos sindicatos", o segundo instrumento corretivo foi a Lei de Greve (Lei n? 4.330), passada em 1? de junho de 1964, a primeira das grandes reformas. Seu texto, pouco lido e quase nunca analisado, passou a ser descrito como proibição de greve. Na realidade, garantia o uso do direito de greve, coibindo-lhe o abuso. O relator do projeto na Câmara dos Deputados foi Ulysses Guimarães, do PSD, àquela altura bastante entrosado com o sistema revolucionário. Era, aliás, um conservador radical, pois que favorecia um período mais longo — quinze anos — para a cassação de direitos políticos. Sua guinada para o nacional-populismo, com toques de esquerda, viria muito mais tarde, na década dos 70.

A Lei de Greve era bastante avançada no reconhecimento do direito dos grevistas, pois que proibia (1) A "despedida do empregado que tenha participado pacificamente de movimento grevista"; (2) A admissão de empregados em substituição dos grevistas; e (3) A prisão de membros da diretoria de entidades sindicais representativas dos grevistas, salvo em flagrante delito ou em obediência a mandato judicial (art. 19).

Havia algumas cautelas para desencorajar o "grevismo" prevalecente na época. A greve teria de ser autorizada por decisão da assembléia geral da entidade sindical representante da categoria profissional, por 2/3 em primeira convocação, e 1/3 em segunda convocação, em escrutínio secreto e por maioria de votos. O quorum, na segunda convocação, seria reduzido para 1/8 nas entidades sindicais que representassem mais de 5.000 profissionais da categoria (art. 5°). Estabelecia-se um ritual de convocação, para evitar manobras de minorias ativistas, política e ideologicamente motivadas. Eram proibidas as greves no funcionalismo público, a não ser quando se tratasse de serviço industrial. Esse dispositivo, que viria a ser relaxado na Constituição de 1988, refletia o fato de que as relações entre o funcionalismo e o poder público são de caráter estatutário e não contratual. Reconhecia-se o "direito ao trabalho", devendo as autoridades garantir "livre acesso ao local de trabalho aos que queiram prosseguir na prestação dos serviços". Era uma proteção necessária contra os "piquetes ofensivos", que depois viriam a tornar-se rotina na vida sindical. Havia dispositivos de caráter um pouco mais restritivo no tocante às atividades fundamentais, como "serviços de água, energia, luz, gás, esgotos, comunicações, transportes, carga ou descarga, serviço funerário, hospitais, maternidades, venda de gêneros alimentícios de primeira necessidade, farmácias e drogarias, hotéis e indústrias básicas ou essenciais à defesa nacional" (art. 12).

A diferenciação entre as greves no funcionalismo e nos serviços essenciais, sujeitas a restrições, e as greves no setor competitivo da economia é perfeitamente racional, por três motivos: (1). No setor competitivo, existem alternativas para o consumidor e usuário; (2). A disputa é entre trabalhador e patrão, enquanto nos serviços essenciais, a vítima é o público inocente; (3). O trabalhador no setor competitivo tem suas reivindicações moderadas pela possibilidade de desemprego, enquanto que a estabilidade aumenta desproporcionalmente a capacidade de barganha dos empregados no setor público e atividades essenciais.

No sentido de canalizar o grevismo para seu estuário natural — as reivindicações econômicas de salários e condições de trabalho — evitando-se a deturpação do direito de greve para finalidades políticas e ideológicas, eram declaradas ilegais as greves deflagradas "por motivos político-partidários, religiosas, sociais, de apoio ou solidariedade, sem quaisquer reivindicações que interessem, direta ou indiretamente à categoria profissional" (art. 22, III).

Obviamente, os sindicatos, então fortemente infiltrados por lideranças comunistas, transformaram o que era um esforço válido de disciplinamento laboral em uma espécie de terrorismo da direita.[320]

Alguns anos depois, como embaixador em Londres, assisti a conflitos grevistas na fase final do Labour Party, em 1978/79, que configuraram algo muito semelhante ao grevismo selvagem da fase final do governo Goulart. Sucediam-se greves politicamente motivadas, sob a liderança de minorias trotskistas, infiltradas nos sindicatos, que levaram Margaret Thatcher a uma reforma fundamental das leis trabalhistas. Era a "revolução regeneradora" dos *tories*, que se seguiu à queda do governo trabalhista, em 1979.

---

[320] Passando a outro extremo, a Constituição de 1988 (art. 9º) liberalizou, ao ponto da anarquia, o direito de greve. Caberia aos trabalhadores decidir "sobre os interesses que devam por meio dele defender". A greve deixa de ser um instrumento de reivindicação econômica, para se transformar em arma política, ideológica ou partidária.

A DEMOCRATIZAÇÃO
DO ACESSO AO CAPITAL

O esquema de *democratização de oportunidades* contemplava também o acesso ao capital. Esse era um dos objetivos da Lei do Mercado de Capitais, passada em julho de 1965, visando a incentivar sociedades abertas. Criou-se o Fundece — Fundo de Democratização do Capital das Empresas — cuja administração foi entregue ao Banco do Brasil, enquanto ao BNDE se alocou a gestão do Finame. Ambos esses fundos foram financiados com o uso da contrapartida em cruzeiros da venda de trigo obtida por via dos "acordos do trigo" com o governo norte-americano. Pelo mecanismo do Fundece, as empresas carentes de capital de giro, em resultado do controle antiinflacionário da expansão de crédito, poderiam obter recursos do Fundece contra a entrega de ações. Estas seriam retidas pelo governo durante 18 meses, com opção de recompra pelas empresas. Poderiam ser depois vendidas pelo Fundece, servindo como mecanismo de abertura e democratização do capital. O sistema não funcionou, em parte porque o Banco do Brasil não tinha interesse nem experiência em operações mais sofisticadas do que descontos de duplicatas ou a rotina dos "empréstimos com garantia hipotecária"; e, mais fundamentalmente, porque os ativos das empresas, na ausência de correção monetária anual e sistemática, estavam contabilizados por valores irrealisticamente baixos, gerando natural resistência empresarial à venda de ações. Em certo sentido, a medida era prematura. Para amenizar o ajuste das empesas à desinflação, a Caixa Econômica Federal acabou criando temporariamente um "hospital industrial", solução conceitualmente pior para o problema de iliquidez, pois desvinculada do objetivo de democratização do capital. A peça mais importante do esquema de criação do capitalismo do povo foi o projeto de participação dos empregados nos lucros da empresa, morto no nascedouro, a que já se fez referência.

Há, infelizmente, uma grande distância entre o sonho e a realidade. Falharam vários dos projetos de democratização das oportunidades. O Estatuto da Terra nunca funcionou; os sucessores de Castello não tinham a "angústia da terra" do sofrido cearense. O BNH foi desvirtuado por subvenções à classe média. O FGTS foi corruptamente administrado. O esquema de educação, arquitetado na Constituição de 1967, ficou no papel. Mas não se pode acusar de incompetência o projeto do arquiteto por causa das depredações dos inquilinos.

OSSOS DO OFÍCIO

No começo do governo Castello Branco, defrontara-me com dois desagradáveis ossos do ofício. Um era referente às cassações de direitos políticos. Eram numerosos os processos que me trazia o capitão Heitor de Aquino, assessor do general Golbery. Cabia ao Conselho de Segurança Nacional a instrução desses processos, de qualidade desigual. A maior parte se referia a pessoas para mim desconhecidas. Incluíam-se comprovações, afiançadas pela secretaria do Conselho de Segurança, de evidências de subversão e/ou corrupção, que eram as duas motivações dos expurgos revolucionários. Referendá-las era uma tarefa que para mim e alguns outros ministros provocava enorme constrangimento. Constrangimento que, aliás, azucrinava Castello mais que ninguém. Resistiu ele firmemente à pressão dos militares da "linha dura" e de partidários de Lacerda para prorrogar o prazo de cassação, além do limite de seis meses previsto no Ato Constitucional n.º 1. Indeferiu os processos de cassação de várias personalidades como Afonso Arinos, Evandro Lins e Silva, Hermes Lima e San Tiago Dantas. Neste último caso, para meu alívio, o despacho de Castello dizia que, conquanto San Tiago fosse "o grande responsável pela institucionalização de Goulart", a cassação seria "imprópria". Dois governadores — Magalhães Pinto e Ildo Meneghetti — tinham preparado "listões", rejeitados pelo presidente, por insuficiência de provas.

A outra dificuldade era a paranóia inquisitorial da Comissão Geral de Investigação, desdobrada em várias comissões setoriais.

Todas as revoluções, em seu fervor inicial, tendem a confundir *moralidade* com *moralismo*. Aquela é uma virtude: este, um cacoete. Nunca se sabia se as comissões de investigação eram totalmente objetivas, ou se havia elementos de vingança pessoal contra desafetos, com acolhida pressurosa de denúncias levianas. A situação chegou a tal ponto que o funcionalismo estava perdendo capacidade decisória. Havia medo de assinar cheques, pelo temor de eventual questionamento inquisitorial. Queríamos ativar, por exemplo, o programa rodoviário, mas defrontávamo-nos com uma paralisia decisória no segundo escalão da administração. Fui a Castello para reclamar e sugerir a aceleração dos trabalhos, ou mesmo, o término dessas investigações.

— Se continuarem a varrer todo o tempo o pó da cozinha — disse a Castello — não terei condições para começar a cozinhar.

Castello se preocupou em acelerar o passo das investigações, recusando-se a prolongar o prazo dos inquéritos, que terminaria em 9 de julho de 1964, após julgados 1.110 processos! A Comissão Geral de Investigação fora presidida inicialmente pelo general Taurino de Rezende, substituído depois pelo almirante Paulo Bosisio.

No capítulo das cassações é que eu teria uma experiência mais traumática — a cassação de Juscelino Kubitschek. Ela fora pedida por Costa e Silva, interpretando exigências da "linha dura", apoiadas por grupos lacerdistas. A "linha dura" compreendia os revolucionários radicais, que Milton Campos descrevia como os "fervorosos" em contraste com os "moderados" da linha Sorbonne. Não se conformavam aqueles com a sobrevivência política, nem de Juscelino, nem de Adhemar de Barros, candidatos ambos à presidência da República. A proposta de Costa e Silva fora apresentada em 3 de junho de 1964, justificada como sendo destinada a:

"Prevenir manobras políticas já suficientemente delineadas, no sentido de se interromper o processo de restauração, na órbita do governo nacional, dos princípios morais e políticos."

Pouco tempo depois Castello me convoca ao palácio Laranjeiras. Com sobrecenho franzido e ar preocupado, disse-me que tinha uma importante decisão a tomar com graves repercussões internas e internacionais. Para isso desejava ele unanimidade no gabinete. Era a cassação de Juscelino. Pedi-lhe que me desse vista do processo. Havia para mim um problema ético e emocional delicado, ponderei-lhe. Tinha colaborado intimamente com Juscelino, no "Plano de Metas", e com ele rompido funcionalmente, mantendo entretanto amizade pessoal. Preferia examinar o processo e dar meu voto justificadamente, por escrito.

Castello passou a explicar-me sua motivação. Juscelino, como eu próprio reconhecera, havia sido um empreiteiro ousado, porém financeiramente irresponsável. Deixara o país com aceleração inflacionária e bancarrota cambial. Além disso, no interesse político de manter a aliança nacional-populista, tolerara perigosa infiltração de esquerda em seu governo, e tudo indicava que pretendia manter a mesma coligação política, em apoio à sua candidatura presidencial. Era a velha tentativa de "cavalgar o tigre das esquerdas". Dada a curta memória do povo, que lhe atribuía os bônus e não os ônus, teria chances de voltar ao poder, como um Getúlio redivivo.

Inflacionaria novamente o país e permaneceria a onda de corrupção do governo Goulart, que fora derrubada por uma revolução felizmente incruenta.

— A nova revolução, que depois se tornaria necessária para corrigir os demandos, dificilmente seria incruenta. E eu não quero assumir a responsabilidade de não prevenir esse desenlace — concluiu Castello.

Cheguei em casa emocionalmente arrasado. Li cuidadosamente a documentação. Certamente, Juscelino não poderia ser acusado de "subversivo". Concluíra democraticamente seu governo e satisfizera ao requisito fundamental do estadista democrático — administrar pacificamente os conflitos. As acusações de corrupção eram variadas. Incluíam um relatório sobre compras de lotes de terrenos na Pampulha, em Belo Horizonte, a partir de informações privilegiadas. Havia denúncias de vantagens escusas obtidas de empreiteiros durante a construção de Brasília e corrupção nas negociações sobre a construção da ponte de ligação com o Paraguai. A base documental me pareceu insatisfatória para a gravidade da pena.

Nesse entretempo Castello incumbira Ney Braga de fazer uma sondagem informal junto a Octávio Bulhões e a mim, sobre nossa reação ao planejado evento. Bulhões declarou que, em vista das tensões militares existentes, considerava a decisão compreensível, como uma espécie de mal menor. Minha reação foi negativa. Disse a Ney que me manifestaria por escrito sobre o angustiante tema.

Redigi um curto parecer contrário à cassação. Reconhecia a irresponsabilidade financeira da parte final do governo, pois tivera no governo Quadros de participar das operações de saneamento cambial. Mas a atitude da Revolução deveria ser demonstrar, por contraste, através de uma administração austera e competente, os desmandos e erros da política do "desenvolvimentismo às caneladas". As repercussões internacionais da medida seriam péssimas. Não seria fácil explicar ao exterior a intensidade vulcânica das pressões internas sob o governo revolucionário.

Voltando ao palácio, restitui a Castello o processo, com meu parecer negativo. Castello leu-o, desapontado. E acrescentei: — Compreendo perfeitamente que, à luz da gravidade da situação, o senhor queira unanimidade no gabinete. Infelizmente não a posso dar. Meu cargo está à sua disposição.

Castello lançou-me um olhar seco e triste, e limitou-se a dizer: — O senhor votou de acordo com sua consciência. Continue no cargo. Mas seu voto deve ficar confidencial. O ministério deve assumir responsabilidade coletiva.[321]

A cassação de Juscelino se consumou por decreto de 10 de junho que, como previsível, teve grande repercussão. O PSD se desligou do bloco parlamentar de apoio à Revolução, o que tornaria necessário paciente cultivo do Congresso para reconquista do apoio necessário às grandes reformas. O mais curioso foi a ambiguidade genial de Carlos Lacerda que então se encontrava em Nova York. Quando perguntado sobre a cassação, respondeu que era um "ato de coragem política, um ato de visão". Mas, acrescentou, teria preferido bater Juscelino "nas urnas"...[322]

---

[321] Vim a saber anos depois que apenas dois outros ministros, Milton Campos e Juarez Távora, haviam discordado de cassação de Juscelino. Aquele, porque tinha convivido por longos anos com Juscelino na política mineira e achava a punição exagerada. Juarez, por se considerar eticamente inibido de vez que fora candidato concorrente de Juscelino na eleição presidencial de 1955.

[322] A descrição clássica do episódio se encontra no livro de Luís Viana Filho, *O governo Castelo Branco*, Rio de Janeiro, José Olympio, 1975, p. 94-96.

Não vi Juscelino depois, por bastante tempo. Soube por amigos comuns que ele e sua família se queixavam da suposta traição de um antigo colaborador. Somente anos passados, não sei por inconfidência de quem, veio ele a saber da verdade. Cumprimentou-me efusivamente uma vez que nos encontramos casualmente no aeroporto de Congonhas, em São Paulo. Mas nunca nos reaproximamos. A última vez que o vi foi num almoço com Adolpho Bloch, na Manchete, pouco antes de sua morte. Eu era embaixador em Londres e viera ao Brasil em férias. Juscelino, com um sorriso otimista, recordava seus tempos de governo. E disse-me: — Você é perigoso com sua lógica implacável de técnico e economista. Mas fiz bem em seguir meus instintos. Fiz o Brasil progredir 50 anos em 5. Nenhum dos meus sucessores chegou perto.

Respondi-lhe que, pelo visto, ele não tinha abandonado a "teoria tipográfica do desenvolvimento": — Imprimir papel-moeda é ruim se for para pagar funcionários. Não se for para obras produtivas.[323]

— O problema — acrescentei — é que o dinheiro não nasce carimbado.

O segundo episódio de cassação foi bem menos traumático. Refiro-me ao governador de São Paulo, Adhemar de Barros. Vinha de longa data a oposição dos círculos revolucionários à permanência de Adhemar, tido por "símbolo de graves pecados da vida brasileira". Os detonadores imediatos da crise, em começo de 1966, foram políticos e econômicos. No plano político, as manobras de Adhemar para derrotar, na eleição da mesa da Assembléia Legislativa de São Paulo, a chapa da Comissão Executiva da ARENA. Sendo a ARENA teoricamente majoritária, com 90 membros, sua chapa perdeu por 64 contra 49 votos para a "turma da pesada". Adhemar insistia em controlar sua sucessão, num claro desafio à corrente revolucionária no poder.

No plano econômico, tanto Octávio Bulhões como eu próprio nos havíamos queixado das dificuldades colocadas pelo governador paulista ao sancamento financeiro da Nação. O Banco do Estado embarcara numa orgia de empréstimos, que fatalmente geraria pressão sobre o redesconto do Banco Central, sob pena de pânico financeiro. E o mercado de títulos públicos, que nos esforçávamos para construir, estava sendo desmoralizado pela emissão maciça de "Adhemaretas" (Bônus Rotativos do Estado), vendidos com enorme deságio, que embutiam extravagantes juros reais. A orgia financeira era completada por uma orgia de nomeações para cargos públicos. Abriam-se duas alternativas: a cassação de alguns membros da Assembléia Legislativa (o poder de cassação havia sido restabelecido pelo

---

[323] Uma outra e mais pitoresca defesa, por Juscelino, do "desenvolvimento às caneladas" era dizer que as receitas antiinflacionárias clássicas eram a "aplicação à puberdade dos remédios apropriados à velhice"...

Ato Institucional n? 2, de outubro de 1965) para alterar o balanço de forças, ou a cassação do próprio Adhemar. A primeira medida não teria o caráter exemplar da segunda. Foi no sentido do afastamento de Adhemar a recomendação que emanou de reunião de 4 de junho de 1966, para a qual o presidente convocara Geisel, Golbery, Mem de Sá, Pedro Aleixo e Octávio Bulhões.

Eu tinha ido a São Paulo, para responder, pela televisão, a críticas acerbas de Adhemar à política econômico-financeira. O que me irritava particularmente é que ele criticava as desvalorizações cambiais, com a alegação que elas elevavam o "custo da gasolina e do diesel para o povo", mas não se esquecia de pedir adiantamentos da parcela estadual do imposto sobre combustíveis, cuja receita aumentava precisamente em função das desvalorizações!

O processo de decomposição moral da autoridade estava avançado. Adhemar mandou me receber no aeroporto, mas em vez de encaminhar-me ao palácio dos Campos Elísios, fui conduzido à casa de sua companheira, a chamada "Casa do dr. Ruy", onde ele despachava. Era uma sexta-feira, 3 de junho. Quando terminou, altas horas da noite, o programa de televisão, encontrei no hotel Jaraguá um recado de Castello para telefonar-lhe com urgência.

Fi-lo à primeira hora do sábado, recebendo de Castello recomendação para voltar imediatamente ao Rio, indo direto ao palácio Laranjeiras. Castello declarou-me ter optado pela cassação. Convocaria para a sucessão o vice-governador Laudo Natel, mas desejava previamente minha opinião sobre alguns pontos. Luís Viana retrata fidedignamente os três pontos:

> "Castello... desejava a opinião de Campos sobre três pontos: a repercussão no meio empresarial; o impacto internacional, particularmente nos meios econômico-financeiros; a reação popular, de vez que Costa e Silva parecia recear uma irrupção de orgulho paulista contra a intervenção federal, reminiscência da Revolução Constitucionalista de 1932. Campos respondeu que a desintegração administrativa e a desordem econômica do estado tornariam a substituição de Adhemar não só aceitável mas desejada pela classe empresarial. Quanto à repercussão internacional seria negativa — pois se tratava de uma intervenção autoritária no mais importante estado — porém passageira. É que não só os representantes diplomáticos, senão também grandes empresas, certamente se encarregariam de esclarecer a inevitabilidade da medida, dada a corrosão moral e o desgoverno econômico.
>
> Quanto à reação popular, Campos declarou não partilhar os receios de Costa e Silva. 'Adhemar' — declarou Campos — 'é um político clientelesco e não ideológico. Estes, como Brizola, são perigosos porque podem despertar lealdades fanáticas. Aqueles aglutinam interesses temporários. Face à

perspectiva de luta, o cliente do político clientelesco não derrama sangue por teses ou idéias. Busca logo um novo patrão'. Campos acrescentou que o impacto financeiro poderia ser atenuado com a designação de homens competentes para o saneamento financeiro. 'Quem, por exemplo?', indagou Castello. Campos ponderou que o indicado deveria possuir três qualidades: boa convivência com os ministros da Fazenda e Planejamento, pois amplo auxílio federal seria necessário para acelerar a recuperação paulista; bom nível técnico, em vista da complexidade do problema creditício e orçamentário de São Paulo; bom relacionamento com a classe empresarial, para restauração da confiança dos investidores. Em breve análise, ocorreu-lhe, para secretário da Fazenda, o nome do professor Antônio Delfim Netto, que o presidente Castello Branco nomeara para o Conselho de Economia".[324]

A cassação de Adhemar de Barros se consumou em 6 de junho, sendo necessário um Ato Complementar, o de n.º 10, para explicitar que a cassação dos direitos políticos implicava também a cassação do mandato eletivo para o Executivo Estadual.

Em sua fase inicial, a brilhante carreira de Delfim Netto esteve ligada ao ministério do Planejamento. Eu o havia indicado para o Conselho Nacional de Economia e para o Consplan, onde me ajudou a defender o PAEC contra as críticas do professor Dias Leite e de Fernando Gasparian, então membro do Conselho Nacional de Economia. Terminado o mandato de Laudo Natel, seu sucessor, Roberto Abreu Sodré, queria substituí-lo pelo professor Arroba Martins na secretaria da Fazenda de São Paulo. Pedi a Sodré que mantivesse Delfim por mais algum tempo, pois estávamos em plena discussão do Código Tributário. Pouco depois, quando Costa e Silva, presidente eleito, indicou a Castello que desejava ter um "seminariozinho" de informações, por técnicos do governo, sobre a política econômica, Castello me encarregou da tarefa. Destaquei João Paulo dos Reis Velloso, então diretor do EPEA, para cuidar do assunto, recomendando-lhe que entre os expositores figurassem Mário Henrique Simonsen e Delfim Netto. Costa e Silva achou Simonsen competente mas abstrato, e simpatizou mais com a exposição do "gordinho concreto" de São Paulo. Convidaria depois Delfim para ministro da Fazenda. Mas o curioso é que todos os instrutores do "seminariozinho" se tornaram ministeriáveis. Reis Velloso foi ministro do Planejamento dos governos Médici e Geisel. Delfim Netto foi ministro da Fazenda de Costa e Silva e Médici, e, anos depois, ministro do Planejamento do governo Figueiredo. Simonsen foi ministro da Fazenda de Geisel, e, por alguns meses, ministro do Planejamento de Figueiredo.

Eu sempre me considerei um "dedo podre" na escolha de pessoas. Mas no caso do "seminariozinho" revelei singular capacidade de previsão...

[324] Vide Luís Viana Filho, op. cit., p. 414.

VODCA COM LEITE

— Que drinque quer tomar? — perguntei a Daniel K. Ludwig, num jantar em meu apartamento, em Ipanema.

— Vodca com leite — respondeu ele. — Vodca para mim, leite para minha úlcera.

Estávamos em meados de 1966. Ludwig, o bilionário armador, estava prestes a se engajar em sua longa e frustrante aventura amazônica: o desmatamento da floresta nativa heterogênea, para reflorestamento com essências homogêneas, suscetíveis de aproveitamento industrial em larga escala, para produção de celulose e papel.

Ludwig me havia sido apresentado por carta de George Woods, presidente do Banco Mundial, de quem me tornara amigo quando embaixador em Washington.

— É um homem estranho — escreveu-me George Woods. Detesta burocracia, gosta de paraísos fiscais, para não pagar impostos a governos ineficientes, mas é um gênio empresarial. Está possuído pela idéia de que haverá grande expansão na demanda mundial de papel, com o desenvolvimento e alfabetização dos países subdesenvolvidos, e que a solução é domesticar a floresta tropical, na qual o ciclo vegetativo é muito mais curto do que nas florestas de zonas temperadas. É um investidor ousado e criativo, que o Brasil deveria atrair.

Ludwig tinha uma história fascinante. Nascera em South Haven, Michigan, em 1897. Começou a trabalhar com 14 anos, reparando pequenos barcos fluviais para revenda. Tornou-se depois um dos maiores armadores do mundo, através de engenhosidade e golpes de sorte. Logo após a Segunda Guerra Mundial, adquiriu navios *Liberty Ships*, excedentes de guerra, armazenados em portos americanos e vendidos a baixo preço. Era a chamada "frota em naftalina". No Japão, ajudou as autoridades americanas de ocupação, que não sabiam o que fazer com os estaleiros de Kure, onde se construíram os grandes encouraçados japoneses. Associado a uma empresa nipônica, deu ocupação aos estaleiros, iniciando a construção dos primeiros supertanques petroleiros. Quando chegou ao Brasil, para a sua aventura amazônica, seu império bilionário incluia, além de uma gigantesca frota mercante, minas de carvão nos Estados Unidos e Austrália; a maior salina do mundo, no México; uma grande cadeia hoteleira, a Princess; empreendimentos imobiliários nos Estados Unidos; empresas de seguro; refinarias de petróleo no Panamá; e plantações na Venezuela e Honduras.

Homem de baixo grau de sociabilidade, só tinha um amigo glamouroso — o ator Clark Gable — com quem se diz que caçava onças em sua fazenda "Yato Vergarenha", na Venezuela. Eu o chamava de "monge capitalista", pois vivia austeramente. Viajava para o Brasil em avião de carreira, da Varig, sempre alugando três assentos na classe turista para deitar-se e aliviar dores de coluna. Quando jovem, fraturara a espinha ao saltar do deck para o porão de um de seus navios, em socorro de dois marinheiros ameçados por deslocamento de carga. Dizia, numa de suas raras pilhérias, que o atrativo da Varig, não para ele que era velho, mas para outros americanos, era que o acrônimo se traduzia em inglês pela expressão *Virgins are rare in Guanabara*!...

Quando Ludwig chegou ao Brasil, acolhi-o com especial interesse. A Amazônia estagnada precisava de investimentos. Tinha eu constituído um grupo de trabalho, para desenhar a "Operação Amazônia", por recomendação de Castello Branco que, tendo sido comandante da Região Militar sediada em Manaus, ansiava por um esquema de desenvolvimento da área. Mas havia necessidade de novas idéias e sobretudo de novos investidores.

Apresentei Ludwig a Castello Branco. Ludwig já havia feito sondagens, visando à compra de uma grande área numa zona limítrofe entre o estado do Pará e o território do Amapá. As terras haviam originalmente pertencido a um pioneiro cearense, José Júlio de Andrade que, entre 1899 e 1948, amealhou terras no Pará e no Amapá, que o tornaram certamente o maior latifundiário do mundo, com quase 3 milhões de hectares, parte em terras requeridas e parte por compra e venda. Chegou a ser senador da República, e deputado pelo Pará em 1908, não tendo dificuldade em eleger-se, pois ele próprio preenchia as folhas de votação no município de Almeirim...

Em dezembro de 1948, a empresa e as terras de José Júlio foram vendidas a um grupo de portugueses, chefiados por Joaquim Nunes de Almeida. O valor módico da transação para a compra de um império, que era também um inferno verde, fora de seiscentos e vinte e cinco mil cruzeiros. Os portugueses formaram basicamente três companhias — a Jari Indústria e Comércio, a Companhia Industrial do Amapá (para processamento de castanha) e a Companhia de Navegação S/A. As atividades, além da pecuária, eram fundamentalmente extrativas — madeiras e castanhas, e uma variedade de borracha, a "balata", extraída da baladeira, árvore que só ocorre na margem esquerda do rio Amazonas. Algumas experiências agrícolas com o plantio de seringueiras, café, cacau e pimenta-do-reino, não foram bem-sucedidas.[325]

---

[325] A pitoresca estória do Jari é contada no livro *Jari — 70 anos de história*, de Cristovão Lins, Data Forma, Rio de Janeiro, 1991.

Ludwig expôs a Castello Branco seu plano de domesticação da floresta tropical. Havia já escolhido uma espécie vegetal — a *gmelina arborea* — da família das ver-benáceas, originária da Ásia mas aclimatada na Nigéria e na Costa do Marfim, de onde se importariam as mudas. A *gmelina* se prestaria à produção de celulose e papel, com corte econômico possível em seis a oito anos, comparativamente ao longo ciclo das coníferas tradicionais — 40 a 50 anos na Finlândia e 25 a 35 anos nos Estados Unidos. Seria também de boa serventia para a produção de laminados e tábua de boa qualidade.

A pressa de Ludwig, que o levou a lançar-se no projeto sem maior pesquisa edafológica, confiando num agrônomo holandês, Wijnkoop, que escolhera a *gmeli-na*, e em um de seus assessores, Juan Ferrer, para a seleção da área do Jari, era compreensível: iniciaria seu projeto florestal aos 70 anos de idade.

— Iniciar um projeto florestal aos 70 anos — disse-me depois George Woods — só para quem tem a presunção de imortalidade.

A área a ser comprada dos portugueses era gigantesca: 1.632.121 hectares, sendo 1.174.391 hectares no estado do Pará, município de Almeirim, e 457.730 hectares no território do Amapá, município de Mazagão. Entretanto, cerca de 362.000 hec-tares eram considerados não aproveitáveis (terrenos turfosos e rochosos, riachos e igarapés) e metade de toda a área teria de permamecer com a cobertura da mata nativa, por motivos legais e ecológicos.

Castello, antes de autorizar a compra, ouviu o Conselho de Segurança Nacional. Foram naturalmente manifestadas apreensões pela vasta área territorial que passa-ria ao controle de um cidadão americano. Com seu conhecimento da Amazônia, onde fora comandante militar, Castello descartou logo os preconceitos nacionalistas.

— Na Amazônia falta a mais elementar infra-estrutura — disse ele. — Construí-la só se justificaria em função de megaprojetos. A área parece gigantesca mas ape-nas uma parcela módica seria realmente aproveitável. Mr. Ludwig — concluiu Castello — não é um perigo para a Amazônia. A Amazônia é que é um perigo para Mr. Ludwig, como o foi para Henry Ford, com suas plantações de borracha em Belterra. Vamos dar a um investidor ousado a oportunidade de fazer uma experiên-cia de domesticação da floresta tropical.

Castello costumava referir-se à Amazônia como um "mundo inacabado", onde o homem se sentia até certo ponto um "intruso impertinente".

Foi, assim, concedida autorização para a compra das terras. As negociações para a compra do Jari começaram ainda no govenro Castello Branco, em outubro de 1966, mas só viriam a ser concluídas em abril de 1967, já no governo Costa e Silva. Alguns títulos dos portugueses eram questionáveis e uma das grandes frus-trações de Ludwig foi que jamais conseguiu legalizar senão uma parte das terras, em virtude do entorpecimento burocrático do GEBAM — Grupo Executivo da

Bacia Amazônica — onde não faltavam elementos "nacionalistas", suspicazes da presença estrangeira na área.

Castello falava muito mais prescientemente do que pensava. A experiência revelou, anos depois, que da vasta região do Jari, apenas 40.000 hectares eram uma mancha de grande fertilidade e estes se situavam bem ao norte, no limite extremo das terras compradas por Ludwig. Nos solos de baixa fertilidade, a *gmelina* cresceria em média 14 m³, por hectare/ano, contrastando com o crescimento de 42 m³ por hectare/ano nos solos asiáticos e em algumas pequenas manchas no Jari. Um bônus inesperado para Ludwig foi a descoberta de jazidas de bauxita refratária, e particularmente de caulim. A exploração e exportação do caulim se transformariam, aliás, na mais confiável fonte de renda do complexo Jari.

O jantar que ofereci a Ludwig, regado a vodca com leite, em meu apartamento, contou com a presença de Castello Branco, de Costa e Silva e vários ministros, para confirmar a anuência do alto escalão brasileiro ao projeto. Havia um hóspede encabulado, numa das raras ocasiões em que compareceu engravatado. Era o pintor Di Cavalcanti. Eu tinha uma secreta intenção. Induzir Ludwig a comprar algum quadro do pintor, o que — imaginava eu — seria uma abertura para o mercado de Nova York.

Mas Ludwig era um monge capitalista, sem qualquer preocupação artística. Tornei-me, tempos depois, um de seus raros amigos íntimos. Procurava-me sempre quando vinha ao Rio, estando eu já afastado do governo, para aconselhamento e consolo em suas peripécias burocráticas. Era uma personalidade complexa, com calor humano oculto, mas espinhoso como um ouriço, na superfície. Uma de suas grandes dificuldades com o projeto Jari era o contínuo rodízio de administradores. Nada menos que 16 se sucederam entre 1967, data de compra do Jari, e 1982, quando a propriedade passou às mãos de um consórcio brasileiro, administrado por Augusto de Azevedo Antunes, o criador da ICOMI, que se tornara um dos grandes amigos de Ludwig.[326]

Conquanto encorajasse Ludwig em sua aventura amazônica, adverti-o honestamente de dois inimigos: a própria floresta amazônica, de opulenta cobertura vege-

---

[326] Ludwig e Antunes consolidaram sua amizade num momento de infortúnio. Quando faleceu um filho dileto de Antunes, Ludwig prontamente abandonou todos os seus negócios em Nova York e veio ao Brasil para consolar o amigo e induzi-lo a partir com ele numa visita de duas semanas à África do Sul, para distraí-lo num momento depressivo. Certa vez encontrei Ludwig em Nova York, numa fase de especial mau humor ante as delongas da burocracia brasileira em reconhecer a titulação das terras.
— Porque não goza a sua fortuna? — disse-lhe. — Todos os seus amigos se queixam de seu insuportável mau humor. Vá a Paris e divirta-se com champagne e mulheres.
— *Women upset me* — respondeu-me. — Trabalhar é meu hobby e, se houver oportunidade, trabalharei no céu, que não mereço, ou no inferno, que provavelmente me aguarda...

tal mas solos débeis, e a burocracia de Brasília, com sua mistura funesta de nacionalismo e burocratice. Criado na cultura do capitalismo um pouco bucaneiro do
midwest americano, Ludwig não entendia o dirigismo brasileiro.

— Por que apresentar projetos aos burocratas? — perguntava ele. — Eles não são
peritos industriais e não apostam o seu dinheiro no negócio.

A imagem do burocrata esclarecido, que se julga defensor dos interesses nacionais
e que pretende saber mais que o empresário o que é bom para a empresa e para o
país, tinha para Ludwig uma aura de absurdidade.

A partir de abril de 1967, até sua retirada em 1982, Ludwig lançou-se no grande
projeto que, entre investimentos próprios e empréstimos, lhe custou cerca de
US$800 milhões. Isso, se não o tornou um pobretão, rebaixou-o consideravelmente
no seleto ranking dos grandes bilionários do mundo.

A completa falta de infra-estrutura na área impunha ao investidor privado uma
tarefa de governo. Ludwig construiu uma cidade moderna, Monte Dourado, perfeitamente equipada com escolas, hospitais, eletricidade e saneamento básico, para a
sede do projeto. Construiu cerca de 600 km de estradas principais e 4.000 km de
estradas vicinais, além de uma ferrovia de 220 km e três campos de aviação.

A pressa de realização de Ludwig levou a erros de planejamento. O abastecimento de matéria-prima para a fábrica de celulose tornou-se inadequado, devido ao
insuficiente rendimento da *gmelina* (28.000 hectares), plantada entre 1968 e 1973,
em solo de baixa fertilidade, nos quais inicialmente a tratorização com Caterpillars
D-9, no enleiramento, levou a um arrasto da magra camada de húmus. Somente em
1973 Ludwig acedeu na introdução da *pinus caribacea*, variedade hondurense,
mais apropriada ao solo do Jari. E somente a partir de 1979 foi plantado o *eucalyp-
tus deglupta*, de crescimento tão veloz como a *gmelina*. Mesmo assim, houve um
desbalanceamento entre a produção florestal e as exigências da fábrica de celulose,
forçando a utilização de algumas espécies nativas heterogêneas.

A fábrica plantada na floresta constituiu um grande feito tecnológico. Ludwig
teve a idéia de construí-la no Japão, sobre plataformas, sendo depois transportada
por mar, através de 28.706 km dos estaleiros de Kure até sua implantação no porto
de Munguba, à margem direita do rio Jari, no baixo Amazonas. Foram a rigor duas
plataformas, transportadas a essa distância, uma com a casa de força e a outra com
a fábrica propriamente dita, com um peso conjunto de 58.000 toneladas métricas e
altura equivalente a um prédio de 15 andares, a um custo total de US$269 milhões.
Ludwig planejara a construção de uma segunda fábrica, ao lado da primeira, mas
essa segunda fase dependeria de permissão, não obtida, para a construção de uma
hidrelétrica em tributários do rio Jari. A primeira fábrica era operada com a queima
de resíduos do desbaste da floresta tropical.

A obra de Ludwig, não se confinou à produção florestal e à indústria madeireira.

Tentou executar um grande projeto de arroz, de 14.000 hectares, a ser plantado em *polders*, formados por diques na margem esquerda do Amazonas. Ludwig gastou cerca de US$10,5 milhões, até 1974, em pesquisas de variedades de arroz, provenientes dos Estados Unidos, Filipinas, Colômbia e Suriname, conduzidas pelo IRI (International Rice Institute) das Filipinas. Fez também pesquisas de dendê, de banana irrigada, e de gramíneas. Na pecuária, procurou melhorar o rebanho com a compra de reprodutores Nelore, tentando-se cruzamento com o Charolês e Santa Gertrudes. Foi também desenvolvida uma criação de búfalos, para o qual existiam áreas propícias nas várzeas. A pesquisa mineral se concentrou no caulim, que se transformou em importante artigo de exportação.

Em suas visitas ao Brasil, Ludwig me surpreendia por seu interesse numa variedade enorme de assuntos: mineração de ferro e pesquisas de mandioca em Minas Gerais, para a produção de álcool, em conjunto com o grupo Antunes; projetos imobiliários, cimento, e, bizarramente, até cemitérios jardim.

— Os mortos dão bom dinheiro — dizia ele.

O mais importante dos seus projetos abortados foi o da construção de um estaleiro para reparo de navios-tanques. Foi o único caso em que consenti em acompanhá-lo em visitas a ministros de Costa e Silva, com os quais minhas relações se haviam tornado um pouco tensas, na fase em que o novo presidente acentuava seu "revisionismo", em relação às políticas de Castello Branco.

Acompanhei Ludwig em visita a Mário Andreazza, então ministro dos Transportes, atraído por um projeto, que me parecia imaginoso e factível. Ludwig tinha conseguido cartas de intenção das grandes empresas de petróleo, às quais arrendava seus navios-tanques, para utilização de um dique de reparos, a ser instalado no Brasil, e que serviria para os petroleiros provenientes do Oriente Médio e da Indonésia, em demanda da costa Leste dos Estados Unidos.

Ludwig tinha escolhido o porto de Suape, em Pernambuco, como o local ideal para um estaleiro de reparos. Para os navios-tanques dessa rota, só havia duas alternativas: Cingapura ou os estaleiros portugueses da Lisnave no rio Tejo, em ambos os casos com substancial desvio de rota. Estimava ele um custo total de US$120 milhões, inclusive uma grande escola para treinamento de operários. Seria desejável, porém não indispensável, o aval do governo brasileiro para os empréstimos que pretendia negociar contra a garantia de contratos de serviço com as grandes empresas de petróleo. Precisava da permissão do governo federal e do apoio das autoridades estaduais.

Para minha surpresa, a receptividade de Andreazza foi fria. É que ele tinha em vista uma outra idéia, mais interessante para o seu projeto político, pois àquela altura já sonhava com uma eventual candidatura ao governo da Guanabara. Era o projeto de uma companhia mista — a Renave — para construção de um dique de reparos na baía da Guanabara. Para Ludwig, a idéia era excêntrica. A baía estava fora da rota dos grandes petroleiros, não haveria facilidade de manobra numa baía congestionada, sem falar dos problemas de poluição nas vizinhanças de uma grande cidade. A perspectiva de se tornar um sócio minoritário num empreendimento nessas condições era horripilante para Ludwig.[327] A idéia do estaleiro de Suape morreu e com ela a oportunidade de se dinamizar a economia pernambucana, resgatando os pesados investimentos feitos na construção daquele parque portuário.

Além dos erros de planejamento, Ludwig experimentou uma série de desapontamentos em suas relações com a burocracia brasileira. Entendia ele que o governo deveria assumir a responsabilidade dos serviços administrativos de Monte Dourado, e indenizá-lo, pelo menos parcialmente, pelas despesas da moderna infraestrutura urbana ali construída. Não entendia a obrigatoriedade de vender uma quota de celulose a preços subvencionados, à indústria nacional de papel, diminuindo a já precária perspectiva de rentabilidade do Jari. Queria liberdade para transportar, em seus próprios navios, fora dos fretes mínimos da Conferência de Fretes da Amazônia, produtos de madeira heterogênea da floresta desbastada, de baixo valor unitário. Irritava-se com a falta de solução do problema da energia elétrica. Nem a Celpa— Centrais Elétricas do Pará — assumia a responsabilidade de suprir energia elétrica, nem se outorgava permissão à Jari, ou empresas associadas, para aproveitamento da cachoeira de Santo Antônio. A gota d'água, que o levou à decisão de abandonar o projeto, retirando-se do Brasil, talvez tenha sido a indefinição governamental acerca da posse definitiva das terras. Apesar da boa vontade do ministro chefe da Casa Civil do governo Figueiredo, general Golbery do Couto e Silva, não foi possível extrair decisão definitiva do GEBAM — Grupo Executivo do Baixo Amazonas — que tinha o processo sob exame desde 1980. Neste, pontificava um "nacionalisteiro", o almirante Gama e Silva, suspicaz da presença estrangeira na área, e favorável à estatização do complexo do Jari. Era o sonho da Jaribrás...

Felizmente, o presidente Figueiredo teve o bom senso de buscar uma solução privatista. Foi convidado para a tarefa Azevedo Antunes, um dos poucos empresários bem-sucedidos na exploração amazônica.[328] Este, que conhecia bem o projeto

---

[327] A Renave acabou sendo formada como sociedade de economia mista, com forte participação de acionistas estatais — a Docenave, subsidiária da Vale do Rio Doce, o Lloyd Brasileiro e a Fronape (subsidiária da Petrobrás).

[328] Bem-sucedido na exploração do manganês no Amapá, Azevedo Antunes, com grande modéstia, atribuía seu êxito a três golpes de sorte, provocados por Stálin, Hitler e Nasser. Stálin, ao suspender as vendas de manganês aos Estados Unidos; Hitler, ao desencadear a Segunda Guerra Mundial aumentando o consumo de manganês na indústria bélica; e Nasser, ao fechar o Canal de Suez, dobrando os fretes marítimos, o que favoreceu o manganês do Amapá, mais próximo dos Estados Unidos, maior comprador mundial.

Jari e já fora convidado por Ludwig para participar da "Caulim da Amazônia", acabou promovendo a formação de um consórcio de 22 empresas para assumir a responsabilidade do projeto. O primeiro presidente da nova empresa foi o engenheiro Sérgio Quintela, depois substituído, em agosto de 1982, pelo embaixador Edmundo Barbosa da Silva. A este coube administrar a difícil transição, num momento de mercado internacional deprimido para a celulose. Edmundo Barbosa da Silva negociou o ingresso do BNDES como financiador e acionista do consórcio e promoveu a reestruturação da dívida com o Banco do Brasil, iniciando um sofrido processo de recuperação da empresa.

Com sua insaciável versatilidade nos negócios, Ludwig procurou-me, de certa feita, para propor um projeto turístico.

— O potencial turístico do Rio — dizia ele — está tremendamente subexplorado. Os dois melhores sítios, o forte de Copacabana e o forte do Leme são usados para a rotina militar, sem qualquer significado estratégico.

Dono da grande cadeia de hotéis "Princess", no México e no Caribe (o "Princess", de Acapulco, construído em forma piramidal, é um dos mais belos hotéis que conheci), propunha-se a fazer um grande projeto turístico em um desses dois sítios. Pagaria ao Exército o valor do terreno, construiria localizações alternativas para os quartéis nas vizinhanças do Rio e garantiria ao Exército 1/3 dos lucros líquidos, com participação acionária equivalente, se desejado.

Cético quanto à flexibilidade dos militares em aceitar essa invasão dos lugares sagrados, fiz uma sondagem junto a Costa e Silva, então ministro da Guerra.

A reação foi a esperada. — "Isso é uma profanação! Os canhões do forte de Copacabana são um orgulho de nossa história militar" — disse ele.

Argumentei, desanimado, citando as vantagens econômicas da proposta. No fim, amuado, retruquei a Costa e Silva: — Nesta era dos mísseis, a melhor utilização que se poderia dar ao salão de armas do forte de Copacabana, seria transformá-lo num *night club*. Imagine o sucesso turístico mundial que faria uma *boite* com o nome *Dancing under the guns!*...

Excusado é dizer que nem minha irreverência nem meu *sense of humour* encontraram acolhida simpática.

Ludwig se retirou do Brasil com a mesma sensação de derrota que afetara os empreendimentos da Fordlândia e Belterra. Como previra Castello Branco, Ludwig não fora um perigo para a Amazônia, e sim o contrário. Visitando-o depois em Nova York, encontrei o monge capitalista empenhado num projeto de igual ousadia: a construção de uma ferrovia de 400 km para exploração de carvão na China comunista. Não pude deixar de admirar a temeridade do monge capitalista, arriscando seu dinheiro na terra de Mao Tsé-Tung, antes que se consolidasse a abertura liberalizante de Deng Xiaoping.

A "OPERAÇÃO AMAZÔNIA"

Mais duradoura foi outra iniciativa de Castello Branco, a "Operação Amazônia". Como nota Luís Viana Filho, o assunto era uma preocupação sua antiga. Em discurso na Escola Superior de Guerra em 1959, Castello "definira as três estratégias, que, segundo ele, dominavam a Amazônia: a do medo, a do ressentimento e a da omissão". Foi-me cometida, como ministro do Planejamento, a tarefa de montagem de um esquema global de desenvolvimento da Amazônia, reformulando os mecanismos existentes, bastante inadequados, do Banco de Crédito da Amazônia e da SPVEA (Superintendência do Plano de Valorização Econômica da Amazônia). O ministério do Planejamento se articularia com o ministério dos Organismos Regionais, então sob a direção do marechal Cordeiro de Farias, depois substituído por João Gonçalves de Souza.

Designei para coordenador meu chefe de gabinete, o engenheiro amazonense Arthur Soares Amorim, que eu conhecera de meus dias de cônsul em Los Angeles, onde ele supervisionara, em 1954, a fabricação do equipamento para a refinaria de petróleo de Manaus. Pelo ministério do Planejamento foram também indicados o arquiteto Harry James Cole e o comandante Geraldo Maia. O Banco da Amazônia foi representado por Nelson Ribeiro e o ministério dos Organismos Regionais por Luiz Carlos Andrade. Como ligação com o Planalto, participou do grupo o tenente-coronel Moraes Rego, que servia no gabinete militar. O coordenador do grupo, Arthur Soares Amorim, se revelou hábil negociador, navegando entre suscetibilidades de governadores do Norte e enfrentando interesses contrariados da burocracia pregressa. Havia que negociar pacientemente com governadores, políticos, burocratas e empresários.

O esquema concebido assentava num tripé: o Banco da Amazônia, a SUDAM e a Zona Franca de Manaus. O Banco da Amazônia substituiria o desacreditado Banco de Crédito da Amazônia, passando a exercer funções de banco regional, depositário de incentivos, a exemplo do Banco do Nordeste. A SPVEA cederia lugar a uma agência regional de desenvolvimento, a SUDAM, modelada similarmente à Sudene, com a responsabilidade de administrar os incentivos fiscais e o FIDAM (Fundo de Desenvolvimento da Amazônia), canalizando os recursos da renúncia fiscal para projetos prioritários. A terceira perna do tripé foi a Zona Franca de Manaus.

A criação da Zona Franca havia sido autorizada pela Lei nº. 3.173, de junho de 1957, oriunda de projeto de iniciativa do deputado pelo Amazonas Francisco Pereira da Silva. Mas ficara letra morta, por falta de regulamentação.

A idéia foi retomada em 1966, como parte da "Operação Amazônia". Uma consideração importante nessa decisão foi a implantação, pelo Peru, de uma zona de livre comércio em Iquitos, que tornaria essa cidade um pólo rival de desenvolvimento da Amazônia. A criação da Zofran se justificaria portanto como parte de uma estratégia preventiva para evitar maior esvaziamento da economia, já deprimida, de Manaus. Determinei ao grupo de trabalho que aproveitasse os trabalhos que eu próprio liderara para a criação da Zona Franca da Guanabara (Zofranca), projeto formulado, em maio de 1960, pelo embaixador Sette Câmara, governador interino da Guanabara, após a mudança da capital para Brasília. Nessa ocasião, haviam sido estudados os estatutos de vários modelos de zonas francas, inclusive o das "Zonas de Comércio Exterior" de Nova York, Nova Orleans e Seattle, os estatutos dos portos livres europeus de Trieste e Hamburgo, e várias iniciativas paralelas no Panamá, Chile, Argentina e México.

Esse modelo, infelizmente, foi frustrado na Guanabara, não tendo suscitado o interesse dos governadores subseqüentes. Como já fiz notar alhures, o Rio perdeu a oportunidade de se tornar, no começo da década de 60, um precursor das cidades-entreposto como Hong Kong ou Cingapura. Mas a idéia viria a ser aproveitada seis anos depois, na formulação dos estatutos da Zona Franca de Manaus.

Criar zonas de processamento de exportações era minha obsessão antiga. E seria esse um dos objetivos fundamentais da Zona Franca de Manaus. Que ela se tenha tornado anos depois principalmente uma zona de processamento para o mercado interno foi, até certo ponto, um desvio de rota. Os artigos 4º. e 5º. do decreto-lei nº 288, de fevereiro de 1967, sinalizavam claramente uma orientação exportadora.

A montagem da "Operação Amazônia" se fez em três estágios. No primeiro, já em dezembro de 1965, tornaram-se, por emenda constitucional, extensivos à Amazônia todos os incentivos fiscais e favores creditícios concedidos ao Nordeste. Entre setembro e outubro de 1966 foram votadas as leis básicas. O ponto culminante foi a assinatura do decreto-lei nº 288, em fevereiro de 1967, que regulamentava a operação da Zona Franca e que fora precedido, em dezembro de 1966, da Primeira Reunião de Incentivos ao Desenvolvimento da Amazônia, em Manaus, organizada pelo governo federal e pelas Confederações Nacional da Indústria, Agricultura e Comércio, com a presença de Castello Branco.

Tendo vivido na Amazônia, Castello não se enlevava com o mito das "riquezas". Sua visão era sóbria. Talvez, como nota Luís Viana Filho, algo entre o "paraíso perdido", de Euclides da Cunha, e o "inferno verde", de Alberto Rangel.[329]

---

[329] Relata Luís Viana Filho que, referindo-se à Amazônia, em carta de Belém a um amigo, assim se expressava Castello Branco: "Empolga, mas é difícil e duro. Os problemas aqui se apresentam com fatores em completo conflito. Naquelas distâncias sem fim, havia uma permanente sensação de insegurança, e o homem parece 'um intruso impertinente'." Luís Viana Filho, op. cit., p. 256.

EPISÓDIOS DE
POLÍTICA EXTERNA

Mais do que um simples tático, Castello era um estrategista, o que o habilitava singularmente para problemas de política externa. A ela aplicava, com bom proveito, a tecnologia que absorvera como oficial de Estado-Maior: análise de situação, avaliação de opções e diretrizes de ação.

Sabia da minha experiência diplomática e conhecia alguns dos meus pontos de vista sobre política externa, por conferências na Escola Superior de Guerra. Tinha privado comigo durante a IV Reunião de Chanceleres, em Washington, por ocasião da guerra da Coréia. Consultava-me por isso com relativa freqüência, felizmente sem causar ciúmes interdepartamentais, pois na fase inicial do governo o Itamaraty era comandado por Vasco Leitão da Cunha, profissional de alta estirpe, desprovido de ressentimentos miúdos.

Vasco era para mim o diplomata modelo, com versatilidade lingüística, graças sociais e firmeza de caráter. Ministro interino da Justiça aos 39 anos, deu voz de prisão ao poderoso chefe de polícia de Vargas, Filinto Müller, quando este quis impedir a primeira manifestação de rua no Estado Novo.

Era uma passeata estudantil, em julho de 1942, exigindo a entrada do Brasil na guerra contra as potências do eixo. A passeata tinha o apoio do chanceler Oswaldo Aranha e do interventor no estado do Rio, Amaral Peixoto, conhecidos pelo seu apoio aos países aliados. No resultante entrevero burocrático, acabaram renunciando a seus postos não só Vasco como Filinto Müller e o próprio titular da Justiça, Francisco Campos. Mais tarde, com a entrada do Brasil na II Guerra Mundial, Vasco exerceu com discreta eficiência a função de representante junto ao Comitê Francês de Renovação Nacional, na Argélia, onde conheceu De Gaulle, e acompanhou depois, como observador diplomático e cônsul geral em Roma, as peripécias da FEB na Itália.

Foi vítima de um curioso incidente. Sem aguardar a resposta francesa ao pedido de *agrément*, Goulart, em 1962, deixou vazar que o nomeara embaixador em Paris para resolver a questão da "guerra da lagosta". O vazamento da informação e a alusão ao ridículo conflito irritaram De Gaulle, que não respondeu ao pedido de *agrément*.

Vasco vivera dias interessantes, pois como embaixador em Havana assistira à derrubada do ditador Batista por Fidel Castro, tendo oportunidade, em 1960, de reunir num jantar o candidato presidencial Jânio Quadros com Fidel Castro e Che Guevara, dos quais se tornou amigo. Mais tarde, quando chanceler do governo Castello Branco, coube-lhe, por ironia da história, a tarefa de romper relações com Cuba, ante a comunistização do regime e tentativas de infiltração subversiva.

Tínhamos, Vasco e eu, dois pontos em comum: a aversão ao totalitarismo soviético e ao fanatismo do "petróleo é nosso", que levou ao monopólio da Petrobrás.

A Doutrina da
Parceria Seletiva

Poucos meses depois da posse, apresentou-se a Castello a oportunidade de uma reformulação conceitual da política externa brasileira, que havia oscilado entre a "estratégia de pirraça" de Jânio Quadros e os malabarismos intelectuais da "política de independência" de Afonso Arinos e San Tiago Dantas. No caso de Jânio Quadros, a intenção parecia ser a de ganhar espaço para uma política conservadora interna no campo econômico, através da exibição de machismo na política externa. No caso de Arinos e San Tiago Dantas, as proposições eram algo mais sofisticadas. Tratava-se de valorizar o espaço de manobra que nos era dado pelo impasse da bipolaridade. A política independente seria uma forma mansa de explicitarmos simpatia por uma terceira via, implicitamente crítica do capitalismo americano, sem entretanto uma formalização de fé no socialismo. Mas tratava-se sobretudo de uma compensação psicológica. A situação quase permanente de bancarrota cambial criava-nos uma aguda e humilhante percepção de dependência econômica, que se chocava contra nossas aspirações de potência emergente.

Seria interessante especular sobre os antecedentes genéticos da "política independente". Esta seria uma das "fases" das relações internacionais e da política exterior brasileira. Segundo o faz notar Pedro Malan, as "fases" anteriores teriam sido: a) A busca da "autonomia relativa na dependência", no final dos anos 30; b) As tentativas frustradas de estabelecimento de uma "relação especial" com os Estados Unidos na segunda metade dos anos 40; c) O nacional-populismo do segundo governo Vargas e d) As pretensões de obtenção de capitais públicos via articulação interamericana, do governo Kubitschek.[330]

Como já expus em capítulo anterior, Afonso Arinos formulava uma interessante diferenciação entre três posições: a de *neutralidade*, a de *neutralismo* e a de *independência*. Nossa posição não era de neutralidade, pois fazíamos parte do sistema de defesa interamericano. Não éramos também neutralistas porque não estávamos, como país, em disponibilidade ideológica, ao contrário de alguns países do Terceiro Mundo, que se alinhavam com uma ou outra das superpotências em função das van-

---

[330] Ver Pedro Malan, *As relações econômicas internacionais do Brasil, 1945-1964*, São Paulo, Difel, 1984, p. 102.

tagens percebidas ou oferecidas. A posição de independência seria uma espécie de afirmação do direito de divergência crítica, antes que uma exploração de chantagem.

Lembro-me a propósito de um debate com o grande, saudoso e injustiçado San Tiago Dantas, a caminho de uma entrevista com o presidente Kennedy, em Washington. Ponderei que a expressão acariciava nosso orgulho nacional, mas era a um tempo *ingênua, injusta* e *aética*. *Ingênua*, porque vivíamos num mundo cada vez mais interdependente em que os países sentem necessidade de se integrar em mecanismos *coletivos* de defesa e/ou organismos *regionais* de comércio. *Injusta*, porque humilhávamos indiretamente a grandes e patrióticos varões de nossa história diplomática, como se a preocupação com nossa independência não fosse uma rotina de conduta e sim um másculo exoticismo de comportamento, uma espécie de *happening* da era Quadros/Goulart. *Aética*, porque, por assim dizer, colocava num mesmo plano de indiferença moral, de um lado, o sistema democrático ocidental, único capaz de preservar o valor supremo da liberdade e, de outro, o totalitarismo soviético.[331]

Conquanto admitindo a impropriedade da expressão, San Tiago, com sua rútila capacidade de racionalização, aduzia dois argumentos. Um, bastante válido, fora por mim próprio usado anteriormente para explicar a política de Jânio Quadros. Era que se tratava de uma compensação psicológica, em termos de hiperafirmação nacional, necessária para atenuar as frustrações políticas e econômicas internas. Tendo adotado uma política *revolucionária* em política externa, Jânio Quadros adquiriu maior liberdade de manobra para uma política econômica *conservadora* no plano interno, indispensável para conter a maré inflacionista e sanear o balanço de pagamentos. Em suma, um exercício de heterodoxia externa, em troca de ortodoxia interna.

O segundo argumento de San Tiago era que, se bem que em eras anteriores não houvesse em nossa política externa intenção de subserviência, faltavam condições objetivas para uma asserção de independência. O argumento me parecia hábil, porém especioso, pois estávamos em fase de pré-moratória, a solicitar repetidamente dilação de pagamentos e novos empréstimos, postura incompatível com a exacerbada retórica da política independente. Duas outras justificativas, não mencionadas por San Tiago, me pareciam ainda menos relevantes. Uma era o desejo brasileiro de afirmar sua "hegemonia" na América Latina. Mas hegemonia é algo que não se conquista por afirmações voluntaristas; é antes um subproduto do desenvolvimento econômico, como depois o provariam Alemanha e Japão, ambos hegemônicos em suas áreas, apesar das inibições políticas que sofriam como países

---

[331] Mais tarde, no governo Médici, a política independente era descrita como "política de eqüidistância". Pior a emenda que o soneto! A expressão geométrica não atenua o absurdo ético.

derrotados na Segunda Guerra Mundial. Outra era o desejo de abrir mercados alternativos no Leste europeu, impulso comercial aceito com perfeita naturalidade pelas potências ocidentais.

A oportunidade para uma clarificação global das premissas da política externa brasileira apareceu logo, com o convite feito a Castello para a paraninfia da turma de diplomandos do Itamaraty, em 31 de julho de 1964. Ele havia recebido suges-tões para o discurso, em texto originalmente preparado pelo diplomata Carlos Calero, com revisão de Vasco Leitão da Cunha. Achou o texto correto mas conven-cional, sem o embasamento filosófico que gostaria de dar ao assunto. Chamou-me e pediu-me sugestões para uma possível reformulação. E percebeu que, ao ouvi-lo, eu escrevera num papelucho três anotações: "A águia bifronte — Ambivalências — A teoria dos círculos concêntricos".

Castello me perguntou que queria eu significar com a expressão "águia bifron-te". Respondi-lhe que os Estados Unidos representavam um duplo papel. De um lado eram o guardião das opções básicas ocidentais: democracia representativa e economia de mercado. Era sob a *umbrella* nuclear americana que os países, no contexto ocidental, poderiam exercer essas duas opções, graduando-as a seu talan-te. Nesse sentido estávamos alinhados com os Estados Unidos, não enquanto superpotência e sim enquanto guardião das opções básicas. Mas os Estados Unidos eram também uma superpotência, com interesses específicos, muitas vezes confli-tantes com os nossos. No terreno político lançavam-se às vezes em afirmações de força como, por exemplo, no Vietnã, sem conexão aparente imediata com a peripé-cia latino americana. No terreno comercial, surgiriam vários conflitos entre um país já de industrialização madura e um país que pretendia ocupar espaços na pai-sagem industrial; entre um país exportador de tecnologia e um país importador de tecnologia; entre um país exportador e um importador de capitais, e assim por diante. Era essa diferenciação entre as duas faces da águia que não era adequada-mente percebida na formulação da "política independente". O conceito correto seria o de "parceria seletiva".

Ponderei ainda a Castello a necessidade de se distinguir entre a *"independên-cia"* como valor *terminal* e a *"interdependência"* como necessidade *instrumental*. Essa interdependência no campo militar era reconhecida por organizações interna-cionais de defesa como a OTAN e o Tratado Interamericano de Defesa. No campo econômico pelos agrupamentos regionais que se haviam formado na Europa, atra-vés do Mercado Comum Europeu, e, na América do Sul, através da ALALC.

O texto finalmente aprovado por Castello, com meu estilo anguloso devidamente aparado pelas mãos hábeis de Luís Viana Filho, assim reza:

"No caso brasileiro, a política externa não pode esquecer que fizemos uma opção básica, que se traduz numa fidelidade cultural e política ao sis-tema democrático ocidental. Dentro dessa condicionante geral a nossa independência se manifestará na aferição de cada problema específico, estritamente em termos de interesse nacional, com margem de aproximação comercial, técnica e financeira, com países socialistas, desde que esses não procurem invalidar nossa opção básica."

Talvez antevendo profeticamente as acusações que viriam depois com os ministros Azeredo da Silveira, na era Geisel, e Ramiro Saraiva Guerreiro, na era Figueiredo, Castello Branco declarou taxativamente que sua *política não era de alinhamento automático*. O trecho relevante, negligenciado por aqueles corifeus da política externa, é o seguinte:

"Não devemos pautar nossa atitude nem por maquiavelismo matuto, nem por uma política de extorsão. *Reciprocamente, não devemos dar adesão prévia às atitudes de qualquer das grandes potências — nem mesmo às potências guardiãs do mundo ocidental, pois que, na política externa destas, é necessário distinguir os interesses básicos da preservação do sistema ocidental dos interesses específicos de uma grande potência.* Em resumo, a política exterior é independente, no sentido de que independente deve ser, por força, a política de um país soberano. Política exterior independente, num mundo que se caracteriza cada vez mais pela interdependência dos problemas e dos interesses, significa que o Brasil deve ter seu próprio pensamento e sua própria ação. Esse pensamento e essa ação não serão subordinados a nenhum interesse estranho ao do Brasil".

O segundo tópico das minhas anotações se referia à confissão das "ambivalências". Propus a Castello que se explicitassem as ambivalências que tinham tornado a política externa brasileira freqüentemente irresoluta e indeterminada. O trecho relevante do discurso é o seguinte:

"A política externa brasileira tem, não raro, exibido indeterminação, em virtude do caráter irresoluto de certos dilemas: nacionalismo *versus* interdependência; negociação bilateral *versus* negociação multilateral; socialismo *versus* livre iniciativa."

Era uma análise realista das nossas contradições. No plano externo, protestávamos continuamente contra a insuficiência do auxílio estrangeiro e dos investimentos de capital. Mas, no plano interno, adotávamos atitudes restritivas e hostis ao capital estrangeiro. É verdade que, num esforço de conciliação, se aceitavam os capitais de empréstimos, condenando os de risco. Mas essa opção não só é tecnicamente discutível, pois que os capitais de empréstimos são mais subjugantes do que os de risco, como sobretudo irreal, por não estar em nossas mãos ordenar as disponibilidades do capital internacional ao sabor de nossas preferências. Castello acentuou um outro ponto:

"Recentemente o nacionalismo deturpou-se a ponto de se tornar opção disfarçada em favor dos sistemas socialistas, cujas possibilidades de comércio conosco e capacidade de inversão, na América Latina, foram sobrestimadas. A política exterior tornou-se, desde então, confusa e ziguezagueante, refletindo essas tensões internas."

A observação era pertinente. Lembrava-me eu de que, como embaixador em Washington, um dos meus aborrecimentos foi ter que explicar ao Departamento de Estado como e por que, com grande fanfarra, se inaugurava a Coleste — Comissão de Relações Comerciais com o Leste Europeu — magnificando-se absurdamente as possibilidades da Europa Oriental como alternativa de investimentos e de comércio ao mundo ocidental, precisamente quando solicitávamos em Washington apoio para a consolidação de dívidas e cobertura de importações correntes.

Uma outra ambivalência era entre a preferência pela negociação bilateral *versus* multilateral. O bilateralismo permitiria explorarmos melhor nossa posição de país-chave no continente, demográfica e estrategicamente. Foi essa a motivação principal da criação da Comissão Mista Brasil-Estados Unidos. Houve em seguida uma inflexão para o multilateralismo, com o surgimento da Operação Pan-Americana. Fora tíbia nossa aceitação da Aliança para o Progresso, não por crítica aos seus pressupostos fundamentais, mas porque sua propositura fora americana, antes que genuinamente multilateral. O correto teria sido trabalharmos dentro da Aliança para o Progresso no sentido de evitar o predomínio do assistencialismo e concentrar esforços na consolidação e desenvolvimento da infraestrutura de cada uma das nações.

O outro aspecto de nossa ambivalência resultava das pressões do estatismo. Este levara à encampação de empresas de serviços públicos, à criação de monopólios estatais e a restrições da participação estrangeira no setor mineral, atitudes todas antagonísticas à angariação da cooperação estrangeira para aceleração do desenvolvimento.

O terceiro tópico das minhas anotações se referia à "teoria dos círculos concêntricos". Seria uma doutrina de prioridades na qual se daria relevo especial ao nosso relacionamento com as nações irmãs, da circunvizinhança, de aquém e além-mar. Dentro dessas prioridades se seriariam primeiramente os nossos vizinhos da América Latina; depois outros países deste continente e, naturalmente, os Estados Unidos; em terceiro lugar Portugal e os países africanos que marginam o Atlântico; e, finalmente, as demais áreas, inclusive a Comunidade Econômica Européia. Essas, as prioridades políticas. As prioridades econômicas, naturalmente, seriam regidas pela relativa importância dos países como parceiros comerciais ou de investimentos. Posição prioritária caberia então aos Estados Unidos, à Alemanha e ao Japão.

Expus a Castello Branco que, no meu entendimento, haveria, de um lado, que observar princípios negativos nas nossas relações com a América Latina e, de outro, empreender ações positivas. Os *negativos* seriam: (a) Evitar tentativas ocasionais de isolamento do Brasil através da formação de um bloco hispânico; (b) Combater acusações de hegemonia e expansionismo territorial. O conceito é que a hegemonia, como subproduto de poder econômico, é acidente agradável, mas sua afirmação prematura, uma imprudência indesejável. As ações *positivas* poderiam assumir duas modalidades: (a) Integração por via comercial; (b) Integração mediante projetos de investimento. No tocante à primeira modalidade, tínhamos perdido tempo e terreno. A falta de um entendimento político franco e ousado entre o Brasil e Argentina condenara a ALALC a uma semi-estagnação e encorajara a formação do "bloco andino".

No discurso de 31 de julho, Castello Branco limitou-se a mencionar a particular importância política que daria à integração latino-americana, com vistas a estreitar as relações com todos os países e, no tocante aos países limítrofes, melhorando-se o sistema de comunicações e transportes de tal modo que as fronteiras pudessem servir a um processo de unificação. Empenhar-se-ia também em tornar a Associação Latino-Americana de Livre Comércio — ALALC — um instrumento eficiente de incremento nas trocas entre os países americanos.

A UNIÃO ADUANEIRA
BRASIL–ARGENTINA

Mais tarde, já no fim do governo Castello Branco, procurou-se uma ação mais positiva. Servindo-me do pretexto de uma reunião do Conselho Econômico e Social Interamericano — CIES — em Buenos Aires, em fevereiro de 1967, fui autorizado por Castello Branco a sondar a Argentina sobre a possibilidade de uma iniciativa conjunta de formação de uma união aduaneira em cinco anos, com desgravação linear de vinte pontos percentuais ao ano. Essa união aduaneira seria aberta à acessão dos demais países latino-americanos, em termos a ser negociados. Ponderei a meu colega argentino, Krieger Vasena, ministro da Economia, que o Brasil não estava sendo nem ousado nem original. Quem perlustrasse as atas da primeira Conferência Interamericana, realizada em Washington em fins de 1889, verificaria que um dos temas centrais (sugerido aliás pelo próprio Congresso norte-americano) era o da "união aduaneira". E o intrépido Bolívar sonhara com a "moeda única" e a "integração econômica", para elidir a dicotomia do continente.

A fórmula que então apresentei fora concebida àquele tempo como medida preventiva contra a fragmentação do continente em blocos político-comerciais. Falava-se então na constituição de um "bloco andino", não só para abrigar países médios e pequenos, receosos dos três grandes — Brasil, Argentina e México — mas também para afirmar um eixo, supostamente democrático, formado pelo Chile de Eduardo Frei, pelo Peru, de Belaunde, pela Colômbia de Lleras Restrepo, e pela Venezuela de Raul Leoni — contra o eixo supostamente autoritário, formado pelo Brasil e Argentina.

Havia certo receio dos grupos empresariais brasileiros quanto à possível adesão do México, em vista de, no ver deles, representar esse país uma cabeça de ponte, a partir da qual as multinacionais norte-americanas poderiam concorrer em condições vantajosas no mercado integrado do Cone Sul. Não me parecia claro o interesse do México nessa aventura pois, em vista do caráter dominante do seu comércio com os Estados Unidos, faria mais sentido uma integração com o Norte. Isso viria aliás a acontecer quase trinta anos depois com a proposta do governo Salinas de Gortari de integração no mercado norte-americano/canadense (hoje denominado Nafta).

Lembrava-me de que, quando jovem diplomata recém ingressado no Itamaraty, uma das minhas tarefas fora trabalhar na formulação de "listas de indústrias novas". É que Oswaldo Aranha, ministro do Exterior no início da Segunda Guerra

Mundial, procurou lançar as sementes de uma união aduaneira entre o Brasil e a Argentina, antevendo que a integração das duas economias lhes permitiria enfrentar melhor o fechamento dos mercados europeus e crises eventuais de abastecimento. Em janeiro de 1940, visitou a Argentina, visando a acelerar as negociações de um tratado comercial e em outubro de 1941, aportava ao Brasil a missão de Frederico Pinedo, ministro da Fazenda argentino. O trabalho mais importante de que participei foi a preparação de uma lista para isenção recíproca de direitos de importação sobre produtos de indústrias novas. Em fins de novembro, Aranha assinou em Buenos Aires com o ministro do Exterior Ruiz-Guiñazu um tratado que concedia dez anos de isenção de direitos para as "indústrias novas". Nunca, entretanto, se chegou a acordo concreto, porque os dois países tendiam a priorizar as mesmas indústrias, tidas por estratégicas ou essenciais, frustrando-se o propósito de conplementação industrial.

A ALALC, tentativa mais ambiciosa por abranger todos os países latino-americanos, fora criada em 1960, pelo Tratado de Montevidéu, visando à eliminação gradual de barreiras existentes ao comércio regional, através da adoção de uma "lista comum" de desgravação tarifária. Persistiam, entretanto, rivalidades regionais, não havendo ainda suficiente percepção de que somente com uma definitiva reconciliação entre os países chaves — Brasil e Argentina — se lograriam avanços significativos.

Em 1967, quando retomei o assunto como ministro do Planejamento, minha proposta aos argentinos de união aduaneira continha três exceções. Agricultura, como aliás também aconteceu no Mercado Comum Europeu, ficaria sujeita a um regime especial. Segundo, o Brasil se reservava o direito de manter proteção temporária para produtos da petroquímica. Àquela ocasião se imaginava que a Argentina, detentora de jazidas de gás natural, tivesse uma avassaladora vantagem competitiva em relação ao Brasil, desprovido desses recursos. (A experiência internacional viria revelar mais tarde que, em matéria de petroquímica, o mercado conta mais do que a fonte de matéria-prima, o que é documentado pelo enorme desenvolvimento da indústria petroquímica japonesa, carente de matérias-primas básicas). Terceiro, a Argentina poderia manter um regime especial para a proteção de sua indústria de aço, pois se julgava em desvantagem competitiva em relação ao Brasil.

A proposta foi por mim discutida com o ministro da Economia, Adalberto Krieger Vasena, que acolheu a idéia com simpatia, mas declarou que a Argentina teria de atravessar um período preparatório de atualização da taxa de câmbio, pois com a desvalorização cambial que o Brasil fizera em fevereiro de 1967 e com a reforma das tarifas alfandegárias num sentido mais liberalizante, a posição competitiva do Brasil era bastante superior à da Argentina.

Pouco depois, terminado o governo Castello Branco, não me foi possível persuadir Costa e Silva da importância de dar seguimento ao assunto. Sugeri-lhe que durante a visita que planejara fazer antes de tomar posse ao Uruguai e à Argentina, discutisse a matéria com o embaixador João Batista Pinheiro, então nosso representante na ALALC, em Montevidéu, perfeitamente familiarizado com processos de integração comercial. Costa e Silva não revelou maior interesse. O assunto não estava entre suas prioridades. De outro lado, a Argentina atravessaria logo um período de crise com uma irrupção nacionalista, que se manifestou através do "Cordobazo", que levou à substituição de Krieger Vasena no ministério da Economia. A idéia assim pereceu e só foi ressuscitada duas décadas mais tarde, no período Sarney/Alfonsin, com o programa de integração do Cone Sul — o Mercosul.

Um outro tópico que sugeri a Castello fosse objeto de clarificação era nossa atitude face à política colonialista de Portugal. No discurso, Castello observou que a política brasileira era basicamente anticolonialista, tanto por razões filosóficas como por morais e pragmáticas. Essa política se defrontava com o problema dos laços afetivos e políticos que nos unem a Portugal. Relatei-lhe a iniciativa americana, apresentada a San Tiago Dantas durante a visita de Jango Goulart aos Estados Unidos em 1962, de uma ação brasileira para a formação de uma comunidade afro/luso/brasileira, baseada numa presença brasileira que fortificasse economicamente o sistema e comprometesse Portugal com um calendário de descolonização. Daí proveio a inclusão no discurso de uma frase que à época pareceu um pouco críptica e suscitou controvérsia:

"Talvez a solução residisse na formação gradual de uma comunidade afro/luso/brasileira, em que a presença brasileira fortificasse economicamente o sistema."

O discurso de Castello revestiu-se de grande importância, assim reconhecida até mesmo por Afonso Arinos, um dos inspiradores da política independente. Reconheceu Arinos que, pela primeira vez no Brasil, um chefe de Estado se manifestava "com força e clareza sobre alguns aspectos básicos da política externa". O discurso não teria sido uma fala convencional e evasiva.

Não faltava a Castello largueza de visão. Sua proposta, em relação à Argentina, não contemplava apenas a formação de uma união aduaneira. Se esta funcionasse bem, após um decênio de experiência, a idéia que ele defenderia como cidadão privado seria uma estreita associação política, que poderia envolver o livre trânsito de cidadãos e a emissão de um passaporte comum. Castello se referia freqüentemente à idéia generosa de Churchill de oferecer à França, então prostrada pela guerra, uma cidadania comum, marcando o fim de uma secular rivalidade.

Na visão de Castello, uma união econômica seria o prelúdio de uma associação política. Foi aliás o que aconteceu no Continente europeu, que de uma simples união aduaneira em 1957 (Tratado de Roma) marchou para uma associação política e diplomática, pelo Single European Act, de 1986, e eventualmente, para uma unificação monetária, em 1999, com a conclusão do Tratado de Maastricht, de dezembro de 1991.

O GASODUTO
BRASIL-BOLÍVIA

Uma outra iniciativa que mereceu a atenção de Castello Branco foi a proposta de construção do gasoduto Santa Cruz-São Paulo. Nunca me esquecera de minha experiência frustrada no BNDE em 1958-1959, de engendrar um esquema racional e realista de exploração do petróleo boliviano, que traria poderosa contribuição à integração regional. Fracassada então a idéia, pela explosão irracional do nacionalismo brasileiro, poderia ela, acreditava eu, ser retomada em novas bases.

Era um velho tema, que no governo Kubitschek me provocara grandes frustrações. As pesquisas geológicas feitas pela Gulf Oil e pela Shell, após a perda pelo Brasil dos direitos de concessão de petróleo na Bolívia, indicavam que as reais reservas bolivianas eram de gás, antes que de petróleo.[332] Mauro Thibau, ministro de Minas e Energia, e eu próprio, formamos um grupo de trabalho com o fito de propor a Castello Branco a retomada dos entendimentos com a Bolívia, visando à construção de um gasoduto Santa Cruz-São Paulo. Apresentamos um detalhado documento analítico (Doc. de Trabalho nº. 17) a uma reunião do Conselho de Segurança Nacional, convocada especialmente por Castello Branco para 5 de novembro de 1965. Nossa proposta é que reencetássemos negociações na Bolívia, então sob a presidência de René Barrientos, para viabilizar a construção do gasoduto.

As vantagens seriam óbvias. Primeiro, o Brasil teria uma fonte mediterrânea de suprimento de gás. Segundo, nossa matriz energética, exageradamente voltada para petróleo e derivados, adquiriria melhor conformação através de um suprimento de gás natural, combustível mais barato, menos poluente e de maior flexibilidade no uso industrial e doméstico. Terceiro, melhorar-se-ia o perfil geoeconômico da região sudoeste e centro-oeste, de vez que a indústria de fertilizantes nitrogenados, então no nascedouro, localizar-se-ia provavelmente na barranca do Paraná, onde

---

[332] As prospecções da Gulf Oil, através da Bolivian Gulf, indicavam reservas de 150 milhões de barris de petróleo e 2 a 3 trilhões de pés cúbicos de gás, reservas que certamente se ampliariam se a abertura do mercado brasileiro justificasse aceleração do esforço de pesquisa. Essa disponibilidade de gás permitiria suprir o Brasil com 6 a 7 milhões de m³/dia, por 25 anos. A Petrobrás estimava que um gasoduto seria economicamente viável, desde que as reservas permitissem uma vazão média de 6 milhões de m³/dia, no prazo de 20 anos.

havia suprimento de energia elétrica e água abundante. Ficaria assim muito mais próxima das áreas de consumo — sul de Mato Grosso do Sul e oeste de São Paulo — podendo o gasoduto ter derivações para o Triângulo Mineiro ao norte, e o Paraná ao sul. Quarto, criar-se-ia uma fonte estável e permanente de divisas para a Bolívia, abrindo-se nesse país um mercado cativo para a indústria paulista. Quinto, o sangramento do gasoduto em Corumbá permitiria a construção de termelétricas e de uma usina de redução direta, utilizando minério de ferro e manganês de Urucum. Ensejaria também a criação de indústrias leves e usinas termelétricas no eixo Campo Grande/Três Lagoas e oeste de São Paulo. Sexto, tratando-se de um projeto de integração regional e havendo grande interesse por parte das construtoras de gasodutos, notadamente a Tennessee Gas, seria fácil obter financiamento de longo prazo para o projeto. Se houvesse o propósito de interiorizar nosso parque industrial, descongestionando o eixo Rio-São Paulo, o gasoduto poderia terminar em Bauru, com derivações para o Triângulo Mineiro e norte do Paraná. Não se maximaria o uso de gás, que ficaria com custo unitário mais alto, mas promover-se-ia a descentralização industrial, efeito geoeconômico interessante.

Apresentado o problema em reunião do Conselho de Segurança Nacional, a reação foi favorável. Entretanto, o ministro da Guerra, o marechal Costa e Silva, inesperadamente, pediu vista do processo, o que me levou a suspeitar ter havido alguma interferência da Petrobrás. A presunção era correta. Em reunião subseqüente do Conselho de Segurança Nacional, Costa e Silva passou a formular objeções. A alegação explícita era de que a instabilidade política da Bolívia poderia levar a interrupções de suprimento, o que causaria prejuízos à indústria paulista se houvesse sido feita a reconversão de óleo combustível para gás natural. As razões implícitas, que se adivinhavam nas palavras do marechal, eram diferentes. A Petrobrás parecia considerar uma humilhação o reconhecimento de que não fora capaz de prover o Brasil de fontes próprias de gás natural, tendo que recorrer à importação boliviana. Em segundo lugar, a disponibilidade de gás induziria a conversão da indústria paulista do consumo de óleo combustível para gás natural, o que parecia desinteressante para a Petrobrás, que tinha o seu esquema de craqueamento catalítico voltado para a produção de uma fração considerável de óleo combustível para uso industrial.

Rebati o primeiro dos argumentos alegando que, como o provava a experiência do Oriente Médio, a criação de uma corrente de suprimentos de petróleo ou gás, como fonte estável de suprimento de divisas, tenderia a insular esse setor das comoções políticas internas. No Oriente Médio, mesmo substanciais conturbações da ordem não representavam interrupções necessárias no abastecimento petrolífero. Além disso, a dependência de suprimentos da indústria paulista, que se criaria na Bolívia, seria um fator impeditivo de interrupções no funcionamento do gasoduto.

As outras objeções não me pareciam significativas. Era mais importante para o Brasil diversificar sua matriz energética em favor de um combustível menos poluente, mais flexível e mais barato, do que preservar a estrutura de refino da Petrobrás. Como argumento complementar, poder-se-ia aduzir que bastaria prolongar o gasoduto até o Rio de Janeiro, onde se construiria uma usina de liquidificação de gás, para se ter garantia de suplementar, mediante importações de gás natural, eventuais e improváveis desfalecimentos no suprimento do gás boliviano. Àquela ocasião, segundo dados da Gulf Oil e da Tennessee Gas, se calculava que a construção de um gasoduto de Santa Cruz a São Paulo, com 30 polegadas de diâmetro pela distância de 2.350 quilômetros, orçaria entre US$250 milhões, para uma vazão de 250 milhões de pés cúbicos diários, e US$350 milhões, para uma vazão de 600 milhões de pés cúbicos/dia. Como combustível industrial o gás poderia chegar a São Paulo por um preço entre 20 e 35% inferior ao do óleo combustível, vantagem que chegaria a 40% no caso do gas engarrafado.

As prospecções de gás na Bolívia teriam que ser mais desenvolvidas para assegurar garantia de suprimento pelo prazo de amortização do gasoduto. Mas as companhias envolvidas, notadamente a Gulf Oil Corporation e a Shell, entendiam que sem a aprovação, em princípio, de um projeto que garantisse acesso ao mercado brasileiro não havia incentivo para maiores prospecções.

A ressurreição do projeto do gas boliviano fazia parte de um grande desenho geopolítico cuja importância Castello Branco percebeu imediatamente. O projeto envolvia a construção de uma termelétrica em Corumbá e a utilização do gás boliviano para uma usina de redução direta do aço. Cogitava-se de uma usina plurinacional, como um autêntico projeto de integração continental. O que se visualizava era oferecer, aos países vizinhos, nessa usina, que seria construída num porto livre no rio Paraguai à disposição da Bolívia, participação acionária em proporções iguais. O Brasil ficaria com 25%, e o restante seria ofertado à Bolívia, Paraguai e Uruguai. Antecipava-se também oferecer à Argentina participação acionária, mas não havia otimismo no tocante à reação desse país, de vez que estava empenhado na construção de siderurgia própria. A administração seria compartilhada entre os países acionistas e, tanto quanto possível, o recrutamento do pessoal se faria mantendo-se uma certa proporcionalidade geográfica. Para aumentar os atrativos para a Bolívia, visualizava-se a construção em solo boliviano, provavelmente em Puerto Suarez, de um núcleo petroquímico. O chanceler Juracy Magalhães chegou a sondar os governos do Paraguai e Uruguai sobre seu eventual interesse nessa experiência de industrialização regional, com reações inicialmente favoráveis.

Ante a reação de Costa e Silva, Castello Branco entendeu ser necessário maior exame do assunto e designou o general Geisel, secretário do Conselho de Segurança

Nacional, para compor um grupo de trabalho que estudasse mais profundamente a matéria. Para esse grupo destaquei um funcionário do ministério do Planejamento, o engenheiro Francisco de Mello Franco. Percebi, melancolicamente, que o assunto não avançaria. Geisel estava intimamente ligado ao mecanismo decisório da Petrobrás, cujo desinteresse no assunto era visível. De qualquer modo, a presença do monopólio petrolífero introduziria grandes complicações; a Petrobrás desejaria não apenas operar o gasoduto, coisa que estava na área do monopólio, mas também construí-lo, o que significaria maior dificuldade na obtenção de financiamentos externos. Várias vezes, tempos depois, foram retomadas negociações com a Bolívia, sempre inconclusivas.

Ao longo dos anos os bolivianos procuraram explorar a rivalidade entre o Brasil e Argentina. Esta se antecipou e foram concluídos acordos para suprimento de gás ao norte da Argentina. Esses acordos foram, até certo ponto, desapontadores para os bolivianos; não só houve freqüentes atrasos de pagamento da Argentina que, de qualquer maneira, era um mercado menor e menos interessante, mas também pesquisas subseqüentes tornaram a Argentina superavitária em gás natural.

Foi perdida assim, em 1965, uma grande oportunidade de se alterar fundamentalmente a geopolítica do sudoeste do Brasil. A concretização do projeto de exploração do gás boliviano teria que esperar quase 30 anos, pois somente no governo Fernando Collor é que o ministro da Indústria e Comércio, Pratini de Moraes, firmou, em 17 de agosto de 1992, um acordo com governo boliviano para a retomada do projeto. Contemplar-se-ia um fornecimento inicial de 8 milhões de m³/dia, que poderia alcançar até 16 milhões de m³/dia. No Brasil, o trajeto do gasoduto seria Corumbá — Campinas — Curitiba. O custo estimado seria de US$1.783 milhões. Nos termos do acordo, a Petrobrás seria a operadora do gasoduto e a única responsável pela importação do gás. Tendo em vista o desinteresse que a Petrobrás revelou ao longo de vários anos, a descontinuidade de sua política e sua carência de recursos, é de recear que o acordo de 1992 sofra o mesmo destino de acordos anteriores. Somente a interferência da iniciativa privada seria capaz de dar eficácia ao projeto.

É de se admitir que as negociações com a Bolívia nunca foram fáceis. Um problema recorrente foi a pretensão boliviana de um certo sobrepreço, comparativamente ao mercado internacional, tendo em vista (a) As vantagens, não despiciendas, para o Brasil, de um suprimento mediterrâneo de gás, livrando-nos das incertezas do comércio transoceânico; e (b) A abertura de um mercado cativo para a indústria paulista. Houve também várias irrupções do nacionalismo boliviano, que lançaram dúvidas sobre a estabilidade de propósitos do país vizinho em partilhar com o Brasil essa riqueza natural.

A FORÇA INTERAMERICANA DE DEFESA E A INTERVENÇÃO NA REPÚBLICA DOMINICANA

Um dos tópicos mais controversos que surgiram durante o governo Castello Branco foi.a questão da Força Interamericana de Defesa e, subseqüentemente, a participação brasileira na intervenção na República Dominicana. Os dois temas foram apresentados à opinião pública, e vistos por diversos historiadores, de forma inteiramente distorcida.

Tratava-se de assunto controverso e delicado, em vista de históricos traumas da América Latina em relação ao intervencionismo norte-americano nas eras da *gunboat diplomacy*. Tal como a concebia o presidente Castello Branco, entretanto, a Força Interamericana de Defesa restringiria a possibilidade de intervenções unila-terais de Washington. Era um instrumento que credenciaria os latino-americanos para exigir de Washington uma meditação coletiva, antes de decisões unilaterais de intervenção.

Realisticamente, no clima da guerra fria, seria ingênuo imaginar que os Estados Unidos, assim como a União Soviética, tolerassem uma alteração fundamental da balança de poder em "áreas de interesse vital". Kennedy reagiu prontamente, em 1962, à instalação de mísseis em Cuba, e a Rússia invadiu brutalmente a Hungria, em 1956, e a Tchecoslováquia, em 1968, sem que ainda se configurasse uma ameaça direta à segurança soviética.

A diferença entre as duas superpotências era que o pluralismo político ocidental permitia aos países da área americana de influência muito maior latitude, quer na organização interna quer na política externa, sem a nua brutalidade da doutrina Brejnev de soberania limitada, ou da "intervenção para proteção da pureza do socialismo", cuja última e mais sangrenta manifestação foi a invasão do Afeganistão, em dezembro de 1979. Dentro do enfoque pluralista, Kennedy che-gou mesmo a declarar que os Estados Unidos nada teriam a objetar a uma mudança de regime na América Latina, desde que resultante de livre voto popular (com as características democráticas de contestação e reversibilidade pelo voto), ousadia que os soviéticos jamais admitiriam em sua área de influência. A doutrina Brejnev só entrou em desuso na era Gorbatchev, quando o socialismo entrou em colapso.

Os imperativos da *realpolitik* mandavam-nos reconhecer que os Estados Unidos dificilmente permaneceriam de braços cruzados frente a um assalto comunista ao poder, por processos violentos, em "áreas de interesse vital".

Simetricamente, apesar de nossa histórica repulsa ao intervencionismo, dificilmente o Brasil e a Argentina contemplariam platonicamente a implantação de regimes comunistas no Uruguai ou na Bolívia, porquanto a natureza agressiva e proselitista desses regimes nos traria permanente ameaça de subversão e infiltração.

Partindo dessa visão realista do problema, a função importante da Força Interamericana de Defesa seria dificultar ou impedir intervenções açodadas de Washington, as quais teriam de ser precedidas: a) De consulta e consentimento coletivo para a intervenção; b) De determinação da natureza e seriedade da ameaça à segurança continental.

Esse período de meditação e resfriamento impediria intervenções baseadas numa falsa assimilação de regimes reformistas a regimes subversivos, e numa espúria mistura entre os interesses comerciais e econômicos dos Estados Unidos, como grande potência, e os interesses políticos da segurança do mundo ocidental.

Apresentada sob ótica malévola e deformada, a idéia da Força Interamericana de Defesa pareceu à opinião pública brasileira um ato de subserviência a interesses reacionários, antes que a assunção de uma responsabilidade coletiva moderadora. A América Latina sempre sofreu de uma ambivalência. Reclama dos Estados Unidos decisões coletivas, sem nunca querer assumir responsabilidade coletiva no terreno da segurança. Na visão de Castello, a criação da Força Interamericana de Defesa (também chamada de Força Interamericana de Paz) equivaleria a uma renúncia pelos Estados Unidos a qualquer ação unilateral.

Castello não sofria das típicas ambivalências latino americanas. Quando se decidiu pela participação brasileira na força multilateral que desembarcou em São Domingos a fim de prevenir um potencial golpe comunista, fê-lo no entendimento, explicitado aos Estados Unidos, de que doravante qualquer ação relacionada com o mecanismo de defesa continental deveria ser precedida de consulta prévia. Ao assumir co-responsabilidade em São Domingos, reclamávamos coparticipação nas decisões futuras. Para Castello, o direito de exigir "decisões coletivas" estava condicionado à aceitação de "responsabilidades coletivas". Qualquer outra fórmula seria voluntarismo, incabível no mundo da *realpolitik*.

A frase de Castello Branco num dos discursos que para ele eu havia preparado sobre política externa é de clareza meridiana:

"Precisamos, portanto, reconhecer realisticamente a inanidade de querermos proteção coletiva e ação coletiva, sem criar mecanismos eficazes de decisão coletiva e ação conjunta. O Brasil não deseja ver nenhum país tomar unilateralmente decisões de interesse para a segurança do continente; por isso está também disposto a assumir riscos e partilhar das responsabilidades de ação conjunta, para não se dizer que a inação de muitos justifica a iniciativa isolada de outros."[333]

A diferenciação entre o papel dos Estados Unidos como um guardião da defesa ocidental e do hemisfério, e seu papel de superpotência com projeções mundiais diversificadas, foi tipificada na diferença de tratamento dado por Castello à questão da República Dominicana e à do Vietnã. Em várias cartas do presidente Johnson a Castello Branco, relatando o desenrolar dos acontecimentos no Vietnã, e em visita pessoal do embaixador Lincoln Gordon a Castello, foi manifestada a esperança de que o Brasil admitisse alguma participação no conflito asiático, seja através do envio de meios de guerra, seja de médicos e enfermeiros. Castello não admitiu a hipótese. O engajamento americano no Vietnã, conquanto baseado no princípio, para nós louvável, de contenção do comunismo, não era diretamente relevante para a segurança do hemisfério.

As críticas dos próceres da chamada "política independente", mais vocalmente explicitadas por Afonso Arinos, o qual fala "num atrelamento melancólico do Brasil à política externa norte-americana depois da Revolução de 1964" e acusa o governo Castello Branco de "privar o Brasil de qualquer ação própria internacional", são mera masturbação oratória. O preço da influência da América Latina, se ela a quiser exercer, sobre as decisões básicas de segurança do continente é a partilha das responsabilidades. A chamada "política independente" era mera gesticulação machista, acompanhada de mendicância econômica e irrelevância prática no contexto da *realpolitik* e da guerra fria mundial.[334]

---

[333] Discurso de instalação da IIª Reunião do Conselho Interamericano, em 20 de maio de 1965.

[334] As críticas de Afonso Arinos são expressas no livro *Alma do tempo*, Rio, José Olympio, Rio, 1979, p. 997.

A II CONFERÊNCIA
INTERAMERICANA EXTRAORDINÁRIA

Uma incursão mais séria na política externa foi minha participação, como delegado, na II Conferência Extraordinária Interamericana que se reuniu no Rio de Janeiro em novembro de 1965. A II CIE decorrera de iniciativa do Brasil, da Guatemala e do Uruguai, desejosos de reformar a Carta da Organização dos Estados Americanos — OEA, que substituíra a União Pan-Americana.

A Conferência se reuniu no hotel Glória, no Rio de Janeiro, sob a presidência de Vasco Leitão da Cunha, ministro do Exterior. Havia uma ausência marcante, a da Venezuela, que, em nome da doutrina Bettancourt, interrompera as relações com o Brasil em vista do que alegava ser uma "ruptura do regime democrático". Sem grande tradição democrática, pois contava em seu passado longos e vergonhosos períodos ditatoriais com os ditadores Gomez e Perez Jimenez, a Venezuela pretendia dar lições de democracia, com o fervor dos cristãos-novos.

Outro pregador da democracia era Gabriel Valdés, o chanceler chileno de tendência socialista e que não muito depois seria humilhado com a instalação da ditadura de Pinochet, em seguida ao fracasso econômico do governo esquerdista de Salvador Allende.

Da delegação norte-americana, as figuras principais, além do embaixador Lincoln Gordon, eram Dean Rusk, secretário de Estado, e Averell Harriman, ex-embaixador na União Soviética, conselheiro de vários presidentes e por algum tempo governador de Nova York. Harriman foi conselheiro e enviado especial de nada menos que *seis* governos, começando com Roosevelt, até Carter, sendo seus serviços prestados indiferentemente a governos democratas e republicanos, pelo enorme cabedal de experiência acumulada.

Participei da mais movimentada das comissões, a II Comissão, sobre assistência econômica, presidida por Gabriel Valdés, o chanceler do Chile. Havia um movimento subterrâneo atribuído, sem comprovação, à inspiração de Felipe Herrera, presidente do BID, e de Raul Prebisch, ex-secretário da Cepal, favorável à criação de um sistema de integração econômica que excluiria os Estados Unidos. Tratava-se de proposição irrealista. Com o auxílio do professor Rostow, dos Estados Unidos, do colombiano Carlos Santamaria, presidente do CIAP, e do delegado Leopoldo Tetamante, da Argentina, conseguimos transformar essa idéia numa resolução mais realista. Na declaração final, que emerge da Ata da Conferência, estabelece-se uma clara vinculação entre segurança política e cooperação econômica. O objetivo era formular na esfera econômica uma espécie de "Tratado Interamericano de Assistência Recíproca", que seria equivalente ao "Tratado Interamericano de Defesa". Era o reconhecimento da tese de que o desenvolvimento econômico é a melhor garantia para a segurança política do continente.

A conferência não ocorreu sem incidentes. Castello Branco foi vaiado por grupos de estudantes e políticos de esquerda quando chegava ao hotel Glória para proferir o discurso inaugural. Encarou o episódio com bom humor, considerando-o mesmo útil para demonstrar aos visitantes o vigor do dissenso num regime supostamente autoritário.[335]

Conquanto favorável em tese à idéia da criação de uma força interamericana de defesa, Castello desencorajou a discussão do assunto, considerando não haver condições políticas nem no Brasil nem no resto da América Latina para que o tema prosperasse. Constava que o embaixador Averell Harriman tinha por missão específica na Conferência a abordagem da questão, mas para alívio dos participantes, o tema não foi levantado. Durante a conferência, um dos visitantes, em rápido percurso pelo Brasil, foi o senador Robert Kennedy, cuja visita merece um comentário maior.

---

[335] Foram detidos, e logo depois liberados, oito intelectuais organizadores do protesto, que carregavam cartazes com a inscrição: "Abaixo a ditadura. Queremos liberdade". Três eram jornalistas: Antonio Calado, Carlos Heitor Cony e Márcio Moreira Alves. Três, cineastas: Glauber Rocha, Joaquim Pedro de Andrade e Mário Carneiro. Um, era diretor de teatro, Flávio Rangel. O último, o diplomata cassado, Jaime Azevedo Rodrigues, cujo brilho intelectual era acompanhado de péssimo julgamento político. Esses intelectuais tinham planejado uma manifestação de rua, mas não conseguiram motivar o Partido Comunista, perito em manipulação de massas.

UMA VISITA DE
BOB KENNEDY

Depois que deixei a embaixada em Washington, em começo de 1964, só voltaria a ver Bob Kennedy no Rio de Janeiro, em novembro de 1965, quando já ministro do Planejamento do governo Castello Branco. Após um jantar na embaixada americana, reunimo-nos, num pequeno grupo, para um debate que se tornou longo e amargo. De amigos comuns recebera eu um estranho recado: Bob Kennedy viria ao Brasil em visita de observação e desejava um *máximo* de contatos com diversos grupos de opinião e um *mínimo* de contatos com o governo. Nada de oficial foi por isso programado em sua homenagem, à parte uma visita protocolar ao presidente Castello Branco no dia 24 de novembro. Avistou-se ele com parlamentares, governadores do Nordeste, operários e favelados, intelectuais de esquerda e estudantes.

Encontrei-o armado de vasta carga de preconceitos que disparou, como sempre, com energia e objetividade. Começou lamentando a interrupção do processo constitucional e democrático através do golpe "militarista" de março de 1964, conquanto reconhecendo que Goulart havia levado o país à beira do caos.

Retruquei-lhe estar ele redondamente iludido. Não se tratava de saber se o processo democrático e constitucional seria violado, mas *quando, como* e *por quem...* Goulart, a meu ver, não tinha a mínima intenção de presidir a uma transmissão democrática normal. Não pretendia entregar o poder a Lacerda, e tinha se recusado a construir qualquer outra alternativa eleitoral. Contava com a implantação de uma república sindicalista, uma espécie de "estado novo" com sinais trocados. Talvez pretendesse ser o Leon Blum de uma nova frente popular, mas provavelmente seria antes o seu Kerensky...

Transpondo para o nosso meio alguns dos *slogans* sobre o "complexo industrial militar", Kennedy expressou dúvidas sobre a vocação reformista da liderança revolucionária, que ele acreditava dominada por militares conservadores de direita. Respondi-lhe tratar-se essencialmente de uma revolução da classe média, muito mais tecnocrática do que aristocrática. A dura política do café e a reformulação da reforma agrária certamente não refletiam nenhum *conservadorismo* rural. E a suspicácia militar contra os "lucros e a ganância do comércio e da indústria" gerava um perigo precisamente oposto ao da "aliança militar-industrial" receada por Kennedy. Era o perigo do excessivo intervencionismo estatal, através de tentativas de controle de preços, por incompreensão ou impaciência em relação aos problemas da pressão inflacionária.

— A dificuldade — dizia eu — residia muito mais em evitar uma asfixia da classe empresarial do que em moderar um conservadorismo inexistente...

A terceira crítica de Kennedy se referia à repressividade política da Revolução, traduzida nos processos sumários de cassação de direitos políticos. Respondi-lhe que cumpria reconhecer ter havido certo grau de açodamento e algumas injustiças, mas tratava-se, no conjunto, de uma revolução incruenta, num contexto vizinho do caos, e conduzida com violência física inferior ao de qualquer motim racial nos Estados Unidos.

— Além disso — retruquei — a sua brava luta como procurador geral para assegurar aos negros americanos um mínimo de direitos políticos, assim como o de locomoção e moradia, é uma confissão de que, durante cem anos, milhões de negros inocentes tiveram seus direitos cassados. A diferença é que vocês fizeram cassação em massa, e nós cassações seletivas. Mas ambos pecamos contra a democracia...

Duas outras críticas de Kennedy, muito mais válidas, se referiam à falta de diálogo com o setor estudantil e à persistência de injustiça e miséria social no Nordeste, particularmente pelo descumprimento das leis de salário mínimo nas zonas canavieiras. Esclareci-lhe que a reclamação de diálogo estudantil era pertinente, porém não a reabilitação da UNE, que alguns de nossos intelectuais haviam proposto a Kennedy como um "teste" da existência de democracia. Aquela entidade se havia transformado em partido de esquerda, eivado de corrupção financeira e *totalitarismo político*. Quanto à situação do Nordeste, era uma óbvia chaga do subdesenvolvimento, que a Revolução não criara, e que se esforçava por minorar, dando eficiência ao sistema da Sudene. A majoração salarial decretada pelo governador Miguel Arraes para a zona canavieira fora economicamente irrealista, tornando-se inevitável a aceitação de níveis salariais mais moderados, a ser compensada pela cessão, aos lavradores, de pequenas parcelas de terra para sua agricultura de subsistência. O descumprimento desse acordo justificaria a crítica de *frouxidão* administrativa, porém não de *indiferença* da Revolução ao drama humano do Nordeste. Da mesma forma, a chaga brutal das favelas e dos mocambos, que tanto mortificara a Kennedy, somente lentamente poderia encontrar solução, através da reforma habitacional e do BNH, não sendo inoportuno lembrar também o insucesso da rica civilização americana na erradicação dos guetos negros.

O debate terminou em clima de tensão e alguma aspereza. Ao sair, acompanhou-me até a porta Richard Goodwin, velho amigo de Washington, que eu conhecera de longos debates sobre a crise cubana e problemas brasileiros, ao tempo em que ele assessorava o presidente John Kennedy.

— Dick — disse-lhe — comove-me a emoção humana de Bob Kennedy, mas aterroriza-me sua ousadia de interpretação. Não sei nele onde termina a filantropia e onda começa a demagogia. Vocês querem reformar o mundo às pressas. Espero que não consigam apenas deformá-lo..:

Goodwin encolheu os ombros e retrucou, envolvendo-me numa baforada de fétido charuto: — Que quer, Roberto, somos jovens. Mas essa moléstia, infelizmente, é curável!...[336]

Pouco mais de um ano depois encontrava-me em Washington para uma reunião do CIAP (Comitê Coordenador da Aliança para o Progresso), nos dias do dilúvio da Guanabara, na noite de 27 de fevereiro de 1967. Com a tragédia das inundações, desabamentos e deslizamentos, morreram quase 500 pessoas e 20 mil ficaram desabrigadas. Num país com precárias alternativas de transporte, uma tromba d'água como essa de fevereiro de 1967 pode ter sérias conseqüências inflacionárias. A Rodovia Dutra, pela qual o Rio de Janeiro em grande parte se abastece, ficou interceptada em vários pontos, por vários dias, com pressão altista sobre o custo da alimentação. Sabendo que eu estava em Washington, Bob Kennedy, então senador, telefonou-me para a embaixada, em tom afetuoso e comovido, indagando sobre as vítimas e a sorte dos desabrigados, e oferecendo sua influência de senador, junto ao governo de Washington, para mobilizar auxílio em vacinas, alimentação e abrigo, auxílio que ele desejava rápido e generoso.

— Somos especialistas em catástrofes... — concluiu num tom amargo.

Pediu-me que o visitasse no Capitólio, para retomarmos em profundidade o debate anterior, juntamente com seus assessores. Tendo ele que viajar inesperadamente na noite do dia seguinte, a entrevista foi postergada.

Não o vi mais... Tempos depois li o seu famoso e substancioso discurso no Senado, reportando sobre sua viagem à América Latina. Constitui uma lúcida peça sobre os problemas do continente e traz contribuição importante à reformulação da política exterior norte-americana. Verifiquei, com prazer, que havia adoçado o seu julgamento sobre a problemática brasileira. Era culpado de impaciência, porém não de intransigência...

Pus-me então a meditar sobre a tragédia da família Kennedy, ungida pelo poder mas ferida pela tragédia. Essa família alcançou, com ascensão meteórica, uma posição de relevo na história política americana. Outras famílias exerceram

---

[336] Arthur Schlesinger assim sumariza a atitude de Kennedy, que chegou ao Brasil exausto, após longa viagem pela América Latina, geralmente interpretada como preparatória do lançamento de sua candidatura à presidência dos Estados Unidos: — Ele [Kennedy] sempre exibiu brandura nas favelas e nos canaviais. A fadiga se revelava em seus encontros com o *establishment*. Ele passou sermões nos empresários, discutiu zangadamente com Roberto Campos e alfinetou Castello Branco, o líder militar, a propósito do salário mínimo. Arthur M. Schlesinger, *Jr. Robert Kennedy and his times* , N.Y., Futura Publications, 1979, p. 753.

influência comparável, senão talvez mais duradoura e profunda: os Adam, os Taft, os Roosevelt. Mas o mérito é menor porque não vieram de tão longe. Os Kennedy tinham que transpor as fronteiras de duas minorias: a irlandesa e a católica. (Dizia-se facciosamente que nos Estados Unidos a divisão de trabalho entre as religiões era que os católicos se dedicavam à política, mas não governavam, os judeus perseguiam as artes e as finanças, e os protestantes administravam as empresas e governavam o Estado...)

Robert Kennedy, pessoalmente, construiu em brevíssimos anos seu nicho na história. O seu carisma político, traduzido nos sucessos eleitorais em Indiana, Nebraska e Califórnia, como candidato à presidência da República, era inquestionável (com particular fascínio sobre os jovens e as minorias), conquanto talvez insuficiente para superar as resistências da máquina partidária à sua candidatura presidencial, anunciada em março de 1968. Cruelmente truncada quatro meses depois, por uma bala assassina em Los Angeles, sua carreira exibiu um acervo de realizações: a luta indômita pela moralização dos sindicatos, a severa aplicação da legislação antitruste e o esforço em favor dos direitos das minorias. Pregando a tolerância, resgatou, com saldo, o seu exercício inicial de intolerância como jovem promotor do comitê de caças às bruxas do velho Joe McCarthy. Ao enfrentar, sucessivamente, grupos operários, o *big business* e os preconceitos racistas do Sul, Bob Kennedy revelou que suas preocupações humanas eram sinceras e transcendiam de muito o oportunismo político de que era acusado.

Como assessor de política externa, cabe-lhe parte do mérito pela brilhante "resposta controlada" à tentativa kruscheviana de alterar o balanço de poder no Caribe. Trouxe também contribuição importante, arrostando a oposição da máquina militar americana, à formulação e aprovação do tratado de proibição de testes nucleares.

O caso do Vietnã constitui um exemplo de ironia histórica. Foi Lyndon Johnson, então líder da minoria no Senado, que vetou decisivamente, em 1954, o engajamento americano em apoio dos franceses em Dien Bien Phu, alegando tratar-se de uma guerra colonialista. E, como presidente, lhe coube o ônus trágico de prosseguir a política de engajamento, esboçada por Eisenhower, e iniciada pelo presidente Kennedy com aprovação de Bob Kennedy, o qual, em 1962, em visita ao Vietnã, ousou predizer uma rápida vitória de Saigon!... Subseqüentemente, Bob Kennedy, ainda que reconhecendo, com hombridade, sua parcela de responsabilidade no engajamento inicial no Vietnã, tornou-se o mais vigoroso dos campeões da cessação dos bombardeios e da negociação de paz, citando, como justificativa do seu erro e arrependimento, a máxima contida na *Antígona*, de Sófocles:

"Todos os homens erram, mas o homem bom recua quando sabe que tomou o caminho errado, e repara o mal. O único pecado é o orgulho."

VIAGEM À
UNIÃO SOVIÉTICA

É tempo de testarmos a teoria da *parceria seletiva* — disse a Castello Branco em agosto de 1965.

Era a teoria enunciada no famoso discurso aos diplomatas, de julho de 1964. Nosso apoio aos Estados Unidos seria irrestrito apenas no tocante às "opções fundamentais" — democracia representativa e economia de mercado — opções de que aquele país era o guardião pela sua capacidade de dissuasão nuclear. Mas não haveria alinhamento automático no tocante a interesses econômicos e comerciais, e nem mesmo no plano político, sempre que os Estados Unidos agissem apenas como superpotência em defesa de seus interesses específicos.

Nada melhor, para demonstrar essa separação de planos, do que uma visita oficial à União Soviética. E ninguém melhor que o ministro do Planejamento, simpático ao capitalismo e acusado de "entreguismo", para executar essa tarefa, sem suspeita de contaminação ideológica. Seria eu o primeiro funcionário brasileiro de nível ministerial a visitar a União Soviética. Raciocínio semelhante faria o presidente Nixon ao visitar a China em 1971. Só um republicano, com sólidas tradições anticomunistas, poderia romper o isolamento chinês.

Minha preocupação em abrir alternativas comerciais na Cortina de Ferro era antiga. Como superintendente do BNDE, visitara a Hungria três meses depois da sangrenta contra-revolução de setembro de 1956, para contratar importações que nos permitissem utilizar nossos saldos em moeda inconversível. Como presidente do BNDE, em 1959, visitara a Polônia e a Tchecoslováquia à busca de acordos comerciais, e assinara um acordo bancário com o Deutsch Notenbank, da Alemanha Oriental. Havia, assim, um contraste de imagens. Era bem-visto na Cortina de Ferro como um negociador realista, enquanto que no Brasil era insultado como "entreguista". Ninguém é profeta em sua terra...

Castello Branco levou o assunto ao Conselho de Segurança Nacional, receoso da reação de círculos militares. Fiz uma exposição em que sublinhei a necessidade de o Brasil abrir novos mercados, sem discriminação ideológica. Tínhamos um crônico déficit cambial e excedentes de alguns produtos, como café e açúcar, para os quais a União Soviética era um enorme mercado potencial, enquanto os mercados ocidentais estavam saturados. Dado o interesse soviético em penetrar no mercado mundial de máquinas e equipamentos, poderíamos talvez obter financiamentos favorecidos para alguns projetos.

Desde 1954, a União Soviética vinha outorgando créditos importantes a países subdesenvolvidos para a venda de equipamentos e sua instalação, combinada com a prestação de serviços técnicos. Esse programa se intensificara a partir de 1963, sendo os principais tomadores a República Árabe Unida (Egito e Síria), Afeganistão, Índia e Indonésia. Trinta e cinco por cento desses créditos foram usados em centrais elétricas, usinas metalúrgicas e indústria carbonífera, e 25% na indústria química, materiais de construção e refinarias de petróleo. Havia dois projetos considerados *show pieces*: a usina siderúrgica de Bhilai, na Índia, e a represa de Assuan, no Egito. O Brasil tinha um grande projeto à espera de financiamento — a hidrelétrica de Ilha Solteira — e não haveria mal em verificarmos a possibilidade de financiamento soviético.

Interessava-nos também comprovar as assertivas soviéticas sobre desenvolvimentos tecnológicos que tornariam econômica a exploração do xisto betuminoso, para compensar nossa deficiência em petróleo. Lembrava-me de que, durante a Segunda Guerra Mundial, como secretário da embaixada em Washington, havia sido oferecida ao Brasil assistência técnica e financeira para desenvolvimento do xisto betuminoso, de que o Brasil tinha reservas em Taubaté, em São Paulo, e São Mateus, no Paraná. O interesse americano era diminuir a dependência brasileira de petróleo transoceânico, cujo suprimento exigia escoltas navais, em face da guerra submarina, que se receava prolongada. O outro interesse era a experimentação tecnológica, que eventualmente poderia beneficiar os Estados Unidos: a ampla disponibilidade de xisto betuminoso nos Estados Unidos e Canadá permitiria, hipoteticamente, abrandar o ritmo de exaustão das reservas de petróleo.

Em 1963, no governo Goulart, havia sido assinado um acordo de comércio e pagamentos, em seqüela ao restabelecimento das relações diplomáticas, em novembro de 1961, quando San Tiago Dantas era ministro do Exterior. Mas o acordo não tinha tido resultados práticos.

A reação do Conselho de Segurança foi fria. O único a se pronunciar favoravelmente foi o ministro do Exterior, Vasco Leitão da Cunha, que fora o primeiro embaixador brasileiro em Moscou após a restauração das relações diplomáticas. O ministro da Guerra, Costa e Silva, exprimiu ressalvas. A intensificação das relações com a União Soviética não seria oportuna, ponderava ele, no rescaldo do movimento revolucionário, que sofria contestação interna de grupos marxistas, sempre à espera de oportunidades de infiltração subversiva.

Percebendo que o clima era negativo, mas persuadido por meus argumentos, Castello pôs termo à reunião com um peremptório: "Decido favoravelmente". E recomendou-me modéstia na seleção da comitiva. Designei depois para integrá-la

Luiz Gonzaga do Nascimento e Silva, então consultor jurídico do ministério do Planejamento. A Petrobrás, a meu pedido, indicou um dos seus diretores, o coronel Adolfo Diegues; para cobrir o setor de energia elétrica foi designado Francisco Lima de Souza Dias Filho, engenheiro elétrico de São Paulo, que fora meu colega na Comissão Mista Brasil-Estados Unidos. Dois empresários privados se juntaram à comitiva — José Mindlin, da Metal Leve, que, nascido na Ucrânia, era o único a falar o idioma eslavo, e Horácio Coimbra, da Café Cacique, que plantou as sementes do comércio de exportação de café solúvel. A imprensa foi representada por Frederico Heller, o brilhante analista econômico do jornal *O Estado de São Paulo*.

Fiquei hospedado no *compound* da embaixada do Brasil, à rua Guertzena 54. O embaixador era meu colega de turma no concurso do Itamaraty, Henrique Rodrigues Vale. Pertencíamos ao "grupo dos dezoito", que ingressara em 1939. Nosso primeiro posto fora Washington, durante a Segunda Guerra Mundial. Henrique se celebrizara por uma extraordinária memória. Declamava interminavelmente versos de Camões e Bocage, passando do dramático ao fescenino com grande *aplomb*. Reencontramo-nos várias vezes na carreira e verifiquei que, vítima do mal de Alzheimer, sua prodigiosa memória gradualmente se transformara num tatibitate infantil.

O prédio da embaixada em Moscou tinha uma certa dignidade, com salões de piso alto e um bom piano, no qual Artur Moreira Lima, então estudante em Moscou, nos brindava com concertos chopinianos. Conversávamos sempre com o rádio ligado, para confundir os microfones de espionagem que se supunha instalados na embaixada, conquanto me parecesse improvável que a KGB gastasse tempo e dinheiro em ouvir conversas que nada tinham de estratégicas. O aspecto mais angustiante era o elevador estreitíssimo e lento. Passei a acreditar na piada americana de que Moscou era "a única grande cidade do mundo onde a chegada do elevador era motivo de surpresa".

A conjuntura soviética era interessante. O país estava sob o regime da *troika* — Nikolai Podgorny, como presidente do Presidium, Brejnev, como primeiro secretário do Partido, e Aleksey Kosygin, como presidente do Conselho de Ministros. Kruschev fora deposto um ano antes por um golpe palaciano. Fora um reformador fracassado. Pusera termo ao terror stalinista com a famosa denúncia, no XX Congresso do Partido, em 1956, dos expurgos de Stálin, e promovera a libertação de numerosos prisioneiros políticos. Mas era um liberalizador contraditório. Em 1957 vedara a publicação do livro *Doutor Jivago*, de Boris Pasternak, mas em 1962 autorizaria a publicação do livro de Solzhenitsyn, *Um dia na vida de Ivan Denisovich*, que continha uma crítica ainda mais contundente da vida soviética. Era um político astuto, fantasiado de camponês bufão. Em 1960, em visita à ONU, foi protagonista de pitoresco incidente. Tirou o sapato e bateu com ele na mesa, em sinal de protesto, provocando do ministro inglês MacMillan o fleumático comentário: —*Translation, please.*

A oposição a Kruschev se fortaleceu primeiramente com o cisma chinês, em 1960, e depois com seu recuo na crise dos mísseis em Cuba, além do fracasso agrícola da colonização das "terras virgens". Mas o fato principal terá sido o receio da *nomenklatura* em relação às suas reformas e a intempestividade de suas decisões unilaterais, à margem da máquina partidária. Donde sua substituição ter levado inicialmente à divisão de poder entre os membros da *troika*. Brejnev em breve ganharia ascendência. Em 1970 Kosygin se retiraria, supostamente por motivos de saúde, e, em 1977, Brejnev substituiria Podgorny na presidência do Presidium, acumulando, pela primeira vez no regime soviético, a chefia do Partido e a chefia do Estado.

Moscou, na virada do outono, não tinha o ar soturno que outras vezes encontrei, ao visitá-la no inverno. Dias ensolarados e árvores tingidas de amarelo e marrom às margens do rio Moskwa. Meus contatos na abertura das negociações foram com o vice-ministro do exterior, Kuznetzov, e com Nikolai Patolichev, ministro do Comércio, que delegou a função negociadora a Akhimov, seu vice-ministro. Patolichev era uma figura interessante, um pouco menos rígida e mais bem-humorada do que o habitual na *nomenklatura* soviética. A meu convite, visitou o Brasil em agosto de 1966, quando foi assinado um acordo de investimentos, com abertura de um crédito de investimento de US$100 milhões para compra de equipamentos soviéticos. Levei-o a sobrevoar o oeste de São Paulo e a represa de Urubupungá, no rio Paraná. Depois de visitar São Paulo, disse-me Patolichev que a rubrica "Brasil" na *Enciclopédia soviética* tinha que ser reescrita.

— O Brasil — disse ele — não é um país desenvolvido nem um país subdesenvolvido. É um país *mal desenvolvido* sob o regime capitalista.

Inicialmente nossos contatos eram uma troca de suspicácias. Os soviéticos, subestimando grandemente nosso grau de autonomia, suspeitavam que a ativação das relações econômicas entre os dois países seria embargada por pressões norte-americanas. Em contrapartida, expliquei-lhes que alguns círculos no Brasil tinham receio de que o comércio soviético se tornasse uma cabeça de ponte para a infiltração soviética, dado o caráter expansionista da doutrina. Concordamos afinal em que ambos os países deveriam superar suspicácias e buscar um honesto exercício de coexistência pacífica.

Como era previsível, apesar da boa vontade de ambas as partes, surgiram dificuldades. A União Soviética estava habituada a negociar apenas projetos específicos, enquanto nós preferíamos créditos globais, que nos permitissem escolher equipamentos para diversos projetos. Os soviéticos não tinham experiência na concessão de créditos puramente financeiros, para cobertura da compra local de bens e serviços e para a manufatura conjunta de equipamentos. Em países como a Índia e o Egito, os soviéticos se encarregavam do projeto integral, importando, além de equipamento, material de construção e mão-de-obra especializada. Isso seria impraticável no Brasil, que já dispunha de uma importante indústria de construção civil e de usinas de mecânica pesada que, pelo menos parcialmente, poderiam participar do fornecimento de equipamentos. Além disso, nos financiamentos dos países ocidentais sempre se conseguia uma parcela em moeda livre para despesas de instalação. Os empréstimos soviéticos costumavam ter juros bem mais baixos que os ocidentais, mas os prazos de amortização eram mais curtos. Assim os créditos à Índia e Egito eram amortizáveis em 12 anos, com juros de 2,5%.

Interessados no financiamento de dois projetos específicos — o aproveitamento hidrelétrico de Ilha Solteira e uma usina de refino de xisto betuminoso — os soviéticos ofereceram um crédito global de US$200 milhões, a prazo de 13 anos a partir do contrato e 3% de juros. Dispor-se-iam a considerar a proposta brasileira de pagamento parcial através da exportação de produtos manufaturados da nossa indústria. Ponderei que, no caso de hidrelétricas, o mais importante era o prazo de amortização, e que instituições ocidentais, como o Banco Mundial, davam prazo de 25 anos, com cinco de carência, o que compensaria o ônus dos juros mais altos. Quanto à usina de xisto, gostaríamos de nos aprofundar na análise da tecnologia soviética, em que estava interessada uma empresa privada brasileira, seu custo efetivo e a solução a ser dada ao problema dos resíduos da destilação.

Acordamos, ao fim das reuniões, na publicação de um comunicado geral em que se expressava o interesse soviético nos dois projetos e se recomendava à Comissão Mista, criada pelo Acordo de Comércio e Pagamentos de 1963, o estudo de medidas de expansão do comércio de "equipamentos para construção, indústrias petrolíferas e químicas, máquinas agrícolas, equipamentos para navios, máquinas para trabalhar metais e outros".

Um acordo específico, com a abertura de um crédito de US$100 milhões para a compra de equipamentos, viria, como já mencionei, a ser firmado em agosto de 1966, quando da visita do ministro Patolichev ao Brasil.

As dificuldades do comércio com a União Soviética, exceto no tocante a produtos básicos, são conhecidas. As máquinas e equipamentos soviéticos têm freqüentemente aparência tosca, mesmo quando tenham apuro tecnológico. Mas o que preocupava sobretudo era a falta de apoio logístico para reparos e fornecimento de peças sobressalentes. Também os órgãos comerciais da União Soviética, além da rigidez inerente às organizações estatais, estavam pouco aparelhados no tocante à parafernália de seguros de transporte e *performance bonds*, o que gerava natural resistência nos importadores brasileiros. *Last but not least*, havia o receio de acumularmos saldos em moeda inconversível, com impacto inflacionário.

Antes da assinatura do comunicado global, foram organizadas visitas da delegação brasileira a Volgogrado, Leningrado, Tallin e Bratsk. A visita a Leningrado, hoje rebatizada como São Petersburgo, interessante em si mesma, como expedição turística, tinha também uma desculpa industrial: visitar a grande fábrica de geradores "Electrosila", imensa, soturna e de grau de modernização tecnológica inferior à fábrica da Toshiba, que eu visitara em Tóquio, em fevereiro de 1964. Mas meu real interesse eram as belezas do complexo de museus do Hermitage. Sem o brilho organizacional e os truques de iluminação dos grandes museus ocidentais, o Hermitage encerra uma das mais ricas coleções do mundo, abrangendo as escolas italiana e flamenga, além dos impressionistas franceses. Impressionou-me o refinamento da ouriversaria das civilizações primitivas da Ásia Central.

Uma segunda visita foi a Tallin, na Estônia, uma velha e bela cidade hanseática. Viajamos de trem de Moscou a Tallin, e de lá de ônibus a Cokhtla-Iarve, para visitar a planta de extração de xisto betuminoso. Não era possível fazer correto julgamento da economicidade do processo, porque os dados de custo dos soviéticos eram rudimentares. Cálculos de custo, aliás, nunca foram o forte do planejamento soviético. O que era visível era a devastação ambiental produzida pelo processo. Havia montanhas e montanhas de resíduos malcheirosos, resultantes da escavação de trincheiras de xisto.

Se a viagem não foi particularmente iluminante, foi pelo menos hilariante. O guia estoniano, tradutor para o inglês, que me acompanhava, expunha sem grande inibição sua antipatia pelos russos. No ônibus sacolejante, na esburacada estrada até a usina de xisto, disse-me ele, apontando para o chofer: — Este ônibus é como o regime soviético; um homem conduz e os outros tremem.

A exploração do xisto nunca teve entretanto alta prioridade na Petrobrás, e apenas recentemente, em 1991, depois de um longo e laborioso período de pesquisa, entrou em atividade a primeira unidade produtora de xisto em São Mateus, no Paraná. Calcula a Petrobrás que o custo de produção orçaria em cerca de 22 dólares por barril, o que tornaria a produção competitiva em relação ao petróleo importado. Desconhece-se, entretanto, que solução foi dada ao grave problema ambiental dos resíduos.

A terceira visita foi a Volgogrado, que recuperara — após a desestalinização promovida por Kruschev com a denúncia dos expurgos em 1956 — seu antigo nome, bem mais poético. Fora a heróica Stalingrado das batalhas decisivas da Segunda Guerra Mundial. Aliás, a principal marca da cidade é o monumento aos heróis de guerra, com a famosa inscrição: *Ni shagu nazad* — Nenhum passo atrás! Em Volgogrado visitamos uma usina de aço, que não me pareceu ter avanços tecnológicos e, depois, a grande represa do Volga (2,6 milhões de kilowatts). Àquela época o espetáculo dessa represa de baixa queda, com surpreendente potência unitária, pareceu-me impressionante, pois o Brasil ainda não havia entrado na época das superbarragens, que seria iniciada com Ilha Solteira, um belo feito de engenharia.

De Volgogrado partiríamos para visitar a grande represa de Bratsk, na Sibéria, então a maior do mundo (4.650.000 Kw). Tive entretanto que interromper a viagem, por um telefonema de Moscou, e enviei a Bratsk nosso perito em engenharia, Luiz de Souza Dias.

Tinha sido marcada uma entrevista no Kremlin com o presidente do Conselho de Ministros, Aleksei Kosygyn, e o embaixador Rodrigues Vale achou que seria descortês se eu perdesse a oportunidade. Foi um desapontamento, pois logo depois que regressei a Moscou recebi a notícia de uma alteração nos planos. Deflagara-se uma crise na Romênia e toda a alta cúpula soviética tinha que se concentrar em discussões com os enviados de Bucareste.

Acabei lucrando culturalmente. Fiquei com tempo disponível para visitar Moscou, inclusive o Kremlin e a Galeria Tretyakov. Para cúmulo de sorte, estava sendo exibido em Moscou, no teatro do Kremlin, o *Othelo* de Shakespeare. O papel de Othelo era desempenhado por Lawrence Olivier, meu ator shakespeariano preferido, acompanhado por uma trupe de atores ingleses. Imaginei ser impossível, improvisadamente, obter bilhetes para o espetáculo, apesar de minhas dúvidas de que existissem em Moscou conhecedores de inglês clássico em número suficiente para lotar um grande teatro.

— Não se preocupe — disse o Henrique. — O país não é famoso pelo respeito aos direitos humanos, e certamente o chefe do protocolo do ministério do Exterior poderia expulsar alguns asseclas do Partido a fim de acomodar dignitários estrangeiros...

Foi uma formidável experiência cultural.

Tive também ensejo de visitar o mosteiro de Zagorsk, surpreendendo-me com a capacidade de sobrevivência da Igreja Ortodoxa, com seu pomposo cerimonial e comovente cantochão. É verdade que a audiência de fiéis parecia confinada a velhas camponesas. O ateísmo certamente contaminara a nova geração.

Revisitei Moscou anos depois, em 1976 e 1978. Minha última visita foi no frigidíssimo inverno de janeiro de 1990, com 23 graus abaixo de zero, convidado para uma reunião dos ambientalistas do Global Forum. Se o clima atmosférico era frio, estava se tornando cálido o clima político. Terminara a guerra fria poucos meses antes, com a queda do Muro de Berlim, e estávamos no auge da *glasnost*. Gorbatchev proferiu um excelente discurso sobre ecologia, confessando, perante o Global Forum on Environment and Development, os pecados ambientalistas da industrialização forçada da União Soviética, que resultaram em desastres ecológicos nos lagos Aral e Baikal.

Gorbatchev começava então a ter sua gestão questionada, em virtude dos desapontamentos econômicos da *perestroika*. No coquetel que se seguiu à Conferência de Gorbachev, ouvi de um de seus assessores no grande salão do Kremlin uma anedota que indica a que ponto havia chegado a irreverência revisionista em Moscou. Gorbachev liga para Stálin para pedir conselho. Stálin diz: — Execute metade do Comitê Central e pinte o Kremlin de azul.

— Por que azul?

— Eu sabia que você teria dúvidas sobre esse segundo ponto.

Num assomo de coragem, enfrentei estradas geladas para uma viagem, num velho táxi Volga da Intourist, às antigas capitais Vladimir e Suzdal, para onde se transferira, nos séculos XII e XIII, o Grão-Principado de Kiev. Suzdal, na qual sobrevivem mais de uma dúzia de mosteiros ortodoxos, é particularmente fascinante. Pedro, o Grande, havia confinado por algum tempo num desses mosteiros, em 1669, sua jovem esposa, a bela e burra Eudóxia...

Descobri que o terrorismo soviético não havia de todo extirpado o *sense of humour*. Quando regressei a Brasília, sob o olhar desaprovador de Luís Viana, relatei a Castello Branco duas anedotas moscovitas bastante brejeiras. Elas me foram contadas pelo embaixador canadense, John Ford, que passara boa parte de sua carreira em Moscou, primeiro como secretário e depois como embaixador. Dominava perfeitamente a língua e traduzia poemas russos para o inglês e vice-versa. Era casado com uma brasileira, Teresa, que servira na ONU e que era, ela mesma, um repositório de chistes. John Ford tinha colecionado evidências do *sense of humour* russo, pela sua capacidade de acompanhar funcionários soviéticos até a curva da sexta vodca, quando se soltavam as inibições...

Numa sátira à vasta escassez de habitações, que forçava famílias inteiras a uma promíscua coabitação em apartamentos superlotados, dizia-se haver em Moscou uma diferença entre drama, tragédia e realismo socialista: drama é quando se tem a mulher e não o apartamento; tragédia é quando se tem o apartamento e não se tem a mulher; realismo socialista é quando se tem a mulher e o apartamento na hora exata da reunião do Partido.

Um grande motivo de orgulho em Moscou, naquela época, era a primeira viagem orbital de uma mulher — Valentina Tereskhova — que circundara a terra 48 vezes na nave Vostock, e fora declarada heroína soviética. A piada era que Valentina tinha sido enviada à lua para uma missão de três dias, num foguete de alto empuxe. Foi antes examinada pelo professor Neremsikov, da Academia de Ciências, cujo relatório a declarava absolutamente hígida, em todos os sistemas vitais, com a única peculiaridade de ser virgem. O relatório foi distribuído, propagandisticamente, aos círculos científicos americanos e europeus, em preparação para o grande feito espacial. Um defeito no grande foguete impediu Valentina de decolar da lua na data prevista. Foi lá mantida, ao longo de quatro meses, com rações e oxigênio transportados por foguetes menores, até que fosse arremessado um foguete de grande potência, capaz de aterrissagem e decolagem lunar. Quando Valentina regressou, foi novamente examinada pelos cientistas, que acusaram ligeiras anormalidades na estrutura óssea e no sistema nervoso. A única mudança substancial era que engravidara durante a expedição selênica. O assunto foi levado a Kruschev. Como explicar aos cientistas ocidentais o estranho fenômeno? Em reunião do Presidium, Kruschev declarou que só conseguira três explicações, todas insatisfatórias. A primeira era que os comunistas reconheciam o dogma da Imaculada Conceição; a segunda é que os médicos soviéticos tinham sido incompetentes no exame ginecológico do estado de virgindade; a terceira era que os americanos teriam chegado primeiro à lua.

A anedota era profética. Espicaçado pela repercussão tecnológica da viagem orbital de Gagárin, em 1961, Kennedy lançou o programa do "Homem na lua" dentro de um decênio. E os astronautas americanos desceram na lua em julho de 1969!

— Ao contrário do que eu supunha — disse a Castello — o *sense of humour* sobrevive na União Soviética. E isso é o começo da salvação. Não se sustenta um país que não sabe rir de si mesmo, defeito fatal de Hitler.

De Moscou dirigi-me a Estocolmo, onde fui recebido por Markus Wallemberg, o grande decano da indústria sueca, que me ofereceu um jantar com grandes investidores, que eu tentei persuadir a aplicar capitais no Brasil. Visitei as instalações ultramodernas da Scania Vabis e da Eriksson.

Era bom respirar o ar de liberdade em Estocolmo, sem as sombras repressivas e a tensão conspiratória da União Soviética. Outros membros da delegação, menos ocupados, tiveram tempo para perambulação pela interessante vida noturna da capital sueca. Com a *gemütlichkeit* de velho vienense, disse-me, o arguto jornalista Heller: — Descobri finalmente a diferença entre socialismo e capitalismo, ou seja, entre Moscou e Estocolmo. A diferença é que aqui se pode fazer amor sem medo de espionagem e as prateleiras das lojas não estão vazias.

A CONSTITUIÇÃO
DE 1967

Acusado às vezes de indecisão nas manobras táticas, Castello Branco era certamente um soberbo estrategista. No seu grande desenho havia um tempo econômico, um tempo social e um tempo político. Neste último, o objetivo era a institucionalização da Revolução. Era uma obsessão de Castello constitucionalizar o processo revolucionário para distingui-lo de uma quartelada latino americana. Perfilhava a fórmula de Milton Campos:

"A revolução há de ser permanente como idéia e inspiração, mas o processo revolucionário há de ser transitório e breve, para evitar a consagração do arbítrio."

Na marcha para a constitucionalização, o Ato Institucional n° 2 fora apenas um humilhante acidente de percurso. Era uma reafirmação relutante do regime de arbítrio, para evitar o mal maior da desintegração da autoridade revolucionária. Os antecedentes do Ato Institucional n° 2, de outubro de 1965, são conhecidos. Castello insistira, contra a opinião de importantes segmentos militares, na realização normal das eleições diretas para governanças estaduais, em outubro de 1965. Havia dois pontos críticos — Guanabara e Minas Gerais — precisamente os dois estados governados por líderes revolucionários — Carlos Lacerda e Magalhães Pinto. Este último se tinha posicionado abertamente contra as eleições diretas, pleiteando, em vez disso, uma prorrogação de mandatos. Entendia que as agruras do processo antiinflacionário criavam um ambiente desfavorável para a confrontação eleitoral. Desejava, ficando no governo, aumentar seu poder de manobra para a eventual sucessão presidencial. A posição de Carlos Lacerda era mais ambivalente. Tendo reclamado contra a prorrogação do mandato de Castello e defendido a antecipação das eleições presidenciais, seria uma contradição demasiado óbvia perfilhar a tese da prorrogação dos mandatos. Mas, no fundo, com ela simpatizava.

Realizadas em 11 estados as eleições diretas, o dispositivo revolucionário ganhou em nove estados, mas perdeu precisamente nas duas áreas críticas — Minas Gerais e Guanabara. No primeiro caso, o candidato de Magalhães Pinto foi derrotado por Israel Pinheiro; no segundo, o candidato de Lacerda, Flexa Ribeiro, secretário de Educação, perdeu para Negrão de Lima.[337] Os candidatos vitoriosos haviam logrado compor um arco oposicionista que abrangia tanto radicais como moderados. Políticos essencialmente conservadores, estavam longe de representar uma ameaça à Revolução. Mas sua eleição, em caráter contestatório dos candidatos oficiais, deflagrou uma onda de paixões. Mais tarde, depois de conviver algum tempo com os novos governadores, verifiquei com satisfação que eram mais compreensivos em relação à política econômica do que os co-autores da Revolução. Eu disse a Castello: — Dêem-me menos governadores amigos, e mais governadores inimigos como esses, que minha tarefa econômica será muito mais fácil.

É que as críticas desabridas de Lacerda e Magalhães Pinto ao PAEG, que Lacerda hiperbolicamente descrevia como um "código de dirigismo e estatismo", retardavam a reversão de expectativas e provocavam desconfiança nos investidores.

Castello se viu nas garras de um terrível dilema. Se não assegurasse a posse dos governadores, atendendo à "linha dura", golpearia fundamente as esperanças de normalização democrática. Se lhes desse posse, sem reafirmar o vigor revolucionário através de uma resposta institucional, corria o risco de ser, ele mesmo, deposto. O dispositivo militar estava longe de ser monolítico, cindido que estava desde a origem entre os militares da Sorbonne, ansiosos pela restauração democrática, e os da linha dura, que consideravam indispensável um período de ditadura purificadora.

O Ato Institucional n°. 2 só foi decidido por Castello depois de uma agoniada busca de fórmulas menos traumatizantes para o reforço das instituições revolucionárias. Vários juristas foram consultados sobre possíveis alternativas, notadamente Vicente Rao, Nehemias Gueiros e Afonso Arinos. Costa e Silva tomou, ele próprio, a iniciativa de pedir sugestões a Gama e Silva, que viria depois a ser seu ministro da Justiça. Este propôs uma solução rude e simplista: um ato adicional suspendendo o funcionamento do Congresso, das Assembléias Legislativas e Câmaras Municipais e decretando intervenção federal em todos os estados e municípios. Conforme pilhéria da "coluna do Castello" no *Jornal do Brasil*. Gama e Silva era "uma personagem de comédia extraviada num drama."

As opiniões e sugestões mais meditadas provieram de Afonso Arinos, a quem Luís Viana tinha solicitado um estudo sobre fórmulas para a solução do impasse. Já então se havia cristalizado no seio do governo a idéia de uma emenda constitucional a ser solicitada ao Congresso, visando a restaurar certas medidas de exceção. A Emenda Constitucional ampliaria os casos de intervenção militar, e admitia

---

[337] O candidato preferido de Lacerda para sua sucessão teria sido o vice-governador Rafael de Almeida Magalhães, político de bastante aceitação popular. Receava-se entretanto a oposição da Igreja Católica em virtude de ter-se casado com uma jovem desquitada. Numa eleição que se previa apertada, o voto católico tinha expressão relevante.

estender-se aos civis, nos termos da lei, o foro especial previsto para os militares. Um projeto de lei, a ser votado simultaneamente, disporia sobre a suspensão de direitos políticos. Essas propostas foram submetidas ao Congresso com uma exposição de motivos, redigida por Luís Viana Filho, em 13 de outubro de 1965.

Angustiadas negociações com líderes partidários no Congresso indicaram haver pouca receptividade para esse encaminhamento do problema. As lideranças políticas subestimavam a gravidade da crise existencial em que se encontrava Castello.

A mais lúcida análise da situação foi feita por Afonso Arinos no estudo preparado para Castello Branco. Arinos tinha uma visão negativa do processo revolucionário. Era favorável às eleições diretas para a presidência da república e acreditava que somente o parlamentarismo seria uma solução capaz de evitar a implantação de uma ditadura. Não se furtou, entretanto, a colaborar analiticamente para buscar uma solução para o impasse.[338]

Arinos apresentou dois memorandos a Luís Viana Filho. O primeiro estabelecia três hipóteses: 1. Aprovação das emendas pelo Congresso, o que contornaria a crise; 2. Decretação, pelo Congresso, do Estado de Sítio e 3. Estado de Emergência, que a seu ver levaria à ditadura. Acentuava, entretanto, que a assunção de poderes de emergência era algo que encontrava precedentes, inclusive na grande democracia americana, pois se haviam valido dessa figura, em diferentes crises nacionais, Lincoln, Theodore Roosevelt, o presidente Wilson e Franklin Roosevelt. Um segundo memorando acentuava que os resultados eleitorais levariam à eleição indireta e ao parlamentarismo. Essa solução poderia ser a única alternativa à ditadura.

---

[338] Opinando depois sobre a Constituição de 1967, Afonso Arinos se mostraria contrário à eleição indireta do presidente, que julgava ser "a entronização da oligarquia", e ao estado de emergência, que a seu ver não passava de simples "agravamento ilimitado do estado de sítio".

A AUTOCASSAÇÃO
DE CASTELLO

O Ato Institucional nº 2 nasceu da verificação da impossibilidade de se conciliar o fervor revolucionário com a legalidade formal. O fervor revolucionário era simbolizado sobretudo por Carlos Lacerda, que falava abertamente na possibilidade de "um golpe revolucionário". Para complicar a situação, Juscelino Kubitschek, ainda detentor de uma grande popularidade residual, chegara ao Brasil na véspera da eleição, o que parecia configurar um desafio. Ante a inquietação do estamento revolucionário, Castello tinha que enfrentar duas opções. A opção suave seria a passagem, pelo Congresso, da Emenda Constitucional revigoradora da força revolucionária, ampliando-se o direito de intervenção federal nos estados. A opção dura seria a edição de um ato institucional. Após laboriosa consulta verificou-se a improbabilidade da aprovação da Emenda Constitucional pelo Congresso. Nessa emenda, restaurar-se-ia a faculdade de cassação de direitos políticos, ponto em que nem o PSD nem o PTB, interessados em preservar a eventual candidatura Juscelino, poderiam concordar. Os líderes do PSD, Amaral Peixoto, Gustavo Capanema e Vieira de Melo, manifestaram a Juracy Magalhães, que se empossara como ministro da Justiça em 19 de outubro, a impossibilidade de um acordo sobre a matéria.

Nem Octávio Bulhões nem eu havíamos participado das discussões que levaram ao ato institucional, por estarmos ambos ocupados no Rio de Janeiro em debelar um início de pânico financeiro e de corrida bancária, que se havia manifestado em virtude das declarações revolucionárias de Carlos Lacerda. Um dos subprodutos indesejáveis da crise foi, a meu ver, o aborto do meu projeto de, após uma desvalorização cambial agressiva, restaurar um câmbio flutuante, idéia que eu vinha perseguindo desde os tempos em que assessorei o ministro Whitaker, em 1955, em sua pretendida reforma cambial. A idéia era que o Banco do Brasil, depois de feita a desvalorização, procurasse "orientar" o mercado, sem contrariar suas tendências fundamentais. O Banco seria instruído para abrir o mercado de câmbio à taxa acordada para a desvalorização, ajustando-a diariamente para mais ou para menos, num limite que não excedesse de 10% as tendências do mercado.

A desvalorização cambial acabou sendo realizada em 16 de novembro, duas semanas após a edição do Ato Institucional, mas as condições inquietas do mercado impediriam a adoção da taxa flutuante. Os 21,64% de desvalorização eram deliberadamente um *over shooting*, destinado a criar um colchão para facilitar a manutenção da taxa, sem consumo de reservas.

Minha participação no episódio do Ato Institucional n? 2 foi assim marginal. No dia 27 de outubro, pouco antes da assinatura do Ato, telefona-me Luís Viana, de Brasília, angustiado. Castello Branco havia condicionado a assinatura do Ato à declaração de sua própria inelegibilidade, cláusula que acrescentou com sua própria letra no documento a ser editado. Luís Viana, Costa e Silva, Cordeiro de Farias e Juracy Magalhães se haviam revezado num esforço de persuadi-lo do desavisado da medida. Renitente, Castello havia dito: — Eu só assino o ato sob a condição de minha inelegibilidade.

Cordeiro de Farias havia declarado que o afastamento do presidente suscitaria o aparecimento de ambições. E Juracy havia acentuado que, com essa decisão, o "presidente subia moralmente, mas o governo não lucrava". Luís Viana sugeriu que eu telefonasse imediatamente do Rio de Janeiro a Castello, num último esforço de persuasão.

— Já esgotamos os argumentos políticos — disse. — Talvez você possa avançar argumentos econômicos.

Comuniquei-me imediatamente com o presidente, numa fracassada missão de dissuasão. Ponderei a Castello que, independentemente de sua decisão de recusar qualquer prorrogação ulterior de seu poder, não deveria ele se desqualificar abertamente, pois isso diminuiria seu poder de barganha para influenciar a escolha de seu sucessor. Argumentei ainda que tanto a luta contra a inflação, como a retomada de investimentos nacionais e estrangeiros, eram processos longos e penosos que requeriam toda a confiança psicológica que pudéssemos angariar na estabilidade das regras do jogo.

— Ambas essas coisas serão negativamente afetadas pela sua decisão prematura e desnecessária.

Castello Branco não se deixou convencer. Respondeu com três argumentos. Um ético, um político e um pragmático. O argumento ético era que no processo dos expurgos revolucionários tinha privado de direitos políticos numerosos colegas e cidadãos comuns, e receava ter cometido algumas injustiças. Sentia-se em débito com sua consciência e com a Nação, se não ficasse claro que tudo o que ele havia feito se destinava a salvar as instituições e não a buscar poder pessoal. Por assim dizer, cassara os outros mas também se autocassara. A segunda rázão era política.

— O continuísmo — disse ele — desde o exemplo de Vargas, foi sempre um câncer na tenra democracia brasileira. Devemo-nos esforçar para ter continuidade de idéias sem a continuidade de pessoas.

E, finalmente, repetiu com humor amargo as famosas palavras de Rivarol: — Os cemitérios estão cheios dos ossos de homens insubstituíveis.

Desliguei o telefone dizendo-lhe: — O senhor está melhorando a sua biografia pessoal e piorando a história brasileira.

Castello não respondeu. Como disse Luís Viana Filho, o Ato Institucional nº. 2 foi "o malogro do imenso esforço de Castello para unir aquelas duas pontas do dilema político: a Revolução e a ordem legal. Na prática, eram inconciliáveis e não sairia uma nova Revolução do ventre da Revolução".

Castello e eu estávamos ambos certos. A luta contra a inflação e a retomada de investimentos levaram mais tempo do que o esperado, e, sem dúvida, a renúncia de Castello contribuiu para aumentar a incerteza psicológica. Mas, na longa visão da história, ele provavelmente estava correto. Seu exemplo foi tão compulsivo que todos os seus sucessores aderiram estritamente a seus mandatos legais. Manteve-se o rodízio nas lideranças militares. Isso certamente não é uma condição suficiente, mas é uma condição necessária para a implantação da democracia.

Como é sabido, o Ato Institucional nº. 2 foi um grave retrocesso na marcha para a normalização política. Mas isso só fez estimular o interesse de Castello Branco na formulação de uma nova Constituição, que pusesse fim ao estado de arbítrio. Os dispositivos principais do Ato Institucional nº. 2 foram: a) A eleição indireta do presidente da República pela maioria absoluta do Congresso; b) A decretação do estado de sítio para "prevenir ou reprimir a subversão da ordem interna"; c) A suspensão das garantias de vitaliciedade, inamovibilidade e estabilidade dos magistrados; d) A extinção dos partidos políticos; e) A possibilidade de o presidente decretar o recesso do Congresso, das Assembléias Legislativas e das Câmaras de Vereadores; f) A suspensão de direitos políticos por 10 anos e a cassação de mandatos legislativos. O Ato teria vigência até 15 de março de 1967.

Firme em suas convicções democratizantes, Castello usou o Ato Institucional nº. 2 não como um instrumento de governo e sim como arma de dissuasão.

A percepção dos que estavam na intimidade do poder era completamente diferente da percepção popular. A impressão popular era de que o país estava descambando para uma ditadura. Na realidade, o que se estava fazendo era adotar uma solução contemporizadora, que evitaria tanto uma ditadura de direita, de tipo nasserista, como a volta dos elementos revanchistas de 1964, que implantariam um autoritarismo de esquerda.

A extinção dos partidos políticos, e sua substituição por um sistema bipartidário, visando a assegurar uma maioria parlamentar estável, não me parecia o pecado mais grave do Ato Institucional nº. 2. Evitou o mal maior — a institucionalização de um partido único, fórmula habitual nas ditaduras. Tendo vivido por longos anos nos Estados Unidos, onde, para todos os propósitos práticos, o que vige é a dicotomia entre democratas e republicanos, via intuitivamente méritos nesse sistema. Somente anos depois, ao ler Karl Popper, convenci-me do *rationale* justificativo do bipartidarismo. Na visão desse grande liberal, autor do clássico *The open society and its enemies*, os sistemas multipartidários, que levam freqüentemente a coalizões eleitorais, diluem responsabilidades e desencorajam reformas. Num sistema bipartidário, o partido no governo, ao perder para a oposição, não pode dividir com ninguém a responsabilidade da derrota. É obrigado a reformar sua plataforma para recapturar a confiança popular. No multipartidarismo e no governo de coalizões, a situação é muito menos nítida. Os partidos não assumem plenamente a culpa da derrota nem a responsabilidade da reforma. As opções múltiplas tornam o eleitor confuso.

O sistema bipartidário — ARENA, como partido do governo, e MDB, como partido de oposição — vigiu até 1979, quando a Lei de Reforma Eleitoral legalizou a criação de novos partidos. A ARENA se transformou no PDS, o MDB acrescentou a palavra "Partido" à sua sigla, e foi criado, em 1980, o PT (Partido dos Trabalhadores). O antigo PTB recuperou sua sigla getuliana, mas Brizola, criando uma dissidência radical, fundou o PDT (Partido Democrático dos Trabalhadores). Tancredo Neves fundou o Partido Popular, como uma dissidência do PMDB, mas o partido se extinguiu em 1982, em protesto contra a imposição do "voto casado" nas eleições desse ano.[339]

Como veremos depois, ao eliminar as inibições tradicionais à proliferação partidária — voto distrital, fidelidade partidária, exigência de quorum mínimo de votação nas eleições gerais para participar do Parlamento — a Constituição de 1988 resultou num multipartidarismo caótico, que dificulta a governabilidade. A evolução político-partidária no Brasil desde 1960 apresenta assim vários estágios: *pluripartidarismo inorgânico* durante a fase Goulart; *bipartidarismo constrangido* de 1965 a 1979; *disputa regulada* entre 1979 e a Constituição de 1988; e *multipartidarismo caótico*, a partir de então.

A experiência brasileira é nesse particular bem diferente da de nossos vizinhos da

---

[339] Com sua inegável argúcia política, Getúlio Vargas patrocinara em 1945 a criação de dois partidos — o Partido Social Democrático (PSD), chefiado por seu genro Ernani do Amaral Peixoto, que acolhia empresários urbanos e fazendeiros, e o Partido Trabalhista Brasileiro (PTB), que entregou ao seu pupilo João Goulart, que visava à mobilização dos trabalhadores. Os oposicionistas no país inteiro se uniram na União Democrática Nacional (UDN), e surgiram ainda partidos essencialmente regionais, como o Partido de Representação Popular (PRP) em São Paulo, o Partido Republicano(PR) em Minhas Gerais, o Partido Libertador (PL) no Rio Grande do Sul, e o Partido Democrata Cristão (PDC) no Rio de Janeiro. Esses partidos refletiam a conjuntura política do fim do Estado Novo e, sem programas de apelo popular definido, perderam progressivamente sua expressão. Ver Jorge de Melo Flores, 'O partido político que faltava', Caderno especial, nº 601, Rio de Janeiro, SBERJ, p. 1.

Argentina e Uruguai, que também experimentaram intervenções militares na década de 60. Após a redemocratização, manteve-se a tradição partidária de dois partidos dominantes: na Argentina os peronistas e os radicais, e no Uruguai, os blancos e os colorados. No Chile, como no Brasil, foi maior a fragmentação partidária.

Até o momento em que escrevo, quase dez anos depois, não completamos com êxito nenhuma dessas transições. A Constituição de 1988 criou uma democracia disfuncional, que comprometeu a governabilidade. E a Nova República embarcou num autoritarismo econômico sem precedentes, através de choques e confiscos.

A decisão de eleições indiretas para presidente da República era defendida pelos auxiliares imediatos do presidente como necessária para acalmar os setores revolucionários. Encontrava oposição nos círculos políticos, e era particularmente virulenta a oposição de Afonso Arinos, que influenciava importantes segmentos do Congresso, a despeito de o próprio Arinos, em certa ocasião, ter descrito as confrontações eleitorais para a presidência da República como um "plebiscito de demagogos". Nas eleições diretas, extremavam-se os candidatos em fazer promessas demagógicas inviáveis. Estas, se implementadas, arruinariam o país; se revogadas, transformariam o presidente num falsificador de promessas.

A autocassação de Castello acelerou especulações sobre a sucessão presidencial. As preferências de Castello teriam sido, sem dúvida, por um sucessor civil. Isso, aliado à votação de uma nova Constituição, garantiria um fim adequado para o que ele chamava "o autoritarismo de transição", necessário como cirurgia econômica, mas indesejável como solução política. Como bom estrategista, tinha entretanto que manter suas opções abertas. Em se tratando de candidatos civis, suas preferências seriam por Bilac Pinto e Daniel Krieger. Uma segunda opção seria pelos candidatos híbridos, a saber, os militares com batismo eleitoral e experiência de governo civil. Entre esses figuravam Juracy Magalhães, Cordeiro de Farias e Ney Braga. A terceira opção seria por candidatos militares na ativa. O mais qualificado, que se revelou entretanto pouco interessado, era o general Bizarria Mamede; outra opção satisfatória seria o marechal Adhemar de Queirós. Mas o mais viável, em termos de aceitação da tropa, seria o marechal Costa e Silva. Castello tinha, aliás, uma dívida a pagar, em relação a Costa e Silva. Sem a decisiva intervenção deste para conter a mini-rebelião na Vila Militar, em novembro de 1965, dificilmente seu governo sobreviveria à crise.

Castello insistiu na observância de um ritual eleitoral que envolveria a apresentação de uma lista de candidatos, dentre os quais se escolheria o candidato a ser ratificado pela convenção do Partido. Na lista de Castello Branco, entregue a Daniel Krieger, figuravam Adhemar de Queirós, Arthur da Costa e Silva, Olavo Bilac Pinto, Oswaldo Cordeiro de Farias, Etelvino Lins e Ney Braga. A repartição era equilibrada: dois militares puros, dois híbridos e dois civis.

Sabia-se que os "militares híbridos" teriam poucas chances, pois os "militares puros", os homens da caserna, encaravam com certo ressentimento a ascensão política daqueles que haviam escolhido carreiras paralelas. A fidelidade às origens parecia contar mais do que a experiência adquirida na arena civil. Dentre os civis, o candidato que provavelmente teria mais chances era Daniel Krieger, o líder da ARENA no Senado que, entretanto, preferiu não figurar na lista, alegando já estar anteriormente comprometido com Costa e Silva. Nos laboratórios de boatos em Brasília, correra algum tempo antes a notícia de que Castello secretamente tinha-me em vista como seu potencial sucessor. Consta que Castello havia declarado a alguns amigos mineiros que me considerava o mais qualificado para a tarefa, pela visão diplomática e experiência econômica. Teria declarado o mesmo a Cordeiro de Farias e a Armando Falcão. Apócrifos ou não, esses rumores chegaram a impressionar Carlos Lacerda; parte da virulência de sua campanha contra a política econômica era explicável pelo desejo de demolição de um potencial competidor. Entretanto, nunca considerei seriamente a hipótese de minha candidatura, nem Castello jamais a mencionou em nossas conversas. Pelo contrário, disse-me ele certa vez com um travo de melancolia que nós ambos seríamos inelegíveis. Ele, porque se encarregara da cirurgia política, e eu, porque tinha a meu débito a cirurgia econômica. De ambas essas coisas derivava um coeficiente de odiosidade que tornava impraticável qualquer aventura eleitoral.

— As cirurgias — disse Castello — deixam uma memória de dor e sangue...

A indicação, em maio de 1966, de Costa e Silva como candidato da ARENA, viria a provocar duas defecções no ministério, ambas penosas para Castello e detrimentosas para o país. O primeiro demissionário foi o marechal Cordeiro de Farias, ministro da Coordenação Regional, para quem Castello fez uma comovida despedida, em discurso no dia 15 de junho de 1966. Tinham uma estreita amizade pessoal, forjada na caserna e reforçada nos campos de batalha da Itália. O segundo demissionário foi o senador Mem de Sá, que deixou a pasta da Justiça em 29 de junho; não só ele considerava a candidatura de Costa e Silva inadequada em face dos problemas nacionais, como se declarara impossibilitado de participar das manobras necessárias para assegurar, no Rio Grande do Sul, a vitória do candidato da Revolução, o coronel Walter Peracchi Barcelos. A eleição desse último para governador só se tornou exeqüível após a cassação de alguns deputados oposicionistas, cuja presença na Assembléia Legislativa faria a balança pender a favor do candidato Cirne Lima, homem de muitos méritos, mas com o grave demérito, à luz das paixões da época, de ter aceito um papel contestatório da Revolução num estado considerado chave.

O retrocesso no processo de redemocratização, com o Ato Constitucional n°. 2, e a consolidação da candidatura de Costa e Silva, que para Castello representava um perigo de fortalecimento da linha dura, com suas tendências ditatoriais, robusteceram o propósito de Castello de dedicar-se à feitura de uma nova Constituição destinada a institucionalizar o regime.

O DEBATE
CONSTITUCIONAL

Por sugestão de Mem de Sá já se havia constituído, em 15 de abril de 1966, uma comissão especial de juristas, composta do jurisconsulto Levy Carneiro, dos ministros Orozimbo Nonato e Miguel Seabra Fagundes e do professor Themístocles Cavalcanti. Seabra Fagundes se afastou antes do fim dos trabalhos. Não estava possuído de espírito renovador. Acreditava que bastariam cinco ou seis emendas à Constituição de 1946. O relatório da comissão de juristas foi apresentado ao presidente da República, em cerimônia solene no palácio Laranjeiras, em 19 de agosto.

A análise do documento coube ao ministro da Justiça Carlos de Medeiros. O texto apresentado pelos juristas tinha conteúdo pouco renovador em relação à Constituição de 1946. Era demasiado casuístico, e era sobretudo omisso no tocante à parte tributária e orçamentária. Não configurava também um poder Executivo forte, o que, no ver de Castello, seria necessário para proceder à normalização política do país e ao seu desenvolvimento econômico.

Tanto o projeto da comissão de juristas, como as diferentes minutas do ministério da Justiça, foram objeto de ampla discussão entre abril e dezembro de 1966, por diferentes juristas como Goffredo Teles Junior, Miguel Reale, Seabra Fagundes e Haroldo Valadão, entre outros. Também, antes da apresentação formal do projeto ao Congresso, em 12 de dezembro, foi ouvida uma comissão de parlamentares da maioria, presidida pelo senador Filinto Müller, que formulou emendas e sugestões a ser apresentadas durante a discussão. Os parlamentares que participaram dessas discussões foram Daniel Krieger, Raimundo Padilha, Paulo Sarasate, Rui Palmeira, Antonio Carlos Konder Reis e Leopoldo Perez.

Ao longo desses debates, Castello me havia pedido concentrar-me nos capítulos econômicos da Constituição, a saber, os relativos ao orçamento, fiscalização financeira e ordem econômica. Trabalhando no ministério do Planejamento, com a assessoria de Bulhões Pedreira, preparei um rascunho desses capítulos, movido por duas preocupações: formular uma Constituição antiinflacionária e privatista. A experiência posterior revelou que nenhum desses objetivos seria atingido.

Não sei se feliz ou infelizmente, os capítulos econômicos da Constituição não se provaram particularmente controversos. A controvérsia foi muito mais acirrada quanto à proposta de Castello de criação da figura do "estado de emergência" (que seria um transplante da Constituição gaullista de 1958), assim como no tocante ao capítulo dos direitos individuais. Sobre os capítulos econômicos, assim Luís Viana Filho relata o ocorrido:

> "Curiosamente, as inovações econômicas da Constituição, conquanto talvez mais radicais que as políticas, suscitaram pouco debate. Entre tais inovações, quatro devem ser ressaltadas: 1. Proibição do aumento de despesas por iniciativa legislativa, e que tanto Campos como Bulhões consideravam indispensável para pôr termo à nossa tradição inflacionista; 2. Proibição de investimentos sem preparação de projetos e especificação de fontes de receita, dispositivo destinado a preservar a coerência do planejamento governamental; 3. Implantação de orçamentos-programa e preparação de orçamentos plurianuais de investimento, destinados inclusive a substituir as vinculações orçamentárias pulverizadoras da receita; 4. Eliminação da prelação do superficiário no tocante às jazidas minerais, abrindo caminho para a modernização do código de minas.[340]

Uma das questões econômicas que se tornaram mais controversas foi a redefinição das funções do Tribunal de Contas, que sofreria importantes modificações de comportamento pela eliminação da exigência do registro prévio. Essa disputa se realizou entretanto no seio do executivo entre o ministério do Planejamento e o Tribunal de Contas, sem maiores repercussões políticas.

Uma contribuição importante para a racionalização da política de comércio exterior foi a transferência, dos estados para a União, da tributação sobre exportações. Esta, na Constituição de 1946, cabia aos estados (art.19, v), até o limite de 5% *ad valorem*. Com isso foi praticamente suspensa essa tributação, que Bulhões e eu, interessados na orientação exportadora, só admitiríamos na hipótese da instituição de esquemas de estabilização de preços de produtos primários. Cobrar-se-iam então impostos de exportação nas fases de altas cíclicas de preços externos, que seriam versados a um fundo de compensação, para preservar a receita dos produtores nas fases de baixa cíclica. Esquemas desse tipo não foram operacionalizados no Brasil, conquanto as quotas de retenção — o chamado confisco cambial do café — tenham exercido papel semelhante.[341]

---

[340] Ver Luís Viana Filho, op. cit., p. 461.

[341] Foi nesse ocasião que propus ao brigadeiro Faria Lima, então prefeito de São Paulo, a chamada "barganha paulista". Propus-me defender sua pretensão de ver explicitada na Constituição a participação dos municípios em 20% da receita do ICMS estadual se ele tomasse três providências, a meu ver vitais para o enfrentamento dos problemas da megalópole paulista: (a) um plano diretor; (b) a construção de um anel rodoviário, para desvio da carga direcionada para o interior paulista ou para outros estados, e (c) a construção do metrô. Ambos cumprimos nossa parte da construtiva barganha. O art. 24, parág. 7°., da Constituição de 1967, estabeleceu que apenas 80% da receita do ICMS pertenceriam aos estados, sendo o restante creditado em conta especial dos municípios.

Há quem diga que a Constituição de 1967 foi autoritariamente outorgada. Não é essa a impressão dos que participaram ativamente de sua elaboração. Nada menos que 1.800 emendas foram apresentadas.

Poucas coisas me impressionaram tanto na votação da nova Constituição quanto a prevalência e generalidade do que eu chamava de antidarwinismo. À parte as numerosíssimas emendas sobre vinculações regionais de verbas, a vasta maioria das propostas era de fundo antidarwinista. Algumas delas expressavam um antidarwinismo burocrático, buscando evitar o concurso de capacidade: efetivação de interinos, vitaliciedade de cátedras e cartórios, restrições aos naturalizados no acesso a cargos públicos. Outras revelavam um antidarwinismo econômico: ampliação da área de monopólios estatais, restrições à concorrência estrangeira, intervencionismo estatal, privilégios para empresas do Estado, tudo com o objetivo de dificultar ou impedir um teste de eficiência no jogo do mercado. Outra manifestação de antidarwinismo foram as inúmeras emendas visando à aposentadoria precoce, e a garantir à ociosidade privilégios superiores aos da atividade. Neste ponto somos muito semelhantes aos franceses que, segundo De Gaulle, buscam sempre assegurar cada um seu privilégio, sendo esta a maneira de demonstrarem sua paixão pela igualdade.

Conquanto o MDB tivesse formulado parecer impugnatório, redigido pelo senador Josafá Marinho, muitas das emendas oposicionistas foram aprovadas. Foi hercúleo o trabalho do relator geral, Konder Reis, acolitado por seis sub-relatores — Oliveira Brito, Accioli Filho, Adauto Cardoso, Djalma Marinho, Vasconcellos Torres e o senador Wilson Gonçalves — para apreciar, em curto prazo, uma batelada de sugestões.

Não faltaram naturalmente reclamações quanto ao excessivo rigor dos dispositivos sobre o orçamento (cap.VI, seção VI), por cuja redação fui um dos principais responsáveis. O objetivo, algo ingênuo, como cabia a um tecnocrata politicamente imaturo, era duplo: a) Evitar que o clientelismo legislativo se transformasse em pressão inflacionária, pelo inchaço de despesas; b) Permitir uma visão global do dispêndio público, pois que o orçamento deveria incluir também a previsão de despesas e receitas de todos os poderes, órgãos e fundos, tanto da administração direta quanto da indireta, assim como o produto das operações de crédito.

Àquela altura, o ministério do Planejamento havia avançado enormemente na tecnologia de orçamentação, graças ao treinamento de técnicos que eu havia enviado para estágios no Bureau of Budget, no Tesouro e em universidades americanas. Já havíamos, por exemplo, absorvido a técnica dos "orçamentos-programa", processo que sofreu considerável involução em anos subseqüentes.

A preocupação antiinflacionária se traduzia (a) A proibição de créditos extraordinários (salvo em casos imprevistos como guerra, subversão interna ou calamidade pública); (b) A vedação de emendas de que decorresse aumento da despesa global; (c) A proibição de início ou contratação de qualquer obra ou despesa, cuja execução se prolongasse além de um exercício financeiro, sem prévia inclusão no orçamento, ou sem prévia lei autorizativa que fixasse o montante das verbas que anualmente constariam do orçamento, durante todo o prazo de execução.

Contra os que se queixavam do autoritarismo orçamentário, argumentava eu que nos regimes parlamentares, conforme a tradição inglesa, o Parlamento pode aceitar ou rejeitar o orçamento, porém não alterá-lo, pois que ele representa um programa articulado de governo. A crítica de prioridades no Parlamento é um processo contínuo, que deve anteceder à orçamentação. O texto constitucional não inovara, aliás, grandemente sobre a Lei nº. 4.320, de 17 de março de 1964, surpreendentemente austera como disciplinamento do direito financeiro, votada pelo Congresso na penúltima semana do governo Goulart.

É escusado dizer que essa severidade antiinflacionária permaneceu uma utopia. Os orçamentos foram cada vez mais frouxamente planejados e piormente executados. Anos depois assistiríamos ao lançamento de vários megaprojetos de execução plurianual, sem observância das normas de orçamentação prévia. Foi o caso dos grandes projetos rodoviários, como a Transamazônica e a Perimetral, na era Médici, ou do programa de energia nuclear, na era Geisel. Dificilmente projetos da espécie teriam sido lançados se houvesse clara percepção do seu custo global ao longo dos anos.

A REFORMA DO
CÓDIGO DE MINERAÇÃO

Um subproduto útil da revogação da chamada "prelação do superficiário", isto é, a preferência garantida ao superficiário para exploração do subsolo foi, conforme faz notar Luís Viana Filho, a reforma do Código de Minas, editada pelo decreto-lei n°. 227, de 28 de fevereiro de 1967, um mês após votada a nova Constituição.

A legislação mineral do Brasil sofreu grandes variações no curso do tempo. Durante o Império, as minas eram de propriedade da coroa. Era o regime "dominial". Na Constituição Republicana de 1891, implantou-se o regime de "acessão" — as minas eram de propriedade do proprietário do solo. Na reforma constitucional de 1926 manteve-se esse princípio, salvo as limitações expressas em lei, mas injetou-se um viés nacionalista: não poderiam ser transferidas a estrangeiros as jazidas minerais necessárias à segurança e à defesa.

O Código de Minas de 1934 marcou uma mudança substancial, ao introduzir o regime de *res nullius* para o subsolo. As minas e demais riquezas constituiriam propriedade distinta da do solo, para o aproveitamento dos minerais, o que dependeria de concessão ou autorização federal. Estas só poderiam ser dadas a brasileiros ou empresas organizadas no país. O proprietário teria preferência na exploração ou participação nos lucros.

O Código de 1940 restabeleceu o viés nacionalista.[342] Só poderiam exercer a atividade minerária, brasileiros, ou pessoas jurídicas constituídas por acionistas e sócios brasileiros e a mina era definida como "jazida em lavra". A Constituição de 1946 foi, sob o ponto de vista de aceleração da produção mineral, um avanço e um retrocesso. O avanço foi admitir a participação estrangeira, bastando que as sociedades fossem organizadas no país. O retrocesso foi a criação da preferência para exploração ao proprietário do solo. Este poderia manter a jazida ociosa ou exigir preços irrealistas para a exploração.

A Constituição de 1967 veio a significar grande avanço liberalizante, disso resultando rápida expansão da atividade minerária no Brasil nas décadas de 60 e

---

[342] Essa inflexão nacionalista decorrera da Constituição de 1937 que, segundo Juarez Távora, autor do Código de 1934, se caracterizava por "duas funções fundamentais: a intransigência nacionalista e a tendência à socialização compulsória". Apud Gilberto Paim, *Petrobrás — Um monopólio em fim de linha*, Rio de Janeiro, Topbooks, 1994, p. 139.

70. Manteve o princípio do *res nullius*, mas eliminou a preferência do superficiário, substituindo-a por uma participação obrigatória no resultado da lavra, equivalente ao dízimo do imposto único sobre minerais. O superficiário perderia assim a capacidade de bloquear a exploração mediante exigências irrealistas. A exploração poderia ser feita por sociedades organizadas no país, independentemente da nacionalidade dos acionistas, tendo em vista a escassez de poupança nacional para os riscos da pesquisa. Novo retrocesso viria a ocorrer na Constituição de 1988. Em vez do "princípio do *res nullius*" que transformara a União em simples administradora das concessões, voltou-se ao regime "dominial": a União é proprietária do subsolo, o que aumenta o poder discricionário da burocracia.

O novo Código de Minas em 1967, redenominado Código de Mineração, permitiria um rápido desenvolvimento minerário ao longo das décadas de 60 e 70. A produção mineral cresceu a uma taxa anual de 7%, e em 1988 o saldo da balança comercial de bens de origem mineral se tornara finalmente positivo.

O Código de Mineração foi realista ao permitir as figuras do Grupamento Mineiro e do Consórcio Mineiro, com o fito de ampliar as áreas de pesquisa e lavra, seja de um só titular de várias concessões no mesmo jazimento, seja de titulares de lavras próximas ou vizinhas, possibilitando escalas mais econômicas de produção. A autorização de pesquisa seria da alçada do ministério das Minas e Energia. Apenas a concessão de lavras dependeria de decreto federal. Abria-se o território brasileiro ao reconhecimento geológico por processo de prospecção aerogeofísica. E moderava-se o furor estatizante, que levara à vedação de exploração privada de minérios em que houvesse elementos físseis ou radiativos. Essa vedação só se aplicaria nos casos em que o valor destes fosse predominante em relação às substâncias minerais ordinárias. Somente nesse caso a concessão poderia ser revogada, porém com justa indenização para o concessionário. Esse dispositivo viria a ser alterado no governo Costa e Silva, que voltaria aos exageros da Lei nº 4.118, de 1962, que submetia toda a mineração aos interesses da energia nuclear. Isso desencorajaria a notificação, pelos descobridores, de jazidas minerais mistas, e inibiria a exploração de algumas jazidas mesmo quando predominantemente comerciais.

A QUESTÃO DO MONOPÓLIO
E OUTRAS CONTROVÉRSIAS

Dois outros pontos foram bastante mais controvertidos. Um deles foi a redação que eu sugerira, no capítulo da ordem econômica, para o dispositivo referente à intervenção estatal no domínio econômico. Na minha redação, só se permitiria o monopólio do Estado sobre a atividade econômica quando ele se aplicasse a "setor que não possa ser desenvolvido com eficiência num regime de competição e de liberdade de iniciativa". Levantou-se contra esse dispositivo, que ele acreditava tendente a solapar o monopólio da Petrobrás, o senador Afonso Arinos que, estranhamente no caso, foi apoiado por Mem de Sá, de cujas convicções liberais e privatistas eu não duvidava.

Afonso Arinos foi, sem dúvida, o mais articulado crítico do texto constitucional, em seis discursos, cinco deles proferidos no Senado, entre 14 e 20 de dezembro de 1966, e o último em sessão do Congresso em 16 de janeiro de 1967. Arinos distinguia apropriadamente, citando exemplos históricos particularmente referentes ao constitucionalismo francês, os dois tipos de constituição — a "Constituição Suma" e a "Constituição Instrumento". Aquela, cujo exemplo típico seria a Constituição da Terceira República na França, estabelece simplesmente os lineamentos do Estado. Já as "Constituições Instrumento" incorporam reivindicações e exigências da sociedade, o que as torna necessariamente transitórias. No caso francês, teria havido "Constituições Instrumento" nas diversas etapas de transformação do Estado — Revolução, Restauração, Império e República — e uma "Constituição Suma", a da Terceira República. O Brasil, prossegue ele, também conhecera os dois tipos: "Constituição Instrumento", em 1926 e 1937; "Constituição Suma", em 1891 e 1946. No ver dele, a Constituição em 1967 seria tipicamente instrumental, "produto passageiro de uma dinâmica revolucionária em movimento". Curiosamente, Afonso Arinos contribuiu para agravar o caráter instrumental do texto. É que insistia em explicitar no texto constitucional o monopólio da Petrobrás. Argüi com ele de que se tratava de idéia absurda; o petróleo é apenas um combustível, cuja importância pode declinar com o curso do tempo, não devendo figurar portanto num texto constitucional com dignidade catedralesca. Aliás, objetava eu, a Constituição de 1967 estava ameaçada de se tornar uma constituição mercadológica, talvez a única no mundo, por se referir especificamente a dois produtos: um deles era o próprio monopólio do petróleo, e o outro, o papel de imprensa, assuntos ambos que a meu ver deveriam ser tratados em lei ordinária.

Lembro-me, a propósito, que fiz uma viagem especial a São Paulo, principalmente para tentar estabelecer um pacto de não-agressão entre Castello Branco e Júlio de Mesquita Filho, o editor do jornal *O Estado de São Paulo*, mas também para angariar seu apoio ao texto constitucional. O estremecimento de relações entre Júlio de Mesquita Filho e Castello Branco parecia-me uma tragédia nacional, e não um simples conflito de personalidades. Ambos eram lídimos democratas, com convergência de concepções, mas divergência de enfoques.

— A Revolução foi traída — dizia o dr. Júlio. Castello não empreendeu a verdadeira purificação revolucionária que exigiria a ablação do Congresso, irremediavelmente contaminado pelos miasmas do getulismo, do janguismo e do adhemarismo. Como dar aos anti-revolucionários a atribuição de legislarem sobre a Revolução? Não nego porém que o presidente Castello, além de ser o melhor dos nossos militares, é uma grande personalidade.

Para Castello, de outro lado, era objetivo prioritário marcar a diferença entre a Revolução brasileira e uma quartelada ditatorial sul-americana. A imagem externa do país exigia um mínimo de continuidade nas formas constitucionais. Internamente, a cirurgia deveria ser confinada aos casos incontestes de subversão e corrupção. A demagogia e o clientelismo, tão grande e corretamente estigmatizados pelo *Estadão*, tinham que ser curados por uma lenta reconstrução do tecido político, através de uma reeducação da classe política e não por um processo de cauterização.

Aproveitei a oportunidade da discussão do texto constitucional para, mais uma vez, tentar uma reaproximação entre o dr. Julinho e Castello Branco. Ponderei ao dr. Júlio que seria absurdo inserir no texto constitucional uma minudência mercadológica, como a isenção de impostos para livros, periódicos e papel de imprensa. Isso deveria ser feito em nível de lei ordinária. O dr. Julio se irritou com a sugestão. Alegava que Castello e eu não havíamos experimentado na carne as amargas peripécias da luta política e editorial contra o varguismo e janguismo. Um dos instrumentos de repressão ditatorial de Getúlio Vargas era precisamente a denegação de quotas de importação de papel de imprensa aos jornais adversários; artifício, dizia o dr. Julio, também largamente usado no México, como uma forma especialmente eficaz de censura. Nessas condições, ou se inscrevia essa isenção no texto constitucional, ou não poderíamos contar com o *Estadão* para apoiamento da nova Carta Magna.

A outra contenda, a que me referi acima, foi com Afonso Arinos sobre o monopólio da Petrobrás. Argumentei que estranhava que um eminente constitucionalista quisesse provocar uma tal poluição do texto e argumentei que, a prevalecer essa tese abstrusa, os constituintes de Filadélfia, em 1787, teriam mencionado a lenha em seu digno texto, e as constituições emergentes das revoluções européias de 1848 teriam mencionado o carvão. Enquanto as constituições devem ser desenhadas *sub specie aeternitatis*, a importância dos combustíveis é variável no tempo e no espaço.

O assunto acabou sendo discutido num pequeno comitê que Castello criara (a) Para examinar o texto antes de sua apresentação ao Congresso, em 12 de dezembro, e (b) Para analisar posteriormente as emendas apresentadas ao projeto global relatado favoravelmente pelo relator Antônio Carlos Konder Reis em 16 de dezembro de 1966.[343] Participavam desse pequeno comitê Krieger, o líder no Senado; Raimundo Padilha, o líder da ARENA, na Câmara; Pedro Aleixo, presidente da Comissão Mista Especial, criada no Congresso para análise da Constituição; o senador Konder Reis, designado para relator e eu próprio, com ocasional participação de

---

[343] Quase às vésperas da convocação da Constituinte, houve uma séria ameaça de descarrilhamento do processo legislativo, em virtude de incidente com o presidente da Câmara, Adauto Lúcio Cardoso. Este, no intuito de proteger os privilégios legislativos, se rebelara contra a cassação, em 12 de outubro de 1966, de seis deputados federais (inclusive Doutel de Andrade, líder do PTB), cujos processos haviam sido concluídos. Alegava Adauto Lúcio Cardoso que Castello havia assumido o compromisso de não mais aplicar os artigos 14 e 15 do Ato Institucional n? 2, que restaurara o poder de cassação, compromisso que Castello declarara não ter assumido, e que nem poderia assumir sem grave fissura no dispositivo revolucionário. O presidente da Câmara, com o seu ânimo combativo, que Sandra Cavalcanti descrevia como "o de um D'Artagnan moderno", convocou a Câmara dos Deputados, esperando mobilizá-la para uma contestação. Não obteve quorum, em virtude da aproximação das eleições legislativas, nem havia no Congresso o ânimo contestatório por ele esperado. Houve várias tentativas infrutíferas de conciliação, por parte de Luís Viana Filho, Raimundo Padilha e Pedro Aleixo. Castello se viu obrigado, muito a contragosto, a decretar o recesso do Congresso por um mês, pelo Ato Complementar n? 23, de 20 de outubro. Foi encarregado da delicada missão de fechamento do Congresso, com um mínimo possível de atrito, o coronel Meira Mattos. Lembro-me de que o deputado Célio Borja e eu, preocupados em evitar obstáculos à reconstitucionalização do país, por uma Constituição votada e não outorgada, buscamos parlamentar com Adauto, com o consentimento de Castello Branco, com vistas a pôr termo ao incidente e criar condições para a reconvocação do Congresso. Tivemos três reuniões com Adauto, então já um pouco mais conciliador, seja pela percepção de pouco apoio na Câmara, seja pela magra votação com que foi reconduzido à Câmara como deputado pelo Rio de Janeiro, nas eleições legislativas de 15 de novembro. O Congresso foi reconvocado pelo Ato Institucional n? 4, de 7 de dezembro, para a "discussão, votação e promulgação do projeto de constituição apresentado pelo presidente da República". Mas Adauto, sentindo-se desprestigiado pela Mesa da Câmara no episódio das cassações, insistiu em renunciar à presidência dessa Casa. Num ato de nobreza, Castello Branco, em janeiro de 1967, ainda durante as discussões da nova Constituição, convidou Adauto para juiz do Supremo Tribunal Federal. "Criou-me dificuldades" — disse Castello — "mas é um bom jurista e corajoso na defesa de seus princípios." Por coincidência, eu estava na sala de Geisel, no palácio Laranjeiras, quando Castello lhe anunciou essa decisão, pelo telefone. Foi a única vez em que ouvi o habitualmente sisudo general soltar um palavrão, ante o que lhe parecia uma absurda generosidade de Castello, pouco condizente com as exigências da *realpolitik*.

Luís Viana Filho e Filinto Müller. Nesse pequeno comitê, dois tinham um privilégio especial — Krieger e eu — únicos aos quais, sabendo-nos devotos do licor escocês, Castello mandava servir whisky.

Várias emendas foram apresentadas pelo Congresso, tendentes a reafirmar na Constituição o monopólio da Petrobrás. A pior de todas, pois que estendia o monopólio à industrialização do petróleo, o que teria estatizado toda a indústria petroquímica, foi a apresentada pelo deputado fluminense Adolfo de Oliveira. A emenda de Teódulo de Albuquerque e Afonso Arinos era descrita por Castello como "menos inconveniente". Entre as anotações de Castello para a reunião figura a seguinte:

"A emenda 883/14 é vaga e abre caminho a possíveis medidas desatinadas. Alcança até bomba de gasolina. A emenda anteriormente estudada (Teódulo — A. Arinos Filho) é menos inconveniente em sua redação. A pesquisa e a lavra do petróleo no território nacional constituem monopólio da União. O melhor seria manter a Constituição de 46, que nada fala sobre o assunto. Se isso não for possível, o que deixo ao entendimento das lideranças, faça-se força para aprovação da emenda Teódulo — Arinos."

Pesou a favor da emenda Arinos a opinião de Krieger. Este argüiu que, se não havia intenção de se eliminar o monopólio do petróleo, não havia também mal em inseri-lo na Constituição. Retruquei que não havia intenção de revogar numerosas leis em vigor, o que não justificaria entretanto sua consagração no texto constitucional. Castello achou todavia que não conviria abrir uma briga com certos setores da UDN, absorvidos pela ARENA, cujo voto seria importante. Conquanto não simpatizasse com a idéia do monopólio, ele não se sentia em condições políticas, ou sequer militares, para enfrentar o assunto. Costumava dizer que para se eliminar o tabu do monopólio seria necessário um longo esforço de reeducação dos militares que, falaciosamente, associavam a idéia de monopólio a exigências de segurança nacional, quando na realidade o contrário acontecia. Ao retardar o fluxo de capitais para a exploração petrolífera local, criava-se adicional insegurança, pois nosso abastecimento ficaria na dependência de suprimentos extracontinentais, carregados por via marítima e portanto sujeitos à vulnerabilidade submarina.

Fui assim duplamente derrotado; não consegui excluir da Constituição nem a menção à isenção de impostos para o papel de imprensa, nem o monopólio do petróleo, tornando-se assim a nossa Constituição ridiculamente mercadológica. Isso viria, aliás, a ser piorado mais tarde, pois a Constituição de 1988 expandiria o monopólio da pesquisa e lavra para cobrir cinco outros aspectos da atividade petrolífera.

Outro ponto acerbamente debatido em ríspida controvérsia entre Daniel Krieger e o ministro da Justiça Carlos Medeiros referia-se ao capítulo dos direitos e garantias individuais. Também nesse capítulo foi importante a influência de Afonso Arinos. Em sucessivos discursos no Senado, fez ele acerbas críticas às imperfeições do texto produzido pelo ministério da Justiça, chegando mesmo a dizer que:

"O projeto da Constituição é de uma indigência total, de uma afrontosa ineficiência. Acredito, mesmo, que não exista texto constitucional na história do país, nem mesmo texto de uma legislação importante e significativa, que seja tão mal redigido quanto o projeto que temos em questão."

Uma de suas objeções, que eu achava grotesca, era atribuir ao texto um excessivo liberalismo econômico, em contraste com o autoritarismo político.

— O estatismo — dizia ele — sufoca as liberdades políticas ao mesmo tempo que protege a livre empresa econômica.

A meu ver, uma doença de que o Brasil nunca sofrera era o excesso de liberalismo econômico. Nossa tradição jurídico-econômica sempre foi intervencionista. Sem dúvida a Constituição de 1967 visava a criar um Executivo forte. Mas isso era um corretivo natural para os impasses legislativos anteriores. O impasse legislativo era tipificado pelo fato de que, por exemplo, três das grandes reformas que acabaram sendo efetuadas no governo Castello Branco — a reforma bancária, a reforma agrária e a reforma administrativa — tinham jazido por mais de uma década no útero legislativo.

No tangente ao capítulo dos direitos e garantias individuais, a versão Carlos Medeiros enunciava os direitos de forma sumária, remetendo-se à lei ordinária os termos em que os direitos e garantias individuais seriam exercidos. Afonso Arinos persuadiu Krieger a especificá-los no texto constitucional, para ficarem ao abrigo de restrições votadas por eventuais maiorias parlamentares. Krieger solicitou a Afonso Arinos que redigisse ele próprio esse capítulo e persuadiu Castello Branco a aceitá-lo. Curiosamente, apesar das críticas de Afonso Arinos às "Constituições Instrumento", menos duráveis que as "Constituições Suma", ele contribuiu apreciavelmente para que a Constituição de 1967 adquirisse as características minudentes das "Constituições Instrumento". O texto mais enxuto de Carlos Medeiros aproximava-se mais do conceito de "Constituição Suma". O capítulo IV do título II da Constituição de 1967, "Dos Direitos e Garantias Individuais", complementado depois pelo art. 158 do título III, abrange um vasto elenco de "direitos sociais", muito ao sabor das constituições dirigentes que prosperavam no Ocidente, a partir da Constituição da República de Weimar, de 1919. Como apontei a Castello, alguns direitos levavam a utopia ao ponto da anedota, como o item XIX, que assegura aos trabalhadores: "Colônias de férias e clínicas de repouso, recuperação e convalescença, mantidas pela União, conforme dispuser a lei ...

Longe estava eu de imaginar que, anos mais tarde, a Constituição de 1988, incrementando a utopia, nos daria a todos "direito ao meio ambiente ecologicamente equilibrado".

A história é fértil em ironias. A Constituição de 1967, piorada consideravelmente pela Emenda Constitucional n.º 1, de 1969, que a tornou mais autoritária e mais casuística, fora desenhada para assegurar a implantação de uma economia não-inflacionária, com um viés privatista. Todavia, tanto a inflação como o estatismo viriam a agravar-se a partir da era Geisel. O patamar inflacionário anual passaria de menos de 20%, no fim do governo Médici, para mais de 200% quando se encerrou o ciclo militar, em 1985! E houve uma enorme proliferação de empresas estatais. *Homini volent... fata nolent!*

O TRIPÉ
DA SEGURANÇA

Castello queria legar ao seu sucessor um país reconstitucionalizado e a "Revolução" consolidada. Nos últimos dias de governo, concentrou-se no que ele chamaria de "tripé de segurança": a própria Constituição, suplementada pela Lei de Segurança e pela Lei de Imprensa. Esta foi enviada ao Congresso quando ainda estava sendo votada a Constituição, enquanto a Lei de Segurança se transformou em decreto-lei, baixado a 13 de março, no antepenúltimo dia do governo. Castello falhara no seu desejo de, além do estado de sítio, figura constitucional convencional, aplicada a situações excepcionalmente graves, criar uma figura intermediária — o estado de emergência — inspirado no art. 16 da Constituição de De Gaulle. Seriam poderes mais limitados, porém mais ágeis que os do estado de sítio, que teria de ser decretado somente após a autorização do Congresso. Não encontrou clima para isso entre os constitucionalistas do Congresso. Especulou-se mais tarde que a figura do estado de emergência, se aprovada à época, poderia ter sido instrumentação suficiente para evitar as medidas mais dramáticas que viriam com o Ato Institucional nº 5, em dezembro de 1968, e a Emenda Constitucional nº. 1, de outubro de 1969, provocados pelo surto de terrorismo e a ameaça política da Frente Ampla, que Lacerda articulara com a participação relutante de Kubitschek e Goulart.[344]

---

[344] O termo "estado de emergência" já havia figurado na Constituição de 1937, mas Castello Branco, segundo o projeto originariamente preparado pelo ministro Carlos Medeiros da Silva, fê-lo ressurgir sob a inspiração do art. 16 da Constituição francesa de 1958, redigido pessoalmente por De Gaulle. Representaria talvez a solução jurídico-institucional para habilitar o Executivo a enfrentar situações como a do terrorismo, sem o trauma extremo do Ato Institucional nº. 5, que constituiu solução aberrante do sistema constitucional. O "estado de emergência" diferiria do "estado de sítio" em que não teria limitação temporal explícita nem pressuporia ratificação do Congresso, permitindo outrossim maior latitude de poderes. Na Constituição francesa, ele é instaurado pelo presidente da República, ouvidos o primeiro-ministro, os presidentes das Assembléias e o Conselho Constitucional. No projeto brasileiro, criava-se a figura de um colégio convocado, pois que, previamente à decretação da emergência, o presidente ouviria o Conselho de Segurança e ainda os presidentes da Câmara e do Senado e os respectivos líderes de maioria, o presidente do Supremo Tribunal Federal, o ministro da Justiça e os ministros militares, reportando ao Congresso *a posteriori* sobre a execução das medidas de emergência. Haveria assim uma espécie de "legitimação prévia", por um conselho dos três poderes, das atribuições discricionárias dadas ao Executivo, naqueles casos em que a ameaça à ordem pública extravasasse das definições convencionais de "comoção intestina" ou "guerra externa". Cogitava-se em particular de ameaças à prática das instituições, oriundas de fatores de subversão, ou seja, o terrorismo e a "guerra revolucionária". Essas modalidades de contestação atingiram seu ápice na segunda metade de 1968, claramente evidenciadas nas passeatas estudantis, na excitação clerical e na radicalização terrorista. Tudo teve lamentável desfecho com o retrocesso político representado pelo Ato Institucional nº. 5, de dezembro de 1968.

O projeto de Lei de Imprensa foi submetido ao Congresso simultaneamente com a nova Constituição, tendo como relator na Câmara o deputado Ivan Luz, do Paraná. O debate, tanto no Legislativo como na mídia, foi acirrado. Dois de meus amigos, Austregésilo de Athayde e Júlio de Mesquita Filho, foram desabridos em sua oposição. Tive ocasião de verificar que, em grande parte, a oposição se baseava numa *ignoratio elenchi*. Como sempre acontece quando o debate se passionaliza, poucos haviam feito uma análise comparativa da lei antiga, que tornara inócuos os processos de responsabilidade, e a lei nova, que agravava as penas, impedindo, como dizia Gustavo Corção, a transformação da "extorsão numa espécie de rotina jornalística".

A nova lei, em compasso com os tempos, ampliara a cobertura legal para abranger também a radiodifusão. A ela foram apresentadas no Congresso 363 emendas. Acabou sendo aprovada em 9 de fevereiro de 1967.

Tive ocasião de verificar essa *ignoratio elenchi* ao comparecer a uma entrevista na TV *Globo*, em fevereiro de 1967. Como eu receava, em vez de o debate se concentrar em minha área específica — a economia — espraiou-se pela questão da liberdade de imprensa. Preguei aos jornalistas uma armadilha. Li um trecho da lei antiga, como se fosse a nova, e recebi uma saraivada de protestos. Pude então tripudiar sobre os adversários.

— Um requisito essencial do debate honesto é conhecer os termos do problema. Ao confundir a lei antiga com a lei nova os jornalistas demonstram não ter lido nem uma nem outra. Falam a partir de uma 'ignorância especializada', expressão que costumava usar o velho mestre Gudin.

Aprovada pelo Congresso em fevereiro, a Lei de Imprensa só entraria em vigor no dia 14 de março, último dia do governo. Assim, durante todo o período de Castello Branco, vigorou a lei antiga e foi ampla a liberdade de imprensa. Essa era uma das características que Castello gostava de enfatizar para diferenciar o autoritarismo transicional de uma ditadura convencional.[345]

O interesse de Castello numa Lei de Segurança, afinal baixada pelo decreto-lei n.º 314, também do último dia do governo, era atualizar a definição de "segurança nacional", em vista do novo contexto mundial da guerra fria, em que infiltração e subversão ideológica interna substituíram a agressão externa como instrumento de conflito. Elaboraram-se definições mais precisas de "segurança interna", "guerra psicológica" e "guerra revolucionária".

---

[345] Foi substancialmente mantida a liberdade de imprensa da Constituição de 1946, com duas ressalvas: a) não seria "tolerada a propaganda de guerra, subversão da ordem ou de preconceito de raça ou classe", e b) seria vedado aos cassados manifestarem-se sobre assuntos de natureza política, sendo penalizável não só o infrator mas o veículo utilizado para a prática da infração.

Compreensivelmente, a Lei de Segurança viria a despertar objeções maiores que a Lei de Imprensa, por ferir o difícil problema dos crimes de manifestação de pensamento (ofensas, propaganda e instigação) contra a segurança do Estado. A linha divisória entre oposição legítima e subversão do regime poderia prestar-se a interpretações subjetivas. Configuravam-se como delitos a divulgação de notícias falsas capazes de pôr em perigo o nome, autoridade e crédito ou prestígio do Brasil; ofensas à honra do presidente de qualquer dos poderes da União; incitação à guerra ou à subversão da ordem político-social, à desobediência coletiva às leis, à animosidade entre as forças armadas, à luta de classes sociais, à paralisação dos serviços públicos, à propaganda subversiva; e o incitamento à prática de crimes contra a segurança nacional. Para esses tipos de delitos, o foro civil seria substituído pelo foro militar.

A Lei de Segurança só viria a ser utilizada em regimes posteriores a Castello Branco, e alguns de seus dispositivos foram agravados pelo decreto-lei nº 510, de março de 1969. Já então as tensões ideológicas se haviam intensificado, com a inquietação estudantil e surtos de terrorismo. Nessa época, várias das democracias ocidentais se viram obrigadas a medidas de emergência, pois a guerra fria atingia seu apogeu. Na Tchecoslováquia, a Primavera de Praga tivera um termo trágico, em 1968, com a invasão soviética. A França experimentara um grande susto com a Revolução estudantil de maio. Os Estados Unidos, democracia muito mais sólida, haviam transposto a fase da histeria anticomunista do macartismo, mas começavam a experimentar o agudo divisionismo do conflito do Vietnã.

Vista em retrospecto, no clima de distensão de nossos dias, a Lei de Segurança encerrava uma visão exageradamente militarista e antidemocrática do processo social. Nas condições da época, entretanto, era percebida como uma medida cautelar, de aplicação perigosa, mas inevitável, contra a perspectiva de um autoritarismo de esquerda.

A FÚRIA
LEGIFERANTE

"O Diário Oficial não será mais uma caixa de surpresas." Foi essa a expressão, algo descortês, de Hélio Beltrão, quando lhe passei, em 15 de março de 1967, a pasta do planejamento. Era um prenúncio do "revisionismo" do governo Costa e Silva em relação a seu predecessor. Referia-se Beltrão, com alguma justiça, à "fúria legiferante", acentuada sobretudo nos últimos trimestres do governo Castello Branco. Naturalmente, os castellistas preferiam descrevê-la como "ímpeto reformista".

Nos primeiros dias do governo Castello, sentíamos a síndrome rooseveltiana dos cem dias. Havia que fazer reformas aceleradamente, para se aproveitar os eflúvios do calor revolucionário, que tornavam a sociedade mais plástica para a aceitação de mudanças. Como visto anteriormente, a velocidade das reformas legislativas entre junho e dezembro de 1964 foi simplesmente espantosa.

No último trimestre do governo — janeiro a março de 1967 — a produtividade reformista voltou a intensificar-se. A explicação era diferente. De um lado, algumas reformas ficaram represadas, à espera da votação, em 24 de janeiro, da nova Constituição. De outro, suspeitava-se, com alguma vaidade burocrática, que Costa e Silva não teria a mesma coragem reformista de Castello Branco. Havia, finalmente, o propósito construtivo de "deixar a casa em ordem", otimizando as condições da nova administração.

Houve rasgos de ousadia. O novo Código Tributário, que encerrava alguns aspectos revolucionários, como a substituição do Imposto de Vendas e Consignações (IVC) pelo imposto sobre o valor adicionado (ICM), foi implantado em menos de três meses. Votado em 25 de outubro de 1966, entrou em vigor em 1º de janeiro de 1967, tendo tido suas provisões confirmadas pela nova Constituição, votada em 24 de janeiro. Basta lembrar que, na Comunidade Econômica Européia, a substituição de tributação sobre as vendas, pela sistemática do valor adicionado, foi objeto de implantação gradual, ao longo de vários anos.

Além do Código Tributário (Lei nº 5.172, de 25/10/66) e da nova Constituição, que entraram em vigor no mesmo mês, em janeiro de 1967, foram passados, no primeiro trimestre de 1967, os seguintes instrumentos legais importantes:

— Lei de Imprensa	(Lei nº 5.250 de 9/2/67)
— Criação de incentivos para o mercado de capitais	(Decreto-lei nº 157, de 10/2/67)
— Reforma administrativa	(Decreto-lei nº 200, de 25/2/67)
— Código de Mineração	(Decreto-lei nº 227, de 28/2/67)
— Reforma da tarifa das alfândegas	(Decreto-lei nº 264, de 28/2/67)
— Criação da Zona Franca de Manaus	(Decreto-lei nº 288, de 28/2/67)
— Criação do Instituto Brasileiro de Desenvolvimento Florestal	(Decreto-lei nº 289, de 28/2/67)
— Lei de Segurança Nacional	(Decreto-lei nº 314, de 14/3/67)

A maioria dessas reformas já foi objeto de análise específica em outros capítulos. Resta comentar dois aspectos. A reforma da tarifa das alfândegas foi um prosseguimento da tendência liberalizante que começara, ainda no governo Kubitschek, com a Lei nº 3.244, de 14 agosto de 1957, na qual eu havia trabalhado intensamente. Essa lei substituiu as tarifas "específicas" por taxas *ad valorem*, e permitiu a simplificação do sistema cambial, reduzido este a duas categorias — a geral e a especial. Seguiu-se-lhe um esforço de flexibilização tarifária, já no governo Castello Branco, com o D.L. nº 63, de 21 de novembro de 1966. O passo final foi o DL nº 264, de 28 de fevereiro de 1967, que reduziu todas as alíquotas de importação, baixando-se a taxa máxima de 120% para 100% e eliminando-se a tirania dos despachantes aduaneiros, cuja utilização se tornou facultativa.

A criação do Instituto Brasileiro de Desenvolvimento Florestal resultou de um novo enfoque do problema madeireiro, em que começavam a sobressair preocupações ecológicas de renovação florestal. O antigo Instituto Nacional do Pinho enfocava a economia florestal basicamente sob a ótica da exploração. Em 23 de fevereiro, promovi a criação de um grupo interministerial, composto de representantes dos ministérios do Planejamento, Fazenda, Agricultura e Indústria e Comércio, com o objetivo de propor uma "política racional e dinâmica de florestamento e reflorestamento intensivo, de natureza quantitativa e qualitativa". O grupo foi presidido por Joaquim de Carvalho, do ministério do Planejamento. Como resultado desses trabalhos, foi criado, no mês seguinte, o IBDF, que absorveria, com enfoque mais acentuadamente ecológico, as débeis atividades anteriormente exercidas pelo Instituto Nacional do Pinho, pelo Departamento dos Recursos Naturais Renováveis e pelo Conselho Florestal Federal do ministério da Agricultura.

O IDBF deveria orientar sua ação basicamente no sentido do florestamento e reflorestamento, em vez de ater-se apenas ao "fator secundário da comercialização". No decreto-lei nº 289 (art. 3º, III e IV), menciona-se, além do florestamento e do reflorestamento com fins econômicos, o florestamento e reflorestamento com fins *ecológicos*, turísticos e paisagísticos.

No mesmo dia em que era criado o IBDF (28.2.67) instituía-se, pelo Decreto nº. 303, o Conselho Nacional de Poluição Ambiental, que se referia ao controle de fontes de poluição industrial.

Isso indica que a preocupação ecológica tem no Brasil história mais longa do que se pensa. Sob certos aspectos, a posição brasileira na I Conferência da ONU, em 1972, sobre o meio ambiente, realizada em Estocolmo, na qual o Brasil defendeu o direito da "industrialização suja" (atribuindo a ênfase dos países ricos sobre a ecologia ao intento de retardar e encarecer a industrialização dos países pobres), marcava um retrocesso em relação ao nível de entendimento do problema alcançado cinco anos antes, no governo Castello Branco. Na minha ótica, a única opção real era entre investimentos preventivos (mais baratos) no controle da poluição e investimento corretivos (muito mais caros) na despoluição futura.

NA FUNÇÃO DE
GHOST WRITER

Eu havia colaborado, como *ghost writer*, em vários discursos de Castello, alguns dos quais importantes por implicarem definições de política. Os mais relevantes foram o discurso de paraninfia no Instituto Rio Branco, em julho de 1964, que constituiu um enunciado de política externa, com a teoria dos círculos concêntricos e a crítica das ambivalências brasileiras; o discurso de Campina Grande, em 1º de maio de 1966, que formulou a doutrina do novo trabalhismo e justificou a criação do FGTS, em substituição à estabilidade; e o discurso de inauguração do Consplan, em que se enunciou a doutrina antiinflacionária do governo.

Habitualmente eu preparava um texto básico, ao qual Castello fazia adições pessoais, enquanto que Luís Viana Filho, arrendondava meu estilo anguloso e expurgava cacoetes de economês.

No último trimestre do governo, intensificaram-se também minhas atividades de *ghost writer*. Preparei os dois principais pronunciamentos de Castello: o discurso sobre "Desenvolvimento e Segurança", pronunciado como aula inaugural na Escola Superior de Guerra em 13 de março de 1967, e o seu discurso de despedida e prestação de contas na última reunião de gabinete, em 14 de março.

O discurso sobre Desenvolvimento e Segurança teve, como queria Castello, uma temática abrangente:

• A mútua causalidade entre desenvolvimento e segurança;
• O novo equilíbrio do terror, na era atômica;
• Os constrangimentos inflacionários ao dispêndio de segurança;[346]

---

[346] Castello enunciou a tese de que o dispêndio de segurança, num país subdesenvolvido, não deveria exceder, em condições normais, de 1 a 2% do PIB. Das três opções que o ministério do Planejamento lhe apresentava: a) Orçamentos militares estáveis em termos reais; b) Orçamentos militares crescentes na mesma proporção do PIB; c) Orçamentos crescentes, mas em proporção declinante do PIB, Castello havia escolhido precisamente a primeira, que era a opção mais austera. Se o volume dos recursos, concluía ele, devotados à segurança se chocasse com ambições inflexíveis de outros setores, agravar-se-ia a pressão inflacionária, face à qual se poderiam visualizar três atitudes: a) Acomodação à pressão inflacionária; b) Mascaramento da inflação, através de racionamento e controle de preços, ou c) Planejamento para a estabilização. Esta última opção, perseguida através da disciplina de gastos e maior eficiência tributária, tinha permitido baixar-se o déficit global de 4% do PIB em 1964 para cerca de 1% em 1966, totalmente financiado sem emissão de moeda.

- Os constrangimentos cambiais;
- A segurança continental e o balanço de poder mundial;[347]
- A questão do nacionalismo;
- A estrutura federativa sob o ângulo de segurança;
- Democracia e demagogia.

No tocante a este último tópico, Castello se preocupava, numa alusão às teses do sociólogo Albert Hirschman, em identificar o problema do hiato existente nas sociedades subdesenvolvidas entre "motivação" e "entendimento".

Sobre esse hiato, no qual se radica a diferenciação entre o "democrata" e o "demagogo", assim se pronunciou Castello:

> "Nas sociedades subdesenvolvidas, ... a motivação para resolver problemas excede de muito o conhecimento técnico e a capacidade prática para escolher e aplicar soluções adequadas.... Esse contexto de frustração é propício ao surgimento de dois protagonistas funestos para o sadio desenvolvimento democrático....: um é o demagogo, que promete resolver todos os problemas, apelando para fórmulas mágicas que trariam soluções integrais e rápidas. Outro é o extremista, que renuncia ao penoso esforço das soluções de melhorias, que por sucessivos incrementos remedeiam os males sociais. O radicalismo ideológico simplifica barbaramente a realidade; se o problema é de luta de classes, escolhe-se uma classe eleita e eliminam-se as outras; se o problema é conter o consumo para acumular capital, escraviza-se o consumidor, transferindo todos os recursos para as mãos do Estado; se o problema é o divisionismo político, estabelece-se a ditadura do partido, e quando este perde o seu fervor, fazem-se expurgos e revoluções culturais."[348]

O último dos discursos de Castello Branco, na reunião do gabinete, de 14 de março de 1967, no dia final do governo, ficou conhecido como o "discurso dos impasses".[349] O *leitmotiv* era que "na maré montante das crises do Brasil de 1964, somente de crises, não havia crises". Castello havia recebido uma safra de impasses. Deixaria o governo com um elenco de opções.

No texto que preparei para Castello, mencionava o impasse *fiscal*, com solução encaminhada através do novo Código Tributário; o impasse *cambial*, resolvido pela consolidação da dívida externa e acumulação de reservas cambiais; o impasse

---

[347] Para o constrangimento cambial havia que rejeitar as "soluções paliativas". A solução eficaz seria a adoção de taxas cambiais realistas. Os paliativos seriam a) progressivo endividamento; b) controles cambiais; c) ênfase sobre acordos bilaterais de troca (com perda de eficiência).

[348] Humberto de Alencar Castello Branco, *Discursos*, 1967, Secretaria de Imprensa da presidência da República, p. 53-69.

[349] Idem, ib, p. 70-85.

habitacional, a cuja solução se destinaria o SFH; o impasse da política *mineral*, objeto do Código de Mineração; o impasse *rural*, para o qual fora votado o Estatuto da Terra; o impasse nos serviços de *infraestrutura*, corrigido pela verdade tarifária nos serviços públicos; o impasse de *política internacional*, que se originava na estratégia do medo e na tática do oportunismo: "fazíamos a gesticulação da independência, enquanto mendigávamos empréstimos e recusávamos os austeros sacrifícios que a independência exige".

A essa abundante safra de impasses, Castello acrescentou mais três: o impasse *sindical*, o impasse *militar* e o impasse *estudantil*.

Castello redigiu pessoalmente, com a colaboração de Luís Viana Filho, as passagens referentes às reformas políticas: a Lei Eleitoral, o Estatuto dos Partidos e a nova Constituição. Sua análise da perversão da ética política, que encontrara no início do período revolucionário, é de extraordinária atualidade, indicando que o país aprendeu pouco e desaprendeu muito.

"A pluralidade partidária passou a ser promiscuidade partidária; os programas dos partidos perderam seu sentido de compromisso dos representantes para com os representados; e a indisciplina partidária ameaçava converter a tarefa do governo, de um esforço racional de persuasão, numa transação de interesses pessoais."

E passou a verberar os vícios de comportamento político e administrativo prevalecentes à época e, infelizmente, contumazes ainda hoje.

"As soluções *demagógicas*, que, por perseguirem objetivos antagônicos, sacrificam o desenvolvimento futuro em busca de popularidade imediata; as soluções *ditatoriais*, que adiam problemas sob a pretensão de resolvê-los; e as soluções *utópicas*, aparentemente sedutoras, por encerrarem questões que são, no fundo, de produção e produtividade, como se fossem problemas de repartição e caridade."

O dia seguinte, 15 de março, marcaria o fim de uma longa e dura jornada. Castello estava comovido e era comovente. Tinha sido um navegador sereno no estuário das paixões revolucionárias, transformando o que poderia ser uma quartelada latino americana numa revolução modernizante:

"Não quis nem usei o poder como instrumento de prepotência. Não quis nem usei o poder para a glória pessoal ou a vaidade dos fáceis aplausos. Dele nunca me servi. Usei-o, sim, para salvar as instituições, defender o princípio da autoridade, extinguir privilégios, corrigir as vacilações do passado e plantar com paciência as sementes que farão a grandeza do futuro."

A DESPEDIDA

Era uma tarde chuvosa do verão de Brasília. Prenunciava-se uma tempestade. Deixei com Bulhões o palácio do Planalto. Era tempo de balanço. Sentíamos um enorme cansaço, mas tínhamos consciência do dever cumprido. Bulhões sofria mais que eu da frustração da tarefa incompleta. Seu fervor maniqueísta era reduzir a inflação brasileira a níveis europeus. Receava, com razão, que o novo governo não resistisse à tentação de reativar prematuramente a economia. Falava-se em "humanização da política" e retomada do crescimento. Cessada a inflação corretiva pela atualização das tarifas públicas, sanado o déficit fiscal pelo novo sistema tarifário e superada a crise cambial, a inflação poderia, acreditava ele, baixar rapidamente, se houvesse um pouco mais de perseverança na dieta de austeridade.

— Nunca — dizia Bulhões — tínhamos chegado tão perto de extirpar de vez nossa cultura inflacionária.

Quando visitei Costa e Silva, em janeiro, a pedido de Castello Branco, para explicar-lhe os capítulos econômicos da nova Constituição, mencionei-lhe que duas coisas seriam importantes: atrairmos investidores, o que exigiria darmos à comunidade internacional uma percepção de continuidade, e resistirmos à tentação de reflacionar rapidamente, para não perdermos a oportunidade de eliminar os resíduos da nossa cultura inflacionária. Para completar essas tarefas, disse-lhe, ninguém melhor que Bulhões, não contaminado como eu pela odiosidade das medidas restritivas.

— Bulhões seria um bom avalista internacional — acrescentei.

Era, provavelmente, um *faux pas*. Costa e Silva era morbidamente ciumento de qualquer coisa que lhe parecesse uma tutela do grupo castellista. Respondeu-me apenas que planejava substituir todo o ministério.[350]

---

[350] Na interpretação de Daniel Krieger, minha intercessão a favor do Bulhões teria sido contraproducente, excitando uma revolta latente de Costa e Silva contra a tutelagem de Castello. Segundo Krieger (op. cit., p. 265-266), Castello lhe havia sugerido apresentar a Costa e Silva duas recomendações, que não desejava fazer pessoalmente: Bulhões no ministério da Fazenda e um comando para o general Ernesto Geisel. Costa e Silva teria concordado, mudando subseqüentemente de opinião em relação a Bulhões, alegando que "fora procurado por Roberto Campos, que lhe alvitrara uma declaração, antecipando o nome do ministro, sob pena dele ser mal recebido na visita aos Estados Unidos". E continua: "Costa e Silva recebeu a advertência do ministro do Planejamento como uma imposição à qual não poderia submeter-se." O teor da minha conversa com Costa e Silva foi diferente e certamente inexistiu qualquer menção a uma atitude internacional negativa, caso Bulhões não fosse nomeado. Acredito mais correta a versão do general Jaime Portela, de que Costa e Silva pretendia de qualquer maneira adotar a política de renovação total do ministério. O general Portela assim relata o episódio: "Mais tarde, quando regressou de viagem, foi certo dia

Enquanto eu sentia em Bulhões uma nota de frustração, para mim o momento era o da "alegria da chegada", a que se referia santo Agostinho na *Cidade de Deus*:

"Há maior alegria" — dizia o bispo de Hipona — "quando se conclui alguma coisa do que quando se começa... O coração não canta vitória pelo que começa, mas pelo que termina."

No discurso de transferência do cargo a Hélio Beltrão, na tarde do dia 15, acentuei que o planejamento, tal como eu o concebera, no contexto de uma sociedade democrática, é um planejamento de moldura, executivo no tocante ao setor público, mas apenas *indicativo* no tocante ao setor privado. Não seria um episódio, e sim um processo. Não um decálogo e sim um roteiro; não um exercício matemático e sim uma aventura calculada, exigindo uma esquisita mistura de prudência e inconformismo.

O Brasil, nos mil dias do governo Castello Branco, passara a enfrentar seu "momento da verdade". Nesse processo, às vezes penoso porém nunca inútil, de reencontro com a verdade, fora necessário modernizar instituições e modificar atitudes viciadas; a atitude *imediatista* do produtor sempre pronto a transferir custos, e omisso na busca de produtividade; a atitude *fatalista* do consumidor, resignado à alta de preços e desestimulado na poupança; a atitude *acomodatícia* do governo, sempre pronto a ampliar sua área de ação, sem estoque de capacidade administrativa para fazê-lo, mais eficaz no dispêndio que na coleta de tributos, mais propenso a inflacionar que a economizar; a atitude *comodista* do político, sempre pronto a desfrutar a popularidade das obras sem a impopularidade do amealhamento de recursos.

Hélio Beltrão havia anteriormente vocalizado queixas contra o excessivo aperto de crédito para o setor privado, e a obsessiva priorização do combate à inflação sobre o objetivo alternativo de retomada do crescimento. Revidei delicadamente com uma advertência:

"Todo o mundo gostaria de atingir um máximo de desenvolvimento, com um mínimo de inflação. Mas aqueles que pensarem que é possível afrouxar no combate à inflação, para estimular o desenvolvimento, acabarão tendo mais inflação que desenvolvimento, pois como disse de certa feita Nikita Kruschev, 'é ilusão botar o gato na cozinha, na esperança de que ele apenas engula o rato, sem lamber o leite'."

procurado pelo sr. Roberto Campos, no seu escritório da Av. Nossa Senhora de Copacabana, que conversou sobre a execução da política econômico-financeira, numa exposição excelente, bem peculiar ao seu valor. No decurso da palestra, lembrou-lhe ser conveniente manter o dr. Bulhões no ministério da Fazenda para dar continuidade ao trabalho por ele realizado. O marechal respondeu-lhe que não havia decidido sobre o ministério, mas que não era de sua intenção a permanência de qualquer ministro." Ver Jaime Portela de Mello, *A revolução e o governo Costa e Silva*, Rio de Janeiro, Guanabara, 1979, p. 389.

Mencionei que, segundo o preceito bíblico de multiplicar os tributos recebidos, estava transferindo ao meu sucessor uma herança muito mais rica que a recebida. Além de deixar institucionalizado o núcleo central do ministério do Planejamento, legava-lhe três fábricas: o IPEA, como fábrica de idéias, ou seja, um laboratório de pesquisas desvinculado da angústia do quotidiano; o FINEP, como uma fábrica de projetos; o CENDEC, como uma fábrica de talentos, através do treinamento de material humano para as tarefas de desenvolvimento sustentado (que não se confunde com o desenvolvimentismo episódico e inconseqüente).[351]

No íntimo, contemplava, com secreto e pecaminoso orgulho, o desenho arquitetônico que começara três anos antes no vazio sexto andar do ministério da Fazenda, e que viria a bem servir à economia brasileira, assegurando-lhe três lustros de robusto crescimento, até a "década perdida" dos 80...

Essa matriz arquitetônica compreendia:

• O PAEG, como programa antiinflacionário emergencial;
• As grandes reformas estruturais (fiscal, bancária, administrativa, mercado de capitais etc.), como pilares do templo;
• Os planos setoriais da infraestrutura em transportes, eletricidade, aço, silos e armazéns, traçados por grupos mistos com o Banco Mundial, para absorção de tecnologias "estado da arte" (GEIPOT, Canambra etc.);[352]
• O Plano Decenal, como um imponente repositório de dados e uma tentativa de modelagem de uma estratégia de desenvolvimento de longo prazo.

Tornaram-se freqüentes, em anos recentes, interpretações equivocadas quanto ao papel do estado no regime de 1964. Fui, provavelmente, quem mais contribuiu, teórica e praticamente, para dar ao Estado a liderança do processo de desenvolvimento e modernização do país, desde a Comissão Mista Brasil-Estados Unidos, passando pela criação do BNDE, pelo Plano de Metas e, depois, pela recuperação da economia e reestruturação da base institucional do país, no governo Castello Branco. Mas o estado, como o encarava então, era um instrumento da sociedade, onde um estágio superior da racionalidade deveria permitir a utilização ótima dos

---

[351] Sob a direção competente de Og Leme, o CENDEC organizou programas de treinamento no Brasil e no exterior, que criaram uma elite meritocrática de economistas, que se tornaram esteios da administração pública ou líderes na vida empresarial. Entre os treinados no exterior figuram Carlos Langoni, Claudio Haddad e José Júlio Senna, que seriam depois, respectivamente, presidente e diretores do Banco Central. Entre os numerosos economistas mais destacados, então treinados, podem-se destacar Edy Kogut, Claudio Contador, Clóvis de Faro, Rubens de Freitas Novaes, Antônio Carlos Porto Gonçalves e Ricardo Varsano.

[352] Cheguei a discutir com o Banco Mundial a criação de um grupo misto de telecomunicações, idéia abandonada devido à oposição de setores militares a partilhar com estrangeiros o planejamento desse setor, considerado "estratégico". Na minha visão, minoritária, o "valor estratégico" se confunde com "eficiência operacional", pouco importando a natureza do agente financiador ou operador.

instrumentos globais, sobretudo na eliminação dos desequilíbrios e no desenvolvimento da infraestrutura — otimizando, também, assim, o funcionamento de um mercado amplo e competitivo.

Eu me chamava um "nacionalista de fins", diferenciando-me dos "nacionalistas de meios", massa de asnice delirante de que ainda não se livrou o país. Mas a verdade é que existia também, envolvendo militares ingênuos, um ranço das idéias autarquizantes e corporativas do fascismo, que serviriam muito bem aos interesses táticos soviéticos na guerra fria. E, sobretudo, que se prestaram às mil maravilhas para o inchaço doentio de uma "burguesia estatal" que, sob a capa do "nacionalismo" ou do "progressismo" — conforme as circunstâncias — passou a apropriar-se de parcelas cada vez maiores do excedente econômico, num fenômeno muito parecido com a formação das *nomenklaturas* nos países socialistas.

Se Bulhões tinha a frustração de não ter completado a cura da inflação, minhas duas frustrações eram diferentes. A primeira era não ter organizado nenhum programa de planejamento familiar, pois sempre considerei a explosão demográfica um fator limitativo do crescimento e incompatível com uma boa distribuição de renda. A coalizão antagonística à idéia de planejamento familiar era fortíssima na época, abrangendo a Igreja Católica, por motivos éticos; os militares, por falsos motivos estratégicos (ocupar o vazio amazônico); e os empresários, por equivocada associação entre expansão demográfica e mercado interno dinâmico.

Com a subtração da Igreja e a adição dos partidos de esquerda, coalizão negativa semelhante se opunha à extinção do monopólio do petróleo. Castello, pessoalmente, era antimonopolista, e via na Petrobrás, infiltrada por radicais de esquerda, uma constante ameaça de perversão do nacionalismo. E repetia, com lógica irrefutável:

— Se a Petrobrás é eficiente, não precisa do monopólio; se não é eficiente, não o merece.[353]

---

[353] O estamento militar era maciçamente favorável ao monopólio, por equivocadas razões de segurança nacional. Esta seria melhor servida pela conjugação de esforços da Petrobrás com capitais estrangeiros. Os ministros da área econômica no governo Castello — Bulhões, Campos, Mauro Thibau — assim como o ministro do Exterior, Vasco Leitão da Cunha, eram favoráveis à abolição do monopólio. Mas reconheciam não haver condições políticas para enfrentamento do tabu. Os ministros militares apoiavam a Petrobrás, preocupando-se apenas com a "descomunistização" e "higienização" da empresa, onde eram abundantes as evidências de corrupção administrativa. Uma visão mais matizada era a do marechal Juarez Távora, ministro de Viação e Obras Públicas. Desde a discussão do Estatuto do Petróleo, no governo Dutra, ele defendia a participação de capitais estrangeiros, que poderiam ter até 40% das ações votantes de empresas petrolíferas. Para evitar que os capitais estrangeiros se concentrassem nas atividades sem risco — refino, distribuição, transporte e petroquímica — Juarez exigia esforço proporcional de pesquisa e exploração. Era uma cautela presciente. Mais tarde, Juarez expressaria o receio de que, "com a formação da Petrobrás, a maior parte dos investimentos continuasse a fazer-se em favor da refinação e do transporte, com prejuízo da expansão da pesquisa e lavra". Foi precisamente o que aconteceu. Até praticamente a segunda crise de petróleo, em 1979, a Petrobrás subinvestiu na atividade básica de pesquisa, à busca de lucratividade em outras áreas. Ver Gilberto Paim, op.cit., p. 13.

As condições políticas, entretanto, eram tão adversas que, para não comprometer a votação da nova Constituição, o instituto do monopólio, como já foi dito, foi sacralizado no próprio texto constitucional. Era uma concessão ao nacionalismo irracional.

Castello Branco terminaria seu mandato sem o bafejo da popularidade que aceitava com resignação. Disse ele, em seu discurso final:

"Percebi ser sempre mais fácil adular o povo do que respeitá-lo. Nisso a demagogia vence e substitui a democracia, porque é mais cômodo prometer soluções e transferir problemas, do que enfrentar a impopularidade das soluções que desgostam a uns e prejudicam a outros, embora beneficiando a maioria."

Houve, sem dúvida, um déficit de comunicação popular. Tempos mais tarde, analisando comparativamente o governo Castello Branco e o de Costa e Silva, concluí que no primeiro foi razoável a comunicação com a classe *política* e bastante deficiente a comunicação *popular*. No segundo, houve maior esforço de comunicação *popular* e deterioração de comunicação *política*.

Dotado de bonomia e extroversão, Costa e Silva se aproximava mais do brasileiro médio que Castello Branco, com sua figura hierática e severa. Isso facilitava a Costa e Silva a tarefa da comunicação popular. Preocupou-se ele em divulgar a obra do governo através de um esforço dispendioso (infelizmente pouco sutil), conseguindo transmitir uma imagem otimista e dinâmica de alguns setores. Já o governo de Castello, preocupado com a *ação*, subestimava a *informação*. Havia também um certo grau de ceticismo fatalista quanto à possibilidade de popularizar a curto prazo a cruenta cirurgia econômica e política, necessária para corrigir distorções, reconstruir e mudar estruturas.

— O máximo que podemos fazer — disse-me de certa feita Castello Branco — é manter a *atenção* do povo, sem necessariamente ganhar sua *afeição*.

Em segundo lugar — e aqui a objetividade manda que eu me indicie como principal culpado — porque me faltaram, como coordenador da política econômica, qualidades expositivas, cênicas e histriônicas para a função de criar *slogans* e símbolos, capazes de transformar realidades contundentes em gratificação psicológica substitutiva.[354] De qualquer maneira, a tarefa de comunicação popular, já de si difícil, foi enormemente prejudicada pela áspera, demagógica e desinibida contestação da polí-

---

[354] Bizarramente, Carlos Lacerda acusava-me de ser, no ministério do Planejamento, bastante eficiente em minha autopromoção. Entretanto, os recursos de publicidade, os meus e os do governo em geral, eram extremamente modestos, pois Castello queria ação e subestimava a divulgação. Os resultados conseguidos no Planejamento se devem à boa qualidade da equipe de relações públicas, que incluía jovens que depois se tornaram expoentes na mídia brasileira, como Wilson Figueiredo, Walter Fontoura, Oliveira Bastos, Pedro Gomes e Nahum Sirotsky.

tica econômica da Revolução por três governadores — Carlos Lacerda (Guanabara), Adhemar de Barros (São Paulo) e Magalhães Pinto (Minas Gerais) — todos mestres na arte da comunicação popular e ansiosos por proteger sua imagem eleitoral, dissociando-se das penosas medidas corretivas, sem a responsabilidade de fornecer alternativas concretas. Falavam eles em diapasão afinado com a *mediocracia* que somos, enquanto Castello Branco pensava na *meritocracia* que deveríamos ser.

Na arte da comunicação com a classe política, entretanto, o primeiro governo revolucionário alcançou bastante êxito. Apesar de sua inapetência pela barganha política, Castello Branco empenhou-se com devota aplicação na consolidação partidária (inclusive de uma oposição responsável); na reeducação do Legislativo para suas modernas funções de veto, crítica e fiscalização; na renovação das lideranças, pelo maior fôlego financeiro e melhor campo de treinamento executivo dado aos municípios, células políticas do país. Costa e Silva, basicamente talvez melhor dotado para o diálogo político, propendia a uma interpretação militar da disciplina política, esperando dos líderes parlamentares uma eficiente voz de comando e, do partido do governo, uma obediência hierárquica, indiferente ao fato que a disciplina política não resulta da ação *comandada* e sim da negociação *consentida*. O crescente alheamento do governo em relação à classe política encorajou no Congresso a transformação de oposição em revanchismo, e retardou o processo de reeducação democrática.

Quando transmiti o cargo a Hélio Beltrão, na tarde de 15 de março de 1967, no sexto andar do velho prédio do ministério da Fazenda, no Rio de Janeiro, senti, pelo calor dos abraços ao meu sucessor, que minha partida dera uma sensação de alívio, pelo menos ao empresariado ali presente.[355] As críticas de Hélio à fúria legiferante, à severidade das restrições de crédito e à suposta voracidade fiscal do governo haviam tocado fibras sensíveis.

Quando a vasta aglomeração se precipitou para abraçar Hélio Beltrão, consegui esgueirar-me sozinho para o elevador privativo que descia à garagem. O ascensorista espantou-se com minha solidão. E murmurou: — Parece que estamos mudando de patrão, não é, senhor ministro?

Obviamente, a recomendação de Castello, nos últimos dias do governo, aos políticos que o procuravam, era fácil de obedecer, pois derivava de uma aguda percepção de psicologia político-burocrática.

— Como bons políticos, os senhores devem procurar não o sol que se põe e sim a estrela que nasce.

No fim da tarde, meu cunhado Flávio convidou-me para um drinque com Nelson Rodrigues, cujo fraseado irônico sempre me despertava bom humor.

---

[355] Ver Anexo IX, discurso de transmissão do cargo de ministro do Planejamento ao dr. Hélio Beltrão — 15 de março de 1967.

— Roberto, agora que você é ex-ministro vou lhe dar um conselho — disse-me Nelson. — Não saia de *smoking*. Nada se parece mais com um garçom que um ex-ministro de *smoking*...

O PAGADOR
DE PROMESSAS

Quis a história que eu assistisse de perto a dois governos de mil dias. Num caso, como espectador. Noutro, como ator. Fora um espectador, na embaixada em Washington, dos mil dias que as Parcas concederam a Kennedy. E, como ministro do Planejamento, fui ator no governo Castello Branco, que também durou mil dias. As situações eram naturalmente díspares, mas em ambos os casos foram profundas as transformações. A Kennedy coube acelerar o movimento em prol dos direitos civis dos negros e das minorias; buscar a cura do desemprego numa economia de crescimento viscoso; educar a nação para os novos desafios do equilíbrio do terror nuclear e da convivência com o perigo. Muito do que ele iniciou — a reforma dos conceitos fiscais, a reativação econômica, a promoção política das minorias — só viria a frutificar no período Johnson. A Castello Branco coube a restauração de uma nação em bancarrota, a reforma de instituições emperradas, a instalação de técnicas de planejamento racional. Também os frutos — o amortecimento da inflação e a retomada do desenvolvimento — se colheriam tardiamente.

Castello começara como síndico de uma massa falida. Ao contrário da imagem de ditador onipotente, era um governo de base dividida. Sofria internamente a contestação da linha dura militar e a contestação econômica de governadores como Carlos Lacerda, Magalhães Pinto e Adhemar de Barros, interessados em se dissociar das agruras do reformismo econômico. Externamente, sobrevivia à contestação ideológica das esquerdas e do poder sindical. A imprensa foi mantida livre, senão libertina, e a oposição no Congresso permanecia vigorosa na crítica à nova ordem econômica e social. Somente nos governos militares subseqüentes se intensificariam os instrumentos de repressão e se metodizaria a censura à imprensa.

Castello Branco fez a si mesmo, e pagou perante nós todos, várias promessas. A promessa de trazer a nação a um reencontro com a verdade que, como o sal na ferida, dói mas não deixa apodrecer. Buscou a *verdade fiscal*, tributando com severidade e exacionando com fidelidade; a *verdade monetária*, através da correção monetária das poupanças do público, do ativo das empresas, dos salários do indivíduo; a *verdade tarifária*, cobrando o custo real dos serviços, acrescidos de taxas de expansão para restaurar nossa capacidade de investimento em energia, transportes, telecomunicações e saneamento.

No terreno político, o reencontro com a verdade foi a nítida separação entre *democracia* e *demagogia*; entre dissenção e subversão; entre crítica de gestão e desafio às instituições. E, mais importante que tudo isso, uma redefinição realista dos poderes do Estado, para habilitá-lo a ser o executor e fiador da política de desenvolvimento e segurança. Isso exigiria um Executivo forte, um Legislativo mais ágil e mais fiscalizador, um Judiciário menos burocrático e mais moralizado.

No terreno *social*, o reencontro com a verdade impunha o reconhecimento do temporário conflito entre *acumulação* e *distribuição*. A primeira exige moderação salarial para se aumentar a capacidade de poupança do governo e das empresas; a segunda, reclama a participação imediata nos benefícios. Nenhum dilema mais que este preocupou Castello. E a solução encontrada, de preferência à demagogia salarial, foi a distribuição de benefícios indiretos — educação, habitação e saneamento — e a formação de patrimônio para os trabalhadores, mediante mecanismos de poupança forçada.

No pagamento dessas grandes promessas, Castello experimentou as angústias das "tensões da insolubilidade". E machucou-se, como todos os estadistas que atacam as questões fundamentais do subdesenvolvimento, no cabuloso trilema: como conciliar entre si a *democracia*, que estimula reivindicações e exige satisfações; a *acumulação*, que pressupõe autoridade para postergá-las e disciplina para investir; e a *distribuição*, que deseja renda e consumo no presente, sob pena de frustração e de protesto.

Porque as distorções eram profundas e porque lhe coube sindicar uma massa falida, Castello enfrentou nos seus mil dias a tarefa mais áspera do período revolucionário. Felizmente, o estudo da história lhe havia dilatado a visão das coisas, do tempo e dos homens. Isso o tornou paciente e humilde para aceitar a impopularidade; e abriu-lhe os olhos para o fato de que o desenvolvimento econômico não é uma aposta de velocidade e sim uma prova de resistência. Julgava ele menos importante a taxa imediata de crescimento que a criação de instituições e atitudes que a tornassem *sustentável*.

Nada substitui no estadista a perspectiva *histórica*. Até porque sem ela a gente se arrisca a cair numa perspectiva *histérica*. Castello decidia com serenidade, porque a história lhe havia ensinado a impermanência do sucesso, as limitações do poder, a relatividade dos desastres...

O GRANDE

DESENCONTRO

◆

UM MOMENTO DE
EMPATIA HUMANA

Só tive três conversas pessoais com Carlos Lacerda. A primeira foi em 1948, quando ele estava em Nova York, como jornalista, para cobrir a eleição do presidente Truman a pedido do *Correio da Manhã*. Gilberto Amado convidou-nos para um drinque no hotel Sherry-Netherlands. Descontraído, irônico e engraçado, Lacerda não nos deu a impressão de que, frente à máquina de escrever, ou a um microfone, pudesse se tornar possesso, com a ferocidade de um gladiador e a ira de um profeta. Ao sairmos, no frio da noite novaiorquina, disse-me Gilberto Amado: "É encantador... nos raros momentos de repouso da ambição."

Em junho de 1961, quando fui escolhido "homem de Visão", houve um jantar no hotel Glória ao qual Lacerda compareceu, visivelmente enfadado. Fui saudado por Clemente Mariani, ainda ministro da Fazenda de Jânio Quadros, e respondi com um discurso meio filosófico, meio sentimental. Lacerda dava a impressão de considerar a homenagem assaz imerecida.

Em outra ocasião, já como embaixador em Washington, ofereci-lhe uma recepção na embaixada, para a qual convidei personalidades burocráticas e políticas. Não sem algum risco funcional, pois Lacerda, como governador da Guanabara, investia furiosamente contra o presidente Goulart, de que eu, segundo as convenções diplomáticas, era representante pessoal. Além de risco, ironia, pois eram ainda recentes as feridas abertas pela selvagem vituperação de Lacerda sobre a minha atitude realista no tratamento do caso do petróleo boliviano.

Estávamos em março de 1962. Lacerda visitava Washington, onde despertava curiosidade por suas atitudes dramáticas e simpatia por sua postura anticomunista. Estava feliz naquele momento. Assinara com o BID um acordo de empréstimo de 45 milhões de dólares, que Kennedy considerava um grande passo na implementação da Aliança para o Progresso. Esse empréstimo permitiria a Lacerda a construção do sistema de abastecimento de água do Guandu que, juntamente com o túnel Rebouças e o aterro do Flamengo, comporia um tripé de obras que documentariam a capacidade realizadora do grande e desesperado tribuno.

Acompanhei-o na visita ao presidente Kennedy. Fomos introduzidos no Salão Oval por Richard Goodwin, assessor e em várias ocasiões *ghost writer* de Kennedy. Com inoportuno *sense of humour*, Goodwin apresentou-o a Kennedy dizendo que se tratava de formidável personalidade política pois, sob o vigor de suas campanhas, dois presidentes haviam renunciado e um cometido suicídio. Kennedy pilheriou: — Bem, parece-me que o senhor é um homem perigoso, mas eu não tenho medo porque nossas instituições políticas são muito estáveis.

A partir daí, a conversa foi cordial. Senti que minha presença na conversação causava certo embaraço a Lacerda pois visivelmente desejava fazer comentários sobre a infiltração comunista no governo Goulart, que sabia causar profunda apreensão em Kennedy. Não perdeu tempo em fazer críticas ao que ele imaginava ser uma "negociata" para a compra de companhias de eletricidade e telefonia americanas no Brasil.

Na realidade, as discussões sobre o assunto haviam sido apenas iniciadas e nenhum acordo firmado. Intervim na conversa para ponderar a Lacerda que o problema que lhe interessava como governador — o da Light and Power do Rio de Janeiro — envolvia interesses de uma empresa canadense e não americana. Os interesses americanos se concentravam nos problemas gerados pela encampação pelo governador Brizola das empresas americanas — AMFORP e ITT.

Sumariei o ocorrido no seguinte telegrama passado ao Itamaraty em 27 de março de 1962:

"Acompanhei o governador Carlos Lacerda, a pedido do Departamento de Estado, na entrevista com o presidente Kennedy. O governador Lacerda escreveu o prefácio da tradução portuguesa do livro de Kennedy *Estratégia da paz* e entregou ao presidente um exemplar da edição brasileira. Entregou a seguir um pequeno memorando, enfatizando 1. A importância de investimentos em educação; 2. A necessidade de início imediato ainda que em escala modesta das operações da Aliança para o Progresso sem aguardar a implantação de reformas; 3. A importância de se distinguir entre os serviços de utilidade pública que devem ser nacionalizados para evitar atritos políticos, e os demais investimentos estrangeiros, que devem ser encorajados e garantidos. O presidente Kennedy perguntou ao governador 1. Qual a tendência previsível nas eleições de outubro; 2. Se o prestígio de Fidel Castro estava em declínio na América Latina; 3. Se o desencorajante exemplo argentino (Kennedy se referia ao golpe militar que derrubara Frondizi) indicaria a imaturidade da América Latina para o difícil exercício da democracia. O governador Lacerda respondeu 1. Que havia um perigo de fortalecimento das esquerdas, o que tornava necessária a criação de confiança e esperança em melhorias sociais ativas de aceleração da Aliança para o Progresso; 2. Que a seu ver o prestígio de Fidel Castro declinara fortemente, pelo menos no Brasil; 3. Que as condições variam de país para país; tendo o Brasil uma chance de desenvolvimento democrático, por não ter a herança dos ódios peronistas. O presidente Kennedy referiu-se ao círculo vicioso que ameaça a Aliança para o Progresso, pois que para obter verbas do Congresso norte-americano é necessário exigir reformas dos países latino-americanos e essa exigência retarda e dificulta a execução de programas, além de se agravarem as dificuldades políticas de alguns governos. Reforcei este ponto de vista lembrando que paradoxalmente talvez se torne mais difícil o desembolso de fundos no sistema da Aliança para o Progresso do que na anterior administração republicana, pois que anteriormente se exigia apenas bom comportamento monetário ao passo que agora se postulam reformas. Para evitar esse curioso paradoxo de uma administração liberal tornar-se mais restritiva que uma administração conservadora, lembrei a conveniência de se precisar claramente que as reformas seriam condição concomitante e não condição prévia de auxílio. Quanto ao problema de serviços de utilidade pública declarou o presidente Kennedy reconhecer que a presença do capital estrangeiro transformava a falta de telefones e a insuficiência de energia elétrica em problemas de política internacional, sendo importante eliminar essa fonte de atrito. Aceitaria qualquer solução desde que se evitassem expropriações a preços baixos que dessem aos investidores sensação de confisco e não se intimidassem os investidores privados cuja contribuição em outros campos é desejável e útil. Dei ao presidente Kennedy conhecimento do recente discurso do presidente Goulart, que esposava a mesma linha de idéias e indiquei ser provável que o presidente Goulart apresentasse uma proposta para uma solução global do assunto. Declarou-se o presidente Kennedy sumamente interessado nessa proposta global capaz de eliminar fontes de atritos mas repetiu o apelo que esta embaixada já havia transmitido ao presidente Goulart para uma solução amigável no caso da Cia. Telefônica antes de sua vinda a Washington, o que melhoraria muito o clima no Congresso americano, problema que, como político experimentado, o presidente Goulart saberia compreender. Agradeceria ser informado com urgência se progrediram as negociações com o governador Brizola e o representante da Cia. Telefônica. Ao findar a entrevista, comunicou-me o presidente Kennedy que o Congresso norte-americano abrira exceção, derrogando resolução recente, para realizar uma sessão conjunta em homenagem ao presidente Goulart, apesar de decisão tomada há pouco, de realizar sessões isoladas de uma ou outra das Casas do Congresso, praxe adotada em virtude do grande número de chefes de Estado que visitam Washington. Questionado pelos repórteres à saída da Casa Branca, o governador Lacerda teve atitude prudente declarando que a solução parlamentarista foi a melhor possível dentro das circunstâncias, para a crise política de agosto último."

Mas o único momento de real empatia humana que tive com Lacerda — que aprendi alternativamente a temer, odiar e admirar — ocorrera por casualidade em fins de 1959. Encontramo-nos num avião de Nova York para Porto Rico. Sem o saber, havíamos sido ambos convidados para uma reunião da American Assembly, patrocinada por Laurance Rockefeller, o filantropo da família. A reunião era anual e nela se congregavam políticos, financistas, burocratas e acadêmicos, convidados para discutir os problemas do relacionamento dos Estados Unidos com o resto do continente e medidas para reduzir tensões e melhorar o entendimento. Dessa feita, a reunião se realizaria no requintado ambiente do Dorado Beach Hotel, perto de San Juan. No avião, Lacerda dirigiu-se a mim com cordialidade que retribuí embaraçadamente. Eu não tinha a mesma capacidade de separar vitupérios políticos do relacionamento cotidiano. Afinal, foi o açulamento dos estudantes por Lacerda que os havia levado a queimar-me em efígie, unicamente por tentar uma solução racional para o aproveitamento do petróleo boliviano.

O único laço que nos prendia, na ocasião, era a "solidariedade dos derrotados". Através da Comissão Técnica do Rádio — chefiada pelo general Olympio Mourão, que depois seria um dos líderes militares da Revolução de 1964 — Juscelino Kubitschek havia, em 1956, conseguido limitar o acesso de Lacerda ao rádio e à televisão. Isso significava para ele uma espécie de castração.[356] Mesmo a atividade parlamentar, para a qual fora eleito em 1954, não lhe parecia eletrizante. Havia falhado no propósito de fazer com que as eleições congressuais de outubro daquele ano fossem postergadas... Em 1955, Lacerda advogava a postergação das eleições, com medo de Juscelino. A seu ver, a eleição de Juscelino reconstruiria a aliança varguista entre o PSD e o PTB, pondo a perder seu longo esforço de demolição do populismo getulista. Em 1964, queria precisamente o contrário: antecipar as eleições, lutando contra a prorrogação do mandato de Castello Branco, pois achava que o tempo jogaria a favor da candidatura de Juscelino a um novo mandato. A política comporta grande elasticidade de comportamento!

Eu também me sentia derrotado, mas por questões mais pedestres. Havia pedido exoneração da presidência do BNDE, em julho de 1959. Lacerda era parte de minha derrota, pois tinha sido um dos principais incentivadores da campanha con-

---

[356] Essa vedação persistiu até que o Superior Tribunal Eleitoral a declarou ilegal, em 1º de setembro de 1958. Em sua autobiografia falada, *Depoimento*, conta Lacerda que em Lisboa, quando se reuniu com Juscelino para a formação da Frente Ampla, perguntou-lhe por que, reconhecidamente democrata, Juscelino lhe restringira o acesso à televisão. Na realidade, Juscelino se empenhava mesmo era em cassar-lhe o mandato. "Não sou besta" — disse Juscelino — "você derrubaria o governo." A temível capacidade televisiva de Lacerda lhe custaria uma segunda interdição de acesso à televisão, em agosto de 1967, no governo Costa e Silva, quando começou a mobilização para a criação da Frente Ampla com Juscelino e Goulart.

tra a minha atuação nesse banco, como implementador dos Acordos de Roboré sobre a exploração do petróleo boliviano.

Estávamos assim ambos num "baixo astral" de nossas carreiras. Lacerda logo ao chegar a Porto Rico foi atacado pela "gripe do Caribe". Praticamente não participou da Assembléia, à qual teria trazido pimenta e controvérsia. Visitei-o várias vezes na cabana em que estava alojado, levando-lhe remédios e jornais. Não podia imaginar que viriam depois amargas confrontações.

Lembro-me de que contei a Lacerda, durante a viagem de avião, uma estória sobre o fatalismo espanhol, que ele depois costumava repetir com sua característica verve. A estória se passara durante a guerra civil espanhola na cidade de Soria, nas franjas da meseta, exposta no inverno aos ventos frios dos Pireneus. Tanto os legalistas como os revolucionários adotavam a prática de fuzilar os espiões infiltrados em suas linhas. Os legalistas teriam aprisionado à noitinha um espião, mas decidiram adiar a execução para a madrugada, aproveitando o calor da fogueira na noite gélida. O comandante sorteado para comandar o pelotão de fuzilamento se chamava capitão Alonso. A execução se realizaria a dois quilômetros do acampamento, precaução usada para não provocar depressão psicológica nos soldados. Na caminhada de Soria até o ponto da execução, sob um frio brutal, o prisioneiro se voltou para o capitão Alonso para dizer-lhe: — *Capitán Alonso, como hace frio en Soria.*

Este lhe respondeu, com o imperturbável senso de fatalismo espanhol: — *Mire usted, y nosotros tenemos que regresar!*

AS GRANDES
CONFRONTAÇÕES

Couberam-me o desprazer e o perigo de três grandes confrontações com Lacerda. A primeira, em 1958, relativa aos Acordos de Roboré, ocorreu antes de nosso encontro em Porto Rico. Lacerda nunca se caracterizou por pensamentos retilíneos. Era um homem de lógica convoluta. De um lado, condenava as "manifestações grotescas" dos jovens, eivadas de "estúpido e antipatriótico nacionalismo", e acusava Luís Carlos Prestes de sabotar o acordo com a Bolívia porque não interessava à Rússia o fortalecimento do Brasil através do abastecimento de petróleo, por via terrestre. De outro lado, em reunião estudantil patrocinada pela UNE (União Nacional dos Estudantes), verberava o "fanatismo entreguista" da solução proposta pelo BNDE, que a seu ver transferiria para os estrangeiros a maior parte dos lucros (esquecendo-se ele de que, nos "empréstimos aleatórios", os estrangeiros correriam a totalidade dos riscos e teriam apenas parte dos resultados). Lacerda insinuava que a Petrobrás, se fosse honrada e competentemente administrada, seria melhor solução que os capitais privados. Esquecia-se de que a hipótese era irrelevante, pois o Código de Minas boliviano vedava concessões a empresas estatais estrangeiras.

As outras confrontações viriam depois, quando eu era ainda embaixador em Washington e, posteriormente, ministro do Planejamento do governo Castello Branco. A querela relativa ao período de Washington tinha a ver com a nacionalização negociada das empresas de utilidade pública que haviam sido encampadas por Leonel Brizola, então governador do Rio Grande do Sul.

O longo período de irrealismo tarifário, quando se mantinham tarifas congeladas enquanto a inflação se acelerava, resultara em deterioração dos serviços. Os investidores estrangeiros não tinham incentivo nem capacidade para levantar recursos para novos investimentos. A dissatisfação gerada pelos serviços inadequados e o surgimento de um vendaval nacionalista, que havia começado desde a época Vargas, induziram o governador Brizola a encampar, em seu estado, as subsidiárias da AMFORP e ITT, aquela em 1959 e esta em 1962,[357] peripécia a que já me referi alhures.

---

[357] As tarifas de energia elétrica no período 1959-64 exemplificam uma clara deformação do comportamento nacional. O art. 57 da lei n? 3.470, de novembro de 1958, previa que a correção monetária do ativo imobilizado, segundo os coeficientes do Conselho Nacional de Economia, valeria para "todos os efeitos legais". Bizarramente, esses coeficientes foram levados em conta no cálculo das tarifas portuárias, mas não nas de energia elétrica. Mário Henrique Simonsen infere que essa "assimetria" provavelmente se deveu à tendência nacionalista da época; por volta de 1959, as principais concessionárias de energia elétrica do país (embora não as de portos) eram controladas por capitais estrangeiros. Mário Henrique Simonsen, *Inflação, gradualismo X tratamento de choque*, Rio de Janeiro, Apec, 1970, p. 187. Essa assimetria só foi corrigida em novembro de 1964,

As motivações demagógicas de Brizola eram claramente detectáveis. Era inteligente demais para não perceber que o fenecimento dessas empresas derivava basicamente da tarifação baseada sobre o custo histórico, crescentemente desatualizado, à luz da inflação. A inflação, aliada à demagogia tarifária, sempre foi poderoso instrumento de estatização na América Latina.

O esforço de Lacerda nessa ocasião foi ferir a tônica nacionalista com mais profundeza e habilidade do que Brizola. Enquanto San Tiago Dantas, como ministro da Fazenda, e eu, como embaixador em Washington, procurávamos eliminar áreas de atrito com o mundo financeiro internacional, Lacerda se dedicava a exacerbá-las. Chegou a lavrar, em 30 de março de 1962, o decreto de encampação da Companhia Telefônica do Brasil, do grupo canadense Brazilian Traction, que foi prontamente anulado em 1º de abril por intervenção federal decretada pelo primeiro-ministro Tancredo Neves. Já antes havia proposto à Assembléia Legislativa a criação da Cetel (para operar fora da concessão da Light), originalmente planejada para ser uma empresa mista com a CTB. A participação desta decresceria gradualmente, através de aumentos de capital subscritos pela parte brasileira com os dividendos da operação, ficando congelada a participação canadense. Lacerda era obcecado com o que ele chamava de "privilégio do monopólio da Light". Extravagantemente, descrevia a política de eliminação das áreas de atrito como "neocolonialismo ideológico".

Mas a simples criação de uma nova empresa sem recursos ignorava o problema fundamental — a inadequação de tarifas. Estas viraram "preços políticos". O resultado das conflituosas negociações foi um absoluto paradoxo, mesmo pelos padrões do nosso *paystropi*. Antonio Gallotti, o presidente da Light, teve que pedir ao governo federal intervenção na Companhia Telefônica Brasileira para salvá-la da encampação por Lacerda. Assim, o esquerdista Goulart, através de Tancredo Neves, defenderia uma empresa capitalista das atitudes confiscatórias de um direitista, o Lacerda!...

Como parte dessa obsessão de não ficar atrás de Brizola, Lacerda lançou uma violenta e estapafúrdia campanha para denunciar a transação como "espúria compra de ferro-velho" da AMFORP, "a preços espoliativos", pouco lhe importando àquela altura o exame minucioso da documentação comprobatória da lisura da negociação. A briga de Lacerda era uma briga reflexa. Queria simplesmente disputar com Brizola o apoio de círculos nacionalistas, sempre dispostos a transformar investidores estrangeiros em bodes expiatórios.

pelos Decretos nº 54.936/938, editados após consumado o acordo de nacionalização da AMFORP. Depois da intervenção federal, Lacerda criou a Cetel, para operar fora da área de concessão da Light, estabelecendo-se assim um duopólio nos serviços telefônicos.

Como negociador brasileiro em Washington, fiquei assim entre dois fogos: o de Brizola, porque não queria que se reversassem as encampações; o de Lacerda, porque queria preservar o direito a futuras encampações. A vida é bizarra!

Minha mais abrangente confrontação com Lacerda viria em 24 de maio de 1965, na TV Tupi do Rio de Janeiro. Eu era ministro do Planejamento do governo Castello e, faltando-me "qualidades cênicas", como dizia Gilberto Amado, era apenas um debutante na mídia. Lacerda era um ator consumado de televisão. Acabei tendo que aprender televisão, para me defender não só de Lacerda, mas dos governadores Adhemar de Barros e Magalhães Pinto, todos os quais, candidatos à presidência da República, procuravam dissociar-se da inevitável impopularidade das medidas de austeridade.

Aqueles que dizem que a luta antiinflacionária e as reformas do governo Castello Branco só foram possíveis pela ausência de questionamento democrático não sabem o que dizem. Apenas metade do meu tempo era destinado ao planejamento de políticas econômicas. A outra metade era gasta defendendo-me de violentas impugnações pela imprensa, rádio e televisão, dos três governadores que se julgavam proprietários da Revolução e que queriam os bônus, porém não os ônus, das medidas antiinflacionárias...

Em 17 de maio de 1965, Lacerda escrevera a Castello Branco um ofício com uma análise crítica acerba e irônica ao programa econômico do governo, o PAEG. Era uma tentativa de fazer capital político, desmoralizando a tecnocracia e pondo-se a salvo da impopularidade das medidas de austeridade.[358] Castello já me havia mencionado antes uma carta-denúncia, na qual Lacerda me acusava, e ao ministro de Minas e Energia, Mauro Thibau, de estarmos servindo a interesses escusos da Hanna Mining Co., acusação totalmente frívola e absurdamente injusta. Era mais uma tentativa de Lacerda de empalmar as bandeiras do "nacionalismo injurioso", de cujas injustiças viríamos ambos a ser vítimas recorrentes.

Anexo ao ofício entregue a Castello por Marcello Garcia havia um documento de 54 páginas, no qual Lacerda atacava o programa econômico sob dois aspectos. Primeiro, a técnica de combate à inflação, que ele acreditava recessiva e baseada em excessiva contenção de crédito, com pressão sobre salários em benefício da expansão do setor público. A outra vertente de seu raciocínio era a submissividade do governo

---

[358] Em entrevista concedida a John Foster Dulles Jr., Marcello Garcia relata que, após lidos alguns trechos do documento, Castello Branco se pôs a comentar sobre os homens inteligentes que conhecera. Um deles era San Tiago Dantas (que falecera em setembro de 1964), com a invejável capacidade de simplificar assuntos complexos, versando não só literatura mas matérias científicas. Um outro era Roberto Campos, dotado de cultura humanista e imensa capacidade de executar missões impopulares. Ambos eram superados por Lacerda sob um aspecto — a capacidade comunicativa de falar e escrever.

a entidades internacionais como o FMI. Os outros pontos mencionados eram 1. A incompatibilidade entre o planejamento estatal e a economia de mercado; 2. O agravamento da estatização, principal raiz do processo inflacionário; 3. A opressão fiscal, pela transferência de recursos privados para o fisco. Na preparação do documento, Lacerda se valera da opinião de um grupo de economistas. Foi também ouvido Antonio Dias Leite, por mim convidado para o Consplan, mas dissidente em relação ao PAEG.

Antes mesmo de ter a oportunidade de estudar o documento de Lacerda, senti-o na carne. No dia seguinte, 18 de maio, o governador foi à televisão e encenou uma brilhante catilinária contra o PAEG. Era um satirista inexcedível, sempre incapaz de distinguir entre erro e pecado. Divertiu-se a si e divertiu o público, chamando o PAEG de "Programa de Adivinhação Econômica". A ridicularização era parcialmente merecida, pois que os programas setoriais, apressadamente compilados de projeções herdadas do Plano Trienal de Celso Furtado, eram fantasticamente ingênuos na previsão de oferta e demanda de minudências como bananas, ovos e leite.

— Não se sabe — pilheriava Lacerda — qual dos dois planos adulterou mais as estatísticas ou qual obteve maior cooperação das galinhas...

Para mim, o importante era a parte macroeconômica que, pela primeira vez na história do planejamento brasileiro, articulava coerentemente as quatro políticas fundamentais — a monetária, a fiscal, a cambial e a salarial. A parte microeconômica era pretensiosa e desastrada, exibindo cruamente minhas ingenuidades de planejador tecnocrático juvenil.

A história é referta de ironias. O ofício de Lacerda a Castello Branco era uma peça brilhante; a entrevista de televisão, uma peça cruel. Frente a um microfone, Lacerda nunca foi capaz de separar o debate de idéias do personalismo injurioso. Os dois pressupostos do seu "programa alternativo" nada tinham de alternativo, pois seriam por mim entusiasticamente subscritos. Eram eles:

"1 — O processo inflacionário, no Brasil, tem seu ponto central no elevado grau de estatização da economia...

2 — Na medida em que se procura combater a inflação com base num programa de restrições à livre empresa, o que se consegue é ampliar ainda mais a estatização."

Teoricamente, o primeiro ponto é discutível, pois se poderia argüir que é a inflação que leva à estatização, pela destruição da poupança privada e pela descapitalização das empresas. Trata-se entretanto de *nugae quaestionis*, sendo basicamente válida a crítica ao estatismo.

Nem havia grande diferença no receituário. Lacerda era contraditório. De um lado, prenunciava ao PAEG um completo fracasso, pois no espaço de dez meses não havia debelado a inflação. De outro, dizia que não se devia esperar "o fim da inflação tão cedo, pois o setor mais inflacionário da economia era o setor estatal e este não poderia ter sua eficiência aumentada em pouco tempo, nem em 13 meses, nem em dois anos, nem, talvez, num quadriênio".[359]

Na realidade, a luta contra a inflação se revelou mais longa e penosa que o esperado. Além de se ter herdado do governo Goulart uma inflação de custos salariais, era necessário proceder a brutais reajustamentos de tarifas e preços defasados. Cunhei nesse tempo a expressão "inflação corretiva", para designar o fenômeno. A "reversão de expectativas" — expressão que eu também usava à época, prenunciando as teses hoje defendidas pela "escola das expectativas racionais", demorou a chegar. Entre outros motivos, porque o veemente prognóstico de fracasso do programa antiinflacionário, pelos governadores presidenciáveis, abalava a confiança na firmeza de propósitos do governo revolucionário.

Minha confrontação com Lacerda talvez não tivesse ocorrido se ele não houvesse terminado sua invectiva televisiva com a famosa frase "ministros na rua"! Referiase a mim e ao ministro de Minas e Energia, Mauro Thibau, que agora acusava publicamente de servir aos interesses escusos da Hanna Mining Co. Aliás, a mordacidade de Lacerda era mortífera. Cunhou um *slogan* que por muito tempo nos perseguiu, a mim e a Bulhões: — "A política econômica do governo revolucionário conseguiu a perfeição — mata os ricos de raiva e os pobres de fome."

De outra feita, escrevendo na revista *Manchete*, em novembro de 1964, repetia que a política econômica era "anti-revolucionária em sua essência... reacionária em seus objetivos, e desumana em seus métodos".

Mais picarescamente, conta-se que em visita a grupos empresariais de São Paulo, a fim de mobilizá-los contra a política econômica, encontrou com surpresa um ar de resignação, e mesmo indícios de relutante aprovação, em face das duras medidas creditícias e fiscais. Teria então perdido as estribeiras. Não se conteve e exclamou enraivecido: — A política financeira do dr. Campos é como a pílula anticoncepcional para as mulheres. Dá aos empresários uma falsa sensação de segurança enquanto estão sendo f...

---

[359] O episódio é descrito com pormenores algo fantasiosos no livro *Depoimento*, 3ª edição, Rio de Janeiro, Nova Fronteira, p. 454-5. Vim a saber, anos depois, que Lacerda recorrera ao seu cosogro, o ex-ministro da Fazenda Clemente Mariani, então ausente do Brasil, para se abastecer de argumentos em defesa de suas teses. Mariani respondeu-lhe em 7 de outubro, de Baden-Baden, na Alemanha Federal, com um longo documento. Fazia ressalvas quanto à exeqüibilidade das propostas de aperto financeiro, mas concordava basicamente com a análise do PAEG. Tendo trabalhado comigo e com Bulhões, sob o professor Gudin, no governo Café Filho, e depois no governo Jânio Quadros, sabia que os problemas da inflação brasileira e a tecnologia para combatê-la não tinham variado no curso do tempo.

É clássica a estória de sua resposta à sugestão que lhe fizeram de assistir ao fatídico comício de João Goulart, em 13 de março de 1964: — Não vou porque tenho a melancólica certeza de que serão agredidas ao mesmo tempo a Constituição brasileira e a gramática portuguesa.

Sua ironia não perdoaria sequer a figura eminente de Milton Campos, seu companheiro de partido. Quando soube da escolha de Milton Campos para o ministério da Justiça, assim ironizou: — É um bom ministro para evitar uma revolução, mas não depois de uma revolução.

Outro exemplo foi sua diatribe contra Aúro de Moura Andrade, quando este era presidente do Senado Federal: — Tem o porte de um senador romano e a mente de um cavalo do Jockey Club...

Castello Branco ouvira a entrevista da televisão no dia 18 de maio entre irritado e alarmado. Prometera estudar o ofício que lhe tinha sido entregue por um emissário de Lacerda, e não esperava que o governador da Guanabara iniciasse imediatamente na televisão sua tarefa de desmoralização da política econômica e demolição da equipe governamental. A frase "ministros na rua" mortificava-o especialmente. Castello nunca aceitou o "monopólio da dignidade" que Lacerda se arrogava.

Uma estória que me contou o pediatra Rinaldo de Lamare ilustra bem a crueldade satírica de Lacerda. Quando este abandonou o *Correio da Manhã*, rompido com Paulo Bittencourt, que o repreendera pelos desabridos ataques a Alberto Soares Sampaio, o fundador da refinaria de Capuava, decidiu lançar a *Tribuna da Imprensa*. Faltavam-lhe 500 contos de réis para integralizar o capital. A pedido de Marcello Garcia, o dr. de Lamare apresentou-o a seu sogro, Luiz Severiano Ribeiro, o *tycoon* dos cinemas do Rio. Em almoço no restaurante Albamar, ao qual compareceu também Adauto Lúcio Cardoso, consumou-se a transação, sem que Severiano Ribeiro lhe pedisse qualquer contrapartida.

— Nem sequer notícia de aniversário? — perguntou Lacerda, um pouco incrédulo.

E acrescentou que já poderia ter arranjado os 500 contos. Foram-lhe oferecidos por Adhemar de Barros, que entretanto pedia que, quando o atacasse, Lacerda usasse de moderação.

— Imagine, o patife só quer esculhambação respeitosa!

Há uma outra história macabra da época. Lacerda fustigava implacavelmente, em suas colunas, o general Góes Monteiro. Um amigo comum, o Barão de Saavedra, intercedeu junto ao tribuno.

— Poupe o Goés Monteiro. Ele está muito mal, numa tenda de oxigênio, com pernas inchadas e dificuldade respiratória, inspirando cuidados. Poupe-o. É seu admirador e lê sempre seus artigos.

— Tá bem — disse Lacerda.

Pouco tempo depois, Góes Monteiro deu uma declaração aos jornais que irritou Lacerda. Este voltou ao tom antigo de violentas recriminações pessoais.

— Mas Carlos — disse o barão — não tínhamos um acordo para que você poupasse o general?

— Ora — respondeu Lacerda — eu prometi não atacá-lo porque você prometeu que ele ia morrer. Ele faltou ao acordo não morrendo.

Imprevisível em seus gestos e palavras, Lacerda era um líder difícil de seguir. Quando certa vez se queixou de que seus liderados da bancada udenista não lhe davam cobertura, respondeu-lhe o deputado mineiro Guilherme Machado: — Como? Você é uma metralhadora giratória e a toda hora temos de nos agachar...

Castello Branco, ao ouvir a catilinária de Lacerda, telefonou-me imediatamente para dizer que requisitaria uma cadeia de televisão para que eu me defendesse e ao governo. Prontifiquei-me a fazê-lo, não sem suor e covardia. Lacerda era um formidável manipulador de televisão — boa silhueta, voz impostada, vigor satírico. E agora se apresentava com o que ele chamava de "programa alternativo", coisa que eu sempre reclamara. Eram abundantes as críticas ao arrocho salarial e ao "efeito recessivo", mas ninguém formulava soluções concretas. "Qual é a alternativa?", tornou-se o meu bem-sucedido estribilho. Anos depois, como embaixador em Londres, durante a fase mais dura da luta antiinflacionária, ouvi Mrs. Thatcher, recém-eleita primeira-ministra pelo Partido Conservador, acuada pela impopularidade das medidas de austeridade, usar estribilho semelhante: *TINA — There is no alternative*, dizia a "dama de ferro".

O risco de um meu fracasso televisivo era grande. Isso seria mortal para a política do governo, pois excitaria os governadores rivais — Adhemar de Barros e Magalhães Pinto — a descerem como abutres sobre a presa. Tinha que combinar em minha resposta um apelo emotivo, um toque satírico e boa argumentação técnica, esta a minha única área de superioridade sobre Lacerda. Assim, apreensivo, compareci a uma entrevista numa cadeia de rádio e televisão, em 21 de maio.

A nota emotiva consistiu em lembrar que minha família tinha sido lacerdista, mas acabara desapontada com a obsessão demolidora de Lacerda, que transformava adversários (e às vezes até correligionários) em inimigos (minha irmã Catitinha costumava dizer que Lacerda era seu "paranóico de estimação"). Seu *record* da vilificação ou derrubada de presidentes era inigualável. Getúlio fora levado ao isolamento e ao suicídio, chamado por Lacerda de "patriarca do roubo" e "gerente geral da corrupção no Brasil". Do presidente Dutra dissera que "nos envergonha como brasileiros". Conspirara contra a posse de Juscelino, que ele chamava de "janota matreiro". Seu conflito com Jânio Quadros tinha sido um dos elementos da renúncia. Descrevera Jânio como um "paranóico, delirante virtuoso da felonia e Monalisa grotesca".

Lacerda trouxe utilíssima contribuição para impedir a implantação da República Sindicalista por João Goulart. Mas era exagero querer transformar-se no dono da Revolução, com direito divino à sucessão presidencial.

Comecei com um bom truque retórico. Li enfaticamente, obtendo um "efeito surpresa", uma arenga acusatória que tinha uma inverossímil semelhança com o discurso de Lacerda.

> "A atual política econômica começou sob os *slogans* de economia de mercado livre e liberação; na primavera acabou na paralisação das importações, o que assinala o fiasco de toda a política, sobretudo no comércio externo... Entretanto, quase todos os princípios, teorias e dogmas que o ministro da Economia Federal repetidas vezes aqui tem repetido, soçobraram completamente. Todos concordarão comigo que o senhor ministro da Economia Federal, que entrou na liça para eliminar o dirigismo econômico, se encontra atualmente empenhado em criar uma economia dirigista, que ainda por cima funciona miseravelmente, depois de ter fracassado toda a sua política econômica."

Houve uma gargalhada geral quando declarei que não estava lendo um trecho do discurso do governador Lacerda, e sim de um discurso do dr. Kreyssig, orador do maior partido oposicionista no Parlamento Federal Alemão, predizendo o fracasso da política de Ludwig Erhard, o autor do "milagre alemão". Lacerda não era mais que um Kreyssig, uma "ave agourenta"! Senti que nesse momento eu havia superado meu complexo de inferioridade na televisão...

Lacerda misturava idealismo e oportunismo não se sabe em que proporção. Seu forte era a sátira. Ridicularizou feroz mas merecidamente as projeções do PAEG de produção de ovos e bananas. Minha única resposta foi que igualmente ridícula era a quantificação dos banhos dos cariocas, pois que segundo Lacerda o sistema Guandu forneceria água suficiente até o ano 2.000! Apontei sua reincidência e suas contradições. Falava no alívio fiscal e na realidade tinha imposto à Guanabara um considerável incremento da carga tributária. Reclamava da violência das medidas antiinflacionárias, que desejava ver mais graduais, mas pedia resultados imediatos. Pregava a desestatização e queria encampar empresas. Era contrário ao monopólio estatal na pesquisa e lavra de petróleo, mas, no tocante ao refino, propunha o cancelamento das concessões às refinarias privadas. Declarava-se favorável ao ingresso de capitais estrangeiros e multiplicava as áreas de atrito (Light, Hanna, Cia. Telefônica), desencorajando assim os investidores. Havia além disso erros factuais. A inflação estava claramente descendente e o crescimento do PIB em 1964 fora positivo (mais de 2% sobre o ano anterior) e não negativo. Na realidade tinha-se conseguido modesto êxito na consecução dos três objetivos usualmente conflitantes: desaceleração da inflação, recuperação do crescimento (esse havia sido de apenas 1,6% em 1963) e melhoria da situação cambial.

Não me foi difícil demolir, em termos técnicos, a argumentação de Lacerda. Ele condenava, com razão, o "planejamento global", mas isso era uma *ignoratio elenchi*. O que se propunha era um "planejamento indicativo" para o setor privado, que se beneficiaria da clara delimitação das funções do Estado e da racionalização da ação do Executivo. A filosofia básica era privatizante. A única empresa estatal até então criada era o BNH, que se destinava a financiar a indústria privada de construção. Também os fundos criados com recursos fiscais se destinavam a apoio ao setor privado. A acusação de opressão fiscal era também injusta, a não ser que se considere como tal a coibição da sonegação, pela aplicação da correção monetária sobre os débitos fiscais. Basicamente, a reforma fiscal visara à simplificação e racionalização da estrutura fiscal, notando-se preocupação em evitar a descapitalização das empresas, pela correção monetária do ativo imobilizado e das quotas de depreciação e amortização. De qualquer maneira, a pressão do governo sobre o sistema econômico deveria medir-se não pela percentagem da receita pública sobre o PIB e sim pela percentagem da despesa sobre o PIB. Esta, que fora de 15,2% em 1964, deveria declinar para 13,2% em 1965 e 11,6% em 1966. Essa refutação detalhada da argumentação de Lacerda constou de um documento intitulado "Resposta do ministério do Planejamento ao trabalho acima", que entreguei pessoalmente a Castello Branco.

Lembro-me que, na entrevista de televisão, fiz em latim uma citação bíblica, coisa que meus assessores consideravam pedante, mas que me rendeu surpreendentes dividendos. É que dois dias depois, passeando com minha mulher, após o jantar, na praia de Ipanema, aproximou-se de mim um gigantesco mulato, que me agarrou pelos braços, quase levantando-me do chão. Num instante de pânico, desfilaram-me pela mente, em velocidade supersônica, imagens de possíveis manchetes no dia seguinte: "Desempregado surra ministro na Praia de Ipanema", ou coisa parecida. Na realidade, estava apenas sendo inesperadamente abraçado e cumprimentado.

— É isso mesmo, sô ministro: o Lacerda matou o dr. Getúlio. Caga latim nele...

Pelos telefonemas que recebi logo após a entrevista, verifiquei que Lacerda havia falhado em sua tarefa de demolição. A grosseria da expressão "ministros na rua" chocara os próprios lacerdistas. Fora recebida por Castello Branco como uma afronta pessoal e consolidaria em vários círculos revolucionários a percepção de que Lacerda não tinha suficiente controle emocional para assumir a curul presidencial. O general Cordeiro de Farias telefonou para dizer-me: — Nunca se deve subestimar um mato-grossense. Sem massa eleitoral, o estado já fez dois presidentes — o Dutra e o Jânio — e agora você consegue sobreviver ao Lacerda....

Soube depois que Costa e Silva assistira com agrado ao confronto. Já se havia irritado com Lacerda quando este teve função decisiva no encurtamento do governo da Junta Militar, pleiteando a indicação imediata de Castello. Costa e Silva viria depois, em 1968, a decretar a prisão e cassação de Lacerda. Isso confirma a vocação saturnina das revoluções: devorar seus próprios filhos. Fiquei chocado quando soube da prisão de Lacerda, em 14 de dezembro de 1968, no dia seguinte ao do Ato Institucional n.º 5. Ficou preso sete dias. Com seu característico *panache*, teve um ato de pioneirismo: iniciou uma greve de fome. Segundo Zuenir Ventura, teria sido desencorajado por seu irmão Maurício Lacerda, com um argumento antológico: — Você vai morrer estupidamente. Você quer fazer Shakespeare na terra de Dercy Gonçalves.[360]

O curioso é que Lacerda aparentemente esperava que eu aceitasse passivamente suas invectivas, que questionavam a um tempo minha capacidade técnica e estofo moral. Em carta de 25 de maio de 1965, entregue a Castello Branco por Raul Brunini, queixou-se amargamente do meu revide. Considerou a resposta "agressiva e repleta de falsidades"; desprovida de análise séria das alternativas que apresentara; cheia de "desaforos e infâmias" contra o governo da Guanabara. Interpretou-a como um combate político à sua candidatura à presidência da República, quando era simples esforço para impedir a desmoralização do PAEG.[361]

Usou então um argumento psicologicamente contraproducente para a estrutura mental de Castello Branco. Insistia em qualificar-me como "tecnocrata oportunista" por ter servido a diferentes governos, como o de Kubitschek e depois o de Goulart. Ora, o mesmo sucedera com Castello. Como militar, aceitara missões de ambos os governos. e sabia que eu, como diplomata, tinha idêntico sentido de disciplina. Pertencíamos ambos a uma "tecnocracia apolítica", Castello como militar e eu como diplomata. — Não é que faltem qualidades ao marechal Castello Branco — dizia Lacerda — O problema é que lhe sobram defeitos...

Mestre na sátira e dono de titilantes metáforas, tinha-me como um de seus alvos prediletos: — O Roberto Campos tem capacidade de mistificação para apresentar Frankenstein vestido de biquíni e transformar a Vênus de Milo numa monja.

Lacerda foi também ferino opositor do Estatuto da Terra. Seu interesse no assunto era porém de certo modo reflexo. Apoiava as teses de Bilac Pinto (com

---

[360] Zuenir Ventura, *1968 — O ano que não terminou*, Rio de Janeiro, Nova Fronteira, 1988, p. 295.

[361] A versão lacerdista do entrevero está contida em seu livro *Depoimento*, 3ª ed., Rio de Janeiro, Nova Fronteira, p. 390-397 e no livro de Cláudio Lacerda, *Carlos Lacerda — 10 anos depois*, Rio de Janeiro, Nova Fronteira, 1987, cap. II. Este contém o texto completo das duas cartas de Lacerda a Castello Branco, de 17 e 24 de maio de 1965, nenhuma das quais me foi mostrada pelo presidente àquela ocasião.

quem depois romperia por não ter este se oposto à emenda de prorrogação do mandato de Castello), segundo as quais a reforma agrária desorganizaria a produção agrícola e constituía "uma falsa solução para um falso problema". Era utópico — dizia ele — procurar reter as populações no campo, pois que a mecanização da agricultura e a urbanização eram tendências mundiais, crítica que tinha uma parcela de verdade mas estava longe de ser toda a verdade.

Tive o indesejável privilégio de ser por quase uma década o alvo preferido dos três maiores iconoclastas da história brasileira — Lacerda, Brizola e Assis Chateaubriand. E sempre por motivos absurdos. No governo Kubitschek, por advogar a única solução racional possível para o aproveitamento do petróleo boliviano. No governo Goulart, por tentar manter o fluxo de capitais estrangeiros para o Brasil, num clima envenenado pelo confisco, por Brizola, das concessionárias americanas de serviços públicos. Lacerda se juntou a Brizola nesse campeonato de nacionalismo expropriatório. Na embaixada em Washington, e depois no ministério do Planejamento, além do antagonismo dessa dupla, passei a sofrer violentas diatribes de Assis Chateaubriand, que erroneamente imaginava que eu tivesse ajudado a TV Globo a obter seu contrato técnico-financeiro com o grupo Time-Life. Na realidade, conforme já relatei, a TV Globo nem pedira nem recebera qualquer apoio da diplomacia brasileira. Como no caso do marido enganado, fui o último a saber que aquela associação tinha sido consumada em Nova York...

Sobreviver na vida funcional a esses mortificantes antagonismos foi, convenha-se, feito singular para um tecnocrata inexperiente nas artes prostitucionais da política. Mas que a vida é injusta, isso é.

A IMERECIDA
OBSESSÃO

Até hoje não atino saber porque me tornei uma tal obsessão para Lacerda. Na sua autobiografia falada, que cobre um espaço de cerca de 30 anos, Lacerda cita-me nada menos de 25 vezes. São melhor agraciados apenas Getúlio Vargas (100 vezes), Castello Branco (79), Kubitschek (75), Goulart (72), Jânio Quadros (54), Eduardo Gomes (34) e o presidente Dutra (33). Entretanto, só tive real influência na política econômica num curto período de três anos (1964/67), como ministro do Planejamento do governo Castello Branco.

Parte da explicação, sem dúvida, deriva de que se sussurrava à época que era intenção de Castello preparar-me como seu eventual sucessor. Essa versão, por exemplo, é acolhida por Drault Ernnany em sua autobiografia, *Meninos, eu vi* .[362]

Isso era a versão, porém não o fato. O candidato inicial de Castello era o próprio Lacerda. Castello acreditava que a Revolução precisava de um comunicador para popularizar-se. E nenhum melhor, a seu ver, do que Lacerda. Era-lhe também grato, pois conhecia o papel decisivo de Lacerda, não só na resistência a Goulart, mas principalmente nas negociações entre os governadores e Costa e Silva para a substituição da Junta Militar por um presidente eleito pelo Congresso.[363] Relata o

---

[362] Drault Ernnany, *Meninos eu vi*, Rio de Janeiro, Record, 1988, p.114.

[363] Lacerda tinha, em comum com Jânio Quadros, propensão à tecnologia da renúncia. Assim relata Juracy Magalhães o episódio da carta de Lacerda a Costa e Silva, de 5 de abril de 1964, na qual ameaça renunciar ao governo da Guanabara: "Lacerda mandou uma carta ao presidente ameaçando renunciar ao seu mandato de governador. A data foi de 5 de abril de 1964. Queixava-se de que estava sendo perseguido. Mas essa carta não chegou a ser entregue. Mais tarde, o próprio Lacerda contestou o original, dizendo que não o tinha escrito. Só que eu consegui a carta original e uma cópia, e tenho-as guardadas até hoje no meu cofre. Achei sempre que Lacerda era tão maluco quanto Jânio." Na carta em causa, anterior à escolha de Castello Branco para candidato à presidência, Lacerda acusava Costa e Silva de querer ser ditador, por intermédio do presidente da Câmara, Paschoal Ranieri Mazzili, que se prestaria a um papel subserviente de "político mandado". A carta terminava com as seguintes desabridas expressões: "Não o aceito como ditador. Fui falar ao libertador, não ao usurpador. Mas não serei eu a dividir o Exército e desgraçar a pátria, levando a desilusão e o desespero a milhões de brasileiros. V. Exa assuma essa responsabilidade. Eu saio, amanhã, para nunca mais. Afinal, tenho o direito de me afastar sem que me chamem desertor. Basta que me chamem vencido." Apud. Juracy Magalhães, entrevista para a revista *Momento Legislativo*, n.º 27, agosto de 1993, p. 18.

jornalista Carlos Castello Branco em seu livro *Os militares no poder*, que Lacerda obrigava o presidente a reações ciclotímicas: quando de bom humor, chamava Lacerda de "dr. Carlos"; quando irônico, a ele se referia como "o mocinho da Guanabara"; quando irritado, falava no "procônsul".[364]

Na lista de seis possíveis candidatos enviada ao senador Daniel Krieger, Castello mencionaria, conforme relatei anteriormente, os nomes de Adhemar de Queiroz, Artur da Costa e Silva, Bilac Pinto, Cordeiro de Farias, Etelvino Lins e Ney Braga.[365]

Seus desapontamentos com Lacerda começaram logo com a primeira missão, em abril de 1964 — a de explicar a Revolução na Europa. As respostas de Lacerda aos jornalistas hostis no aeroporto de Orly foram brilhantes como improvisação mas, reportadas provavelmente com malícia, provocaram funda irritação no general De Gaulle. À pergunta dos jornalistas se a Revolução tinha sido feita com o apoio dos americanos, respondeu: — Não, há um engano, o que foi feito com o apoio dos americanos foi a libertação da França.

A segunda pergunta "Como é que o senhor explica essa revolução sem sangue no Brasil?" foi respondida com mordente ironia: — Porque as revoluções no Brasil são como os casamentos na França.

À pergunta sobre torturas, respondeu simplesmente que por enquanto no Brasil "ninguém havia raspado o cabelo de mulher nenhuma como foi feito na França, no dia da libertação de Paris".

Dificilmente se conceberiam respostas mais contundentes. Dificilmente a vaidade francesa não se sentiria ferida. De Gaulle não consentiu em receber Lacerda. O que fora um êxito jornalístico se transformou em incidente diplomático.

Se Castello começou a duvidar então da confiabilidade emocional de Lacerda, suas dúvidas seguiriam num crescendo. Os fatores determinantes de sua busca de alternativas presidenciais resultariam muito do crescente destempero de Lacerda na crítica da política econômica e na ferocidade de sua ambição presidencial, que o fazia multiplicar inimigos imaginários. Castello se sentia particularmente magoado ante a relutância de Lacerda em acreditar que a prorrogação do mandato não representava nenhum complô para inviabilizar sua candidatura, mas simplesmente era uma exigência do processo de consolidação da Revolução. Esta estava ameaçada pela divisão faccional entre a "linha dura" e os "moderados", e não tinha tido tempo para exibir resultados econômicos convincentes.

Paradoxalmente, enquanto Lacerda atribuía a Castello propósitos nasseristas, vários dos udenistas que votaram pela prorrogação, como Daniel Krieger, João

---

[364] Carlos Castello Branco, *Os militares no poder*, Rio de Janeiro, Nova Fronteira, 1976, p. 233/4.

[365] Daniel Krieger, *Desde as missões*, Rio de Janeiro, José Olympio, Rio de Janeiro, 1977, p. 229.

Agripino ou Afonso Arinos, receavam precisamente o "cesarismo" de Lacerda, que no ver deles o transformava em potencial ditador. Aliomar Baleeiro, em conversa com Castello Branco, chegara a declarar que considerava que Lacerda na presidência seria um perigo nacional e até mesmo internacional.

Na realidade, houve dois rompimentos de Lacerda. O primeiro, com uma famosa entrevista em que declarou que Castello, "mais feio por dentro que por fora", era o "anjo da conde de Lage" (a rua das prostitutas na velha Lapa) e ainda um "pequeno Deus mesquinho".

O segundo, este direto e explícito, quando Castello se viu forçado a editar, em 27 de outubro de 1965, o Ato Institucional n.º 2. Lacerda reagiu dramaticamente, formalizando sua renúncia à candidatura presidencial.

Em agosto de 1966, já rompido com Castello, faria, em carta a Nascimento Brito, diretor do *Jornal do Brasil*, o seguinte comentário sarcástico sobre o projeto da Constituição de 1967, com a qual Castello Branco almejava pôr termo ao regime de exceção: "O sr. Castello Branco não está preparando uma Constituição e sim uma pílula anticoncepcional para esterilizar a democracia no Brasil".

Na perspectiva da história, verifica-se que Lacerda, com singular falta de senso de prioridade, desperdiçou talento em problemas absolutamente secundários. Eram verrugas na face da história. Um dos exemplos foi o caso das areias monazíticas, episódio dos mais ridículos do nacionalismo brasileiro. Lacerda gastou verbo e energia, denunciando o governo Kubitschek por permitir a exportação para os Estados Unidos, dentro de acordos preexistentes, de areias monazíticas, material que, segundo a mitologia da época, teria grande importância estratégica, como fonte de energia nuclear, através de reatores de tório. Kubitschek foi acusado de estar favorecendo seu amigo, Augusto Frederico Schmidt, sócio da Orquima, que refinava o material. A campanha que se seguiu levou a Orquima à falência, e as famosas areias não foram de utilidade para nenhum dos dois países — o Brasil e a Índia — que preservavam ciumentamente essa suposta reserva energética.

Outro caso foi o do petróleo boliviano, uma das mais lamentáveis demonstrações de primitivismo irracional, a que antes me referi (cap. IX, 22). Como membro da Comissão de Inquérito da Câmara sobre a Petrobrás, que acabou espraiando-se pela questão do petróleo boliviano, Lacerda investiu selvagemente contra o BNDE. Encarregado da execução dos Acordos de Roboré, como diretor superintendente desse banco, fui acusado de "fanatismo entreguista" quando buscava apenas uma fórmula realista para permitir às empresas privadas brasileiras explorarem nossa área de concessão na Bolívia. A solução racional seriam os empréstimo aleatórios ou "contratos de risco". Afastada num lance de nacionalismo demagógico essa solução, a operação estaria fadada ao fracasso. Foi o que aconteceu. Perdemos as concessões na Bolívia.

Soube depois que, em carta a Carlos Lacerda, infelizmente não divulgada à época, o ex-ministro das Relações Exteriores Raul Fernandes foi, com sua habitual lucidez, ao cerne da questão, com três argumentos (1) Era militarmente importante termos uma fonte de petróleo que não dependesse de vias marítimas; (2) Se a Petrobrás se envolvesse na Bolívia se privaria de recursos para explorar no Brasil; e (3) A idéia de impedir que empresas nacionais privadas se associassem a capitais estrangeiros era o "cúmulo da insensatez nacionalista".[366]

O episódio da Hanna Mining Co. foi outra tempestade em copo d'água. Essa empresa encolheu-se, associando-se minoritariamente ao Grupo Azevedo Antunes da CAEMI, e suas atividades jamais perturbaram o avanço da Vale do Rio Doce. Esta, sem monopólio, tornou-se uma empresa rentável e mundialmente competitiva. Dificilmente o seria se tivesse o conforto de uma posição monopolística.

A compra da AMFORP se revelou um grande negócio para o Brasil. Nacionalizadas as empresas, foi possível dar incrementos tarifários e promover a expansão do sistema, com apoio da AID (Agência de Desenvolvimento Internacional) e do Eximbank. Os recursos oriundos dos pagamentos efetuados aos investidores estrangeiros foram, na proporção de 75%, compulsoriamente reaplicados no país em empréstimo de longo prazo a Eletrobrás.

Mais bizarra ainda foi a interpretação fantasmagórica e conspiratória que Lacerda deu à formação de um grupo de trabalho do governo brasileiro com a empresa de consultoria Booz-Allen, para formular um plano de longo prazo sobre a indústria de aço no Brasil, com patrocínio do Banco Mundial. O simples fato de que o presidente do lado brasileiro era o general Edmundo de Macedo Soares, o criador da Siderúrgica Nacional, garantiria adequada defesa dos interesses siderúrgicos brasileiros. O propósito do nosso acordo com o Banco Mundial era, de um lado, criar precondições favoráveis para financiamento, por esse Banco, dos projetos considerados viáveis. E, do outro, possibilitar ao governo uma avaliação objetiva da exeqüibilidade técnica e financeira de projetos siderúrgicos regionais, defendidos ferozmente pelos estados, sem adequada análise dos custos de oportunidade. As projeções da comissão foram extremamente realistas. A demanda previsível de aço em 1980 seria de 17 milhões de toneladas, dado que a experiência confirmou. Planos mirabolantes, feitos depois durante o governo Médici, de expansão da siderurgia para mais de 30 milhões de toneladas, foram exercícios líricos. De outro lado, alguns dos projetos regionais que o grupo considerava desaconselháveis, como a Usina Siderúrgica da Bahia (Usiba) e a Cia. de Aços Piratini, no Rio Grando do Sul, provaram-se intermináveis fontes de déficits. Não havia a menor

---

[366] O texto dessa carta, datada de 19.1.59, me foi cedido por John Foster Dulles Jr., autor do livro *Carlos Lacerda — Brazilian crusader*, Austin, University of Texas Press, 1991.

intenção de sabotar a construção da Cosigua, projeto que era a menina dos olhos de Lacerda, e que, depois privatizada pelo Grupo Gerdau, provou-se uma usina eficiente e rentável. Era um raivoso profeta que desperdiçava talento na busca de falsos inimigos.

A REAPROXIMAÇÃO
FRUSTRADA

Depois que deixei o governo Castello Branco não tive qualquer contato com Lacerda. Como é sabido, ele acabou cassado pelo governo Costa e Silva e depois preso, em dezembro de 1968.

Anos depois soube, por amigos comuns, que Lacerda revira suas posições a meu respeito. Em 1976, numa de minhas visitas ao Rio, quando embaixador em Londres, fui visitar Di Cavalcanti, um velho amigo, no seu estúdio do Catete, onde pintava suas suculentas mulatas. Com certo exagero, aliás. Um de seus críticos dizia que Di pintava mulatas soberbamente; apenas abusava de "nuzes e cuzes".[367]

Com extraordinária bizarria, Lacerda disse ao Di que eu tinha estragado a Revolução, mas que era "sério e competente". E pediu-lhe que promovesse um encontro comigo, possivelmente em Paris. E acrescentou, para espanto do Di Cavalcanti — que não sabia bem se o tom era de mofa ou arrependimento — que se fosse presidente da República "nomearia o dr. Campos ministro da Fazenda".[368]

Respondi ao Di que seria interessante essa oportunidade de reavaliação mútua. Afinal de contas, se Lacerda tivera engenho e arte para uma reaproximação com seus arquiinimigos — Juscelino e Jango — por ocasião da Frente Ampla, um

---

[367] Di Cavalcanti, um admirável *causeur*, gostava de contar a história de como conheceu Ho-Chi-Minh. Recebera instruções de Astrogildo Pereira, um dos fundadores do Partido Comunista, para esperar no cais do porto um passageiro indochinês, que viria de Buenos Aires na "terceira classe", com chapéu colonial inglês e traje curto de escoteiro. Era Ho Chi-Minh, que seria depois o grande revolucionário vietnamita. Acabara de participar de uma conferência em Buenos Aires, a convite de Rodolfo Ghioldi, o líder comunista argentino. As instruções de Di eram para levar Ho-Chi-Minh a Astrogildo Pereira, para entendimentos partidários. Ao descer do navio, Ho Chi-Minh, aparentemente saturado de discursos ideológicos, foi logo dizendo: — *On m'a dit qu'il y a des jolies mulatresses au Brésil*. Di, especialista no assunto, levou-o ao Mangue, onde prostitutas amigas abrigaram os dois por três dias, até a partida do navio. Foi uma infidelidade carnal e ideológica ao Partido...

[368] Contou-me o jornalista Adirson de Barros que, num jantar na bela casa da Fábrica Bangu, da família Guilherme da Silveira, tradicionais lacerdistas, alguém teria perguntado a Lacerda: "Se fosse presidente da República, quem seria seu ministro da Fazenda?" Para estupefação geral, pois todos sabiam dos vitupérios que me lançara quando de minha passagem pelo Planejamento, Lacerda teria respondido: "O Roberto Campos... É que ele sabe tudo o que eu não sei sobre economia, e eu sei tudo o que ele não sabe sobre política"...

encontro comigo seria café pequeno do ponto de vista comportamental. Talvez ambos corrigíssemos nossa subestimação. Ele subestimara os tecnocratas e eu subestimara os políticos...

O reencontro não aconteceu. Soube, na embaixada em Londres, do seu falecimento em maio de 1977. Senti pesar. Lacerda tinha uma capacidade única de xingar inteligentemente. Sob seus impropérios eu sentia ao mesmo tempo raiva e admiração. Era inescrupuloso nos seus alvos, mas corajoso na refrega. Tinha grandes ambições mas aceitava correr grandes riscos. Seu moralismo era mais exibicionismo que convicção. Como disse Luís Viana Filho, partícipe de vários entreveros com Lacerda, "faltava a este a justa medida das coisas: a paciência na ambição e o equilíbrio nos julgamentos".[369]

Afonso Arinos, beneficiário e vítima, alternativamente, do amor e ódio de Lacerda, descrevia-o como um "avião em *cumulus nimbus*".

Tenho que reconhecer entretanto que foi terrivelmente certo em sua profecia política. Quando se levantou ferozmente contra a prorrogação do mandato de Castello Branco, em julho de 1964, predisse que os militares ficariam no poder 20 anos. Para usar suas próprias palavras: — Estava vendo antes dando a impressão de ver demais.

Foi precisamente o que aconteceu, por um desses ardis da história.

Nada mais longe do pensamento de Castello Branco do que imaginar uma longa permanência dos militares no poder. Ele sempre considerou que os militares na política deviam ser "missionários" e não "funcionários". Esperava que, reconstitucionalizado o país pela Constituição de 1967, o poder civil se consolidasse. Costa e Silva seria um acidente de percurso e não o prelúdio de uma dinastia militar...

Agora na velhice, quando a gente sente mais fundo que da vida nada se leva, aumenta o meu nível de tolerância. Verifico que o que houve entre mim e Lacerda foi um trágico desencontro. Pois tínhamos muitas coisas em comum. Ambos sofríamos do xingamento injurioso das esquerdas, que no Brasil exploram a mais larvar forma de xenofobia. Lacerda era acoimado de "reacionário a serviço do imperialismo americano" e eu de "entreguista". Ambos considerávamos o nacionalismo uma forma zangada e infantil de patriotismo.

— O nacionalismo — dizia Lacerda — não é uma causa. É um pretexto... e uma impostura.

Acreditávamos ambos em austeridade monetária e fiscal. Detestávamos ambos o monopólio da Petrobrás, propugnado pelos "nacionalistas do bananismo", que é como Lacerda se referia ao general Horta Barbosa durante a campanha do "petróleo é nosso". Estávamos ambos vacinados contra o despotismo e a ineficiência

---

[369] Luís Viana Filho, *O governo Castello Branco*, 3ª ed., Rio de Janeiro, José Olympio, 1976, p. 105.

do comunismo, Lacerda por tê-lo praticado na juventude e eu pela análise histórica e sociológica. Sofríamos ambos daquilo que Assis Chateaubriand chamava de "índole da controvérsia". Tínhamos em comum ambos suspicácia em relação ao estado-empresário e eu considerava Lacerda um excelente administrador. Éramos ambos privatistas. Nenhum de nós tinha a visão complexada da participação de capitais estrangeiros. Foi tudo um grande desencontro...

VINHETAS DA

MINHA PAISAGEM

◆

SAN TIAGO DANTAS
E A ESQUERDA POSITIVA

San Tiago e Gallotti vinham ambos de um passado integralista. A isso escapei talvez porque meu passado seminarístico me tivesse abastecido de um estoque de certezas. Tendo abandonado o dogma religioso, dificilmente me deixaria seduzir pelo dogma político. Mas é surpreendente o fascínio que o integralismo exerceu na juventude da minha geração, particularmente sobre sua parte mais intelectualizada. Num Brasil pusilânime, parecia uma salvação afirmativa. Na época, era costumeiro racionalizar-se o integralismo como uma opção alternativa ao comunismo despótico e ao capitalismo plutocrático. Num país em que a ordem é um *slogan* de bandeira, e não um hábito comportamental, a severa disciplina da obediência ao líder parecia receita de eficiência. A busca rápida do poder parecia melhor que o progresso lento da razão. E subestimava-se o potencial de violência e corrupção, sempre que o indivíduo se sacrifica ao Leviatã do estado.

Curiosamente, muitos passariam do dogmatismo de direita ao radicalismo de esquerda. Eram aparentemente espíritos acríticos e inseguros, à procura de certezas redentoras. Foi essa a trajetória de espíritos tão díspares como Roland Corbisier, o filósofo, e d. Helder Câmara, o pastor.

Gallotti, transposta essa fase de intoxicação ideológica, se tornou um liberal; San Tiago, um social-democrata, convertido ao capitalismo, mas sempre à busca de uma terceira via. Num discurso pronunciado em 1963, falava na busca simultânea da democracia política e social.

— Sem aquela — dizia ele — o projeto de reforma social se converte em despotismo burocrático. Mas sem uma profunda orientação a democracia política se converte num contratualismo plutocrático.

Conheci San Tiago pouco depois de regressar da ONU, em fins de 1949. Nossos laços se estreitaram primeiro quando ambos participamos de um subcomitê criado por Horácio Lafer, ministro da Fazenda, para avaliar a base estatística das denúncias contra a espoliação das multinacionais, através de remessas de lucros, formuladas por Getúlio Vargas num inesperado e exasperado discurso de fim de ano, em 1951. Curiosamente, àquela altura eu era tido como esquerdista, pois esposava um reformismo algo ingênuo, fácil de confundir com as arengas revolucionárias da época. Depois, convivemos bastante como membros da delegação brasileira à IV

Reunião de Chanceleres, em Washington, sobre o conflito da Coréia, em março de 1951. San Tiago era o grande conselheiro político de João Neves, e eu, o assessor econômico.

Mantivemos contato ao longo dos anos, tornando-se San Tiago um próspero *corporation lawyer*, mistura de professor e banqueiro, enquanto eu me tornara um tecnocrata no BNDE.[370] Surpreendeu-me de certa feita ao convidar-me para juntos comprarmos um banco.

---

[370] Lembro-me de um evento que vale a pena contar. Em 1956, passei alguns dias em Genebra convidado pela Organização Internacional do Trabalho, para participar de um grupo de trabalho que redigiria um relatório sobre *Employement and development*. Encontrei-me com San Tiago Dantas no bar do Hotel du Rhone. Apresentou-me um seu cliente chamado Edmond Safra, libanês naturalizado brasileiro. Tinha adquirido uma empresa no Brasil, a Pan-Americana Têxtil, que desejava transformar numa fábrica de papel e celulose. Estava pleiteando um financiamento do BNDE (essa fábrica foi depois vendida à Champion Paper Company, que se transformou em importante produtora de papel e celulose em Mogi-guaçu). Tomamos alguns drinques, regados por uma exibição, por San Tiago, de sua surpreendentemente ampla cultura literária francesa. Edmond, tímido e discreto, me impressionou apenas pela sua versatilidade lingüística, pois transitava com *aisance* do francês para o inglês, italiano e português. Não podia imaginar que se tratava de um gênio financeiro. Edmond provinha de uma longa linhagem de banqueiros na Síria e no Líbano, com a versatilidade necessária à sobrevivência de judeus no mundo árabe. Viria depois a tornar-se um grande banqueiro, depositário de fundos de judeus sefarditas do Oriente Médio, mas conseguindo também manter excelentes relações com as casas reais da Arábia Saudita e do Golfo.

Naquela ocasião, Edmond, que já tinha comprado uma casa bancária no Brasil e possuía uma pequena financeira em Genebra, a Sudafin (Sud Amerique Financière), confidenciou-nos que queria transformá-la num banco comercial que pudesse ajudar substancialmente no desenvolvimento do intercâmbio europeu com a América Latina. San Tiago e ele perguntaram-me se tinha alguma sugestão para o nome do novo banco. Respondi-lhe que conhecia vários *bancos de desenvolvimento* e vários *bancos de comércio*. Não conhecia, entretanto, nenhum *banco para o desenvolvimento do comércio*. Um bom nome seria assim Trade Development Bank. Edmond refugou a idéia inicialmente, pois o nome francês seria insuportavelmente longo e pedante — Banque pour le Devéloppment du Commerce. E pior ainda em italiano: Banca per il Sviluppo Commerciale. Acabou rendendo-se ao acrônimo inglês — TDB — e criou o Trade Development Bank, que prosperaria rapidamente, tornando-se importante presença financeira na Europa. O TDB acabou sendo vendido em 1983 ao American Express, numa vultosa transação que, dir-me-ia depois Edmond, lhe causou grande arrependimento pela incompatibilidade entre a cultura bancária familiar do grupo Safra e a cultura impessoal e burocratizada do American Express. Em pouco mais de vinte anos, Edmond viria a tornar-se bilionário, sendo hoje talvez, como pessoa física, o maior banqueiro individual do mundo. Vendeu aos seus irmãos o Banco Safra, no Brasil, criando em Nova York o complexo bancário do Republic National Bank of New York. Orgulhava-se de que, quando houve em Beirute uma corrida bancária, provocada pela falência do Banco Intra, o único banco que não recorreu ao redesconto foi o Banque Nationale, do grupo Safra. Encontramo-nos, de vez em quando, ao longo dos anos. Quando lhe perguntava qual o segredo do êxito, respondia-me que seguira sempre o duplo conselho de seu velho pai, Jacob Safra: manter liquidez (prudência natural para os judeus, historicamente perseguidos) e nunca pretender o primeiro lugar. O raio — dizia o velho Jacob — atinge primeiro as árvores mais altas...

— Como? — disse-lhe — Com meu salário de tecnocrata, o meu problema é policiar-me para não passar cheques sem fundos.

— Ora bolas, qualquer pessoa pode comprar um banco com dinheiro. O desafio intelectual para mim é comprá-lo sem dinheiro!

Quando no BNDE, como diretor superintendente, San Tiago apresentou-me a Antonio Gallotti, então chefe do Departamento Jurídico da Light and Power, que viria a ser um dos "três mosqueteiros". Estávamos em 1957. San Tiago tinha então adquirido o *Jornal do Commercio* e assumido a penosa tarefa de escrever diariamente a "vária", ou seja, o editorial, àquela ocasião um importante *opinion maker*. Sempre que viajava, cabia-me a tarefa. Mas o parto mental diário, corriqueiro para San Tiago, era para mim uma tortura. O jornal, aliás, se encaminhara para uma postura nacionalista, de apoio ao monopólio estatal do petróleo, e triunfalista, de apoio à construção de Brasília. Ambas as posturas me desagradavam. Quando um incêndio destruiu a sede do jornal, na rua do Ouvidor, obrigando San Tiago a vendê-lo a Assis Chateaubriand, considerei tratar-se de um castigo merecido, o que amuou San Tiago a ponto de não nos falarmos por algumas semanas...

A verdadeira vocação de San Tiago era, entretanto, a Política (com P maiúsculo). Acreditava-se, justificadamente, preparado para o poder. Planejou, diligentemente, o tríptico saber, ter e poder. O professorado fora a avenida para o saber. Como próspero *corporation laywer* e banqueiro bissexto, enriquecera: era o ter. Como político, buscava o poder. A preocupação de San Tiago com o poder é ilustrada por um episódio contado por Antonio Gallotti em discurso pronunciado no IEPES (Instituto de Estudos Políticos, Econômicos e Sociais), em outubro de 1984, no vigésimo aniversário da morte de San Tiago. Assim diz Gallotti:

> "Numa manhã de novembro de 1937, chamados, San Tiago e eu, ao palácio Monroe, pelo ministro da Justiça, Francisco Campos, nosso ex-professor no curso de doutorado, recebemos o convite para, com nossa pregação, enaltecer o advento e a construção do Estado Novo. Minha surpresa irradiou entusiasmo quando San Tiago, imperativo, respondeu: 'Professor, não queremos servir ao poder, queremos exercê-lo'.

Conforme já relatei, San Tiago, antes de se candidatar à deputação federal por Minas Gerais, propôs-me que juntos buscássemos uma experiência política. Tecnocrata, razoavelmente bem-sucedido, e desprovido de qualidades cênicas, a arena política não me atraía. San Tiago desejava originalmente candidatar-se pelo PSD mineiro. Benedito Valadares, uma velha raposa, não queria ver um novo contendor num partido já cheio de estrelas como Tancredo Neves, Gustavo Capanema e José Maria Alkmin. Negaceou, pretextando que já estava comprometido com Walther Moreira Salles para promover-lhe a entrada no partido e na política. San Tiago voltou-se então para o PTB, onde a competição seria mais fácil, pela carência de rivais de nível intelectualmente comparável. João Goulart, intercedendo junto ao presidente do PTB de Minas, Camillo Nogueira da Gama, facilitou a inclusão de San Tiago na chapa do partido, nas eleições de 1958.

Com sua extraordinária capacidade de encontrar fórmulas jurídicas, San Tiago, no Congresso, tornou-se logo um "viabilizador". Redigiu a lei de transferência da capital para Brasília e fez parte, com Afonso Arinos, Luís Viana Filho, Nelson Carneiro, Nestor Duarte e Guilhermino de Oliveira, do grupo que redigiu o compromisso parlamentarista de 2 de setembro de 1961, que possibilitou a posse de João Goulart.

Numa visão retrospectiva da história, foi trágico que San Tiago não tivesse tido oportunidade para sua última "viabilização", quando foi indicado para primeiro-ministro em substituição a Tancredo Neves. Misturando uma experiência de manejo econômico com uma perspectiva política internacional, teria provavelmente evitado o fracasso do modelo parlamentarista e mudado o curso de nossa história. Mas San Tiago despertava tanto admiração relutante como venenosa inveja. Não teve o apoio integral do PTB e das esquerdas, como esperava, e negligenciou a tarefa de cultivar o PSD e a UDN, ainda suspicazes da sua "política externa independente".

Foi imensa a sedução intelectual que San Tiago exerceu sobre minha geração. Talvez tenha sido o melhor cérebro daquela época: polimorfo sem superficialidade, luminoso sem eclipse, acadêmico e contudo operacional, capaz do rigor da ciência e da luminosidade das artes.

Nossa divergência era que, a meu ver, San Tiago sobrestimava a força das esquerdas e era inclinado a contemporizar excessivamente com elas, na esperança de lhes injetar racionalidade. Era demasiado tolerante em relação ao "estatismo" e atribuía ao Estado uma função otimizadora das relações de trabalho. Entretinha o sonho da terceira via, ou da "esquerda positiva", em contraste com o desbragado populismo da "esquerda negativa" de Brizola.

Minhas relações com San Tiago, como ministro do Exterior, e minhas reservas quanto ao significado e oportunidade da chamada "política externa independente" são adumbradas no capítulo "Missão junto à Casa Branca".

Cabe-me aqui falar sobre sua curta, porém não indiferente, passagem pelo ministério da Fazenda, de janeiro a junho de 1963. Teve ele então de enfrentar, de peito aberto, aquilo que Karl Jaspers chamou "as tensões da insolubilidade". Pois tensa e insolúvel era a tarefa de dar racionalidade e operacionalidade à doutrina econômica do populismo. Na América Latina, o populismo, espécie de forma larvar ou amebiana de socialismo, só apresenta seis características infensas ao desenvolvimento:

• O subvencionamento dos serviços básicos de utilidade pública, os quais, impedidos de cobrar tarifas realistas, perdem capacidade de investimento;

• A inflação salarial e irrealismo assistencial, que desconsideram os limites impostos pela produtividade da mão-de-obra, gerando uma euforia momentânea e uma frustração permanente, pela espiral salário-preço, ao mesmo passo que dificultam a absorção de novos contingentes de mão-de obra;

• O impasse cambial, pois que, através de taxas cambiais sobrevalorizadas se procura baratear a importação de bens básicos, desencorajando, de outro lado, as exportações e o ingresso de capitais;

• A ojeriza ao lucro, esquecendo-se sua função de premiar o risco e recompensar a eficiência;

• O intervencionismo governamental, que leva a duas formas de intervenção perturbadora: a proliferação de subvenções e controles e a estatização de atividades, supostamente para corrigir as perversões e suprir a insuficiência dos agentes privados; e

• O escapismo, que leva à busca de bodes expiatórios internos e inimigos externos, dificultando a análise racional de problemas e a revisão, às vezes penosa, de políticas incorretas.

À dificuldade genérica de conciliar o populismo mobilizador com a racionalidade gerencial se sobrepunham duas dificuldades específicas. Abastecido com a bagagem de um passado acadêmico brilhante e uma experiência bem-sucedida de *corporation lawyer*, San Tiago tinha que enfrentar grandes suspicácias dentro de seu próprio partido, o PTB, para o qual o intelectualismo era prova de inautenticidade. O PTB propendia a preferir os "ativistas instintivos" aos intelectuais pedagógicos, e a apelação de "Professor", com que San Tiago era brindado, ressumava menos respeito que ironia.

Apesar da heterogeneidade da composição do PTB, que abrigava latifundiários prósperos, industriais monopolistas, além da pouco vocal massa operária urbana, o convívio com San Tiago era esconso, pois os "populistas ativistas" não esqueciam sua visão cosmopolita, sua cultura elitista e seu passado burguês.[371]

A outra dificuldade talvez mais séria derivava de nossa conjuntura de pagamentos externos. Desprovido de reservas cambiais, ou antes com reservas negativas, em vista da acumulação de "atrasados comerciais", o Brasil vociferava uma retórica de independência e praticava uma realidade de mendicância.

E aqui se esgalhavam agudas as pontas do dilema. Para obter apoio financeiro internacional, era necessário apresentar programas racionais de saneamento financeiro. Para alcançar apoio político interno, era necessário cultivar o vocalismo antiimperialista e acariciar os preconceitos populistas.

Essa, a "missão impossível" com que se defrontava San Tiago. Como embai-

---

[371] Alzira Vargas descrevia o PTB como um partido "socializante" antes que "socialista".

xador em Washington, ao tempo em que San Tiago, ministro da Fazenda, procurava solucionar o impasse cambial do Brasil, em março de 1963, pude sentir o peso da angústia e medir a dimensão do esforço. Havia muita gente construindo muros e ninguém construindo pontes... As opções eram veramente estreitas.

Convencido da necessidade de maior eqüidade para a solução de nosso impasse político-social, interessava a San Tiago uma revolução reformista, principalmente por via do sistema fiscal. Reformismo social, ao invés de radicalismo revolucionário, era sua receita para a "esquerda positiva". Mas esquemas dessa natureza não se poderiam esperar de um Legislativo basicamente conservador, nem o Executivo, desfibrado e inconstante, teria suficiente organicidade para propô-los.

A tarefa do ministro da Fazenda em 1963 teria intimidado qualquer outro. Era necessária uma política de contenção econômica em ambiente de radicalização política. Diz Henry Kissinger que o burocrata prospera na previsão de catástrofes, enquanto o estadista se compraz na descoberta de oportunidades... Foi como estadista que San Tiago Dantas, depois de brilhante passagem pelo ministério do Exterior, aceitou o ministério da Fazenda, que naquela ocasião significava uma auto-imolação de oportunidades políticas.

A estreita opção era impedir a ruptura do dique, por ser impossível construir novas barragens. Criar uma ilha de racionalidade no mar revolto do instinto. Substituir, gradual mas tenazmente, o *slogan* pelo silogismo...

O plano de desenvolvimento e reforma de autoria de Celso Furtado, aceito por San Tiago Dantas como um possível programa de ação, foi por ele valentemente defendido em condições adversas. O programa previa, ainda que sem formulá-las minudentemente, reformas de tipo social como a reforma agrária, e de tipo econômico, como a reforma fiscal. Conquanto ambas fizessem parte da retórica do governo, este se concentrava, com mais vigor e interesse, nas chamadas "reformas políticas", como o voto dos analfabetos, das praças-de-pré e suboficiais, supostamente destinadas a alterar o balanço do poder político. Politicamente manipulado, o programa de reformas viria a ser entretanto menos um processo coerente de transformação do que um instrumento de intimidação demagógica. Nas mãos de Goulart, cujo destino cada vez mais se avassalava à esquerda negativa, serviria para condenar as estruturas, em vez de corrigir a conjuntura. Uma fórmula de escapismo sob o pretexto de modernização...

O programa trienal teve curta duração, pouco mais que um trimestre. As questões reais e imediatas, como corrigir a inflação, que em 1962 já atingira 52%, e desvalorizar a taxa cambial para melhorar o balanço de pagamentos, exigiriam medidas antipáticas: austeridade na política salarial, eliminação de subsídios à importação de petróleo e trigo, corte de despesas públicas e aumento de impostos, ante um déficit que já atingira 60% da receita. A desvalorização cambial (30%)

viria tardiamente, em abril de 1963. Foi medida assaz corajosa, numa época em que a taxa cambial não era ainda considerada um simples preço no mercado, e o realismo cambial denotava "submissividade" ao Fundo Monetário Internacional. Não se chegou a instaurar uma política salarial racional, em face de pressões sindicais e legislativas que provocaram um aumento de 70% nos salários do setor público, agravando irremediavelmente a execução do orçamento público, progressivamente deficitário. A inflação atingira 25% no primeiro trimestre de 1963, mas para a esquerda negativa a retórica das "reformas de base" era preferível à impopularidade do saneamento financeiro.

Em vez de se atacarem esses problemas reais, ainda que pedestres, os temas que suscitavam paixão eram a remessa de lucros, a desapropriação das empresas estrangeiras e a reforma agrária... Esta era orientada não no sentido do incremento da produtividade, mas no da desapropriação conflitiva, pois que se esqueciam outros instrumentos de reforma, como a tributação e a colonização, de aplicação mais genérica, enquanto aquela deve ser remédio indicado para situações regionais específicas de confrontação entre o minifúndio e o latifúndio.

Foi admirável o sacrifício humano e político de San Tiago, já ferido pela doença, para conter no leito democrático os impulsos infrenes da demagogia. Se alguma coisa se lhe pode criticar é ter sobrestimado a operacionalidade de nossas esquerdas e sua capacidade de fabricar o futuro, de vez que depois se revelariam mais fisiológicas que apostólicas. Sobremodo corajosa foi a sua luta para transformar a desapropriação conflituosa em nacionalização pacífica, no caso da American and Foreign Power, sem o que teríamos por muito tempo comprometido o clima de investimentos. O curto período de janeiro a junho de 1963 foi assim destinado a impedir a ruptura do dique e a plantar algumas ilhas de racionalidade. Não houve grandes vitórias, mas conseguiu-se fazer algum bem e evitar muito mal...

Quando San Tiago faleceu, em 6 de setembro de 1964, após longa luta contra o câncer, trilhando os caminhos de Jó, sob a humilhação da dor e a cutelada do desengano, eu era ministro do Planejamento do governo Castello Branco. San Tiago era olhado com suspicácia pela Revolução, em vista do seu esforço para organizar a desossada resistência de Goulart, nos dias finais do governo.

Sugeri a Castello Branco que se fizesse representar oficialmente, mas que de qualquer maneira eu compareceria ao enterro e pretendia falar em homenagem a San Tiago. Castello preferiu que eu o fizesse em meu nome pessoal. Ainda estavam quentes as cinzas do conflito com Goulart. Castello respeitava profundamente o intelecto de San Tiago, mas considerava uma falha de seu caráter ter mantido o apoio a Goulart, mesmo quando se tornara clara sua intenção de implantação da "República Sindicalista", uma espécie de Estado Novo getuliano, com os sinais trocados: da esquerda ao invés da direita. Houvera, entre os revolucionários da linha dura, propostas insistentes de cassação dos direitos políticos de San Tiago, punição despropositada, que Castello recusou em junho de 1964.

Falamos à beira do túmulo, Afonso Arinos e eu. Arinos celebrou a obra de San Tiago como professor, jurista e político. Eu fiz alguns comentários comovidos. Assim falei sobre o primeiro dos mosqueteiros a desaparecer:

"Alguns o julgavam frio e indiferente à condição humana. Cruel engano. Só se se tratar dessa 'indiferença apaixonada', de que fala o padre Teilhard de Chardin. A indiferença daqueles que sabem que a condição humana pode ser melhorada muito mais pelo conhecimento severo do que pela piedade vazia."

E acrescentei, relembrando nossas tertúlias políticas:

"Um dia me aconselhaste a entrar na vida política, porque chegara para nossa geração o momento em que a busca do poder deixara de ser uma escolha para ser um dever. Em que partido, perguntei? Entre irônico e triste, tu me respondeste: 'Escolhe o partido, segundo o teu verdadeiro perfil. Mas o necessário mesmo é criarmos um novo partido. O partido de Abel, dos que habitam o Tema da Salvação."

Em retrospecto, vejo quanto a história foi injusta com alguns meus companheiros de jornada, a cujos esforços frustrados assisti com admiração misturada de fervor. Dois dos nossos melhores ministros da Fazenda tiveram passagens apenas meteóricas pela pasta. Gudin, que passou menos de oito meses, e San Tiago, que não ficou mais do que um semestre.

Nossa história teria sido diferente, e menos infeliz, se ambos, igualmente sinceros, ainda que de nuança ideológica diversa, tivessem tido oportunidade de dar à nação tudo o que queriam e podiam dar, no tempo que lhes foi concedido sobre a Terra...

GALLOTTI, O POLÍTICO
QUE O BRASIL PERDEU

Robert McNamara, um dos brilhantes talentos da era Kennedy, terminou certa vez um discurso, como presidente do Banco Mundial, com as seguintes palavras: "Nossa frustração é sobre o passado do homem, nossa dissatisfação é quanto ao presente do homem; nossa dedicação é para o futuro do homem."

Se passarmos do homem abstrato para a concretude deste Brasil, tão próximo da grandeza e tão indisciplinado para alcançá-la, teremos uma descrição exata do que sentia Antonio Gallotti: frustração pelo passado, dissatisfação quanto ao presente; dedicação ao futuro.

Gallotti era o outro dos três mosqueteiros, uma grande vocação política desperdiçada. Sobravam-lhe qualidades para isso. Primeiro, uma enorme capacidade de articulação. E isso pressupõe acariciar a vaidade dos interlocutores, tornando-os convictos de uma importância que não têm. Pressupõe também a habilidade de deixar que os outros assumam a paternidade de idéias que não geraram. Segundo, Gallotti possuía a infinita paciência do tecelão a urdir tramas de desenho complexo, onde o brilho da solução inteligente convive com a obscuridade do miúdo interesse. Ser político é ter a paciência de reconhecer que num número infinito de vezes não é possível fazer o bem; já é muito se se consegue evitar o mal...

Seu primeiro ensaio de ativismo político no integralismo trouxe-lhe, como a muitos de sua geração, terríveis desilusões. Tratava-se de um movimento reflexo, que apanhou no Brasil uma juventude idealista, antes que os modelos originais exibissem toda a sua brutalidade. Para os jovens de então — angustiados com a falta de rumo — era a tranqüilidade das afirmações. Parecia um antídoto ao cinismo e à preguiça. Eram seduzidos, como já disse, pelo potencial de mobilização, sem suspeitar do potencial de intolerância, que na Europa viria a se manifestar com desabrida violência, através de uma nefanda combinação de nacionalismo, imperialismo e despotismo.

Machucado por essa primeira experiência, Gallotti se voltou para a atividade privada, onde seu talento jurídico e perspicácia psicológica breve o levariam de posições de assessoramente jurídico a posições de comando na Brazilian Light and Power. Sua experiência professoral como docente de Teoria do Estado e Direito Constitucional na PUC do Rio de Janeiro habilitou-o singularmente para entender a complexa relação entre a grande empresa, com poder microeconômico, e o Leviatã estatal, capaz de exercer tirania macroeconômica. Sua argúcia e experiência projetaram sua influência do campo interno para todo o complexo internacional da empresa. A capacidade de Gallotti de se cercar de talentos era legendária. Durante certo tempo, o Departamento Jurídico da Light se tornou uma espécie de Almanaque Gotha do saber jurídico da nação, incluindo luminares como Miguel Reale, Seabra Fagundes, Caio Tácito, José Alfredo Lamy, Carlos Medeiros, Luiz Antonio Andrade, Marques Filho e Antônio de Azevedo Sodré.

A tarefa de Gallotti na Light não poderia ser mais áspera. Uma das menos amoráveis características dos países subdesenvolvidos é a contínua busca de bodes expiatórios para explicar as frustrações internas. A demonologia torna-se um esporte natural para explicar a pobreza. Como na peça shakesperiana, é difícil reconhecer que a culpa está em nós mesmos e não nas estrelas... ou nos demônios.

Na geração que Gallotti e eu vivemos, os grandes demônios eram o polvo canadense, a Light and Power, que Gallotti várias vezes salvou da destruição, os trustes petrolíferos e a conspiração adversa do mundo exterior contra os preços de nossas matérias-primas. Esses demônios se tornaram obsoletos, mas outros surgiram; hoje são as multinacionais e os bancos credores.

Visto em retrospecto, o "polvo canadense" — hoje transformado em parcela de uma Eletrobrás endividada e ineficiente — trouxe uma vital contribuição para a industrialização brasileira. Sem a represa Billings, da Light, São Paulo não seria o dínamo industrial que hoje é. A essa empresa devemos não só a implantação material de luz e telefones, mas o treinamento de toda uma geração de técnicos que hoje tripulam nossas estatais. Mais do que o capital financeiro, as normas de organização e administração, a técnica de tarifação, o acesso a investimentos e créditos internacionais formam um acervo de contribuições insuficientemente reconhecidas. A história da industrialização brasileira no eixo Rio-São Paulo está indissoluvelmente ligada ao pioneirismo da Light.

"Amigos, amigos, negócios à parte", disse a Gallotti quando, como diretor superintendente do BNDE, negociei um empréstimo para a expansão da Light. Insisti em que o empréstimo de Cr$1,3 bilhão tomasse a forma de compra de debêntures conversíveis em ações. As ações da Light estavam então deprimidas no mercado, em virtude da defasagem tarifária. Modificada, no governo Kubitschek, a legislação de eletricidade, para atualização das tarifas, as ações se valorizaram dramaticamente, auferindo o BNDE polpudos lucros ao converter as debêntures em ações. Anos depois, como ministro do Planejamento, quando designei um grupo de trabalho para a compra da Companhia Telefônica Brasileira, irritei Gallotti reabrindo as negociações com a exigência de que a taxa de juros aplicada à parcela transferível do preço fosse reduzida de 6,5 para 6%, com substancial economia para o governo.

— Que ironia — dizia Gallotti aos amigos. — Esse Campos, acusado de 'entreguista', é um algoz das multinacionais!

Gallotti batalhou violentamente contra a incompreensão do nosso nacionalismo doentio, o irrealismo tarifário dos administradores, a visão curta dos estatolatras. Não fosse ele, os serviços públicos do Brasil teriam tido evolução mais lenta, e a industrialização teria ocorrido muito mais precariamente, antes que tivéssemos formado o capital humano necessário à tarefa. Se tivesse vivido um pouco mais, seria recompensado, em seus labores incompreendidos, pelo surto de privatização que hoje varre o mundo — *la nouvelle vague anti-étatique*.

Gallotti apoiou o movimento de 1964, pois nele via um autoritarismo transitório e biodegradável, em contraste com a alternativa potencialmente sangrenta do radicalismo de esquerda. Fora, com Glycon de Paiva, um dos elementos inspiradores do IPES, cujos trabalhos sobre reformas de base trouxeram contribuição fundamental para o dinâmico reformismo do governo Castello Branco. Afastou-se porém gradualmente da Revolução quando se acentuaram suas características repressivas no fim do governo Médici. Interessou-se pela formulação de uma alternativa social-democrata, o que o levou a patrocinar a criação do Instituto Max Weber, tendo como principal colaborador Hélio Jaguaribe, um outro desiludido do integralismo. A iniciativa fracassou, em vista da excessiva suspicácia de certos segmentos do estamento militar, propensos a confundir investigação social com contestação política. Ressurgiria, anos depois, com a criação do IEPES, no fim do governo Geisel. Gallotti, o ex-integralista dos anos 30, se transformaria, segundo Hélio Jaguaribe, num liberal progressista nos anos 40 a 60, tornando-se, a partir dos anos 70, um democrata social. Eu preferiria dizer que sua conversão foi ao capitalismo democrático.

Como toda uma geração de patriotas angustiados, Gallotti via com clareza e tristeza que o Brasil insistia em especializar-se na perda de oportunidades. Sabia viver e conviver, atento à qualidade do vinho e à beleza das mulheres, com uma infinita capacidade de ouvir e ajudar. E... de conspirar para o bem do Brasil, país do qual Eugênio Gudin se declarava um perpétuo amante incompreendido e não correspondido.

No plano erótico, era incrível a capacidade de persuasão de Tony. Uma vez, em São Paulo, estava eu esperando alguns casais de banqueiros e políticos para jantar. Chegou o Gallotti, de improviso. Convidei-o imediatamente para a ceia, mas surgiu o problema do desequilíbrio biológico. Ele era o varão sobrante. Lembrei-me de telefonar para uma bela senhora recém-enviuvada. Mas hesitei. Era uma pessoa pedante e cerimoniosa, dessas que se sentem desfeiteadas por um convite de última hora. Tony tomou o telefone e começou a operação de persuasão da ilustre desconhecida. Quando voltei à sala, alguns minutos depois, ouvi a "cantada" final: — Tu és como um mar encapelado, onde singra a quilha suplicante de meus desejos.

A coisa pareceu-me incrivelmente cafona. Mas a convidada não resistiu.

Gallotti era um amigo e conselheiro, que freqüentemente me fazia descer dos devaneios pedantes da macroeconomia para as concretas e humildes preocupações do país real.[372]

Ferido pelo câncer, Gallotti planejou, com meticulosidade, a logística de sua própria morte. Afastou-se dos amigos, deixou suas finanças minuciosamente arranjadas, proibiu cerimônia e celebrações. A morte era uma fatalidade que ele tinha de administrar, mas que não devia servir de incômodo para ninguém.

Entre as várias lições que me deu espero ter aprendido a última: como morrer elegantemente.

---

[372] Um dos comensais que com freqüência encontrava na casa de Gallotti era o brilhante jurista Edmundo da Luz Pinto, um bom frasista e detentor de belo anedotário. Costumava dizer que o Brasil adora "cavalgar o cavalo do efêmero". A propósito de nossa cultura patrimonialista, contava uma estória sobre Afonso Arinos. Este se indignou quando Getúlio Vargas nomeou Benedito Valadares interventor em Minas Gerais em dezembro de 1933. É que havia dois fortes candidatos rivais no PP — Gustavo Capanema, apoiado por Flores da Cunha, e Virgílio de Mello Franco, apoiado por Oswaldo Aranha. Virgílio era considerado o favorito, pois seu pai, o então chanceler Afrânio de Mello Franco, obtivera de Getúlio promessa nesse sentido. Ardilosamente, o caudilho acabou desempatando entre as facções pela nomeação de um *tertius*, um político obscuro, Valadares. Afonso Arinos, relatando o episódio a Edmundo da Luz Pinto, exclamava irritadíssimo: "É um insulto a meu pai e ao meu irmão Virgílio, que havia começado a formar o secretariado. Não quero mais nada com esse governo! Vou me demitir do cargo de procurador do Banco do Brasil."

— Não faça isso — respondeu-lhe Edmundo. — Há no Brasil duas organizações nas quais quando a gente entra não deve sair mais: a Igreja Católica e o Banco do Brasil. Quando falta dinheiro em casa, Nossa Senhora "intera".

Tinha razão. Afrânio de Mello Franco exonerou-se da chancelaria. E não voltou mais...

À BEIRA DO RIO REGULAR,
NA RUA DO RELATIVO,
NA VIZINHANÇA DO CONFORME

Conheci Gilberto Amado, mais velho e sofisticado que os outros mosqueteiros, na fase formativa das Nações Unidas, tempo em que o idealismo da construção da paz começava apenas a ser machucado pelo início da guerra fria. Sua personalidade fascinava-me pela riqueza da experiência acumulada e pela impossibilidade de ser medíocre, tanto nas virtudes como nos defeitos. O defeito era um grau não despiciendo de egocentrismo. Era narcisista ao ponto da rudeza. Entrava em transe quando alguém confundia seu nome com o de seu rival intelectual, Gilberto Freyre.

As virtudes eram várias. Gilberto tinha um "intelecto esponja", capaz de abraçar logo a essência por detrás da existência. Seu maior medo era de que seu país, grande, continuasse pensando pequeno, incapaz da "marcha continuada" e do "lento ascender do passo firme" que a história exige dos povos vocacionados para a grandeza.

Nossa amizade iniciou-se em Nova York, no Conselho Econômico e Social da ONU, onde buscávamos plasmar soluções novas para a questão pungente das *displaced persons* (deslocados da guerra) e lançávamos a semente de programas de assistência técnica. Depois Gilberto foi absorvido pelo tema dos direitos humanos e de codificação do Direito Internacional, tarefa em que foi acolitado pelo meu colega na ONU, Ramiro Saraiva Guerreiro.

Essa amizade firmou-se ainda mais em Genebra, em 1948-49, onde tantas vezes, em "circungirações pós-prandiais", como diria Bentham, entre o Quai des Bergues e a Ile Rousseau, debruçados com angústia sobre o destino do nosso país, mutilado em suas potencialidades pelo imediatismo, enfrentávamos a tarde cinzenta e a *bise*, naquela estranha cidade-síntese onde Calvino pregou o puritanismo, Voltaire, o pessimismo, Rousseau, o otimismo, e Lênin, o marxismo.

Nunca indiferente à beleza, quer da paisagem inanimada, quer da mulher animada, lembro-me do desprazer com que apontava, no topo da *Vieille Ville*, a casa onde John Knox, o misógino escocês, escrevera o panfleto puritano: *The first blast of the trumpet against the monstruous regiment of women* (O primeiro soar da trombeta contra o regimento monstruoso das mulheres).

Gilberto tinha noções estranhas de moralidade. Lembro-me que durante a Assembléia Geral da ONU em Paris, em 1948, fui com meu colega do Itamaraty,

Carlos Alfredo Bernardes (o Lolô) jantar num restaurante perto do Champs Elysées. Lá avistamos Gilberto jantando com uma bela morena. Discretos, encaminhamo-nos para o bar, para não sermos vistos pelo casal. Gilberto percebeu-nos à distância e veio falar conosco. Disse logo: — Estou com uma enxaqueca terrível. Você, Roberto, que é filósofo, peço-lhe que caminhe comigo para o hotel.

E, voltando-se para o Lolô: — Você pode ficar com a garota. Ela fala como gente de lá, mas veste-se como gente de cá. Tem costumes de gente de lá, mas perfume do lado de cá. Divirta-se.

Lolô cumprimentou a moça entusiasticamente e eu marchei macambúzio para uma longa conversa com Gilberto, numa fria noite de outono. Na manhã seguinte, ele telefonou para Lolô: — Que tal, divertiu-se?

Lolô respondeu: — Que nada!... Chupou-me 50.000 francos de champagne em três nigtht clubs, e, ao chegar ao hotel, deu-me um beijinho na testa à la americana, pretextando cansaço.

Gilberto indignou-se. Telefonou para a moçoila.

— Minha filha, há uma coisa que lhe quero dizer. Julieta, da tragédia de Shakespeare, que você não leu; de uma das melhores famílias de Verona, do ramo nobre dos Capuleto, o que não é bem o seu caso, dormiu com Romeu Montecchio na primeira noite. E você me fazendo esse papel de puta!...

Juntamente com a ascensão de um novo irracionalismo no Brasil, que colocava a razão na defensiva, Gilberto Amado assistiria, como eu, ao ressurgimento daquela forma de comportamento disfuncional — o nacionalismo — que ele descrevera ironicamente como a "forma zangada do patriotismo, a modalidade crispada de amor à pátria". Quanto a ele, sempre preferiu o patriotismo, "que observa com rigor para levantar sobre o mau a perspectiva do que é bom, para tirar do que é bom a perspectiva do melhor".

Sempre feliz na colocação inusitada e no paradoxo farfalhante, Gilberto lembra no livro *Presença na política*, o escândalo que provocou, ao falar da "morte do liberalismo", em discurso parlamentar de 11 de agosto de 1927: "... No mundo não há mais lugar para os liberais." E, ainda: "O liberalismo, qualquer que seja o seu sentido, não tem futuro na vida dos partidos; politicamente sua missão está concluída."

Gilberto Amado estava certo naquele fugaz momento, e estaria errado no futuro, atestando o dito de G. K. Chesterton de que a humanidade se compraz em brincar com os profetas.

Gilberto Amado tinha em mente três tipos de liberalismo: o liberalismo religioso, compreendido na fórmula Cavour — Igreja livre no Estado livre; o liberalismo político, que já se tornara uma conquista pacífica, graças à generalizada aceitação da doutrina de separação de poderes; e o liberalismo econômico, que se confundiria injustamente com o simples *laissez faire, laissez passer*, já então erosado por intervenções estatais.

A subseqüente marcha da história — a sangrenta brutalidade stalinista e os desvarios do nazifascismo — vieram provar que a crônica antecipada da morte do liberalismo, por ter já cumprido sua missão, era apenas um ardil da história. O liberalismo redivivo se tornou cada vez mais importante, não apenas no sentido político, mas sobretudo no econômico, de defesa do indivíduo contra o estado hipertrofiado. A desregulamentação, a privatização e a liberação das forças de mercado são a "nova onda" mundial, que afeta países de distintos sistemas e diferentes graus de desenvolvimento. O surgimento do neoliberalismo resulta de três percepções: 1. A extraordinária complexidade da economia de consumo de massas, incompatível com o dirigismo centralista; 2. O surgimento da era da alta tecnologia, baseada essencialmente na liberdade criadora individual e na excitação competitiva; 3. A íntima vinculação entre a democracia política e a economia de mercado.

Schumpeter anunciara que o capitalismo pereceria eventualmente mais pelos seus êxitos do que pelos seus fracassos. Gilberto afirmara "não haver mais lugar para os liberais". Curiosamente, se ele errou no objeto da profecia, acertou quanto ao sujeito. Os liberais da época de que ele falava (1927) pertenciam a uma espécie que até hoje viceja — os "falsos liberais", que acreditam no liberalismo político, mas são intervencionistas em economia, em nome do assistencialismo, do nacionalismo e do protecionismo. Ouçamos as definições de Gilberto e verificaremos quão perfeitamente se ajustam à retórica do liberal-populismo, mercadoria em excesso de oferta no atual mercado político:

> "Quando digo que os liberais desapareceram da vida política, digo uma verdade fácil de demonstrar e insusceptível de ser contestada. Os deputados, os senadores, os homens da imprensa que se dizem liberais entre nós, pensam ser liberais, mas não o são; desconhecem apenas o sentido das palavras. Eu vejo protecionistas, cidadãos que admitem a intervenção do Estado para garantir as indústrias e regular a produção, proclamarem-se liberais; cidadãos que advogam a intervenção do estado na votação de medidas relativas ao trabalho, à organização sindical, à proteção e assistência aos trabalhadores, proclamarem-se também liberais."

À parte sua questionável interpretação do liberalismo, uma constante no pensamento de Gilberto era o "realismo político". Pouco ou nada se escreveu de mais percuciente e duradouro que *As instituições políticas e o meio social do Brasil*, de 1916, a que se seguiu com largo e fecundo intervalo o livro *Eleição e representação*, de 1932.

Em ambos os casos se fez contundente análise do nosso bovarismo político. No primeiro caso, a criação de fórmulas constitucionais abstratas precedeu e substituiu o esforço de criação de instituições práticas de desenvolvimento econômico e político, adaptadas ao meio. Havia então — como soa moderna a controvérsia! — o debate entre os "conservadores" e os "liberais", que Gilberto preferia chamar de "constitucionalistas" e "personalistas". Os "constitucionalistas", pugnando por uma interpretação liberal da Constituição, por sua intangibilidade, pela manutenção de todas as franquias, pela efetivação de todas as garantias políticas por ele estabelecidas e alargadas pela pregação idealista, porém irreal, de Rui Barbosa. E, de outro lado:

"Os personalistas ou ditatoriais" — sem que nessa expressão se veja nada de pejorativo — ou seja, aqueles que, "diante das dificuldades opostas a todos os governos, diante da anarquia ameaçante ou da desordem permanente, acreditam na necessidade de um Executivo forte que concentre em suas mãos a maior soma de poderes, senão plenos poderes, com o fim da salvação pública".

Na segunda obra — *Eleição e representação* — se ilustrou o singular paradoxo do nosso ritual democrático, segundo o qual, no Império e na República Velha, a eleição era falsa, e verdadeira a representação, e na República Nova, era verdadeira a eleição e falsa a representação — fenômeno que continua até hoje na raiz da nossa tenaz crise política.

Após os eventos da Revolução de 1930, interrompeu-se a promissora carreira política de Gilberto. Mas ganhamos em compensação, na *Declaração de princípios*, alguns belos versos da língua portuguesa:

"Que o político
Intoxique
Mistifique
Bestifique
A opinião
E prolifique
A eterna ilusão."

Superficial na análise econômica, e hedonista demais para o apostolado da luta contra a pobreza e o subdesenvolvimento, Gilberto tinha incrível capacidade de formulação. Quando lhe foi cobrado algo mais que a crítica de um confortável expatriado, produziu um ensaio, *Brasil e a sua organização*, onde ficou dito, com ferina verdade e supina simplicidade, que o brasileiro

"Para sair do caos em que vive, precisa de várias coisas: 1º Organizar-se; 2º Crer na inteligência; 3º Adquirir o senso das proporções no julgamento de si próprio."

Gilberto acusava o brasileiro, não injustificadamente, de "pairar no dorso liso das generalidades".

Além do "ser egrégio", a que mè referi alhures, a outra grande paixão de Gilberto era Vera Clouzot, sua bonita filha. Casada com o diretor de cinema francês Henri George Clouzot, Vera atuou em dois filmes de grande repercussão à época: *O salário do medo* (1953) — adaptação do romance homônimo de George Arnaud sobre as condições de trabalho na América Latina —, e em *As diabólicas* (1954), ambos de Clouzot, que em 1956 realizaria *Le mystère Picasso*, um clássico do cinema-documentário. Gilberto tinha complexo de feiura. A beleza delicada de Vera era para Gilberto uma espécie de vingança contra sua própria vulgaridade física.

Vera morreu jovem. De vez em quando brigavam, mas Gilberto não podia recordá-la sem lágrimas nos olhos.

Bem-sucedido na diplomacia multilateral da ONU, Gilberto teve atuação medíocre na diplomacia bilateral, que lhe parecia enfadonha. Seu complexo de feiura, de sergipano gordo e atarracado, o tornava às vezes suspicaz e agressivo. Era acusado no Itamaraty de absenteísta (estava em Capri, e não no seu posto em Helsinki, quando da invasão russa de 1939, para grande irritação de Oswaldo Aranha, ministro do Exterior) e de conflituoso, pelos atritos que provocou como embaixador no Chile. Dizia-se jocosamente que, quando cruzou de avião a cordilheira dos Andes, exclamara ao avistar o Aconcágua: — Afinal, dois gigantes se defrontam.

Para mim, mais importante que a contribuição jurídica e política de Gilberto Amado, eram seus formosos poemas, dos quais um nunca deixei de admirar:

"Deixai-me construir a minha casa
À beira do Rio Regular,
Na Rua do Relativo,
Na vizinhança do Conforme,
Sobretudo à sombra da árvore plausível
Do que se espera."

O DIPLOMATA

HEREGE

◆

PATRIOTADA
OU PARANÓIA?

Considero-me um diplomata infiel ao Itamaraty. Infiel por dois motivos. Primeiro, por ter passado boa parte de minha carreira fora do círculo propriamente diplomático. Tendo sido o primeiro diplomata brasileiro com treinamento formal em economia, fui atraído, ao longo da carreira, para responsabilidades técnicas na área econômica, primeiro na Comissão Mista Brasil-Estados Unidos, depois no BNDE e no ministério do Planejamento. Segundo, porque fui sempre tido como herege por discordar da sabedoria convencional da Casa. Minha visão da problemática mundial era freqüentemente divergente do *mainstream* itamaratiano no tocante a várias das tendências de nossa diplomacia: nunca me entusiasmei pelo terceiro-mundismo nem cedi ao viés nacionalista e antiamericanista de algumas de nossas posturas; combati os vezos autarquizantes da nossa política econômica e tecnológica, e opus-me, *last but not least*, à política tecnológica e nuclear. O que tem sido monotonamente constante na política externa é a incapacidade de distinguirmos entre "modismos", que passam ao lixo da história, e "fundamentalismos", que balizam sua evolução.

Talvez a melhor maneira de sumariar essas diferenças seja considerar as doutrinas enunciadas por Araújo Castro, ministro do Exterior no governo Goulart, que influenciaram toda uma geração de jovens diplomatas. A ele se atribui o tríptico dos D's — Desarmamento, Descolonização e Desenvolvimento — assim como a "teoria do congelamento do poder mundial".

O famoso tríptico — enfatizado pela primeira vez em discurso que Araújo Castro pronunciara como chefe da missão brasileira na ONU, durante a XVIII Sessão da Assembéia Geral em Nova York, em 1961, tinha mais vigor retórico que rigor analítico.

— Desarmamento, Desenvolvimento e Descolonização — dizia Araújo Castro, algo gongoricamente — são as únicas alternativas à morte, à fome e à escravidão.[373]

A tendência da época, que se tornou característica do terceiro-mundismo e que

---

[373] As citações de Araújo Castro foram extraídas da compilação de seus estudos e pronunciamentos, organizada pela Universidade de Brasília sob o título *Araújo Castro* (Editora Universidade de Brasília, 1982, capítulos I.2 e V.2).

viria a distorcer gravemente a ótica diplomática brasileira, era subestimar a importância das reformas internas e externalizar, para agentes internacionais, a culpa do subdesenvolvimento. Para africanos e asiáticos, o *leitmotiv* era atribuir-se ao colonialismo a culpa dos males, da miséria e da escravidão. Os latino-americanos, de outro lado, inculpavam o desperdício armamentista dos grandes países em subtrair recursos indispensáveis à colaboração internacional para o desenvolvimento. E exageravam os obstáculos criados pelo protecionismo dos países industrializados.

Naturalmente, a realidade é bem mais nuançada. Em alguns países da África e da Ásia, a descolonização, longe de propiciar um salto para o desenvolvimento, representou um retrocesso para carnificinas tribais e miserabilização.[374] De outro lado, a arrancada desenvolvimentista dos tigres do leste asiático, na década dos 80, coincidiu com o apogeu da corrida armamentista entre os Estados Unidos e a União Soviética. Isso indica que o desenvolvimento depende muito mais da mobilização de recursos internos do que da sensatez de grandes potências em poupar gastos bélicos para ativar o desenvolvimento do Terceiro Mundo, por mais desejável que isso fosse. A meu ver, o desenvolvimento do Brasil teria sido obstaculizado muito mais pelas irracionalidades internas do que pela falta de cooperação externa.

Mais graves ainda foram as distorções criadas na *weltanschaung* do Itamaraty pela teoria do "congelamento do poder mundial". A teoria, aliás, foi formulada por Araújo Castro em 1971, numa exposição aos estagiários da Escola Superior de Guerra que visitavam Washington, precisamente num momento marcado pelos milagres econômicos da Alemanha e do Japão, que certamente representaram uma desconcentração do poder econômico mundial. Sem falar que, a essa altura, a Comunidade Econômica Européia já adquirira densidade suficiente para desempenhar papel ativo no balanço de poder mundial. Nesse mesmo ano, ocorreria a visita de Nixon à China, prenunciando o reconhecimento de um novo ator importante na cena mundial.

As superpotências teriam articulado, na visão de Araújo Castro,

> "Um esforço conjugado no sentido de uma estabilização e congelamento do poder mundial, em função de duas datas históricas arbitrárias: 24 de outubro de 1945, data de entrada em vigor da Carta das Nações Unidas, e 1 de janeiro de 1967, data limite para que os países se habilitassem como potências militarmente nucleares, nos termos do Tratado de Não-Proliferação."

---

[374] Immanuel Wallenstein defende a interessante tese de que uma das parcas concordâncias entre o leninismo e o wilsonismo era o movimento de descolonização. Apenas, o modelo de descolonização era diferente: o wilsonismo queria uma descolonização consentida (*octroyée*), enquanto que o leninismo açularia uma descolonização forçada (*arrachée*). Vide Immanuel Wallerstein, 'Conceito de desenvolvimento nacional', artigo publicado na revista *Carta 8*, impressa no Senado Federal, p. 122.

Essa formulação era um convite a uma interpretação conspiratória da história, que se tornou atitude padrão no Itamaraty.

Gongoricamente, Araújo Castro descreve o Tratado de Não-Proliferação Nuclear (TNP) como:

"Um complemento da Carta no processo de congelamento no poder mundial, que institucionaliza a desigualdade entre as nações e parece aceitar a premissa de que os países fortes se tornarão cada vez mais fortes e de que os países fracos se tornarão cada vez mais fracos."

Vistas na perspectiva da história, essas formulações são redolentes de uma retórica especiosa, e é surpreendente que por longos anos informaram (ou deformaram) a *gestalt* mental do Itamaraty.

O fato de não pertencerem ao grupo dos cinco membros permanentes do Conselho de Segurança, nem ao Clube Nuclear, não inferiorizou psicologicamente a Alemanha e o Japão. Nem sentiram eles a humilhação de que o Brasil e a Índia, por exemplo, se julgavam vítimas. A renúncia ao Clube Nuclear, pela adesão ao TNP, não impediu àqueles países pleno desenvolvimento tecnológico. Tornaram-se na realidade tecnologicamente superiores a todos os demais membros do Clube Nuclear, excetuados os Estados Unidos.

Das duas superpotências que supostamente conspiravam para manter, em seu benefício, o congelamento do poder mundial, uma, a União Soviética, desintegrou-se de forma humilhante; e a outra, os Estados Unidos, se tornou o maior país devedor do mundo, afetado hoje por crises psicológicas de "declinismo" e "decadentismo". De outro lado, a China, que pertencia aos dois clubes privilegiados — o do Conselho de Segurança da ONU e o Clube das Potências Nucleares — permaneceu um país subdesenvolvido, muito inferior ao Japão em nível de renda, tecnologia e poderio econômico.

Ao passo que a política externa do governo Costa e Silva defendia duas proliferações — a proliferação familiar e a proliferação nuclear — somente a última foi perfilhada pelo governo Médici.

Nossa rejeição ao Tratado de Não-Proliferação Nuclear, de 1968, foi assim racionalizada:

"1. O Brasil quer ter mãos livres em todos os setores de pesquisa científica e de aplicação pacífica de novas e ilimitadas fontes de energia;

2. O Brasil se recusa a comprometer o seu futuro, obrigando-se por esquemas internacionais em que lhe são negados direitos e prerrogativas, que se pretende constituam privilégio de alguns."

Trata-se de objetivos louváveis, mas de premissas equivocadas. É a escolha de um "falso inimigo", com base em "falsos pressupostos" e "falsa analogia". Os "falsos pressupostos" são:

a) Que o Tratado inibiria nossa liberdade de desenvolvimento nuclear pacífico;

b) Que seria possível desenvolver um processo tecnológico de explosões para fins pacíficos, insuscetível de utilização militar.

Ora, o Tratado em causa:

1. "Garante", ao invés de retringir, a liberdade de pesquisa científica e de aplicação pacífica da energia nuclear;

2. Permite até mesmo a "utilização" de explosivos nucleares para fins pacíficos, vedando apenas sua "fabricação", por três cristalinos motivos: a fabricação do explosivo pacífico é indistinguível da do militar; a multiplicação de fabricantes poluiria a atmosfera; muitos dedos no gatilho aumentariam os riscos de um conflito nuclear acidental;

3. "Obriga" as superpotências nucleares a fornecerem aos países signatários amplo acesso à assistência técnica, a facilidades de pesquisa científica e ao "uso" de explosivos nucleares para fins pacíficos;

4. "Veda" a transmissão dessa assistência e informação aos não-signatários."

A "falsa analogia" é assimilar a posição do Brasil à de outros países que manifestaram hesitação em relação às inibições decorrentes do Tratado.[375]

O Brasil trouxe sem dúvida contribuição válida ao aperfeiçoamento do texto, seja explicitando mais as obrigações de assistência técnica das potências nucleares, seja pressionando-as no sentido de iniciativas concretas de contenção de armamentos.

Nossa motivação, entretanto, na luta contra o Tratado, gerou suspicácia internacional, refletindo de nossa parte grave subestimação:

• Dos custos econômicos da nuclearização;

• Dos custos sociais da poluição atmosférica;

• Do custo político de uma rivalidade nuclear na América Latina.

A posição racional para o Brasil teria sido lutar pelo aperfeiçoamento do acordo, mas não impugná-lo filosoficamente, pois assim nos credenciaríamos para obter, como compensação política, condições privilegiadas de auxílio para aquilo que é realmente factível e interessante: treinamento avançado em engenharia nuclear, participação em experiências de utilização de explosões para fins pacíficos, financiamentos generosos para a instalação de reatores de pesquisa e potência. Houve tempo em que os Estados Unidos, ansiosos por ver o Brasil liderar uma frente favorável ao acordo, estariam dispostos a nos pagar alto preço em termos de assistência para o desenvolvimento nuclear pacífico.

---

[375] Minhas objeções à política nuclear brasileira foram explicitadas em vários artigos, notadamente em *Ensaios contra a maré*, Rio de Janeiro, Apec, 1969, p. 287-290.

Os países inicialmente hesitantes, Japão, Alemanha Federal e Grécia, acabaram assinando o Tratado. Até recentemente, restavam a China, Índia e França, todos com razões específicas inaplicáveis ao Brasil. A França, que só viria a aderir ao TNP em 1992, pretendia com a fabricação da bomba, proibida à Alemanha, exercer uma hegemonia *de facto* no Continente, não justificada nem econômica nem demograficamente em face da nação vizinha e tradicional rival. A China tinha tradicional rivalidade com a União Soviética nuclearizada, e, desde a ruptura entre Kruschev e Mao Tsé-Tung no começo da década dos 60, sentia-se ameaçada pelo vizinho do Norte. Por uma reação em cadeia, a China nuclearizada era percebida como uma ameaça pela Índia, da mesma forma que o Paquistão fez repetidos esforços de nuclearização, por se sentir inferiorizado em relação à Índia. Nenhum desses motivos era particularmente relevante na América Latina, protegida pela *umbrella* nuclear dos Estados Unidos, mobilizável dentro do Tratado Interamericano de Defesa de 1947.

Nosso dilema era outro: sacrificar o ritmo de desenvolvimento e bem-estar social para enfrentar os vastos dispêndios da nuclearização, ou explorar ao máximo as possibilidades de assistência técnica e econômica das potências nucleares, para acelerar o desenvolvimento industrial pacífico. A patriotada romântica de reação ao TNP trouxe-nos o pior dos dois mundos: criamos suspicácia mundial e com isso nos inibimos na absorção de tecnologias sensíveis; não materializamos o sonho da *bombette*, tendo sido desperdiçados recursos na tentativa de redescobrir a velha tecnologia das ultracentrífugas. Recentemente, num lampejo de bom senso, optamos pela implementação do Tratado de Tlatelolco, acordando com a Argentina submetermo-nos ambos os países à inspeção da Agência Internacional de Energia Atômica, precisamente o que queríamos evitar com a recusa do TNP. Esta foi um misto de patriotada e paranóia.

IRRADIAÇÕES DE UMA
FALSA TEORIA

A teoria do congelamento do poder mundial não teria maior importância, se tivesse sido apenas uma tresleitura temporária da história. O pior é que criou duradouras deformações em nossa visão externa. Assim, as preocupações internacionais com os problemas de população (*the population bomb*) e da preservação do meio ambiente (*environment*), passaram a ser visualizadas como formas hipócritas do processo de congelamento do poder mundial. No primeiro caso, o propósito teria sido o de impedir o Brasil de

> "Requerer um crescimento demográfico em consonância com as necessidades de pleno aproveitamento de seus recursos naturais e de efetiva ocupação de seu território."[376]

Os países ricos desejariam impor-nos uma "imobilização do divisor", isto é, do contingente populacional, enquanto nós insistíamos no "aumento do dividendo", pelo crescimento do PIB, como se a explosão demográfica não fosse ela própria um obstáculo ao investimento diretamente produtivo e a melhorias na distribuição de renda.

A preocupação com a preservação do meio ambiente e a ênfase sobre os perigos da poluição seriam, de outro lado, um artifício solerte para encarecer e retardar a industrialização dos países subdesenvolvidos. Nosso *slogan* era "a maior poluição é a pobreza", carentes que éramos da percepção de que a poluição gera externalidades negativas, cuja correção se torna mais cara do que adotar cautelas ambientalistas no início dos projetos. O Brasil hoje enfrenta o ônus de contratar novas dívidas externas para tarefas como a despoluição da Guanabara e do rio Tietê. Recursos que poderiam ser destinados a investimentos *produtivos* são usados para investimentos *corretivos*. Àquela altura, não estava ainda em voga o conceito de "desenvolvimento sustentado", que não é outra coisa senão o reconhecimento de que o desenvolvimento pode e deve ser conciliado com normas de proteção ambiental.

Essa fértil interpretação conspiratória de eventos internacionais explica a posição ambivalente que adotamos na primeira Conferência da ONU sobre Ecologia, em Estocolmo, em 1972, que versou o problema da poluição, e na Conferência da

---

[376] Araújo Castro, op. cit. p. 204.

ONU sobre população em Bucareste, em 1974, onde foi discutido o problema da "armadilha demográfica".

Os efeitos desse vezo de inobjetividade analítica, cuja manifestação mais grave seria nossa recusa de assinarmos o TNP, em 1968, não pararam aí. A insistência das grandes potências marítimas em fixar o limite tradicional de 12 milhas para o mar territorial não visaria apenas a facilitar o trânsito comercial, preservando-se a "liberdade dos mares": — Muito ao contrário, dizia Araújo Castro. Nos assuntos relativos ao Direito do Mar, prevalece a mesma tendência para o congelamento.

O Brasil endossou entusiasticamente o reconhecimento da zona de exploração econômica de 200 milhas, conquanto esta favoreça sobretudo os países desenvolvidos que dispõem de recursos tecnológicos para a exploração dos fundos marinhos. Os maiores beneficiários acabaram sendo os Estados Unidos, que podem reclamar zonas de exploração econômica em vários mares — o Atlântico, o Pacífico (inclusive o Pacífico Oriental graças ao Havaí), o Ártico e o Caribe. Mais inteligente seria termo-nos contentado com um mar territorial menor, sujeitando-se a exploração dos mares pelos países ricos, além dos limites da soberania, ao pagamento de *royalties* à ONU em benefício dos países subdesenvolvidos.

Raiz semelhante teve nosso excessivo entusiasmo pela UNCTAD, em cuja reunião inaugural, em março de 1964, a delegação brasileira foi presidida por Araújo Castro, já então ministro do Exterior.

Útil como plataforma de crítica dos países subdesenvolvidos ao protecionismo dos países ricos, a UNCTAD perdeu-se em reivindicações irrealistas, como se o comércio internacional fosse um problema de "justiça distributiva" e não de eficiência competitiva. Tornou-se um ridículo muro de lamentações. E, sobretudo, desviou nossa atenção dos impedimentos fundamentais ao nosso comércio, que eram (a) A inflação interna; (b) As taxas de câmbio sobrevalorizadas; e (c) A prioridade dada à industrialização substitutiva de importações, em contraste com a orientação exportadora, que naquele exato momento passaria a ser a doutrina dominante no Leste asiático. A dramática ascensão dos tigres asiáticos, na década dos 80, e da China continental, Malásia, Tailândia e Chile, nesse começo da década de 90, apesar de repetidos surtos protecionistas nos países ricos, confirma hoje minha intuição de que a expansão comercial pouco teve a ver com a mobilização terceiro-mundista na UNCTAD, e resultou fundamentalmente de corretas políticas e prioridades domésticas. Mais tarde, o Itamaraty se engajaria na malsã companhia da Índia numa luta perdida contra a inclusão dos "serviços" na área de atuação do GATT. É um lance de irrealismo. Os serviços já abrangem um terço das trocas internacionais, e, na sociedade da informação, tendem a crescer mais rapidamente que o comércio de mercadorias. O esforço se deveria concentrar na extensão, aos serviços, das cláusulas de proteção às indústrias nascentes, e de defesa do balanço de pagamentos, admitidas no GATT em favor dos países em desenvolvimento, além das cláusulas gerais de salvaguarda. Atitude isolacionista, no caso é pouco rentável.

O mais grave subproduto dessa deformação mental foi o apoio dado pelo Itamaraty à política brasileira de informática, cristalizada na Lei nº 7.232/84, um exemplo extremo de nacionalismo tecnológico que retardou por vários anos o desenvolvimento brasileiro.

Deveria parecer claro ao ministério do Exterior, provido de abundantes canais de comunicação externa, e em contacto permanente com os centros de tecnologia mundial, que a política de "autonomia tecnológica", num país cujo investimento total em pesquisa é da ordem de 0,6% do PIB, levaria a um atraso suicida. O modelo apropriado ao Brasil seria o da "mobilização" de recursos nacionais e estrangeiros e de interpenetração tecnológica, e não o modelo de restrição e isolamento protecionista. Em 1984, quando foi votada a Lei de Informática, o Brasil já era exportador de componentes informáticos, através da IBM e da Burroughs. A Coréia do Sul e Taiwan estavam apenas engatinhando na eletrônica digital e a Malásia e Tailândia sequer existiam na paisagem eletrônica mundial. Hoje, tendo adotado políticas mais abertas ao investimento estrangeiro, os dois primeiros países são grandes exportadores de *chips* e computadores pessoais; a Malásia se tornou o primeiro exportador mundial de *chips* de memória e o terceiro de semicondutores; a Tailândia é a maior exportadora de discos *winchester*, enquanto o Brasil, por detrás de suas barreiras aduaneiras, continua medíocre produtor, com posição honrosa apenas nas estatísticas de contrabando informático.

Se o Itamaraty teve uma política ativista, ainda que mal orientada, na informática, teve uma atitude abstencionista em negociações da dívida externa. Estas envolvem aspectos diplomáticos e comerciais, melhor percebidos pelo Itamaraty do que por peritos setoriais do ministério da Fazenda e do BACEN. A tradição negocial do Itamaraty desapareceu após o governo Costa e Silva. Antes, os negociadores haviam sido tradicionalmente itamaratianos — Edmundo Barbosa da Silva, João Batista Pinheiro, José Sette Câmara e eu próprio, além de Walther Moreira Salles, que fora duas vezes embaixador em Washington. O Itamaraty passou, nos anos 80, de uma atitude abstencionista para um imprudente apoio às tolas teses confrontacionistas de Dílson Funaro e Zélia Cardoso de Mello. O Brasil perdeu tempo e credibilidade, com cessação do influxo e fuga de capitais, apenas para concluir, com atraso de quatro anos, em 1993, um acordo semelhante ao que o México obteve em 1989.

OS PARADIGMAS
DA MODERNIDADE

O próximo teste para o Itamaraty, em termos de entendimento das mutações tecnológicas mundiais, será no caso das patentes de propriedade intelectual. Nos campos da indústria farmacêutica e da biotecnologia, em rapidíssima evolução, graças aos milagres da engenharia genética, já se criou um contencioso internacional com os Estados Unidos e outros países líderes no setor.

Sem uma atualização da lei de patentes, o Brasil será marginalizado no panorama intelectual da biotecnologia, como o foi no da informática. Os investidores se dirigirão para outros países, inclusive os vizinhos do Mercosul, que se conformem aos paradigmas internacionais de proteção patentária.

Suspeito que estejamos correndo perigo de um novo ilusionismo. Isso diz respeito ao novo modismo da biodiversidade. Já tivemos um romantismo mineral, ao confundirmos recurso mineral com riqueza mineral. Já tivemos um romantismo tecnológico na política de informática. É possível que agora tenhamos descoberto uma nova romantização: a biodiversidade. Biodiversidade não é riqueza; pode ser uma adversidade, pois a floresta tropical encerra tanto remédios como doenças. Para que a biodiversidade se torne riqueza são precisos investimentos e tecnologia. E essa tecnologia tem de vir em grande parte do exterior, porque nossa microbiologia e biogenética são extremamente atrasadas em relação aos outros países. Estamos, aliás, exportando nossos melhores microbiologistas e biogeneticistas, porque não encontram oportunidades no mercado interno. Se não reconhecermos patentes para a exploração da biodiversidade ela continuará sendo apenas algo de pitoresco, uma mistura de plantas, bichos e doenças. E nada mais. Se biodiversidade fosse riqueza, Hong Kong, onde só há biodiversidade no colorido da pele dos chineses, ou Cingapura, onde só há biodiversidade em dialetos, seriam países pobres e o Brasil um país rico. Escapemos, portanto, do romantismo da biodiversidade. O que devemos fazer é reconhecer a patenteabilidade de remédios e tranformações engenheiradas, promovendo, sim, *joint ventures* entre empresas multinacionais e empresas locais. Esse é o meio mais correto e mais célere de absorção tecnológica, pondo-se fim a essa bobagem lamentacional, o "colonialismo tecnológico".

Existem paradigmas da modernidade, e perdida estará a diplomacia que se insular por detrás das barreiras da suspicácia e do ressentimento.

É de se esperar que as novas gerações itamaratianas se curem da doença dos "ismos", antiamericanismo, nacionalismo e terceiro-mundismo, que representaram não só déficits de percepção mas convites à perversão de comportamento. Um exemplo dessas perversões de comportamento foi o "murismo" brasileiro no recente conflito do Golfo Pérsico. O Brasil deu apoio formal às resoluções da ONU, mas recusou-se a prestar colaboração, mesmo simbólica, à coalizão aliada contra o Iraque. O pensamento subliminar parecia ser que uma vitória demasiado rápida dos Estados Unidos tornaria essa superpotência ainda mais arrogante. Havia no Brasil uma espécie de "torcida terceiro-mundista" pró-Iraque, cuja capacidade de resistência foi grosseiramente sobrestimada. Através do envio simbólico de corvetas ao Oriente Médio, a Argentina praticou um exercício de diplomacia participativa, da qual pode derivar dividendos econômicos, contrastando com o imobilismo brasileiro.

Todas essas atitudes, levadas ao ponto de morbidez, diminuíram nossa capacidade de absorver capitais e tecnologia. Entregamo-nos àquilo que Karl Kraus chamava de "moderna ideolatria das idéias gerais". Caímos na ladainha dos ressentimentos, que pouco tem a ver com a engenharia de soluções: "terceiro-mundismo", "colonialismo tecnológico", "nova ordem econômica internacional". Não houve tolice sociológica que não fosse absorvida *allegro con gusto*. Uma delas foi a teoria da dependência, que gerou atitudes negativas em relação à absorção de capitais e tecnologia estrangeira, na vã busca de formas de "desenvolvimento autônomo". Outra foi a tese da rigidez das relações centro-periferia, segundo a qual os países centrais se assegurariam direitos monopolistas à industrialização e à tecnologia. Gastou-se papel e saliva na denúncia da perversa "divisão internacional de trabalho", coisa cômica em face do fulminante avanço comercial e tecnológico da periferia asiática. Registre-se ainda o pessimismo sobre as exportações, que levou a América Latina ao ineficiente modelo de substituição de importações a qualquer custo, contrastando com o modelo exportador, que produz maior eficiência, menor dirigismo governamental e melhor distribuição de renda. E houve esforços de desnecessária originalidade que, em face dos constrangimentos objetivos de nosso subdesenvolvimento econômico e vulnerabilidade financeira, foram pouco mais que eructações semânticas. A chamada "política independente", por exemplo, foi proclamada precisamente quando o Brasil estava em bancarrota cambial, no grau máximo de dependência.

O terceiro-mundismo não foi apenas um exercício de boa vontade política, com resultados favoráveis, em termos de obtenção das boas graças de um núcleo de países, cujo voto tem expressiva significação na Assembléia Geral da ONU. Houve conseqüências financeiras. O Brasil financiou largamente esses países, e financiou-os absurdamente, tomando dinheiro emprestado no mercado eurodólar a 12% para emprestar a devedores inconfiáveis a 8,5%. Agora temos como resultado, entre as nossas chamadas "reservas cambiais", muitas "moedas podres", para usar a expressão popularizada pelo presidente Itamar Franco. Dessas moedas urge desfazer-nos de uma forma ou de outra.

Havia bastante ingenuidade em nosso flerte terceiro-mundista. Em realidade, o Terceiro Mundo nunca existiu. Eram peças de um mosaico incongruente. São Paulo e Seul estão, como estilo de vida, mais perto de Detroit e Dusseldorf do que de Bamako e Gaberone. Nem existe essa presumida convergência de interesses. O Terceiro Mundo petrolífero quer altos preços de petróleo; nós os queremos baixos. O Terceiro Mundo mais pobre deseja excluir a América Latina do acesso privilegiado ao Mercado Comum Europeu, e desejaria ver-nos "graduados", isto é, excluídos dos empréstimos baratos do Banco Mundial. Nossa real afinidade é com os países de industrialização recente, como a Coréia do Sul ou Taiwan, que procuram como nós penetrar nos mercados industrializados e conosco comungam nos problemas de absorção de tecnologia. Ademais, boa parte do Terceiro Mundo é socializante e xenófoba, enquanto nós, presumivelmente, queremos democracia, economia de mercado e importação de capitais.

Com o benefício da visão retrospectiva, poder-se-ia dizer que em vez desse esforço financeiro, que se traduziu correlatamente numa proliferação de nossas embaixadas no Terceiro Mundo, teria sido muito mais interessante para o Brasil, e de efeitos mais duradouros, criarmos um generoso programa de bolsas de estudos para africanos. Curiosamente, na América Central, onde investimos muito pouco financeiramente, o Brasil conseguiu boa vontade política e um certo grau de influência, graças ao treinamento no Brasil, na Escola Interamericana de Administração, de burocratas da América Central, que depois passaram a ser líderes políticos. Esse investimento em treinamento e educação teria sido muito mais barato, e de conseqüências culturais, políticas e econômicas provavelmente mais duradouras.

Uma outra vertente do terceiro-mundismo foi nossa basbaque simpatia pelos grupos dos países "não alinhados", que eu chamava de "desalinhados". Esse grupo era liderado por personagens que conseguiram a façanha de, em curto prazo, arruinar os respectivos países: Nehru, Sukarno, Nasser, Nkrumah e Fidel Castro. Talvez a única exceção tenha sido a do marechal Tito, que pelo menos impediu a desintegração de seu mosaico racial balcânico.

Uma outra deformação intelectual que o Itamaraty precisa abandonar é a noção de colonialismo tecnológico. É estranha essa mania de darmos um apelido político — colonialismo — ao que é simples manifestação de um estágio econômico — o do subdesenvolvimento. A verdade é que o Brasil não pode queixar-se de não-transferência de tecnologia. Há um artigo da Constituição de 1988 (art. 219) que estabelece como objetivo nacional a "autonomia tecnológica". Não apenas isso. Declara que o mercado interno é *patrimônio nacional*, o que significa que, ao abrirmos nosso mercado, no Mercosul, aos nossos vizinhos, estaríamos perdendo patrimônio. E esse mercado, diz a Constituição, deve ser utilizado para nos assegurar "autonomia tecnológica". Isso significa que desejamos prescindir de absorção de tecnologia externa. Como se isso não bastasse, a própria Constituição estabelece discriminações que praticamente paralisaram os investimentos de empresas multinacionais. E as multinacionais são os melhores instrumentos de transferência de tecnologia.

Consideremos agora a propensão *slogânica*. Nossos textos de política externa proclamam com compungida solenidade os princípios de *autodeterminação* e *não-intervenção*. Nada mais fundamental que o princípio da *autodeterminação*. Mas autodeterminação de quem? Dos povos ou dos governos? Nas democracias, a distinção é irrelevante. Os governos se autodeterminam porque são independentes; os povos se autodeterminam porque determinam os governos. Nos países marxistas, a coisa é diferente. O governo, controlado pelo Partido, se autodetermina. Quanto ao povo, não é claro que se autodetermine. Quando teve a chance de fazê-lo, na Alemanha Oriental, caiu o muro de Berlim. Se houver essa chance no Caribe, Cuba ficará com população muito menor.

Outro *slogan* é o princípio de "não-intervenção". Nada mais salutar como regra de convivência internacional. Mas como distinguir a *intervenção*, sempre condenável, da *contra-intervenção*, nem sempre impalatável?

Na grande confrontação mundial da guerra fria, *aquela* visava alterar o balanço de poder. *Esta*, a restaurá-lo. A política externa exige sofisticação para diferenciar as duas situações.

Depois da "política independente", tivemos a "diplomacia da prosperidade", dos governos Costa e Silva e Médici, que nos levaria a um excessivo engajamento financeiro nos países africanos, cuja insolvência agravou nosso problema de balanço de pagamentos. A próxima virada revisionista se consubstanciou no *slogan* do "pragmatismo responsável" da era Geisel, como se a anterior política externa anterior não fosse nem pragmática nem responsável. Partia-se da falsa premissa de que teria havido antes, no governo Castello Branco, uma política de "alinhamento automático". Na realidade, das quatro possíveis conformações de política externa — neutralismo, terceiro-mundismo, alinhamento automático e "parceria seletiva" — esta última era a postura racional e foi a adotada na fase inicial da Revolução de 1964. Na aparência e na retórica, o "pragmatismo responsável" dar-nos-ia maior grau de liberdade. Mas certamente não eliminou duas constrições. Primeiramente, o pragmatismo não deve significar indiferença ética, quando estiver em jogo a sobrevivência do mundo ocidental, cujo modelo de organização política é formalmente aceito em nossa Constituição; em segundo lugar, o pragmatismo não deve ser instrumento de chantagem, praxe à qual se entregaram alguns países não-alinhados, ao se declararem em disponibilidade ideológica, conforme a intensidade do auxílio financeiro do Leste ou Oeste. Hoje, com o fim da guerra fria, esse esporte, encontradiço nas décadas de 60 e 70, se tornou obsoleto.

Na fase Sarney, o *slogan* passaria a ser "a diplomacia de resultados". No momento em que escrevo, o mote na moda é "a diplomacia do Brasil real". Tudo bem, desde que nossa diplomacia deixe de ser contagiada, como o foi no passado, por visões de um Brasil utópico.

Para mim, continua de boa serventia o velho chavão da "parceria seletiva".

O Brasil precisa aprender a conviver com o fato de que o conceito de soberania tende a ser cada vez mais relativizado, em função de três principais fatores:

• Globalização de mercados: o primeiro passo seria a integração regional no Mercosul, útil apenas como pista de treinamento, pois não representa senão 2% do comércio mundial; o objetivo ulterior deve ser a inserção no Nafta, como disciplina modernizante e ampliação de mercados, précondição cada vez mais importante para a atração de investimentos;

• O conjunto de *commonalities*, ou "questões globais", insusceptíveis de solução puramente nacional (drogas, terrorismo, poluição); e,

• Novas formas de intervenção motivadas por ameaças de genocídio (Bósnia), auxílio humanitário (Somália), direitos humanos (Haiti). Mesmo sem admitir o *devoir d'ingérence*, defendido pelos franceses e alguns europeus, a velha retórica da soberania é hoje cada vez mais matizada pela crescente percepção da interdependência.

DO OUTRO LADO

DA CERCA

◆

AS ORIGINALIDADES
DESNECESSÁRIAS

A gestão Costa e Silva iniciou-se em 15 de março de 1967 com um desejo esfuziante de mudança de imagem e de asserção de nova personalidade. Era o que eu chamava de "tentação da originalidade desnecessária". Entretanto, esse desejo era compreensível, em face da fadiga do corpo político com o duro receituário anterior, e encerrava um admissível grau de revide psicológico, ante o fato de que o encaminhamento da candidatura fora objeto mais de "aceitação disciplinada" do que de "adesão entusiasmada" da administração que findava.[377]

---

[377] O notável pediatra dr. Rinaldo de Lamare confidenciou-me um episódio que poderia ter alterado o curso da história brasileira. Numa das excursões de campanha de Costa e Silva como candidato presidencial, que abrangeria Vitória e Recife, de Lamare, amigo íntimo de Andreazza e pediatra da família do futuro presidente, foi convidado para se juntar à comitiva presidencial. Não conhecendo a história médica de Costa e Silva, procurou prudentemente informar-se com o médico particular do candidato, o dr. Edidio Guernstein, a título de precaução, caso surgisse alguma emergência.
— O marechal é um homem bastante doente — disse-lhe o médico mostrando-lhe vários eletrocardiogramas. Há irregularidades no perfil cardiológico, pois que o candidato já teve dois minienfartes. Um em Beirute, durante uma longa viagem internacional. Outro, mais recente, em Porto Alegre. É um caso de arteroesclerose avançada — advertiu.
O dr. de Lamare obteve cópia de um dos eletros e resolveu ouvir uma segunda opinião. Procurou seu amigo, o conhecido cardiologista Genival Londres, exibindo o último exame, sem revelar o nome do paciente. Para despistá-lo, disse apenas que era um cardiograma do sogro, que estava às vésperas de concluir um negócio de longo prazo, em idade já avançada. O dr. Londres, após cuidadosa leitura do eletrocardiograma, disse-lhe em tom jocoso: — Se há herança envolvida você estará bem, pois o homem terá no máximo dois anos de vida.
Alarmado, de Lamare procurou o coronel Andreazza para alertá-lo da gravidade do problema; o *stress* do munus presidencial poderia acelerar a fatalidade. Corria-se o risco de dar posse a um moribundo.
— Que desastre — respondeu-lhe Andreazza — logo agora que lutamos tanto para chegar ao poder. Mantenha esse prognóstico, no qual não acredito, estritamente confidencial. Se Castello souber disso não dará posse ao Costa.
Chegando a Vitória, de Lamare sentiu-se na obrigação de repetir a advertência. Aproveitando um momento a sós, confidenciou o fato a Rondon Pacheco, já então escolhido por Costa e Silva para chefe da Casa Civil.
— Tenho que desabafar com alguém de responsabilidade — disse-lhe de Lamare. — O Costa e Silva tem limitada expectância de vida. Vocês mineiros sabem fazer as coisas. Convém avisar Pedro Aleixo, candidato à vice-presidência, de que ele pode ter que assumir responsabilidades maiores.
Rondon Pacheco, com ar preocupado, não fez comentários, talvez por duvidar do prognóstico médico, talvez por não querer assumir a responsabilidade do abortamento da candidatura. O dr. Londres errou por poucos meses em seu prognóstico. Costa e Silva sofreu um derrame, resultante de arteroesclerose, e faleceu dois anos e oito meses depois.

Essa postura mudancista não só era compreensível, mas seria até desejável, se resultante de inovação *reformista* e imaginação *programática*. Carentes essas qualidades, a projeção da nova imagem se fez pela *criação de descontinuidades*. Primeiro, a descontinuidade *administrativa*, pela substituição radical das lideranças, não apenas ao nível do ministério — o que seria natural, dado que os ministros são agentes políticos, de confiança presidencial — mas em todos os escalões administrativos, com resultante abulia decisória durante prolongado período.

A segunda descontinuidade foi de ordem *doutrinária*. Promoveu-se a rotineira constatação de que, ao longo de qualquer processo inflacionário, se revezam ou combinam *pressões de custo* e *pressões de procura*, à dignidade de uma novel e cabocla teoria da inflação, merecedora de originalidades terapêuticas. Contemplando o panorama em retrospecto, o que se verifica é que a mudança de terapêutica — através de uma expansão monetária superior a 40% no biênio 1967-68 — logrou estabilizar não os *preços* e sim a *taxa de inflação*, ao nível aproximado de 25% ao ano. Hoje parece claro que o amortecimento do ritmo de inflação, de pouco menos de 40%, em 1966, para 25%, em 1967, foi principalmente um efeito *defasado* da drástica política monetária de 1966, quando a expansão dos meios de pagamento fora contida em nível aproximado de 16%.[378] Além dessa defasagem, a lentidão desapontadora do declínio da inflação em 1966 refletia três outros fatores: a) o impacto temporário da inflação corretiva, por maciços reajustamentos de tarifas; b) a pressão inflacionária decorrente do saldo cambial em conta corrente, sem adequados mecanismos de esterilização via *open market*; e c) o acidente de uma má colheita agrícola, resultante em parte de problemas climáticos e em parte da fixação de preços mínimos modestos, como uma sobre-reação aos grandes exceden-

---

[378] Deflagrado um processo inflacionário, surge o problema da defasagem. O professor Gottfried Haberler costumava referir-se a três *defasagens* — a defasagem do *diagnóstico*, a defasagem *administrativa* e a defasagem *operacional*. A essas eu acrescentaria uma quarta — a defasagem *política*. No primeiro caso, a doença já está às vezes avançada sem que haja diagnóstico das causas: inflação de custos ou de procura, importada ou indígena? Mesmo depois de decidida a terapêutica, há atrasos administrativos na aplicação dos remédios. As medidas monetárias são de aplicação rápida, mas as medidas fiscais — aumento de impostos e redução de despesas — podem depender de processos administrativos ou legislativos mais lentos. Há finalmente a defasagem *operacional*. Entre a aplicação e o resultado de medidas monetárias — restrição de crédito, por exemplo — medeia um espaço mínimo de seis a nove meses, com uma seqüência diabolicamente perversa: cai primeiro a produção, depois o nível de emprego e somente em terceiro lugar se estabilizam os preços. Expectativas psicológicas de tipo inflacionário exercem também um efeito retardador da cura. A esses descompassos, que diríamos técnicos, se acrescenta a defasagem que eu chamaria de *política* e que constitui, a meu ver, o mais grave problema institucional das democracias ocidentais. A complementação de medidas monetárias — ineficazes quando a inflação é de custos — por medidas fiscais, depende de cooperação dos Legislativos, cujo processo decisório é geralmente lento.

tes armazenados em 1966. Em fevereiro de 1967, foi feita uma desvalorização cambial, com o fito de se legar ao governo Costa e Silva uma taxa cambial realista, com benefício para as exportações, mas moderado efeito inflacionário, no curto prazo.

A terceira descontinuidade cifra-se no atraente slogan da *humanização*. No plano econômico, ela redundou numa perda do *élan* reformista e numa contemporização com a psicologia inflacionista. No plano administrativo, traduziu-se num afrouxamento dos padrões de austeridade. No plano político, encorajou a confusão entre *oposição* ao governo e *contestação* do regime, antes que as instituições estivessem consolidadas, desembocando tudo na violência repressiva do Ato Institucional nº 5.

Uma quarta mudança foi de natureza *atitudinal*. Dizia respeito ao nível de racionalidade da doutrina e da *práxis*. Castello Branco era, por natureza, um espírito analítico, fanático da objetividade. Costa e Silva era mais intuitivo e espontaneísta. Estas últimas qualidades, bastante amoráveis de resto, não se compaginam com o racionalismo de comportamento e objetivos. Duas ameaças à racionalidade, durante o segundo governo revolucionário, provinham das tendências "paternalistas" e "nacionalistas" que se configuravam no seio do governo. O paternalismo levou a uma repetida reação, por parte de alguns setores, à cobrança do real custo dos serviços, e estava na raiz das tentativas de reformulação da Lei do Inquilinato (desencorajando construções para aluguel), e de mutilação da correção monetária do BNH (desgastando o capital para novas construções). De um modo geral, Costa e Silva soube resistir a essas pressões. Mas a falta de pronunciamentos claros aumentou desnecessariamente o coeficiente de incerteza. Sobretudo no início do governo, notou-se uma reativação "nacionalisteira", até mesmo nos *slogans* da política externa.

A reativação "nacionalisteira" leva a uma redução fatal e previsível do nível de racionalidade, porque: 1) Desperta o vezo de interpretações conspiratórias e a propensão a soluções mágicas; 2) Torna-nos desinteressados na análise de causas e na busca de remédios, pela transferência da culpa a terceiros; 3) Impede uma correta visão de nossa dimensão em face do mundo; 4) Caracteriza-se por grave contraste entre a extravagância dos fins e a incompetência dos meios. Duas das mais grotescas manifestações dessa resurreição "nacionaleira" foram a política nuclear do Itamaraty contra o Tratado de Não-Proliferação, e a famigerada lei sobre a compra de terras por estrangeiros.

Se o *revisionismo* era um dos signos sob os quais se iniciou o governo Costa e Silva, o outro era o da *humanização*. A expressão era usada sobretudo pelo ex-governador de Minas, Magalhães Pinto, que aceitara, a contragosto, a pasta do Exterior, na qual, monoglota impenitente e cheio de esquisitices mineiras, era uma "ave fora do ninho". Sua ambição, expressada desinibidamente desde os tempos de Castello Branco, era ser ministro da Fazenda. Costa e Silva tinha interesse em recrutá-lo para o governo, para atrair a ala mineira da UDN, como uma espécie de anteparo contra Lacerda. Mas refugava a nomeação de um banqueiro para a principal pasta econômica.

Ambos os signos — o *revisionismo* e a *humanização* — não soavam bem para os "castellistas". O primeiro infirmava a continuidade da doutrina revolucionária. O segundo, além de injusto em relação ao governo anterior, tachado indiretamente de desumano, era inoportuno. No plano econômico, porque a inflação não estava ainda debelada. No plano político, porque a humanização poderia ser alcançada simplesmente pela observância da Constituição de 1967, que restabelecia o estado de direito e confinava o arbítrio revolucionário à bitola constitucional. No plano internacional, era um exercício de retórica vazia, pois não tínhamos real intenção, nem condições objetivas, de nos afastarmos da opção básica de apoio ao sistema ocidental.

Em visita a Castello Branco, em seu apartamento à rua Nascimento Silva, em Ipanema, em começo de abril de 1967, notèi nele, ao despedir-me, um traço de irritação.

— Acho que essa conversa toda de humanização dá razão aos nossos adversários, que nos chamavam de *gorilas*. Parece que o senhor e eu pertencíamos a um jardim zoológico, cujas portas estão agora sendo abertas...

Isso me levou a uma profecia imprudente. No dia 17 desse mesmo mês, eu completaria 50 anos. Os amigos resolveram transformar essa data num evento político, uma espécie de confraternização castellista. Foi-me oferecido um banquete no Copacabana Palace, ao qual compareceram Castello Branco e vários ex-ministros. Num discurso um pouco melancólico, pelo ingresso no segundo meio século de vida, fiz discreta crítica quer ao revisionismo, quer à humanização. Não resisti à tentação de ironizar a política externa independente:

— A expressão independente aplicada à política externa, é como o mamilo do homem: não é útil nem ornamental.

E cunhei um *slogan* que se tornaria famoso: "Humanização prematura pode significar crueldade futura."

Poucas profecias terão revelado tão diabólica acurácia. O ambiente revisionista encorajou dissidências, a política econômica perdeu nitidez, a inquietação estudantil invadiu novas fronteiras e deflagrou-se um surto inusitado de terrorismo. Em dezembro de 1968, foi baixado o Ato Institucional nº 5, que alargou o arbítrio revolucionário e interrompeu o processo de humanização democrática.

Esse episódio revela que o ofício de profeta é melancólico, e que, para a realização da suprema missão política, a qual, segundo Mao Tsé-Tung, consiste em "fazer o presente sair do passado", é preciso aprender a extrair, do fracasso, o sucesso.

O meu discurso pós-prandial era manso e continha sugestões construtivas. Mas, magnificado pela imprensa, interessada em provocar fissuras no aparelho revolucionário, foi interpretado pela *entourage* de Costa e Silva como uma tirada oposicionista algo viperina. Passei a ser procurado por políticos, alguns ligados a Carlos Lacerda, que me incitavam ao ativismo político, visando a uma eventual reconciliação entre o castellismo e o lacerdismo, numa espécie de *vendetta* contra a ascensão da "linha dura".

Estava cansado de ser um tecnocrata, mas não estava preparado para o ativismo político. E as feridas abertas pelos meus diversos entreveros com Lacerda eram frescas e profundas. Preferia passar ao "outro lado da cerca", através de uma experiência na iniciativa privada. Isso seria útil para o meu bolso, e provavelmente também para o meu cérebro, temperando a arrogância do tecnocrata, que dita regras sem que lhe cobrem resultados, com a angústia do empresário, que tem de produzir resultados sob regras que o governo fabrica.

A S A R M A D I L H A S
D A M I C R O E C O N O M I A

Licenciado do serviço público, não me faltaram ofertas de trabalho. Meu *curriculum vitae* tinha aspectos interessantes. Fora tecnocrata, diplomata, empresário público no BNDE e planejador. Recusei, inicialmente, ofertas para cargos executivos. Preferi ficar na posição de presidente ou membro de conselhos de administração ou de consultor de empresas. Comecei a desenvolver atividades jornalísticas, colaborando para o *Correio da Manhã* e, depois, para *O Globo* e *O Estado de São Paulo*, versando temas de economia ou política internacional. Buscava sempre transcender dos temas do cotidiano para especulações maiores sobre desenvolvimento econômico e teoria política. Tornei-me ainda requestado conferencista internacional. A curiosidade sobre o Brasil, que começava então uma grande arrancada de crescimento, era intensa. Não sendo fácil obter a presença de ministros de Estado, os ex-ministros passavam a ser substitutos satisfatórios em conferências internacionais.

Tornei-me membro do Conselho de Administração da Mercedes-Benz, atendendo ao convite de um velho amigo, o dr. Herman Abs, que me havia grandemente auxiliado na negociação da dívida externa brasileira, tanto no governo Quadros como no governo Castello Branco. Fui presidente da Olivetti, familiarizando-me com os problemas do nacionalismo tecnológico, que anos mais tarde atingiria um apogeu de irracionalidade com a política de informática. Fui consultor do complexo Camargo Corrêa e da Metal Leve, o que me deu uma boa visão dos problemas da indústria mecânica e da indústria de construções. Em todos os casos, insistia em especificar que minhas funções seriam de aconselhamento econômico e análise da conjuntura internacional e nacional, sem advogar qualquer causa junto a órgãos de governo. Não queria ser acusado de advocacia administrativa e achava ético e prudente um período de "descontaminação" antes de me engajar em tratativas burocráticas.

Sob o aspecto financeiro, a proposta mais atraente que recebi foi a da Dow Chemical, que desejava expandir grandemente suas atividades e desejava melhorar a sua imagem empresarial no país, onde as suscetibilidades nacionalistas pareciam exacerbar-se. Convidado pelo banqueiro paulista Edmundo Safdié, do Banco Cidade de São Paulo, que depois se tornaria um dos mais fiéis amigos de Golbery, visitei os escritórios da empresa em Coral Gables, na Flórida. Apesar de atraído pelo grande programa de investimentos da empresa no Brasil, no setor químico e petroquímico, não desejava vincular-me a uma empresa multinacional, depois de minha luta antiga com as esquerdas nacionalistas. Ante a insistência de Paul Orefice, um vigoroso empresário, então diretor para o hemisfério ocidental, e anos depois presidente da empresa, para que indicasse um brasileiro para a tarefa, respondi-lhe que tinha um excelente nome — o de um general. Orefice assustou-se: — Já tivemos um general na empresa — disse ele — e foi um desastre. Generais não têm cultura competitiva.

— Bem — respondi-lhe — esse general é diferente, é um estrategista e um planejador.

Referia-me ao general Golbery do Couto e Silva.

Como um dos militares do grupo da Sorbonne, Golbery não era *persona grata* para o grupo Costa e Silva, cuja ascensão ao poder lhe parecia um prenúncio de desastre, opinião que partilhava com Geisel. Terminado o governo Castello Branco, encontrou refúgio no Tribunal de Contas, enquanto Geisel era designado para o Superior Tribunal Militar.

Golbery estava para aposentar-se do Tribunal de Contas, em 1969, e sua situação financeira não era confortável. Propus-lhe que aceitasse o cargo de presidente da Dow Chemical, não sem antes advertir Orefice de que, se esperava ter no Brasil um testa-de-ferro, em breve se desiludiria. Golbery era uma personalidade forte, profissionalmente votado à defesa dos interesses nacionais. Só valeria a pena recrutá-lo se a Dow quisesse reconhecê-lo como um líder. Isso de fato aconteceu, e Golbery em breve se tornaria não só o diretor das operações brasileiras mas o formulador da política da empresa para toda a América Latina.

Nós três — Geisel, Golbery e eu — atravessamos um período de ostracismo no governo Costa e Silva. Ou, como dizia Golbery, ingressamos no "Clube das Ostras". Geisel ficaria pouco tempo no remanso do Superior Tribunal Militar. Com a ascensão de Médici à presidência da República, em outubro de 1969, foi por ele convidado para presidente da Petrobrás. Lembro-me de que, logo após sua designação, visitei-o em seu apartamento à rua Prudente de Moraes, em Ipanema, em companhia de outro ex-ministro, Luiz Gonzaga do Nascimento e Silva, munidos de uma garrafa de *whisky*, pois a austeridade do general nos dava pouca esperança de bebermos esse néctar.

Após felicitá-lo, disse a Geisel que sua nomeação inibiria um dos poucos divertimentos que me restavam: criticar o monopólio da Petrobrás. Foi esse, aliás, um ponto em que nunca nos entendemos. Geisel achava o monopólio essencial à segurança nacional, e eu via nele um perigo, pois decisões estratégicas vitais ficavam entregues a um grupelho ideologizado, sujeito a pressões políticas, sem o útil contraditório e o pluralismo de visões técnicas, que adviriam da competição. Além, obviamente, de nos obrigar a investir no petróleo recursos que poderiam ser destinados à correção da dívida social.

Golbery permaneceria na iniciativa privada, usando sua admirável capacidade conspiratória para criar um ambiente militar favorável ao retorno do grupo castellista ao poder, sendo Geisel, para ele, o candidato ideal.

Nesse ponto divergíamos, pois eu era favorável a uma imediata "civilização" do regime. Minha tese — aventada pela primeira vez em artigo intitulado "A espada enferrujada", publicado em *O Globo* e em *O Estado de São Paulo* em 12 de agosto de 1969, dezenove dias antes da investidura da Junta Militar no poder, após o impedimento de Costa e Silva — era que havia chegado, para os militares, o "momento da retirada". Retirada que, para Castello Branco, deveria ter ocorrido já em 1967.[379]

— É imperativo — escrevia eu — que a revolução brasileira escape à maldição que uma vez Franz Kafka atirou sobre todas as revoluções, ao dizer que elas passam e deixem em seu rastro apenas o lodo de uma nova burocracia.

E, antecipando-me à luta pela sucessão de Costa e Silva, já incapacitado, acrescentei: — Ainda que prematura a *luta* sucessória, não é prematura a fixação de uma *doutrina* sucessória. Tenho para mim que uma sucessão puramente civil é *impraticável* e uma sucessão puramente militar, *indesejável*. Não consolidado ainda o sistema revolucionário, uma sucessão puramente civil exporia o incumbente à tentação desmoralizante de *manipulação tutelar* por parte das Forças Armadas... Uma sucessão *puramente militar*, entretanto, retardaria o processo de restabelecimento dos canais de comunicação popular, além do risco de abrir uma disputa entre militares manipuladores de comando... alargando fissuras intranqüilizadoras no dispositivo armado.[380]

---

[379] O artigo 'A espada enferrujada', que na época teve grande repercussão, foi depois publicado no livro *Temas e sistemas*, Apec, 1969, p. 281-287.

[380] Era fácil a profecia de disputa sucessória entre os militares. Declarado o impedimento de Costa e Silva, em 31 de agosto, não tendo assumido como seu sucessor legal o vice-presidente Pedro Aleixo, pululuraram logo várias candidaturas militares. A mais natural, pelas suas estreitas ligações com Costa e Silva, era a do general Garrastazu Médici, que sucedera a Golbery na chefia do SNI. As outras eram a do general Antônio Carlos Murici, chefe do Estado-Maior do Exército, a do general Orlando Geisel, chefe do EMFA, a do general Siseno Sarmento, comandante do Iº Exército, a do general Aurélio de Lyra Tavares, ministro do Exército, e a do general Afonso de Albuquerque Lima, chefe da Divisão de Material Bélico do Exército. Citando opiniões do general Hugo Bethlem, a revista *Veja*, assim descrevia os três candidatos mais cotados: "O general Garrastazu representaria, em primeiro lugar, a continuidade do governo Costa e Silva e, secundariamente, a da Revolução. O general Orlando Geisel representaria, acima de tudo, a continuidade da Revolução. E o general Albuquerque Lima representaria uma mudança nos rumos da Revolução."
Um ano antes, em meados de 1968, havia me encontrado casualmente com Albuquerque Lima num almoço no Iate Clube em homenagem a Jimmy Carter, então obscuro governador da Georgia, que mais tarde se tornaria presidente dos Estados Unidos. Sentei-me ao lado do general, designado ministro do Interior no gabinete Costa e Silva, e conhecido expoente da "linha dura". Tinha sido um dos líderes da mini-rebelião da Vila Militar, em outubro de 1965, em protesto contra a suposta fraqueza de Castello Branco ao garantir a posse dos governadores oposicionistas, Negrão de Lima e Israel Pinheiro, incidente do qual resultou o Ato Institucional nº 2. Para minha surpresa, Albu-

A solução mais convinhável, ponderei eu, seria um "híbrido fértil", a saber, um militar capaz de "diálogo com a corporação", mas já batizado pelo voto popular nas urnas. Citei então quatro "híbridos", o brigadeiro Faria Lima, Ney Braga, Jarbas Passarinho e Costa Cavalcanti, todos os quais tinham sido eleitos para mandatos executivos ou legislativos.

Minha visão diferia, assim, daquela do grosso do *establishment* militar, que contemplava sua corporação como sendo o "Partido do Desenvolvimento". O governo só deveria ser devolvido aos civis depois de colocado o país na senda do desenvolvimento, suficientemente disciplinado para o jogo democrático. Treinar os civis para a "democracia sem demagogia", era a concepção implícita.

Em artigo publicado no jornal *O Globo*, que provocou bastante debate nos círculos militares, questionei a validade dessa correlação entre autoritarismo e desenvolvimento econômico. Referia-me à convicção encontradiça na classe militar, de que somente um regime autoritário pode assegurar adequada mobilização de recursos para investimento, já que a classe política não resiste à tentação do paternalismo clientelesco e da pulverização regional de recursos. A alegação, acrescentei eu, está longe de ser totalmente injusta ou grosseiramente inacurada, mas há importantes ressalvas a fazer. Em primeiro lugar, os regimes autoritários, ansiosos muitas vezes de obter legitimação à margem dos processos eleitorais e representativos, descambam num populismo paternalista que os leva a subvencionar "utilidades básicas", encorajando o consumo a expensas do investimento. Não raro também a elevação da poupança pública é neutralizada pela queda da poupança privada. Em segundo lugar, o desenvolvimento econômico não depende apenas do grau de *mobilização de recursos* e da efetivação de *reformas estruturais*, indiscutivelmente mais fáceis nos regimes autoritários. Depende também da eficiência na utilização da poupança, segundo critérios de prioridade, e da preservação de adequados incentivos à lucratividade e ao esforço produtivo. É aqui que o carro pega... Pois os regimes autoritários, carentes de crítica e contestação democrática, são peculiarmente vulneráveis a doenças que deformam o senso de prioridades e anulam, pelo desperdício, o penoso esforço de captação de recursos. Essas doenças são: a *propensão faraônica*; de que são exemplos o palácio de Nhrumah e o estádio de Sukarno; o *culto da personalidade*, que leva a decisões econômicas dramáticas e despóticas, como a liquidação dos *kulaks*, sob Stálin, o esquema de terras virgens,

---

querque Lima pôs-se a criticar asperamente o presidente Costa e Silva. "Nós, da linha dura" — disse-me ele — "cometemos um 'erro de pessoa'. Castello é que era o 'duro e honesto'. Costa e Silva é um molengão, incapaz de disciplinar sua própria família." Albuquerque Lima já estava em conflito com Delfim Netto, alegando insuficiência de verbas na Sudene, e acusando a ala econômica do governo de submissividade a interesses de "grupos econômicos poderosos". Em janeiro de 1969, demitir-se-ia da pasta do Interior no gabinete Costa e Silva.

de Kruschev, os fornos de quintal e o "grande salto" de Mao Tsé-Tung; o *armamentismo*, que hoje absorve imensos recursos nos países árabes de colorido socialista e autoritário; o *nacionalismo*, que rebaixa o nível potencial de investimentos, ao impedir ou dificultar a complementação da poupança interna mediante a absorção de capitais externos.

Há também problemas do lado dos *incentivos* ao esforço produtivo. É que o intervencionismo econômico, característico do centralismo autoritário, pode interferir com os estímulos do mercado e a recompensa do lucro, roubando dinamismo à iniciativa privada. E o *conformismo cultural*, quando o regime se torna repressivo, pode anemizar o espírito de pesquisa e criatividade científica e técnica. Nesse sentido, a revolução cultural de Mao Tsé-Tung, substituindo o criticismo científico pela recitação dos pensamentos maoístas, significou terrível empobrecimento da rica cultura chinesa, comparável à desnutrição das ciências biológicas na Rússia, após o apoio stalinista às teorias de Lysenko.[381]

Médici acabaria vitorioso na competição entre os militares, para a sucessão de Costa e Silva, tendo sua escolha sido ratificada pelo Congresso em outubro de 1969. E Geisel, logo depois nomeado presidente da Petrobrás, teria uma excelente plataforma para viabilizar sua candidatura presidencial para o período 1974-79. Eu não simpatizava com essa solução, pois começara a sentir, melancolicamente, que a profecia de Carlos Lacerda, que me parecia absurda, de que "os militares ficariam vinte anos no poder", começava a se desenhar nas brumas do futuro...

Geisel não era, entretanto, o preferido de Médici e sofria forte oposição da família deste. A força de Geisel provinha sobretudo da influência de seu irmão, o general Orlando Geisel, ministro do Exército, que tinha grande ascendência sobre o aparelho militar e assegurava a Médici uma gestão tranqüila e disciplina da "corporação", sem a acre contestação que sofrera Castello Branco. Médici talvez tivesse preferido até mesmo um civil, como o chefe da Casa Civil, João Batista Leitão de Abreu, ou um militar palaciano, como o general Carlos Fontoura, do SNI.

---

[381] O artigo em causa, intitulado 'Episódios históricos da Revolução Brasileira (I): Os falsos dilemas-1964-1974', foi depois publicado no livro *Ensaios imprudentes*, Rio de Janeiro, Record, 1986, p. 210. Na década de 80, com o espantoso crescimento das regiões do Leste asiático, surgiriam interpretações favoráveis ao "autoritarismo confuciano". Alguns aspectos da cultura confuciana, particularmente a disciplina do trabalho e o espírito de poupança, se provaram extremamente favoráveis ao desenvolvimento econômico sustentável. Mais questionável é a compatibilidade do confucionismo com a democracia. A cultura ocidental, norte-americana e européia, se provou conducente tanto ao crescimento quanto à democracia política (compatibilidade também verificada no Japão de pós-guerra). Basicamente, entretanto, a cultura confuciana parece mais adequada ao desenvolvimento econômico que à democracia. A cultura islâmica, em sua forma fundamentalista, não parece hospitaleira a nenhum desses valores. Sobre o assunto, ver adiante, *Epílogo*, Capítulo 13.

Em 1972, quando começava a ser discutida a sucessão de Médici, voltei ao assunto pela imprensa, o que me tornou *persona non grata* em vários círculos militares. Minha tese era que a fase de prosperidade do governo Médici ensejaria uma retirada dos militares *en toute beauté*, como administradores eficientes do progresso e credores de gratidão por um desenvolvimentismo bem-sucedido. Era sábia presciência. A fase Geisel se iniciou com a primeira crise de petróleo, à qual não soubemos dar resposta adequada. A descompressão política, "lenta, gradual e segura", foi principalmente lenta. Num exercício de geometria política, o mandato do general Figueiredo, herdeiro escolhido por Geisel e Golbery, foi esticado para seis anos, completando-se assim o ciclo de vinte anos da profecia de Lacerda...

Também minhas divergências com o Itamaraty sobre política internacional se agudizaram. Achei um erro no governo Costa e Silva nossa recusa em assinarmos o Tratado de Não-Proliferação Nuclear (TNP). Pressentia, outrossim, que a política africanista, sob o rótulo de "diplomacia da prosperidade", nos levaria a engajamentos financeiros imprudentes em relação aos países africanos, sem retorno confiável em matéria de prestígio político. Minhas teorias, quer sobre política interna, quer sobre a política externa, me assegurariam um longo período de merecido ostracismo...

UMA EXPERIÊNCIA
BANCÁRIA

Em meados de 1967, eu embarcaria numa experiência bancária que me traria poucas alegrias e um bom saldo de frustrações. Fui convidado para criar um banco de investimentos. O desafio que me foi lançado por dois grupos bancários paulistas — o Banco Comercial do Estado de São Paulo e o Brasil — era provocante:— ·Uma vez que, como ministro do Planejamento, o senhor patrocinou na Lei do Mercado de Capitais a criação de bancos de investimentos — disseram-me o dr. Emanuel Whitaker e Sérgio Melão — cabe-lhe pôr em prática o que pregou. Há uma outra razão para que aceite o desafio. Foi diretor fundador do BNDE e sua experiência organizacional no setor público deve agora ser posta a serviço do setor privado, se é que sua pregação privatista é sincera.

Os dois bancos paulistas se haviam associado ao Citibank, o qual, por sua vez, atraíra o Crédit Lyonnais, o Deutsche Bank, a Union des Banques Suisses e o Banca Nazionale del Lavoro, para comporem o quadro acionário de um banco de investimentos a ser criado. Participaram também, como acionistas fundadores, o grupo Camargo Correia, então a maior empresa de construção pesada no país, e o grupo Lion e Companhia, importante no comércio de tratores e máquinas agrícolas. Os brasileiros manteriam controle majoritário.

Apesar do vasto incômodo de ficar condenado à ponte aérea Rio-São Paulo, pois minha mulher e filhos não desejavam abandonar o Rio, aceitei o desafio. Parecia-me importante, para o nascente capitalismo brasileiro, explorar as virtualidades da Lei do Mercado de Capitais, criando-se *merchant banks*, que desenvolvessem técnicas de *underwriting* no mercado de ações. A persistência da inflação criava, obviamente, dificuldades à mobilização de poupanças de médio e longo prazo, mas valia a pena um esforço de modernização da estrutura bancária brasileira.

O Investbanco nascia com algumas vantagens e desvantagens. A desvantagem era que, tendo como acionistas vários bancos operando em competição no mercado, o Investbanco teria que desenvolver sua própria rede de captação, a custos mais altos que no caso de sistemas integrados como os do Bradesco, Itaú, BIB (Banco de Investimento do Brasil, ligado ao Unibanco) e Finasa (ligado ao Banco Mercantil de São Paulo). A vantagem era que a presença de importantes acionistas estrangeiros permitiria uma rápida absorção de assistência técnica nas várias tecnologias do mercado de capitais.

Fiquei à testa do Investbanco de 1967 a 1971. Nesse período, o Investbanco passou da estaca zero para a posição de maior banco de investimentos do país. Todos os balanços da minha gestão, desde a formação do banco, a partir do segundo semestre de 1967, até o primeiro semestre de 1971, foram lucrativos. O lucro sobre o patrimônio líquido, em médias semestrais no período de janeiro de 69 a julho de 71, comparou-se favoravelmente ao dos demais bancos, conforme o indicam os dados seguintes, baseados nos balanços publicados pelas principais organizações bancárias:

Investbanco	25,7%
Bradesco	24,4%
BIB	23,6%
Itaú	17,2%
Finasa	16,5%

Além de boa lucratividade, o Investbanco exerceu apreciável grau de pioneirismo em vários setores. Foi pioneiro na atividade de *underwriting* (na qual partilhava a liderança com o BIB), e no lançamento do Fundo Fiscal do decreto-lei n.º 157, assim como no repasse de fundos fiscais. E o padrão de análise financeira do Investbanco foi considerado, à sua época, dos melhores do país, tendo sido nele formados e treinados alguns dos melhores técnicos hoje espalhados em várias organizações. Recrutei, de início, jovens técnicos em orçamentação que tinham servido no ministério do Planejamento, como João Batista de Athayde e Sérgio Freitas. Sob a liderança do primeiro, o país experimentara, no governo Castello Branco, um enorme avanço em técnicas de orçamentação. Chegou-se a uma consolidação global das contas do setor público e implantou-se a técnica do "orçamento programa". Ao longo do tempo funcionou a lei da entropia burocrática e essa excelente tecnologia resvalou para o caos orçamentário dos dias de hoje. Congregou-se em curto prazo um time de escol, com o recrutamento em São Paulo de jovens engenheiros com treinamento econômico, como Miguel Ethel e Luiz Carlos Mendonça de Barros. Dois dos jovens membros da equipe — Sérgio Freitas e Mendonça de Barros — viriam a ser depois diretores do Banco Central, e um terceiro — Wadico Bucchi — presidente do Banco Central no governo Sarney. Miguel Ethel teria distinguida atuação como diretor da Carteira de Habitação do BNH, num período de grande dinamismo dessa organização.

O Difícil Ofício
das Fusões

No segundo semestre de 1971, fatigado da ponte aérea, deixei o Investbanco para retornar ao Rio de Janeiro. Tinha sido um empregado bem pago, mas desejava doravante engajar-me em atividade na qual tivesse alguma participação acionária, coisa inviável dentro da estrutura do Investbanco, composto exclusivamente de pessoas jurídicas nacionais e estrangeiras. Surgiu logo depois uma oportunidade, através de convite que me foi dirigido pelo grupo Soares Sampaio, da refinaria de Capuava, que desejava criar um braço bancário paralelo à sua atividade industrial. Propuseram-me um desafio muito mais complexo — a formação de um conglomerado financeiro para o grupo União.

Quando assumi essa responsabilidade, o grupo se compunha de quatro unidades — a União Financeira, o Banco de Investimentos Univest, o Fundo Mútuo Univest, e o Banco BIG-Univest (antigo Banco Irmãos Guimarães). Conforme depois verifiquei, tanto o Fundo Univest como o Banco Irmãos Guimarães haviam sido adquiridos por preço extremamente elevado, em época de incontida euforia da Bolsa. Mudada depois a conjuntura, viriam a exigir extraordinário esforço para se consolidarem financeiramente. Durante as negociações para a assunção de responsabilidades no grupo União, ponderei aos acionistas que os elevados encargos de aquisição do controle daquelas instituições financeiras, sem aporte adequado de capital próprio, pressionariam demasiado a rentabilidade do sistema. Isso tornaria necessária a injeção de novos recursos provenientes do ramo petrolífero e petroquímico do grupo — a Refinaria União e a Unipar. Obtive dos acionistas garantias de que fariam essa suplementação necessária de capital. O Fundo Univest tinha uma super estrutura administrativa rígida e dispendiosa, incompatível com o caráter aleatório da venda de quotas, extremamente sensíveis, estas, a flutuações da Bolsa. A rentabilidade do BIG era positiva em termos de operação bancária corrente, mas a médio prazo não poderia resistir aos encargos financeiros elevadíssimos, resultantes da amortização dos débitos pela compra das instituições, que exigiam pagamento a curto prazo.

A viabilização do conjunto dependeria assim, em vista da insuficiência de capital próprio do grupo União, de uma diluição dos custos de aquisição, mediante a ampliação da escala de operações. Isso exigiria, por sua vez, um processo de incorporação e fusão com outras entidades.

Apliquei-me a essa perturbadora tarefa, com a suprema ironia de ter que retornar à ponte aérea Rio-São Paulo, da qual originalmente me queria livrar. Negociei a compra do complexo financeiro "Comercial-Brasul" de São Paulo, obtendo para isso, no exterior, um empréstimo de US$50 milhões, em condições extremamente favoráveis para a época: quatro anos de carência, seis anos de amortização e juros fixos de 8% ao ano, para um terço do empréstimo, sendo o restante às taxas do mercado eurodólar. O empréstimo representou uma realização pioneira. Foi o primeiro conseguido por uma organização privada, pelo prazo de dez anos, sem qualquer garantia governamental, antes que se deslanchasse, a partir de 1973, o *boom* do mercado de petrodólares. Esse empréstimo só se tornou possível graças à cooperação do perito cambial Helênio Waddington, que desde 1963, quando o mercado internacional estava praticamente fechado para o Brasil, lograra estabelecer relações de confiança no mercado financeiro de Londres e Zurique, conseguindo manter um fluxo de captação de recursos, modesto mas significativo, ante a desordem cambial brasileira da era Goulart.

O trabalho desenvolvido em 1972 e 1973, para dar organicidade ao novo conglomerado, foi gigantesco. Foi para mim uma experiência extenuante, e talvez imprudente, que só o vigor dos 50 anos me encorajou a empreender. Ao contrário das fusões espaçadas e graduais, através das quais se formaram outras entidades, como o Bradesco e o Itaú, tive que promover, em apenas dezoito meses, a integração de (a) Três companhias financeiras — a União Financeira, a Brascred e a Investcred; (b) Dois bancos de investimento — o Univest e o Investbanco e (c) Três bancos comerciais — o Big-Univest, o Comercial e o Brasul. Estes dois últimos estavam apenas nominalmente fundidos, pois mantinham ainda duplicidade de administração e de sistemas contábeis. A dificuldade era agravada pelo fato de que se tratava de bancos em diferentes idades tecnológicas, nenhum deles com sistemas operacionais adequadamente modernizados, que pudessem ser tomados como modelos para os demais.

Para essa tarefa de integração e modernização bancária, consegui recrutar personalidades de alta reputação e sólida bagagem de realizações. Assim, figuravam entre os vice-presidentes do conglomerado financeiro União Comercial personalidades eminentes como Mário Trindade, ex-presidente do Banco Nacional de Habitação; Antônio de Abreu Coutinho, ex-presidente do Banco Central; Celso Silva, ex-gerente da Dívida Pública do Banco Central; e Benedito Dutra, ex-secretário geral do ministério de Minas e Energia. Durante quase toda a minha gestão, participou da vice-presidência José Bonifácio Coutinho Nogueira, que fora secretário de Agricultura de São Paulo, no governo Carvalho Pinto, e membro do Conselho Nacional de Economia, no governo Castello Branco. Na diretoria executiva figuravam também Helênio Waddington, que passou a chefiar o Departamento Internacional em virtude do seu profundo conhecimento do mercado eurodólar, e Giorgio Stecher, perito bancário de notável cultura financeira, que depois se tornaria diretor internacional do Banco Popular da Espanha, uma das mais dinâmicas organizações daquele país. O grupo acionário era representado na diretoria por Arthur Alves de Souza e, no Conselho de Administração, pelos senhores Alberto Soares Sampaio e Paulo Geyer.

Conforme demonstrei em relatório ao Banco Central, ao deixar, em março de 1974, a direção do conglomerado, os resultados de minha gestão, que começara em janeiro de 1972, foram bastante meritórios, ao contrário do que se propalou na época.

Assim: a) Foi completada em 18 meses a fusão de três financeiras, dois bancos de investimento e três bancos comerciais; b) Foram treinados nesse período nada menos de 3.000 funcionários, para as novas atividades de um complexo financeiro integrado; c) O funcionalismo foi reduzido em quase duas mil pessoas nas instituições financeiras, e em mais de sete mil pessoas no fundo UNIVEST, onde o pessoal fixo foi substituído por corretores autônomos, dado o caráter episódico e instável da venda de quotas de fundos de investimento e, d) Apesar dos enormes encargos de amortização da compra do BIG-UNIVEST e do próprio Comercial-Brasil, todos os balanços da minha gestão revelaram lucratividade positiva, mesmo diante da ingente tarefa de reorganização.

Enquanto presidente do BUC negociei, com bom lucro para este, a venda de participações acionárias no Investbanco ao grupo alemão Bayerische Bank Verein, de Munique, e ao Kyowa Bank, de Tóquio, ambos os quais promoveram minuciosa auditoria nas contas, procedimentos e *portfolio* do BUC. Pouco antes de minha saída, estavam bem encaminhadas negociações para o ingresso, no quadro acionário, do Security Pacific, da Califórnia. O ágio cobrado na venda dessas participações acionárias foi de grande auxílio para assegurar balanços positivos ao conglomerado.

O último semestre completo de minha gestão foi o segundo semestre de 1973, porquanto já em 24 de março de 1974 — antes de completado o primeiro trimestre — renunciei a todos os cargos que ocupava no grupo União, em virtude de discordar da orientação dos acionistas majoritários.

Se tomarmos três indicadores importantes do comportamento operacional dos conglomerados financeiros — (a) A relação entre despesas administrativas e o total de recursos administrados, (b) A relação entre receitas totais e o patrimônio líquido e (c) A relação entre lucro operacional e patrimônio líquido — verificaremos as seguintes performances comparativas, segundo dados da Revista Bancária, dos principais conglomerados. Esses dados, que de maneira alguma desmerecem o Grupo União Comercial, que estava ainda, nessa época, em fase crítica de fusão e consolidação, são os seguintes:

	Desp. administ. s/recursos administrados	Receitas totais s/patrimônio líquido	Lucro oper. s/patrimônio líquido
Bradesco	5,8%	89%	50,0%
Itaú	5,7%	100%	64,0%
UBB (Unibanco)	4,0%	69%	29,0%
Real	4,4%	66%	34,0%
BUC (União Comercial)	4,1%	83%	34,0%

MOMENTO DE
CRISE

A crise do grupo União Comercial que resultou, em agosto de 1974, em sua absorção pelo grupo Itaú, foi posterior à minha gestão e derivou precisamente do abandono da orientação por mim imprimida às suas atividades.

Ao longo do tempo, vinham se acentuando divergências entre os acionistas majoritários e o grupo de administradores profissionais, por mim chefiados. Essas divergências se centravam em dois pontos: a capitalização do banco e a proporção do *portfolio* constituído por empréstimos ao grupo ou a empresas associadas.

Ao assumir, inicialmente, a responsabilidade pelo grupo União, eu tornara clara a necessidade de um reforço de capitalização. O empréstimo de longo prazo que consegui para ampliar a base financeira e operacional do grupo, por via de fusões e incorporações, não era, obviamente, uma solução definitiva, nem elidia a necessidade de uma capitalização própria maior pelos acionistas. Uma oportunidade para esse reforço de capital surgiu no começo de 1973, quando Geisel era presidente da Petrobrás e Shigeaki Ueki, encarregado da área econômico-financeira dessa empresa. Ambos não escondiam seu interesse em incorporar a Refinaria de Capuava, do grupo Soares Sampaio, ao elenco de refinarias estatais. Capuava era a maior das refinarias privadas e, de longe, a mais eficiente, superando de muito, em desempenho operacional, a refinaria da Petrobrás mais próxima, a de Cubatão, com a qual era freqüentemente contrastada. Com capacidade nominal de 20.000 barris, conseguiu, graças a ajustes nas instalações e boa técnica operacional, processar 32.000 barris/dia. Em qualquer país minimamente racional, essa performance mereceria encômios e prêmios. Para a Petrobrás, parecia uma manobra disfarçada para diminuir uma franja do monopólio. A Petrobrás obrigou a empresa a processar, apenas pelo custo, o adicional de 12.000 barris, como se Capuava fosse mera operadora e não proprietária da produção excedente da capacidade nominal. Ante uma tríplice pressão — impossibilidade de expandir a refinaria, obrigação de processar o excedente sem lucro, e controle arbitrário das margens de refino pelo governo — o grupo União se dispôs a vender a refinaria à Petrobrás. Encorajei-os nesse propósito, e consenti em assumir a desagradável responsabilidade de negociar com o monopólio estatal, sem nenhuma remuneração ou comissão, exigindo apenas, como condição, que a maior parte dos recursos da venda fosse destinada, pelos acionistas, à capitalização do BUC.

As negociações com Ueki, apoiado no poder de monopólio da Petrobrás, foram árduas.[382] Em outubro de 1973, o controle acionário da refinaria passou à estatal, a um preço equivalente a US$70 milhões. Entretanto, minhas esperanças de que os acionistas devotassem recursos à capitalização do BUC foram frustradas. Havia alternativas de aplicação mais atraentes. Criou-se uma séria área de atrito entre os administradores profissionais e os acionistas. E estes começaram a fazer intervenções perturbadoras, o que criou uma segunda área de atrito. Insistíamos, os administradores profissionais, em reduzir o engajamento do BUC em operações com outras empresas do grupo União, não só em obediência às limitações legais de empréstimos intragrupo, como para ensejar dispersão de riscos. Esse conflito não é, aliás, infreqüente no sistema bancário brasileiro. No caso do BUC, as operações de "troca de chumbo" com empresas do grupo ou associadas atingiam, à época, 50 milhões de cruzeiros, soma que eu considerava inaceitável e que deveria ser rapidamente reduzida. Foram, aliás, riscos dessa espécie que me haviam levado, e a professor Bulhões, quando da reforma bancária de 1964, a optar pelo modelo anglo-saxão de separação entre atividades financeiras e industriais, de preferência ao modelo alemão e japonês, que permite a interligação de complexos industriais e financeiros.

Minha irredutibilidade no tocante aos dois pontos — reforço de capital e diminuição do risco intragrupo — tornou-me uma presença algo incômoda. Havia sido recrutado um novo diretor, provindo do Banco Econômico que, conquanto operador experiente, se afinava mais com a filosofia dos acionistas do que com o enfoque

---

[382] As experiências do grupo União me convenceram da periculosidade despótica dos monopólios estatais. Conhecera de perto a pressão da Petrobrás para absorver uma competidora embaraçosamente eficiente — a Refinaria Capuava. Anos mais tarde, a Unipar se veria exposta a pressão similar no tocante à Petroquímica União, produtora de insumos básicos — alifáticos e aromáticos. Esta foi exposta a duas tenazes. De um lado, a Petrobrás, como supridora monopolística de nafta, podia baixar a rentabilidade da empresa, elevando os preços da matéria-prima. De outro, o governo fixava os preços dos produtos processados, comprimindo as margens de lucro, conforme lhe aprouvesse. A Petroquímica União acabou também passando ao controle da Petrobrás, em agosto de 1973, pela desistência dos acionistas privados de subscreverem o aumento de capital. Pouco depois da estatização, a situação se inverteu. A Petrobrás baixou o preço da nafta e o Conselho Nacional de Petróleo flexibilizou as margens de preço dos produtos processados, com que a empresa se tornou extremamente rentável. Folgo em registrar que, no momento em que escrevo — 1993 — vinte anos depois, o ciclo se reverte e a Petroquímica União é incluída na lista das privatizações. A existência do monopólio da Petrobrás sempre impediu que a petroquímica privada se estruturasse racionalmente, de forma vertical, como acontece no mundo, onde as empresas de petróleo operam integradamente, desde a lavra e refino, até os produtos de segunda e terceira geração. A petroquímica privada brasileira teve de se estruturar horizontalmente, dependendo dos caprichos da Petrobrás para o fornecimento de insumos básicos, como a nafta, sem possibilidade de produzi-la ou importá-la independentemente.

mais conservador da administração original. Era óbvio que os acionistas ansiavam por entregar-lhe maior responsabilidade diretiva.

Em reunião no dia 18 de março de 1974, o principal acionista, Alberto Soares Sampaio, presidente do Conselho Consultivo do Banco União Comercial S.A., sugeriu um esquema de reorganização, pelo qual eu passaria, com generosos vencimentos, à presidência do Conselho de Administração. Era uma espécie de "chute para cima". Não foi precisado a quem desejava transferir a responsabilidade executiva, mas presumia-se que fosse a um de dois acionistas, Paulo Fontainha Geyer, presidente do Conselho de Administração do BUC, ou Artur Alves de Souza, vice-presidente executivo.

Colocou-se para mim um dilema. Se ficasse, emprestaria meu nome a uma gestão que adotaria critérios perigosamente flexíveis. Se partisse, havia o perigo de retirada maciça de depósitos, pois se tratava de um banco que operava no atacado, com grandes empresas, muitas das quais atraídas pela qualidade da equipe. Imaginei entretanto, erradamente, que esse perigo poderia ser minimizado pela permanência dos outros membros da diretoria, muito bem reputados na praça de São Paulo.

Assim, em 25 de março de 1974, antes de completado o primeiro trimestre, escrevi uma carta, acompanhada de extenso relatório, a Alberto Soares Sampaio, renunciando a todos os meus cargos — presidente do BUC, do Investbanco e vice-presidente da União Financeira. Não aceitei nenhuma indenização de despedida, pois queria reservar-me o direito de avaliação crítica.

Em anexo ao relatório, apresentei quadro analítico, também transmitido ao BACEN, do desempenho do BUC em 1973, último ano de minha gestão, comparativamente aos quatro maiores conglomerados — Bradesco, Itaú, Unibanco e Real. Sob vários critérios de eficiência — despesas administrativas/recursos totais (37%); receitas operacionais/recursos totais (7,3%); receitas totais/patrimônio líquido (86%); lucro operacional/patrimônio líquido (33%) — o BUC apresentou resultados altamente satisfatórios. Isso foi, aliás, comprovado por exaustivas auditorias realizadas pelos novos sócios estrangeiros, o Bayerisch Vereinbank e o Kyowa Bank, que se tornaram parceiros do Investbanco, quase ao fim de minha gestão.

Eu havia subestimado gravemente o impacto de minha renúncia. Apesar de ter pedido aos outros membros da diretoria que permanecessem, acompanharam-me nessa decisão quatro vice-presidentes e dois diretores, inclusive personalidades extremamente bem conceituadas nos círculos financeiros como Mário Trindade, Abreu Coutinho, Benedicto Dutra, Giorgio Stecher e José Galileo de Castro. Houve um colapso de confiança, coisa fatal para as organizações bancárias, cujo principal capital é precisamente a confiança.

Felizmente, ficaram no BUC três diretores, Sérgio Freitas (por pouco tempo) e Celso Luiz Silva, na área interna, e Helênio Waddington, que era responsável pelas relações com os acionistas estrangeiros, e que conseguiram "tocar a casa" por algum tempo. Para minha surpresa, os acionistas que pareciam extremamente ansiosos por tomar as rédeas executivas, revelaram completa e inquietante abulia. As conseqüências foram graves e imediatas, porquanto:

1. Nos três dias subseqüentes à saída da minha equipe, o BUC perdeu cerca de Cr$80 milhões de depósitos e começou a experimentar dificuldades na captação de recursos para o Investbanco e a União Financeira.

2. Em abril, estourava a crise do Banco Halles, abalando profundamente todo o sistema bancário brasileiro e levando a uma generalizada transferência de depósitos para o Banco do Brasil e para bancos estrangeiros. Enquanto outros bancos lograram gradualmente estancar a sangria de depósitos, a "crise de confiança" gerada pela renúncia maciça da antiga diretoria, de grande prestígio na praça de São Paulo, provocou vertiginosa e contínua retirada de depósitos no BUC e paralisação da captação de recursos para as outras unidades do sistema. O redesconto, que à época da minha saída estava ao nível de Cr$128 milhões, dentro do que poderia ser considerado normal dada a conjuntura de relativa iliquidez bancária característica do primeiro trimestre, subiu descontroladamente para um nível dez vezes maior, à época da absorção do conglomerado pelo Itaú. Ao contrário do que se propalou, as dificuldades provieram fundamentalmente não da qualidade das aplicações e sim da iliquidez gerada pela "crise de confiança" e pela acefalia administrativa que assolaram o BUC, a partir de 18 de março de 1974.

O MONSTRO
QUE FABRIQUEI

Os meses subseqüentes foram para mim de grande humilhação. Mais que nunca senti na carne a verdade do adágio mineiro que Alkmin costumava citar: "O importante não é o fato; é a versão". O fato é que, sob minha gestão, quer no Investbanco, quer no BUC, não houve nenhum balanço negativo. A versão, gostosamente acolhida por jornalistas de esquerda, surpreendentemente numerosos no país, é que eu tinha levado o BUC à falência. Nada melhor do que ir à forra contra um ex-ministro que havia perfilhado políticas econômicas ortodoxas e contribuído para o êxito econômico do governo autoritário!...

No dia mesmo de minha renúncia, visitei em Brasília o presidente do Banco Central, Paulo Lyra, recém-empossado. Por ironia do destino, era precisamente o jovem assessor da presidência do Banco do Brasil, que dez anos antes irritara Castello Branco pela sua valente oposição à criação do BACEN. Apresentei-lhe um relatório com cuidadosa análise dos problemas superados, e das dificuldades remanescentes, no difícil processo de construção do conglomerado do BUC. Minha recomendação era de estreito acompanhamento da situação pelas autoridades monetárias, pois a renúncia coletiva da diretoria poderia provocar uma corrida bancária. Tornar-se-ia então urgente a transferência do controle a outro grupo bancário, com incentivo e apoio do BACEN, que tinha como uma de suas funções principais a manutenção da normalidade no setor financeiro. O grupo que, a meu ver, maior afinidade tinha com o BUC era o Unibanco, cujo banco de investimentos, o BIB, rivalizava com o Investbanco na liderança do mercado de *underwriting*. Eu chegara mesmo, tempos antes, a discutir com o embaixador Walther Moreira Salles a fusão dos dois bancos de investimento, hipótese inviabilizada pela tradicional disputa competitiva entre os sócios americanos que eram, no caso do Investbanco, o Citibank e, no caso do BIB, o Chase Manhattan Bank.

Os meus piores receios se materializaram. Os acionistas não tinham um esquema gerencial alternativo e deixavam o BUC praticamente acéfalo, sangrando pela perda de depósitos, enquanto o BACEN dava assistência pelo redesconto, mas hesitava em promover a incorporação do BUC a um outro conglomerado melhor capitalizado.

A escolha não era ampla, pois o BUC era o terceiro conglomerado do país em patrimônio e valor de depósitos. Sua absorção pelo Bradesco, então como hoje o maior banco privado do país, dar-lhe-ia, no ver do BACEN, uma alavancagem exagerada em termos de poder econômico. O Unibanco, de outro lado, não parecia à autoridade monetária ter porte suficiente para gerir o novo complexo. Após quase seis meses de hesitação, com o BUC praticamente leiloado, o BACEN se decidiu em favor de sua absorção pelo grupo Itaú. Foi um milagre que não tivesse ocorrido uma corrida bancária, fato só explicável pela grande fidelidade dos depositantes do interior de São Paulo ao velho Banco Comercial, da família Whitaker, que representava a principal parcela do BUC. Mas foi uma longa e desnecessária agonia.

Mal sabia eu que minhas dificuldades com o BACEN estavam apenas começando. Um pouco mais tarde, teria eu a mesma sensação do Golbery, ao declarar que criara um monstro ao fundar o SNI. Este teria suas funções pervertidas, passando da análise de informações econômico-sociais à bisbilhotice de vidas privadas, até tornar-se um coadjuvante da violência e promotor de causas absurdas como a autonomia tecnológica na informática.

O meu monstro, que também se desviara de suas funções de controle monetário, para se tornar um devasso emissor e um destramelado produtor de regulamentos burocratizantes, seria o BACEN, por cuja criação Octavio Bulhões e eu lutáramos arduamente.

Para mim os meses de espera desse desenlace foram um período depressivo, beirando ao pesadelo. Por mais que a análise dos balanços de minha gestão fosse satisfatória, era claro para mim mesmo que eu não repetira, na microeconomia, o superdesempenho que lograra no campo da macroeconomia, como planejador e ministro. Restava-me o consolo de que poucos economistas de mérito conseguiram destacar-se, no curso da história, como líderes empresariais.[383] David Ricardo, no século XIX, e Lord Keynes, neste século, são sempre citados como espécimes raros

---

[383] Consciente que o ofício bancário é mais intuição que erudição, procurei haurir lições dos práticos bem-sucedidos. Visitava com alguma freqüência Amador Aguiar, em sua cidadela em Osasco, a "Cidade de Deus". Era um gênio intuitivo, mas suas práticas de administração, admiravelmente exitosas, contrariavam os manuais. Ao invés da circulação de sangue novo, recrutava apenas o pessoal treinado na casa. Ao invés da especialização de funções, havia um sistema de decisões coletivas da diretoria, ao longo de uma mesa, sistema mais propício ao exercício da intuição que à minuciosa avaliação. E Amador conseguira o feito singular de transformar seu banco numa religião. Dizia-me que suspeitava muito dos bancos que recrutavam PhD's, carapuça que me cabia inteiramente... No caso do Amador, havia muito a admirar e pouco a aprender. Ao inspecionar agências do BUC, em Curitiba, resolvi visitar outro grande prático, de pouca educação formal como o Amador, que, também como ele, apostara na agricultura e no varejo bancário no interior do país. Era o Avelino Vieira, que começara a criar o império do Bamerindus. Pedi-lhe ensinamentos, e ele me deu apenas dois conselhos: os diretores devem trabalhar juntos e não ter secretárias e não se deve criar filiais no Nordeste! Cheguei à conclusão que a arte bancária, tal como a disciplina militar prestante do verso de Camões, não se aprende na fantasia: "senão vendo, tratando e pelejando".

de cabeças teóricas que fizeram fortuna, Ricardo no ofício bancário e Keynes como especulador da Bolsa. Um dos meus ídolos em teoria do desenvolvimento, Joseph Schumpeter, não conseguira êxito sequer como gestor macroeconômico. Exerceu por pouco tempo, após a Primeira Guerra Mundial, a função de ministro das Finanças da Áustria, sem conseguir debelar a inflação.

— Não se pode — justificava-se — impedir a queda de um cavalo depois que ele já tropeçou.

Dois anos depois, quando, ao terminar meu período máximo de licença do Itamaraty, reintegrei-me na carreira, sendo designado embaixador em Londres, recebo um esquisito e surrealista ofício da Inspetoria Bancária do BACEN. Nesse expediente, resultante do trabalho de um grupo de inspetores que teriam examinado os livro do BUC, do Investbanco e do União Financeira, havia imputações de irregularidades em minha gestão. Soube depois que expediente nos mesmos termos fora dirigido, em forma de circular, aos demais diretores, genericamente, sem qualquer esforço de análise das responsabilidades por setores específicos.

Respondi prontamente ao BACEN, em expediente de 17 de março de 1976, explicando o infundado dessas acusações, algumas das quais simplesmente bizarras.

A principal delas era que o BACEN desconhecia detalhes da negociação e das formas de contabilização da operação de empréstimo externo que levara à compra do controle acionário do banco comercial Brasul. Ora, a minuta do empréstimo havia sido previamente submetida ao BACEN e o contrato devidamente registrado, sem nenhuma impugnação, tendo sido algumas modificações sugeridas pelo próprio BACEN. Eu mesmo havia discutido pessoalmente a montagem da transação com o então presidente Ernane Galvêas.

O expediente dos inspetores do BACEN listava algumas operações tidas por irregulares, que teriam comprometido a responsabilidade dos gestores. Fiz notar em meu longo expediente analítico, que a vasta maioria das aplicações questionadas já haviam sido liquidadas ou satisfatoriamente regularizadas; que todas as operações fundadamente impugnadas haviam sido realizadas após meu afastamento do BUC, em 24 de março de 1974; e que os adiantamentos entre empresas do grupo já haviam sido esclarecidos em carta que dirigira ao BACEN, um ano antes.

Aparentemente os inspetores não haviam perlustrado os minuciosos relatórios que, ao sair do BUC, eu havia apresentado ao presidente Paulo Lyra, e desconheciam os entendimentos que mantivera com o ex-presidente Ernane Galvêas, ao longo do processo de formação do conglomerado.

Lembrei-me do que me disse Karl Blessing, o primeiro presidente do Bundesbank, após a guerra, quando o visitei em Frankfurt, para a renegociação da dívida brasileira: — Os bancos centrais não têm memória. Fazem perguntas, mas não prometem respostas. Inculpam por escrito e se desculpam oralmente. Defendem a moeda mas também se defendem a si mesmos.

Imaginei que esses esclarecimentos poriam termo à inquietação dos burocratas do BACEN, tanto mais quanto, nos dez anos subseqüentes, não recebi nenhuma comunicação, positiva ou negativa. Minha única angústia remanescente era verificar que o BACEN se afastava das funções de defensor intransigente da moeda, para o qual fora criado, passando a financiar déficits do Tesouro e a agravar a incerteza do mercado financeiro com uma enxurrada de instruções e normas regulamentares. Além de incorrer numa espécie de despotismo burocrático, indo muito além do que Bulhões e eu imagináramos como "independência do Banco Central". Tornara-se um quarto poder, através do Conselho Monetário, que passou a ser uma entidade paralegislativa.

Como ministro do Planejamento eu fora acusado (com justiça, como admiti ao passar ao outro lado da cerca, na vida empresarial) de "fúria legiferante". No caso do BACEN, a expressão adequada seria "diarréia normativa".[384]

Outra surpresa me aguardava. Em maio de 1986, dez anos depois da carta da Inspetoria do BACEN, e doze anos depois de minha saída do BUC, recebo, já em minha segunda legislatura como senador por Mato Grosso, um ofício do presidente do BACEN, comunicando-me a imposição, pela diretoria do BACEN, de uma multa resultante de pareceres dos inspetores, aparentemente hibernados por um decênio. O expediente continha uma repetição quase *ipsis litteris* das impugnações já respondidas dez anos antes.

Abri mão do direito legal de recurso e paguei prontamente a multa, esclarecendo que o fazia *propter edictum Principis* e não *propter admissionem delicti* (por edito do príncipe e não por admissão de delito).

Num expediente de protesto dirigido ao presidente do Banco Central em 15 de julho de 1986, e até hoje não respondido, assim me expressei:

> "Só posso atribuir o tratamento superficial dado aos esclarecimentos e defesa que apresentei a uma *voluptas increpandi*, ou a uma subjacente hostilidade político-ideológica à minha pessoa. Ao longo de dez anos e três meses, nunca fui chamado para esclarecer dúvidas e discutir interpretações, como seria normal previamente a qualquer julgamento.
>
> Era-me lícito supor que minha defesa fora concludente ou que, se inconcluso o processado, teria ocorrido 'prescrição'. Foi por isso com surpresa, mais que surpresa, indignação, que tomei conhecimento da decisão dessa

---

[384] A "diarréia normativa" do BACEN é ilustrada pelo fato de que entre março de 1985 e novembro de 1992, quando se sucederam oito presidentes do BACEN, foram baixados 4.692 atos normativos, ou seja, 1,77 por dia!

diretoria, à qual ora dou cumprimento, assim como dos pareceres subjacentes a essa decisão. Destes, nunca tivera antes conhecimento.

Admito sim, senhor presidente, uma culpa diferente. A de ter sido, juntamente com o professor Octavio Bulhões, co-autor da Lei nº 4.595/64, que criou o Banco Central, sem que me ocorresse a cautela de lhe limitar o poder de arbítrio, e responsabilizar *penalmente* seus administradores pelo descumprimento da finalidade básica do Banco Central, que é disciplinar a expansão monetária para evitar a inflação. E hoje vejo, com melancolia, que um instituto criado para ser o guardião da moeda, e por isso dotado de independência, se transformou num engenho de inflação. Desde que deixei o ministério do Planejamento, em 1967, a base monetária se expandiu 39 vezes, os meios de pagamento 51 vezes, enquanto que o produto real crescia apenas 1,8 vez. Se, pensando macroeconomicamente, considerássemos o país como uma abrangente entidade financeira, cujo gestor de caixa é o Banco Central, teríamos um passivo crescendo mais de 20 vezes o ativo, o que certamente constituiria, para usar os iracundos termos dos pareceres do próprio BACEN, 'notórios delitos, inclusive contra a economia popular' e infrações graves na conduta de negócios da sociedade."

Ponderei a seguir que o BACEN estava criando três teorias originais. Uma, a teoria da "responsabilidade póstuma", de vez que a quase totalidade das operações impugnadas eram posteriores à minha gestão. A segunda, assaz perigosa, era a teoria da "responsabilidade objetiva". Segundo esta, "a punibilidade do administrador de instituição financeira independeria de sua participação comissiva nos atos ilícitos e se faria pela simples ocorrência da infração". Argumentei que uma conseqüência lógica dessa teoria seria que os diferentes presidentes e diretores do BACEN deviam estar na cadeia como responsáveis pela insolvência da nação, humilhada por débitos vencidos e promissórias não pagas em vários países do mundo. Em realidade, um ano depois, em fevereiro de 1987, o Brasil declararia sua falência cambial, através da moratória unilateral do ministro Funaro![385]

A terceira excentricidade era o princípio de imprescriptibilidade que, se mantido, prestar-se-ia a uma *reductio ad absurdum*, pois se é prescriptível a pena de

---

[385] A idéia de responsabilização penal das autoridades monetárias pelo deboche da moeda foi aventada por Irwing Fisher, físico matemático, tornado economista, escandalizado pela variação do poder aquisitivo do dólar. Em seu livro *100% Money*, de 1935, teria ele sugerido a criação de um tribunal para julgar autoridades culpadas pela instabilidade do valor da moeda, seja pela inflação (alta de preços) ou depressão (queda de preços). Apud Santiago Fernandes, *A libertação econômica do mundo pelo esquecido Plano Keynes*, Rio de Janeiro, Nórdica, 1991, p. 80. A nova legislação da Nova Zelândia prevê também a demissão do presidente do Banco Central, se a inflação exceder a meta anual de entre 0 e 2%, a não ser na ocorrência de choques externos, ou fatores emergenciais reconhecidos pelo Parlamento.

morte, deveria ser *a fortiori* prescritível uma sanção administrativa, valendo para o Direito Disciplinar o mesmo que vale para o Direito Penal.

Jurei-me a mim mesmo, após essa experiência, que nunca mais aceitaria qualquer participação gerencial em complexos financeiros. Admiro os que nisso se aventuram. E dada a instabilidade normativa que o BACEN impõe ao mercado, quem nele sobrevive está super-habilitado para operar com êxito nos mercados mundiais mais acirradamente competitivos. Não é à toa que as multinacionais consideram o Brasil um excelente campo de treinamento para executivos financeiros. E, naturalmente, presidindo a uma inflação que desde 1980 até os dias de hoje atingiu o nível escandaloso de 50 bilhões %, o "austero guardião da moeda", que Bulhões e eu parimos, foi um autêntico "bebê de Rosemary"...

ATIVIDADES
INTERNACIONAIS

Ao longo do período Médici, distanciei-me politicamente do governo. Mantive intensa atividade jornalística, publicando artigos semanais em *O Globo* e no *O Estado de São Paulo*, que constituíram material para três livros: *Do outro lado da cerca*, *Temas e sistemas* e *O mundo que vejo e não desejo*, publicados, aqueles pela Apec, e este, pela editora José Olympio. Os temas eram os mais variados: política internacional, nacionalismo, desenvolvimento e segurança, planejamento familiar, capitais estrangeiros, o papel dos militares, reflexões sobre a América Latina. Minhas relações com o estamento militar dominante se tornaram frias, não só por algumas divergências sobre a política econômica, mas sobretudo pela minha insistência na necessidade de uma *descompressão política*.

Via com prazer que, em grande parte devido à modernização institucional do governo Castello Branco, o Brasil aproveitara a onda mundial de prosperidade da segunda metade dos anos 60, até a primeira crise de petróleo. Foi a época do *milagre brasileiro*, com taxas médias de crescimento de 10% reais ao ano, ritmo comparável ao do Japão, que viria a ser emulado, na década dos 80, pelos tigres asiáticos e, atualmente, pela China comunista, enquanto o Brasil chafurda na estagflação.

Mantive intensa atividade internacional. Passei a ser membro de três organizações interessantes: o Instituto Internacional de Educação, da Unesco, dedicado ao planejamento educacional, voltado principalmente para os países em desenvolvimento; o admirável International Development Research Institute, devotado principalmente à pesquisa agrícola e educacional, criado no Canadá pelo ex-primeiro-ministro Lester Pearson, com quem trabalhei na preparação do relatório "Partners in Progress" para o Banco Mundial; e a Resources for the Future, uma fundação americana dedicada à investigação de problemas de recursos naturais, energia e meio ambiente, sediada em Washington.

Uma das mais interessantes tarefas que assumi foi a presidência do CICYP (Consejo Interamericano de Comercio Y Producción), para a qual fui eleito em 1967 exercendo a função por três anos. Meu antecessor fora George Moore, presidente do Citibank, homem de excepcional dinamismo empresarial.

O CICYP é uma organização de lideranças empresariais de todo o continente, fundada em Montevidéu em 1941, com a função de promover o desenvolvimento e intercâmbio do setor privado na América Latina. Num continente que até a década dos 80 sofria da moléstia, aparentemente incurável, do estatismo, o CICYP era uma trincheira de luta em favor da privatização e do liberalismo comercial. Presidi às reuniões continentais de Bogotá, em 1968, Madri e Rio de Janeiro, em 1969, e Caracas, em 1970. Nesse período, a presidência da seção brasileira foi exercida por José Mindlin e Teóphilo de Azeredo Santos.

Uma das grandes preocupações de minha gestão foi fazer a América Latina passar à ofensiva no terreno dos manufaturados, objetivando tornar mais livre o comércio internacional. A luta se desenvolvia em duas frentes. No caso norte-americano havia que deter a onda de protecionismo na indústria têxtil. Dirigida principalmente contra o Japão e alguns países europeus, as restrições à importação de têxteis acabariam também afetando alguns competidores emergentes da América Latina, particularmente o Brasil e a Colômbia. O CICYP participou de uma missão empresarial brasileira a Washington, chefiada por José Luiz Moreira de Souza, no intuito de esclarecer os efeitos negativos de um projeto do deputado Wilbur Mills, o poderoso *chairman* do Ways and Means Committee, referente principalmente a tecidos e sapatos, com enfoque protecionista muito mais rígido do que as propostas do presidente Nixon no Trade Act de 1969. Havia em Washington a tradicional dicotomia. O Congresso mais protecionista, em resposta às clientelas locais, e o Poder Executivo desejando mais flexibilidade, particularmente em relação à América Latina, cujas exportações não representavam ameaça apreciável.

Os Estados Unidos estavam numa fase de grande sensibilidade a reivindicações protecionistas, em virtude do ambiente recessivo e da desagradável transição que começavam a sofrer de um país tradicionalmente superavitário, para um país deficitário em seu balanço comercial. As dificuldades de balanço de pagamentos se agravaram em 1971. Nixon abandonaria a conversibilidade do dólar em ouro. A ação brasileira, através do CICYP e do Conselho Empresarial Brasil-Estados Unidos, teve êxito na época em minimizar as conseqüências do surto protecionista.

Uma segunda frente de batalha era contra o protecionismo europeu, que discriminava contra a América Latina, em favor das antigas colônias. Desenvolvi então a tese das *preferências defensivas* para o hemisfério, apresentada na reunião do CICYP, em Bogotá, em 1969, com o apoio de um velho amigo, o dr. Carlos Lleras Restrepo, então presidente da Colômbia. A idéia, endossada em Bogotá, com firme aceitação da delegação norte-americana no CICYP, era induzir o governo de Washington a colocar a Comunidade Econômica Européia frente a um dilema: ou a Europa eliminaria, em curto prazo, as discriminações contra produtos latino-americanos resultantes das preferências tarifárias dadas às ex-colônias, ou os Estados Unidos criariam em seu mercado um sistema preferencial temporário e condicional em favor de produtos latino-americanos. Esse sistema se auto-extinguiria na proporção do abandono, pelos europeus, das preferências coloniais. O receio de uma guerra comercial e de enfraquecimento do multilateralismo do GATT impediu que a idéia tivesse aplicação prática, conquanto seu mérito estratégico fosse reconhecido.

Um outro tema importante foi a tentativa, na última conferência plenária que presidi, em Caracas, em outubro de 1970, de se formular um código de comportamento para empresas nacionais e multinacionais, com ênfase sobre a "função social da empresa". Discursou na sessão inaugural o então presidente da República, engenheiro Rafael Caldera, que endossou as idéias circuladas no documento do CICYP sobre o papel motor da iniciativa privada no desenvolvimento econômico, exigindo-se, em contra-partida, o reconhecimento pelas empresas de sua "responsabilidade social".

A partir de então, dediquei-me à formulação de uma teoria sobre a divisão ideal de tarefas entre o investimento público e o privado. Em 1971, pouco depois de deixar a presidência do CICYP, na qual fui sucedido pelo empresário venezuelano John W. Phelps, fiz um opúsculo intitulado 'A função da empresa privada', largamente difundido em toda a América Latina e nos Estados Unidos. Era uma espécie de teoria racional dos limites de ação do Estado.

Listavam-se, de início, as intervenções perturbadoras do Estado sob a forma de:

• Controle de preços;
• Tarifação irrealista de serviços públicos;
• Tabelamento de juros com desestímulo à poupança;
• Subvenção cambial às importações, em detrimento dos exportadores;
• Interferências desordenadas (e às vezes politizantes) no mecanismo de barganha salarial.

Haveria razões *válidas* e *espúrias* para a intervenção estatal. As razões válidas diziam respeito ao fato de o desenvolvimento latino-americano ser induzido, em vez de espontâneo, e à existência de imperfeições no mercado e no mecanismo de preços. Mais graves seriam as razões espúrias da intervenção estatal, oriundas:

• Da ilusão transpositiva, que consiste em imaginar-se que da simples transferência de certas atividades para o governo resulte uma diminuição de custos e preços, pela abolição do lucro (na realidade, os custos aumentariam em função da ineficiência);
• Do preconceito ideológico, advogando-se a intervenção estatal como meio subreptício de socialização dos bens de produção;
• Do preconceito patrimonial, que consiste em subestimar-se a capacidade do Estado de atingir objetivos sociais pelo simples exercício do poder regulatório, independentemente do domínio patrimonial;
• Da tradição paternalista, que leva à sobrelotação de mão-de-obra.

Boa parte do estudo é dedicada à motivação da ação empresarial do estado, distinguindo-se quatro tipos diferentes de motivação.

• A motivação pioneira;
• A motivação preclusiva, isto é, a prevenção de monopólios ou oligopólios privados;
• A motivação supletiva, no caso de implantações superiores à capacidade de poupança privada;
• A motivação corretiva ou *expiatória*, naqueles setores tornados inviáveis para o setor privado por políticas tarifárias irrealistas (ferrovias, eletricidade etc.).

As intervenções pioneiras ou supletivas seriam normalmente válidas. A motivação preclusiva é sujeita a abusos, pela ampliação arbitrária pelo conceito de *segurança nacional* ou *importância estratégica*, que leva à criação de monopólios estatais ineficientes. A motivação expiatória só seria aceitável se impossível restaurar, no curto prazo, o realismo tarifário e ressuscitar o interesse de investidores privados.

O estudo enumerava com clareza as severas limitações do Estado como investidor, ante os perigos de:

• Politização da gerência;
• Pouca sensibilidade ao controle de custos de produção;
• Irracionalidade na distribuição de encargos, subvencionando-se, muitas vezes exageradamente, o usuário do serviço, à custa de tributação do contribuinte;
• Ausência de mecanismos de estímulo comparáveis ao lucro privado ou do castigo da falência;
• Imunidade ao acicate da concorrência;
• Rigidez administrativa e permanente ameaça de descontinuidade diretiva.

Enunciavam-se, finalmente, diretrizes para uma política de intervenção estatal. Dever-se-ia dar preferência a controles indiretos macroeconômicos, em vez de interferência na microeconomia; os controles regulatórios deveriam ser preferidos ao controle patrimonial ou gerencial; o estado deveria confinar-se a investimentos na infraestrutura econômica e social, deixando-se a cargo da iniciativa privada os investimentos diretamente produtivos, ou a ela transferindo-se os investimentos que ultrapassassem a fase pioneira; o planejamento das inversões governamentais deveria basear-se sempre em métodos não inflacionários de arrecadação de recursos.

O estudo encerrava também um ensaio sobre deveres e direitos dos investidores estrangeiros. Os principais deveres seriam:

• Integração na comunidade;
• Preservação da ética concorrencial, evitando-se a conquista de posições monopolísticas;

• Consciência desenvolvimentista, através de cooperação com os planos dos governos.

Os direitos seriam:

• Segurança da propriedade;
• Proteção contra medidas desarrazoadas e discriminatórias;
• Direito à repatriação do capital e remessa de rendimentos;
• Fidedignidade contratual e estabilidade das regras do jogo.

O aspecto interessante do opúsculo *A função da iniciativa privada* é que foi escrito muito antes da onda privatista mundial que começou na década de 80 com o *reaganismo* e o *thatcherismo* e teve sua consagração final com o colapso do socialismo, em 1989-91.

No começo da década de 70 o estatismo ainda era a ideologia dominante na América Latina. O socialismo brejneviano ainda estava em expansão, e somente os órgãos de inteligência de alguns países percebiam as graves falhas operacionais do marxismo-leninismo, que tinha promessas de industrialização rápida com justiça social, falsas porém sedutoras para o Terceiro Mundo.

Durante minha gestão no CICYP, de 1967 a 1970, na fase do *milagre brasileiro*, também no Brasil o estatismo parecia uma doutrina eficaz e, na realidade, viria a expandir-se no governo Geisel, com a política maciça de industrialização substitutiva de importações, após a primeira crise de petróleo. O esgotamento desse modelo e as conseqüências nefastas do estatismo somente viriam à tona na década de 80.

No CICYP tive preciosos colaboradores no seu secretário-geral, o uruguaio Carlos Ons Cotelo, e no peruano Romulo Ferrero em termos de formulação técnica. Tive a oportunidade de visitar a maioria dos países da América Latina e conhecer não só suas lideranças empresariais como políticas. Eustáquio Escandon, do México, Gonzalez Facio, do Uruguai, Ovídio Gimenez, da Argentina, Enrique Sanchez, da Venezuela, José Gomes Pinzón, da Colômbia, Jaime Lizarralde Lora, da Colômbia, Antonio Zuccolillo, do Paraguai, José de Cubas, Enno Hobbing e William Barlow, dos Estados Unidos e Jorge Ossa, do Chile, foram permanentes interlocutores, participando do esforço de valorização da empresa privada num mundo ideologicamente conflituoso.

Consegui atrair o Canadá para ativa participação no CICYP e ativar relações com países menores, como o Panamá, a República Dominicana e Costa Rica. De outro lado, com a ascensão de Allende, no Chile, do general Velasco Alvarado, no Peru, e do general Juan Torre, na Bolívia, a iniciativa privada nesses países ficou debilitada, com sua representação no CICYP bastante rarefeita.

Na seção brasileira, os membros mais ativos foram José Mindlin, Theóphilo de Azeredo Santos, Ermelino Matarazzo e Aldo Franco. Ao deixar o CICYP, em outubro de 1970, a organização estava revitalizada. E eu persistia na firme convicção, em minha visão profética, de que o marxismo-leninismo passaria ao lixo da história e que o vaticínio de Marx sobre a explosão do capitalismo se realizaria às avessas.

O RELATÓRIO
PEARSON

Uma de minhas mais gratificantes experiências internacionais foi a participação, a convite de Robert McNamara, presidente do Banco Mundial, na Comissão sobre o Desenvolvimento Internacional. A idéia de se criar uma comissão de homens de "estatura e experiência" para "procederem a uma grande avaliação do panorama do auxílio externo para o desenvolvimento econômico do pós-guerra, e formular recomendações sobre um programa integral de desenvolvimento para as próximas décadas" fora enunciada em 1967, por George Woods, então presidente do Banco Mundial. Mas a comissão só veio a materializar-se em agosto de 1968, quando o ex-primeiro-ministro canadense, Lester B. Pearson, aceitou o convite de McNamara, sucessor de George Woods na presidência do Banco Mundial, para encarregar-se da preparação de um relatório destinado a influenciar a política mundial de auxílio ao desenvolvimento.

Antes de ingressar na política, Lester Pearson fora diplomata. Eu o conhecera durante a Segunda Guerra Mundial, quando era embaixador do Canadá em Washington, e eu, jovem secretário da nossa embaixada naquela capital. Voltamos a encontrar-nos na ONU, quando Lester se tornou delegado do Canadá e presidente da Assembléia Geral, em 1953. Recebeu o Prêmio Nobel da Paz, em 1957, pela sua contribuição para resolver o conflito do Canal de Suez no ano anterior. Tornou-se primeiro-ministro do Canadá em 1963 e, ao deixar o posto, seu primeiro trabalho foi a organização da Comissão sobre o Desenvolvimento Internacional.

Ao participar da feitura do Relatório "Partners in Development", tornei-me co-autor de dois dos três relatórios seminais sobre problemas de países desenvolvidos produzidos no pós-guerra. O primeiro fora o relatório do GATT — "Trends in International Trade" — também conhecido como "Haberler Report", ao qual já fiz referência. O segundo foi o relatório "Partners in Development", que ficou conhecido como "Pearson Report". Só não participei da redação do terceiro documento — o chamado "Relatório Brandt" — produzido na segunda metade dos anos 70, sob a presidência de Willy Brandt, ex-primeiro-ministro alemão, pai da *Ostpolitik*, que lhe valeu o Prêmio Nobel da Paz. Sua política de conciliação com a Alemanha Oriental teve um subproduto cruel. Foi um incidente de espionagem montado pela STASI, a polícia secreta da Alemanha Oriental, que o forçou a renunciar à primeira ministrança, em Bonn, em 1974.

O grupo reunido por Lester Pearson congregava, em dose adequada, teoristas econômicos, políticos e financistas. Um dos membros era sir Edward Boyle, que fora ministro da Educação na Grã-Bretanha. Os Estados Unidos eram representados por Douglas Dillon, secretário do Tesouro na administração Kennedy, quando eu era embaixador em Washington. Wilford Guth, com quem negociara a consolidação de dívidas brasileiras no governo Jânio Quadros, misto de funcionário público no Kredit Anstalt für den Wiederaufbau e banqueiro privado no Deutsche Bank, trazia importante contribuição prática. Dois outros membros — o francês Robert Marjolin e o japonês Saburo Okita — tinham grande experiência como planejadores econômicos: Marjolin no Plano Marshall e, depois, como vice-presidente da Comunidade Econômica Européia, e Saburo Okita como um dos pais da planificação japonesa. Talvez a figura mais brilhante do grupo fosse W. Arthur Lewis, economista jamaicano, que viria a partilhar com Theodore Schultz o Prêmio Nobel de Economia de 1979, por suas contribuições originais para a utilização do excedente de mão-de-obra rural como capital humano para o desenvolvimento.

Tornei-me grande amigo, ao longo dos anos, de Saburo Okita, que visitou o Brasil várias vezes, fazendo estudos específicos sobre transporte de grãos e eficiência dos portos e sobre o projeto Carajás, da Vale do Rio Doce, a convite de Eliezer Batista. Nascera na cidade de Dairen (hoje Dalian), na Manchúria, então ocupada pelos japoneses. Trabalhara na "Agência de Planejamento Econômico" do Japão, sendo um dos formuladores do famoso Plano de Duplicação da Renda Nacional (Plano Ikeda), no começo da década de 60. Esse objetivo, fixado para um decênio, acabou sendo atingido em apenas sete anos. Em 1963, deixara a "Agência de Planejamento Econômico" para se tornar presidente do Centro de Pesquisa Econômica e, em 1973, presidente do Overseas Economic Corporation Fund. Saburo se tornou um misto de economista e diplomata, procurando sempre aliviar as tensões comerciais emergentes entre os Estados Unidos e o Japão. Em 1979, foi ministro do Exterior no gabinete Ohira por 252 dias, mas — como dizia ele — foram dias frenéticos, pois estouraram duas crises: a crise dos reféns americanos na embaixada em Teerã (novembro de 1979) e a invasão do Afeganistão pelas tropas soviéticas, no mês seguinte.

Um dos atrativos da Comissão era ter se tornado peripatética, a fim de ensejar contato direto com problemas regionais. Participei não só das reuniões principais, no Canadá, Roma, Genebra e Copenhague, como de algumas reuniões setoriais em Nova Délhi e em Abidjan, na Costa do Marfim.

Em Copenhague, levei comigo uma estranha companhia. De passagem por Paris, encontrei Di Cavalcanti em estado de aguda depressão. Tinha tido um de seus vários arrufos eróticos com uma de suas preferidas, Ivette. Arranquei-o da depressão levando-o a Copenhague. Enquanto me aplicava durante o dia às confabulações da Comissão, Di explorava o pitoresco da cidade, concentrando-se numa pequena boate com um nome atraente: "Poétique, Mystique, Érotique", onde o comércio da carne fazia-se em alto nível. A abundância de loiras longilíneas era um bom consolo para a ausência das mulatas fundibulares que Di tanto apreciava.[386]

Na visita a Nova Delhi, fomos recebidos oficialmente por Indira Gandhi, então primeira-ministra da Índia. Tinha sido eleita em 1966, como candidata de compromisso entre as alas radical e conservadora do Partido do Congresso. Mas não tivera maioria absoluta e foi obrigada a aceitar como vice-ministro Morargi Desai, ex-ministro de Finanças, um financista ortodoxo, enquanto que Indira perfilhava o semi-socialismo de seu pai, Nehru, o herói da descolonização. Quando visitamos a Índia, ela começava a formular propostas radicais de reforma agrária e nacionalização de bancos.

Expressou, ao nosso grupo, desconfiança quanto à real disposição ocidental de incrementar o auxílio aos subdesenvolvidos, enfatizando a necessidade de desvinculá-los de interferências políticas. Vitoriosa, por larga margem, nas eleições de 1971, Indira moveu-se gradualmente para a esquerda, concluindo em agosto de 1971 um "tratado de paz, amizade e cooperação" com a União Soviética, que se tornou sua principal supridora de armamentos. Fomentou o movimento secessionista do leste de Bengala e derrotou o Paquistão, patrocinando a autonomia de Bangladesh.

Aproveitei a visita à Índia para levar minha mulher, Stella, a visitar dois monumentos: o monumento artístico duradouro de Taj Mahal, em Agra, e o monumento político fracassado de Fatehpur Sikri, a Brasília da Índia medieval. Como velho opositor da idéia de Brasília, interessava-me conhecer Fatehpur Sikri. Fora construída pelo grande consolidador do império mogul Akbar, perto de um templo, no vilarejo Sikri, onde nasceram dois de seus filhos. Fez seu palácio e induziu os nobres a construírem os seus, numa cidade de muralhas, com nove portas, exceto no sudeste, cujo acesso era protegido por um lago. Ao contrário de Juscelino, que nunca morou em Brasília, Akbar passou a habitar sua capital-fortaleza a partir de 1571.

Mas a capital, fortaleza militar e burocrática, imponente conjunto de colorido róseo e ocre, freqüente nos palácios hindus, nunca prosperou. A região em torno não era produtiva, havia secas periódicas, e a capital mogul voltou a ser Agra e depois Delhi, para onde foi transferida em 1658 por seu sanguinário neto, Aurangzeb.

---

[386] Di Cavalcanti referia-se sempre à classificação de três tipos de mulheres de Urbano Berquó, um cronista do *Correio da Manhã*: as calipígias, as platipígias e as fundibulares. Di, naturalmente, preferia as fundibulares...

Uma das maravilhas do mundo, o mausoléu chamado Taj Mahal foi construído por Shah Jahan, filho de Akbar, capaz de poéticos amores ao erigir o famoso mausoléu em honra de sua mulher Muntaz Mahal, mas de incrível crueldade na conquista do trono. Shah Jahan, que governou entre 1628 e 1658, estrangulou seu irmão mais velho, mandou matar príncipes rivais e aposentou sua mãe, Nur Jahan, grande manipuladora política. Foi considerado um déspota esclarecido, patrono das artes e tolerante das religiões infiéis. Mas a violência parecia um traço genético entre os grandes moguls. Um de seus filhos, Aurangzeb, venceu em batalha e matou seus dois irmãos, aprisionou três filhos, um dos quais morreu na prisão, tendo também sua única filha morrido prisioneira. Como se isso não bastasse, voltou-se contra seu pai, o Shah Jahan e trancafiou o velho, já com 74 anos, na Fortaleza Vermelha de Agra, com um requinte cruel. De sua cela, Shah Jahan podia contemplar ao longe o Taj Mahal, estrutura de mármore branco, esquisitamente rendilhada, que construíra em honra de sua esposa amada. Em viagem anterior ao Oriente, em 1964, ao partir da embaixada em Washington, eu visitara em Lahore, na parte do Punjab, hoje pertencente ao Paquistão, a maior mesquita do mundo, construída por Aurangzeb. Lá existe, no forte Lahore, o Sheesh Mahal, o mahal dos espelhos, uma pequena reprodução do Taj Mahal. Aurangzeb era uma espécie de assassino austero, de grande disciplina pessoal e comparável intolerância religiosa. Ao fazer de Delhi sua capital, transformou Fatehpur Sikri numa cidade fantasma, e Agra, numa capital provinciana.

Turismo à parte, o relatório "Partners in Development"[387] foi uma peça importante na literatura desenvolvimentista do pós-guerra. Conquanto basicamente otimista em relação às perspectivas de cooperação internacional para o desenvolvimento, o relatório introduz notas cautelares, em cuja redação tive bastante participação.

Acentuava o relatório, inicialmente, que um correto enfoque do problema exige o abandono, de ambos os lados — países industrializados e países em desenvolvimento — de certos falsos pressupostos.

Os países doadores não devem esperar que o desenvolvimento garanta estabilidade política ou que o auxílio externo compre aliança política ou fidelidade ideológica. Nem é atingível em rápido prazo, porquanto o desenvolvimento pressupõe, mais que o auxílio financeiro externo, básicas transformações da estrutura econômica e de atitudes sociais, que só podem ser empreendidas pelo próprio país recipiente. Nem deve ser a ajuda externa encarada como uma "opção suave". Do ponto de vista dos países contribuintes, a "opção suave" consistiria em usar a ajuda como escusa para não desmontarem dispositivos comerciais protecionistas,

---

[387] O relatório foi publicado no Brasil sob o nome *Sócios no progresso*, Rio de Janeiro, Apec, 1971.

que bloqueiam seus mercados às exportações dos subdesenvolvidos. Do ponto de vista destes, a "opção suave" consistiria em utilizar a flexibilidade financeira propiciada pela ajuda externa para se eximirem do esforço de poupança e das reformas econômico-sociais indispensáveis ao desenvolvimento auto-sustentado. Nos países industrializados, talvez a mais grave deformação de atitude seja a frequente *sobrestimação dos encargos* da ajuda externa, esquecendo-se muitos deles que (a) Certas parcelas liberalmente classificadas como "ajuda externa" — créditos de fornecedores, empréstimos bancários — obedecem a uma motivação comercial e financeira do mercado, que, em substância, não difere dos fluxos *entre* os próprios países industrializados; (b) Que, em muitos casos, como, por exemplo, na ajuda sob forma de exportação de excedentes agrícolas, o fardo real pode ser nulo, de vez que a motivação básica é o subvencionamento do setor agrícola interno, mobilizando mercadorias e fatores de produção que poderiam de outra forma ficar ociosos; (c) Que o sacrifício real da ajuda pode ser atenuado ou anulado por uma melhoria nas relações de troca, isto é, no preço de suas exportações, comparativamente àquilo que importam dos países subdesenvolvidos; (d) Que o encargo real não se mede pelo valor bruto das dotações orçamentárias de auxílio, devendo ser daí deduzido o retorno de juros e amortizações.

No tocante aos subdesenvolvidos, a distorção mais grave é a *ambivalência de atitudes*: de um lado, o reconhecimento da insuficiência da poupança interna, acompanhado de constantes apelos à cooperação internacional; de outro a exacerbação nacionalista, que leva à rejeição de formas válidas e úteis de absorção de recursos externos, como o investimento privado direto.

O relatório enfatizava a seguir os *obstáculos* que os países subdesenvolvidos teriam que enfrentar: 1) A inadequação de suas instituições políticas; 2) O dilema populacional, isto é, a explosão demográfica, que tende a reduzir a capacidade de investimentos diretamente produtivos, piora a distribuição de renda e favorece a favelização explosiva das metrópoles urbanas; 3) A baixa produtividade agrícola; 4) O fascínio da industrialização ineficiente, por trás de altas barreiras aduaneiras, financiada por taxas excessivas do setor agrícola; 5) A propensão estatizante, em detrimento do setor privado; 6) O problema da educação e pesquisa tecnológica, ambas prejudicadas pelo fato de a explosão demográfica absorver recursos para aumentar a quantidade da educação, freqüentemente com deterioração de sua qualidade; 7) O freio externo, isto é, a carência de recursos cambiais, cuja solução exigiria uma combinação de liberalização do comércio e aumento da ajuda dos países industrializados. Esse constrangimento, para o qual a Comissão Pearson chamava a atenção em 1969, viria a explodir dramaticamente anos mais tarde, com a crise da dívida, em 1982, provocada em parte pelas duas escaladas do preço do petróleo em 1973 e 1979.

O principal objetivo do Relatório Pearson era formular recomendações sobre a ajuda externa. Foram quatro as principais recomendações, que passaram a fazer parte do catecismo desenvolvimentista das reuniões da ONU e das agências especializadas, mas não se traduziram em políticas práticas, como também aconteceria, anos mais tarde, com o Relatório Brandt.

A primeira e principal das recomendações era que se alcançasse uma transferência global de recursos para os países subdesenvolvidos, até 1975, de algo equivalente a 1% do PNB dos países industrializados. Essa meta já fora proposta em resolução da ONU, em 1960, e aceita na reunião da Conferência Mundial de Comércio e Desenvolvimento (UNCTAD) em 1964, mas nunca foi observada, nem antes nem depois do Relatório Pearson, com a notável exceção dos países escandinavos, que por vezes a excederam, e da França e Holanda, que dela se aproximaram. No longo prazo, o auxílio ao desenvolvimento situou-se, em termos médios, em 1/3 da meta proposta.

As outras recomendações especificavam (a) Que do fluxo global de recursos de 1% do PIB dos países industrializados, pelo menos 0,70% deveria ser em ajuda oficial a longo prazo e juros baixos (juros reais não superiores a 2% ao ano e resgate entre 25 e 40 anos); (b) Que pelo menos 20% da ajuda fosse canalizada através de organismos multilaterais, e (c) Que fosse progressivamente desvinculada da obrigação de comprar no país financiador.

Eram recomendações piedosas, e passaram a ser mecanicamente repetidas nas organizações internacionais, mas foram em sua maioria ignoradas, em parte pelas tensões da guerra fria, que deformavam noções de prioridade, em parte pelos efeitos dos choques de petróleo, em parte pelas inadequadas políticas econômicas ou instabilidade política dos próprios países recipientes.

No caso dos Estados Unidos a assistência econômica foi consideravelmente influenciada por considerações político-estratégicas, com forte concentração em países como Israel e Egito.

A experiência revela que o sucesso desenvolvimentista depende basicamente de políticas internas adequadas. As análises históricas, pelo Banco Mundial, da experiência de 60 países, com especial ênfase sobre o sucesso dos países asiáticos, permitem hoje a formulação da "grande síntese". O desenvolvimento é função de quatro políticas conjugadas: estabilidade macroeconômica, competitividade na microeconomia, abertura internacional e investimento no capital humano. Fracassaram todos os ensaios de engenharia social que esqueceram esses princípios.

UMA ESTRANHA
TEORIA

Ocorreu-me, em 1969, uma experiência pitoresca ao ser convidado pelo governo francês, por proposta do Hudson Institute, então dirigido por Herman Kahn, para participar de um grupo de trabalho sobre o desenvolvimento da Córsega. O departamento francês de desenvolvimento regional (DATAR) sentia-se frustrado pelo contraste entre o rápido desenvolvimento turístico da Sardenha e a modorra do crescimento da Córsega. As duas ilhas do Mediterrâneo são próximas, separadas por um estreito canal. Entretanto, as condições naturais são mais atraentes na Córsega: grande capa florestal, terras agricultáveis sobretudo na costa leste, montanhas com panoramas cênicos, belas praias e cidades de certo encanto. A maior é Ajaccio, na costa oeste, onde nascera em 1769 Napoleão Bonaparte, precisamente no ano em que a Córsega passara a ser província da França. As outras cidades pitorescas são Bastia, no norte, e a capital Conte, no maciço central. Há sobretudo uma jóia turística: a fortaleza de Bonifácio, na ponta sul da ilha, uma cidadela murada usada desde o século IX como defesa contra os piratas e depois como refúgio dos cavaleiros templários na Idade Média. A única desvantagem da Córsega, relativamente à Sardenha, eram suas ondas episódicas de violência com movimentos separatistas e terroristas, derivados em parte da excessiva centralização burocrática na França e, em parte, da estagnação econômica. Notava-se ainda uma composição desequilibrada da população, com predominância de velhos, já que os jovens buscavam trabalho no continente.

A Sardenha, ao contrário, era mais árida e pedregosa, sem a beleza turística e a riqueza histórica da Córsega. Entretanto, o estilo italiano mais libertário e descentralizado tinha encorajado um grau maior de desenvolvimento. Uma observação, aparentemente corriqueira, era que o desenvolvimento turístico da Sardenha fora facilitado por vôos fretados diretos, dos Estados Unidos e Inglaterra, enquanto o monopólio da Air France obrigava os turistas a uma incômoda baldeação na França. Mais importantemente, a Sardenha contava com um investidor apaixonado, o príncipe Aga Khan, que criara um impressionante complexo turístico, despertando o interesse de outras cadeias hoteleiras.

O Instituto Hudson, representado por um dos seus diretores, Robert Panero, foi encarregado de propor um plano de desenvolvimento para a Córsega. Aceitei um convite dele para atuar como perito desenvolvimentista. Seria um descanso das inquietações brasileiras e uma oportunidade de treinar-me no dialeto corsicano, uma mistura de italiano e francês.

Logo na primeira reunião do grupo em Ajaccio, pedi dados sobre a renda por habitante da ilha. Os dados disponíveis se referiam à França, em seu conjunto, e aos departamentos mais importantes. Dados desagregados teriam que ser telegrafados de Paris.

— Não tem importância — ponderei. — Amanhã trarei minha própria estimativa.

Gastei o fim da tarde e noitinha visitando bares e entrando em restaurantes e albergues, sempre com o cuidado de pedir acesso ao banheiro. No dia seguinte voltei com minha estimativa: 600 dólares *per caput*. Acertara na mosca. Quando, dois dias depois, chegaram as estimativas de Paris — 606 dólares — Panero, surpreso, perguntou-me o segredo de minha intuição econômica.

— Nada reflete mais de perto a renda média das comunidades — disse eu aos perplexos membros do grupo — do que a higiene ou falta de higiene e a acridade do odor dos mictórios. E os indicadores de Ajaccio sinalizam-me um nível de 600 dólares por habitante.

Lembrava-me de que em minha primeira visita a Paris, em 1948, logo depois da Segunda Guerra Mundial, impressionavam-me os *pissoirs* públicos nas ruas, antiestéticos e mal odorosos. Com o surto de crescimento dos anos 50 e 60, desapareceram rapidamente. Mais tarde, em visita ao interior da China, já na década dos 80, os banheiros de Chengtu e Chungking, na província de Sichuan, indicavam algo em torno de 200 dólares. As instalações e a renda eram bastante melhores em Cantão, que já havia iniciado sua escalada de crescimento num clima de capitalismo constrangido.

Da China fui ao Japão, em 1986, e tive nova confirmação da teoria pelo avesso. Surpreso, encontrei um mictório eletrônico na estação ferroviária de Kyoto. Um sensor eletrônico deflagrava uma descarga d'água à simples aproximação do usuário. O grau avançado de desenvolvimento tecnológico encontrava um humilde reflexo na higiene dos banheiros.

Os japoneses têm grande sensibilidade para o *marketing* da aparelhagem doméstica. Deram grande impulso à eletrônica de salão com rádios, televisões e VCRs. Passaram depois à cozinha com os fornos de microondas. Suspeito que o próximo passo sejam as "privadas inteligentes" nas quais o cidadão aproveita suas humilhações biológicas para ver televisão, tomar temperatura e pressão e quiçá fazer um exame rápido de colesterol e glicemia.

Minha teoria passou a ser chamada por Bob Panero, que a divulgou entre analistas e consultores econômicos, de "teoria olfática do desenvolvimento". Constatou depois, como consultor de planejamento em vários países de diferentes níveis de renda, que a determinação da renda pelo faro permitia uma aproximação surpreendentemente acurada do que revelavam as estatísticas oficiais.

Eu mesmo, em campanhas políticas no interior de Mato Grosso, verifiquei olfativamente o grau mais elevado de renda nas regiões do nortão pré-amazônico, abertas por imigrantes de cultura alemã e italiana do sul do país, comparativamente às velhas cidades nas regiões de colonização luso-indígena, onde é menor a preocupação de conforto habitacional. E em campanhas no interior do Rio de Janeiro, aprendi a confiar mais no meu faro que nas estatísticas de renda municipal do IBGE.

RUMO À
"DEMOCRACIA RELATIVA"

Em janeiro de 1974, o general Ernesto Geisel foi eleito presidente da República pelo Colégio Eleitoral, com avassaladora maioria: 400 votos contra 76 dados ao candidato de protesto, Ulysses Guimarães.

Tratava-se na realidade de uma homologação pelo colégio eleitoral, dominado pela ARENA. A liturgia eleitoral se havia tornado cada vez mais fechada, a partir do AI-5. Na sucessão de Castello Branco, contemplava-se a hipótese de uma candidatura civil, que teria sido, de fato, a preferência de Castello. Após o fechamento político do AI-5, a disputa ficou confinada ao estamento militar, ou mais precisamente, ao Exército. Na sucessão de Costa e Silva, a Junta Militar procedeu a uma consulta entre o generalato (104 oficiais generais). Médici acabou sendo escolhido pelo alto comando, à base de dois critérios: *hierarquia e consenso*.[388] Médici encontrava uma área de consenso maior e tinha sobre seu contendor mais vigoroso, o general Albuquerque Lima, detentor de bastante apoio entre o oficialato intermediário, a vantagem da hierarquia. Este era um general de três estrelas. Tal consideração viria a tornar-se importante também na sucessão de Geisel, o qual, ao escolher o general João Batista Figueiredo, teve que primeiro atropelar o ritual de promoções, alçando-o à condição de general de quatro estrelas.

O universo do recrutamento sucessório se tornaria, assim, cada vez mais restrito. Se a escolha de Médici fora precedida de uma consulta ao senado militar, a de Geisel foi, na realidade, precedida apenas de consulta ao alto comando, sendo aceita, sem contestação, a proposta do presidente Médici. O último dos presidentes do ciclo militar, o general Figueiredo, foi, por assim dizer, uma escolha pessoal do presidente Geisel, que afastou previamente dois oponentes, os generais Sílvio Frota e Hugo de Abreu, classificados como *sinceros, porém radicais*. Obteve, a seguir, a ratificação do alto comando para o seu candidato.

Comentando a paradoxal contradição entre o estreitamento da área de seleção do candidato presidencial e o anunciado propósito de abertura política de Geisel, disse eu a Golbery, de certa feita, que o sistema brasileiro de escolha de lideranças

---

[388] Ver Walder de Góes e Aspásia Camargo, *O drama da sucessão*, Rio de Janeiro, Nova Fronteira, 1984, p. 100.

era dos mais reclusos do mundo. A eleição do papa, evento supinamente elitista, era feita pelo Colégio Cardinalício de cerca de 114 cardeais. Na eleição de Médici haviam sido consultados 104 oficiais generais. Na de Geisel, poder-se-ia dizér que apenas o alto comando fora chamado a se pronunciar. Na de Figueiredo, o próprio alto comando teve função meramente ratificatória. Estávamos, assim, emulando, senão superando, outros sistemas de sucessão controlada, como o do México, onde o *tapado* é escolhido pelo presidente em exercício, após consulta a uma meia dúzia de ministros e líderes do PRI, ou o da União Soviética, onde a escolha era feita dentro do Presidium de onze membros, cabendo habitualmente ao comitê central papel meramente homologatório. O mais antigo sistema elitista de recrutamento de liderança é, naturalmente, o Consistório multissecular da Igreja Católica.

Eu me tinha alheiado de coisas do governo, dedicado à iniciativa privada e a intensa atividade internacional. De qualquer modo, como já foi dito, havia expressado em artigos de imprensa minha preferência pela "civilianização" do regime. O fim do governo Médici me parecia o momento ideal da retirada. Era a época do "milagre econômico" brasileiro e portanto o momento mais favorável para a descompressão política. Esta gera uma explosão de demandas reprimidas, que melhor podem ser administradas com uma economia em expansão.

Quando Golbery me chamou, eleito Geisel, para formar um pequeno grupo informal de trabalho, a fim de fornecer sugestões sobre um programa de governo, acolhi o convite com satisfação. A termos uma sucessão militar, Geisel era certamente o mais preparado dos candidatos. Representaria uma reabilitação do grupo castellista, sempre mais preocupado com a "saída do autoritarismo", do que os remanescentes da linha dura. Seguramente, marcharíamos para um período de "democracia relativa", que Geisel viria a chamar de "distensão lenta, gradual e segura".

Esse pequeno grupo passou a reunir-se na casa de Luiz Gonzaga do Nascimento e Silva, na rua da Matriz, em Botafogo. Luiz fora o último ministro do Trabalho do gabinete Castello Branco, e sua prudência e eficiência administrativa eram reconhecidas. Os outros membros eram Antonio Gallotti, conhecedor da questão energética, e José Luiz Bulhões Pedreira, que participara de vários esforços anteriores de planejamento e tinha a singular capacidade de orquestrar juridicamente conceitos econômicos. Coube-lhe, na realidade, a tarefa de redigir um pequeno documento de consenso, com sugestões sobre política monetária e fiscal, política energética (tornada urgente pela eclosão da primeira crise de petróleo), realismo cambial e problemas previdenciários e trabalhistas. As recomendações econômicas perderiam sentido, pois logo após seria nomeado ministro da Fazenda o Mário Henrique Simonsen, tecnicamente mais habilitado do que qualquer de nós para a tarefa.

Houve então dois fatos curiosos. Golbery, que era uma espécie de coordenador informal de Geisel (seria depois chefe da Casa Civil), deu-nos a entender, cripticamente, que Luiz Gonzaga seria guindado à ministrança.

— Prepare-se para os dissabores de Brasília — dizia ele com ar misterioso.

Quando, finalmente, foi anunciado o ministério de Geisel, que me traria algumas surpresas, nele não figurava o nome de Luiz Gonzaga, que esperávamos fosse reconduzido ao ministério do Trabalho.

Visitando Brasília, após a posse, em começo de abril, inquiri de Golbery se houvera mudança de planos. E verifiquei então, algo chocado, a perigosa secretividade dos órgãos de segurança. Confidenciou-me Golbery que havia uma denúncia secreta no SNI sobre empréstimos tomados por Gonzaga do BNH, que ele presidira por algum tempo no governo Castello Branco, com lisura e competência. Parecia-me incrível que Golbery deixasse sua organização entreter dúvidas da espécie sobre um colega de ministério, sem dar a este qualquer informação ou direito de defesa. Era uma sigilosidade abusiva e malsã. Disse-lhe que o mínimo que poderia fazer era dar vista do processo ao acusado. Isso foi feito, tendo Gonzaga acesso ao processo.

As suspeitas eram infundadas. Realmente, Gonzaga obtivera um empréstimo normal do BNH para a construção de casas populares num terreno da família, perto de Belo Horizonte. Enfrentara a maciça inadimplência dos compradores, pois se havia deslanchado em Minas uma campanha contra o novel instituto da correção monetária; campanha tolerada, senão mesmo encorajada, pelo governo estadual. Houve imediata retração de vendas, e todos os empresários que se haviam lançado, com encorajamento do BNH, na campanha das casas populares, se viram em situação de insolvência. Gonzaga tinha sido um dos únicos a propor uma solução vantajosa para o BNH: a dação em pagamento ao banco de glebas de terreno, em valor bastante superior ao do mútuo, fazendo-se a avaliação por entidade independente. O BNH indicou, no caso, a Caixa Econômica Federal, que avaliou por baixo os terrenos, com o que a dívida ficou mais do que quitada. Gonzaga teve a oportunidade de comprovar numericamente os fatos, conseguindo assim a limpeza de sua ficha. Pouco tempo depois, em 30 de maio, assumiria o recém-criado ministério da Previdência Social, no qual teve excelente atuação.

Pus-me a meditar sobre a periculosidade dos órgãos de segurança, quando se desviam das análises de situação para o julgamento de pessoas. Golbery, como é sabido, descreveria, anos depois, o SNI como "o monstro que eu criei". Não fosse o acidente fortuito de minha interpelação resultante dos encontros na rua da Matriz, e a injustiça cometida continuaria um segredo de Estado.

— Se vocês tratam assim os amigos — disse a Golbery — que farão dos inimigos?

Poucos dias antes da posse, telefonou-me Golbery para indagar sobre sugestão que tinha recebido para o ministério da Indústria e Comércio. Previa ele dificuldades políticas em São Paulo e queria aplainar o terreno. Um de seus receios era que Delfim Netto, o poderoso ex-ministro da Fazenda, hostilizado por alguns militares que questionavam sua gestão financeira, se lançasse numa oposição aberta, na qual talvez tivesse o apoio do *O Estado de São Paulo*. Seria assim conveniente atrair para o ministério alguém com capacidade de influenciar o *Estadão*. Através de suas ligações com Gastão Vidigal, respeitado pela família Mesquita, Severo Gomes poderia ser um homem útil para essa tarefa preventiva.

— Qual é sua opinião? — perguntou-me Golbery.

Lembrava-me de meus problemas com Severo, durante o governo Castello Branco. Apesar de ser membro do governo, pois era diretor da Carteira de Crédito Rural do Banco do Brasil, aliara-se a Bilac Pinto, numa vigorosa oposição ao Estatuto da Terra. E aliciara para essa tarefa um brilhante assessor, nada menos que o próprio Delfim Netto, um dos mais temíveis satiristas que já conheci. Como ministro da Agricultura, Severo tinha idéias válidas, que expunha com perícia de *causeur*, mas parecia pouco operoso.

— Ora, Golbery, se quer realmente saber minha franca opinião, eu diria, como nosso amigo de Uberaba, o Glycon de Paiva, que é preciso fazer o teste do boi de canga. Em Uberaba, contava o Glycon, quando se quer selecionar bois para tração de carga, o vaqueiro levanta o rabo do bicho e diz: "é boi de cu branco, patrão, não serve para canga".

— Severo — acrescentei — não passaria no teste.

Golbery viria, tempos depois, a concordar comigo. No ministério, Severo passou a adotar posições nacionalisteiras, em oposição aberta a Simonsen e Reis Velloso, empenhados na atração de capitais estrangeiros para o Brasil. Enquanto num seminário em Salzburgo, em março de 1975, Simonsen e Velloso encorajavam a vinda de capitais estrangeiros, Severo discursava em Recife pleiteando a proibição do que ele chamava de "entrada indiscriminada de capitais estrangeiros no país".

Numa reunião do CDE (Conselho do Desenvolvimento Econômico), em 29 de setembro, passou a contestar asperamente um documento apresentado por Simonsen intitulado 'Notas sobre o problema do capital estrangeiro no Brasil', que propunha tratamento mais liberal para os investidores, num momento em que a crise de balanço de pagamentos os tornava particularmente bem-vindos. Severo repetia as bobagens da "teoria da dependência" e pregava para o Brasil um "modelo de desenvolvimento independente", esquecido da escassez da poupança interna.

Pouco depois, em 9 de outubro, quando Geisel fez sua dramática reviravolta, propondo, em face da crise de petróleo, a abertura de contratos de risco, Severo e Azeredo da Silveira, este ministro do Exterior, seriam os únicos membros do gabinete a votar contra essa tímida flexibilização do monopólio. Tempos mais tarde, viria a propor a nacionalização de todas as reservas minerais do país.

A gota d'água parece ter sido uma discussão pós-prandial, em São Paulo, quando Severo, após várias libações, teria chamado de "fascistas" os dois governos anteriores aos de Geisel, dos quais não participara — os de Costa e Silva e Médici. Foi o próprio Golbery que, em fevereiro de 1977, teve de aconselhá-lo a pedir exoneração.

Anos mais tarde, defrontar-me-ia no Senado Federal com Severo, eleito senador por São Paulo. Encantador, culto e brilhante na conversa pessoal, munia-se em público de rígida postura ideológica. O latifundiário, que eu conhecera hostil ao Estatuto da Terra, se tinha metamorfoseado em líder esquerdista.[389]

Uma nomeação de Geisel que me colheu de surpresa, e a todo o Itamaraty, foi a de Azeredo da Silveira (o Silveirinha), para ministro do Exterior. Não figurava entre os "intelectuais do Itamaraty", sendo mais conhecido como uma espécie de "amanuense administrativo". Havia vários candidatos à sucessão de Mário Gibson Barbosa, cuja recondução chegou a ser aventada pela imprensa. Outros candidatos mais prováveis seriam os embaixadores Sérgio Corrêa da Costa, Expedito Rezende (então embaixador no Vaticano) e o próprio Araújo Castro, que fora o último ministro do exterior do governo Goulart e exercia grande influência intelectual na casa.

Aparentemente, Geisel se impressionara com uma análise realista que Silveira, então embaixador em Buenos Aires, lhe fizera da complexa situação política argentina. Conhecendo o espírito combativo de Silveira, eu predisse a Golbery que teríamos uma época conflituosa em política externa. Em breve, Silveira conseguiu, aliás, o feito singular de gerar antagonismos nos dois pólos mais importantes da diplomacia brasileira — Buenos Aires e Washington. No primeiro caso, a propósito da usina de Itaipu, conflito que viria a ser resolvido na gestão Saraiva Guerreiro. No segundo, a propósito do programa nuclear com a Alemanha, uma das mais custosas e inúteis experiências da megalomania energética brasileira.

No banquete da posse de Geisel, em Brasília, sentei-me à mesma mesa de Araújo Castro. Sentia-se seu desapontamento em não voltar à ministrança no Itamaraty, em fase mais favorável que os atribulados dias de Goulart. Sempre foi um espirituoso humorista e desfechou logo dois comentários ferinos: — Veja, Campos, como o país decaiu. Antigamente, tínhamos como ministro do Exterior o Barão do Rio Branco. Agora, temos o Barão do Rio Pardo.

---

[389] Severo era o segundo latifundiário esquerdista que conheci. O primeiro fora o próprio João Goulart. Quando este propôs a reforma agrária, era corrente em Brasília a seguinte anedota: "Goulart sobrevoara, em visita a Mato Grosso, por cerca de uma hora, a fazenda de um amigo, sem ultrapassar as fronteiras da propriedade. Este lhe perguntou se esse 'troço' de reforma agrária era mesmo para valer. Goulart respondeu afirmativamente. 'Nesse caso' — disse-lhe o amigo — 'vou tratar de vender as minhas terras'. 'Quanto quer por elas?' — perguntou-lhe Goulart.

E, referindo-se à estranha maneira de Silveira de amplexar os amigos esfregando-lhes a barriga, pilheriou: — Pobre do Henry Kissinger! Recebia beijos de Sadat e agora receberá umbigadas do Silveirinha.

Uma das figuras mais interessantes do ciclo militar foi sem dúvida o general Golbery do Couto e Silva, curiosa mistura de *scholar*, conspirador e estrategista. Era um intelectual de mérito, preocupado desde jovem com problemas de geo-política, evoluindo mais tarde para estudos de história e ciência política. Neste setor, Samuel Huntington e David Apter, com seus estudos sobre autoritarismo, intitucionalização política e descompressão no Terceiro Mundo eram seus favoritos. Golbery sentia como eu a necessidade de descompressão política, mas não a queria imediata. Em parte, porque mantinha um inconfessado e enorme apetite de poder. Mas o poder que queria era o de Fouché, o poder atrás do trono, e não o exibicionismo estratégico de Richelieu. Gostava da substância e detestava a liturgia do poder. O apelido de "mago político" lhe dava prazer. Em parte, entretanto, sua preferência por um ritmo mais lento de descompressão, refletia uma percepção mais acurada que a minha dos obstáculos militares. Um de seus propósitos, com Geisel, ao fabricar em 1978/79, a candidatura do general Figueiredo, compromissado com a abertura política, era botar em escanteio a linha dura, representada por dois candidatos alternativos: o general Silvio Frota, ministro do Exército, e Hugo de Abreu, chefe da Casa Militar.

Viria a deixar abruptamente o governo Figueiredo, em agosto de 1981, provavelmente por ter sentido seu prestígio diminuído com o acobertamento por Figueiredo, da linha dura militar responsável pela bomba do Riocentro, destinada a provocar pânico no momento em que se realizava um espetáculo musical comemorativo de 1º de maio. Era crescente a ascendência no governo do monstro que o próprio Golbery criara — o SNI — então sob a chefia do general Octávio Medeiros. Essa, muito mais do que uma suposta divergência com Delfim Netto, sobre o aumento das contribuições previdenciárias, de que falavam os jornais da época, teria sido o estopim de seu afastamento.

Quando, já eleito senador por Mato Grosso, em fins de 1982, visitei-o no Banco Cidade em Brasília, lembrei-lhe o embaraço que me causava em Londres encontrar explicações para a ampliação para seis anos, no pacote de abril de 1977, do mandato presidencial. Parecia-me um frívolo exercício de geometria política, destinado a arredondar para vinte anos o ciclo militar que deveria ter sido encurtado. Perguntei-lhe se não estava arrependido das complexas manobras de fabricação, nos bastidores militares, da candidatura Figueiredo:

— A meu ver — disse-lhe eu — você e o Geisel o esperavam diligente e dócil. Provou-se displicente e indócil.

— É um outro homem, diferente do que imaginávamos, limitou-se Golbery a responder com ar de resignação.

MISSÃO JUNTO À CORTE DE SAINT JAMES

A PREPARAÇÃO
DO AMBIENTE

— O senhor tinha razão — disse-me James Callaghan, o Foreign Secretary, quando fui visitá-lo, em fevereiro de 1975, para entregar minhas credenciais como embaixador na Corte de Saint James.

Notei que Callaghan relanceava um memorando em cima de sua mesa, provavelmente com um perfil da minha vida burocrática e funcional. Possivelmente era por isso que se lembrava do incidente.

— Ter razão é sempre agradável — respondi-lhe — Mas por que eu tinha razão?

— Lembra-se — prosseguiu Callaghan — do jantar em que estivemos juntos no Rio de Janeiro, por ocasião da reunião do Fundo Monetário Internacional, em setembro de 1967? Naquela ocasião eu era chanceler do Exchequer e tivemos uma discussão sobre desvalorização cambial.

Recordei-me imediatamente do acontecido, surpreendido com a memória do chanceler. E alegre por esse ar inicial de intimidade. Realmente, em setembro de 1967, findo o governo Castello Branco, fui convidado para um jantar na embaixada britânica em homenagem aos dois principais delegados ingleses à Assembléia Geral do FMI e do Banco Mundial — James Callaghan, chanceler do Erário, e Lord O'Brien, governador do Bank of England. A Assembléia se reuniu no Museu de Arte Moderna do Rio de Janeiro, especialmente adaptado para isso, e fez marca na história pois ali se criou o instituto dos "Direitos Especiais de Saque". Estes, no correr dos anos, foram emitidos parcimoniosamente. Essa nova moeda não deslocou o dólar como moeda reserva nem se tornou, como pretendiam os países subdesenvolvidos, uma fonte de financiamento para programas de desenvolvimento.

No jantar da embaixada, a que compareceram numerosos outros convidados, notei que o embaixador John Russell revelava sinais de inquietação. Os drinques preliminares foram mais longos do que o costumeiro em recepções inglesas. Beirávamos cerca de 9:30 da noite e nada de ser servido o jantar. John Russell entrava e saía da sala um pouco nervoso. Logo depois veio murmurar-me ao ouvido:

— Roberto, você como diplomata conhece esses problemas. Meu convidado especial para homenagear o chanceler Callaghan e Lord O'Brien era o ministro da

Fazenda Delfim Netto. Telefonei ao seu gabinete, hoje à tarde, e tive confirmação de sua presença. Como ele até agora não apareceu, telefonei desesperado e lá encontrei uma secretária, com voz cansada de fim de expediente. Disse-me ela que o ministro havia partido para São Paulo... Você compreende o meu embaraço. Pode ajudar-me, como o mais graduado brasileiro presente, a fazer as honras da casa? perguntou-me.

— Com prazer — respondi-lhe. Coisas assim já me aconteceram. Uma regra da diplomacia é que quando chega um visitante importante, o melhor que o embaixador pode fazer é obter um ministro de Estado para interlocutor. Em sua falta, um vice-ministro e finalmente, em desespero de causa, um ex-ministro. Eis-me aqui.

Sentei-me na mesa ao lado de James Callaghan no jantar. Entre outros assuntos voltou-se ele para o problema da desvalorização cambial, tema angustiante na Inglaterra. O esterlino estava sob ataque intermitente há quase dois anos, o que provocava dissensões entre membros do gabinete — alguns favoráveis e a maioria contrária à desvalorização cambial — e causava a Callaghan noites de insônia e dias de angústia.

Voltou-se para mim e perguntou: — O senhor fez uma desvalorização no fim do governo Castello Branco. Aliás uma desvalorização brutal, cerca de 25%, não é verdade? Não acha que as desvalorizações nada resolvem e significam uma séria baixa no padrão de vida do povo? Não seria isso particularmente cruel no caso brasileiro, quando a desvalorização imediatamente eleva os preços de produtos básicos como petróleo e trigo? Na Inglaterra estamos nos defrontando com esse problema e eu me posicionei contrariamente à desvalorização. Não a farei e se tiver que fazê-la, por pressão insuportável sobre o esterlino, demitir-me-ei do cargo de chanceler do Exchequer.

— Mr. Callaghan — respondi-lhe eu — desvalorizar ou não é menos uma opção administrativa que uma fatalidade de mercado. No nosso caso, a opção que existia antes era termos sido mais drásticos no combate à inflação. A inflação tinha sido bastante reduzida, para cerca de 1/4 do que era antes, mas continuava em nível muito superior ao de nossos principais parceiros comerciais. Nesse caso a desvalorização se torna uma imposição, antes que uma opção. Afinal de contas não se pode esperar que os estrangeiros dêem ao cruzeiro um valor que os próprios brasileiros não lhe reconhecem. Foi por isso que desvalorizamos. Patrioticamente, aliás, pois preferimos fazê-lo ao fim do governo, poupando ao sucessor, Costa e Silva, a impopularidade que sempre decorre da medida. Essa impopularidade decorre dos fatores que mencionou — o impacto altista sobre alguns preços básicos de consumo popular. Entretanto, mr. Callaghan, não acredito que o senhor consiga evitar a desvalorização. A Inglaterra está perdendo competitividade em face da Alemanha e do Japão. Curiosamente, algo que podia ser um motivo de força, o fato de ser o esterlino uma moeda reserva, juntamente com o dólar, torna-se um fator de fraqueza. É que o receio de desvalorização torna os governos detentores de reservas em esterlinos extremamente nervosos. Por assim dizer, o receio da desvalorização torna a desvalorização uma profecia auto-realizável.

Eu não sabia àquela época quão amarga era a dissensão dentro do gabinete inglês. Havia os "desvalorizadores" e os "estabilizadores". Callaghan, chanceler do Erário, o primeiro-ministro Wilson e Denis Healey, ministro da Defesa, eram contrários à desvalorização. Entretanto, acreditavam-na inevitável George Brown, chefe do Departamento de Desenvolvimento Econômico, e Tony Crossland, um importante membro do Partido Trabalhista.[390]

Não mais que dois meses após nossa conversa na embaixada britânica no Rio, Callaghan decretou a desvalorização de 14% na libra. A taxa cambial passou de 2,80 dólares para 2,40 por libra. Era um sábado, 18 de novembro de 1967. Cumprindo o que me havia dito, renunciou à posição de chanceler do Erário, passando a ser secretário do Interior do governo trabalhista de Harold Wilson.

Callaghan teve uma carreira brilhante na política inglesa. Depois de chanceler do Exchequer e secretário do Interior, foi ministro do exterior em 1974, e em seguida primeiro-ministro, em 1976.

Ao nos despedirmos, após a apresentação das credenciais, disse-me ele que procuraria intensificar relações com a América Latina. A Inglaterra, disse-me ele, "havia perdido seu papel predominante como investidor, não só pelo encolhimento de fronteiras econômicas a que havia sido obrigada em virtude da guerra, mas também pela inferiorização relutante dos problemas de balanço de pagamentos". Considerava ele entretanto importante voltar a afirmar um perfil econômico para a Grã-Bretanha na América Latina, e o Brasil desempenharia um papel crucial. Prescientemente, parecia antecipar dificuldades com a Argentina. Despedimo-nos afavelmente e senti que minha missão seria consideravelmente facilitada por esse acidente fortuito: uma discussão, oito anos antes, sobre o problema da desvalorização cambial.

---

[390] A cisão entre radicais e moderados era crônica nos gabinetes trabalhistas, equivalente, nos gabinetes conservadores dos anos 80, à divisão entre os *wet* e os *dry*. Talvez a ruptura mais óbvia para os observadores estrangeiros tinha sido à relativa ao plebiscito, em 1975, sobre a adesão da Inglaterra ao Mercado Comum Europeu. O gabinete se dividiu entre os *pro-marketeers* e os *anti-marketeers*. A ala moderada, liderada por Harold Wilson e composta de Roy Jenkins, James Callaghan e Denis Healey, foi a vitoriosa no plebiscito de 9 de junho de 1975, que sancionou por 67,2% dos votos contra 32,8% a permanência da Inglaterra no Mercado Comum. A ala esquerda, derrotada, incluía Michael Foot (depois líder do Partido), Peter Shore, Barbara Castle e Tony Benn. Este predizia catastroficamente que o ingresso da Grã-Bretanha na Comunidade Econômica Européia geraria 500 mil desempregados.

Minha designação para embaixador na Corte de Saint James não havia sido pacífica na burocracia brasileira. Quando terminei minha experiência na iniciativa privada e resolvi regressar ao Itamaraty, colocou-se o problema do posto. Não era fácil reinserir-me na hierarquia itamaratiana. Tendo sido embaixador em Washington, que é o posto supremo da carreira, presidente do BNDE e ministro de Estado do Planejamento, era-me lícito esperar um posto que fizesse justiça à fé de ofício.

Ao conversar com o general Golbery do Couto e Silva, então chefe da Casa Civil do presidente Geisel e velho amigo, sugeriu-me ele, aparentemente sem consulta ao Itamaraty, que um bom posto seria Bruxelas, como embaixador junto ao Mercado Comum Europeu.

Pedi-lhe algum tempo para pensar e preparei um memorando confidencial que, soube depois, chegaria às mãos do ministro do Exterior Azeredo da Silveira. Nesse memorando eu indicava que o posto de embaixador na Comunidade Européia podia ser ou uma sinecura ou coisa extremamente útil. Na situação de então, estava mais para sinecura, de vez que as decisões da Comissão Econômica não são, a rigor, tomadas em Bruxelas. Elas são formadas ao nível dos governos componentes, através do Conselho de Ministros, que pauta a ação dos membros da Comissão Econômica.

A meu ver, o posto só faria sentido se o embaixador na Comunidade fosse um embaixador itinerante, autorizado a percorrer as várias capitais para investigar o ponto de vista dos governos e, em cooperação com as embaixadas locais, tentar trabalhá-los num sentido favorável às teses brasileiras. Além disso, era necessária uma estreita coordenação entre o representante na Comissão Econômica Européia e o delegado do Brasil junto ao GATT. Afinal de contas, no GATT, os europeus falam através de uma voz só e essa voz é a do representante da Comunidade Econômica, designado por Bruxelas. Manter em Bruxelas dois embaixadores, um junto ao governo e outro junto à Comunidade, parecia-me um desperdício, a não ser que o embaixador comunitário tivesse funções mais amplas de coordenação.[391]

Golbery achou a proposta eminentemente razoável, mas foi inesperadamente violenta a reação do Azeredo da Silveira. Foi-me dito depois que ele havia levado o

---

[391] Outro exemplo de desperdício foi a criação, em julho de 1979, de uma segunda representação em Londres para abrigar nossas delegações junto aos organismos internacionais (café, açúcar, cacau, estanho). O Brasil passou a ser o único país (excetuada a Guatemala, que não tinha embaixador junto à Corte de Saint James por causa do seu conflito com o governo inglês sobre o território de Belize) representado nas organizações internacionais por um funcionário com nível de embaixador. O Foreign Office recusou-se a reconhecer ao nosso delegado o título de embaixador, passando ele a ser protocolarmente designado como *Special representative of the brazilian government to the international economic organizations.*

memorando ao presidente Geisel. Insinuou que era meu propósito, com minha "conhecida paranóia", criar uma espécie de miniministério na Europa, apresentando-me na função de coordenador comercial. Isso interferiria, seja com as responsabilidades do ministério das Relações Exteriores, seja mesmo com as dos ministérios da Fazenda e do Comércio e Indústria, que não estariam dispostos a ceder parcelas de seu poder coordenador e normatizador.

A defesa ciumenta de esferas de influência é uma doença burocrática assaz encontradiça. Na minha visão do problema, o que eu estava propondo era um exercício simples de coordenação. Na visão do Silveira, meu real propósito seria a criação de um miniministério rival.

A idéia do embaixador itinerante foi então afastada. Aprendi a desvantagem de escrever memorandos confidenciais, que depois circulam pelos canais burocráticos e se tornam objeto de más interpretações. Não fazer memorandos, exceto para casos de rotina, é uma fórmula de sobrevivência burocrática.

A essa altura, o problema do posto se complicou ainda mais. É que Delfim Netto, tendo deixado o ministério da Fazenda, aparentemente encorajava um movimento de lançamento de sua candidatura a governador de São Paulo. A perspectiva de uma forte personalidade como essa, lançada numa campanha que se temia um pouco revisionista, senão contestatória das teses geiselianas, poderia criar complicações políticas. O plano de Golbery era então oferecer-lhe uma embaixada no exterior, afastando-o um pouco da cena nacional. Obviamente a idéia de Geisel era ter em São Paulo — a unidade economicamente mais importante da nação — um governador de menor personalidade e mais submisso. Geisel procuraria depois consumar este projeto endossando a eleição de Laudo Natel, que parecia um candidato natural. O plano fracassou pelo desafio de Paulo Maluf, que se lançou candidato contestatório na eleição indireta pela Assembléia Legislativa de São Paulo em 1978 e, para surpresa geral, conseguiu derrotar o candidato governamental. Em visita a Londres, em 1977, em almoço que lhe ofereci na embaixada, Maluf declarou-me com profunda convicção, recebida por mim com proporcional ceticismo, que seria o governador de São Paulo, apesar do favoritismo de Natel, candidato oficioso do governo militar.

— Natel — disse-me ele — está cultivando o eleitorado errado. Visita os prefeitos, enquanto eu estou visitando os delegados.

Acusado de serviçal da ditadura, Maluf se transformou curiosamente (agora que se pode contemplar a história com tranqüilidade) no grande desafiante do regime militar. Desafiou-o duas vezes; a primeira na questão da candidatura ao governo de São Paulo e mais tarde na sucessão do presidente Figueiredo, quando dissentiu do que se julgava ser a preferência do "sistema" pela candidatura do coronel Mário Andreazza.

Após alguma hesitação de Geisel entre os dois ex-ministros, por nenhum dos quais tinha especial afeição, Delfim acabou sendo convidado para a embaixada em Paris e eu para a embaixada em Londres. Nenhuma das duas designações agradava ao Itamaraty. A do Delfim por não ser um homem da carreira. A minha, apesar de sê-lo, por ter desertado o serviço diplomático, passando a servir em variados postos como o BNDE e o Ministério do Planejamento. Ao invés de considerar a seleção de seus homens de carreira para postos de governo em outros setores como um enriquecimento cultural, e um alargamento de sua área de influência, o Itamaraty desenvolve uma síndrome de rejeição.

APRESENTAÇÃO
DE CREDENCIAIS

Cheguei a Londres em fevereiro de 1975. Na Inglaterra há uma saudável prática. O embaixador é reconhecido como tal e pode desempenhar as funções diplomáticas normais mediante a simples apresentação de credenciais ao Foreign Secretary. A visita formal à rainha, cerimônia assaz elaborada, com toques medievais, às vezes exige espera longa, em vista dos compromissos de seu calendário e, não raro, das suas ausências prolongadas de Londres. Só vim a apresentar as credenciais a Elizabeth II em 6 de março.

A cerimônia é pomposa e elaborada, muito diferente daquela com que eu já me familiarizara em Washington. Três carruagens levam os embaixadores até o palácio de Buckingham. Na primeira vai o embaixador com o chefe do cerimonial da Casa Real, na segunda e terceira, membros da embaixada e adidos militares. Num insulto às pretensões feministas, a esposa do embaixador, com uma acompanhante do Foreign Office, segue em prosaico automóvel, situação em que a modernidade é degradante, comparada à dignidade da tradição. O traje é de gala, casaca, condecorações e cartola para os embaixadores, e chapéu e luvas para as embaixatrizes.

A apresentação de credenciais deve ter se transformado numa enfadonha cerimônia para a rainha, que se desembaraça dessa tarefa escolhendo determinados dias, nos quais, em curta sucessão, se apresentam vários embaixadores. A rainha Elizabeth II nos recebeu cordialmente, relembrando passagens de sua visita ao Brasil durante o governo Costa e Silva, e desejando-nos, protocolarmente, feliz estada na Inglaterra. No dia anterior havíamos recebido a visita do chefe do protocolo da Casa Real, para nos ensinar os refinamentos da etiqueta palaciana. Os embaixadores aguardam na ante-sala. As portas da sala de recepção só se abrem no momento em que há um sinal dado pela rainha. Parte do treinamento é que, depois de finda a cerimônia e terminados os cumprimentos, o embaixador e a esposa, ao retirarem-se, chegando à porta, voltam-se novamente para a rainha e inclinam-se em sinal de respeito. Curiosamente, nos manuais do protocolo, a rainha é chamada de *The presence* (A presença). Essas instruções são minuciosas. Abrangem indicações sobre o vestuário e recomendação de pontualidade e atenção à delicada sinalização, pela soberana, do momento do beija-mão, que finda a entrevista.

— Não se preocupe — disse-nos o introdutor diplomático, major Fitzalan-Howard. — Nos tempos de Henrique VIII um erro de etiqueta seria uma irreverência ao soberano, que poderia levar à perda da cabeça. Nossa pompa e cerimônia continuam, mas os costumes são bastante mais suaves nos dias de hoje.

O TELEX E O
PSITACISMO

A diplomacia caracteriza-se por uma aura ambígua de fascínio e de mistério, de que não escapam nem mesmo os espíritos superiores que lhe desconhecem a natureza íntima. É bem verdade que alguns obreiros do ofício contribuem para uma visão distorcida de sua arte — são os "rábulas da forma pura", tristes híbridos de pombos-correios e de papagaios, metamorfose devida à despersonalização ante o telex e ao psitacismo do intelecto. Por estas razões, José Ortega y Gasset, numa resenha das *Memórias* de dom Gaspar Mestanza, achava surpreendente que um homem de tão elevada qualidade e de mente tão densa quanto aquele autor fosse diplomata.

— Estes homens da *carrière* são o universal "quase". São quase elegantes, quase aristocratas, quase funcionários, quase inteligentes e quase dom-joões — escrevia o autor de *La rebelión de las masas*.

Conquanto abrisse algumas outras exceções, como para o caso de Stendhal, revelava Ortega sua irremediável sensação de perda, total e irreparável, de duas horas de vida, quando lhe acontecia sentar-se junto a um diplomata, num jantar.

— Vou ouvir uma séria de anedotas que nada têm a ver entre si nem com a realidade de coisa alguma, notícias vagas sobre países que não parecem estar no mapa e idéias equivocadas sobre tudo.

O lúcido pensador ibérico, como se vê, tomou o tempero pela salada ou, mais precisamente, a aparência pela essência.

Vou buscar então em outro filósofo, Henri Bergson, que entre 1917 e 1918 se desincumbiu, com enorme êxito, de três missões junto ao presidente Wilson, compreensão mais penetrante do fenômeno diplomático. Fino analista do tempo e do riso, Bergson logrou, na prática, entender rapidamente a "poiética" diplomática (no seu sentido etimológico, proveniente do grego *poieo = fazer*), como transparece de sua afirmação de que a diplomacia tem muito de metafísica.

Um século antes, na corte de Saint James, um grande embaixador francês, Talleyrand, o mágico que transformara a derrota de Napoleão no ponto de partida de reabilitação da França, havia demonstrado que a diplomacia pode formular a política de seu país e não apenas interpretá-la.

Nunca fui deslumbrado pela liturgia, seja política ou diplomática, mas em

Londres pude verificar, na prática, o acerto da afirmação de Bagehot, que tanta influência teve em Nabuco, sobre as partes *imponentes* — "as que produzem e conservam o respeito das populações" — e as partes *eficientes* da Constituição inglesa — "ás que dão à obra o movimento e a direção". Ambas são de igual importância, sustenta o autor do precioso livrinho *The British Constitution*. Com efeito, como enfatiza o memorialista de *Minha formação*, a pompa, a majestade, o aparato todo da realeza constituem artifícios necessários para governar e satisfazer a imaginação das massas, qualquer que seja a cultura da sociedade.

São dois pecados intelectuais e cívicos igualmente perigosos, os extremos da rejeição das funções majestáticas como supérfluas, e da imitação, apenas exterior, da pompa, sem a circunstância histórico-política. Recordo-me de um parlamentar brasileiro que, em visita oficial a Londres, assistiu à entrada do *speaker* [392] no plenário, que se faz, todos os dias, em procissão solene. Perplexo ante aquela figura oriunda do País de Gales, que lhe pareceu quase mítica, trajando toga e peruca, o político patrício exclamou: — Atravessei o Atlântico para ver essa bicha galesa?

Entre nós não é fácil separar a liturgia do carnaval!...

---

[392] Ou seja, o presidente da Câmara dos Comuns.

O DIVISOR
DE ÁGUAS

Minha chegada a Londres, em fevereiro de 1975, coincidiu com um evento que na época não me despertou maior atenção, mas que no futuro seria um divisor de águas na política inglesa. É que Edward Heath, o primeiro-ministro do Partido Conservador, perdera as eleições gerais para os trabalhistas em 11 de outubro de 1974, depois de por bastante tempo ter proposto um governo de coalizão para enfrentar a crise representada pela inflação e o desemprego crescentes. Ele propunha que o Partido Conservador contribuísse para um novo consenso com o Partido Trabalhista, abandonando seu propósito de reapresentar o projeto de lei sobre relações industriais, destinado a refrear a arrogância dos sindicatos, que gozavam de "poder sem responsabilidade".

O desgaste produzido pelas tentativas de coalizão nacional, e posteriormente pela vitória dos trabalhistas na eleição geral de outubro de 1974, levaram a uma rebelião interna no Partido Conservador, contra a liderança de Edward Heath. O peão do desafio foi Margaret Thatcher, cuja candidatura fora inicialmente recebida com bastante ceticismo e hostilidade pelos elementos mais tradicionais do Partido. Ela encarnava os ressentimentos da ala mais jovem do conservadorismo, que se consideravam esnobados pela liderança. Mrs. Thatcher era também muito mais ideologicamente motivada no sentido da economia de mercado e do liberalismo do que seus predecessores, como MacMillan e Ted Heath. Seu "guru" ideológico era sir Joseph Keith (depois ministro da Indústria e Comércio no primeiro governo Thatcher), que se convertera ao monetarismo e se tornara um crítico feroz do semi-socialismo e da excessiva crença no *welfare state* do governo conservador de Heath.

Para Margaret Thatcher, a Inglaterra só se salvaria abandonando a "política de consenso" em favor da "política de convicção". Mrs. Thatcher havia feito uma carreira diligente, porém não espetacular. Revelara combatividade e conhecimentos administrativos como secretária parlamentar da oposição, para Assuntos de Pensões e Seguro Nacional, em 1961, e depois, em 1965, para a Habitação e, em 1967, para a Educação e Ciência. Tornou-se secretária de Estado com a vitória dos conservadores em 1970. A oportunidade de projeção nacional foi sua designação por Ted Heath para porta-voz da oposição para Assuntos do Tesouro, cargo em que se firmou como perita em assuntos tributários, ao vergastar as reformas fiscais do trabalhismo, todas orientadas pelo complexo de Robin Hood: "Tirar dos ricos para dar aos pobres". O chanceler do Erário do governo trabalhista — Denis Healey — viria a apelidá-la depois "a Passionária do privilégio".

Convivi com três governos. O primeiro foi o do primeiro-ministro trabalhista Harold Wilson, que renunciou em 1976, mais ou menos inesperadamente. Ele havia anunciado, pouco depois de ganhar as eleições gerais de 1974, que não pretendia ficar mais de dois anos no cargo, mas essa declaração não foi levada a sério. Cumpriu a palavra e, em 5 de abril de 1976, o secretário do Exterior James Callaghan era eleito primeiro-ministro trabalhista. Assisti assim à ascensão e queda de Callaghan, um homem que aprendi a respeitar e admirar. Com pouca educação acadêmica formal, era um excelente debatedor, com um misto de bonomia e fino senso de ironia. O terceiro governo foi o de mrs. Thatcher, após a vitória conservadora, em 4 de maio de 1979, que não marcaria apenas uma mudança de governo na rotina do rodízio democrático, mas uma verdadeira revolução cultural.

Ao longo desses três governos se sucederam diferentes secretários do Exterior. Callaghan, que ocupou a pasta de 1974 a 1976, foi com quem tive maior intimidade. Quando eleito primeiro-ministro, designou para seu substituto no Foreign Office David Owen, que seria depois um dos líderes do Partido Social Democrático, criado por uma dissidência da ala moderada do Partido Trabalhista. No governo conservador de mrs. Thatcher, o primeiro secretário do Exterior foi Lord Carrington, afetuosamente chamado de "Pete". Tratava-se de um aristocrata sutil e inteligente. Conhecia razoavelmente bem a América Latina por ter sido diretor da empresa de mineração Rio Tinto Zinc. Suas recordações do Brasil provavelmente não eram das melhores, pois sua esposa fora vítima de um assalto de rua em São Paulo, coisa que descrevia com grande bonomia. Lord Carrington pediu demissão logo que estourou o conflito das Malvinas, assumindo, com grande dignidade, responsabilidade pela imprevidência que levou o diminuto pelotão britânico nas ilhas a ser dominado pela invasão argentina.[393] Sucedeu-lhe Francis Pym, da ala tradicionalista do Partido Conservador. Quando deixei Londres em 1982, para lançar-me na disputa da eleição de senador por Mato Grosso, Pym presidia o Foreign Office. Com ele tive vários encontros e debates sobre o problema das Malvinas.

Minha condição de ex-ministro do Planejamento na época da crise de 64, no Brasil, tornara-me alvo de intensa demanda de juízos sobre política econômica,

---

[393] Lord Carrington tinha excelente *sense of humour*. Certa feita, em entrevista de rádio, perguntou-lhe um repórter: "Quem substituiria mrs. Thatcher se ela fosse atropelada por um ônibus?" "Oh", respondeu Carrington, "o ônibus jamais ousaria..."

inclusive a britânica, o que não me era possível atender diretamente, dada a minha condição de chefe de Missão acreditado junto à corte de St. James.

A grande curiosidade girava em torno da indexação, pois eu era visto como o pai da correção monetária, como instrumento de compatibilização da inflação com crescimento. Pouco antes de assumir a embaixada em Londres, fui convidado pela Bolsa de Valores daquela capital para proferir palestra sobre o tema "Inflação no Brasil — os princípios da correção monetária", em que discuti o problema de temperar as políticas de erradicação do incômodo fenômeno econômico com as técnicas de coabitação com a sua indesejável presença. Após ter apontado as origens anglo-saxônicas da indexação, que remontam ao início do século XVIII, com William Fleetwood, em Cambridge, mostrei os resultados do gradualismo brasileiro, em que a taxa inflacionária declinou de mais de 100%, em 1964, para cerca de 40% em 1965-66, ficando na ordem de grandeza de 20% a 25% de 1967 a 1969 e caindo para a faixa de 15% a 20% em 1972 e 1973.

Declinei, então, os fatores que permitiram o êxito da experiência brasileira de coexistência com a inflação, por meio da correção monetária. Tais fatores poderiam ser classificados — sustentei — em três grupos: *históricos* (uma tradição inflacionária crônica, no país), *estruturais* (a existência de uma economia dualista, com excedente de mão-de-obra desempregada, aberta ou disfarçadamente, em especial no Nordeste, o que facilitou a implantação de restrições salariais) e *políticos* (o quase caos em que mergulhara o país em 1963 e início de 1964, que tornou aceitável uma disciplina temporária mais rígida das duas fontes tradicionais de pressão ascendente do dispêndio público e dos salários — o Congresso e o poder sindical).

Em todas as conferências sobre este tema, mormente em Birmingham e em Oxford, onde participei, com o ex-primeiro-ministro Harold Wilson, de um seminário dedicado à análise da indexação, sempre insisti num princípio fundamental: se se pretende combater agilmente a inflação, a correção monetária não será a receita adequada; no caso da inflação crônica brasileira, parece acaciano dizer (mas é verdade axiomática, nem sempre entendida) que a inflação de hoje existe em grande parte porque a inflação de ontem existiu; consiste ela no aumento de preços causado pelas tentativas dos agentes econômicos de reconstruir sua participação no produto social, que foi erodida pela escalada inflacionária. É o caso dos reajustamentos de salários, proporcionalmente ao custo de vida, das tentativas de obter o valor real dos lucros, dos aluguéis etc.

Mas a inflação passada não apenas se transmite ao presente pela tentativa, como se disse acima, de recomposição, pelos agentes econômicos, de sua participação no produto social, como influi decisivamente nas expectativas dos agentes quanto à inflação futura. Foi essa uma das razões porque se criou no Brasil a chamada *cultura da inflação*.

Salientei, entretanto, com insistência, em minhas palestras que, à falta de indexação, os indivíduos teriam fortes incentivos para tentar predizer a marcha futura da inflação, e os que a antecipassem corretamente dela se beneficiariam às expensas dos que não lograssem acertar nessa sinistra loteria. Este argumento impressionou deveras os auditórios britânicos. A indexação impede que o valor real dos contratos seja perturbado, após a sua assinatura, por mudanças nos níveis de preços, e que as reivindicações salariais incluam uma antecipação acautelatória de uma inflação futura que pode não se materializar. Assim sendo, a correção monetária gera expectativas administráveis, e não propriamente estabilidade de preços. Mas indexação e estabilidade de preços não são políticas alternativas; pode-se ter as duas, como se pode carregar guarda-chuva com bom tempo. Como sustentei em minha conferência na Bolsa, não se pode esperar da correção monetária a cura da inflação; ela é, na verdade, o termômetro que registra a febre.

Outra oportunidade de debater idéiais e estratégias econômicas foi a "Conferência Internacional sobre Novos e Antigos Países Industriais nos anos 80", na Universidade de Sussex, em Brighton, de 6 a 8 de janeiro de 1980. Dela participaram eminentes economistas do mundo acadêmico, do setor público de países desenvolvidos e em desenvolvimento, e de organismos internacionais. Lá conheci Henri Aujac, diretor de pesquisas da "École des Hautes Études en Sciences Sociales", que se notabilizara por um ensaio de crítica a Keynes; reencontrei Hans Singer e fui apresentado a Pedro Malan, atualmente presidente do Banco Central.

Tratei de dois temas naquele encontro: "As teorias da difusão e da dependência" e "O Brasil como um New(ly) Industrial(izing) Country (NIC)". Quanto ao primeiro tópico, mostrei que, em mãos pouco sofisticadas, a dependência pode facilmente tornar-se um pseudoconceito que, como observa um de seus críticos, Philip J. O'Brien, explica tudo em geral e nada em particular. Vali-me, na discussão das teorias dependentistas, dos trabalhos de um lúcido marxista inglês, precocemente falecido nos anos 70 — Bill Warren — que, em fecunda obra científica que deixou, reconheceu na industrialização do Terceiro Mundo, após a Segunda Guerra Mundial, significativas exceções parciais às teses de desenvolvimento do subdesenvolvimento e da "polarização crescente".

Na análise do Brasil como um NIC, procurei situar a evolução industrial do país num contexto histórico, distinguindo três estágios: a primeira industrialização de São Paulo, como um crescimento empresarial induzido pelas exportações de café; a substituição de importações, que se iniciou nos anos 50; e a substituição de importações de segunda geração, que foi a resposta anti-recessiva do Brasil aos desafios dos anos 70. Rejeitada a descrição do Brasil como um semi-industrializado, caracterizei-o como um país no limiar do desenvolvimento, com uma boa compreensão dos problemas do comércio internacional, do investimento e da transferência de tecnologia, não esquecendo a necessidade de radicais incrementos produtivistas na agricultura, em que se incluía o programa do álcool. A conclusão assinalava que o chamado "milagre brasileiro" não fora uma realização do isolacionismo econômico, mas um exemplo da viabilidade do desenvolvimento econômico numa economia mista, dentro da moldura do capitalismo moderno.

A MALADIE ANGLAISE
E A DÉCADA PERDIDA

A Inglaterra dos anos 70 era um país em aguda crise. Talvez tenha sido a década de menor autoconfiança dessa grande e histórica potência. Foi a época marcada pelas duas crises de petróleo, a de 1973 e a de 1979, esta já atenuada pelo começo da produção do Mar do Norte. Falava-se então na "doença inglesa".

Um grave problema era a indisciplina trabalhista. Os sindicatos, excessivamente poderosos, exigiam aumentos de salários reais que destruíam a competitividade da indústria, ao mesmo tempo em que a produção era tumultuada por greves, nem sempre de motivação estritamente econômica, senão que de motivação política, visando à auto-asserção das lideranças trabalhistas. Estas eram fortemente infiltradas por elementos ativistas de origem trostkista.[394]

Somente no começo da década de 80, com a passagem da nova lei de relações industriais, no governo Thatcher, que exigiu o voto postal dos sindicatos, foi possível diminuir-lhes a militância e substituir lideranças trostkistas (que, no dizer do financista Samuel Brittan, constituíam uma "esquerda fascista") por elementos mais moderados.

Na realidade a queda do governo conservador de Edward Heath, em outubro de 1974, resultara de uma confrontação amarga entre o governo e o sindicalismo inglês.

Houvera, no início da década de 70, uma fase de prosperidade artificial, o chamado *Barber boom*. (A alcunha provinha da política expansionista de Anthony Barber, o chanceler do Erário.) A taxa de crescimento se elevou graças à expansão monetária, mas isso resultou numa demanda acrescida de importações e déficit de balanço de pagamentos, que geraram a necessidade de contenção. Quando o governo se deu conta da inevitabilidade de políticas restritivas, em vista da crescente inflação (peculiarmente associada também a um crescente desemprego), os sindi-

---

[394] Em seu último despacho para o Foreign Office, Nicholas Henderson, ao deixar a embaixada em Paris, em março de 1979, lamentava que a Grã-Bretanha perdia para seus vizinhos europeus em todos os indicadores de crescimento do PIB — renda per capita, percentagem do comércio internacional, aumento de produtividade — ganhando folgadamente apenas no número de dias perdidos em greves: 10 milhões de dias em 1977, contra 2,5 milhões na França e apenas 160 mil na Alemanha. Apud Noel Annan, *Our age*. Londres, Fontana, 1990, p. 453.

catos reagiram fortemente à tentativa do primeiro-ministro Heath de aplicar uma política de maior austeridade salarial. A fórmula adotada para disciplinar a evolução salarial foi a do "gatilho". Os salários aumentariam sempre que a inflação superasse a marca dos 2%. Os sindicatos questionavam a validade dos dados estatísticos governamentais para cálculo do reajustamento e deflagraram a famosa "greve do carvão". Esse fracasso da experiência inglesa deu-me uma lição de que não me esqueceria quando assisti no Brasil a fenômeno semelhante — a implantação do "gatilho" salarial por ocasião da edição do Plano Cruzado, em 1986.

Os anos 70 foram assim frustrantes para a Inglaterra. Por motivos diferentes, era a mesma sensação que nós os latino-americanos teríamos nos anos 80: a década perdida. Foi o período da *stagflation*. Combinaram-se nesse decênio a estagflação econômica com uma aguda depressão psicológica e queda da auto-estima nacional. Poder-se-ia dizer que à menopausa imperial se acrescentava uma percepção aguda do mau desempenho econômico. A libra esterlina estava sob permanente ataque (forçando o governo britânico a recorrer ao Fundo Monetário Internacional em 1976), e era questão de tempo que o esterlino perdesse sua posição de moeda-reserva. Habilmente, mantida relativa liberdade do movimento de capitais, a City londrina preservou vitalidade e se tornou o grande instrumento da chamada "reciclagem competitiva" dos eurodólares.

Tornou-se nesse década dos 70 mais perceptível a gradual inferiorização da Inglaterra em termos do crescimento do produto. Estimativas do economista da OECD, Angus Madison, indicam que enquanto o nível médio de produto por habitante crescera 6 vezes entre 1870 e 1976 em dezesseis países industriais, na Inglaterra apenas quadruplicara. Essa brecha se agravou a partir de 1960 e, já em 1973, a maioria do Mercado Comum Europeu excedia a Inglaterra de 30 a 40% em termos do PIB por habitante. Essa diferença se devia menos ao nível médio de investimentos do que a deficiências alocativas e má utilização do equipamento. A pouca mobilidade geográfica e ocupacional da mão-de-obra, com ondas de grevismo, resistência à automação e modernização do equipamento, levou a uma perda de competitividade. A palavra em moda era "desindustrialização", expressão também vulgarizada por economistas suecos, que viam na agressividade salarial dos sindicatos suecos um fator de perda de competitividade industrial, comparável à *maladie anglaise*.

O receio da "desindustrialização" serviu de *rationale* para o recrudescimento de movimentos protecionistas. A argumentação mais sofisticada era a do professor Nicholas Kaldor, de Cambridge, para quem a especialização na produção primária seria politicamente inaceitável para um Estado moderno. A indústria manufatureira não só dava *status* político a uma nação que se queria moderna, como criava "externalidades econômicas", por incentivar a invenção e a mudança tecnológica.

O enfrentamento do poder sindical passaria na década de 80 a ser uma das principais plataformas de Margaret Thatcher. Além disso, o inchaço do *welfare state* criaria permanente tensão fiscal, enquanto que a iniciativa empresarial era desencorajada por níveis punitivos de taxação. O dogmatismo socialista resultara em excessiva estatização de empresas, em alguns casos para salvá-las da perda de competitividade, mas em outros simplesmente para garantir o controle pelo Estado dos chamados *commanding heights* da economia. É de se lembrar que o Partido Trabalhista inglês nunca se decidiu a eliminar de sua Carta a famosa cláusula IV, que prevê a "propriedade pública dos bens de produção", uma tese nitidamente marxista, num partido cujo nascimento deve muito mais aos fabianos que a Karl Marx. Hugh Gaitskell, talvez o maior dos líderes trabalhistas, tentou aboli-la sem êxito em 1960. Paradoxalmente os socialistas alemães, estes sim de origem marxista, já haviam abandonado cláusula semelhante no famoso Congresso de Bad Godesberg, em 1959.

A combinação de rigidez estrutural com políticas keynesianas de estímulo à demanda explica os ciclos de *stop-go* que, na década dos 70, caracterizaram tanto o governo conservador de Edward Heath (1969-74), como o dos trabalhistas Wilson e Callaghan (1974-79).

O MERCADO
EURODÓLAR

Voltemos entretanto ao mercado do eurodólar. Logo ao assumir a embaixada verifiquei que boa parcela da atividade diplomática consistia no recebimento de emissários e negociadores brasileiros, para negociar empréstimos a ministérios, autarquias e sociedades de economia mista, assim como para os governos estaduais e municipais.

Isso sem falar nos empréstimos interbancários através da famosa Resolução n.º 63, que permitia aos bancos brasileiros contrair empréstimos diretamente para repasse aos tomadores nacionais. Não havia garantia explícita do Tesouro, e sim uma garantia presuntiva, porque os empréstimos eram registrados no Banco Central, ficando subentendido que, em caso de crise, o Banco Central teria de ser o emprestador de última instância, para evitar pânico no sistema bancário.

Essas negociações se processavam mais ou menos atabalhoadamente, não havendo aparentemente um fio condutor das negociações. Escrevi então um memorando ao meu velho amigo Mário Henrique Simonsen, ministro da Fazenda. Ponderei-lhe que acidentalmente o Brasil tinha na Europa dois embaixadores com bastante experiência econômica e financeira, além de conhecerem intimamente a máquina ministerial brasileira. Eram Delfim Netto em Paris e eu próprio em Londres. Parecia assim razoável que nossa experiência, grandemente subutilizada no dia-a-dia diplomático, fosse utilizada para algum tipo de coordenação da negociação dos empréstimos. Argüía que estando no próprio palco das negociações — Delfim em Paris e eu em Londres — conheceríamos muito melhor os meios bancários, a posição relativa dos bancos, as flutuações ocorridas e previsíveis da taxa de juros do que negociadores jejunos vindos do Brasil. Essa coordenação teria o objetivo de assegurar, a cada um dos mutuários que ali aportavam com projetos, as condições mais favoráveis possíveis em termos de juro, carência, amortização e pagamento das comissões operacionais. Isso permitiria explorar, em muitos casos, a rivalidade entre bancos, de modo a forçar uma baixa de taxas.

No sistema então corrente, as negociações se procediam isoladamente. Os mutuários brasileiros recebiam propostas de intermediários bancários, e freqüentemente com elas se comprometiam, sem uma visão de conjunto.

A idéia parece que caiu em ouvidos moucos. Talvez tenha surgido novamente a

percepção falsa de que os ex-ministros estariam procurando recompor miniminis-
térios para consolar-se do ostracismo burocrático. Parte da explicação resulta, sem
dúvida, do interesse das diversas entidades brasileiras de enviar representantes ao
exterior. Cada assinatura de empréstimo significava a presença em Londres de
uma comitiva, incluindo-se entre ela pessoal do Banco Central, freqüentemente, e
do ministério da Fazenda. Era uma festa. Muitas vezes os "delegados" chegavam à
cerimônia de assinatura, que quase sempre se seguia de almoço, atrasados, carregados de pacotes de compras feitas no Marks & Spencer, quando não em lojas mais
finas, como a Selfridges ou a Harrods.

A atribuição de poder negocial aos embaixadores certamente diminuiria a oportunidade de viagens. Talvez tenha havido nisso algum elemento de vaidade no
Banco Central, que não queria partilhar a responsabilidade com ninguém, e se julgava possuidor de um perfeito serviço de acompanhamento das flutuações das
taxas de juros e encargos no mercado eurodólar.

A DIPLOMACIA
DAS VISITAS

Callaghan havia declarado, logo após minha chegada, que convidaria o ministro das Relações Exteriores do Brasil para uma visita à Inglaterra. Mas o primeiro visitante que recebi em Londres, em março de 1975, foi o ministro da Fazenda, Mário Henrique Simonsen. Seu principal interlocutor foi Denis Healey, o brilhante chanceler do Exchequer. Era amigo e admirador de Simonsen, a quem se referia como o mais responsável e equilibrado porta-voz dos países subdesenvolvidos no Comitê dos 20, do FMI.

Almoçamos com Healey em 11 Downing Street, residência do chanceler do Erário, no dia 5 de março, e à tarde Simonsen falou na embaixada a cerca de cem representantes do mundo financeiro e empresarial inglês. A imagem econômica do Brasil era boa. A taxa de crescimento fora mais de 10% em 1974 e não havia ainda sido deflagrada a crise cambial. Nas conversas com Healey, Simonsen opinou que, a se aceitar a proposta então corrente de uma reforma monetária internacional pela revalorização do ouro, metade das reservas adicionais assim geradas deveria ser reservada a financiamentos concessionais aos países subdesenvolvidos. Healey, conquanto simpático à idéia, alegou não poder defendê-la abertamente pois, tendo a Inglaterra pouco ouro, isso pareceria uma transferência de encargos para a França e a Suíça.

Simonsen manifestou desprazer com o Acordo de Lomé, que ampliava para 46 os países subdesenvolvidos beneficiários de preferências tarifárias no Mercado Comum Europeu, com prejuízo do café e cacau brasileiros. A Grã-Bretanha, que tinha recebido protestos semelhantes de outros prejudicados pelo Acordo de Lomé — Índia e Paquistão — concordava com a tese mas nada poderia fazer antes de decidida, por plebiscito, sua permanência no Mercado Comum. Curiosamente, manifestou admiração pelo sistema brasileiro de correção monetária, politicamente inviável na Grã-Bretanha, mas que ele procuraria introduzir sorrateiramente no sistema fiscal, para restaurar a capacidade de investimentos das empresas. Com bom domínio e sofisticação econômica, Simonsen se apresentava como um dos melhores elementos da tecnocracia brasileira.

A visita de Azeredo da Silveira, ministro do Exterior, se realizou em outubro de 1975. O programa abrangeu, obviamente, uma visita ao Foreign Office para discussão com Callaghan. Uma segunda peça importante seria um discurso do ministro na Chatham House, foro de grande prestígio em questões internacionais, sobre a política externa brasileira. Fiel à tropicalidade, Silveirinha chegou uma hora atrasado a uma entrevista coletiva com jornalistas ingleses. O adido de imprensa da embaixada, Alberto Tamer, conseguiu a duras penas retê-los, mas, pacificados com *drinques,* acabaram dando uma boa cobertura.

Para minha surpresa, Azeredo da Silveira chegou a Londres com uma robusta comitiva, incluindo pitorescamente seis agentes de segurança. Isto criou logo um problema. Não só os ingleses se perguntavam sobre a real periculosidade da capital inglesa para o visitante, como os agentes de segurança, violando dispositivos legais ingleses que impedem a entrada no país de policiais armados, haviam escondido armas na bagagem. Foi um embaraço diplomático liberá-las.

Havia sem dúvida certa periculosidade em Londres. Era a época em que terroristas irlandeses estavam plantando bombas em diversos pontos da capital londrina. Próximo à residência do embaixador, em Mount Street, explodiram bombas no restaurante Fiori e depois no restaurante Scott. Morreram 16 pessoas e houve cerca de 40 feridos. Ocorreu na época também a explosão de uma bomba terrorista no saguão do Hotel Hilton, ferindo inclusive um brasileiro que lá se encontrava. Contra essa irrupção terrorista, entretanto, os agentes brasileiros de segurança nada poderiam fazer a não ser amedrontarem-se com o ruído. Havia certo clima de guerra. Com as ameaças falsas de bombas os carros da polícia rodavam dia e noite, com as sirenes ligadas. E sacos de areia cercavam os restaurantes.

Antes da visita ao secretário Callaghan, ponderei ao Silveirinha que procurasse sobretudo "ouvir" o Foreign Secretary. Não havia felizmente nenhum contencioso diplomático com a Inglaterra; o posto era importante sob o ponto de vista econômico, não por causa dos investimentos ou do comércio britânico, que tinham declinado, passando a ser menos importantes que no caso da Alemanha e do Japão, mas pela emergência do mercado do eurodólar como reciclador dos depósitos de petrodólares. A Inglaterra era outrossim um excelente posto de observação política, graças aos resíduos da tradição imperial. Pela enorme experiência de política externa, seria extremamente importante obtermos de Callaghan sua visão do panorama mundial, quer político quer econômico. Seria particularmente interessante auscultar sua opinião sobre a "Revolução dos Cravos" em Portugal, que ocorrera em 1974. Callaghan me havia antes comunicado seu especial interesse na peripécia portuguesa, em virtude (1) Das antigas vinculações históricas e comerciais entre os dois países; (2) Da presença de numerosos imigrantes portugueses na Inglaterra; (3) Da importância de Portugal para a OTAN e (4) Da solidariedade ideológica do trabalhismo inglês com o emergente socialismo português, sob a liderança de Mário Soares. Callaghan confidenciara-me, conforme comuniquei ao Itamaraty em 25 de abril de 1975, que, quando da recente visita do primeiro-ministro Harold Wilson à União Soviética, este havia exortado Kosygin a demonstrar prudência e comedimento na exploração da nova "conexão portuguesa", nascida da inflexão esquerdista da "Revolução dos Cravos", por ser extrema a sensibilidade da OTAN e dos próprios regimes social-democratas da Europa Ocidental a uma satelitização de Portugal. Teve a impressão de que Kosygin, cônscio de que a real votação política do Partido Comunista português não excederia de 15%, não estava disposto a criar uma nova e dispendiosa Cuba, preferindo a via mais barata de infiltração nos círculos militares portugueses.

Ao longo dos anos, a Inglaterra manteve estreito contato com várias correntes de pensamento português num esforço de persuasão democrática. Callaghan e Wilson merecem bastante crédito pelo subseqüente sucesso do socialismo moderado de Mário Soares, uma vez transposta a fase de esquerdismo infantil da revolução portuguesa. Tanto o partido trabalhista inglês como o partido social democrático alemão (o SPD) colaboraram no esforço de contenção do comunismo em Portugal, o primeiro sobretudo no plano político e o segundo no plano financeiro.

Silveirinha, entretanto, não conseguia dominar sua loquacidade. Na entrevista com Callaghan pos-se a delinear a visão brasileira dos problemas mundiais, entregando-se prolixamente a disquisições sobre a nossa política de "pragmatismo responsável", assim como sobre as responsabilidades especiais que o Brasil julgava ter em relação ao Terceiro Mundo. Acentuou uma suposta mudança da política brasileira, da linha de "alinhamento automático" com os Estados Unidos, para a linha do "pragmatismo responsável".

Por diversas vezes, sem deixar que Callaghan o interrompesse, usava a expressão *my friend Henry*, aludindo a conversas que teria mantido com Henry Kissinger, então secretário de Estado em Washington. Após ouvir a menção ao misterioso *my friend Henry* várias vezes, Callaghan, um pouco estupefato, resolveu perguntar:
— *Henry who*?

Ao que Silveira respondeu: — Henry Kissinger.

Callaghan fez um muxoxo e replicou apenas: — *Oh, he is my friend too...* (Oh, ele é também amigo meu).

A esta altura, a postura da diplomacia brasileira era um pouco arrogante. Vínhamos de um período de espetacular crescimento ao fim da década de 60 e começo da década de 70. Falava-se então no "milagre brasileiro". Erámos considerados um Japão em potencial, com uma decalagem de cerca de 12 anos em relação ao líder econômico do Extremo Oriente.

A idéia de que o Brasil exercia uma importante, senão dominante, liderança no mundo subdesenvolvido era facilmente aceita. Silveira se orgulhava de nossa assertividade terceiro-mundista. O Brasil fora o primeiro país a reconhecer o MPLA angolano. Aparentemente a primeira crise de petróleo nos teria deixado relativamente incólumes. O ministro do Planejamento, Reis Velloso, cunhara a expressão "ilha de prosperidade".

Ao contrário dos demais países, que imediatamente após a explosão de preços do petróleo procuraram reajustar suas economias, enfrentando um período recessivo, destinado a reconhecer a transferência de renda real para os países da OPEP, o Brasil mantivera uma elevada taxa de expansão — mais de 10% ao ano em 1974. Persistia ainda a impressão de que 10% — a dízima de crescimento — era uma espécie de "direito adquirido" do Brasil. Conquanto assumindo a forma de financiamento de projetos específicos (alguns, sem condições concretas de execução), nosso endividamento em petrodólares se destinava essencialmente ao financiamento das importações correntes de petróleo. Entre 1973 e 1979 nossas importações líquidas custaram-nos cerca de 38 bilhões de dólares. O segundo choque de petróleo, em 1979, e o choque dos juros, em 1982, transformariam a euforia do mercado eurodólar no pesadelo da dívida, que há dez anos oprime a economia brasileira. A dívida externa foi essencialmente um petrodéficit.

Era fácil prever que nuvens negras se acumulavam no horizonte. As despesas com a importação de petróleo ameaçavam criar uma crise cambial. Nossa reação de ajustamento foi distorcida e inadequada — seja pelo receio de interrupção do processo glorioso de crescimento, seja por simples relutância da Petrobrás em admitir sua incapacidade de resolver o problema do abastecimento, seja pelo receio da desaceleração da indústria automobilística, com efeito recessivo — e o fato é que praticamente não tomamos medidas cautelares para conter o consumo de petróleo. Na realidade, entre as duas crises de petróleo, enquanto vários países registravam substancial decréscimo de consumo, o Brasil e Estados Unidos figuram entre os que recusaram esse penoso reajustamento. Ambos aumentaram em cerca de 1/3 seu consumo de petróleo, no intervalo entre as duas crises.

GEISEL NO
PALÁCIO DE BUCKINGHAM

A segunda visita que Callaghan havia planejado, num esforço de reafirmar o interesse britânico na América Latina, era a do presidente Geisel, que, como convidado da rainha, aportou a Londres em maio de 1976. O convite para essa visita não foi incontroverso. Boa parte da imprensa inglesa era francamente hostil ao convite a um "ditador" e, mesmo no seio do Partido Trabalhista, as divergências pareciam agudas. No Parlamento, receava-se que a visita oficial de um líder militar latino-americano pudesse ser interpretada como descaso pela causa da restauração democrática.

Lembro-me de que, durante os preparativos, fui visitado na embaixada por um grupo de sete parlamentares, liderados pelo deputado trabalhista Stan Newens. Expuseram-me sua objeção a que o presidente Geisel se dirigisse à Inglaterra, enquanto não houvesse um comprovado esforço de redemocratização no Brasil. Lembrei-lhes simplesmente de que estavam batendo na porta errada, de vez que, como embaixador, não poderia recomendar a meu presidente não aceitar um convite do governo trabalhista inglês. O que os parlamentares tinham de fazer era procurar a liderança do seu próprio partido, e em particular o Foreign Office, para discutir a validade da iniciativa do governo.

Insisti em que as acusações que me faziam sobre o autoritarismo brasileiro ignoravam haver dois tipos de autoritarismo: o "autoritarismo totalitário" e aquilo que se podia chamar, apesar da aparente contradição terminológica, de "autoritarismo liberal". Este último era o caso brasileiro. A intervenção militar ocorrera num momento em que a alternativa não era mais ou menos democracia. Estávamos caminhando, com a infiltração da esquerda radical no governo Goulart, para uma escolha entre dois autoritarismos: o autoritarismo de esquerda, cuja propensão totalitária era conhecida, e a intervenção militar, que se pretendia um regime de transição. Apesar de lamentáveis episódios de violência e tortura, o número de mortos fora insignificante, comparativamente ao sistemático morticínio dos conflitos na Irlanda do Norte. Usei então uma expressão que depois se tornaria coerente na verbiagem diplomática de Londres, e que seria de utilidade para os colegas embaixadores latino-americanos, que representavam governos desprovidos de fanatismo pelas praxes eleitorais: os autoritarismos de esquerda não são "biodegradáveis", contrariamente aos de direita que, desapoiados em ideologias, se tornam biodegradáveis.

Na realidade, acrescentei, os militares brasileiros se diferenciavam dos ditadores comuns da América Latina. Primeiro, porque tinham observado o princípio do rodízio eleitoral. Segundo, porque não tinham alimentado o culto da personalidade; terceiro, porque não exigiam fidelidade a uma ideologia autoritária; quarto, porque as restrições à liberdade, tipificadas na censura e nas cassações, eram bastante menos abrangentes e profundas que as comuns nos regimes totalitários. Nestes predomina o culto da personalidade, não há uma sistemática de rodízio de poder e há exigência de fidelidade pessoal ou ao líder ou ao sistema ideológico.

Era necessário compreender bem essas diferenças para o entendimento do caso brasileiro.

— De qualquer maneira — ponderei — esta visita é descortês, porque pressupõe que um embaixador recomende ao seu governo desatender a um convite de um país amigo; qualquer reclamação obviamente terá que ser apresentada ao próprio governo trabalhista.

Em telefonema a James Callaghan, o Foreign Secretary, relatei-lhe a estranha visita.

— Não dê importância — disse-me ele —, é uma ala irrequieta e extremista, mas que certamente não tem responsabilidade de comando da política externa.

Outro tema mencionado pelos parlamentares, talvez como encabulado intróito à controvérsia, foi o tema indigenista. Foi esse aliás o pretexto inicial da conversação. O Brasil estaria massacrando as populações indígenas. Respondi-lhes um pouco amuado: — Há sem dúvida casos de violência pessoal, de difícil controle em áreas de penetração pioneira do homem branco. São às vezes garimpeiros, às vezes agricultores nômades ou madeireiros furtivos que entram em conflito com índios. Mas em realidade há menos mortes anuais entre os indígenas do Brasil do que nos conflitos entre irlandeses do Norte, protestantes e católicos. Certamente, aliás, com menor aparato bélico.

Mostrei, em seguida, aos parlamentares mapas que demonstravam que as reservas indígenas do Brasil, admitidamente muitas ainda não demarcadas, totalizariam cerca de 700 mil quilômetros quadrados, ou seja, mais do que uma Inglaterra e França reunidas.

— O índio brasileiro — conclui — é um latifundiário pobre, mas certamente não é um servo da gleba.

Parte da tarefa diplomática é fabricar uma boa imagem do país no exterior. Mas essa imagem tem diversos componentes. O mais importante é o reflexo na imprensa e na televisão estrangeiras dos eventos do Brasil, derivado diretamente dos relatos e interpretações da própria mídia brasileira. Os comentários e interpretações de correspondentes estrangeiros no Brasil têm importância apenas ocasional. Os governos formam imagem sobretudo através de análises de seus representantes diplomáticos e os meios empresariais através de relatórios bancários e industriais.

As diferentes imagens raramente evoluem sincronicamente. No caso do governo Geisel, era boa a imagem econômica, medíocre a imagem social e má a imagem política.

É sobre esta última que eu me deveria, portanto, concentrar. A Inglaterra, considerando-se a mãe das democracias modernas, é levada a uma atitude crítica e tutorial em relação aos experimentos políticos nos países em desenvolvimento. Minha tarefa, em conversas com jornalistas e outros formadores de opinião, assim como em palestras em círculos empresariais e universitários, era enfatizar a característica de "autoritarismo de transição" do modelo brasileiro da época. Geisel representaria um retorno à linha castellista de restauração democrática. Era um "liberal enrustido". Não se poderia, porém, esperar uma marcha serena e retilínea para o pluralismo político. As manobras da nave política comportariam desvios para escapar a recifes, o que não deveria ser interpretado como abandono de rota... Procurei maximizar o impacto de medidas corajosas de Geisel ao demitir o comandante militar de São Paulo, general Eduardo D'Ávila, responsabilizado por atos de escalões inferiores, que resultaram em tortura e morte, em 1975, do jornalista Vladimir Herzog (assunto de grande repercussão na imprensa londrina) e do operário Manoel Fiel Filho, em 1976. E depois, em dezembro de 1977, a demissão do general Sílvio Frota do ministério da Guerra, gesto que confirmava a ascendência da linha militar democratizante sobre a "linha dura".

Do lado desfavorável, em termos de construção da imagem política, houve o "pacote de abril" de 1977. Este se seguira à rejeição, pelo Congresso, do projeto de reforma judiciária apresentado pelo Executivo em 30 de março. Foi decretado o temporário recesso do Congresso, algo impalatável para o parlamentarismo britânico, já que Westminster se considera a "mãe dos parlamentos".

O próprio Geisel usaria a expressão "democracia relativa" para se referir à situação brasileira. Não era particularmente difícil explicar a reserva de 1/3 do Senado para a eleição indireta de senadores biônicos, pois podiam se excogitar desculpas: a) A nomeação de grandes personalidades (que na prática não ocorreu) melhoraria o nível da representação; b) Em vários países, o Senado tem procedimentos de votação restrita, admitindo-se mesmo, em alguns, a figura do senador vitalício; c) A Câmara dos Lordes poderia ser considerada um grande senado biônico. O recuo na democratização se caracterizaria muito mais (a) Pela extensão do mandato do presidente da República para seis anos, o que implicaria alongamento do ciclo militar (lembrei-me de que Lacerda profetizara que os militares ficariam vinte anos no poder...); (b) Pelas restrições à propaganda eleitoral; (c) Pela alteração de proporcionalidade da representação na Câmara em favor do Norte e do Nordeste, sobre cujo eleitorado o governo esperava exercer maior controle. Neste caso, a única explicação possível era que se tratava de acidentes de percurso na chamada "distensão lenta, gradual e segura". Ponderei depois a Golbery, em visita ao Brasil, que o "pacote" tinha tido repercussões internacionais tão desfavoráveis que tornavam pouco compensatórias as vantagens políticas internas, de qualquer forma temporárias e precárias.

Mas esses acidentes viriam depois. O problema que se me apresentava no início de 1976 era mais pedestre: como tornar politicamente vantajosa e economicamente produtiva a visita, marcada para maio, do "ditador Geisel" (assim era ele chamado pela imprensa inglesa)?

OS PRESENTES
ZOOLÓGICOS

Nunca imaginei que a visita de Geisel também se transformasse para mim numa experiência zoológica. Pedi ao meu ministro conselheiro da embaixada, Ronaldo Costa, que sondasse o secretário particular da rainha sobre se Sua Majestade teria alguma preferência no tocante aos presentes protocolares ao casal real. Gostaríamos de escapar à rotina de pedras preciosas, quadros ou tapetes. A resposta do secretário particular adjunto, Bill Heseltine, foi pitoresca. A rainha gostaria de presentear o zoológico de Londres com espécies raras de animais brasileiros. A lista incluía vários casais: um casal de *Priodontes giganteus* (tatu-canastra), um casal de *Choloepus didactylus* (preguiça-real), um de *Myrmecophaga Tridactyla* (tamanduá gigante), um par de *Cygnus melancoryphus* (cisnes alvinegros), um de *Pharomacus Pavoninus* (pavão quetzal), e quatro casais de tucanos — *Tamphastres toco* (tucano toco), *Ramphastos Cuvier*, *Ramphastos Tucanus* (de bico vermelho) e *Trogon collaris* (de-bico-preto). Em 26 de abril, comunicávamos ao palácio de Buckingham a chegada, pela Varig, de um casal de cisnes alvinegros, de um casal de preguiças, um casal de tamanduás e duas variedades de tucanos. Lamentávamos explicar que só se havia encontrado um tatu gigante macho no zoo de Cuiabá. Continuaria a pesquisa pela fêmea, difícil de encontrar. "O tatu macho", dizia o telegrama do Itamaraty, "viria triste e só". Seguiu-se depois ao longo dos meses extensa correspondência sobre as vicissitudes dos animais. A família real inglesa sempre se distinguiu pelas suas preocupações ecológicas. Enquanto Elizabeth II recebia presentes zoológicos, a rainha mãe foi presenteada com espécimes de 14 arbustos brasileiros.

No chá dado anualmente pela rainha ao corpo diplomático, no outono de 1976, comunicou-me Sua Majestade, após os cumprimentos de praxe, ao reconhecer-me na fila de recepção, que o tamanduá e o bicho preguiça tinham falecido. Fiquei surpreso com sua solicitude pelos animais, cujas peripécias eu havia há muito tempo esquecido. O mais curioso foi o longo esforço do Zoo de Londres para por fim ao celibato do tatu gigante. Dois anos depois, em 25 de abril de 1978, recebi carta da Sociedade Zoológica de Londres comunicando-me que, afinal, o tatu macho havia sido apresentado a uma fêmea no zoológico de Amsterdã, pondo-se fim ao longo celibato. E que a *causa mortis* da fêmea da preguiça-real havia sido identificada: infectada por um fungo no trato digestivo, morrera de hemorragia interna. Felizmente, não foi necessário para o presidente Geisel tirar uma fotografia com a rainha junto aos tucanos, como inicialmente sugerira o palácio, porque os animais tiveram que fazer um período de quarentena.

À parte comentários desfavoráveis, em discursos parlamentares, ao regime político no Brasil, não houve mais insistência no tema por parte do Partido Trabalhista. Antecipava eu, entretanto, algumas manifestações de rua contra a visita do presidente Geisel. Londres, aliás, é a cidade do protesto. Para acalmar-me disse Callaghan: — Só não se defrontam aqui com alguns desafetos as personalidades de países sem importância.

Londres é uma cidade em que é raro transcorrer um dia sem uma passeata em Hyde Park, seja de protesto político, seja de crítica econômica, seja de manifestações ecológicas. Ao que consta, existe no catálogo telefônico uma organização especializada em alugar membros para passeatas; chama-se *Rent-a-crowd* (alugue uma multidão).

No caso da visita de Geisel, que se estendeu de 4 a 7 de maio de 1976, houve duas pequenas manifestações. Uma na City, quando ele ali foi para assistir ao banquete habitualmente dado a chefes de Estado pelo Lord Mayor de Londres, e, de outra feita, próximo à embaixada do Brasil, contidos os grupelhos a razoável distância pela polícia inglesa. Pelos dísticos e bandeiras exibidas via-se que a operação era artificial, composta provavelmente de pessoal recrutado pelo *Rent-a-crowd*. As bandeirolas diziam *Abajo el asesino; fuera con el dictador Geisel*. Sabia-se que uma das massas disponíveis em Londres, para serem alugadas durante passeatas de protesto, eram os exilados chilenos, bastante numerosos. Os exilados brasileiros poderiam organizar passeatas de razoável dimensão em Lisboa ou em Paris, não em Londres, onde seu número era escasso.

A cerimônia que cerca a visita de chefes de Estado à rainha da Inglaterra é extremamente pomposa. Os visitantes chegam ao aeroporto de Gatwick, ao sudoeste de Londres, onde são recebidos por membros da família real, pelo Foreign Secretary e outros dignitários, e em seguida embarcam no trem real para um percurso de meia hora até Victoria Station. Ali, na plataforma, esperam-nos a rainha e o príncipe Philip para os cumprimentos de praxe. Segue-se o trajeto em carruagem até o palácio de Buckingham.

O presidente Geisel seguiu junto com a rainha na carruagem real. Uma segunda carruagem transportava o príncipe Philip e a sra. Geisel. No palácio real de Buckingham ficaram hospedados o presidente e a sra. Geisel e também o ministro do Exterior e sua senhora. Lembro-me de que o príncipe Philip conduziu o presidente Geisel até os aposentos do hóspede de honra (chamados de apartamento alvidourado 1844), que abrangem um grande quarto e uma sala para recepção.

Com a nossa característica irreverência, circulou logo uma anedota nos meios brasileiros de Londres. Contava-se que ao mostrar os aposentos, o príncipe Phillip se havia detido perante a porta-espelho que se abria para o banheiro.

É necessário cuidado ao abrir essa porta, teria dito o príncipe. Napoleão foi derrotado em Waterloo. Nixon sofreu o *impeachment* por causa de Watergate. Espero, senhor presidente, que nada lhe aconteça no *Watercloset...*

OS CONTRATOS
DE RISCO

Houve um certo grau de elastecimento do protocolo, pois foram organizadas visitas de importantes personalidades do mundo econômico e financeiro a Geisel, que os recebeu na sala de recepção dos seus aposentos. Normalmente, quaisquer reuniões que não envolvam a família real são realizadas fora do palácio.

Lembro-me de que um dos grupos visitantes fora a British Petroleum, que viria a ser a primeira empresa inglesa a contrair com a Petrobrás um "contrato de pesquisa com cláusula de risco". A admissão de que a Petrobrás necessitaria de auxílio para intensificar as explorações tinha ocorrido em novembro de 1975, num famoso discurso em que o presidente Geisel declarara que a premência criada pela crise do petróleo o levava a flexibilizar o monopólio e, contrariamente às suas convicções anteriores, a abrir a porta para contratos de risco, "desde que não envolvessem o sacrifício do monopólio".

Não foi fácil, aliás, induzir a Petrobrás a absorver o choque do reconhecimento da sua incapacidade para resolver o problema petrolífero. Havia graves erros em sua estratégia. Pode-se argüir que, desde o seu nascimento até 1967, fazia sentido investir em atividades sem risco — particularmente as de refino e transporte — dado que o petróleo importado era obtido a preços extremamente baixos. Como dizia à época o professor Gudin, a "Petrobrás era grande apenas acima do solo".

O divisor de águas foi o ano de 1967 quando, com a Guerra dos Seis Dias, foi fechado o Canal de Suez. Tornou-se claro então que o petróleo cessara de ser um bem puramente econômico para tornar-se um instrumento de manipulação política da OPEP. A essa altura, conviria concentrar maciçamente os recursos na pesquisa e exploração. Curiosamente, não foi essa a política adotada pela Petrobrás, que preferiu continuar explorando a rentabilidade das atividades ancilares. Em 1969, houve um outro divisor de águas, indicando um grau maior de politização. Foi a tomada do poder na Líbia por Muammar Kadhafi que ameaçava desapropriar as companhias estrangeiras. Várias delas, àquela ocasião, foram tomadas de pânico e estavam dispostas a procurar novas fontes de suprimento. Duas propostas interessantes, em particular, foram apresentadas ao governo brasileiro; uma pela Occidental Petroleum e outra pela Shell. Seriam algo equivalentes a um contrato de risco.

A proposta da Occidental Petroleum chegou a ser formalmente discutida em reunião secreta interministerial, convocada pelo presidente Médici para 1º de setembro de 1970, no Palácio Laranjeiras. Não houve, ao que parece, resposta à oferta da Shell. O primeiro assunto discutido foi o pedido de autorização, apresentado por Geisel, para que a Petrobrás participasse da exploração petrolífera em Angola. O Itamaraty, na pessoa de Mário Gibson Barbosa, ministro do Exterior, opôs-se vigorosamente à proposta. O império colonial português estava em desagregação e a situação em Angola era turbulenta, já se delineando um conflito entre três facções: a FLN, de Roberto Holden, o movimento marxista da MPLA e a UNITA de Jonas Savimbi. O ingresso de uma estatal brasileira poderia ser interpretado como um apoio ao colonialismo português, num momento em que a atitude aconselhável para o Brasil era a de desengajamento, pelo crescente anacronismo da presença imperial portuguesa na África. Essa previsão se provou correta, pois, em abril de 1974, estouraria em Lisboa a "Revolução dos Cravos" e, em 1975, Portugal se retiraria, em meio a uma guerra civil. Médici deu ganho de causa ao Itamaraty, mas Geisel venceria a batalha seguinte, conseguindo vetar a proposta do ministro das Minas e Energia, Antonio Dias Leite, de fazer "contratos de risco" com firmas de larga experiência. Com o curioso desbalanceamento intelectual característico do nacionalismo brasileiro, Geisel favorecia que a Petrobrás assumisse riscos através da prospecção no exterior, mas não queria dividir com firmas estrangeiras o risco da prospecção no país.

O ministro Dias Leite estabelecera, como objetivo preliminar, a auto-suficiência no abastecimento de petróleo até 1980, e criticava a insuficiência dos investimentos da Petrobrás. Segundo seus dados, essa empresa tinha então em operação apenas duas sondas e aplicava em pesquisa e exploração apenas 30% de seus investimentos totais. Apesar de nominalmente subordinada ao ministério das Minas, a Petrobrás se comportava como entidade soberana. É a "República independente da Petrobrás", ironizava Dias Leite. Apresentou então, com parecer favorável, a proposta da Occidental Petroleum, equivalente a um contrato de risco, pois que a empresa faria os investimentos a fundo perdido, ressarcindo-se caso descobrisse petróleo, das despesas efetivas do investimento, com um acréscimo de cerca de 18% do preço do barril de petróleo. Foi apoiado pelo ministro da Fazenda, Delfim Netto, que lembrou o peso crescente do petróleo na balança comercial, não havendo perspectivas de que a Petrobrás viesse a atingir a auto-suficiência com recursos próprios.

A argumentação racional de Dias Leite quanto à insegurança do abastecimento e à crise cambial geradas pela inadequação dos esforços da Petrobrás chocou-se com uma reação emocional de Geisel. Este argüia, com convicção ideológica mais que realismo técnico, que a empresa se achava bem encaminhada na solução do problema. A aceitação de contratos de risco naquela ocasião seria detrimentosa para o moral da empresa, convindo aguardar ulterior oportunidade. E concluiu com o *argumentum baculinum* que, ante o silêncio dos demais ministros e a hesitante aquiescência de Médici, se tornou a tese vitoriosa:

"A opinião pública, de um modo geral, e as Forças Armadas, em particular, não concordariam com uma solução que alterasse a Lei n° 2.004 que criou a Petrobrás e instituiu o monopólio estatal do petróleo."

Em apoio a Geisel, o general João Figueiredo, em confuso documento, se manifestou contra a aceitação da proposta, alegando que se deveriam levar em consideração ponderáveis aspectos "psicossociais" referentes ao monopólio e à segurança nacional.[395]

Se há três termos que aprendi a detestar em minha vida funcional, esses são "monopólio", "segurança nacional" e "aspectos psicossociais". O primeiro acoberta ineficiência; o segundo, sanciona comportamentos econômicos irracionais, em nome de um abstrato conceito de segurança; e os "aspectos psicossociais" freqüentemente refletem apenas os preconceitos mentais de quem está no poder.

O comportamento da Petrobrás ao longo dos anos foi bizarro. A parcela do orçamento dedicada a pesquisas declinou, na realidade, entre 1967 e a primeira crise de petróleo em 1973. Instaurada esta, seria de esperar uma maciça concentração no esforço de pesquisa. Tal não aconteceu. Mesmo depois de descoberta, em 1974, a bacia de Campos, somente em 1979, ao fim do governo Geisel, viria o orçamento de investimentos da Petrobrás a registrar uma absoluta prioridade para o trabalho de pesquisa e lavra.[396] Mesmo no intervalo entre as crises de petróleo

---

[395] No livro de Alberto Tamer, *Petróleo, o preço de dependência*, Nova Fronteira, Rio de Janeiro, 1980, encontra-se às páginas 59-81 um excelente relato da fatídica reunião, da qual participaram, além do presidente Médici, o ministro das Minas e Energia, Dias Leite, o ministro da Fazenda, Delfim Netto, o ministro do Exterior, Gibson Barbosa, o chefe da Casa Civil, Leitão de Abreu, o chefe do SNI, general Carlos Fontoura, o chefe da Casa Militar, João Baptista Figueiredo, o presidente da Petrobrás, Ernesto Geisel, e o presidente do Conselho Nacional de Petróleo, general Araken de Oliveira.

[396] Na década de 80, quando estourou a crise do endividamento externo, e o Brasil foi levado à humilhação da moratória, eu costumava irritar meus colegas "nacionalistas" do Senado, dizendo-lhes que a dívida externa do Brasil era puro masoquismo. Era apenas um *petrodéficit*, auto-infligido. Nossas importações de petróleo, resultantes da incapacidade do monopólio estatal de investir na escala necessária para dar-nos a prometida auto-suficiência, foram equivalentes a 90% do nosso endividamento acumulado de 1974 a 1980, junto aos banqueiros privados estrangeiros. Estes pensavam estar financiando projetos de industrialização. Na realidade, financiaram um bem fungível, nosso *petrodéficit*. Sobre o impacto da crise do petróleo no endividamento brasileiro, ver Ernane Galvêas, *A crise do petróleo*, Rio de Janeiro, Apec, 1985, p. 157.

foram abundantes os recursos destinados à distribuição e petroquímica, que poderiam ser satisfatoriamente atendidos pela iniciativa privada. O duvidoso argumento era que a distribuição tinha excepcional lucratividade. A se aceitar esse argumento, a Petrobrás devia ter ingressado na indústria de cosméticos, derivada da química de base e altamente lucrativa...[397]

Há um episódio que vivenciei e que merece ser relatado, para fazer justiça a Paulo Maluf. Em janeiro de 1980, já governador de São Paulo, passou ele por Londres, retornando de viagem ao Iraque e à Arábia Saudita. Sua origem libanesa facilitava-lhe o contato com esses países, enormemente enriquecidos pela quadruplicação dos preços de petróleo no segundo choque petrolífero, de 1979. Além de apoiar as gestões da Petrobrás para assegurar a normalidade do abastecimento brasileiro, a preocupação principal de Maluf era atrair capitais desses países para São Paulo. Tinha conseguido extrair de uma relutante Petrobrás, ciumenta do monopólio, autorização para pesquisas de petróleo pela Paulipetro, consórcio formado em março de 1979 pela CESP e pelo IPT de São Paulo. Não lhe foi, entretanto, concedida ampla escolha de áreas, pois a Petrobrás alegava que a única disponível para licitação eram 17 lotes situados no estado de São Paulo e norte do Paraná. Tratava-se de área reconhecidamente difícil, na qual haviam sido feitas pesquisas infrutíferas, sendo o acesso às estruturas subjacentes prejudicado por uma série de derrames de lava basáltica.

Maluf tinha a assistência de um técnico licenciado da Petrobrás, Edson Kashan, cuja família provinha de Abeided, a mesma aldeia libanesa de onde provinha sua família. Kashan, que teve papel importante na descoberta, pela Petrobrás, da megajazida de Majnoun, no Iraque, teria preferido lotes de exploração na plataforma marítima fronteiriça ao vale da Ribeira, ou, se alargado o horizonte de escolha, mesmo na bacia amazônica.

Maluf visitou-me na embaixada, em janeiro de 1980. Antes, a seu pedido, eu havia buscado interessar empresas britânicas em contratos de risco com a

---

[397] Muito mais realista que seus colegas militares, Juarez Távora, em 1952, durante os debates no Congresso em torno do projeto de lei da Petrobrás, defendeu a tese de que se deveriam restaurar os dispositivos do Estatuto do Petróleo, proposto pelo presidente Dutra em 1948, que admitiam a participação de capitais privados, nacionais e estrangeiros, até o limite global de 40%, nos empreendimentos de refino e transporte, desde que investissem quantia equivalente na exploração primária do petróleo. A justificativa era que "não deveria o governo oferecer as vantagens da refinação e transporte do petróleo, que proporcionam lucros altos, a quem não arriscasse capitais na exploração primária, que é um ramo de resultados aleatórios". Até parece que o velho revolucionário de 1930 previa o comportamento aberrante da Petrobrás, que subinvestindo em pesquisa e lavra, se desviaria perigosamente da experiência histórica americana, segundo a qual o investimento na exploração primária deve corresponder a 60% do total, cabendo ao refino 18% e ao transporte 12%. Ver Gilberto Paim, op cit., p. 238.

Paulipetro. Sem êxito, exceto no caso de uma companhia de perfuração de porte médio, mas excelente nível técnico, a KCA Drilling Company, que trabalhava no mar do Norte e fora anteriormente contatada pelo engenheiro Carlos Eduardo Paes Barreto.

A KCA concordava em reaplicar como capital de risco na Paulipetro 20% do valor das faturas correspondentes aos trabalhos de perfuração. O contrato já estava negociado, mas ainda dependia de aprovação da Petrobrás. As grandes empresas — a Shell e a British Petroleum — se mostraram, àquela ocasião, reticentes à minha sondagem.

Quando Maluf aportou a Londres, acompanhei-o em visita oficial à Shell e à British Petroleum, com cujos presidentes, sir Peter Baxendel e David Steel, eu mantinha boas relações. Para nosso desapontamento — meu e de Maluf — ambas essas empresas confirmaram seu desinteresse em contratos de risco com a Paulipetro. Alegavam serem inadequadas e pouco promissoras as informações geológicas sobre a área. Mas sentia-se que a razão principal era o receio da hostilidade da Petrobrás. Sabiam que esta consentira, apenas relutantemente, no ingresso da Paulipetro como eventual competidora na área de pesquisa, e receavam comprometer o que chamavam seus "interesses globais" no Brasil. Como exportadoras de petróleo, não queriam obviamente antagonizar o comprador monopolista — a Petrobrás. A British Petroleum já tinha, aliás, em andamento um contrato de risco na bacia de Santos, e a Shell tinha um complexo de interesses, como vendedora de petróleo, investidora na indústria petroquímica e candidata a contratos de risco com a Petrobrás. Esta, como todos os monopólios, foi aguerrida na defesa de seu terreiro. Acabou rejeitando, após incrível delonga, o contrato de risco parcial da KCA. A alegação, depois confessada por Shigeaki Ueki, era irrelevante. A cláusula padrão nos contratos de risco previa uma participação do contratante de 30% do valor do óleo produzido. No caso da Paulipetro, por se tratar de consórcio nacional, essa participação se elevara a 35%. Assim, na hipótese de êxito, o reinvestimento pela KCA de 20% dos recebimentos lhe daria uma participação de 7%, ou seja, 1% a mais do que o previsto na cláusula padrão. Era um pretexto ridículo, mas os monopólios não têm senso de ridículo na proteção de seu privilégio.

Criou-se assim uma situação esdrúxula, e profundamente injusta para Paulo Maluf, tornando-o depois vítima de intensa exploração por seus adversários políticos. A Petrobrás fazia para si própria contratos de risco, chegando a assinar 243 contratos, mas não concedeu direito idêntico à Paulipetro. Apenas cinco campos foram encontrados e desenvolvidos, sendo o maior deles o campo de gás de Merluza, descoberto pela Pecten, na bacia de Santos. Esses resultados pouco favoráveis se devem em grande parte ao fato de que a Petrobrás reservou para si as áreas de maior probabilidade, abrindo à licitação por estrangeiros somente áreas de alto risco.

Maluf, que não desejava aplicar recursos do estado, e sim obter capitais de risco, se viu obrigado a gastar dinheiro público, através de "contratos de serviço" com cinco companhias nacionais que participaram da licitação. Cerca de US$350 milhões foram gastos. Seu sucessor, o governador Franco Montoro, seja por pressão da Petrobrás, seja para desmoralizar politicamente seu antecessor, interrompeu os trabalhos quando havia indícios de gás e foram identificados diques de basalto propícios à acumulação de óleo, no pontal do Paranapanema. Gastou mais US$150 milhões de multas, indenizações e despesas de fechamento dos poços.

O esforço não foi, entretanto, totalmente perdido. O "efeito emulação", isto é, o receio de que um eventual sucesso da Paulipetro infirmasse a tese do monopólio, foi sem dúvida um dos fatores causais da maciça reorientação dos investimentos da Petrobrás para a pesquisa e lavra, a partir de 1979. Até então, apesar do primeiro choque do petróleo, em 1973, entre 60 e 70% do orçamento eram devotados a atividades ancilares "acima do chão", como dizia o professor Gudin. Num período de 25 anos (1953 a 1978), a Petrobrás investiu tão pouco que só conseguiu suprir 30% do consumo nacional (160 mil barris/dia). Somente a partir de 1979, com a segunda crise de petróleo e talvez a provocação criada pela Paulipetro, aumentou dramaticamente a percentagem dos investimentos em pesquisa e exploração, que passaram de 53,9% em 1979 a 79,6%, em 1985. A produção reagiu rapidamente, passando de 177 para 563 mil barris/dia. O esforço se desacelerou a partir de 1986 (quando, coincidentemente, já havia sido extinta a Paulipetro) e a produção voltou a crescer lentamente, estabilizando-se por cinco anos num nível em torno de 650 mil barris/dia.

A teoria de Maluf, que eu também esposava, era que, sendo o monopólio da União e não da Petrobrás, a União poderia e deveria delegar aos estados o direito de exploração, mediante contratos de risco, em todas as áreas nas quais a Petrobrás não estivesse operando. As áreas da Petrobrás seriam delimitadas em função de sua capacidade efetiva de investimento, em vez de se deixar ociosas enormes bacias sedimentárias, que deveriam ser abertas a quem desejasse correr o risco.

A decisão de Geisel — talvez a única possível à luz da mistura de nacionalismo e corporativismo que caracteriza o monopólio estatal — de entregar à Petrobrás a administração dos contratos de risco, era patentemente absurda. Os técnicos da Petrobrás passaram a considerar o sucesso dos eventuais competidores como ameaça à sua sobrevivência. Essa decisão, disse a Geisel numa das minhas visitas ao Brasil, fora idéia tão brilhante como entregar a Herodes a administração de um berçário, ou ao conde Drácula, o gerenciamento de um banco de sangue...

A Petrobrás, aliás, nunca se revelou particularmente obediente a diretrizes governamentais, pois se considera "um estado dentro do estado", com dinâmica e motivações próprias. Do governo Castello Branco herdou três diretrizes:

• Só investir em distribuição os lucros gerados pelo sistema existente, a fim de concentrar recursos na atividade básica de exploração;

• Limitar-se, na petroquímica, a um papel supletivo;

• Iniciar exploração em outros países, começando pelas áreas mais próximas do continente americano, passando depois à África Ocidental e ao Oriente Médio.

A primeira diretriz foi simplesmente ignorada. No tocante à segunda, esqueceu-se a definição de "supletivo", pois a Petrobrás passou a arbitrar o grau de participação que julgava conveniente. No tocante à última diretriz, saltamos logo para o Oriente Médio. Essa decisão parecia racional, pois o Oriente Médio tem estruturas geológicas mais promissoras. Mas também uma tectônica política mais instável. Logo após descoberto o polpudo campo de Majnum, no Iraque, fomos dele prontamente despojados, sentindo na própria carne os efeitos do fanatismo nacionalista.

Sempre considerei o monopólio estatal um fetiche de país subdesenvolvido. Deifica-se um combustível e em torno dele se cria uma religião. Diz-se mesmo que, contra a expectativa de vários representantes da ala castellista, Geisel não me convidara para o seu ministério porque eu "não gostava da Petrobrás". Trata-se provavelmente de anedota. Eu próprio dissera a Geisel, em seu gabinete na Petrobrás, quando ele fora anunciado como presidenciável, que, sendo pessoa de opiniões fortes e controversas, polarizaria oposições, dificultando inutilmente a tarefa governamental.

— Se me permite a ousadia de um conselho — disse-lhe —, convide para a direção da economia o Simonsen. É o mais bem instrumentado de nossos economistas e não foi contaminado pela impopularidade que Bulhões e eu tivemos que enfrentar com o programa de austeridade do governo Castello.

ENGENHARIA
FINANCEIRA

A comitiva de Geisel era bastante numerosa. Nada menos que 77 pessoas, incluindo 10 agentes de segurança e uma chusma de jornalistas. Além do ministro do Exterior, Azeredo da Silveira, dela fizeram parte o ministro da Fazenda, Mário Henrique Simonsen, o ministro da Agricultura, Allyson Paulinelli, e o general Hugo de Abreu, chefe da Casa Militar. Em nível operacional, Paulo Belotti, secretário-geral do ministério da Indústria e Comércio, Paulo Pereira Lyra, presidente do Banco Central, Ângelo Calmon de Sá, presidente do Banco do Brasil, e Marcos Viana, presidente do BNDE. Dois parlamentares participavam da comitiva, Petrônio Portella e José Bonifácio, líderes da maioria no Senado e na Câmara, respectivamente.

Se às vezes suas vantagens são limitadas, em termos de política externa, as viagens presidenciais são normalmente um excitante para a burocracia. San Tiago Dantas costumava dizer que as visitas presidenciais e a imprensa de oposição são os melhores "supositórios da burocracia".

Havia uma desesperada busca de projetos. Neste caso particular, dois pareciam maduros para a negociação de financiamento em Londres. O primeiro deles era o projeto da Açominas. Entendimentos preliminares haviam sido iniciados bastante antes da visita do presidente Geisel pelo governador de Minas Gerais, Aureliano Chaves. Visitou-me na embaixada, pouco depois de minha apresentação de credenciais, altamente recomendado por um velho amigo, Eliezer Batista, presidente da Vale do Rio Doce. Eliezer afiançou-me que o projeto era válido.

Ao manifestar-me seu desejo de visitar os banqueiros, ponderei a Aureliano Chaves que devíamos sopesar bem as dimensões do programa de expansão do aço brasileiro. Eu ouvira falar de três projetos a serem executados mais ou menos simultaneamente: o projeto de Tubarão, que parecia ser favorecido tanto pela Vale do Rio Doce como pelo BNDE; o projeto da Mendes Junior para uma usina em Juiz de Fora; e, finalmente, o próprio projeto da Açominas.

— Tubarão não é um projeto mineiro — disse-me Aureliano — e é uma velha aspiração de Minas Gerais não ficar apenas com uma produtora de aço bruto, como a Usiminas, mas ter também uma usina de perfilados.

Lembrei-lhe que era esse precisamente o propósito da usina da Mendes Junior

— a produção de perfis — e indaguei se não seria conveniente haver uma fusão dos dois projetos. Passei a expor-lhe que, no meu ponto de vista, deveria haver uma hierarquia de objetivos. A solução prioritária otimizante seria termos uma única usina nova, preferivelmente sob controle privado.

Notei que a idéia privatista não era particularmente simpática para Aureliano Chaves. Argüiu que os recursos necessários excediam a capacidade do setor privado. Respondi-lhe que, de outro lado, a iniciativa privada tem um grande recurso natural que é o do gerenciamento, habitualmente melhor que o estatal. Se eu tivesse alguma dúvida a respeito, teria sido desfeita pelo miserável estado a que chegara na Inglaterra a indústria do aço, com a empresa estatal British Steel, que então sofria de enormes e crônicos déficits. Por que não se fazer uma tal composição de capital que apenas um terço das ações fossem ordinárias, possibilitando-se o controle do capital privado, ainda que os recursos proviessem em parcela majoritária de fontes estatais?

Obviamente, Aureliano não participava do meu viés favorável à iniciativa privada. Prossegui minha argumentação dizendo que, se fosse necessário ter duas usinas em Minas Gerais — a da Mendes Junior e a Açominas, pelo menos que se fizesse uma divisão racional de tarefas. A Açominas começaria pela produção de aço, deixando para mais tarde as instalações de laminação, enquanto a Mendes Junior faria exatamente o contrário, iniciando suas operações pela laminação, para integração posterior. Mesmo esta solução de compromisso não parecia a Aureliano particularmente atraente.

A terceira solução, disse-lhe, seria se não uma divisão por fase de produto, pelo menos uma divisão por tipo de produto. Nesse caso a Açominas ficaria com o setor de perfis pesados, concentrando-se a Mendes Junior nos perfis leves. Na prática foi essa terceira alternativa que se realizou, não porém sem delongas e desperdícios.

O governo britânico estava particularmente interessado no projeto da Açominas. Os trabalhistas sofriam de uma espécie de complexo de culpa, acusados que eram pelos empresários de antagonismo à grande indústria. Dois grupos privados, de excepcional dinamismo, se comprometeram com o projeto. Do lado financeiro, o banco de investimentos Morgan Grenfell. Do lado técnico, a firma de Consultores de Engenharia David McKee, de renome mundial no desenho de usinas de aço. Paradoxalmente a tecnologia do aço, que começou na Grã-Bretanha, foi depois superada não só nos Estados Unidos como no Japão. Sob a liderança da empresa David McKee, os projetistas ingleses procuravam recuperar as glórias do passado. A tecnologia de altos fornos da McKee, que estava já encetando projetos no México e na Venezuela, era uma modificação de desenhos japoneses. Estes, como o fariam depois em inúmeros outros setores, importaram a tecnologia, aperfeiçoaram-na, para depois reexportá-la. Informei o Itamaraty do desejo inglês de que a visita do presidente Geisel fosse marcada por uma retomada da presença financeira britânica no Brasil. O ECGD (Export Credit Guaranty Department) tinha sido instruído para examinar projetos viáveis.

Um outro setor onde a iniciativa inglesa se revelou decisiva foi o ferroviário. Londres estava informada do projeto do governo Geisel de construir a Ferrovia do Aço. A indústria de locomotivas e material elétrico da Inglaterra estava tremendamente subutilizada. Havia um duplo interesse. De um lado, o da assistência técnica para o planejamento ferroviário, dada a enorme capacidade ociosa da British Rail, no setor de engenharia de projetos. De outro, o da indústria elétrica pesada, liderada por um empresário excepcionalmente dinâmico, Arnold Weisntock. A General Electric, habitualmente confundida com sua homônima norte-americana, mas na realidade uma empresa totalmente independente, estava com alto grau de subutilização da capacidade. Do ponto de vista inglês, pouco importava a destinação do equipamento ferroviário — a Ferrovia do Aço ou a melhoria geral do sistema ferroviário brasileiro — pois o objetivo relevante era minorar o grau de subemprego de sua indústria metalúrgica. Contemplavam os ingleses sobretudo o fornecimento de locomotivas elétricas e material de sinalização. A Ferrovia do Aço, se executada, seria um campo ideal para uma *rentrée* inglesa no mercado de materal ferroviário do Brasil. Não era sem nostalgia que os ingleses se recordavam de sua função pioneira no desenvolvimento ferroviário do Brasil, através da Santos/Jundiaí, da São Paulo Railway e da Great Western, onde trabalhou como engenheiro o grande mestre Eugênio Gudin. Na realidade, quando hoje ouço dizer que a infra-estrutura de transportes e energia elétrica é tarefa predominante, se não exclusiva, do governo, não posso deixar de me recordar, com ironia, de que a implantação da infraestrutura básica no Brasil foi feita com capital privado, notadamente inglês. Foi esse o caso do porto de Santos e das ferrovias. Já no campo da eletricidade e da telefonia, o papel pioneiro coube ao capital canadense/americano da Brazilian Traction, Light and Power.

Se de alguma coisa não fomos culpados no período de euforia do mercado eurodólar, foi da cuidadosa previsão de recursos para financiamento em moeda local. Obter financiamento estrangeiro para equipamento importado era tarefa fácil, dada a sofreguidão competitiva dos países industrializados, buscando atenuar seus déficits comerciais resultantes da crise do petróleo. O problema era muito mais o da cuidadosa planificação do levantamento de recursos internos. Nisso o II Plano Nacional de Desenvolvimento continha uma originalidade, que mais tarde nos custaria caro em termos de atraso de projetos e desperdício de recursos. Em vários dos grandes planos listavam-se alguns recursos orçamentários, ou havia assignação de impostos específicos, mas restava quase sempre uma enorme rubrica que era uma espécie de "apelo à imaginação". O título era "recursos a definir"! O pecado dos dois projetos, seja o da Ferrovia do Aço, seja o da Açominas foi que, ao financiamento estrangeiro, mobilizado em condições razoáveis, não correspondeu o levantamento de recursos pela poupança nacional.

Autorizado pelo Itamaraty a negociar financiamentos para esses projetos, a serem concretizados durante a visita do presidente Geisel, não encontrei maiores dificuldades. Congregavam-se vários interesses. Os bancos de Londres regurgitavam de petrodólares. O governo inglês estava interessado sob o aspecto político em reafirmar a presença econômica da Grã-Bretanha no Brasil e, sob o aspecto econômico, em propiciar encomendas para a indústria, sobretudo a indústria pesada, que estava atravessando um período de recessão.

O governo brasileiro, àquela ocasião, pensava ousado. Hoje, em retrospecto, dir-se-ia ousado demais. Estávamos executando simultaneamente, e com grande recurso ao endividamento externo, seis grandes programas — um programa hidrelétrico, um programa nuclear, um programa de biomassas, um programa de expansão da siderurgia, um programa ferroviário e, finalmente, um programa petroquímico. Foi a época gloriosa da substituição de importações. Parecia até que havia ressuscitado a famosa teoria "ISI" da Cepal — a industrialização substitutiva de importações — que eu acreditava definitivamente superada com o advento da doutrina econômica monetarista, implantada pelo governo Castello Branco. Ao pessimismo da Cepal no tocante à inelasticidade das exportações havíamos respondido com o *slogan*: "Exportar é a solução". Na era Geisel, "substituir importações" voltou a ser o diapasão principal.

A análise econômica era dificultada pelo fato de que alguns dos parâmetros eram distorcidos. A taxa cambial sobrevalorizada barateava artificialmente o custo do equipamento, enquanto que as taxas de juros, extremamente baixas ou negativas em termos reais, empurravam-nos demasiado para as indústrias intensivas de capital. Esse erro não foi original do Brasil. Também a Coréia do Sul atravessou, aproximadamente à mesma época, um ciclo de intensiva substituição de importações por iniciativa governamental. Expandiram-se excessivamente três indústrias: a indústria do aço, a da construção naval e a da petroquímica. A única diferença em relação ao Brasil foi uma mudança mais rápida de rumos e uma menor distorção de investimentos, pelo fato de ter esse país mantido taxas de câmbio realistas e taxas de juros positivas, como o fizeram também os outros "tigres asiáticos". Em outras palavras, eles flexibilizaram, porém não desdenhavam o critério clássico das "vantagens comparativas", enquanto no Brasil entregamo-nos exageradamente à idéia de que poderíamos criar vantagens comparativas artificiais, mediante a aceleração do aprendizado industrial. Se é verdade que o conceito de "vantagens comparativas" deve ser interpretado de forma dinâmica e não estática, é também verdade que o julgamento econômico pode tornar-se demasiado otimista, se os parâmetros da taxa de juros e de câmbio forem falseados.

Logo que iniciadas as negociações, já com a presença da Missão Geisel, verifiquei com surpresa que o projeto da Açominas estava longe de ser pacífico. Imaginei que a chegada da Missão Geisel seria meramente o coroamento das negociações e que a questão de prioridades já teria sido resolvida no Brasil, antes de me serem enviadas as instruções negociais. Obviamente, eu subestimava o grau de descoordenação burocrática no Brasil. É que, logo ao chegar a Londres, o presidente do BNDE, Marcos Viana, reacendeu objeções fundamentais ao projeto. Após intenso debate interno, Geisel finalmente deu luz verde para que se completassem os entendimentos. O acordo, que envolvia um financiamento de 500 milhões de libras esterlinas, através de um consórcio de bancos europeus liderados pelo Banco Morgan Grenfell, foi assinado ainda durante sua visita a Londres. Paralelamente, o Lloyd's Bank e o BNDE acordaram uma linha de crédito de 20 milhões de libras, para a compra na Grã-Bretanha de bens de capital para indústrias de pequeno e médio porte. Também a Baring Brothers concedeu à Siderbrás uma linha de crédito de 50 milhões de libras, para compras de equipamento pela nossa indústria do aço.

Com o projeto do financiamento ferroviário, ocorreu um episódio interessante. O financiamento oferecido pelos ingleses era de 200 milhões de libras, sendo metade em moeda livre e metade para importação de equipamento ferroviário, destinado em princípio à Ferrovia do Aço, mas podendo ter a destinação que o governo brasileiro entendesse melhor, em termos de reaparelhamento ferroviário. Receava-se no Brasil que, colocadas as encomendas de equipamento, os ingleses se desinteressassem pelo desembolso do financiamento em moeda livre.

Na interpretação inglesa, o financiamento em moeda livre teria uma destinação específica, a saber, a cobertura das despesas em moeda local com a montagem dos equipamentos importados. Assim sendo, desejavam fixar no contrato uma cláusula de desembolso *pari passu* — os recursos em moeda livre seriam liberados somente na proporção das encomendas do equipamento. Parecia até que tinham um pressentimento diametricamente oposto ao nosso. Receavam que, uma vez desembolsada a moeda livre, o Brasil se desinteressasse pelas encomendas de equipamento, o que na realidade veio a acontecer. Conseguimos que o desembolso da parcela financeira fosse feito imediatamente após declarada a validade do contrato. Os negociadores ingleses se acomodaram relutantemente a esse desígnio. Esse erro lhes foi fatal. A Rede Ferroviária utilizou imediatamente os cruzeiros, resultantes da conversão do empréstimo em esterlinos, para cobrir seu déficit operacional corrente e efetuar pagamentos atrasados a empreiteiros. Foi extremamente lenta a colocação da primeira encomenda de equipamento. Cinco anos após o contrato, quando parti de Londres, não havíamos utilizado senão 20% do financiamento para os bens importados, com grande frustração para a indústria britânica. Foram progressivamente desativadas as obras da Ferrovia do Aço, e as encomendas feitas se referiam sobretudo a equipamento de sinalização para o eixo ferroviário Rio—São Paulo.

A Açominas, se construída segundo o cronograma, teria sido uma indústria extremamente eficiente pois que a tecnologia era "estado da arte" e o financiamento externo estava previsto em termos bastante razoáveis. Com as delongas resultantes da inadequação da contrapartida em moeda local, mais a fatal dinâmica dos juros compostos, a obra se tornou absurdamente dispendiosa.

O acesso a créditos bancários fáceis caracterizou a maioria dos projetos da época. Sofremos de uma fatal descoordenação. Açodamento na busca de recursos externos e atraso na mobilização de recursos internos.

Se a captação de recursos financeiros, intensificada durante a visita do presidente Geisel, foi útil sob o ponto de vista de balanço de pagamentos — pois que atravessávamos a grave crise cambial que sucedeu ao primeiro choque do petróleo — seu significado político não foi menos importante. A Inglaterra se considerava uma espécie de "guardiã da democracia", título a que fizera jus, não só pela sua longa tradição parlamentar, como pelo seu êxito na dissolução pacífica do Império. Nessas condições, uma visita oficial à Inglaterra, com hospedagem pela rainha no palácio de Buckingham, significava se não um selo de aprovação, pelo menos uma diferenciação entre a revolução modernizante do Brasil e as pitorescas ditaduras latino-americanas. A imagem que se projetaria no rádio e na televisão seria a de um país executor de uma revolução modernizante, e não apenas vítima de uma quartelada.

POMPA
E CIRCUNSTÂNCIA

Eram cinco as cerimônias tradicionais que faziam parte do programa de visita de Geisel. Em primeiro lugar, a presença da rainha e do príncipe Philip na chegada à Victoria Station. Segundo, o almoço dado pelo prefeito de Londres no famoso Guild Hall, no coração financeiro da City. Terceiro, o banquete solene dado pela rainha, na sala de banquetes do palácio de Buckingham. Quarto, a apresentação do corpo diplomático, que é convocado para cumprimentar os dignitários visitantes no palácio de Saint James, residência da rainha mãe. Em geral, a última cerimônia é o banquete de retribuição dado nas embaixadas.

Extremamente pitoresca, por revelar a singular virtude dos ingleses em manter toques medievais em seu cerimonial sem cair no ridículo, é a visita ao prefeito de Londres, eleito anualmente (em votação indireta pelos vereadores). Os visitantes são recebidos para almoço pelo Mayor, vestido de casaca e calcetim com meia branca comprida. Lembro-me de que, assaz espirituoso, o então prefeito de Londres, sir Lindsay Ring, começou seu discurso dizendo que pouco sabia do Brasil, exceto pelo fato de que era um grande apreciador da "pinga" e da "batida", palavras que pronunciava de forma quase irreconhecível. Entretanto, não tinha vergonha de confessar sua ignorância. E citava uma velha estória do escritor alemão Erich Maria Remarque, que costumava dizer: — Meu pai era um homem bom. De vez em quando me dizia: 'Eric, nunca perca sua ignorância. É uma coisa que você não pode substituir'.

A comitiva de Geisel se impressionou com a erudição da assessoria de Lord Mayor, pois ele terminou seu discurso com a famosa estrofe de Gonçalves Dias:

"Minha terra tem palmeiras
Onde canta o sabiá
As aves que aqui gorjeiam
Não gorjeiam como lá".

Gonçalves Dias não poderia desejar maior homenagem do que ser recitado na "Old Library" do Guild Hall, em 5 de maio de 1976.

Sob o ponto de vista cerimonial, o evento faustoso foi o banquete oferecido pela rainha ao presidente Geisel e sua comitiva no palácio de Buckingham. A saudação da rainha ao Brasil foi cordial, senão efusiva, e cheia de menções ao grandioso papel que o país estava destinado a representar no mundo ocidental. E Geisel podia desfiar estatísticas orgulhosas. Desde 1968, o país crescera 104% e a renda por habitante 63%. Bons tempos!

É melancólico registrar-se que esta profecia de grandeza não se realizou. Dezessete anos depois, no momento em que escrevo estas linhas, vejo o Brasil entregue à lamentação da dívida externa, sempre disposto a transferir culpas ao mundo externo e postergando sempre o penoso e necessário ajuste interno. Costumo dizer que os países se dividem em duas categorias: os naturalmente pobres mas vocacionalmente ricos, como o Japão e Taiwan, e os naturalmente ricos e vocacionalmente pobres, como o Brasil e a Argentina.

A rainha e o príncipe Philip, a rainha mãe, o duque e a duquesa de Gloucester, a princesa Alexandra e seu marido Angus Ogilvy, o duque de Kent, assim como o primeiro ministro Callaghan e vários secretários de Estado compareceram ao jantar de reciprocidade oferecido na embaixada brasileira em Mount Street. Relatou-me um secretário da embaixada ter entreouvido uma repreensão pitoresca. A rainha mãe subiu a escada da embaixada na direção da sala do banquete e tropeçou num degrau. A rainha Elizabeth, que subia logo atrás com o príncipe Phillip, não se conteve: — *Mammy* — disse ela — *I told you not to wear those fancy shoes...*

Lembro-me que, no arranjo da mesa, sentei-me face a face com Margaret Thatcher, que então era apenas uma combativa líder da oposição. Já começavam a se tornar famosas suas diatribes contra o Partido Trabalhista. Assisti de certa feita a um vivaz debate entre Margaret Thatcher e o primeiro ministro James Callaghan, ambos bons de tribuna. Após uma série de contundentes críticas de Margaret Thatcher, James Callaghan acabou perdendo a paciência, dirigindo-se ao *speaker* da Câmara dos Comuns nestes termos: — Se a honorável líder da oposição me prometer parar de dizer mentiras sobre mim eu lhe prometo não dizer a verdade sobre ela...

Após o jantar, ao tomarmos o conhaque de despedida, lembro-me de que o príncipe Philip, bastante inteligente, porém nunca acusado de excessivo tato, contou ao presidente Geisel, este de sobrecenho carrancudo, uma anedota que ouvira no Brasil. Esta, contada por brasileiros, é cômica, mas por estrangeiros um pouco irritante — afinal de contas, o autocriticismo nunca foi o forte de nossa raça. A anedota é de origem, ao que parece, carioca, mas provavelmente o príncipe Phillip a ouviu em Brasília quando da visita da rainha Elizabeth (verifiquei depois que ela é também contada na França a respeito dos franceses, o que confirmou minha convicção de que existe um estoque universal de anedotas repetidas, sob diferentes variantes, em cada país). Segundo a anedota, alguém perguntou a Deus por que tinha dado ao Brasil tantos recursos naturais, terras férteis e rios majestosos, poupando-lhe o desastre de furacões e terremotos. "Aguarde um momento", respondeu o Criador, "o senhor não sabe a gentinha que vou botar lá."

O príncipe Phillip é bem mais comunicativo do que a rainha Elizabeth II. É um dos precoces ambientalistas. Tornou-se um ecologista antes que estivesse na moda a mania ambientalista. Não é entretanto habitualmente elogiado pelo *esprit de finesse* e durante a visita da rainha Elizabeth ao Brasil, no governo Costa e Silva, provocou algumas reações inesperadas. Conta-se que num jantar oficial em Brasília foi apresentado a um almirante brasileiro ornamentado com inúmeras condecorações. Incapaz de resistir à mordacidade, o príncipe teria dito: — O senhor ganhou essas medalhas em batalhas navais no lago de Brasília?

— Não — respondeu —, o almirante, mas também não as ganhei na cama....

Um detalhe pitoresco ocorreu na visita dos parlamentares Petrônio Portella e José Bonifácio, que foram homenageados à parte com um almoço na Câmara dos Comuns. Designei para tradutor o conselheiro da embaixada Raphael Valentino. O discurso de Petrônio Portella era cheio de alusões à sua experiência no Piauí — coisa intraduzível naquele grande cenáculo — e uma tentativa de justificar o autoritarismo brasileiro, que estaria iniciando então seu processo de liberalização. Valentino, como ventríloquo de Petrônio, disse que o senador vinha ao Reino Unido não para elogiar o autoritarismo do Brasil e sim para anunciar que o estava enterrando. E terminou usando a metáfora de Shakespeare: *I come to bury Caesar, not to praise him*. No dia seguinte, um jornal estampava: *Brazilian minister of Justice quotes from Shakespeare*. A infidelidade construtiva da tradução teve êxito!

Respirei aliviado quando a viagem terminou. Não ocorreram as temidas manifestações de rua, como eu receava e receava também o Foreign Office. No esforço de melhorar a imagem brasileira e contestar críticas, escrevi longa carta, publicada no *Times*, e dei entrevista na vetusta BBC. O saldo, quer político, quer financeiro, foi positivo. Como é de praxe, sobretudo nos países monárquicos, a visita de chefe de Estado acarreta automaticamente uma condecoração para o embaixador. Foi assim, por acidente, e não por avaliação de méritos que me tornei um G.C.V.O. (Knight of the Grand Cross of the Royal Victorian Order). Na Inglaterra, um título dessa natureza é muito importante e até hoje recebo de amigos britânicos correspondência em que essa designação honorífica é mencionada.

Ao longo de minha carreira diplomática tornei-me um proficiente engenheiro de comunicados oficiais. Mas, sem falsa modéstia, considero o comunicado ministerial conjunto ao término da visita de Geisel a Londres uma obra prima de "diplomatês". A questão era delicada. A ala da esquerda radical do Partido Trabalhista, minoritária porém espalhafatosa e aguerrida, exigia do governo Callaghan uma advertência ao Brasil sobre o regime de exceção e os direitos humanos. De outro lado, a doutrina oficial brasileira era que a Revolução de 1964 salvara o Brasil do autoritarismo de esquerda, que liquidaria a democracia e os direitos humanos muito mais competentemente. A fórmula encontrada, palatável para ambos os lados, assim rezava:

"Na discussão das agudas ameaças com que se defronta a sociedade moderna, os ministros reconhecem que as nações muitas vezes perseguem caminhos diferentes na busca da justiça. Mas eles [os ministros] registraram o fato de que ambos os países são signatários da Convenção das Nações Unidas sobre os direitos humanos e reafirmaram sua intenção de dar cumprimento às suas provisões."

A INSUSTENTÁVEL LEVEZA
DO MILAGRE

Conquanto se desenhasse no horizonte uma crise cambial e a inflação se acelerasse, a sustentação de uma taxa de crescimento real de 7% ao ano, durante o governo Geisel, mantinha, ainda que esmaecida, a aura do "milagre econômico". Havia grande curiosidade em relação ao Brasil que, juntamente com o México, parecia válido candidato ao ingresso no Primeiro Mundo, papel em que fomos depois solenemente desbancados pelos tigres asiáticos. Estes fizeram muito melhor que nós seu ajustamento às duas crises do petróleo.

A curiosidade em relação à experiência brasileira era enorme. Tornei-me um conferencista requestado por universidades, bancos e câmaras de comércio. Participei de seminários nas Universidades de Oxford, Cambridge, Glasgow e Sussex (especializada esta em *development economics*, graças aos esforços de Hans Singer, um velho amigo da ONU, a quem, como ministro do Planejamento, eu solicitara um estudo sobre a "miseriologia" do Nordeste). Em Cambridge, onde lecionavam dois velhos amigos, Lord Kaldor e J. Meade, defrontei-me com econometristas de esquerda e inventei, com uma pitada de deleite e provocação, uma piada que fez sucesso na época: *"Econometrics is the art of mathematising one's mistakes. Except in Cambridge where one mathematizes one's prejudices."* (A econometria é a arte de matematizar os próprios erros, exceto em Cambridge, onde se matematizam os próprios preconceitos).

Inventei engenhosas explicações para a estratégia de ajuste — ou desajuste — do Brasil em face da crise do petróleo. Enquanto os países industrializados haviam optado por um ajuste recessivo, o Brasil optara por uma estratégia de "transformação estrutural", através de um maciço esforço de substituição de importações, sem sacrifício do crescimento!

Isso implicaria aceitar o desconforto do endividamento externo e da pressão inflacionária adicional — teoria que eu denominei de *growthflation*, por contraste com a *stagflation*, que mortificava a Europa. Era uma estratégia de alto risco, porém não irracional. Seus pressupostos eram que, ao contrário dos países industrializados, livres da explosão demográfica e equipados com sistemas de seguro-desemprego, o Brasil não poderia estancar seu crescimento sem grave pressão social. A expansão das exportações para os países da OPEP seria dificultada pela baixa competitividade em relação ao agressivo *marketing* dos países industrializados, ansiosos por reduzir seus déficits em conta corrente. Assim, a curto prazo, a "transformação estrutural", com ênfase sobre a substituição de importações, parecia uma opção racional.

Esse arrazoado era mais uma construção que uma convicção. Tendo lutado por muitos anos pelo realismo cambial e pela "orientação exportadora", pressentia intuitivamente que estávamos seguindo um modelo errado.[398]

Meus temores se confirmaram quando, estourada a segunda crise do petróleo em 1979, optamos por persistir na "estratégia de crescimento" em vez da "estratégia de ajuste". Isso causou a demissão do ministro Simonsen — acusado de contracionista — e sua substituição por Delfim Netto, que acreditava poder reeditar o "milagre" em plena crise. "Se conseguir conciliar a queda da inflação com a retomada do crescimento", disse eu aos meus botões, "merecerá o prêmio Nobel."

No dia seguinte à reunião do Conselho Monetário Nacional (16 de janeiro de 1981), na qual foi decidida a prefixação em 40% da correção cambial e 45% da correção monetária (ORTN) para o resto do ano, jantaram comigo na embaixada em Londres Afonso Celso Pastore e Rubens Costa, respectivamente secretário da Fazenda e secretário do Planejamento do governo Maluf, em São Paulo. Concordamos os três em que, antes de conseguido um genuíno equilíbrio fiscal, essa prefixação seria imprudente, e em breve se provaria insustentável. Era uma tentativa de desindexação parcial, por *fiat* governamental, que presumia uma inexistente mudança de expectativas dos agentes econômicos.

— O Delfim vai se arrepender — disse eu — Já tabelou os juros em agosto de 1979 e agora vai quebrar a cara com essa prefixação. Está abusando da "heterodoxia". Precisamos reconvertê-lo à "ortodoxia".

Pouco tempo depois, meus temores se confirmaram. Em meados do ano tivemos que afrouxar ambas as prefixações e abandoná-las em novembro. Por falta de ade-

---

[398] Somente anos depois, com a aceleração da inflação e a crise da dívida externa, foi possível medir-se o pesado custo da "fatura do desajuste". Como nota a economista Maria Sílvia Bastos Marques, o endividamento das estatais, para a execução de programas de industrialização substitutiva, que era de 4,5% do total de recursos para a formação bruta do capital fixo, elevou-se para 46% em 1976 e 74,7% em 1979. Paralelamente, a dívida externa líquida (dívida bruta menos reservas internacionais) aumentou de US$6,16 bilhões, em 1973, para US$40,22 bilhões, em 1979. A expansão do endividamento interno pressionou a taxa de juros, enquanto que o ingresso de empréstimos externos, não neutralizado por colocação líquida equivalente de títulos públicos, exerceu efeito expansionista sobre a base monetária. Medida pelo índice geral de preços da Fundação Getúlio Vargas, a inflação ascendeu de 34,5% em 1974, para 77,2% em 1979. Quando deixei a embaixada em Londres, em fins de 1982, a inflação atingira 211%. Ver Maria Sílvia Bastos Marques, *Inflação e política macroeconômica após o primeiro choque do petróleo*. Fundação Getúlio Vargas, 1991, p. 59-95.

quado ajuste fiscal, a maxidesvalorização de dezembro de 1980 não surtiu o efeito desejado. Uma segunda maxidesvalorização, em janeiro de 1983, num contexto fiscal mais austero, permitiu atingirmos no fim do ano um superávit comercial de US$6,5 bilhões.

Uma das dificuldades era como explicar aos economistas e banqueiros a alta inflação brasileira, quando na versão oficial o orçamento fiscal era equilibrado. Não passava pela cabeça dos ingleses que o orçamento fiscal, o *budget*, era apenas uma ponta do iceberg. Déficits ocorriam no orçamento monetário, um bolsão de lascividade, no orçamento das estatais e às vezes no orçamento previdenciário.

Os dados provenientes do Brasil eram descoordenados e eivados de enganoso otimismo. Lembro-me que, de certa feita, desesperado, telefonei a Delfim dizendo-lhe: — Delfim, o Brasil não pode ser salvo pela exibição da verdade. Vamos tentar salvá-lo pela coordenação melhor de nossas mentiras!

Em 1982 deixei a embaixada, pouco antes de explodir a moratória do México, que agudizou nosso processo recessivo, instaurado em 1981, e só aliviado a partir da maxidesvalorização de janeiro de 1983, em resultado de negociações com o FMI.

Contemplada em retrospecto, a estratégia de ajuste segundo uma orientação exportadora, seguida pelos países asiáticos,[399] foi vastamente superior. Eu tinha um pressentimento, mais que um conhecimento, de que o nosso milagre econômico seria de insustentável leveza...

---

[399] Uma exceção foram as Filipinas, que atravessaram crises de endividamento e insolvência comparáveis às da América Latina. "É uma sociedade esquizofrênica", pilheriava Denis Healey, "pois passou cinco séculos num convento espanhol e cinqüenta anos num bordel de Hollywood." A Coréia do Sul, após o primeiro choque de petróleo, semelhantemente ao Brasil, embarcou num programa superdimensionado de substituição de importações, sob dirigismo governamental. Ajustou-se entretanto rapidamente após o segundo choque (1979-80), e conseguiu recuperar solvência sem recurso ao reescalonamento de dívidas.

O AFFAIRE
NUCLEAR

Os visitantes brasileiros a Londres eram abundantes. Uma das visitas mais bizarras foi a do embaixador Paulo Nogueira Batista, então presidente da Nuclebrás, no período de euforia do programa nuclear. Ele permaneceu em Londres de 15 a 18 de outubro de 1979. Arranjei-lhe uma entrevista com o assessor científico do governo inglês, professor Walter Marshall. Com uma rude franqueza, não raro de encontrar entre os anglo-saxônicos, o professor Marshall começou a conversa expondo suas dúvidas sobre a viabilidade do programa nuclear brasileiro. A seu ver, o acordo com a Alemanha implicava fazer do Brasil uma espécie de cobaia do processo de enriquecimento de urânio. Era que o sistema de enriquecimento a jato do professor alemão Becker estava longe de ser comprovado cientificamente viável. Duas dúvidas surgiam de imediato. Primeiro, o sistema alemão era certamente maior consumidor de energia do que o processo de ultracentrifugação, conquanto menos do que o processo de difusão gasosa. Este, de qualquer maneira, seria inadequado para o Brasil pois não se presta à modulação; as unidades têm que ser imensas, o que só seria justificável se houvesse um propósito duplo — civil e militar. O embaixador Batista redargüiu que ao Brasil não fora dado acesso ao processo de ultracentrifugação. A tecnologia era zelosamente guardada na Europa pelos países membros da "Urenco", ou seja, Alemanha, Holanda e a própria Inglaterra. Estava fora de questão importar essa tecnologia dos Estados Unidos, pois que o Brasil estava, por assim dizer, na lista negra, por se ter recusado em 1968 a assinar o Tratado de Não-Proliferação Nuclear.

— Então — disse o professor Marshall — a solução mais econômica para o Brasil seria assinar o Tratado de Não-Proliferação. A não ser, naturalmente, que o Brasil tenha a secreta intenção de produzir armamentos.

Houve um silêncio embaraçoso. O embaixador Nogueira Batista reafirmou os propósitos pacíficos do Brasil, mas usando uma expressão encontradiça em nossa literatura nacionalisteira, declarou que "o país não poderia abrir mão do domínio do ciclo completo de tecnologia nuclear".

O professor Marshall aludiu a uma segunda dúvida. Entendia ele que o processo de jato centrífugo não havia sido testado sob o aspecto de resistência metalúrgica às vibrações; acreditava ser imprudente embarcarmos numa dispendiosa experiência de cobaia nesse setor. Nogueira Batista redargüiu que os testes alemães em escala pré-industrial haviam sido favoráveis e que dentre todos os países aquele que ofertava condições de financiamento mais generosas era a Alemanha. Tinha havido algum interesse em negociar com os franceses, mas basicamente a tecnologia francesa era a da difusão gasosa, através da EURODIF (Euro Diffusion). À pergunta de Marshall sobre as fontes de financiamento do programa nuclear brasileiro, respondeu o embaixador Nogueira Batista que o problema financeiro estava "equacionado" (sic) com os recursos orçamentários da própria Nuclebrás e do programa de eletricidade da Eletrobrás!

Se minhas dúvidas sobre o programa nuclear brasileiro já eram robustas, só fizeram aumentar depois dessa discussão. Fiquei consciente de que havia problemas técnicos ainda irresolutos e a assertiva de que o problema financeiro "estava equacionado" me deixara gélido! Na verdade, como já fiz notar, tornou-se hábito no II Programa Nacional de Desenvolvimento listar-se, como complementação de recursos, uma rubrica fatal intitulada "recursos a definir"...

Em uma de minhas visitas ao Brasil, em 1977, pouco depois de assinado o acordo com a Alemanha, fui ao Planalto visitar o presidente Geisel. Encontrei-o justificadamente irritado com as interferências americanas na questão nuclear.[400]

Era um momento de bastante tensão nas relações americano-brasileiras, do que resultou a denúncia, por Geisel, do Acordo Militar com os Estados Unidos, que estivera em vigor durante 25 anos, tendo sido assinado no governo Vargas, em março de 1952. Com sua preocupação moralista, Carter, pouco cioso das manobras da *realpolitik*, levantou duas bandeiras em sua política internacional: a dos direitos humanos e a da não proliferação nuclear. A intromissão na questão dos direitos humanos, hoje rotineira, após a onda redemocratizante dos anos 80, era percebida à época como violação do princípio de "não intervenção" nos negócios internos. Carter conseguiu irritar a um só tempo os três governos do grupo ABC — Argentina, Brasil e Chile. O próprio assessor presidencial do Conselho de Segurança Nacional, Zbygniew Brzezinsky, se preocupou com os exageros da política moralista, em contraste com a *realpolitik* da era Nixon-Kissinger.

— Arriscamo-nos — dizia ele — a ter boas intenções com alto custo.

A visita de Carter ao Brasil, em março de 1978, numa espécie de autoconvite, se destinou a aliviar as tensões. No caso nuclear, a irritação de Geisel se originou na visita do subsecretário de Estado Warren Cristopher a Brasília, no propósito de nos induzir ao abandono ou revisão do acordo nuclear com a Alemanha.

Reafirmei a Geisel minha opinião, dele já conhecida, de que deveríamos ter assinado o Tratado de Não-Proliferação Nuclear de 1968. Era nossa recusa em assiná-lo que gerava a suspicácia internacional em relação ao Brasil. A dimensão do programa brasileiro me parecia ambiciosa demais para o propósito de absorção tecno-

---

[400] Ver Moniz Bandeira, *Brasil-Estados Unidos. A rivalidade emergente*, Rio de Janeiro, Civilização Brasileira, 1989, p. 234-237.

lógica.[401] Quanto aos Estados Unidos — declarei — tinham agido com singular inabilidade. Em primeiro lugar, tinham-se recusado a garantir o reabastecimento da usina nuclear de Angra, antes de um reexame global da política de exportação de urânio enriquecido, o que dava uma sensação de inconfiabilidade que levava os consumidores à busca de soluções alternativas. Em segundo lugar, haviam exercido indevida pressão diplomática sobre a Alemanha Federal para a suspensão do acordo, gerando compreensível ressentimento no chanceler Helmut Schmidt, conforme eu ouvira do embaixador alemão em Londres. A atitude correta para os americanos seria demonstrar ao governo brasileiro a viabilidade de soluções alternativas mais econômicas e menos arriscadas que o programa alemão. Também a França sofreu pressões americanas, visando a dissuadi-la do fornecimento de reatores ao Paquistão.

Visto em retrospecto, nosso programa nuclear foi um perfeito exercício de "megalomania". Silveirinha descrevia o acordo assinado em Bonn em junho de 1975 como tendo para o Brasil significação comparável à da implantação da usina de aço de Volta Redonda. Comprou-se a mais moderna fábrica de equipamentos do mundo para construir reatores — a NUCLEP — condenada entretanto a semipermanente ociosidade ou a tarefas mais humildes de sobrevivência. Não havia poupança nacional para assegurar a contrapartida dos financiamentos alemães de equipamento. Houve bastante treinamento de pessoal mas um programa de menor dimensão e mais continuidade teria redundado em muito maior avanço tecnológico.

Se há alguma parte do endividamento brasileiro que representou investimentos perdidos, essa foi certamente o programa nuclear. De resto, o acordo com a Alemanha não nos eximiu da fiscalização internacional, pois que a Alemanha se viu obrigada a atender às exigências de fiscalização da Agência Internacional de Energia Atômica de Viena. Nossa tão desejada liberdade para experimentações, provavelmente belicosas, foi assim cerceada. Isso é que está na raiz da eventual criação do chamado "programa nuclear paralelo", através de verbas secretas da "Conta Delta", diretamente sob a égide do Conselho Nacional de Energia Atômica, e indiretamente da Secretaria do Conselho de Segurança Nacional, de que só viemos a ter notícia dez anos mais tarde.

O projeto paralelo da energia nuclear é uma custosa redescoberta da roda. É que voltamos a reproduzir nacionalmente a tecnologia da ultracentrifugação, provavelmente sem os refinamentos tecnológicos a que essa técnica foi submetida ao longo do tempo. Aparentemente a idéia seria chegar ao enriquecimento mínimo de 20% de urânio, que seria necessário para um submarino de propulsão nuclear.

---

[401] Seriam oito usinas, mais instalações de enriquecimento de urânio e fábrica de reatores, ao custo estimado de 30 bilhões de dólares, presumindo-se um cronograma sem atrasos. Somente Angra II, segundo auditoria do Tribunal de Contas de junho de 1993, teria custado até essa data cerca de US$5 bilhões (incluídos os custos financeiros), sendo necessários para completá-la mais US$2,3 bilhões!

Como a centrifugação é um processo essencialmente modular, dependeria do volume de investimentos atingirmos eventualmente os 93% de concentração necessários para a produção de armas nucleares. Enriquecido à altura de 20%, o combustível atômico se prestaria à propulsão de submarinos nucleares, objeto de escassa utilidade, tendo em vista a alarmante carência de inimigos credíveis nas costas brasileiras. É possível que o nível de enriquecimento "confessado" tenha sido inferior ao realmente pretendido. Hoje estamos construindo um submarino, ao custo estimado, por baixo, de 1 bilhão de dólares, com o enriquecimento e o reator.

Tomado em seu conjunto, o duplo programa nuclear brasileiro representou um enorme sacrífício financeiro, com rendimentos tecnológicos assaz modestos. Cogita-se agora, felizmente, de privatizar algumas de suas atividades. Somente a usina de equipamento pesado — a NUCLEP — custou cerca de 250 milhões de dólares e sofre de crônica subutilização.

Aliás, o Brasil nunca sofreu de pessimismo na avaliação de suas possibilidades energéticas. A campanha do "petróleo é nosso", que nos condenou ao monopólio do risco e que nunca nos trouxe a auto-suficiência pretendida, é disso exemplo.

Num plano mais pedestre, lembro-me da visita do ministro Cesar Cals a Londres, no começo do governo Figueiredo. Tive de servir de tradutor constrangido de nossas megalomanias, nas visitas a ministros ingleses. Sentia-me obrigado a dar tradução mais modesta ao nosso alegado "equacionamento" do problema energético: 24 milhões de toneladas de carvão e 10 milhões de kilowatts de capacidade nuclear instalada em 1990, e adequado solucionamento do problema do combustível, graças às biomassas! Apesar de já terem iniciado a exploração de suas reservas de petróleo no mar do Norte, os ingleses não arrotavam esse grau de confiança na excelência de seu programa energético.[402]

Após a conversa em Londres entre o embaixador Nogueira e o professor

---

[402] Felizmente, outros ministros visitantes não me causaram semelhantes problemas. Shigeaki Ueki visitou Londres entre 16 e 22 de maio de 1979, quando ministro de Minas e Energia do governo Geisel. Almoçamos juntos na Shell e visitamos o ministério de Energia, então chefiado por Tony Benn, representante da esquerda radical no gabinete trabalhista. Benn, estatizante à outrance, propôs a Ueki a criação de uma instituição internacional que reunisse representantes de todas as empresas petrolíferas, produtoras e consumidoras, em que os governos tivessem maioria. Ueki foi suficientemente prudente para não demonstrar entusiasmo. Poucos anos depois mrs. Thatcher privatizaria as três empresas petrolíferas sob controle governamental — a British Petroleum, a Britoil e a British Gas. Outro visitante que não deu trabalho foi o ministro da Indústria e Comércio, Camilo Pena, meu velho amigo. Convidado por Cecil Parkinson, seu equivalente no gabinete britânico, impressionou os convivas com eruditas citações de Shakespeare. Parkinson, que ascendera ao poder no primeiro gabinete Thatcher, exibiu-me uma face inovadora de negociador. Quando o visitei nas vésperas de Natal, no Departamento do Comércio, para apresentar um zangado protesto contra barreiras à importação de calçados brasileiros, recebeu-me à tardinha com uma garrafa de champagne sobre a mesa. — A estação do Natal não é para brigas. Bebamos uma taça de champagne.

Marshall, convenci-me de que estávamos embarcando numa rota errada. O acordo foi assinado em 27 de junho de 1975, em plena crise do petróleo, e em nada contribuiria para a solução do problema de energia líquida. Quanto à energia elétrica, havia a solução hidrelétrica. Só havíamos utilizado 40 milhões de kilowatts de um potencial total estimado em 215 milhões.

Experiências de redescobrimento da roda são freqüentes na história brasileira. Assistiria anos depois, em 1984, a uma outra igualmente dispendiosa — a política nacional de informática. Curiosamente, também esta deve em certa medida ser atribuída à Marinha Brasileira, pois foi a compra de fragatas na Inglaterra que finalmente convenceu nossos almirantes de que uma moderna fragata é apenas uma couraça para computadores e mísseis. Uma das empresas inglesas, a Ferranti, se havia especializado exatamente em computação de defesa. No intuito de adquirir capacitação para o reparo da eletrônica naval, surgiu a idéia de se criar no Brasil a Cobra, uma empresa de informática na qual seriam partícipes o governo brasileiro e a Ferranti, da Inglaterra, cuja contribuição foi inicialmente de 25% do capital, reduzindo-se gradualmente a proporções insignificantes.

O projeto de construção de fragatas na Inglaterra era parte de um programa de reequipamento naval para um decênio, proposto ainda ao tempo do governo Castello Branco. Sua execução foi retardada e o programa apenas demarrou no governo Médici, tendo sua culminância com a entrega de três fragatas durante o período Geisel. Compareci a várias das cerimônias de lançamentos de fragatas em Southampton, nos estaleiros da Vosper Thornycroft, e de submarinos de classe Odessa, nos estaleiros de Barrow-in-Furness.

Não tinha idéia de que, por uma misteriosa conexão, o episódio das fragatas acabaria influenciando profundamente o país numa direção errada, a da política de informática, um dos vários choques "econômicos" que, após nossa precária recuperação da recessão mundial, em 1984 e 85, vitimaram o Brasil.

O Ocaso Trabalhista e a
"Revolução Regeneradora"

Quando ouvia, no fim da década de 80, a queixa generalizada na América Latina de que fora uma "década perdida", lembro-me de que também na Inglaterra havia essa síndrome. A década de 70 tinha sido para a Grã-Bretanha, então em fase de menopausa imperial, uma década perdida. Havia começado com uma vitória do Partido Conservador sob a liderança do primeiro-ministro Edward Heath. Não pode ele atacar os males profundos da economia britânica — a chamada "moléstia inglesa" — seja porque pertencia à ala acomodatícia do Partido Conservador, seja porque a margem de manobra em relação aos trabalhistas era pequena. O governo Heath viria a sucumbir em 1974 numa confrontação com os mineiros do carvão. A questão em tela era precisamente o gatilho salarial. Vieram-me lembranças à mente quando, em 1986, no Plano Cruzado do ministro Dilson Funaro, se propôs também a adoção de um "gatilho".

No caso inglês, a confrontação ocorreu no pior momento possível para o governo: no outono, em face de um inverno que se prenunciava severo, com baixos estoques de carvão. Argumentavam os mineiros de carvão que os índices governamentais falseavam a realidade da inflação. Ante a seqüência de greves paralisantes, o primeiro-ministro decidiu colocar frente à nação a famosa pergunta: "Quem governa este país, os sindicatos ou o gabinete?"

O resultado foi um pouco inesperado. Caiu o governo tory e ascenderam ao poder os trabalhistas, sob a liderança de Harold Wilson. Poucos meses depois, como resultado de uma rebelião do Partido, estomagado pela perda das eleições, Margaret Thatcher foi eleita líder da oposição, em fevereiro de 1975, precisamente quando eu chegava a Londres. Sua ascensão representou uma quebra de tradição. O Partido Conservador era quintessencialmente masculino e mrs. Thatcher não pertencia ao grupo aristocrático que por tanto tempo o dominara. Seria objeto de chacota quem predissesse que alguns anos depois ela assumiria a posição de primeira-ministra.

A Inglaterra já teve várias rainhas, ora verdadeiramente imperiais como Elizabeth I, ora meramente decorativas. Mas a primeira ministrança parecia ser definitivamente um privilégio masculino. Lembro-me, aliás, de um episódio pitoresco relatado por William Manchester em sua clássica biografia de Churchill —

The last lion. Este, durante o longo ostracismo que teve que viver antes de regressar ao governo, durante a Segunda Guerra Mundial, como primeiro-ministro — após haver, anos a fio, como ave agourenta, advertido o mundo sobre a agressividade de Hitler — conseguia sua sobrevivência escrevendo não só seus famosos livros de história britânica, mas também artigos para jornais e revistas. Um de seus artigos, rejeitado pelo editor da revista *Colliers* por demasiado fantasioso, tinha precisamente o título: 'Will there be a woman Prime Minister?' (Haverá uma primeira-ministra?). [403]

Quando assumi a embaixada em Londres, o primeiro-ministro era Harold Wilson, um homem intelectualmente bem equipado, hábil manobrista político, mas tremendamente indeciso. O período era difícil. O Partido Trabalhista, que era o braço político dos sindicatos, vivia sob constante ameaça da esquerda do partido. Boa parte das lideranças trabalhistas era de persuasão trotskista. O artifício dos radicais para assumir o comando dos sindicatos era simplesmente marcar reuniões das assembléias sindicais para horas estranhas e lugares distantes. Como a maioria dos trabalhadores não estava disposta a enfrentar esses incômodos, conquistavam a liderança os mais ativistas, ou seja, precisamente os pertencentes à ala mais radical dos sindicatos.

Mais tarde mrs. Thatcher viria a promover uma reforma da legislação trabalhista, criando o chamado "voto postal". A decretação de greves teria de ser por maioria absoluta dos trabalhadores, computando-se não só os votos dos presentes mas os votos enviados por via postal, às expensas do governo. Com isso começaram a surgir lideranças mais moderadas.

Os três problemas que enfrentava o governo Wilson e que foram o legado de James Callaghan, que assumiu o poder com a renúncia de Wilson em 1976, eram os seguintes. Primeiro, uma inflação de custos salariais. Em 1975 e 76 os aumentos do salário nominal tinham sido da ordem de até 30%, o que previsivelmente gerou uma inflação próxima dessa magnitude. O segundo problema, que me parecia extremamente familiar, à vista da experiência brasileira, era o déficit do Tesouro. Esse era de tal ordem que as necessidades de financiamento do setor público eram calculadas em 12 bilhões de libras no ano fiscal de 1976-77. O terceiro problema era a posição extremamente débil da libra esterlina, até então uma moeda de reserva. No verão de 1975, a taxa anualizada de inflação alcançava cerca de 26,5%.

A Inglaterra se havia tornado um país não competitivo, com reajustamentos salariais divorciados da evolução da produtividade, gerando desconfiança nos mercados financeiros e forçando o Banco da Inglaterra a intervir, inutilmente, para

---

[403] Apud William Manchester, *The last lion*, New York, Laurel Paperback, 1973, p. 28.

sustentar a libra esterlina. A solução buscada pelos dois primeiros-ministros do Partido Trabalhista — Harold Wilson e James Callaghan — era o apaziguamento dos sindicatos através de um pacto social. É de justiça lembrar que Callaghan sempre revelou ceticismo quanto à viabilidade de pactos sociais, a não ser em prazo bastante curto. Em suas memórias, *Time and chance*, declara Callaghan textualmente:

> "Eu não posso ser acusado de ter falhado no reconhecimento de que uma política de rendas é um patrimônio esmaecente, e também não posso ser culpado por não encontrar uma alternativa viável antes que expirasse sua credibilidade."

Na opinião de Callaghan, a tentativa de pacto social era melhor do que uma cínica complacência na aceitação de altos níveis de desemprego, como defesa contra agressivas reivindicações salariais.[404]

Foi precisamente a coragem de aceitar altos níveis de desemprego que mais tarde levaria mrs. Thatcher a garantir, após longa treva, a recuperação da economia inglesa. Em 1976, como ferina líder da oposição, mrs. Thatcher chamava o primeiro-ministro Callaghan de "primeiro-ministro do desemprego". Em realidade, por ironia do destino, o desemprego dobraria no início do governo Thatcher. E serviu de instrumento cruel, porém eficaz, para a domesticação de sindicatos agressivos.

O ano de 1976 foi de grande instabilidade cambial. A libra, que no começo do ano estava cotada a US$1,84, caíra em abril/maio para cerca de US$1,70. Foi também o ano em que a Grã-Bretanha experimentou duas adversidades. Uma foi a grande seca de verão, em agosto, e a outra foi a humilhação, como grande potência que era, de ter que recorrer ao Fundo Monetário Internacional. As penosas e longas negociações com o Fundo Monetário Internacional começaram em novembro de 1976.

Em preparação psicológica para o recurso inevitável ao Fundo Monetário Internacional, em vista do perigo de exaustão de reservas, Callaghan produziu um famoso discurso na Conferência do Partido Trabalhista, em 28 de setembro de 1976, em Blackpool. Vale a pena citar um trecho, pelo que ele representa de extraordinário realismo. À luz da tradição paternalista do trabalhismo inglês, essas palavras significavam nada menos que uma *heresia*:

> "Por tempo demasiado longo, talvez mesmo desde a guerra, nós adiamos o enfrentamento de escolhas fundamentais e mudanças fundamentais em nossa sociedade e em nossa economia. Isto é o que eu quero dizer quando

---

[404] James Callaghan, *Time and chance*, Londres, Colins/Fontana, 1987, p. 417-18.

me refiro a viver com tempo emprestado. Por um período demasiado longo — todos nós, inclusive os membros desta conferência — aceitamos tomar dinheiro emprestado para manter o nosso padrão de vida, em vez de atacarmos os problemas fundamentais da indústria britânica. Os governos de ambos os partidos fracassaram em acender os fogos do crescimento industrial da maneira que outros países, com filosofias políticas e econômicas diferentes, o tinham feito."

A frase mais revolucionária, que depois se tornou famosa, assim rezava:

"Nós costumávamos pensar que podíamos sair da recessão aumentando os gastos e aumentando o emprego, cortando impostos e incrementando a despesa do governo. Digo-vos com toda franqueza que essa opção não existe mais e, se é que ela jamais existiu, isso se deveu, desde a guerra, ao artifício de se injetar uma dose maior de inflação na economia, à qual se seguiria, como passo ulterior, um nível mais alto de desemprego. Inflação mais alta seguida por desemprego mais alto."

Essas palavras, chocantes para o Partido Trabalhista, seriam depois parte da pregação diária de Margareth Thatcher ao fazer sua "revolução regeneradora".

Para um embaixador brasileiro que assistira de perto à briga do presidente Kubitschek com o FMI, a cena parecia deprimentemente familiar. Abundavam discursos no Parlamento que denunciavam o acordo com o FMI, o qual insistia numa redução do déficit público, como "agressão à soberania nacional". Aparentemente, não só a ala mais esquerdizante do Partido, liderada por Tony Benn, mas também o Foreign Secretary, Tony Crosland, um homem de grande influência intelectual no Partido, ameaçavam renunciar ao gabinete, o que certamente provocaria uma queda do governo. O acordo foi finalmente extraído a duras penas, em começo de dezembro de 1976, concordando o governo inglês em cortar seu déficit, a ser financiado no mercado financeiro, de 10,2 bilhões de libras para 8,6 bilhões. Esse acordo com o FMI, segundo o qual o governo se engajava numa redução de seu déficit em cerca de 14%, amenizou substancialmente a crise do esterlino. Na realidade a Inglaterra não chegou a sacar senão metade dos recursos negociados com o FMI. E um ano depois ela liquidava seus débitos. Um dos efeitos favoráveis do acordo foi ter possibilitado a redução do papel do esterlino como moeda de reserva, através de arranjos para liquidação gradual dos balanços em esterlinos, mantidos em Londres por cerca de 11 países.

A posição do Partido Trabalhista, entretanto, era bastante precária. Até 1976, quando renunciou, o primeiro-ministro Wilson não tinha senão uma maioria de dois membros na Câmara dos Comuns. Quando Callaghan assumiu o poder essa maioria praticamente desapareceu e ele teve que fazer uma coalizão com o Partido Liberal.

Assisti na Inglatera à vida e morte do "contrato social", o que me tornou permanentemente cético sobre esses arranjos heterodoxos que, sob o pretexto de evitar o desemprego resultante da política monetária e fiscal, acabam perpetuando-o. Àquela época entretanto o contrato social parecia funcionar. Os sindicatos haviam concordado, em 1976, em aumentos salariais de apenas 8%, para uma inflação que beirava os 20%. Aceitava-se assim uma queda substancial de salários reais. Segundo a "economia da inveja", esse sofrimento era atenuado pelo fato de que se impunham também limites à distribuição de dividendos, numa espécie de "distribuição de sacrifícios". O governo era chamado também a dar a sua parte, através de corte de gastos.

O contrato social, feito por dois anos, expiraria em agosto de 1978. Callaghan procurou estendê-lo, fixando uma norma salarial de 5% ao ano, o que, com a margem de acomodação inevitável nas negociações salariais, representaria um aumento de cerca de 7 a 8%, nível em que se esperava se situasse a inflação. Mas mesmo esse nível era exagerado no contexto europeu, extremamente competitivo.

Callaghan tinha razão ao dizer que "não há que ter ilusões; pactos sociais só funcionam no curto prazo". Já em 1979, aguçaram-se de novo as reivindicações trabalhistas. A briga era não só por majorações salariais, impossíveis numa economia de baixa produtividade, mas também pelos chamados "diferenciais". À medida que um grupo de sindicatos obtinha um reajuste, os outros sindicatos se mobilizavam para preservar o diferencial anteriormente existente. Era uma espécie de jogo de pingue-pongue. Mais tarde eu assistiria a um fenômeno semelhante no Brasil. É o diferencial entre o Banco Central e o Banco do Brasil. Aquele procura sempre manter uma margem sobre este, em virtude de sua função-mor de autoridade monetária. À medida que o Banco Central muda de patamar, segue-lhe no encalço o Banco do Brasil e vice-versa.

O contrato social expirou definitivamente durante o chamado *winter of discontent*, em 1979. Sucediam-se greves selvagens atingindo mesmo serviços públicos essenciais. O ponto culminante foi a greve dos coveiros em Liverpool, que deixou cadáveres insepultos, e resultou numa maciça rejeição da opinião pública em relação à prepotência dos sindicatos. A essa altura, o Partido Liberal havia desertado da coalizão com os trabalhistas.

Um outro fator detonador da queda trabalhista foi o projeto de lei sobre a autonomia da Escócia. O Partido Trabalhista sempre teve uma larga base escocesa, enquanto que os bastiões fundamentais do Partido Conservador estavam no Sul e Leste da Inglaterra. O governo conseguiu êxito na sua aprovação do plebiscito sobre autonomia do País de Gales. Foi derrotado em projeto semelhante relativo à Escócia. Na visão dos conservadores, o governo trabalhista estava descentralizando demais em favor da Escócia. Do ponto de vista do Partido Nacionalista escocês, a oferta de autonomia financeira e administrativa era insuficiente.

O governo Callaghan perdeu uma moção de confiança em 30 de março de 1979, por apenas um voto. As eleições gerais foram convocadas para maio de 1979, registrando-se a vitória do Partido Conservador, por uma margem de 43 votos, na Câmara dos Comuns. O que era considerado fantasioso quando Churchill escreveu o seu artigo irônico para o *Collier's Magazine*, tornou-se realidade. Margareth Thatcher era a primeira mulher primeira-ministra da Inglaterra!

Os anos de Wilson e Callaghan foram para mim férteis em lições. Convenci-me da ineficácia das receitas trabalhistas de paternalismo governamental; convenci-me da inutilidade de ataques gradualistas à inflação; convenci-me das enormes desvantagens da estatização de empresas, que passam a representar enorme carga orçamentária. A British Steel e a British Leyland, por exemplo, drenavam vastos recursos orçamentários até que mais tarde, no governo Thatcher, fossem purificadas à custa de um grande desemprego.

Fiz numerosos amigos no governo. Aproximei-me particularmente de Callaghan, que havia conhecido incidentalmente em 1967, como chanceler do Exchequer, e com quem depois convivi como secretário do Exterior e primeiro-ministro. Tive bem menor relacionamento com Harold Wilson. Mantivemos algum contato durante a visita do ministro do Exterior, Azeredo da Silveira, em setembro de 1975, e posteriormente durante a visita do presidente Geisel, em 1976, quando Wilson lhe ofereceu um almoço na residência oficial, número 10 Downing Street. Essa mansão famosa, onde viveram grandes figuras como Pitt, Gladstone, Disraeli, Lloyd George e Churchill, e que é hoje o centro do poder na Inglaterra, teve no passado destinações bem menos nobres. Conta-se que Carlos II, da dinastia dos Stuart, a usava para manter suas amantes que, quando carentes de seus favores, ofereciam-se da janela aos transeuntes, em troco de uma prestação financeira. Tornou-se a residência do primeiro-ministro apenas em 1732, quando o rei George II a presenteou a sir Robert Walpole, que pela primeira vez exerceu o cargo de primeiro-ministro da Inglaterra. Por uma dessas curiosidades inglesas, como Walpole era também o responsável pela bolsa real, a placa de frente do número 10 de Downing Street se sobrepõe a uma desgastada plaqueta de metal, com a inscrição: "Primeiro Lord do Tesouro".

Apesar de minhas simpatias ideológicas se orientarem muito mais no sentido das teorias do Partido Conservador, vi com pesar a queda do governo trabalhista. Além de Callaghan, tive vários amigos no governo. Curiosamente, nem tanto no ministério do Exterior. O primeiro secretário de Estado com quem convivi foi Tony Crosland, um homem de grande valor intelectual, um dos teóricos do trabalhismo. Morreu entretanto em 1976, antes que eu conseguisse uma aproximação mais íntima.

Havia conhecido Crosland acidentalmente antes de o Partido Trabalhista ganhar as eleições de 1974. Ele estava então na oposição e visitou o Brasil. Recebi-o no Rio de Janeiro, por recomendação do professor Nicholas Kaldor, um económista de Cambridge, que também conhecera em visita ao Brasil, e que exerceu forte influência sobre toda uma geração de economistas da Cepal. Kaldor, depois designado para a Câmara dos Lords, fazia parte do chamado "bando dos húngaros", um grupo de economistas que exerceu bastante influência intelectual na vida inglesa e que acabou todo na Câmara dos Lords, como pares do Reino.[405]

Um deles era Eric Roll, autor de um admirável tratado sobre a história das idéias econômicas. Outro era um pedante economista, Lord Balogh, professor em Cambridge. Era um crente no dirigismo desenvolvimentista. Pretensioso e loquaz, dele dizia Harold Wilson que havia três tipos de conversação na Inglaterra: o monólogo, o diálogo e o "Balogh".

Quando Crosland visitou o Rio de Janeiro, eu estava fora do governo. Levei-o para um passeio de iate na baía de Guanabara. Lembro-me que voltara de São Paulo apavorado. Preocupava-o a ausência de verde e de espaço para lazer.

— As crianças não têm onde jogar futebol. Essa cidade será uma fábrica de neuróticos. Em Londres, ninguém está a mais de cinco minutos de distância de uma área verde.

O sucessor de Tony Crosland foi um jovem médico do Partido Trabalhista, David Owen, que depois formaria uma ala dissidente do Partido Trabalhista, chamado Partido Social Democrático, composto por uma dissidência de alguns membros do Partido Trabalhista como Roy Jenkins, ex-chanceler do Erário, e Shirley Williams, ex-ministra da Educação. Os social-democratas depois se coligaram com o Partido Liberal, liderado por David Smith.

David Owen, que como médico visitara o Brasil, era algo presunçoso, bem apessoado e excelente orador. Não era pessoa de fácil contato.

As peculiaridades da legislação eleitoral inglesa dificultam enormemente a ascensão ao governo de um terceiro partido. A alternância que era, antigamente, entre os tories e os liberais, passou a ser na última metade do século entre os trabalhistas e os conservadores. O voto é distrital, segundo o sistema *first past the post*. Não há

---

[405] Kaldor é um economista de fértil imaginação, dirigista demais para o meu gosto. Uma de suas invenções fora o *Selective Employment Tax*, depois rejeitada por Callaghan, que tributaria a ocupação da mão-de-obra nas indústrias de serviços a fim de encorajar sua transferência para as indústrias manufatureiras. A presunção, hoje desatualizada diante da revolução tecnológica na informática, era a superior produtividade da indústria manufatureira, comparativamente aos serviços. Outra de suas idéias era a substituição do imposto sobre a renda produzida, por um imposto sobre a renda consumida. Isso não só estimularia a poupança como simplificaria enormemente a burocracia do imposto. Por motivos que nunca compreendi bem, pois a idéia me parecia lógica, a *expenditure tax* (imposto sobre a renda consumida) nunca despertou maior entusiasmo. Foi tentada sem êxito na Índia e parece que fugazmente no México, sendo os ministros da Fazenda depois destronados. Dizia-se por isso em Londres que as propostas de Kaldor eram fascinantes para os economistas, porém perigosas para os políticos...

proporcionalidade na votação distrital. Quem ganha, ainda que seja por um voto, leva todo o distrito. Foi uma eterna reivindicação do Partido Liberal, que depois se tornou o terceiro partido, bastante atrás dos trabalhistas, a adoção do voto proporcional, ao qual sempre resistiram tanto os trabalhistas como os conservadores.

No Foreign Office, meu contato mais íntimo era com o subsecretário Parlamentar, Ted Rowlands, um galês espirituoso e extremamente bem informado. Com ele discuti toda a preparação da visita Geisel, assim como os acordos financeiros que se seguiram.

Minhas amizades principais estavam no lado econômico do governo. Tinha grandes afinidades com o chanceler do Erário, Denis Healey. Tratava-se de um homem densamente culto em letras clássicas, formado no Colégio Balliol, de Oxford. Era assaz mordaz, com excelente cultura artística. Exerceu a chefia do Erário num período extremamente conturbado, em que a libra esterlina estava sob ataque. Os sindicatos rebeldes dificultavam a luta contra a inflação, tornando necessário o recurso ao Fundo Monetário Internacional. Depois que saiu do governo, encontrei-me várias vezes com Healey, na Grécia, onde anualmente se realizava um seminário sobre a conjuntura internacional, promovido por um banqueiro inglês de origem grega, Mike Zambanaki. Denis Healey se divertia em ridicularizar Mrs. Thatcher, acusando-a de praticar um *punk monetarism* (monetarismo calhorda).

Outra figura bastante interessante era Harold Lever, o chanceler do Ducado de Lancaster, título bizarro, que esconde uma real função, equivalente à do nosso ministério do Planejamento. É o homem encarregado de fabricar idéias e projeções de longo prazo. Harold Lever é um dos melhores conversadores que já conheci. De origem judia, nascido no País de Gales, metralhando as palavras de forma difícil para o entendimento de um estrangeiro, e coxeando sempre de uma das pernas, era uma mentalidade cativante. Já àquela época ele se preocupava intensamente com o problema de endividamento externo do Terceiro Mundo. Escreveu depois um livro sobre o assunto intitulado *The debt problem* propondo, muito antes que estourasse a crise do México, uma solução que envolveria a criação de um fundo de garantia, pelos países credores, para apoio à emissão de "bônus de conversão", para alongamento da dívida do Terceiro Mundo. Com a mordacidade que os judeus têm sobre si mesmos, contava Harold Lever que, quando jovem, em Manchester, decidira abrir um negócio à base de dinheiro emprestado. Um amigo galês, povo de conhecido pão-durismo, desaconselhou-o fervidamente, dizendo que "formar um negócio sem capital é suicídio".

— Para um galês — respondeu Harold Lever — a dívida é um perigo; para um judeu, uma oportunidade.

E conseguiu fazer fortuna...

• *Com o embaixador e ex-ministro Walther*
Moreira Salles. Julho de 1984.
Foto: M. Soares. O Globo.

• *Com o secretário de Estado George Schultz e o*
embaixador americano Diego Asêncio, durante
passeio pela Baía de Guanabara. 1987.
Foto: Arquivo do autor.

• *Na tribuna do Senado, questionando o ministro da*
Fazenda (Dilson Funaro). Brasília. 2.12.1986.
Foto: José Varella. Jornal do Brasil, (pág. ao lado)

• *Com Dan Quayle, vice-presidente no governo*
Bush, e Tom Jobim, em Nova York. 1988.

Foto: Arquivo do autor.

• *Com o presidente George Bush,*
durante sua visita ao Brasil.
3.12.1990.
Foto: Official White House Photograph.

• *Com o filho Bob*
na estação de trem para Kioto.
Tóquio. Maio de 1988.
Foto: Arquivo do autor.

• *Com Théophilo de Azeredo Santos, Mikhail Gorbatchov, Aristóteles Drummond e Raissa Gorbatchov. Dezembro de 1992.*

Foto: Marcos Ramos. O Globo.

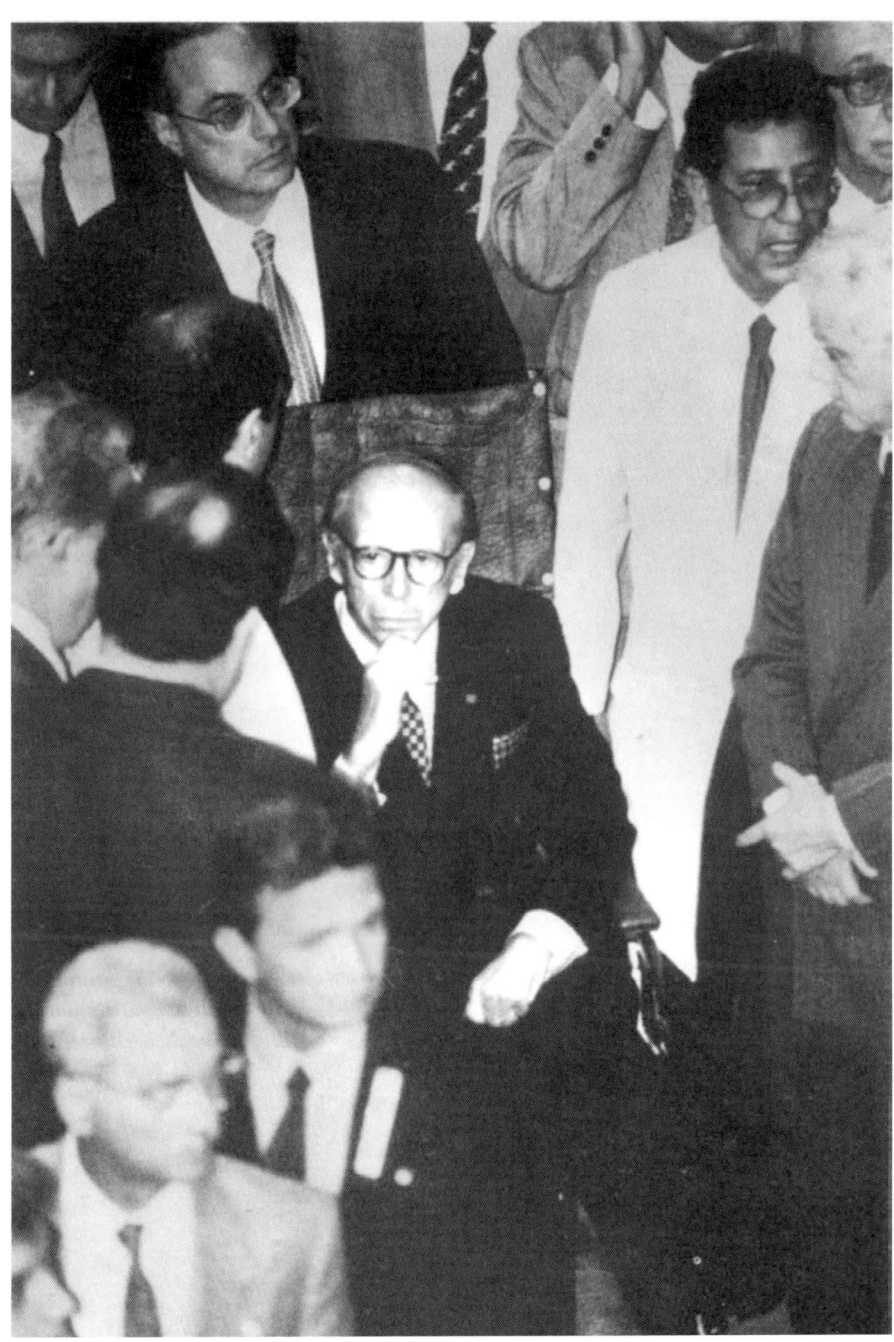

• *Com Paulo Maluf na sessão da Câmara dos Deputados que
votou o impeachment do presidente Fernando Collor. Brasília. 29.9.92.*
Foto: Orlando Brito. Abril Imagem.

• *Com Margaret Thatcher, ex-primeira-*
ministra da Grã-Bretanha, durante sua
visita ao Brasil. São Paulo. 1994.
Foto: Gilda Mattar.

• *Com o jornalista Roberto Marinho,*
presidente das Organizações Globo.
Rio de Janeiro. 23.5.94.

Foto: Marcos André Pinto. O Globo.

• *Com Henry Kissinger, ex-secretário*
de Estado de Nixon e Gerald Ford, e Lord
Thornycroft, no Hotel Cipriani, em Veneza,
durante encontro promovido pela Banca
Nazionale del Lavoro. 8.10.1995.
Foto: Arquivo do autor.

• *Com o príncipe*
Charles no palácio de
Buckingham. 1976.
Foto: Arquivo do autor.
(pág. ao lado)

• *Reunião da Comissão Pearson, encarregada pelo Banco Mundial da preparação do relatório "Partners in Progress", Ottawa, 1969. Na cabeceira: Lester Pearson, ex-primeiro-ministro do Canadá e Prêmio Nobel da Paz. À direita: Roberto Campos, Arthur Lewis (Jamaica) e Saburo Okita (Japão). À esquerda: Sir Edward Boyle (Inglaterra), Robert Marjolin (França), Douglas Dillon (Estados Unidos) e Wilfred Gutt (Alemanha).*

Foto: Arquivo do autor.

Festejando os 80 anos de Eugênio Gudin. Rio de Janeiro, 1966.
Foto: O Globo.

• *Com o deputado Adauto Lúcio Cardoso, o*
presidente Castello Branco, o desembargador
Júlio Alberto Alvares e o empresário Sebastião
Camargo, Rio de Janeiro. 1966,
Foto: Revista Chuvisco.

• *Com David Rockefeller, durante reunião do*
Conselho Consultivo Internacional da Banca
Nazionale del Lavoro. Maio de 1993.
Foto: Arquivo do autor.

• *Com Delfim Netto na Comissão*
da Ordem Econômica. 13.6.1987.
Foto: Moreira Mariz.
Folha de São Paulo,
(pág. ao lado)

• Recebendo, com o presidente
Juscetino Kubitschek,
o secretário de Estado
americano John Foster Dulles.
À direita de Dulles, Roberto
Campos, à esquerda de
Juscetino, Edmundo Barbosa
da Silva. No centro, Hugo
Gouthier. Rio de Janeiro.
Agosto de 1956.
Foto; Arquivo do autor.

• Com Lleras Restrepo, presidente da Colômbia, Eustáquio
Escandón, William Barlow e Carlos Ons Cotello, membros
do CICYP. Bogotá. 1969.
Foto; Arquivo do autor.

O THATCHERISMO
COMO DOUTRINA

A campanha de Margaret Thatcher, que ganhou as eleições em maio de 1979, foi, sob certos aspectos, paradoxal. Ela era uma populista, que não se preocupava entretanto em parecer popular. Nas pesquisas de opinião, o Partido Conservador avançava sobre o Trabalhista, mas em termos de personalidade, Callaghan estava muitos pontos à frente de mrs. Thatcher. A plataforma dos conservadores estava longe de ser particularmente sofisticada. Seu *slogan* principal era a "regeneração econômica" e, ironicamente, uma promessa de curar as filas de desemprego. Particularmente eficaz foi um *slogan* amplamente divulgado em *outdoors* de campanha, bolado pela criativa firma publicitária Saatchi and Saatchi, fundada por dois jovens iraquianos. O cartaz que "colou" retratava uma fila de desempregados, com uma simples inscrição em letras garrafais: *Labour is not working* — o trabalhismo não funciona. Talvez a razão principal da vitória conservadora não tenha sido o atrativo de sua plataforma e sim o desencanto e cansaço dos ingleses com a prepotência dos grevistas sindicais que se consideravam, por assim dizer, donos do governo. Havia, em suma, uma revolta contra o "corporativismo sindical". A maior contribuição de Margaret Thatcher, como o fez notar o seu biógrafo, Hugo Young, em seu livro *One of us*, foi a clareza de seus objetivos e a rigidez de seu compromisso com propósitos definidos.

Em sua primeira conferência como líder dos *tories*, mrs. Thatcher explicitou, de forma que se tornou clássica, sua filosofia de governo:

> "Deixai-me dar-vos minha visão: o direito do homem ao trabalho, o direito de gastar o que ele ganha, o direito de ter sua propriedade, ter o Estado como servo e não como senhor — eis a herança britânica. Nisso está a essência de um país livre, e dessa liberdade defluem todas as outras."[406]

Em sua campanha, atacou violentamente o punitivo sistema fiscal inglês. Esse era praticamente confiscatório no tocante às rendas mais altas, pois que a taxa marginal atingia 83%, o que tinha o efeito de estimular a busca de paraísos fiscais e provocar uma emigração de talentos, seja artísticos, seja científicos, seja empre-

---

[406] Apud Hugo Young, *One of us*, Londres, MacMillan, 1989, p. 104.

sariais. Para mrs. Thatcher, essa tributação punitiva era um símbolo do socialismo, ou seja, "um símbolo de inveja".

A plataforma conservadora estava longe de soar revolucionária. No entanto mrs. Thatcher acabou provocando uma verdadeira revolução na cultura econômica inglesa. Um dos objetivos era a redução de impostos, e nisso Thatcher foi uma precursora do "reaganismo". Um segundo ponto era a boa administração doméstica ou, como diziam os conservadores, *good housekeeping* — traço que sem dúvida era chamativo para a classe média. Um terceiro objetivo, esse declarado fundamental, era o controle dos gastos públicos. Conquanto vários dos seus principais assessores fossem monetaristas, como o professor Patrick Minford, da Universidade de Liverpool, Bryan Griffiths, da City University, e, o mais importante de todos, Alan Walters, tratava-se, no caso de mrs. Thatcher, de uma percepção intuitiva antes que de uma convicção sofisticada.

Como o incentivo à produtividade e criatividade individual era um dos grandes valores básicos, Thatcher, quase que imediatamente, fez baixar a taxa marginal superior do imposto de renda de 83 para 60%. Como essa atitude conflitava com o objetivo de equilíbrio fiscal, foi tomada a decisão de praticamente dobrar o VAT (*value added tax*), ou seja, o imposto sobre o valor adicionado.

Logo no início do governo, ao analisar a política econômica, indiquei ao Itamaraty que três erros haviam sido cometidos, que atrasariam o combate à inflação e poderiam fazer perigar o programa de governo. O primeiro era precisamente a substituição da tributação direta, exagerada sob a ótica da ideologia conservadora, pela elevação dos impostos indiretos, que impactavam instantaneamente sobre os índices de custo de vida, dificultando a reversão das expectativas inflacionárias. O segundo erro resultara de uma promessa de campanha. No entusiasmo eleitoral, mrs. Thatcher havia prometido implementar as recomendações de uma comissão criada ao tempo do partido trabalhista, a chamada Comissão Clegg, sobre salários do funcionalismo público. Essas recomendações levariam a um aumento de não menos de 25%, ao longo de 12 meses, da folha salarial do funcionalismo público. Isso, obviamente, geraria uma reação em cadeia, pois que excitaria os sindicatos a buscar concessões equivalentes no setor privado, conquanto a defasagem dos salários públicos fosse geralmente admitida. Um terceiro problema adveio involuntariamente. Com o início da produção de petróleo no mar do Norte, em 1979, a libra esterlina se transformou subitamente em "moeda petróleo" e experimentou rápida valorização. Essa se baseava muito na produção apenas potencial e tinha efeitos profundamente negativos sobre a já fraca competitividade inglesa.

Não resta dúvida que a valorização excessiva do esterlino em face do dólar e de moedas européias provocou uma grave recessão industrial com subseqüente escalada do desemprego. Assim, bizarramente, a promessa de campanha de reduzir o desemprego da era trabalhista redundou num forte aumento do desemprego sob os conservadores. A sobrevalorização do esterlino dificultava sobremodo as exportações manufatureiras e encorajava as importações.

Foi a época em que um dos temas mais ferventes e freqüentes na discussão econômica (paralelamente também na Suécia, que experimentava um problema um pouco menor de sobrevalorização da taxa cambial) era a "desindustrialização". A Inglaterra começava a perder terreno, sobretudo para a Alemanha e Japão, e começava a ressentir-se do surto inicial de exportações manufatureiras dos tigres asiáticos. O receio da "desindustrialização" era também vocalizado por economistas suecos.

Em várias de minhas conferências em Londres, apontei um irônico paradoxo. Enquanto se alastrava na Europa o receio da "desindustrialização" diante do surgimento de competidores industriais como o Brasil e os tigres asiáticos, estes últimos países tinham o receio diametralmente oposto. Era que a automação e a robótica, diminuindo sua vantagem comparativa em mão-de-obra barata, ensejasse uma "reindustrialização" dos setores em declínio nos países de industrialização avançada.

Uma das dificuldades de Thatcher era que a tecnocracia britânica, fundamentalmente keynesiana, se via chamada a aplicar uma política monetarista. A primeira manifestação da política monetarista foi o orçamento do ano fiscal de 1979-80, que contemplava substancial redução de despesas. Formulou-se também à época a fórmula chamada "estratégia financeira de médio prazo", através da qual se firmavam metas máximas de expansão monetária, a serem observadas ao longo de três anos, com o propósito de criar para a iniciativa privada parâmetros confiáveis, e ao mesmo tempo disciplinar a ação do Tesouro.

Um dos complicadores da missão disciplinadora de mrs. Thatcher era a divisão do gabinete entre o grupo *dry*, intransigente no monetarismo, e o grupo *wet*, ainda não libertado das teorias keynesianas e disposto a algumas acomodações com as tradições paternalistas do trabalhismo. O chanceler do Erário, sir Geoffrey Howe, ainda que sem convicção ideológica comparável à de mrs. Thatcher, foi um fiel cumpridor das políticas monetaristas. Estas eram também fortemente apoiadas pelo secretário do Comércio e Indústria, sir Joseph Keith, que havia tido papel importante na conversão de Thatcher ao monetarismo, depois de ter sido ele próprio, por longo tempo, um semipopulista. Os dissidentes eram sobretudo Francis Pym, ministro da Defesa, que chegou a ameaçar com sua renúncia, e James Prior, ministro do Trabalho, que tinha a difícil missão de aplacar os sindicatos. Este depois viria prestar útil serviço. Seu estilo moderado tornou factível a revisão da legislação trabalhista, essencial para a recaptura da produtividade inglesa.[407]

---

[407] Para uma descrição arguta dos bastidores da política inglesa, leia-se Hugo Young, *One of us*, Londres, MacMillan, 1989, p. 129-130.

Os debates sobre o orçamento 79-80 ameaçaram, assim, a integridade do gabinete. Margaret Thatcher se manteve firme e no final conseguiu o apoio de Lord
Carrington, o secretário do Exterior, e de William Whitelaw, o secretário do
Interior. Foi nessa época, à luz das inúmeras dúvidas, que mrs. Thatcher revelou
grande fortaleza de caráter na pregação gêmea da austeridade pública e responsabilidade do indivíduo. Popularizou intensamente pela televisão o *slogan* "TINA",
ou seja, *there is no alternative*. Lembrei-me, com certa satisfação, que quando
eu enfrentara, quinze anos antes, no governo Castello Branco, a necessidade
de implantar um programa de austeridade, minha resposta aos opositores, inclusive Carlos Lacerda, era simplesmente formular-lhes a pergunta fatal: "Qual é a
alternativa?"

Um fator decisivo na luta em favor da aplicação de princípios monetaristas foi o
professor Alan Walters, que regressou à Inglaterra em fins de 1979. Era um
homem avesso ao pânico e foi importante fator de firmeza na política de saneamento financeiro do déficit público. Na realidade sua proposta era, no clima recessivo de então, considerada escandalosa: um corte de nada menos que 4 bilhões de
libras no orçamento público. Cheguei a ter bastante intimidade com Walters. Sua
firmeza e sangue-frio, pouco admirados no meio acadêmico de onde proviera, me
impressionaram muito. Quando foi votado o segundo orçamento, relativo ao ano
fiscal de 80-81, a Inglaterra estava em profunda recessão. Mrs. Thatcher cometeu
um ato ousado, que então parecia quase suicida: propôs um orçamento duro e
recessivo, que se sabia elevaria o desemprego a níveis intimidantes, já que a contração de gastos públicos não poderia ser imediatamente compensada.

Depois de sair de Londres, só me avistei com Alan Walters uma vez, em fins de
1984. Visitando Brasília, telefonou-me e convidei-o para um almoço. Na ocasião
eu estava particularmente deprimido, pois havia perdido no Senado a batalha contra a Lei de Informática, que me parecia uma receita de atraso e uma forma de
protecionismo obscurantista que, longe de nos garantir autonomia tecnológica, iria
retirar o Brasil da corrida tecnológica e condená-lo à obsolescência industrial.
Walters consolou-me dizendo que em 1975 havia renunciado à sua cátedra na
London School of Economics para aceitar um emprego na Califórnia. Segundo ele,
a Inglaterra estava irremediavelmente contagiada por uma visão socializante, que
só faria agravar seus problemas.

— A escolha que tínhamos — dizia Walters — era entre o trabalhista Wilson e o
conservador Heath, e isso significava nenhuma opção de verdade.

Alan Walters comungava na convicção de mrs. Thatcher de que, quando o
primeiro-ministro Heath fez meia-volta volver, em 1972, abandonando o mercado
livre em favor de políticas corporativistas, tinha traído o Partido Conservador e
contribuído, quase tanto como os trabalhistas, para a decadência britânica.

— Assim — disse-me Walters — você não deve desanimar. Quatro anos depois de eu dar a Inglaterra como perdida, fui chamado de volta numa extraordinária reviravolta cultural por mrs. Thatcher, encarregado de implantar a economia de mercado. O seu dia chegará também. É necessário paciência e "saco" para aceitar temporariamente a marcha da loucura.

Até hoje estou esperando que o Brasil se cure das loucuras, conquanto a loucura informática teria prazo marcado para terminar: outubro de 1992.

O ponto negro do primeiro governo conservador foi a segunda metade de 1980. Tudo parecia dar errado. A produção manufatureira declinava; o desemprego num só ano aumentara de 836 mil, a maior alta em um ano desde 1930. Além disso, a taxa cambial se valorizara em 12%, o que feria mortalmente a competitividade da indústria britânica. Até mesmo a Confederação da Indústria Britânica, entidade patronal, passou a duvidar da sanidade da política conservadora.[408]

Quando, no segundo ano de recessão, foi apresentado um orçamento ainda mais restritivo, os protestos foram gerais. Lembro-me de um manifesto assinado por 364 eminentes economistas ingleses, predizendo uma inexorável degradação da economia britânica, feito que tornaria indispensável uma revisão da política monetarista. Desde então Margaret Thatcher adquiriu um solene e justificado desprezo pelos economistas, porque exatamente naquele momento se produzia, despercebida dos técnicos, uma reversão de expectativas. A população, convencida da firmeza do governo, passou a acreditar que a inflação seria debelada e, conquanto as metas de expansão monetária excedessem substancialmente o planejado, a inflação começara a declinar. Um dos ministros de Estado, Ian Gilmour, depois demitido do gabinete, chegara a declarar em discurso em Cambridge que

> "Na visão conservadora, o liberalismo econômico à la professor Hayek, por causa de sua brutalidade e sua falha na criação de um sentido de comunidade, não é uma salvaguarda da liberdade política mas uma ameaça a ela."[409]

Em termos mecanicistas, o desempenho da política monetária estava longe de ser brilhante. A "estratégia financeira de médio prazo" previa um crescimento da moeda na faixa de 7 a 10%, e a real expansão monetária foi de 18,8%, continuando nesse nível no ano seguinte. O que houve entretanto foi uma violenta diminui-

---

[408] Nunca como então foi mais merecido o apelido de "Dama de ferro". O apelido irônico de *Iron Lady* foi dado pela primeira vez a Margaret Thatcher pela agência russa de notícias *Tass* quando ela, como líder da oposição em 1977, criticara o tratado anglo-soviético de comércio firmado pelo primeiro-ministro Harold Wilson, que segundo ela poderia ser caracterizado como uma adulação da União Soviética.

[409] Hugo Young, *One of us*, Londres, MacMillan, 1989, p. 200.

ção da velocidade de circulação, com o resultado da reversão de expectativas. A chacota de Ian Gilmour de que o monetarismo "era o incontrolável a perseguir o indefinível" se mostrou vazia.

Respondendo aos 364 economistas, Margaret Thatcher debochou-os por viverem no país da fantasia, pronunciando as seguintes frases, em reunião do Conselho Conservador Central, em 1981:

"Oh, sim, eu sei, disseram-nos recentemente não menos do que 364 economistas acadêmicos, que as coisas não podem continuar assim, que a empresa britânica está perdida. A confiança deles na couraça de suas próprias previsões deixa-me estarrecida. Mas, tendo eu em meu passado sido criada num andar acima de uma loja, pergunto-me às vezes se estariam dispostos, a apostar nas suas previsões com o seu dinheiro, pois eu não posso senão notar que aqueles que têm de fazer precisamente isso — as instituições investidoras que têm de mostrar desempenho em seu julgamento — transmitem-nos uma mensagem diferente."

Um dos objetivos da política de Margaret Thatcher era reduzir o poder dos sindicatos trabalhistas. Isso foi possível fazer mais tarde, com a revisão da legislação trabalhista, porque os sindicatos britânicos não teriam condições políticas de repetir o grevismo selvagem de 1979, e também porque perderam em duas confrontações. A primeira, foi a grande greve dos mineiros de carvão, que durou 9 meses e pôs em confrontação direta mrs. Thatcher e o líder trotskista Arthur Scargill, do sindicato dos mineiros. Ao contrário do que sucedera quando os mineiros de carvão praticamente derrubaram o governo conservador de Heath, mrs. Thatcher se havia bem aprovisionado com estoques de carvão e, como golpe adicional, admitiu importações de carvão estrangeiro. A segunda confrontação foi na greve na British Steel, empresa altamente deficitária, que chegara a perder 600 milhões de libras por ano e que, com um expurgo do funcionalismo excedente, compactação do número de fábricas e especialização em aços de melhor qualidade, conseguiu tornar-se, já em 1988, talvez a companhia de aço mais eficiente do mundo, superando mesmo produtores de baixo custo como a Coréia e o Brasil. Os três principais instrumentos usados por mrs. Thatcher para a domesticação dos sindicatos foram (a) A obrigatoriedade da coleta de votos majoritários previamente à decretação de greves, recorrendo-se ao voto por via postal, para evitar a predominância de minorias ativistas; (b) A responsabilização criminal e civil dos sindicatos por danos causados em virtude de greves ilegais; e (c) A proibição de piquetes "ofensivos", garantindo-se o "direito ao trabalho". A obrigatoriedade do voto postal foi decisiva na derrota de minorias trotskistas infiltradas nas direções sindicais.

O primeiro mandato de Margaret Thatcher foi consumado em acrimônia, já que os resultados não eram dramaticamente visíveis. As grandes idéias, como o programa de privatização, estavam meramente esboçadas, mas na realidade só viriam a se transformar num programa concreto, e imensamente popular, no decurso do segundo mandato. Diz-se que a recondução de Thatcher ao governo foi devida principalmente à sua coragem e determinação no conflito das ilhas Malvinas (que os ingleses chamam sempre de ilhas Falklands), de que resultou uma vitória sobre a Argentina. A embaixada do Brasil se viu, involuntariamente, bastante envolvida no problema diplomático gerado pelo conflito das Malvinas pelo fato de que, rompidas as relações entre a Grã-Bretanha e Argentina, o embaixador do Brasil ficou encarregado do tratamento dos interesses argentinos em Londres.

O CONFLITO
DAS MALVINAS

A história do conflito das Malvinas tem ainda alguns aspectos obscuros. Parece ter havido dois detonadores. De um lado, o desejo dos militares argentinos de desviar a atenção dos graves problemas econômicos domésticos, brandindo um tema passional, capaz talvez, senão de garantir a unidade nacional, pelo menos de atenuar a oposição ao governo militar. A repossessão das ilhas Malvinas sempre foi uma secular pretensão argentina. Um outro fator foi uma sinalização aparentemente errônea da Inglaterra, quanto ao seu grau de determinação na preservação das ilhas. A decisão de ir à guerra sobre o assunto parecia absurda. Afinal de contas a ilha tinha pouco significado econômico, nenhum interesse para a defesa britânica, e o número de colonos montava apenas a 1.800. Seria certamente mais barato pensioná-los a 200 mil dólares por cabeça para emigrarem para climas cultural e ecologicamente afins, como o da Nova Zelândia, do que incorrer em dispêndio imprevisível com uma grande expedição militar.

Os trabalhistas inculparam o gabinete conservador de grave erro de julgamento. Conforme relata Callaghan em suas memórias, o governo trabalhista tinha estado atento ao problema das Malvinas e chegara mesmo a enviar temporariamente uma fragata para reforçar sua presença naval no Atlântico Sul. A instabilidade política na Argentina e a rivalidade entre grupos militares deixavam entrever a possibilidade de alguma belicosidade imprudente. Foi uma época de atritos não só com a Inglaterra, mas também com o Chile, sobre o canal de Beagle. Segundo Callaghan, em abril de 1975 a embaixada britânica na Argentina informou que Vignes, ministro do Exterior da Argentina, tinha declarado que, se a Grã-Bretanha não estivesse preparada para negociar, "a única outra opção aberta ao governo argentino era o recurso à força". A resposta de Callaghan, transmitida a Buenos Aires, era de que a Inglaterra defenderia as ilhas Falklands. Qualquer ataque militar precipitaria um conflito.

A Junta Militar argentina deve ter interpretado a retirada, em junho de 1981, pelo governo conservador, da fragata *Endurance*, da patrulha do Atlântico Sul, como uma mudança de política e evidência de desinteresse no destino das ilhas distantes. Foi um erro fatal. A Marinha argentina se dispôs logo a explorar essa suposta fraqueza e iniciou o conflito pela ocupação das ilhas de South Georgia. O

Exército parecia um pouco menos entusiasmado com a operação. A força mais realista e prudente era a Força Aérea, que acabou sendo a única a ter um desempenho militar razoável.

Anteriormente, na esperança de evitar a perspectiva de confrontação, o governo britânico enviara à Argentina uma missão, chefiada por Lord Shackleton, para estudar a possibilidade de *joint ventures* entre as duas nações, não só em matéria de pesca, mas sobretudo em matéria de exploração petrolífera na região das ilhas.

O biógrafo de Margaret Thatcher, Hugo Young, tem uma apta sumarização do episódio: *Precipitated by Argentina's aggression, it was provoked by British negligence* (precipitada pela agressão argentina, a guerra foi provocada pela negligência britânica).[410]

É justo, entretanto, reconhecer que o governo conservador, longe de ignorar o assunto, se tinha debruçado sobre ele desde o início. O subsecretário do Exterior, Nicholas Ridley, que desempenhou aliás papel importante na gestação intelectual do movimento de privatização, havia formulado, dentro do governo britânico, uma proposta engenhosa de solução, que não chegou a ser exposta à Argentina, em virtude da feroz oposição do bloco parlamentar conservador, mais jovem, influenciado pelo *lobby* das ilhas Falklands. Essa idéia engenhosa consistia em reconhecer a soberania argentina, mas fazer simultaneamente um acordo de *lease back* por 20 anos. Esse período de 20 anos era suficiente para induzir os *falklanders* a aceitar uma mudança de *status*.

O conflito anglo-argentino começou em 19 de março de 1982 com a invasão das ilhas da Georgia do Sul. Conquanto não de todo imprevisível, esse desafio à soberania britânica despertou na Inglaterra forte reação emocional. A Inglaterra se orgulhava de ter voluntariamente promovido a descolonização, mas não queria ver sua soberania, aspirada insistentemente pelos *kelpers*, desafiada militarmente.

Mrs. Thatcher se viu então frente a um dilema. Se não reagisse seria difícil a permanência no poder do Partido Conservador; se embarcasse numa operação militar, o fracasso significaria o fim de sua carreira política.

No Parlamento, os trabalhistas, com reservas, e os conservadores, com mais entusiasmo, assistiram a um renascimento temporário do velho orgulho imperial britânico. Mobilizou-se uma frota para o difícil exercício de uma guerra a 8.000 milhas de distância. A única base militar válida como apoio aéreo era a ilha de Ascensão, arrendada aos americanos. Estes entretanto consentiram na utilização da ilha de Ascensão como ponto de pouso para os aviões britânicos. de vez que nenhum país latino-americano se dispusera a conceder semelhante facilidade. A América Latina, conquanto preocupada com a belicosidade portenha, declarou-se,

---

[410] Hugo Young, *One of us*, Londres, MacMillan, 1989, p. 258.

com exceção da Colômbia, solidária com a Argentina, ainda que lamentando o recurso à força.

Os Estados Unidos se viram em face de uma difícil decisão. O apoio à Inglaterra poderia provocar uma grave cisão no sistema latino-americano. De outro lado, recusar auxílio, ainda que meramente logístico e informativo, à Inglaterra, seria alienar o melhor e mais confiável aliado na Europa. Hoje se sabe que o apoio logístico norte-americano, secreto à época, foi considerável, seja no fornecimento de aviões, tanques e mísseis aéreos, seja sobretudo na área de inteligência, através de informações captadas por satélites.

A crise das Malvinas explodiu quando eu me achava em gozo de licença no Brasil, em começo de campanha eleitoral para as eleições do Senado Federal, em 1982. Recebi em Rondonópolis, no interior de Mato Grosso, onde fora para comícios eleitorais, um telefonema do ministro do Exterior Saraiva Guerreiro, que me buscava ansiosamente, pedindo-me regresso imediato a Londres, de vez que o Brasil tinha recebido solicitação da Argentina para a encarregatura de seus negócios no país inimigo. Vinte e quatro horas após a invasão, a embaixada em Londres — no caso, o ministro Rache de Almeida, encarregado de negócios — recebeu instruções para assumir a proteção dos interesses argentinos.

Parti imediatamente para Londres, não sem alguma frustração, pois exatamente para 11 de abril havia sido fixada uma reunião do chamado Grupo dos 30, grupo de peritos de que eu fazia parte, que se reuniam periodicamente para análise do sistema financeiro internacional. Era o chamado Comitê Witteveen, a que me referirei depois. O acontecimento era interessante, sobretudo pelo local — Budapeste — onde já começavam a soprar timidamente os ventos da economia de mercado.

Logo ao chegar a Londres fui surpreendido com desagradável notícia. Como já mencionei, o secretário do Exterior, Lord Carrington, com quem já formara amizade pessoal, entendeu ser seu dever renunciar à pasta, aceitando responsabilidade por falha de informação e ação preventiva do ataque argentino, apesar das resistências de mrs. Thatcher a esse gesto galante.

O período que se seguiu exigiu de minha parte intensa movimentação diplomática. Cabia-me não apenas o tratamento rotineiro dos assuntos da embaixada Argentina, mas também apresentar, sob a luz mais favorável possível, a tese argentina. Debati abundantemente com membros do Parlamento e sobretudo do Foreign Office.

Vale a pena mencionar um almoço *sui generis*, no começo do conflito. Uma figura da vida universitária londrina com quem tive ocasião de privar durante minha "Embaixadorança" em Londres foi o então apenas professor, hoje Lord Desai, talentoso econometrista marxista da London School of Economics que, ao felicitar, anos atrás, um colega feito lorde pela rainha — Peter Bauer, tido como o maior reacionário do Departamento de Economia da LSE — assim começou sua carta:

At last, a very good reason to abolish the House of Lords (Afinal, uma ótima razão para extinguir a Câmara dos Lordes).

Desai, que foi levado à embaixada por Raphael Valentino, tornou-se freqüentador assíduo do 54 Mount Street, residência oficial do embaixador do Brasil em Londres, deliciando-se com o charme burguês da vida diplomática londrina. A fim de ressalvar, entretanto, sua postura ideológica, comparecia aos coquetéis de camisa esporte, vestido como um falso *clochard*, estabelecendo, assim, marcante contraste com o apuro dos trajes dos demais convidados. Mas, afastada essa auto-afirmação algo juvenil, que não impediu que, em época recente, fosse ele guindado à Câmara dos Lordes como elemento da oposição trabalhista, seu espírito é o de um liberal e pacifista.

Com efeito, durante a guerra das Malvinas, empenhou-se em promover um encontro meu com o professor Alan Walters, então assessor econômico de Margaret Thatcher. Para um almoço restrito, no dia 13 de maio de 1982, convidei Walters e Desai, duas personalidades antípodas, que todavia conviveram ao longo de muitos anos na LSE, o que é usual no mundo acadêmico britânico, onde a guerra fria não segregou os professores universitários em guetos ideológicos.[411]

Walters, após animada conversação econômica, "já quase na curva do conhaque", como dizia Guimarães Rosa, abordou a crise do Atlântico e sugeriu um plano de inspiração econômica para solucionar o problema da confrontação argentino-britânica. Ressaltou estar apresentando idéias exclusivamente suas e não da primeira-ministra. Salientou que, no seu entender, o plano por ele proposto deveria ter sido experimentado antes do desencadeamento do conflito militar, mas ressaltou que ainda lhe parecia possível levá-lo a cabo.

Segundo Walters, o assentimento dos ilhéus (os habitantes das Malvinas) era essencial a qualquer negociação do Reino Unido com a Argentina, mas acrescentou acreditar que o assentimento para a solução que iria propor poderia ser "economicamente estimulado". O assessor econômico de Thatcher visualizava devolver as ilhas à Argentina, mas mediante consulta plebiscitária aos moradores da região conflagrada.

A catalisação desse consenso em favor da soberania argentina seria ativada por uma compensação que receberiam os ilhéus, da ordem de 50.000 libras *per capita*, estendida a todos os habitantes da ilha, inclusive as crianças. Uma família de qua-

---

[411] Para uma visão do pluralismo da vida universitária inglesa, embora sob a roupagem da ficção, vide o romance de Malcolm Bradbury, *The history man*, Londres, Arrow Books, 1975.

tro membros seria aquinhoada, portanto, com soma de 200.000 libras. Tal montante deveria ser depositado, anteriormente à realização de um plebiscito para decidir a questão da soberania, numa *Escrow account*, num banco suíço, de elevada reputação. Se necessário, o Reino Unido poderia ajudar o Tesouro portenho a levantar os recursos que lhe permitissem ofertar a compensação proposta. Caso o resultado da consulta fosse favorável à Argentina, com maioria de dois terços, por exemplo (ou a que fixasse o acordo negociado), estaria resolvida a questão da soberania e os ilhéus poderiam retirar os recursos compensatórios depositados condicionalmente em seu nome. Na hipótese de um resultado contrário ao retorno das Malvinas à Argentina, poder-se-ia estabelecer um regime de tutela provisória das Nações Unidas sobre o território disputado, pelo prazo de um ano, *verbi gratia*, reservando-se àquele país sul-americano o direito de repetir o plebiscito, ao termo do período de doze meses. Se se reproduzisse o resultado negativo para a Argentina, o depósito condicional em benefício dos ilhéus reverteria ao governo de Buenos Aires; no caso contrário, os ilhéus poderiam sacar suas respectivas indenizações.

Walters não tinha dúvidas de que o plano teria funcionado, se apresentado anteriormente à crise. Tanto Walters quanto Desai, a despeito do antagonismo ideológico que os separava, concordaram em que o depósito prévio de uma compensação direta pelo desconforto cultural da soberania argentina sobre os ilhéus seria poderoso dissuasor de ódios contra a Argentina, que passaria a ser vista como generosa, quer pelos beneficiários da indenização, quer pela opinião pública e o Parlamento, onde fulminaria a ira dos falcões. Para espanto meu, Desai insistiu em que a opinião pública é cambiante e o incentivo econômico seria poderoso abafador da belicosidade, quer nas ilhas, quer na metrópole. O pacifismo do futuro lorde trabalhista era tão forte que lhe obnubilou o marxismo, cuja visão das contradições e fraquezas do capitalismo Desai pretendia utilizar estrategicamente, para obter o fim da guerra.

Em comentário às posições defendidas por Walters com relação ao problema das Malvinas, observei sobretudo que:

a) Seria inaceitável o poder de veto que se atribuía aos ilhéus, uma população de 1.800 pessoas, a que se estaria permitindo destruir a solidariedade interamericana, pondo em risco a segurança internacional e desestabilizando o equilíbrio mundial;

b) Na preservação dos direitos de minorias, de que tanto falavam os britânicos, seria prioritário levar em conta os direitos dos católicos irlandeses, dos negros na África do Sul, dos palestinos, dos curdos e de muitas outras minorias, muito mais expressivas do que os ilhéus;

c) Os *falklanders* não eram, na realidade, um caso de autodeterminação e sim de autocolonização, pois desejavam permanecer no *status* de cidadãos britânicos de segunda classe;

d) Se se contrapusesse, num plebiscito, a vontade dos 1.800 *falklanders* à dos 17.000 cidadãos britânicos de primeira classe que vivem na Argentina, não há dúvida de que estes últimos optariam pela continuidade da soberania argentina sobre as ilhas, como várias pesquisas já haviam evidenciado;

e) Em nenhuma outra disputa territorial todo um sistema regional, no caso o interamericano, se manifestou favorável à descolonização, como ocorria com relação às Malvinas, tendo até mesmo o Chile dissociado sua posição, *in casu*, de outro conflito territorial com a Argentina;

f) Buenos Aires já fizera propostas compensatórias anteriores, como a de instalar os ilhéus na Patagônia, com compensações monetárias para a aquisição de moradia ou apoio para sua reabsorção pelo Reino Unido ou por outros países da Comunidade Britânica;

g) A Argentina admitira, em certa fase, a coexistência da sua soberania com uma co-administração britânica, destinada a preservar a identidade cultural dos ilhéus. Neste caso, o modelo das ilhas Aland poderia ser de útil inspiração, com a coexistência entre a soberania finlandesa e a identidade cultural sueca.

Walters, renomado economista, com enorme trânsito no Reino Unido e nos Estados Unidos, mostrou-se cético quanto à eficácia das sanções econômicas para a solução do conflito, evocando o caso da Rodésia, em que o poder inibitório do bloqueio econômico, aplicado pelo mundo inteiro, não impediu o crescimento econômico daquele país. Indaguei de Walters por que não apresentava seu projeto a Thatcher, ao que me replicou que ele era assessor econômico, e não político. Desejava, assim, encontrar um mediador para transmitir suas idéias, como simples cidadão britânico, à Argentina, e o embaixador brasileiro lhe parecia ideal para tal desempenho.

Senti-me perplexo ante aquela proposta de negociação economica da soberania, ainda mais diante da convergência de posições entre Walters e Desai. Comuniquei, de pronto, o plano de Walters à secretaria de Estado, convencido de que, mesmo se fosse aceitável, já passara a oportunidade para sua aplicação. Ao mesmo tempo, ainda a propósito das Malvinas, surpreendia-me a posição dos banqueiros ingleses. Um deles, presidente de uma das maiores organizações de crédito do Reino Unido, disse a um diplomata da embaixada que o visitou durante a conflagração que seu país estaria disposto a arcar com perdas consideráveis, econômicas e comerciais, a fim de deter a escalada da Argentina. Esta, após as Malvinas, se voltaria contra o Chile e posteriormente o Brasil, dizia ele. O temor da guerra faz curiosos aliados e determina inesperadas posições. Quanto a mim, sempre pensei que a melhor descrição do conflito era a do famoso escritor argentino Jorge Luis Borges, com seu amargo humor: — São dois carecas brigando por um pente.

Tive algumas discussões bastante ásperas sobre o *affair* das Malvinas com o secretário do Exterior que havia sucedido a Lord Carrington, sir Francis Pym. Aos argumentos jurídicos habituais quanto à validade da pretensão da Argentina sobre as ilhas, em virtude de seu caráter de legatária da possessão espanhola, ilegitimamente invadida pelos ingleses em 1771, acrescentei um outro, de duvidosa validade, mas que me parecia digno de consideração. Era o perigo de que a Argentina, em desespero de causa, e frustrada pela nítida inclinação norte-americana de cooperação com os britânicos, passasse a solicitar a cooperação soviética, particularmente sobre aspectos de inteligência de satélites, o que traria a guerra fria para o Cone Sul, cujos problemas já eram suficientemente grandes sem a criação de um novo teatro da guerra fria. Quando Pym se queixou de que o Brasil se afastara da posição de neutralidade ao fornecer à Argentina aviões Bandeirantes com instalações de radar, respondi-lhe que o Brasil não teria dificuldades em fornecê-los também, imparcialmente, à Inglaterra, se esta estivesse interessada em obter aquilo que a imprensa inglesa chamava depreciativamente de *Awacs* dos pobres... (Os dois aviões-radar de longo alcance conhecidos na época eram o *Nimrod* inglês e o *Awacs* americano.)

No Parlamento britânico, tinha eu um grande aliado no trabalhista escocês Tam Dalyell, que se revelava assaz crítico da posição do governo conservador, alegando tratar-se de uma aventura perigosa e demasiado dispendiosa para defender o princípio de opção soberana de apenas 1.800 ilhéus. Acreditava ele que a Inglaterra estava correndo riscos e perigos simplesmente para manter um resíduo de *panache* imperial.

EXTRAINDO A DERROTA
DAS MANDÍBULAS DA VITÓRIA

Em termos políticos, para Margaret Tatcher, a recompensa da vitória foi mais do que proporcional ao risco. Sua popularidade estava em maré baixa, em virtude do alto grau de desemprego, apesar de alguns esporádicos indícios de melhoramento da situação econômica. A inflação havia baixado para cerca de 5% e a economia retomava um tímido crescimento, após longa estagnação.

O mais frustrante em todo esse episódio é que os argentinos revelaram singular capacidade para "extrair a derrota das mandíbulas da vitória", gozação que os republicanos norte-americanos aplicam aos seus rivais democratas, que em mais de duas décadas, com exceção do período Carter, tinham perdido todas as eleições presidenciais. Na realidade, a Argentina teria ganho pela diplomacia o que perdeu pela guerra. Isso deve ser atribuído sobretudo à rigidez da Junta Militar, que repetidamente desautorizou o ministro do Exterior Nicanor Costa Mendez. Como é sabido, os Estados Unidos fizeram valente esforço para encontrar soluções conciliatórias. O secretário de Estado Alexander Haig voou mais de uma vez a Buenos Aires na tentativa de encontrar fórmulas que evitassem o prolongamento do conflito e contivessem o perigo de uma fissura no sistema interamericano de defesa. A fórmula Haig, recusada pela Junta Militar, se aceita, teria na realidade representado uma vitória argentina. O que se propunha era uma internacionalização das ilhas, que ficariam por um período de cinco anos sob controle tripartite, de que participariam os Estados Unidos, a Grã-Bretanha e a própria Argentina.

Parte do plano era uma retirada imediata das forças argentinas da ilha, enquanto a força tarefa inglesa se deteria a uma distância de mil milhas ao norte das Malvinas, até que se instalasse a administração tripartite. Essa internacionalização temporária certamente não acariciaria o orgulho militar argentino. Pressionados no *front* interno, os militares desejavam um sucesso externo. Mas, se aceita a fórmula, a Inglaterra acabaria desinteressando-se, depois de algum tempo, da sorte das ilhas, visto que estaria infirmado o princípio de livre opção em favor do vínculo britânico, defendido tão vigorosamente pelo *lobby* das Falklands no Parlamento inglês. Acreditava eu que os britânicos receavam sinceramente ter que enfrentar uma decisão a respeito. Essa angústia foi-lhes poupada pela rejeição do plano, *in limine*, pela Junta Militar argentina.

Houve ainda uma segunda proposta de solução que eu acreditava teria também representado uma vitória para a Argentina, a longo prazo. Foi a fórmula do presidente Fernando Belaúnde, do Peru, apoiada pela Colômbia e Venezuela. Essa fórmula previa um cessar fogo, a mútua retirada de forças, o envolvimento de terceiros países na administração temporária das ilhas, o reconhecimento de que as opiniões e interesses dos ilhéus seriam levados em conta ao se chegar a um acordo definitivo, assim como a constituição de um "grupo de contato" — Brasil, Peru, Alemanha Ocidental e Estados Unidos — com mandato expresso para buscar um acordo definitivo até abril de 1983.[412] Essa internacionalização do problema serviria também, a longo prazo, aos interesses argentinos.

A essa altura, entretanto, o conflito se havia tornado muito mais acrimonioso, e o general Galtieri parecia ter perdido o controle da situação. É que num episódio extremamente controvertido no próprio Parlamento britânico, o almirantado inglês havia liberado o submarino nuclear *Conqueror*, para afundar o cruzador argentino *General Belgrano*, com a perda dramática de 368 marujos. A controvérsia girava em torno das "regras de engajamento". Afirmavam os críticos da decisão do almirantado britânico que o afundamento do *Belgrano* teria sido uma chacina inútil, de vez que esse cruzador estava fora da "zona de exclusão" delimitada pelas autoridades britânicas. Navegava em direção às suas bases e não estava direcionado para interceptar a frota inglesa que se encaminhava para a reocupação das ilhas.[413]

O amargor do afundamento do *Belgrano*, que no fundo representou também uma humilhação naval, destruiu as condições políticas para a aceitação, pela Argentina, de uma fórmula conciliatória. A Junta Militar insistiu por uma solução militar. E o que na realidade teria sido uma vitória diplomática se transformou numa derrota militar, com conseqüências penosas para o ego argentino.

A opinião pública mundial, até então basicamente favorável à Inglaterra como vítima de agressão, mudou subitamente com essa visível escalada do conflito, quando ainda não se haviam esgotado as possibilidades de negociação diplomática.

---

[412] Ver Geoffrey Smith, *Reagan and Thatcher*, Nova York, W.W. Norton & Company, 1991, p. 91.

[413] O afundamento do cruzador *General Belgrano* aconteceu na tarde de um domingo, 2 de maio, precisamente no mesmo dia em que pela manhã havia sido apresentado o plano de paz do presidente Belaunde. Esse ponto foi explorado pela oposição pacifista no Parlamento britânico, arguindo o membro do Partido Trabalhista Tom Dallyel que se tratava de uma sabotagem deliberada do plano peruano de paz. Em suas memórias, *The Downing street years* (Londres, Harper Collins, 1993), Margaret Thatcher menciona uma outra iniciativa de paz, não divulgada à época, no clima emotivo que se seguiu ao afundamento do *Belgrano*. O presidente mexicano, Lopes-Portillo, sugerira um encontro pessoal entre Margaret Thatcher e o general Galtieri, na cidade do México, num esforço final de pacificação. Sentindo o odor quente da vitória, Thatcher considerou a proposta bizarra e rejeitou-a desdenhosamente. Ver p. 218.

As preocupações com a reação negativa da opinião mundial não atribulavam muito Thatcher. Esta, com alguma extravagância, equiparava o episódio da agressão às Malvinas, um pequeno povo distante, à questão da Tchecoeslováquia, abandonada pelo ministro Neville Chamberlain em 1938. Da falta de coragem para enfrentar a agressão de Hitler teria resultado a tragédia mundial em que pereceram 45 milhões de pessoas. Ao defender as Falklands, daria ela ao mundo o exemplo da fidelidade a princípios: "Jamais se deve tolerar a agressão".

Lembro-me de me ter entrevistado com o secretário do Exterior, Francis Pym, ponderando-lhe a importância de se reexaminar a intransigência britânica diante da proposta Belaunde. Sua acolhida foi fria. Hoje, em retrospecto, conforme nos informa o biógrafo de Margaret Thatcher, Hugo Young, sabe-se que na intimidade do gabinete Pym havia tomado uma posição apaziguadora e era mesmo considerado um "frouxo".

Um último esforço de pacificação ocorreu quando, fracassada a proposta Belaúnde, a questão voltou às mãos do secretário geral da ONU. Este apresentou uma proposta rejeitada pela Argentina, e que também não encontrara simpatia em mrs. Thatcher. Os britânicos interpunham as seguintes ressalvas: (1) A retirada da frota inglesa para 150 milhas das Malvinas seria perigosa; (2) No caso de administração internacional interina das Malvinas, deveria ser preservado o estilo de vida dos ilhéus, continuando proibida a imigração argentina; (3) O Reino Unido não aceitaria menção às resoluções da ONU sobre a questão das Malvinas, pois não as havia aceito; (4) Seria igualmente inaceitável a sugestão de que, se as negociações fracassassem dentro de um prazo limite, o assunto voltaria à Assembléia Geral da ONU; (5) Seria inaceitável a pretensão argentina de que as ilhas Georgia e Sandwich (respectivamente a 800 e 1.200 milhas ao sul das Malvinas) fossem incluídas no contencioso.[414]

A escalada bélica foi depois rápida. Dois dias após o afundamento do *Belgrano*, os argentinos revidaram e conseguiram, com um míssil *Exocet*, que desde então passou a ficar extremamente famoso, afundar o cruzador britânico *Sheffield*, com a perda de 21 vidas e numerosos feridos graves. O desembarque das tropas britânicas na baía de San Carlos ocorreu a 21 de maio de 1982, e a derrocada argentina foi surpreendentemente rápida.

---

[414] Por duas vezes, em suas memórias, Margaret Thatcher menciona conversações entre o presidente Reagan e o presidente do Brasil sobre um possível envolvimento brasileiro num plano de paz que evitasse a "humilhação final" da Argentina. Essas gestões não foram entretanto levadas ao conhecimento da embaixada em Londres, que certamente teria expressado ceticismo. A grande chance argentina teria sido a aceitação imediata da última fórmula Haig, a qual, sancionando um certo grau de intervenção internacional, enfraqueceria a médio e longo prazo o conceito de "soberania" inglesa. Foi uma brilhante manobra tática de Thatcher recusar-se a opinar sobre a fórmula antes de formalizada a recusa argentina. Ver op. cit., p. 230.

A frota britânica havia corrido graves perigos. O grosso das tropas era transportado nos navios *Canberra* e *Queen Elizabeth II*, protegidos por dois navios porta-aviões de pequeno porte — o *Hermes* e o *Invincible*. O transatlântico *Queen Elizabeth II*, em particular, era um alvo extremamente vulnerável a ataques submarinos. Quando ocorreu o desembarque, era esperada uma resistência militar argentina muito maior. Relata Hugo Young que um membro do gabinete de Guerra, quando lhe perguntaram sobre o aguerrimento da força militar argentina, teria respondido: — Não sei. Não há precedentes. Eles são meio espanhóis e meio italianos. No meu julgamento, se predominar a parte espanhola, eles lutarão, e se predominar a italiana, não lutarão.[415]

No início da guerra causara sucesso no Brasil um despacho do jornalista Claudio Abramo que dizia: — Os ingleses vão ganhar. O seu exército é feito para lutar. O argentino, para torturar.

Claudio estava então em Paris. Acabara de sair de Londres porque dizia que "ali não havia notícia". Isso não foi certamente uma obra-prima de previsão jornalística.

Na apreciação inglesa, a Força Aérea argentina se desempenhou surpreendentemente bem. Não só foi afundado o *Sheffield* como quatro outros navios britânicos foram atingidos por bombas que, por deficiência de conservação em seu período de armazenamento, não explodiram. A situação poderia ter sido diferente se a conservação do material fizesse justiça à pontaria. De um modo geral, na apreciação britânica, a Força Aérea argentina teria tido o grau maior de eficiência, o Exército pouca eficácia, enquanto que a Marinha, precisamente a iniciadora do conflito, teria sido à mais tímida, de vez que sua única grande sortida foi a invasão da ilha da Georgia do Sul. Depois do afundamento do *Belgrano*, ficou praticamente encurralada em suas bases.

---

[415] Hugo Young, op. cit., p. 278.

A Doutrina
da Micropolítica

No primeiro mandato Thatcher, o alvo principal dos ataques era compreensivelmente o chanceler do Erário, Geoffrey Howe, de temperamento manso, a quem cabia a difícil tarefa de explicar a política de austeridade monetarista.

O porta-voz da oposição para assuntos econômicos era meu velho amigo Denis Healey, excepcionalmente ferino. Disse ele de certa feita que um debate com o chanceler do Erário Geoffrey Howe era como "ser seviciado por um carneiro morto". Geoffrey Howe revelou, entretanto, enorme firmeza de caráter atravessando o período mais duro do ajuste britânico, sendo depois designado secretário do Exterior.

Até o tempo em que deixei Londres, em setembro de 1982, a privatização não era explicitada como um tema importante do conservadorismo. Na realidade, o movimento privatizante somente viria ao proscênio a partir do segundo mandato de Margaret Thatcher, que se iniciou em 1984. As idéias originais do Partido Conservador a respeito pareciam tímidas. Sabe-se que o assunto fora abordado ainda quando o Partido Conservador estava na oposição, através de documento preparado pelo agressivo ideólogo conservador Nicholas Ridley, que durante meu tempo em Londres fora subsecretário parlamentar no Foreign Office. As idéias parece que não iam muito além de um programa de privatização da gerência das empresas do Estado e de venda ao setor privado de participações minoritárias. O Partido Conservador não estava ainda preparado para enfrentar os monstros sagrados do trabalhismo. A privatização a rigor só começou no segundo mandato Thatcher, tornando-se um dos itens principais da plataforma do partido.

Já ultimamente, em seu terceiro e derradeiro mandato, mrs. Thatcher, tendo liquidado algumas vacas sagradas do estatismo — com a privatização da British Telecom, da British Petroleum, da British Gas e da British Airways — passou a atacar problemas emocionalmente muito mais difíceis. Um deles era a reforma do sistema previdenciário — o National Health Service — que para os ingleses tem valor simbólico. Era uma âncora do humanitarismo, de que se fazia porta-voz o Partido Trabalhista, mas também havia se tornado bandeira da ala *wet* dos *tories*, sob a liderança de MacMillan. Além do enfrentamento com o National Health Service, iria mrs. Thatcher estender sua fúria privatizante a setores tradicionalmente considerados na Inglaterra como província do Estado. Trata-se do sistema de abastecimento de água e de geração e distribuição de energia elétrica. A privatização desses setores não parece ter o mesmo significado ideológico e certamente apresenta inúmeras complexidades. No caso da energia elétrica, o problema é como assegurar que a privatização traga real competição e não resulte meramente na transformação de um monopólio público em monopólio privado. Outra dificuldade é o tratamento a ser dado às usinas nucleares. As usinas antigas são caras e obsoletas e há sérias objeções ambientalistas à construção de novas usinas.

No conjunto, o programa de privatização teve êxito sob um tríplice aspecto. Carreou receitas para o governo. Criou um capitalismo do povo, pois hoje o número de acionistas ingleses é superior ao dos trabalhadores sindicalizados. E resultou em apreciável aumento de eficiência, conquanto esta esteja aparentemente mais ligada à existência de concorrência que ao gerenciamento privado.

Desde então a privatização passou a fazer parte da agenda mundial dos governos não socialistas, e após a queda do muro de Berlim, também dos governos ex-comunistas. Na Inglaterra, desenvolveu-se uma tecnologia refinada de amaciamento de conflitos de interesses que habitualmente entorpecem as tentativas de privatização. É a arte da "micropolítica", para usar uma expressão de Madsen Pirie, presidente do Adam Smith Institute de Londres, um dos apóstolos da privatização.

A MINISTRANÇA
FRUSTRADA

Pouco antes da ascensão dos conservadores ao poder (maio de 1979), ocorreu no Brasil a transição do governo Geisel para o do general Figueiredo. Em fins de 1978 meu nome surgiu na boataria jornalística sobre os "ministeriáveis". Telefonaram-me amigos, inclusive o fidelíssimo Antonio Gallotti, dizendo que eu deveria fazer ato de presença no Brasil e desencorajar as más ausências que fariam os concorrentes ao cargo.

Respondi ao Gallotti que o principal cargo econômico estava bem entregue ao Simonsen e, de qualquer maneira, não desejaria voltar a exercer a chefia econômica. "Não se deve retornar ao lugar do crime", disse-lhe. "A gente volta mais velho para encontrar problemas mais difíceis."

A única posição que me interessaria seria o ministério do Exterior, por ser coroamento de carreira e porque a política externa terceiro-mundista precisava de uma "chacoalhada". Considerava entretanto algo humilhante oferecer-me para o cargo e por isso não me dispunha a ir ao Brasil. Pressentia, aliás, que meu nome encontraria forte oposição, particularmente do chanceler Silveira, que desejava continuar no cargo ou, pelo menos, "fazer" o sucessor. Isso foi facilitado pela coincidência de que o general Medeiros, que sucedera a Figueiredo no SNI, tinha como candidato seu concunhado, o embaixador Saraiva Guerreiro, então embaixador em Paris, que fazia parte da "igrejinha" do Silveira.

Em janeiro de 1979, dois meses antes da posse de Figueiredo, o general Medeiros passou por Londres. Convidei-o para jantar, mas não fez comentários sobre os ministeriáveis. Referências na imprensa, insuficientemente sutis para esconderem origens itamaratianas, acentuavam meu tríplice desacordo com a política externa geiseliana: o terceiro-mundismo, o programa nuclear e o antiamericanismo. O antiamericanismo estava em maré alta, compreensivelmente, aliás, pela falta de tato da diplomacia norte-americana no tratamento de dois pontos sensíveis ao governo Geisel: os direitos humanos e o programa nuclear.

Mal sabia eu que mais tarde teria confrontações com o general Medeiros, quando, já no Senado Federal, em 1984, me opus, em esplêndido isolamento, à desastrada política de informática, resultante de um conluio estranho entre o SNI, as esquerdas no Congresso e empresários cartoriais.

Recusando-me a ir a Brasília para a humilhante peregrinação burocrática a que freqüentemente se têm que expor os ministeriáveis, consenti em marcar uma presença intelectual, através de memorandos confidenciais que enviei ao Heitor de Aquino e ao general Golbery. Trabalhou comigo nessas caprichadas análises das perspectivas da política externa brasileira Oscar Lorenzo Fernandez, então ministro conselheiro da embaixada. Foram três documentos ambiciosos em seu escopo. O primeiro, desdobrado em duas partes, intitulava-se "Novas perspectivas da política exterior brasileira", abrangendo um longo estudo sobre os "novos fatores da equação internacional". O segundo se intitulava "Notas sobre uma plataforma de governo" e continha observações interessantes sobre os problemas econômicos da descompressão, sobre os conceitos de pobreza absoluta e pobreza relativa e a urgência de uma "opção social". O terceiro, preparado quase exclusivamente por Lorenzo Fernandez, versava a questão da modernização da agricultura como instrumento de combate à pobreza. Uma das preocupações era sistematizar um programa de eliminação da "pobreza absoluta". Os textos eram altamente sofisticados, na ingênua presunção de que o acúmen intelectual seria bom credenciamento para a ministrança.

Num memorando mais relevante — "As novas perspectivas da política exterior" — analisavam-se as grandes transformações do mundo, como sistema global, que o Brasil encontraria ao atingir sua maioridade como "potência emergente": as transformações políticas, econômicas, tecnológicas e psicossociais. Examinavam-se as várias opções genéricas de política externa, tipificadas como "neutralismo", "terceiro-mundismo", "alinhamento automático" e "parceria seletiva".

Esta última seria a postura cabível para uma potência emergente no novo contexto mundial de (1) Relativo enfraquecimento da liderança político-ocidental; (2) Politização do problema energético; (3) Recrudescimento do terrorismo; (4) Mutação das formas de soberania e (5) Neoprotecionismo.

Esses memorandos, destinados a marcar minha presença intelectual no Brasil, foram um tiro pela culatra. Acredito que o presidente Figueiredo nem sequer tenha lido as eruditas dissertações. Com a inconfidencialidade que caracteriza nossa burocracia, os documentos foram parar nas mãos do Itamaraty, onde candidatos rivais à ministrança se engalfinhavam. Frases fora do contexto foram citadas para demonstrar minha periculosidade, se ascendesse à direção do Itamaraty. Dizia-se, com alguma justiça, que eu provocaria uma revisão contestatória da política externa de Geisel, questionando algumas de suas teses fundamentais: o terceiro-mundismo explícito, o antiamericanismo latente, a gesticulação esquerdista e o compromisso com o superprograma nuclear no acordo alemão.

O sucessor de Silveirinha no Itamaraty foi o embaixador Ramiro Saraiva Guerreiro, funcionário aliás competente, que contava com as boas graças do ministro por pertencer à mesma escola de pensamento, e do general Otávio Medeiros, um dos conselheiros mais chegados ao presidente Figueiredo.

A questão da ministrança veio a se colocar novamente quando Mário Henrique Simonsen pediu demissão, um pouco inesperadamente, do ministério do Planejamento, em agosto de 1979.

Se minha preterição para o ministério do Exterior me provocara secreta frustração, a sucessão de Simonsen não me despertou qualquer ambição. Primeiro, porque achava que ele estava essencialmente correto ao insistir num programa de austeridade. Nosso ajuste à primeira crise do petróleo fora inadequado e prosseguirmos na "expansão com endividamento", após a segunda crise, quando os preços triplicaram, seria uma receita de desastre. Em segundo lugar, porque temia um fracasso; já não tinha o vigor da primeira juventude e me sentia incapaz de fornecer soluções mágicas para a crise brasileira.

As duas principais alternativas que os jornais mencionavam para a sucessão de Simonsen eram Delfim Netto e eu próprio. Delfim tinha forte apoio do ministro Andreazza, que o caracterizava como "expansivo", enquanto eu seria "recessivo", acusação aliás razoavelmente pertinente.

Golbery nunca discutiu o assunto comigo. Consta, mas a versão pode ser apócrifa, que teria dito ao presidente Figueiredo que a opção Campos seria "uma opção dura", de aperto de cinto, enquanto a opção Delfim, por ter este mais jogo de cintura, não exporia Figueiredo à perda da popularidade precariamente obtida no fase inicial do processo de redemocratização. À luz das circunstâncias, a opção de Figueiredo por Delfim parecia racional e provocou-me mais alívio que frustração.

DA DIPLOMACIA
PARA A POLÍTICA

Renunciei à embaixada em Londres em agosto de 1982, expondo-me a um risco evitável. A legislação eleitoral permitir-me-ia reter a titularidade do posto até um dia depois da eleição congressual de 15 de novembro de 1982, à qual eu concorria visando à cadeira no Senado Federal por Mato Grosso. Entendi entretanto que a embaixada em Londres era importante demais, particularmente após o conflito das Malvinas, para ficar sob encarregatura provisória. Ficara em Londres sete anos. Lá tive o prazer de considerável aperfeiçoamento intelectual e o desprazer de atravessar a barreira dos sessenta anos. No meu sexagésimo aniversário, fui convidado para um coquetel de amigos. Encostei-me solitário ao bar, quando uma bela jovem, recentemente promovida a vice-presidente de um grande banco americano, me perguntou:

— Por que você está tão triste?

— Estou completando sessenta anos — respondi-lhe.

— Não diga essa coisa horrível — acrescentou ela. — Diga que você é um 'sex agenário'. Soa melhor.

E quando lhe felicitei por ter sido promovida tão jovem a vice-presidente de um banco importante no mercado eurodólar, respondeu-me: — E isso sem a vantagem de pertencer a uma dessas minorias beneficiadas nos Estados Unidos pelas leis de *affirmative action*. Imagine se eu fosse uma judia, casada com um negro e nascida em Porto Rico...

Voltei a Londres para as despedidas oficiais, inclusive para a tradicional recepção que eu costumava dar à sociedade britânica em 7 de setembro, a data nacional. Normalmente, os embaixadores apresentam as credenciais à rainha e também a visitam por ocasião da despedida. Sucedeu entretanto que naquele mês a rainha estava ausente na Escócia, no castelo de Balmoral, e as urgências de campanha desaconselhavam minha espera em Londres.

O Foreign Office propôs então substituir a visita protocolar à rainha por uma visita à primeira-ministra Margaret Thatcher. Recebeu-me ela na residência oficial de Downing Street, n.º 10, para uma entrevista que seria puramente cerimonial. Logo após nos assentarmos, foi ela direto à questão: — Como os senhores pretendem combater a inflação no Brasil, se lá existe esse infernal mecanismo da indexação?

Vi-me logo colocado na defensiva. Tive de explicar-lhe que era um dos co-autores do sistema de indexação no Brasil, originalmente sugerido pelo advogado Bulhões Pedreira visando particularmente à correção monetária dos ativos das empresas, mas depois aceito pelo ministro da Fazenda e por mim próprio, como ministro do Planejamento, por tríplice motivo: como instrumento de criação de um mercado voluntário para os títulos do Tesouro, como desincentivo ao atraso no pagamento de débitos fiscais e sobretudo como estímulo à poupança. Expliquei-lhe que basicamente o mecanismo da indexação não impossibilitava o combate à inflação, conquanto tornasse os resultados mais lentos. Prova disso é que, instalada a partir de 1964, e depois gradualmente ampliada para vários setores da economia, ela havia assegurado ao Brasil um período de nove anos de crescimento contínuo com inflação descendente. Concordei com ela, entretanto, que se tratava de uma *second best solution* e que a correção monetária ao longo do tempo tinha sido deformada em seus objetivos e sua metodologia de aplicação. Originalmente, ela se aplicaria apenas a títulos, depósitos e empréstimos com prazo superior a um ano, reduzido depois para seis meses. Essa prática persistira até 1980, quando o prazo fora reduzido para três meses, com tendência, disse-lhe eu, de redução ainda maior em vista da aceleração da inflação. Assim deformada, certamente a correção monetária detonaria uma realimentação a curto prazo, capaz de criar dificuldades no combate à inflação.

Mrs. Thatcher tinha sido provavelmente informada, através de *briefings* do Foreign Office, de que minha posição ideológica era monetarista e internacionalista. Ao final da entrevista disse-me que o governo britânico continuava disposto a estimular o comércio com o Brasil e desejou-me êxito na campanha eleitoral.

Essa entrevista ocorreu quase ao mesmo tempo que o anúncio da moratória mexicana, que deflagrou a crise internacional da dívida externa, pois que resultou numa súbita paralisação dos fluxos de capital para os países em desenvolvimento.

Quando deixei Londres, a fortuna política de mrs. Thatcher estava em ascensão, graças sobretudo à vitória nas Malvinas. A situação econômica, entretanto, era delicada. Os resultados só seriam colhidos mais tarde. Àquela época, o que havia era a dor do ajustamento e isso exigia da primeira-ministra uma invulgar determinação e força de caráter. Era entretanto ajudada pela debilidade da liderança do Partido Trabalhista. Esta tinha três pontos negativos: ainda era substancialmente dominada pela ala radical; persistia a memória do grevismo selvagem do "inverno do descontentamento", em 1979; e, finalmente, sob o ponto de vista da política externa, o Partido Trabalhista era muito vulnerável em razão de seu apego à tese do "desarmamento nuclear unilateral", envolvendo a retirada das forças nucleares americanas da Inglaterra. Esse ponto era habilmente explorado pelos conservadores, que pintavam uma Inglaterra trabalhista inerme e desnuclearizada, quando o poderio russo parecia estar intocado. Digo "parecia" porque não havia ainda uma clara percepção de que a era Brejnev fora uma era de estagnação econômica, que Sewryn Byaler descreveu como a "era da expansão externa e estagnação interna". A derrocada do socialismo só se configuraria muito mais tarde.

Margaret Thatcher era incansável na pregação anti-socialista e alguns de seus aforismos ficaram famosos. Um deles é a caracterização do *welfare state* como a "cultura da dependência". Habilmente descrevia as objeções dos trabalhistas à redução do punitivo imposto de renda sobre as classes mais altas (em parte, os elementos inovadores e criativos da sociedade) como a "política da inveja". Insistia em que a liberdade de escolha do indivíduo era valor mais fundamental que as intenções igualitárias do Estado. Intenções, aliás, ineficazes porque o igualitarismo invalida o prêmio ao esforço e ao mérito. Sua objurgação definitiva do socialismo está contida na famosa frase:

"O socialismo trata de planos de governo e da necessidade de as pessoas a eles se ajustarem; e se esquece do dever fundamental do governo de servir à dignidade fundamental à liberdade do indivíduo".

E em outra ocasião:

"O socialismo é uma doutrina dos intelectuais que têm a arrogância de acreditar que eles podem planejar melhor a vida de cada indivíduo".

PERAMBULAÇÕES E
OUTROS EVENTOS

Minha despedida de Londres revelou-me que, sob a aparência reservada, os britânicos são capazes de grande sensibilidade. Percebi que os inúmeros amigos que fizera naquela brumosa megalópole viam minha partida não como um acidente diplomático normal, mas com um sentido de afeição e melancolia. Entre esses amigos destacaria Lord Kissin, misto de intelectual, banqueiro e *trader*, cujo irmão fora secretário de Trotski, e Ian Stoutzker, banqueiro e músico, em cuja casa jantei várias vezes com os maestros Lorin Maazel, Ricardo Muti e Daniel Barenboim, com o tenor Placido Domingo e os violinistas Isaac Perlmann e Yehuddi Menuhin.

Trata-se de um povo realmente especial, cuja capacidade de humor seco é historicamente reconhecida. Lembro-me de um show de Frank Sinatra em Londres, em que ele começou com uma alocução referente às peculiaridades inglesas.

— Assim, por exemplo, a polícia na Inglaterra é chamada de Scotland Yard. A greve é chamada de "ação industrial". Um voto na Câmara dos Comuns é chamado de "divisão". Em Londres algumas das residências mais apreciadas e caras estão situadas nos *mews*, isto é, nos antigos estábulos. Para culminar, os ingleses investem muito dinheiro e reclamam notoriedade científica pela iniciativa pioneira de fabricar os "bebês de proveta"; nos Estados Unidos é coisa que se faz gratuitamente.

Terminou citando uma outra esquisitice inglesa.

— Há vários tipos de sexo: Essex, Sussex, Wessex, Middlessex, porém não topsex.

Ninguém melhor que o italiano Luigi Barzini definiu os ingleses como uma raça que alcançou a supremacia no século XIX, com grandes realizações em vários campos, "com notável exceção da filosofia abstrata, da música, da cozinha e da arte de fazer amor".

A capital inglesa é um dos mais apetitosos postos do chamado "circuito Elizabeth Arden" do Itamaraty. É enorme a riqueza cultural. Rivaliza com Nova York em teatro e a oferta musical, se bem que menos variada, é de superior qualidade. Será talvez a terceira capital mundial do balé e ópera, perdendo para Paris apenas nas artes plásticas.

Reli Shakespeare abundantemente, assistindo a várias peças do repertório, com um ou outro dos grandes atores do tempo — Lawrence Olivier, John Gielgud e Ralph Richardson. Dos modernos, meus preferidos eram Harold Pinter, Tom

Stoppard e John Osborne. Tive a chance de ouvir alguns dos grandes regentes de orquestra, como George Solti, Claudio Abbado, Carlo Maria Giulini, Ricardo Muti e Lorin Maazel, este meu amigo pessoal. Só fui ouvir Herbert von Karajan, entretanto, em 1978, no festival de Salzburgo, cidade da devoção de Simonsen, cuja extraordinária e invejável cultura musical confirma que é um bom economista, pois — como dizia Hayek — não é um bom economista quem é apenas um economista.

Minha experiência em Londres não chegou assim a constituir um ostracismo. Analisava à distância, com alguma melancolia, os vaivéns da política econômica brasileira, que eu tinha de explicar aos perplexos financistas da City.

Havia convivido com três governos, dois trabalhistas e um conservador. E verificara de perto a profunda revolução cultural representada pela vitória conservadora em 1979. Pudera assistir, por assim dizer, de palanque, ao ressurgimento do neoliberalismo e ao fenecimento das teorias keynesianas de "sintonia fina", dominantes nos anos 60 e 70.

Consegui transformar a embaixada num salão intelectual provocante. E mantive intensa atividade cultural, facilitada pela freqüente visita a Londres de artistas, intelectuais e políticos brasileiros.

Convivi bastante tempo com Jorge Amado, que, hospedado com Antonio Olinto — grande promotor de traduções para o inglês de livros brasileiros — e conhecido internacionalmente por sua obra de romancista, lá escreveu sua novela *Tieta do Agreste*, e Manabu Mabe, por várias vezes hóspede bem-vindo da embaixada, tanto mais quanto sempre me deixava de presente um quadro ou desenho. Herdei um, particularmente belo, após uma bem-sucedida exibição de sua obra patrocinada pelo setor cultural. Como grande centro musical, Londres era particularmente atraente para concertistas brasileiros. A pianista Cristina Ortiz lá residia, Nelson Freire e Arnaldo Cohen eram visitantes assíduos. Freqüentes eram também as visitas de governadores e parlamentares.

Revivi minha amizade com Jânio Quadros, inveterado anglófilo, que comigo almoçou várias vezes na embaixada, com comentários percucientes e pitorescos sobre política internacional e interna. Preocupava-o a falta de ética na política: — A corrupção do atual governo faria corar o dr. Adhemar — disse-me, certa feita.

E depois, quando já estávamos ambos avançados no whisky, dizia-me: — Defender os atuais governos brasileiros da pecha de corrupção é mais difícil do que manter fechadas as pernas da Jane Mansfield!

Jânio sabidamente não gostava de pagar contas. Quando ia a restaurantes com amigos e o garçom por acaso lhe entregava a "dolorosa", repassava-a imediatamente ao comensal mais próximo dizendo: — Querido, querem o seu autógrafo...

O *staff* da embaixada, parcialmente por mim escolhido, incluía exponentes intelectuais como Oscar Lorenzo Fernandez e Rafael Valentino. A figura intelectualmente mais marcante era José Guilherme Merquior, depois embaixador no México e na Unesco, que se tornou um eminente politólogo, com quase vinte livros publicados. A essa época, estava escrevendo sua tese de doutorado na London School of Economics, publicada sob o título *Rousseau e Weber*. Seu desaparecimento, em janeiro de 1991, na flor da idade, foi um golpe cruel para a cultura brasileira.

Alguns intelectuais ilustres permitiram-me alargar a influência cultural da embaixada.

O professor Eugênio Gudin, que em sua juventude habitara Londres, e sentia nostalgia pela cidade, visitou-me várias vezes. Numa dessas ocasiões, consegui reunir para um jantar na embaixada duas figuras do mundo econômico pelas quais nutria extremo respeito — o professor Friedrich A. Hayek, então na casa dos 80 anos, mas ainda ereto e vibrátil no argumento, e o professor Lionel Robbins, já então membro da Câmara dos Lordes, que eu havia conhecido quando, ainda como jovem secretário de embaixada, assistira à Conferência de Bretton Woods. Participaram do jantar em homenagem a Gudin os professores James Mead e Lord Kaldor, de Cambridge, e Hans Singer, da Universidade de Sussex.[416] Lord Robbins visitara o Brasil, a convite de Gudin, no fim da década de 50. Descobrira nestes nossos trópicos — dizia ele — um perfeito laboratório para análise de patologia econômica...

Uma visita de Gilberto Freyre permitiu-me reunir em jantar na embaixada Lord Asa Briggs, o grande historiador, Samuel Finer, o politólogo de Oxford, autor do clássico *Men on horseback*, Samuel Brittan, um *doublé* de cientista político e economista, John Lynch, brasilianista e historiador do University College, Ralph Dahrendorf, sociólogo alemão e então diretor da London School of Economics, e o antropólogo e filósofo Ernest Gellner, também da London School. Num jantar para Henry Kissinger, já então egresso da administração pública, reuni governo, oposição e *intelligentsia* para ouvi-lo sobre o conflito Leste-Oeste, as crescentes disputas comerciais entre os Estados Unidos e a Comunidade Européia, e a nova configuração do poder na bacia do Pacífico.

Beneficiei-me do fato de que os embaixadores não precisam assinar livro de ponto para manter uma ativa vida internacional.

Participei de um grupo de trabalho, presidido por nosso eminente representante no FMI, Alexandre Kafka, a convite de Robert MacNamara, presidente do Banco

---

[416] James Meade e eu fôramos co-autores, juntamente com os professores Haberler e Tinbergen, do clássico relatório intitulado 'Trends in International Trade', apresentado ao GATT em 1959. Singer era meu velho conhecido. A meu convite, viera ao Brasil em 1953, como funcionário da ONU, e apresentara um excelente trabalho sobre o Nordeste, com algumas idéias seminais que, depois, seriam úteis na formação da Sudene.

Mundial, e de Jacques de Larosière, presidente do FMI, para fazer um relatório sobre níveis de remuneração e política de recrutamento nessas duas instituições.

Mais interessantemente, fui um dos membros fundadores do Grupo dos 30, criado pelo ex-diretor superintendente do Fundo Monetário Internacional, Johann Witteveen. Esse grupo, ao qual pertenci durante cerca de seis anos, se reúne periodicamente para avaliar a conjuntura financeira internacional e propor recomendações a governos e agências internacionais, conquanto se trate de organização de caráter privado. Tive ali oportunidade de privar com figuras eminentes das finanças internacionais como Paul Volcker, presidente do Federal Reserve Board, de Washington, que fora nomeado pelo presidente Carter, mas que, continuando na era Reagan, tornou-se o principal responsável pelo combate à inflação num momento em que a política monetária era o único instrumento disponível, de vez que a administração Reagan, ao reduzir impostos e incrementar gastos de defesa, praticava uma política fiscal frouxa. Outro membro importante do Grupo dos 30 era Robert Roosa, que fora subsecretário do Tesouro e, numa época de dificuldades de balanço de pagamentos dos Estados Unidos, havia criado o sistema de *swaps* de moedas, que viria a ser chamado os *Roosa bonds*. Conhecera-o em Washington, desde quando ocupara aquele cargo no Tesouro, na administração Kennedy.

Nesse grupo eclético de alto nível figuravam também o professor Peter Kenen, da Universidade de Princeton, e I. G. Patel, um economista hindu que era então presidente do Banco de Reserva da Índia e foi depois diretor da London School of Economics. Da Alemanha provinha o professor Armin Gutowski, da Universidade de Hamburgo. Um dos membros mais vivazes, deixando prever a ruína do fanatismo socialista na Hungria, era o vice-presidente do Banco Nacional da Hungria, Janos Fekete, economista extremamente inteligente e irônico, que achava não só aceitável como divertido o debate com a fina flor da ideologia capitalista.

De longe o grupo intelectual e politicamente mais interessante de que participei era o chamado Grupo Aspen, para o qual fui convidado por Henry Kissinger, com quem formei uma sólida amizade.[417] A idéia de se reunir personalidades com experiências diversas para uma discussão periódica dos temas internacionais, visitando

---

[417] Além da afinidade intelectual, unia-me a Kissinger um bizarro sentimento de "solidariedade dos prisioneiros". Tínhamos ficado ambos sitiados por quase duas horas no auditório "Dois Candangos" da Universidade de Brasília. Era o dia 18 de outubro de 1981. Eu estava no Brasil, de férias, aproveitando o tempo para contatos políticos. Fora convidado, junto com Kissinger e um grupo seleto de convivas, para um jantar na noite anterior, na casa do chefe do Gabinete Civil do governo Figueiredo, Leitão de Abreu. Kissinger fora convidado pelo reitor da UNB, José Carlos de Azevedo, para proferir uma conferência sobre as relações Brasil-Estados Unidos. Organizou-se um motim estudantil, que fazia um infernal barulho, no pátio da Universidade, com o rufar de bumbos, xarangas e reco-recos. Ao chegarmos à reitoria, passando depois ao auditório, um bloco de estudantes, misto de ideólogos e baderneiros, barrados pelos guardas de ingresso no auditório, passou a esmurrar as débeis paredes. Alguns carregavam faixas e outros gritavam *slogans* em que se misturavam acusações ao imperialismo americano, referências ao Vietnã e protestos contra a falta

diferentes países, proviera de Robert Anderson, o imaginoso presidente da Atlantic Richfield, que era também o financiador da organização. Seria difícil congregar num só grupo pessoas de experiências tão variadas. Um dos membros era George

---

de verbas para o ensino. A conferência se iniciou sob grande tensão, ameaçada várias vezes de interrupção. Kissinger iniciou a palestra com uma pitada de humor: "Estou" — disse ele — "acostumado a manifestações de estudantes de Harvard, mas parece que os brasileiros têm mais ritmo." Terminada a conferência, passamos à sala ao lado, verificando-se logo que os estudantes haviam bloqueado todas as saídas, chegando ao ponto de esvaziarem os pneus do carro da embaixada americana que transportara Kissinger. O reitor havia de véspera pedido a assistência do secretário de Segurança Pública do Distrito Federal, recomendando a presença discreta de um dispositivo de segurança. Mas a polícia praticamente se omitiu, entrando tardiamente em cena, através da formação de um "corredor polonês" para proteger os convidados da sanha dos estudantes, bem municiados de mísseis desagradáveis — ovos podres e tomates. Ficaram sitiados por algum tempo onze embaixadores estrangeiros, três ministros de tribunais superiores e vários deputados e desembargadores. Um dos sitiados era o chefe do Gabinete Civil, Leitão de Abreu, que foi atingido por um ovo ao tentar sair por uma porta lateral que levava a uma agência do Banco do Brasil, enquanto ressoava o grosseiro *slogan*: "Lugar de Leitão é no fogão". Também atingido por ovos e tomates foi o decano de plantão do corpo diplomático, o embaixador finlandês Martti Lintulahti, que provavelmente se tornou um perito em badernas estudantis, pois, quando cônsul em Pequim, em 1966, fora mordido por "guardas vermelhos" durante a Revolução Cultural de Mao Tsé-Tung. Permaneci com Kissinger numa sala contígua ao auditório, em companhia de José Guilherme Merquior e alguns outros funcionários. Enquanto Merquior procurava entabular uma discussão histórico-filosófica, me preocupei em distrair Kissinger, relatando-lhe minha perícia em coisas da espécie. Durante o governo Kubitschek, eu fora queimado em efígie uma vez, e simbolicamente enterrado, outra, por baderneiros da UNE, a propósito de causas sobre as quais os estudantes tinham sólida ignorância, como o petróleo da Bolívia ou a ortodoxia financeira do FMI, repelida por Juscelino. Para aliviar o ambiente, desfiei a Kissinger minha nutrida coleção de anedotas e *limericks* londrinos. Kissinger reagia de bom humor, repetindo apenas: "Será que vou encontrar quem pague meu resgate?" O paradoxo da situação é que Kissinger havia deixado o governo cinco anos antes e que as referências slogânicas ao Vietnã estavam fora de foco, pois fora ele o negociador dos acordos de Paris, que ensejaram aos Estados Unidos seu desengajamento da frustrante intervenção no Vietnã. E a essência de sua palestra era um reconhecimento humilde da diminuição do "poder imperial" dos Estados Unidos, em virtude do fortalecimento econômico da Comunidade Européia e do Japão, que tornava aconselhável uma política externa de silhueta mais modesta. Uma renúncia, em suma, a veleidades imperialistas! Após quase duas horas de espera, Kissinger teve que retirar-se num camburão da polícia, que chegara de marcha-a-ré à porta do edifício, sob o apupo de grupos de estudantes que uivavam: "Kissinger é ladrão, vai sair de camburão". Uma curiosa rima, que misturava alhos e bugalhos era: "Kissinger é assassino, melhor condição de ensino". Três penosas impressões me ficaram do incidente: uma foi a incrível proclividade de Ulysses Guimarães à demagogia. No dia seguinte, o então presidente do PMDB se associou às "manifestações de repúdio" a Henry Kissinger, acrescentando que os 15 mil dólares de honorários pela conferência — pagos, aliás, por patrocinadores privados — constituíam um "insulto à pobreza absoluta que atinge 40 milhões de brasileiros". Mais tarde, assistiria a lapsos demagógicos mais graves de Ulysses, no caso do Plano Cruzado e da Constituinte de 1988. A segunda impressão foi a da gravidade da intoxicação ideológica da UNB, pois, conquanto se tratasse de um grupelho minoritário (200 a 300 estudantes), não houve, nos dias seguintes, expressivos atos de contrição por essa selvageria estudantil. Não readquiri, desde então, respeito pela UNB, até hoje um reduto do pensamento marxista no Brasil, que parece ter resistido até mesmo à queda do muro de Berlim... A terceira foi o agudo contraste entre o primitivismo irracional dos estudantes e a impressão refinada e cosmopolita que Kissinger recebia do Brasil nos jantares em que o anfitrião era Israel Klabin, nosso amigo comum, que sempre soube reunir em torno do visitante ilustre a fina flor da *inteligentsia* local.

Schultz (que, como secretário do Tesouro, fora colega de ministério de Henry Kissinger no governo Nixon), homem de sábio julgamento, cujas qualidades viriam depois a ser sublinhadas com ênfase, durante os oito anos em que ocupou a chefia do Departamento de Estado norte-americano no governo Reagan, num momento de grandes transformações políticas. O intelectual excelso do grupo era o filósofo francês Raymond Aron, um liberal solitário, que manteve viva a causa do liberalismo, num momento em que a *intelligentsia* francesa se deixara seduzir pelo marxismo existencialista de Jean Paul Sartre e Louis Althusser.[418]

Uma das figuras mais interessantes era certamente Lee-Kwan-Yew, primeiro-ministro de Cingapura, que foi praticamente o *founding father* daquele país e por vinte e cinco anos ocupou sua liderança. Lee-Kwan-Yew hospedou-nos, de certa feita, para uma reunião em Cingapura, na qual Raymond Aron produziu uma excelente dissertação sobre política nuclear e perspectivas de desarmamento. Lembro-me de que, num jantar descontraído, Kissinger perguntou a Lee-Kwan-Yew (que chamávamos pelo apelido de Harry) como conseguia manter a ordem em Cingapura tendo em vista as tensões raciais que existiam. A parcela predominante da população — 70% — era de origem chinesa mas havia grande tensão entre chineses e malaios, sendo a história complicada ainda por um coeficiente de cerca de 10% de indianos, além de uma reduzida população residual de caucasianos.

— Como resolver o problema da administração policial? — perguntou Kissinger. — É a polícia composta proporcionalmente de pessoas dessas diferentes origens raciais?

— Não — respondeu Lee-Kwan-Yew — para a polícia eu contrato os *gurkas*. Eles matam imparcialmente.

Um dos participantes ocasionais das reuniões era o grande industrial italiano Giovanni Agnelli.

Ao que me lembro, as reuniões, que tinham uma agenda flexível, ocorriam em geral a cada seis meses, realizando-se em lugares diferentes. Ficamos hospedados em Cingapura por Lee-Kwan-Yew, em Bonn pelo chanceler Helmut Schmidt, em Teerã pelo xá Reza Pahlevi.

---

[418] Coube-me o prazer de escrever o prefácio da tradução brasileira no livro de Aron, *L'opium des intellectuels*, publicada pela Universidade de Brasília. Escrito em 1955, o *Ópio dos intelectuais*, é de surpreendente atualidade para a conjuntura brasileira, quase 40 anos depois. Os mitos que Aron buscava desmistificar àquela altura — e hoje desmistificados à luz da falência econômica do coletivismo — eram o mito da *esquerda*, o mito da *revolução* e o mito do *proletariado*. No Brasil de hoje, se substituirmos a palavra "Revolução" pela expressão, ainda mais vaga, de "mudanças", e o mito do *proletariado* pela "opção pelos pobres", estaremos de volta à mitologia de Aron, de 1955. Na Europa, o antigo conflito entre a direita e a esquerda, que Ortega y Gasset chamava de "hemiplegia mental", de há muito foi substituído pela controvérsia, muito mais relevante, sobre os limites da ação do Estado, ou seja, entre a economia de mercado e a economia de comando.

Em novembro de 1979, fui convidado pela Universidade de Lisboa para participar da banca examinadora para a livre-docência de um jovem economista, Aníbal Cavaco Silva, então diretor de pesquisas do Banco de Portugal. Tinha-se graduado em economia na Universidade de York. Sua excelente tese era sobre empréstimos compulsórios, um tema que eu conhecia bem por minha experiência no BNDE. Dei-lhe a nota máxima, preparando à parte uma pequena monografia, em que expressava dúvidas sobre a eficácia do mecanismo, mas reconhecia a competência e erudição do examinando. Não tinha idéia de que o jovem tecnocrata, anos depois, se revelaria o hábil político que, eleito primeiro-ministro pelo Partido Social Democrata em 1985, presidiria à modernização da economia portuguesa no contexto da Comunidade Econômica Européia.

DUAS REVOLUÇÕES:
REPRISTINIZAÇÃO E MODERNIZAÇÃO

Uma das últimas reuniões do grupo Aspen marcou época em minha vida. Ela se realizou no Irã, a convite do xá. Era julho de 1978, poucos meses antes do fim da dinastia Pahlevi. Um dos membros permanentes do grupo Aspen era Husang Ansari, então presidente da Companhia Nacional de Petróleo do Irã. A reunião foi realizada em Ramsar, uma cidade balneária às margens do mar Cáspio, num hotel turístico, especialmente esvaziado de hóspedes na ocasião, dadas as preocupações com a segurança de Kissinger. Estavam presentes Henry Kissinger, George Schultz, depois secretário de Estado em Washington, no governo Reagan, Raymond Aron e Lee-Kwan-Yew, o primeiro-ministro de Cingapura.

O xá nos recebeu em sua vila, em Ramsar, para uma discussão durante toda a manhã, seguida de almoço. Revelou-se extremamente bem informado sobre o panorama internacional e visivelmente constrangido quando lhe eram dirigidas perguntas sobre a economia interna. Obviamente, interessava-se muito mais pelo grande desenho internacional do que pelos detalhes da administração cotidiana. Manifestou preocupação com o suprimento de tanques russos ao Afeganistão, numa velada alusão ao antigo desígnio soviético de alcançar eventualmente as águas quentes do Índico.

Lembro-me de uma discussão assaz curiosa. Num comentário inesperado, o xá, em tom queixoso, se referiu à política norte-americana de fazer-lhe contínuas exortações sobre a necessidade de reformas internas, sem avaliação correta do ritmo em que elas poderiam ser executadas e das inerentes dificuldades. Mas o mais surpreendente foi a desconfiança que manifestou em relação a um possível e secreto conluio entre os Estados Unidos e a União Soviética, para uma espécie de "partilha de zonas de influência no Irã". A Rússia, ao fornecer tanques e armas ao Afeganistão, passava a constituir uma ameaça ao Irã, ameaça subestimada pelos ocidentais. Kissinger reagiu imediatamente, manifestando estranheza ante essa idéia bizarra, de vez que a integridade do Irã era considerada fundamental na política americana no Oriente Médio, e era sobre o Irã que repousavam as esperanças de uma liderança tranqüilizante na área.

O xá manifestou visível inquietação ante o expansionismo ideológico soviético. Inquietação profética, de vez que em dezembro de 1979 Brejnev decretaria a invasão do Afeganistão, com conseqüências tão trágicas para a União Soviética. Foi um Vietnã às avessas. Relendo depois episódios da história persa, verifiquei que as apreensões do xá tinham raízes histórico-familiares. Em setembro de 1941, forças americanas e inglesas invadiram o sul do Irã, enquanto forças russas invadiam o norte, a fim de depor o xá Reza Pahlavi, o fundador da dinastia, acusado de excessiva simpatia pelos alemães. Os russos, aliás, tinham uma tradição invasora. Em 1908-1909, tropas tzaristas bombardearam o parlamento iraniano. Em 1920, tropas comunistas, para eliminar remanescentes do exército branco do general Denikine, ocuparam um porto iraniano do mar Cáspio e apoiaram a formação da República Socialista do Guilan, de efêmera duração, no norte do Irã. E no fim da Segunda Guerra Mundial, enquanto as forças anglo-americanas se retiraram prontamente do Irã, as forças soviéticas lá permaneceram e chegaram mesmo a proclamar, no Azerbaijão iraniano, uma república socialista. Somente em 1946, por pressão aliada, traduzida em resolução da ONU, e corajosa ameaça militar do presidente Truman, os soviéticos se retiraram, permitindo a reintegração ao Irã das províncias do norte.

Não sei se por causa do casulo hoteleiro, extremamente confortável, aliás, a que fomos confinados em Ramsar, ou por falta de percepção analítica, não houve no grupo ninguém que imaginasse que o destino do xá estava selado, e que poucos meses depois, em janeiro de 1979, ocorreria a Revolução Fundamentalista. Em visita a Teerã, e depois às lindas cidades de Shiraz e Isfahan, excursão que fiz em companhia de Kissinger, sentia-se uma tensão surda no ar, mas nada que indicasse a iminência de uma explosão. Ela viria depois com uma aliança entre os *mullahs* e o *bazar*. Os *mullahs* se tinham voltado contra o xá, bizarramente por causa da reforma agrária, uma dessas ingênuas experiências de engenharia social de planejadores acadêmicos, que punha em questão a titularidade secular de suas terras. No plano urbano, os tradicionalistas do *bazar* se viam inferiorizados pela nova classe industrial emergente. As reformas modernizantes e a industrialização a passo forçado violentaram pristinas estruturas sociais.

O caso do Irã foi um exemplo de modernização abortada. Nenhum dos membros do nosso grupo visitante poderia avaliar a fragilidade do sistema, traduzida principalmente na vasta dose de corrupção da aristocracia imperial, de um lado, e, de outro, na sobrevivência de um fanatismo religioso primitivo, habilmente explorado a partir de Paris por pregações do aiatolá Khomeini gravadas em cassete e distribuídas secretamente no Irã. Literalmente um caso original de revolução religiosa pelo *tape recorder*.

Em contraste com a "repristinização" do Irã eu teria, em 1980, a oportunidade de sentir, em minha primeira visita à China Continental, os efeitos iniciais do programa das "quatro modernizações" de Deng Xiaoping. Fora convidado a Pequim, por um ex-capitalista, Rong Yren, único membro do rico clã dos Yung, grandes industriais de tecidos, papel e moinhos de trigo, que permaneceu na China após a Revolução comunista. Os outros membros da família emigraram, alguns para Hong Kong, outros para a Austrália e Estados Unidos, e um seu sobrinho, James Yung, se tornou industrial em São Paulo. Rong Yren não só se viu despojado das propriedades da família em Xangai e Wuxi (na província de Jiangsu), como foi aprisionado como "burguês capitalista". Sua família era conhecida de Zhou En Lai. Mas tinha também relações pessoais com o general Wang Zen, um dos heróis da "Longa Marcha", partidário de Deng Xiaoping, que tinha a seu crédito ter debelado uma rebelião na província de Xinjiang. Uma das filhas de Rong Yren era vizinha e amiga de uma das filhas de Deng, o qual tinha caído em desgraça duran-te a Revolução Cultural, iniciada em 1966. Seu filho mais velho, Deng Pufang, ficaria paralítico ao ser defenestrado, pelos "guardas vermelhos", do quarto andar do laboratório de física da Universidade de Beida, em Pequim, denunciado como "contra-revolucionário". O pai, Deng Xiaoping, fora posto em ostracismo, manda-do para trabalhar como operário numa fábrica em Wangcheng, na província de Yangxi, no sul da China. Por suprema ironia, Deng voltava, acusado de contra-revolucionário, a Yangxi, onde quando jovem criara o primeiro soviet. Quando ascendeu ao poder, no verão de 1977, após a morte de Mao, disposto a iniciar a abertura da economia para capitais estrangeiros, foi-lhe lembrado o nome do pri-sioneiro capitalista. Rong Yren foi então autorizado a criar a CITIC (China International Trust and Investment Corporation), que se tornou o principal órgão do governo chinês para a captação de recursos externos e para investimentos no exterior. Sabedor, através de seu sobrinho paulista, de minha experiência no BNDE e no Plano de Metas, convidou-me para visitar a China e discutir com o *staff* da CITIC a experiência brasileira de absorção de capitais estrangeiros.

Parti de Londres para Pequim em julho de 1980, com minha esposa Stella, em companhia do casal Yung. O programa das quatro modernizações, assim como a política de portas abertas, havia sido lançado formalmente em 1978, mas seus efei-tos começavam apenas a surgir. A paisagem humana cinzenta dos uniformes maoístas ainda era dominante, mas surgiam nesgas coloridas. Poucos indícios de novas construções. Esparsos automóveis a atropelar uma intimidante massa huma-na de ciclistas. E a população um pouco soturna, já livre do pesadelo da Revolução Cultural, mas ainda retraída, com a infinita paciência dos que viveram uma longa história. O prato político do dia era o julgamento da "Gangue dos Quatro", que estavam na prisão, inclusive a última mulher de Mao, líder radical na Revolução Cultural.

Em menos de duas gerações, a China experimentara quatro grandes convulsões e uma grande guinada econômica. Primeiro, a Revolução Comunista de 1949.

Depois, os dois movimentos maoístas, o Grande Salto Avante, de 1958-59, e a Revolução Cultural, de 1966. Finalmente, as duas iniciativas de Deng Xiaoping: o Programa das Quatro Modernizações (da agricultura, indústria, ciência e tecnologia, e defesa) de 1978, e a política de "portas abertas", de 1980-81. Em política externa, registram-se duas grandes guinadas no período pós-revolucionário: a ruptura de Mao Tsé-Tung com Kruschev, em 1964, e a reaproximação com os Estados Unidos, em 1971, engenhada por Kissinger e Zhou-En Lai. O Grande Salto Avante nasceu de um perigoso impulso poético de Mao Tsé-Tung. Foi um enorme desperdício. Uma espécie de versão precursora do *small is beautiful*, sem a serenidade e o encanto ecológico deste. O pulular das "indústrias de fundo de quintal" apenas desorganizou o sistema de transportes, além de gerar um "descontrole de qualidade". Mao não abandonou porém a idéia do "campesinato industrial". Ela ressurgiu, sob forma muito mais trágica, na Revolução Cultural de 1966, uma dessas típicas "sugestões epidêmicas", de que falava Tolstoi. O movimento tinha características bizarras, e no seu decorrer foram liquidados alguns dos maiores companheiros de Mao na Longa Marcha, notadamente Peng Huai, o grande estrategista, e Liu Shao-chi, presidente da República. Uma réplica contemporânea é o "fundamentalismo islâmico" do aiatolá Khomeini, essencialmente uma "repristinização" do que se supunha ser uma sociedade contaminada pelo moderno. A Revolução Cultural foi entretanto mais complexa. Não foi uma "repristinização" porque, ao contrário de desacralizar os valores antigos, como a passividade do budismo e o suposto "elitismo" da tradição confuciana, Mao pregava a extinção das quatro "velhices" — velhas idéias, velhos costumes, velha cultura e hábitos mentais. Foi também uma revolução preventiva do "revisionismo pré-capitalista", deturpador da pureza marxista, que Mao atribuía a Kruschev, acusando-o abertamente, em 1964, de "capitulacionismo".

A Revolução Cultural investiu, ao mesmo tempo, contra o mais tradicional e o mais moderno (se assim se pode designar a sociedade industrial aquisitiva, segundo o modelo ocidental). A "Revolução Permanente", destinada a preservar o purismo marxista e o fervor ideológico, criou uma brecha cultural e tecnológica de que somente agora a China está se recuperando. As universidades foram fechadas por um ano e abolidos os exames, sob pretexto de que gerariam "ratos de biblioteca". Criou-se a figura do "meio estudante, meio trabalhador", que redundou simplesmente em atraso acadêmico, sem progresso rural. Uma de suas numerosas vítimas foi precisamente Deng Xiaoping, obrigado a caminhar pelas ruas com um placar inscrito: "Bandido capitalista número 2" (o "bandido capitalista número 1" era Liu Shao-Chi, presidente da República, que acabou falecendo na prisão). Paradoxalmente, o "revisionismo", que Mao receava proviesse de Kruschev, acabou sendo implantado na China pelo próprio Deng Xiaoping, através da política de "portas abertas". O verdadeiro "salto adiante" da China, que se concretizou na década de 80, não foi dado pelo fanatismo de Mao e sim pelo pragmatismo de Deng Xiaoping.

Nessa primeira de minhas quatro visitas à China, concentrei minha curiosidade turística em Pequim e X'ian, a antiga capital da dinastia Ch'in. Ninguém escapa à fascinação da "cidade proibida", na praça Tiananmen, um conjunto de palácios imperiais, cobrindo 101 hectares, construído e reconstruído ao longo de séculos. Também de esquisita beleza é o Templo do Céu, uma obra-prima de arquitetura do século XV. Há duas visitas obrigatórias na vizinhança de Pequim: os túmulos da dinastia Ming e a Grande Muralha, da qual restam hoje 6 mil, de um total calculado em 50 mil quilômetros, construídos ao longo de dois séculos, entre o século V e o século III antes de Cristo. Como curiosidade moderna e exemplo de desperdício burocrático, meus anfitriões chineses me levaram a ver o palácio de Verão, construído em 1888 pela imperatriz Dowager Ci-Xi, que desviou verbas destinadas à Marinha Imperial para construir um palácio onde a única nota naval é um extravagante navio de mármore à beira do lago. Extremamente interessante foi a visita a X'ian, a capital do unificador da China, o imperador Qin Shi Huangdi, (259-210), um cruel guerreiro, notável por duas grandes obras: completar a Grande Muralha e o Grande Canal. Medroso da solidão da morte, o imperador construiu para sua tumba um palácio subterrâneo, povoado de 8 mil estátuas de soldados de terracota, esculturas de impressionante nível artístico. Os túmulos dos Ming, em Pequim, e o palácio-mausoléu de Qin Shi Huangdi (cuja construção levou 36 anos), provam que os imperadores chineses gostavam de morrer solenemente.

Ampliei minha visita para abarcar Xangai, um formigueiro humano, cuja avenida beira-rio, o Bund, nas margens do Huangpu, exibia intactas as construções européias dos prósperos tempos em que Xangai era o maior entreposto da Ásia, internacionalizado pela humilhante presença das zonas de concessão estrangeira, a cujos jardins era proibido o acesso de *dogs and chinese*. Fui levado a visitar uma usina de aço e uma fábrica têxtil, que me pareceram de tecnologia primitiva. E também uma "comuna modelo" nas vizinhanças, onde o que mais me impressionou foram as latrinas portáteis, pois o *night soil* era importante adubo. De trem, fui à bela cidade de Wuxi, à beira do lago Tai, um dos cinco maiores lagos da China, tradicional centro de tecelagem de seda. Disseram-me que a palavra Wuxi significa "sem estanho", nome que lhe ficou após a exaustão das minas, durante a dinastia Han, 200 anos a.C. Visitei a seguir Zuzhou, uma espécie de Veneza dos pobres, com numerosos canais ligados ao grande canal, uma das maravilhas de engenharia da China antiga, que liga Pequim às províncias do sul. Segundo as estórias locais, Zuzhou fora visitada por Marco Polo, no século XIII, que a descrevera "como uma grande e nobre cidade, com 6 mil pontes de pedra". Minha última visita, num trem desconfortável, foi ao belíssimo lago oeste de Hangzhou, ao sul de Xangai. Destaca-se, na parte norte do lago, a "Ilha do Outeiro Solitário", um belíssimo conjunto de pavilhões e museus construídos em diversas épocas, a partir da dinastia Tang (718-907). Em 1980, a China começava apenas a abrir-se ao turismo, e as facilidades hoteleiras eram primitivas.[419] Pus-me a pensar que, quando avançasse sua abertura econômica, o turismo poderia trazer à China contribuição inestimável para a solução dos problemas então existentes de balanço de pagamentos. As antiguidades ocidentais parecem novidades à luz da multimilenar cultura chinesa.

---

[419] Fiquei hospedado no Pequim Hotel, enorme e soturna construção, na avenida principal que leva à praça Tiananmen. Para minha sorte, lá residia o jornalista Gerardo Mello Mourão, então correspondente da *Folha de S. Paulo*. Tínhamos afinidade pelo nosso passado seminarístico, sendo Gerardo um competente helenista, enquanto minha proficiência era concentrada principalmente nos clássicos latinos. Gerardo era bom conhecedor de história chinesa e me fez percucientes análises dos episódios do fim da Revolução Cultural e do início do programa das quatro modernizações.

ADEUS À
DIPLOMACIA

Deixei Londres em setembro de 1982, com um misto de saudade e apreensão. Voltava a Mato Grosso para me submergir numa dura campanha eleitoral. De Londres para Cuiabá era um choque não só térmico como cultural. Decidi-me a ser um animal híbrido. De diplomata e tecnocrata passaria a ser um "policrata". Mais tarde saberia que no Legislativo não é fácil fazer o bem. Resignei-me ao objetivo mais modesto de evitar o mal.

Assim terminou minha carreira diplomática. Evoco a reflexão de François-René Chateaubriand, embaixador da França em Londres em 1822:

"Entre mes deux vies (la politique e la littéraire) il n'y a que la différence du résultat ".[420]

Aos olhos de Chateaubriand, as diferenças de resultado provinham do fato de que a carreira literária só dependia dele, enquanto a política lhe foi bloqueada no ápice de sua criatividade de estadista. Sob sua inspiração intervencionista como chanceler, a França logrou dobrar os liberais espanhóis e restaurar o Bourbon Fernando VII, mas a um tão alto custo que seu prestígio se viu ameaçado, dando ao *premier* Villèle, seu inimigo pessoal, a oportunidade pela qual ansiava, a fim de incompatibilizá-lo com o poder real e obter sua destituição. François-René Auguste via seu êxito profissional na chamada "Guerra da Espanha" como o equivalente político-diplomático de sua maior criação literária, o *Génie du Christianisme*.

Ao contrário do enviado de Paris à Corte de St. James, posso assegurar que, entre minhas duas principais encarnações (a de diplomata e a de economista) não houve significativas diferenças de resultados. Meu grande pecado, em "ambas as vidas", foi dizer a verdade antes do tempo. Pecado, em termos pessoais, que voltaria a repetir, em nome da "ética de convicção". Meu modesto primeiro equivalente profissional à "Guerra da Espanha" foi a "missão impossível" em Washington, que consistira em tentar explicar a irracionalidade do governo Goulart aos Estados Unidos, num momento em que a política externa brasileira era provocadoramente antiamericana e, de modo paradoxal, desejávamos obter ajuda econômica daquele

---

[420] Ou, em vernáculo: "Entre minhas duas vidas (a política e a literária), não há senão a diferença do resultado".

país. Minha "Segunda Guerra da Espanha" foi a abertura das portas dos palácios de Buckingham e de Westminster e da City, ao Brasil, ainda na presidência Geisel, a despeito do clima adverso e das críticas correntes na Inglaterra de então à autocracia brasileira. Aos ingleses antecipava eu os desenvolvimentos futuros de nossa democratização, enquanto internamente, no Brasil, estimulava os avanços rumo à restauração das liberdades, enfatizando a acolhida calorosa que no Reino Unido recebiam tais antecipações. Na economia as minhas "guerras de Espanha" foram o PAEG, o único plano de estabilização que deu certo, ainda que de forma incompleta, no Brasil de minha geração e as grandes reformas do governo Castello Branco.

Ao contrário de Chateaubriand, a providência não me inspirou para escrever em Londres uma obra iluminada como as *Mémories d'outre tombe*. As memórias do visconde foram escritas ao longo de trinta anos e se destinavam a publicação póstuma. Não tenho a menor intenção de escrever um livro póstumo...

Contento-me com este meu relato — *A lanterna na popa* — sem a qualidade estética da obra de François-René, mas com igual angústia existencial ante os caprichos do *destino*, coisa que, como dizia Machado de Assis, rima com *divino*.

Tal como as *Mémories d'outre tombe*, meu relato é de grande discreção quanto à vida sentimental. Não tive, de resto, nada de eroticamente comparável à sua longa ligação com Madame Récamier, que dava ao velho nobre empobrecido os prazeres do leito, a partilha da bolsa e a excitação intelectual do *saloon* da Abbaye-aux Bois.

Enquanto em Londres, não podia me esquecer de que também o Brasil tivera por embaixador, no governo Kubitschek, um Chateaubriand, o Assis, vulgo "Chatô". Sofisticado leitor dos clássicos gregos e latinos e exegeta de filósofos, François-René, vivera por algum tempo na América do Norte, com a tribo dos Natchez, à busca do nativismo exótico que permeia seu romance *Attala*. O nosso "Chatô" trazia o exótico para Londres, declarando-se descendente de caetés antropófagos e exibindo cocares de pluma. Era um misto de jagunço, bandido da Renascença e fauno tropical.

OS GRANDES HOMENS

QUE CONHECI

Ao longo da carreira diplomática, os estadistas que mais impressão me causaram foram o general Charles De Gaulle, Konrad Adenauer, o chanceler de ferro da Alemanha Ocidental, e John Kennedy, o presidente dos Estados Unidos. O quarto estadista foi Margaret Thatcher, que o presidente Reagan costumava chamar de "o melhor homem da Inglaterra".

Com os dois primeiros, tive contato fugaz mas importante. Conheci Kennedy mais de perto como embaixador em Washington, num tempo em que éramos objeto de seu especial interesse, pelo receio de que uma guinada esquerdista no Brasil pudesse alterar o balanço de poder mundial, numa fase crítica da guerra fria. Assisti, como embaixador em Londres, à ascensão ao poder de Margaret Thatcher, a única primeira-ministra da história inglesa. Era o ocaso do trabalhismo e a vitória política do neoliberalismo.

Falemos primeiro, entretanto, dos "grandes guerreiros".

OS GRANDES
GUERREIROS

Das grandes personalidades que desempenharam papel-chave no desenlace da Segunda Guerra Mundial — Roosevelt, Stálin, Churchill e De Gaulle — só com este último tive encontros pessoais. Como jovem secretário de embaixada, assisti em Washington aos anos finais de Roosevelt. Era uma presença majestosa e distante, que eu via em paradas oficiais e ouvia pelo rádio, nas conversas ao pé do fogo.

Esses quatro líderes operaram em diferentes contextos históricos, mas nasceram todos eles de grandes convulsões. Stálin, da luta pelo poder que se seguiu ao desaparecimento de Lênin, num sistema cuja sobrevivência era ainda contestada externamente, e ao qual restava a imensa tarefa de converter uma filosofia crítica num modelo operacional. Roosevelt, da convulsão econômica provocada pela grande depressão dos anos 30. Sua missão não era "mudar" o sistema, e sim "inovar" dentro do sistema. É que o sistema, competente na manipulação da produção, não aprendera ainda a manipular convenientemente a distribuição da renda e o nível de investimento. Intuitivamente, e às vezes contraditoriamente, Roosevelt acabou tornando-se o primeiro dos keynesianos, substituindo o Estado neutro e mantenedor da ordem pelo Estado assistencial e intervencionista.

São muito maiores as semelhanças entre Churchill e De Gaulle, forjados no cadinho da derrota militar. Possuíam ambos um sentido majestático do poder e uma visão romântica da história. Foram ambos grandes escritores, displicentes na comunicação quotidiana e soberbos na comunicação dramática, nas horas agônicas. Exibiram ambos mostras de singular presciência, o primeiro ao profetizar a monstruosa deformação do poder hitlerista, e o segundo, ao prever a fundamental modificação nas artes da guerra ofensiva e ao advertir contra o imobilismo da concepção francesa de guerra de posição. Ambos experimentaram a purgação toynbeeana da "retirada e do retorno". Churchill experimentou seu recesso político e o sabor amargo do ostracismo no interlúdio entre as guerras, sob a memória negativa da derrota militar de Gallipoli e da crise resultante da deflação econômica ligada à restauração do padrão-ouro nos anos 20. De Gaulle, após a falência da IV República, enlameada na pequena intriga política e no frívolo carrossel das recomposições ministeriais, que levava os candidatos a assim prelibarem as quedas de gabinete: — A situação política, meus amigos, está se deteriorando satisfatoriamente...

Ambos, após o retorno glorioso, enfrentaram rejeição eleitoral por seus povos, quando ainda se julgaram credores de apoio por grandes gestos e feitos. *Last but not least*, ambos acreditavam orgulhosamente na missão imperial e civilizadora de seus povos, e foram relutantemente levados a presidir à liquidação de seus impérios...

DE GAULLE E A
DIPLOMACIA VOLUNTARISTA

Com a interrupção de apenas um decênio, a personalidade de De Gaulle, ao longo do período do pós-guerra, identificou-se com a imagem da França, por ele salva do caos político e da anarquia econômica em que soçobrara a IV República. Foi o grande mestre da diplomacia voluntarista. Armado apenas da tradição do passado francês e de uma inusitada capacidade de afirmação pessoal, logrou impor-se como líder de grande potência sobre os escombros de um país derrotado.

Ao voltar ao poder, em 1958, lançou-se com singular êxito na complexa aventura da diplomacia "voluntarista". Esta consistiu em projetar uma imagem internacional da França muito superior às realidades do Poder Nacional, dando-lhe uma influência e uma capacidade de arbitragem em relação ao Terceiro Mundo desproporcionais aos instrumentos efetivos de ação militar e econômica.

Para essa magnificação da imagem concorreram vários elementos, alguns fortuitos, outros fabricados. O elemento fortuito foi o impasse nuclear, que paradoxalmente limitou a flexibilidade de ação das duas superpotências rivais e aumentou a capacidade de manobra e desafio dos demais países.

O elemento fabricado foi a asserção da hegemonia na Europa, com base em quatro fatores. Primeiramente, a excitação explícita do nacionalismo na França, e subliminar do antiamericanismo alhures, predispondo os franceses a reclamarem desinibidamente um papel mundial exagerado, e predispondo também os países do Terceiro Mundo a aceitarem um certo grau de liderança francesa como elemento equilibrador do sistema ocidental. Em segundo lugar, a exploração do "complexo de culpa" da Alemanha Ocidental, que a levou a aceitar um papel político muito inferior à sua projeção econômica, atemorizada outrossim pela possibilidade de um sacrifício total das possibilidades de reunificação, caso se verificasse uma aproximação maior entre a França e a União Soviética. Em terceiro lugar, o veto à entrada da Inglaterra no Mercado Comum Europeu, para que se mantivesse intacta a hegemonia francesa no Continente. Em quarto lugar, a criação da *force de frappe*, que faria da França, por muito tempo, a única potência nuclear no Mercado Comum. Apesar de sua inexpressividade frente ao poderio nuclear das superpotências, obrigava estas a reconhecerem à França a capacidade de acionar independentemente um detonador nuclear, que dificultaria um entendimento entre as superpotências em detrimento de interesses europeus.

Outras hábeis manobras de De Gaulle foram a exploração do incipiente nacionalismo dos países socialistas do Leste europeu, que tornaria a França um *interlocuteur valable* para uma reconciliação eventual com o Ocidente e, depois, a paz com a Argélia e a descolonização do império francês na África, que facilitaram uma reaproximação com os países do Terceiro Mundo.

Esses, os ingredientes fundamentais da diplomacia voluntarista, que De Gaulle praticou com sumo sucesso, somente comparável à façanha de Talleyrand no Congresso de Viena, ao preservar para a França sua integridade territorial e o *status* de grande potência após a grande *débâcle* napoleônica.

O MESTRE DA
REALPOLITIK

Como mestre da *realpolitik*, misturava De Gaulle, sem qualquer compunção, laivos de "voluntarismo" e rasgos de "realismo". Sua postura foi "idealista", por exemplo, ao apoiar a criação e a sobrevivência de Israel; e "realista", mais tarde, ao apoiar fortemente os árabes, ainda que com desgaste político interno, no interesse de debilitar a presença anglo-saxônica no Oriente Médio e de defender e ampliar posições petrolíferas francesas. Foi "idealista" ao promover a descolonização do império francês; e "realista", ao se reservar o direito de vender armamentos à África do Sul, enfrentando protestos da África negra, no interesse de expandir mercados de exportação para a indústria francesa.

Em alguns casos o voluntarismo idealista predominou sobre o realismo, com resultados negativos. Ao excitar o "nacionalismo" francês e retardar a evolução política do Mercado Comum, defendendo a "Europa das pátrias" em vez da Europa supernacional, De Gaulle destruiu precisamente o elemento que poderia servir de equilíbrio entre as superpotências: essas teriam de dialogar, em igualdade de condições, com uma Europa unificada, que incluísse o poderio industrial franco-alemão e a capacidade tecnológica britânica, mas se sentiriam em franca superioridade se negociassem com uma Europa desunida, sob precária liderança francesa.

AS TAREFAS
REALISTAS

Em minhas andanças diplomáticas não tive senão três contatos pessoais com De Gaulle: um surpreendentemente longo e os outros extremamente fugazes.

Em março de 1961, aportei à França como emissário do presidente Jânio Quadros, para a difícil missão de renegociar dívidas brasileiras e obter novos créditos na Europa Ocidental, numa situação de completa bancarrota cambial. Esperava apenas uma visita cerimoniosa para entregar-lhe carta protocolar do presidente Quadros. Era um tempo difícil e amargo. Numa de suas brilhantes contradições, De Gaulle, chamado pelo Exército para sanar a anarquia política interna e solidificar a presença francesa na Argélia, decidira-se realisticamente a apostar seu futuro político na "descolonização", se fosse essa a opção argelina. A tensão estava no auge. As negociações em Evian estavam a ponto de fracassar, e os *plastiques* dos terroristas argelinos explodiam diariamente em Paris.

Ao receber-me, De Gaulle relanceou um memorando que tinha sobre a mesa.

Em primeiro lugar, disse-me, é necessário remover esse "lixo" (referia-se a velhos litígios de indenização resultantes de encampação das estradas de ferro de São Paulo-Rio Grande e Vitória-Minas), indigno de perturbar as relações entre os dois países.

Descrevi-lhe a seguir os objetivos de minha missão: consolidar débitos, obter um *stand-by* bancário, e assentar bases para créditos de longo prazo, pondo termo à praxe imprudente de endividamento a curto prazo. De Gaulle passou à parte política, que obviamente considerava mais interessante. Sabendo de meu plano de visitar outros países, perguntou-me que colaboração esperava deles.

Pouco ou nada da Inglaterra, respondi. (Notei que a resposta lhe dava secreta satisfação). É que a Inglaterra atravessa dificuldades de balanço de pagamentos e, debruçada sobre a Commonwealth, busca desengajar-se economicamente na América Latina. Quanto à Itália, acrescentei, há afinidades raciais pela imigração, e crescente interesse dos investidores. Mas a Itália atribui prioridade à reconstrução de sua posição política na orla do Mediterrâneo e na Somália. É da Alemanha que esperamos maior contribuição, seja por ser nosso maior parceiro comercial na Europa, seja pelo rápido surto de investimentos alemães no Brasil. Mas deles não espero liderança, por carecerem de tradição política na América Latina e por estarem compreensivelmente absorvidos pela crise de Berlim e o problema da reunificação.

— Que espera da França e por que espera? — perguntou-me De Gaulle.

— Da França — respondi — espero algum apoio econômico, principalmente no reescalonamento de débitos, mas, sobretudo, liderança política. Trata-se de um país latino, singularmente bem situado pela sua experiência recente de inflação e instabilidade política, para entender esses dois demônios que infestam a América Latina. Mas a não ser que haja instruções políticas de sua parte, discutirei interminavelmente, com a burocracia financeira, questiúnculas sobre juros e prazos de dívidas, e certamente ouvirei infindáveis sermões sobre nosso desregramento financeiro.

— Considero sua análise bastante realista e correta — respondeu De Gaulle — A França deve exercer liderança e Paris deve ser a sede das negociações brasileiras.

Houve uma pausa um pouco embaraçosa na conversa. Quando fiz menção de partir, prosseguiu De Gaulle: — Sempre acreditei na necessidade de a Europa Ocidental, e sobretudo sua parte latina, reaproximar-se da América do Sul. Juntos formaríamos uma base suficiente para influir nessa confrontação perigosamente isolada dos dois colossos, a União Soviética e os Estados Unidos, sem o contrapeso de uma terceira força. Esses dois colossos me preocupam mais pela sua semelhança que pelas suas diferenças...

Voltei a ver a general De Gaulle apenas fugazmente em Brasília, em 1964. Na recepção após o jantar, Castello Branco, ao apresentar-lhe os ministros de Estado, pediu que me aproximasse.

— Este é o ministro do Planejamento — disse.

Mencionei ao general De Gaulle que ele me havia antes auxiliado na difícil operação creditícia de 1961 e que, desde então, o Brasil havia finalmente superado seu desregramento financeiro.

— Ah, então o senhor, no governo, é o homem que 'trabalha'?

E acrescentou: — Quando Kruschev me visitou, em Paris, perguntei-lhe como tinha tempo de trabalhar, pois estava sempre em andanças ou congressos partidários.

— Trabalhar por quê? — respondeu Kruschev — Para isso existe o Plano...

De Gaulle foi um dos raros homens do nosso tempo que parcialmente resistiu ao destino, pois decidiu fabricar sua própria história. Depois de Napoleão, ninguém mais fundamentalmente alterou a vida francesa, revitalizando uma nação que se julgava cansada demais para inovar, cínica demais para liderar, orgulhosa demais para sofrer. Foi ele quem deu à França consciência de suas alternativas extremas, que excluem a mediocridade: ou uma função gloriosa ou o castigo exemplar.

DE GAULLE
E O BRASIL

Para De Gaulle, o Brasil se apresentava como um grande e estranho país, de considerável potencial mas ainda imaturo. É falso que De Gaulle tenha pronunciado a frase *"Le Brésil n'est pas encore um pays sérieux"*, pois seu autor foi o embaixador brasileiro em Paris, Carlos Alves de Souza, fatigado com a falta de instruções do Itamaraty. Mas não estava longe do que De Gaulle pensava. Inicialmente, parecia não distinguir muito a Revolução de 1964 de uma típica quartelada sul-americana. E sobrestimava vastamente a influência norte-americana na política brasileira. O contato pessoal com Castello Branco, destarte, na *tournée* pela América Latina em 1964, foi para De Gaulle uma agradável surpresa. Sentiu em Castello uma personalidade forte, com idéias reformistas bem definidas. Relata-se um diálogo característico, quando voltavam ambos de Brasília para o Rio, no avião presidencial.

— Senhor marechal — perguntou De Gaulle com agressividade quase impertinente — , sempre me preocupou saber o que é um ditador sul-americano e por que a história os registra tão numerosos?

— Senhor presidente — respondeu Castello Branco — , um ditador sul-americano é um homem, não necessariamente um militar como nós dois, que acha extremamente agradável agarrar o poder e extremamente desagradável deixá-lo. Eu deixarei o poder em 15 de março de 1967. E o senhor, que planos tem?

De Gaulle calou-se constrangido. Àquela altura, no auge do sucesso, ele personificava a França e não tinha a menor intenção de deixá-la órfã. Quando o presidente Castello Branco, após a transmissão do governo, visitou a França, De Gaulle deu-lhe recepção cordial e quase carinhosa. E com ele trocou confidências, como se Castello Branco continuasse um homem de Estado, a quem talvez os fados reservassem, como ao próprio De Gaulle, no retiro de doze anos em Colombey-les-Deux-Églises, um desengajamento e um retorno...

A ERA DE
CAMELOT

Kennedy foi o único dos grandes estadistas com quem convivi de perto. Como mencionei no capítulo "Missão junto à Casa Branca", minha estada na embaixada em Washington, de outubro de 1961 a janeiro de 1964, coincidiu aproximadamente com os mil dias da "Nova Fronteira". Era uma época de brilho intelectual, otimismo juvenil e excitação artística. Falava-se no sonho de Camelot da corte do rei Arthur. Tive vários contatos com Kennedy, infelizmente menos por meus méritos pessoais, do que pelo receio de Kennedy da "perda do Brasil" para a esquerda, psicose agravada após o fiasco americano na invasão da baía dos Porcos, em abril de 1961.

A imagem de Kennedy, ainda importante, sofreu recente erosão por uma avaliação mais severa das raízes do envolvimento no conflito do Vietnã, e pelas estórias de pecadilhos sexuais que, curiosamente, a despeito da intensa bisbilhotice da imprensa de Washington, passaram quase despercebidos à época. Essas exumações sensacionalistas são um traço hirsuto e desagradável da mídia americana.

O revisionismo histórico promove alguns presidentes e apequena outros. Uma imagem que cresceu foi a de Truman que, quando jovem secretário da embaixada em Washington, e depois na missão da ONU, em Nova York, me parecia intelectualmente medíocre. No fragor do momento, ante uma mídia hostil, não se tinha a percepção da imensa coragem que o levou a decisões agônicas e cruciais para a sobrevivência, e eventual vitória, do sistema ocidental. Era comparado desfavoravelmente com seu antecessor, Roosevelt. E previamente às eleições de 1948, muitos líderes democratas pediram que renunciasse à sua candidatura, por se ter como certa sua derrota em face do republicano Thomas Dewey. Sofreu mais de um pedido de *impeachment*, durante sua contenda com o radicalismo do senador Joe McCarthy. Teve entretanto uma vitória surpreendente sobre Dewey e se firmou como um dos presidentes mais fortes em política externa e um grande artífice da arquitetura internacional do pós-guerra.

A imagem de Kennedy percorreu roteiro inverso. Passado o grande trauma do assassinato e o *glamour* da Nova Fronteira, instaurou-se um processo histórico de "erosão do carisma". Sua imagem perdeu hoje parte de seu brilho.

Seria injusto, entretanto, não inscrever Kennedy na galeria dos grandes reformadores: a linhagem de Andrew Jackson, Lincoln, Theodore Roosevelt, Woodrow

Wilson e Franklin Roosevelt. Afortunada tem sido essa grande nação em ter encontrado líderes capazes de responder ao desafio da época, todas as vezes que as tensões sociais elevavam a nível perigoso a temperatura do corpo político.

No caso de Andrew Jackson, o problema era incorporar o Oeste primitivo à democracia americana, combatendo a prepotência financeira do Leste bancário e industrial, e complementando, pelo reconhecimento dos novos problemas sociais da industrialização, o ruralismo elegante da democracia jeffersoniana. Lincoln salvou a unidade nacional, reagindo à grande ameaça da cisão racial, e rejeitando a acomodação política em favor de princípios éticos e sociais. O disciplinamento do poder econômico dos hirsutos monopólios privados, que ameaçavam tornar-se "Estados dentro do Estado", foi o grande problema que enfrentou o primeiro dos Roosevelts, que também ensaiou o poderio americano em escala mundial. A Woodrow Wilson coube, por sua vez, afirmar internamente o Poder Executivo e, no plano externo, enfrentar o dilema de uma nação isolacionista que os acontecimentos haviam subitamente projetado à posição de liderança mundial. A tarefa essencial de Franklin Roosevelt foi humanizar o capitalismo individualista, advogando uma intervenção estatal corretiva, quer no sentido da transformação do Estado em importante investidor, quer no sentido da expansão dos benefícios sociais.

À época de John Fitzgerald Kennedy novas tensões se haviam acumulado. A emancipação legal dos escravos outorgada por Lincoln não se havia, na prática, transformado em igualdade jurídica e econômica, particularmente nos estados do Sul. A tendência igualitária da distribuição de renda, acentuada durante o *New Deal*, sofrera retrocesso no pós-guerra, particularmente na gestão republicana, criando novas reclamações em favor do estado assistencial. A drástica modificação do panorama mundial, como resultante do impasse nuclear, reclamava não só um fim definitivo ao isolacionismo norte-americano, como a aceitação paciente de um "equilíbrio do terror".

Kennedy tinha assim de responder a múltiplos desafios. O de uma nação afligida pela conscientização dos negros no tocante à sua frustrada libertação, que havia permanecido muito mais uma construção jurídica do que uma genuína abertura de oportunidades econômicas e políticas. O desafio de uma baixa taxa de crescimento econômico, frente a um mundo socialista agressivo e a uma Europa estuante, com o vigor da Fênix renascida das cinzas. O desafio da confrontação ideológica e econômica com o regime comunista no palco dos países que formam o Terceiro Mundo.

A Nova Fronteira se abriu assim, num momento de perigo e de oportunidades, num país mordido pela dúvida e afrontado por desafios à sua capacidade de liderança.

O IMPACTO
DE KENNEDY

Na longa visão da história, os "mil dias" da Nova Fronteira, com sua imaturidade e sua excitação, seu brilho criador e sua inexperiência política, sua generosidade de impulsos e suas frustrações práticas, aparecerão como um período importante não só na história americana, como no cenário mais amplo da comunidade ocidental e no contexto das duas grandes confrontações de nossos dias: a confrontação Leste-Oeste durante os 40 anos da guerra fria e, talvez ainda mais pungente, a confrontação Norte-Sul, entre os países industrializados e os do Terceiro Mundo.

Como resumir o impacto de Kennedy sobre a história contemporânea?

No cenário latino-americano, que nos toca mais de perto, ele se cifra no lançamento da Aliança para o Progresso, com suas várias implicações: a) O abandono do tratamento residual a que a América Latina havia sido relegada no pós-guerra, apesar dos sinais de alarma transmitidos pelo incidente cubano, e apesar das exortações da Operação Pan-Americana; b) A aceitação do reformismo social, envolvendo arriscadas mudanças na estrutura social e política, em substituição à confortável tolerância de antanho em relação a oligarquias conservadoras.

No contexto mais amplo dos países subdesenvolvidos, a filosofia da Nova Fronteira adotou postura essencialmente "pluralista", reconhecendo, ainda que relutantemente, a inevitabilidade de variados modelos institucionais: desde a "democracia dirigida" até as misturas de socialismo, assim como de estatismo intervencionista, durante a fase de construção de novas nações, que emergiam do colonialismo para o esforço de modernização da sociedade. Note-se, ainda, um sentido de engajamento mais profundo na promoção do desenvolvimento econômico e social e, recentemente, um apoio muito menos inibido à liquidação do colonialismo, objetivo até então perseguido com grande cautela em virtude das alianças européias; e a melhor percepção, ainda que com minguado resultado efetivo, por causa de fortes resíduos protecionistas na política norte-americana, da necessidade de melhorar as oportunidades de comércio dos subdesenvolvidos.

No contexto norte-americano, o impacto de Kennedy, conquanto mais inspiracional que pragmático, porque caberia a Johnson, como hábil manipulador político, levar à fruição as primeiras reformas de Kennedy — a reforma fiscal e a dos direitos civis, feriu problemas fundamentais que exigiam mão ousada e firme: o ataque fundo ao problema racial, a reativação do crescimento numa economia entorpecida por uma prosperidade que se havia tornado preguiçosa e parcial, e, finalmente, a preparação psicológica do povo norte-americano para a aceitação da inevitabilidade da coexistência, em face do equilíbrio do terror.

Na grande confrontação entre o sistema evolutivo da democracia ocidental e o sistema revolucionário do totalitarismo soviético, o mundo lhe deve duas coisas. De um lado, a firmeza de posição, seja em Berlim seja no engajamento cubano, forçando um recuo da onda expansionista soviética. De outro, a flexibilidade de concepção, para reconhecer as plenas conseqüências do impasse nuclear: a impossibilidade da vitória, a necessidade de abrandamento da corrida armamentista e a aceitação de uma longa e paciente espera... até que o ressurgimento da mais antiga das fomes — a fome de liberdade — viesse a erodir os aspectos mais brutais do "totalitarismo marxista", aproximando-o gradualmente do "pluralismo ocidental". Essa gradual convergência é a única postura capaz de garantir nossa sobrevivência na terra. Pois que somos criaturas inábeis para descobrir o segredo da criação, mas possuidores do segredo nuclear da destruição, neste atribulado planeta que, como disse o próprio Kennedy "não foi criado para transformar-se em masmorra onde a humanidade prisioneira aguarda sua execução".

O CHANCELER
ADENAUER

Estive duas vezes com o chanceler Konrad Adenauer, mas só me entretive detidamente quando o visitei em Bonn, em março de 1961, como emissário de Jânio Quadros para a renegociação da dívida externa. Mas guardei uma impressão indelével.

Não esperava sequer ser recebido pelo chanceler. Afinal de contas, minha missão era especificamente financeira, mais pertinente aos ministérios especializados de economia e finanças. Levava uma carta protocolar de apresentação de Jânio Quadros. Adenauer tinha voltado de viagem aos Estados Unidos e se preparava para uma campanha eleitoral. Campanha que, aliás, viria a provar-se extremamente difícil. A coligação tradicional CDU (União Democrática Cristã) e CSU (União Social Cristã) perderia vários assentos no parlamento, e Adenauer teve que readmitir na coalizão os democratas livres, que exigiram que ele renunciasse antes de expirado o termo parlamentar. Adenauer renunciaria em 1963, depois de conseguir seu objetivo há muito perseguido — o Tratado de Cooperação com a França — assinado com o general De Gaulle.

Para minha surpresa, o ministério do Exterior avisou-me que Adenauer gostaria que eu lhe entregasse a carta pessoalmente, numa entrevista fixada para 15 minutos, segundo a precisão germânica. Logo que cheguei, cumprimentou-me o chanceler com sua postura rígida e face de traçado anguloso, como uma máscara pétrea. Era famoso pela frugalidade, revelada no ambiente, e parecia falar com um discreto ar de sarcasmo. Foi logo ao assunto, sem maior cerimônia:

— O senhor é suficientemente moço para que eu lhe possa dizer com franqueza que aqui veio numa missão desagradável: arranjar dinheiro. Sei disso porque nunca fui hábil nessa tarefa e os ingleses, por essa, entre outras razões, destituíram-me da posição de prefeito de Colônia depois da guerra. E depois não sei porque a Alemanha deveria dar dinheiro ao Brasil. Trata-se de um país rico, que acaba de se dar o luxo de construir uma nova capital. Nós somos pobres. Aproveitamos para a capital a cidadezinha de Bonn, onde a coisa mais interessante é a memória de Beethoven.

Adenauer se referia, provavelmente, às suas vicissitudes como prefeito de Colônia. Fora escolhido para essa posição em 1917, durante a I Guerra Mundial, e a mantivera por 16 anos até o advento do nazismo. Caiu no ostracismo em

1944, e foi enviado pelos *nazis* para um campo de concentração. No fim da Segunda Guerra Mundial, os americanos o reinstalaram como prefeito, mas ficou por pouco tempo, pois os ingleses, que passaram a ocupar a Westphalia em junho de 1945, destituíram-no do cargo três meses depois, em setembro. Foi uma gafe inglesa, que os acontecimentos depois provaram, de dimensões monumentais. Mas provavelmente essa decisão resultava menos da incapacidade de Adenauer de amealhar recursos do que do desejo inglês de ter no cargo uma personalidade mais manobrável.

A fria acolhida inicial, emoldurada por um sorriso irônico, deixou-me desconcertado. Respondi-lhe que minha missão era desconfortável, mas estava em mãos do chanceler transformá-la numa expedição cultural agradável. Bastava dar instruções adequadas ao ministro da Economia, Ludwig Erhart, com quem já tinha uma visita aprazada.

Quanto à Brasília, tinha-me oposto a sua construção, por julgá-la inflacionária, quando secretário geral do Conselho do Desenvolvimento no governo Kubitschek. Mas tinha de reconhecer, disse-lhe eu em ar de pilhéria, que havia um mérito. Num país subdesenvolvido como o Brasil, a pressão do empreguismo público era insustentável, e a localização em Brasília pelo menos reduziria a marcha dos pedintes e daria mais tranqüilidade para governar.

Olhava eu constantemente para o relógio, para não exceder o *deadline* de 15 minutos. Adenauer pôs-me mais à vontade engajando-me numa conversação que duraria quase uma hora. Relatou-me que em sua juventude planejara emigrar para o Brasil, estando mesmo de passagem comprada. Em vista do falecimento de um tio, atendeu ao pedido da tia viúva para que lhe assistisse na administração dos negócios. Mas havia muito acreditava nas potencialidades do Brasil, e era frustrante não vê-las realizadas. Pensei eu com os meus botões: "O Brasil perdeu um grande imigrante e a Alemanha ganhou um grande chanceler".

Adenauer viria a representar um papel fundamental na aliança ocidental contra a expansão soviética. Era visceralmente anticomunista. Repugnava-lhe a idéia de uma sociedade igualitária de massas. Seu lema era "o individualismo sob o império da lei". Considerava irreconciliáveis as diferenças entre os ensinamentos do humanismo cristão e a arregimentação social-totalitária do comunismo. Essa convicção o levou a rejeitar quaisquer propostas de neutralização de uma Alemanha reunificada, e a optar pela reconciliação com a França, pelo ingresso nas associações comunitárias européias, como a Comunidade de Carvão e Aço, em 1951. Apoiou a proposta francesa da Comunidade Européia de Defesa, em 1952; quando esta fracassou, promoveu a adesão à OTAN da Alemanha, ao readquirir seu país plena soberania em 1955; e participou das discussões sobre a Comunidade Econômica Européia, na qual ingressou em 1957 como membro fundador. Adenauer sempre rejeitou a política de não-alinhamento, mesmo quando Stálin acenou em 1952 com uma promessa de reunificação das duas Alemanhas, em troca de estrita neutralidade de Bonn e sua desvinculação do Oeste. Foi um dos grandes entusiastas da "política de contenção" enunciada por George Kennan em 1947, e com este rompeu quando Kennan passou a advogar, em 1955, uma política de "desengajamento" ocidental e neutralização da Alemanha.

Adenauer foi chanceler de 1949 a 1963. Seu teste mais difícil foi exatamente em 1949, no começo da aplicação do programa de recuperação econômica, inspirado nas idéias liberais do economista Mueller-Armack e implementado a partir de junho de 1948, através da reforma monetária de Ludwig Erhart, quando era ainda um simples administrador das duas zonas de ocupação. A coligação partidária de Adenauer ganhou um pouco mais de 30% dos votos no Bundestag. Teve de formar um gabinete de coalizão, mas foi apenas pela margem de um voto, o seu próprio, que o Bundestag confirmou sua designação como chanceler, em 15 de setembro de 1949. A aceitação popular do programa econômico tardou a vir. O milagre alemão se iniciara em 1949, mas nos primeiros tempos a percepção popular era de um ajuste penoso, com poucas perspectivas de êxito. Adenauer só ampliou consideravelmente sua margem no Parlamento nas eleições de 1953 e 1957.

Meu pedido a Adenauer para que recomendasse a proposta brasileira de consolidação de dívidas a Ludwig Erhart foi provavelmente um *faux pas*. Erhart fora nomeado vice-chanceler em 1957, mas passou a criticar, como insatisfatórias, as condições aceitas por Adenauer para a adesão alemã à comunidade econômica européia. Estabeleceu-se crescente antagonismo entre o grande liberal político, Adenauer, que reabilitara o país das feridas do nazismo, e o grande liberal econômico, Erhart, o pai do milagre alemão. Meu conhecimento da evolução política alemã era perigosamente inadequado, a ponto de eu desconhecer que em 1959 Adenauer procurara barrar a pretensão de Erhart de ascender à posição de chanceler, sonho que ele conseguiria realizar quatro anos mais tarde, com a renúncia de Adenauer, em 1963.

Quando cheguei à Alemanha, em março de 1961, a disputa interna entre os dois líderes estava em seu auge. E o resultado dos meus contatos foi muito diferente do que esperava. Contava com uma acolhida indiferente de Adenauer, assoberbado pelos problemas políticos internos; e uma acolhida mais cálida de Erhart, um economista, por assim dizer, colega de profissão, cujo programa liberal de economia de mercado eu havia estudado com cuidado, com intenção de imitá-lo no futuro.[421]

---

[421] O Plano Collor I, de março de 1990, foi uma transposição canhestra do Programa Erhart de eliminação da hiperinflação. A semelhança era que nos dois casos se contemplava um drástico enxugamento da liquidez. No Plano Erhart, pela abolição da antiga moeda e sua conversão em Deutsche marks, a uma razão que variava entre 6 e 10 para um. No Plano Collor I, pelo seqüestro de 80% dos ativos financeiros privados. Mas as condições subjacentes eram completamente diversas. Na

O contrário aconteceu. Adenauer prolongou sua entrevista comigo, a princípio irônica, e depois afetuosa. Com sua intuição política, adivinhava no Brasil, apesar das dificuldades do momento, um parceiro importante no concerto ocidental. Com Erhart a entrevista foi curta. Fumando um redolente charuto, relanceou o documento que lhe apresentei, com perguntas perfunctórias sobre nossa crise cambial e performance econômica. Sentia-se que via no Brasil mais um aborrecido exemplo da conhecida indisciplina financeira e espírito perdulário dos latino-americanos. Declarou-me que o assunto seria estudado por um comitê inter-governamental. Por trás de sua face rechonchuda e olhos azuis eu podia adivinhar a humilhante questão:

— Como um país rico de recursos pode pedir dinheiro a um país devastado pela guerra?

No final, o acordo que consegui em Bonn foi dos mais satisfatórios, abrangendo não só a consolidação de débitos como a concessão de créditos novos. Não sem peripécias, pois, como relatei no capítulo "Minhas experiências com Jânio Quadros", o acordo quase fracassou, em virtude do incidente diplomático provocado por João Dantas que, extrapolando de sua função de delegado comercial, assinou um contrato com o governo comunista de Pankow, que se assemelhava a um protocolo diplomático. Isso era verdadeiro tabu na Alemanha Ocidental, que, em virtude da doutrina Hallstein, considerava rompimento de relações qualquer ato oficial de reconhecimento do regime comunista.

Não sei até que ponto Erhart terá ajudado na solução do caso brasileiro. Só sei que fui muito auxiliado por Herman Abs, presidente do Deutsche Bank e grande amigo do Brasil ao longo dos anos, e por Karl Blessing, que eu conhecera como um dos maiores banqueiros centrais da Europa.

Dois anos depois de minha visita a Adenauer, ele deixaria a posição de chanceler, sendo substituído precisamente por Erhart. Completara 14 anos como chanceler num período extremamente difícil. Coube-lhe restaurar a credibilidade democrática da Alemanha, resistir às pressões soviéticas, integrando-se no sistema político do Ocidente, e, *last but not least*, assegurar respaldo político ao milagre econômico alemão.

Alemanha, a economia real estava arrasada e o comércio voltara à fase do escambo. O confisco de haveres monetários era mero reconhecimento de que a capacidade produtiva tinha sido devastada e o estoque de moeda perdera o sentido. No Brasil, o estoque de moeda encontrava contrapartida na economia real e estava inserido nos preços existentes. O problema não era confiscar o estoque e sim estancar o fluxo monetário. Além disso, Erhart procedeu à liberalização de preços e controles, e estimulou a oferta pela redução de impostos e pela alocação direta de capital de giro às empresas. No Plano Collor I, houve precisamente o contrário: congelaram-se preços e salários, os impostos foram aumentados, e confiscada boa parte do capital de giro. Isso provocou impacto negativo sobre a oferta, ensejando em breve prazo uma ressurreição da inflação.

A DAMA
DE FERRO

O quarto dos grandes homens que conheci foi Margaret Thatcher.

Maggie é o melhor homem da Inglaterra — dizia o presidente Reagan — com ironia afetuosa.

Cheguei a Londres para assumir a embaixada na primeira semana de 1975, poucos dias antes da ascensão de Margaret Thatcher à liderança da oposição conservadora, destronando Edward Heath, num destes cruéis golpes intrapartidários típicos dos conservadores ingleses, com seus frios cálculos eleitorais. Quatro anos depois, Thatcher se tornaria a primeira primeira-ministra da Grã-Bretanha.

Na contabilidade negativa de Heath figurava ter perdido, como líder da oposição, as eleições gerais de 1966 e, como primeiro-ministro, duas eleições gerais, em curta sucessão, em 1974. Isso obliterou o mérito da vitória que obtivera sobre os trabalhistas, liderados por Harold Wilson, nas eleições de junho de 1970. As peripécias do desafio de Thatcher à liderança de Edward Heath foram descritas no capítulo "Missão junto à Corte de Saint James". Heath levara os conservadores à vitória em 1970 com uma plataforma abertamente direitista. Prometia acabar com o subvencionamento da indústria, reduzir impostos e reprivatizar indústrias estatizadas pelos trabalhistas. Mas, após dois anos, faria uma reviravolta, o famoso *U turn*, procurando uma concordata com os sindicatos, e impondo controle de preços e salários. Isso não evitou uma confrontação com os mineiros de carvão, da qual resultou a queda do gabinete tory, em outubro de 1974.

Eu simpatizava mais com Heath, como pessoa humana, e mais com Margaret Thatcher como ideologia. Heath, nos seus anos de oposição, tornou-se um grande amigo pessoal. Participamos juntos de várias conferências internacionais. Trata-se de um excelente orador, com bom *sense of humour* e robusta cultura musical, que exibia apresentando-se em vários países como condutor de orquestra amador. Surpreendia-me sua paixão náutica por competições de barcos a vela. Inicialmente frio em relação aos problemas de países subdesenvolvidos, tornou-se depois, como membro da Comissão Brandt, um dos defensores de atitudes generosas em matéria de dívida externa e ajuda oficial para o desenvolvimento.

Era também um "europeizante", tendo tido papel importante na acessão da Grã-Bretanha ao Mercado Comum Europeu. Nunca perdoou a traição de Margaret

Thatcher, que fora sua secretária de Educação e ousara desafiá-lo, ganhando a liderança da oposição em 1975. Criticava-lhe o "monetarismo depressivo" e a indiferença, senão hostilidade, a uma integração britânica mais profunda na união européia.

Tive poucos contatos com Margaret Thatcher, sendo o principal quando a convidei para o jantar oficial do presidente Geisel, em sua visita a Londres em 1976. Sentamo-nos frente a frente na mesa, e ouvi-a discorrer desinibidamente sobre as debilidades da economia inglesa, derivadas sobretudo do paternalismo trabalhista, que levara à perda de competitividade e a uma "cultura de dependência".

Mantive entretanto estreito contato com uma das fontes de inspiração dos tories favoráveis à economia de mercado. Era o *think tank* chamado The Institute of Economic Affairs, fundado em 1957, então sob a liderança de dois economistas meus conhecidos — Ralph Harris e Arthur Selsdon. As idéias de liberalismo econômico, antiestatismo e economia de mercado refletiam a influência dos liberais austríacos, sobretudo Friedrich Hayek e Ludwig von Mises, cujas doutrinas me haviam sido pregadas pelo velho mestre Eugênio Gudin, anos atrás.

O interessante nessa época foi a quase coincidência, no acesso ao poder, de dois líderes anglo-saxões convergentes no culto de um ideário liberal — mrs. Thatcher na Inglaterra, em abril de 1979, e Ronald Reagan nos Estados Unidos, em janeiro de 1981. O neoliberalismo econômico, que difere do liberalismo clássico em que comporta uma dose maior de intervenção assistencialista, era uma idéia cujo tempo tinha chegado. Como diz Milton Friedman, a vitória do liberalismo fora apenas uma conquista intelectual na década de 70. Só se transformou em vitória política com o *thatcherismo* e o *reaganismo* na década de 80. Os dois líderes haviam desenvolvido uma empatia pessoal ao longo dos anos em que tinham vegetado na oposição: Reagan, opondo-se aos democratas de Carter, nos Estados Unidos, e Thatcher, aos trabalhistas de Callaghan, na Grã-Bretanha.

Era a segunda metade dos anos setenta. Nesse período, ambos assumiram a liderança da batalha contra o comunismo, sendo ambos ridicularizados com pitorescos apelidos pela mídia soviética. Após um discurso na Anglo-American Pilgrim Society, em Londres, em que denunciava o perigo da tomada do poder pelos comunistas portugueses subseqüentemente à Revolução dos Cravos, Reagan, então apenas ex-governador da Califórnia e publicista no setor privado, foi apelidado de "dinossauro político" pelo jornal *Pravda*. Retribuiria mais tarde o cumprimento, acusando a União Soviética de ser o "Império do Mal" (*The evil empire*). No ano seguinte, Thatcher, líder da oposição, que denunciava o armamentismo soviético e criticava o acordo de comércio firmado pelo primeiro-ministro Wilson com os soviéticos, receberia do jornal do Exército Soviético, *Red Star*, a famosa alcunha de "dama de ferro". Esse apelido lhe causava orgulho e satisfação, muito mais que aborrecimento.

Ambos os líderes se consideravam encarregados de uma missão redentora. Reagan, a de redimir a nação americana da psicose derrotista, a "síndrome do Vietnã". Thatcher, a de deter o declínio britânico, que se acentuava, a partir de 1956, com o abandono do controle do canal.

Após a perda das eleições de 1974, a ala mais ativista do conservadorismo inglês, tipificada por sir Keith Joseph e Margaret Thatcher, passou a defender a tese do mercado livre, que eles chamavam de *social market*, quase uma tradução do *Soziale marktwirtschft*, que Luwig Erhart implantara na Alemanha. O *social market* significava uma economia de livre mercado, em que o Estado se concentraria na provisão da infra-estrutura de seguridade social, saúde e educação.

Nos Estados Unidos, Reagan procurava apequenar o Estado Grande e encorajar a "cultura da empresa", aliás mais forte do que na Inglaterra. Nesta, Thatcher criticava duramente a "cultura da dependência". Pregava a volta aos valores vitorianos da disciplina, autoconfiança e auto-ajuda, numa era que havia se tornado permissiva. Chegava mesmo, como nota Nicholas Ridley, um dos seus mais íntimos colaboradores, em momentos de fanatismo, a categorizar o socialismo como conflitante com a fé e a classificar sua versão do conservadorismo tory como uma "pura distilação da cristandade".[422]

O ideário de Thatcher era intelectualmente mais sofisticado que o de Reagan, mas tinham pontos comuns: restaurar incentivos ao indivíduo, controlar a inflação, reduzir o dispêndio público em geral (exceto no tocante à defesa) e sustentar os valores familiares. Ambos denunciavam o perigo da expansão subreptícia do Estado. Thatcher falava em restaurar o balanço do poder "em favor do povo" e Reagan dizia que:

> "O governo nunca é mais perigoso do que quando o desejo que temos de que ele nos ajude nos torna cegos quanto ao imenso poder que ele tem de nos prejudicar."[423]

Thatcher insistia no *slogan* de fazer recuar as fronteiras do Estado. Isso não só no plano nacional, como no internacional. Foi o que a levou a vergastar os ímpetos em favor da aceleração da integração européia. Em seu famoso e controvertido discurso de Bruges, em setembro de 1978, ela assim se expressaria:

> "Nós não fizemos recuar, com êxito, as fronteiras do Estado na Grã-Bretanha, apenas para vê-las reimpostas no nível europeu, com um superestado europeu exercendo novo domínio a partir de Bruxelas."

Thatcher parecia assim retomar o discurso gaullista da *Europe des patries*, em vez do desenho federalista que viria a prevalecer, quatro anos depois, no Tratado

---

[422] Nicholas Ridley, *My style of government — The Thatcher Years*, Londres, Hutchinson, 1991, p. 18.

[423] Ver Geoffrey Smith, *Reagan and Thatcher*, New York, W.W. Norton and Co., 1991, p. 27.

de Maastricht, de 1991. Extremamente impopular na Europa, à época, a posição de Thatcher significava uma presciente percepção do declínio do entusiasmo pelo federalismo europeu, que viria a manifestar-se anos depois com a rejeição, depois reversada, da Dinamarca ao Tratado de Maastricht. As reservas dinamarquesas se referiam à moeda única e às obrigações de defesa conjunta. As de Thatcher à moeda única e à extensão das normas trabalhistas européias à economia inglesa. Nos Estados Unidos, o recuo das fronteiras do Estado se realizou pela redução de impostos e pela desregulamentação. Esta começara timidamente com Carter, através da desregulamentação da aviação, em 1978, e dos Correios e Telégrafos, em 1980. Em 1982, sob Reagan, houve a desregulamentação dos transportes e ônibus e, em 1984, das telecomunicações, quando o semimonopólio da AT & T foi fragmentado em várias companhias telefônicas regionais.

Na Inglaterra, houve uma redução algo mais lenta de impostos, mas a peça central do movimento anti-socialista viria a ser a privatização de empresas estatais. Esta entretanto só se iniciou em grande escala a partir do segundo mandato de Thatcher, em 1984, quando eu já havia deixado a embaixada em Londres. Quando fiz minha visita oficial de despedida a Margaret Thatcher, em setembro de 1982, ela atravessava uma fase difícil. A economia começara a se recuperar e a inflação a declinar, mas o desemprego era alto e a confiança em sua liderança esmaecera, em virtude do recuo tático a que se vira obrigada diante dos mineiros de carvão, em 1981. Parecia uma melancólica repetição da derrota de Edward Heath, em 1974. Dada a dependência da indústria e eletricidade inglesas em relação ao carvão, os mineiros pareciam imbatíveis nas confrontações com o governo. A "Dama de Ferro" viria a derrotá-los numa segunda confrontação, em março de 1984, após uma greve de nove meses, superada graças aos estoques acumulados e à liberalização das importações. Essa vitória marcou o ocaso do sindicalismo selvagem na Inglaterra, liderado pelo trotskista Arthur Scargill. Tinha sido para Thatcher, no campo econômico, o equivalente à guerra das Malvinas, no terreno político. Reagan obtivera uma vitória semelhante, logo no início do governo, quando demitiu sumariamente, e ousadamente, os controladores de vôo dos Estados Unidos, afirmando o poder da lei contra os sindicatos.

Impressionou-me a coragem de Thatcher no enfrentamento dos mitos do populismo trabalhista. Substituiu o culto do igualitarismo pelo da eficiência. Enfatizou o direito do indivíduo de reter os frutos de seu trabalho, incentivando, através da privatização de empresas, o capitalismo do povo; e, através da venda das habitações governamentais, o sentido da propriedade individual. Na visão de Thatcher, com a qual sempre simpatizei, o povo deveria ser estimulado a buscar os serviços sociais, sempre quando possível, no setor privado, pois a provisão pública significa habitualmente maior proveito para a burocracia assistencial do que para a pobreza real.

A "dama de ferro" manteve a liderança de seu partido durante quinze anos e meio e completou onze anos e meio na primeira ministrança, *record* na história inglesa neste século.[424]

Ao fim do seus dez anos e meio como primeira-ministra, quando foi deposta por uma rebelião interna dos tories, semelhante à que ela própria encabeçara contra Heath, a "dama de ferro" havia se tornado arestosa, perdendo parte de sua legendária capacidade de interpretar o sentido profundo do povo. Isso ocorreu sobretudo quando se dispôs a enfrentar certas vacas sagradas, como o NHS — National Health Service — buscando introduzir critérios competitivos na provisão da saúde. Dificuldades semelhantes foram encontradas na privatização dos serviços de água e, mais gravemente, na universalização dos tributos locais sob a forma da famosa *Poll Tax*. Sua crescente estridência contra o passo da integração européia gerou nos próprios tories o receio de isolamento em face da Europa unida.

Credite-se a Thatcher uma notável presciência política, quando endossou Gorbatchev, após uma simples entrevista em Londres, como um comunista diferente, "um homem com quem se poderia negociar". Gorbatchev, quando visitou a Inglaterra, em dezembro de 1984, era apenas um herdeiro putativo de Chernenko. Seus rivais na luta pelo poder eram Viktor Grishin, primeiro-secretário do Partido em Moscou, e Viktor Romanov, ex-primeiro-secretário em Leningrado e depois membro do Politburo.

Mrs. Thatcher percebeu que Gorbatchev era mais um pragmático que um ideólogo. Pouco tempo depois, ao assumir o poder, premido pela desintegração econômica do socialismo e impotente em face do desafio tecnológico de Reagan ao lançar a SDI (guerra nas estrelas), Gorbatchev deslancharia seu programa de reformas, que popularizou as expressões *glasnost* e *perestroika*. Mas cometeu quatro erros que se lhe provariam fatais:

• Perda de legitimidade, pois após iniciada a abertura política recusou-se a submeter-se a eleições diretas, ao contrário do que depois faria Yieltsin;

• Crônica hesitação entre diferentes planos de reforma econômica, do que resultou não ser a *glasnost* acompanhada da *perestroika*;

• Subestimação dos movimentos autonomistas das diferentes etnias, que inviabilizariam uma estrutura federativa, prestando-se mais ao modelo confederativo ou comunitário;

---

[424] O movimento feminista, que começara na década de 60, encontraria a sua plena fluição no fim da década seguinte. Com a ascensão ao poder de mrs. Thatcher em 1979, três países estavam sendo governados por vigorosas primeiras-ministras — Margaret, na Inglaterra, Indira Gandhi, na Índia, e Golda Meir, em Israel. Nos círculos diplomáticos de Londres proliferavam anedotas picarescas sobre as três guerreiras, que triunfaram, respectivamente, sobre os argentinos, os árabes e os paquistaneses: *None of them can wear mini skirts, because their balls would show* (nenhuma delas poderia usar minissaia porque seus testículos apareceriam).

• Tentativa de usar o aparelho do partido, apegado a seus preconceitos e privilégios, como instrumento de reforma.[425]

O governo de mrs. Thatcher terminou em novembro de 1990. A fase final foi caracterizada por duas posturas vigorosas no campo internacional. A primeira foi sua contribuição para a formação da aliança da ONU contra a invasão do Kwait pelo Iraque: — Não se pode recompensar a agressão — dizia ela, repetindo seu refrão da guerra das Malvinas.

A segunda foi sua frustrada tentativa de retardar a reunificação das duas Alemanhas após a queda do muro de Berlim. A seu ver, a reunificação não deveria ser feita açodadamente: a) Para não se enfraquecer a liderança de Gorbatchev em face dos conservadores russos; b) Para se consolidar o experimento democrático na Alemanha Oriental antes da reunificação, da qual resultaria sua inserção no Mercado Comum e na OTAN; c) Para não se agravar o desequilíbrio de forças na Europa, pelo ressurgimento da Grande Alemanha, bem mais forte que a Inglaterra e França. Como contrapeso à superioridade da Alemanha, ela sonhava persuadir a França da formação de um eixo franco-britânico, e advogava a continuidade e reforço da posição americana na Europa. Essa tentativa foi baldada. O chanceler alemão Kohl conseguiu acelerar o processo de reunificação, persuadindo os americanos do perigo de frustração popular na Alemanha se isso não ocorresse, e oferecendo generosa compensação

---

[425] Ver Roberto Campos, 'Os quatro erros de Gorbatchev', artigo publicado em *O Globo* de 22.12.1991. Encontrei-me duas vezes pessoalmente com Gorbatchev. A primeira foi numa recepção no Kremlin, durante uma conferência ecológica, em janeiro de 1990, convocada pelo World Forum on Environment and Development. Gorbatchev fez um belo e ousado discurso sobre ecologia, admitindo as enormes agressões ecológicas de seu país, com a poluição e dessicação dos lagos Aral e Baikal. Propôs a criação de "boinas verdes", uma espécie de polícia ecológica, sob a responsabilidade da ONU, para prevenir e corrigir devastações do meio ambiente. O inverno daquele ano foi especialmente duro, as prateleiras das lojas estavam vazias, e sentia-se um clima de frustração. Menos de 2 anos depois, em dezembro de 1991, Gorbatchev renunciaria, sob a pressão de Yeltsin, presidente eleito da República Russa. Voltei a entreter-me pessoalmente com Gorbatchev em dezembro de 1992. Sentei-me a seu lado num jantar no Rio de Janeiro em casa de Theóphilo de Azeredo Santos. Apesar de entender inglês, Gorbatchev insistia em ter tudo traduzido em russo, o que tornava qualquer discussão política assaz maçante. Notando que ele tinha saudável *sense of humour*, contei-lhe anedotas que ouvira em minha visita a Moscou, em 1965, como ministro do Planejamento do governo Castello Branco. Retrucou ele que a melhor anedota recente que ouvira lhe fora contada pelo próprio presidente Reagan: — Mike — ter-lhe-ia dito Reagan, que costumava por uma nota de intimidade em suas relações com os líderes mundiais — você sabe a diferença que existe entre mim, o presidente Mitterrand, da França, e o secretário-geral do Partido Comunista da União Soviética? Dizem que o meu problema é ter 100 guarda-costas, dos quais um é terrorista, mas eu não sei qual deles. O presidente Mitterrand tem 100 amantes; uma delas está com AIDS e ele não sabe qual. O secretário-geral do PC soviético tem 100 economistas como assessores. Só um deles tem o plano econômico correto e você não sabe qual...

financeira aos soviéticos. Foi um golpe político de grande visão no longo prazo, com conseqüências econômicas desfavoráveis de curto prazo. Os custos da reunificação foram subestimados e, para financiá-los, o Bundesbank teve que elevar substancialmente a taxa de juros, exportando recessão para os países vizinhos. O enfraquecimento do Sistema Monetário Europeu, do qual Inglaterra, Itália e Espanha tiveram que se afastar para flexibilizar sua taxa cambial, foi parte desse custo imprevisto.

Na longa visão da história, tanto a "dama de ferro" como o "cowboy do Oeste" mudaram a agenda de seus povos e talvez a agenda mundial, que inclui quase invariavelmente a desregulamentação, a privatização, a desgravação fiscal, a liberalização comercial e a globalização financeira. Nos Estados Unidos, a velha política dos democratas, de contínua expansão do Estado — a *Tax and Spend Policy* — sofreu duradouras inibições. Na Grã-Bretanha houve uma modificação cultural, sendo improvável que, mesmo se retornados ao poder, os trabalhistas revertam as privatizações ou endossem os exageros do Estado assistencial. Competição e eficiência, antes que igualitarismo e redistributivismo estatal, são valores que sobreviveram ao thatcherismo.

TORNANDO-ME

UM POLICRATA

◆

RECORDAÇÕES
DE CAMPANHA

É óbvio que não segui o conselho de Max Weber: "Aquele que procura a salvação das almas, sua e do próximo, não deve procurá-la nas avenidas da política". O que prova que depois de sair do seminário, pude resistir a tudo, exceto à tentação.

Quando estava em Brasília, em julho de 1980, fui almoçar com o senador José Sarney no restaurante do Senado. Em 1964, ele era um dos "jovens promissores" (o outro era Antônio Carlos Magalhães), que o presidente Castello Branco considerava "políticos de futuro", que o dr. Bulhões e eu deveríamos ajudar, mesmo em meio às aperturas financeiras do PAEG. Sarney ganharia as eleições governatoriais do Maranhão em novembro de 1965, contra dois tradicionais "clãs" adversários, liderados por Renato Archer e Vitorino Freire.

— Deve estar cansado de Londres — disse-me. A diplomacia não lhe é mais um desafio. Por que não concorre ao Senado por Mato Grosso? Como presidente do PDS, posso facilitar seu ingresso no partido.

Não era meu primeiro namoro com a política. Em julho de 1962, quando embaixador em Washington, visitara Cuiabá pela segunda vez, desde minha remota infância. Discursei na Assembléia Legislativa, a convite do governador Fernando Corrêa da Costa, um admirável ganhador de votos que nunca perdeu uma eleição, quer para a governança, quer para a senatória, apesar de ter adversários do porte de Filinto Müller. Descobri que os médicos tendem a ser bons de voto. Estabelecem uma relação afetuosa com os clientes. Fernando era obstetra e lembro-me de que certa vez, em visita a Campo Grande para inaugurar obras financiadas pela Aliança para o Progresso, durante o governo Castello Branco, o embaixador Lincoln Gordon se espantara com o número de mulheres que se aproximavam do governador e o abraçavam efusivamente para dizer-lhe: — Tive vários filhos com o senhor...

Ante a surpresa de Gordon, esclareci que não se tratava de um devasso, dono de um harém, mas simplesmente de um bom parteiro.

O governador sugeriu naquela época que me candidatasse a senador pela UDN de Mato Grosso. Com seu apoio, seria uma "barbada". Mas a oferta era *too good to be true*. Logo ao voltar a Washington, fui informado que a longamente esperada, mas várias vezes cancelada, visita do presidente Kennedy ao Brasil, em retribuição à visita de Goulart, poderia realizar-se em outubro de 1962, coincidindo precisamente com a campanha eleitoral. Não poderia eu então abandonar a embaixada, num momento crítico para as relações Brasil-Estados Unidos. Sentir-me-ia logo depois duplamente frustrado, pois surgiriam tensões internacionais e a crise dos mísseis em Cuba. Kennedy não visitou o Brasil e perdi minha chance senatorial.

Uma nova oportunidade viria a surgir anos mais tarde, quando era embaixador em Londres. Encontrei-me em São Paulo com o governador José Fragelli, que aventou novamente a idéia da senatoria. Desta feita havia um impedimento técnico. A legislação da época, um casuísmo que nascera durante a Revolução, exigia dois anos de domicílio eleitoral.[426] Sendo eleitor no Rio de Janeiro, não havia tempo para cumprir o requisito de residência. Obstáculo semelhante surgiu quando, em 1977, Geisel baixou o "pacote de abril", que previa a criação dos senadores biônicos. Eu não havia simpatizado com o pacote, que tive de explicar com certo embaraço à imprensa e ao governo britânicos. Obviamente, tratava-se de um artifício eleitoral para assegurar que o controle do Senado, nas eleições de 1978, não passasse à oposição. Disse-me Golbery que Geisel, ao criar os biônicos, tinha em vista melhorar o nível senatorial, pela designação de personalidades consideradas eminentes, porém sem chances eleitorais: eu figuraria nessa lista. Mas talvez se tratasse de simples desejo de Golbery, pois Geisel nunca me mencionou o assunto. De qualquer forma, o problema do domicílio eleitoral impediria minha eleição pela Assembléia de Mato Grosso.

Em 1980, na aludida visita, Sarney aconselhou-me a "voltar aos pagos", transferindo meu título eleitoral para Cuiabá. Poucos dias depois, num jantar em sua casa, em São Paulo, Paulo Maluf apresentou-me ao novo governador de Mato Grosso, Frederico Soares de Campos, o primeiro governador do Mato Grosso do Norte após a partição. Maluf sugeriu minha candidatura ao Senado, idéia pressurosamente acolhida pelo governador. Estava à procura de candidatos viáveis, tanto mais quanto, pelo diabólico instituto da sublegenda, o PDS deveria apresentar três candidatos. Advertiu-me que, sendo praticamente um forasteiro, pois, nascido em Cuiabá, eu lá retornara apenas esporadicamente, tinha que me credenciar com algumas realizações práticas. Informei-me logo de que os problemas principais se

---

[426] A exigência de dois anos de domicílio no estado figurava na Lei das Inelegibilidades, votada em julho de 1965. Um dos objetivos era descartar as candidaturas já esboçadas, como as dos generais comandantes em Pernambuco, Rio Grande do Sul e São Paulo. Como fez notar Jarbas Passarinho, essas candidaturas conflitavam com a inflexível determinação (de Castello) de evitar a transformação das Forças Armadas no que ele chamava de milícias, num sentido pejorativo. Um subproduto útil para evitar cisão mais grave no Exército foi barrar-se a candidatura do marechal Lott à Guanabara, pois havia transferido seu domicílio para Teresópolis. Sua tentativa de cancelar a transferência foi indeferida pelo Superior Tribunal Eleitoral.

centravam no velho binômio energia e transportes. Em energia, o projeto mais maduro referia-se à eletrificação rural, bizarramente apelidado de "projeto Cyborg", por alusão a um filme de televisão referente ao "homem de seis milhões de dólares". O outro problema era o da pavimentação rodoviária, crucial num estado em que a época das colheitas coincidia com a das chuvas, levando a enormes perdas de colheita, em estradas intransitáveis.

Retornando a Londres, apliquei-me a obter financiamentos para esses projetos, para compensar minha falta de credenciais nativistas. Consegui obter de bancos privados financiamentos para metade do programa de eletrificação rural, orçado em US$30 milhões; e um empréstimo de US$70 milhões do BID para financiamento de um importante programa de pavimentação rodoviária, que atingiria, em vários estágios, 1.115 quilômetros. O governador denominou esse programa de *carga pesada*. Não era um nome feliz, pois os candidatos da oposição passaram a descrever a candidatura do *paraquedista de Londres* como *carga pesada*. Entre 1980 e 1982, aproveitava feriados longos para viagens políticas transcontinentais, vindo de Londres a Cuiabá. Era um choque ao mesmo tempo térmico e cultural. Do frio e névoa de Londres à canícula luminosa de Mato Grosso. A passagem da sofisticação de palestras universitárias em Oxford e Sussex para a miúda conversa política e a demagogia dos palanques exigia enorme esforço de adaptação.

Na ânsia de aprender a tecnologia eleitoral necessária à minha transformação em policrata, procurei Jânio Quadros, um velho amigo e comensal em suas excursões londrinas. Visitei-o em sua casa do Guarujá. Respeitava-me como intelectual mas talvez não me levasse a sério como político aspirante.

— A receita é simples — disse-me. Faça coisas diferentes e inesperadas. Por exemplo: caneladas na imprensa, dureza com os funcionários públicos e pitos nos bispos que se metem na política em vez de cuidar das almas. Na televisão, fale com voz escandida, como se fosse dono da verdade.

Saí desanimado. Obviamente, a receita era altamente idiossincrática, inaplicável a um mortal comum. Realmente, Jânio se divertia em dar caneladas na imprensa, coisa que, como dizia Nelson Rodrigues, o político comum teme tanto quanto a vizinhança da víbora no túmulo do faraó.

Eleito prefeito de São Paulo apesar da intensa hostilidade da mídia, maciçamente favorável a seu contendor Fernando Henrique Cardoso, Jânio, no fim de sua excelente administração, acabou bastante elogiado pela imprensa. Alguém lhe perguntou se, em face do sentido de justiça revelado pela imprensa, estaria disposto a rever sua equiparação de jornalistas a "cachorros".

— Sim — respondeu Jânio. Fui injusto com os cachorros!

Iniciada a campanha, tive que aprender rapidamente várias lições. A primeira, é que as campanhas eleitorais em Mato Grosso — e imagino que o mesmo aconteça em outras regiões pobres do país — não são apenas manifestações cívicas. São episódios de redistribuição de renda. Num grande número de eleitores adivinhava-se o pensamento: "Só vou rever este sacana daqui a quatro anos; é o momento de tungá-lo". O candidato tem que se preparar para ter à sua porta, desde as seis da manhã, uma fila de pedintes: auxílio para os dois extremos da vida — partos ou enterros — viagens inadiáveis, cânceres pré-fabricados, dentaduras, cadeiras de roda, etc. Os dois mais pitorescos pedidos que recebi foram de um cidadão que, pela segunda vez, me pedia auxílio para doenças da sogra: pneumonia, da primeira vez; câncer, da segunda. Respondi-lhe que seria mais convincente e racional que o terceiro auxílio fosse destinado a uma tarefa mais convencional: enterrar a sogra. De outra feita, um vereador condicionou seu apoio a que resolvesse um problema premente: arranjara uma namorada batuta e queria levá-la a um motel, pelo menos por três noites. Vim a saber depois, por um assessor de campanha, que o pedido não tinha nada de extraordinário. Na realidade, era tão freqüente e impositivo que ele já tinha conseguido um desconto num estabelecimento de conforto médio, insuficiente para deliciar o eleitor, mas suficiente para preservar sua fidelidade. E fiquei sabendo que *per caput* Cuiabá tinha o maior número de motéis no *ranking* brasileiro. Parece que a combinação do clima tropical com guaraná ralado em língua de pirarucu aumenta o erotismo. Caí também numa esparrela, ao aceitar o conselho de convidar um grupo de trinta índios xavantes, aculturados e por isso eleitores, que influenciariam outros aculturados da tribo a votar favoravelmente, numa apertada eleição em Poxoréo, uma cidadezinha de garimpo. Aboletei-os num hotel de Cuiabá para um fim de semana, mas depois não queriam sair. O que queriam, como bons aculturados, eram coisas indisponíveis na maloca: *tickets* para cinema e futebol, rameiras locais e um bocado de cerveja. No final da campanha, pediram-me ainda, sem êxito, mil sacas de arroz e um trator, para confirmar a solidariedade da tribo. Perdi a eleição no lugarejo...

A segunda lição, foi a necessidade de aprender um novo dialeto, o dialeto PAMG, único eficaz nos comícios. Quando foi lançada minha candidatura, num almoço na próspera cidade do norte de Mato Grosso, SINOP, colonizada por paranaenses, gaúchos e catarinenses, comecei meu discursinho de agradecimento citando Sófocles: "De nada valem a torre nem a nave sem o homem". O candidato a governador, Júlio Campos, puxou-me a camisa: — Citação de grego não tem cheiro de povo.

Aprendi com alguma dificuldade a linguagem do comício — o PAMG, "prometer, acusar, mentir e gritar". Mas nunca tive vozeirão, nem aprendi a gesticulação dos bons "meetingueiros". Lembro-me de que um candidato a deputado estadual provocava delirantes aplausos começando sua arenga com as seguintes misteriosas palavras: "Em matéria de primordialmente, o mais importante é tudo"...

Nas longas horas de comício, meditando sobre minha insuficiência oratória, lembrava-me da melancolia com que meu velho amigo Adlai Stevenson, um soberbo intelectual derrotado por Eisenhower nas eleições presidenciais de 1952 e 1956, enquanto Kennedy, imaturo, porém de retórica estuante, triunfava sobre Nixon, me contara a diferença em estilos de oratória: — Quando Demóstenes orava, os gregos diziam: "Como fala bem". Quando falava Péricles, a audiência clamava: "Vamos marchar com ele".

Stevenson apenas falava bem. Mas Kennedy fazia o povo marchar. Eu, certamente, não fazia marchar ninguém!

A terceira lição a aprender foi o caráter diabólico do instituto da sublegenda. Fora uma acomodação casuística para permitir a convivência, no partidão ARENA, de várias tendências dos partidos extintos. Mas estas sobreviveram à extinção das siglas partidárias. Nas eleições de 1982, o instituto da sublegenda se aplicou às eleições majoritárias — senadores, governadores e prefeitos. Nas eleições do PDS matogrossense para o Senado, havia três candidatos na sublegenda: eu próprio, um conceituado médico de Cuiabá, Gabriel Novis, e um ex-senador, Vicente Vuolo. Os votos se somariam no cômputo final, em favor do mais votado. Mas os rivais se estraçalhavam dentro do mesmo partido e às vezes se esqueciam do candidato oposicionista. Em algumas cidades, como Rondonópolis e Arenápolis, as brigas das sublegendas eram batalhas campais, regadas, nesta última, a cachaça e revólver.

Como tinha numerosos amigos no PP, inicialmente namorei a idéia de me tornar um candidato de coligação interpartidária, apostando no interesse que haveria para Mato Grosso em ter um representante fora das brigas locais e com certa projeção, quer nacional quer internacional. Doce ilusão e grave sobrestimação de meus méritos! A clivagem partidária era incontornável e, com a decretação do voto vinculado, que proibia coligações partidárias, só me restava o PDS. Tancredo Neves, aliás, promoveu a fusão do seu Partido Popular (PP) com o PMDB, em protesto contra as *eleições vinculadas*.

A campanha se provou mais dura do que pensava. Mato Grosso se orgulhava de ter tido representantes de grande projeção nacional, como Filinto Müller, quatro vezes senador e três vezes líder do governo no Senado, sob os presidentes Kubitschek, Castello Branco e Costa e Silva.

Como ex-ministro e embaixador, com uma projeção que extravasava da bitola regional, eu aspirava a um tratamento semelhante. Mas no meu caso, a situação era ambivalente. De um lado, sobretudo nas localidades do interior, a aceitação era fácil: eu era, afinal, uma *novidade* na política. De outro, não tendo a tradição familiar dos Müller, e tendo vivido longo tempo "fora dos pagos", pesava contra mim a alcunha de "paraquedista". Isso era particularmente verdade no principal colégio eleitoral, Cuiabá, que, com a cidade vizinha de Várzea Grande, representa mais de 1/3 do colégio eleitoral.

Existe em Cuiabá um patriotismo regional acendrado. Há o requinte de "cuiabania". Não basta nascer lá. É preciso morar lá. Eu tinha a primeira qualidade, mas faltava-me a segunda. Precisamente o contrário do meu contendor, Garcia Neto, candidato do PMDB ao Senado. Era nascido em Sergipe, mas adquiriu a "cuiabania", radicado havia longo tempo em Cuiabá, onde, eleito pela UDN, fora prefeito entre 1955 e 1959, vice-governador do Estado entre 1961 e 1966, deputado federal em duas legislaturas e governador eleito, em eleição indireta, entre 1975 e 1978.

Muitos amigos, e sobretudo minha mulher Stella, questionavam a sensatez de meu gesto. Abandonar a embaixada em Londres, aos 65 anos, para uma aposta arriscada na política, quando ainda podia contar com cinco anos de conforto ambassadorial (o limite de aposentadoria era então 70 anos), não parecia uma idéia brilhante. Respondia eu, com insuportável pedantismo, em entrevista à *Manchete*, em julho de 1982:

"Há duas formas de saber. Uma é *conhecer*. A outra é *sentir*. O tecnocrata conhece. O político sente. Um conhece os limites do possível. O outro vocaliza as angústias do necessário. E a visão de prioridades é diferente. Aquele pode pensar na próxima geração. Este tem de pensar na próxima eleição. Um privilegia a análise. Outro, a intuição. Quando as duas coisas se aliam, surge um estadista, espécime raro e valioso. Estou procurando transformarme num *policrata*, buscando a experiência política, sem perder a experiência técnica."

Adicionei a isso um segundo risco. Vim ao Brasil em março de 1982, para o início da campanha. Mas ela foi logo interrompida por um chamado do ministro das Relações Exteriores, Ramiro Saraiva Guerreiro, que me descobriu em plena luta eleitoral em Rondonópolis, no interior de Mato Grosso. Estourara o conflito das Malvinas entre a Argentina e a Inglaterra, em 2 de abril, e eu deveria voltar imediatamente ao posto, tanto mais quanto o Brasil ficaria encarregado dos interesses da Argentina, de relações rompidas com a Grã-Bretanha. Só pude deixar Londres para reiniciar a campanha em julho, após a vitória inglesa, com a recaptura pelos ingleses de Port Stanley, a capital da ilha, em 14 de junho, e das ilhas Sandwich do Sul, seis dias depois.

Legalmente, eu poderia reter o posto de embaixador até um dia depois das eleições, em 15 de novembro. Mas tive escrúpulos de fazê-lo. O posto da embaixada era crucial na triangulação de interesses Brasil-Argentina-Grã-Bretanha e, a meu ver, deveria ser preenchido imediatamente. Renunciei ao posto. Inutilmente, aliás, pois o Itamaraty lá manteve por bastante tempo um encarregado de negócios, passando o posto depois a ser ocupado somente no ano seguinte pelo ex-ministro Mário Gibson Barbosa. Corri assim um duplo risco: perder a embaixada, sem alcançar a senatoria.

Na campanha figuravam três *Campos*. A oposição nos chamava de "máfia dos Campos", mas na realidade não tínhamos qualquer parentesco. O governador, em 1982, era Frederico Soares de Campos, fluminense, do qual dizíamos que tinha "só ares de Campos"... O candidato a governador era Júlio Campos, e o candidato ao Senado, Roberto Campos. Nossas famílias tinham raízes no mesmo lugarejo, Santo Antônio do Livramento, mas se parentesco havia era muito remoto, não identificável nas árvores genealógicas.

Fazer campanha nas condições de então em Mato Grosso era tarefa árdua. São poucas as concentrações populares e os votos têm de ser garimpados. Lembrei-me freqüentemente do que me disse um parlamentar inglês, após uma rodada de whisky na embaixada em Londres: — *Democracy is a great thing. But to get votes is shit.* (A democracia é uma grande coisa. Mas arranjar votos é uma merda).

Mesmo após a divisão, Mato Grosso é vasto — 881 mil km², com população muito dispersa. O programa de pavimentação rodoviária, para o qual eu havia obtido financiamento do BID estava em seu início. Na parte central, em torno de Cuiabá, fazia-se campanha de perua ou furgão, com alternâncias de poeira insuportável ou lodaçais intransitáveis. O veículo principal para atingir as áreas do norte e leste do estado era o teco-teco, com duas agravantes: a ausência de radar, para proteção de vôo nas áreas do norte, e a campanha coincidente com as queimadas, criando o terrível problema da névoa seca. Tive dois contratempos aviatórios: incendiou-se um dos motores de um *Xingu*, em plena floresta amazônica, e o governador Frederico Campos e eu tivemos que fazer um pouso de emergência na pequena cidade madeireira de Itaúba depois de um vasamento de óleo num *Beechcraft*; e, finalmente, um vôo cego na névoa seca nos levou a um pouso forçado em um posto indígena, às beiras do belo rio Juruena.

Na cidade de garimpeiros — Peixoto de Azevedo — e numa recente área de colonização do INCRA, Guarantã, era necessário fazer comício ao meio-dia, sob um sol esturricante, porque comícios noturnos, em temperatura mais amena, expunham-nos aos mosquitos da malária. Em Peixoto de Azevedo, onde o número de bares e casas de meretrício quase iguala o de residências normais, para dar vazão ao dinheiro de imprevidentes garimpeiros, ouvi uma trova interessante de um violeiro local, que depois passei a repetir na campanha:

> "Há cinco coisas danada
> Que o caboclo não deve fazer
> Comprar terra enrolada
> Casar com mulher falada.

Usar o trabuco por nada
Morrer de morte matada
E votar no PMDB."

A campanha era também dificultada pela conjuntura nacional, desfavorável ao PDS. Como partido governamental, atribuía-se-lhe a responsabilidade da dupla praga — a aceleração da inflação, que ultrapassava o nível de 100%, e a grave recessão de 1981-82, como parte do retardado ajuste à crise de petróleo. Já se havia instaurado a crise da dívida externa, que eclodiu com a moratória mexicana, em agosto de 1982. Para evitar impacto eleitoral desfavorável, o governo Figueiredo retardou nosso recurso ao FMI até o fim do ano, mas era perceptível a situação de bancarrota cambial do país.

Minha eleição e a do governador Júlio Campos foi uma lança em África. Mato Grosso foi o único estado do centro-oeste onde o PDS escapou à derrota: em todos os outros — Mato Grosso do Sul, Goiás, Pará, Amazonas e Rondônia, o PMDB triunfou folgadamente.

Tive dois desapontamentos eleitorais. O primeiro, foi ter perdido em Cuiabá, minha terra natal, apesar de ter conseguido um importante auxílio federal: a instalação de um bem equipado *pronto socorro*, uma antiga reivindicação local. Outro, foi ter sido derrotado na terra de minha mãe, a antiga São Luís de Cáceres. Espalhei cartazes na cidade, explorando baldadamente o emocionalismo local: *Filho de cacerense no Senado*. Mas perdi redondamente. Parte do problema é que um dos candidatos locais a deputado estadual, que fazia *dobradinha* comigo, tinha atitudes bizarras. Num solene comício, na presença do governador, do ministro interino dos Transportes, que lá fora prestigiar-me, e do candidato à governança estadual, resolveu enfrentar, no palanque, a acusação que lhe faziam de mulherengo. Era bom de papo e de viola, mas imprudente nos comícios:

— Dizem — declarou ele estentoreamente — diz a oposição magoada, que sou *mulherengo*. É verdade. Mas todas as mulheres — e não são poucas — que desfilaram na passarela de minha vida encontraram conforto e segurança. E todas me agradecem os serviços prestados!...

E depois, em comícios em duas cidadezinhas rivais, Cruzeiro do Oeste e Mirassol do Oeste, colonizadas por diferentes grupos de paulistas, chegou a esta última no começo da noite, já tocado pelo combustível oratório mais eficaz: pinga com gengibre. Pegando o microfone, disse: — Meus queridos amigos de Cruzeiro do Oeste.

— Estamos em Mirassol — sussurrei-lhe assustado.

E, antes que eu desligasse o microfone, esbravejou: — Cruzeiro do Oeste, Mirassol do Oeste, não é tudo a mesma merda?

A outra e importante conclusão a que cheguei, útil para rever minha antiga confiança no *Estatuto da Terra*, foi sobre a hierarquia de ineficiência nas experiências de colonização. As colonizações mais bem-sucedidas eram as dos colonizadores privados — Ênio Pepino, em SINOP, e sobretudo Ariosto da Riva, em Alta Floresta, na franja da Amazônia. Ambos tinham experiência como colonizadores no Paraná. No primeiro caso, a experiência era sobretudo cooperativista. No segundo, sobretudo capitalista. Em ambos, os lotes eram comprados, e a obrigação de pagamento levou a um cultivo esmerado da terra. Em grau intermediário de eficiência, havia os projetos patrocinados pelo governo estadual em Juína e Joara, no oeste de Mato Grosso. As colonizações mais precárias eram precisamente as do governo federal, em Terranova e Guarantã. As terras eram praticamente doadas, a operação gerida por funcionários e a assistência técnica desleixada. O paternalismo não funciona na colonização, como também não funciona na previdência social.

Cheguei à conclusão de que, em vez de se meter em assentamentos, escolhendo *gente sem terra*, mas também sem vocação agrícola, seria melhor ceder terras devolutas a pioneiros privados, a baixo preço, e deixar que eles empreendam reformas agrárias capitalistas...

Em Mato Grosso, um vastíssimo estado com grande vocação agrícola e pecuária, que crescerá sozinho se o governo se limitar a prover energia e transportes, e deixar de atrapalhar, encontra-se de tudo, até mesmo *misticismo*. Em Xavantina, por exemplo, no belo vale do Araguaia, encontrei numa pizzaria um regente de coral austríaco, um físico nuclear francês, um violinista, um jovem reformador social, todos seduzidos pelo ar estranho dessa nova fronteira. Muitos acreditavam que Xavantina, espécie de umbigo do mundo, seria o lugar onde sobreviveria a cultura humana, após o futuro conflito nuclear. Até porque está às margens de um belo rio, que começa chamando-se rio Manso e termina como rio das Mortes...

Quando foi decretada a divisão do estado em outubro de 1977, expressei a Golbery dúvidas quanto à viabilidade econômica do projeto. Afinal de contas, a parte norte do estado ficaria com o pesado aparelho burocrático de Cuiabá, enquanto que o grosso da atividade econômica, e portanto das fontes de receita, ficaria em Mato Grosso do Sul.

Três fatores, entretanto, invalidaram minhas previsões. O primeiro foi o grande surto de colonização sulista no leste e sobretudo no norte do estado. Ante a fragmentação de terras familiares, em virtude da divisão entre herdeiros, glebas valiosas no Rio Grande do Sul, e em menor escala, no Paraná e Santa Catarina, foram vendidas, e as famílias de agricultores adquiriram terras muito mais baratas, de extensão maior, no velho Mato Grosso, demonstrando grande capacidade de pioneirismo desbravador. Foi uma espécie de reforma agrária espontânea, conduzida pela iniciativa privada. O segundo foi a domesticação do cerrado, pelo desenvolvimento da cultura da soja. O terceiro foi o desenvolvimento de vários eixos rodoviários — a BR-364, atravessando o noroeste do Estado até Rondônia; a BR-163, na direção de Santarém, no Pará, que ligou Cuiabá ao norte do Estado, área onde se concentrou a colonização sulista, com os dois importantes núcleos urbanos de SINOP e Alta Floresta; e a BR-070, que ligaria Cuiabá à rede de Goiás e conectaria com a BR-156, rumo ao nordeste do Estado, ao longo do vale do Araguaia. Cuiabá passou a ser assim um grande entroncamento rodoviário e de redistribuição de produtos agropecuários. Havia um compromisso federal (Lei Complementar nº 31/77) de absorção das dívidas estaduais e de uma subvenção regular por dez anos, a fundo perdido, para cobrir os custos de adaptação do estado à nova situação. Mas o compromisso só foi parcialmente cumprido e as verbas afluíam com aflitiva irregularidade.

Em 1982, Mato Grosso estava no início da *revolução da soja*, pela adaptação do produto às condições do cerrado tropical, em rodízio com a cultura do arroz, permitindo rápida recuperação do solo. A domesticação do cerrado foi uma das grandes revoluções tecnológicas da agricultura brasileira. No nortão, nas franjas da Floresta Amazônica, há uma grande faixa de terras férteis que vai de Rondônia até quase o Araguaia, onde se desenvolveram os projetos de Alta Floresta e Mogno. Houve prudência em se escolher culturas arbóreas, como o café robusta, o cacau, o guaraná e a hévea, que, ao contrário das culturas anuais, não provocam a lixiviação do solo.

As duas *saúvas* que podem ameaçar o surto natural de desenvolvimento do Estado são os *posseiros* e os *garimpeiros*. Aqueles desestabilizam a produção agrícola ao promoverem, com a cooperação de padres católicos da teologia da libertação, *conflitos agrários*. Nas condições locais, dois posseiros, um padre e um advogado podem facilmente fabricar um *conflito agrário*. Os garimpeiros, habitualmente nômades, poluem os rios com mercúrio e desencorajam, pela ameaça de invasões, a mineração industrial organizada.

Graças, no caso, à soma de votos de sublegenda, ganhei por margem confortável, com mais de 38% dos votos, a disputa para o Senado Federal. O tecnocrata se havia afinal convertido em policrata. Não sem feridas físicas. A tensão e a fadiga do trânsito do frio de Londres para a canícula do centro-oeste resultaram num enfarte do miocárdio, logo após a posse. Durante três meses de resguardo, tive tempo para uma longa e solitária reflexão sobre o tema que há muito me preocupava: as causas da pobreza do Brasil.

AS LIÇÕES DO PASSADO
E AS SOLUÇÕES DO FUTURO

Meu primeiro discurso no Senado, após três meses de recuperação de um enfarte, foi a 8 de junho de 1983. O plenário e as galerias estavam desusadamente cheios. Havia curiosidade sobre a *avis rara*. Um tecnocrata transformado em policrata, conhecido por posições cosmopolitas e por seu antagonismo ao credo nacional populista dominante na época.

O discurso 'As lições do passado e as soluções do futuro' foi talvez a melhor peça que já escrevi, como síntese de problemas e propositura de soluções. A experiência no Senado provaria, entretanto, que minha capacidade de análise e previsão era vastamente superior à minha capacidade de persuasão e mobilização.

Notei, de início, melancolicamente, que o tema candente do momento era a questão da dívida externa, pois com a moratória mexicana, em agosto de 1982, estourava a *crise internacional da dívida*. Repetíamos, em 1983, o velho debate da moratória entre Cunha Matos e Evaristo da Veiga durante a Regência Trina Permanente, em 7 de junho de 1831, 152 anos atrás! Cunha Matos advogava o pagamento, e Evaristo, o calote. *Nihil novum sub sole!* Concluía que nossa insolvência não era um problema conjuntural. Era um problema ancestral. Aparecera no Império, na República Velha elitista, nos governos militares, assim como nos governos populistas de Vargas e Goulart. Vargas, em suas várias encarnações, que compuseram um museu weberiano de configurações do poder — o poder revolucionário, o carismático, o ditatorial e o constitucional — suspendera os pagamentos externos nada menos que quatro vezes.

Eu denunciava nossa dupla tendência: a *ambivalência* e o *escapismo*. Típico da ambivalência era querermos investimentos estrangeiros sem investidores estrangeiros. Típico do escapismo era a contínua busca de demônios externos para explicar a incompetência interna. O bestiário demonológico variava no curso do tempo: os trustes do petróleo, o polvo canadense (a Light), a remessa de lucros, a expoliação do comércio internacional (Brizola, nos últimos trinta anos, continua falando nas *perdas internacionais*). Os demônios de plantão quando cheguei ao Senado eram as *multinacionais* e o FMI, este com lugar garantido no bestiário nacionalista. Para mim, os demônios eram diferentes: a explosão demográfica, a explosão inflacionária e o gigantismo estatal.

Dividi minha análise entre as *raízes do mal* e as *deformações de comportamento*. Nas raízes de nosso subdesenvolvimento estavam:

• A displicência demográfica;
• A imprevidência energética;
• A sacralização do profano.

A ausência de programas tempestivos de planejamento familiar fez com que o Brasil, entre os anos de 1970 e 1980, crescesse mais que um Canadá e quase uma Argentina. E em 40 anos acrescentou uma França à sua população. Não era necessário procurar explicações para nossa pobreza no imperialismo externo ou no capitalismo injusto. Simplesmente a produtividade sexual excedia de muito a produtividade econômica, fenômeno cujas conseqüências a Igreja Católica até hoje reluta em reconhecer.

A imprevidência energética se traduzia no monopólio da Petrobrás, sem recursos suficientes para explorar adequadamente, e furiosamente oposta a que outros o fizessem. Da enorme área sedimentar do Brasil, a quinta do mundo em extensão (ainda que não em qualidade), apenas uma pequena franja estava sob exploração efetiva.

Na raiz de nossos males estava também o que eu chamava *sacralização do profano*, caracterizada pelo intervencionismo estatal e pelo desrespeito à hierarquia de leis: Referia-me, sobretudo, às *reservas de mercado*, criadas por arbítrio executivo, sem base legal, através do elastecimento imoderado do conceito sagrado de *segurança nacional*. Dessas, a mais perigosa era a que se procurava criar para a eletrônica digital nacional, numa tentativa voluntarista de engendrar autonomia tecnológica por decretos e atos normativos, sem amparo legal e constitucional, num setor de vertiginosa transformação tecnológica. Era o prenúncio de minha longa e frustrante batalha contra o isolacionismo informático.

Acusei, a seguir, os inquilinos contumazes de nossa gaveta de sonhos:

• A ilusão da *ilha de prosperidade*;
• A cura indolor da inflação;
• A ilusão transpositiva;
• A ilusão distributiva.

Por duas vezes, em 1974, após o primeiro choque do petróleo, e em 1980, após o segundo, entretivéramos a ilusão de que poderíamos ser uma *ilha de prosperidade* num mar de recessão. Enquanto outros países, inclusive nossos competidores asiáticos, faziam um penoso ajustamento, nosso lema parecia ser *desenvolvimento por financiamento* ao invés de ajustamento.

Meu segundo ataque era ao sonho de combate indolor à inflação, tentação a que sucumbiríamos três anos depois com o Plano Cruzado. Era, dizia eu, a teoria do *contanto que*: é imperativo combater a inflação, *contanto que* não se prejudique o crescimento; *contanto que* não haja desemprego; *contanto que* se melhore a distribuição de renda. *Em suma*, operação de câncer, sem choque operatório. E acrescentei: — Ouço agora vozes que desejam, reincidivamente, combater a inflação pelo crescimento. Isso, como dizia o sábio Dr. Johnson, é, como o segundo casamento,"o triunfo da esperança sobre a experiência."

Pregava eu cautelas contra o duplo perigo do *paternalismo ineficaz* e do *intervencionismo perturbador*.

A *ilusão transpositiva* é a esperança de que, pelo subvencionamento de certos preços críticos, se consiga, de um lado, proteger o consumidor e, de outro, conter a onda inflacionária. Mas a verdade é que se os subsídios são financiados pela emissão de moeda ou pela expansão da dívida pública, perde-se pela inflação o que se ganha pela subvenção.

O quarto inquilino da gaveta dos sonhos era a *ilusão distributiva*.

— Muitos — acrescentei — no governo e no Congresso, pensamos que podemos aumentar os salários reais por *ukase*, ou por *fiat legislativo*. Infelizmente, o que podemos manipular são apenas os salários nominais. O mercado continuará indiferente aos nossos discursos e rebelde às nossas leis.

E pregava a redistribuição por via indireta, através de investimentos sociais, ao invés da distribuição direta por aumento de salários nominais. A lição é válida, mas até hoje não a aprendemos.

Minha última advertência era sobre a *panacéia jurisdicista*. Receava — e esses receios eram proféticos — que caíssemos na doença da *constitucionalite,* transformando a feitura de uma nova Constituição em fórmula de salvação. Preferia a fórmula mais humilde de medidas liberalizantes e simplificadoras para evitar a tentação de fabricação de utopias, característica dos momentos constituintes. Cinco anos depois, a desastrada Constituição de 1988 documentaria os perigos da *constitucionalite*. Também me parecia que o entusiasmo passional pelas *eleições diretas* era confundir liturgia eleitoral com democracia essencial. Numa experiência de pouco mais de meio século, 70% dos eleitos pelo voto direto foram vitimados por crises institucionais. Nove anos depois, o *impeachment* de Fernando Collor, o primeiro presidente eleito diretamente em 29 anos, indicaria a ingenuidade do passionalismo das *diretas já...*

Não me escapou o problema, que surgiria anos depois, da desproporcionalidade da representação na Câmara dos Deputados em desfavor do centro-sul, e particularmente de São Paulo. Essa desproporcionalidade, originada do pacote de abril de 1977, seria agravada pela criação de novos estados na Constituição de 1988. Minha proposta era voltarmos à Constituição de 1967, que previa um mínimo de quatro representantes estaduais no colégio eleitoral, e mais um delegado por cada 500 mil habitantes, combinando-se assim representação mínima com proporcionalidade eleitoral.

Enumerei as lições a serem extraídas da crise: eram necessárias mudanças *atitudinais e estruturais*. As quatro mudanças atitudinais seriam: prioridade existencial para o combate à inflação, que deixara de ser *inflação* para ser *inflamação*; estabilidade nas regras do jogo; abandono de falsos dilemas como o da *exportação versus mercado interno*; e renúncia ao escapismo de buscar demônios externos para explicar a incompetência interna.

As mudanças estruturais seriam: (a) O retorno do Banco Central às suas estritas funções de autoridade monetária, guardião puro da estabilidade da moeda; (b) A observância de um sistema de orçamento consolidado de todo o setor público; e (c) A reforma tributária. E advertia contra a falsa solução do congelamento de preços, tentação tão velha como o código de Hamurábi, há quarenta séculos, os éditos de Diocleciano, no ano 301 da era cristã, e a Lei dos máximos da Revolução Francesa, que não salvara Robespierre da guilhotina.

A causa básica da inflação, então como hoje, era o déficit global do setor público. Mas havia causas cooperantes: os dois choques do petróleo; a errônea aplicação da correção monetária, criando um efeito realimentador; a estratégia de reajustamento através da industrialização substitutiva de importações e da consecução de alta taxa de crescimento desapoiada em adequada poupança interna.

Terminei meu discurso com uma profética admonição:

"Conta-se que na desaparecida civilização da ilha da Páscoa, que produziu gigantes de pedra, a religião vigente só tinha deuses. Não tinha demônios. Porque os demônios estavam nos próprios homens. E veramente estavam. Brigas tribais dizimaram os ilhéus e depois, com a depredação das florestas, exauriu-se a madeira para construir barcos. Não podiam mais navegar. Os ilhéus definharam, prisioneiros de seus próprios ódios... Se continuarmos a buscar soluções na gaveta dos sonhos, combatendo sempre os falsos inimigos, não sobrará madeira para navegar. E navegar é preciso..."

Minha preocupação não era apenas fazer a anatomia da crise. Era propor a terapêutica das soluções. Apresentei simultaneamente dez projetos de lei. Era um programa de governo que, se adotado à época, teria contribuído para evitarmos a década perdida. Os projetos se dividiam em quatro grupos:

1. Medidas de flexibilização do mercado de trabalho e assistência ao desemprego:

- Projeto de Lei n.º 133 — Reforma o Fundo de Assistência ao Desemprego e dispõe sobre o auxílio ao desemprego (FAD);
- Projeto de Lei n.º 134 — Estabelece a livre negociação salarial e dá outras providências;
- Projeto de Lei n.º 135 — Cria contratos de trabalho simplificados para facilitar novas empresas;

- Projeto de Lei n.º 137 — Cria nas empresas privadas, como alternativa à despesa do empregador, disponibilidade remunerada e dá outras providências;
- Projeto de Lei n.º 140 — Favorece as aposentadorias e a renovação de quadros;
- Projeto de Lei n.º 141 — Agiliza as reduções da jornada de trabalho e conseqüentes salários, para evitar dispensas de pessoal;

2. Medida para melhoramento da relação capital-trabalho:

- Projeto de Lei n.º 138 — Dispõe sobre a distribuição eventual de lucros aos empregados;

3. Medidas relativas à privatização de empresas e serviços:

- Projeto de Lei n.º 139 — Institue o programa de repartição de capital;
- Projeto de Lei n.º 136 — Autoriza a delegação de previdência social às empresas privadas;

4. Medida de racionalização da estrutura de preços de combustíveis;

- Projeto de Lei n.º 142 — Regulariza, sem aumento de incidências, o Imposto Único sobre Lubrificantes e Combustíveis Líquidos e Gasosos.

O problema candente da época, que melancolicamente repontaria dez anos depois, no momento em que escrevo estas memórias, era o do desemprego, com a agudização da recessão, após o segundo choque do petróleo e a crise da dívida. O PIB experimentaria um decréscimo de 3,1% em 1981, com uma taxa positiva de apenas 1,1% em 1982, declinando de novo 2,8% durante 1983. A recessão daquela época era mais compreensível que a atual, pois que o fenômeno era então mundial, contrastando com nossa estagflação do fim da década dos 80, que coincidiu com uma fase de prosperidade mundial, e do começo desta década, marcada por um modesto ajuste recessivo que não impediu o surto de prosperidade do leste e sudeste da Ásia. A estagflação de hoje é, portanto, atribuível exclusivamente à incompetência gerencial doméstica após a redemocratização.

Então como hoje, um fator importante de desemprego estava na rigidez do mercado de trabalho. Donde a propositura de várias medidas de flexibilização, uma das quais seria a livre negociação salarial para o setor privado, tese que defendo há anos.

O problema do desemprego sobreviveu, sobretudo na Europa, até mesmo à fase de prosperidade mundial sincrônica de 1984 a 1990. Parte da responsabilidade provém, sem dúvida, do rápido desenvolvimento tecnológico da automação e da robótica, que requerem transformações estruturais da mão-de-obra, pela exigência de maior habilitação informática. Mas, como recentemente os Estados Unidos têm conseguido manter um nível de desemprego menor que 7%, enquanto que na Comunidade Econômica Européia ela se eleva, em média, a 12% da força de trabalho.

O fenômeno é assim explicado pela revista *The Economist* (edição de 9 de outubro de 1993):

"Há crescente consciência na Europa de que o alto desemprego é o resultado de mercados de trabalho inflexíveis e excessivamente regulados. Os generosos benefícios da seguridade social dão ao empregado pouco incentivo para trabalhar. Leis de salário mínimo, visando a proteger os de baixos salários, têm um efeito perverso de privar de empregos os trabalhadores jovens. O salário mínimo na França aumentou rapidamente, na década dos 80, até o nível de 50% do salário médio; na América, caiu em cerca de 30%. Não é simples coincidência que 1/4 dos jovens de menos de 25 anos, na França, estejam desempregados, duas vezes a proporção da América."

No Brasil, a pressão da oferta no mercado de trabalho, devido ao explosivo crescimento da população e à baixa habilitação da mão-de-obra, exigiria maior flexibilidade no mercado de trabalho, a fim de se evitar o mal supremo — o salário zero do desemprego. Mas essas noções realistas pareciam chocantes para o populismo da época, e minha pregação caiu em ouvidos moucos.

O segundo tipo de medida se relacionava com o dispositivo constitucional de participação dos empregados nos lucros das empresas. Como já fiz notar alhures, o último projeto de Lei (n.º 34), enviado por Castello Branco ao Congresso, em março de 1967, regulamentava a matéria. Voltei ao tema, em meu discurso inaugural no Senado, de forma prudente. Tudo o que o governo pode e deve fazer é remover obstáculos, a fim de facilitar contratos voluntários entre empresas e empregados, sem impor regras rígidas, inaplicáveis à imensa variedade de situações empresariais e laboriais. A intervenção governamental se deveria limitar a dois aspectos. Estabelecer o caráter *eventual* da participação, sem gerar direitos trabalhistas de habitualidade. E isentar a distribuição de lucros de quaisquer encargos previdenciários e fiscais.

O terceiro tipo de medidas antecipava um problema que passaria a fazer parte da agenda mundial quase um decênio depois. E previa uma solução original. O problema era o redimensionamento do estado pela privatização, tema que se tornaria candente na Inglaterra a partir do segundo mandato de Margaret Thatcher, em 1984, e que hoje faz parte da agenda mundial, pois mais de 75 países desenvolvem programas de privatização. A solução por mim sugerida em 1983 se assemelhava, prescientemente, à solução adotada em países ex-comunistas, como a República Tcheca e a Rússia, após o colapso do socialismo em 1989-91. Neste último caso, distribuem-se *vouchers* (cupons) à população, que pode usá-los para adquirir quotas de estatais privatizadas. Na minha proposição de dez anos antes, haveria primeiro uma privatização jurídico-social. Esta consistiria na transferência gratuita e imediata da propriedade do capital das empresas federais, por dispositivo legal, a um amplo universo constituído pelos contribuintes da previdência social, pelos funcionários públicos e pelos trabalhadores rurais filiados ao Programa de Assistência ao Trabalhador. Seria, por assim dizer, uma devolução ao setor privado do capital das empresas que, no fundo, haviam sido formadas por contribuições e impostos. As empresas públicas passariam então a ser realmente do público, e não de tecnocratas administradores e políticos manipuladores.

A outra medida desse tipo era um começo de privatização da previdência social, por delegação de funções a empresas privadas, com o consentimento dos trabalhadores segurados. Idéia semelhante, porém mais ousada, estava sendo desenvolvida no Chile, que se tornou o país pioneiro da privatização da previdência na América Latina, e cujo exemplo está hoje sendo seguido pelo Peru, Argentina e, em escala menor, pelo México.

O último dos projetos que então apresentei visava a racionalizar e automatizar o Imposto Único sobre Combustíveis, firmando uma estrutura racional de preços de derivados, utilíssima para a Petrobrás e útil também para disciplinar e garantir a participação dos estados e municípios no Imposto Único. Ironicamente, apesar de inimigo do monopólio estatal, era a terceira vez que me empenhava em defender essa empresa de políticas arbitrárias de fixação de preços que lhe infirmaram a rentabilidade em várias ocasiões. Minha primeira contribuição, no governo Kubitschek, fora a conversão do imposto *específico* sobre importação de petróleo em *ad valorem*, garantindo para a Petrobrás uma evolução dinâmica de sua fonte de recursos. A segunda fora o decreto-lei n.º 61, do governo Castello Branco, que estabeleceu bases racionais para o cálculo da margem de refino e a hierarquização dos preços de derivados.

O discurso inaugural e as propostas tiveram boa divulgação na imprensa e razoável aceitação no Congresso, ao nível de percepção intelectual. Mas feriam alguns tabus demagógicos e, como todas as inovações, não mereceram mais que simpatia desconfiada, que nunca se traduziu em aceitação entusiasmada. Nessa altura, no Senado, eram poucos os liberais genuínos. A ideologia predominante era o nacional-populismo, e eu sempre detestei esses dois *ismos* — o nacionalismo e o populismo. Fiz muitos amigos, mas tive poucos aliados. E notei uma coisa curiosa. Vários dos representantes dos estados capitalistas, ou de boa qualidade de vida, como São Paulo e Santa Catarina, cultivavam ideologias basicamente antimercado. Era o caso, por exemplo, dos três representantes de São Paulo — Fernando Henrique Cardoso, Mário Covas e Severo Gomes, todos do PMDB. Os dois primeiros se descreviam como *sociais democratas*, admitindo várias formas de intervencionismo e estatismo, sob o pretexto de controle social do mercado. O último se deixou possuir de um rábido nacionalismo. Os meus mais íntimos amigos eram o saudoso Luís Viana, de instintos liberais mas relutante em acompanhar-me em minhas atitudes de *espadachim* antiestatizante. Outro era Jarbas Passarinho, uma excelsa figura intelectual, de grande dignidade ética, que atravessava uma fase de conversão ao neoliberalismo, sem esquecer seu sotaque estatista de antigo superintendente da Petrobrás. Edison Lobão era um aliado na defesa de teses privatistas.

Os debates intelectualmente mais estimulantes eram com Fernando Henrique Cardoso. Àquela altura não se havia ainda livrado do entulho ideológico da *teoria da dependência*, que o levava a exagerar o problema da dívida externa, propondo inclusive a absurda Resolução n? 82 do Senado, que vedava a conversão dos títulos da dívida externa em ações, pelo valor face, e conferia ao devedor o direito unilateral de avaliar sua própria capacidade de pagamento e o nível de reservas que considerava desejáveis. Perfilhava, outrossim, teses favoráveis ao nacionalismo informático e ao dirigismo estatal, ainda que com mais elegância e sofisticação intelectual do que os nacional-populistas da época. Seu respeito pela economia de mercado e ceticismo quanto aos monopólios estatais e ao tamanho excessivo do estado são posteriores à grande higienização ideológica, após a queda do muro de Berlim. No momento em que escrevo estas memórias, tornou-se ministro da Fazenda do governo Itamar Franco, engajado na luta contra a inflação, tarefa em que as teorias estruturalistas da Cepal repetidamente se provaram ineficazes. Com a franqueza permitida aos velhos amigos, disse-lhe que suas possibilidades de sucesso seriam diretamente proporcionais à sua capacidade de arrependimento dos erros passados.

Os mais liberais, em matéria econômica, eram os senadores com alguma experiência empresarial, como Jorge Bornhausen, de Santa Catarina, José Fragelli, de Mato Grosso, João Lobo, do Piauí, Jorge Kalume, do Acre, Benedito Ferreira e Irapuan Costa, de Goiás. Mas éramos uma pequena tribo.

Na realidade, minha vida no Senado foi uma sucessão de batalhas perdidas: as principais foram a batalha da informática, a batalha contra a ortodoxia do Plano Cruzado e a resultante moratória, e a batalha contra a Constituição brasileira de 1988.

Minha reabilitação viria somente ao fim do mandato, quando o colapso do socialismo e a queda do muro de Berlim me transformaram de herege imprudente em profeta responsável. Às vezes com conotações humorísticas. Num terrível *lapsus linguae*, um amigo veio me dizer que, com a queda do muro de Berlim e o evidente desastre da política de informática, eu deveria ser parabenizado por minha *reabilitação póstuma*.

Tive que responder-lhe — parafraseando Mark Twain — que as notícias de minha morte tinham sido algo exageradas...

A BATALHA
DA INFORMÁTICA

Posso reclamar um certo pioneirismo no reconhecimento da importância da informática, ao sugerir ao presidente Kubitschek, em agosto de 1958, a criação do GEACE (Grupo Executivo de Aplicação de Computadores Eletrônicos) para estudar a utilização de computadores nas tarefas do governo e verificar seu mercado potencial. O GEACE promoveu o I Simpósio Nacional sobre Computadores em abril de 1960, e facilitou a importação subvencionada do célebre computador UNIVAC 1103, para o IBGE, e do B-205 da Burroughs, para a PUC. Os primeiros esforços de desenvolvimento local da eletrônica de computadores devem ser atribuídos ao Instituto de Tecnologia de Informática, de São José dos Campos, onde quatro engenheiros, em 1961, planejaram o primeiro computador digital brasileiro, o *zezinho*, àquele tempo uma curiosidade acadêmica.[427] O primeiro computador brasileiro operacional foi o famoso *patinho feio*, que nasceu na USP em 1972, a partir de um curso ministrado a dez engenheiros brasileiros pelo professor Glen Langdon Junior, da IBM.

Não voltei a ter minha atenção despertada para a matéria até 1975, quando, como embaixador em Londres, assisti a dois eventos significativos. O primeiro foi o lançamento pela Scottish Development Agency, nesse ano, de um programa de desenvolvimento de informática, objetivando criar no Irvine Valley um núcleo de alta tecnologia, emulando o Silicon Valley da Califórnia. Impressionou-me o caráter aberto do programa, extremamente generoso nos incentivos, sem nenhuma discriminação entre empresas nacionais e estrangeiras. Esses incentivos, que atraíram logo numerosas companhias, como a IBM, a National Semiconductors, a Hewlett Packard, a Burroughs e a Motorola, seja para a produção de computadores, seja para a microeletrônica, incluíam favores que no Brasil seriam considerados escandalosos: 1) Doação de 22% do valor do terreno, do valor de construção e também do custo do equipamento; 2) Restituição de 80% do custo dos programas de treinamento de mão-de-obra; 3) Subscrição de ações preferenciais, com cláusula de recompra em favor da empresa; 4) Doação equivalente a 12 mil dólares por posto de trabalho criado; 5) Empréstimos oficiais, até metade do valor do investimento, com juros favorecidos. A preocupação era criar empregos de alta tecnologia numa

---

[427] Ver Vera Dantas, *Guerrilha tecnológica*, Rio de Janeiro, LTC, Rio de Janeiro, 1988, p. 30-31.

parte da Grã-Bretanha traumatizada pela decadência das indústrias tradicionais de tecidos, aço e construção naval, e afligida por alto grau de desemprego.

Era claramente um modelo de mobilização máxima de recursos, cujos resultados vieram rápidos. Quando deixei a embaixada, em 1982, o número de microcomputadores instalados na Grã-Bretanha havia passado de 20 mil para 878 mil. A Escócia se tornara exportadora de *chips* e a principal fornecedora de computadores IBM para a Europa.

O segundo evento se relacionou com o lançamento de corvetas construídas para a Marinha brasileira, em cumprimento de um programa de reequipamento naval planejado ainda no governo Castello Branco. Ao visitá-las, em sucessivos lançamentos nos estaleiros da Vosper Thornycroft, em Portsmouth, aprendi que uma corveta moderna é pouco mais que uma couraça para computadores, que controlam mísseis eletrônicos. Eram quatro corvetas a serem lançadas na Grã-Bretanha, que serviriam de modelo para quatro outras a serem construídas no Brasil. Ao ver o entusiasmo com que os oficiais brasileiros se referiam à conveniência de desenvolvermos rapidamente a tecnologia de computação eletrônica no país, comecei a recear que o planejamento industrial no setor passasse a ser dominado por preocupações militares, antes que industriais, e portanto, com desatenção a custos e competitividade. E provavelmente, com exacerbado protecionismo.

Procurei então informar-me sobre o que estava se passando no Brasil, e minhas inquietações se confirmaram. Em 5 de abril de 1972, o Conselho Nacional de Pesquisas havia levantado a questão da informática, tendo sido criada a CAPRE (Comissão Coordenadora das Atividades de Processamento Eletrônico). Mas as atividades de coordenação em breve levaram à pior forma de política industrial — a reserva de mercado.[428] É que, a partir de dezembro de 1975, foi dada à CAPRE, que funcionava junto à SEPLAN, a atribuição de receber, analisar, liberar ou vetar pedidos de licença de importação de computadores. Como eu receava, o dirigismo governamental e o protecionismo seriam partes essenciais do nosso modelo industrial: ele seria de restrição, antes que de mobilização. Ao invés de meramente fomentar a iniciativa privada, o governo passou a criar empresas. Patrocinou primeiro a empresa EE Equipamentos Eletrônicos, que, a instâncias da Marinha, procurou como sócio estrangeiro a Ferranti, fornecedora dos computadores das corve-

---

[428] A CAPRE, criada sob a presidência de meu segundo sucessor no ministério do Planejamento, o ministro Reis Velloso, marcou dois desvios de rumo, em relação às diretrizes de minha gestão nesse ministério: evitar envolvimento em atividades executivas (que deveriam ficar a cargo dos ministérios especializados) e conter as tendências nacional-protecionistas que levariam às *reservas de mercado*. Dois anos mais tarde, em 1974, o ministério do Planejamento e o BNDE sucumbiriam à tentação da *autonomia tecnológica*, ridícula imitação do *Plan Calcul* do presidente De Gaulle, que impôs à França enormes déficits orçamentários e relativa mediocridade na informática.

tas, enquanto o BNDES optava pela Fujitsu, para a computação civil. Em abril de 1973, criou-se uma *holding*, EDB-Eletrônica Digital Brasileira, que controlaria duas companhias, uma ligada à Ferranti e a outra à Fujitsu. A *holding* logo passou a chamar-se Digibrás. Em julho de 1974, foi fundada a COBRA, o que representou uma vitória para a Marinha, que optara pela tecnologia Ferranti. Anos mais tarde seria criada uma terceira companhia, a Prólogo, já no governo Figueiredo, sob a direta supervisão do SNI, inicialmente com o propósito de fabricar máquinas de codificação.

O passo final do dirigismo seria, por recomendação de uma Comissão de Alto Nível instituída pelo presidente Figueiredo em 10 de maio de 1979, a criação da SEI — Secretaria Especial de Informática — com extinção da antiga CAPRE. Criada sob a coordenação do Conselho de Segurança Nacional, a SEI representou uma absurda militarização do problema.

De minha perspectiva em Londres, estávamos caminhando em direção errada, primeiro, pela militarização do problema, o que inevitavelmente levaria a excessivo dirigismo, e segundo, pelo protecionismo nacionalisteiro. Ao invés de proteção *ao nível do país* (considerando-se nacionais todas as empresas que produzissem no país, independentemente da origem do capital), marchávamos para o conceito de proteção ao *nível de empresa* (proteção exclusivamente para as empresas de capital nacional).

A SEI se tornaria assim um dispositivo anticoncepcional, aplicado não à demografia, onde seria desejável, mas à eletrônica digital. Foram restringidas as atividades de empresas já existentes (IBM, Burroughs, Olivetti) e controladas outras, como a DEC, HP e DG, interessadas em se instalar no Brasil.

Como nota o professor J. C. Mello, um dos pioneiros da indústria, que sofreu incríveis perseguições da SEI, pela sua visão holística do problema, a SEI se transformou num GOSPLAN caboclo, que teria matado na fonte a expansão ou implantação de projetos das seguintes empresas: IBM, Burroughs, Olivetti, Philips, AEG/Telefunken, CEL, TRW Controls, DEC, HP, DG, TRW-Datapoint, VARIAN, CD, Wang, General Automation.

Houve três diferentes fases na evolução do dirigismo informático:

- 1971 até 1975 — Ministério da Marinha;
- 1976 até 1979 — SEPLAN, BNDE/CAPRE, sob a direção do ministro Reis Velloso;
- 1979 até 1982 — CSN/SNI/SEI, sob os generais Octavio Medeiros e Danilo Venturini.[429]

---

[429] O melhor estudo sobre os desvarios da política de informática é o livro do professor J. C. Mello, *A incrível política nacional de informática*, Rio de Janeiro, 1982. Ver p. 45-46. Uma análise erudita da estrutura da indústria informática brasileira se encontra no trabalho de Gilberto Paim, *Computador faz política*, Rio de Janeiro, APEC, 1985.

Eleito senador por Mato Grosso, resolvi logo passar à ofensiva contra o obscurantismo informático. Já em meu discurso inaugural, como acabei de contar, critiquei, sob o rótulo de *sacralização do profano*, nosso duplo erro de: a) Desrespeitar a hierarquia de leis, implantando reservas de mercado por decretos e atos normativos, sem base legal e constitucional, com dilatação abusiva do conceito de segurança nacional; e b) Incorrer num ingênuo voluntarismo tecnocrático, pelo endeusamento do falso objetivo da "autonomia tecnológica".

Vale a pena repetir alguns trechos desse discurso inaugural, que representa uma primeira salva na longa batalha da informática:

"A sacralização do profano pela imantação obsessiva da segurança é um obstáculo ao tratamento racional dos problemas. Vários setores econômicos têm sido periodicamente, sob esse pretexto, subtraídos ao campo da análise, entrando no reino da *paranálise*, isto é, a paralisia da análise. Instaura-se a ideocracia, que Raymond Aron definiu como o despotismo de um preconceito ideológico.

A doença da *paranálise* atacou vários setores. Primeiro, o petróleo, de que já falei. Depois, a energia nuclear. Agora, a informática, eletrônica e fibras ópticas. Gradualmente, as autoridades incumbidas do planejamento estratégico, presumivelmente empenhadas na longa visão e projeção dos objetivos nacionais, passaram a se embrenhar em miúdos exercícios normativos e executivos. Este Senado talvez não saiba que a importação de qualquer medidor de vazão, de máquinas de calcular, de máquinas de escrever para contabilidade, de caixas registradoras, de máquinas de emitir bilhetes, assim como quaisquer aparelhos médicos, *desde que eletrônicos*, está sujeita à prévia e expressa manifestação de uma secretaria do Conselho de Segurança Nacional! (Comunicado nº 41 da CACEX). Idêntica burocratização foi aplicada aos componentes informáticos da indústria de telecomunicações (hoje aliás nacionalizada), criando-se ademais uma discriminação esdrúxula e inconstitucional entre empresas nacionais e empresas genuinamente nacionais, aquelas filhas legítimas, e estas bastardas, de nossa ordenação econômica. Não é óbvio para o cidadão comum porque tais assuntos exorbitam da esfera do ministério da Indústria e Comércio e da CACEX, assim como do ministério das Comunicações, que são os órgãos legalmente habilitados.

Não só o *locus decisionis* foi mudado sem amparo legal, como há reparos a fazer no tocante:

• À técnica de proteção; e
• À "hierarquia de leis.

Todos os países industrializados estimulam e protegem, de algum modo, sua informática, visando a assegurar atualização tecnológica. Tipicamente, como nos ensinam os japoneses, a evolução tecnológica obedece a uma lei de três estágios: tecnologia *imitadora*, depois *adaptadora* e finalmente *criadora*. Criam-se primeiro os técnicos e, depois, a técnica. Usam-se mecanismos protecionistas, às vezes para queimar etapas, ou mais geralmente, para sustentar a indústria nascente durante seu período de aprendizado. Mas os economistas, de variadas escolas, concordam em que a *reserva de mercado* não é — comparativamente às alternativas de taxas cambiais realistas, tarifas adequadas e incentivos creditícios e fiscais para pesquisa e desenvolvimento — a melhor forma de proteção, pois se corre o risco de criar oligopólios, senão mesmo cartórios industriais. *Reserva de competência* é o que deve existir, em lugar de *reserva de mercado* conforme recomenda um de nossos mais destacados líderes industriais, o empresário Antônio Ermírio de Moraes. Ninguém deseja que nossa nascente indústria se exponha a um vendaval de competição. Mas é convinhável manter-se pelo menos uma brisa de competição, a fim de que os consumidores e usuários possam aferir o grau de avanço tecnológico do produto, conheçam os preços de nossos competidores no comércio internacional, e para que a sociedade possa medir os custos reais da proteção, que se quer limitada no tempo e não ofensiva à competitividade dos usuários. Meu terceiro reparo diz com a hierarquia de leis. Por decretos, atos normativos, portarias e resoluções — pois nossa tecnocracia passou de revolucionária a resolucionária, como se diz na ONU — têm sido ditadas normas de composição do capital das empresas, vedações de produção, ou restrições à livre associação empresarial, mesmo quando o objetivo é simplesmente exportar. Esta última atitude é patentemente absurda num país que necessita dramaticamente de exportações e de aporte de divisas.

Nunca é demais lembrar, e relembrar, que o direito de fazer e não fazer, assim como o direito de livre associação, são garantidos pela Constituição vigente, que assim reza:

'Art. 153, parag. 2º. — Ninguém será obrigado a fazer ou deixar de fazer alguma coisa senão em virtude da lei.

parag. 8º. — É assegurada a liberdade de associação para fins lícitos. Nenhuma associação poderá ser dissolvida senão em virtude de decisão judicial'.

Mas se as violações da Constituição forem consideradas apenas pecado venial, resta lembrar que estaríamos também ferindo um dos basilares princípios do direito romano: '*Restrictio, quae non est in lege, non praesumitur*'. (A restrição deve ser expressa; não presumida.)"

MODELOS INTERNACIONAIS
DE DESENVOLVIMENTO INFORMÁTICO

Um segundo passo foi colher informações sobre modelos internacionais alternativos de desenvolvimento da informática. Dei-me conta, de início, da absurda amplitude que a SEI dava à definição de *informática*. O intervencionismo dirigista não se aplicava apenas a computadores, programas de computação, bancos de dados e equipamentos correlatos, mas estendia-se a toda a eletrônica digital a semicondutor, ou seja, toda a indústria moderna: telecomunicações, televisão, eletromedicina, automação fabril e de escritório, eletrônica embarcada, robótica, fibras óticas e optoeletrônica.

Minha análise dos modelos internacionais revelou ser o esquema pretendido para o Brasil o mais fechado de todos, em termos de controle, e o de maior abrangência definicional.

Nos países industrializados, podiam-se identificar três modelos:

1. O modelo norte-americano — de livre competição;

2. O modelo japonês — de livre competição no setor privado, e preferência para empresas nacionais nas compras do setor público e na concessão de créditos;

3. O modelo de dirigismo moderado — da França e Inglaterra, que criaram empresas estatais (Bull, na França, ICL e INMOS, na Inglaterra) em competição com empresas nacionais e estrangeiras do setor privado.

Nos países subdesenvolvidos, havia também três variantes:

1. O modelo aberto e competitivo — Hong Kong e Cingapura;

2. O modelo semiliberal — Taiwan (estímulos governamentais abertos tanto para empresas nacionais como estrangeiras), Coréia do Sul (apoio aos *Chaebols* e reserva temporária de mercado para minicomputadores) e México (liberdade para implantações com 51% de capital mexicano);

3. O modelo restricionista absoluto. Este era uma peculiaridade brasileira, pois (a) Estabelecia reserva de mercado para a produção nacional de mini e microcomputadores; (b) Proibia a implantação de novas indústrias sob controle estrangeiro (exceto em *mainframes*); (c)Estendia o protecionismo a toda a eletrônica digital a semicondutor.

Em fevereiro de 1984, empreendi longa viagem de estudos, para avaliação de alguns desses modelos. Nos Estados Unidos, visitei fábricas da Wang e da DEC, na região de Boston, e da Hewlett Packard, no Silicon Valley. Dirigindo-me ao Extremo Oriente, revisitei Taipei, a capital de Taiwan, que me parecera uma grande favela em 1964 e que, vinte anos depois, era uma dinâmica metrópole industrial. Visitei uma fábrica de semicondutores e uma empresa, a Multitec, que fabricava *clones* dos PC's e XT's, a famosa arquitetura aberta, originária da IBM. Impressionou-me sobretudo a "tecnópolis", isto é, a cidade de alta tecnologia, *Hsinchu*, nas proximidades de Taipei, onde o governo construíra duas faculdades técnicas e oferecia generosas facilidades de implantação a empresas nacionais e estrangeiras, incluindo toda a infraestrutura de serviços, estruturas fabris prontas para aluguel e financiamentos oficiais ou participação acionária minoritária do governo. A cidade tecnológica era dirigida pelo dr. Irving Ho, um expatriado que retornara à terra natal após servir vários anos como diretor de pesquisas da IBM. A estruturação das empresas era opcional, havendo empresas puramente estrangeiras (como a AT&T), mistas ou nacionais, todas com acesso aos incentivos governamentais. Visitei também a zona livre de exportação de *Kao-hsiung*, relembrando, com melancolia, que 24 anos antes, em 1960, durante a governança interina do embaixador José Sette Câmara na Guanabara, logo após a transferência da capital para Brasília, eu havia proposto a criação da ZOFRAN (Zona Franca de Santa Cruz), que teria transformado o Rio de Janeiro na Hong Kong da América Latina.

A Coréia do Sul adotara um modelo desenvolvimentista diferente do taiwanês. Este se baseava no incentivo a pequenas e médias indústrias,[430] enquanto que na Coréia do Sul se incentivavam os grandes conglomerados, os *Chaebols*, beneficiários de créditos favorecidos e incentivos especiais à exportação. Os principais *Chaebols* eram a Hyunday, a Samgsung, a Daewoo e a Goldstar. Visitei uma fábrica de microcomputadores da Daewoo, perto de Seul, instalação relativamente modesta, que usava tecnologia da Fujitsu, e começava a ter êxito na exportação de um microcomputador clonado, denominado Leading Edge. Mais modernas eram as duas fábricas da Samgsung, que visitei, uma de televisores e outra de microeletrônica. Esta já estava produzindo regularmente *chips* de 64 e 256 bits e planejava, dentro de um ano, iniciar a produção de *chips* de memória de 1 milhão de bits, feito que o Brasil até hoje, na década dos 90, não conseguiu emular.

Em ambos os países, a metodologia do desenvolvimento informático se baseou na livre e intensa importação de tecnologia, no envio maciço de bolsistas ao exterior e na criação de subsidiárias no Silicon Valley, na Califórnia, visando à absorção contínua e atualização da tecnologia.

---

[430] Subseqüentemente, surgiriam duas empresas de porte transnacional, a Acer, em computadores e a Tatung, em eletrônica de consumo.

A PARANÓIA
DOS MILICRATAS

No Brasil, ao contrário, praticava-se um miliburocratismo paranóico. Passei a cognominar os burocratas militares da informática de *milicratas*. Na realidade, o crescente despotismo da SEI, que acabou absorvendo as atividades de controle de importação da CACEX (através do absurdo Comunicado nº 41, de 24 de janeiro de 1983) e dominando inteiramente o INPI, constitui uma estória de horrores.

É difícil conceber obstáculo maior à modernização industrial do país que o item 2 do aludido Comunicado. Este resultou, provavelmente, de uma imposição militar ao diretor da CACEX, Benedito Fonseca Moreira, meu ex-aluno e ex-funcionário do ministério do Planejamento, que certamente havia absorvido minhas lições liberais e deve ter sofrido uma crise existencial ao coonestar a seguinte cretinice:

"2. Sujeitam-se ainda à prévia e expressa anuência da SEI as importações de máquinas, equipamentos, aparelhos e instrumentos, isolados ou constituindo sistemas, que, embora enquadráveis em classificação tarifária não prevista para análise da SEI, ou não possuindo classificação tarifária específica, contenham, incorporados ou em apêndice, comandos, controles ou outros sistemas com circuitos de lógica digital; do tipo comando numérico, controlador lógico programável e assemelhados."

O Comunicado nº 41 representava, naturalmente, a combinação de um processo de crescente obscurantismo, do qual dois estágios merecem menção especial. Um deles foi a famosa Portaria Interministerial nº 70, de 9 de junho de 1975, negociada entre o ministro João Paulo dos Reis Velloso e o ministro da Marinha Geraldo Azevedo Henning. Era um conjunto de 11 diretrizes, denominadas pedantemente de "estratégia global". Mencionavam-se expressões que depois passariam a ser parte do jargão do nacionalismo informático como: "o domínio da tecnologia eletrônica digital" e a "capacidade de futura autonomia".

O outro estágio, já citado, foi a militarização definitiva da condução da política de informática pelo Decreto nº 84.067/79, que criou a SEI como "órgão complementar do Conselho de Segurança Nacional". Na tentativa de inserir a informática na área de segurança, que lhes daria maior margem de arbítrio e menor preocupação com prioridades econômicas, os militares tiveram o auxílio de um grupo do Itamaraty, que obviamente subestimava a velocidade das transformações tecnológicas e o potencial de conflitos comerciais decorrentes do hiperprotecionismo brasileiro. O Itamaraty nunca sofreu de escassez de "incompetência treinada".

Em meu primeiro ano no Senado foram-me denunciados bizarros exemplos de obscurantismo tecnológico. Um deles foi a intensa luta no seio do governo, que redundou num veto à fabricação no Brasil, pela IBM, do minicomputador 32. Já haviam sido produzidos 400 exemplares, mas os partidários da reserva de mercado lograram vetar sua fabricação, mesmo se destinada à exportação. O IBM 32 acabou sendo fabricado no Japão, substituído depois pelo 36, incorporando sucessivas mutações tecnológicas.[431]

A Hewlett Packard, que já fabricava calculadoras em Campinas, foi proibida de produzir o HP 3.000, que acabou sendo manufaturado no México, Canadá e, curiosamente, na China comunista, numa empresa de composição paritária com o governo chinês. Esse contraste me levou a dizer que o Brasil era um país pseudo-capitalista e cripto-socialista, sendo a China exatamente o contrário. A Apple Computer, que quis se instalar no Brasil, acabou associando-se a um grupo mexicano para produzir seus computadores em Guadalajara.

Mais absurda ainda, e de conseqüências mais dramáticas, foi a vedação da cooperação estrangeira na microeletrônica, campo em que o Brasil tem hoje posição inexpressiva, comparativamente a países como a Malásia e a Tailândia, que nem sequer figuravam na paisagem informática mundial quando o Brasil lançava seu programa de autonomia tecnológica. Revoltei-me ao saber que, em 18 de dezembro de 1981, um reles coronel da SEI, Humberto Costa Monteiro, sem nenhum fundamento constitucional ou legal, dirigiu à Motorola um ofício (082/81-GAB-SEI) no seguinte teor:

"Quanto à industrialização de componentes semicondutores, a SEI decidiu que a Motorola não poderá iniciar essas atividades no Brasil. As atividades, ora sendo realizadas em nome da Motorola, terão que ser gradualmente desativadas, conforme já exposto à V. Sas., pela Secretaria de Atividades Estratégicas. (sic!)".

Idêntica vedação foi imposta à Texas Instruments, que já tinha uma fábrica em Campinas e desejava ampliar sua produção, ingressando no campo da microeletrônica. O equipamento, já encaixotado em Houston, acabou sendo deslocado para a Argentina!

Ao invés de incentivarmos a implantação de indústrias estrangeiras de liderança tecnológica, isoladas ou em *joint-ventures* com nacionais, como fizeram a Escócia e Cingapura, reservamos o mercado a apenas três empresas nacionais — a Itautec, a

---

[431] O objetivo da CAPRE, então dirigida por Ricardo Saur, era garantir a sobrevivência, no mercado, da COBRA, que produzia o computador Sycor 400, vítima de rápida obsolescência tecnológica, enquanto a COBRA se transformaria, ao longo dos anos, numa fábrica de déficits. Admitir-se-ia a concorrência com outras empresas nacionais, numa espécie de nivelamento por baixo, em prejuízo do usuário, que optaria por tecnologias mais avançadas.

Elebra Componentes (grupo Doca de Santos) e a Sid (grupo Machline), que havia adquirido uma subsidiária da Philco, em Contagem, Minas Gerais. As duas últimas nunca atingiram produção econômica, e a *Itautec* não conseguiu acompanhar o vertiginoso passo da microeletrônica mundial.[432] Em fibras óticas, produto abusivamente incluído na definição da Lei de informática, foi inicialmente concedido um monopólio de cinco anos a uma empresa, a ABC-XTAL, obrigada a usar tecnologia nacional já defasada de cinco anos em relação aos padrões americanos. O monopólio foi depois flexibilizado para incluir duas outras empresas.

A política de informática da SEI tornou-se, entre 1979 e 1984, um assalto simultâneo à lógica econômica e à ordem legal. Violavam-se simultaneamente quatro princípios constitucionais: o princípio da isonomia, o da reserva geral, o da liberdade de associação e o da primazia da iniciativa privada. E nada menos que sete leis eram também violadas: o Código de Telecomunicações; o decreto-lei nº 200, da Reforma Administrativa; o Código Comercial; a Lei Antitruste, de 1962; a Lei sobre Capitais Estrangeiros; a Lei do Comércio Exterior, e a Lei das Sociedades Anônimas.

Diante desse estupro da ordem legal, eu não conseguia entender a passividade do meio empresarial e da sociedade em seu conjunto. Só havia duas explicações possíveis. A primeira era a intimidação ideológica. Lançado o *slogan* nacionalista "a informática é nossa", todos os dissidentes dessa política passavam a ser considerados antipatriotas, senão mesmo submissos a interesses estrangeiros. A segunda, era a intimidação econômica. Cassados em seu direito de produzir com liberdade de escolha de sócios, equipamentos e tecnologia, os empresários-usuários não ousavam protestar, com medo de retaliação pela denegação de licenças de importação, restrição do acesso a créditos oficiais e cancelamento de contratos governamentais.

No intuito de tentar deter a onda irracional de nacionalismo informático, promovi, como presidente da Comissão de Economia do Senado, audiências com diferentes setores. Os empresários Firmino Rocha Freitas, da ABINEE, e Jorge Gerdau Johannpeter foram veementes na oposição ao dirigismo informático.[433] Dentre as

---

[432] A fábrica de Contagem havia sido construída pela Philco, da Ford, em cooperação com a National Cash Register, para suprir grande parte do mercado interno de circuitos integrados digitais, colocando o restante no mercado externo. A SEI, perseguindo o objetivo de estender a reserva de mercado à fabricação de *chips*, forçou a paralisação da fábrica, que acabou sendo transferida ao grupo Machline por um terço do custo original e se tornou fortemente deficitária. Ver Gilberto Paim, op. cit., 66-77.

[433] Um dos depoentes foi uma das principais vítimas do despotismo da SEI. Era o engenheiro Gilberto Job, proprietário da Coencisa — Indústria de Comunicação Sociedade Anônima, sediada no Distrito Federal, com participação minoritária da empresa norte-americana RACAL, que fornecia tecnologia atualizada. Gilberto Job foi obrigado pela SEI a nacionalizar totalmente a empresa, pela recompra da parte americana. Por falta de recursos, teve que se retirar do negócio, vendendo sua parte à MODDATA.

autoridades governamentais, foram ouvidos o ministro da Indústria e Comércio, Camilo Pena, o ministro das Comunicações, Haroldo Correia de Matos, e o técnico Salomão Wajnberg, secretário-executivo do GEICOM (Grupo Executivo Interministerial de Materiais e Componentes), todos os quais se posicionaram em favor de uma política aberta de absorção de tecnologia e de formação de *joint-ventures* com empresas estrangeiras de vanguarda tecnológica. Era um testemunho claro do alto grau de descoordenação do governo Figueiredo, pois se tratava de posição diametralmente oposta à da secretaria do Conselho de Segurança Nacional, ao qual estava subordinada a SEI.

Assisti, ao longo de 1984, à formação de uma dessas estranhas e fatais coalizões obscurantistas, semelhante à que ocorreu na campanha do petróleo, em 1952-53, e viria a se formar na Constituinte de 1988, no tocante à exploração mineral. Era uma coalizão entre militares de extrema-direita da SEI, parlamentares da esquerda nacionalista (sobretudo do PMDB) e empresários cartorialistas de São Paulo. Inicialmente, as propostas da SEI foram encaradas com natural suspicácia pelos congressistas de esquerda, como a deputada pernambucana Cristina Tavares, cuja desinformação na matéria era proporcional ao seu fervor ideológico. Mas, gradualmente, se cimentaram estranhas afinidades durante o debate legislativo.[434] Era um bizarro pacto Molotov-Ribbentrop na eletrônica digital.

As motivações eram, naturalmente, diferentes: os militares da SEI, que sentiam inevitável a perda de poder político, com o acirramento da campanha das "diretas já", viam no controle da informática uma fonte de poder; as esquerdas do Congresso se seduziam com a afirmação nacionalista contra o imperialismo tecnológico das multinacionais; e os empresários paulistas sempre se encantaram com a idéia de um mercado protegido e subvencionado, numa das áreas industriais de crescimento mais dinâmico. Essa bizarra coalizão não seria sustentável não fosse o

---

[434] O conhecimento especializado de Cristina Tavares, a *pasionária* da informática, articulada e combativa, ia pouco além da leitura do relatório francês de Simon Nora e Alain Minc, chamado *L'informatisation de la société*, de janeiro de 1978, preparado a pedido de Giscard d'Estaing. O relatório, que endossava com cautelas o dirigismo informático do general De Gaulle (que mais tarde se revelaria um rotundo fracasso) advertia contra os riscos à soberania nacional criados pelas redes internacionais de informação e contra as ameaças à democracia, pela invasão da privacidade dos cidadãos. Este último aspecto deveria, em tese, levar as esquerdas brasileiras a se mobilizarem contra a política patrocinada pelo SNI, mas estranhamente não impediu essa inexplicável coalizão que o deputado Roberto Cardoso Alves jocosamente definiu como uma "conspiração de oito coronéis com oito comunistas para favorecer oito cartórios paulistas". Ver Vera Dantas, op. cit., p. 258. Um outro propagandista da tola idéia de auto-suficiência informática foi Arthur Pereira Nunes, que, auto-exilado em Paris, também se impregnou do lirismo tecnológico do *Plan Calcul* do general De Gaulle. De membro do movimento radical de esquerda, Pereira Nunes passaria mais tarde à liderança da SEI.

cimento aglutinador do nacionalismo. No caso, aliás, uma forma obscurantista de nacionalismo.

Tentando prevenir o mal maior que adviria das propostas em gestação no governo, preparei um projeto de lei apresentado em abril de 1984. Tinha por objetivo permitir ao Brasil acompanhar, com o mínimo de defasagem possível, a vertiginosa rapidez da evolução tecnológica do setor, sem o que a sociedade brasileira rapidamente perderia eficiência interna e competitividade externa.

"A filosofia adotada — dizia eu — é de *mobilização* e não de *restrição*. A experiência revelou que a indústria de informática depende, mais que outras atividades, de uma constante criatividade pessoal, e de excitação competitiva, que não se *compadece* com burocracia de licenças, controles e vedações."

As orientações básicas eram assim descritas:

"1. A escassez de poupança interna, evidenciada em nossa incapacidade de prover sequer às necessidades básicas de educação, alimentação e saúde, torna desaconselhável estabelecer proibições no ingresso de poupança externa, admitindo-se também empresas mistas ou estrangeiras, com liberdade de associação.

2. O desenvolvimento do mercado interno deve ser assegurado por generosa proteção aduaneira, decrescente no tempo, para refletir o amadurecimento econômico e tecnológico das indústrias. Este sistema é preferível às restrições quantitativas que criam oligopólios e monopólios, às vezes espoliativos dos usuários, e desestimuladores da eficiência competitiva.

3. Sem impor às empresas nenhuma fórmula compulsória de composição do capital, criam-se incentivos para favorecer a assunção de controle majoritário por empresários nacionais, mediante variados instrumentos, tais como: a) isenções fiscais; b) preferências e/ou exclusividade nas encomendas do governo e no acesso a financiamentos governamentais, para desenvolvimento da indústria (*hardware)* assim como de programas (*software*). Essa técnica de proteção se assemelha ao chamado "modelo japonês", com as diferenças impostas pelo fato de o Brasil não dispor nem do nível de poupança interna do Japão, nem do seu estoque científico e tecnológico.

4. Estimula-se a exportação, não só como fonte de divisas, mas como meio de atingir escalas econômicas de produção. As exportações seriam livres e desburocratizadas, facilitando-se o *drawback* e facultada a criação, pela SUDENE e SUDAM, de distritos de exportação, com ampla delegação de poderes às entidades regionais".

O projeto chegou a ser aprovado na Comissão de Constituição e Justiça, mas teve sua tramitação obstaculizada nas demais comissões, pela preferência dada ao projeto do Executivo, enviado ao Congresso em 30 de julho de 1984. Esse projeto, com 31 artigos, estabelecia a "Política Nacional de Informática", a ser elaborada por uma Comissão Nacional de Informática (definida como órgão complementar do Conselho de Segurança Nacional) e aprovada pelo presidente da República. Consagrava indiretamente a reserva de mercado, ao delegar ao Executivo a faculdade de decretar proteções provisórias às empresas nacionais e controlar as importações, por oito anos.

Logo após a apresentação de meu projeto, cinco outros passaram a tramitar no Congresso. Dois, de colorido radicalmente nacionalista, da deputada pernambucana Cristina Tavares e do deputado carioca José Eudes, do PT; um terceiro, algo mais moderado, do senador Carlos Chiarelli. Além do meu projeto, dois outros propunham a extinção da SEI e da reserva de mercado. Eram da autoria dos deputados Salles Leite, de São Paulo, e Luiz Antonio Fayet, do Paraná, ambos com bom conhecimento técnico da matéria. De um modo geral, os congressistas que tinham trabalhado no setor de telecomunicações, como Renato Johnson, do Paraná, Arolde de Oliveira, do Rio de Janeiro, e Salles Leite, de São Paulo, tinham pontos de vista hostis à SEI, temerosos da interferência retardatária desta nos projetos de telecomunicação, crescentemente dependentes de componentes informáticos. Dentro do governo Figueiredo, e depois, talvez ainda mais acirradamente no governo Sarney, era visível a rivalidade e a luta de poder entre o ministério das Comunicações e a SEI.[435]

Antes da introdução formal do meu projeto, que previa elevada proteção aduaneira contra os produtos importados, mas não endossava a reserva de mercado para empresas nacionais (receita certa de fracasso, pela escassez de capitais e tecnologia), visitei o ministro da Fazenda, Ernane Galvêas, e o ministro do Planejamento, Delfim Netto. Adverti esses dois amigos do desastroso atraso tecnológico que resultaria da política nacional-protecionista (que eu chamava de "industrialização por passe de mágica"), patrocinada pelos generais Danilo Venturini, secretário-geral do Conselho de Segurança Nacional, e Otávio Medeiros, chefe do SNI. Estes estavam possuídos de ingênuo voluntarismo tecnológico, incapazes de avaliar os efeitos negativos dessa política para o influxo de capitais e a posição do nosso balanço de pagamentos. Os dois ministros, como experientes economistas, perceberam logo a extensão do erro. Mas declararam-se

---

[435] Uma laboriosa aliada na tentativa de impedir o tratamento de urgência para um tema grave num Congresso desinformado foi a deputada Rita Furtado, esposa de Rômulo Furtado, secretário-geral do ministério das Comunicações, há muito familiarizado com o imperialismo da SEI, a qual queria transferir para sua esfera de ação o licenciamento da produção e importação de componentes informáticos para o sistema de telecomunicações. Rita colheu um abaixo-assinado de 38 senadores e 142 deputados pedindo a revogação do regime de urgência. Apud Veras Dantas, op. cit., p.

incapazes de reverter uma política "considerada vital pelos militares". Soube depois que Delfim tentara atenuar o desastre, pleiteando que a reserva de mercado fosse por apenas cinco anos, enquanto o general Venturini desejava dez anos. Fez-se um compromisso em torno de oito anos, a contar da passagem da lei.[436] Como as restrições à importação de produtos e à vedação de projetos tinham começado em 1975 (através de decretos, portarias e atos normativos), a reserva de mercado, fixada para término em 1992, se estenderia por um desastroso período de dezessete anos, durante o qual toda uma geração acadêmica permaneceria subinformatizada e pouco competitiva num mundo sacudido pela revolução eletrônica.

Visitei São Paulo para explicar meu projeto a Olavo Setúbal, empresário competente e realista. Concordou com a intenção básica de minha proposta, mas teve uma reação estranha: — Você e eu acreditamos num regime internacionalmente competitivo. Mas isto está fora da cultura brasileira, que é protecionista e cartorial. E eu não posso operar numa cultura ideal, que não existe entre nós.

Já estava decidido a embarcar no projeto da Itautec, que abrangia tanto a fabricação de minicomputadores como a microeletrônica. As condições pareciam ideais: um mercado seguro de automação bancária, dentro do conglomerado Itaú; recursos financeiros adequados; competência empresarial comprovada do grupo; e, *last but not least*, reserva de mercado. Era uma experiência que não podia falhar. Comprei um bom lote de ações na oferta inicial; elas experimentaram dramática, porém transitória, valorização. Delas me desfiz a tempo, convencido de que o Brasil não teria cacife para a vertiginosa corrida tecnológica que se avizinhava.

Para examinar o projeto do governo, enviado ao Congresso em julho de 1984, foi criada uma comissão mista de senadores e deputados, presidida pelo deputado Freitas Nobre, tendo como relator meu colega do PDS, o senador Virgílio Távora. Era um nacionalista moderado e consegui persuadi-lo de algumas de minhas teses, mas apenas fugidiamente. Eram enormes as pressões que sofria.[437] De um lado, as

---

[436] Essa forma de compromisso me fez lembrar a famosa anedota de Churchill, quando chanceler do Erário Britânico: "Na discussão do orçamento, a Marinha de Sua Majestade pede seis milhões de libras; o Tesouro não quer dar mais que quatro; chegou-se a um acordo de paz em torno de oito".

[437] O ambiente na Comissão Mista era absurdamente ideologizado. Levantei a preliminar de inconstitucionalidade do projeto governamental, com base em parecer do ilustre constitucionalista, Manoel Gonçalves Ferreira Filho. O art. 9º do projeto era manifestamente inconstitucional. Solicitei ao presidente da Comissão que fossem dadas aos parlamentares 24 horas para leitura do parecer jurídico e meditação sobre seus conceitos. A proposta foi rejeitada por 16 votos a 2. Insisti em ler então as 48 laudas do parecer em meio a uma proposital atoarda, que só cessou com o término da leitura e sua sumária rejeição. A atitude era a de Oswald de Andrade, ao receber a obra de um poetastro que pedia sua indulgência: "Não li e não gostei". O episódio é relatado por Gilberto Paim, op. cit., p. 87-88.

injunções de seus colegas, os militares nacionalistas. De outro, as pressões organizadas e intensas dos empresários cartorialistas de São Paulo, congregados na ABI-
COMP (Associação Brasileira da Indústria de Computadores). Esta se formara
como uma dissidência da ABINEE, cujos pontos de vista eram mais moderados,
pela presença de empresas multinacionais da indústria elétrica e eletrônica. Criou-
se o "Movimento Brasil Informática" (IBM às avessas), uma réplica da campanha
do "petróleo é nosso". O refrão era: "Em defesa da tecnologia nacional". O movimento reinvidicava:

> "A aprovação urgente de mecanismos legais de estímulos e proteção perma-
> nente ao desenvolvimento tecnológico nacional, buscando assegurar-lhe pelo
> mecanismo da reserva de mercado, a emancipação tecnológica do país".

Não faltava, naturalmente, a tradicional claque nacional-obscurantista — a
OAB, a UNE e, estranhamente, a SBPC que, por alguma razão misteriosa, é quase
sempre dirigida por cientistas de esquerda, com mais furor ideológico que objetividade científica.

Compareceram para testemunhar na Comissão Mista vários depoentes, com distribuição razoavelmente equilibrada entre proponentes e adversários da reserva de
mercado.

Os pronunciamentos mais esperados foram naturalmente os dos presidenciáveis:
Tancredo Neves e Paulo Maluf. Maluf defendeu realisticamente a necessidade de
criarmos *joint-ventures* entre empresas nacionais e estrangeiras, adotando-se tarifas aduaneiras como forma de proteção. Era uma posição liberal e esclarecida, que
me confirmou na posição de partidário de sua eleição para a presidência. Em vista
do emocionalismo político da questão, propôs uma fórmula intermediária entre o
meu projeto e o do governo, conciliação que o deputado Ibsen Pinheiro declarou,
desdenhosamente, impossível. Tinha razão! Eu acreditava na competição no mercado, e a SEI, no dirigismo centralista.

Nessa audiência da Comissão Mista sobre informática, Tancredo, visivelmente
trabalhado pela ala nacionalista do PMDB, endossou o que ele chamava de "esforço para se fixar, de uma maneira clara e nítida, os objetivos de uma política de
informática". Esta, a seu ver, devia ser mantida "sob a orientação, controle e
expansão do poder público".[438] Para minha grande frustração, defendeu explicitamente a "reserva de mercado" e a subordinação da Comissão Nacional de
Informática à presidência da República, devendo os "planos de informática ser
aprovados pelo Congresso".

---

[438] Soube depois que o IPEA, que fora uma criação minha no ministério do Planejamento, tinha
redigido a alocução de Tancredo, numa clara evidência de degradação intelectual e tresleitura da
evolução tecnológica.

Em vista de nossa velha amizade, sabatinei-o com delicadeza, tentando explicar-lhe os perigos de desatualização tecnológica que o Brasil incorreria pela absurda pretensão de autonomia. Procurei questionar alguns *chavões* que Tancredo havia absorvido das arengas *nacionalisteiras*. Um era o receio da *caixa preta*. Não haveria real transferência de tecnologia dos países industrializados aos subdesenvolvidos, devendo estes desenvolver uma tecnologia própria. Demonstrei-lhe que a Coréia do Sul havia desbancado a Europa na construção naval e que os tigres asiáticos haviam absorvido a tal ponto a tecnologia da eletrônica de consumo, que tanto a Europa como os Estados Unidos receavam desindustrializar-se nesse setor. Procurei esclarecer a diferença entre três diferentes conceitos de reserva de mercado: quanto ao país, quanto à empresa e quanto à poupança estrangeira. A reserva de mercado, ao nível do país, era a simples proteção aduaneira contra importações, método universalmente praticado; a reserva, ao nível da empresa, implicava a criação de privilégios cartoriais para certas empresas, escolhidas pelas autoridades, criando-se ineficientes monopólios e oligopólios (a SEI escolhera um produtor de fibras óticas, três de microeletrônica, cinco de minicomputadores e oito de superminis), ficando os demais candidatos cassados em seu direito de produzir; a reserva de mercado quanto à poupança estrangeira se traduzia em absurdas restrições ao ingresso de multinacionais e à formação de *joint-ventures,* num país endividado e carente de poupanças. Protestei, finalmente, contra a absurda abrangência do conceito de informática, que burocratizaria qualquer esforço de modernização industrial.

Um dos mais bizarros aspectos do debate da informática era o desdém com que se tratava o inquestionável sucesso dos tigres asiáticos, cuja renda por habitante estava crescendo muito mais que a do Brasil. Eram países pequenos, dizia-se, meros entrepostos comerciais, indignos de comparação contra a grande *potência emergente*. E procuravam-se falsas similitudes entre o modelo botocudo da SEI e o sofisticado modelo japonês. À parte o fato de que o Japão, com sua enorme capacidade de poupança interna (34% do PIB) e bom estoque de talento tecnológico, necessitava muito menos que nós de capitais externos, havia pelo menos seis diferenças fundamentais:

• O Japão não proibia a implantação e expansão de empresas estrangeiros e quase todas as multinacionais importantes ali operavam;

• O Japão protegia a produção interna contra importações por via de tarifas aduaneiras e não de proibições burocráticas; em 1961, essa proteção foi elevada de 15% para um máximo de 25% *ad valorem;*

• O Japão não proibia participações minoritárias de acionistas estrangeiros no capital de empresas de informática;

• O Japão não condicionava os projetos à comprovação de tecnologia desenvolvida localmente, facilitando, ao contrário, a compra de tecnologia externa;

• O Japão não reservava cartórios a indústrias eleitas pelo governo, promovendo, ao invés, intensa competição interna;

• Os militares japoneses não interferiam na política de informática, nem se criaram empresas estatais, ficando a condução da matéria a cargo do MITI.

Soube depois que minha argumentação tinha despertado, na mente de Tancredo, saudáveis dúvidas, depois reforçadas, quando, já como presidente eleito, em viagem aos Estados Unidos e à Europa, ouviu reclamações desses governos sobre os exageros de nosso nacionalismo informático. Naquele momento, entretanto, percebendo a onda xenofóbica prevalecente na Comissão Mista, endossara as teses nacionalistas.

No seio da Comissão Mista, havia nítida predominância de congressistas favoráveis ao nacionalismo tecnológico da época, ou pelo menos desmotivados para enfrentar a pressão militar em favor do dirigismo. Os mais agressivos, suficientemente desinformados para não se afligirem com a angústia da dúvida, eram a deputada Cristina Tavares, de Pernambuco, e o deputado Odilon Salmoria, de Santa Catarina. A hesitação principal da comissão era saber se se deveria arrostar a crítica internacional, explicitando a reserva de mercado, ou se convinha mascará-la, através do poder dado à SEI para controlar importações.

— Fazer sexo explícito — dizia eu com ar de chacota a Severo Gomes — é obsceno sob o ponto de vista fisiológico. Mas, se a intenção dos ideólogos fanáticos é *to screw the foreigners*, por que não o fazer explicitamente?

Mesmo no meu partido, o PDS, eu só podia contar com apoio integral do senador João Lobo, e parcial do senador Jutahy Magalhães. Os senadores Marco Maciel, Carlos Chiarelli e Marcondes Gadelha se alinhavam com a política do governo. O mesmo acontecia com os senadores do PMDB, Pedro Simon. Henrique Santillo e Severo Gomes, este último o mais combativo em sua nóvel encarnação de burguês da esquerda. A representação da Câmara, com exceção de Álvaro Valle, de postura mais liberal, inclinava-se pelo nacional-protecionismo. Infelizmente, não pude estar presente na sessão crucial da Comissão, em 27 de setembro, quando Virgílio Távora apresentou seu relatório, pois tive que partir para uma importante reunião em Washington do "Grupo dos 30", sobre o sistema financeiro internacional. Na véspera, visitei em seu apartamento o senador Virgílio Távora, e saí com a convicção de que tínhamos um firme acordo sobre os seguintes pontos:

• A definição de "informática" seria restrita a computadores, programas de computação, bancos de dados e equipamentos correlatos, rejeitando-se a absurda pretensão da SEI de estendê-la a toda a "eletrônica digital a semicondutor";

• A definição de empresa nacional seria a defluente da Constituição de 1967 e da Lei de Sociedades Anônimas, considerando-se maioria nacional 51% do capital votante e não os 70% propostos pela SEI;

• A proteção aos produtos nacionais se faria por tarifas e não por licenças e quotas de importação;

• Manter-se-iam os dispositivos relativos à criação de "distritos de exportação", onde seria livre a implantação de indústrias de informática direcionadas para o mercado externo.

Minha impressão era equivocada. Em Washington, recebi a notícia de que o relatório de Virgílio Távora acolhera quase integralmente o xenófobo projeto da SEI. Aparentemente, o general Figueiredo, que àquela altura revelava grande abulia, senão enfado, em relação à condução efetiva do governo, teria telefonado pessoalmente a Virgílio Távora, despertando-lhe os brios de antigo militar, no sentido de atender aos "imperativos de segurança nacional contemplados no projeto da SEI". O secretário-executivo da SEI, coronel Edson Dytz, imprimia a seu trabalho de lobista do projeto governamental a unção religiosa dos luteranos, transformando diferenças de julgamento sobre alternativas tecnológicas numa dramática luta entre o bem e o mal. Era o exemplo típico daquilo que Raymond Aron chamava de "ideocrata", isto é, o burocrata possuído de uma ideologia. Acumulara uma boa dose de informações técnicas, desacompanhadas de bom senso crítico. Um caso de *incompetência treinada*, dizia eu.[439]

Só me restava, ao regressar, fazer obstrução no plenário do Congresso. Fi-lo tanto quanto possível. O projeto nunca foi submetido a efetiva votação, sendo aprovado, em 29 de outubro de 1985, por um conchavo das lideranças. Essa aprovação fora tecnicamente nula, por não estar presente o quorum mínimo de senadores. Mas não me foi possível persuadir a liderança do PDS, num momento de fre-

---

[439] Num discurso na Associação Comercial, no Rio de Janeiro, assim me expressei: "Os que transformaram o nacionalismo em seitas exclusivistas se dividem em três categorias. Primeiro, os radicais de esquerda, esquecidos de que Lênin considerava o nacionalismo um *preconceito burguês,* que enfraqueceria a solidariedade internacional do proletariado e o conflito de classes dentro da nação. Segundo, os imigrantes de primeira e segunda gerações, que desnecessariamente (pois todos nos orgulhamos da contribuição européia à formação do sul do Brasil) buscam documentar, mediante um *hipernacionalismo,* sua integração no ecúmeno nacional; às vezes, ao nacionalizar-se, desnacionalizam os que deles divergem. Terceiro, os industriais do nacionalismo, que o utilizam como instrumento de preservação de cartórios industriais e eliminação da concorrência." O *hipernacionalismo* dos descendentes de imigrantes de primeira e segunda geração é um fenômeno sociológico curioso. No caso da informática, criou-se o que eu chamava de *eixo autoritário ítalo-tedesco*: Geisel, Dytz e Saur, do lado tedesco. Brízida, Venturini e Fregni, do lado italiano. Geisel foi o criador da CAPRE, conquanto talvez não aprovasse o fanatismo de seus seguidores; o coronel Dytz foi secretário-executivo da SEI em sua fase mais despótica; Saur fora o primeiro presidente da CAPRE. O coronel Brízida fora o segundo secretário especial da SEI, sucedendo a Octávio Gennari Neto, de tendências mais moderadas; o general Venturini foi secretário-geral da CSN no governo Figueiredo, e Edison Fregni, o primeiro presidente da ABICOMP.

nético entusiasmo nacionalisteiro, sob a pressão das galerias ululantes, a pedir a verificação do quorum.

Retirei-me do plenário melancolicamente. Estava consumado um grande erro. Como eu pressentira, e depois se verificou, outubro de 1984 foi um momento de inflexão de curvas. Infletiu para o alto a curva da remessa de rendimentos e repatriação de capitais; e, para baixo, a curva do ingresso de capitais. O Brasil ficaria à margem da grande corrida tecnológica da segunda metade da década dos 80.

Empossado o governo civil de Sarney, reacenderam-se minhas esperanças. Descomprometidos com a militarização da informática, e revisionistas em relação às políticas anteriores, os civis seriam, acreditava eu, mais favoráveis à abertura econômica e tecnológica. Doce e ledo engano! Sarney herdara de Tancredo Neves o compromisso de designar Renato Archer para o recém-criado ministério de Ciência e Tecnologia (Ulysses Guimarães propuzera Archer para o Itamaraty). Esse ministério era, em si mesmo, uma excrescência administrativa. Ciência é algo umbilicalmente ligado à educação. A tecnologia não é um ente abstrato, e sim a aplicação da ciência a ramos concretos — indústria, agricultura, telecomunicações — cobertos por ministérios setoriais. Países líderes na ciência, como os Estados Unidos e a Grã-Bretanha, se contentam com um assessor científico junto ao chefe do governo, para auxiliá-lo nas grandes opções. A coordenação é feita através de conselhos interministeriais e associações científicas. No Japão, a tecnologia fica no MITI.

Archer nunca fora acusado de trazer contribuição quer para a ciência, quer para a tecnologia. Sua principal qualificação era ser membro do *Clube do poire* de Ulysses Guimarães. Lembrava-me dele pelo fervor passional que devotara às ultracentrífugas para enriquecimento de urânio, encomendadas pelo almirante Álvaro Alberto, precursor do sonho da "bombette atômica", e pela campanha das areias monazíticas, vasta sobrestimação da importância do tório como combustível nuclear. Archer trouxe logo *nacionalisteiros* para seu convívio: Luciano Coutinho, da UNICAMP, e Celso Amorim, do Itamaraty, e nunca conseguiu distinguir entre pirataria alegre e autonomia tecnológica.

Longe de se abrandar o protecionismo obscurantista dos militares da SEI, ele foi agravado e assumiu tons policialescos. Grupos mistos da SEI e da secretaria da Receita Federal passaram a invadir consultórios médicos e corretoras para confiscar equipamentos importados. Os computadores eram depois cedidos a agências oficiais, que prontamente descartavam as maquinetas nacionais pré-históricas. Parecia termos voltado aos tempos da revolução cultural da China, quando a leitura de Confúcio fora proibida e o ministério do Comércio Exterior era chamado pela jovem guarda de *ministério da Traição Nacional*!

O obscurantismo na informática se instalara no país como uma névoa seca, que impedia o vôo do bom senso e a decolagem da competitividade tecnológica.

Protegidos pela reserva de mercado, os produtores locais, ao invés de se tornarem inventores, tornaram-se copiadores. E copiadores incompetentes, pois enquanto os *clones* asiáticos encontravam mercado mundial, a compra de computadores brasileiros era um heroísmo patriótico.

Em 1985, quanto Gilberto Paim escreveu seu livro *O computador faz política*, havia dezesseis cópias de modelos da Apple, doze cópias de TR'S, oito do Sinclair e quatorze dos PC's-XT's, da IBM.[440] O contrabando de computadores de bens de informática era estimado em 50% do valor da produção nacional e representava mais do que isso, em termos de efetiva capacidade de processamento.

Prossegui na luta pela modernização, produzindo, com o auxílio de Gilberto Paim, um grande número de panfletos, compendiando artigos de jornais, conferências em entidades de classe, e discursos no Senado Federal. Dentre os mais importantes citam-se:

• Política brasileira de informática;
• Obscurantismo na informática;
• Subsídios à formulação de uma política de informática;
• A industrialização num campo de sombras.

Eram todos tentativas de demonstrar o óbvio, coisa que, como dizia Nelson Rodrigues, só os gênios enxergam.

"A reserva de mercado — argumentava eu — tal como concebida, vai acarretar *redução* de mercado porque a) eleva os preços internos, pois as indústrias viram cartórios; b) afasta investidores potenciais; c) prejudica as exportações, pelo antagonismo às empresas internacionais, experientes nos mercados externos; d) burocratiza uma indústria que exige singular criatividade pessoal; e) estimula o contrabando, com o resultado de que a criação de empregos e a capacitação de pessoal se realizam no exterior; e f) desperdiça capital, ao exigir que a totalidade do capital votante fique em mãos nacionais."

No primeiro aniversário da lei, em outubro de 1985, já sentidos seus efeitos maléficos, resolvi passar à ofensiva. Promovi uma *argüição de inconstitucionalidade* contra a "Lei de Informática n.º 7.732, de 29 de outubro de 1984, o decreto-lei n.º 2.203, de 27 de dezembro do mesmo ano, e demais diplomas normativos infralegais, implementadores da legislação de informática".

A argüição foi redigida com a cooperação da competente assessora do Senado, Herzeleide Maria Fernandes de Oliveira, e se baseava em pareceres dos juristas Hely Lopes Meirelles, conhecido mestre de direito administrativo, e Manoel Gonçalves Ferreira Filho, professor de direito constitucional. A argüição foi assina-

---

[440] Gilberto Paim, op. cit., p. 163-64.

da por 12 senadores e 42 deputados, desmentindo a propaganda do ministério de Ciência e Tecnologia de que a lei foi votada quase unanimemente. Na realidade, como já foi dito, ela sequer fora formalmente votada, passando por voto simbólico de liderança, sem contagem do plenário.

As duas principais peças legislativas acima referidas feriam os princípios constitucionais da liberdade de iniciativa, do direito adqüirido, da isonomia, da liberdade de empresa e os princípios jurídicos da legalidade e indelegabilidade de funções. Esses vícios afetavam conseqüencialmente os demais diplomas normativos infralegais.[441]

A petição foi encaminhada ao procurador geral da República, José Sepúlveda Pertence, para que este representasse ao Supremo Tribunal Federal sobre as inconstitucionalidades apontadas. Deixando-se influenciar por pressões políticas e ideologias de esquerda, em detrimento da objetividade jurídica, o procurador geral reteve o processo por cerca de quinze meses. Somente o liberou em janeiro de 1987, após ter-me eu dirigido ao chefe da Casa Civil de Sarney, o senador Marcos Maciel, para reclamar do desrespeito aos 54 parlamentares signatários. E, numa experiência para mim inédita de chantagem política, ameaçar que passaria a fazer bloqueio sistemático de todas as propostas do governo no Senado.

A argüição foi finalmente encaminhada ao Supremo Tribunal Federal, com um parecer negativo, assaz especioso e visivelmente ideologizado, por serem cristalinas as inconstitucionalidades. Foi sorteado para julgar o processado o ministro Aldir Passarinho. Visitei-o para sublinhar os perigos de atraso tecnológico do país, o caráter fascistóide das atividades da SEI e a necessidade de preservação de direitos constitucionais. O ministro se manteve em elegante mutismo. Encontrei acolhida um pouco mais simpática por parte de alguns ministros, mas obviamente nada poderiam fazer sem o parecer do relator.

O ministro Aldir Passarinho não manifestou nem intrepidez nem velocidade decisória. Com a instalação da nova Assembléia Constituinte, em 29 de fevereiro de 1987, tinha excelente desculpa para o arquivamento do processo à espera de nova ordenação constitucional.

Somente em setembro de 1988, vinte meses depois de recebido o processo, o relator se pronunciou desfavoravelmente, com o bizarro argumento de que a repre-

---

[441] A argüição de inconstitucionalidade cominava especificamente os seguintes pontos: artigos 1° e 3° da Lei n° 7.232, por ferirem o princípio constitucional da liberdade de iniciativa; os artigos 9° a 16° da mesma lei e o artigo n° 100 do D.L. 2.203/84, por violação também dos princípios constitucionais de direito adqüirido, isonomia e liberdade de empresa; os artigos 6° (parág. 2°), 7°, 17° a 22° (itens I e II) e 23° (parág. 1° e 2°), da Lei n° 7.232, e artigo 2° do decreto n° 90.754/84 por lesão aos princípios jurídicos da legalidade e indelegabilidade de função, cominação aplicável também ao decreto n° 91.146/85.

sentação não era de ser conhecida em virtude de ter o procurador-geral opinado pela constitucionalidade da lei. Isso, a meu ver, constituía uma "denegação de justiça", pois o procurador tem funções de instrução e defesa e não poder judicante. O único ministro a rejeitar a preliminar da incompetência do Tribunal foi Célio Borja, menos contaminado pelo cacoete do nacionalismo tecnológico.

A vitória do obscurantismo seria completada um mês depois, com a votação da Constituição de outubro de 1988 que legitimou as reservas de mercado, ao legalizar discriminações contra empresas de capital estrangeiro.

O Brasil prosseguiria firme em sua vocação de atraso. A política de informática permanecera ilegal e inconstitucional entre 1975 e 1984: tornara-se legal porém inconstitucional após a Lei nº 7.232; e acabou sendo reconstitucionalizada pela "Constituição besteirol" de 1988.[442]

Coube ao presidente Fernando Collor o mérito de desmistificar o mito informático. A essa altura, já se tinha tornado claro o atraso tecnológico do país. Um dos atrasos mais visíveis era no setor automobilístico, cujas carroças não incorporavam a "eletrônica embarcada", rotineira em outros países.

O ministério da Ciência e Tecnologia foi rebaixado para o nível da secretaria. Em compensação, foi designado um secretário de alto nível, o professor José Goldemberg, que criou um ambiente mais científico e menos ideologizado. Goldemberg tinha efetiva experiência de pesquisador e manejador de computadores, ao contrário de seus jejunos antecessores. Seu único erro foi não ter desmontado a burocracia dos *xiitas*. Deixar a cargo desses ideocratas a administração do fim da reserva de mercado parecia-me algo comparável ao uso de sanguessugas para a cura da leucemia... "Os anéis burocráticos", para usar uma expressão de Fernando Henrique Cardoso, continuavam operacionais.

Em 13 de setembro de 1990 Collor enviou ao Congresso um projeto de Lei (nº 5.804) que, para todos os propósitos práticos, extinguia a reserva de mercado, findos os oito anos previstos para o poder da SEI de controlar importações. O projeto determinava que cessasse, em 29 de outubro de 1992, a arbitrária atribuição ao governo do poder de análise e decisão sobre projetos privados de bens de informática; extinguia, a partir da mesma data, os incentivos fiscais, em consonância

---

[442] Fiquei frustrado ao verificar que minha argumentação lógica, ao longo dos anos, sobre os desatinos da política de informática, exerceu muito menos impacto sobre a opinião do Congresso do que uma simples reportagem da revista *Veja*, intitulada "O lixo da reserva de mercado", de 10 de junho de 1991. Esta, além de demonstrar nosso grave atraso em informatização escolar, explorou o lado anedótico da questão. Alcunhou-se o novo ministro da Ciência e Tecnologia, o deputado Luiz Henrique, do PMDB, que substituíra Renato Archer, de *Rainha da sucata*. A ABICOMP passou, de uma postura de arrogância nacionalisteira, a ter que se defender do apodo de *Clube dos sucateiros*. No Brasil, os silogismos são menos convincentes que a anedota...

com o objetivo de sanar a posição deficitária do Tesouro; e restabelecia a definição constitucional da "empresa brasileira de capital nacional" (51% do capital votante em nome de pessoas físicas e jurídicas brasileiras), ao invés da esdrúxula exigência de 70% do capital votante prevista na lei de informática.

O nacional-protecionismo não seria, entretanto, tão facilmente derrotado. Após mais de um ano de debate, foi votada, em 23 de outubro de 1991, a Lei n.º 8.248, que piorava substancialmente o projeto governamental. Prorrogavam-se os benefícios fiscais por mais sete anos, a contar de outubro de 1992, para os bens de informática e automação fabricados no país, cabendo ao CONIN individualizar esses produtos "tendo, como critério, além do valor agregado local, indicadores de capacitação tecnológica, preço, qualidade e competitividade internacional". Este dispositivo encerrava dois absurdos: 1) Delegar ao burocrata o poder subjetivo de discriminar entre produtos favorecidos e não-favorecidos, sem consulta aos interesses do usuário; 2) Violar os acordos do GATT, segundo os quais a proteção contra o produto estrangeiro se deve fazer por tarifas aduaneiras, não por impostos internos. Criava-se também um *"buy Brazilian Act"* no setor de informática, estabelecendo-se preferências nas compras de bens e serviços de informática e automação, por órgãos do poder público, em favor das "empresas brasileiras de capital nacional". O artigo n.º 171, parág. 2.º da Constituição de 1988, que estabelecia essa preferência, fora uma imitação canhestra do *buy American Act*. Este permite discriminação contra os produtos importados, mas beneficia quaisquer empresas localizadas nos Estados Unidos, independentemente da origem do capital, desde que 51% dos componentes sejam localmente fabricados.

Sobreviveram, assim, o burocratismo e o protecionismo. Mas o Brasil foi salvo da total obsolescência por um dinâmico e florescente contrabando e, depois, pelo tardio reconhecimento pelas empresas nacionais de informática, da inevitabilidade, senão desejabilidade, da formação de *joint-ventures* com empresas estrangeiras de boa densidade tecnológica. A importação de *kits* contrabandeados, para montagem local, moderou os preços extorsivos cobrados dos pequenos usuários. As médias e grandes empresas, que não podem recorrer ao setor informal, continuam subinformatizadas, pelos padrões internacionais. O efeito combinado da tarifa aduaneira de 35% mais os impostos internos (o IPI é dispensado e o ICMS pago pela metade no caso dos produtos nacionais), dão a estes uma margem de cerca de 80% sobre os preços internacionais, reduzindo-se consideravelmente o ritmo de informatização do país.

O pior efeito, entretanto, é cultural. Enquanto que no mundo industrializado e nos países asiáticos em rápido desenvolvimento, o computador é presença rotineira nas escolas primárias, menos de 1% das nossas dispõe de computadores. E metade de uma geração perdeu a oportunidade de se inserir competitivamente na era tecnotrônica. O usuário brasileiro foi tratado como um misto de cobaia e otário.

Durante certo tempo, um grupo misto de funcionários da SEI e da Receita Federal invadia consultórios médicos e corretoras para confiscar aparelhos importados, depois sofregamente utilizados pelos burocratas em substituição do equipamento nacional. Era o *gulag eletrônico*. O Brasil tornou-se, naturalmente, o maior parque arqueológico de computadores do mundo, trogloditas da era eletrônica.

A burocratização e o nacional-dirigismo na informática provocariam generalizada defasagem tecnológica em toda a gama de indústrias brasileiras, afetando negativamente a robótica, as telecomunicações, a eletrônica embarcada, as máquinas de controle numérico e a eletromedicina. Foi um suicídio tecnológico autoprogramado. A patriotada nacionalisteira de 4 de outubro de 1984 seria apenas o primeiro dos desastres que, na segunda metade da década dos 80, impediria o Brasil de participar na terceira onda sincrônica de crescimento no pós-guerra, condenando-nos a permanecer parte da retarguarda incaracterística do Terceiro Mundo, enquanto os tigres asiáticos marchavam para sua inserção no *Clube dos ricos*.

AS VANTAGENS DA RESERVA INEFICAZ

Uma segunda fase da batalha da informática teria a ver com o problema dos programas de computação, os *softwares*. Durante bastante tempo, o Brasil não dava nenhuma proteção a esse tipo de propriedade intelectual, com grandes protestos internacionais, sobretudo dos Estados Unidos, que respondiam então por cerca de 70% da produção mundial de *software*. Em janeiro de 1987, o governo Sarney enviou ao Congresso um projeto de lei sobre programas de computação, que, após quase um ano de debates, se transformou na Lei n.° 7.646, de 18 de dezembro.

O projeto visava também à criação de uma *reserva de mercado* para os produtores nacionais de *software*. Seriam vedadas as importações de programas que tivessem "similar nacional", a juízo dos tecnocratas, cerceando-se assim a liberdade de escolha do usuário. O conceito de similaridade era de aplicação extremamente difícil a criações intelectuais incorpóreas e intangíveis.

— Como comparar — dizia eu — uma obra de Shakespeare a uma peça de Procópio Ferreira?

Além disso, o *software* se pode carregar no bolso ou ser absorvido por *modem*, o que tornaria a reserva precária, senão quixotesca.

No Senado, consegui fazer aprovar uma emenda (art. n.° 30) que permitia a importação de uma cópia para uso exclusivo do destinatário. Isso, se não permitiria a comercialização de *software* atualizado, pelo menos possibilitaria a usuários especializados manterem-se ao corrente do vertiginoso progresso mundial na inventividade de programas.

O projeto governamental tinha, entretanto, um mérito. Enfrentava a questão do reconhecimento do direito de propriedade intelectual. Apenas, a SEI queria inovar sobre a prática mundial. Esta se orientava cada vez mais no sentido da aplicação ao *software* do "direito autoral", reconhecido desde a convenção de Berna, de 1863, com mais de 100 signatários, iniciando-se a proteção pelo mecanismo simples de depósito da obra. Alguns poucos países estavam considerando a utilização do instituto da proteção à propriedade industrial (Convenção de Paris, de 1883), de aplicação menos generalizada e mais complexa.

A SEI, sob o argumento de que o *software* era um utilitário, industrialmente aplicável, ao contrário de músicas e livros, queria um regime intermediário, que não seria nem o direito autoral puro e simples, nem o da propriedade intelectual. Era um gancho para futuros desígnios intervencionistas.

Na prática, o que veio a prevalecer foi a proteção do direito autoral, pela vedação da reprodução não-autorizada de obra alheia.

Como não poderia deixar de ser, ante a sede de poder da burocracia, inventou-se a obrigação burocrática do cadastramento. Este era livre para o *software* nacional, mas o cadastramento do produto estrangeiro ficaria sujeito ao "exame de similaridade", tendo a SEI 120 dias para opinar.[443]

Esse dispositivo criou, naturalmente, um perigo de decapitação para o produtor estrangeiro, cujo produto poderia ter sua comercialização questionada com o surgimento de um similar nacional. Problemas da espécie surgiram com a tentativa da COBRA de fazer adotar como padrão nacional o seu programa SOX, em substituição ao UNIX, da A T & T, ou da Scopus, para adoção do programa SISNE, em substituição ao DOS, da Microsoft. Nesses similares, o coeficiente de pirataria era bem superior ao da inventividade. Para validar essa pretensão, um artigo da lei só admitia a comercialização de *software* importado por companhias sob controle estrangeiro para uso em *hardware* fabricado ou comercializado por firmas estrangeiras. Quaisquer usuários do *hardware* brasileiro ficariam, em tese, condenados à utilização do *software* tupiniquim.

Fomos salvos de uma total desatualização em matéria de programas de computação pela ineficiência com que foi aplicada a lei. Esta tipificava dois crimes: *pirataria*, ou seja, o de cópia não autorizada, e *contrabando*, ou seja a comercialização de programa estrangeiro sem cadastramento na SEI. Em nenhum dos dois casos, quer o Executivo, quer o Judiciário, estavam preparados para agir celeremente, o que permitiu a criação de um mercado relativamente desinibido. Só recentemente surgiu a primeira condenação vultosa, pelo Judiciário, da pirataria de programas, mediante sentença favorável à Microsoft, em litígio com a empresa nacional Prológica.

O protecionismo menos rígido em relação ao *software* criou mais estímulo competitivo e despertou apreciável criatividade. O Brasil se tornou um modesto exportador de *software*, revelando crescente capacitação num campo em que alguns outros países subdesenvolvidos, como o Chile e a Índia, alcançaram posição de destaque.

---

[443] Com a votação da Constituição de 1988, este dispositivo viria a tornar-se inconstitucional. É que o art. n.º 171, parág. 1º, I, só permite a concessão de benefícios especiais às empresas brasileiras de capital nacional, em caráter temporário, ao passo que a análise de similaridade vigoraria por tempo indefinido.

A TERCEIRA
COALIZÃO OBSCURANTISTA

O Brasil é periodicamente vítima de coalizões obscurantistas. Já mencionei duas delas. Na década de 50 foi a do petróleo é nosso. Misturaram-se animais de vários matizes: políticos direitistas da UDN, próceres comunistas e militares nacionalistas, solidários na busca de um objetivo cretino — monopolizar o risco. Enquanto mexicanos, venezuelanos e países árabes monopolizavam petróleo já existente, nós monopolizamos o risco. Uma segunda coalizão foi a da informática, nos anos 70 e 80. Mal sabia eu que, ao chegar à Câmara dos Deputados, eleito pelo Rio de Janeiro, em 1990, enfrentaria uma terceira coalizão obscurantista, desta vez em relação à propriedade intelectual e à biogenética. Mesmo avançando na cronologia, registro aqui minha posição diante do debate que então se travou.

O assunto foi deflagrado pelo envio de mensagem do presidente Collor ao Congresso para revisão do Código de Propriedade Intelectual, cuja desatualização era um fator irritante nas relações internacionais do Brasil. O debate na Câmara se centrou sobretudo na patenteabilidade de produtos farmacêuticos e biogenéticos e revelou três de nossos traços menos amoráveis:

• A desinformação factual;
• O romantismo tecnológico;
• O efeito da "Lei de Gerson".

Os fatos eram meridianos e as conclusões deveriam ser acachapantes. O Brasil suspendera o patenteamento de "produtos farmacêuticos" em 1949, e de "processos farmacêuticos e químicos" em 1971. Se as despesas de *royalties* sobre propriedade intelectual fossem o fator impeditivo da indústria farmacêutica nacional, ela teria tido crescimento explosivo. O contrário aconteceu. Antes da legalização da pirataria, a produção dos laboratórios nacionais chegou a representar 60% do consumo. Hoje, apenas 24%. Seus reais inimigos foram o controle de preços e, paradoxalmente, o não reconhecimento de patentes. É que, na ausência de proteção patentária, as multinacionais abstiveram-se de fazer parcerias ou subcontratar produção local. Isso, em vista dos rápidos saldos tecnológicos, confinou a indústria nacional ao papel de copiadora secundária de remédios menos sofisticados. O problema é agravado pelo fato de que está ocorrendo uma revolução na biotecnologia na década dos 90, comparável à da informática, na década dos 80.

É romantismo tecnológico imaginar-se que, continuada a pirataria por mais um período de transição, de cinco a dez anos, a indústria recuperaria o tempo perdido e nossas tartarugas farmacêuticas e biogenéticas virariam atletas da biotecnologia.

O "efeito Gerson" se traduz na obsessão de "tirar vantagens", desrespeitando a propriedade intelectual do inventor estrangeiro, atitude que naturalmente também desencoraja, por tabela, o inventor nacional. O Brasil precisa abandonar a mentalidade de "pingente" tecnológico. Quer embarcar no trem mundial da tecnologia sem pagar passagem. Quando aumenta a velocidade do trem o "pingente" cai. Foi o que aconteceu com a informática brasileira na década dos 80 e acontecerá com a farmacêutica e biogenética nesta década.

A legislação sobre patentes teve como competente relator o deputado Ney Lopes (PFL-RN), que melhorou substancialmente o projeto apresentado pelo governo Collor, que se comprometera com Washington a atualizar a legislação patentária, em troca da suspensão de retaliações comerciais contra o Brasil. Parte do seu texto foi entretanto alterado, num sentido restritivo, por emendas de Plenário. Passou na Câmara em junho de 1993 e, no momento em que escrevo, está sob consideração do Senado. Representa progresso em relação à legislação anterior, porque confere patenteabilidade a produtos farmacêuticos e biogenéticos, química fina, ligas metálicas e produtos alimentícios, anteriormente excluídos da proteção patentária. E estende a proteção patentária para 20 anos, no caso de invenção, e para 15 nos modelos de utilidade. Mas não resolve vários contenciosos que surgiram entre o Brasil e os países líderes nas tecnologias de ponta, particularmente os Estados Unidos, no tocante à indústria farmacêutica e biogenética.

Os pontos de discórdia são:

• *O reconhecimento retroativo de patentes.* No projeto brasileiro só se reconhecem patentes não registradas em nenhum país, o que obrigaria o inventor estrangeiro a dar absoluta prioridade, no processamento de registros, a um mercado que está longe de ser prioritário em escala mundial. O governo brasileiro estaria disposto a reconhecer patentes já registradas, porém somente no caso de produtos não comercializados em nenhum mercado e somente se se tratar de produtos finais e não de insumos. É um protecionismo inútil, destinado a dar uma pequena sobrevida à pirataria na indústria de química fina e fertilizantes.

• *A obrigação de fabricação local.* O produto patenteado deve ter sua produção iniciada em três anos, após o registro, sob pena de licenciamento compulsório em favor de outros fabricantes, sendo o valor do *royalty* a ser pago arbitrado pelo governo. Esse dispositivo de *industrialização forçada* existe nas legislações de vários países, como resquício de protecionismo mercantilista, mas tende a desaparecer, em virtude das tendências liberalizantes no comércio mundial e da formação de blocos econômicos dentro dos quais inexistem barreiras comerciais e tecnológicas.

Faz pouco sentido em termos de lógica econômica. O que determina a conveniência da produção local é a dimensão do mercado, que por sua vez é função do nível global de investimentos. Setorializar a obrigação de produzir pode significar custos mais altos para o consumidor.

• *A importação paralela.* O projeto brasileiro torna livre a importação de produtos patenteados, independentemente de ser o importador local licenciado pelo detentor da patente. O dispositivo tem o aspecto simpático de prevenir abusos do poder econômico pela manipulação de preços. Mas pode-se argumentar que isso deve ser matéria da legislação antitruste e não um instrumento de enfraquecimento do direito patentário. O aspecto desfavorável é que o patenteador externo se desobriga do controle de qualidade e fica ocasionalmente exposto a *dumping* por parte de terceiros países.

• *Patentes de biotecnologia.* As severíssimas limitações ao patenteamento de produtos de engenharia genética são graves e levariam ao nosso isolamento tecnológico, numa das áreas mais promissoras de investimentos. O projeto de lei só admite o patenteamento de microorganismos desenvolvidos em laboratório com finalidade industrial, desde que sua utilização se dê unicamente para um determinado processo que gere um produto específico. A redação é confusa, mas suficientemente clara para inibir o patenteamento de células animais e vegetais geneticamente transformadas, assim como de animais transgênicos.

Assisti, durante o debate na Câmara dos Deputados, à formação de uma terceira coalizão obscurantista que, por uma visão de curto prazo das vantagens da pirataria, e sob a ilusão de fomentar o desenvolvimento tecnológico por *fiat* governamental, acabará marginalizando o Brasil no panorama mundial da engenharia genética. Essa esdrúxula coalizão não reflete apenas compreensíveis interesses de protecionismo industrial, mas envolve um arco de alianças. Aparece sempre a esquerda nacionalista, que em tudo vê a ação sinistra das multinacionais. A ela se aliam algumas vozes da Igreja, alguns cientistas da SBPC e alguns ruralistas, estes últimos por grave desinformação. As preocupações da Igreja são de natureza ética, relacionados com a manipulação da vida. Problemas éticos sem dúvida existem, e o mundo se encaminha para resolvê-los mediante códigos de ética biogenética. A atitude da Igreja é, aliás, freqüentemente contraditória. É a favor da vida *in abstracto*, mas ao opor-se ao patenteamento de produtos de engenharia genética destrói esperanças de vida das vítimas de deformações congênitas. Para se saber se se deve ou não patentear o rato transgênico de Harvard, útil na pesquisa do câncer da mama, é mais relevante a opinião da mulher cancerosa que a do pároco saudável.

Nos debates na Câmara dos Deputados, a voz da ciência se fez ouvir através do professor Ênio Candotti, presidente da SBPC, que me parecia trombetear mais preconceitos nacionalisteiros que objetividade científica. Sua opinião não me parecia suficientemente representativa da comunidade científica, pois, segundo o professor José Goldemberg, não mais de 10% dos nossos cientistas pregam a rejeição do patenteamento dos produtos biotecnológicos. Parece mais relevante a opinião dos cientistas que realmente trabalham nesse campo, como os membros da ABRABI (Associação Brasileira de Empresas de Biotecnologia), que defendem a proteção patentária não só para "os microorganismos propriamente ditos (como bactérias engenheiradas) mas também para as células animais e vegetais que tenham sido transformadas geneticamente ou funcionalmente, com o objetivo de produção industrial de bens e serviços". Surpreendente para mim foi a oposição de alguns componentes do bloco ruralista, que manifestaram oposição ao patenteamento de sementes melhoradas.[444]

O grau de desinformação exibido nos debates no Congresso é colossal. Começa pela confusão entre "monopólio e patentes". *Monopólio*, no sentido técnico, é "uma situação em que uma empresa é a única fornecedora de um produto ou serviço para o qual não haja substituto próximo". *Patente* é um contrato entre o governo e o inventor, pelo qual aquele dá exclusividade temporária e este revela seu invento, abrindo-o à exploração comercial. O monopólio impede a concorrência; a patente excita a concorrência porque um invento bem-sucedido e bem-remunerado estimula a busca de alternativas.

Uma boa lei de patentes deve satisfazer três objetivos:

• Atrair investimentos externos, para que possamos acompanhar a velocidade nas transformações tecnológicas mundiais;

---

[444] Esses ruralistas parecem desconhecer a existência de uma convenção internacional — UPOV — para a proteção dos melhoristas. Essa convenção, firmada em 1978, foi modificada em 1981, precisamente para reconhecer o chamado "privilégio dos fazendeiros" (*farmers' privilege*). Essa convenção, à qual o Brasil pode aderir a qualquer momento, quando votar uma lei de "cultivares", dá proteção especial aos agricultores. Estes só pagariam *royalties* na primeira compra de sementes tecnologicamente transformadas. Poderiam utilizar, para culturas subseqüentes, as sobras de semeadura e as sementes reproduzidas (desde que não vendidas a terceiros), sem violação de patentes ou pagamento de *royalties*. Haveria um duplo benefício para os fazendeiros: ao pagarem *royalties* na primeira compra, estimulariam maiores investimentos na pesquisa biotecnológica. Ao utilizar sementes sobrantes ou reproduzidas, aumentariam sua produtividade, sem qualquer encargo. A falta de patenteamento cria situações esdrúxulas: a Embrapa, a mais importante e meritória das instituições de pesquisas agropecuárias do país, teve que registrar no exterior três de suas patentes. Curiosamente, o protecionismo em relação à pesquisa de genética agrícola é parcialmente estimulado pela Embrapa pelo receio de perder posições monopolistas. Um amplo reconhecimento de patentes agrícolas deflagraria a concorrência de empresas privadas infirmando a posição privilegiada da estatal. Na realidade, do ponto de vista da economia como um todo, essa competição seria saudável. Por mais competente que seja como pesquisadora, a Embrapa é fraca na *extensão rural*, isto é, na comunicação do invento e na instrução dos usuários. Sua sobrevivência é garantida por recursos orçamentários, enquanto que competidores privados, vários dos quais desertaram o Brasil pela inadequação da legislação patentária, dependeriam da comercialização efetiva de sementes e melhoramentos para preservarem viabilidade econômica.

- Premiar e incentivar os pesquisadores e inventores nacionais;
- Evitar o isolamento tecnológico e retaliações comerciais.

A atração de capitais estrangeiros ocorreria em estágios. Inicialmente, como sucedeu na Itália, onde a abertura em 1978 ocorreu em virtude de sentença judicial antes que de legislação ordinária, haveria pouca expansão da pesquisa *básica* pelas multinacionais. Mas intensificar-se-ia a pesquisa *aplicada* através dos testes clínicos, mediante acordos com laboratórios e universidades, pois esses seriam mais baratos aqui do que no exterior, e os testes clínicos são dois terços do custo do desenvolvimento de produtos biogenéticos. O segundo propósito seria evitarmos retaliações comerciais. No momento em que escrevo, é uma perspectiva que se desenha no horizonte, prejudicando nossas exportações em montante superior ao da produção farmacêutica local, retaliações que podem advir do contencioso tecnológico que abrimos com os Estados Unidos.

O terceiro objetivo da lei seria premiar e incentivar o produtor nacional. Nada mais bizarro do que ver inventores brasileiros obrigados a patentear seus inventos no exterior, por falta de proteção doméstica.

O Brasil necessita de uma lei que se conforme aos paradigmas internacionais. Apesar do progresso efetuado na lei votada pela Câmara, nossa legislação ainda é bem mais restritiva do que, por exemplo, a do México e Chile. Com a tendência para os mercados integrados, como o Mercosul e Nafta, os países que adotarem posturas restritivas correm o risco de ver os investimentos direcionados para os vizinhos mais afinados com regimes modernos de propriedade intelectual. No Brasil alguns pretendem, honestamente, que se deveria aguardar mais alguns anos até que houvesse maior experiência nos problemas delicados da engenharia genética e se cristalizasse uma jurisprudência internacional. O problema é que é precisamente agora que se estão tomando as grandes decisões de investimento. Se aguardarmos mais tempo, os investidores se inclinarão para outros países. Chegaríamos tarde ao festim do progresso. E não seria a primeira vez...

A DUPLA
TRAVESSIA

Quando cheguei ao Senado Federal, em 1983, o problema que se apresentava à sociedade brasileira era o de organizar uma dupla transição: do autoritarismo para a democracia política, e do dirigismo para a economia de mercado.[445] Até o momento em que escrevo, dez anos depois, não completamos com êxito nenhuma dessas transições. A Constituição de 1988, agora em processo revisional, criou uma democracia disfuncional, que piorou as condições de governabilidade do país. E a Nova República embarcou num intervencionismo autoritário na economia, sem precedentes, através de choques e confiscos.

O problema da descompressão política havia muito tempo me preocupava. Escrevera em 1974 um ensaio — 'A moldura política nos países em desenvolvimento' — sobre o assunto.[446] O renascimento de um Executivo forte se impusera, em 1964, como elemento de contenção do populismo distributivista, do regionalismo dispersivo e do personalismo político. Mas, prolongada a presença militar além do *momento cirúrgico* a que se referia Castello Branco, surgia o problema da legitimação do governo. O primeiro passo para validar a opção política da revolução seria a reconciliação popular. E isso teria que ser feito sem as fórmulas fáceis (mas a longo prazo contraproducentes) de *popularização do regime*, habituais na América Latina:

• O populismo distributivista; e
• A hiperexcitação nacionalista.

Inexistindo, felizmente, personalidades carismáticas que pudessem conseguir indesejável legitimação pelo *culto da personalidade*, a descompressão política teria

---

[445] Como o faz notar Lourdes Sola, nessa transição, já de si complexa, sobrecarregou-se o sistema com uma tarefa adicional desnecessária, por não ter havido ruptura institucional: a reforma completa da ordem legal. Poder-se-ia acrescentar um outro elemento complicador da transição: o ingresso definitivo do país na "democracia de massa". Pela primeira vez, os votantes nas eleições congressuais de 1986 atingiram 52% da população total. Por sua vez, a urbanização interna, que atingiria 73% nas eleições de 1990, agravaria o potencial de conflito. Ver Bolívar Lamounier, *Depois da transição*, São Paulo, Ibrades, 1991, p. 25.

[446] O ensaio em causa foi publicado no livro escrito em cooperação com Mário Henrique Simonsen, *A nova economia brasileira*, Rio, José Olympio, 1974, capítulo 10, 'A opção política brasileira', p. 223-257. Nesse ensaio se propunha uma estratégia de *descompressão política*.

que tomar a forma de sucesso eleitoral. Legitimação temporária fora alcançada, em alguns períodos do ciclo militar, pelo impulso reformista ou pelo sucesso desenvolvimentista.[447] Mas a legitimação pela eficácia não é sistêmica. Era preciso institucionalizar-se um sistema que mantivesse o rodízio democrático normal, mesmo em condições de ineficácia. A grande vantagem da democracia é precisamente a administração das crises. Quando estas se instalam, substitui-se o líder mas permanece o sistema. Nos regimes autoritários, quando há insucesso econômico, não se debilita apenas o governante. Enfraquece-se o sistema. Donde a necessidade de se *civilianizar o regime*, pondo-se termo ao ciclo militar, que revelava sinais de fadiga, com perda de criatividade e indícios de corrupção. A abertura política, começada na era Geisel com a abolição do Ato Institucional n.° 5, tinha prosseguido na era Figueiredo com a Lei de anistia, de agosto de 1979; a extinção do bipartidarismo, em outubro do mesmo ano; a restauração das eleições diretas para os governos estaduais, em setembro de 1980, e o Emendão, de junho de 1982, que facilitava a criação de partidos políticos e ampliava o colégio eleitoral para a eleição do presidente da República.

Como eu receava, o movimento de redemocratização sofria de duas falhas. Uma, a propensão de substituir soluções por *slogans*. Outra, o quase completo silêncio sobre a segunda parte da travessia: a abertura econômica.

Em meu primeiro discurso no Senado, em junho de 1983, tentei fazer as necessárias retificações. No plano econômico, investi contra o tabu dos monopólios estatais e apresentei um programa de privatização intitulado *Programa de repartição de capital*. Meu antiestatismo antecedeu, assim, de vários anos, à queda dos mitos socialistas simbolizados pelo Muro de Berlim. No plano político, questionei a valiosidade dos dois *slogan*: "Diretas já" e "Constituinte já". O primeiro *slogan* vocalizava uma ilusão — a ilusão formalista. O segundo, um perigo — a panacéia jurisdicista. O grande apóstolo das duas iniciativas, Ulysses Guimarães, tornou-se o "Senhor diretas já", e depois o "Senhor Constituinte já". Em sua admirável pertinácia na busca de fórmulas salvacionistas, Ulysses, quando morreu, em 1992, tinha embarcado numa terceira campanha, a do "Parlamentarismo já".

O caráter direto ou indireto das eleições presidenciais é detalhe litúrgico e não predicado fundamental da democracia. A eleição indireta é a regra nos sistemas parlamentaristas e, quando votada a Constituição de 1967, era praticada em 58 dos 89 países então listados como nações independentes. Mesmo no presidencialismo americano a eleição do supremo mandatário é feita formalmente através de um colégio eleitoral de delegados dos estados, conquanto só três vezes, em mais de duzentos anos, tenha havido divergência entre o colégio eleitoral e o voto popular.

---

[447] O politólogo Bolívar Lamounier faz uma distinção muito apropriada entre "a legitimidade decorrente do *desempenho* — vale dizer, a audácia e o eventual sucesso das medidas — e a legitimidade advinda da *investidura* (a vitória eleitoral)". Bolívar Lamounier, op. cit., p. 89.

No caso brasileiro, argumentava eu, o caráter extremamente divisionista das eleições presidenciais, a paralisia administrativa resultante das longas campanhas eleitorais, o resíduo de animosidade dos pleitos e a competição demagógica dos candidatos porfiando-se em promessas inviáveis — o que levou Afonso Arinos a qualificar a campanha presidencial de "plebiscito de demagogos" — aconselhavam uma experimentação mais prolongada das vantagens e desvantagens do sistema indireto. Suas únicas contra-indicações seriam:

• A diminuição do sentido de participação popular na política, que privaria o supremo mandatário da autoridade provinda da unção do voto popular;

• O risco de assimetria, de vez que os governadores eleitos por voto popular poderiam considerar-se mais representativos que o chefe da nação, eleito por voto indireto.

Quanto ao primeiro argumento, cabe observar que mais importante do que alargar a participação popular na política é preparar as instituições para absorvê-la. Quanto ao segundo, cumpre notar que os governadores popularmente eleitos poderiam participar no colégio eleitoral, e aqueles que, no exercício da liderança, somassem à unção eleitoral um bom desempenho executivo, tenderiam a tornar-se candidatos naturais ao *munus* presidencial. Não seria, além disso, inconcebível examinar-se de futuro a instituição de um *referendum plebiscitário*, para o reconhecimento popular do presidente eleito.

Em suma, as eleições diretas, dizia eu em 1983, são excitantes exercícios de atletismo democrático, mas quem nelas enxerga uma garantia de redenção não leu ou tresleu nossa história. Em pouco mais de 50 anos tivéramos cinco eleições presidenciais pelo voto popular direto e duas assunções presidenciais de vice-presidentes, também popularmente eleitos. Apenas dois ungidos completaram seus mandatos — Dutra e Kubitschek. Dos outros cinco — Washington Luís, Vargas em seu retorno constitucional, Café Filho, Jânio Quadros e João Goulart, três foram depostos, um suicidou-se, outro renunciou. (Não sabia eu, então, quão profético seria. O primeiro presidente popularmente eleito após a restauração democrática em 1985, Fernando Collor, foi vítima de *impeachment!*). Uma ingênua extrapolação histórica indicaria a probabilidade estatística de 70% dos eleitos pelo voto direto serem vitimados por crises institucionais. Somente tiveram alguma estabilidade Getúlio Vargas, em seu período discricionário, e os líderes militares, eleitos por eleições indiretas.

O movimento das "Diretas já" que entusiasmava as massas àquela época, me parecia apenas o arroubo dos que sonham com soluções formais, dispensando-se de viajar ao âmago das coisas: a explosão demográfica, a explosão inflacionária, o gigantismo estatal, a epilepsia das regras do jogo econômico e político — quatro cavaleiros do Apocalipse que ameaçam a cidadela do progresso.

PARLAMENTARISMO E PRIVATISMO –
DOIS ENSAIOS FRUSTRADOS

Em março de 1983, a tese das "Diretas já" encontrou expressão formal numa emenda constitucional proposta pelo deputado mato-grossense Dante de Oliveira. Era a primeira, cronologicamente, de uma série de emendas com o mesmo objetivo, catapultando seu autor ao proscênio político.

Votei contra essa emenda, que acabou sendo derrotada em renhida batalha parlamentar na noite de 25 de abril de 1984. Alcançou 298 votos, 22 menos que os 2/3 necessários. O objetivo fundamental da emenda Dante de Oliveira era a modificação dos artigos n.º 74 e 148 da Constituição, e a revogação do artigo n.º 75 e do parágrafo 1.º do artigo n.º 77, todos os quais regulavam a eleição do presidente da República pela maioria absoluta do Colégio Eleitoral.

O problema fundamental não me parecia ser a mudança do rito eleitoral. Era necessário uma reforma do regime, na direção do parlamentarismo, o que facilitaria também a retirada dos militares e a desejada *civilianização* do sistema.

Aproveitando o envio ao Congresso da emenda governamental n.º 11, de 17 de junho de 1984, que ficou conhecida como emenda "Figueiredo", apresentei duas subemendas, longamente discutidas com Luís Viana, que encabeçou a lista dos proponentes. Eu redigira tanto o texto como a justificação das subemendas, mas preferi não me apresentar como autor principal. Luís Viana era geralmente bem visto no Senado, enquanto que minhas teses internacionalistas e privatistas encontravam escassa simpatia dos moderados e franca hostilidade das esquerdas.

Essas subemendas, que afinal se transformaram nas emendas n.º 92 e 153, visavam a dois objetivos. O primeiro era substituir a querela das "Diretas já" por uma proposta mais ampla de alteração do regime presidencialista, calcado no modelo americano, visando a um sistema de presidencialismo parlamentar (ou parlamentarismo presidencialista) em modes parecidos com o regime francês da Quinta República. O segundo era reafirmar a primazia da iniciativa privada no domínio econômico, consagrada em tese pela Constituição de 1967, mas abandonada na prática por um surto de estatismo e intervencionismo a partir do período Geisel.

Para minha surpresa, ambas as emendas tiveram um substancial apoio, ainda que longe de atingir os 2/3 necessários. A emenda parlamentarista n.º 92 foi subscrita por 28 senadores e 168 deputados. A emenda privatista n.º 153, foi assinada por 29 senadores e 173 deputados. Nunca pude saber até que ponto se tratava de uma tomada de posição consciente ou de apoiamento perfunctório, atitude esta freqüente na rotina parlamentar.

A justificação que redigi para a emenda nº 92 enumera as vantagens do novo sistema de "presidencialismo parlamentar" sobre o presidencialismo convencional, indicando também as adaptações a ser feitas no modelo francês para sua melhor adequação à realidade brasileira. A justificação tinha o seguinte texto:

"A experiência histórica brasileira revela que o regime presidencialista convencional, calcado sobre o modelo americano, padece de dois defeitos:

1. Pela excessiva concentração de poder, sem o delicado balanceamento de poderes, inerente à experiência norte-americana, nosso regime presidencialista tem resultado na figura do ditador constitucional.

2. As crises políticas que têm surgido, por falta de um mecanismo que flexibilize mudanças de orientação, sem trauma nacional e sem infirmar a figura do chefe de Estado, se transformam em impasses. Basta lembrar que apenas dois dos presidentes eleitos após a restauração democrática, em 1946, lograram completar seus mandatos.

O problema institucional de fundo que se apresenta é como conciliar a necessidade de estabilidade das instituições e da chefia do Estado com o requisito de flexibilidade do governo, em resposta a mudanças drásticas da conjuntura, seja econômica, seja política ou institucional, que tornem imperativa a escolha de nova equipe de governo para corporificar novas tendências. Em suma, como evitar que as crises se transformem em impasses.

Uma das soluções clássicas para esse dilema é a adoção do parlamentarismo puro, modelo que tem sido objeto de várias proposições legislativas, ao longo do tempo, sendo de notar em período mais recente as importantes contribuições trazidas pela emenda do deputado Herbert Levy, a que se acresceram emendas dos deputados Victor Faccioni, Fernando Bastos e outros, assim como o abrangente substitutivo apresentado pelo senador Jorge Bornhausen, relator da Comissão Mista, em 28 de novembro de 1983.

O inconveniente dessa solução é o perigo de instabilidade pelo rodízio de gabinetes, antes que se tenham criado duas condições essenciais à implantação do parlamentarismo puro: a formação de uma burocracia profissional nos altos quadros dirigentes, que assegure continuidade administrativa, e a restauração do Banco Central em sua condição original de guardião da política monetária, coordenado com as autoridades encarregadas da Fazenda e de Planejamento, mas detentor de razoável independência técnica. Releva notar que em concepção original, o Conselho Monetário se compunha de onze membros, dos quais seis eram detentores de mandatos fixos ou representantes do setor privado da economia, capazes assim de expressão autônoma.

Tudo indica ser prudente experimentarmos um modelo novel, baseado na experiência francesa da Quinta República, que se poderia denominar de presidencialismo parlamentar. Um regime intermediário, que de um lado preservaria aspectos importantes de nossa tradição presidencialista na chefia do Estado, e, de outro, criaria a figura de um chefe de governo — o primeiro-ministro — removível por voto de desconfiança na Câmara dos Deputados. Evitaríamos o perigo de instabilidade excessiva dos gabinetes, mediante contrapesos estabilizadores. A Câmara dos Deputados poderia derrubar o primeiro-ministro e conseqüentemente o gabinete, mas o presidente da República, desde que transcorrido um ano de mandato legislativo e somente após a destituição de dois gabinetes, poderia usar a opção de dissolver a Câmara dos Deputados, convocando novas eleições legislativas. O Senado Federal, que representa os Estados federativos antes que a população, não estaria sujeito à dissolução, mas em compensação não teria o poder de remover o gabinete por voto de desconfiança. Manteria suas funções tradicionais e seria um fator de continuidade política e institucional.

A separação entre a figura do chefe de estado — o presidente da República — e o chefe do governo — o primeiro-ministro — aquele eleito por voto popular em duplo escrutínio, e este designado pelo presidente da República, mas removível por voto de desconfiança da Câmara dos Deputados, poderia ser implementada imediatamente, e independeria da decisão tomada quanto ao rito eleitoral. Na subemenda ora apresentada é mantido, para a próxima sucessão presidencial, em 15 de março de 1985, o rito eleitoral constante da emenda governamental à Emenda Constitucional n.º 11, mas o mandato presidencial seria de cinco anos, vedada a reeleição."

A emenda privatista n.º 153 procurava delimitar claramente três tipos diferentes de intervenção estatal no domínio econômico, submetendo-a a normas estritas:

"A primazia da iniciativa privada consagrada na Constituição Federal nos artigos n.º 163 e 170 tem permanecido letra morta, face à crescente intervenção do estado, como regulador e investidor. E as incursões empresariais do governo se têm realizado a expensas de suas funções sociais. Em termos de proporção do PIB, as aplicações nos setores sociais declinaram de 4,46% em 1979 para 1,73% em 1983.

Os dispositivos contensores do intervencionismo, consignados no art. n.º 163 — a indispensabilidade para a segurança nacional ou a impossibilidade de desenvolvimento eficaz do setor no regime de liberdade de iniciativa — ficaram à mercê de julgamento subjetivo. A definição de segurança pelo Poder Executivo tem sido feita de maneira arbitrária e abrangente, ensejando exagerada intrusão estatal. E nenhum obstáculo tem sido criado à criação de empresas ou aquisição de controle acionário por entidades de administração indireta, ou por sociedades de economia mista, sem recurso à aprovação do Legislativo, e sem adequada análise do interesse da iniciativa privada ou de adequação do setor à iniciativa governamental.

Com vistas a restaurar em seu idário original o texto constitucional, são aqui apresentadas subemendas à emenda Constitucional nº 11, de 1984, que têm por efeito:

'1.1. Distinguir claramente entre três níveis de intervenção estatal:

— A monopolização de atividades ou serviços, a qual constitui restrição tão séria aos direitos individuais, que passaria a exigir lei complementar.

— Intervenções no domínio econômico, restritivas de liberdade de iniciativa. Estas dependeriam de lei federal, na qual se especificariam as restrições à liberdade de iniciativa, e as atribuições das autoridades competentes para executá-las.

— Subordinação do exercício da atividade econômica a autorização administrativa, caso em que o órgão executor deverá divulgar em ato normativo os requisitos para o deferimento de novas autorizações.'

Para reforçar o apoio ao princípio da iniciativa privada, consignado no art. nº 170, mas descurado na prática, veda-se especificamente, na subemenda em tela, a criação de empresas públicas, ou a aquisição de controle de sociedades existentes, sem prévia autorização legislativa. Consigna-se outrossim que as empresas públicas e as sociedades de economia mista se regerão pelas normas aplicáveis às empresas privadas, inclusive quanto ao direito do trabalho, das obrigações e tributário."

Quero crer que a história brasileira teria sido diferente e melhor, se essas retificações de rumo tivessem sido aprovadas em 1984. Não teríamos tido a maluquice intervencionista do Plano Cruzado em 1986, e a crise do *impeachement* de Collor não teria ocorrido em 1992.

PERIPÉCIAS DA
TRANSIÇÃO

Se a tese das "Diretas já" não me parecia uma fórmula de salvação, tinha ainda menos simpatia pela *constitucionalite* que se apossara do país nos meus primeiros anos de Senado. O problema brasileiro nunca foi fabricar constituições, e sim cumpri-las. Já tínhamos demonstrado à saciedade, ao longo de nossa história, suficiente talento jurisdicista, pois que produzíramos até então sete constituições, três outorgadas e quatro votadas, e suficiente indisciplina para descumpri-las todas.

Tancredo Neves aderiu em sua campanha à *constitucionalite*. Declarava alimentar a esperança de que o embate eleitoral da Constituinte levasse o povo a "amar a Constituição", como o fazia o povo americano (esperança impossível — dizia eu — pois a Constituição americana é um desenho arquitetônico, e as constituições brasileiras eram rabiscos enxundiosos).

Acredito entretanto que, mineiro matreiro, se chegasse a exercer o poder, teria optado pela alternativa de um simples Emendão, expungindo alguns dispositivos autoritários da Constituição de 1967, substancialmente piorados pela Emenda Constitucional n.º 1, de 1969. Teria provavelmente restaurado a eleição presidencial direta, flexibilizado as restrições à criação de partidos, atenuado as severas restrições a liberalidades orçamentárias do Congresso, modificado o instituto do decreto-lei, e pouco mais...

Sarney, sentindo-se de legitimidade mais questionável, cedeu à mobilização popular e à pressão de Ulysses Guimarães em favor da "Constituinte já". Ampliou exageradamente a comissão de notáveis, que se tornou um foro nacional populista, a qual produziu um anteprojeto, classificado por seu secretário-geral, Ney Prado, tornado dissidente, como *preconceituoso, casuísta, elitista, utópico, demagógico, socialista, estatista e xenófobo*. Afonso Arinos, que presidiu essa "Comissão provisória de estudos constitucionais", havia passado seu pique de *acumen* intelectual, e partilhava com Ulysses Guimarães um certo grau de descaso pelos humildes constrangimentos de uma economia subdesenvolvida em que as aspirações superam de muito a capacidade de gerar satisfações. O arquivamento a que Sarney relegou o relatório da comissão de notáveis foi assaz merecido.[448]

---

[448] Ver Ney Prado, *Os notáveis erros dos notáveis*, Rio de Janeiro, Forense, 1987, passim. Parte da motivação de Sarney no arquivamento do anteprojeto da Comissão de Notáveis foi que nele se previa a implantação do parlamentarismo, ficando o chefe de Estado com um mandato de quatro anos.

Voltemos, entretanto, à questão eleitoral. Fui o primeiro político a sugerir, em entrevista à revista *Isto É*, em 11 de maio de 1983, que Tancredo Neves seria um excelente candidato de conciliação nacional para a sucessão presidencial. Não o fiz sem hesitação. Em primeiro lugar, minha experiência na Inglaterra, com os primeiros anos de Margaret Thatcher, persuadiu-me de que quando as nações exigem grandes reformas é necessário uma *política de convicção* e não uma *política de consenso*. Esta freqüentemente leva àquilo que Afonso Arinos considerava ser uma das características da sua UDN — as *indecisões unânimes*. Tancredo era muito mais um político de consenso do que de convicção. Mas, nas condições especiais do país, com um estamento militar ainda penetrado por coalizões continuístas, e com uma sociedade civil fatigada do ciclo militar, um contemporizador como Tancredo parecia um piloto útil para a travessia. Minha segunda hesitação era de natureza econômica. Tancredo não exercera até o fim nenhum mandato executivo que permitisse avaliar sua eficácia administrativa. E dele pouco se poderia esperar no enfrentamento dos dinossauros estatais.

Àquela altura, minha sugestão de um candidato de conciliação nacional foi considerada prematura. Havia várias ambições presidenciais no PMDB. Franco Montoro e Ulysses Guimarães eram freqüentemente mencionados. Somente nove meses depois, em junho de 1984, seria oficializada a candidatura de Tancredo.

Nesse ínterim, a contenda eleitoral se acirrava dentro do meu partido, o PDS, onde restavam dois candidatos — Paulo Maluf e o coronel Mário Andreazza. E desde que o presidente Figueiredo, em entrevista na televisão em 29 de novembro de 1983, renunciou a coordenar a sucessão, aceitando qualquer candidato escolhido pela Convenção partidária, a situação se tornou confusa.[449]

Sarney queria manter o regime presidencialista, admitindo apenas a redução do seu mandato de seis para cinco anos. Mas havia razões de sobra para arquivá-lo, pois se tratava de um ensaio de voluntarismo paranóico ou, como dizia Mário Henrique Simonsen, um *tratado de antieconomia*. Garantia a todos o "direito a uma fonte de renda que possibilite existência digna, decretando assim o fim da pobreza". A parte econômica era um misto de intervencionismo cartorialista e nacionalismo obscurantista. Em vez da opção institucional pela livre empresa (ação do Estado meramente supletiva), esposava uma opção coletivista, segundo a qual a intervenção do Estado poderia ser "mediata ou imediata", revestindo a fórmula de controle, de estímulo, de gestão direta, de ação supletiva, e de participação no capital das empresas (art. n? 319). Ver Roberto Campos, *Guia para os perplexos*, Rio de Janeiro, Nórdica, 1988, p. 216-220.

[449] Ao encorajar e desencorajar, alternativamente, vários candidatos, Figueiredo parecia desejar um mandato-tampão de dois anos, a ser seguido por eleições diretas. Encorajou, entre outros, os coronéis Costa Cavalcanti e Jarbas Passarinho, para logo depois reverter a seu imobilismo. O governador Brizola chegou a propor-lhe apoio para um mandato-tampão, desde que as eleições diretas fossem marcadas para 1986. A antipatia de Figueiredo por Maluf nunca se traduziu, entretanto, em simpatia por Tancredo Neves. Aquele era "um sapo bem lubrificado. Este, um sapo envolvido numa touceira de espinhos". Ver *O complô que elegeu Tancredo*, por Gilberto Dimenstein, José Negreiros, Ricardo Noblat, Roberto Lopes e Roberto Fernandes, Rio de Janeiro, Ed. JB, 1985, p. 30.

Para mim, a opção por Maluf era natural. Não tinha particular simpatia por Andreazza. Fora um dos principais promotores da candidatura Costa e Silva, impossibilitando a Castello Branco a desejada montagem de uma candidatura civil. Em segundo lugar, encarnava uma *coalizão continuísta*, que prorrogaria o ciclo militar. Em terceiro lugar, parecia-me um administrador impetuoso e desordenado, com parco sentido de constrangimentos financeiros. Eu me tinha oposto à construção, inadequadamente precedida de estudos de viabilidade, da Transamazônica e da Perimetral, que certamente não teriam passado pelo crivo crítico do GEIPOT. Em quarto lugar, havia politizado excessivamente o BNH, através de inchaço de pessoal e aprovação de projetos eleitoreiros.

Em entrevista ao *Jornal do Brasil*, em 3 de janeiro de 1984, já tinha expressado minha opção por Maluf, com base em três argumentos: a) Era dentre os candidatos o de maior experiência administrativa, como ex-prefeito e ex-governador de São Paulo; b) Era um autêntico privatista, num país oprimido por um estado hipertrofiado e incompetente; c) Era o mais experimentado em negociações internacionais, como empresário exportador, consideração importante pois o Brasil marcharia para uma nova crise cambial.[450]

Minha tomada de posição foi considerada prematura por vários amigos, inclusive Antônio Carlos Magalhães, que me reprochou o açodamento. Antônio Carlos viria depois a ser um dos promotores da ala dissidente do PDS que, após a vitória de Maluf na convenção partidária de 11 de agosto de 1984, formou o PFL, possibilitando a vitória de Tancredo Neves.[451] Como adepto da fidelidade partidária,

---

[450] À luz do desempenho posterior de Sarney e Collor, não tenho razões para rever essa opção de dez anos atrás.

[451] Os outros líderes da cisão do PDS foram Aureliano Chaves, vice-presidente, e os senadores José Sarney, Marco Maciel e Jorge Bornhausen, com motivações diferentes. Aureliano se sentia frustrado porque o presidente Figueiredo não o considerara o candidato natural do partido. Sarney se irritara com a ambivalência de Figueiredo. Acreditava ter a aceitação deste para a proposta de renúncia dos candidatos, que se submeteriam a eleições prévias dentro do PDS. Era um artifício para implodir a candidatura de Maluf. Figueiredo recuou dessa posição, deixando Sarney, presidente do partido, em situação embaraçosa. Sarney também se sentiu frustrado porque esperava que Maluf o convidasse para candidato à vice-presidência, tendo sido preterido em favor do deputado cearense Flávio Marcílio. Subjacente à dissidência de Antônio Carlos Magalhães, estava um antagonismo pessoal em relação a Maluf e uma velada reação ao que se chamava de "imperialismo paulista" no governo. A dissidência só vingou graças a uma esdrúxula decisão do Superior Tribunal Eleitoral que, em resposta a uma consulta do deputado mineiro, Gerardo Renault, declarou que o instituto de fidelidade partidária, previsto no art. n.º 152 da Constituição de 1969, não se aplicava à eleição presidencial. Era uma acomodação política que facilitou a transição democrática, mas de duvidoso valor jurídico, pois, segundo o texto constitucional, "perderia o mandato quem, por atitude ou por voto, se opuser às diretrizes legitimamente estabelecidas pelos órgãos de direção partidária". E certamente inexistia questão mais relevante para o partido que a sucessão presidencial.

comportamento que considerava indispensável para a consolidação democrática, mantive fidelidade a Paulo Maluf, votando por ele mesmo após configurada a vitória de Tancredo, na dramática votação do dia 15 de janeiro de 1985.

Durante a precedente campanha eleitoral, Tancredo me havia passado um telex, queixando-se equivocadamente de que eu o havia injustamente criticado no programa de televisão *Crítica e Autocrítica*, da TV Bandeirantes. Lembrava nossa velha amizade, que vinha desde o governo Kubitschek e se fortalecera quando, antes de minha partida para a embaixada em Washington, havia preparado a seu pedido o documento intitulado "Programa de Governo — Bases", por ele apresentado ao ser empossado como primeiro-ministro no governo parlamentarista, em setembro de 1961.

Respondi-lhe numa longa carta, de 28 de agosto de 1984, na qual, além de esclarecer que minha participação no aludido programa de televisão tinha tido um tom mais respeitoso e amigável do que intrigantes lhe haviam dito, expliquei-lhe detalhadamente as razões de nossa separação política. Pelo interesse histórico, vale a pena citar alguns trechos dessa carta:

"Por que nossos caminhos se separaram? Primeiramente, porque acredito na necessidade de fortalecermos os partidos políticos, e o meio mais fácil de destruí-los é a transmigração partidária. Tive assim que me contentar com o elenco de opções disponíveis no PDS. Segundo, porque acredito que o problema mais fundamental para a viabilização organizacional do Brasil num sistema de livre empresa é a desestatização. Sem isso, estaremos condenados à ineficiência econômica e ameaçados nas liberdades políticas, porque, ao contrário do que pensam os falsos liberais, a abertura política será precária e instável sem a abertura econômica. Ora, o único candidato que se manifestou inequivocamente não só a favor da livre empresa — expressão ritualística em nosso discurso político — mas comprometido com a desestatização foi Paulo Maluf. Não senti de sua parte o mesmo entusiasmo privatista e certamente a composição de forças que o apóiam tornaria impraticável perfilhar qualquer evangelho desestatizante. Talvez você nem o considere prioritário, enquanto que para mim é quase uma obsessão. Aliás, a meu ver, o que determina na América Latina o nível de ética administrativa é menos a ética individual do governante que o excesso de regulamentação estatal, ensejando a criação de dificuldades para a venda de facilidades.

Em discurso de resposta ao senhor Albano Franco, na Confederação Nacional da Indústria, no Rio de Janeiro, você reprisa o tema estruturalista de que 'não houve, em suma, uma só teoria monetarista adotada para combater a inflação que não fosse posta em prática em nosso país...' Isso, perdoe-me, é uma tresleitura da história. Temos, periodicamente, adotado 'retórica' monetarista, acompanhada de práticas expansionistas, sendo essa a situação atual em que os acordos com o FMI vêm sendo continuamente violados, seja pela expansão da base monetária, seja pela expansão da 'quase-moeda' no sistema financeiro. Nos poucos casos do passado em que políticas de austeridade monetária foram adotadas (período Campos Salles, período Eugênio Gudin, período Castello Branco), foi possível conter e reversar a maré inflacionária. Em nenhum dos países em que foram aplicadas políticas estruturalistas (Perón, na Argentina; Allende, no Chile; Alvarado, no Peru; Echeverría, no México, e Goulart, no Brasil) deixou de ocorrer uma explosão inflacionária. Austeridade monetária, a meu ver, não é uma condição suficiente, porém é uma condição necessária para debelar a inflação.

O problema do monetarismo no Brasil é o mesmo do capitalismo na América Latina: não fracassou; apenas nunca foi aplicado...

O mais penoso para mim na leitura de seu discurso belo e denso foi o precipitado endosso à chamada 'reserva de mercado' para, 'entre outros, o importantíssimo setor da informática'. Tenho me empenhado numa batalha, até recentemente solitária, hoje apoiada por setores esclarecidos da população, para explicar várias coisas:

1. A chamada 'reserva de mercado' não é, como o vulgo pensa, uma proteção de mercado para todos os que trabalham no país, e sim para 'alguns cartórios' industriais escolhidos arbitrariamente pela autoridade (essa escolha, excludente como é, equivale a uma 'cassação do direito de produzir' para os não beneficiados).

2. A política de informática concentra o comando de toda a indústria do conhecimento nas mãos de um pequeno grupo de militares do SNI (indiretamente) e da secretaria geral do Conselho de Segurança (diretamente), criando perigos de abuso de autoridade em relação à sociedade civil, e oportunidades de corrupção, inevitável seqüela da multiplicação de controles.

3. Num mundo em frenética evolução tecnológica, que investe mais de 12 bilhões de dólares em P & D (Pesquisa e Desenvolvimento), contrastando com menos de 100 milhões de dólares no Brasil, é imprudente condicionar a aprovação de projetos à demonstração de 'tecnologia própria' e de 'não vinculação de fontes externas de tecnologia'.

4. Existe uma competição internacional para importar indústrias de alta tecnologia, rivalizando-se os países (Espanha, Escócia, Irlanda, Índia) em oferecer incentivos para que multinacionais venham difundir

tecnologia, criar empregos e gerar exportações, alcançando-se uma escala econômica da produção impossível de atingir com o simples mercado interno. Esses países pensam muito mais em 'captura do mercado externo' do que em 'reserva do mercado interno'.

5. O resultado prático da política de informática foi a estagnação da produção brasileira. Segundo as próprias estatísticas da SEI (patrioticamente incrementadas), nossa produção global foi de 1,508 bilhões de dólares em 1982, 1.487 em 1983 e, estimativamente, 1,520 em 1984. Isso num momento de crescimento explosivo da informática mundial.

Permita-me um comentário final sobre política externa, baseado não mais no texto de seu discurso e sim em entrevista jornalística, não imune de deformações. Em política externa, o problema não é mantê-la e sim fazê-la. O que temos é um ecumenismo romântico, com latente desafeição às áreas mais capazes de cooperar para o desenvolvimento brasileiro. O resultado é que, como as realidades se impõem, a política econômica externa do país não é mais formulada pelo Itamaraty e sim pelos ministérios de área econômica (Planejamento, Fazenda e Banco Central), competentes certamente na área técnica, mas desacostumados ao exercício da persuasão e negociação política normalmente esperadas no Itamaraty. Uma piada talvez apócrifa do presidente Figueiredo, ao desembarcar do avião que o trazia de volta da Nigéria, retrata bem a situação: — O Itamaraty me enviou para o Terceiro Mundo porque os ministros econômicos o expulsaram do Primeiro Mundo.

A teoria política de Castello Branco, dos círculos concêntricos de interesse, que priorizariam objetivos de política externa, é vastamente superior, em concepção e resultados, ao "ecumenismo romântico", do qual resultou que, em determinado período, lográssemos o feito singular de antagonizarmos simultaneamente a Argentina e os Estados Unidos, precisamente os dois países-chave, um sob o ponto de vista econômico, e o outro, político.

As divergências honestas que acima apontei em nada devem esmaecer nossa amizade. Certamente não diminuirão minha admiração pela sua delicada mistura de experiência e sabedoria. Ainda em recente entrevista à TV Manchete declarei que o considerava um líder confiável, a quem se poderia entregar a pilotagem do avião Brasil. Mas receava que não teria tempo para consultar as cartas de vôo, obrigado continuamente a voltar à cabine de passageiros, para acalmar-lhes as disputas ideológicas e impedir a fabricação de explosivos. Perdoe-me a imagem canhestra..."

Soube que a carta abalara algumas das convicções de Tancredo. Mas, submergido na campanha, não teve oportunidade de comentá-la.

O CAVALEIRO
DA ESPERANÇA

Gilberto Amado tinha razão. Faltavam-me "qualidades cênicas". Nunca fui bom de televisão, hoje o instrumento mór de comunicação eleitoral. Isso, e mais uma inflexibilidade de atitudes (que outros descrevem como falta de "jogo de cintura"), privaram-se de popularidade política.

Somente três vezes me senti vitorioso, superando minha dificuldade de comunicação televisiva. A primeira, a que já me referi, foi em resposta às diatribes de Carlos Lacerda, em maio de 1965. A segunda, num debate com Severo Gomes na TV Bandeirantes, quando éramos recém eleitos para o Senado Federal, ele pelo PMDB de São Paulo e eu pelo PDS de Mato Grosso. Encantador e divertido no contato pessoal, bastante lido antes que culto, latifundiário e *bon vivant*, Severo irritava-me ao "posar" como líder nacionalista de esquerda. Seu esquerdismo me parecia um hipócrito ato de contrição pelo fato de ter sido ministro de dois governos militares — o de Castello Branco e o de Geisel. Pertencia à classe que eu chamava de "burgueses de esquerda", cuja abastança lhes provocava dores de consciência, para a qual buscavam atenuação no nacional-populismo. Na Constituinte de 1988 surgiriam vários deles. Eu os definia como filhos de Marx e da coca-cola. Não foi difícil denunciar as incoerências de Severo.

De longe meu mais importante entrevero televisivo foi com Luís Carlos Prestes, em junho de 1985, na TVE do Rio de Janeiro. Era a inauguração de um programa chamado "Tribunal do povo", com dois debatedores e sete jurados. O tema era "socialismo *versus* capitalismo".

Foi, aliás, o meu primeiro e único contato pessoal com Prestes. Quando egresso do seminário, aportei ao Rio, em 1938, morei numa pensão na rua da Relação, quase em frente à Polícia Central, onde Prestes foi interrogado e perto da antiga Polícia Especial onde cumpriu parte da pena. Fora condenado por dois crimes: a Intentona Comunista de 1935, pela qual recebera em maio de 1937 uma pena de dezesseis anos e. oito meses, e a execução de Elsa Fernandes, a jovem e bela companheira de Miranda (Antônio Maciel Bonfim) secretário-geral do PCB. Elsa era tida como agente dupla e Prestes fora responsabilizado como autor intelectual do crime. A pena neste caso era de 40 anos.

UM REBELDE
INCOMUM

Antes do debate na TV procurei estudar a atribulada estória de Luís Carlos Prestes.[452] Tinha uma áurea legendária. Chefiara a Coluna Prestes que, partindo do Rio Grande do Sul em dezembro de 1924, num protesto contra o governo Arthur Bernardes, durou quatro anos, percorrendo treze estados e 25.000 kms, procurando mobilizar oposição ao governo "oligárquico e reacionário". As conseqüências históricas foram incomparavelmente menores, mas como fato épico a coluna superou a longa marcha dos comunistas chineses uma década depois, que durou apenas um ano e percorreu 10.000 kms.

O *slogan* do movimento era "Justiça e Representação". Não se tratava de uma busca pragmática de poder com perspectivas realistas. Era uma demonstração de bravura, condensando frustrações e protestos recônditos na alma popular. Prestes era o "Cavaleiro da Esperança", que algum dia voltaria para corrigir as mazelas da nação.

Lutaram na Coluna alguns jovens revolucionários que viriam a desempenhar importante papel na história brasileira, como João Alberto Lins e Barros, Juarez Távora e Oswaldo Cordeiro de Faria. Destes últimos me tornei amigo pessoal e foram meus colegas no ministério do governo Castello Branco. Nesse governo se realizaram, com uma defasagem de 40 anos, várias das reformas propostas pelos tenentistas...

Foi para mim uma surpresa conhecer o texto do manifesto de Prestes e Miguel Costa, intitulado "Motivos e ideais da revolução", lançado em fevereiro de 1926, refletindo em parte certos conceitos do positivismo.[453] É um documento de estranha

---

[452] Há um excelente verbete sobre Prestes no *Dicionário histórico-biográfico brasileiro*, 1930-1983, por Alzira Alves de Abreu e Ivan Junqueira, Forense Universitária, 1984, tomo IV, p. 2813-26. Ver também John W. F. Dulles, *Anarchists and communists in Brazil*, University of Texas, 1973, passim.

[453] Curiosamente, tanto Prestes como Vargas, em pólos opostos, sofreram a influência do positivismo de Augusto Comte, explicável em função da prevalência do castilhismo no Rio Grande do Sul. Dentre os comunistas dos anos 20 e 30, quem mais se aproximou do positivismo foi o professor Leônidas de Resende, de grande influência na intelectualidade brasileira, o qual aderira em 1927 ao PCB. Disputando com Tristão de Athayde, ganhou a cadeira de professor de economia na Faculdade de Direito do Rio de Janeiro, através de sua tese 'Formação do capital e seu desenvolvimento'. Nesse e em outros trabalhos publicados no jornal *A Nação*, que ele fundara, procurou conciliar as doutrinas de Marx e Engels com a interpretação sociológica de Augusto Comte. Esse ecletismo foi condenado pelo *Presidium* do PCB, sendo Resende acusado de fabricar uma "salada do catolicismo e materialismo" com condimentos de marxismo e positivismo. Dissen-

atualidade. Poderia servir de plataforma aos candidatos presidenciais de hoje, o que confirma o dito de Tancredo Neves de que os problemas brasileiros não mudam. Nem as soluções. Só os homens.[454]

Talvez felizmente para o Brasil, Prestes era um mau político e medíocre estrategista, deixando escapar oportunidades de implantação de seu projeto radical. Sua aproximação com o comunismo ocorreu em 1927 quando, acompanhado de seiscentos outros membros da Coluna, se exilara na Bolívia. Ali foi procurado em Puerto Suarez por Astrogildo Pereira, então secretário-geral do Partido Comunista do Brasil (PCB), que tinha sido fundado em 1922. Astrogildo deu-lhe textos básicos de Marx, Engels e Lênin em francês. Prestes não aderiu naquela época ao partido, alegando não poder "aderir imediatamente a uma ideologia que não conhecia". Rejeitou também, em 1929, numa reunião em Buenos Aires, um convite do então secretário geral do PCB, Paulo de Lacerda, para se candidatar à presidência da República numa frente única que conjugaria os quadros comunistas com o prestígio popular da Coluna Prestes. O programa parecia a Prestes demasiado radical.[455]

Pouco depois, quando o presidente Washington Luís quis impor a candidatura presidencial de Júlio Prestes, formou-se a Aliança Liberal de Minas e Rio Grande do Sul em torno da candidatura Vargas. Prestes se encontrou duas vezes com Vargas mas não aderiu à Aliança Liberal, apesar de Vargas e Oswaldo Aranha lhe oferecerem ser o líder militar da planejada revolução, ficando Vargas como o líder civil. Era uma segunda oportunidade perdida de projeção política. Aranha chegou a entregar-lhe 800 contos de réis (aproximadamente 80.000 dólares) para a compra

tiu do PCB em 1930 ao apoiar a candidatura presidencial de Getúlio Vargas, enquanto o Partidão se opunha tanto a Getúlio Vargas como a Júlio Prestes, declarados "inimigos comuns" por estarem aliados ao imperialistas. Com o fim da guerra em 1945, e o início da redemocratização, Prestes se reconciliaria com Vargas, propondo a união nacional. Era a linha revisionista sugerida nos Estados Unidos por Earl Browder, que chegou a pregar a dissolução dos partidos comunistas, por ter o capitalismo aprendido a viver em aliança com o socialismo. Leônidas de Resende se manteve intransigente na linha dura revolucionária, defendida nos Estados Unidos por William Foster e, na França, por Jacques Duclos. Prestes abandonaria a tese da união nacional no manifesto de agosto de 1950, retomando a linha do radicalismo revolucionário.

[454] Os signatários do manifesto "Motivos e ideais da revolução" protestavam contra os impostos exorbitantes, a desonestidade administrativa e a falta de justiça, reclamações de grande atualidade. E nesse mesmo documento reivindicavam: "assegurar o regime da Constituição de 1891; estabelecer ensino primário gratuito e ensino profissionalizante técnico em todo o país; unificar a Justiça, colocando-a sob a égide do Supremo Tribunal Federal; unificar o regime eleitoral e estabelecer o voto secreto e obrigatório; unificar o fisco; assegurar a liberdade municipal; castigar os defraudadores do patrimônio do povo; acabar com a anomalia de um Tesouro público endividado, enquanto os políticos profissionais enriquecem; rigorosa economia dos dinheiros públicos e auxílio eficiente às forças econômicas do país".

[455] O programa foi proposto a Prestes por Leôncio Basbaum e compreendia (a) A nacionalização da terra e divisão dos latifúndios; (b) A nacionalização de bancos e indústrias "imperialistas"; (c) O repudio à divida estrangeira; (d) Liberdade de organização e de imprensa; (e) Direito de greve; (f) Legalização do PCB; (g) Benefícios para os trabalhadores — jornada de oito horas, férias e aumentos salariais. Ver John W. F. Dulles, op. cit., p. 398.

de armas, episódio adiante descrito, que ficou conhecido como o mistério do "ouro de Moscou". Prestes embolsou o dinheiro, porém não lutou nas hostes da Aliança Liberal. Com a perversa moral dos fanáticos — o fim justifica os meios — Prestes reservaria o dinheiro para a sua "futura revolução", a "revolução antiimperialista" e agrária. Considerava o movimento da AL, apenas uma "troca de homens" ou "uma luta entre as oligarquias dominantes". Influenciado pelos trostkistas, criou então a Liga de Ação Revolucionária (LAR), de vida efêmera, concebida como um "órgão técnico", de preparação dos trabalhadores rurais e urbanos para uma revolução a ser dirigida pelo proletariado. Nascia então o movimento do "prestismo".

Da minha excursão pela longa biografia do cavaleiro da esperança salientarei alguns aspectos curiosos. Inicialmente, um paradoxo. Ninguém no Brasil deixa de associar automaticamente a figura de Prestes ao PCB. Entretanto, ele sempre teve dificuldades no relacionamento com o PCB. Depois de sua conversão ao marxismo ao longo de 1929, buscou sem sucesso ingressar no partido. Era olhado com suspeita, como um "intelectual pequeno burguês", numa fase em que, por orientação de Moscou, se procurava proletarizar o Partido. Declinava a influência de intelectuais como Astrogildo Pereira e Octávio Brandão, em favor do obreirismo, ou seja, de lideranças proletárias rurais e urbanas. Era, como diria mais tarde Graciliano Ramos, uma tentativa de "proletarização dos ativistas da classe média".[456] Aprisio-

---

[456] Astrogildo Pereira foi expulso do Partido em 1932 e Octávio Brandão escapou da expulsão (mas não do ostracismo) depois de fazer em Moscou "cinqüenta autocríticas"... Graciliano Ramos fora preso em Maceió, em 1936, sob a falsa acusação de subversivo, quando na realidade não pertencia nessa época nem à Aliança Nacional Libertadora nem ao PCB. Não era um militante, mas foi acusado por contágio, pois costumava reunir-se no Café Central de Maceió com um extraordinário grupo de literatos comunistas, de que faziam parte Jorge Amado, José Lins do Rego e Rachel de Queiroz. Só viria a se inscrever no PCB em 1945 e foi uma das vítimas do patrulhamento ideológico, que nascera com a *proletkult* de Plekhanov no comunismo soviético dos anos 20. Aplicado à literatura, converter-se-ia no "realismo social" de Gorki nos anos 30, passando a se tornar doutrina partidária de ampla aplicação, sob a influência de Jdanov. Este condenava a "subjetividade" na literatura, o "formalismo" na música e as "formas modernas" nas artes plásticas. As artes deveriam ser postas a serviço das "causas populares". Os livros de Graciliano Ramos *São Bernardo*, *Vidas secas* e sobretudo *Memórias do cárcere*, foram severamente criticadas pelo seu não-conformismo ideológico. Mais de uma década antes, Rachel de Queiroz, que acabou expulsa do Partido por suas tendências trotskistas, sofrera a impugnação do PCB ao seu segundo livro *João Miguel*, considerado pequeno-burguês e reacionário. O efeito opressivo e esterilizante do "realismo socialista" se manifestou em vários planos e em vários países. Na literatura soviética, a vítima mais famosa fora Boris Pasternak, o autor do *Dr. Jivago*, constrangido a recusar o prêmio Nobel e depois expulso da União dos Escritores Soviéticos. Previsivelmente, foram os poetas os que mais sentiam a asfixia do espírito criador imposto pelo realismo socialista. Maiakovski e Essenin se suicidaram, Ossip Mandelstam foi fuzilado durante os expurgos de Stálin e a grande poetisa Ana Akhmatova caiu em desgraça, só sendo reabilitada em 1959. Os três grandes compositores Shostakovich, Prokofieff e Khachaturian foram obrigados a se retratar em 1948, por "terem perdido contacto com as massas". No plano da sociologia, o herege mais célebre foi o húngaro Georg Lukács, o fundador do marxismo ocidental, que teve de repudiar seu livro fundamental *História e consciência*

nado por breve tempo em Buenos Aires no fim de 1929, Prestes depois refugiou-se no Uruguai. Era maio de 1930, Prestes formulara seu famoso "Manifesto", rejeitado pelo PCB por ser de um rebelde "pequeno-burguês", que buscava o impossível: substituir o proletariado pela pequena burguesia na liderança da revolução agrária e antiimperialista. De Montevidéu partiria para Moscou, onde chegou em novembro de 1931. Trabalhava supostamente como engenheiro numa indústria de construção, mas na realidade buscava treinamento revolucionário. Tornou-se amigo de Dimitri Manuilski, que partilhava com Georgi Dimitrov a direção da Terceira Internacional Comunista, o "Komintern". Mas, curiosamente, não conseguiu filiar-se ao Partido Comunista Soviético (PCUS) e só lograria ser aceito no partidão brasileiro em agosto de 1934, por pressão de Manuilski.[457] A ele Prestes transferira parte dos fundos destinados originalmente à rebelião varguista da Aliança Liberal, comprando, por assim dizer, um passe de ingresso no PCB. A essa altura já era uma personalidade internacional relevante, pois fazia parte do EKKI, o Comitê Executivo da Terceira Internacional.

Um segundo fato, esse auspicioso para nós, eram as enormes divisões internas no movimento socialista e a inconstância das diretrizes soviéticas. Enquanto no seio do PCB se desenvolvia o conflito entre intelectuais e obreiristas, no Komintern se contrapunham, e às vezes se alternavam, duas linhas táticas diferentes. Dimitrov, internacionalmente famoso pela sua defesa contra as inculpações nazistas de autoria do incêndio do Reichstag, em 1933, em Berlim, defendia a tese das frentes populares. Os comunistas deveriam aliar-se com os sociais democratas e

---

de classe, depois de ser excomungado por Zinoviev durante o V Congresso do Komintern em 1924. A exigência de conformismo ideológico atingiu também, ainda que com menor intensidade, o campo científico. Em seu livro *Materialismo e empiriocriticismo*, Lênin considerava as teses da lógica matemática e a lei da entropia incompatíveis com a dialética hegeliana. A manifestação mais retrógrada do dirigismo científico foram as teorias biológicas de Michurin e Lysenko, transformadas em ciência oficial, que rejeitaram as leis de Mendel e Morgan em nome do princípio hegeliano de transformação da quantidade em qualidade. Para uma boa análise da devastação criada pelo realismo socialista, com particular referência à literatura brasileira, ver Paulo Mercadante, *Graciliano Ramos — O manifesto do trágico*, Topbooks, 1994, p. 147-67.

[457] Conheci Manuilski à distância quando eu era jovem secretário de nossa Missão na ONU, em Nova York. Entre 1947 e 1949, Manuilski comparecia à reunião da Assembléia Geral da ONU, como ministro das Relações Exteriores da Ucrânia, função fictícia, pois a Ucrânia era um pseudo país, tendo obtido assento na ONU em virtude de uma barganha entre Roosevelt e Stálin na conferência de Yalta. Manuilski tinha fama de piadista e boêmio, mas era obviamente um bom *apparatchick*, pois conseguira derrubar dois presidentes do Komintern — Gregori Zinoviev e Nikolai Bukharin — companheiros mais antigos de Stálin e de maior projeção no mundo socialista. Ambos foram executados por ordem de Stálin. Zinoviev acusado de "literato inconseqüente" e "tagarela sem princípios", e Bukharin, um brilhante intelectual, "por desvios de direita". Manuilski tornara-se amigo de Trotsky, quando exilado em Paris em 1915, mas acabou traindo-o e aliando-se a Stálin no grande terror e no combate ao trotskismo. Ver William Waack, op. cit., p. 324.

outros partidos de esquerda, como manobra tática para a conquista do poder. A formação de frentes populares foi tentada na Espanha, em 1931, e na França, em 1934. Era a tese chamada de "direitista". Manuilski, ao contrário, defendia a tese "esquerdista", apoiada por Bukharin por injunção de Stálin: os verdadeiros inimigos do comunismo na Alemanha eram os sociais democratas, mais que os nazistas. Tratava-se de um erro fatal que facilitou a ascensão de Hitler ao poder e que Stálin repetiria anos depois, ao concluir com a Alemanha o pacto Molotov-Ribbentrop, pouco antes da II Guerra Mundial. A estratégia da subversão comunista nos países genericamente considerados como semicoloniais (assim eram classificados o Brasil e a China) era ditada pelo Ländersekretariat do Komintern, curiosamente chefiado por um chinês, Van Minh (pseudônimo de Chen-Shao-Yu) singularmente desinformado sobre as peculiaridades da América Latina. Errou redondamente também em relação à China ao predizer para os anos 30 a vitória do comunismo. Esta só viria a ocorrer em 1949, sob a liderança de Mao Tsé-Tung, seu desafeto pessoal.[458]

Um terceiro aspecto a notar foram os erros táticos de Prestes, que tiveram seu desfecho no fracasso do levante comunista de novembro de 1935. Prestes fora enviado ao Brasil para preparar a revolução proletária. Chegou ao Rio em abril de 1935, sob o nome de Antônio Vilar, acompanhado de uma agente do serviço secreto soviético, Olga Benário, que se tornou sua mulher e teria fim trágico depois de ser deportada, grávida, para a Alemanha nazista. Já no mês seguinte, maio, houve uma guinada na orientação do PCB no sentido da fórmula Dimitrov — governo popular democrático burguês — ficando a implantação do regime socialista para uma segunda etapa. A revolução antiimperialista precederia a revolução socialista propriamente dita. Em 5 de julho de 1935, Prestes, na clandestinidade, aderiria à Aliança Nacional Libertadora (ANL), através de um bombástico manifesto lido por Carlos Lacerda, então promissor membro da juventude comunista. "Todo o poder à ANL" era o *slogan*, reminiscente do jargão leninista "todo o poder aos soviets". Era uma imprudência tática, que revelava incapacidade de análise das "condições objetivas". O manifesto propunha a derrubada do governo Vargas e a formação, pela ANL, de um governo popular nacional revolucionário. Era precisamente o motivo que Getúlio esperava para entrar em ação. Uma semana depois, decretaria o fechamento da ANL, com base na Lei de Segurança Nacional.

Fracassado o plano da frente popular, Prestes, sob instrução de Moscou, voltou à tese da "guerra revolucionária". A evolução dos acontecimentos demonstrou

---

[458] Era antiga a controvérsia sobre as linhas táticas. No congresso sindical de Montevidéu promovido pelo Komintern em 1929, o delegado soviético mencionara três tipos de ação revolucionária, conforme as condições econômicas e sociais dos diferentes países: a) Revolução proletária propriamente dita; b) Guerra de emancipação nacional; e c) Revoluções coloniais. Apud Paulo Mercadante, op. cit., p. 45-46.

serem justas as acusações que lhe faziam os camaradas do partido de confiar demais na sua capacidade de sublevar os militares, explorando-lhes o descontentamento, e de menos no trabalho de mobilização de massas e manipulação do grevismo. A chamada Intentona de novembro de 1935 foi limitada a algumas unidades militares, em Natal e Recife. No Rio de Janeiro, sublevaram-se o 3º Regimento de Infantaria da Praia Vermelha e a Escola de Aviação do Campo dos Afonsos, que foram logo dominados pelas forças do general Eurico Gaspar Dutra, comandante da 1ª Região Militar. Fora uma quartelada, ou, como disse Graciliano Ramos, "um bochincho e bagunça". Nada que se parecesse com um estereótipo soviético de uma revolução operária e camponesa.[459]

Uma última observação a registrar diz respeito à extraordinária frieza humana de Prestes, revelada em dois episódios. Um deles foi a ordem de execução de Elsa Fernandes por acusações não comprovadas de delação. Outro gesto, que pareceu chocante aos próprios companheiros do partido, foi o apoio expresso a Vargas, que o mantivera prisioneiro durante nove anos e deportara Olga Benário para a Alemanha. Prestes fora capturado em março de 1936, quatro meses após o fracasso da Intentona, e só viria a ser liberado em 18 de abril de 1945, quando foi decretada a anistia de presos políticos no clima democratizante preparatório das eleições gerais marcadas para o fim do ano. Prestes passou logo a pregar a "união nacional", apoiando Vargas com a justificativa de que a prioridade era a eleição livre de um parlamento democrático. Este supostamente legislaria contra os latifúndios improdutivos, para "distribuição de terras à massa camponesa" e "contra o capital estrangeiro e reacionário e contratos lesivos à economia do país". Prestes chegou a ser acusado de "queremismo" por defender a continuação de Vargas no poder até a realização das eleições. Admitia mesmo a "Constituinte com Getúlio". Vargas foi deposto por um movimento militar em 29 de outubro e a eleição presidencial e as congressuais se consumaram em 2 de dezembro. O general Eurico Gaspar Dutra foi eleito presidente da República e Prestes senador pelo Distrito Federal, com 147 mil votos, passando a liderar seu partido na Constituinte de 1946.

O curto interlúdio de Prestes na legalidade se encerraria com o cancelamento do registro do PCB em maio de 1947, seguido da cassação dos mandatos legislativos e extinção legal do partido em janeiro de 1948. Estávamos no início da guerra fria. Para os comunistas do Ocidente surgia sempre o problema da dupla fidelidade na hipótese de conflito: fidelidade à ideologia marxista, encarnada pelo União

---

[459] Aparentemente, Moscou desejava que o levante fosse feito em começo de dezembro. Entretanto, em 23 de novembro, estourou o movimento no Nordeste, tornando imperiosa uma ação no sul, deflagrada dois dias depois, quando Vargas já tinha pedido a decretação do estado de sítio. Ironicamente, a autorização formal do Komintern para o levante só chegou ao Brasil em 27 de novembro, quando a "Intentona" estava praticamente debelada.

Soviética como líder na luta antiimperialista, ou fidelidade aos governos nacionais adversários do socialismo marxista. A vinculação das democracias ocidentais à causa imperialista era naturalmente simplista e contrafactual. Na verdade, o imperialismo ocidental já estava em extinção em resultado da descolonização. O que surgia era um novo imperialismo, de base ideológica, precisamente o imperialismo soviético. Declarações equívocas de Prestes e sua defesa da União Soviética, em resposta a uma pergunta de Juracy Magalhães no Senado, criaram um clima favorável à cassação do registro do PCB. Passou a ser considerado um partido soviético e não nacional.

Em 1950, Prestes lançaria um manifesto radicalizante que ficou conhecido como "Manifesto de agosto". Abandonava a idéia da união nacional e propunha uma "luta de massa", que provocou dissidências no partido. Em 1950, um juiz federal expediu um mandado de prisão preventiva.

Em grande parte por sua inabilidade política, Prestes passaria assim à semiclandestinidade. Os comunistas montaram forte oposição a Vargas, quando eleito presidente em 1950, acusando-o de "agente do imperialismo". Voltaram atrás, na réstea da emoção criada pelo suicídio de Vargas em 1954, e defletiram sua oposição para o governo Café Filho, cuja derrubada pregaram, reafirmando as teses do "Manifesto de agosto". Com a eleição de Juscelino em 1955, Prestes e o Partido Comunista voltaram a uma situação de semilegalidade. Como já relatei alhures, um dos episódios para mim mortificantes da época foi a presença de Prestes junto a Juscelino na sacada do palácio do Catete, quando este proclamou a ruptura com o FMI em junho de 1959.

Prestes nunca conseguiu dominar o facciosismo que parece inerente ao sistema comunista, problema que Stálin resolvia com o fuzilamento dos dissidentes reais ou imaginários. As revelações de Kruschev no XX Congresso do PCUS em 1956 sobre as brutalidades psicopáticas de Stálin suscitaram profundas divisões no Brasil. A nova linha de *déténte* e coexistência pacífica foi adotada na Declaração de março de 1958, que endossava a estratégia da via pacífica na transição do sistema capitalista para o socialista. O Partido Comunista do Brasil se transformaria em Partido Comunista Brasileiro, para defletir a acusação de sovietismo. Abriu-se uma dissidência e a "linha dura" de tendência stalinista, chefiada por João Amazonas, reconstruiria em 1962 um novo Partido Comunista do Brasil, que passou a se aproximar do radicalismo maoísta. A velha doença do facciosismo continuava insanada, misturando-se episodicamente quatro tendências: a nova ortodoxia de Moscou, resíduos do stalinismo e do trotskismo, adeptos do maoísmo e do fidelcastrismo.

Prestes tinha sido eleito secretário-geral do PCB em 1943, quando ainda na prisão. Mas, em virtude de suas ausências, viagens, atitudes despóticas e acusação de intelectualismo pequeno-burguês, nunca dominou inteiramente o "aparelho". Em 1980, seria alijado do cargo.

Essa, a convoluta história do homem que eu teria de enfrentar na noite de 25 de junho de 1985.

O DEBATE
IMPERDÍVEL

Quando cheguei ao estúdio da TVE no Rio de Janeiro, na avenida Gomes Freire (próximo ao velho prédio da Polícia Central, de sinistras recordações para Prestes), já lá estava ele. Franzino, de estatura menor do que eu pensava, pele curtida de sertanejo, olhos estreitos de fanático, mas surpreendentemente ágil e articulado para os seus 87 anos. Um milagre de resistência física, consideradas as peripécias de seu passado: quatro anos na Coluna Prestes, perambulando sertões malarígenos sob fogo inimigo; três anos de exílio angustiado em países vizinhos (Bolívia, Argentina e Uruguai); quinze anos de refúgio nas inóspitas condições da vida soviética; nove anos de prisão no Rio e períodos alternados de clandestinidade, semilegalidade e ilegalidade, em função das vicissitudes do partido.

Quando ocorreu nosso debate, em 1985, Gorbatchev havia subido ao poder há três meses, após a frenética substituição de lideranças "que o chanceler alemão Helmut Schmidt chamou de "rápidos gerontocráticos" — Brejnev, Andropov e Chernenko. Não haviam sido ainda anunciadas a *perestroika* e a *glasnost*, mas Gorbatchev começava a denunciar os vícios burocráticos e o atraso tecnológico do país. Era o "pensamento novo". Nada disso parecia impressionar Prestes.

Prestes iniciou o debate expondo seu ponto de vista perante os jurados. Como era fácil prever, não ensaiou uma defesa do socialismo, preferindo atacar o capitalismo e a ditadura militar.

Era um discurso em três capítulos, uma espécie de padrão das arengas socialistas da época:
• A denúncia das injustiças sociais e da miséria brasileira;
• A fé na vitória final do socialismo;
• O elogio do modelo cubano.

Comecei minha intervenção no debate saudando-o como "senador Prestes".

— Tudo me separa do senador Prestes, porém uma coisa nos une: a firmeza de nossas convicções. Nem o senador Prestes nem eu abdicamos de nossos princípios, na busca do poder, da fama e do aplauso, ele do lado do socialismo e eu, do capitalismo. O senador Prestes teve uma coerência obstinada; e eu, como dizia meu amigo Nelson Rodrigues, sou um idiota da objetividade.

Pouco sofisticada, a argumentação de Prestes era de fácil demolição. A pobreza brasileira era real e vergonhosa, mas errônea a interpretação de suas causas. Não havia no Brasil excesso de capitalismo e sim falta de capitalismo. Com 70% da poupança em mãos do governo, ou entidades estatais, e respondendo ele por 60% dos investimentos e 50% do dispêndio global, o Brasil era um país apenas pseudo-capitalista e na realidade criptosocialista. O estado brasileiro desertara de suas funções de provedor social para se tornar um empreendedor industrial, desviando para aço, petroquímica e fabricação de computadores, recursos que deviam ir para saúde e educação básica. Essa distorcida divisão de tarefas, assim como o devastador efeito da inflação sobre as classes mais pobres, não eram características essenciais do capitalismo nem nos tinham sido impostas pelos países desenvolvidos ou pelas agências internacionais de crédito.

A teoria marxista da fatalidade da vitória socialista, era apenas uma das três grandes profecias erradas de Marx:

• A tese da *verelendung*, ou seja, a tendência do capitalismo de provocar a proletarização da sociedade. Na verdade, o contrário acontecera, com o aburguesamento do proletariado. Boa parte da capitalização das empresas nos Estados Unidos e Europa provinha da aplicação de fundos de pensão de sindicatos e mrs. Thatcher iniciara seu programa de privatização precisamente para criar o capitalismo do povo;

• A tese da explosão do capitalismo por suas contradições internas. Na década dos 80, absorvido o impacto dos choques do petróleo, estávamos assistindo ao fenômeno oposto: prosperidade nos países capitalistas e estagnação no mundo socialista. O problema daqueles era impedir os imigrantes de entrarem; o destes, impedir seus habitantes de sairem. E em todas as zonas de contraste — Alemanha Ocidental *versus* Alemanha Oriental, Coréia do Sul *versus* Coréia do Norte, Taiwan e Cingapura *versus* China continental, a superioridade do sistema capitalista de mercado na consecução de três objetivos — eficiência econômica, equidade social e liberdade política — era de um óbvio ululante;

• A tese do fenecimento do estado, depois de liquidado o conflito de classes pela ascensão do proletariado. Em realidade, nos regimes socialistas ocorrera uma absolutização do estado, em benefício do partido e da *nomenklatura*.

Quanto a Cuba, as realizações sociais eram importantes, mas o capitalismo europeu, americano e asiático havia conseguido eliminar o analfabetismo e reduzir a mortalidade infantil sem recorrer ao totalitarismo político. Além de tudo, Cuba se tinha tornado um grotesco estado-pensionista, dependente de mesadas soviéticas, pelo fornecimento de petróleo abaixo do preço mundial e compra de açúcar acima do preço. Cuba continuava a ser, após 26 anos de Revolução, uma melancólica monocultura de cana e importadora de alimentos, apesar de seu solo fértil. Como 10% da população fugiram da ilha, seria difícil considerá-lo um paraíso terrestre. Se os países socialistas tivessem a fórmula da felicidade, não teria sido construído o muro de Berlim...

O interessante na fala de Prestes não foi a ladainha acusatória e a repetição de jargões anticapitalistas, mas antes seus comentários sobre personalidades nacionais. Admitiu que os comunistas tinham cometido graves erros estratégicos por insuficiente conhecimento da realidade brasileira. Mencionou ter procurado esse conhecimento na leitura de Euclides da Cunha, Alberto Torres e Oliveira Viana. Dos sociólogos modernos citou Hélio Jaguaribe e, com cálido elogio, Florestan Fernandes, que havia identificado raízes capitalistas no Império, paralelamente ao escravagismo. Nosso protocapitalismo se antecipara assim às etapas naturais da evolução que seriam, seqüencialmente: o comunismo primitivo, o escravagismo, o feudalismo e o capitalismo, tudo culminando na vitória final do socialismo. Mencionou outrossim Fernando Henrique Cardoso e Celso Furtado, chamando este de "economista burguês com análise marxista."

Referiu-se também a Lula, elogiando sua liderança nas greves de 1978, 79 e 80, mas criticando seu envolvimento posterior na "politicagem". Achava que Lula se estava afinal convencendo de que o problema operário não se resolveria com "mudanças" salariais, exigindo antes uma mudança na "formação sócio-econômica" do país: "não basta aumentar salários; é preciso mudar o regime", repetia Prestes.

Dos sete jurados chamados a opinar sobre o debate, quatro se manifestaram a favor do capitalismo e três do socialismo. Contei com dois aliados importantes: Paulo Guedes e Paulo Rabello de Castro, economistas treinados na escola de Chicago da economia liberal.

Houve grande repercussão na imprensa e o jornalista Villas-Bôas Corrêa chamou o espetáculo de "imperdível".

No curso do debate, confirmou-se o que eu depreendera da estória de Prestes. Não era de se impressionar exageradamente com os fatos; se eles não conformassem a sua teoria, tanto pior para os fatos. Havia em sua atitude uma certa frieza dogmática e uma espécie de rejeição automática das condições circunstantes. Ao contrário de vários de seus camaradas comunistas, que se desiludiram ao ponto do desespero com as depravações do sistema reveladas no estupro da Hungria em 1956, na repressão à Primavera de Praga, em 1968, nas estórias do grande terror de Stálin, Prestes parecia tudo absorver como se fossem acidentes secundários na marcha para o socialismo. Mudava segundo a música de Moscou, mas não acreditava em novas coreografias. Tive a impressão de que se aferrava aos velhos textos, sem se impressionar com os sofisticados revisionismos do "marxismo de cultura" do herege Lukács, o marxismo historicista de Antonio Gramsci, ou as elocubrações filosóficas da escola de Frankfurt.

Depois de nos despedirmos não voltei a me encontrar com Prestes. Ele morreria cinco anos depois, em 1990, a tempo de assistir ao colapso do socialismo simbolizado pela queda do Muro de Berlim, em novembro de 1989. Mas suspeito que sequer esse desfecho melancólico do mais sangrento experimento social de todos os tempos teria extirpado sua admiração por Stálin, o carniceiro georgiano.

Com a recente abertura política da *glasnost*, tornaram-se disponíveis alguns documentos secretos do Arquivo Histórico de Moscou, inclusive os telegramas trocados entre o Komintern e os aparelhos comunistas na América Latina. Eles são examinados no já citado livro de William Waack, *Camaradas — Nos arquivos de Moscou*.

O perfil de Prestes que deles emerge não é atraente nem caridoso. Ao contrário do que Prestes afirmara, a Intentona de 1935 não foi uma rebelião nacional, sem responsabilidade de Moscou. Foi planejada e orientada, ainda que incompetentemente, pelo Komintern, que despachou vários agentes para o Brasil: os alemães Artur Ewert, experimentado *apparatchik*, Johnny de Graaf, perito em sabotagem e explosivos, Pavel Stuchevski, o soviético encarregado das finanças, e Rodolfo Ghioldi, o líder comunista argentino.[460]

Essas pesquisas esclarecem também o famoso caso do "ouro de Moscou". Prestes recebeu realmente de Oswaldo Aranha oitocentos contos de réis (cerca de 80 mil dólares) para compra de armas para a Revolução de 30. Embolsou o dinheiro, reservando-o para a "sua revolução" e não para a "luta entre oligarquias", que é a interpretação que dava ao movimeuto getulista da Aliança Liberal. Ao chegar a Moscou em 1931, entregou parte desse dinheiro ao Komintern, comprando por assim dizer seu passe no partido. Ao regressar ao Brasil para deflagrar a rebelião de 1935, Prestes se tornou um assalariado do Komintern, recebendo assim de volta bizarramente o seu próprio dinheiro, utilizado também para outras despesas da conspiração. O dinheiro que Vargas havia dado para chegar ao poder acabou sendo usado para derrubá-lo do poder.

As acusações que seus rivais do partido faziam a Prestes com o fracasso da Intentona de 1935 provaram-se verdadeiras. Prestes sobreestimava sua capacidade de

---

[460] O protocolo n.º 15 da sessão de 27 de novembro de 1935 do secretariado político do Komintern, passado por telegrama ao Brasil, tinha o seguinte teor: "Questão de ação (o levante) geral decidam vocês mesmos quando acharem necessário. Assegurem apoio à ação do Exército pelo movimento operário e camponês. Tomem todas as medidas contra a prisão de Prestes. Enviamos 25.000 pelo telégrafo. Mantenham-nos informados do curso dos acontecimentos". O original do protocolo em francês e russo (no texto russo existe uma frase não transmitida: "de Prestes depende o sucesso") foi assinado por pessoas de oito nacionalidades, atestando o caráter realmente internacional do Komintern: o italiano Palmiro Togliatti, o russo Dimitri Manuilski, o chinês Van Minh, o tcheco Clement Gottwald, os alemães Wilhelm Pieck e Wilhelm Florin, o finlandês Otto Kuusinen, e o francês André Marty. Ver William Waack, op. cit., p. 324.

mobilizar a seu favor o descontentamento militar e subestimava a necessidade de mobilização de massa.

De tudo isso emerge que Bertolt Brecht tinha razão: "Quem luta pelo comunismo tem de todas as virtudes apenas uma: a de lutar pelo comunismo".

A ELEIÇÃO DE
TANCREDO NEVES

A eleição de Tancredo Neves em janeiro de 1985 marcava o fim do ciclo militar. A revolução de 1964 chegara a seu desenlace algo melancólico.

Recolocava-se agudamente o problema da legitimidade. Na fase das grandes reformas do governo Castello Branco havia uma espécie de "legitimação negativa", para usar uma expressão de Samuel Huntington. A abulia administrativa, a desordem econômica, o radicalismo retórico das reformas inconseqüentes tipificavam falhas funcionais do sistema democrático vigente. Isso e mais a ameaça de subversão de esquerda justificavam um autoritarismo de transição.

No período do milagre brasileiro, o sucesso desenvolvimentista representou uma espécie de "legitimação pela eficácia". Com o impacto das crises do petróleo e do endividamento externo, a subida da inflação e a desaceleração do crescimento deflagraram-se, em maré montante, reclamos de legitimidade formal. A revolução não fora um "projeto" e sim um "processo", que evoluiu não só em função das condições nacionais, mas das internacionais: guerra fria, choques de petróleo e crise da dívida externa.

Podem-se distinguir nitidamente quatro fases:
• A fase da reconstrução da economia e do aparelho do estado (1964-67);
• A fase de endurecimento político e euforia desenvolvimentista (1968-73);
• A fase de ajuste às crises de petróleo, com expansão do setor estatal e ênfase sobre a substituição de importações (1974-80);
• A fase de esgotamento do modelo e transição para a democracia (1980-85).[461]

---

[461] O general Octávio Costa propõe uma interessante classificação das várias matizes de pensamento e comportamento dos militares brasileiros. No início da República, foi marcante a presença militar com o marechal Deodoro da Fonseca e com Floriano Peixoto. Anos depois, surgiria uma nova onda de ativismo militar através do movimento denominado "tenentismo". Criou-se uma espécie de clivagem entre os "tenentes instruídos e esclarecidos" e os "oficiais superiores menos atualizados, tarimbeiros". No relacionamento dos militares com a classe política surgiram ao longo do tempo três tendências que extravasavam do tradicional profissionalismo. Uma era o *pretorianismo*, ou seja, a tentação de intervir na vida política arrogando-se os militares um papel de "guias da nação". Essa caracterização é aplicável ao tenentismo e ao movimento da Coluna Prestes. Após 1930, com Getúlio Vargas, mestre na arte da cooptação, teria surgido o cesarismo. Até 1945, as Forças Armadas ficaram, por assim dizer, a serviço do César, havendo depois uma recrudescência do *pretorianismo*. Deste foram manifestações a queda de Getúlio em 1954, por veto militar e, subseqüentemente, em 1961, a imposição do parlamentarismo como condicionante da posse de João Goulart. A fase final seria a do *militarismo*, ou seja, o exercício direto do poder pelos militares. Disso foi exemplo o vintênio 1964-84, que constituiu o chamado "ciclo militar". Releva notar que Castello Branco fugia às classificações acima.

É fácil identificar os principais erros do período revolucionário: 1) Exagerada repressão política, particularmente no período 1968-73; 2) Ajuste inadequado às duas crises de petróleo, com excessivo endividamento e expansão de empresas estatais; 3) Política de autonomia informática; 4) Insuficiente esforço de educação básica, com desperdício no ensino superior gratuito; 5) Desatenção ao problema do planejamento familiar (a população quase dobrou entre 1964 e os dias atuais) e, após 1967, descaso pelo Estatuto da Terra; 6) Aceleração da inflação, sobretudo após o segundo choque do petróleo e a crise da dívida; 7) Dirigismo governamental, de sorte que a liberalização política (ao contrário do que aconteceu no Chile, Coréia do Sul e Taiwan) não foi precedida, nem acompanhada, pela liberalização econômica.

Da combinação dos fatores 4), 5) e 6) resultou que o espetacular crescimento econômico do período — o Brasil passou do 43º lugar em dimensão do PIB para o 8º lugar no mundo não-socialista — não foi acompanhado por melhorias substanciais na distribuição da renda. Entre 1964 e 1980, cresceu a renda média em todos os quartis, mas também se ampliaram as desigualdades. No período 1980-84, declinou a renda *per capita* e, com a aceleração do processo inflacionário, deteriorou-se gravemente o perfil da distribuição.

O que não se poderia prever à época é que a redemocratização, encarada como fórmula salvacionista, viria a trazer resultados desapontadores, particularmente numa fase de evolução favorável da economia mundial. O país experimentou entre 1985 e 1993 prolongados períodos de estagnação e alargamento da área de pobreza em virtude do clima desfavorável de investimento e da dramática aceleração do processo inflacionário.

Em 1983 surgira a emenda das "Diretas já", que visava à aceleração da transição democrática. A mobilização popular em torno do tema, transformada depois em apoio a Tancredo nas eleições indiretas, foi para mim de surpreendente intensidade. Era o primeiro movimento popular depois da campanha da anistia em 1979.

Tancredo parecia legitimado por aclamação, o que facilitaria sua tarefa de governança. Maluf, executivo mais vigoroso e mais devoto da economia de mercado, talvez fosse obrigado, paradoxalmente, a maiores concessões populistas para se legitimar em face da feroz oposição das esquerdas. Era fácil alcunhá-lo de ligações com o regime militar, conquanto fosse ele o único candidato que repetidamente desafiara o sistema militar, primeiro para a governança de São Paulo e, depois, como candidato presidencial. Na realidade, a contribuição de Maluf à redemocratização do país foi subestimada. Se o PDS cerrasse fileiras em torno de Andreazza, sem o desafio malufista na convenção, talvez não se tivesse viabilizado a candidatura civil de Tancredo.

Interpretava a sua ascensão ao poder, em 1964, como uma cirurgia temporária a ser seguida por um governo civil. Sua característica fundamental era o *profissionalismo*. Ver Octávio Costa, depoimento na coletânea *Visões do golpe*, Dumará Distribuidora de Publicações, 1974, p. 74-75.

Ao longo da campanha, Tancredo se revelou um prestigitador retórico para agradar sua heterogênea coalizão. No fundo, a solução por via das eleições indiretas era a que mais lhe convinha e há quem diga que por trás dos bastidores legislativos contribuiu para a derrota da emenda Dante de Oliveira. Em eleições diretas seriam maiores as chances de Ulysses Guimarães ou mesmo de Brizola. Basicamente conservador, seja em termos políticos seja financeiros, Tancredo fazia acenos ao populismo de esquerda. O cansaço popular contra o decrépito regime militar dispensava a apresentação de plataformas alternativas específicas. Duas coisas me irritavam no discurso de Tancredo: o apoio à política de informática e a dramatização demagógica do problema da dívida externa.

— Não se pode pagar a dívida com o sangue do povo — repetia ele — refrão que depois passaria a fazer parte de nossa cultura do calote.

— Tancredo tem razão — respondi no programa *Crítica e Autocrítica* da TV Bandeirantes. Dívida se paga com exportação. Sangue do povo pode dar hepatite, coisa que os credores certamente não desejam.

Não voltei a entreter-me com Tancredo senão quando, após a eleição, visitou o Senado Federal. Abraçou-me afetuosamente dizendo que gostaria de meus conselhos e que voltaríamos a conversar. Imaginei que se tratasse de mera cordialidade formal. Logo após partiu para sua visita ao exterior, e pouco depois do regresso ficou enfermo. Só o vi rapidamente em visita ao Hospital de Base, em Brasília, após a primeira cirurgia, quando havia perspectiva de convalescença, depois transformada num cruel calvário. Nessa ocasião, recebi um telefonema de Olavo Setúbal, já então designado ministro das Relações Exteriores. Almoçamos juntos. Disse-me ele que Tancredo lhe recomendara especificamente que me procurasse para ouvir opiniões sobre política externa e mais particularmente sobre alternativas de política econômica.

Impressionou-me bem o discurso inaugural de Tancredo (que acabou sendo pronunciado por Sarney), cuja parte econômica fora preparada por Francisco Dornelles, proprietário de uma visão realista dos constrangimentos fiscais do país. O refrão "é proibido gastar" era receita simples e corajosa. Lembro-me de ter dito a Dornelles que na tradição brasileira a proibição de gastar se transforma usualmente em mera "proibição de pagar", o que explica a contínua degradação do crédito público.

Se sobrevivesse, Tancredo teria iniciado seu governo com várias inconsistências econômicas. A primeira contradição foi comprometer-se, como elemento de barganha na complexa coalizão política que o levou ao poder, com a criação de seis novos ministérios: Ciência e Tecnologia, Reforma Agrária, Cultura, Meio Ambiente, Administração, Habitação e Desenvolvimento Urbano. Mau começo, se a filosofia era "não gastar"...

Para o da Ciência e Tecnologia foi designado Renato Archer, que depois se tornaria um dos paladinos da "informática é nossa". Fora originalmente cogitado para a presidência da Nuclebrás, mas seu protetor Ulysses Guimarães queria vê-lo no ministério do Exterior, o que seria o triunfo do nacionalismo terceiromundista. Para essa pasta, que não era a preferida pelo grupo paulista, foi deslocado Olavo Setúbal, em vista do preconceito contra banqueiros e do interesse de Tancredo em ter um controle estrito das finanças, através de seu sobrinho, Francisco Dornelles. O ministério de Reforma Agrária fora uma acomodação com a ala esquerda da Igreja Católica e com os sindicalistas rurais. Os demais ministérios facilitariam a composição política dentro da coalizão pan-ideológica. Tancredo, como o fizera antes San Tiago Dantas, sobrestimava a real força das esquerdas.

A segunda contradição foi a designação de João Sayad, secretário da Fazenda de São Paulo, para secretário de Planejamento. Era previsível um confronto entre a heterodoxia de Sayad e o conservadorismo econômico de Dornelles. Aquele era expansionista e este contracionista, reproduzindo-se a tensão que no passado ocorrera entre os ministros da Fazenda (Lafer e Lucas Lopes) e os presidentes do Banco do Brasil (Jafet e Sebastião Paes de Almeida), a que anteriormente me referi.

Conhecia pouco Sayad. Mas havia me assustado quando me visitou no Senado, ainda secretário de Planejamento de São Paulo, para pedir a aprovação de um crédito externo para o estado. Conversamos um pouco sobre economia. Desenvolveu uma tese estranha: — Com a invenção da correção monetária generalizada — disse-me ele — o Brasil pode conviver confortavelmente com a inflação. O que interessa é a variação mensal da correção monetária e não o nível absoluto da inflação. Mas o que é realmente importante é o crescimento. E o déficit público é motivo de preocupação exagerada. Se direcionado para investimentos, aumenta a receita e se torna autocorrigível.

Mesmo sendo, com o professor Bulhões, um dos co-autores da correção monetária, essa *nonchalance* me parecia desvairada. A indexação atenua as distorções da economia, mas não as elimina. Fora adotada em 1964 como uma *second best solution*, ante a inevitabilidade do gradualismo na época, conforme Bulhões e eu explicamos na mensagem enviada ao Congresso em julho de 1964, visando à criação das ORTNs. Não como solução permanente. Minha convicção sempre foi firme sobre três coisas, que pareciam estranhas ao universo mental de Sayad. Primeiro, que afora os choques externos, a principal causa da inflação é o déficit global do setor público. Segundo, que, no longo prazo, a inflação é incompatível com o desenvolvimento. As possibilidades de "crescinflação" tinham há muito desaparecido. Terceiro, que era hipocrisia idiota das esquerdas brasileiras falarem na dívida social e na redistribuição de renda, sem priorizar o combate à inflação. Esta é a primeira e mais cruel inimiga da boa distribuição de renda.

O PLANO CRUZADO E A
MIXÓRDIA HETERODOXA

Os economistas da oposição se tinham dedicado, durante o regime militar, ao esporte da crítica sem oferta de alternativas. Sentiam o poder ao alcance das mãos e o desejavam ardentemente, mas se dividiam em várias escolas, unidas apenas em duas coisas: no ataque à suposta ortodoxia monetarista e no entusiasmo pela "trilogia mudancista" (para usar expressão de Lourdes Sola): crescimento, estabilização e reparação da dívida social. Apesar das diferenças entre os tipos de transição no Brasil e na Argentina — aqui uma distensão do regime autoritário e lá o seu colapso — a linguagem dos economistas era surpreendentemente semelhante. Aqui e lá se falava no pacto antiautoritário, com essencialmente três componentes: "políticas alternativas (heterodoxas) de estabilização", "retomada do crescimento" (na Argentina, "reconstrução econômica") e "pagamento da dívida social acumulada ao logo dos anos de autoritarismo" ("reparação social", na verbiagem argentina).[462]

As chamadas "alternativas heterodoxas", se filiavam, como nota Fernando Holanda Barbosa, a três principais matrizes ideológicas:

• A estruturalista;
• A do conflito distributivo;
• A da inflação inercial[463]

Havia, no começo da Nova República, pelo menos quatro enfoques, que eu costumava chamar de "mixórdia heterodoxa".

A dupla Larida (André Lara Rezende e Pérsio Arida) acentuava o componente inercial da inflação. A solução seria a indexação geral da economia na velha moeda e sua desindexação completa — preços, salários e ativos financeiros — na nova moeda a ser criada. Eliminar-se-ia assim o coeficiente de propagação inflacionária. A reforma monetária seria apenas um instrumento de estabilização de preços, sem vinculação com objetivos e instrumentos de redistribuição de renda. Uma versão diferente do inercialismo era a de Francisco Lopes, que, em parecença com o Plano Austral argentino, para o qual dera sugestões, advogava o congelamento de preços, para extinção da memória inflacionária. Assim, enquanto o Plano Larida se con-

---

[462] Ver Lourdes Sola, *O estado da transição*, São Paulo, Vértice, 1988, p. 14.

[463] Ver Fernando Holanda Barbosa, 'Inflação e cidadania', ensaio publicado na coletânea *Na corda bamba*, Rio de Janeiro, Relume Dumará, 1993, p. 34.

centrava no cerceamento da propagação do empuxo inflacionário, Lopes visava a extirpar a memória inflacionária. Em ambos os casos, se partia de alguns pressupostos: estabilidade da taxa de câmbio, equilíbrio fiscal e ausência de choques negativos de oferta (fracasso agrícola, por exemplo).

O grupo da Unicamp — Maria da Conceição Tavares e Luiz Gonzaga Belluzzo — via no conflito distributivo a principal causa da inflação, ao qual se somavam o desarranjo financeiro pela dívida externa (que exigia transferência ao exterior de 5% do PIB) e o impacto da dívida interna (sujeita à correção monetária) sobre o déficit público.

Na visão de Celso Furtado, a solução para o problema inflacionário e da retomada do crescimento estaria na redução da dívida externa, no alongamento dos prazos da dívida interna e na instituição de impostos sobre a especulação financeira e as grandes fortunas.

Com um ecletismo que também revelava astúcia política, Tancredo acedera à sugestão dos senadores do PMDB, Fernando Henrique Cardoso e Afonso Camargo, e do deputado Fernando Lyra, para a formação da COPAG — Comissão para o Plano de governo — integrado por um grupo heterogêneo formado por três economistas do PMDB — José Serra, secretário de Planejamento do governo de São Paulo, Luciano Coutinho e Celso Furtado — aos quais se juntaram alguns nomes da Frente Liberal — Sérgio Quintela, Hélio Beltrão (ex-ministro do Planejamento), Sérgio de Freitas e Sebastião Marcos Vidal. José Serra seria o coordenador, e Sebastião Vidal, da equipe de Dornelles, foi designado secretário da Comissão.[464]

Os objetivos fixados pela COPAG pareciam voltados mais para a retomada do crescimento do que para o esforço de estabilização: redução imediata da taxa de

---

[464] Ver Carlos Alberto Sardenberg, *Aventura e agonia: nos bastidores do cruzado*, São Paulo, Cia. das Letras, 1987, p. 76-77. Sebastião Vidal, que se tornou secretário geral de Dornelles no ministério da Fazenda, acabou demitindo-se em agosto de 1985, quando, como ministro-interino, criticou, num encontro confidencial com banqueiros o otimismo desenvolvimentista de Sayad, com seu "Programa de Metas" baseado em estimativas líricas de disponibilidades orçamentárias. Nada mais perigoso, na tecnocracia brasileira, que ser realista em tempos de intoxicação desenvolvimentista. Um segundo exemplo foi o do diplomata Oscar Lorenzo Fernandes que, em fins de 1979, como coordenador internacional do ministro da Fazenda, Karlos Rischbieter, preparou um memorando de advertência aconselhando medidas cambiais restritivas, em virtude da crise de divisas que adviria do nosso crescente endividamento externo, após a segunda crise de petróleo, agravada pela política de juros altos iniciada pelo Federal Reserve Board. O memorando realista acabou enfraquecendo a posição do ministro Rischbieter e de seu coordenador internacional, pois o gesto foi interpretado como uma confrontação com Delfim Netto, ministro do Planejamento, que acabara de lançar o *slogan* "O Brasil não pode parar de crescer". Um terceiro exemplo foi o de Augusto Jefferson de Lemos, assessor de Mário Henrique Simonsen no ministério da Fazenda, que acabou demitido em 1975, por declarar a jornalistas *off the record* que, em virtude da crise de petróleo, as previsões otimistas do ministro Reis Velloso no II PND pareciam-se mais com a "segunda piada nacional bruta".

juros interna; diminuição dos pagamentos por conta da dívida externa, e "recuperação da autonomia da política externa", eufemismo que ocultava uma intenção revisionista das relações com o FMI.

A falta de coesão doutrinária entre os economistas da oposição facilitou a Tancredo a designação de Dornelles, seu sobrinho e homem de confiança, para o ministério da Fazenda. Era um excelente fiscalista e profundo conhecedor da máquina do Tesouro, útil vacina contra lirismos acadêmicos dos cultores da heterodoxia. A expectativa na época era que Serra, o coordenador da COPAG, que transitara da esquerda para uma posição mais centrista, e era filiado ao PMDB, fosse nomeado para o cargo.

Um dos maiores desastres da política econômica na fase de transição foi o abandono do acordo sobre a dívida externa, negociado nos últimos meses do governo Figueiredo pelo então presidente do Banco Central, Afonso Celso Pastore.

Havia uma pressão insensata das esquerdas, repelida por Tancredo, de ruptura com o FMI, repetindo-se a patriotada de Juscelino que nos levou à bancarrota em 1960/61. O acordo Pastore, conquanto não ideal, pois o Brasil, descumpridor sistemático de suas cartas de intenção para com o FMI, carecia de confiabilidade negocial, encerrava algumas claras vantagens:

• Reduzia o *spread* de 2% para 1,125% ao ano;

• Fixava a *Libor*, do mercado de Londres, como taxa de referência, mais favorável que a *prime rate* americana.

A análise da COPAG reconhecia essas vantagens, mas exagerava as desvantagens. Falava na "imposição de sacrifícios externos para gerar renda a ser transferida ao exterior". Era comum na literatura oposicionista da época um viés antiexportador, como se a exportação representasse um sacrifício detrimentoso para o mercado interno e uma restrição ao desenvolvimento sustentado, tese de sobejo desmentida pelo surto de crescimento dos tigres asiáticos, que na época começava a se desenhar.

Tancredo estava consciente da oposição das esquerdas ao acordo, mas de outro lado, via com bom grado a folga cambial que dele adviria pela preservação de linhas de crédito comercial nos primeiros meses do governo. Estimulou Delfim e Pastore a prosseguir nas negociações e autorizou Dornelles a declarar a Jacques de Larosière, o diretor executivo do FMI, que não teria objeções à conclusão do acordo. O FMI, entretanto, escarmentado pela inconfiabilidade do comportamento passado brasileiro, preferia ter um compromisso formal do novo governo e decidiu esperar pela Nova República. Em sua passagem por Washington como presidente eleito, o governo americano sugeriu a Tancredo, como fórmula conciliatória, uma declaração formal de apoio ao acordo, posição que este hesitou em assumir, com receio de repercussões políticas negativas. Autorizou entretanto Dornelles a procurar de Larosière em Paris para informalmente assegurar-lhe que "não tinha objeções a que o acordo fosse assinado pelo atual governo", declaração inadequada para embasar as decisões de um órgão colegiado como o FMI.

O governo Sarney se iniciou assim num clima de indefinição sobre as relações com o sistema financeiro internacional. E, desprovido da legitimidade aclamatória que cercara Tancredo, Sarney sentia-se débil para enfrentar o clima de hostilidade ao FMI e aos "acordos do governo militar". A essa altura, ainda era parte do folclore político brasileiro associar acordos internacionais de estabilização a restrições à soberania!

Depois de se decidir a escolher Dornelles para a Fazenda, Tancredo, já doente, se preocupou em manter pontes com os "economistas da oposição". Além de Sayad, que ficaria no planejamento, foram sondados para o Banco Central Fernão Bracher e Lara Rezende (este apoiado por Mário Simonsen). Uma hipótese logo descartada, por ter sido considerada por Fernando Henrique Cardoso, então porta-voz do PMDB, "brincadeira ou provocação", foi a permanência de Afonso Pastore no Banco Central. Excelente economista e respeitado no exterior por sua experiência negocial, Pastore teria sido elemento ideal para operacionalizar a transição.[465]

Dornelles ficou assim liberado para escolher sua equipe. A diretoria do Banco Central no curto período em que ficou no governo Sarney foi das melhores e mais homogêneas que essa organização já teve: Antonio Carlos Lemgruber como presidente, José Júlio Senna como diretor da Dívida Pública, Alberto Furuguem, como diretor da área bancária e Roberto Castello Branco, encarregado do mercado de capitais. Essa equipe não acreditava nas originalidades heterodoxas, que mais tarde custariam ao Brasil anos de desordem econômica e estagnação. Não fazia o erro vulgar e popular de confundir "crise de estabilização" com "política de recessão". O diagnóstico apontava o déficit público como causa da inflação; a receita seria conter a expansão monetária por uma combinação de instrumentos monetários e fiscais, aqueles úteis no curto prazo, estes indispensáveis no médio e longo prazo.[466]

---

[465] Uma boa descrição das peripécias da formação do gabinete Tancredo-Sarney encontra-se em Carlos Alberto Sardenberg, op. cit., p. 88-89.

[466] O grupo do BACEN, que perfilhava a ideologia liberal, era o equivalente brasileiro dos *Chicago boys* que modernizaram a economia chilena. Passaram a ser depreciativamente descritos pelos heterodoxos da UNICAMP e da PUC como *monetaristas*. A tragédia do monetarismo no Brasil é ser vituperado sem ter sido praticado. Ou antes, foi raramente praticado, e por curtos períodos. Nesses, provou-se eficaz. Assim, a política de Joaquim Murtinho, sob Campos Salles, teve êxito, preparando o terreno para a prosperidade do período Rodrigues Alves. A maioria, entretanto, dos ministros da Fazenda que lhe sucederam na Primeira República, não tinham doutrina firme. Tocavam a música de ouvido, por assim dizer. O monetarismo reapareceu fugazmente com o ministro Eugênio Gudin, com resultados favoráveis e rápidos. Novo e longo intervalo de orientação instintiva, sem firme doutrina, até que surgisse no governo Castello Branco o professor Octávio Bulhões, monetarista convicto, que conseguiu também dar um tranco na inflação, através de uma drástica redução na taxa de expansão nos meios de pagamento, que caiu de 70 para 16%, entre 1965 e 1966. A partir de então, é difícil falar-se em monetarismo. As figuras dominantes — Mário Henrique Simonsen e Delfim Netto — praticaram ambos uma política eclética, aquele aproximando-se

Nessa visão, com uma inflação que então atingia entre 8 a 10% ao mês (bons tempos!) seria ilusório pensar em desenvolvimento sustentado. O combate à inflação era prioritário; efeitos colaterais recessivos deveriam ser minimizados, sem entretanto cair-se na tradição brasileira do *stop-go.* A terapêutica era convencional — corte imediato nas despesas públicas, começando-se por uma redução brusca de 10% nos gastos, até que se reestruturasse o sistema fiscal; financiamento do déficit pela emissão de títulos e não de moeda, mesmo à custa de uma elevação da taxa de juros, no curto prazo; transparência nas contas públicas pela publicação de balancetes mensais de receita e despesas do Tesouro. Em matéria de comércio exterior, manter-se-ia uma orientação exportadora e a atitude em relação à dívida externa enfatizaria a negociação, antes que o confrontacionismo.

Eu discordava da equipe em apenas alguns pontos. Achava que devíamos fazer um esforço de alongamento voluntário da dívida interna, através de um esquema de incentivos à transformação de títulos de curto prazo em obrigações de longo prazo, estimuladas estas por juros mais favoráveis, pela garantia de liberação desses títulos para pagamento de impostos, à opção do credor, e pela utilização eventual dos títulos para compra de patrimônio público. Afinal de contas, se os credores externos, para os quais seriam descabidos apelos patrióticos, tinham consentido no alongamento e mesmo redução da dívida, algo poderia e deveria ser feito, desde que de forma não confiscatória, em relação aos brasileiros detentores internos de títulos do Tesouro. Apresentei informalmente aos rapazes do Banco Central — chamados depreciativamente, pelos heterodoxos, de "Dornelles boys" — um projeto de lei de autoria de Jorge de Mello Flores, que operacionalizaria essa mecânica de alongamento voluntário. A acolhida foi fria. Acreditavam eles, não sem alguma razão, que qualquer menção a alongamento negociado assustaria o mercado e que, com uma puxada temporária dos juros, se conseguiria assegurar cobertura do déficit sem emissão de moeda.

A segunda divergência se referia ao congelamento temporário de preços e tarifas. Isso contrariava a doutrina das três verdades, que eu sempre defendera no governo Castello Branco: a verdade fiscal, a verdade cambial, e a verdade tarifária. Dornelles forneceu-me uma justificativa válida para uma ação de curto prazo: as empresas estatais se tinham tornado mecânicas repassadoras de custo, sendo necessário cobrar-lhes um esforço de produtividade. A Petrobrás, em particular,

---

mais de convicções monetaristas e este cedendo mais a pressões dos estruturalistas. Isso talvez explique por que Simonsen teve mais êxito que Delfim em moderar a inflação. Ambos, obviamente, atribuíam à expansão monetária função causal importante no processo inflacionário. A moeda conta. Mas nunca tiveram pela economia de mercado o respeito que ela merece, e nunca recuaram ante intervenções destinadas, supostamente, a *corrigir* ou *orientar* o mercado. Nenhum dos dois acreditava no controle de preços e nenhum dos dois deixou de praticá-lo.

pleiteava robustos aumentos de preços num momento em que seus custos estavam sendo reduzidos pela queda dos preços internacionais e da taxa de juros. Dornelles reconhecia que o represamento tarifário tinha efeito ambivalente: no curtíssimo prazo permite ganhar pontos favoráveis no índice da inflação, mas no médio e longo prazo agrava o déficit público e/ou reduz a capacidade de investimento na infraestrutura. Mas insistia na necessidade de um choque didático sobre os dirigentes de estatais.[467]

---

[467] Um desacordo de menor significação se referiu à decisão da equipe econômica de alterar as fórmulas de cálculo da correção monetária e das desvalorizações cambiais, estendendo-se a memória inflacionária de um para três meses, através de uma média geométrica da inflação nos três meses anteriores. O propósito era diminuir a imprevisibilidade do mercado. O resultado foi uma desconfiança dos agentes econômicos de que se tratava de um artifício para amortecer a aceleração da inflação. Ver Eduardo Modiano, 'A ópera dos três cruzados', na coletânea *A ordem do progresso*, Rio de Janeiro, Campus, 1990, p. 352.

REALISTAS VERSUS
DESENVOLVIMENTISTAS

Começou cedo a clivagem, dentro do governo Sarney, entre a ala monetarista, que eu preferia denominar "realista", e a ala "desenvolvimentista", representada pelo grupo paulista de João Sayad e por Dilson Funaro. Este último tinha sido nomeado para o BNDES, para minha surpresa, pois o fato de ser devedor da instituição o desqualificava, a meu ver, para a tarefa. Era um caso de conflito de interesses.

Sayad procurou, sem êxito, atrair para o governo alguns proponentes de fórmulas heterodoxas como Chico Lopes (que advogava indexação e congelamento) e a dupla Larida (André Lara Rezende e Pérsio Arida). Esta, como já foi dito, advogava uma reforma do padrão monetário, precedida de uma indexação homogeneizadora na moeda antiga — uma espécie de hiperinflação preventiva — a ser seguida por completa desindexação. Mas não perfilhava a tese do congelamento de preços. A dupla Larida, entretanto, não via sentido em ingressar no governo senão em posição de comando da política monetária e fiscal. Apenas Edmar Bacha foi atraído para o governo na posição de presidente do IBGE, palco inadequado para dar curso à sua visão macroeconômica. Sayad não escondia sua aversão às políticas monetaristas. Impressionava Sarney com *slogans* irônicos — "Base monetária é coisa que só assusta economistas". E menosprezava o problema do déficit fiscal, alegando que sua magnitude era comparável ao dos déficits americano e francês e inferior aos déficits belgas e italianos. Era uma confusão fatal, que por muito tempo persistiu, entre dois conceitos diferentes: o déficit operacional, que não media as reais necessidades de financiamento do setor público, por não incluir a correção monetária e cambial da dívida, e o déficit nominal, que abrange os encargos totais. Apenas este último era válido para comparações internacionais, e, assim medido, o déficit brasileiro era escandalosamente alto. Inseguro ante essas teorias conflitantes, Sarney promoveu uma reunião de economistas de várias tendências no sítio do Pericumã, na vã tentativa de obter sugestões de consenso. Fiz um discurso no Senado em defesa do programa de Dornelles e, abandonando minha praxe de discreto afastamento, procurei Sarney para dizer-lhe que reuniões de economistas produzem mais calor que iluminação. Em vez de uma sinfonia, ouviria uma cacofonia. Tinha que fazer uma opção, e essa opção só poderia ser pela austeridade fiscal. O desenvolvimentismo e, portanto, a popularidade, tinham que esperar.

Abrindo-se na intimidade, Sarney confidenciou-me que se sentia um presidente fraco. Sua legitimidade era questionada por ter passado rapidamente, pela circunstância da morte de Tancredo, de ex-presidente do partido da situação à chefia do governo formado pela oposição. Confidenciou a outros que se configurava uma "terceira regência." A primeira fora a do Regente Feijó, na minoridade de Pedro II; uma outra, a de Afrânio de Mello Franco, em vista da insanidade de Delfim Moreira; a terceira, a de Ulysses Guimarães, em vista da hegemonia do PMDB. Tancredo lhe deixara um ministério escolhido, porém nenhum roteiro, a não ser o discurso de posse. As nomeações para o segundo e terceiro escalões eram dificultadas pelo surgimento contínuo de pretendentes que alegavam "compromissos eleitorais" de Tancredo durante a formação da complexa coalizão que o elegeu. Em certos casos, as anotações de dona Antônia, a secretária de confiança de Tancredo, eram o elemento de desempate. Receava o surgimento de conflitos agrários em larga escala, pois Tancredo se comprometera, além do prudente, com elementos radicais, quer da esquerda política, quer da esquerda católica. Respondi-lhe que na minha visão, ele era, paradoxalmente, um presidente forte sob aparência de fraqueza. Ninguém quereria provocar uma crise institucional no início do processo de democratização. Podia-se brandir o perigo do retorno dos militares como fator de dissuasão de qualquer tentativa de sabotagem parlamentar.

No plano econômico, a austeridade fiscal e monetária podia ser justificada ao público de duas maneiras. Primeiro, pelo costumeiro expediente de imputação de culpa da crise aos erros acumulados nos governos anteriores, tese de fácil aceitação em virtude do cansaço com os vinte anos de militarização do regime. Segundo, pelo cumprimento fiel do evangelho de Tancredo, àquela altura beatificado pela opinião pública: "É proibido gastar".

Senti que Sarney estava possuído da mesma síndrome que afligira o presidente Figueiredo em sua fase inicial. Figueiredo sentia-se o menos legítimo dos governantes militares, pela exaustão do fervor revolucionário e pela estreiteza do mecanismo de escolha: saíra, por assim dizer, do bolso do colete de Geisel. A solução seria buscar alguma legitimação pela popularidade. No plano político, pela aceleração da abertura. No plano econômico, por um aceno desenvolvimentista. A substituição em 1979 de Simonsen, que recomendara aperto do cinto, por Delfim, que exsudava otimismo expansionista, vinha a calhar. O *slogan* "O Brasil não pode parar de crescer" tinha atrativo irresistível. Deixei o palácio do Planalto com a impressão de que Sarney não escaparia à mesma síndrome. Acabaria inebriado pela sirene da cura mágica e indolor da inflação, através da realização simultânea da trilogia reformista: "estabilidade, retomada do crescimento e pagamento da dívida social".

Sarney tinha respeito pela competência técnica de Dornelles, mas seu instinto político o levava na direção do otimismo de Sayad.

Os heterodoxos obviamente não aceitaram mansamente sua temporária derrota. Começaram a agir em duas frentes. No *front* político, procuraram, através dos contatos de Sayad com o PMDB, minar a credibilidade da equipe da Fazenda. Era fácil seduzir Ulysses Guimarães, que tinha uma singular alergia ao reconhecimento de constrangimentos econômicos, com a idéia de que existiam alternativas suaves de conciliação dos objetivos de desinflação e retomada de crescimento. No plano técnico, o ataque procedia de duas formas. Uma era o questionamento da política de juros, que se declarava asfixiante para a iniciativa privada, tese agradável à classe empresarial.[468] Outra era superdimensionar o problema da dívida externa, numa atitude de obstrução ao acerto com os banqueiros e o FMI, segundo o qual o Brasil pagaria só os juros da dívida enquanto os bancos acediam em renovar os créditos comerciais e interbancários. Dornelles obtivera uma segunda prorrogação desse acordo provisório até janeiro de 1986. Propunha-se disfarçadamente a substituição da atitude negocial em relação ao FMI por uma atitude *confrontacionista*, que tempos mais tarde desaguaria na moratória do ministro Dilson Funaro.

Sayad dificultava as negociações externas, ao levantar a tese do "dinheiro novo" ou da "capitalização dos juros" (transformação de juros no principal da dívida), idéias irrealistas, quando não se havia arquitetado ainda nenhum programa consistente de estabilização.,

A surda controvérsia interna no governo atingiu seu apogeu cômico quando, quase uma semana depois da exposição de Dornelles à Câmara dos Deputados, em 8 de maio de 1985, anunciando um *déficit record*, que exigia drástico corte de gastos, Sarney aprovou o I PND da Nova República, preparado por Sayad, com um programa de gastos de 12 trilhões de cruzeiros para "prioridades sociais" e retomada do desenvolvimento!

O documento era tão irrealista quanto o II PND do governo Geisel, anunciado em 1974 por Reis Velloso, num ambiente internacional deteriorado pelo primeiro choque de petróleo.

Percebi que Sarney não resistiria à tentação recorrente nos governantes brasilei-

---

[468] Um dos críticos da política de juros foi Ibrahim Eris, que defendia a tese de que o Banco Central poderia voluntariamente baixar a taxa de juros, sem prejudicar a vendabilidade dos títulos do Tesouro porque a demanda do setor financeiro era "inelástica", por falta de alternativas de aplicação, tese que subestimava gravemente a criatividade do mercado em optar por outros ativos. Quando foi convidado por Collor para presidente do BACEN, perguntei-lhe, em sua inquirição no Senado, se pretendia utilizar a política de juros baixos, em face da superinflação do fim do governo Sarney. Sua resposta foi que as circunstâncias haviam mudado e não acreditava mais na inelasticidade da demanda por títulos públicos...

ros, de reeditar o desenvolvimentismo de Kubitschek como instrumento de popularização, esquecidos todos de que o legado de Juscelino a Jânio, em 1961, foi um país em bancarrota.

O que não esperava era que o sucessor de Dornelles fosse Dilson Funaro. Quando foi nomeado, saí de meus cuidados para revisitar Sarney pessoalmente, muito a contragosto, pois que minha presença no Planalto sempre gerava especulações jornalísticas de que se prenunciavam mudanças na política econômica.

— Considero — disse a Sarney — a designação de Funaro para o ministério da Fazenda um insulto pessoal. Foi o grande inimigo da política de austeridade de Castello Branco, a quem você deve sua ascensão à governança do Maranhão. Como chefe do Departamento Econômico da FIESP, Funaro procurou mobilizar a classe empresarial contra a política dos "sádicos recessivos" (a dupla Campos/Bulhões), que "destruíram" a estrutura industrial do país. Não tem noção de macroeconomia, vai pisar no acelerador, em breve estaremos no limiar da hiperinflação.

Sarney respondeu-me que não tivera a intenção de demitir Dornelles. Este o abandonara abruptamente, acompanhado pelos rapazes do Banco Central. Não tivera muito tempo para analisar alternativas e acatara uma sugestão de Roberto de Abreu Sodré, que considerava boa a atuação de Funaro como secretário de Planejamento e Fazenda do governo de São Paulo. Além disso, desejava evitar atritos com o PMDB, que era o sócio-majoritário na Aliança Democrática, e sabia que o nome de Funaro seria bem aceito pelo PMDB paulista.

A coisa não era bem assim. Sarney desejava legitimação pela popularidade e as receitas de Sayad — que eram palpites fantasiados de planos — eram sem dúvida mais agradáveis que as de Dornelles. Delfim, que também fora acusado por Funaro de "recessivo", quando tardiamente teve de fazer um sério ajuste fiscal em resultado da superposição da crise de petróleo e da crise da dívida, tinha uma explicação mais pitoresca do fenômeno Funaro.

— A indústria de brinquedos [referia-se à Trol, empresa de Funaro] é a primeira a entrar na recessão e a última a sair. Precisa de uma economia superaquecida. E se Funaro fosse um bom empresário seria presidente da Estrela e não da Trol...

A conversa com Sarney deixou-me deprimido. Funaro e Sayad me pareciam protótipos de "voluntarismo ingênuo", com a diferença de que Funaro tinha excelente presença televisiva. Com rosto fino de monge medieval, apto a figurar num quadro de Modigliani (eu o chamava de "Modigliani dos pobres"), falava na televisão com unção religiosa e grande capacidade de convencimento.

Eu o considerava uma personalidade algo ridícula — misturando a unção do profeta Isaías com a lógica do conselheiro Acácio — mas a verdade é que meus familiares se deixavam fascinar pelo tom de segurança de Funaro. Quando dizia na televisão que "não abriria mão do crescimento", tinha-se a impressão física de que seus dedos longilíneos realmente aprisionavam o segredo do crescimento.

E se tornava cada vez mais convincente, à medida que a notícia de sua brava luta contra o câncer o transformava numa espécie de mártir patriótico.

— Vou mudar este país — dizia ele.

Funaro tinha três obsessões:

• Livrar o país da recessão dos militares;

• Obter um acordo da dívida com os bancos comerciais, sem monitoramento do FMI;

• Obrigar o sistema financeiro internacional a dar um tratamento diferente e preferencial para o Brasil.

No primeiro caso, tratava-se de um erro de diagnóstico. A recessão havia terminado há quase um ano. Em 1984 a economia voltara a crescer, impulsionada pelas exportações. Quando os dados estatísticos se tornaram disponíveis, verificou-se que o crescimento médio do ano fora de 4,6% reais, tendo a taxa atingido provavelmente 6% no fim do ano! Essa taxa poderia ser sustentada por algum tempo, graças à ocupação da capacidade ociosa, mas não comportava aceleração, à mingua de investimentos na expansão da capacidade produtiva durante o período recessivo de 1981 a 1983.

A segunda obsessão era uma tolice. Tancredo já havia resistido às pressões de rompimento com o FMI, lembrando que dele somos sócios-fundadores e que a ruptura nos levaria ao isolamento financeiro. Logicamente aliás, sendo a dívida brasileira contraída com centenas de bancos, seria tecnicamente indispensável a auditoria e monitoramento do FMI, por ser impossível a execução dessas tarefas por bancos individuais. É tarefa cabível para uma agência internacional, que havia sido criada, com a participação do Brasil, precisamente para crises de balanço de pagamentos.

A terceira obsessão era igualmente irrealista. Ainda que o Brasil tivesse bastante capacidade de pressão, como a maior economia latino-americana e maior devedor mundial, seria difícil para Washington dar-lhe um tratamento mais favorável que o dado ao México, por exemplo, país estrategicamente mais importante para os Estados Unidos. Além disso, apenas um terço da dívida brasileira era com bancos americanos, sendo o restante com bancos europeus e japoneses, menos acessíveis aos "argumentos políticos" do Brasil. Assim mesmo, Funaro conseguiu uma vitória de Pirro: o adiamento das prestações devidas em 1985-86, mediante negociações "diretas" de Fernão Bracher, presidente do Banco Central, com o Comitê dos Bancos Assessores. Mas as condições eram nitidamente inferiores em prazo, e desfavoráveis em juros, comparativamente ao acordo Pastore, negociado no fim do governo militar, com a intervenção do FMI.[469]

Minha profecia sobre a aceleração inflacionária se cumpriu mais cedo do que pensava. E levou a um incidente bizarro, que me fez lembrar o que me dissera um ministro uruguaio quando lhe perguntei se sua política econômica permitira controlar a inflação: — *No señor, no controlamos la inflación. Hicimos una cosa mejor: controlamos los índices...*

A rebelião dos ministros da Fazenda, frustrados em seus esforços de debelar a inflação, contra os índices, é mania recorrente na vida brasileira. Simonsen havia, em 1976, inventado o "coeficiente de acidentalidade", providência que teria sido correta se vinculada ao choque do petróleo em 1974, mas que, fora da ocasião didática, pareceu um expurgo oportunista. Funaro foi bem menos sutil. Em novembro de 1985, quando os índices da FGV (aplicáveis à correção monetária e cambial) atingiam 15%, enquanto o INPC (Índice Nacional de Preços ao Consumidor) do IBGE se situava num nível mais confortável de 11%, Funaro, não tendo êxito em persuadir Julian Chacel, diretor da FGV, a mudar sua metodologia de cálculo, aboliu sem-cerimoniosamente a indexação pelo IGP da FGV, passando a adotar o INPC. Sob protestos de Edmar Bacha aliás, o qual, avesso a esse tipo de manipulação, acabou demitindo-se da presidência do IBGE. A alegria durou pouco, pois em dezembro os dois índices voltaram a coincidir...

A poda dos índices, por ocasião de programas de estabilização, tornou-se rotina. Reapareceu com o "redutor" do Plano Bresser e os "vetores" do Plano Verão e do Plano Collor I, que representaram todos formas de confisco, injustas para os poupadores e geradoras de intermináveis conflitos com os assalariados.

O "programa de mudanças" de Funaro, que envolvia uma reforma fiscal preparatória do Plano Cruzado, então em gestão pelos heterodoxos, foi enviado ao Congresso em caráter de urgência em fins de novembro de 1985. Avizinhava-se o fim do período legislativo e o Senado Federal acabou recebendo o projeto passado pela Câmara com apenas 48 horas para apreciá-lo.

---

[469] Quando visitou o Congresso, em novembro de 1985, para obter apoio ao seu "programa de mudanças", Funaro declarou, sob aplauso dos parlamentares: "Nunca mais uma missão do FMI vai botar os pés aqui. Já disse isso a eles". Uma outra expressão, freqüentemente repetida por Funaro quando o acusavam de querer imitar a experiência de Delfim de 1980, de conciliar a cura da inflação com a aceleração do crescimento, era: "Recessão nunca mais". Passei a apelidá-lo de "Funaro nunca mais". Apud Carlos Alberto Sardenberg, op. cit., p. 147 e 188.

Pronunciei um áspero discurso de crítica no Senado Federal em 4 de dezembro. O programa continha, a meu ver, três defeitos:

• O ajuste fiscal era globalmente insuficiente para baixar significativamente a inflação; o corte efetivo de despesas seria de apenas 3,8% do déficit e 1,2% do dispêndio global do orçamento. Cerca de 1/3 da contenção fiscal era atribuível à redução dos juros da dívida pública, componente obviamente aleatório;

• O ajuste era feito por transferência de recursos do setor produtivo para o setor público, improdutivo. Por cada cruzeiro de corte de gastos, o governo extrairia dez cruzeiros, sendo seis por via de impostos, dois por aumento de tarifas e dois por receitas de privatização (única parte desejável do plano, precisamente a única que não se realizou). Isso sem contar o imposto inflacionário e a venda de títulos públicos;

• Agravava-se a tributação sobre as grandes empresas que já tinham alíquotas maiores do Imposto de Renda — 40% — nível já elevado e restritivo da capitalização.

O programa de mudanças tinha ao mesmo tempo um efeito *Robin Hood* e *Al Capone*. O efeito *Robin Hood* consistia na redução do desconto na fonte para os assalariados e no lançamento do chamado "programa social". O efeito *Al Capone* teria vários componentes: a) Uma espécie de empréstimo compulsório, embutido no retardamento da devolução do Imposto de Renda pago em excesso; b) A cobrança de imposto antes do fato gerador, no caso do recolhimento antecipado sobre aplicações em títulos postecipados; c) O aumento real de 9% escondido na exigência de que o Imposto de Renda apurado no balanço das pessoas jurídicas fosse convertido em ORTN no mês de apuração do balanço e não no mês seguinte; e, finalmente, a instituição de novos índices de correção monetária que, subestimando a inflação, reduziam subitamente o valor patrimonial das cadernetas de poupança, assim como do FGTS e do Pis-Pasep.

Foi talvez a única ocasião em que procurei fazer deliberada obstrução a um plano supostamente antiinflacionário. Tive como aliados o senador Odacir Soares, do PFL de Rondônia, e, surpreendentemente, Itamar Franco, o qual, apesar de estar no PMDB, se manifestou contra o ajuste fiscal. Era competente regimentalista, qualidade que me faltava. Logramos retardar a votação até quase a meia-noite do dia 5 de dezembro, início do recesso parlamentar.

Em fins de dezembro, Sarney fez um pronunciamento otimista à nação. Alarmei-me ao vê-lo na televisão, aparentemente convencido de que lograra descobrir a fórmula de conciliar o combate à inflação com a aceleração do crescimento. Considerava o problema fiscal resolvido com a aprovação, pelo Congresso, do "programa de mudanças". A indústria havia crescido e caíam os níveis de desemprego.

Em entrevista à TV Globo, logo após o pronunciamento de Sarney, coube-me desempenhar o papel de Cassandra. Havia duas bombas de retardamento: a dívida externa não negociada e o risco de inflação acelerada, pela insuficiência do ajuste fiscal. Lamentei que a mixórdia heterodoxa no plano conceitual, e o irrealismo econômico, no plano prático, estivessem impedindo a Nova República de se aproveitar de três circunstâncias internacionais excepcionalmente favoráveis: a queda da taxa de juros e dos preços do petróleo e o comércio internacional em franca expansão.

OS EXPERIMENTOS
HETERODOXOS

Encontrava-me em Nova York quando, em 28 de fevereiro de 1986, foi editado o Plano Cruzado, preparado em segredo pelos jovens heterodoxos — o "Clube da Bomba Atômica" como dizia Sarney. Houve uma explosão de entusiasmo no Brasil, que chegou a contagiar círculos financeiros no exterior. William Rhodes, o presidente do Comitê de Bancos Negociadores da dívida externa, e meu colega nas reuniões periódicas do "Grupo dos Trinta" sobre finanças internacionais, telefonou-me com um convite para almoço com o presidente do Citibank. Havia enorme curiosidade sobre o novo plano brasileiro, com seu experimento de reforma monetária. Distante do governo, minhas informações eram escassas. Declarei meramente ser cético quanto às teorias de inflação inercial, pois a meu ver o ajuste fiscal de dezembro de 1985 não era de molde a estancar o déficit público. E antipatizava *ab initio* com a idéia de congelamento de preços, porque minha leitura da história indicava um efeito contraproducente: os congelamentos estimulam a procura e desestimulam a oferta, precisamente o contrário do recomendável para a cura da inflação.[470] O plano aparentemente visava também ao propósito de redistribuir renda, coisa altamente desejável, porém difícil de conciliar com o esforço de estabilização. A semelhança com o Plano Austral argentino editado em junho de 1985, que, após um sucesso inicial, começava a fazer água, era algo para mim inquietante.

A real curiosidade de meus anfitriões, entretanto, era decifrar o enigma das declarações de Funaro sobre dívida externa.

— Não podemos continuar a transferir para o exterior 5% do PIB. No máximo 2,5% — dizia ele.

---

[470] Além disso, o congelamento de preços gera três outros efeitos negativos: a) desorganiza a cadeia produtiva; b) premia os devedores; c) desfibra o moral da sociedade pela rotinização da desobediência às regras. Como o faz notar Paul Singer, o congelamento impacta diferentemente sobre vários setores macroeconômicos. Prejudica principalmente as empresas de grande porte, que por sua maior visibilidade são forçadas a praticar os preços tabelados, caindo rapidamente sua rentabilidade e capacidade de investimento nos setores básicos. Podendo praticar ágios com menor visibilidade, as pequenas e médias empresas e produtores autônomos, inclusive profissões liberais, desfrutam de uma vantagem temporária, depois anulada por tarifaços de serviços públicos e maciços reajustamentos de produtos básicos na fase de descongelamento. Apud Bráulio Sallum Junior, em *O estado da transição*, op. cit., p. 140.

A perplexidade dos círculos financeiros em Nova York era saber a que PIB se referia Funaro: o PIB real do ano anterior, o PIB médio dos últimos cinco anos, o PIB esperado para o ano corrente de 1986?

Alan Garcia, no Peru, tinha sido um pouco mais claro: não destinaria ao pagamento da dívida externa mais que 10% da receita de exportações.

Declarei-me incapaz de entender a *mens funariana*. A cifra que eu ouvira ser mencionada no Brasil visava a reduzir os encargos anuais da dívida de um montante de US$5 bilhões para algo em torno de US$2 bilhões. Era uma pergunta a ser endereçada ao negociador da dívida externa, Fernão Bracher, conhecido e respeitado em Nova York.

Ao voltar ao Rio, dirigindo-me logo depois à ilha da fantasia de Brasília, impressionou-me a adesão popular ao plano. Era o que Lourdes Sola chamou de "adesão plebiscitária". Isso revelava, de um lado, o cansaço com a inflação (naquela época, bons tempos, a inflação de 16,2% em janeiro era considerada hiperinflação...). De outro, a extraordinária mesmerização pela mídia. O "tem que dar certo" da TV Globo tinha um efeito hipnótico...

Poucas pessoas escaparam ao contagioso entusiasmo do Plano Cruzado. Como observou Bolívar Lamounier, a hiperpopularidade alcançada por Sarney com o congelamento de preços foi quase suficiente para calar as críticas à *ilegitimidade original* de sua candidatura. Em São Paulo, uma corajosa voz discordante foi a de Henry Maksoud, então editor da *Visão*, inimigo declarado do intervencionismo heterodoxo. No Rio, vi-me na desconfortável companhia de Brizola. Terá sido talvez a nossa única concordância em muitos anos, obviamente com raciocínios diferentes. Brizola, apoiando a crítica do movimento sindical, denunciava o que ele chamava de "pacote" (nem plano, nem programa) por trazer o "arrocho salarial, a recessão e o desemprego".[471] Eu via, pelo contrário, o perigo de superaquecimento da economia por uma onda consumista.

Em artigo publicado na *Conjuntura Econômica* de abril de 1986, eu advertia que só poderíamos ser salvos se ao choque heterodoxo se seguisse um choque ortodoxo. A popularidade do governo criava condições para um drástico corte de gastos públicos, com fácil absorção da mão-de-obra liberada. Conhecendo as debilidades do pacote fiscal de 1985, achava que a inflação por isso nada tinha de inercial, e o congelamento provocaria uma redução da oferta e uma corrida de consumo. Haviam sido debeladas algumas causas psicológicas da inflação, porém não suas causas sociológicas: centralismo burocrático e reservas de mercado, que favorecem os oligopólios e restringem a competição de preços.

---

[471] O pacote beneficiaria os empresários — dizia Brizola — porque os salários tinham sido congelados pela média e os preços pelo pico. Além disso, o programa não mencionava a questão da dívida externa, para ele a fonte de todos os males.

— A República dos Alvarás — dizia eu — padece de um inflacionismo congênito, que não é nem monetário, nem inercial, nem oriundo de choques de oferta. É um inflacionismo sociológico, não curável pela simples demonização dos supermercados e especuladores financeiros.

E concluía: — Antes a retórica oficial era que conseguiríamos conciliar desinflação com aceleração do crescimento. Isso não é possível. Tivemos hiperinflação. Agora, a promessa é desinflação sem sofrimento. Isso também não é possível.[472]

Eu conhecia a mixórdia intelectual dos heterodoxos mas não sabia avaliar àquela ocasião a influência dos atores individuais. Reconstruções histórico-analíticas do período por Carlos Alberto Sardenberg, Eduardo Modiano e Lourdes Sola permitem hoje a identificação dos conflitos de bastidores.[473] A linha mais realista era a da dupla Larida (Lara Resende e Pérsio Arida) que favorecia a desindexação e a reforma monetária, porém não o congelamento de preços e salários. Segundo eles, o plano deveria concentrar-se no problema da estabilização monetária *per se*, deixando-se a redistribuição de renda para uma subseqüente fase de retomada do crescimento. Preocupavam-se também com o perigo de superaquecimento da economia e acentuavam a necessidade de normas institucionais que evitassem indisciplina fiscal. A idéia do congelamento foi uma contribuição de Francisco Lopes (àquela época apelidado de "Chico Heterodoxo") de tendência mais expansionista. Lembro-me de que, buscando refutar meu ceticismo quanto ao Plano Cruzado, acusou-me, em entrevista à imprensa, de "incorrigível recessionista".

A política salarial parece ter sido influenciada pelo grupo redistributivista, que incluía Luiz Gonzaga Belluzzo e Maria da Conceição Tavares. Inicialmente neutra, pois pressupunha a conversão dos salários na nova moeda pela média, acabou afrouxando-se pela concessão de um abono geral de 8% para todos os salários e 15% para o salário mínimo. Isso se somava ao impacto redistributivo da redução do imposto na fonte para os assalariados de menor renda, constante do pacote fis-

---

[472] Roberto Campos, 'Os oito trabalhos da reforma', *Conjuntura Econômica*, Rio de Janeiro, FGV, abril de 1986, p. 15.

[473] Lourdes Sola faz notar que a experiência do Plano Cruzado representou uma "exacerbação do centralismo burocrático", concentrando-se o processo decisório num pequeno núcleo nos ministérios da Fazenda, Planejamento e Banco Central. "Atribuições antes divididas com outros ministérios da área, passaram às mãos da Fazenda", diz Lourdes Sola. Fenômeno semelhante ocorreria com o outro grande choque heterodoxo, o Plano Collor I, em 1990, quando Zélia Cardoso de Mello enfeixou poderes equivalentes aos de primeira-ministra, e passou a regular pessoalmente o grau de liquidez da economia pelo processo artesanal de liberação de cruzados bloqueados. Ver Lourdes Sola, *O estado da transição*, São Paulo, Revista dos Tribunais, 1988, p. 24 e 25. Ver também Carlos Alberto Sardenberg, op. cit., passim e Eduardo Modiano, "A opera dos três cruzados", na coletânea *A ordem do progresso*, Rio de Janeiro, Campus, 1990, p. 347 e 384.

cal de dezembro anterior. A idéia do gatilho salarial, a ser disparado sempre que a inflação excedesse 20%, se deve a Maria da Conceição Tavares, que se celebrizou na televisão por lágrimas de alegria ante o brilho das inovações heterodoxas.

A vertente Sayad exsudava otimismo quanto à possibilidade de uma política de crescimento econômico através da redução dos juros e das transferências internacionais. Apostava na captação de "dinheiro novo" no exterior e/ou na capitalização dos juros da dívida externa, hipóteses implausíveis ante as repetidas negaças de Funaro a qualquer entendimento com o demônio de plantão — o FMI. Sayad e João Manoel Cardoso de Mello pareciam os mais politizados, excitando Sarney na busca de legitimação pela popularidade desenvolvimentista, e atentos às possibilidades de reforço eleitoral do PMDB nas eleições congressuais e governatoriais de novembro de 1986. Eram também os mais otimistas em relação à montagem de um pacto social, idéia popular entre os heterodoxos para atenuação do chamado "conflito distributivo".

Comum a todos esses grupos, era uma subestimação da recuperação econômica, com o término, em 1984, da "recessão dos militares", e uma sobrestimação da eficácia do pacote fiscal de 1985, inadequado para zerar o déficit, premissa fundamental para validação da teoria inercial da inflação.

Funaro compensava seus parcos conhecimentos de teoria econômica com uma contagiosa dose de autoconfiança. E, bom ator televisivo, especializou-se numa didática perversa. Ao definir a inflação pelos seus efeitos — alta de preços — e não por sua causa — a expansão monetária — criou uma deformação cultural de que até hoje não nos livramos. Foi a época em que os *fiscais do Sarney* invadiam os supermercados para punir os especuladores.

O ápice da autoconfiança foi a afirmação por Funaro, na televisão, de que o Brasil afinal teria "um crescimento japonês com uma inflação suíça".[474]

A interferência de motivações político-eleitorais impediu que se fizessem retificações de rumo, advogadas aparentemente pela dupla Larida em reunião convocada por Sarney em Carajás, em fins de julho, para avaliação dos resultados do plano. Àquela altura, já eram visíveis as conseqüências clássicas do congelamento —ágio e mercado negro — agravadas pela fuga das cadernetas de poupança em busca do consumo. Era a "desilusão monetária" da população que, ao contrário do que desejavam os engenheiros sociais, não havia aprendido a distinguir entre juro real e correção monetária e se sentiu fraudada quando a correção monetária foi podada pela desindexação. Houve um processo rápido de monetização, que os heterodoxos supunham inofensivo, pois refletiria um aumento na demanda de

---

[474] Convenci-me da enorme persuasividade de Funaro na televisão quando meu neto, surfista de Ipanema, me disse em seu dialeto de praia: — O governo continua transando numa boa com a inflação e o crescimento. Descolou um pacote fiscal que é um barato. Sinto firmeza.

moeda habitual nas fases de desinflação. No caso, entretanto, o que estava aumentando era a febre consumista, alimentada também pela queda abrupta da taxa de juros, que se tornou negativa em termos reais.

Do encontro de Carajás, surgiu um segundo pacote logo apelidado de "Cruzadinho". Baseava-se em empréstimos compulsórios, restituíveis em três anos, sobre gasolina, álcool, automóveis, e em impostos sobre viagens internacionais. Mas apequenou-se em virtude de considerações eleitorais, tendo sido retirados da circulação apenas 40 bilhões de cruzados, em vez dos 150 bilhões originalmente planejados. Os recursos obtidos seriam depositados num fundo nacional de desenvolvimento, FND, através do qual se financiaria um plano de metas, que visava a um crescimento anual de 7%. Era um produto híbrido de desinflação heterodoxa e desenvolvimentismo juscelinista. Houve um esforço abortado de se preparar uma reforma administrativa para a modernização e contenção de gastos, assim como uma reforma bancária com o objetivo principal de disciplinar os bancos estaduais. Deflagrou-se uma pitoresca briga interna. Sayad e João Manoel Cardoso de Mello queriam expurgar dos índices as altas de preços resultantes dos empréstimos compulsórios, o que contrariava a dignidade científica que Bacha queria imprimir às estatísticas do IBGE. Acabaram sendo calculados dois índices diferentes, cabendo ao governo decidir qual a melhor cosmética para apresentar a face dura da inflação.

Os remendos do Cruzadinho, suplementados do lado da oferta por um maciço gasto de divisas na importação de alimentos com o fito de atenuar o desabastecimento provocado pelo congelamento, foram suficientes para manter o Cruzado como trunfo eleitoral nas eleições de novembro, graças a um hiato de percepção. Os eleitores estavam dando vitaminas a um defunto. O PMDB ganhou a governança em 22 dos 23 estados e alcançou maioria absoluta no Congresso. Configurou-se assim um verdadeiro estelionato eleitoral de que a população somente se apercebeu quando, em 21 de novembro, seis dias após as eleições, foi promulgado o chamado "Manoelaço", pois seu principal planejador foi João Manoel Cardoso de Mello. Era um novo pacote fiscal, que objetivava aumentar a arrecadação do governo em cerca de 4% do PIB, através da elevação do IPI sobre automóveis, cigarros e bebidas e de um tarifaço nos preços públicos, atingindo gasolina, energia elétrica, telefone e correios. Houve novamente uma maquiagem de índices, atribuindo-se menor peso no índice aos produtos e preços majorados pelo "Manoelaço". Foi violento o impacto inflacionário, e precisamente no aniversário do cruzado, em fevereiro de 1987, a economia voltava a ser reindexada com a correção monetária da OTN em bases mensais. *Chassez le naturel et il revient au galop.*

Como o congelamento atingiu também a taxa cambial, que ficou estável entre fevereiro e outubro de 1986 (sofrendo apenas uma minidesvalorização de 1,8% em outubro), as exportações e as reservas cambiais declinaram rapidamente. Além da subvenção às importações implícita na sobrevalorização cambial, o governo promoveu maciças importações de alimentos (particularmente carne, pois falharam as tentativas de confisco de gado), uma desesperada tentativa de evitar que o desabastecimento desmoralizasse o congelamento.[475] Em 28 de fevereiro de 1987, Funaro decretava a moratória unilateral, pela suspensão do pagamento dos juros da dívida externa por tempo indeterminado. Aparentemente, tanto Sarney como Funaro esperavam uma mobilização patriótica de apoio à nossa bravura frente aos credores, mas a tese do "calote patriótico" não teve ressonância na opinião pública. Bracher, que prudentemente propunha pagamentos pelo menos simbólicos como o fez a Argentina, evitando ruptura com os credores, acabou demitindo-se do BACEN[476]

Visto em retrospecto, o Plano Cruzado foi um soberbo exercício de marketing político e uma convincente demonstração de incompetência dirigista.

Funaro deixaria o governo em abril de 1987, legando-nos uma inflação maior do que a que recebera, reservas cambiais exauridas e um sistema de preços desorganizado. Terminava melancolicamente o experimento que Eduardo Modiano descreveu como a "ópera dos três cruzados". Uma ópera em três atos: o Plano Cruzado, o Cruzadinho e o Manoelaço.

---

[475] Os pecuaristas brasileiros, ameaçados pelo confisco do gado, tiveram afinal sua "doce vingança". A carne importada chegou com grande atraso e parte dela contaminada pela radiação atômica de Chernobyl.

[476] A posição confrontacionista de Funaro e Bresser Pereira encontrou surpreendente apoio de respeitáveis economistas estrangeiros. O mais vocal era Jeffrey Sachs, inspirador do bem-sucedido programa de estabilização da Bolívia, em 1985. Defendia a tese da *ortodoxia interna e heterodoxia externa*, exagerando o conflito entre programas de estabilização interna e a preservação da credibilidade externa. Sua tese funcionara na Bolívia. A dívida era de qualquer maneira *impagável*, se a hiperinflação destruísse a economia, e, sendo pequena em valores absolutos, foi fácil obter dos credores sua redução e/ou cancelamento. A analogia claramente não era aplicável ao Brasil. Conquanto representando percentagem menor do PIB, nossa dívida era grande em termos absolutos, inviabilizando seu cancelamento pelos credores. O país tinha muito mais flexibilidade exportadora e maior capacidade de oferecer aos credores um menu de opções para alívio da dívida. Um reescalonamento seria preferível à suspensão unilateral de pagamentos, até porque correríamos o risco, como de fato aconteceu, de praticarmos apenas a heterodoxia externa, sem fazer os ajustes internos. A tese de que "a adoção de uma política heterodoxa em relação a pagamentos externos criaria legitimidade e condições políticas para a execução de uma política de austeridade interna" não encontrou confirmação nem no Brasil nem no Peru, ambos os quais resvalaram para a hiperinflação, mesmo depois da suspensão de pagamentos externos.
Rudiger Dornbush, professor do MIT, defendia a tese de que a "solução do problema da dívida não se dará por acordo, mas em decorrência de ações unilaterais dos devedores". Sugeria um "encaminhamento unilateral, que poderia compreender, por exemplo, a emissão de *exit bonds* para possibilitar a retirada de bancos pequenos e regionais do processo negociador e a capitalização parcial dos juros, pela emissão pelos devedores de um certificado de longo prazo, para cobrir uma parcela (40%, por exemplo) dos juros devidos cada ano". Ver o Relatório nº 1 da Comissão Especial do Senado Federal para a dívida externa, agosto de 1989, p. 17-18.

Findo o experimento, sobreviveram duradouras deformações culturais, que repicaram em manifestações subseqüentes, com um curioso mimetismo em relação aos heterodoxos argentinos. Os Planos Cruzado e Bresser imitaram os Planos Austrais, enquanto que o Plano Verão do Brasil encontrou sucesso igual ao do Plano Primavera, da Argentina. Ambos os países se tornaram sofridos laboratórios para experiências de economistas heterodoxos.

O Plano Cruzado gerou três deformações culturais duradouras:

• A subcultura *antiempresarial*. Identificada a inflação, *ex definitione*, como alta de preços e não como expansão monetária além da capacidade produtiva, inocenta-se o governo e o vilão da peça passa a ser o empresário;

• A subcultura *dirigista*. O fracasso do Plano Cruzado não extinguiu o apetite intervencionista no mecanismo de preços. Sob variadas formas, ele sobreviveu no Plano Bresser, no Plano Verão e nos Planos Collor I e II, todos os quais adotaram variantes e congelamento de preços e/ou confisco da poupança. A ruptura de relações contratuais, hábito incompatível com o capitalismo competitivo, tornou-se rotina;

• A subcultura do *calote*. A moratória externa redundou num calote circular: o governo federal suspendeu unilateralmente pagamentos ao exterior, exemplo que legitimou a inadimplência dos governos estaduais; o setor público passou a ser devedor contumaz do setor privado e este, por sua vez, elevou seu índice de inadimplência bancária. As conseqüências psicológicas e culturais da moratória talvez tenham sido mais graves que suas conseqüências financeiras. Estas se traduziram na cessação do ingresso de capitais estrangeiros, seja de risco seja de empréstimo, fuga de capitais brasileiros, elevação de juros de curto prazo e destruição da credibilidade governamental. A moratória confrontacionista, também chamada de moratória soberana, foi um dos fatores explicativos da estagflação dos anos 80.[477]

---

[477] Que a cultura do calote está solidamente entrincheirada em nossa psique, prova-o o fato de que nas "Disposições Transitórias" da Constituição de 1988 há nada menos que quatro anistias. No art. n.º 47, isentam-se da correção monetária os empréstimos bancários concedidos aos micro e pequenos empresários, no período de 28/2/86 a 31/12/87. No art. n.º 57, afirma-se que os débitos previdenciários dos estados e municípios, até 30 de junho de 1988, serão parcelados em 120 parcelas mensais, dispensados juros e multas. No art. n.º 33, determina-se que as precatórias relativas à desapropriação por interesse público, pendentes de pagamento na data da promulgação da Constituição, poderão ser pagas em até oito anos, permitindo-se a emissão em cada ano de "títulos de dívida pública não computáveis para efeito do limite global de endividamento". Há também uma "incitação à anistia" internacional no art. n.º 26. Este dispõe que se proceda à apuração por uma Comissão Mista do Congresso Nacional, a ser formada no prazo de um ano após a promulgação da Constituição, de irregularidades nos atos e fatos geradores do endividamento externo brasileiro. O Congresso poderá propor ao poder público a declaração de nulidade do ato. No caso de atos internacionais perfeitos e acabados, essa declaração configuraria um direito de moratória. É uma espécie de "reserva de mercado" para a moratória. Ponderei jocosamente à época que a Constituição adicionava ao direito clássico de *habeas corpus* dois outros direitos: o direito do acesso à informação em registros públicos (*habeas data*) e as várias modalidades acima citadas de beneficiamento do devedor, isto é, o *habeas debitum*.

Assisti com melancolia ao desenrolar, monotonamente previsível, de vários desses experimentos. E lembrei-me do que me disse o professor Lionel Robbins, em visita ao Rio de Janeiro durante o governo Kubitschek, quando o nível de inflação era bem menos escandaloso que na Nova República: — O Brasil é um excelente laboratório para análises de patologia econômica...

Luiz Carlos Bresser Pereira, que assumiu o ministério da Fazenda em abril de 1987, aparentemente indicado por Ulysses Guimarães, que vetara o nome preferido de Sarney, o governador do Ceará Tasso Jereissati, preparou um plano chamado algo pomposamente de "Plano de Consistência Macroeconômica", que acabou editado em julho de 1987.[478] A consistência era duvidosa e o plano comportava numerosas intervenções macroeconômicas.

Despojado das pretensões messiânicas de Funaro, que falava na inflação zero e "não abria mão" do crescimento de 7% ao ano, Bresser não insistia na inflação zero nem na desindexação total da economia; mais modesto, falava em crescimento de 3,5% em 1987. Usava algumas expressões esquisitas como *congelamento flexível* ou *aceleração da inércia inflacionária*.

Os heterodoxos tinham baixado a mira porém não mudado de doutrina, nem estavam dispostos a confiar nas forças do mercado. Continuou, ainda que de forma atenuada, a intervenção no sistema de preços, desta vez através da URP (unidade de referência de preços). Depois de um congelamento por três meses dos preços e salários, com base em 12 de julho de 1987, prefixar-se-ia trimestralmente a URP para os próximos três meses, com base na média geométrica dos três meses anteriores. Como o congelamento salarial foi precedido por um *tarifaço dos serviços públicos*, e não foi reconhecida nos salários a inflação de junho, geraram-se as chamadas "perdas do Plano Bresser", que ensejaram numerosas sentenças em litígios salariais que até hoje infernizam a vida das empresas, documentando os perigos do intervencionismo econômico. Como era de esperar, o congelamento de aluguéis completou a tarefa de desorganizar o setor imobiliário.

Diga-se a favor de Bresser Pereira que tinha melhor percepção que seu antecessor da necessidade de realismo cambial e de uma política monetária e fiscal ativa. Foram feitas duas mididesvalorizações e foi mantido o sistema de minidesvalorização diária, ensejando apreciável recuperação da balança comercial. As taxas de juros se tornaram positivas, a fim de desencorajar a acumulação de estoques e a fuga para o dólar.

---

[478] Segundo algumas versões, Ulysses, solicitado por Sarney para indicar substitutos, sugeriu quatro candidatos aceitáveis pelo PMDB: Rafael de Almeida Magalhães, Celso Furtado, José Serra e Luiz Carlos Bresser Pereira. Possuiu-se de irritação quando soube que, paralelamente, Sarney havia já convidado um outro peemedebista, o governador do Ceará, Tasso Jereissati. "É nordestino demais no governo", teria exclamado.

Para reduzir o déficit público foram propostas medidas fiscais que encontraram pouco apoio no Executivo e quase nenhum no Legislativo, sendo assim o plano condenado ao fracasso.

A pasta da Fazenda retornaria aos tecnocratas com a posse de Maílson da Nóbrega. Foram temporariamente abandonados os sonhos heterodoxos, durante a fase do "feijão com arroz", a partir do início de 1988, quando se praticaram políticas mais convencionais. Foram adotadas medidas de contenção fiscal e austeridade salarial do setor público, e reajustes de tarifas públicas, logrando-se apreciável redução do déficit orçamentário, em condições difíceis, pois o início do debate sobre a nova Constituição debilitava o Executivo. Este foi levado a fazer concessões em virtude da obsessiva preocupação de Sarney com dois objetivos: a manutenção do presidencialismo e o mandato de cinco anos.

Mesmo o incômodo objetivo de *estabilização* da taxa de inflação em torno de 15% ao mês (o país se mostrava cada vez mais resignado à fatalidade da alta inflação) não foi alcançado, em parte pela acumulação de enormes saldos comerciais. Foi iniciado um inteligente esforço de redução da dívida externa pelos *leilões da dívida* nos quais prevaleceu um deságio médio de 25%. Mas os leilões foram logo suspensos, sob a alegação de contribuírem para a expansão monetária. Esse argumento foi apresentado com grande exagero, pois o desembolso dos montantes leiloados era gradual e, sendo o provento destinado a investimentos privados, a ativação econômica daí resultante traria uma certa contrapartida de impostos. Na realidade, os desembolsos da conversão da dívida nunca significaram mais que 3% dos fatores de expansão monetária. Esse impacto seria facilmente neutralizável pela elevação de algumas tarifas públicas e contenção de desperdícios fiscais. Muito mais importante como fator de expansão monetária, neutralizando o efeito contracionista da austeridade fiscal, foi o saldo comercial de US$19 bilhões, o maior de nossa história.

A mais importante contribuição desse período foi a retomada de contato com o sistema financeiro internacional, através da suspensão da moratória em janeiro de 1988, e da conclusão de um acordo sobre a dívida externa em julho do mesmo ano. Obtinha-se apenas uma modesta parcela de dinheiro novo, mas ficava assegurada a rolagem da dívida por 20 anos e cobertos os juros vencidos. Uma inovação eram os *exit bonds* oferecidos aos bancos que não desejassem participar de programas de refinanciamento dos juros. Os *exit bonds* embutiam um desconto de 30% sobre o valor da dívida.

Em outubro, foi promulgada a nova e desastrada Constituição de 1988, que inviabilizou a execução de políticas eficazes de estabilização, por redistribuir 25% da receita da União para os estados e municípios, sem realocação de funções. Aumentaram-se ainda os gastos da União com a criação de novos estados e a ampliação da seguridade social.

Sarney foi à televisão, justificadamente, para queixar-se de que a nova Constituição tornaria o país *ingovernável*. A essa altura, entretanto, sua autoridade estava erodida. Tinha, por assim dizer, culpa no cartório. Afinal de contas, ao longo do processo constituinte, ele se havia preocupado apenas com a preservação do presidencialismo e o mandato de cinco anos. Poderia ter lutado contra utopias distributivistas da Constituição e advertido oportunamente os constituintes sobre o tamanho da conta a pagar. Acovardou-se quando Ulysses Guimarães, então no auge do prestígio, como presidente simultâneo do maior partido, o PMDB, e da Assembléia Constituinte, defendeu demagogicamente o objetivo constitucional de *passar o país a limpo*. Referiu-se depreciativamente ao presidente da República como "o cidadão Sarney".

Ulysses parecia encarar com desprezo a idéia de limites ou constrangimentos econômicos. Tudo lhe parecia ser questão de vontade política e decência humana. Nossas relações ficaram estremecidas quando, em artigo de jornal, o acusei de "um grau de ignorância desumana" em economia.

Diga-se a favor de Sarney que despertou, após as eleições municipais de novembro de 1988 — que assinalaram expressivo crescimento do PT e do PDT, com a conquista das prefeituras do Rio de Janeiro, São Paulo e Porto Alegre — para a necessidade de uma "grande virada", sem o que a confrontação para a eleição presidencial do ano seguinte se processaria em função do solitário binômio Lula e Brizola.

Sarney esforçou-se por quebrar esse imobilismo eleitoral e recuperar a credibilidade perdida da Aliança Democrática. Encomendou a Rafael de Almeida Magalhães, que fora seu ministro da Previdência Social, e a Augusto Jefferson Lemos, que fora o principal assessor econômico de Mário Henrique Simonsen, no início do governo Geisel, um grande projeto de reestruturação administrativa e reforma econômica. Para a recuperação da credibilidade, buscar-se-ia mobilizar um "gabinete de notáveis", que formaria uma espécie de Conselho de Estado, um ensaio informal de parlamentarismo que substituiria a tutela fisiologista que o PMDB exercia sobre o governo. Na composição do gabinete, haveria uma regra pragmática e um truque de *marketing*. A regra pragmática é que o ministério renunciaria coletivamente, não haveria ministros repetentes de experiências anteriores, e os convidados seriam grandes nomes, com projeção nacional e respeitabilidade técnica ou política. Observar-se-iam alguns princípios na reestruturação administrativa:

• Compactação dos ministérios, que seriam reduzidos a 12;
• Delegação de tarefas executivas, com reforço dos instrumentos de planejamento e controle; e
• Descentralização de funções em favor de estados e municípios.

Visando à compactação dos ministérios, criar-se-ia um "ministério da Infra-estrutura", que englobaria órgãos ligados à produção: Indústria e Comércio, Agricultura, Turismo, BNDE e Banco do Brasil. O ministério da Fazenda se concentraria no fisco e no controle de caixa, e o do Planejamento seria expandido, com vistas sobretudo a desenvolver um engenhoso esquema, proposto por Augusto Jefferson, de financiamento da infra-estrutura, mediante a conversão da dívida externa em "obrigações do desenvolvimento". O atrativo para os credores externos seria a conversão dos títulos da dívida sem deságio, ficando entretanto os desembolsos subordinados ao cronograma da execução de projetos. Para a repatriação de capitais, o incentivo seria a legitimação, sem punição fiscal, dos recursos parqueados no exterior.

Criar-se-ia um novo e importante ministério para absorver as atividades relacionadas com Minas e Energia, Comunicações e Transportes. O truque de *marketing* seria trazer para o governo um padre, a fim de aliciar o apoio religioso, um negro, que simbolizasse a integração racial, e uma mulher que, agindo na área trabalhista e social, se encarregasse de viabilizar a idéia em voga na época do *pacto* ou *entendimento* social.

Obviamente, a viabilidade do esquema e a restauração da credibilidade dependeriam da cooptação de grandes nomes. Pensava-se em Antonio Ermírio de Moraes para o ministério da Infra-estrutura, na esperança de que emprestasse ao governo o prestígio empresarial e político de que gozava em São Paulo. Para Minas e Energia, Comunicação e Transportes, se cogitava da figura *hors concours* de Eliezer Batista. Mencionou-se o nome de Olacir de Moraes para uma das pastas visando à restauração da credibilidade na área empresarial. A pasta da Justiça seria entregue a um hábil articulador suprapartidário — Thales Ramalho — com estreitas ligações com o PMDB. Para a Educação, Ciência e Tecnologia, o nome sugerido era o do padre Fernando Bastos d'Avila, que se esperava capaz de angariar apoio eclesiástico. Pensava-se, para o ministério da Fazenda, no embaixador em Washington, Marcílio Marques Moreira. O próprio Augusto Jefferson ficaria na pasta do Planejamento, com a missão específica de viabilizar o plano de financiamento da expansão da infra-estrutura e de desenvolver um programa de privatização.

O plano do "governo de salvação nacional" logo abortou. O primeiro convidado, Antonio Ermírio de Moraes, pediu tempo para refletir e acabou recusando-se a participar de um gabinete que julgava com poucas perspectivas num fim de governo que se desenhava melancólico.[479] Idêntica posição foi tomada por Eliezer Batista

---

[479] A idéia de compactação ministerial com a criação de um ministério da Infra-estrutura ressurgiu, com feição diferente, no governo Collor, do qual viriam a participar durante certo tempo Marcílio Marques Moreira e Eliezer Batista.

e pelo padre d'Ávila. Sarney, complexado pelas recusas, logo desanimou e do ambicioso projeto de recomposição ministerial só restou a nomeação da ministra Dorothéa Werneck, que assumiu o ministério do Trabalho.

Ante a expectativa de uma inflação de 30% em janeiro de 1989, Sarney tentaria seu último experimento, o Plano Verão, que criou o *cruzado novo*, com o habitual corte de três zeros na unidade monetária. Era a oitava mudança de padrão monetário, desde a criação do cruzeiro, em 1942.

Tratava-se de um plano algo mais complexo pois que combinava a *heterodoxia* (congelamento de preços e de câmbio e *tablitas* para conversão de dívidas anteriores) e elementos *ortodoxos* de contenção de gastos (por via de reforma administrativa), ampla privatização, limitação do dispêndio à disponibilidade de caixa, política de juros positivos, e limitação da emissão de títulos da dívida pública. Planejou-se uma *operação desmonte*, infelizmente abortada, visando à transferência de encargos e funções do governo federal para estados e municípios, e à extinção de algumas empresas e entidades públicas.

O artificialismo heterodoxo do congelamento teria pouca sobrevida. Como das vezes anteriores, a taxa de inflação declinou inicialmente, em virtude sobretudo do *vetor de preços*, isto é, a inclusão do tarifaço de serviços públicos nos índices de janeiro, a fim de evitar que contaminassem o início do plano em fevereiro. A partir de maio, as distorções acumuladas forçaram uma flexibilização tanto nos preços administrados como na taxa de câmbio. A sobrevalorização do cruzado novo tornou-se óbvia pela crescente brecha entre a taxa oficial de câmbio e o mercado paralelo.

O lado ortodoxo do programa não teve destino melhor. A austeridade fiscal ficou muito aquém do prometido e a privatização nem sequer deslanchou.[480] Só ficou a política monetária de juros altos. Mas esta, como é sabido, é de limitado valor quando o governo é o principal devedor. Os efeitos são ambivalentes. Do lado positivo, permite financiar o déficit público sem emissão de moeda, estimula a poupança privada, força a desova de estoques e atrai capitais estrangeiros de tipo especulativo. Do lado negativo, aumenta o custo da rolagem da dívida e, conseqüentemente, o déficit público; e deprime a atividade privada reduzindo a receita fiscal. Nas condições então prevalecentes de alto endividamento do governo, os efeitos negativos primavam sobre os positivos.

Sarney chegou a preparar um bom decreto sobre privatização de estatais calca-

---

[480] Como complicador adicional, o Congresso votou em maio uma nova política salarial que previa a indexação mensal dos salários até três mínimos, reajustamentos trimestrais até 20 salários mínimos e livre negociação a partir daí. Era uma considerável aceleração comparativamente às prefixações salariais do Plano Bresser.

do em grande parte sobre o modelo inglês. Pretendia usar o instrumento do decreto executivo, mas encontrou resistência por parte do ministro de Minas e Energia, Aureliano Chaves, de conhecida propensão estatizante. Este exigiu que o assunto fosse submetido ao Congresso, onde não conseguiu sequer ter tramitação no Senado.

Somente após a queda do muro de Berlim e o advento de Fernando Collor, com sua plataforma modernizante, o tema da privatização entraria definitivamente em nossa agenda política...

Cedendo à pressão do PMDB, que nunca vira com simpatia a retomada dos pagamentos de juros da dívida externa, houve uma segunda suspensão de pagamentos, supostamente para economizar divisas, artifício que habitualmente se torna um tiro pela culatra.[481] Isso porque encarece os juros, aumenta o custo das importações, bloqueia o ingresso de capitais estrangeiros e estimula a fuga de capitais nacionais. Ocorreriam assim duas moratórias no governo Sarney. A moratória *confrontacionista* de Funaro (também chamada pitorescamente de moratória *soberana*) e a moratória *técnica* de Maílson da Nóbrega.

Em março de 1990 estávamos em plena hiperinflação (84% ao mês) com uma originalidade: era uma hiperinflação indexada. Como a inflação é um imposto que discrimina contra os mais pobres, sem acesso à moeda indexada, o *tudo pelo social* de Sarney se tornara cruelmente antissocial. Bem lhe havia dito eu que o *slogan* correto teria sido: "Tudo pelo econômico, para financiar o social".

Mas, como veremos depois, não tínhamos ainda aprendido a lição sobre os perigos do voluntarismo e da heterodoxia...

---

[481] Na revisão do programa do PMDB, o grupo dos *autênticos* incluiu a "declaração da moratória" como objetivo partidário. Era o que eu chamava jocosamente de "falência programática", sem dúvida uma originalidade brasileira.

A SAGA DA
DÍVIDA EXTERNA

Moratória e dívida externa são velhas presenças no discurso político brasileiro. Como já indiquei, o primeiro debate na Câmara sobre moratória da dívida externa ocorreu no Império, em 1831, sob a Regência Trina Permanente. Mas nunca atingiu o caráter passional que alcançaria após a implantação da Nova República, em 1985. Durante a maior parte de minha estada no Senado, era um tema obsessivo, não só porque a crise da dívida no começo dos anos 80 foi de inusitada gravidade, como porque o ânimo crítico foi exacerbado por ter sido ela construída em grande parte no período militar, após a primeira crise de petróleo.

As razões remotas de nosso crônico endividamento, desde o Império, eram a inflação mais ou menos contínua, indicando uma insuficiência de poupança interna, periodicamente agravada por choques externos, como a queda de preços de exportação, coisa particularmente grave nos tempos da monocultura do café.[482] A grande crise do começo da década de 80 resultou de uma inusitada superposição de choques externos. Além do segundo choque de petróleo, em 1979, houve a alta de juros internacionais, o colapso dos preços de produtos primários e o alargamento da recessão mundial, de 1980 até 1983. Eram o que eu chamei, "os quatro cavaleiros do Apocalipse".

Uma das raízes do problema no Brasil foi a imprevidência energética da Petrobrás que, como foi dito, até a segunda crise de petróleo não investiu em pesquisa e exploração senão entre 1/4 e 1/3 de seus recursos, devotando o restante a atividades ancilares. As importações de petróleo explicam o grosso da dívida. Tivemos uma petrodívida.

Além da imprevidência específica da Petrobrás, o endividamento brasileiro se explica, em grande parte, pelo nosso inadequado processo de ajuste aos dois choques do petróleo — o de 1973 e o de 1979. Esse ajuste foi certamente menos com-

---

[482] Durante a renegociação da dívida externa que me coube fazer no governo Jânio Quadros, ouvi de um banqueiro inglês que a cultura da inadimplência, encontradiça na América Latina, tem uma insuspeitada origem religiosa. É a oração cotidiana do Padre Nosso, em cujo texto latino se encontra a frase: *Dimitte Domine debita nostra sicut nos dimittimus debitoribus nostris*, ou seja, "Perdoai as nossas dívidas como nós perdoamos os nossos devedores". No protestantismo anglo-saxão inexiste oração semelhante.

petente que o dos países do leste asiático, conquanto algo melhor que o comportamento de outros países da América Latina. Em nosso continente alguns governos perdulários — como os do México, Venezuela e Peru — conseguiram endividar-se fortemente apesar de exportadores de petróleo, o mesmo acontecendo na África com a Nigéria e a Argélia.

Dos quatro possíveis processos de ajuste à crise de balanço de pagamentos — substituição de importações, financiamento externo, ampliação de exportações e redução de ritmo de crescimento — o Brasil optou pelos dois primeiros.

Conforme observou Alkimar Moura, "o efeito do primeiro choque de petróleo sobre a economia brasileira foi 50% maior que o verificado numa amostra de 13 países em desenvolvimento semi-industrializados". Isso foi devido em parte ao fato de termos feito apenas uma *acomodação* e não um ajuste estrutural. Enquanto na média daqueles países 38,1% do ajuste foram feitos pela ampliação das exportações e 32% pela redução do crescimento, no Brasil predominaram os componentes de substituição de importações (67% do ajuste) e recurso ao financiamento externo (26,2%). A ampliação das exportações teve papel modesto (15,1%) e o país insistiu em continuar crescendo, a despeito da conjuntura internacional adversa.[483] Os anos imediatamente posteriores à primeira crise de petróleo (1974) e à segunda crise (1980) foram anos de alto crescimento, criando-nos a ilusão de sermos uma *ilha de prosperidade.*[484]

Dois casos, um na América Latina, outro na Ásia, exemplificam as diferenças entre *ajuste* e *acomodação.* Tanto o Chile como a Coréia do Sul chegaram a ter um endividamento externo superior ao do Brasil como proporção do PIB.[485] Ambos os países se ajustaram atravessando uma recessão temporária e reorientando sua economia para a exportação. E ambos voltaram a crescer rapidamente na segunda parte da década de 80. O Chile foi pioneiro na adoção do sistema de conversão da dívida externa em ações de empresas privatizadas, técnica eficaz que o Brasil nunca utilizou ousadamente.

---

[483] Ver Alkimar R. Moura, 'Rumo à entropia', ensaio na coletânea *De Geisel a Collor: o balanço da transição*, IDESP, 1990, p. 38-39.

[484] A opção pelo modelo de ajuste predominantemente baseado em substituição de importações refletia o retorno ao pessimismo exportador característico das doutrinas da Cepal, que haviam sido abandonadas a partir do governo Castello Branco.

[485] A Coréia do Sul só se ajustou adequadamente nos anos 80, após a segunda crise do petróleo, através de um choque de estabilização e abandono do voluntarismo tecnocrático da política de substituição maciça de importação (aço e petroquímica). Retomou uma orientação exportadora, com ênfase sobre a alta tecnologia, precisamente quando o Brasil adotava sua política de nacionalismo tecnológico. No intervalo entre os dois choques do petróleo houve bastante semelhança entre os modelos sul-coreano e brasileiro.

Nos país asiáticos em geral, com exceção da Índia e Filipinas, a ênfase sobre exportações foi o processo mais usado de ajuste. Auxiliou-os também a estrutura de endividamento. Tinha havido uma melhor composição do financiamento externo, com predominância de investimentos diretos e financiamentos a longo prazo de agências internacionais, enquanto que os países da América Latina, e particularmente o Brasil, para evitar a disciplina de projetos que cerca o desembolso dessas agências, recorreram maciçamente a empréstimos privados no mercado eurodólar a taxas flutuantes.

A escalada do endividamento brasileiro no pós-guerra se iniciou no período Geisel, com o II Plano Nacional de Desenvolvimento, baseado sobretudo na substituição de importações. Lançamo-nos num grande programa de industrialização substitutiva de importações, com o desenvolvimento simultâneo de projetos energéticos (hidrelétricas, biomassa, petróleo e energia nuclear), transporte ferroviário (ferrovia do aço), petroquímica, papel e celulose, siderurgia e metais não-ferrosos. Em sua maioria esses projetos careciam de financiamento adequado a longo prazo, daí resultando três deformações: excessivo endividamento interno, excessivo endividamento externo e excessiva ampliação do setor estatal. O estatismo dos militares foi sobretudo um fenômeno da era Geisel. Essas deformações foram facilitadas porque, ao longo do período, a taxa de juros interna foi em muitos casos subvencionada, e as taxas cambiais mantidas em níveis irrealistas. Como a taxa de crescimento superava a taxa internacional de juros (estas se tornaram em certos casos negativas em termos reais) não havia percepção de insolvência. A comunidade financeira internacional manteve também um otimismo até o fim da década de 70. O presidente do Citibank, Walter Wriston, teorizava que "países soberanos não pedem falência"...

A recusa a medidas adequadas de ajuste em 1974 se repetiu em 1980, quando, mesmo após o segundo choque de petróleo, tivemos um crescimento de 8,2%. A inevitabilidade de um ajuste recessivo, reconhecida por Simonsen (o que provavelmente causou sua substituição por Delfim Netto, em agosto de 1979), só viria a ser admitida em 1981, quando o Brasil entrou em profunda recessão. A essa altura, já a crise do petróleo propriamente dita havia sido agravada pela política altista de juros do Federal Reserve Board, que resultou numa grande recessão americana, que rapidamente se internacionalizou ao longo dos anos 80 a 83.

Como é sabido, a grande crise internacional da dívida se inaugurou com a declaração da moratória mexicana em agosto de 1982, que se seguiu ao desapontamento provocado pela recusa da junta governativa do Fundo Monetário Internacional, reunida em Toronto no mês anterior, em aumentar os recursos do FMI.

Um retorno à orientação exportadora foi feito após a maxidesvalorização de janeiro de 1983, em seguida a um acordo com o FMI. A reação foi rápida e já em fins de 1984, quando foi feita uma negociação de consolidação da dívida externa, no fim do governo militar, o aspecto cambial do problema estava com sua solução encaminhada. O problema irresoluto, que até hoje continua sendo crucial, é o aspecto fiscal, isto é, a incapacidade de entidades do governo, que é o principal devedor, pouparem os cruzeiros necessários à compra de cambiais.

Pouco tempo depois da moratória mexicana, não menos que 30 países em desenvolvimento, que representavam metade do endividamento externo ao Terceiro Mundo, se declararam incapazes de manter o serviço da dívida.

A subestimação da gravidade da crise, tanto por parte dos devedores como dos credores, permaneceu por muito tempo. Era comum entre os credores a idéia de que a crise era basicamente de *liquidez* e não de *solvência*. O problema poderia ser resolvido por injeções de dinheiro novo pelos bancos comerciais e pelas agências internacionais (condicionadas nesse caso a reformas estruturais). Essa, a idéia do Plano Baker, em 1986. Somente com o Plano Brady, em 1989, se reconheceu que a crise era de solvência, exigindo portanto uma combinação de ajustes estruturais nos devedores (reorientação exportadora e privatização), com uma redução efetiva dos encargos da dívida, mediante negociação com os bancos comerciais credores. A vantagem dos acordos do Plano Brady seria a redução do passivo contingente representado pela parte não paga dos serviços da dívida antiga. Isso seria o primeiro passo para a restauração da confiança e reativação dos investimentos privados.[486]

No caso brasileiro, passamos de um extremo a outro. Da mesma maneira que houve uma subestimação frívola do endividamento na década de 70, houve uma demonização excessiva na década de 80, particularmente após o início da redemocratização. A transferência de culpa do subdesenvolvimento aos agentes internacionais passou a ser uma forma de escapismo. Assim, da patologia da dívida externa passamos à mitologia da dívida.

Da mesma forma que nunca participara do pessimismo exportador, não participei também do pessimismo creditício. Argumentei longamente no Senado que o endividamento brasileiro era muito mais facilmente administrável que o dos demais países latino-americanos. Conquanto ele fosse, em termos absolutos, o maior dentre os países em desenvolvimento, havia os seguintes fatores atenuantes:

• Como percentagem do PIB, nossa dívida externa era inferior à do México, Argentina, Chile, Venezuela e mesmo Coréia do Sul;

• Nosso dinamismo exportador era mais elevado que o desses países (exceto a Coréia do Sul);[487]

---

[486] Ver Massood Ahmed e Lawrence Summers, 'Avaliação da crise da dívida em seu 10° aniversário', artigo publicado na revista *Enfoque econômico*, 1993, n° 3, p. 32-39.

[487] O brasileiro, dizia-me um banqueiro japonês, é um latino-americano com o potencial dinâmico dos tigres asiáticos e o espírito de mendicância dos africanos.

• Apesar de consideráveis desperdícios, como o programa nuclear ou a ferrovia do aço, os recursos captados tinham se dirigido a projetos produtivos, criando ativos reais, ao contrário do que ocorrera na Argentina e Venezuela (e parcialmente no México), países em que o ingresso de recursos foi anulado pela fuga de capitais (Venezuela e Argentina) ou despesas armamentistas (Argentina e Peru);

• Como maior e mais diversificado mercado da América Latina, podíamos atrair maior volume de capitais estrangeiros de risco;

• A existência de várias empresas estatais lucrativas ou recuperáveis facilitaria a conversão da dívida externa em ações (*debt equity swaps*); a privatização não exigiria recursos cambiais nem fiscais.

Após a redemocratização em 1985, deslanchou-se um revisionismo crítico do período militar. Falava-se na "recessão dos militares" e na "dívida externa contraída pelos militares". Naturalmente, o fato de que os credores subordinavam qualquer acomodação a entendimentos com o FMI facilitava essa *demonização* da dívida.

Só lentamente amadureceu a percepção de que o problema brasileiro era muito mais de insolvência fiscal que de insolvência cambial. O saldo de exportações conseguido em 1984 e 1985 demonstrava nossa capacidade de gerar divisas. O problema era a concentração da dívida em mãos do governo federal. Essa concentração passou de 2/3, em 1981, para 85% em 1986, seja porque o Tesouro honrou avais dados a empresas estatais e a estados e municípios, seja porque reteve cruzeiros pagos por devedores privados, sem efetuar as transferências cambiais para os credores.

O debate se tornou passional ao longo de 1986, quando o país marchava para um estrangulamento cambial. Esse estrangulamento tivera origem no Plano Cruzado. A taxa cambial ficara congelada por nove meses (dizimando-se exportações), houve frenéticas importações de alimentos, e o dólar barato excitou as remessas estrangeiras e a fuga de capitais nacionais.

Criara-se então no Senado uma Comissão Especial para a dívida externa, cujo relator foi o senador Fernando Henrique Cardoso. Assinei o relatório em agosto de 1986, como voto vencido.

As discussões foram um misto de irrealismo e infantilismo. Criou-se uma mitologia da dívida, com base em duas premissas não demonstráveis. Falava-se no "sacrifício exportador", como se a orientação exportadora (da qual resulta um aumento de eficiência) fosse incompatível com a ampliação do mercado interno. Tanto o ministro Funaro como seu sucessor, o ministro Bresser Pereira, postulavam um falso dilema: "crescimento *versus* pagamento da dívida".[488] Na realidade,

---

[488] No jargão dos economistas de esquerda na época falava-se muito no "pesado ônus representado pela *transferência real* de recursos para o exterior, em virtude do superávit de exportação". Era uma interpretação hiperbólica de uma magnitude estatística, que procurei reduzir às suas reais proporções em artigo para *O Globo*, de 7.10.1990: "É tolice imaginar que os mega-saldos de exportação representavam uma imposição deliberada da finança internacional, para que o Brasil

o contrário se passava. Os países que mantiveram o pagamento da dívida — Chile, Colômbia e Coréia do Sul (estes dois últimos sem sequer pedir reescalonamento) — conseguiram saudável crescimento na década perdida. Os que declararam moratória, rompendo com o sistema financeiro internacional — Brasil e Peru — perderam a década. A moratória era apenas uma fórmula escapista para evitar as agruras do inevitável ajuste interno.

Em fins de 1985, em discurso no Senado Federal de crítica às posições do ministro Dilson Funaro, assim me expressei:

"Consideremos agora o paradoxo da dívida. Postula-se que a obrigação de gerar saldos de exportação para saldar a dívida é um sacrifício do povo. E também um componente sádico da política recessiva do FMI. Ora, que sucedeu no Brasil? Em 1982 e 1983 nada pagamos da dívida, pois os juros foram cobertos com novos empréstimos. O país estava em aguda recessão. Em 1984 e 1985, graças ao surto exportador, passamos a pagar quase toda a conta de juros. E foram anos de recuperação econômica. É que as exportações têm efeito estimulante próprio, canalizando as atividades para áreas de maior produtividade e gerando sua própria poupança. O efeito recessivo só ocorre quando o saldo é criado pela compressão de importações essenciais, e não pelo esforço de exportação. Assim sendo, a política do FMI de reorientar a economia para as exportações foi expansiva e não recessiva. Recessivo, sim, é o recente pacote fiscal que drena recursos do setor privado para financiar a preservação do desajuste do setor público."

Durante a implementação dos Planos Cruzado e Bresser Pereira, foram estéreis as negociações com a comunidade financeira internacional. Funaro, com arrogância um pouco messiânica, parecia acreditar sinceramente que um endurecimento do maior devedor, o Brasil, em face dos credores, provocasse uma reforma do sistema financeiro internacional ou pelo menos uma "nova maneira de tratar a dívida", ante o receio de um efeito dominó sobre outros devedores. Funaro falava insistentemente na necessidade de um "tratamento político", sem precisar bem o que isso significava. A expressão indefinida poderia ter várias interpretações: oferta pelos credores de dinheiro novo ou de redução da dívida; abandono da exigência de

_____

pagasse suas dívidas. Nenhum exportador sofreu pressão do Banco Central para esse gesto patriótico. Os exportadores exportavam apenas porque isso lhes parecia mais atraente que o mercado interno. Um dos mais freqüentes equívocos de nosso economês é a assimilação dos saldos comerciais à 'transferência de recursos reais', já que se estaria sacrificando o mercado interno para engordar os compradores externos. Ora, muito do que se exporta não seria nem consumido pelo mercado interno, nem sequer produzido. E se o Brasil acumulou megasaldos não foi por exportar demais e sim por importar de menos. E importou de menos, não por causa da pressão de agentes externos — cujo interesse seria precisamente o contrário — e sim por causa das reservas de mercado que alimentaram a inflação e a ineficiência."

monitoramento do FMI; ou convalidação da tese heterodoxa de cura indolor da inflação, originalidade brasileira da época.[489]

Como já disse, Funaro considerava uma questão de honra não negociar com o FMI. No ambiente ideologizado da época, a moratória que eu descrevia como "humilhante acidente de percurso" era considerada prova de masculinidade negocial.

---

[489] Em artigo em *O Globo*, em 29.9.85, assim expressei meu ceticismo: "Quando ouço falar em negociação política da dívida tenho a impressão de que se trata de um codinome para abrigar um sonho impossível (um novo Plano Marshall) ou uma picuinha secundária (a não-monitoração dos acordos pelo FMI). É irrealismo pensar que o Congresso americano, azucrinado por déficits fiscais e comerciais, extrairá do contribuinte recursos especiais para auxiliar países que julga perdulários, e bancos, que julga argentários. O Japão dificilmente recorreria à Dieta para dar à América Latina tratamento mais favorável do que o dado aos países asiáticos, que já superaram seus problemas de endividamento. Os alemães nos perguntariam porque não aceitamos investimentos de risco na alta tecnologia, em vez de mendigarmos dinheiro de aluguel. Mrs. Thatcher, na Grã-Bretanha, diria que estamos perdendo excelentes oportunidades de privatizar nossas empresas estatais, oferecendo aos credores ações saudáveis, em troca de créditos duvidosos. A França... ora, a França nos daria um bom papo, mas a verdade é que não tem dinheiro..."
Funaro, acolitado pelo economista Paulo Nogueira Batista Junior, entusiástico proponente da moratória, e pelo embaixador Álvaro Alencar, da ala nacional-esquerdista do Itamaraty, prosseguiu entretanto sua impávida peregrinação à busca de um enfoque original para o problema da dívida. Encontrou fria acolhida em Washington, por parte de James Baker, secretário do Tesouro, e ainda mais fria por parte do chanceler do Erário britânico, Nigel Lawson. Baker acariciou a vaidade de Funaro concordando em que o problema da dívida deveria ser encarado sob a "ótica do crescimento", mas sugeriu que o Brasil, à semelhança do que haviam feito a Argentina e as Filipinas, aceitasse um *menu approach*, que abrangesse "a conversão da dívida em investimento, algum tipo de bônus de investimento" e *exit bonds*. Seria, entretanto, indispensável o monitoramento do FMI, apesar do antagonismo político a essa instituição na América Latina. A peregrinação de Funaro culminaria na reunião do FMI em Seul (Coréia do Sul) em outubro de 1986, onde se entreteve com Jacques de Larosière, diretor executivo dessa instituição. Em seu livro *O outro lado da moeda*, que é uma espécie de diário de campanha de Funaro, o jornalista Eric Nepomuceno relata um aspecto bizarro da personalidade de Funaro. Teria havido um encontro secreto do ministro num hotel em Seul com um personagem misterioso, o "pombo-correio", que se identificava como funcionário de Paul Volcker, presidente do Federal Reserve Board. O "pombo correio", que insistia em manter encontro num *department store* para escapar da presença de assessores, aconselhou Funaro a voltar a um acordo com o FMI, pois de Larosière era amigo do Brasil e facilitaria as coisas. O "pombo correio" reapareceria novamente um ano depois, quando Funaro fez breve visita a Washington. Novo encontro secreto, evitando-se a presença de qualquer assessor, na suíte de um hotel. Desta vez o "pombo-correio", sabendo da intransigência de Funaro em recorrer ao FMI, o que bloqueava entendimentos não só com os credores em Nova York como com o Clube de Paris, declarou que os Estados Unidos estavam se preparando para as conseqüências de uma moratória brasileira. Considerando-se o alto grau de institucionalização do governo em Washington, imaginar que o presidente do Federal Reserve Board se servisse de um mensageiro misterioso, para transmitir mensagens ao governo brasileiro, é um sinal de inexcedível ingenuidade! Apud Eric Nepomuceno, *O outro lado da moeda*, São Paulo, Siciliano, 1990, p. 51-52 e 155-166.

Bresser Pereira, a seu turno, insistiria numa *desvinculação* dos desembolsos de recursos do FMI e dos bancos credores. Apresentou também a idéia algo bizarra do *spread zero*. O Brasil estava pagando *spreads* excessivamente altos, precisamente por não ter programas de estabilização acordados com o FMI. Podia-se pleitear uma melhoria de tratamento, mas postular o *spread zero* como condição negociável seria transformar os bancos em instituições filantrópicas, pois o *spread*, além de refletir o grau de risco do país, faz também parte da margem operacional dos bancos. Ambos os ministros pretendiam que o Brasil definisse unilateralmente o nível de reservas que precisaria manter, antes de efetuar quaisquer pagamentos.

Bresser lançou também a idéia da "securitização", isto é, a conversão da dívida velha em títulos novos de longo prazo. Não havendo oferta de garantias adicionais que diferenciassem a dívida nova da antiga, a proposta era irrealista.[490] A idéia vingaria mais tarde no Plano Brady, mas vinculada a garantias colaterais fornecidas pelos devedores, e parcialmente financiadas com recursos do FMI, agências internacionais ou entidades oficiais de crédito (Eximbank, do Japão, por exemplo). Essa garantia, no acordo mexicano de 1989 e nos acordos posteriores, tomaria a forma de *bonds* de 30 anos, cupon zero, emitidos pelo Tesouro americano.

O Brasil somente voltaria a um grau maior de realismo na gestão de Mailson da Nóbrega, com a conclusão do acordo sobre dívida externa de agosto de 1988, a que já fiz referência. Refletindo o melhor entendimento internacional do problema da dívida, as condições eram mais favoráveis que as do acordo Pastore, elevando-se o prazo de amortização de 16 para 20 anos. Essa evolução internacional favorável continuaria e em 1989 seria concluído o acordo mexicano, que se tornou uma espécie de padrão: securitização com prazo de 30 anos, redução da dívida em torno de 35%, ou opcionalmente, fixação de juros em níveis mais baixos, contemplando-se também outras possibilidades como a conversão da dívida em ações.

Felizmente o relatório do Senado Federal não endossou certas maluquices propostas durante o debate. O senador Severo Gomes e o deputado Irajá Rodrigues propunham que o Supremo Tribunal Federal declarasse unilateralmente a nulidade dos contratos internacionais da dívida que fossem considerados defeituosos, em

---

[490.] No governo Collor, a ministra Zélia Cardoso de Mello apresentou proposta aos bancos credores de securitização da dívida em diversas *tranches*, com juros mais favoráveis para os *bonds* de longo prazo. A proposta não foi levada a sério. Disse-me um banqueiro americano: "Na ausência de garantias, teremos a opção de não ser pagos em 30 anos com juros maiores, ou não ser pagos em 20 anos com juros intermediários, ou em 15 anos com juros menores..."

razão do cumprimento inadequado de formalidades internas (como a audiência prévia do Congresso). A dificuldade óbvia é que a anulação dos contratos nos reverteria ao *statu quo ante*. O Brasil recuperaria os juros pagos mas teria que devolver os equipamentos financiados, como turbinas de Itaipu ou laminadores de Volta Redonda![491]

O acordo da dívida concluído por Mailson da Nóbrega, em agosto de 1988, reverteria por algum tempo a atitude confrontacionista em relação ao sistema financeiro internacional, defendida pelos partidos de esquerda e boa parte do PMDB.

Em que pese a retórica de abertura internacional da sua plataforma, Collor persistiu, na fase inicial de seu governo, numa atitude confrontacionista. Foram suspensas as remessas de rendimentos de empresas estrangeiras. Naturalmente, o confisco de ativos financeiros, medida de difícil aceitação mesmo pelos investidores nacionais, foi considerado pelos estrangeiros uma agressão ao direito de propriedade e à economia de mercado.

A atitude de Zélia Cardoso de Mello era de relativa displicência em face dos credores e do FMI. O ajuste interno teria prioridade e os credores que esperassem... Mais tarde negociaríamos a partir de uma posição de força. Erroneamente, o ajuste externo foi considerado um subproduto e não fator cooperante do ajuste interno. Não se percebeu que a restauração da confiança externa auxiliaria na restauração da confiança interna.

Os economistas de esquerda, com bom curso na imprensa, abundavam em manifestações críticas ao primeiro acordo concluído no contexto do Plano Brady — o acordo mexicano da dívida externa. Como é sabido, o esquema Brady exigia, em troca de uma redução no valor global da dívida, reformas estruturais nos países devedores, na direção da economia de mercado, com participação e monitoramento do FMI.

As críticas se referiam à aceitação pelos mexicanos de uma insuficiente redução do montante global da dívida e/ou da taxa de juros e à sua suposta submissão aos ditames do FMI. Pretendia-se que o Brasil fizesse uma negociação mais dura, máscula e competente! Insistiríamos em exigir um deságio aproximado do deságio do

---

[491] Menos desarrazoado seria o recurso à "teoria da imprevisão", ou seja, a cláusula *rebus sic stantibus*. Em virtude das taxas de juros flutuantes, a dívida acumulada no início dos anos 70 subiu de patamar, gerando a política restritiva de juros altos do Federal Reserve Board que provocou unilateralmente um salto abrupto dos encargos da dívida. Isso justificaria uma negociação, porém não um cancelamento dos contratos. A injustiça do custo extra da carga de juros acabaria sendo reconhecida alguns anos mais tarde nas negociações dos acordos do Plano Brady, que implicaram a aceitação pelos bancos credores de uma redução de cerca de 35% do valor da dívida, ou, alternativamente, uma redução dos juros contratuais.

mercado (então cerca de 75%) ou um abatimento de pelo menos 50%, como aventara o ministro Bresser Pereira.[492]

Fui um dos poucos a defender o acordo mexicano e a propor que o Brasil seguisse caminho semelhante. A meu ver, nossa importância estratégica para os Estados Unidos era inferior à daquele país, sendo portanto irrealista esperar condições melhores. Se condições mais favoráveis fossem negociadas subseqüentemente com outros países, poderíamos sempre pleitear equiparação.

Em conversa com Henry Kissinger em Nova York, notei-o também crítico da inadequacidade do acordo mexicano, que revelaria "falta de sensibilidade" de Washington para a gravidade da crise e para os problemas políticos dos devedores.

Lembrei-lhe que o "ótimo é inimigo do bom". Mais importante que a redução quantitativa da dívida seriam os efeitos colaterais que o acordo exercesse sobre a) A taxa de juros interna no país devedor; b) A repatriação dos capitais refugiados no exterior; c) A retomada de empréstimos voluntários ao país devedor; d) O clima de investimentos externos e internos.

Como eu previra, todos esses efeitos foram favoráveis no caso mexicano. A taxa de juros interna nesse país caiu pela metade logo após o acordo, testemunhando uma ressurgência de confiança. Houve substancial repatriação de capitais mexicanos, encorajados por uma anistia fiscal. Melhorou o clima de investimentos, e o México rapidamente ultrapassou o Brasil como recipiente de crédito e investimentos.

O último capítulo dessa novela insensata foi a votação do art. 26 das Disposições Transitórias, pela Assembléia Constituinte. Esse artigo, assim como o parágrafo 3º do art. 192 (que inscreveu na Constituição o teto de juros reais de 12% ao ano), resultou de emendas apresentadas pelo deputado Fernando Gasparian, de São Paulo. Este pertencia a um grupelho que eu chamava de "burgueses de esquerda", que incluía Renato Archer e Severo Gomes.

O art. 26 das Disposições Transitórias determinou que, dentro do prazo de um ano, o Congresso promoveria, através de uma Comissão Mista, um "exame analítico e pericial dos atos e fatos geradores do endividamento externo brasileiro". O parágrafo 2º assim rezava:

> "Apurada irregularidade, o Congresso Nacional proporá ao Poder Executivo a nulidade do ato e encaminhará o processo ao Ministério Público Federal, que formalizará, no prazo de sessenta dias, a ação cabível."

---

[492] O deságio de mercado era pouco significativo porque só os pequenos bancos, desejosos de se livrar a qualquer custo do risco "Brasil", vendiam seus papéis. Os grandes bancos, detentores do grosso da dívida, tinham fôlego para esperar uma solução mais favorável, como o "menu de opções" contemplado no Plano Brady. Uma proposta interessante era a utilização de reservas cambiais para o *buy back* da dívida no mercado secundário, para permitir aos governos devedores aproveitarem-se dos deságios. O Chile fez uso limitado desse método, conseguindo tolerância tácita dos grandes credores. Operações desse gênero exigiriam confidencialidade, para evitar a rápida valorização dos papéis, e somente seriam factíveis por governos de impecáveis credenciais éticas.

Seria difícil conceber maneira mais eficaz de isolar o Brasil da comunidade financeira internacional, interrompendo o fluxo de empréstimos e investimentos. Que credor continuaria emprestando a um país que unilateralmente poderia decretar a nulidade de contratos internacionais perfeitos e acabados? Tratava-se de uma óbvia irracionalidade. As irregularidades só poderiam levar a uma punição interna do negociador faltoso e não a uma anulação de contratos internacionais. Felizmente, o texto constitucional permaneceu letra morta. Mas o impacto negativo sobre a credibilidade brasileira continua até hoje. A cultura do calote estava tão arraigada que esse texto absurdo passou por grande maioria.

Quando a ministra Zélia Cardoso de Mello se decidiu, em fins de 1990, a abordar seriamente a questão da dívida externa, o encarregado das negociações foi o embaixador Jório Dauster, que servira comigo na embaixada em Londres. Talentoso e articulado, tinha sido competente negociador em matéria de café. Certamente não era o homem ideal para negociações financeiras, porque herdara de seu passado marxista um viés anticapitalista e antiamericano, e era propenso ao uso de retórica nacionalista. Antevi negociações ásperas e difíceis. Minhas apreensões se confirmaram quando, ao retornar ao Senado, depois de conferências nos Estados Unidos e Europa, soube de sugestões encaminhadas por Zélia e Dauster ao senador Fernando Henrique Cardoso, que tinha sido relator da Comissão da Dívida Externa, visando a obter do Senado uma resolução fixando "condições para negociação", a ser exibida aos bancos credores, supostamente para "reforçar a mão dos negociadores".

O artifício era de valor duvidoso. A maioria dos devedores dispõe de seu próprio Senado e se os credores a isso se submetessem dificilmente veriam a cor de seu dinheiro... Do ponto de vista dos credores, as eructações de Brasília eram tão relevantes como conversas de extraterrestre...

Essa a origem da Resolução 82 do Senado Federal, de dezembro de 1990, um documento de extraordinário irrealismo e infantilismo. Nesse documento definíamos soberana e unilateralmente qual a nossa capacidade interna de pagamento, "resguardadas as necessidades de financiamento não-inflacionário do desenvolvimento econômico". Em outras palavras, os credores receberiam as sobras, se sobras houvesse. Transmitia-se a hilariante revelação de que a capacidade de pagamento é a "diferença positiva entre receitas e despesas da administração federal", excluída a receita das privatizações, pois venda de patrimônio aparentemente não gera receita. Ora, a capacidade interna de pagamento não é um conceito matematicamente determinável à opção do devedor. É o resultado de um conjunto de políticas que envolvem austeridade orçamentária, tarifação realista de preços públicos, redimensionamento do governo e ritmo de privatização. Se esse conjunto de políticas fosse *credível*, nacional e internacionalmente, seria desnecessária a resolução do Senado; se não o fosse, os credores a considerariam uma patriotada disfuncional. Inferia-se, também, do projeto de resolução que os pagamentos da dívida seriam suspensos se as reservas cambiais caíssem abaixo do nível que considerássemos necessário para manter uma razoável dieta de importações. Acontece que o nível de reservas e a capacidade de importar dependem de fatores múltiplos, como a disponibilidade de créditos comerciais, o ingresso de novos investimentos, o ritmo de desembolso das agências internacionais e a repatriação de capitais brasileiros. Se qualquer oscilação de reservas permitisse a suspensão de pagamentos, os contratos se tornariam impraticáveis...

Por sugestão de Severo Gomes, dispunha-se ainda que a conversão da dívida externa em ações de estatais só poderia ser admitida com o deságio do mercado. Isso tornaria a conversão pouco atraente, além de se tornar patente injustiça quando, mais tarde, com a lei de desestatização (Lei n? 8.031/90), os títulos da dívida interna passaram a ser aceitos pelo valor face.

Essa Resolução, que foi patrocinada pelo senador Fernando Henrique Cardoso, com apoio entusiástico de Severo Gomes e Mário Covas, figuras exponenciais do PMDB paulista, conseguiu o singular feito de conter três inconstitucionalidades num só artigo, o art. 5°. O Senado exorbitava de seus poderes constitucionais ao interferir na rotina dos pagamentos; cabe-lhe, constitucionalmente, autorizar operações de crédito externo, mas a execução dos contratos é responsabilidade do Poder Executivo. Ao exigir ser consultado sobre o pagamento dos atrasados feria *direitos adquiridos*, pois no contrato com os credores não figurava essa cláusula condicionante. Finalmente, feria o *princípio de isonomia*, pois só exigia consulta no caso dos contratos com os bancos privados, quando esses contratos têm a mesma garantia do Tesouro e o mesmo valor jurídico dos contratos com agências financeiras internacionais. Apesar de um meu discurso de protesto contra o irracionalismo da resolução, ela foi passada numa sexta-feira, por voto simbólico, num plenário vazio, no final da sessão legislativa de 1990.

A atitude confrontacionista em matéria de dívida externa, cujo único resultado foi o aumento da taxa de juros sobre nossas dívidas de curto prazo, só seria reversada na segunda fase do governo Collor, com a nomeação de Marcílio Marques Moreira para o ministério da Economia, em maio de 1991. Como embaixador em Washington, assistira ao desenrolar da saga da dívida, conhecia intimamente o sistema financeiro internacional e os limites negociais possíveis. Recebeu surpreendente apoio de Michel Camdessus, diretor-executivo do FMI, ao qual enviou uma carta de intenção excessivamente otimista sobre seu plano de estabilização. Era a décima carta de intenção do Brasil após a crise da dívida e, como todas as outras, fadada ao descumprimento. A negociação da dívida externa foi reencetada através de um novo negociador, Pedro Malan, cuja experiência como diretor brasileiro no

Banco Mundial lhe dava uma visão realista das várias opções do Plano Brady. À altura em que escrevo, tudo indica que será concluído um acordo com os bancos comerciais credores, permanecendo entretanto incerta sua condicionante — o aval do FMI.

O Brasil será talvez o último dos grandes países da América Latina a concluir um acordo do tipo Brady. Enquanto isso não ocorrer, receberá apenas créditos de curto prazo ou investimentos especulativos, mas continuará pouco atraente para o tipo de investidor que realmente nos interessa: o capital de risco aplicado permanentemente na criação da riqueza nacional.

O AVANÇO
DO RETROCESSO

— Fazer constituições é um esporte perigoso — disse-me na embaixada em Londres, em 1978, o primeiro-ministro James Callaghan. Cada parlamentar sente uma tentação insopitável de inscrever no texto constituinte sua utopia particular.

Esse esporte perigoso somente se justifica logicamente quando há uma ruptura das instituições, como ocorrera na proclamação da República ou no fim da ditadura Vargas. O mesmo não se pode dizer da Constituição de 1988, que nasceu sem ruptura de regime, no bojo de um processo eleitoral constitucionalmente válido.

Em minha experiência política, participei de dois momentos constituintes. O primeiro quando, como ministro do Planejamento, no governo Castello Branco, preparei a redação básica dos dispositivos sobre a ordem econômica, orçamentação, sistema tributário e educação, que viriam a figurar no texto da Constituição de 1967. O segundo, em 1987-88, como senador e membro da Assembléia Nacional Constituinte.

Meu ceticismo em relação a textos constitucionais é hoje acachapante. Tal como concebida, a Constituição de 1967 foi a mais antiinflacionária e uma das mais privatistas do mundo. O Congresso não poderia aumentar despesas; não haveria investimentos sem projetos e especificação de receita; exigiam-se orçamentos-programas e os investimentos seriam amarrados por orçamentos plurianuais; o governo só poderia intervir no domínio econômico se houvesse desinteresse do setor privado ou necessidade inadiável de segurança nacional. Entretanto, nos 24 anos que se seguiram àquela Constituição, tanto a inflação como o estatismo continuaram sua marcha impávida. No campeonato mundial da inflação estamos empatando com a Rússia e nossa burocracia estatal não fica muito a dever à burocracia stalinista.

Chego hoje à conclusão que a situação ideal é a inglesa. Contentam-se os britânicos com a Magna Carta de 1215 e o *Bill of Rights* de 1689, precedido este pela *Petition of Rights*, de 1623 e o *Habeas Corpus Act*, de 1679. A ordenação política foi, ao longo dos tempos, flexibilizada e enriquecida em leis do Parlamento e por jurisprudência, adaptando-se as leis à evolução dos costumes. Uma segunda solução — *second best* — é a americana: uma Constituição que dura há mais de 200 anos, com apenas 26 emendas, ou seja, uma, em média, por decênio. A terceira solução, que parecia humilhante mas foi na prática satisfatória, foi a do Japão, cuja Constituição foi escrita. a rigor. pelo inimigo. quando o país. derrotado na Segunda Guerra Mundial. estava sob ocupação americana.

Situação semelhante é a da Alemanha. cuja lei fundamental. editada em 1949. refletia em parte a cultura constitucional norte-americana. É mais sintética. e por isso mais duradoura que a Constituição de Weimar. de 1919. que inaugurou a moda das constituições chamadas *dirigentes*.

Às vezes o exercício constitucional é perigoso. Os canadenses viviam bem sob a Constituição de 1982. aprovada pelo Parlamento inglês. e agora se meteram em encrencas com o acordo de Meech Lake. depois rejeitado em plebiscito. que definiria o *status* constitucional de franceses e indígenas.

Os países latinos são naturalmente mais buliçosos. Desde a Revolução de 1789. a França teve os períodos de Restauração. do Império e de República. estando agora na V República. A cada fase correspondeu uma ordenação constitucional diferente.

O continente mais criativo. infectado pela *constitucionalite*. uma espécie de diarréia constitucional. é a América Latina. Conforme nota o professor Keith Rosenn. desde a respectiva independência. no primeiro quarto do século XIX. os países latino-americanos fabricaram uma média de 13 constituições por país. Os casos de extrema incontinência são a República Dominicana. a Venezuela e o Haiti. com mais de 20 constituições. Brasil e México estão empatados com oito. mas o desempate em 1994 será a nosso favor (ou desfavor?). E há dois casos considerados bizarros em teoria constitucional. Um é o do Brasil. cuja Constituição prevê sua própria revisão depois de cinco anos. o que indica que os constituintes tinham uma vaga idéia de que estavam fazendo uma porcaria. (Trata-se de uma imitação malfeita do art. n° 286 da Constituição portuguesa). Outro é a Constituição de 1961. da Venezuela. que dispõe que ela não perderá seu efeito. mesmo se sua observância for interrompida por um golpe de Estado. Isso é que é surrealismo![493]

As atuais constituições americana. japonesa e alemã configuram, assim. o modelo constitucional clássico. São constituições, para usar uma expressão do professor Diogo de Figueiredo. *principiológicas*. que enunciam princípios. por contraste com as constituições *prescritivas*. que enunciam preceitos de comportamento.

As constituições limitadas a princípios gerais de organização do Estado e de seus poderes. e às garantias das liberdades individuais. podem ser duradouras. As constituições de preceito. também chamadas de constituições *instrumento*, tendem a refletir a configuração partidária do momento e participam da instabilidade das opções sociais vitoriosas em determinados momentos históricos.

Um marco importante no surgimento das constituições do tipo *dirigente* foi sem dúvida a famosa Constituição alemã de Weimar. de agosto de 1919. Essa Constituição acrescentou às

---

[493] Ver Keith S. Rosenn. 'The sources of constitutionalism in the United States and its failure in Latin America'. artigo publicado na *Interamerican Law Review*. Fall 1990. vol. 22. n° 1.

normas de organização política e liberdades pessoais, preceitos relativos à *vida social*, à *religião e sociedades religiosas*, à *instrução de estabelecimentos de ensino* e à *vida econômica*.

A maioria das constituições brasileiras costuma ter três defeitos, que parecem agravar-se no curso do tempo. São *reativas, instrumentais* e freqüentemente *utópicas*. Chamo-as de *reativas* porque não apenas mudam para adaptar-se às circunstâncias, mas reagem pendularmente, ultrapassando o ponto de equilíbrio. A Constituição de 1891 reagiu contra a centralização do poder imperial e o regime parlamentar, estabelecendo o regime presidencialista e federativo segundo o modelo norte-americano. Era o sistema de balanço de poderes, ao invés do poder moderador do Imperador.[494] A Constituição de 1934 foi uma reação contra as constituições clássicas e passou a incluir, segundo o modelo da Constituição de Weimar, preceitos sobre direitos sociais e econômicos. A Constituição de 1937, outorgada por Vargas, refletia as tendências autoritárias então existentes, com o surgimento do nazi-fascismo. Era um reforço do Estado contra os desafios da direita e da esquerda. Deveria ser legitimada por um plebiscito que jamais se realizou. A Constituição de 1946 foi uma reação contra a ditadura Vargas, e procurou enfatizar direitos individuais. A Constituição de 1967 representou uma reação contra o imobilismo legislativo que resultara da Constituição de 1946. Tendeu, novamente, a fortalecer o Poder Executivo. Receava eu assim em 1987-88 que, segundo a tradição pendular, fizéssemos uma Constituição que, fortalecendo demasiado o Congresso, criasse uma espécie de ditadura legislativa.[495] Melhor pareceria podar aspectos autoritários das Constituições de 1967/1969, sem sobrecarregar a transição democrática com a tarefa adicional de reformulação completa da ordem jurídica.[496]

---

[494] Na Constituição do Império, de 1824, estabelecia-se um claro endosso das constituições clássicas. O art. n? 178 assim rezava: "É só constitucional o que diz respeito aos limites e atribuições respectivas dos poderes políticos, e aos direitos políticos e individuais do cidadão. Tudo que não é constitucional pode ser alterado, sem as formalidades referidas pelas legislaturas ordinárias".

[495] A Constituição de 1988 criou uma espécie de "participativismo", que foi uma reação não só contra o autoritarismo, mas também contra a própria democracia "representativa". Criaram-se vários institutos de participação popular como o plebiscito, o referendo e a ação popular. Entre essas inovações, figuram também o "mandado de injunção", o "mandado de segurança coletivo" e o *habeas data*. Uma forma extrema de participativismo é o atual assembleísmo universitário que, nas eleições das reitorias, trata com o mesmo peso valores diferentes, com graves prejuízos para o ensino universitário, que se deve basear muito mais na "meritocracia" que na "democracia". É o que Diogo de Figueiredo chama de "fascínio pelo participativismo".

[496] Diogo de Figueiredo elenca seis momentos da evolução política brasileira. O primeiro momento — do absolutismo ao liberalismo — vai da Independência até o fim do Segundo Império. O segundo momento — o do bacharelismo liberal — iniciar-se-ia com a Proclamação da República indo até a Revolução de 30. O terceiro momento — o do autoritarismo nacional-corporativo — foi a era de Vargas, desde 1930 até a redemocratização em 1945. O quarto momento — o do neoliberalismo democrático — estender-se-ia desde a queda da ditadura getuliana até a Revolução de 1964. O quinto momento — que ele chama de autoritarismo estatizante — vai da Revolução de 1964 até a eclosão do movimento constitucionalista em 1985. O sexto momento — que eu denominaria de nacional-populista — iniciou-se com a convocação da Assembléia Nacional Constituinte pela Emenda nª 26, de 27.11.85, e se institucionalizou com a Constituição de outubro de 1988. Ver Diogo de Figueiredo Moreira Neto, *Constituição e revisão*, Rio de Janeiro, Forense, 1991, p. 7-8.

O segundo defeito das constituições brasileiras é o excesso de normas programáticas, característica das constituições latino-americanas, que Diogo de Figueiredo descreve como *materiais*, por contraposição às principiológicas. Essas constituições são minudentes. Contêm *preceitos* que cobrem as mais variadas áreas de atuação social, como ciência, tecnologia, desportos, lazer, tratamento de indígenas e comunicação social. É o caso de nossa atual Lei Magna, que seguiu o desastrado modelo português de Constituição *dirigente*, assemelhando-se a uma plataforma nacional-populista, que se tornou obsoleta com a internacionalização da economia e o colapso do socialismo. As idéias supostamente progressistas se tornaram reacionárias, com surpreendente rapidez. Nesta era de privatização, a defesa dos monopólios estatais é coisa tão excitante como uma festa de urinóis na época da privada patente...

O terceiro defeito, inerente a todas as constituições dirigistas, é a grosseira falha de não distinguirem entre "garantias não onerosas" e "garantias onerosas". Pode haver ampla generosidade no tocante às primeiras — liberdade de voto, de opinião, de associação e de locomoção, direito à vida e processo judicial. São proteções essencialmente negativas, a saber, são vedadas as leis que restringem o exercício das liberdades humanas. Ao dá-las, ninguém está usando aquilo que John Randolph, estadista americano, descrevia como o mais delicioso dos privilégios, "o direito de dispender o dinheiro alheio". A coisa é diferente quando se trata de "garantias onerosas", como os salários, aposentadorias, educação, saúde e meio ambiente. Essas garantias devem ser objeto de regulação infraconstitucional, porque é necessário medir os custos e especificar quem vai pagar a conta. Os financiadores e os beneficiários podem variar no curso do tempo, e cabe aos partidos políticos, em seus programas, demonstrar à sociedade que a relação custo-benefício é favorável e assim se credenciarem para o exercício do poder. Inseri-las no texto constitucional é torná-lo inexeqüível ou irrelevante.

É por essas considerações e apreensões que desde meu primeiro discurso no Senado me pronunciei em favor de um simples *emendão* ao invés de uma nova Constituição. Tinha, como já disse, a premonição de que qualquer nova Constituição seria do tipo *reativo,* procurando opor-se acriticamente à chamada *Constituição dos militares*, de 1967, atirando-se fora coisas boas e coisas más.[497]

---

[497] José Guilherme Merquior opina diferentemente que, "no Brasil pós-autoritário, a reforma constitucional era um imperativo da institucionalização política". E cita a tese de Samuel Huntington sobre as situações *pretorianas*, em que às vezes um alto índice de mobilização coincide com um baixo nível de institucionalização. No plano político, a reforma da Constituição, segundo Merquior, deveria passar por pelo menos três pontos: a reconceituação de direitos, a redefinição do papel do Congresso e a posição dos estados frente à Federação. Ora, foram precisamente nesses três pontos que os meus receios sobre os desvarios da "constitucionalite" se provaram bem-fundados.

Meu segundo receio era de natureza político-institucional. O Congresso Constituinte de 1987 era desbalanceado, graças ao estelionato eleitoral resultante do Plano Cruzado, que dera ao PMDB uma posição de singular supremacia. Pertenciam a esse partido 305 deputados e senadores, representando 54,6%, ou seja, a maioria absoluta do Congresso. E o PMDB era, a meu ver, um "partido-ônibus", abrangendo um amplo espectro ideológico mas com nítida predominância das correntes nacionalistas e populistas, ou seja, o nacional-populismo.

Meu terceiro receio era partirmos da estaca zero, sem um anteprojeto de constituição, fator também excitante do utopismo. Sarney consignara a merecido arquivamento o projeto da comissão de notáveis cuja notabilidade maior era a abundância de aspirações utópicas e uma crença miraculosa nos poderes do Estado. Mas não apresentou nenhum texto alternativo.[498]

As duas figuras dominantes na Assembléia eram Ulysses Guimarães, seu presidente, e Mário Covas, líder da maioria. Ulysses era basicamente de instintos conservadores mas não resistia à adulação das esquerdas, que o acariciavam com a alcunha de *progressista*, levando-o a adotar posições absurdas. Chegou a fazer uma "opção pela esquerda" durante o processo constituinte, precisamente quando eram perceptíveis no mundo sinais do colapso do socialismo. Mário Covas, dizendo-se social-democrata, perseguia uma linha de nacionalismo e populismo. Esperava-se que o relator do Regimento, Fernando Henrique Cardoso, mais familiarizado com as novas tendências mundiais hostis ao planejamento socialista, fosse o relator da Assembléia Constituinte, posto em que foi surpreendentemente desbancado por Bernardo Cabral, cuja ideologia me parecia indefinida.

Nas negociações para a estruturação das discussões, o PFL, segundo maior partido, cometeu um erro tático. Aceitou ter a presidência das comissões, título mera-

---

A Carta de 1988 tornou-se um catálogo de direitos ineficazes; seu congressualismo hipertrofiado levou o Congresso a invadir a esfera executiva; e o sistema ficou desbalanceado pela excessiva transferência de receita para as subunidades federativas sem correspondente transferência de funções. Ver José Guilherme Merquior, 'Liberalismo e Constituição', ensaio na coletânea organizada por Paulo Mercadante, *O avanço do retrocesso*, Rio de Janeiro, Rio Fundo, 1990, p. 15.

[498] Pouco depois de convocada a Constituinte, em artigo em *O Globo* (22.12.88), sinalizei que a partir da década de 80, com o *reaganismo* e o *thatcherismo*, tinha havido uma substancial mudança na ecologia econômica, notando-se o surgimento de quatro rebeliões: "A primeira contra o Estado regulador, que destrói a flexibilidade necessária às sociedades industriais modernas; a segunda, contra o Estado exator, que aumenta tributos sem cortar gastos e sem melhorar serviços; a terceira, contra o Estado empresário, que não pode ser julgado pelos testes do mercado, por operar com monopólios e privilégios; e, finalmente, contra o Estado previdenciário, que agrava desnecessariamente os custos de mão-de-obra, quando seus serviços poderiam ser executados com menor custo e maior eficiência pelas próprias empresas, mediante acordos fiscalizados pelos trabalhadores". Minha leitura do panorama mundial era correta, mas meus conselhos foram uma pregação no deserto...

mente honorífico, porque a figura relevante seria a dos relatores das comissões e subcomissões temáticas. Segundo o Regimento, estes é que tinham assento na Comissão de Sistematização. Todos os relatores foram designados pelo líder do PMDB, Mário Covas, com um viés nitidamente esquerdizante. Assim, mesmo quando pontos de vista liberais ou conservadores conseguissem vitórias nas comissões temáticas, corriam o risco de ver essa posição reversada na Comissão de Sistematização.

À falta de um texto básico, o processo constituinte brasileiro foi assim uma espécie de *happening* assembleísta. Criaram-se 24 subcomissões e 8 comissões temáticas, confluindo o trabalho para a mais importante de todas, a Comissão de Sistematização.[499]

No plano político, a Constituição teve dois defeitos principais. Primeiro, criou um sistema híbrido de governo, que não obedece a nenhum dos dois modelos tradicionais — o modelo de *equilíbrio de poderes* da Constituição americana, ou o modelo de *integração de poderes* praticado nos regimes parlamentaristas. Uma pilhéria da época era que nosso regime não seria nem *presidencialista* nem *parlamentarista*, e sim *promiscuísta*. É que a Constituinte se iniciou com um viés parlamentarista que, ao longo do percurso, em virtude de mobilização feita por Sarney, resultou na preservação do presidencialismo, ficando do modelo anterior alguns feitios, como, por exemplo, a medida provisória, instrumento importado do parlamentarismo italiano. Foi supostamente uma reação contra o Executivo forte da Constituição de 1967, que tinha a seu dispor três instrumentos emergenciais: o decreto-lei, o decurso de prazo e a lei delegada, este último nunca aplicado.

O tiro entretanto saiu pela culatra. O instituto de medidas provisórias, supostamente limitativo da ação governamental, acabou sendo objeto de grande abuso tanto no governo Sarney como no governo Collor. Enquanto o decreto-lei tinha sua aplicação limitada especificamente à segurança nacional, finanças públicas e vencimentos do funcionalismo, a medida provisória só sofria o requisito geral de ser *urgente e relevante*, précondição que se presta a grande subjetividade de interpretação. Ao contrário do decreto-lei, que era nitidamente um instituto de poder emergencial, a medida provisória quase se tornou um rito de lei ordinária...

Durante o processo constituinte, interessei-me mais diretamente pelos dispositivos referentes à ordem econômica, prestando atenção secundária aos capítulos referentes ao sistema tributário e à ciência e tecnologia.

---

[499] A votação em plenário se tornou extremamente confusa, em virtude da admissão de "emendas aglutinativas", resultantes de conchavos partidários de última hora. Às vezes essas emendas eram simplesmente lidas por Ulysses Guimarães, sem distribuição do avulso, isto é, do texto escrito. Protestei, sem efeito, junto a Ulysses Guimarães, dizendo-lhe que teríamos talvez a única Constituição do mundo votada "de ouvido".

A Comissão da Ordem Econômica (Comissão VI) se dividiu em três subcomissões:

• VI-A — Princípios gerais, Intervenção do Estado, Regime de Propriedade ao Subsolo e Atividade Econômica;

• VI-B — Questão Urbana e Transportes; e

• VI-C — Política Agrícola e Fundiária e Reforma Agrária.

Fui membro titular da subcomissão VI-A sobre "Princípios Gerais". Minhas idéias se afinavam com a de seu presidente, o deputado Delfim Netto (PDS/SP), convertido à economia de mercado após uma gestão bastante intervencionista, e se desafinavam com as do relator, Virgildásio de Senna, do PMDB baiano. Esse contraste se reproduziu ao nível da comissão plenária, cujo presidente, José Lins (PFL/CE), tinha um passado tecnocrático e convicções centristas, em contraposição ao relator, senador Severo Gomes, meu ex-colega no gabinete de Castello Branco, que adotava uma postura de esquerdismo ultramontano, talvez para se livrar da acusação de serviçal de governos militares e burguês latifundiário...

Graças a uma boa articulação, orquestrada em parte por Afif Domingos (PL/SP), conseguimos formular um elenco de emendas apresentadas individualmente que, somadas, compunham um capítulo com predominância da linha de economia de mercado. Essa proposta acabou prevalecendo sobre a do relator, Virgildásio de Senna, que perfilhava uma ideologia nacional-estatizante. Derrotado o relator, seria de se esperar, como de praxe, sua renúncia, seguida pela designação de um novo relator. Consultado sobre a matéria regimental, Ulysses Guimarães decidiu pela desnecessidade da renúncia do relator, o que viria, de futuro, a causar problemas de vez que, como já foi dito, só o relator e os sub-relatores das comissões temáticas e não os respectivos presidentes, participariam da Comissão de Sistematização. Como resultado, Virgildásio de Senna e Severo Gomes viriam a reapresentar, na fase da sistematização, várias propostas que desvirtuaram a linha liberal e privatista vitoriosa na subcomissão de Princípios Gerais.

O texto coordenado pela Comissão de Sistematização, antes de passar ao Plenário, adquiriu um viés intervencionista e estatizante. É que o bloco nacional-populista, apesar de minoritário, revelou maior articulação e combatividade.

Como reação a esse texto, os parlamentares de visão mais liberal organizaram um bloco suprapartidário que viria a ser apelidado de *Centrão*.[500]

---

[500] Tendo o senador Jarbas Passarinho se recusado a ser o líder do Centrão, houve múltiplas lideranças. Os membros mais destacados foram o senador Marcos Maciel e os deputados Ricardo Fiúza e José Lins, pelo PFL, Delfim Netto e Roberto Campos, pelo PDS, e Afif Domingos, pelo PL.

Diogo de Figueiredo assim avalia criticamente o desempenho do *Centrão*:

"Terminado o projeto da Comissão de Sistematização, o Centro despertou e virou *Centrão*, mas nem assim chegou a se concentrar como força política dominante. Cumpriu um papel aquém de suas reais possibilidades. E como o *Centrão* não se centrou, por faltar-lhe unidade doutrinária e coesão de propósitos, as forças conservadoras do estatismo, embora incrivelmente enxertadas de oportunistas, de demagogos e de ideólogos, fizeram prevalecer e até agravar-se o *status quo* alardeando um alegado progressismo que troca um arremedo de pretendidas benesses sociais, a curto prazo, por um regresso econômico e, conseqüentemente, também social, a médio e longo prazo. Tudo pela teimosa manutenção de um modelo de desenvolvimento exaurido: uma espécie de saudosismo ideológico."[501]

A VITÓRIA DO
NACIONAL-OBSCURANTISMO

O episódio do *Centrão* serviu para dar-me duas lições. A primeira foi ilustrar a solidão dos liberais. O adjetivo *liberal* é lascivamente usado pelos partidos políticos (PFL e PL, por exemplo) em descompasso com a realidade subjacente. No *Centrão* eram todos libertários em política, mas quando se passava ao campo econômico e social, a atitude vastamente majoritária era intervencionista, segundo quatro vertentes principais: a vertente nacionalista, a protecionista, a assistencialista e a corporativista (subdividida esta em corporativismo laboral, patronal e estatal).

A segunda lição foi sobre a incoerência ideológica, quase suicida, do empresariado nacional. Lembro-me de uma discussão no apartamento do deputado Ricardo Fiúza, em Brasília, sobre a definição de empresa nacional (ou *empresa brasileira*, segundo a redação final ao art. nº 171 da Constituição). Estavam presentes representantes do empresariado nacional, principalmente empreiteiros, reforçados por ultramontanos da indústria de informática. Defendi o ponto de vista de que deveríamos manter a tradição de tratamento não discriminatório para todas as empresas aqui sediadas e constituídas segundo as leis do país. A definição da empresa nacional (ou brasileira) seria a do Código Comercial de 1850, que sobrevivera a todas as cartas constituintes: o princípio seria o do *jus soli* não o do *jus sanguinis*. A consideração relevante seria a geração local de renda e empregos e não a nacionalidade e domicílio do acionista. De outra forma, estaríamos punindo as empresas estrangeiras que aqui se tinham instalado, esperando estabilidade nas regras do jogo. E desencorajaríamos novos investimentos estrangeiros.

Meu esforço foi baldado. Os representantes das empreiteiras insistiam na manutenção do texto original do relator da subcomissão de Princípios Gerais, Virgildásio de Senna, vivamente apoiado por Severo Gomes, relator da Comissão da Ordem Econômica, que diferenciava entre *empresa brasileira* e *empresa brasileira de capital estrangeiro*. Seriam *empresas brasileiras* as pessoas jurídicas constituídas e com sede no país, desde que o controle decisório e de capital votante estivesse "em caráter permanente, exclusivo e incondicional, sob a titularidade direta ou indireta de pessoas físicas domiciliadas no país ou de entidades de direito público interno". As demais seriam denominadas "empresas brasileiras de capital estrangeiro".

O objetivo dessa discriminação era duplo:

• Possibilitar a instituição de programas destinados a fortalecer o capital nacional e melhorar-lhe a competitividade;

• Assegurar às empresas de capital nacional tratamento preferencial na aquisição de bens e serviços pelo setor público.

Debalde argumentei que essa postura era a) Logicamente indefensável, à luz do art. nº 170 que declarava ser a ordem econômica "fundada na valorização do trabalho humano e na *livre iniciativa*"; b) Qualquer estímulo governamental deveria ser baseado na essencialidade e produtividade do projeto e não na origem do investidor; e c) A preferência que se pretendia dar era uma tradução falseada do *Buy American Act*. Este dá uma proteção para o produto localmente produzido, sem discriminação quanto à nacionalidade da empresa, bastando que 51% dos insumos e componentes sejam fabricados em território americano.

Bizarramente, como nota Diogo de Figueiredo, essa discriminação constitucional entre categorias de empresas brasileiras pode compelir o poder público a adquirir, de empresas nacionais, bens e serviços com um grau de nacionalização menor do que se comprasse de empresas estrangeiras estabelecidas no país.[502]

Os representantes das empreiteiras eram os mais vocais na defesa do princípio de "reserva de mercado". Argumentei que esse tipo de discriminação era inútil e perigoso. Inútil, porque nossa indústria pesada de construção era eficiente e capaz de competir internacionalmente. Perigoso, porque outros países, por reciprocidade, seriam tentados a discriminar contra o Brasil, limitando o acesso de nossas empreiteiras ao mercado internacional. Um fator negativo adicional era privarmo-nos de financiamentos de agências internacionais, como o Banco Mundial e o BID, que exigem concorrência internacional (ainda que dispostos a reconhecer uma certa margem de preferência local, nos casos de países em desenvolvimento, tendo eu próprio em 1966 negociado com o Banco Mundial a aceitabilidade de uma margem de sobrepreço de 15% em favor de empresas nacionais). Ao final, perguntei-lhes, exasperado: — Hipocrisias à parte, qual é a real motivação?

Verifiquei, surpreso, que a motivação era o "medo dos coreanos". Aparentemente, as empreiteiras coreanas teriam demonstrado excepcional agressividade competitiva no Oriente Médio, graças às condições espartanas impostas aos seus operários, para os quais o trabalho em projetos de construção civil no exterior, geradores de divisas, era considerado pelo governo uma alternativa ao serviço militar compulsório. As grandes empreiteiras receavam que os estrangeiros se associassem a pequenas empresas locais, aumentando o nível de concorrência.

---

[502] Ver Diogo de Figueiredo, op. cit., p. 65.

— Não tenham medo — acrescentei — os coreanos não virão, nem tampouco os japoneses. Vocês têm três barreiras de proteção natural, independentemente de preferências constitucionais. O primeiro é a correção monetária; esse instituto fundiria a cuca de coreanos e japoneses. O segundo é a legislação trabalhista; é tão complexa e o processo de disputa judicial tão lento, que as empresas estrangeiras receiam ficar com esse passivo exigível em aberto. O terceiro é a tecnologia da corrupção, altamente desenvolvida no país; o estrangeiro não sabe a delicada dosagem de propina indispensável para viabilizar a aprovação do projeto, sem inviabilizá-lo economicamente.

A reunião terminou em tom azedo. Os empresários, ou pseudo-empresários, fizeram sentir que, a não ser mantido o texto protecionista, poderiam desfalcar o *Centrão* em cerca de 60 votos, prejudicando-o em outras votações.

Mal sabia eu que, através de emendas de plenário, o texto viria a piorar consideravelmente. É que entraria em ação a *máfia da informática*. O texto da sistematização facultava a concessão de *proteção especial* às "atividades consideradas estratégicas para a defesa nacional ou para o desenvolvimento tecnológico". O texto finalmente aprovado em Plenário alargava o arbítrio protecionista para cobrir genericamente também as "atividades consideradas... imprescindíveis ao desenvolvimento do país". E exacerbou os poderes de arbítrio discriminatório da burocracia nacional, ao dar-lhe, nas alíneas a e b do inciso II do art. n.° 171, a faculdade de:

• Exigir que o controle decisório nacional se estendesse ao "exercício de fato e de direito do poder decisório para desenvolver ou absorver (sic) tecnologia";

• Estabelecer percentuais de participação, no capital de pessoas físicas domiciliadas e residentes no país, em entidades de direito público interno.[503]

Ambos os dispositivos violavam frontalmente o direito de livre associação no capital, tornavam o empresário dependente do burocrata na escolha de tecnologia e ignoravam a contínua interpenetração tecnológica existente no mundo.

Esses dispositivos constitucionais inibiram o influxo de capitais e completaram a tarefa de desmodernização tecnológica do país, galhardamente iniciada pela SEI no período militar. O Brasil ficaria à margem da grande revolução tecnológica da segunda metade da década de 80, que catapultou os tigres asiáticos, que tinham políticas mais flexíveis, a uma posição mundialmente competitiva na tecnologia informática.

Foi uma tragédia para o Brasil que, precisamente quando explodia no mundo a revolução do computador, com a massificação do uso do computador pessoal, a partir de 1984, o governo civil, em vez de rejeitar o "entulho autoritário" da SEI, o tenha reforçado. Sarney herdaria de Tancredo Neves a indicação de Renato Archer para a novel pasta de Ciência e Tecnologia e posteriormente para ela nomeou o

---

[503] Esse dispositivo expôs o investidor estrangeiro a um grau inaceitável de incerteza e risco, pois que a qualquer momento uma lei ordinária poderia privá-lo do controle majoritário.

deputado catarinense Luiz Henrique. Seria difícil conceber personalidades mais despreparadas para o entendimento dos problemas de desenvolvimento tecnológico. Ambos esses peemedebistas eram paragons do nacional-obscurantismo, uma explosiva combinação de nacionalismo e ignorância.

Além da questão de definição de empresa nacional, três outros tópicos se provaram controversos e em nenhum deles o *Centrão* logrou fazer prevalecer princípios liberais de mercado. Eram eles:

• A exploração direta de atividade econômica pelo Estado (art. n? 173);
• Os monopólios estatais (art. n? 177);
• A pesquisa e exploração de recursos minerais (art. n? 176, parág. 1°).

No tocante à "exploração direta de atividade econômica pelo Estado", a formulação é nitidamente mais intervencionista que na Carta de 1967. Nesta, a intervenção estatal direta, assim como a formação de monopólios, depende de três condições: a) Lei especial; b) Indispensabilidade para a segurança nacional; e c) Desinteresse ou incapacidade do setor privado. Na Carta de 1988, essa intervenção direta é permitida em termos mais genéricos "quando necessário aos imperativos da segurança nacional ou relevante interesse coletivo". Paradoxalmente, conforme nota Diogo de Figueiredo, a "proscrita doutrina de *segurança nacional*, varrida da Carta de 1988, praticamente em tudo o que se refere ao político e social, logrou sobreviver no econômico".[504]

A questão dos monopólios estatais me era particularmente enervante. Perdera a batalha para Afonso Arinos na Constituição de 1967, quando o monopólio legal de pesquisa e lavra de petróleo foi inserido no texto constitucional.[505] Esperava eu que, com as mudanças mundiais da década de 80, quebrados o encanto do planejamento socialista e a falsa noção da eficácia estatal pela *perestroika* de Gorbatchev e pelo programa das *quatro modernizações* de Deng Xiaoping, o velho mestre muda-

---

[504] Ver Diogo de Figueiredo, op. cit. p. 64. Divirjo de Diogo de Figueiredo em sua alegação de que, não obstante a Carta de 1988 ter ampliado o número de hipóteses de intervenção do Estado, ela o faz com maior precisão e amarração constitucional, permitindo mais efetivo controle da excepcionalidade da intervenção, em contraste com os dispositivos menos precisos dos arts. 163 e 170 da Constituição de 1967. O ponto nevrálgico, a meu ver, é que na antiga Constituição a intervenção tinha como um dos condicionantes a inapetência ou indisponibilidade do setor privado para o exercício da tarefa, enquanto que as expressões "segurança nacional" e "relevante interesse coletivo" da nova Carta não explicitam essa limitação.

[505] Até então o monopólio da União provinha de um dispositivo infraconstitucional: a Lei n? 2.004, de outubro de 1953. Como líder da UDN, Afonso Arinos desempenhara papel importante na instituição do monopólio. Apoiaram-no Bilac Pinto, Aliomar Baleeiro, Maurício Joppert e Gabriel Passos.
Subseqüentemente adeririam à idéia membros de outros partidos como Agamenon Magalhães, Gustavo Capanema e Domingos Velasco.

ria de opinião.[506] Doce e ledo engano! Arinos não só reafirmou sua velha tese do monopólio estatal, mas discursou apoiando a expansão do monopólio para cobrir outras áreas além da pesquisa e lavra, pronunciando-se contrário até mesmo aos "contratos de risco". O eminente constitucionalista, supostamente um liberal, se tornara mais nacionalista que Geisel![507]

O monopólio da pesquisa e lavra de jazidas de petróleo, gás natural e outros hidrocarbonetos fluidos foi expandido para abranger:

• O monopólio da refinação do petróleo nacional ou estrangeiro (art. n.º 177, II);

• O monopólio da importação e exportação dos produtos e derivados básicos do petróleo, do gás natural e outros hidrocarbonetos fluidos (art. n.º 177, III);

• O monopólio do transporte marítimo de petróleo bruto de origem nacional ou de derivados básicos de petróleo produzidos no país, bem assim do transporte por produtos de petróleo bruto, derivados e gás de qualquer origem (art. n.º 177, IV);

• O monopólio, atribuído aos estados, para explorar diretamente ou mediante concessão a empresa estatal, com exclusividade, a distribuição de gás canalizado (art. n.º 25, parág. 2.º).

Era completa a vitória do nacional-obscurantismo e do corporativismo da Petrobrás. Mais que nunca essa empresa, responsável em grande parte pela dívida externa, e incapaz em mais de três décadas de existência de garantir-nos a prometida auto-suficiência, se tornaria, conforme expressão usada anos antes pelo ministro de Minas e Energia, Antonio Dias Leite, "a República Independente da Petrobrás"! Por pouco os *soi disant* nacional-desenvolvimentistas não conseguiram fazer aprovar dispositivo de nacionalização compulsória das distribuidoras de petróleo. Isso, sem dúvida, desanimaria a indústria petroquímica erigida em grande parte com a colaboração de distribuidoras estrangeiras, segundo a fórmula tripartite.[508]

---

[506] Enquanto no Brasil se discutia a Constituição de 1988, o *reaganismo* e o *thatcherismo* já haviam deflagrado mundialmente uma tendência de encurtamento das fronteiras do Estado. No caso específico do petróleo, havia em curso três movimentos simultâneos: desmonopolização, privatização e flexibilização. O apogeu da era dos monopólios estatais fora na década de 70, quando chegaram a existir no mundo 20 monopólios. Esse número caiu para 17 na década de 80. Em 1993 restavam apenas seis monopólios estatais, cabendo ao Brasil a duvidosa distinção de ser o único país importador de petróleo que recusa investimentos estrangeiros no setor.

[507] A senectude tornou o velho mestre cada vez mais vulnerável a cacoetes demagógicos. Dele proveio a proposta do voto aos 16 anos, dispositivo até então só encontrável na Constituição nicaragüense, e que dá a jovens, civil e criminalmente inimputáveis, a grave responsabilidade de participar da escolha do primeiro mandatário. Escrevi, na ocasião, que se tratava de uma politização precoce, pois que essa idade é mais propícia à masturbação fisiológica do que à meditação política!...

[508] Num apelo emocionado ao plenário da Câmara, brandindo suas credenciais nacionalistas de ex-superintendente da Petrobrás na Amazônia, o senador Jarbas Passarinho conseguiu deter a onda de hipernacionalismo, salvando as distribuidoras estrangeiras de morte por inanição. Contribuiu também para que fosse admitida a continuidade dos contratos de risco em execução, mas ante o

Um episódio bizarro denota a deterioração da disciplina administrativa no governo Sarney. Como constituinte, recebi ao mesmo tempo uma carta do presidente da Petrobrás, Ozires Silva, defendendo a manutenção dos contratos de risco, e um panfleto da AEPET (Associação dos Engenheiros da Petrobrás), mais conhecida pelas suas atividades ideológicas do que geológicas, advogando a extinção dos contratos de risco como "uma ameaça ao monopólio"!

Imaginar que tudo isso tenha ocorrido quatro anos depois que Margaret Thatcher inaugurara a onda mundial de privatizações, um pouco mais de um ano antes da queda do muro de Berlim, é algo que me faz pensar que Tavares Bastos tinha razão ao dizer que "quando o brasileiro decide ser burro é capaz de proezas imbatíveis"!

Uma outra vitória do nacional-obscurantismo foi a votação do art. nº 176. Como já vimos antes (capítulo XIV, 17.3.), na Constituição de 1967 e no Código de Mineração (DL 227/67) a atividade minerária se governava pelo princípio do *res nullius*, e a exploração era aberta a sociedades organizadas no país, independentemente da nacionalidade dos acionistas. Isso provocou grande expansão da pesquisa e produção mineral. Na Constituição de 1988 houve um duplo retrocesso:

• Restaurou-se o regime *dominial*, passando a União de administradora de concessões a proprietária do subsolo, com aumento do poder discricionário da burocracia; e

• As autorizações ou concessões de pesquisa e lavra só podiam ser dadas a brasileiros ou "empresas brasileiras de capital nacional".

O texto aprovado em plenário foi mais restritivo que o da Comissão de Sistematização, o qual se referia apenas a "brasileiros ou empresas nacionais", sem explicitar a exigência de maioria de capital nacional. Houve, por assim dizer, uma *nacionalização* da pesquisa e produção mineral, coisa de atroz irrealismo num país extremamente carente de recursos para o risco da pesquisa. Essa maluquice foi introduzida através de uma "emenda de fusão", em torno de um destaque (nº 2.079) proposto pelo senador mato-grossense Márcio Lacerda. A corrente nacionalisteira foi vitoriosa, apesar das advertências dos deputados do *Centrão*, José Lins,

---

aumento da incerteza e a visível hostilidade da Petrobrás, as multinacionais de petróleo reorientaram suas atividades para os países da antiga União Soviética e para os países asiáticos, que passavam a abrir-se precisamente quando o Brasil radicalizava suas praxes monopolísticas. Um dos argumentos contra os contratos de risco era a ausência de descobertas significativas, esquecendo-se os monopolistas que a Petrobrás levara 20 anos até descobrir a bacia de Campos. O exemplo mais bem-sucedido de contratos de risco na América Latina foi o da Colômbia, onde foram descobertos dois campos gigantes, um pela British Petroleum e outro pela Ocidental Oil Company, que transformaram esse país num grande exportador. Uma dessas descobertas exigiu 9 anos e a outra 18 anos de investimento.

Francisco Dornelles e José Lourenço, de que isso provocaria um colapso no ritmo até então promissor de expansão da pesquisa mineral no Brasil.[509]

Dois outros pontos merecem ser mencionados. O primeiro é o ridículo art. n°. 174, que é um atentado contra a economia de mercado pois transforma o Estado no agente "normativo e regulador da atividade econômica". Precisamente no momento em que Gorbachev abandonava o *Gosplan* em favor da descentralização decisória, nossos constituintes, em estilo sutil como um martelo, característico dos comissários do povo, proclamaram no art. n°. 174 que o estado, "como agente normativo e regulador da atividade econômica, exercerá as funções de planejamento", cabendo à lei (parág. 1°.) estabelecer:

"As diretrizes e bases do planejamento nacional equilibrado, o qual incorporará e compatibilizará os planos nacionais e regionais de desenvolvimento."

Essa algaravia, tida por "progressista", não só desconhecia o fracasso mundial do planejamento central como recomendava algo tecnicamente inviável: o desenvolvimento é sempre um processo dinâmico, caracterizado por regiões e setores de ponta, em contraste com regiões e setores de atraso relativo.

Estultice comparável é a do art. n° 219. Assisti a algumas das reuniões da subcomissão de Ciência, Tecnologia e da Comunicação (subcomissão VIII B), pelo meu interesse em questões de informática. Como receava, a relatoria foi entregue a uma expoente da esquerda radical, a deputada Cristina Tavares (PMDB/PE), defensora do nacionalismo informático. Ela conseguiu a façanha de inserir num curto artigo dois disparates. O primeiro é "o tombamento" do mercado interno como "patrimônio nacional", o que significaria que nossa integração em mercados regionais e continentais seria uma perda de patrimônio. O segundo é a incentivação do mercado interno de modo a viabilizar "a autonomia tecnológica do país", coisa esdrúxula num mundo caracterizado pela interdependência e interpenetração tecnológica.

---

[509] Sob a égide da Constituição de 1967 e do Código de Mineração, a taxa de expansão da produção mineral, entre 1975 e 1991, cresceu 7% ao ano. Os investimentos estrangeiros em pesquisa e lavra representavam 61% do total. Após a votação da Carta de 1988, a queda foi desastrosa. Os investimentos na produção mineral, que alcançaram US$918 milhões, em 1987, caíram em 1991 para US$400 milhões. Em prospecção e pesquisa, investimos nos últimos três anos US$130 milhões, 60% do que aplicávamos em 1981!

O HIPERFISCALISMO

Acompanhei com interesse, mas com certo grau de distanciamento, os trabalhos da V Comissão — do Sistema Tributário, Orçamento e Finanças. Eu era apenas um suplente pelo PDS nessa comissão. Podiam-se augurar bons resultados porque tanto o presidente, Francisco Dornelles (PFL-RJ), como o relator, José Serra (PMDB-SP), eram competentes tributaristas, capazes de evitar estultices fiscalistas. Com vaidade de co-autor, eu achava que pouco se poderia melhorar no texto da Constituição de 1967, cujos dispositivos fiscais e orçamentários tinham sido sugeridos em sua quase totalidade por Octavio Bulhões, ministro da Fazenda, e por mim próprio, como ministro do Planejamento.

As acusações de excessivo centralismo desse diploma surgidas ao longo do tempo derivavam mais de desvios de implementação do que de erros de concepção. É que, para atenuar a obrigação de partilha com estados e municípios, o governo federal, a partir dos anos 70, tinha recorrido extravagantemente à criação de impostos e contribuições sociais — PIS-PASEP, Finsocial e Funrural. Era uma atomização da arrecadação com duas características negativas — *aleatoridade* e *regressividade*. Esse objetivo casuístico de recentralização da receita afetou particularmente o Imposto Único sobre Combustíveis, cuja partilha entre a União, estados e municípios, Bulhões e eu tínhamos como fundamental para o equilíbrio federativo. A inserção das novas contribuições sociais na estrutura de preços dos combustíveis limitava a área potencial de incidência do imposto, diminuindo-se assim a receita partilhável com os estados e municípios. Com o absurdo jurídico adicional de que o Imposto Único deixava de ser *único*.

Dornelles e Serra se seduziram com a idéia de transferir para os estados a cobrança do Imposto Único sobre Combustíveis e também do Imposto sobre Comunicações. O ICM estadual passou a ser um ICMS, abrangendo na competência estadual tanto os combustíveis como os tributos sobre comunicações. Para mim, a transformação do ICM no ICMS foi um desastre, principalmente porque se eliminaram os impostos únicos de combustíveis líquidos, eletricidade e mineração. Os dois primeiros serviam de base de financiamento para os investimentos federais em rodovias-tronco e centrais elétricas, investimentos essencialmente interestaduais e por isso mesmo insuscetíveis de regionalização ou municipalização. Quanto ao Imposto Único sobre Minérios, sua vantagem principal era impedir que a fúria fiscalista das subunidades acabasse prejudicando as exportações.[510]

A explicação que à época me deram Serra e Dornelles para a estadualização do imposto sobre combustíveis era que isso facilitaria exportações, pois a mecânica do ICMS, como imposto sobre valor adicionado, permitiria, sem objeções internacionais, a exoneração de sua incidência sobre os produtos exportados. A explicação não me pareceu suficiente. Poder-se-iam excogitar outros mecanismos de compensação aos exportadores, sem se desmontar o delicado e eficiente sistema de impostos partilhados. Suspeito que ambos esses eminentes economistas, esperando uma chance merecida e legítima de ascensão à governança dos respectivos estados, tinham inconscientemente subestimado os perigos da exagerada descentralização da competência tributária. De qualquer maneira, a tendência descentralizadora se tornou avassaladora na Constituinte. Os senadores representam os estados, os deputados se interessam pelos estados e municípios, e ninguém representava a União.

O resultado final da Constituição de 1988 foi tornar o governo federal ingovernável, como disse na ocasião o presidente Sarney. Ao fim do processo descentralizador da Receita, em 1983, a parcela da União na receita tributária caíra de 47% para 37%, a dos estados subira para 42% e a dos municípios para 22%.

A União ficou entre duas tenazes. Perdeu 5 dos 11 impostos que tinha, ficando privada do Imposto sobre Transportes Municipais, do Imposto sobre Comunicações e da parcela que lhe cabia nos três impostos *únicos*: combustíveis, eletricidade e minérios. Paradoxalmente, teve suas atribuições aumentadas; e a criação de cinco novos Estados, além das despesas de implantação, implicou aumento do número de senadores e deputados.[511] Ao contrário do que seria de prever, à redistribuição de receitas não correspondeu uma redistribuição de gastos, seja porque as unidades subfederativas não quiseram absorver novas tarefas, seja porque o governo federal não quis abrir mão do poder político oriundo da alocação clientelística de verbas.[512]

Não é de admirar pois que o jurista Yves Gandra Martins tenha chamado a Carta de 1988 de "Constituição da hiperinflação". Mais justo, aliás, seria denominá-la "Constituição da Estagflação". O excesso de encargos sociais e o aumento da carga tributária desestimulavam os investidores nacionais, enquanto que as discriminações xenofóbicas e os monopólios estatais punham o Brasil fora do radar dos

---

[510] Ver Roberto Campos, *Reflexões do crepúsculo*, Rio de Janeiro, Topbooks, 1991, p. 226.

[511] As compensações dadas à União foram inexpressivas: participação na magra receita no Imposto Territorial Rural e previsão da criação de um novo imposto sobre as grandes fortunas. Este último tributo é um cacoete socialista, que mundialmente se revelou de baixa capacidade extrativa, além de provocar fuga de capitais.

[512] Com a autonomia de Brasília e a criação do estado de Tocantins, o antigo estado de Goiás ficou com nada menos que 9 senadores e 24 deputados.

investidores estrangeiros. O desequilíbrio estrutural do orçamento da União resultaria inevitavelmente em inflação. Dessarte, a estagflação de que hoje sofremos não é mero acidente de percurso; é um mandato constitucional.

Enquanto a emenda constitucional n.º 18/66, depois incorporada à Constituição de 1967, simplificou e racionalizou o sistema, a Constituição de 1988 marchou num sentido contrário, piorando a estrutura fiscal sob dois aspectos:

• Criou novas figuras tributárias: o imposto sobre grandes fortunas, o imposto de renda estadual, o IVV (imposto sobre vendas a varejo), o imposto de exportação de semimanufaturados e, finalmente, a participação dos estados e municípios nos resultados da exploração do petróleo, gás natural, recursos hídricos e minerais;

• Instituiu uma colunata tributária em três níveis, com substancial superposição de incidências de bitributação: a) O sistema tributário tradicional com conhecido elenco de impostos clássicos; b) O sistema tributário da seguridade social, incidindo sobre a folha de salários, faturamento e lucros, e c) O sistema tributário sindical, constituído do imposto sindical e da "contribuição da categoria" definida em assembléia geral (art. 8º, IV).

Assim, a atual Lei Magna logrou violar os três princípios que, segundo um chanceler trabalhista do Erário inglês, Hugh Dalton, deveriam nortear a atividade exatorial: economia, modicidade e comodidade.

Observam os autores Lia Alt Pereira e Claudino Peter que as flutuações da carga tributária no Brasil não se relacionam com variações do PIB ou variações de preços, e sim com manipulações arbitrárias das alíquotas de exação. Assim, em 1988, ano da reforma constitucional, a carga tributária teria sido de 20,92% do PIB, subindo para 27,79% do PIB, precisamente em 1990, ano de substancial queda do produto.[513]

As comparações internacionais sobre a carga tributária em relação ao PIB nunca me pareceram relevantes. Habitualmente se arbitra que uma relação de 24% entre a carga fiscal e o PIB seria adequada para um país no estágio de desenvolvimento brasileiro. Na realidade o que conta não é a exação fiscal e sim a taxa total de extração. Esta é altíssima no Brasil pelo forte imposto inflacionário, pela insuficiência dos serviços públicos de contrapartida e pelo fato de que o setor contribuinte provavelmente não excede de um terço do PIB. Os outros dois terços seriam representados pelo setor informal e organizações governamentais não-contribuintes.

No plano orçamentário, a nova Constituição introduziu um instrumento adicional de controle, acompanhado de uma flexibilização potencialmente perigosa.

---

[513] Ver Lia Alt Pereira e Claudino Peter, 'Reforma Tributária', artigo na coletânea *A última década*, Rio de Janeiro, FGV, 1993, p. 129.

Os elementos legislativos de controle passaram a ser três:

• Orçamentos anuais;

• Plano plurianual de investimentos;

• Lei de diretrizes orçamentárias.

Houve generalizados protestos durante a Constituinte contra a rígida disciplina orçamentária da Constituição de 1967, que vedava ao Congresso emendas que aumentassem despesas, admitindo apenas transposição de verbas. Essa idéia pareceria absurdamente antidemocrática e foi assim considerada. Entretanto, em várias democracias, como, por exemplo, no parlamentarismo inglês, o orçamento é considerado um programa de governo que pode ser aprovado ou rejeitado, porém não descaracterizado pelo processo emendatício. A influência do Parlamento se exerce antes da apresentação do orçamento pelo debate de prioridades e, depois, pela crítica da execução. A restauração do direito de emenda nos reaproximaria do modelo norte-americano, facilitando entretanto déficits crônicos. A ressalva de que a votação de aumentos de despesas fica condicionada à especificação de novas receitas é defesa inadequada, sobretudo em condições inflacionárias, pelo artifício das estimativas de saldos de arrecadação.

Desde a aprovação da Constituição de 1988, os orçamentos não só são votados com atraso como passaram a ser peças de ficção, e os equilíbrios orçamentários são ilusórios, pois somente são conseguidos através do efeito assimétrico da inflação: as receitas são indexadas e as despesas corroídas, em termos gerais. E as barganhas das emendas, sobretudo no tocante às subvenções sociais, se tornaram fonte de corrupção. No momento em que escrevo, está sendo criada uma CPI sobre o "escândalo do orçamento".

Minha longa vivência de problemas fiscais me levou à conclusão de que o Brasil precisa de uma revolução tributária; não apenas de uma reforma fiscal e menos ainda de remendos fiscais.

Freqüentemente os brasileiros querem inventar teorias econômicas novas, onde elas são descabidas. No caso fiscal, temos o direito de inovar e até a obrigação de fazê-lo.

As figuras tributárias clássicas perderam sentido porque o Brasil tem três características nada clássicas:

• Não usa significativamente a moeda manual e sim predominantemente a moeda bancária eletrônica;

• Tem um sistema bancário de caráter nacional surpreendentemente informatizado;

• Perdeu o sentido da ética fiscal, em virtude a) da complexidade e multiplicidade dos tributos; b) da ausência de contrapartida adequada de serviços, provocando revolta no contribuinte.

Acresce que, após uma longa busca de séculos, somente agora, na idade da informática, surgiu uma base tributária suficientemente simples e abrangente para permitir receita adequada com baixas alíquotas: é a transação bancária, com moeda eletronicamente manipulável e transferível. Pode-se assim tributar o "grande conjunto" ao invés de se tributar setorialmente vários subconjuntos — renda, produção, circulação e consumo de bens e serviços.[514] Se outros países continuam mantendo o elenco de impostos clássicos é porque seus edifícios fiscais barrocos, construídos antes da idade eletrônica, ainda são habitáveis. O Brasil tem uma tapera fiscal e, ao refazê-la, é melhor construir um edifício inteligente antes que um barracão para o artesanato burocrático. Donde meu apoio a uma revolução fiscal, baseada em impostos de tipo não-declaratório, cobrados sobre transações bancárias e distribuídos automaticamente pelos bancos coletores aos beneficiários, segundo fórmulas de repartição entre a União, os estados, os municípios e a Previdência Social, anualmente votadas pelo Congresso. As economias burocráticas e o aumento da produtividade resultantes da eliminação das chamadas *obrigações acessórias* do atual sistema, e da corrupção dele decorrente, seriam incalculáveis. Somente poderiam sobreexistir outros impostos quando necessários como instru-

---

[514] É velho na literatura econômica o sonho do *imposto único*. Alfred Sauvy a ele se referia como *le mythe du simple*. Na literatura clássica das finanças foi consignado ao museu das utopias. Os antecedentes históricos eram entretanto respeitáveis. Hobbes, no século XVII, falava no "tributo geral", e Vauban, no começo do século XVIII, no dízimo real. Os fisiocratas franceses do século XVIII sempre defenderam o imposto único sobre a terra, e Henry George, nos Estados Unidos, no século passado, falava no *Single Tax*. John Law, o grande especulador dos *assignats*, ao tempo de Luiz XIV, queria um imposto único sobre os "bens de raiz". Já no século XIX surgiram na França vários fiscalistas como Yves Guyot e Emile Justain Menier, que propugnavam um imposto único sobre o capital fixo, deixando-se de lado a renda e o capital circulante. Em 1856, Leon Faucher propunha que o imposto sobre a renda fosse o único imposto. Marx e Engels não se preocupavam muito em financiar o capitalismo, pois que queriam destrui-lo, mas preconizavam transitoriamente como forma de confisco da propriedade privada um imposto fortemente progressivo sobre a renda, assim como um imposto sobre heranças. Neste século, em 1950, esteve em voga durante certo tempo a proposta de um imposto único sobre a energia, propugnado por Eugene Schueller. O prêmio Nobel de economia, professor Maurice Allais, propôs recentemente (1988) um *impôt dominant sur le capital* que unificaria vários impostos e seria complementado apenas por um imposto sobre o crescimento da base monetária e uma tributação geral sobre o consumo. Na Inglaterra, é conhecida a proposta de Nicholas Kaldor sobre a *expenditure tax*, que substituiria os impostos de renda e consumo, incidindo apenas sobre a parcela da renda consumida e não sobre a renda poupada. A grande revolução tecnológica, que transformou a idéia de um imposto único de uma utopia simplista numa possibilidade prática, foi a revolução informática, da qual resultou a moeda bancária eletrônica. Descobrira-se, afinal, um fato gerador de máxima amplitude, que teria capacidade extrativa de gerar grande receita, com alíquotas suficientemente baixas para desincentivar a sonegação. Para um interessante apanhado da história do "mito do imposto único" ver a monografia de Jacques Grosclaude e Robert Herzog na *Revue Française de Finances Publiques* nº 29/1990.

mentos de política econômica e não de arrecadação. Seria esse, por exemplo, o caso do imposto federal sobre o comércio exterior e do imposto municipal sobre propriedade urbana e rural.

Compareci como observador a algumas das reuniões da Subcomissão V-C do Sistema Financeiro, curioso por saber que tratamento seria dado a uma criatura da qual eu fora progenitor juntamente com Octávio Bulhões — o Banco Central. O relator da subcomissão era um velho desafeto ideológico, o "burguês de esquerda" Fernando Gasparian, deputado do PMDB paulista. Como todo empresário paulista que se preza, seu relatório era muito mais anti-recessivo do que antiinflacionário. A expansão desenvolvimentista era o grande objetivo. A inflação, um mal menor. Surpreendentemente, o art. n? 164 era bastante conservador; poderia mesmo ser considerado uma ratificação da tese da "independência do BACEN", consagrada na legislação original (Lei n? 4.595/64), mas prostituída ao longo do tempo, pois o BACEN se tornou num guichê de emissão à ordem do Tesouro Nacional.

O artigo n? 164 confere o monopólio de emissão ao BACEN e, no parág. 1? proíbe-o de financiar, direta ou indiretamente, o Tesouro Nacional, limitando-se a emprestar às instituições financeiras. Conforme nota Yves Gandra Martins, o fato de não se ter explicitamente vedado o financiamento a instituições financeiras federais, como o Banco do Brasil, a Caixa Econômica Federal e o BNDES, deixou válvulas para a expansão monetária.

Ao longo dos anos o BACEN perdeu credibilidade para agir como estabilizador da moeda. Suas diretorias têm sido instáveis, criou-se uma tradição política de submissão ao ministério da Fazenda e foram absorvidas várias funções estranhas ao propósito central de garantir a estabilidade da moeda. O BACEN se tornou um agente fiscal do governo, acumulando outrossim responsabilidades de fiscalização bancária, regulação de crédito ao consumidor e operações de fomento, estranhas à função exclusiva de controle da emissão de moeda. Houve ainda algumas perversões de comportamento, que vão desde a construção de uma suntuosa sede — o "palácio da inflação" de Brasília, conforme observou mordazmente Paul Volcker, presidente do Federal Reserve Board — até um corporativismo salarial extremo, tornando-se o pioneiro da inflação de custos salariais do setor público. Tendo presidido por vários anos a inflações mensais da ordem de 40%, é praticamente irrecuperável a credibilidade do BACEN como guardião da moeda.

A solução do problema inflacionário brasileiro exigirá a consecução credível e sustentada de um superávit fiscal pelo Tesouro, que seria utilizado para a redução da dívida pública interna, fator causal da exorbitância dos juros no mercado financeiro. Uma alternativa seria a consecução de um déficit zero do setor público, reforçado por receitas de privatização que tivessem o mesmo efeito de redução ou eliminação da dívida pública interna.

Mesmo nessas hipóteses otimistas seria de se considerar a alternativa de confiar a custódia da moeda, e a responsabilidade pela estabilidade de preços, a um *currency board* (junta de conversão) que nascesse sem o avatar negativo do BACEN. Em vários períodos da história econômica recente, cerca de 70 países, principalmente ex-colônias britânicas, adotaram a sistemática do *currency board* com apreciável grau de êxito.[515] Com estrutura enxuta e altamente especializada, o *currency board* teria as seguintes responsabilidades exclusivas:

• Separar completamente a função de emissão de moeda de quaisquer outras atividades bancárias;

• Reter reservas adequadas para assegurar a conversibilidade da moeda local na moeda ou moedas-reservas;

• Garantir ampla e ilimitada conversibilidade de suas moedas e notas a taxas fixas ou dentro de margem estrita de flutuação;

• Transferir ao Tesouro os lucros da *seignoriage*, isto é, a diferença entre o custo financeiro zero de suas notas e moedas e os juros obtidos na aplicação dessas reservas;

• Ajustar o crescimento da moeda em função estrita da variação das reservas e do crescimento real da produção.

---

[515] Para um apanhado histórico e justificação técnica dos *currency boards*, ver Steve H. Hanke e Kurt Schueler, *Currency boards — A summary*, monografia do Department of Economics da Universidade John Hopkins, Baltimore, 1993.

UTOPIA
SOCIAL

Duas coisas me irritavam profundamente durante o debate constitucional. Uma era que os *retrógrados* que propugnavam um modelo nacional-estatizante, absolutamente anacrônico, se auto-intitulavam *progressistas*. A outra era o discurso sobre as *conquistas sociais*, que se tornou na Constituinte um fenômeno de auto-sugestão.[516] A cultura que permeia o texto constitucional é nitidamente antiempresarial. Decretam-se *conquistas sociais* que, nos países desenvolvidos, resultam de negociações concretas no mercado, refletindo o avanço da produtividade e o ritmo do crescimento econômico. A simples expressão *conquista social* implica uma relação adversária, e não complementar, entre a empresa e o trabalhador. Inconscientemente ficamos todos impregnados da ideologia do *conflito de classes*. Elencam-se 34 *direitos* para o trabalhador, e nenhum *dever*. Nem sequer o *dever* de trabalhar, pois é praticamente irrestrito o direito de greve, mesmo nos serviços públicos. Obviamente, ninguém teve coragem para incluir, entre os "direitos fundamentais", o direito do empresário de administrar livremente sua empresa.

Nossa abundante legislação social indica que os legisladores soem esquecer-se de dois humildes *caveats*. Primeiramente, só legislam para pouco mais da metade dos trabalhadores, porque o resto está na economia informal, à margem da lei e das garantias, refugiando-se ali para escapar à sanha fiscal e à excessiva regulamentação. Segundo, ao encher de garantias os já empregados, esquecem-se de que são os empresários e não os legisladores que têm de criar oportunidades para os desempregados e fornecer novos empregos para a juventude ingressante no mercado de trabalho. Encorajar a contratação é fórmula melhor do que dificultar as despedidas. Foi exatamente assim que os norte-americanos conseguiram baixar sua taxa de desemprego para pouco mais de 6% da força de trabalho, contra mais de 10% na Europa. Eles facilitam a contratação, enquanto os europeus dificultam as despedidas. A cultura antiempresarial de que se impregnou nossa Constituição em

---

[516] De um modo geral, o nível intelectual médio dos constituintes de 1988 terá sido talvez o mais baixo da história constitucional brasileira. Convivi com vários dos constituintes de 1946 e participei depois intensamente, como ministro do Planejamento, da elaboração da Constituição de 1967. Em ambas as ocasiões, o número de personalidades marcantes era muito superior ao da Constituinte de 1988. Talvez tenha sido esse o preço a pagar pela transição da democracia residualmente elitista para a democracia crescentemente de massas.

breve fará do Brasil o país ideal onde não investir. Esse país ideal é aquele no qual é mais fácil a gente divorciar-se de uma mulher do que despedir um empregado...

Não pude acompanhar de perto os trabalhos da VII Comissão da Ordem Social, e da VIII Comissão, da Família, da Educação, Cultura e Esportes, da Ciência e Tecnologia e da Comunicação, limitando-me a publicar artigos sobre o assunto. Basicamente, para expressar discordância em relação ao caráter antiliberal das propostas vitoriosas.

Havia, a meu ver, uma confusão entre *democracia e democratice. Democracia*, escrevia eu, é a livre escolha do indivíduo, abrangendo um leque de opções: políticas, sociais e econômicas. *Democratice* é a ênfase sobre direitos e garantias políticas, com descaso pela defesa do indivíduo contra imposições governamentais no plano econômico, cultural e social. Se a Constituição preserva virginalmente nossos direitos políticos, comete vários estupros da liberdade de escolhas sociais e educacionais. O estupro da liberdade de escolhas sociais é duplo. De um lado, a Constituição engessa minuciosamente as relações entre empregadores e empregados, independentemente da situação da empresa e das adversidades da conjuntura. É uma privação da liberdade negocial. De outro lado, temos de engolir, goela adentro, através de contribuições compulsórias, o ineficiente sistema de seguridade social, que gasta mais com os assistentes do que com os assistidos. O razoável, a meu ver, seria deixar a empregadores e empregados a liberdade de escolha entre o sistema fiscal e as entidades privadas de previdência e saúde. Estas operariam em ambientes competitivos, rivalizando-se na prestação de serviços, sob pena de perderem a clientela. Livrar-se-iam do estado, esse "pai terrível", para usar de uma expressão de Octavio Paz.

O título VIII da Constituição — Da Ordem Social — é uma grande mixórdia. Mistura três coisas que devem ter fontes distintas de financiamento:

• A assistência social aos desvalidos, que é função do Estado e exige cobertura orçamentária;

• A Previdência Social, que deve ser essencialmente contributiva, segundo o sistema de capitalização a cargo dos indivíduos, exercendo o Estado papel fiscalizador e supletivo no caso de indivíduos que com a poupança capitalizada ao longo de sua vida laboral não alcancem o "mínimo vital";

• A saúde, que tem uma parte estatal — medicina preventiva e controle de endemias — e uma parte — a medicina curativa — que pode ser partilhada entre o setor público e o privado.

A falência atual do sistema de seguridade, apesar de provido de um sistema fiscal separado do tradicional, testemunha o caráter utópico dos dispositivos constitucionais. Houve uma universalização de cobertura, sem uma universalização de contribuições. Em outras palavras, quisemos ter uma seguridade social sueca, com recursos moçambicanos.

Sempre achei que a seguridade pública compulsória é profundamente antidemocrática. Os pobres ficam impedidos de aplicar sua poupança previdenciária num fundo de pensão por eles preferido, em contas individuais, por eles fiscalizadas. É absurdo crer que os pobres são um misto de menores e imbecis, que devem portanto confiar a burocratas esclarecidos a administração de suas magras poupanças. O resultado são os "rombos" na Previdência e as filas intermináveis. No sistema de repartição, é tênue o vínculo entre benefícios e contribuições, de sorte que grupos de pressão política obtêm aposentadorias "especiais" generosas e múltiplas, que redundam em benefícios inadequados para a grande maioria dos assalariados, sem capacidade de pressão política.

Vários países latino-americanos, cabendo ao Chile o pioneirismo da idéia, já optaram pela privatização da previdência com as seguintes vantagens:

• O benefício é ligado à contribuição, eliminando-se a pressão política por aposentadorias privilegiadas;

• Cria-se uma enorme reserva para investimentos, através dos fundos de pensão;

• Respeita-se o direito democrático do cidadão de ser feliz à sua maneira, sem a tutela do Estado;

• Reduz-se o custo direto da mão-de-obra para o empresário, possibilitando-lhe criar mais empregos.

Há também o estupro das *liberdades educacionais*. Ao contrário do que dizem os auto-intitulados *progressistas*, o dinheiro público não deve ir necessariamente para as escolas públicas e sim para a escola preferida pelos contribuintes, pública ou privada, leiga ou confessional. Não é *democracia*, e sim *democratice*, que os ricos estudem gratuitamente em universidades públicas, enquanto os pobres têm de recorrer a cursos noturnos em escolas pagas.

O sistema instituído, porém infelizmente não implementado, do art. nº 168 da Constituição de 1967, de cuja redação participei, me parecia muito mais democrático, eqüitativo e realista. Segundo este dispositivo, o ensino primário dos 7 aos 14 anos seria obrigatório para todos e gratuito nos estabelecimentos oficiais. No ensino ulterior ao primário, ele seria gratuito somente para os que demonstrassem capacidade acadêmica e insuficiência de recursos econômicos. Esse sistema, que nunca chegou a ser implementado, envolveria *vouchers* (vales educação) de dois tipos: "não reembolsáveis", no caso do ensino secundário e profissional; e *reembolsáveis*, no caso do ensino de grau superior.[517]

---

[517] Tamanho era meu convencimento sobre a urgência de se alterar a composição do dispêndio educacional em favor da educação básica, que fiz que se redigisse no ministério do Planejamento um decreto pondo fim à gratuidade no ensino superior e regulamentando a emissão de *vouchers* (vale educação) às famílias pobres. Estas poderiam escolher as escolas, públicas ou privadas, leigas ou confessionais, onde matricular os filhos. As universidades teriam que competir entre si para atrair alunos. As famílias ricas deveriam pagar pelo menos 70% dos custos de tuição.

Se os *vouchers* fossem emitidos em favor das famílias, que livremente escolheriam os colégios e universidades, teríamos certamente uma substancial diminuição do grevismo docente e do beletrismo decorativo sem relação com a demanda de mão-de-obra do mercado.

DEMOCRACIA E
DEMOSCOPIA

Já mencionei que no econômico e social, a Constituição de 1988 reduziu a liberdade de opções do indivíduo, praticando mais democratice que democracia. No plano político seus defeitos mais óbvios são:

• Hibridismo constitucional; e

• Demoscopia partidária.

O hibridismo institucional é caracterizado pela mistura entre presidencialismo e parlamentarismo. Como observei anteriormente, até o estágio da Comissão de Sistematização, a arquitetura concebida era compatível com um modelo parlamentarista. A mobilização do governo Sarney em favor do presidencialismo (com mandato de cinco anos) acabou construindo uma maioria em favor da manutenção do regime presidencialista. Ficaram porém alguns remanescentes da concepção parlamentarista, de que é exemplo o instituto das medidas provisórias, copiado dos *Provedimenti provisori*, poder emergencial previsto na Constituição italiana. Houve o que Antônio Paim descreveu como uma "exacerbação dos poderes do Legislativo". Escrevendo sobre hibridismo à época da Constituinte, assim me expressei:

> "Aos dois clássicos sistemas de governo — o presidencialista e o parlamentarista — o Brasil acaba, com originalidade, de acrescentar mais um — o promiscuísta.
>
> Não tem nada de parecido com o sistema britânico, que é o de *integração* de poderes. Nem com o americano, que é o da *separação* dos poderes. No sistema promiscuísta, o que prevalece é a *invasão* dos poderes.
>
> A Constituição dos miseráveis, como diz o dr. Ulysses, é uma favela jurídica onde os três poderes viverão em desconfortável promiscuidade. O Congresso invade a área do Executivo, intervindo na rotina das concessões de televisão, dos alvarás minerais em terras indígenas, da venda de terras públicas; da remoção de índios em casos de catástrofe.[518] O Congresso aprovará não só tratados e acordos internacionais, mas quaisquer atos que acarretem encargos ou compromissos gravosos ao patrimônio nacional. Como essa gra-

---

[518] Conforme a intensidade da catástrofe, os índios poderiam perecer por falta de quorum, ou durante o recesso do Congresso!

vosidade só pode ser determinada *a posteriori*, ficariam paralisadas operações de compra e venda, empréstimos e investimentos, à espera de decisões do paquiderme legislativo, que deixa inúmeros decretos-leis jazendo o sono dos justos nos túneis do tempo construídos pelo Niemeyer...

Mas não é só o Congresso que invade promiscuamente a seara do Executivo. O Judiciário é convidado para participar dessa *partouse*. É que se criaram as figuras do mandado de injunção e da inconstitucionalidade por omissão. Através de uma ou outra dessas figuras, o cidadão comum poderá, na falta de norma regulamentativa, pleitear no Judiciário os direitos, liberdades e prerrogativas constitucionais. O Judiciário deixará assim de ser o intérprete e executor das normas para ser o feitor das normas, confundindo-se a função judiciária com a legislativa."

Recentemente, o filósofo André Glucksmann, convertido do marxismo ao neoliberalismo econômico, sublinhou uma opção que se torna cada vez mais necessária para a governabilidade das complexas sociedades modernas. É preciso escolher entre o *princípio da democracia* e o *princípio da demoscopia*. Lembra Glucksmann que escopia vem do verbo grego *skopein*, ou seja, *olhar*. Convida-se o corpo eleitoral a contemplar suas diferenças num espelho. *Cracia* vem de *kratein*, ou seja, exercer autoridade. Os eleitores são convidados a selecionar os grupos que devem governar em seu nome.

Contrariamente às democracias de tradição anglo-saxã, onde prevalece o bipartidarismo (como nos Estados Unidos), ou há um número reduzido de partidos (como na Inglaterra), a "demoscopia" é freqüente nos países latinos da Europa. O exemplo extremo era talvez o da Itália, onde imperava uma verdadeira *partitocrazia*: o país não era governado pelo governo e sim pelos partidos, através do sistema de alocação de cargos pela *lottizzacione*. Recentemente, a Itália adotou uma fórmula mista entre o voto distrital e o voto proporcional, reforma semelhante sendo feita no Japão, praticamente ao mesmo tempo.

O debate entre o voto distrital e o proporcional no Brasil é antigo. A grande querela entre o marquês de Paraná, favorável ao voto distrital, e Eusébio de Queiroz, favorável ao proporcional, ocorreu em 1855, ao mesmo tempo em que na Inglaterra se confrontavam John Stuart Mill, o liberal de esquerda, e Walter Bagehot, o liberal de direita. Bagehot enxergava o voto distrital como o mais apropriado para levar o Parlamento a cumprir sua dual função: a de facilitar a ação do governo, pelo partido da maioria, e a de criticar o governo, pela minoria. Stuart Mill, de outro lado, se preocupava mais com a representatividade do que com a eficácia: o voto proporcional registraria com maior sensibilidade as nuanças de opinião e ensejaria maior oportunidade às minorias. A querela entre o marquês de Paraná e Eusébio de Queiroz era conduzida em termos algo menos elegantes: o marquês invectivava o voto proporcional como trazendo o "voto de enxurrada", enquanto Eusébio enxergava o voto distrital como um meio de tripular o Congresso com "notabilidades de aldeia". O caminho para se chegar a um meio-termo seria naturalmente o voto distrital misto, que a Alemanha viria a implantar quase um século mais tarde.

Convém lembrar que durante o Império e a maior parte da vida republicana prevaleceu no Brasil o voto distrital, desfigurado amplamente pela manipulação do "bico-de-pena". Em 1855, no Império, foi promulgada a "Lei dos Círculos", prevendo um deputado por distrito, elevado esse número em 1860 para três delegados por distrito. Depois de 1875 desapareceram os "círculos" e as eleições se faziam por províncias, de forma indireta, entre eleitores qualificados nas juntas paroquiais. Com a Lei Saraiva, de 1881, voltaram os distritos, mas criaram-se exigências de renda mínima — 800 mil réis para deputado e um conto e seiscentos mil réis para senador. Haveria 125 deputados, um por distrito.

A Constituição de 1891 aumentaria novamente para três o número de deputados por distrito. Talvez a legislação eleitoral mais duradoura tenha sido a Lei Rosa e Silva de 1904, que previa cinco deputados por distrito. Em 1934 apareceria a figura do deputado classista.

A Constituição de 1946 consagrou o sistema proporcional irrestrito. Isso teve vigência até o Ato Institucional nº 2, de novembro de 1965, que implantou o bipartidarismo. Graças às limitações estabelecidas à criação de novos partidos pela Constituição de 1967, o país operou, para todos os propósitos práticos, sob um bipartidarismo constrangido até 1979, quando foi oficialmente legalizado o pluripartidarismo. A partir da Constituição de 1988, entramos num regime de multipartidarismo caótico.

Com a convocação da Assembléia Constituinte, em novembro de 1985, e posterior votação da Carta de 1988, foram removidos três dos tradicionais constrangimentos à proliferação partidária:

• O voto distrital misto, estabelecido pela Emenda Constitucional nº 22, de junho de 1982, para aplicação a partir das eleições previstas para 1986;

• O instituto de fidelidade partidária, previsto no art. nº 152, parág. único da Emenda Constitucional nº 1 (Constituição de 1969);

• A cláusula de *barreira*, isto é, a exigência de um patamar mínimo de votação nas eleições gerais para representação no Congresso.

A cláusula de *barreira* nas constituições anteriores, de 1967/69, era drástica demais, pois inibia a própria criação de partidos. Esta deve ser livre, desde que seus estatutos sejam compatíveis com o regime democrático. Bastaria aplicar a *cláusula de barreira* ao direito de representação no Parlamento (na Constituição alemã a "barreira" é um mínimo de 5% dos votos). Dispositivos desse tipo visam assegurar um mínimo de funcionalidade ao Parlamento.

Ao remover quaisquer barreiras, quer à criação quer à representação legislativa dos partidos, a Constituição de 1988 nos legou um multipartidarismo caótico com partidos nanicos que não representam parcelas significativas da opinião pública, sendo antes clubes personalistas e regionalistas ou exibicionismo de sutilezas ideológicas. Durante certo período, o Brasil teve o dúbio privilégio de hospedar três partidos comunistas — o PCB, o PC do B e o PCBR (Partido Comunista Brasileiro Revolucionário). No momento em que escrevo, há 19 partidos representados no Congresso (alguns com líderes que lideram a si mesmos), e 37 partidos registrados no Superior Tribunal Eleitoral.

A desproporcionalidade de representação na Câmara de Deputados, que ganhara alento com o casuísmo do chamado "pacote de abril" do general Geisel, de 1977, em desfavor do Centro-Sul e particularmente de São Paulo, foi agravada após a Constituição de 1988, com a criação de cinco novos estados, cada um com oito deputados.[519] Essa desproporcionalidade acabou violando um dos princípios básicos da democracia *representativa*, "uma pessoa um voto", devendo o número de deputados federais ser rigorosamente proporcional às populações (ou eleitorados). O princípio complementar da democracia *federativa* se aplica ao nível do Senado Federal, onde todos os estados são iguais. Foi esse compromisso entre a democracia representativa e a democracia federativa que constituiu a genialidade da Constituição de Filadélfia.

Temos hoje muito mais uma *demoscopia* que uma *democracia*.

---

[519] Na Constituição de 1967 (art. nº 41, parág. 2º) o número de deputados seria fixado em lei em proporção não excedente de um para cada 300 mil habitantes, até vinte e cinco deputados e, além desse limite, um para cada 1 milhão de habitantes. A cláusula de *barreira* para a organização e funcionamento dos partidos políticos exigia que tivessem pelo menos 10% do eleitorado na última eleição geral para a Câmara dos Deputados, distribuídos em dois terços dos estados, com um mínimo de 7% em cada um deles, bem assim 10% de deputados em, pelo menos, um terço dos estados, e 10% de senadores. As coligações partidárias eram proibidas. Após a Constituição de 1988, a desproporcionalidade de representação na Câmara ficou substancialmente agravada. O Norte e o Centro-Oeste têm 42 cadeiras a mais do que lhes caberia, segundo o critério de proporcionalidade populacional. A grande prejudicada é a região Sudeste, que ficou com 51 cadeiras a menos.

O PORQUE DA
REVISÃO CONSTITUCIONAL

Ao publicar uma coletânea de ensaios de vários autores sobre a Constituição de 1988, o eminente jurista e historiador Paulo Mercadante deu-lhe um título apropriado, que retomei aqui: *O avanço do retrocesso*. Para o jurista Miguel Reale, a Constituição de 1988 é um ensaio de "totalitarismo normativo". Yves Gandra Martins chamou-a de "Constituição da hiperinflação". Atentando para a sangria fiscal decorrente do capítulo tributário, Wilton Lopes Machado descreveu-a como "oclocracia utópica". Mais pitorescamente, Eliezer Batista acusou-a de instalar uma "surubocracia anárquico-sindical". Diogo de Figueiredo chama-a de "interventiva e providencial". O ex-ministro Gonzaga do Nascimento e Silva vê nela um "espartilho à sociedade".[520]

Contrariando as tendências mundiais já perceptíveis à época de sua promulgação, transformou-se num "anacronismo moderno". Costumo descrevê-la como um misto de regulamento trabalhista e dicionário de utopias. Foi em verdade o canto de cisne do nosso nacional-populismo.

Ulysses Guimarães, seu grande paragon, descreveu-a como "a Constituição dos miseráveis" e a "guardiã da governabilidade". O contrário é verdadeiro; é uma Constituição contra os miseráveis e o que garante é a ingovernabilidade.

No momento em que escrevo, discute-se o tema da revisão constitucional prevista no art. 3º das Disposições Constitucionais Transitórias. Bizarramente, os partidos de esquerda, notadamente o PT, que hostilizavam a Constituição por considerá-la insuficientemente socializante e "progressista", desejam obstaculizar sua revisão, conquanto seja evidente o estrago que o documento causou à governabilidade do país.

---

[520] Ney Prado identifica entre os "vícios materiais" da Constituição de 1988 "a tendência utópica, a tendência demagógica e o corporativismo". O texto é rico em dispositivos corporativistas, como os relativos a) Às empresas estatais; b) À magistratura; c) À representação classista; d) Ao ministério público; e) À procuradoria geral da Fazenda Nacional; f) Às polícias Rodoviária e Ferroviária Federal; g) À polícia civil; h) Às universidades estaduais; i) Aos notários; j) Aos fazendários; k) Aos delegados de Polícia; l) Às escolas oficiais; m) Aos servidores públicos civis; n) Ao ministério público do Trabalho e Militar; o) Aos índios; p) Ao empresariado nacional; q) À advocacia. Ver Ney Prado, *Razões das virtudes e vícios da Constituição de 1988*, São Paulo, Inconfidentes, 1994, P. 45-53.

Nunca entretive ilusões sobre sua inviabilidade operacional. Antes de assiná-la, notifiquei Ulysses Guimarães de que só o faria com ressalvas. Respondeu-me que o regimento não previa assinaturas com cláusulas restritivas. Tive que me limitar com cinco outros congressistas, na sessão de 22 de setembro de 1988, a uma declaração de voto em que nos referíamos aos:

> "Dispositivos retrógrados que significarão considerável recuo na caminhada do país para o desenvolvimento e a justiça social."

E acrescentávamos:

> "Não é hora de enunciá-los, se nosso voto em plenário os verberou embora a maioria da Constituinte os tenha aprovado, acolhendo preconceitos ideológicos ou deixando prevalecer interesses pretensiosamente populares, e na verdade demagógicos."[521]

Cinco anos passados, apesar da evidência *estagflacionista* da Carta de 1988, não parece infelizmente haver clima senão para uma revisão limitada. São poucas as chances de transformá-la, de uma "Constituição dirigente, interventiva e providencial" numa Constituição principiológica. Isso exigiria escoimá-la das cinco deformações com tanta acuidade especificadas por Diogo de Figueiredo.

• O irrealismo antiprogressista;
• O estatismo cartorial;
• O estatismo inconseqüente;
• O estatismo burocrático paternalista;
• O estatismo tecnocrato-xenófobo.[522]

O ilustre constitucionalista acima citado nos fornece os seguintes dados sobre o construtivismo exacerbado desse texto, se comparado às constituições de 1967/69, que estavam longe de ser consideradas "constituições sumas" ou "principiológicas". O intervencionismo do estado hipertrofiado é estatisticamente evidenciado pelo fato de que nas Cartas de 1967/69 havia quatorze estatutos de intervenção estatal, ampliados para quarenta estatutos na nova carta.[523] Essas intervenções configuram um estado com quatro facetas: dirigista, empresário, cartorialista e paternalista.

Dessa interessante e alarmante anatomia do Leviatã Diogo de Figueiredo extrai o seguinte quadro sobre o intervencionismo estatal na Carta de 1988:

---

[521] Os signatários da "declaração de voto" contrária ao texto constituinte foram os deputados Oscar Corrêa (PFL-MG), Luiz Eduardo Magalhães (PFL-BA), Gilson Machado (PFL-PE), e os senadores Roberto Campos (PDS-MT) e Irapuan Costa (PMDB-GO).

[522] Ver Diogo de Figueiredo, *Ordem Econômica*, op. cit., p. 89-90.

[523] Na realidade, se computado o monopólio de telecomunicações, haveria quarenta e um estatutos de intervenção, ou seja, trinta e sete a mais que na Carta anterior.

- Intervenções regulatórias   28
- Intervenção concorrencial   1
- Intervenções sancionárias   5
- Intervenções monopolistas   7[524]

Note-se, finalmente, a extraordinária generosidade na outorga dos direitos e garantias fundamentais, que faria inveja aos norte-americanos com seu modesto *Bill of Rights*. Na Carta de 1967, elencavam-se 36 direitos; na atual, 77 direitos (art. 5º). Tudo se passa como se se tratasse de um problema numérico ou voluntarista, quando o que interessa não é a multiplicação abstrata de direitos, mas sim a eficácia de sua implementação, o que depende da cultura político-social assim como da capacidade econômica da sociedade. Note-se a propósito uma bizarria. A palavra *deveres* só é mencionada no cabeçalho do cap. I, tít. II — Dos direitos e deveres individuais e coletivos, desaparecendo do resto do art. 5º.

Pode-se dizer, com justiça, que a Constituição de 1988, que em breve será submetida a processo revisional, é *utópica* no social, *intervencionista* no econômico e *híbrida* no político.

Na Ordem Econômica seria indispensável, no mínimo, eliminar as discriminações contra as empresas estrangeiras, extinguir os sete monopólios estatais existentes, eliminar restrições a investimentos na mineração e reformar drasticamente o sistema fiscal, seja para tornar a União viável, seja para simplificar dramaticamente o sistema fiscal, aliviando a carga para empresas e indivíduos.

Para criarmos um estado enxuto teríamos também que eliminar dispositivos que inviabilizam qualquer reforma administrativa profunda. Há um pentágono de ferro que protege o corporativismo e o cartorialismo: a estabilidade do funcionalis-

---

[524] A enxundiosa Lei Magna encerra ainda duas curiosidades. É ao mesmo tempo um hino à preguiça e uma coleção de anedotas. Os dispositivos apontados pelo professor Figueiredo como "estímulos à ociosidade" são os seguintes: a) Redução a seis horas dos turnos ininterruptos de trabalho; b) Adicional de 1/3 no pagamento de férias; c) Licença paternidade; d) Aviso proporcional ao tempo de serviço; e) Proibição de distinção entre trabalhadores braçais e intelectuais; f) Exagerada estabilidade no emprego (art. 7.1); g) Grevismo incentivado. Não faltam também dispositivos *anedóticos* entre os quais vale citar: 1. O tabelamento de juros reais em 12% ao ano; 2. A garantia de direito à vida para os idosos; 3. O *morbonacionalismo*, isto é, a proibição de investimentos estrangeiros em hospitais; 4. O tombamento do mercado interno como patrimônio nacional; 5. O direito de todos a um meio ambiente equilibrado, o que tornaria as favelas inconstitucionais; 6. A eliminação da pobreza por *fiat* constitucional através da definição do salário mínimo; 7. A multa imposta às empresas que se automatizam ou robotizam (art. 239, parág 4º). Notem-se, outrossim, algumas estatísticas curiosas. A palavra *produtividade* só aparece uma vez no texto constitucional; as palavras *usuário* e *eficiência* figuram duas vezes; fala-se em *garantias* 44 vezes, em *direitos* 76 vezes, enquanto a palavra *deveres* é mencionada apenas quatro vezes. Para quem duvida da tendência antiliberal do texto, basta dizer que a palavra *fiscalização* é usada 15 vezes e a palavra *controle* nada menos que 22 vezes!

mo, a irredutibilidade de vencimentos, a isonomia salarial, a autonomia dos poderes na fixação da remuneração e o direito de greve, quase irrestrito, do funcionalismo público, mesmo nos serviços essenciais.

A *Constituição cidadã* tudo piorou para os cidadãos: caiu a taxa de desenvolvimento, subiu a da inflação, aumentou o desemprego, piorou-se a distribuição de renda, agravando-se conseqüentemente a injustiça social.

São ridículas as idéias de que a revisão constitucional deve ser modesta. Ela deve ser ampla e, por assim dizer, filosófica, deixando o governo de ser um engenheiro social para tornar-se um jardineiro: criar o clima para que as plantas cresçam, ao invés de aprisioná-las em treliças geométricas. Felizmente, isso pode ser feito por uma cirurgia de amputação, antes que por enxertos rejeitáveis. A Constituição *instrumental* deve transformar-se numa Constituição clássica, principiológica e não preceitualista. Deve muito mais proibir o governo de fazer coisas do que mandar o governo fazer coisas.

Infelizmente, as perspectivas de uma cirurgia simplificadora são apenas moderadas. Do lado favorável, há dois fatores: a mudança do clima mundial num sentido mais liberal e pós-estatista; e o fato de que o Congresso constituinte em 1988 foi renovado pelo expurgo de 62% de seus membros, um altíssimo coeficiente de renovação.

Do lado negativo, há que registrar que as esquerdas e os estatolatras são mais organizados que os liberais e privatistas. Num livro sobre o cálculo político, publicado na década de 60, os economistas Buchanan e Tullock estimaram que uma minoria de 24%, coesa e mobilizada, pode desorientar assembléias majoritárias. Na Duma imperial, os sovietes de Lênin conseguiram implantar a Revolução Vermelha, que aboliu a democracia, com menos de 1/4 dos votos. No Brasil, as esquerdas representam proporção equivalente no Congresso. Mas são muito mais motivadas e mobilizadas que os partidos de centro ou de direita e têm desproporcionado poder de bloqueio. Podem assim conseguir que o Brasil prossiga na marcha para a decadência. Sem a revisão constitucional estaremos fazendo uma opção pela mediocridade e não pela modernidade.

UMA ANTEVISÃO DO
MERCADO CONTINENTAL

Em fins de janeiro de 1989, fui procurado pelo armador carioca José Carlos Fragoso Pires. Trouxe-me uma idéia interessante. Ante a melancólica perspectiva de termos a eleição presidencial desse ano confinada ao binômio esquerdista Lula/Brizola, cujos partidos tinham obtido significativo avanço nas eleições municipais de 1988, seria conveniente estudarmos a possibilidade de construção de um candidato centrista, com uma plataforma modernizadora: a inserção do Brasil no mercado comum norte-americano e canadense. Expor o Brasil à concorrência internacional seria o melhor veículo de modernização de nossa economia fechada, em marcha para a obsolescência.

Respondi-lhe que já vinha trabalhando há algum tempo sobre a idéia da abertura internacional do Brasil, pela inserção no grande mercado do norte. No fundo era uma volta à velha idéia de Bolívar de uma união aduaneira continental. Mas não tinha considerado esse novo aspecto: induzir algum candidato presidenciável a adotá-la como plataforma modernizante.

Dois ou três meses antes, havia me encontrado com um outro empresário, Victor Bouças (filho de um velho amigo dos tempos da CMBEU, Valentim Bouças), que se declarava preocupado com a marginalização do Brasil no panorama internacional de investimentos e sua perda de participação no comércio internacional. Dispunha-se a mobilizar fundos empresariais para um grande esforço de pesquisa dos prós e contras de um plano de integração mais ambicioso que as negociações quadripartites que estavam em processo e que culminaram tempos depois na formação do Mercosul. Convoquei para a tarefa de pesquisa o embaixador João Batista Pinheiro, que servira como embaixador em Washington e também na ALALC, em Montevidéu, conhecendo portanto ambos os lados da questão: a política comercial norte-americana e o processo de integração sub-regional da ALADI. Pinheiro chegou a produzir um relatório preliminar, mas a pesquisa não prosseguiu, à míngua de financiadores, pois que Bouças não logrou despertar interesses empresariais para esse tema de médio ou longo prazo.

O relatório de Pinheiro era algo cético, indicando aliás, com presciência, que outros países, como o México, estavam mais preparados para essa aventura integrativa. Os Estados Unidos nele viam um parceiro ideal, porque a integração comercial e de investimentos talvez amenizasse dois problemas — a maciça imigração de mexicanos para os Estados Unidos e a excessiva frouxidão mexicana no controle de drogas. Como bônus eventual, talvez esperassem obter uma flexibilização do monopólio estatal da Pemex, grande fornecedora de petróleo, cuja expansão, com o auxílio de capitais privados, contribuiria para a segurança norte-americana. Que essa antevisão era correta prova-o a assinatura do tratado da Nafta, em 1992.

O nacionalismo mexicano se tinha abrandado, ante as vantagens pragmáticas da integração, enquanto o nacionalismo brasileiro se alimentava pela existência de um amplo contencioso: informática, lei de patentes, recusa de adesão ao Tratado de Não-Proliferação Nuclear etc. A alta taxa de inflação e a instabilidade cambial eram obstáculos adicionais. Objetivamente, entretanto, concluía Pinheiro, somente nossa integração num mercado continental, liderado por uma superpotência econômica como os Estados Unidos exporia o Brasil ao choque competitivo e tecnológico necessário à sua modernização.

Eu concordava com a argumentção de Pinheiro, e achava também improvável que os Estados Unidos viessem a aceitar, em prazo curto, a tese aventurosa da integração em escala continental. De qualquer maneira, nosso mercado continental teria que ser bastante diferente do europeu. Poderia haver livre trânsito de capitais e liberalização de mercadorias, mas certamente persistiriam restrições ao comércio de serviços e, muito mais ainda, ao livre movimento de pessoas, em vista da magnética atração que o vizinho do norte exerce sobre as massas empobrecidas da América Latina.

Curiosamente fui na mesma ocasião procurado por um amigo da embaixada americana, arguto analista político, que eu não imaginava ligado à CIA. Convidou-me para um almoço confidencial e, pela primeira vez, admitiu não ser apenas um diplomata convencional da carreira. A CIA, explicou-me, tinha uns restos de orçamento que queria usar bem, em algum tipo de pesquisa útil para os dois países. Havia pensado no problema das drogas, que se estava agravando no Rio de Janeiro e em nossas fronteiras. Respondi-lhe que uma utilização muito melhor dos recursos sobrantes seria precisamente um estudo sobre a viabilidade da criação de um mercado continental. É que se desenhava no horizonte a possibilidade de fechar-se a Europa numa *Fortress Europe*; e, considerada a superioridade competitiva do Japão na franja asiática, o mercado latino-americano voltava a ser prioritário para os Estados Unidos. Declarou-me que a idéia era interessante. Voltou logo depois a Washington e nunca mais dele ouvi qualquer referência sobre o assunto.

Quando Fragoso Pires me procurou, estava ainda extremamente fluida a questão de candidaturas de centro e direita, alternativas à dupla Lula/Brizola. Achei por isso interessante o ângulo novo que trazia ao tema: a promoção de um candidato disposto a empalmar a bandeira da integração modernizadora. Imaginávamos ambos que um candidato potencial factível seria o coronel Ozires Silva, que aliava a um passado militar tranqüilizador para a "corporação", a confiança de grupos empresariais, além de uma boa experiência administrativa na Embraer e razoável capacidade de apresentação televisiva. Estaria ele disposto a lançar-se numa aventura presidencial, com base nessa plataforma?

Visitamo-lo em São Paulo para uma sondagem durante a qual propusemos que desse uma entrevista preparatória em que falaria no mercado continental como plataforma de governo.

Ozires, dizendo-se tecnocrata antes que político, pediu tempo para pensar. Estava de partida para os Estados Unidos, onde faria sondagens informais sobre a atitude governamental e empresarial, em relação ao mercado continental. Ao regressar, indicou que para sua surpresa era boa a receptividade no meio burocrático e bancário, mas não se sentia politicamente motivado para a aventura. Fragoso Pires resolveu fazer uma outra sondagem na tentativa de construção de uma candidatura alternativa. Conversou em Brasília com o general Leônidas Pires Gonçalves. Este achava que nossos nacionalistas não estavam amadurecidos para a idéia da integração continental e que era cedo demais para que qualquer militar voltasse ao proscênio político.

Combinamos então que Fragoso Pires daria ele próprio uma entrevista, apenas com o propósito de mobilizar a opinião pública em torno de duas idéias:

• A da integração continental como desafio modernizante de maior impacto que a de qualquer mercado sub-regional;

• A privatização opcional da seguridade social, em favor dos "operários livres", que, mediante acordo com os empresários que lhes garantissem planos de previdência e saúde, abrissem mão do paternalismo estatal.

Essa entrevista foi publicada em 18 de fevereiro de 1989 no *Jornal do Brasil* e depois amplamente reproduzida na imprensa.

Fiz um discurso no Senado Federal analisando objetivamente a importância desse desafio modernizante e as dificuldades (que eu achava de lenta remoção) que se antepunham a essa ousada iniciativa de integração. Formalizei meu apoio ao propósito do mercado continental, considerando que os mercados sub-regionais, precisamente por representarem uma simbiose de economias de baixo nível de desenvolvimento tecnológico e pouca disciplina competitiva, representavam apenas uma pista de treinamento e não uma corrida olímpica.

Havíamos subestimado o dinamismo de nossa classe política. A contenda eleitoral logo se aqueceu com o surgimento de várias candidaturas centristas, com variadas plataformas, e o tema internacional permaneceu esquecido no burburinho das urgências internas.

Foi com surpresa que recebi, em junho de 1990, a notícia da proclamação da "Iniciativa das Américas", pelo presidente George Bush. Propunha ele um acordo de livre comércio com todos os países da América Latina. Sua proposta contemplava três áreas: comércio, dívida externa e investimentos. Era um desafio lançado aos latino-americanos...

Obviamente, as propostas que José Carlos Fragoso Pires e eu considerávamos revolucionárias, senão mesmo utópicas, um ano e meio antes, haviam amadurecido com surpreendente rapidez em Washington. Telefonei a ele para dizer-lhe que sua entrevista, ignorada no Brasil, talvez não tivesse escapado à argúcia da CIA...

A MODERNIZAÇÃO
ABORTADA

Nas eleições presidenciais de novembro de 1989, votei em Paulo Maluf, no primeiro turno. Era a meu ver o mais qualificado para implantar no Brasil a economia de mercado, sem a qual não se completaria nossa transição democrática.[525] A Nova República havia combinado libertinagem política com autoritarismo econômico, uma receita de desastre. Os outros candidatos de visão liberal privatista, que conhecia pessoalmente, eram Domingos Afif e Ronaldo Caiado. Afif tinha uma bem-estruturada plataforma liberalizante redigida em parte pelo economista Paulo Guedes. Ronaldo Caiado era mais setorializado, líder que era do movimento ruralista. Ambos careciam de suficiente experiência administrativa.

Fernando Collor me era praticamente desconhecido, mas a leitura de sua plataforma do "Brasil novo" me causara impressão favorável. Convivêramos no Congresso na legislatura de 1983 a 1987, eu como senador, ele como deputado, sem manter contato pessoal. Disse-me, tempos depois, que se divertira muito ouvindo um meu debate com a deputada Cristina Tavares, a propósito da política de informática. Usando uma expressão de Ricardo Semler, eu havia descrito essa política como CCP — uma mistura de contrabando, cartórios e pirataria!

Os outros candidatos não me despertavam simpatia. Lula — Luís Inácio da Silva, presidente do PT — me parecia um troglodita, líder de um partido que ameaçava tornar-se um "fascismo de esquerda", usando técnicas de patrulhamento e intimidação, além de perfilhar uma ideologia estatizante totalmente anacrônica. Brizola, meu velho adversário desde os tempos em que, como embaixador em Washington, procurava consertar os estragos por ele criados no clima de investimentos — não me parecia ter sido contaminado por nenhuma idéia nova nos últimos trinta anos. Supremo escapista, atribuía a pobreza brasileira às "perdas internacionais" e acreditava no Estado protetor, enquanto eu via no Estado um "preda-

---

[525] Os três possíveis candidatos do PDS eram Maluf, o senador Jarbas Passarinho e Espiridião Amin. Maluf obteve a preferência na convenção. Convidou-me para compor sua chapa, candidatando-me à vice-presidência. Recebi um solene veto familiar. Não tinha saúde para arrostar uma campanha de âmbito nacional e achei que o PDS seria mais bem servido por um político mais jovem e de maior agressividade eleitoral. O companheiro de chapa de Maluf acabou sendo o deputado mineiro José Bonifácio de Andrada.

dor". Seus habituais jargões, "perdas internacionais", "CIEPS" e "leite para as criancinhas", não me pareciam constituir um programa de governo. Mário Covas tinha um pensamento bastante mais orgânico, porém enfatizava a linha da "social-democracia" do PSDB, que me parecia uma tentativa desesperada de busca da "terceira via", a meu ver o caminho mais curto para o Terceiro Mundo. A busca de uma "terceira via" entre o capitalismo e o socialismo é uma tentação recorrente na América Latina. Lembrava-me do "justicialismo" de Perón, da "via socialista chilena de Allende" e da "terceira via" dos peruanos. Tive um momento de entusiasmo quando, em discurso no Senado, Covas aludiu à necessidade de um "choque de capitalismo" no Brasil. Mas acho que ele próprio se sentiu chocado com este desvio ideológico e voltou à "terceira via" pessedebista. Aureliano Chaves, velho amigo pessoal, era um devoto da Petrobrás e perfilhava um horrível ideário estatizante.

Estranhamente, nunca me tinha aproximado de Ulysses Guimarães, apesar de sermos antigos conhecidos e de termos a dúbia distinção de figurarmos entre os mais idosos do Congresso. Eu tinha alergia aos "burgueses de esquerda" do *Clube do poire* e o programa de Ulysses refletia, em termos ideológicos, a "geléia geral" do PMDB, com toques de nacional-populismo. Além disso, considerava Ulysses e Covas, os dois líderes do maior partido, o PMDB, responsáveis por esse "anacronismo moderno" — a Constituição de 1988 — que Ulysses, com instinto profético, apelidara de "Constituição dos miseráveis".

O último candidato, Roberto Freire, vinha de um pólo ideológico oposto ao meu. Era um comunista arrependido, mas com sotaque ideológico suficiente para que eu duvidasse quer de sua fidelidade à democracia, quer de sua resignação à prática de uma economia de mercado.

No segundo turno, votei em Collor. No intervalo entre os dois turnos, participei de um seminário em Nova York, organizado pelo Council of the Americas, ao qual compareceram os representantes dos principais candidatos. Zélia Cardoso de Mello, pela coalizão Collor, e os deputados José Serra, pelo PSDB, Cesar Maia, pelo PDT, e Aloísio Mercadante, pelo PT. Falei em primeiro lugar, expondo a tese de que a grande falha da Nova República fora fazer apenas a abertura política, e não a abertura econômica. Ao invés da fórmula do "capitalismo democrático", tínhamos uma perversa mistura de democracia política com autoritarismo econômico. A solução seria a liberalização da economia interna e nossa reinserção no capitalismo internacional.

A plataforma de Collor me parecia modernizante, ao falar no redimensionamento do Estado e ao inserir no debate político os temas da privatização, desregulamentação, abertura para importações e reconciliação com o sistema financeiro internacional. Era uma coragem pouco encontradiça em nossa retórica política. Assustei-me entretanto ao ouvi-lo mencionar, em entrevista de imprensa, que, se

Dilson Funaro fosse vivo, seria seu preferido para ministro da Fazenda. E ao vê-lo endossar o viés antiexportador de sua assessora, Zélia Cardoso de Mello, que atribuía aos saldos no balanço comercial responsabilidade pela pressão inflacionária. Obviamente, esse impacto poderia ser neutralizado por adequada política fiscal, como o demonstraram Alemanha, Japão e Taiwan, que combinaram elevadíssimos saldos comerciais com baixíssima inflação...

Collor descobrira um samba de duas notas de extrema sonoridade: a tônica *moralista*, simbolizada na luta contra o marajá, e o tema da *renovação*, simbolizado pela oposição ao governo Sarney.

A tônica moralista não é rara na política brasileira. O problema é criar um inimigo concreto, pois o povo gosta mais de odiar do que de amar. Jânio Quadros teve espetacular êxito em 1960 criando um símbolo concreto — a vassoura. Carlos Lacerda influenciou toda uma geração "fulaneando" a corrupção: os corruptos foram sucessivamente Getúlio, Juscelino e Jango. Desses, somente o segundo completou seu mandato, assim mesmo depois de barrar o acesso de Lacerda ao rádio e à televisão e de espicaçar a fúria nacionalista contra um inimigo externo — o FMI. Este é um bode expiatório de grande utilidade em momentos de aperto.

Outros candidatos tinham levantado o tema do combate à corrupção. Nenhum de forma mais completa que Afif. Este identificara corretamente o problema. A corrupção é sobretudo o excesso de governo e a concentração de poder no triângulo de ferro — a tecnocracia, as empresas cartoriais e os políticos clientelescos. Se há licenças a dar e subsídios a obter, haverá sempre funcionários a comprar. A corrupção é o salário suplementar do funcionário que tem poder demais e acha que tem salário de menos. Desregulamentação e privatização são por isso a melhor receita de moralidade. Que o digam os regimes comunistas, onde a concentração de poder burocrático institucionalizou a corrupção. Esta era denunciada na União Soviética, após o advento de Gorbachev, como "a corrupção da era Brejnev", e pelos estudantes na China, como "o nepotismo do Partido".

A vantagem de Collor sobre os demais era definir um inimigo concreto — o marajá. A pregação que eu vinha fazendo há anos contra o estatismo e o burocratismo soava abstrata e não apaixonava ninguém. Também nunca me celebrizei pela capacidade de comunicação política...

Acolhi com alívio a vitória de Collor. Mas vindo de um pequeno partido e de um pequeno estado, sua vitória testemunhava também, como nota Luciano Martins, a crise do sistema político-partidário. Os candidatos dos dois maiores partidos (PMDB e PFL) não obtiveram senão 5% dos votos; e Collor, vitorioso no segundo turno por maioria absoluta, pertencia a um partido de aluguel, com apenas 4,27% dos votos no Congresso.

Formara-se uma esdrúxula e instável coalizão eleitoral, como diz o autor acima citado, pelos dois extremos: o voto da vingança e o voto do temor. Vingança por parte das massas desorganizadas, desejosas de vocalizar protestos antes que sancionar esperanças. Medo, por parte da classe média e das elites, em relação ao radicalismo do PT. Fora desbancado o tradicional amálgama nacional-populista.[526]

Antes da posse, só me entretive com Collor duas vezes. A primeira, num jantar de confraternização do PDS, em Brasília, na casa do deputado Amaral Neto. Collor esbanjava otimismo e autoconfiança. Conseguiu até mesmo captar as simpatias de meu colega no Senado, Jarbas Passarinho, que no primeiro turno manifestara preferência por Mário Covas e no segundo turno achara ambas as opções deprimentes. Precisamente naquele dia eu havia sido eleito para a liderança do PDS no Senado.

Por votação muito expressiva, disse a Collor — 50% dos votos.

É que o PDS só tinha dois senadores — Jarbas Passarinho e eu — o que tornara fácil minha vitória. Passarinho gentilmente me cedera a liderança por ser meu último ano de mandato.

Collor chamou-nos de lado, a mim e ao Delfim Netto. Como se buscasse sugestões, perguntou-nos que idéias tínhamos sobre a presidência do Banco Central. Era apenas uma sondagem inconseqüente, pois logo depois adiantou que pretendia designar Ibrahim Eris. Delfim, que o tivera como assessor, expressou imediata aprovação; eu manifestei reticências. Era tempo de termos no Banco Central um liberal, com visão da economia de mercado e obsessão antiinflacionária. Ibrahim Eris, que eu soubesse, era mais um fiscalista que um monetarista.

Ocorriam-me, disse a Collor, três nomes. O ideal seria o de Bulhões Pedreira, que talvez não aceitasse o cargo, pelos seus passados desapontamentos com a administração federal. Era o melhor conhecedor da evolução do mercado de capitais, tendo sido o principal redator da Lei nº 4.728/65, que estruturou esse mercado. Tinha também redigido a lei que criou a CVM e fora co-autor da Lei de Sociedades Anônimas. Com sua mistura de intuição econômica e conhecimentos jurídicos, parecia-me ideal para a tarefa. Se Collor quisesse gente mais jovem eu recomendaria economistas de persuasão liberal, capazes de excogitar e implementar um bom esquema antiinflacionário, sem as mágicas dos planos anteriores. Os dois nomes que me ocorriam eram os dos jovens economistas Paulo Guedes e Paulo Rabello de Castro.

Collor ouvira falar de Paulo Guedes como assessor de seu rival, Afif, durante a campanha eleitoral. Nossa conversa foi interrompida por Amaral Neto, que nos chamava à mesa de jantar, e Collor não voltou a comentar o assunto.

Lembro-me que, durante o jantar, regado a champanhe e charutos, contei

[526] Ver Luciano Martins, 'A autonomia política do governo Collor', ensaio na coletânea *Plano Collor*. Rio de Janeiro, Livros Técnicos e Científicos, 1990, p. 27-33.

várias anedotas a Collor, percebendo que tinha um apreciável *sense of humour*. A anedota de que mais gostou foi a relativa ao programa espacial da Nasa. Essa agência, um pouco como truque de *marketing*, um pouco com o propósito de atrair simpatia internacional, teria aberto um concurso para estrangeiros interessados em missões astronáuticas. O primeiro a ser entrevistado durante o processo de seleção foi um físico nuclear alemão treinado em Heidelberg.

— Que remuneração financeira esperaria pelo risco da missão? — perguntou o diretor da Nasa.

— A rigor — respondeu o alemão — eu iria apenas pela curiosidade científica. Mas se se cogita de remuneração, eu desejaria US$20 mil, 10 mil para mim e 10 para um seguro de vida em favor de minha mulher.

O segundo entrevistado foi um engenheiro aeronáutico francês. Pedia US$30.000. Quando lhe perguntaram a razão desse preço, quando o alemão pedira somente vinte mil, respondeu o gaulês: — São US$10 mil para mim, 10 mil para minha mulher e 10 mil para minha amante.

Quando chegou a vez do brasileiro, este pediu US$40 mil. Quando perguntado sobre a destinação do dinheiro, respondeu: — São US$10 mil para mim, 10 mil para minha mulher, 10 mil para minha amante e 10 mil para vocês, que me estão arranjando esta *boquinha*!...

Collor — acrescentei — teria de se acautelar contra o coeficiente de Macunaíma inerente à brasilidade!

Meu segundo encontro com Collor se realizou no "Bolo de Noiva", a biblioteca do Itamaraty, em Brasília, cerca de dez dias antes da posse. Foi um encontro agenciado por amigos comuns, que desejavam que eu expusesse ao presidente minhas idéias liberais.

Collor fumava um charuto razoavelmente pestilento. Convidou-me a expor minhas sugestões. Comecei dizendo que ele teria uma oportunidade única, que já vinha tarde, de implantar no Brasil uma economia de mercado, conforme aliás previsto em sua plataforma do "Brasil novo". A receita seria austeridade fiscal, privatização, desregulamentação, abertura para importações e normalização do serviço da dívida externa.

— Nada de congelamento de preços — disse-lhe — receita já fracassada dos planos Cruzado e Verão.

Collor não revelou maior interesse nesse meu enunciado, que aliás, não primava pela originalidade. Perguntou-me logo sobre um problema que lhe parecia agudo: a rolagem da dívida interna. Respondi-lhe que a meu ver a solução seria um alongamento do perfil da dívida, mediante negociação com as principais instituições financeiras. Todas já se haviam convencido de que os juros astronômicos pagos pelo Tesouro, ao fim do governo Sarney, eram insustentáveis. Refletiam em parte as incertezas da transição política. Já tínhamos negociado com os credores externos um reescalonamento em vinte anos. Não parecia impossível persuadir os credores internos a um alongamento mais modesto da dívida interna, de entre cinco e dez anos, se fossem dados alguns incentivos e garantias, como a isenção fiscal para a renda dos novos títulos e poder liberatório no vencimento, para pagamento de impostos ou para aquisição de empresas estatais.

Collor não me pareceu seduzido por essa solução. A segunda pergunta foi sobre métodos de aumentar rapidamente a arrecadação fiscal, ante a enorme brecha orçamentária. Respondi-lhe que não se deveria recorrer a aumentos de impostos, lembrando-lhe o brocardo do presidente Reagan: "O imposto cria sua própria despesa".

A essa altura, a conversa descarrilhou. Collor ouviu constrangido minha receita: uma anistia fiscal para estimular a repatriação de capitais, que seriam legitimados contra o pagamento de um imposto módico. Era uma solução que havia sido adotada no México no começo do seu programa de estabilização. Collor reagiu, visivelmente contrariado:

— Minha campanha — disse — foi feita à base de postulados éticos, não posso começar o governo por uma anistia fiscal.

Esse argumento lógico me desconcertou por um momento. Mas logo reagi, lembrando que Castello Branco, um severo moralista, havia adotado medida semelhante, numa situação emergencial. A situação emergencial de então era o pânico financeiro criado pela radicalização de esquerda no governo Goulart, que provocara maciça fuga de capitais.

Na confrontação eleitoral com Lula e nos tumultuados dias finais do governo Sarney, três circunstâncias ocorreram, acrescentei eu, que explicavam senão justificavam, a fuga de capitais:

• O "efeito Lula", isto é, o medo do confisco;
• O "efeito congelamento". O receio de que o novo governo congelasse preços provocara uma paralisação de investimentos. Para proteger sua poupança, grandes investidores se "dolarizaram", pois não se sabia o que poderia ocorrer com a correção monetária interna;
• O "efeito câmbio". A taxa cambial estava sobrevalorizada e, para se compensarem do prejuízo, os exportadores retinham dinheiro no exterior sobrefaturando importações e subfaturando exportações.

Com a posse de um novo governo, legitimado pelo voto popular, cessariam as incertezas e o dinheiro tenderia a fluir de volta, se pudesse ser legitimado sem punição fiscal.

O ar contrafeito de Collor me indicou que minha conversa não fora um sucesso.

Para aliviar o ambiente, contei-lhe uma estória que eu vivenciara. Quando jovem secretário da missão do Brasil na ONU, em Nova York, tinha como colega um diplomata boliviano. Alto, tez queimada do altiplano, com face angulosa, dura e máscula, ar misterioso de índio quéchua, tinha invejável sucesso com as loiras anglo-saxãs. Perdemos contato por longos anos, até que o reencontrei acidental-mente em Bruxelas, onde eu fora para a renegociação de nossa dívida externa, no governo Jânio Quadros.

— *Long time no see...* — disse-lhe. — Como vai sua carreira?

— Ora, Roberto, há muito tempo deixei a diplomacia, entrei no comércio de exportação e importação em meu país e consegui fazer razoável fortuna.

— E que faz de seus lucros? — perguntei-lhe. — Reinveste-os patrioticamente em seu país ou se entrega ao esporte latino-americano da fuga de capitais?

— *En Bolívia* — respondeu-me — *llevar la moneda para el exterior no és fuga de capital. No és más que una administración prudente del patrimonio en condiciones de riesgo exacerbado.*

Collor sorriu um pouco mais descontraído. Disse-me ele que concordava com minha insistência na redução do tamanho do governo. Demitira mais de dez mil funcionários em Alagoas e usaria severidade igual no Planalto. E acrescentou crip-ticamente: — Nossos objetivos, senador, são os mesmos, mas os meus métodos tal-vez lhe pareçam esquisitos.

Ao levantar-me para a despedida, mencionei-lhe que ele tinha uma opção *hard* e uma opção *soft*. A primeira era a de Felipe González, que abandonou prontamen-te a plataforma populista do partido socialista espanhol, que o elegera, em favor de rigorosa ortodoxia fiscal e monetária, ainda que à custa de severo desemprego. A segunda, era a de Alan Garcia, que se entregara ao nacional-populismo e estava levando a economia peruana a um triste desenlace.

— Espero — disse-lhe — que seja nosso Felipe González e não nosso Alan Garcia.

Dez dias depois, desmentindo o discurso libertário de 15 de março, Collor anun-ciava a Medida Provisória 168, que instituía o congelamento de preços e o confisco de ativos financeiros. Precisamente o contrário do que eu recomendara e precisa-mente aquilo que Lula ameaçara fazer.

Tive um momento de enorme desânimo. Era mais uma oportunidade perdida. Provavelmente, quando conversávamos no Bolo de Noiva, ele já tinha feito sua opção intervencionista. Senti-me no papel de um perfeito idiota, que não mede a extensão de seu ridículo...

Trinta e dois dias depois da posse, Collor me telefonou cortesmente, em 17 de abril, para felicitar-me pelo aniversário. E acrescentou: — Eu não lhe disse que meus métodos lhe pareceriam "esquisitos"?

— Põe esquisito nisso, presidente. É dose...

Seis meses depois, em 3 de outubro, teria que me expor a uma batalha eleitoral, pois meu mandato de senador por Mato Grosso estava se expirando. Entrei numa crise existencial. Aos 73 anos, com um enfarte que administrara durante três anos, para depois submeter-me a uma operação de ponte safena, era tempo de *pendurar as chuteiras*. Era esse o conselho da família.

Candidatar-me de novo por Mato Grosso seria esforço penoso. A vastidão do estado, com população dispersa, torna a eleição uma garimpagem de votos. E sentia-me um pouco culpado. Tinha carreado importantes recursos orçamentários e internacionais para a implantação e pavimentação de rodovias, e energia elétrica, e mobilizado recursos para a saúde e habitação popular. Mas tinha cultivado pouco os eleitores, com visitas apenas infreqüentes. Minha base familiar era o Rio de Janeiro e as viagens a Brasília, que nunca foi a cidade de meus sonhos, já eram um sacrifício. Fazer a triangulação Rio/Brasília/Cuiabá seria exercício só aceitável para políticos em idade atlética.

Decidi então candidatar-me a deputado federal pelo Rio de Janeiro. Minha principal motivação para contrariar conselhos da família era participar da revisão constitucional marcada para 1993. Predissera, com amargor, que a estulta Constituição de 1988 levaria o Brasil à estagflação e às margens da ingovernabilidade. Como os partidos dominantes no Rio eram o PDT, de Brizola, e o PT, de Lula, eu não teria nenhuma chance numa eleição majoritária como a de senador. Mesmo a eleição proporcional para deputado foi árdua. Apesar de já ter caído o muro de Berlim, convalidando minhas solitárias profecias, o clima regional ainda era nacional-populista. E minha retórica antidemagógica não era de atrair multidões. Acresce que o PDS no estado estava em maré baixa, quase desmantelado, não despertando em outros partidos inteses de coligação. Uma coligação natural seria com o PFL, que preferiu entretanto aliar-se ao PTB.

Era portanto grande o risco em que me metia. Tendo adquirido certa projeção nacional e internacional, uma derrota seria um melancólico fim de carreira, precisamente quando a conjuntura internacional me tinha transformado de herege imprudente em profeta responsável.

A única estrela eleitoral do PDS era Amaral Neto, cuja antiga proposta de pena de morte sensibilizava apreciáveis setores da população, intimidada pela perspectiva de ver a Belacap transformada numa Beirute tropical, graças à semi-impunidade concedida por Brizola aos contraventores das favelas.

Nas eleições de outubro de 1990, o PDS só fez dois deputados federais. Disputei o segundo lugar com o cantor Aguinaldo Timóteo, o qual, com tradição política no Rio e apelo popular, acreditava que seria o vencedor. Fui entretanto o segundo

mais votado do PDS, com 42.600 votos, ficando no décimo sétimo lugar na contagem global, desempenho não brilhante, mas razoável para as circunstâncias.
Curiosamente, todas as projeções, mesmo após contados dois terços dos votos, indicavam votação maior, mas o PDS, não dispondo de estrutura de fiscalização, deve
ter sofrido "garfagem de votos", particularmente nos redutos do PDT na Baixada
Fluminense. O Rio tem uma antiga e sólida tradição de fraude eleitoral comparável
à de Alagoas.

— No Rio — dizia-me o experiente senador Nelson Carneiro, veterano de várias
eleições — não basta ganhar a eleição; é preciso ganhar a apuração.

Minha eleição teria sido impossível, entretanto, sem os 135.400 votos de Amaral
Neto, o segundo mais votado no estado.

Fui eleito, reconheci eu com alguma tristeza, como gigolô da pena de morte...

O DISCURSO
INAUGURAL

O discurso inaugural de Collor, no dia 15 de março de 1990, foi certamente a melhor fala presidencial do Brasil recente. Os tópicos escolhidos revelavam uma boa percepção de prioridades: democracia e cidadania; a inflação como inimigo maior; a reforma do Estado e a modernização econômica; a preocupação ecológica; o desafio da dívida social e a posição do Brasil no mundo contemporâneo.

O texto medular tinha sido redigido pelo então embaixador do Brasil na Unesco, José Guilherme Merquior, talvez o mais erudito de nossos diplomatas, ceifado precocemente aos 49 anos. Merquior me telefonara em dezembro de 1989, dizendo que Collor o procurara duas vezes em Paris, antes e depois de eleito, para "colher idéias sobre a modernidade". Em fevereiro de 1990, Collor, recém-eleito, convocou-o a Brasília para participar de um almoço com o escritor Mario Vargas Llosa, então candidato à presidência do Peru. Um outro convidado era Roberto Marinho.

No almoço que se realizou na casa de um amigo de Collor, que Vargas Llosa descreveu em suas memórias como "Ilena de jardins hollywoodenses", Merquior conduziu a conversa. O conviva mais loquaz foi Pablo Kuczinsky, assessor econômico de Llosa e ex-ministro da Fazenda, que foi pródigo em conselhos aos dois estadistas. A sós, numa sala ao lado, Collor fez votos para que o candidato peruano não tivesse que enfrentar um martirizante segundo turno. (Llosa acabaria perdendo para Fujimori no segundo turno em abril). Acrescentou que o atraente projeto de ligação rodoviária entre o Acre e a costa peruana enfrentaria séria oposição de Washington.

A fala inaugural de Collor foi alterada em sua segunda parte pelo diplomata Gelson Fonseca, para que tivesse um toque terceiromundista e um aceno à América Latina. Ironizava Delfim Netto que a primeira parte fora escrita por alguém que cursara a London School of Economics, e a segunda, por um estudante da Patrice Lumumba, de Moscou.

Eu esperava, aliás, que Merquior fosse convidado para a pasta do Itamaraty, o que certamente imprimiria brilho à nossa política externa, removendo o bolor do terceiro-mundismo e do nacional-bananismo que contaminou a Casa de Rio Branco em épocas recentes. Collor ofereceu-lhe, entretanto, apenas a secretaria de Cultura, posto sem expressão no contexto administrativo.

— Não vale a pena abandonar Paris — disse-lhe — para mendigar verbas em Brasília para nosso teatro e cinema, cronicamente insolventes.

Algumas sentenças do discurso exsudavam claramente a retórica merquiorana. Collor referia-se ao Estado "não como *produtor* mas como *promotor* do bem-estar coletivo", e expressava a convicção de que a "economia de mercado é fórmula comprovadamente superior de geração de riqueza, de desenvolvimento intensivo e sustentado". Prometia não recair na "facilidade do social sem amanhã; do alívio efêmero; do redistributivismo inconseqüente em prejuízo do esforço produtivo".

Num momento iluminado, infelizmente de curta duração, parecia aderir inteiramente ao *liberismo* a que se refere Merquior no seu último e formoso livro, *O liberalismo — antigo e moderno*, escrito ainda quando embaixador no México. Em síntese, dizia Collor: "Essa proposta de modernização econômica pela privatização e abertura é a esperança de *completar a liberdade política*, reconquistada com a tradição democrática, com a mais ampla e efetiva *liberdade econômica*." E mais adiante: "A privatização deve ser completada por menor regramento da atividade econômica."[527]

Ao usar a palavra *liberismo*, Merquior se reportava à famosa controvérsia dos anos 20 entre Benedetto Croce e Luigi Einaudi. Este defendia a incompatibilidade entre liberdade política e intervencionismo econômico, enquanto aquele acreditava na possibilidade dessa coexistência. Aos olhos dos contemporâneos, o liberal Croce ganhou a disputa. Na longa visão da história, o *liberista* Einaudi estava com a razão. Em nossas freqüentes conversas, Merquior e eu lamentávamos que a democracia política na Nova República tivesse redundado num autoritarismo econômico de violência sem precedentes na história brasileira. Fizéramos uma *glasnost* sem *perestroika*.

Collor encomendou também a Merquior, já então tomado pelo câncer e muitas vezes sob sedativo, sugestões confidenciais sobre um programa partidário. Pretendia criar um novo partido, baseado numa coalizão centrista, à qual daria o nome de "Partido Social Liberal". Só não escreveu dois ou três itens sobre ecologia e revolução tecnológica, sugerindo que Collor aproveitasse artigos que eu tinha publicado em *O Globo* sobre a matéria. Estranhamente, Collor nunca lhe ligou durante a doença. Quem telefonava cobrando o texto era Marcos Coimbra, a quem Merquior apontava como a grande voz contra sua nomeação para o ministério das Relações Exteriores.

Ironicamente, o texto ficou engavetado mais de um ano e só reapareceu como manifesto de um partido em Maceió, e depois como uma série de artigos divulga-

---

[527] Inquietou-me um pouco no discurso de Collor o excesso de ambição: "O propósito imediato de meu governo... não é conter a inflação; é liquidá-la". A assertiva me parecia redolente do messianismo providencial de Dilson Funaro com sua "inflação zero".

dos com estardalhaço pelo próprio Collor. Somente ao fim da série, Collor admitiu serem oriundos de Merquior (na realidade eram transcrições quase integrais).

O programa partidário preparado por Merquior, com seu habitual brilho, era uma plataforma baseada na experiência das sociais-democracias européias, com ajustes modernizantes requeridos pela conjuntura pós-muro de Berlim: maior abertura para privatizações e atitude mais crítica em relação ao assistencialismo paternalista. Já se tinha tornado claro que os excessos do *welfare state* tinham afetado negativamente a produtividade e o nível de emprego. "A social democracia, ou seja, a busca de uma terceira via", dizia eu a Merquior usando uma expressão de Vaclav Kraus, ministro da Fazenda da Tchecoslováquia, "é o caminho mais curto para o terceiro mundo". Como *liberista*, Merquior acreditava na superioridade das economias de mercado, não só em termos de eficiência econômica, mas também de consolidação democrática.

Afinal de contas — dizia ele — a economia de mercado não é senão a democracia do voto aplicada ao cotidiano econômico.

A fórmula proposta era a do *neocapitalismo produtivo*, em contraposição ao *capitalismo especulativo*, cujas características são o cartorialismo do Estado patrimonial e a cultura da inflação. O novo projeto exigiria uma "refuncionalização do Estado", que deixaria de ser um Estado produtor para se tornar um Estado *promotor* de estratégias de desenvolvimento e *protetor* das classes desprivilegiadas.[528]

---

[528] Merquior costumava citar a distinção de Bertrand de Jouvenel entre o *Estado Rex* e o *Estado Dux*. O primeiro se limita a presidir, como árbitro, ao jogo social. O segundo intervém, supostamente para liderar a tarefa de modernização. Este era um de meus poucos pontos de divergência com Merquior: "Advogar o Estado promotor", dizia eu, "mantendo um *Estado Dux* porém não estatizante como o faz Merquior, é um conselho de perfeição e uma tentação exagerada para nossa cultura patrimonialista. Foi um dos meus pecados de juventude acreditar no planejamento benevolente do *Estado Dux*. Hoje acredito que ele não tem informação suficiente para corrigir as imperfeições do mercado e soe escolher falsas prioridades. Melhor faria se se concentrasse em tornar a moeda estável... em promover a competição e deixar que cada um busque ser feliz à sua maneira. O Estado ótimo é o Estado mínimo" (*O Globo*, 7.7.91). Um outro ponto de divergência, mais de natureza semântica, é que Merquior insistia em qualificar o liberalismo com o adjetivo *social*. Para mim, esse adjetivo, indispensável no jargão político brasileiro, é apenas um *weasel word*, como dizia Hayek. *Weasel* é um animalzinho da família dos mustelídeos, que consegue esvaziar o ovo, deixando quase intacta a casca. É um adjetivo tão vulgarizado que esvazia a substância dos conceitos. Merquior admitia em seu vocabulário a expressão *justiça social*, que para os liberais hayekianos é uma noção ambígua e vazia. Para haver *justiça social* é preciso haver um justiceiro responsável (donde o autoritarismo socialista) e um sistema de avaliação de mérito superior ao do mercado. Como hayekiano sempre preferi falar em *normas justas de conduta*, cuja observância favorecerá a uns e desfavorecerá a outros, dependendo da combinação a que se referia Maquiavel, entre *vertú* e *fortuna*. Aliás, em alguns de seus escritos, Merquior se aproxima da visão hayekiana ao dizer que à sociedade cabe assegurar apenas a "igualdade do acesso", admitindo-se "desigualdade no sucesso".

A fórmula do "capitalismo produtivo" têm afinidades com o conceito de "democracia social", propugnado por Miguel Reale, de que Merquior era amigo e admirador. Enquanto a expressão "social democracia" denota historicamente uma evolução do socialismo, a "democracia social" seria o resultado da evolução do capitalismo. É uma diferença de enfoque e não mero truque semântico.

Nunca entendi porque Collor não se aplicou a essa tarefa de criação de uma sólida base partidária, através do projetado Partido Social Liberal. Poderia tê-lo feito com facilidade com o prestígio plebiscitário de sua vitória nas eleições diretas, que lhe atribuía uma espécie de *messianismo providencial*. Talvez se tivesse deixado possuir pela *hubris* do poder. Não valeria a pena negociar com um Congresso em final de mandato e, portanto, débil para resistir. Esperava ele talvez que o Plano Brasil Novo tivesse êxito a curto prazo, o que o tornaria o grande eleitor nas eleições congressuais de 1990, criando-se automaticamente uma maioria parlamentar cooperativa. A história o desmentiria cruelmente, como veremos.

O DAY AFTER

— Vou deixar a esquerda perplexa e a direita enraivecida — dizia Collor cripticamente.

E cumpriu sua promessa. No dia seguinte ao discurso inaugural o Brasil experimentaria um novo choque heterodoxo: congelamento de preços e seqüestro de poupança, medidas que tinham a cara de Lula e não de Collor. Era a teoria de "um tiro só no tigre da inflação". Minha visão era diferente: o país continuava condenado à cadeira elétrica.

No contexto da fala libertária da véspera, o Plano Brasil Novo não foi apenas um choque econômico mas também psicológico, provocando reações desencontradas: perplexidade na esquerda, raiva na direita e angústia nos liberais. Referi-me a esse fenômeno em ensaio intitulado 'A angústia dos liberais', publicado em *O Globo* de 25 de março de 1990, poucos dias após o lançamento do novo plano.[529]

O Plano Brasil Novo tinha a vantagem de destruir dois mitos. O mito estruturalista, segundo o qual a inflação resulta da rigidez das estruturas e não da expansão da moeda. Congelando 30% do estoque monetário, o plano era o monetarismo levado ao paroxismo. O outro mito, velho sonho dos heterodoxos do Plano Cruzado, era o da cura mágica e indolor da inflação.

No fundo, tratava-se de um buquê de rosas com bonita cor e perigosos espinhos. Para as esquerdas, as rosas do Plano Brasil Novo estavam no bloqueio dos capitais aplicados na chamada "ciranda financeira"; na forte tributação sobre os ativos financeiros; no congelamento policialesco de preços; na punição fiscal às Bolsas de Valores (que se inviabilizavam precisamente quando seriam mais necessárias para atenuar a crise de liquidez das empresas). O limite rígido de Cr$50 mil nos saques da poupança nivelava igualitariamente ricos e pobres.

O consolo dos liberais estava na promessa de redimensionamento do estado pela reforma administrativa e pela privatização, assim como de liberalização comercial. A remoção da maior parte das restrições quantitativas à importação contidas no famoso "Anexo C" da Cacex, e o programa de gradual redução das tarifas de importação, foram talvez o aspecto mais positivo do Plano Collor I. Isso obrigou a

---

[529] Roberto Campos, *O século esquisito*, Rio de Janeiro, Topbooks, 1990, p. 254.

indústria nacional a se preocupar com qualidade e produtividade. As taxas rígidas de câmbio eram substituídas por uma taxa cambial flutuante.[530]

A mudança do padrão monetário do cruzado novo para o cruzeiro era a nona mudança do padrão desde 1942 e não passava de um truque da simbologia reformista.

Os economistas brasileiros sempre pretenderam trazer contribuições originais à teoria do combate à inflação. Como sempre falharam, é óbvio que essa originalidade era vaidade desnecessária. Impossível negar entretanto que criaram pitorescas inovações no vocabulário econômico. Do Plano Cruzado herdamos o chavão da *inflação inercial*. A inércia só existia na cabeça dos economistas, pois os agentes econômicos cedo perceberam que o déficit público continuaria lampeiro, dinamizando a expansão monetária. O Plano Bresser se intitulava um *plano de consistência macroeconômica*, o que gerava safadas dúvidas sobre sua consistência microeconômica. Maílson da Nóbrega começou dando dignidade gerencial a uma mistura culinária, o *feijão com arroz*. Mas depois popularizou uma noção mais sofisticada — a dos "vetores" de preços. Também o Plano Collor trouxe sua contribuição original: "o seqüestro da liquidez". Essa é original mesmo. No caso alemão do pós-guerra, freqüentemente citado como precedente, não havia perigo de se desencorajar a oferta, pois a guerra destruíra a capacidade produtiva. Os ativos financeiros se tinham tornado um ente de razão que nada tinha a ver com o que os alemães chamavam o *Sozialprodukt*. E logo depois Erhard liberou preços e salários e diminuiu drasticamente o imposto de renda, o que levou as forças aliadas de ocupação a considerá-lo um "direitista" paranóico. A experiência brasileira de confisco da liquidez do setor privado se fez em tempo de paz e com uma economia de *inflação abastecida*!

Ainda não acreditamos que a melhor maneira de aumentar a receita é baixar e simplificar os impostos. Nem acreditamos na lei de Reagan: "Só se reduz déficit pelo corte de gastos, pois os impostos criam sua própria despesa". E não há percepção da fundamental injustiça de botar na cadeia empresários que atrasam impostos, mesmo quando a razão do atraso é que o governo não paga suas encomendas.

---

[530] A economia brasileira era uma das mais fechadas do mundo, com tarifas médias de 38% em 1989, passando para 25,3% em 1991 e 21,2% ao fim do governo Collor, caindo hoje para 14,5%. Ao contrário do que seria de esperar, a adoção da taxa flutuante não levou a uma taxa de equilíbrio porque o violento arrocho de liquidez diminuiu artificialmente a demanda de divisas, gerando uma supervalorização do cruzeiro, punitiva para as exportações. Soltou-se o câmbio — dizia eu — mas prenderam-se os cambistas: os importadores ficaram sem capital de giro, o governo não pagava suas dívidas externas, e as transferências de dividendos de empresas estrangeiras foram bloqueadas. O sistema de câmbio livre pressupõe que os agentes sejam livres para nele operar!

Se o discurso inaugural me provocara entusiasmo, a MP 168 (que acabou, com poucas modificações introduzidas pelo Congresso, convertida na Lei nº 8.024) me provocava inquietação.[531]

Era uma recaída no intervencionismo despótico, revelador de um substrato cultural antimercado. Ou antes, com sua mistura de congelamentos e confiscos, representava uma espécie de "stalinismo de mercado", para usar uma apta expressão do economista americano Paul Craig-Roberts. O comportamento da economia era previsível, como o fora nos planos heterodoxos anteriores: queda abrupta da inflação e retomada subseqüente, a partir de um patamar mais alto de preços.

Collor cometera uma série de erros, que se manifestaram com surpreendente rapidez:

• Erro de pessoa;
• Erro de dignóstico;
• Erro de instrumento;
• Erro de seqüência;
• Erro do descaso pela sinergia.

A equipe econômica era jovem e inexperiente. E composta, em grande parte, de marxistas arrependidos, que mesmo falando em apoio da economia de mercado tinham um sotaque dirigista.

— Houve — dizia eu — um erro de *casting* na ópera libertária.

A ministra Zélia Cardoso de Mello concentrou, com a atabalhoada reforma administrativa do começo do governo, uma enorme soma de poderes. Vários dos membros da equipe tinham trabalhado no Plano Cruzado.[532]

Para fazer justiça, reconheça-se que Collor tentou aproximação com elementos

---

[531] Como nota Bolívar Lamounier, o Congresso, acusado de "arcaísmo", não pode ser responsabilizado pelo megachoque de Collor. A MP 168 foi aprovada por 249 contra 206 votos, tendo sido rejeitada uma tentativa do PMDB para abrandar o arrocho de liquidez, pela elevação do limite de saques de poupança de Cr$50 mil para 600 mil. Mesmo minha proposta mais moderada de elevação desse limite para Cr$150 mil foi rejeitada. Eu tinha em mente atenuar o impacto recessivo sobre microempresas e autônomos, que costumavam manter seu modesto capital de giro sob a forma de depósitos de poupança.

[532] Minha irmã Catarina, entusiasta do Plano Collor em seu início, dava-me uma razão pouco sofisticada para sua cega confiança. "Esse plano", dizia ela, "não pode falhar. Tem a sabedoria financeira milenar dos levantinos. Foi feito por um armênio, Kandir, um turco, Eris e um judeu, Modiano"... Ao fazer um balanço do Plano Collor um ano depois, assim me manifestei: "Segundo a plataforma do candidato, a ópera a ser encenada se intitularia 'A modernização do Brasil pela implantação da economia de mercado'. Não é fácil perceber a adequação da comparsaria à partitura. Sabe-se que a equipe econômica não foi escolhida sob injunções político-partidárias. Ignoram-se os critérios de seleção, mas notam-se no elenco alguns traços comuns: a) experiência fracassada no Plano Cruzado ou equivalente; b) simpatia política por candidatos alternativos como Lula ou Mário Covas; c) ausência de contaminação por experiências empresariais; d) militância de esquerda, não excluídas aventuras terroristas. A ministra Zélia, Antonio Kandir, João Santana, Eduardo Teixeira, João Maia, Lucas Velloso, tinham sido todos radicais de esquerda..." Ver Roberto Campos, *Reflexões do crepúsculo*, Rio de Janeiro, Topbooks, 1991, p. 199.

mais maduros da classe política, Cesar Maia do PDT, José Serra e Fernando Henrique Cardoso, do PSDB, partido com o qual Collor sempre teve um namoro não-correspondido. Nem o PDT nem o PSDB, que tinham apoiado Lula no segundo turno, admitiam participar de um governo acusado de centrismo e elitismo. O único grupo que Collor não procurou foi precisamente o dos monetaristas e *liberais*, desprezando meu conselho de antes da posse. Dava até a impressão de que estava fazendo penitência pela visão liberal do discurso inaugural.

Collor, disse eu, tem a estranha mania de querer rezar uma missa capitalista com sacerdotes socialistas![533]

Alarmei-me ainda mais quando foi anunciada a composição completa da equipe econômica: gente jovem e cabeluda. Lembrei-me da estória que se contava em Londres sobre Disraeli, depois Lord Beaconsfield, que, apesar da tríplice desvantagem de ser judeu, escritor de novelas românticas e especulador falido, chegou à excelsa posição de primeiro-ministro da rainha Vitória, em 1868, no apogeu no Império. Quando lhe perguntavam qual a melhor receita para se compor um bom governo de gabinete, respondeu: — Um gabinete deve ter sempre uma certa dose de homens de cabelos brancos, de carecas e de barrigudos. Os cabelos brancos denotam experiência. Dos carecas Deus tira cabelos mas as vezes dá idéias, e os barrigudos são capazes de manter bonomia em situações de crise...

A única figura de cabelos brancos do primeiro gabinete Collor era Ozires Silva, ministro da Infraestrutura, com uma boa mistura de experiência administrativa e empresarial. De tendência privatista e forte orientação de livre mercado, passava boa parte do tempo em confronto com a área econômica, que centralizava recursos e poder.

Zélia era minha conhecida desde a embaixada em Londres, onde a contratara em 1980 como pesquisadora na seção econômica. Advertiram-me de que tinha um passado radical no PCB.

— Pouco me importa — respondi — não vai me converter ao socialismo e talvez se contamine das idéias capitalistas de Margaret Thatcher.

Foi o que realmente aconteceu. Zélia parecia ter-se convertido à ideologia do livre mercado, conquanto sujeita a recaídas dirigistas como o congelamento e o confisco do Plano Collor.

Durante as discussões da MP 168, um grupo de congressistas foi convidado a visitá-la no ministério da Fazenda, para esclarecimentos sobre o programa de estabilização e a reforma monetária. Como senador pelo PDS, participei da reunião,

---

[533] Houve boatos de que Collor pretendera convidar Mário Henrique Simonsen, o que revelaria saudável interesse em aprender da experiência. Logo depois, o presidente eleito declarou demagogicamente que não recorreria a ministros que tivessem servido em governos militares. Mais tarde, como veremos, foi obrigado a rever essa posição para valer-se da experiência de vários ex-ministros.

aberta por Zélia e depois continuada pelo secretário executivo, Eduardo Teixeira, e pelo secretário de política econômica, Geraldo Gardenalli. Todos exsudavam confiança na estratégia antiinflacionária adotada. Ao despedir-me de Zélia, perguntei-lhe: — A senhora confessa ter sido convertida à economia de mercado. Como conciliar isso com o intervencionismo, o congelamento e o confisco?

— É questão do momento histórico — respondeu-me — Temos que corrigir defeitos antigos do empresariado e extinguir a psicologia da remarcação. Para depois liberarmos o mercado.

— Não há — respondi-lhe — caminho mais esquisito para se chegar à luz da liberdade do que um mergulho na catacumba...

Constava à época que o confisco de ativos era a mais radical das quatro alternativas que o grupo de assessores, chefiado por Zélia, tinha apresentado a Collor. O inspirador parece ter sido Antonio Kandir. A dramática sucção de liquidez seria o tiro de revólver de uma só bala contra o tigre da inflação. Obviamente, não tinha havido meditação sobre as infinitas complexidades de intervenções dirigistas desse tipo, com repercussões sobre capital de giro, funcionamento do sistema bancário, salários e aluguéis, situações emergenciais (doenças, aposentadoria, auxílio desemprego), cuja solução exigia uma manipulação artesanal das torneiras de liquidez. As descosidas explicações na televisão pelos executores do plano indicavam um alto grau de amadorismo e improvisação.

Tive um momento de sincera admiração por Zélia. Foi quando, em entrevista em *O Estado de São Paulo*, em 5 de agosto de 1990, pregou frontalmente a destruição de três mitos: o monopólio estatal do petróleo, a reserva de mercado da informática e o corporativismo das estatais. Ela dizia o que muitos pensavam, sem coragem de dizê-lo, a saber:

• Que o petróleo não é nosso e sim dos árabes e dos funcionários da Petrobrás;

• Que a política de informática condenou ao atraso tecnológico milhares de indústrias, em benefício de um grupelho cartorial;

• Que as estatais têm interesses próprios muitas vezes não coincidentes com os interesses nacionais, de sorte que se o governo quiser controlá-las tem que primeiro privatizá-las.

Por um momento, cheguei a acreditar que Zélia era uma espécie de Margaret Thatcher tropicalizada...

Credite-se a Collor e a Zélia o terem inserido irreversivelmente na agenda do país e no discurso político, até então medíocre e covarde, os temas modernizantes da privatização, da desregulamentação e da liberalização comercial.

O segundo erro de Collor foi o de diagnóstico. Como o fez notar Mário Henrique Simonsen, "um plano de estabilização exige que se estanque a *expansão* da moeda,

mas não que se corte a *quantidade* da moeda". Aí estava, objetou também Paulo
Rabello e Castro, o equívoco central do Plano Collor: "confundir o estoque de
moeda da economia (M4) com a liquidez da economia. A liquidez é uma função
não do estoque da moeda existente e, sim, da expansão da moeda e da velocidade
pela qual a moeda troca de mão na economia".[534]

O terceiro erro foi de instrumentação. Os instrumentos heterodoxos escolhidos
foram o congelamento de preços e o bloqueio dos ativos financeiros. O primeiro,
como se sabe, desestimula a oferta e estimula a procura. O segundo, desorganiza a
estrutura produtiva, provocando imediata recessão no setor privado, com efeito
negativo sobre a oferta. Era uma política *anti supply side*, precisamente quando o
reaganismo se tornava uma moda mundial ao pregar a necessidade de ação do lado
da oferta. A receita correta teria sido amarrar o setor público e desamarrar o setor
privado. Mas no Plano Collor, aquele foi beneficiado pela possibilidade de desblo-
queio imediato de cruzados para cobertura de dívidas fiscais, enquanto o segundo
só poderia readquirir liquidez pelo processo incrivelmente burocratizado da *tornei-
ra*, isto é, por decisões burocráticas arbitrárias. Acabaram sendo favorecidos, como
notou Roberto Macedo, dois grupos: os poderosos e os chorões. As empresas, para
obter o capital de giro, tinham que tomar emprestado o seu próprio dinheiro abis-
coitado pelo governo.

As injustiças do bloqueio de ativos eram várias: a) Castigavam-se os que tinham
procurado poupar, ou seja, os mais prudentes e diligentes, transmitindo-se assim
sinais errados para a população e, b) O aperto de liquidez reduziria temporariamente o nível de preços, mas não assegurava o controle de seu ritmo de crescimento, determinado basicamente pela *taxa* futura de expansão monetária.

Os efeitos negativos do bloqueio dos cruzados novos podem ser assim capitulados:

• Aumentaram os custos de transação, pela coexistência contábil de duas moedas;
• Premiaram-se os devedores e consumistas, punindo-se os poupadores e inves-
tidores;
• Executou-se uma tríplice demolição:
   — Da confiança do poupador;
   — Do ânimo do investidor;
   — Da credibilidade do governo.

Os males teriam sido atenuados se a reinjeção de liquidez, para atenuar a grave
recessão, fosse efetuada não pela tecnologia das torneiras e sim por processos de
mercado, como:

---

[534] Ver Mário Henrique Simonsen, 'Aspectos técnicos do Plano Collor, na coletânea *Plano Collor*,
Rio de Janeiro, Livros Técnicos e Científicos Ltda., 1990, p. 114-115. Ver também Paulo Rabello
de Castro, em 'A equação monetária: o equívoco central do Plano Collor', ib pg. 232, e José Júlio
Senna, 'As torneiras da liquidez', ib., p. 230.

• Leilão de cruzeiros, o que orientaria o crédito para os setores mais produtivos;

• Compra de divisas para a formação de reservas, o que teria evitado a sobrevalorização do cruzeiro;

• Liberação dos cruzeiros bloqueados não só para compra de bens públicos mas também para a privatização de estatais.

Este método de privatização seria muito mais eficaz que os certificados compulsórios de privatização impostos aos bancos. Poder-se-ia ter transformado um erro estratégico numa vitória tática, porque se deslancharia o processo de privatização mais rápido do mundo. Desativar-se-ia outrossim a bomba de retardamento a explodir em dezoito meses, findo o período de bloqueio de cruzados novos.

Pela escolha de instrumentos errados, o governo Collor — como diz Luciano Martins — não apenas queimou as pontes mas embaralhou as cartas...

O quarto erro foi um erro de seqüência. Era parte da plataforma de Collor um ajuste fiscal não apenas por tributos emergenciais mas também pelo corte de gastos, mediante uma reforma administrativa. Mas essa foi atabalhoada. A eliminação de funções, pela desregulamentação, deveria ter precedido a extinção de órgãos e a despedida de pessoal. Se a doença era do setor público e não do setor privado, era sobre aquele que deveria recair o ônus do ajuste. Mas a reforma administrativa teve efeito lento, enquanto que o congelamento dos ativos financeiros provocou uma abrupta recessão do setor privado. Este ficou incapacitado para absorver o pessoal excedente do setor público, com o que se agravaram as resistências à reforma administrativa e ao desmonte do Estado.

O quinto erro foi o descaso pela sinergia. Ao pospor qualquer entendimento com os bancos credores, Zélia se privou dos efeitos da sinergia que o México, por exemplo, explorara adequadamente. A pronta retomada de negociações com a comunidade financeira internacional permitiria não só a absorção de insumos intelectuais para aperfeiçoamento do programa como a normalização do fluxo de capitais. A restauração da confiança externa auxiliaria o esforço de restauração da confiança interna.

A conjuntura em que tinha sido eleito Collor era de frustração pela década perdida que, como nota Bolívar Lamounier, culminara numa perigosa combinação de três fatores: 1) O acirramento dos conflitos sociais após uma década de estancamento; 2) A elevação do patamar (e o virtual descontrole) inflacionário, e 3) A exacerbação do componente plebiscitário do regime presidencialista.*

Não é assim de estranhar que a combinação de três fatores — investidura ple-

---

* Ver Bolívar Lamounier, *Depois da transição*, São Paulo, Edições Loyola, 1991, op. cit., p. 117-118. Até meados de 1990, nota esse autor, 56% dos empresários ouvidos pela *Gazeta Mercantil* de São Paulo, apesar de duramente atingidos pela overdose do Plano, diziam que "o bloqueio da poupança e de outras aplicações financeiras havia sido essencial para derrubar a inflação".

biscitária pela via direta, ameaça de hiperinflação e discurso reformista de Collor — tivesse provocado a aceitação resignada de uns e o apoio entusiástico de outros, apesar da violência do choque recessivo.

O início do governo Collor pode, diz o citado autor, ser considerado como de "ditadura romana". Um alto grau de discricionaridade passou a ser aceito em virtude da emergência hiperinflacionária, da recente sanção eleitoral e da disponibilidade do instrumento das *medidas provisórias*, que foi objeto de uso e abuso.

O Congresso votou resignadamente as medidas provisórias relativas ao bloqueio de ativos, ao aumento de tributos, à reforma do padrão monetário e ao congelamento de preços.[535] Houve uma espécie de trégua jurídica, não tendo sido inicialmente impugnados no Poder Judiciário vários aspectos de constitucionalidade duvidosa. Questionamentos da espécie poderiam surgir em torno do seqüestro da poupança por dezoito meses, coisa assimilável a um empréstimo compulsório, exigente de lei complementar, pois que, conquanto não houvesse transferência de titularidade dos impostos para o Tesouro, havia uma limitação do direito de propriedade.[536]

Os resultados foram magros, considerando-se a brutalidade do megachoque. O PIB global declinou 4,4%. A programação monetária do BACEN admitia uma expansão monetária de 9% para o segundo semestre, mas a abertura atabalhoada das torneiras de liquidez elevou-a para 93% no fim do ano. A espiral inflacionária fora detida em abril de 1990, quando a inflação de 84% caíra para 11,3%, declinou para cerca de 9% em maio e junho, retomando depois um curso ascendente. Em dezembro, alcançaria 16,5%, nível ironicamente coincidente com o de janeiro de 1986, quando se deflagrara o primeiro dos choques heterodoxos da Nova República — o Plano Cruzado. Aparentemente, os cruzadistas, que Collor trouxera de volta, não tinham aprendido as lições da história...

---

[535] Conversando na época com um banqueiro japonês amigo, disse-me ele, após várias rodadas de sakê, que considerava o Brasil um país execrável e admirável. Execrável porque não só não pagava suas dívidas — o que talvez fosse apenas acidente de percurso — como não tinha "vontade" de pagá-las. Admirável porque tinha sobrevivido a cinco choques heterodoxos. "O Japão", dizia ele, "desenvolveu a tecnologia de sobreviver a terremotos físicos. Mas a economia japonesa não sobreviveria aos terremotos econômicos infligidos ao Brasil". Impressionara-o particularmente a resignação do país ao bloqueio de 80% dos ativos financeiros privados. No Japão, o governo do Partido Democrático Liberal quase caíra por implantar um imposto de 3% sobre vendas!

[536] A acolhida ao Plano Collor na comunidade acadêmica foi substancialmente mais hostil que no caso do Plano Cruzado. Deste se dizia que era "correto na concepção e falho na implementação". No caso do Plano Collor, mesmo sua concepção técnica foi acremente questionada, como se pode verificar na já citada coletânea *Plano Collor, avaliações e perspectivas*, publicada em maio de 1990. Particularmente interessantes são os ensaios de Mário Henrique Simonsen, Paulo Rabello de Castro, Afonso Celso Pastore, José Luiz Carvalho e José Júlio Senna. Quanto a mim, fatigado pela exasperante sucessão de planos heterodoxos, não havia dúvidas: o plano era errôneo de concepção e insuscetível de implementação.

O cenário da marcha da insensatez — a pertinácia no erro de que falava Barbara Tuchman — reapareceria em janeiro de 1991, com o Plano Collor II. Diante da opção entre a substituição da equipe econômica ou um novo choque de estabilização, Collor decidiu-se pelo choque, sob o pretexto de que nos programas do Chile, Israel e México, a reconquista da estabilidade só foi alcançada depois de várias tentativas frustradas. Era um toque de masoquismo...

As principais medidas adotadas no fim de janeiro de 1991, quando a inflação já superava o nível de 20% ao mês, foram:

• O congelamento de preços e salários;
• O cerceamento da chamada "ciranda financeira", pela proibição de aplicações de pessoas físicas e jurídicas não-financeiras no *overnight;*
• A criação de um mercado cativo para títulos do governo (o FAF ou Fundão), o que representou em certa medida um direcionamento estatizante da poupança;
• A extinção dos indexadores fiscais (BTN e BNT fiscal);
• A criação da *taxa referencial* para a correção de títulos públicos e privados.

A taxa referencial, disse eu à época, era uma tentativa de criação de uma *Libor* tupiniquim. Mas a *Libor* londrina, isto é, a taxa interbancária do mercado de Londres, era formada pelo mercado através dos grandes bancos, tendo embutidas a expectativa inflacionária e o juro real. Na *Libor* tupiniquim, caberia ao BACEN escolher a cesta das taxas bancárias e "interpretar a média". Isso certamente reduziria a confiabilidade do indicador. Persistia um resíduo das teorias inercialistas do Plano Cruzado: tinha-se que *descolar* os indexadores, da inflação passada, para que refletissem apenas a inflação corrente e as expectativas futuras. Esse esforço se provaria inútil se os agentes financeiros não percebessem uma mudança definitiva do comportamento tradicionalmente deficitário do setor público, coisa que, por sua vez, pressuporia um equilíbrio, um superávit fiscal credível e sustentável. Na ausência destes, esse *descolamento* se tornaria inexeqüível.

Os efeitos da recaída dirigista eram monotonamente previsíveis e fatalmente negativos. O congelamento produziu seu habitual efeito: ágios e início de desabastecimento.[537] A desindexação dos tributos, conquanto fosse uma sinalização positiva para o mercado, era prematura pois estávamos longe de atingir um equilíbrio fiscal. Apesar dos louváveis esforços disciplinadores sobre governos e bancos esta-

---

[537] A reincidência do congelamento me deixou não apenas frustrado, mas irritado. Em 4 de fevereiro de 1991, escrevi em *O Globo*: "É o quinto congelamento em cinco anos, o que prova que temos incapacidade de aprender ou que sofremos a fascinação do fracasso. É o quinto filho do dirigismo, valendo a propósito a piada de um demógrafo inglês, fanático do controle da natalidade: 'o primeiro filho é amor, o segundo é hábito, o terceiro, distração, o quarto, safadeza e o quinto, loucura'". Roberto Campos, *Reflexões do crepúsculo*, op. cit., p. 163.

duais, estes não participaram da austeridade do governo central, e mesmo este só conseguira equilíbrio em termos de caixa, mediante atrasos de pagamentos e compressão insustentável dos salários públicos. A tributação emergencial sobre ativos financeiros do Plano Collor I não tinha efeito recorrente e o sistema tributário não experimentou nenhuma reestruturação profunda.

O SEGUNDO VENTO
DO ATLETA

Em maio de 1991, com a queda da ministra Zélia e o advento de Marcílio Marques Moreira, iniciar-se-ia uma nova fase, que poderia ser chamada de Plano Collor III.

Para minha surpresa, Marcílio, meu ex-funcionário na embaixada em Washington, ao chegar ao Brasil não procurou aconselhar-se com os veteranos — Delfim, Galvêas, Simonsen e eu próprio. Entreteve-se antes com economistas de esquerda, como se receasse contaminação por idéias neoliberais. Isso lhe valeu, aliás, excelente acolhida na mídia.

Suficientemente amadurecido por sua experiência internacional, não se entregou entretanto a originalidades heterodoxas. Mas também não deu o único choque de que precisávamos — o choque liberal. Parecia seduzido pela verbiagem social-democrática do "mercado socialmente controlado". Em seu discurso de posse referiu-se ao *capitalismo liberal*, supostamente em contraposição ao *capitalismo competitivo*.

A gestão Marcílio teve vários aspectos positivos:

• O descongelamento gradual de preços;

• O desmonte da *bomba de retardamento* dos cruzeiros novos bloqueados, mediante a engenhosa fórmula dos *depósitos especiais remunerados*;

• O acordo com o FMI, a normalização das relações com o Clube de Paris e a retomada de negociações da dívida externa com os bancos privados;

• A manutenção do calendário de liberação de tarifas de importação, cujo retardamento era pleiteado por grupos industriais paulistas.

As falhas principais foram a indecisão inicial e o frouxo controle de liquidez até outubro, período em que as taxas reais de juros se tornaram negativas. A partir de então, um começo de crise cambial forçou uma reconsideração da política monetária e cambial. As taxas de juros se tornaram fortemente positivas, induzindo um influxo de capitais externos. A administração competente da política cambial, pelo diretor de câmbio do BACEN, Armínio Fraga, acompanhada de desburocratização administrativa, permitiu uma retomada de exportações e a acumulação de substanciais reservas cambiais, cujo impacto inflacionário foi em parte atenuado por agressiva venda de títulos públicos. A acumulação de reservas foi criticada pelo seu efeito expansivo sobre a base monetária, mas na época a criação de um colchão de reservas aumentou o grau de liberdade da política econômica e melhorou a posição negocial do Brasil no exterior.

Com a presença de Marcílio no governo, houve uma saudável distensão no clima financeiro internacional em relação ao Brasil. Saindo dos limites habituais de discrição do FMI, seu diretor-executivo, Michael Camdessus, visitou o Brasil para manifestar apoio pessoal a Marcílio, antes mesmo que fosse articulado um programa credível. A Carta de Intenção ao FMI, logo depois assinada por Marcílio, seria a décima na década de 80 e, como as anteriores, fadada a descumprimento.

Ocorreram sérios percalços. As previsões de declínio da taxa inflacionária eram demasiado ambiciosas. A administração de caixa do Tesouro fora dificultada pela desindexação fiscal do Plano Collor II e, apesar da contenção austera dos gastos públicos, tornou-se inevitável a reintrodução de um reindexador de impostos — a Ufir.

Três falhas devem ser notadas. O gradualismo excessivo do descongelamento reduziu o efeito favorável que poderia ter em termos de redução de custos e energização da oferta. Uma liberação rápida, percebida como uma convicção doutrinária firme, permitiria ao governo desmontar sua burocracia de controle e, às empresas, desmontar sua burocracia de obediência. O efeito positivo sobre a oferta seria também mais forte. O gradualismo no descongelamento manteve no setor privado dúvidas sobre a conveniência de deslanchar investimentos.

Talvez a mais séria deficiência tenha sido a atitude relutante em relação à reforma fiscal. Fora criada uma competente comissão de tributaristas, chefiada por Bulhões Pedreira que, estranhamente, não foi adequadamente prestigiada. Quase ao final da sessão legislativa de 1991, o Congresso recebeu uma proposta de reforma tributária de emergência, que introduzia o reindexador Ufir, sem acolher numerosas sugestões já debatidas no Congresso, visando à simplificação do sistema fiscal. Eram várias as iniciativas de reformas simplificadoras. Uma era a proposta do "Imposto Único sobre Transações Financeiras" (IUT), aventada inicialmente por Marcos Cintra de Albuquerque e depois patrocinada pelo deputado Flávio Rocha. Esse projeto contemplava uma simplificação radical. O imposto sobre transações financeiras, cobrado eletronicamente pelos bancos, e distribuído diretamente aos destinatários segundo fórmula alocativa fixada anualmente pelo Congresso, substituiria todos os impostos de finalidade arrecadatória. Subsistiriam apenas os impostos de política econômica, como o Imposto sobre Comércio Exterior, e os Impostos Territorial Urbano e Rural. Uma fórmula um pouco diferente era a do deputado Renato Johnson, que adicionaria ao IUT um imposto sobre o vício (cigarros e bebidas). Uma terceira fórmula seria a do deputado Luiz Roberto Ponte, que adicionaria ao IUT um imposto seletivo sobre alguns produtos e serviços básicos, de produção concentrada e cobrável na fonte. Comum a todos esses projetos era a preocupação de automaticidade e simplicidade de coleta, eliminando-se os impostos declaratórios, com seu complexo mecanismo de extração através de cinco fiscos diferentes: o federal, o estadual, o municipal, o previdenciário e o trabalhista.

Outras fórmulas simplificadoras existiam, de corte mais tradicional, preservando-se os impostos chamados clássicos, mas com coleta simplificada. Uma delas era a do deputado Luiz Carlos Hauly, calcada sobre o modelo alemão, e outra, grandemente apoiada por notáveis tributaristas, a do professor Yves Gandra Martins. Esta reduziria as incidências a cinco grandes fatos geradores — renda, circulação de mercadorias, serviços, propriedade e contribuições sociais.

Bizarramente, Marcílio, que havia criado duas comissões 'de reforma fiscal, a primeira chefiada por Bulhões Pedreira e a segunda por Ary Oswaldo, presidente da CVM, não aproveitou nenhuma delas. A Comissão Executiva de Reforma Fiscal, de Ary Oswaldo, chegou a apresentar uma fórmula conciliadora entre os simplificadores radicais e o tributarismo clássico.

A reforma de emergência, aprovada pelo Congresso em dezembro de 1991, para aplicação em 1992, se limitava basicamente a alterar a legislação do Imposto de Renda, adicionando ao sistema fiscal uma excrescência — o IPMF — um bizarro tributo provisório superposto a uma estrutura fiscal obsoleta. Era uma deformação da idéia original do IUT. Este fora concebido para substituir todos os demais tributos arrecadatórios ou, numa versão mais moderada, substituir todas as contribuições sociais as quais, onerando a contratação de mão-de-obra, desincentivam o emprego formal e incentivam a economia informal. Era como se o governo tivesse aceito a *metodologia* de coleta da IUT, rejeitando sua *filosofia* simplificadora.

Não foi também dada, na gestão Marcílio, adequada ênfase à desregulamentação (exceto no setor cambial) e à privatização de estatais. A privatização da Usiminas, afinal concluída em outubro de 1991, pareceu por algum tempo ser um corajoso envolvimento pessoal de Eduardo Modiano, presidente do BNDES, antes que uma necessidade existencial para o saneamento do setor público.

A administração econômica foi, sem dúvida, enormemente danificada pela deterioração rápida da imagem de Collor, em função de acusações de corrupção. Tinha ocorrido o chamado *escândalo do café*, ainda no período Zélia. Uma decisão da ministra, de abrupta suspensão da venda de café, provocara temporária alta de preços que teria beneficiado os detentores de *inside information*. Alegavam-se falcatruas na compra de equipamentos pelo ministério da Saúde e na distribuição de material e merenda escolar pelo ministério da Educação. O envolvimento amoroso da ministra da Fazenda com o ministro da Justiça passou a fazer parte da crônica bisbilhoteira. Revelava uma desordem emocional que ultrapassava a categoria de pecadilho sentimental, para se transformar em ridículo internacional. E começava a vir a claro a grande infecção do governo, tipificada pelo episódio Paulo César Farias, que indicava a prevalência de práticas extorsivas em vários escalões administrativos.

Apesar de soberbo comunicador televisivo, Collor não reagiu, nem oportuna nem competentemente, ao massacre da mídia. Era uma estranha e inexplicável abulia. E, para o povo, um brutal desapontamento. A tônica da moralidade fora dominante na campanha de Collor, como já o fora na campanha de Jânio. "Nada repugna mais ao espírito de cidadania que a corrupção", proclamara Collor no discurso inaugural. O desapontamento se transformou em raiva pelo contraste entre a promessa e a realização.

Uma reação positiva de Collor foi a melhoria gradual do nível da equipe governamental. O senador do PDS, Jarbas Passarinho, tinha sido convocado em outubro de 1990 para o ministério da Justiça e logrou mais tarde atrair seu conterrâneo de Xapuri, no Acre, Adib Jatene, para o ministério da Saúde.[538] Partiu dele também a excelente sugestão do nome do deputado paranaense Reinhold Stephanes para o ministério da Previdência Social. Quando da substituição da ministra Zélia, foi encarregado por Collor de sondar o deputado José Serra para a pasta da Fazenda. Este revelou hesitação, tendo em visita a posição política do seu partido. Por sugestão do empresário paulista José Mindlin, foi afinal convidado Marcílio Marques Moreira, então embaixador em Washington. Passarinho ficou ao todo 17 atribulados meses no governo, servindo de pára-raios para greves trabalhistas e tentando liderar uma orquestra ministerial desafinada.

Uma reformulação mais ampla do gabinete viria tardiamente, em abril de 1992, com a designação de Jorge Bornhausen para ministro-chefe do Gabinete Civil. Chegou-se a constituir um "ministério de notáveis". Era uma espécie de "segundo reinado" de Collor que, infelizmente, se inaugurou tarde demais, quando a deterioração da imagem presidencial se tornara irreversível. O golpe de morte foi, naturalmente, a instauração da Comissão Parlamentar de Inquérito sobre PC Farias no Congresso. Encarada inicialmente com ceticismo, tornou-se depois a detonadora do *impeachment.*

A história do Brasil teria sido melhor e o destino de Collor diferente se, em vez do inexperiente gabinete inicial, nele figurassem os expoentes do segundo reinado.[539]

---

[538] Jarbas Passarinho confidenciou-me que sentia embaraços em aceitar o cargo, pois votara em Mário Covas no primeiro turno e dissera publicamente que, no segundo turno, as opções eram tão pobres que tinha vontade de votar no Paraguai. Acabou votando em Collor no segundo turno, *de nariz tapado.* Encorajei-o a aceitar, pois com sua enorme experiência e conhecida probidade, serviria de contrapeso a imprudências em outros setores.

[539] A figura mais brilhante era sem dúvida a de Eliezer Batista, secretário de Assuntos Estratégicos, talento multiforme de cientista, poliglota, planejador, administrador e empresário de ampla projeção internacional.

Na visão de Bornhausen, o gabinete essencialmente tecnocrático dos primeiros tempos de Collor deveria adquirir uma tintura parlamentarista, no intuito de cultivar o Congresso anteriormente menoscabado.

O parto do novo ministério, de tonalidade mais política que tecnocrática, foi algo demorado. Collor continuava possuído de um estranho fascínio pelo PSDB, com seu *panache* de social democracia no estilo europeu. Parecia acreditar que a participação do PSDB traria um certo brilho intelectual e credenciamento ético ao governo, apesar de esse partido se ter caracterizado mais pelo *murismo* do que pela capacidade de ações coordenadas. Oferecia dois ministérios ao PSDB — o de Minas e Energia e o das Relações Exteriores. Falava-se insistentemente nos nomes de Fernando Henrique Cardoso, José Serra e do próprio Tasso Jereissati, presidente do partido. Mas depois de vários dias de hesitação, o PSDB recusou-se a participar do governo. Ficara amuado com o convite a Hélio Jaguaribe para a secretaria de Ciência e Tecnologia, sem a intermediação do partido. E, aparentemente, só se interessaria se lhe fossem confiadas as duas pastas mais rendosas política e eleitoralmente — a da Fazenda e a da Ação Social.

Bornhausen procedeu então a consultas com outros partidos, ocorrendo um episódio que até hoje me parece obscuro. Convidado a negociar a sua participação no governo, o PDS designou como interlocutores seu presidente, Paulo Maluf, o líder no Senado, Espiridião Amin, e o líder na Câmara, deputado José Luiz Maia.

Numa entrevista na manhã do dia 9 de abril, Bornhausen ofereceu ao PDS a pasta das Relações Exteriores, dizendo que o presidente Collor acolheria de bom grado o meu nome, a título de diplomata experiente. Ao que sei, essa indicação fora uma sugestão de Bornhausen e Eliezer Batista, pois o presidente não me fez nenhuma sondagem pessoal. Antes havia sido sondado Ulysses Guimarães, então em viagem à África, que preferiu permanecer no Congresso.

Os representantes do PDS, ao contrário do que propalaram alguns jornais, aceitaram a indicação, mas não se declararam satisfeitos. Ao PSDB, partido menor e de bancada menos coesa, tinham sido oferecidas duas pastas, sendo uma delas a de Minas e Energia, caso em que o deputado José Serra seria o preferido. Esta era de importante impacto político pelo controle de empresas estatais. O Itamaraty era honorificamente interessante, porém sem poder de alavancagem interna.[540]

Bornhausen declarou que teria de voltar a consultar o presidente por ter sido autorizado a oferecer ao PDS apenas uma pasta — a do Exterior. Outra reunião foi convocada para o mesmo dia no Planalto, às 15 horas, de vez que Collor esperava ter o gabinete composto dentro de vinte e quatro horas. Nesse intervalo, em reu-

---

[540] No caso de insucesso dessa composição política, a solução técnica de consenso seria a escolha do empresário gaúcho Jorge Gerdau Johannpeter.

nião informal da bancada, o PDS firmou o entendimento de que o partido deveria insistir em ter duas pastas na composição ministerial.

A reunião das 15 horas trouxe uma surpresa. Bornhausen repetiu a oferta anterior de um único ministério. Os interlocutores do PDS ponderaram novamente ser inaceitável a inferioridade de tratamento em relação ao PSDB. Seguiu-se um curto intervalo, pedido por Bornhausen para consultar o presidente Collor. De regresso, meia hora depois, declarou que ante a necessidade de prontas decisões e a hesitação do PDS, estava retirada a oferta original, pois Collor tinha tido novas idéias sobre a pasta do Exterior. Desarvorados ante essa inesperada atitude, os delegados do PDS indicaram que talvez fosse possível o consentimento do partido em ter apenas uma pasta — a de Minas e Energia — desde que o nome fosse uma indicação partidária. Transferir-se-ia, nessa hipótese, a indicação do meu nome da pasta do Exterior para a pasta de Minas e Energia. Bornhausen alegou não poder assumir nenhum compromisso, pois num regime presidencialista a escolha de ministros é arbítrio do príncipe. A reunião terminou em tom azedo, com mútuas recriminações. O PDS decidiu manter-se independente, não participando da coalizão governamental.[541]

As interpretações jornalísticas do confuso episódio foram as mais desencontradas. Uma era de que meu nome tinha sido contestado dentro do próprio PDS, coisa negada em nota oficial do partido e extremamente implausível por ser eu o único deputado pedessista com longa e bem-sucedida experiência diplomática. Outra versão foi que, aproveitando-se da indefinição com que terminara a reunião matinal de 12 de abril, Marcílio aventara a Collor duas outras opções para a pasta do Exterior: o embaixador em Washington, Rubens Ricupero, como *homem da casa*, ou Celso Lafer, conhecido politólogo. A vinda de Ricupero era desaconselhável por estar acompanhando as negociações da dívida externa. A escolha para o Itamaraty veio a recair sobre Celso Lafer que, além de estudioso de relações internacionais, era membro, ainda que não militante, do PSDB. Isso tenderia a mitigar o vezo opo-

---

[541] Esse episódio se tornou ainda mais bizarro quando posteriormente Collor veio a escolher, frisando tratar-se de uma escolha pessoal e não de uma indicação partidária, o suplente de deputado do PDS, Marcos Pratini de Moraes, para a pasta de Minas e Energia, e Angelo Calmon de Sá, pedessista sem militância partidária, para a secretaria de Integração Regional, a nível de ministro. Ambos os designados eram excelentes e viriam a exercer suas pastas com notável eficiência. O PDS se viu na esdrúxula situação de ser menosprezado como partido e homenageado como possuidor de quadros competentes. Collor afastava-se assim da sua postura original de não recrutar ministros que tivessem servido no regime militar. Além de Jarbas Passarinho, que fora ministro dos gabinetes Costa e Silva e Figueiredo, e depois serviu como ministro da Justiça de Collor, os dois novos ministros pedessistas — Pratini e Calmon de Sá — haviam também servido a governos militares. Essa mudança de orientação era simples bom senso, de vez que a experiência deve primar sobre os preconceitos.

sicionista desse partido, ao qual já pertenciam aliás dois membros da equipe econômica — Dorothéa Werneck e Roberto Macedo (secretário de Política Econômica).

Essa versão me parecia verossímil e bastante compreensível. Minhas credenciais de economista, ex-ministro do Planejamento, bastante relacionado com as agências econômicas internacionais, tenderia a transformar o Itamaraty num pólo alternativo de influência econômica, num momento em que Marcílio estava a bom caminho de se tornar informalmente um primeiro-ministro. Não queria rivais. Teria ponderado a Collor: — A política econômica poderia, com a presença de Campos no ministério, tornar-se bifronte, particularmente em vista de suas tendências exageradamente liberais.

Partira também de Marcílio a excelente sugestão do nome de Célio Borja para ministro da Justiça. O esquisito nesse episódio é que Collor não me informou nem do convite, nem do desconvite.

Assisti com tristeza à demolição moral que o presidente sofreu ao longo das investigações da Comissão Parlamentar de Inquérito sobre a máquina de corrupção de PC Farias. Mas a tibieza da defesa de Collor parecia quase uma confissão de culpa, senão por corrupção passiva, pelo menos por grave omissão e *falta de decoro*. O descrédito que o atingiu foi proporcional à esperança que gerara de moralização da vida pública.

Quando do *impeachment*, alguns comentaristas estrangeiros observaram que talvez ele estivesse sendo punido mais por ser *reformista* do que por ser *corrupto*. Há uma certa dose de razão nessa observação. Nem sempre os acusadores de Collor eram movidos por preocupações moralistas; ele acumulara contra si uma estocagem de ódios. A reforma administrativa atabalhoada do início do governo parecera não só ineficiente como cruel pela rudeza dos métodos: quotas lineares de redução do funcionalismo, sem uma preocupação mais refinada de hierarquizar as despedidas, começando pelos contratados ilegalmente, pelos não-concursados, pelos detentores de mais de um emprego e pelos solteiros sem responsabilidades familiares. A abrupta recessão no setor privado, que precedeu o desmonte do estado, dificultou a reabsorção, pelo mercado de trabalho, dos funcionários despedidos.

O encarniçamento anti-Collor refletiu também, em parte, uma vingança das esquerdas, que nunca se resignaram à derrota de Lula, apesar de Collor ter, bizarramente, absorvido várias das posturas antimercado do seu rival e de ter designado esquerdistas para importantes postos administrativos.

O processo de privatização mobilizou contra ele o poderoso corporativismo das estatais, cuja força e inescrupulosidade se manifestam com vigor quando percebem ameaças de abolição dos monopólios estatais.

Não tive contato com Collor enquanto se desenrolava o drama da CPI, que aumentou a taxa de imprevisibilidade e incerteza numa economia em que essas coisas superabundavam. Em agosto de 1992, já estava convencido, entretanto, que o país tinha atingido um nível de ingovernabilidade, ante o assédio da mídia e a paralisia decisória do parlamento. Soube que Bornhausen, reconhecendo o impasse, apresentara ao presidente uma excelente sugestão: negociar com líderes partidários no Congresso sua renúncia ao cargo, em troca de um acordo para a aprovação de um elenco de reformas constitucionais modernizantes.

Em meados de agosto fui assistir, com um grupo de colegas deputados, à convenção do Partido Republicano em Houston, Texas, na qual George Bush foi confirmado como candidato à reeleição. Logo depois de regressar dos Estados Unidos recebi um convite para almoçar a sós com Collor. Era coisa embaraçosa pois os jornais tinham vazado minha opinião de que o *impeachment* era inevitável e que votaria pela sua consumação ante a situação de ingovernabilidade. Respondi que aceitaria o convite com prazer, devendo a discussão entretanto ser confinada a temas econômicos.

Collor causou-me uma forte impressão de lucidez e serenidade, coisas inesperadas numa posição para ele humilhante e agônica. Expus-lhe minha impressão de que Bush seria provável vítima de uma injustiça histórica. A recessão americana, segundo vários indicadores, já estava terminando, mas a percepção popular, defasada em relação às estatísticas, inculpava Bush pelas agruras da recessão. Os democratas, com sua imagem de ativistas e gastadores, começavam a ser vistos sob luz mais favorável. Os grandes sucessos de Bush em política externa, como o colapso do comunismo e a vitória na guerra do Golfo, cediam lugar a preocupações imediatistas com o desemprego.

Collor discutiu com absoluta lucidez a situação política norte-americana, revelando-se surpreendentemente bem informado. Para meu alívio, não suscitou temas políticos, limitando-se a pedir uma explicação detalhada das vantagens que eu via numa reforma fiscal radical e simplificadora como a do IUT (Imposto Único sobre Transações). Formulou com objetividade as dúvidas que lhe suscitava essa transição ousada: impacto sobre exportações, cumulatividade ao invés de progressividade no imposto, alocação de receitas entre a União, estados e municípios, e capacidade extrativa do imposto na hipótese de queda da inflação. Desfiz as objeções uma a uma e acredito tê-lo persuadido dos desastrosos efeitos do nosso decrépito sistema fiscal, fonte de insuportável burocratização e insopitável corrupção.

— Se os países desenvolvidos — disse-lhe num esforço final de convencimento — mantêm os impostos clássicos em vez do imposto eletrônico, é porque seus edifícios fiscais barrocos foram criados antes da era da informática. Mas o Brasil tem uma de suas raras oportunidades de ser original. Não temos um edifício fiscal habitável e sim uma tapera tributária. A se construir um novo edifício, é melhor se construir um edifício inteligente do que um convencional. O Brasil tem três peculiaridades em relação ao mundo: é um país onde praticamente não se usa moeda manual e sim moeda eletrônica, por via bancária; dispõe de um sistema bancário de alcance nacional e surpreendentemente informatizado; e perdeu o sentido de ética fiscal, de modo que só são eficazes os impostos automáticos que, como o IUT, independem de declaração dos contribuintes e capturam a economia informal.

Despedimo-nos cortesmente. Collor parecia convencido. Mas minha tarefa de convencimento chegava tarde.

Cerca de dez dias antes da votação do *impeachment* na Câmara dos Deputados, que ocorreu em 29 de setembro de 1992, dois dos ministros de Collor, Ricardo Fiúza, da Ação Social, e Angelo Calmon de Sá, da Integração Regional, ambos velhos amigos, me convidaram para um almoço. Diziam-se autorizados a sondar-me sobre se aceitaria liderar um gabinete de salvação nacional, com poderes informais de primeiro-ministro, com ampla liberdade para fazer a composição ministerial que julgasse mais adequada em termos de eficiência e credibilidade. O país estava marchando para um abismo — diziam — mas eu teria supostamente condições de reverter a situação, pela minha longa coerência doutrinária na luta contra a inflação e respeitabilidade internacional, como ex-ministro e diplomata. Essa credibilidade era reforçada por ter sido um profeta solitário do colapso do comunismo e um defensor da economia de mercado, mesmo quando parecia irresistível a maré nacional do populismo.

Curiosamente, tinham uma leitura do panorama político de um otimismo irrealista. Achavam que, com a mobilização feita nos últimos dias, haveria seguramente mais de 200 votos contra o *impeachment*. Collor se salvaria, mas só valeria a pena salvá-lo se sua sobrevivência se apoiasse num programa credível de salvação nacional.

Minha leitura do clima no Congresso era, entretanto, muito mais pessimista.

— É tarde demais — respondi-lhes — e sou velho demais. Não tenho mais sá-sá — nem saúde nem saco. E a ministrança hoje exige qualidades atléticas. Mais grave que tudo, a posição de Collor é irrecuperável. Durante dois anos, em artigos e conferências, fiz pregações sobre o que deveria ser feito. Collor preferiu ouvir outras vozes. Agora, a crise de governabilidade se tornou incontrolável. Sempre fui um lutador de causas perdidas, porém não me sinto capaz de ser um médico de situações agônicas...

Fiúza e Calmon de Sá voltaram a insistir. Se superada a crise do *impeachment* Collor teria uma nova chance — o segundo vento do atleta. E depois... a alternativa a esse esforço de salvação nacional seria o acesso ao poder de Itamar Franco. Nessa hipótese — acrescentaram — voltaria ao proscênio o nacional-populismo, as esquerdas se considerariam arrogantemente vitoriosas, e minhas velhas e diletas teses de privatização e abertura internacional iriam por água abaixo.

Itamar Franco fora meu colega durante vários anos no Senado. Os perigos mencionados eram reais. O vice-presidente nunca ultrapassara o nacionalismo estatizante dos anos 50 e não era certo que a queda do muro de Berlim o tivesse convertido às vantagens do capitalismo competitivo.

— É um risco que temos que correr — respondi-lhes. — Quem sabe se Itamar crescerá além de si mesmo, uma vez que experimente as realidades do poder.

Como jovem diplomata em Washington, assisti ao surpreendente fenômeno Truman. Era um senador relativamente obscuro, que adquirira alguma celebridade quando presidiu uma comissão de inquérito sobre corrupção nas compras de material bélico. Seu passado político era medíocre, tendo sido eleito em função da corrupta máquina eleitoral de Pendergarst, o equivalente americano dos *coronéis* do Nordeste. Quando Roosevelt o indicou para vice-presidente, houve um momento de pânico, que se agravou quando Roosevelt faleceu poucos meses depois de eleito para seu quarto mandato. Entretanto, Truman se revelou um dos maiores presidentes da história americana, tomando em curta sucessão angustiantes decisões: o uso da bomba atômica, o Plano Truman para a Grécia e Turquia, o Plano Marshall, a ponte aérea de Berlim e a guerra da Coréia. Quem sabe se Itamar não nos reserva surpresas agradáveis? — conclui, com um ar de ceticismo esperançoso.[542]

E acrescentei que tinha uma sugestão: Collor renunciaria, evitando a humilhação do *impeachment,* mas enviaria antes ao Congresso um elenco de medidas provisórias visando à desregulamentação radical da economia e à privatização acelerada das estatais. Sairia como herói modernizante, deixando no colo do Congresso a responsabilidade de demonstrar seu grau de coragem na absorção das transformações mundiais decorrentes do colapso do modelo socialista.

Minha ressalva sobre meus problemas de saúde era corretíssima. Dois dias depois fui acometido de grave intoxicação alimentar num jantar japonês com o artista plástico Manabu Mabe, em São Paulo, que me tornou inimigo eterno do *sushi* e do *sashimi.* A intoxicação se transformou em pneumonia e septicemia, exatamente quando o processo do *impeachment* entrava em sua fase decisiva. Houve uma vantagem. Ganhei um bom quadro do Mabe, como penitência pela involuntária intoxicação...

Quis o destino que fosse meu o primeiro voto lançado em favor do *impeachment* de Collor na fatídica sessão do Congresso em 29 de setembro de 1992. Foi

---

[542] Havia curiosas coincidências nas carreiras políticas de Truman e Itamar. O ponto máximo de notoriedade deste foi sua eleição para vice-presidente da CPI sobre a corrupção do governo Sarney. Um outro seu relatório, muito mais importante, como presidente da CPI sobre o programa nuclear não tivera impacto comparável. Nos Estados Unidos, foi o relatório Truman sobre corrupção na Intendência das Forças Armadas que projetou nacionalmente a figura de Truman. Uma outra coincidência é que eram ambos políticos de projeção meramente provincial, dos quais não se podia esperar nenhuma cosmovisão.

uma prioridade concedida à minha cadeira de rodas. Voara de jatinho do Rio de Janeiro, interrompendo minha convalescença ainda precária. Como adiante relatarei, telefonara-me Ulysses Guimarães três dias antes, para a Casa de Saúde Santa Marta, em Botafogo, onde eu me encontrava hospitalizado. Engajado na campanha anti-Collor, buscava um voto adicional pois os prognósticos eram ainda incertos.

Nunca como enfermo fui tão solicitado. Telefonaram-me depois Sarney, Ibsen Pinheiro e Paulo Maluf no mesmo sentido. As motivações eram diferentes. Ulysses sofrera uma derrota humilhante nas eleições presidenciais. E durante um desastroso jantar de deputados em Brasília, Collor, perdendo as estribeiras lhe ferira a vaidade chamando-o de "velho gagá e safado". Sarney tinha justificado ressentimentos, pois, durante a campanha presidencial, Collor transformara em trunfo eleitoral o "dossiê da corrupção", compilação de acusações veiculadas em relatório da Comissão de Inquérito do Senado Federal sobre o governo Sarney. Ibsen Pinheiro, presidente da Câmara dos Deputados, era sensível à pressão das esquerdas e estava acuado pela campanha avassaladora da mídia. Via-se na tentadora posição de "grande justiciador". Maluf tinha sido responsável pela crucial transferência de votos em São Paulo no segundo turno, que assegurou a vitória de Collor, sem deste receber adequado reconhecimento. Estava engajado na campanha para a prefeitura de São Paulo e a associação com a imagem de Collor se tornara profundamente negativa para o PDS.

Votei com melancolia, apoiando o parecer do relator Nelson Jobim, favorável ao *impeachment*. Fui delirantemente aplaudido. Segundo me disseram até mesmo pelos jovens carapintados, acampados em frente ao Congresso. Era uma sensação estranha. Tendo me especializado na luta contra mitos e tabus, aprendi a satisfazer-me com a aprovação racional, sem esperar aplauso emocional.

Essa sessão histórica do Congresso, de grande dignidade como rito democrático, acabou tornando-se burlesca. Muitos congressistas que haviam prometido apoio a Collor viraram a casaca, com gongóricas declarações de voto pró-impeachment em nome da família, dos filhos, da moralidade e da dignidade nacional! Collor se transformara no "inimigo do povo", tal como o dr. Stockman da imortal peça de Ibsen.

As repercussões internacionais do *impeachment*, como forma democrática de substituição da liderança, foram favoráveis, atenta a habitual técnica latino-americana de golpes de Estado. Melhorou temporariamente a imagem externa do país, gerando a impressão, infelizmente fugaz, de que nossa democracia alcançara maturidade e funcionalidade. Afinal de contas, o "impeachment" é um instituto de difícil aplicação. Na Inglaterra, que tem a patente de invenção, foi usado a partir do século XIV apenas para a cassação de ministros da corte, bispos e

nobres decaídos que perderam os favores do rei. Contam-se nos dedos suas vítimas, ressaltando-se entre elas o duque de Buckingham (1636), o arcebispo
William Laud (1624) e os duques de Strafford (1640), de Clarendon (1667) e
de Danby (1678). Essa pena entrou em desuso a partir de 1806. Nos Estados
Unidos, Andrew Johnson foi o único presidente vitimado por um processo de
impeachment em 1868, tendo sido salvo por um único voto. O presidente Nixon
renunciou em 1974, antes de se consumar seu processo de *impeachment*.

Foram frustradas minhas esperanças de que o vice-presidente Itamar Franco,
em assumido o poder, ficasse maior do que ele mesmo. Fomos colegas no Senado, época em que me parecia ainda possuído da mentalidade nacional populista
dos anos 50. Mas esperava que as transformações mundiais, com o colapso do
socialismo e o advento da globalização econômica pós-muro de Berlim, o houves-
sem convertido às vantagens da economia de mercado e do capitalismo competitivo. Entretanto, provou-se logo vulnerável aos mitos populistas: valor estratégico dos monopólios estatais, interpretação da pobreza como subproduto do capitalismo selvagem, sobreestimação da força das esquerdas, provincianismo em
matéria de política internacional.

Lentamente aprenderá que as empresas estatais não são serviçais do estado e
sim condôminos do poder; que somente a economia de mercado garante prosperidade e, através da eficiência, possibilita a consecução da eqüidade; que a inflação não é mero subproduto da ganância dos oligopólios, senão que resulta da
expansão monetária fabricada ou sancionada pelo governo; e que a solução para
o estado concordátario, negligente em suas funções sociais, é a privatização do
patrimônio do estado-empresário, deixando-se à iniciativa privada a função de
motor de desenvolvimento.

O problema é que esse aprendizado pode levar muito tempo e, nesse tempo, o
país perde o jato da história.

ANATOMIA DE UM FRACASSO

Passado o calor passional da campanha do *impeachment* — acontecimento inédito no nosso sistema presidencialista e que deu ao mundo a impressão (infelizmente fugaz), de que a democracia brasileira havia alcançado funcionalidade política — é tempo de se fazer uma avaliação do "fenômeno Collor".

Não sei se Collor pode ser medicamente descrito como esquizofrênico. Certamente o foi no comportamento político.

Sua gestão foi desastrosa sob o aspecto conjuntural. Mas, dos recentes presidentes, foi o de mais clara e modernizante concepção estrutural. O documento de março de 1991, intitulado "Projeto de Reconstrução Nacional", conhecido como "Projetão", é uma das melhores análises que conheço das transformações estruturais de que o Brasil precisa para recuperar a estabilidade e lançar-se numa rota de desenvolvimento sustentado. As reformas constitucionais sugeridas eram essencialmente corretas. E também realistas, se se interpretar a política não como "a arte do possível" e sim como "a arte de tornar possíveis as coisas impossíveis".

O elenco do "Projetão" era abrangente, incluindo medidas relativas à reforma do Estado; à reestruturação competitiva da economia; ao resgate da dívida social; à cidadania e direitos fundamentais.[543]

A tragédia histórica para o Brasil e para Collor é que esse programa modernizante, prenunciado aliás no discurso inaugural, não tenha sido o ponto de partida do governo. Se Collor o tivesse proposto em 16 de março de 1990, ao invés da coleção da equívocos do Plano Collor I, o Brasil seria hoje um país diferente, e melhor. E a dimensão histórica do presidente seria de honra e não de opróbrio.

Apenas em outubro de 1991 chegou ao Congresso uma proposta de reforma constitucional, que ficou conhecida como o "Emendão". Era algo mais tímido que o "Projetão", pois não questionava o monopólio da produção e lavra de petróleo, conquanto liberalizasse os estágios subseqüentes. Mas o prestígio presidencial já

---

[543] Em análise que fiz à época só encontrei um ponto equivocado que, curiosamente, era o primeiro listado entre as medidas de reforma do Estado. Tratava-se da regulamentação do dispositivo da Constituição de 1988 que cria o imposto sobre grandes fortunas. É um imposto de baixa capacidade extrativa, constitui dupla tributação e provoca fuga de capitais.

estava erosado pelo fracasso dos planos Collor I e II, e o jovem presidente, excelente na propositura, nunca teve a tenacidade e humildade para fazer o *follow up* legislativo. Ao contrário do presidente Castello Branco, que, criado nas artes do comando, adquiriu sinuosa paciência para o tedioso minueto da barganha parlamentar.

Se Collor prestou um serviço ao inserir teses modernizantes na política brasileira prestou, talvez involuntariamente, um grande desserviço: desmoralizou o neoliberalismo sem praticá-lo.

São duradouros dois equívocos na paisagem brasileira. O primeiro é que, na raiz de nossos males, está o *capitalismo selvagem*. Em verdade o Brasil nunca chegou à fase capitalista, conquanto algumas regiões do sul do país dela se aproximam. Não ultrapassamos a fase do mercantilismo patrimonialista. O segundo é que fracassou o modelo ortodoxo do neoliberalismo. Na realidade, nem a ortodoxia monetarista, nem o liberalismo foram jamais praticados no Brasil. A única fase em que a ideologia governamental se orientou explicitamente para a criação de um modelo de capitalismo democrático, de corte liberal, foi a do governo Castello Branco (1964-1967).

Como assinalou Paulo Rabello de Castro, a Nova República, com seus planos heterodoxos, tem-se esmerado em acentuar uma *práxis* intervencionista e antimercado, que atingiu seu apogeu com o Plano Collor I. Este adicionou às tradicionais intervenções no sistema de preços o seqüestro de ativos privados, gesto inédito no mundo, em tempos de paz.

Em artigo publicado em *O Globo*, em 29 de novembro de 1992, procurei demolir o mito do duplo fracasso, o do capitalismo e o do neoliberalismo, em termos que vale a pena relembrar:

"O capitalismo nunca existiu no Brasil. Como dizia Oliveira Lima, somos um país pré-capitalista ou até mesmo anticapitalista. Isso se traduz em nossa notória incompreensão da função do lucro e da concorrência. Somos uma sociedade patrimonialista. O patrimonialismo não é mais que a forma ibérica do mercantilismo europeu do começo da Idade Moderna, isto é, o mercantilismo piorado pela influência cultural da Contra-Reforma, dos confiscos da Inquisição e dos resquícios do despotismo árabe.

Há quatro características essenciais ao capitalismo: reconhecimento da propriedade privada, sinalização mediante o sistema de preços, livre acesso ao mercado pelos agentes econômicos e regras estáveis do jogo num Estado de direito. O Brasil preenche apenas a primeira dessas condições e assim mesmo com ressalvas. O estado é grande demais, quer como regulador quer como produtor. É o 'estado aplastante', como costuma dizer Antonio Paim.

O Brasil não sofre de excesso de capitalismo e sim da falta dele. É por isso que fracassou o 'estado assistencialista'. Ele só é possível onde o capitalismo permitiu enriquecimento suficiente para financiar o socialismo. É traço comum dos países socialistas e dirigistas que os assistentes vivem bem melhor que os assistidos...

Outra falência anunciada é a do neoliberalismo, coisa inexistente nestas plagas. A começar pela Constituição, que não é uma suma sobre a organização do estado e os direitos básicos, e sim um misto de regulamento trabalhista e dicionário de aspirações. Como chamar de 'liberal' um país que abunda em monopólios estatais e reservas de mercado? Um país em que no espaço de um ano houve dois congelamentos de preços e um seqüestro da poupança. Um país em que não há livre negociação salarial e o acesso a profissões é regulado por dispositivos cartoriais. A guinada liberal de Collor não passou do discurso inaugural. No *day after* vieram o congelamento e o confisco, que são atentados simultâneos contra o capitalismo e o liberalismo.

Reconhece-se hoje na literatura desenvolvimentista que os paraísos restantes do dirigismo, no mundo em desenvolvimento, são o Brasil e a Índia. Nenhum dos dois é exemplo entusiasmante de crescimento dinâmico ou de justiça social.

Mais um caso de falência do inexistente é o fracasso da ortodoxia monetarista. Trata-se também de animal inidentificável em nossa fauna. A ortodoxia monetarista é incompatível com controle de preços, de câmbio e leis salariais. Estas são periódicas tentativas de revogar a lei da oferta e da procura, com os resultados conhecidos: mais desemprego e mais inflação.

Em recente e interessante estudo — a Carta do IBRE de outubro de 1992, publicada na *Conjuntura Econômica* — Paulo Rabello de Castro tenta fazer um *ranking* dos planos econômicos recentes, em termos do seu grau de ortodoxia (100 = ortodoxia absoluta) ou heterodoxia (0 = heterodoxia absoluta). Lista três grupos de critérios relativos, respectivamente, às medidas convencionais de estabilização (Grupo I), às medidas de integração econômica (Grupo II) e às medidas inovadoras (Grupo III). Neste último grupo se incluem, *inter alia*, a desregulamentação, a privatização, a desoneração dos tributos entre a mão-de-obra e o controle ambiental.

Dessa classificação resulta que, na escala de valores, estamos longe da ortodoxia e próximos da heterodoxia. O coeficiente mais baixo de ortodoxia é do Plano Bresser — 5,20, numa escala de 100. Compreensivelmente, aliás, pois Bresser fez da heterodoxia um dogma doutrinário e um estilo de vida. Logo após vem o Plano Cruzado, com 7,23. O Plano Verão tem um conteúdo de ortodoxia de apenas 12,50. Esse coeficiente sobe para 15,62 no Plano Collor I, declina para 11,45 no Collor II e, promissoramente, ascende para

31,25 no Plano Collor III. Isso porque o ministro Marcílio Marques Moreira descongelou preços e procurou fazer uma abertura internacional. Nos outros países reformistas da América Latina — Chile, México, Argentina e Venezuela — o coeficiente de ortodoxia é substancialmente mais elevado, pois avançaram muito mais na substituição do patrimonialismo pela economia de mercado.

Na história econômica dos últimos trinta anos, o único período em que a ortodoxia era uma preocupação doutrinária, ainda que maculada por recaídas dirigistas, foi no governo Castello Branco. Não é mera coincidência que também foi esse o único período em que a inflação baixou contínua e substancialmente, mantidas taxas positivas de crescimento do produto.

É preciso fazer que as coisas existam antes de proclamar sua falência. Se não praticarmos as três coisas — capitalismo, liberalismo e ortodoxia — estaremos condenados a patinar na mediocridade, tecendo sinceras loas à modernidade, corajosos nas denúncias e covardes nos ajustes."

O programa de Collor era, na intenção, um programa de modernização neoliberal, segundo três vertentes: a vertente da estabilização, a da modernização estrutural e a da integração no mercado internacional. Mas ficou na intenção. Visto em retrospecto, foi um ensaio de modernização abortada.

ENCONTRO NA
QUARTA ESQUINA

Prostrado num leito de hospital, não havia o que fazer senão defender as nádegas das agulhadas das enfermeiras e ler o *Livro dos Salmos*... Eis que me telefona matinalmente Ulysses Guimarães. Sabendo-me favorável ao *impeachment* de Collor, perguntou-me se podia escapulir do hospital para votar em Brasília.

— Seria um voto de qualidade — disse ele.

Respondi-lhe que enfrentaria o risco e o desconforto: era ocasião de se transformar um acidente de ingovernabilidade numa lição de moralidade!

Pus-me então a pensar nessa "coisa estranha". Ulysses e eu éramos os mais velhos membros da Câmara, ambos então com 75 anos, isto é, na quarta esquina da vida. Convivêramos quase meio século na vida pública e nunca nos havíamos telefonado. Raras conversas formais, espaçadas em anos... Por que essa carência de comunicação?

Nos corredores do Congresso relanceávamo-nos à distância com mútuo respeito, porém sem afeição. Lia nos olhos azuis de Ulysses o seguinte: "Esse Campos escreve bem, talvez mereça a Academia Brasileira de Letras, mas em política é pouco relevante, um peso leve, sem paciência para a articulação." E eu argüia com meus botões: "Esse Ulysses é um dínamo político, mas é perigosamente desinformado em economia. Vai na conversa do primeiro esquerdista que lhe sussurra *slogans* socializantes e o chama de *progressista*."

Subestimávamo-nos ambos. Éramos mais complementares que competitivos. Para Ulysses, o supremo valor era a relevância política. Para mim, a consistência econômica. Eu via no Ulysses um "Dom Quixote" da democracia. Ele me considerava um "Sancho Pança" da economia. Juntos poderíamos ter atacado mais do que moinhos de vento. Mas navegamos em barcos separados no comboio Brasil, ao longo de meio século, em sol, bruma e mar revolto, sem um mínimo de sinalização.

Minhas conversas com Ulysses foram formais e raras. Em 1962, quando ele era ministro de Indústria e Comércio e eu embaixador em Washington fui, com San Tiago Dantas, expor-lhe a necessidade de transformarmos o confisco, por Brizola, das concessionárias americanas de serviço público, em nacionalização negociada, sob pena de cessação de investimentos. E adverti-lo sobre o impacto internacional negativo de alguns dispositivos xenófobos da lei de remessa de lucros, então em debate. No governo Castello Branco, ele foi relator na Câmara dos Deputados de dois importantes projetos em que eu trabalhara — a lei de reforma bancária (que criou o Banco Central "independente") e a lei de greve (realista, aliás, e melhor que a Constituição de 1988, que deu à CUT um poder de chantagem contra a sociedade inocente, ao abolir restrições a greves nos serviços públicos). Trocamos argumentos, sem descobrir afinidades. Àquela altura Ulysses era considerado "linha dura", expressando-se favoravelmente à cassação de direitos dos subversivos por quinze anos.

Houve depois um longo hiato. Passei à iniciativa privada e, de longe, admirava a luta de Ulysses contra o continuísmo militar. Como Castello Branco, eu teria preferido uma sucessão civil. No governo Médici, espectador antes que ator, escrevi, como já disse alhures, vários artigos dizendo que 1973 seria um bom momento para a "civilização" do regime. Os militares se retirariam *en toute beauté*, como administradores da prosperidade. Mas eu apenas dava palpites sociológicos, enquanto Ulysses era um bravo lutador que corria riscos pela democracia.

Quando ingressei na política, eleito senador pelo PDS de Mato Grosso, em 1982, Ulysses estava em fulgurante ascensão. Era o paragon da democracia. Fora o anticandidato em 1973, enfrentando o regime, e o PMDB teve grande êxito nas eleições de 1982 e 1986. No Senado, iniciei minha pregação liberal contra o nacional-populismo, encontrando poucos ouvintes e escassos aplausos.

Via com apreensão o esfuziante dinamismo de Ulysses à procura de causas salvacionistas. Houve o acirramento da luta pelas *Diretas já,* que me parecia energia desperdiçada. O problema não era o método eleitoral e sim a baixa qualidade das lideranças. Receei ainda mais a *Constituinte já.* Preferiria um *emendão*, pois as Constituições brasileiras, como mencionei alhures, se tornam *fábricas de utopias...*

Quando Ulysses se tornou presidente da Assembléia Constituinte, pensei em procurá-lo. Éramos velhos navegadores e talvez pudéssemos moderar os jovens que, com mãos sujas de ideologias, queriam passar o Brasil a limpo. Arrependi-me de não tê-lo feito. Talvez o obstáculo fosse aquilo que Gudin chamava de "estática dos interlocutores". É que Ulysses se cercava de dois grupos — os economistas do PMDB e o *Clube do poire.* Aqueles perfilhavam as mágicas antiinflacionárias dos "choques heterodoxos" que, como eu previa, quase mataram a economia de mercado. Estes embarcaram no nacional-populismo e no voluntarismo tecnológico, tipificado na ridícula "política de informática", que transformou o Brasil de potencial atleta em tartaruga tecnológica.

Vi com pena esse grande dínamo político, que era Ulysses, deslizar para opções erradas, quase às vésperas da queda do muro de Berlim e do colapso do socialismo, que eu solitariamente profetizara. Optou pelas esquerdas do PMDB e, na Constituinte, foi indulgente e permissivo em relação às teses nacional-populistas:

reservas de mercado, nacionalismo minerário, monopólios estatais e demagogia trabalhista.

O zênite político de Ulysses e, em contrapartida, o meu nadir, foi o formoso discurso com que promulgou, sob aplausos delirantes, a nova Constituição de 1988. Ele a descrevia como a "Constituição cidadã". Eu, com o fel dos derrotados, como a "Constituição besteirol".

Ultimamente, minha admiração pelo "Dom Quixote" da democracia aumentara. Vi-o entregar-se, com ardor juvenil e resistência peripatética, a uma nova causa salvacionista: o parlamentarismo.

Quando compareci, em cadeira de rodas, a Brasília, para a votação do *impeachment*, Ulysses abraçou-me com ternura. Éramos dois velhos que se reencontravam na quarta esquina da vida, que Ulysses mal dobrou.

Telefonou-me no dia seguinte, 30 de setembro, para o hospital.

— Estou com ciúme, Roberto. Você foi mais aplaudido que eu.

— Ora, que velho egoísta — respondi-lhe. — Você sempre ficou com os aplausos e eu com os apupos. Vamos mudar essa distribuição de trabalho.

Combinamos um longo encontro para acertar ponteiros. Aplicaríamos à arte política a definição que Mário de Andrade propunha para a sociologia: "Salvar o Brasil rapidamente".

Não vi mais Ulysses. Tal como Castello Branco, morreu num acidente estúpido, numa tarde estúpida. Senti-me um pouco como Boris Pasternak, quando dizia: "Nós, que já fomos homens, agora somos uma época".

Ulysses sabia tudo o que eu ignorava sobre política; e eu sabia tudo o que ele ignorava sobre economia. Juntos, quiçá fizéssemos alguma diferença na vida brasileira. Talvez para torná-la um pouco melhor para os nossos netos...

E P Í L O G O

◆

EPÍLOGO

O SONHO FRUSTRADO
DA JUVENTUDE

"A vida não é uma festa, nem uma desgraça, mas sim um assunto importante do qual estamos encarregados e que devemos resolver com honra."

Alexis de Tocqueville

Quando me decidi, jovem concursado no Itamaraty, a passar do pregresso remanso da teologia para o bulício da economia, minha primeira leitura foi o clássico de Adam Smith, *An inquiry into the nature and causes of the wealth of nations*. Desde então meu sonho foi escrever algo sobre "as causas da riqueza do Brasil".

Já lá se vai meio século. Comecei minha vida pública, como jovem diplomata, sob a ditadura do presidente Vargas e voltei a servir com ele, em seu retorno como presidente eleito, quando fui um dos fundadores do BNDE. Conheci 14 presidentes, trabalhando, com variados graus de distanciamento, com uma dúzia deles. Fui ator coadjuvante no Plano de Metas de Kubitschek. Mas só me tornei ator principal na primeira das quatro fases do regime militar, durante o governo de Castello Branco (1964-67), que foi a fase de reconstrução da economia e do estado. Contribuí, acredito, para transformar o que poderia ter sido uma revolução de baionetas num esforço de remodelação das instituições econômicas. Em outras fases fui ator secundário ou mero espectador engajado.

Ao fim de uma dura experiência, ao longo de meio século, registro com enorme melancolia que se algum livro escrevesse hoje, nesse fim de milênio, sobre a peripécia brasileira, teria como título: "As estranhas causas da pobreza do Brasil". Estranhas, porque nossa pobreza não é uma fatalidade imposta por um mundo injusto. É algo que podemos superar com diligência municiada pela paixão e disciplinada pela razão.

Por mais de uma década, em minha maturidade, desde os meados da década de 60 até a década perdida de 80, o sonho do "Brasil grande potência no ano 2000" parecia alcançável e quase visível para além das colinas. Hoje, parece que se distancia mais na linha infinda do horizonte.

Reconheço, com uma ponta de autocrítica, que minha capacidade de compreensão e de previsão foi muito superior à minha capacidade de persuasão. Minha luta pela implantação no Brasil de uma economia de mercado, baseada na certeza da falência eventual do dirigismo socialista foi, em grande parte, uma pregação no deserto. Fui melhor pregador do que mobilizador. Resta-me o consolo dos versos do poeta, segundo quem, "mais feliz do que Moisés que pregou ao povo eleito e que Cristo que pregou aos peixes, foi João Batista que pregou no deserto".

Neste começo da década de 90, e fim do segundo milênio, confirmadas as minhas previsões, e desconsideradas as minhas proposições, debruço-me, enriquecido pela experiência e machucado pela desilusão, sobre as causas da nossa pobreza. Para dois continentes, a América Latina e a África, o decênio dos 80 foi uma década perdida. Para o resto do mundo, uma década de experimentação e crescimento.

Os primeiros fenômenos dos anos 80, marcando a ressurreição do liberalismo econômico, foram o *thatcherismo* e o *reaganismo*. Superada a recessão inicial de 1981-83, para ajuste à segunda crise do petróleo e purgação da inflação, o crescimento sustentado e ininterrupto no mundo ocidental foi o mais longo dos últimos 150 anos. Mais importante ainda, a agenda econômica mundial mudou. Poucos países não inscrevem hoje em sua agenda a desregulamentação, a privatização, a redução de impostos e a integração de mercados. Reverteu-se a tendência mundial de crescimento do Estado.

Na Inglaterra, com o thatcherismo, consumou-se uma revolução cultural, cujo subproduto mais importante, particularmente útil para os países em desenvolvimento, corroídos pelo estatismo, foi a privatização de empresas. Criou-se toda uma nova teoria — a *micropolítica* — cujo objetivo fundamental foi a criação do capitalismo do povo. Uma nação de acionistas é mais livre e mais feliz que uma nação de funcionários.

A segunda grande transformação foi a reforma do socialismo. Esta começou com o programa das quatro modernizações de Deng Xiaoping, na China, em 1979/80, mas tornou-se parte necessária da agenda socialista após a *perestroika* e a *glasnost* de Gorbatchev, tudo culminando na queda do muro de Berlim, em novembro de 1989.[544] Sabe-se hoje que o chamado *centralismo democrático*, característico das economias de comando, perde de longe para a economia de mercado em flexibilidade, produtividade e capacidade de satisfazer os consumidores. Os traços marcantes do socialismo marxista-leninista passaram a ser ineficiência e cor-

---

[544] O programa das quatro modernizações — da agricultura, indústria, defesa nacional, ciência e tecnologia — foi adumbrado por Zhou-Enlai ainda em 1965, mas aparentemente sem o consentimento de Mao Tsé-Tung, que tinha outras prioridades. Só começou a ser aplicado consistentemente após a subida ao poder de Deng Xiaoping, em dezembro de 1978. As reformas soviéticas da *perestroika* e *glasnost* começaram a ser feitas a partir de 1987-88. As reformas nos dois gigantes do mundo socialista seguiram trajetórias diferentes. Deng Xiaoping não só não considerava a liberalização política como condição para a liberalização econômica, como nela via um perigo potencial para a estabilidade política e social e, portanto, para o desenvolvimento. Concentrou seus esforços na liberalização econômica. Gorbachev tentou atingir os dois objetivos e acabou realizando apenas a liberalização política (*glasnost*), sem a liberalização econômica (*perestroika*). Ver Richard Evans, *Deng Xiaoping*, Viking, 1994, p. 219.

rupção, não idealismo e progresso. Quando se ouve falar nos difíceis e turbulentos esforços da China e União Soviética para restabelecer alguns aspectos fundamentais da economia de mercado — lucro, sistema de preços, recompensa pelo esforço individual, desbaste de empresas públicas e incentivo ao capital estrangeiro — é irretorquível a conclusão de que, na batalha final das idéias, Adam Smith prevaleceu sobre Karl Marx!

O terceiro evento, que culminou nesta década, foi a revolução do conhecimento e da informação tecnológica. Estima-se que o cabedal científico dobre a cada 15 anos. Armações complexas de proteção contra incertezas do mercado desabam ante o vigor da competição e o estímulo à criatividade individual. A integração de mercados dilui cada vez mais as barreiras tradicionais da soberania. No mundo moderno a informação é a mais versátil e importante das mercadorias. Hoje o contraponto não é mais entre capital e trabalho e sim entre capital físico e capital humano. O conceito de fábrica nacional foi substituído pelo de *fábrica global*, cujo melhor instrumento é a empresa transnacional. Isso, no mundo. Na América Latina ainda persistem, felizmente com vigor declinante, eructações sobre a teoria da dependência, a exploração imperialista, o colonialismo tecnológico e outras bobagens que começaram a ser questionadas nos anos 70 e que hoje fazem parte da arqueologia sócio-econômica. Poder-se-ia dizer que a América Latina redescobriu, nesta década, a democracia política, mas ainda não descobriu o capitalismo, isto é, a economia de mercado.

Mais significativa que todas essas transformações, sob a ótica dos países em desenvolvimento como o Brasil, foi o que se convencionou chamar de "milagre asiático". Foi a demonstração dada pelos "tigres asiáticos" de três pontos cardeais:

• É possível, não só para indivíduos como para países, passar da pobreza à riqueza no curso de uma só geração;

• É possível fazê-lo sem uma boa dotação de recursos naturais, pois estes são menos importantes que os recursos artificiais da educação e tecnologia;

• É possível rápido desenvolvimento com boa distribuição de renda, atalhando-se a típica evolução do capitalismo ocidental — a chamada *hipótese Kuznets* — que pressupõe uma agravação inicial da desigualdade, que somente se abranda após longo intervalo.

A atual pobreza relativa do Brasil em comparação com a dinâmica franja asiática se tornou clara ao longo da década perdida, ao não participarmos da terceira onda sincrônica de crescimento, após a Segunda Guerra Mundial.

Como já foi dito, as ondas de prosperidade sincrônica são talvez mais raras e menos previsíveis que os chamados *ciclos ascendentes* da teoria de Kondratiev. O Brasil se aproveitou, na era Kubitschek, da onda de prosperidade que se seguiu à formação do Mercado Comum Europeu, em 1957. Soubemos também cavalgar a onda de prosperidade do fim dos anos 60 até o primeiro choque do petróleo. Éramos a grande *potência emergente*.

A terceira onda sincrônica de crescimento viria na década de 80, de fins de 1983 a 1990. Foi para o Brasil e para quase toda a América Latina uma década perdida. Enquanto isso os tigres asiáticos — Coréia do Sul, Taiwan, Hong Kong e Cingapura — experimentavam uma explosão de crescimento. Esse fenômeno se espraiaria no começo desta década dos 90 para a Malásia, Tailândia, Indonésia e zonas costeiras da China. Enquanto aumentava nesses países a renda *per capita* e diminuia a pobreza absoluta, a América Latina caia na estagflação (com exceção do Chile e Colômbia). Era uma dramática reversão das perspectivas dos anos 60.

Várias teorias explicativas podem ser avançadas para o superior desempenho asiático. Uma escola, de corte fatalista, acentua o fator cultural. A cultura confuciana, com seus valores básicos — espírito de poupança, capacidade de trabalho, respeito à educação como símbolo de *status*, coesão familiar e aceitação de disciplina grupal — seria mais propícia ao desenvolvimento econômico que a cultura ibérica.[545] A teoria contém um elemento de paradoxo, de vez que dois dos grandes sociólogos ocidentais — Karl Marx e Max Weber — achavam improvável que o capitalismo vicejasse no Oriente em virtude da cultura contemplativa, prudencial e não aquisitiva do budismo e do confucionismo, ancorada em séculos de história.[546] Num desmentido a Weber, dizem hoje alguns sociólogos que a ética confuciana é um fator tão importante no crescimento da franja asiática do Pacífico, como a ética protestante o fora no surgimento do moderno capitalismo ocidental.

A influência de fatores culturais não parece decisiva. No final da década de 60 e começo de 70, o México e o Brasil se presumiam economias dinâmicas, capazes de crescimento sustentado. Falava-se no "milagre brasileiro" e não nos tigres asiáticos. E países de cultura ibérica — Portugal e Espanha — estimulados pelo desafio do Mercado Comum Europeu, no qual ingressaram em 1986, exibiram as mais altas taxas de crescimento da Europa Ocidental na década de 80. E o Chile

---

[545] Não falta quem hospede um pessimismo fatalista sobre o caldo cultural brasileiro, em termos de desenvolvimento econômico. Somos uma fusão de três culturas: a cultura ibérica, que é a cultura do privilégio antes que da concorrência; a cultura negra, com um forte coeficiente de magia; e a cultura indígena que preza a indolência. Nenhuma dessas culturas favoreceria o surgimento da racionalidade competitiva de que falava Werner Sombart...

[546] O mandarinato confuciano desprezava os soldados e os comerciantes. A acumulação de fortunas privadas no comércio e na indústria era considerada imoral. Na Índia antiga, havia também uma aversão atávica às profissões materialistas, consideradas inferiores pelos brâmanes. Nos tempos modernos, a China experimentou com a Revolução Comunista de 1949, e sobretudo com o *grande salto avante* de Mao Tsé-Tung um estiolamento da classe empresarial. Na Índia, após a independência, predominou, sob Nehru, uma variante do socialismo fabiano, com seus vícios burocráticos e assistencialistas. Apud Deepak Lal, 'Índia and China: contrast in economic liberalization', UCLA, Departament of Economics, working paper n.º 705, dezembro, 1993.

tem exibido uma boa performance de desenvolvimento sustentado há quase dez anos.[547]

Se não merece acolhida a tese do "determinismo" cultural, pode-se falar numa "doença cultural" que nas últimas décadas afetou negativamente o desenvolvimento latino americano. Refiro-me aos cinco *ismos* fatais: o populismo, o estruturalismo, o protecionismo, o estatismo e o nacionalismo.

Como sabemos, o "populismo" latino-americano, com sua propensão a subsídios, controles e falso paternalismo, pretende distribuir mais do que consegue produzir. Nossos populistas são eméritos chacoalhadores de árvores: chacoalham-nas para que caiam os frutos, mas não têm conhecimento e nem paciência para a faina do plantio. O populismo se propõe enriquecer os pobres empobrecendo os ricos, exercício que a experiência mundial revelou frustrante.

O "estruturalismo" favoreceu uma longa convivência com a inflação. Se a inflação provém de rigidez das estruturas, e se estas são de difícil reforma, subestima-se a importância e a eficácia da austeridade monetária e fiscal. A inflação parece ser um tolerável, se não inevitável, mecanismo de administração dos conflitos distributivos.

O "protecionismo" levou-nos a descurar a exploração das linhas naturais de vantagem comparativa. A proteção às indústrias nascentes estendeu-se às indústrias senis. As doutrinas da Cepal — Comissão Econômica para a América Latina — , que intoxicaram toda uma geração de economistas, criaram excessivo entusiasmo pela industrialização substitutiva de importações e grave subestimação da eletricidade das exportações, se praticadas taxas cambiais realistas. O protecionismo exacerbado — a ponto de barrar não só a entrada de produtos mas também de produtores — favoreceu a cartelização da economia, gerou um viés inflacionário, relegou a segundo plano o controle de qualidade e resultou numa baixa produtividade da economia. As reservas de mercado se tornaram reservas de incompetência.

O "estatismo" se manifestou sob diversas e deletérias formas. O estado cresceu como regulador e investidor — arrogando-se poderes monopolísticos — e apequenou-se como o provedor clássico de externalidades: educação, saúde, saneamento básico, segurança e justiça. Pelo excesso de intervenção regulatória, aumentou riscos e custos para o setor privado. Finalmente, a rápida expansão da economia informal foi uma resposta aos exageros intervencionistas do estado formal.

---

[547] A história da própria China, matriz do pensamento confuciano, pode ser usada para contraditar a tese do "determinismo" cultural. O "império do meio" era talvez o mais poderoso e tecnologicamente avançado país do mundo cerca do ano 1500 d.C. Depois experimentou quase 500 anos de estagnação, enquanto os países ocidentais atravessavam as várias fases da revolução industrial — da máquina a vapor até a eletrônica —, tendo garantida sua liderança econômica e tecnológica até pelo menos o meado do terceiro milênio.

O último dos *ismos* é o "nacionalismo". O nacionalismo só é útil na fase de criação das nacionalidades e de consolidação territorial. Transposta esta fase, torna-se uma barreira à absorção de capitais e tecnologia. Passa a ser disfuncional. O nacionalismo brasileiro não integra, divide. Apenas rejeita, não mobiliza. Satisfaz a necessidade primitiva de odiar. Mas a essência do problema não é amar nem odiar. É compreender.

Se a tirania dos *ismos* figura entre as causas "mediatas" de nossa estagnação, é possível detectar causas "imediatas" que nos afligiram na segunda metade deste decênio. Foram alguns desastres que eu chamaria de "desastres da ecologia econômica". O primeiro foi a votação da Lei de informática, em outubro de 1984, que entronizou o absurdo objetivo da autonomia tecnológica, marginalizando-nos na corrida tecnológica mundial. Ao invés de criadores de nichos de excelência passamos a ser copiadores do obsoleto. O segundo desastre foi o Plano Cruzado, essa tentativa organizada de desorganizar o mercado. Criou uma subcultura antiempresarial. Confundindo causa e efeito, inocentou-se o governo, o qual, ao fazer a expansão monetária, é culpado da inflação, e inculpou-se o empresário, que registra seus efeitos na formação de preços.

O terceiro desastre foi a "moratória" de 1987, resultante de inepto congelamento da taxa cambial e do esbanjamento de divisas na importação de bens de consumo, cuja produção interna fora desestimulada pelo controle de preços. Instituiu-se uma cultura do calote. Seus efeitos não foram apenas financeiros — marginalização do Brasil no acesso a fluxos financeiros internacionais — mas também éticos, pela dissolução do sentido de responsabilidade contratual. A cultura do calote é infelizmente contagiosa.

O quarto desastre foi a votação, em outubro de 1988, ainda num clima de rescaldo populista, e antes do colapso mundial do dirigismo socialista, de um texto constituinte que compromete nosso já precário grau de governabilidade. Muito antes da convocação da Assembléia Constituinte, proferi a advertência de que as Constituições despertam um "fanatismo por utopias", com mais ênfase sobre direitos inatingíveis do que sobre deveres imprescindíveis. Como já indiquei, a atual Constituição é híbrida no plano político, intervencionista no plano econômico e utópica no plano social.

Uma segunda ordem de explicação, mais plausível, teria a ver com políticas macroeconômicas. As características superiores do gerenciamento dos países asiáticos, comparativamente ao dos países latino-americanos, podem ser sumariamente enumeradas:

• Orientação exportadora, que impõe à economia uma obrigação de eficiência maior que no modelo de substituição de importações;

• Políticas macroeconômicas ortodoxas em termos monetários e fiscais;

• Menor distorção do sistema de preços, pela observância das duas "regras douradas": taxa de juros positiva para estimular a poupança e taxas cambiais realistas, para preservar exportações;

• Captação mais equilibrada dos recursos externos, com maior abertura para investimentos de risco e preferência por empréstimos institucionais a longo prazo (Banco Mundial e Asian Development Bank), em contraste com a volúpia latino-americana de empréstimos em eurodólares, baseados no *sovereign risk* e não em projetos priorizados e monitorados;

• Planejamento familiar, contrastando com a explosão demográfica na América Latina;

• Seqüência reformista: reforma agrária e educacional, levando a uma melhor distribuição de renda;

• Maior estabilidade política.

Com o benefício da visão retrospectiva, pode-se registrar que, pelo menos na primeira fase do ciclo militar (1964-67), o da reconstrução da economia e do estado, o modelo brasileiro era bastante semelhante ao atual modelo asiático, com três exceções: educação básica, reforma agrária e planejamento familiar. Não houve propriamente uma falha de concepção inicial e sim de implementação nos governos subseqüentes. Simplesmente não foram cumpridos o Estatuto da Terra nem os dispositivos da Constituição de 1967 que extinguiam a gratuidade do ensino superior, visando a liberar recursos para a tarefa prioritária da educação básica. Em matéria de planejamento familiar, entretanto, nenhum programa foi deslanchado, nem por governos militares nem civis. Conquanto tenha declinado a taxa de fertilidade, ela permanece ainda suficientemente alta para criar deficiências insanáveis na infraestrutura e dificultar a melhoria da qualidade de vida.

O MINISTÉRIO
DO DESENVOLVIMENTO

O desenvolvimento, num sentido amplo — compreendendo o crescimento econômico e a melhoria social — continua algo misterioso, pois depende de uma complexa interação de fatores econômicos, sociais e políticos. Esse mistério não foi ainda decifrado por nenhuma das variedades da teoria do desenvolvimento, umas otimistas, outras pessimistas. Como diz Mário Henrique Simonsen, a teoria do crescimento econômico pode ser definida como "um cemitério de idéias". A lista de cadáveres inclui as teorias estagnacionistas, sejam clássicas (Ricardo e Stuart Mill), sejam modernas (Hansen e Sweezy). Está superado e derrotado o modelo marxista. E perderam valor explicativo a teoria do grande impulso (Rosenstein Rodan), a modelagem de planejamento (Tinbergen), a doutrina da industrialização substitutiva de importações (Prebisch) e as teorias mecanicistas da relação capital/produto (Harrod-Domar).[548] Recentemente entraram em voga visões mais otimistas (Lucas, Romer), que substituíram o antigo pessimismo dos "rendimentos decrescentes" dos fatores, pelo "rendimento crescente do fator humano" por via da educação e mudança tecnológica.[549]

O mais fértil laboratório de análise para pesquisas sobre o mistério do desenvolvimento são os países do leste e sudeste asiático. Não só porque tiveram uma explosão de crescimento econômico ímpar na história humana, como porque, partindo de sistemas políticos mais fechados que os ocidentais, permitem estudar-se a correlação (ou falta de correlação) entre *democracia* e *desenvolvimento*, ou entre *autoritarismo e reforma econômica*.

O relatório do Banco Mundial *The East asian miracle* (O milagre do leste asiático) elaborado em 1993, é particularmente esclarecedor a respeito. Um outro estu-

---

[548] Para uma concisa discussão das várias teorias sobre o assunto, ver Mário Henrique Simonsen, 'A teoria do crescimento em retrospecto', ensaio publicado na coletânea da FGV, *A última década*, 1993, p. 3-24. Ver também Delfim Netto, 'Políticas geradoras do desenvolvimento', ensaio na *Conjuntura Econômica*, dezembro de 1993, pgs. 42-43.

[549] O Banco Mundial, no citado estudo *The East asian miracle*, Oxford University Press, 1993, usa a expressão "Total Factor Productivity" (TFP), que incorpora os efeitos do progresso técnico pela absorção de novas tecnologias e do melhoramento na eficiência da utilização de tecnologias correntes. Ver p. 63-70.

do recente, de título quase intraduzível — *The political economy of policy reform* — editado por John Williamson, do Institute for International Economics, amplia a cobertura analisando o processo político de reformas em 13 países de vários continentes, inclusive ex-comunistas.[550]

A dificuldade de se teorizar sobre o desenvolvimento é exemplificada pelo fato de que, mesmo em relação ao inquestionável sucesso dos países do leste asiático, objeto de farta documentação, há duas leituras completamente diferentes, uma "liberal" e a outra "dirigista". Como nota o Banco Mundial, existe uma interpretação neoclássica, segundo a qual o sucesso foi devido ao fato de essas economias terem acertado no fundamental (*getting the fundamentals right*): criação de um ambiente macroeconômico estável, estrutura fiscal adequada, estímulo à competição interna e abertura internacional. Existe, de outro lado, uma visão "dirigista", segundo a qual o sucesso teria sido devido ao fato de os governos terem "orientado o mercado", através de intervenções deliberadas para alterar preços relativos e direcionar incentivos em favor de setores eleitos.

Essa clivagem é aliás natural e reflete a secular controvérsia, a que se refere Thomas Sowell, entre os economistas de "visão modesta" (*constrained vision*) e os de "visão irrestrita" (*unconstrained vision*). Para os cultores da "visão modesta", cujo profeta antigo foi Adam Smith e cujo profeta moderno é Frederick Hayek, o governo só pode deflagrar "processos" e jamais garantir (ou sequer prever) os "resultados", dependentes estes das reações do mercado impessoal. Para os cultores da "visão irrestrita", o governo deve coordenar o comportamento do mercado e corrigir suas imperfeições.[551]

Dessa coleção de estudos algumas coisas emergem claramente. Não parece haver correlação comprovável entre "democracia" e "desenvolvimento", ou entre "autoritarismo e reforma econômica". A transição para o desenvolvimento pode ocorrer quer sob regimes democráticos, quer sob regimes autoritários, conquanto, transposta a fase de modernização, aumentem as demandas de liberdade política que

---

[550] Ver *The political economy of policy reform*, Washington D.C., Institute for International Economics, 1994.

[551] Ver Roberto Campos, "Duas visões", ensaio na coletânea *O século esquisito*, Rio de Janeiro, Topbooks, 1990, p. 87-90, no qual se discute o livro de Sowell, *A conflict of visions*, New York, William Morrow and Co. Inc., 1987. O economista hindu Deepak Lal, um dos mais vigorosos críticos do dirigismo, caracteriza o conflito de visões de forma interessante. Na visão clássica, a função do governo se limitaria a estabelecer "as leis da justiça que garantem o livre câmbio e a competição pacífica". O governo é apenas uma "associação civil". Na concepção alternativa, característica da tradição judaico-cristã, o estado é visto como uma "associação empresarial" (*enterprise association*) que usa a lei para os propósitos substantivos que ele próprio define, como, por exemplo, a construção nacional (*nation building*) ou a promoção de alguma forma de igualitarismo. Ver Deepak Lal, 'Participation markets and democracy', Working Paper 705, UCLA, 1993.

pressionam em favor da democratização. Os regimes autoritários têm a seu favor maior capacidade extrativa, pela facilidade de exacionar impostos e reprimir salários e consumo e, em seu desfavor, freqüentes distorções de prioridades, megalomania de projetos, aberrações nacionalistas e não raro lapsos de populismo assistencialista, para compensar a falta de legitimidade. As democracias têm a vantagem da legitimidade ao pedirem aceitação de sacrifícios, têm maior capacidade de reversar erros, mas sofrem a desvantagem de que pressões eleitorais de curto prazo dificultam a continuidade de programas.

Também não parece haver correlação confiável entre autoritarismo político e reforma econômica. Seis das reformas exitosas analisadas no citado estudo do Institute of Internacional Economics ocorreram sob governos genuinamente democráticos, conquanto habitualmente se pense que o autoritarismo facilite as reformas. Curiosamente, não se pode também dizer que reformas econômicas de corte neoliberal só são feitas por governos de centro ou centro-direita, pois várias delas, visando ao pleno estabelecimento da economia de mercado, com redução do papel do estado, foram feitas por governos que se diziam de esquerda ou centro-esquerda, como na Austrália, Nova Zelândia e Espanha.

Tudo o que se pode dizer é que, quando se busca sair de uma situação autoritária, a opção mais eficaz é começar pela liberalização econômica, passando depois à liberalização política. A razão simples é que a descompressão política sói produzir uma explosão de aspirações sociais, que podem melhor ser satisfeitas num ambiente de economia eficiente e competitiva. Ou, para usar as expressões gorbachevianas, a *perestroika* deve vir antes da *glasnost*. Essa parece que será a seqüência chinesa, diferentemente da ex-União Soviética, onde a *glasnost* veio antes da *perestroika*. Aquela foi também a seqüência observada nos tigres asiáticos, como a Coréia do Sul e Taiwan, que se abriram economicamente antes de se democratizarem.[552] Na América Latina, o Chile é um caso similar, e até certo ponto, o México, onde a liberalização econômica já ocorreu sob a hegemonia do PRI, avolumando-se agora pressões em favor de maior pluralismo político. Na Argentina, Peru, e talvez mais acentuadamente no Brasil, a redemocratização política levou paradoxalmente a um recrudescimento do intervencionismo econômico, tipificado pelos diversos planos de estabilização na Argentina, pelo plano INTI, no Peru, e pelos choques heterodoxos no Brasil. Dependendo da ideologia do analista, pode-se incriminar tanto os militares brasileiros por não terem feito a liberalização econômica antes da democratização política, como os governos civis, por usarem, desde 1985, a demo-

---

[552] Várias situações existem, mormente nos países da Europa Oriental, em que é inevitável um esforço simultâneo de liberalização política e econômica (Polônia, Hungria e Tchecoslováquia), o que exige extrema competência na administração da transição.

cracia política para agravar o autoritarismo econômico, de que é supremo exemplo a Constituição de 1988.

Por detrás da bruma conceitual criada pelas teorizações da *development economics*, começa a emergir um receituário prático para reformas econômicas tendentes à estabilização de preços e à criação de um clima propício ao desenvolvimento sustentado.

É o que John Williamson, em seus estudos sobre reformas econômicas na América Latina, chamou de "consenso de Washington" (que nada tem a ver com a política norte-americana e sim com a experiência das agências internacionais sediadas em Washington — o Banco Mundial e o FMI). Esse consenso é hoje tão internacional que seria melhor chamá-lo de *market friendly*, ou seja, um "consenso favorável ao mercado". Como há conformidade de fórmulas gerais, mas remanesce dissenso quanto a pontos específicos, talvez a melhor denominação para esse processo, sugere Richard E. Feinberg, seja "convergência", antes que "consenso". Isso permitiria levar em consideração a diversidade cultural entre a visão americana e a latino-americana sobre economia liberal e pluralismo político.

Do estudo do Banco Mundial sobre oito países do leste asiático de rápido crescimento — Japão, Coréia do Sul, Taiwan, Cingapura, China, Indonésia, Malásia e Tailândia (cuja renda por habitantes cresceu no último quarto de século três vezes mais que a da América Latina e Sul da Ásia, e cinco vezes mais que a da África subsaariana), infere-se não haver uma receita única de crescimento, pois são variados os graus de intervenção governamental. Mas emergem alguns traços comuns: políticas de estabilidade macroeconômica, competitividade na microeconomia, maciço investimento na formação do capital humano e abertura internacional. Em alguns casos, como o Japão, Coréia do Sul, Taiwan e China, é maior a intervenção governamental. Outros, como Honk Kong, Malásia e, mais recentemente, Indonésia e Tailândia, adotaram políticas mais liberais. As intervenções mais bem-sucedidas são as relacionadas à facilitação de crédito barato para certos setores, e as destinadas a promover exportações. Ao contrário do que geralmente se diz no Brasil, a chamada "política industrial", destinada a selecionar e proteger setores industriais considerados "propulsores", revelou-se pouco eficaz.

O receituário do Banco Mundial, que emerge dessas experiências, confirma a necessidade de políticas "favoráveis ao mercado", na mesma linha do "consenso de Washington". É necessário fazer corretamente os ajustes fundamentais, notadamente:

• Manter a inflação baixa e taxas cambiais competitivas;

• Investir na formação do capital humano, particularmente na educação básica;

• Criar sistemas financeiros seguros e eficientes para a proteção e alocação da poupança;

• Limitar as distorções de preços, de modo que o custo da mão-de-obra e as taxas de juros reflitam a escassez relativa desses fatores;
• Facilitar a absorção de tecnologia estrangeira;
• Evitar tratamento discriminatório em desfavor do setor agrícola.

O fato de ter o Brasil caído na estagflação durante a década de 80 e não serem ainda consensuais, neste começo de década, coisas já consensualizadas na América Latina, como a absoluta necessidade de debelar a inflação e proceder à privatização das estatais, requer investigação mais detida.

DE HEREGE IMPRUDENTE
A PROFETA RESPONSÁVEL

Já mencionei antes os efeitos da "doença dos ismos" e dos cinco desastres da ecologia econômica que nos afligiram na segunda metade da década de 80. Por que será que o Brasil permanece o país mais inflacionário e menos reformista da América Latina?

Segundo observa apropriadamente a revista *The Economist*, as grandes reformas exigem três "C" — compromisso, competência e consenso. Têm faltado aos nossos governantes convicções sólidas para enfrentar a impopularidade de curto prazo de medidas antiinflacionárias; têm faltado competência e coesão às tecnocracias dirigentes; e, com nosso multipartidarismo caótico, raramente se consegue consenso suficiente para mobilizar maiorias parlamentares estáveis. Não se deve entretanto exagerar a importância do "consenso". Em primeiro lugar, como nota Stephen Haggard, "a essência da democracia é que a formação de políticas é uma atividade competitiva e não consensual". Em segundo lugar, o consenso pode ser resultado do sucesso criado pela "política de convicção", como dizia mrs. Thatcher.

O Brasil de nossos dias é o mais inflacionário país da América Latina (senão o campeão mundial da inflação) e, dentre os grandes países, o que menos privatizou e mais se aferrou aos monopólios estatais. Sofremos de "elefantíase burocrática", para usar uma expressão de Paulo Francis, doença perigosa da qual morreu a União Soviética, conforme previra Trotsky desde 1935.

Desenvolvi, há algum tempo, a teoria de que o atraso reformista no Brasil ilustra os perigos do "meio-sucesso". As nações se salvam ou pelo êxito inquestionável ou pelo fracasso exemplar. O Brasil é relativamente tolerante com respeito à inflação, porque desenvolveu durante algum tempo uma técnica eficaz de "crescinflação" — crescimento com inflação — através da indexação generalizada.[553] E permanece

---

[553] Como foi explicado no capítulo XII, a correção monetária, tal como originalmente concebida, só se aplicava à poupança e contratos de seis meses, não tendo o potencial inflacionário que adquiriria após 1980, quando, com sucessivos encurtamentos desse prazo de carência, criou-se praticamente uma quase moeda, equivalente a depósitos à vista remunerados. Isso explica porque sua introdução em 1964 foi acompanhada, durante vários anos, por uma queda da inflação, efeito que deixou de ser exercido a partir do choque do petróleo e, sobretudo, a partir da década de 80.

mais estatizante porque várias das empresas públicas — como a Petrobrás, Telebrás e Eletrobrás — conquanto ineficientes pelos padrões mundiais, ou mesmo em comparação ao nosso setor privado, mantiveram tolerável eficiência pelos padrões latino-americanos.

No momento em que termino estas memórias, é lançado um novo plano de estabilização — o Plano Real. É a sexta reforma monetária desde a redemocratização. Chega num momento de grande tensão inflacionária, beirando a hiperinflação. Contempla uma moeda de transição — a URV (Unidade de Referência de Valor) — com o objetivo de servir de indexador único, preparatório do lançamento da nova moeda, o real. A concepção do plano e as condições de seu lançamento são melhores que nos experimentos anteriores que relatei no capítulo XIX, mas sua viabilização a médio prazo, passada a mágica inicial da mudança da moeda, dependerá de três reformas estruturais, que em grande parte pressupõem revisão constitucional:

• Reforma fiscal simplificadora do elenco tributário e redefinição do pacto federativo para compatibilizar receitas e funções das unidades federadas;

• Reforma da previdência social, hoje condenada a um déficit estrutural pela inadequada relação contribuinte/beneficiário, pela proliferação de aposentadorias precoces e pelo crescimento da economia informal, impondo-se também a substituição do regime de repartição pelo de capitalização;

• Reformatação do Estado, pela abolição e/ou flexibilização de monopólios estatais.[554]

---

[554] O novo plano revela que algo foi aprendido das experiências heterodoxas anteriores. Reconhece-se claramente a necessidade de reformatação do Estado inchado, cujos déficits são infinanciáveis sem emissão de moeda ou endividamento a juros proibitivos que expulsam o setor privado; refugam-se os artifícios passados de congelamento e confisco, que apenas represam a inflação e/ou desorganizam a oferta; a dívida externa passou a ser vista em suas reais proporções, como algo administrável por acordos de reescalonamento; reconhece-se a importância da privatização de empresas, da abertura para capitais de risco e da promoção de exportações; registra-se maior disposição de enfrentamento de temas antes politicamente vetados, como a abolição de monopólios estatais, ou tidos por secundários, como a desregulamentação e a abertura para importações. Há condições objetivas e subjetivas mais favoráveis que anteriormente. No plano subjetivo, a população está mais que nunca cansada da inflação, e se dá conta de que esta desempenha papel causal na agravação da pobreza e das disparidades de renda. E há uma certa humilhação psicológica na constatação de que o Brasil é o único país latino-americano a manter uma obscena inflação de quatro dígitos, só comparável à de países em guerra ou em processo de desintegração (como no caso de alguns países ex-comunistas). Objetivamente, também as condições são favoráveis: inexistência de inflação reprimida; boas colheitas; reservas cambiais elevadas (conquanto voláteis); capacidade ociosa na indústria; dívida externa renegociada e situação fiscal ainda frágil porém administrável no curto prazo. As dificuldades mais à vista derivam, no terreno fiscal, dos salários reprimidos do funcionalismo e da insuficiência dos orçamentos da previdência e saúde; e, no plano monetário, das pressões sobre o redesconto, oriundas da iliquidez de bancos estaduais ou de pequenos bancos privados durante a travessia para um ambiente não-inflacionário.

Que é necessário para criar um ambiente favorável às reformas? O estudo do Institute for Economic Affairs sugere várias hipóteses:

• *A hipótese da crise*, ou seja, a percepção popular de que o país tem que mudar e que as condições presentes se tornaram inaceitáveis. Essa sensação de crise pode provir de experiências hiperinflacionárias (Argentina, Bolívia, Nicarágua e Peru); de guerras perdidas (Argentina); do terrorismo interno (Peru); do desafio de ideologias radicais de esquerda (Chile); da humilhação nacional em face de um vizinho próximo que atrai magneticamente grandes massas empobrecidas (México). O Brasil teve a vantagem (ou desvantagem) de não experimentar choques em escala comparável;

• *A hipótese do mandato*, segundo a qual o governante somente seria capaz de introduzir reformas se fosse eleito com base num programa explicitamente reformista. A fragilidade da hipótese é revelada na América Latina pelo fato de que no Brasil o presidente Collor foi eleito com base numa plataforma reformista, que não executou, enquanto o presidente Menem, na Argentina, brandia um programa populista, logo substituído pela ortodoxia neoliberal;

• *A hipótese da lua-de-mel* , segundo a qual reformas extensas e fundamentais são mais factíveis no início do governo, quando o sucesso eleitoral garante ao incumbente um temporário crédito de confiança;

• *A hipótese de partidos de oposição desunidos e desmoralizados*, dificultando a mobilização anti-reformista dos grupos de interesses alicerçados;

• *Acidentes favoráveis de liderança*, através da ascensão ao poder de líderes vigorosos, dispostos a agir em função de perspectivas de longo prazo;

• *A presença de economistas competentes no governo*, com programas compreensivos e alto índice de coesão ideológica.[555]

Exceto talvez no primeiro governo militar (1964-67), quando houve uma ruptura institucional, com um líder plenamente compromissado com uma visão de longo prazo e um grupo tecnocrático altamente coeso, o Brasil não tem encontrado o conjunto de condições necessárias à validação do ímpeto reformista. Não é mero acidente que aquele tenha sido o período das grandes reformas, a que me referi no capítulo XII.

Depois foram desperdiçadas várias oportunidades: a restauração do regime civil, que também marcou uma ruptura com o passado; ou o advento do presidente Fernando Collor, que teve sua plataforma neoliberal transformada em "mandato", não logrando entretanto cumpri-la.

---

[555] Em alguns países, foi marcante a influência, nas reformas, de tecnocratas (ou *tecnopols*, para usar a verbagem da IEA), habitualmente treinados no exterior. Fala-se assim nos *Chicagos boys*, no Chile, na "máfia de Berkeley" na Indonésia, no "grupo do MIT" no México, e no "grupo de Harvard" na Argentina e Polônia.

O Brasil precisa de uma nova agenda e uma nova visão. A visão é a realização do capitalismo democrático. A agenda se desdobra em vários planos. No plano político, há que consolidar a democracia. No plano econômico, precisamos de uma nova semiótica, como antídoto ao veneno dos *ismos*. Essa semiótica consistiria na adoção de um novo sufixo — ação — que sinalizaria uma' ideologia modernizante. Desinflação, desregulamentação, privatização, desgravação fiscal e integração no mercado internacional, eis a litania do novo credo! No plano social, temos que concentrar recursos maciçamente na melhoria do capital humano.

O Brasil continua assim um caso de modernização abortada. Permanecemos com a tríplice urgência de consolidar a democracia, promover o desenvolvimento sustentado e melhorar a distribuição de renda.

O fim da jornada é um momento que enseja questionamento sobre o esforço e a rota. Meu esforço foi certamente maior que o resultado. Previ a rota desejável, sem conseguir fundamentalmente mudar os acontecimentos.

O treinamento seminarístico nas humanidades clássicas me trouxe duas vantagens: o instrumental analítico da filosofia escolástica e um cansaço de certezas dogmáticas. Escapei assim do contágio das duas "utopias coercitivas" de minha geração — o fascismo e o comunismo.

Em compensação, tendo recebido no seminário a ordem menor do *exorcistato*, entreguei-me demasiado ao exorcismo de demônios ideológicos, enfrentando às vezes por isso a solidão da impopularidade e o sacrifício das oportunidades de acesso ao poder. Não fui perito na arte de chegar ao poder e menos ainda na de ficar no poder. Consolava-me relembrando o dito de Alfred Marshall, o pai da economia neoclássica: "Não se pode ser patriota e popular ao mesmo tempo".

Lancei-me, com furor de espadachim, contra os dois megamitos de minha geração: o nacionalismo temperamental e o estatismo pseudo-social. Em dimensão humana muito menor, procurei repetir o que Bertrand Russell dizia ser uma característica de Gladstone: "não consentir em comprar o poder pessoal a custo da apostasia". Certamente cometi, porém, o único pecado que a política não perdoa: dizer a verdade antes do tempo.

Isso me expôs a insultos e objurgações, duas delas particularmente mortificantes: fui chamado de impatriótico e acusado de insensibilidade social. Num perverso usu-capião, os *esquerdosos* (para usar uma expressão de Mario Vargas Llosa), herdeiros de Marx, pai do internacionalismo, apropriaram-se do *nacionalismo* como instrumento de intimidação dos que acreditavam no capitalismo, na economia de mercado e na abertura internacional.

Passei a ser apelidado de *Bob Fields* e acoimado de "entreguista" e "vendido às multinacionais". Aceitei com equanimidade o que para outros seria psicologicamente arrasador, lembrando-me sempre do aforisma do chanceler Adenauer: "O maior dom que o Criador pode conferir a um estadista é dar-lhe couro de elefante". Num esforço de racionalização, procurei fórmulas de embelezamento conceitual: deveríamos praticar um "nacionalismo de fins", com "internacionalismo de meios" e "supranacionalismo de mercados". E busquei distinguir entre o "nacionalismo integrativo", como o dos norte-americanos, que absorvem desinibidamente capital e tecnologia externos, e o nacionalismo "rejeicionista" do Brasil, que tem maior capacidade de rejeitar a poupança externa do que mobilizar a poupança interna. Nada disso me livrou de opróbrios, pois o nacionalismo contém uma boa dose de irracionalidade. É uma espécie de "sarampo da humanidade", como dizia Einstein.

Sempre lutei contra três de nossas deformações culturais: o *escapismo*, que visa a inculpar demônios externos pelos pecados internos; o *antidarwinismo*, caracterizado pelo horror à concorrência e o apego corporatista a privilégios estatais; e o *anticontratualismo* característico das "sociedades frouxas" (*soft societies*) a que se referia Gunnar Myrdal, rebeldes às leis e relaxadas nos contratos.

É tão contumaz quanto ridículo nosso vezo de etiquetar personagens como de "direita" ou de "esquerda". Fazê-lo — como dizia Ortega y Gasset — é uma forma de hemiplegia mental. Surpreendentemente, tornou-se por longo tempo no Brasil um título honorífico ser homem de "esquerda" ou de "centro-esquerda". E os radicais desse segmento político conseguem (ou pelo menos conseguiram até a queda do Muro de Berlim) uma ressonância publicitária para as suas teses muito superior à sua influência real na sociedade. Conseguem-no por uma dupla arma: adulação e intimidação. Poucos políticos resistem à tentação de ser apelidados de "progressistas". E os que resistem, às vezes caem vítimas de intimidação ao ser chamados de "reacionários", uma espécie de lepra política.

No espectro político nacional, caracterizar-me-ia como um "liberal clássico", que acredita tanto na democracia política como na economia de mercado. Isso me diferencia dos conservadores, que rejeitam quaisquer mudanças por sobreamor ao *status quo*; dos socialistas, que admitem intervenções políticas e advogam o dirigismo econômico, supostamente para corrigir as imperfeições do mercado; e dos *liberais de esquerda*, que exaltam a liberdade política mas temem ou rejeitam a economia de mercado.

A acusação de insensibilidade social é ainda mais estranha e certamente constitui uma ironia. Sempre tive imensa preocupação com o cruel dualismo de nossa sociedade, até por ter sentido na carne o amargor da pobreza. Apenas minha leitura de causa e efeito não se conjuminava com a demagogia da época. Sempre acentuei dois fatores de empobrecimento, pouco enfatizados nas arengas políticas sobre a pobreza: a explosão demográfica e a inflação. Nossa displicência em relação ao

planejamento familiar multiplicou bocas famintas sem multiplicar proporcionalmente mãos hábeis. (Mesmo agora, que o crescimento demográfico revela rápido e
surpreendente declínio, ainda incorporamos à nossa população um Uruguai por
ano, composto predominantemente de pobres, pressionando uma infra-estrutura já
em si inadequada.) E sempre vi na inflação um imposto arbitrário sobre os inde-
fesos. No governo Castello Branco, quando tive responsabilidades efetivas de coordenação econômica, preocupei-me, além de priorizar o esforço antiinflacionário,
com a formulação de um "projeto social", infelizmente apenas parcialmente executado. É a estória das grandes reformas, que contei no capítulo XII.

Além de uma diferença de enfoque em relação aos demagogos da época, havia
uma diferença metodológica. Nunca aderi ao "discurso da denúncia" em relação
aos agentes externos — imperialismo e capitalismo — pois sempre achei que nossos demônios eram internos. "Descobri o inimigo: somos nós mesmos", como se diz
na fábula de Pogo. E cedo me desiludi do paternalismo governamental. Em nosso
assistencialismo demagógico os assistentes se dão melhor que os assistidos. O gasto
social no Brasil é uma sucessão de "ralos" burocráticos. Assim o atestam o péssimo
estado da educação pública, o desastre no sistema de saúde e as humilhações
impostas à clientela da previdência social. Cada vez mais me convenço da terrível
verdade do que dizia o liberal mexicano Octavio Paz: "o Estado é um pai terrível";
na melhor das hipóteses, um "ogro filantrópico".

Se tivesse que fazer uma autocrítica, à luz das estórias que contei, diria que fui
antes um pregador de idéias do que um operador eficaz, melhor na formulação do
que na articulação de políticas — possuído talvez demais da "índole da controvérsia", e, de menos, da "capacidade de acomodação" necessária ao exercício do
poder.

Tive entretanto *duas* vantagens. Não incorri na doença do economicismo, reconhecendo, como os liberais austríacos, que a economia nada mais é do que o
humilde estudo das conseqüências não intencionais da ação humana. Se tivesse
veleidades de dogmatismo econômico, tentando metrificar a rebelde variável do
comportamento humano, teria sido libertado dessa tentação por um episódio e
uma anedota. O episódio, a que já me referi, foi o manifesto de 364 dos mais
importantes economistas ingleses, prevendo um desastre econômico iminente ante
o orçamento recessionista de mrs. Thatcher em 1980-81. Essa previsão ocorreu
precisamente quando a inflação começava a cair e a economia voltava a crescer. A
anedota é atribuída ao presidente Pompidou, da França. Há três caminhos para
cair na desgraça: o mais rápido é o jogo, o mais agradável são as mulheres, o mais
seguro é consultar um economista.

A outra vantagem foi um certo grau de instinto profético. Predisse, adiantando-
me a uma visão longínqua, o colapso do socialismo: a vitória das economias de

mercado; o esgotamento do *welfare state*, pelos exageros assistencialistas; o fracasso dos vários planos heterodoxos de estabilização no Brasil, baseados em errônea interpretação das origens do processo inflacionário; o esgotamento do modelo introvertido de substituição de importações; a loucura de nossa política de informática e, finalmente, o surgimento de uma onda mundial de liberalização, globalização de mercados e privatização. O PAEG, de 1964, antecipou diretrizes de políticas de estabilização e desenvolvimento precursores do receituário que, quase três décadas depois, viria a ser conhecido como o "consenso de Washington". Com os acontecimentos mundiais desse fim de século, passei assim de herege imprudente a profeta responsável...

Na minha juventude e nos anos maduros os economistas com quem mais convivi foram Eugênio Gudin, o pioneiro e o mais sábio; Octávio Gouveia de Bulhões, o mais criativo; Mário Henrique Simonsen, o de melhor instrumentação técnica; e Antônio Delfim Netto, o de maior intuição política. Fui apenas o mais teimoso. Deles aprendi lições e com eles partilhei frustrações.

Esse depoimento é menos a estória de uma pessoa que o testemunho de uma época. Ou antes, de várias épocas da vida brasileira, com freqüentes relanceios sobre a conjuntura internacional. Os prurientes ficarão desapontados pela ausência de entrechos românticos ou peripécias amorosas. Direi apenas que, tendo tido uma adolescência reprimida, com jejum e cilício no claustro, procurei usar galhardamente o direito de pecar. Se escrevesse um capítulo amoroso, ele teria apenas uma frase: "Não fui veado"; e uma nota de rodapé: "Nem atleta sexual".

Minha geração falhou na tarefa de fazer do futuro o presente, lançando o país numa trajetória de progresso sustentado, sem inaceitáveis desníveis de renda e oportunidades. Neste crepúsculo de vida não posso senão ver o facho passar às novas gerações, na esperança de que alcancemos algum dia a visão *pisgah* da Terra Prometida, onde os bons encontrarão recompensa, os maus não mais poderão fazer o mal, e os cansados, afinal, encontrarão descanso...

Infelizmente, a minha "lanterna na popa" só ilumina as ondas passadas...

A N E X O S

◆

LISTA DE ANEXOS

Anexo I — Memorando sobre a reforma cambial, dirigido pelo dr. Roberto Campos ao ministro da Fazenda José Maria Whitaker (Junho de 1955).

Anexo II — Sugestões apresentadas pela embaixada em Washington ao presidente João Belchior Marques Goulart, em preparação de sua visita ao presidente John Fitzgerald Kennedy em 3 e 4 de abril de 1962.

Anexo III — Carta do embaixador em Washington Roberto Campos ao presidente João Goulart sobre a agenda das conversações com presidente Kennedy (2 de abril de 1962).

Anexo IV — Análise da crise cubana. Expediente enviado pela embaixada em Washington ao Itamaraty (1º de novembro de 1962).

Anexo V — Carta do embaixador do Brasil em Washington ao sr. Herbert K. May, deputy assistant secretary for Economic Affairs (19 de setembro de 1962).

Anexo VI — Carta do embaixador do Brasil em Washington Roberto Campos ao senador Juscelino Kubitschek sobre a Aliança para o Progresso (6 de dezembro de 1962).

Anexo VII — Documento de trabalho nº 1. Exposição feita pelo ministro do Planejamento na 1ª reunião de gabinete do presidente Castello Branco (23 de abril de 1964).

Anexo VIII — Entrevista do ministro do Planejamento sobre desvalorização cambial e implantação do cruzeiro novo (10 de fevereiro de 1967).

Anexo IX — Discurso de transmissão do cargo de ministro do Planejamento ao dr. Hélio Beltrão (15 de março de 1967).

ANEXO I

Memorando sobre a reforma cambial dirigido pelo Dr. Roberto Campos ao ministro da Fazenda — Junho de 1955

Banco Nacional do Desenvolvimento Econômico

Estritamente
Confidencial

Memorando sobre Reforma Cambial

I — Inevitabilidade da Reforma Cambial

Os três motivos que nos levam a crer na inevitabilidade de uma modificação drástica na política cambial, no sentido de uma "desvalorização aberta" do cruzeiro, são os seguintes:

1°) Persistência da inflação elevando os custos internos da produção de artigos exportáveis.

2°) Expectativa já criada no Brasil e no exterior de desvalorização.

3°) Aguçamento da concorrência dos mercados externos, o que torna necessário dar não só estímulo adequado como ampla liberdade e flexibilidade aos nossos exportadores que desejam preservar ou ampliar mercados.

Não é passível de dúvida que o atual sistema não constitui solução adequada, particularmente no tocante ao incentivo às exportações, que é o objetivo prioritário da nossa política comercial. O exportador, ao invés de concentrar suas energias nas vendas ao exterior, retarda-as, pressionando para passar a uma categoria melhor de bonificações. Cada transferência de categoria, por sua vez, agrava a instabilidade do sistema e gera novas expectativas de desvalorização.

Criadas essas expectativas, a instabilidade do sistema é tal que se deve marchar para uma solução drástica e completa, através de uma reforma cambial que seja considerada definitiva e permanente.

II — Pré-requisitos de uma Reforma Cambial

Uma reforma cambial no sentido da desvalorização aberta do cruzeiro exige um determinado número de pressupostos, a saber:

1°) Uma política de contenção fiscal, monetária e creditícia, visando neutralizar tanto quanto possível o impacto inflacionário inevitável da desvalorização;

2°) O apressamento da revisão da tarifa das alfândegas, para transformá-la num instrumento capaz de moderar a demanda de importações; no interregno entre a modificação cambial e a revisão das tarifas, será necessário instituir um sistema de sobretaxas cambiais que poderão ser futuramente incorporadas à tarifa;

3º) A consolidação, a longo termo, dos compromissos governamentais a curto e médio prazo, a fim de se tornar viável o abandono total ou parcial, pelo governo, das retenções de câmbio, passando ele a adquirir as suas provisões cambiais pelo mercado livre;

4º) Declaração clara e aberta de que, uma vez instituído o novo sistema cambial, não assume o governo responsabilidade por qualquer provisão de câmbio para importações ou financiamentos privados, ficando a cargo do exportador estrangeiro selecionar, ele próprio, clientes solventes e correndo ele o risco de insolvência cambial.

III — Perigos da desvalorização

Qualquer desvalorização encerra apreciável coeficiente de risco, o que torna essa decisão em princípio difícil.

Na presente conjuntura brasileira, a decisão de certo modo é facilitada pelo simples fato de que a alternativa à desvalorização é uma estagnação do comércio de exportação e, em vista da continuada inflação, o agravamento cada vez maior do problema.

Os perigos essenciais da desvalorização cifram-se nos seguintes:

1º) Pressão inflacionária adicional;

2º) Deterioração nas relações de troca.

Que da desvalorização resulte *um aumento da pressão inflacionária* é ponto pacífico. A não ser que caiam proporcionalmente os preços em moeda estrangeira dos artigos de exportação — efeito indesejável — aumentará a receita dos exportadores, efeito, aliás, que se procura obter, visto que o propósito mesmo da desvalorização é incrementar as exportações. Do lado da importação, a pressão inflacionária total não seria maior que a existente no momento (exceto no que toca às importações subvencionadas), por isso que o sistema de ágios já encerra em si um encarecimento igual ao que decorreria da desvalorização. É de reconhecer, entretanto, que qualquer desvalorização implicaria o encarecimento de alguns produtos básicos como o trigo e o petróleo, componentes apreciáveis do custo de vida. A rigor, são esses produtos que arcariam com o ônus de prover, do lado das importações, os recursos a serem transferidos para estímulo à exportação. Dada a importância não só econômica como psicológica desses produtos, e a provável resistência do consumidor sem sancionar, através de uma redução do consumo, a transferência não-inflacionária de recursos para o setor da exportação, é previsível um acréscimo da pressão inflacionária.

Até o momento, a hesitação do governo em desvalorizar se devia em grande parte precisamente ao receio de suas conseqüências inflacionárias. Seria indiscutivelmente preferível só desvalorizar após contida a inflação, a fim de se ter segurança que o estímulo às exportações não seria prontamente eliminado pela alta interna de custos, e que a propensão a importar não se exacerbaria. Infelizmente, entretanto, a conjuntura cambial decorrente da estagnação de exportações é tão séria que não há mais possibilidade de espera. O problema cambial tem que ser resolvido autonomamente, procurando-se *paralelamente* (e não previamente, como seria de desejar) conter a inflação através de uma política coordenada de contenção fiscal e creditícia.

Até data recente os grandes obstáculos à desvalorização eram:

No campo interno, a obrigação de compra de café a altos níveis de financiamento, criando para o governo a perspectiva de abarrotamento de café e graves prejuízos caso caíssem os preços no exterior;

No campo externo, a posição relativamente forte do café e do cacau, e o receio de que, em virtude da provável queda de preços decorrente da desvalorização, diminuísse a receita.

No tocante ao café, havia esperança de, através de acordo entre produtores, criar-se uma disciplina de mercado que possibilitasse:

(a) Um escoamento regular da safra;

(b) A manutenção de níveis relativamente altos de preços.

Enquanto prevalecia essa expectativa, era lícito adiar a desvalorização ante o real perigo de uma queda da receita cambial.

Por vários motivos, é de se crer, entretanto, que nenhum dos dois objetivos acima possa ser alcançado na conjuntura atual. As sucessivas modificações na política cambial do café tornam problemática a manutenção de disciplina entre os vários países exportadores. De outro lado, qualquer medida intermediária que o Brasil tome em matéria de taxas cambiais para o café não eliminará a expectativa de futuros reajustamentos cambiais, à medida que se acumulem estoques, e contribuirá para manter estagnado o mercado.

Se bem que a procura do café seja admitidamente pouco elástica, quer em função de preços, quer em função de renda, essa inelasticidade se aplica mais à procura global do café do que ao consumo de café de uma determinada procedência. É lícito esperar que, através de uma reforma cambial, que dê a impressão de ser definitiva, poderão aumentar apreciavelmente as exportações de café brasileiro, pelos seguintes motivos:

a) O café brasileiro deixaria de ser deslocado, como vem sendo, pelos cafés de procedência africana;

b) A queda de preços, provável com a desvalorização, redundará num certo grau de recaptura do mercado norte-americano e sobretudo de mercados europeus.[1]

É forçoso reconhecer que, apesar desses fatores favoráveis, é possível que a expansão das exportações não seja suficiente para contrabalançar o efeito da queda de preços, ocorrendo então uma queda líquida da receita cambial. Por mais grave que seja esse fenômeno, entretanto, é ele mais sério no curto prazo do que no longo prazo. A longo termo, não há outra solução para o Brasil do que ajustar-se à perspectiva de preços baixos do café e concentrar seus esforços numa expansão do *quantum* exportado, para o que se faz necessário que os preços do café caiam a um nível suficiente para:

a) Desencorajar a expansão de outros países produtores;

b) Eliminar, no Brasil, os produtores ineficientes;

c) Recapturar parte dos mercados externos.

Para contrabalançar a pressão inflacionária adicional resultante da *alta de preços em cruzeiros*, ter-se-á que recorrer a medidas internas de natureza não cambial (controle do crédi-

---

[1] Para se ter uma idéia da gravidade do impacto combinado da redução de consumo e deslocamento do café brasileiro no mercado norte-americano, basta considerar os seguintes dados:

Importações de café nos Estados Unidos (em milhares de libras peso)

Ano	Importações do Brasil como % do total
1950	51.7
1951	54.1
1952	50.0
1953	42.7
1954	37.2

to, melhoria de arrecadação de imposto sobre a renda rural, diminuição do nível interno de financiamentos etc.).

Se da desvalorização resultar (o que é, infelizmente, assaz problemático) na expansão das vendas suficiente para contrabalançar o efeito da queda de preços, e se incremento substancial resultar para outros produtos menores, criar-se-ia uma folga para aumentar importações e abater, *pro tanto*, a pressão inflacionária. Além disso, o incremento da receita dos exportadores representará até certo ponto uma simples transferência de poder aquisitivo do importador para o exportador.

IV — Objetivos e métodos de uma Reforma Cambial

Do Lado da Exportação

Quatro devem ser os objetivos dominantes:

a) Aumentar o estímulo à exportação através de uma remuneração maior para os exportadores;

b) Permitir-lhes um tipo de remuneração que se ajuste, tanto quanto possível automaticamente, às variações internas nos custos de produção e nos preços dos artigos que concorrem com as exportações;

c) Simplificar o mecanismo cambial, eliminando quaisquer estorvos para os exportadores, quer sejam decorrentes de licenças de exportação, de venda de câmbio à taxa oficial, de fixação de preços mínimos ou de quaisquer entraves burocráticos;

d) Eliminar a multiplicidade de taxas de exportação, que causa no exterior uma expectativa de sucessivas desvalorizações parciais, e, no interior, gera pressões políticas em favor de mudanças de categoria.

Para atingir esses variados objetivos, o único regime factível parece ser a transferência das exportações para um mercado livre de *taxa flexível*.

É verdade que uma taxa única estável, desde que fixada em nível realístico, poderia atingir alguns dos objetivos acima, como, por exemplo, os listados sob *a* e *c*. Entretanto, dificilmente satisfaria os objetivos, *b* e *d*, igualmente importantes.

Acresce que o estabelecimento de taxas fixas pressupõem (a) A existência de reservas cambiais para intervenção da autoridade cambial no sentido de estabilizar o mercado; e (b) Estabilidade de preços internos, pois de outra forma a inflação novamente criaria desincentivos às exportações. Como nenhuma dessas duas condições existe na conjuntura brasileira, a única possibilidade que nos resta é o mercado livre de *taxas flexíveis*, não indefinidamente, mas até que pelas próprias forças do mercado se cristalize uma taxa vizinha do equilíbrio, que possa ser realisticamente estabilizada pela autoridade cambial.

Pode-se, evidentemente, argüir que uma taxa flexível, gerando instabilidade dos preços de nossos produtos em moeda estrangeira, não contribuiria para corrigir a presente retração dos importadores estrangeiros, os quais retardariam compras, passando a jogar na baixa do cruzeiro.

Parece, entretanto, ser expectativa generalizada nos círculos comerciais estrangeiros que a simplificação do mecanismo cambial do Brasil traga forte estímulo às exportações, e que a tendência seria para uma gradual estabilização do cruzeiro em nível mais favorável que o do atual mercado livre. Sendo assim, é pouco provável um retardamento de compras à espera de novas depreciações cambiais. De qualquer maneira, o risco do importador estrangeiro seria o risco normal do mercado de câmbio, contra o qual poderia ele se proteger através de operações de *hedging* ou exigindo garantia de preços do exportador; e não o risco de súbitas alterações cambiais por decisão administrativa, tais como as que ocorrem no atual sistema.

De outro lado, a se admitir a persistência no exterior da expectativa de uma contínua depreciação do cruzeiro, a taxa fixa também não resolveria o problema do estímulo às exportações, senão que, por sua rigidez, talvez ainda mais o complicasse.

Um mercado de taxas flexíveis não significa flutuação indefinida de taxas. Pelo contrário, deve haver um esforço da autoridade cambial para manter as flutuações cambiais dentro de certo limite. O desejável é um *mercado flutuante liderado*, em que o Banco do Brasil anuncie as suas taxas de compra e venda e procure comandar o mercado, intervindo, dentro das limitações criadas pela ausência de reservas, com o propósito de moderar flutuações.

V — Métodos de simplificação cambial

Entre os vários métodos alternativos de simplificação do sistema cambial, no tocante a exportações, dois merecem maior atenção:

a) O de taxa livre flutuante;

b) O da pauta mínima.

No primeiro desses sistemas todas as exportações seriam lançadas no mercado livre sem qualquer cota de retenção pelo governo.

Já no sistema de *pauta mínima*, existiria uma cota de retenção de câmbio em favor do Banco do Brasil. Alega-se que este sistema teria a vantagem de conservar uma certa receita cambial para atendimento dos compromissos do governo, e evitar alta demasiado súbita da receita dos exportadores e subvencionar determinadas importações essenciais. Entretanto, essas vantagens seriam mais do que neutralizadas por outros percalços, como, por exemplo, a continuada expectativa de uma diminuição ou eliminação da cota de retenção e, ainda, os estorvos burocráticos que resultam da obrigação de venda de uma parcela das cambiais a um câmbio essencial.

A se fazer qualquer modificação no sistema cambial, é preciso fazê-lo por forma a eliminar, de uma vez por todas, a expectativa de novas manipulações. A não ser através da adoção do mercado de taxa livre puro e irrestrito, não parece haver cura para esse mal.

A única exceção seria talvez o café, para o qual se poderia considerar *uma cota de retenção* (35% por exemplo), a ser entregue ao Banco Oficial a uma taxa menos favorável que a do mercado livre, com o que se poderia exercer um efeito moderado de sustentação de preço. Mesmo assim, as pressões políticas internas para eliminar as quotas de retenção poderiam perpetuar o desconforto dos importadores estrangeiros. Assim a quota de retenção somente se justificaria como parte de um entendimento geral com outros produtores de café, visando à disciplina do mercado.

Para o propósito de evitar especulação baixista no mercado livre e permitir o exercício de um certo grau de liderança pelo Banco do Brasil, seria conveniente, pelo menos na fase inicial, adotar-se uma versão modificada do sistema proposto em recente estudo sobre reforma cambial feito por um grupo de técnicos da SUMOC e apresentado ao dr. Octávio Bulhões em 15 de março de 1955 (Doc. DECOR-A-11/55).

Segundo esse esquema, os exportadores entregariam todas as cambiais às agências do Banco do Brasil e receberiam certificados cambiais, em montante equivalente, à taxa livre, negociáveis em qualquer banco autorizado a operar em câmbio, dentro de um prazo de três dias. Os bancos comerciais, por sua vez, venderiam esses certificados aos importadores, dentro do prazo de 10 dias, findo o qual, se não vendido, teriam que repassá-los ao Banco do Brasil.

As vantagens desse sistema seriam as seguintes:

1 — A limitação de tempo impediria o exportador de reter o certificado para especular na baixa.

2 — A limitação do prazo de venda dos certificados e a obrigação de repasse ao Banco do Brasil obrigariam os bancos comerciais a manter suas taxas de compra e venda aproximadamente iguais às do Banco do Brasil, para diminuir o risco cambial do repasse; daí resultaria uma certa coibição de especulação baixista dos bancos, com menor instabilidade de taxas.

3 — Habilitaria o Banco do Brasil a comandar o mercado para evitar flutuações exageradas, dando-lhe ao mesmo tempo informação segura sobre o movimento da receita cambial.

Como desvantagem, há que considerar que, criando-se uma separação entre o mercado *livre* de certificados e o mercado *livre* de transferências financeiras, poderia haver dois níveis de taxas, com o que o exportador poderia ser levado a subfaturar no mercado de certificados, para lançar a diferença no mercado financeiro. Entretanto, esse desnível de taxas seria muito menor que no presente e o próprio subfaturamento tenderia rapidamente a nivelar os dois mercados.

Do Lado da Importação

O lançamento das exportações no mercado livre cria a necessidade de ajustamentos correlatos no sistema de importações.

Note-se, de início, que se a experiência universal demonstrou a impraticabilidade de taxas múltiplas de exportação, o mesmo não ocorre em relação a importações. O atual sistema de taxas múltiplas poderia ser modificado, sem novo recurso ao legislativo, valendo-se o governo da legislação existente, não totalmente satisfatória, a saber, o art. 2º da Lei nº 2.410, de 29 de janeiro de 1955.

Nessas condições, o sistema poderia ser assim construído:

1º) Todas as importações seriam liquidáveis através do mercado livre;

2º) Os ágios de licitação seriam substituídos por sobretaxas, calculadas alternativamente:

a) Ou como porcentagem dos ágios médios apurados nos leilões dos últimos três meses conforme previsto na lei nº 2.410;

b) Em porcentagem sobre a taxa do mercado livre vigorante para a transação.

O primeiro sistema, desde que calculado sobre a média dos ágios em dólares, e não sobre a média dos ágios em todas as moedas, parece aceitável, conquanto talvez não assegure um desestímulo suficientemente enérgico às importações.

O segundo sistema desestimularia melhor as importações, mas talvez agravasse a instabilidade de preços de importação, exigindo, além disso, nova ação legislativa.

Em qualquer dos dois sistemas, a licitação seria abolida. O desestímulo às importações, através da elevação de preços, seria feito mediante automática flutuação altista das taxas do mercado livre. É verdade que se perderia a discrição administrativa ora existente através do lançamento em leilão de cotas específicas das várias moedas. Esse tipo de controle, entretanto, está perdendo importância, à medida que se generaliza o movimento de conversibilidade européia. Além disso, haveria, até certo ponto, um racionamento automático das moedas, por isso que a concentração da procura num determinado tipo de moeda alargaria as *cross rates*, tornando automaticamente mais atraente desviar a demanda de importação para outras moedas.

Para facilitar a transição entre o atual sistema e o sistema livre, seriam necessários alguns corretivos, que podem ser assim listados:

a) Suspensão temporária das importações de alguns produtos não essenciais de 4ª. e 5ª. categoria, procedentes de áreas de moeda forte;

b) Manutenção do sistema de licitação para algumas áreas de moeda inconversível cobertas por acordos de pagamento.

É desnecessário outrossim enfatizar que o sistema do mercado livre de importação só se torna operável, sem grave perigo de agravamento do desequilíbrio de pagamentos, dentro de três condições, já mencionadas anteriormente:

1º) Que o crédito seja rigorosamente controlado para evitar que o sistema bancário financie uma demanda exagerada de importações;

2º) Que o sistema tarifário seja revisto, visando-se a incorporação eventual das sobretaxas cambiais, que só podem e devem ser de natureza temporária, à tarifa revista das alfândegas;

3º) Que se torne claro aos exportadores estrangeiros que transacionam com importadores brasileiros por sua conta e risco, sem qualquer responsabilidade governamental pela liquidação de dívidas comerciais.

O retorno ao regime de licença prévia, por vezes aventado para correção do desequilíbrio cambial, não parece nem politicamente factível, nem economicamente desejável, pelos seguintes motivos:

a) A administração do sistema, com as complicações burocráticas que lhe são inerentes, cria um *custo* econômico oculto, transformando o importador e o industrial num peticionário burocrático;

b) A liberação completa das exportações, para ser eficaz, exige também flexibilidade nas importações, pois que toda a exportação encerra um conteúdo importado;

c) A complexibilidade e variedade da atividade industrial torna complexíssimo o problema administrativo de racionar quantidades e selecionar importadores;

d) Haveria tendência para a criação, em favor de importadores, de lucros de escassez e monopólio, hoje canalizados para o governo por via da licitação cambial.

Haveria, entretanto, vantagem na emissão puramente simbólica e automática de *certificados de importação* pelo valor dos *certificados de câmbio* adquiridos pelos importadores e exibidos à autoridade controladora. Essa emissão seria automática e sujeita apenas a:

1) Conformidade entre o valor e moeda do certificado cambial e o montante da importação pretendida;

2) Pagamento pelo importador de 50% da sobretaxa devida, ficando o restante da sobretaxa para ser pago na alfândega, por ocasião da chegada da mercadoria.

A conveniência do sistema está em que automaticamente vincula a importação à existência de uma disponibilidade cambial, comprovada pelo certificado de câmbio. O pagamento imediato de 50% de sobretaxa daria ao governo uma massa inicial de manobra para atendimento dos compromissos governamentais mais urgentes, que o obriguem a recorrer ao mercado de câmbio, e contribuiria outrossim para o desestímulo à importação. A emissão de licenças seria, entretanto, automática e mecânica, sem qualquer exercício de arbitrariedade administrativa, quer na escolha de moeda, quer da mercadoria, quer do importador.

VI — Período de ajustamento

Várias e complexas repercussões terão uma reforma cambial do tipo sugerido. Deverão elas ser estudadas cuidadosamente antes de se tomar uma decisão final. Essas repercussões são muito mais extensas e sérias do lado da importação e encargos contratuais, que do lado da exportação. Entre elas vale citar as seguintes:

A) *O problema das importações subvencionadas*

Nenhuma reforma cambial será *realística* se não eliminar o subvencionamento cambial hoje dado às importações de petróleo, trigo, papel de imprensa, livros e publicações, etc. Esse subsídio tem um efeito *estimulador* artificial sobre o consumo desses bens, não justificado pelas perspectivas do nosso balanço de pagamentos. No fundo, o argumento de que favorecimento cambial, permitindo manter relativamente baixos e estáveis os preços dessas utilidades, auxilia a luta antiinflacionária é ilusório. Incrementam-se as importações desses produtos além das possibilidades reais da economia. Isso agrava a situação cambial, criando a necessidade dramática de estimular exportações. O incentivo às exportações, por sua vez, exige ou o acréscimo contínuo de bonificações, dificultadas ou mesmo impossibilitadas pela existência de importações maciças a taxas cambiais artificiais. As altenativas se tornam então, ou financiar inflacionariamente o pagamento da remuneração exigida pelo exportador, ou continuar com exportações estagnadas e enfrentar as conseqüências inflacionárias da redução da capacidade de importar. É indiscutível, entretanto, que os artigos de importação subvencionada, acima descritos, são *politicamente explosivos*, criando imponderáveis que escapam ao julgamento técnico.

B) *Encargos contratuais*

A eliminação da taxa oficial e ágios privilegiados criam problemas graves para as entidades do serviço público (ferrovias, concessionárias de energia elétrica etc.) as quais não podem absorver, sem correspondente ajustamento tarifário, o custo adicional de câmbio para amortização de seus financiamentos externos e mesmo para as importações destinadas ao custeio. Ainda aqui o remédio reside não na manutenção de taxas artificiais de câmbio, mas numa revisão corajosa da nossa política irrealista de tarifação de serviços públicos. O custo real do câmbio representa um ônus econômico como outro qualquer e tem que ser pago, de uma forma ou de outra, direta ou indiretamente, pelo usuário do serviço. Tarifas irrealísticas, em nível de subvenção, ocultam, porém não destroem esse ônus real. Para atenuar as inevitáveis dificuldades de transição criadas pela modificação e temporária instabilidade do custo de câmbio, poderia o governo, valendo-se do fundo criado pelas sobretaxas de importação, financiar parte do custo adicional do câmbio. Essa solução de emergência não dispensaria, entretanto, imediata revisão das tarifas de serviço público, para que o consumidor viesse a enfrentar o acréscimo do *custo real para a economia* imposto pelo desequilíbrio cambial.

VII — Conclusões

I — Ante a expectativa de desvalorização já criada no Brasil e no exterior pelas sucessivas modificações do sistema cambial, e tendo em vista a presente estagnação de exportações, é inevitável uma reforma cambial. Esta, entretanto, só surtirá efeito se for drástica e definitiva.

II — A despeito dos perigos inerentes a uma "desvalorização aberta", não parece haver alternativa a essa medida drástica. Consistiria ela na revogação da paridade oficial, permitindo-se que tanto exportações como importações se liquidassem pelo mercado livre; as importações seriam gravadas por sobretaxas fixas, conforme a categoria de essencialidade do produto, as quais, superpostas à taxa do mercado livre, substituiriam o atual sistema de taxa oficial mais ágio. Poder-se-ia considerar uma *quota de retenção cambial* para o café, porém unicamente no caso de lograrem êxito os entendimentos com os demais países produtores para o estabelecimento de uma disciplina de preços e estoques.

III — O objetivo fundamental e dominante do novo sistema seria o incentivo às exportações. Os ajustamentos no lado da importação seriam *conseqüênciais.* Tendo em vista: (a) A inexistência de reservas cambiais; (b) A inconveniência de controles diretos (quantitativos) de importação — teríamos que pensar em termos de taxas *flexíveis*, num mercado *livre* orientado, porém não rigidamente controlado, até que as próprias forças do mercado cristalizassem a taxa em torno de um nível de equilíbrio.

IV — A viabilidade do sistema exigiria uma consolidação, a longo termo, do grosso dos compromissos governamentais a curto e médio prazo. Essa proposta de consolidação talvez tivesse boa acolhida do governo norte-americano e do Fundo Monetário, porém unicamente *se ligada a um plano drástico e completo de reforma cambial.*

ANEXO II

Sugestões apresentadas pela embaixada em Washington ao
presidente João Belchior Marques Goulart, em preparação de sua visita ao
presidente John Fitzgerald Kennedy em 3 e 4 de abril de 1962.

ÍNDICE

I — PROBLEMAS DE NATUREZA POLÍTICA

1. POLÍTICA EXTERIOR

A política exterior do Brasil é essencialmente independente, objetivando a preservação da paz e a aceleração do desenvolvimento econômico e social do país, pelos métodos considerados mais convenientes aos interesses nacionais. Essa posição de independência em relação a blocos político-militares não deve ser confundida com a de "neutralismo" ou "não-alinhamento", de vez que o Brasil é fiel aos compromissos do sistema interamericano e não pretende cristalizar sua política em torno de novos agrupamentos de países.

2. SISTEMA INTERAMERICANO E O PROBLEMA DE CUBA

A participação do Brasil no Sistema Interamericano segue linha de fidelidade aos postulados jurídicos e políticos que presidiram a elaboração do Tratado do Rio de Janeiro e da Carta de Bogotá: autodeterminação e não-intervenção, que são as garantias máximas da soberania dos países americanos.

O Brasil considera que o Sistema Interamericano, como forma de convivência internacional, é suscetível de aperfeiçoamento notadamente no domínio da cooperação econômica. A Ata de Bogotá e a Carta de Punta del Este representam o produto das aspirações dos países da América Latina, das quais o Brasil foi o vanguardeiro, através da Operação Pan-Americana.

Na VIII Reunião de Consulta dos ministros das Relações Exteriores dos países americanos, a posição brasileira foi coerente com essas coordenadas de sua política externa: 1) Ao reconhecer a incompatibilidade jurídico-ideológica do marxismo-leninismo com o exercício da democracia representativa, postulada na Carta da Organização dos Estados Americanos; 2) Ao sustentar a inexistência na mesma Carta de pressupostos jurídicos para a exclusão de um Estado-membro. Essa dupla linha de ação reconhece a existência do problema criado pelo advento de um regime marxista no continente, sustentando ao mesmo tempo que antepor sanções ou medidas de mera cominação política, sem base jurídica válida, a males de caráter sócio-econômico constitui terapêutica inadequada, de generalização desaconselhável.

Não constitui a posição brasileira defesa de um regime ou sistema político de base ideológica extracontinental, mas, simplesmente, reconhecimento de um nexo de causalidade entre subdesenvolvimento econômico e fermentação revolucionária no continente.

3. INTEGRAÇÃO LATINO-AMERICANA

A política externa brasileira tem-se orientado, sistematicamente, ademais, pela integração latino-americana, seja pelo pleno apoio que vem dando à Área Livre de Comércio Latino-Americano, seja pelo alargamento do processo de consulta com os países vizinhos, de forma sistemática, como reconhecimento dos interesses comuns que os unem. Essa modalidade de cooperação latino-americana visa criar nova mentalidade continental, semelhante à que propiciou na Europa Ocidental a criação do Mercado Comum Europeu, após a recuperação proporcionada pelo Plano Marshall.

Uma das iniciativas mais importantes a tomar em futuro imediato, no ver do governo brasileiro, seria dar seguimento às recomendações do Título III, parágrafos 6 e 9 da Carta de Punta Del Este, com respeito ao financiamento de comércio de produtos industriais. Neste particular, o governo brasileiro já está-se dirigindo aos governos americanos para propor-lhes emenda aos Estatutos do Banco Interamericano, com vistas à criação de uma carteira para financiamento de exportações industriais dos países da América Latina, o que será poderoso instrumento de reforço da Área de Livre Comércio.

II — PROBLEMAS DE NATUREZA ECONÔMICA

1. ALIANÇA PARA O PROGRESSO

a) Problemas fundamentais

O governo brasileiro vê com satisfação que os ideais de progresso econômico e de ordem social que sempre constituíram os seus objetivos nacionais representam hoje um alvo comum para todas as nações do sistema panamericano. Esses ideais estão definidos na Aliança para o Progresso, transformada de aspiração em norma de comportamento político das nações americanas.

O governo brasileiro considera, porém, que a Aliança para o Progresso só alcançará os seus objetivos se os esforços a que os governos americanos estão concitados refletirem um conhecimento realista das causas dos problemas característicos das nações do continente, na sua luta pelo desenvolvimento e da natureza das medidas a serem adotadas para sua correção.

A esse respeito, o governo brasileiro considera fundamental o reconhecimento de que a aceleração do processo de crescimento econômico e desenvolvimento social da América Latina só será efetivamente desencadeada, no contexto democrático em que se espera alcançá-lo, se a assistência externa, indispensável à implantação das reformas internas, acorrer de maneira substancial para áreas e setores demonstrativos, proporcionando o efeito catalisador imprescindível à mobilização dos recursos morais e financeiros internos de cada país.

O governo brasileiro se compraz em ver que o governo norte-americano está disposto a uma ação comunitária do tipo demonstrativo no Nordeste brasileiro. Considera, no entanto, indispensável que, dada a enorme extensão geográfica do país e a diversidade dos problemas existentes, o mesmo efeito demonstrativo seja estendido a outras áreas e setores da sua economia.

b) Comissões mistas

Um dos pontos que merecem ser aprofundados em conversações entre os dois governos é o estabelecimento de um mecanismo capaz de dinamizar no nível operacional a Aliança para o Progresso, facilitando a preparação, exame preliminar e encaminhamento de projetos e sua integração em programas tanto estaduais e regionais como de natureza global, a médio e a longo prazos, e para os quais será solicitada cooperação financeira. A propósito, vale relembrar que a representação brasileira ao Comitê dos Nove, reunido em Washington em meados de 1960, para estudar fórmulas para implementar a Operação Panamericana, propôs a criação de Comissões Nacionais Mistas, idéia que na época foi considerada prematura, mas que agora está merecendo renovada atenção.

Nas relações entre o Brasil e os Estados Unidos há a proveitosa experiência do magnífico trabalho realizado pela Comissão Mista Brasil-Estados Unidos, no período 1951/1953, e ainda recentemente foi usada com êxito a mesma técnica para o exame conjunto do Programa de Desenvolvimento do Nordeste.

Acredita o governo brasileiro que,aproveitando essa experiência será possível estabelecer estreitos vínculos de colaboração técnica-econômica entre os dois países, melhorando e acelerando as perspectivas de êxito da Aliança para o Progresso.

2. FUNDO DE ESTABILIZAÇÃO DAS RECEITAS DE EXPORTAÇÃO

O governo brasileiro vê com satisfação o interesse crescente do governo norte-americano em participar de esquemas internacionais destinados a promover uma melhor ordenação no comércio internacional de produtos de base, mediante não somente a atenuação de impacto negativo das flutuações cíclicas nas receitas de exportação dos países menos desenvolvidos, exportadores de produtos primários, mas também mediante a participação em acordos internacionais de estabilização dos preços de certos produtos.

Nesse sentido, o governo brasileiro deseja manifestar seu apreço pela cooperação norte-americana na implementação da recomendação constante do parágrafo 5, do Capítulo II, do Título IV da Carta de Punta del Este, relativa à criação de um fundo de financiamento compensatório. Não pode, porém, deixar de expressar sua inquietação com relação a dois pontos que, no entender do governo brasileiro, são fundamentais para o progresso das negociações ora em curso.

O primeiro diz respeito à relutância do governo norte-americano em participar de um fundo regional com recursos adequados, caso as negociações para a criação de um fundo universal se provem longas ou infrutíferas.

O governo brasileiro esperaria encontrar, da parte do governo norte-americano, uma disposição mais clara de participação substancial num esquema regional, em consonância com os compromissos assumidos coletivamente em Punta del Este.

O outro ponto de inquietação é a posição, que parece está sendo firmada pelo governo norte-americano, de filiar a projetada instituição de financiamento compensatório ao Fundo Monetário Internacional.

Parece ao governo brasileiro que a natureza específica das operações contempladas para o fundo compensatório justifica uma substancial autonomia para a nova instituição, na qual se concentram as esperanças de tantas nações latino-americanas. A vinculação do novo fundo ao Fundo Monetário Internacional, com objetivos e políticas diferentes, significaria trazer a nova instituição para uma área de controvérsia, o que só seria vantajoso evitar.

3. ACORDO A LONGO PRAZO DO CAFÉ

O governo brasileiro empresta grande importância às atuais negociações, dentro do Grupo de Estudo do Café, para um Acordo a Longo Prazo e julga da maior conveniência, a fim de tornar mais eficaz a cooperação internacional na solução dos problemas do café, a participação dos principais consumidores deste produto no futuro Pacto.

Deste modo, veria o governo brasileiro, com a maior satisfação, esforços do governo norte-americano, junto aos demais principais países consumidores de café, no sentido de torná-los mais receptivos à idéia de um Acordo a Longo Prazo sobre Café, em bases mutuamente vantajosas e conducentes a uma real solução do problema.

4. O PROBLEMA DOS SUPRIMENTOS DE TRIGO NORTE-AMERICANO AO BRASIL. NECESSSIDADE DE ACORDO A LONGO PRAZO

Os suprimentos de trigo norte-americano ao Brasil, sob a P.L. 480, representam mais do que mero suprimento de um indispensável bem de consumo. Trata-se, simultaneamente, de um alimento de grande significação, de importante recurso para a aceleração do desenvolvimento econômico do país e de instrumento de equilíbrio, tanto interno — antiinflacionário — como externo, com impacto positivo no balanço de pagamentos.

O fato de que os suprimentos de trigo norte-americano dependem de complexa negociação anual é fonte de desencorajamento para as autoridades brasileiras. Há algum tempo deseja o Brasil incrementar o volume de suas compras nos Estados Unidos da América e negociar um ajuste para fornecimentos a longo prazo, a exemplo dos concluídos pelo governo norte-americano com outros países e com o próprio Brasil, para o período 1956/1958, com resultados satisfatórios.

O início das negociações para um ajuste a longo prazo vem sendo sucessivamente adiado pelo governo norte-americano, com o argumento de que não deseja perturbar o mercado do supridor tradicional, a República Argentina. O Brasil não pretende modificar a estrutura do seu intercâmbio com a Argentina, mas deseja assinalar que os fornecimentos argentinos, examinados à luz da experiência, são suficientes para cobrir apenas cerca de metade das necessidades de importação, calculadas em relação ao abastecimento dos níveis insuficientes que hoje prevalecem, e que o Brasil assinou um ajuste a longo prazo (três anos, renováveis) para compra de trigo argentino, em quantidades superiores à média histórica dos fornecimentos daquele país.

As conseqüências negativas dos exercícios anuais de renegociação do ajuste de trigo com os Estados Unidos da América refletem-se sobre o abastecimento brasileiro, cuja precariedade habitual é acentuada, e sobre o planejamento da utilização dos recursos em cruzeiros gerados pelos acordos, impossibilitando a programação antecipada ou em maior escala de projetos de desenvolvimento econômico e social.

O governo brasileiro espera que não persistirá a atual discriminação quanto à duração dos ajustes e está disposto a propor negociações tripartites a fim de eliminar definitivamente mal-entendidos sobre o assunto.

5. O PROBLEMA DAS EXPORTAÇÕES BRASILEIRAS DE AÇÚCAR PARA OS ESTADOS UNIDOS DA AMÉRICA

A concessão de uma quota de açúcar (na hipótese de ser mantido o sistema vigente) é reivindicada a fim de corrigir uma anomalia nas relações entre os dois países. As exportações de açúcar brasileiro não têm acesso assegurado ao mercado norte-americano, apesar de ser o Brasil 1) O maior importador da América Latina de produtos agrícolas dos Estados Unidos da América; 2) O maior produtor de açúcar do mundo livre; e 3) O único grande produtor mundial sem acesso a mercados preferenciais.

Dadas as limitadas perspectivas, no curto prazo, para a expansão de outras exportações brasileiras, o açúcar: 1) Oferece a melhor oportunidade para a expansão em larga escala do intercâmbio entre duas grandes economias agrícolas; e 2) Contribuiria decisivamente para o desenvolvimento do Nordeste brasileiro, uma vez que, segundo a legislação brasileira vigente, a diferença positiva entre o preço das vendas para os Estados Unidos da América e o de colocação no mercado internacional é canalizada para programas de desenvolvimento econômico e social daquela região, dentro do espírito da Aliança para o Progresso, de forma a beneficiar um largo segmento da população.

6. BALANÇO DE PAGAMENTO E EMPRÉSTIMOS PARA DESENVOLVIMENTO ECONÔMICO

O Balanço de Pagamento do Brasil demonstrou no ano passado melhora sensível e as perspectivas para 1963 são mais favoráveis, esperando-se que os créditos já concedidos ao Brasil, mas ainda não desembolsados, sejam suficientes para cobertura de qualquer déficit eventual neste ano. Embora as conversações para a liberação desses créditos estejam chegando a bom termo, é preciso evitar no futuro fricções resultantes do desejo por parte de instituições financeiras internacionais de aplicarem critérios rígidos, geralmente em desarmonia com as realidades econômicas, sociais e políticas dos países subdesenvolvidos.

O Fundo Monetário Internacional, apesar de algumas hesitações e demoras, parece tender para uma compreensão maior dos problemas dos países subdesenvolvidos, como o Brasil. O Banco Internacional, entretanto, não concede nenhum empréstimo ao Brasil, há mais de três anos, colocando-o em posição de membro inativo daquela entidade internacional de crédito. Além disso, em declarações públicas e privadas tem expressado dúvidas sobre o crédito internacional do país, o que muito contribui para reduzir esse crédito. No mesmo período o Banco concedeu 400 milhões de dólares de empréstimos à América Latina e o dobro desta soma para quatro países da Ásia. Esta situação é injusta para com o Brasil, ao qual só resta escolher entre duas soluções alternativas: tentar obter dos Estados Unidos e dos outros países membros da Organização de Cooperação Econômica e de Desenvolvimento, que em conjunto têm a maioria de votos na diretoria do Banco Internacional, que instruam os seus representantes, na mesma, a exigir da Administração do Banco o reinício de operações normais com o Brasil ou, falhando essa hipótese, retirar-se do Banco e de suas instituições afiliadas (IFC e IDA), aumentando a sua contribuição ao Banco Interamericano, mais afeito aos problemas que se nos defrontam.

A Aliança para o Progresso é uma decisão política que deve permear as ações de todos os organismos subordinados aos dois governos e dos seus representantes nas organizações internacionais de que fazem parte. Urge, portanto, tomar os passos necessários nesse sentido, dos quais poderá em grande parte depender o êxito global da Aliança para o Progresso.

7. MEDIDAS INTERNAS BRASILEIRAS, RACIONALIZAÇÃO DA CAFEICULTURA

Entre as medidas fundamentais, necessárias ao set interno, está o governo brasileiro firmemente empenhado em executar o programa de racionalização da estrutura agrária das principais regiões cafeicultoras do seu território, desenvolvendo e implementando os planos preliminares já existentes. Esse programa prevê, além da melhoria na qualidade do café produzido, a erradicação de um bilhão de cafeeiros, após a colheita do presente ano; de igual número adicional, após a colheita de 1963/64; e a diversificação da produção agrícola dessas áreas.

O referido programa, de grande relevância para a economia agrícola brasileira, visa criar condições mais eficientes e estáveis de produção, corrigindo uma causa permanente de desequilíbrio econômico e financeiro.

Os estudos preliminares que o governo brasileiro está em condições de apresentar ao governo americano indicam a necessidade de financiamento parcial do programa, cujo montante seria estabelecido após investigação mais pormenorizada, de que se poderia incumbir o Grupo Executivo de Racionalização da Cafeicultura, com o auxílio de missão norte-americana de assistência técnica. Essa missão, que deveria incluir pelo menos um economista especializado em programação e produtividade agrícolas, elaboraria, de comum acordo com o Grupo Executivo brasileiro, o Plano Diretor definitivo do Programa, fixando ainda o montante de financiamento que se fará necessário para o êxito do empreendimento.

8. INVESTIMENTOS PRIVADOS NORTE-AMERICANOS NOS SERVIÇOS PÚBLICOS DO BRASIL

Com referência à participação de capitais privados norte-americanos em serviços públicos no Brasil, seria de toda conveniência eliminar focos de atrito que tendem a se agravar e multiplicar, prejudicando as boas relações entre os dois países. Sempre que admitida a existência de condições que tornam impraticável a expansão ou a própria continuação, em bases comerciais razoáveis, das atividades das empresas que operam no setor de serviços públicos, a solução para esse problema seria a transferência negociada, amigável, ordeira e pacífica, da propriedade daquelas empresas para o setor público, de acordo com os seguintes princípios que regeriam a nacionalização das mesmas:

1) Negociação global, compreendendo todos os investimentos privados norte-americanos no setor de serviços públicos, inclusive as empresas já em processo de desapropriação. Essa negociação global, apoiada por ambos os governos, visaria tranqüilizar os investidores privados, garantindo-lhes tratamento adequado e encorajando-os a transferirem seus capitais para outros setores não sujeitos a controle de tarifas e a limitação de rendimentos.

2) Pagamento de "justa e prévia indenização" pela desapropriação das empresas, conforme exigido pela Constituição brasileira.

3) Avaliação da justa indenização mediante processo de entendimento mútuo, seja através de técnicos indicados pelas partes, seja através de arbitramento pelo presidente do Supremo Tribunal Brasileiro, na hipótese de desacordo entre os técnicos.

4) Pagamento a prazo da indenização, em cruzeiros, à taxa do mercado de câmbio livre que prevalecer na data das prestações.

5) Reinvestimento de parcela substancial, superior a 2/3, dos juros e amortizações e da parte correspondente à compra de ações e dos créditos devidos a acionistas, na economia brasileira, em setores vistos pelo governo brasileiro como úteis ao desenvolvimento do país.

6) Compromisso do governo norte-americano:

    a) De assegurar, junto às suas agências financiadoras, o mesmo tratamento e a manutenção de igualdade de condições para a empresa nacionalizada;

    b) De se empenhar, no mesmo sentido, junto às entidades financiadoras internacionais em que dispõe de representação; e

    c) De apoiar, quando pertinente, gestões brasileiras para alongamento dos prazos dos atuais compromissos, a fim de liberar recursos para o financiamento da expansão das operações ou criar determinada folga cambial que, convertida em cruzeiros, permita a compra das ações.

7) Compromisso do governo brasileiro de se empenhar, junto aos governos estaduais e municipais, no sentido de não ser exercido o direito de tomar iniciativas unilaterais enquanto perdurasse a negociação global, que teria prazo pré-fixado.

Acertados os princípios para a nacionalização global daquelas empresas, uma comissão mista de alto nível se encarregaria da negociação.

A solução proposta corresponderia a um reconhecimento, de ambas as partes, de que o problema não é decorrência de clima geral anticapital estrangeiro mas sim de uma evolução econômica que se vem processando em todos os países em desfavor da colaboração privada no setor dos serviços públicos.

9. COMUNIDADE ECONÔMICA EUROPÉIA.
RESTRIÇÕES ÀS IMPORTAÇÕES DE CAFÉ LATINO-AMERICANO

A imposição pela Comunidade Econômica Européia de uma tarifa comum ao café latino-americano é altamente prejudicial à economia cafeeira brasileira e de conseqüências desfavoráveis ao intercâmbio comercial entre o Brasil e os países da Comunidade. Da mesma maneira, as restrições impostas ao consumo do café nos países da Comunidade, por via de elevados impostos internos, e as restrições quantitativas de natureza discriminatória, afetam o comércio entre a América Latina e os países da Comunidade e contribuem para aumentar a instabilidade no mercado internacional do café.

O governo brasileiro aprecia os esforços que o governo norte-americano vem desenvolvendo junto aos países da Comunidade Econômica Européia, no sentido de conseguir um tratamento não discriminatório para as exportações de café dos países da América Latina e, nesse sentido, deseja expressar sua firme convicção de que o apoio do governo norte-americano em defesa dos pontos-de-vista dos países produtores de café latino-americanos é da maior importância para o êxito das futuras negociações junto à Comunidade Econômica Européia.

10. MERCADO COMUM EUROPEU, APOIO
À POSIÇÃO DOS PAÍSES SUBDESENVOLVIDOS

O governo brasileiro acompanha com interesse vital as gestões que vêm sendo realizadas pelo governo norte-americano junto à Comunidade Econômica Européia, no sentido de evitar a formação de "esferas de influência", abrangendo países ligados ao Mercado Comum Europeu por tratamento preferencial e discriminatório. Compartilha o governo brasileiro do ponto de vista norte-americano sobre os perigos que advirão da quebra de unidade do mundo subdesenvolvido e lastima que não tenha sido sempre possível ao governo dos Estados Unidos da América conjugar seus esforços nesse sentido com as iniciativas tomadas por países latino-americanos, individual ou coletivamente, ou, ao menos, informar os governos daqueles países do sentido das gestões norte-americanas.

A perspectiva de aprovação da nova política de comércio exterior proposta pela administração Kennedy, destinada a "promover o estabelecimento de um sistema do comércio aberto e não-discriminatório no mundo livre" e a "assistir o progresso econômico dos países em desenvolvimento" é também especialmente apreciada pelo governo do Brasil, na medida em que registra o reconhecimento da necessidade de tratamento especial do intercâmbio com os países subdesenvolvidos como condição indispensável para possibilitar o desencadeamento, naqueles países, de processos de aceleração do progresso econômico e social. Entende o governo brasileiro que o condicionamento da redução ou eliminação de tarifas e restrições à importação de produtos agrícolas ou florestais de origem tropical à adoção pela CEE de tratamento semelhante, corresponde à fórmula de pressão sobre aquela Comunidade mas não significa necessariamente que, na hipótese da não-adoção, o governo dos Estados Unidos da América se recusaria a examinar o problema.

O governo do Brasil deseja registrar seu reconhecimento pelos esforços realizados e espera que os Estados Unidos da América continuem a usar da sua influência para a) Impedir que, com o acesso do Reino Unido e da Comunidade Britânica ao Mercado Comum Europeu, se alargue a área de discriminação contra produtos brasileiros e b) Apoiar a liberação total do comércio de matérias-primas e artigos tropicais produzidos em países subdesenvolvidos. Finalmente, na hipótese de marcharem os Estado Unidos da América para maior integração com a CEE, arrastando consigo países de Ocidente, espera-se que fique assegurado aos países em desenvolvimento, além da liberação do comércio de produtos tropicais, o direito de manter tarifas de industrialização durante o período de sua transformação estrutural de produtores primários em áreas industrializadas.

1. ALIANÇA PARA O PROGRESSO

a) Problemas fundamentais

NATUREZA DO PROBLEMA

As políticas de cooperação econômica internacional aos países subdesenvolvidos têm levado, sistematicamente, à formação de trágicos circulos viciosos (que se acrescentam à imensa lista de obstáculos que parecem impedir o processo de desenvolvimento dos mesmos).

Nesse sentido, parece relevante destacar o que comumente se tem designado de cláusulas de auto-ajuda *(self-help clauses)*, que acabam sempre aparecendo, quer nos ajustes internacionais de cooperação entre países desenvolvidos e atrasados, quer no período de execução desses acordos, embora não constem explicitamente dos textos ajustados.

Até a Aliança para o Progresso, exigia-se que os países subdesenvolvidos adotassem medidas de autodisciplina monetária e fiscal, que eram consideradas necessárias para o bom aproveitamento dos recursos externos que se tornariam eventualmente disponíveis. Não ocorria aos dispensadores de assistência que essa falta de disciplina era provavelmente muito mais a conseqüência de estagnação econômica, em regime de acelerado crescimento demográfico e de urbanização sem adequada industrialização, do que, propriamente, de incontinência leviana dos governantes, que apenas tentavam reter o quinhão da renda real tradicionalmente utilizado pelo governo.

A partir da Aliança para o Progresso, entretanto, novos perigos vieram adicionar-se aos acima indicados. Com efeito, além das medidas de autodisciplina monetária e fiscal, incluíram-se como medidas indispensáveis de *self-help* toda uma série de profundas reformas institucionais nos campos da educação e saúde; do pleno-emprego; da reforma agrária; da estrutura fiscal, inclusive com objetivos redistributivos; da habitação popular; etc; etc. Se não há dúvida de que todas essas reformas são desejáveis e devem constar dos programas dos governos latino-americanos, também não há dúvida de que muitas delas só serão possíveis (ou ao menos serão muito facilitadas) em regime de crescimento econômico acelerado. Em outras palavras, toda a gama de deficiências estruturais e institucionais características de países subdesenvolvidos, estagnados ou semi-estagnados, tornou-se candidata à remoção imediata, através de reformas de base, que por sua vez são apontadas como novos pré-requisitos para dar-se início ao fluxo de assistência externa.

Se prevalecer essa interpretação, que vem ganhando muito terreno no Congresso americano e nas categorias intermediárias do Executivo americano, estará perdida a Aliança para o Progresso.

Objetivo

A solução será a adoção da tese da simultaneidade entre assistência e reforma, como indicado na apresentação tópica do assunto. Essa tese não está explícita, quer na Carta de Punta del Este, quer na Acta de Bogotá, porém está implícita em numerosos artigos de ambos instrumentos. No artigo 4, por exemplo, do Capítulo I do Título II da Carta de Punta del Este, quando se declara que "em apoio de *programas* bem concebidos, que incluam as reformas estruturais necessárias..." cerca de 20 bilhões de dólares deverão ser supridos, fica claro que as reformas não devem preceder a assistência senão em *intenção*, por terem sido incluídas em *programas,* que por sua vez não apenas o mapeamento do terreno a ser percorrido no futuro.

Sugestões

Parece, assim, importante que se apóie fortemente essa interpretação, não deixando margem para a tese da precedência do *self-help*, sobretudo na versão altamente inflada do que se contém na Carta de Punta del Este. É essa explicação para o sugerido no memorando do presidente.

Negociações

Não existem, no momento, negociações extensivas sobre o assunto, que ainda não permeou oficialmente o Executivo americano. Espera-se que através de oportunidades como a presente, de troca de vistas nos mais altos níveis, seja possível impedir a consolidação da interpretação restritiva nos escalões operativos da Aliança.

b) Mecanismo da Aliança para o Progresso

A Aliança para o Progresso tem encontrado sérios problemas de implementação devido à insuficiência de mecanismos dinâmicos que sejam capazes de traduzir os desejos e as decisões de alto nível necessariamente gerais, em projetos e realizações no nível operacional. O grupo dos nove peritos, em que pese a incontestável alta qualidade de seus membros individuais, não dispõe de meios materiais ou legais que lhe permita exercer uma função dinâmica no sentido de uma tradução rápida das intenções e decisões de Punta del Este em atos e obras concretas. Os povos, brasileiro e americano, embora reconheçam a primazia espiritual dos princípios, são imbuídos de uma impaciência inata para vê-los tornados realidade, sobretudo quando se acostumaram a ouvir no passado promessas grandiosas que ficaram suspendidas no vácuo.

Nestas condições, acredita-se que uma experiência fértil, das relações entre os dois países, deve ser relembrada, não para voltar-se ao passado, mas para construir sobre ela para o futuro. Trata-se da Comissão Mista Brasil-Estados Unidos que se reuniu no Rio de Janeiro de 1951 a 1953, ano em que foi prematuramente extinguida. A experiência dessa Comissão demonstra os grandes serviços que organismos mistos, desse tipo, poderão prestar à Aliança para o Progresso, como órgãos de implementação prática. Poderiam ser constituídas, nos diversos países, ou em grupos de países, por técnicos locais, que trabalhariam em conjunto com técnicos do Banco Interamericano, da OEA, da Cepal, da Agência de Desenvolvimento Internacional e, possivelmente, de peritos europeus e japoneses, para concretizar a necessária participação dos países da OECD no esforço comum da Aliança para o Progresso.

Evidentemente não é possível repetir-se exatamente uma experiência útil, mas de certa forma ultrapassada por acontecimentos de uma década. É necessário adaptar as funções, estrutura e termos de referência das Comissões, para incluir os novos conceitos que se fizeram vencedores com a Aliança. Pode-se, também, por um entendimento claro inicial, dirimir as dúvidas das instituições de crédito que participassem, as quais mostram certa relutância em colaborar na elaboração ativa de projetos com o receio de que sua participação nesta fase seja interpretada como significando um compromisso de financiamento.

Objetivos brasileiros

O objetivo brasileiro é de intensificar a concretização da Aliança para o Progresso, com evidentes vantagens para o Brasil, mas também para os Estados Unidos que, como nós, temem a criação de um clima de desilusão e de frustração com repercussões políticas extremamente desfavoráveis. O exemplo da recente Comissão Mista *ad hoc* para estudar o problema do Nordeste brasileiro, que encurtou decisivamente os trâmites de cooperação econômica para aquela área, mostra bem a utilidade desse gênero de comissão, para agir sobretudo naquelas áreas em que houver menor experiência de elaboração de projetos e programas. Os campos de educação e saúde que incluiriam campanha maciça de combate ao analfabetismo e instalação de rede de escolas vocacionais, a organização de rede de postos de saúde no interior, etc., representam áreas em que projetos envolvendo somas de recursos relativamente pequenas poderiam ter grande impacto, fazendo com que as populações tivessem o sentimento de participação na Aliança, pré-requisito para que se consiga uma cristalização de ânimos capaz de levar adiante as reformas e os esforços necessários de investimento para um combate eficaz ao subdesenvolvimento.

Negociações em curso

Não há propriamente negociações em curso, mas têm-se realizado em Washington conversações informais, entre elementos do governo brasileiro e do americano, e o perito brasileiro na Comissão dos Nove também tem mantido, em caráter pessoal, conversas sobre o assunto com os responsáveis norte-americanos pela Aliança. Tem havido boa receptividads da parte deles, também impacientes com a morosidade do mecanismo da Aliança. A Comissão dos Nove não seria atingida na sua função de coordenadora e sobretudo na de dar sua sanção aos planos nacionais, facilitando a formação de consórcios de agências financiadoras e dando peso aos pedidos de financiamento internacional para os planos nacionais, através destes consórcios.

Sugestões

Parece útil ser o assunto discutido informalmente na semana precedente à visita do presidente e conforme o adiamento destas conversas, apresentar o problema em mais alto nível para chegar-se já a uma fórmula ao menos provisória ou para intensificar a consideração do assunto pelos níveis operacionais.

2. FUNDO DE ESTABILIZAÇÃO DAS RECEITAS DE EXPORTAÇÃO

I. Antecedentes e descrição do problema

Os países exportadores de matérias-primas encontram dois tipos de problemas sérios para a elevação ou mesmo a simples manutenção do ritmo de suas receitas de exportação, ainda quando conseguem assegurar ritmo crescente no volume de suas exportações. Esses problemas são, de um lado, as variações cíclicas dos preços dos produtos primários, ocasionadas pelo comportamento da demanda *(business cycles)* ou por modificações nas condições de oferta, derivadas do ciclo de produção de certos produtos primários, e de outro lado, a deterioração constante dos termos de intercâmbio entre produtos primários exportados e produtos industriais importados.

Essas flutuações nas receitas de exportações são particularmente graves para os países subdesenvolvidos em processo de desenvolvimento, os quais dependem de importações substanciais para a manutenção do seu ritmo de desenvolvimento.

O problema vem de há muito preocupando os países menos desenvolvidos, exportadores de produtos básicos e já foi objeto de estudos por técnicos das Nações Unidas, do Fundo Monetário Internacional e da Organização dos Estados Americanos.

Na conferência extraordinária do CIES, em nível ministerial, reunida em Punta del Este, em agosto de 1961, os países do continente aprovaram uma Resolução no sentido de ser convocado um grupo de técnicos para examinar as medidas e propostas já apresentadas para a solução do problema das compensações por quedas nas receitas de exportação e redigir um anteprojeto de Acordo para a criação de uma instituição internacional destinada a proporcionar este tipo de compensação.

O Grupo se reuniu em Washington entre janeiro e março do corrente ano e após examinar as propostas existentes considerou-as insatisfatórias ou por contemplarem mecanismos de seguro de extrema complexidade e difícil aceitação pelos países subdesenvolvidos, como a proposta dos técnicos das Nações Unidas; ou por abordarem o problema do ponto de vista do balanço de pagamentos e das políticas cambiais dos países membros, como é o caso das medidas aplicadas pelo FMI ou, finalmente, por contemplarem fórmulas de financiamento compensatório insuficientes como a dos técnicos da Organização dos Estados Americanos.

O Grupo considerou ainda que o problema da deterioração secular das relações de intercâmbio não poderia ser abordado neste estágio, pois viria criar obstáculos intransponíveis à criação de um fundo de compensação por quedas a curto prazo nas receitas de exportação, para o qual se encontrariam mais receptivos os países industriais, cuja contribuição seria indispensável ao estabelecimento da instituição.

Em conseqüência, o Grupo formulou sugestões e preparou uma minuta de Acordo no sentido da criação de uma instituição destinada simplesmente a conceder financiamentos compensatórios aos países menos desenvolvidos exportadores de matérias-primas, numa proporção substancial das quedas de suas receitas de exportação.

A instituição seria substancialmente autônoma, embora pudesse ser administrada por alguma instituição internacional já existente.

O direito de saque pelos países membros estaria governado não por suas contribuições de capital para o organismo mas pelo volume das suas quedas de receita.

A obtenção dos financiamentos e o seu repagamento estariam subordinados a fórmulas automáticas, não podendo a instituição condicionar os créditos à adoção de políticas específicas por parte dos países membros.

Os países menos desenvolvidos contribuiriam com um terço do capital subscrito, pagando sua contribuição em moedas conversíveis, e teriam direito a receber juros pelo montante das subscrições pagas. Os países industriais contribuiriam com o restante do capital subscrito. Apenas os países menos desenvolvidos teriam direito a sacar contra a instituição.

As conversações em nível técnico chegaram a bom termo, com apenas dois problemas deixados em aberto: o problema da criação de uma instituição regional e o problema da filiação da instituição a algum organismo internacional já existente.

O governo norte-americano insiste em que a instituição deva ser de caráter universal e se mostra reticente quanto à possibilidade do estabelecimento de uma instituição nacional, com volume adequado de recrusos, caso não se possa obter, em prazo razoável, o apoio dos demais países do mundo para constituição de uma instituição universal.

O governo norte-americano parece firme, ainda, na disposição de subordinar a instituições e a conveniência desse procedimento para se obter o concurso dos demais países industriais.

II. Objetivos do governo brasileiro

O Brasil tem objetado vigorosamente às teses norte-americanas quanto a esses dois pontos.

Embora reconhecendo que a natureza do problema requer uma solução universal, e conquanto disposto a apoiar a criação de uma instituição universal quando da próxima reunião do Comitê Consultivo Internacional sobre o Comércio de Produtos de Base, a se realizar em Roma, em maio do corrente ano, acredita que dentro das obrigações assumidas em Punta del Este os países americanos não podem deixar de contemplar a necessidade de criação de uma instituição regional, caso as negociações para a conclusão do acordo no plano universal se mostrem longas ou infrutíferas.

O governo brasileiro considera, ademais, que a criação de um fundo regional não pode servir de obstáculo à eventual criação de um fundo internacional, no qual seria absorvido o organismo regional que se viesse a criar.

É opinião do governo brasileiro que a instituição de financiamento compensatório é instrumento indispensável à implementação do programa da Aliança para o Progresso. Na verdade, se não se assegura aos países latino-americanos a manutenção de um nível adequado de receitas cambiais, dificilmente poderão eles sustentar o nível de exportações necessário à execução dos programas de industrialização e de diversificação das economias exportadoras, sem os quais os programas nacionais de desenvolvimento poderão ficar seriamente comprometidos.

Quanto ao segundo ponto, o da subordinação do fundo compensatório ao Fundo Monetário Internacional, parece ao governo brasileiro que a solução é inadequada e contraproducente. Inadequada, pelos perigos que dela pode resultar para os próprios objetivos da instituição, os quais não se confundem com os objetivos do FMI, o qual procura condicionar seu auxílio financeiro à adoção de políticas econômicas determinadas e de que o fundo compensatório pretende funcionar em bases puramente automáticas. Contraproducente, porque a medida representaria trazer o fundo compensatório para uma área de controvérsia e de atritos. Ainda quando se procurasse salvaguardar as características de automaticidade nas operações do fundo compensatório, a verdade é que nem todas as operações na instituição podem ser automáticas e os países membros terão eventualmente que consultar com a instituição. Dificilmente se poderia conceber que, nessas ocasiões, o FMI não procurasse impor aos países membros do fundo compensatório as obrigações e as exigências que constituem a norma para suas operações ordinárias.

O governo brasileiro desejaria ver pois uma disposição mais definida por parte dogoverno norte-americano no sentido de a) Apoiar a criação de um fundo compensatório regional com volume de recursos adequados, dentro do espírito da Aliança para o Progresso, caso as negociações para a criação de um fundo universal não cheguem a bom termo em prazo razoavelmente curto; e b) Apoiar a criação da instituição compensatória, universal ou regional, em bases substancialmente autônomas.

III. Recomendações para o presidente

Seria conveniente que os dois assuntos acima abordados fossem tratados por ocasião da visita do presidente João Goulart aos Estados Unidos da América e fizessem parte do Memorandum que Sua Excelência pretende apresentar ao presidente Kennedy.

Paralelamente, em gestões de chancelaria, por ocasião da visita do presidente da República aos Estados Unidos, o governo brasileiro apresentaria às autoridades norte-americanas o seu ponto de vista e procuraria obter o apoio do governo norte-americano ainda antes da próxima rodada de negociações em Roma.

3. ACORDO A LONGO PRAZO DE CAFÉ

I. Problemas

a) O atual Convênio Internacional do Café

O atual Convênio Internacional do Café, que congrega, apenas, países produtores de café, expira a 30 de setembro do corrente ano. Estabelecido como paliativo para a situação cafeeira mundial, jamais foi considerado como solução final e ideal para o problema do café. Entretanto, foi ele um instrumento de razoável eficácia no ordenamento do comércio internacional do produto, e no estabelecimento de um clima de cooperação internacional, apesar de não ter solucionado alguns dos mais sérios problemas cafeiros, a saber, a) superprodução, b) subconsumo e c) instabilidade de preços.

b) Elaboração de um anteprojeto de acordo a longo prazo

Por este motivo, a partir do início de 1961, levou-se adiante a idéia de acordo a longo prazo sobre café, que reunisse a quase totalidade dos países produtores e consumidores.

Várias circunstâncias permitiram esta mudança de atitude: 1) A constante queda nos preços do produto; 2) Reconhecimento da necessidade da participação dos principais países consumidores em um pacto internacional de café; 3) Os efeitos que a Comunidade Econômica Européia, então em negociação na Europa, traria sobre o consumo e fluxo de comércio; 4) Novo governo dos Estados Unidos da América muito interessado em encontrar uma solução para um dos mais agudos problemas dos países subdesenvolvidos, ou seja, a instabilidade dos preços dos produtos de base.

Este clima mais favorável permitiu que o Grupo de Estudo do Café recomendasse, em novembro, a elaboração de um anteprojeto de acordo, que seria submetido aos governos membros do Grupo e discutido em sessão plenária em março de 1962. Foi criado um Grupo de Redação, do qual participou um técnico brasileiro, que apresentou em meados de dezembro último o anteprojeto de acordo, já remetido aos diversos governos-membros do Grupo.

No mês de fevereiro, foi criado no Brasil um grupo interministerial, presidido pelo embaixador Sérgio Armando Frazão, presidente do Instituto Brasileiro do Café, com a finalidade de estudar o anteprojeto e determinar a posição do Brasil no assunto. Até o momento, a embaixada não teve conhecimento dos trabalhos desenvolvidos pela aludida Comissão.

A idéia geral do projeto é estabelecer um sistema, relativamente rígido, que permita a) O estabelecimento de quotas de exportação, realistas e obrigatórias; b) Remoção de obstáculos que vêm impedindo a expansão do consumo do produto em vários países, especialmente nos países da Comunidade Econômica Européia; c) Controle de produção, e d) Estabilidade de preços, a níveis mais altos que os atuais.

II — Posição do governo norte-americano

O governo norte-americano considera indispensável o estabelecimento a) De um acordo internacional sobre café, com a participação da quase totalidade dos países produtores e a grande maioria dos principais consumidores; b) De um sistema, relativamente rígido, para problemas como de produção e quotas de exportação, e relativamente elástico para problemas como de preços.

O problema, nesta questão, com o governo de Washington não será o de vender a idéia de um pacto a longo prazo sobre café, com o qual está de acordo, mas o de determinar em que base deverá ser estabelecido o sistema. O problema é, pois, mais de negociação do que de interessar o governo de Washington neste assunto.

A prova deste interesse está a) No envio de emissários a diversos países da Comunidade Européia a fim de mostrar-lhes a vantagem de tal tipo de pacto e b) Em inúmeras declarações de funcionários e associações a favor da participação dos Estados Unidos da América no futuro acordo.

Sendo tal interesse do conhecimento público, vem-se desenvolvendo uma campanha neste país contra a participação norte-americana no acordo, dado ser interpretado como visando unicamente a elevação dos preços dos cafés, o que traria prejuízo aos consumidores norte-americanos. Funcionários altamente qualificados, quer por sua hierarquia, quer por seu conhecimento da matéria, têm tentado desfazer esta impressão errônea e esta interpretação simplista, que aliás é compartilhada por alguns membros do Congresso deste país. A este respeito, o Grupo de Estudo do Café acaba de contratar uma firma de "relações públicas", com a idéia de esclarecer a opinião pública norte-americana.

III. Sugestões

Quando da visita do presidente da República aos Estados Unidos da América, seria da maior conveniência que fossem entabuladas conversações no sentido de:

a) Auscultar a opinião do governo de Washington com vistas a trocar idéias sobre o assunto e aplainar algumas dificuldades na futura negociação;

b) Conseguir o empenho dos Estados Unidos da América junto aos países da Comunidade Econômica Européia a fim de torná-los mais receptivos à idéia de um acordo a longo prazo.

4. TRIGO — ACORDO A LONGO PRAZO

I. Descrição do problema

O problema de abastecimento de trigo no Brasil deve ser encarado tendo em mente os seguintes antecedentes:

Nos últimos cinco anos as disponibilidades de trigo no Brasil não ultrapassaram 2,5 milhões de toneladas métricas anuais. Em números redondos e com algumas variações, o abastecimento nacional é feito nas seguintes fontes:

1) Produção doméstica		200
2) Importações:	da União Soviética	200
3)	da Argentina	1.000
4)	dos EUA (Lei nº 480)	1.000
5)	do mercado internacional	100
	Total	2.500

i) *Produção doméstica*: Tem decrescido anualmente, e em 1962 prevê-se que não atingirá 80 mil toneladas comerciáveis. O decréscimo progressivo da produção nacional deve-se a dois motivos principais: (a) Gradativa eliminação de fraudes (trigo papel, trigo quente, trigo nacionalizado etc.) que inflacionavam as estatísticas da produção brasileira e (b) Degeneração genética das sementes. Na impossibilidade do recebimento de sementes de outras fontes que não das estações agronômicas brasileiras, trata-se de problema sem solução imediata.

ii) *Importações da União Soviética* — São limitadas pela quantidade de produtos brasileiros a serem absorvidos pela União Soviética. No futuro imediato não se prevê incrementos substanciais nos recebimentos daquela origem.

iii) *Importações da Argentina* — Em ajuste trienal firmado com a Argentina, o Brasil comprometeu-se a importar em 62, 63 e 64 1 milhão de toneladas anuais daquele país. Estima-se, entretanto, que as compras na Argentina não atingirão o montante previsto por dois motivos: (a) porque estão condicionadas à efetivação, pela Argentina, de compras no Brasil, e, tradicionalmente, as importações platinas ficam aquém das aspirações brasileiras; e (b) porque raramente as disponibilidades argentinas de trigo para exportação para o Brasil atingem um milhão de toneladas anuais. Nos últimos 25 anos este teto somente foi atingido três vezes. Em 1961 foram escassos os fornecimentos platinos e, em 1962, não atingirão 700 mil toneladas.

iv) *Importações dos EUA (Lei nº 480)*: O Brasil tem importado, no último qüinqüênio, em média, 1 milhão de toneladas anuais dos EUA nos termos da Lei nº 480, que possibilita o pagamento em cruzeiros dos quais uma parcela substancial (85% geralmente),tem sido reservada para empréstimos para financiamento de custos em cruzeiros de projetos de desenvolvimento econômico e social ou para doações ao governo brasileiro. Embora até o momento não se preveja problema de disponibilidade, no curto e no médio prazo, convém ter em mente alguns indícios de que, possivelmente, cessarão ou muito se reduzirão, no futuro, os fornecimentos da Lei 480: (a) Por um lado, o governo norte-americano está intensificando seus esforços, através de importante reestruturamento da produção agrícola, previsto em programa atualmente em exame pelo Congresso dos EUA, no sentido da eliminação ou redução substancial dos estoques de excedentes agrícolas até 1967; (b) Ao mesmo tempo, nas Nações Unidas, na FAO e no GATT estuda-se a reorganização do mercado internacional de trigo e a criação de novos organismos e instrumentos destinados a coordenar multilateralmente as vendas de excedentes agrícolas. A reorganização em estudo tem por objetivo ampliar o âmbito dos países a serem beneficiados pelos sistemas de vendas concessionais e, em conseqüência, mantido fixo o total disponível, menores seriam as quantidades para cada recipiente.

v) *Importações do mercado internacional* — São realizadas contra pagamento em dólares e, portanto, são limitadas ao mínimo indispensável.

II. Objetivos

Embora os responsáveis pelo abastecimento brasileiro de trigo tenham utilizado como metas, no último qüinqüênio, a cifra de 2,5 milhões de toneladas anuais, verifica-se do exame do histórico dos fornecimentos segundo as diversas fontes, que a quantidade total do cereal efetivamente colocada no mercado ficou muito aquém do previsto. O regime de escassez vigente é acentuado pelo fato de que estimativa das necessidades se tem mantido fixa na cifra de 2,5 milhões de toneladas, sem levar em consideração vários fatores dinâmicos que, normalmente, tenderiam a elevar aquela cifra: a) Crescimento da população; b) Progressiva urbanização; e c) Elevação do nível de vida.

Associando-se a experiência atual de carência à análise das possiblidades reduzidas de incrementar a produção interna ou as importações da maioria dos fornecedores, as perspectivas para o abastecimento de trigo no Brasil tornam-se desfavoráveis com o correr do tempo. Assim, parece chegado o momento de se reformular a política de abastecimento segundo as várias alternativas que se apresentam:

i) Aceitação do regime de escassez e suas conseqüências: racionamento, carência de ferragens, níveis antieconômicos de produção, mercado negro de farinha etc.

ii) Expansão do consumo de substitutos: milho, mandioca etc.

iii) Expansão das importações, possível somente no curto prazo, e em relação aos EUA.

iv) Expansão da produção interna, possível somente no médio ou longo prazo.

Admitida a inconveniência da continuação do regime de escassez ou da utilização de substitutos, o exame das alternativas parece indicar o caminho a seguir: no curto prazo, intensificar as importações dos EUA nos termos da Lei n? 480 em níveis substancialmente superiores aos vigentes, de forma a a) Utilizar plenamente aquele mecanismo enquanto perdurar; b) Compensar quedas nos suprimentos de outros fornecedores; c) Permitir a formação de estoques reguladores da oferta; e d) Com os recursos adicionais em cruzeiros provenientes das importações acima dos níveis atuais, (1) Financiar pesquisas para melhoria das sementes brasileiras e (2) Subsidiariamente, a construção de silos e armazéns de estocagem. No primeiro caso, não somente seriam necessários recursos em cruzeiros para intensificação das pesquisas mas também seria conveniente examinar as possibilidades de assistência técnica norte-americana para a expansão das pesquisas referidas e de fornecimento, pelos EUA, de sementes adequadas durante o período em que se processarem as pesquisas por variedades adaptadas às condições ecológicas brasileiras. No segundo caso, a construção de silos e armazéns pode ser financiada não somente com recursos dos ajustes de trigo mas também com fundos da Aliança para o Progresso, na medida em que os projetos da rede de depósitos se enquadrem na planificação nacional.

No longo prazo e tomadas as medidas de emergência acima indicadas, é possível estimar que o abastecimento brasileiro se basearia na ampliação das disponibilidades de algumas fontes (aumento da produção interna e relativo incremento das importações da União Soviética e da Argentina) e da compensação da queda de disponibilidades para pagamento em cruzeiros mediante a expansão de compras em moeda forte, desde que novas fontes criadoras de recursos em moedas fortes se apresentassem.

III. Recomendações sobre a possível ação do presidente Goulart

O que se sugere para objeto de gestão presidencial é, em vista do exposto, o seguinte:

i) Que se insista na negociação, há muito solicitada, de um ajuste a longo prazo com os EUA, para a importação de 1,5 milhão de toneladas anuais, contra pagamento em cruzeiros, destinado a criar recursos adicionais não-inflacionários para o BNDE. A parte adicional dos recursos gerados por um ajuste em níveis superiores aos atualmente adotados seria utilizada, em esquema de substituição, para possibilitar a aplicação de recursos próprios daquele Banco em financiamento de pesquisas genéticas e, subsidiariamente, na ampliação da rede de estocagem.

ii) Que, tendo em vista a natural desconfiança com que a Argentina encara negociações entre os EUA e o Brasil para fornecimento de trigo, se proponha a realização de entendimentos tripartites, em que ficasse assegurado, a médio prazo, o abastecimento brasileiro e se estabelecesse a) Caráter de prioridade condicionada à expansão da produção nacional para os fornecimentos argentinos e b) O caráter de complementariedade para os suprimentos norte-americanos.

5. AÇÚCAR — QUOTA DO MERCADO AMERICANO

I. Descrição do problema

As necessidades anuais do abastecimento interno de açúcar nos EUA que atingem a 10 milhões de toneladas, são cobertas com a produção interna (cerca de 6 milhões de toneladas) suplementada por importações realizadas atualmente através de um sistema de quotas por países, estabelecidas por decisão do Congresso norte-americano. O Brasil não tem quota.

Expira em 30 de junho o prazo de vigência da atual legislação norte-americana sobre importação de açúcar, o "Sugar Act" de 1948. Duas tendências principais se configuram para a revisão da legislação. De um lado, defende-se a manutenção do sistema atual, que prevê quotas por países e pagamento de um "sobrepreço" em relação aos níveis do mercado internacional, de forma a igualar os preços do açúcar importado aos preços pagos aos produtos internos. Em conseqüência, o açúcar que se compra no mercado internacional a 60 dólares a tonelada ou menos, é vendido nos Estados Unidos a cerca de 110 dólares a tonelada. A razão de ser desse diferencial, denominado "prêmio" era a necessidade de assegurarem-se os EUA dos fornecimentos externos necessários para complementar o abastecimento. Com a erupção da questão de Cuba, a quota que pertencia àquele país e que correspondia a cerca de 3 milhões de toneladas anuais de um total de importações de 4,5 milhões, passou a ser distribuída discricionariamente e em bases não-permanentes entre outros fornecedores, entre os quais o Brasil, que se viu contemplado em 1960 com 100 mil toneladas e em 1961 com 330 mil toneladas. Aproximando-se a expiração do "Sugar Act", aqueles que defendem a manutenção do atual sistema de quotas (Departamento de Agricultura e a Câmara dos Deputados) acrescentam um novo elemento ao sistema, correlacionando a concessão de quota para fornecimento de açúcar a compromissos de compra de excedentes agrícolas norte-americanos. Assim, o sistema atual, destinado inicialmente a assegurar o abastecimento, transformar-se-ia em instrumento de colocação de excedentes agrícolas.

Em oposição a esta tendência, o Departamento de Estado e o Tesouro dos EUA defendem a tese de que deveria ser eliminado o sistema de quotas, instituindo-se uma "quota global", e abolido o prêmio, a fim de economizar-se anualmente cerca de 180 milhões de dólares, pagos atualmente em "sobrepreços", os quais poderiam ser reservados no todo ou em parte, para programas de auxílio externo. De acordo com esta tese, haveria livre competição aos preços do mercado internacional, para acesso ao mercado norte-americano, e a igualdade entre o preço interno e o preço externo seria obtida mediante a imposição de uma taxa de importação cujo produto seria destinado aos programas de ajuda. Em conseqüência, a legislação açucareira se transformaria em instrumento de auxílio ao exterior. Até o momento o presidente Kennedy ainda não submeteu ao Congresso, a quem cabe a palavra decisiva sobre o assunto, sua proposta de revisão do "Sugar Act".

II. Objetivos

Do ponto de vista brasileiro, a proposta de "quota global" oferece vários atrativos, com a única desvantagem de que o preço recebido seria o do mercado internacional e não mais o preço especial do mercado norte-americano. Em compensação, a abertura do mercado norte-americano significaria para o Brasil segurança de acesso para nossos suprimentos e tenderia, no prazo médio, a fortalecer e melhorar os preços do mercado internacional. Por sua vez, a tendência de preservação do sistema de quotas por países pode corresponder a vantagens ainda maiores para o Brasil, porém desde que várias condições se realizem: a) Que o Brasil seja um dos países com quota permanente, estatutária; b) Que a quota brasileira seja substancial, no mínimo 700 mil toneladas anuais, e c) Que os recursos produzidos pela venda do açúcar não sejam totalmente absorvidos na compra de excedentes agrícolas norte-americanos, pois tal solução equivaleria a uma troca e não geraria disponibilidade em dólares de livre aplicação.

III. Recomendações

Em ambas as alternativas, parece indispensável que o presidente Goulart faça sentir ao presidente Kennedy a importância para o Brasil de obter acesso ao mercado norte-americano importador de açúcar. Dentre as reivindicações a serem apresentadas, trata-se de uma das medidas de efeito mais positivo no curto prazo e de maior alcance e rendimento para a economia a longo prazo. A colocação da questão poderá, em linhas gerais, seguir o memorando que a embaixada em Washington apresentou ao Departamento de Estado sobre o assunto em 17 de novembro de 1961, no qual foram relacionados os principais argumentos que militam em favor da concessão de quota ao Brasil. Em resumo, a argumentação por uma quota permanente de açúcar para o Brasil é a seguinte:

i) Uma quota permanente permitiria a expansão do comércio de produtos agrícolas entre os dois países, particularmente as vendas de trigo norte-americano ao Brasil. Em conseqüência das exportações realizadas sob a Lei n.º 480 o Brasil tornou-se um importante comprador de trigo norte-americano. As tendências do consumo, os problemas da produção doméstica e as limitações nos suprimentos argentinos indicam que o Brasil se tornará e permanecerá por bastante tempo substancial consumidor de trigo norte-americano. No futuro imediato, considerações de balanço de pagamento tornam necessário sejam realizadas nos termos da Lei n? 480. Tendo em vista o caráter não-definido das vendas nos termos especiais previstos naquele Lei, torna-se necessário que o Brasil disponha de novas fontes de receita em dólares, através do incremento de suas exportações para os EUA, a fim de poder gradativamente passar a realizar suas compras de trigo norte-americano em moeda forte. Dadas as limitadas perspectivas para a expansão das exportações de café, o açúcar oferece a melhor oportunidade para a expansão em larga escala do intercâmbio de duas grandes economias agrícolas.

ii) O Brasil é o único grande produtor de açúcar que não dispõe de mercado preferencial para as suas exportações; é o maior produtor de açúcar do mundo livre; é o segundo produtor mundial de açúcar de cana; é o terceiro produtor mundial de açúcar centrifugado e é o maior importador de produtos norte-americanos do hemisfério ocidental dentre os países que não dispõem de quota permanente. O Brasil pode tornar-se o maior fornecedor de açúcar para os Estados Unidos da América sem modificar substancialmente suas atuais perspectivas de produção, sem prejudicar os níveis internos de consumo e sem prejudicar as obrigações assumidas no âmbito do Acordo Internacional de Açúcar. A produção brasileira apresenta nítidos aspectos de segurança e permanência dada a existência de duas zonas ecológicas de produção, uma no norte e outra no sul do país.

iii) Finalmente, uma quota permanente possibilitaria substancialmente o desenvolvimento econômico brasileiro, particularmente no Nordeste. De acordo com a legislação vigente, os fundos resultantes da diferença entre o preço das vendas para o mercado norte-americano e o preço do mercado internacional serão canalizados para projetos de reforma agrária, melhoria de condições econômicas e sociais no Nordeste e reabilitação da agro-indústria canavieira. Esta característica, dentro do espírito da Aliança para o Progresso, corresponde a uma segurança de que os benefícios da concessão de uma quota ao Brasil não se limitariam a um determinado setor da população.

6. EMPRÉSTIMOS. BALANÇOS DE PAGAMENTOS

a) *Balanço de pagamentos*

O problema

No início do ano passado foram realizadas negociações nos Estados Unidos e na Europa tendentes a cobrir o elevado *déficit* de balanço de pagamentos previsto para 1961 e aliviar os pesados encargos de amortização de empréstimos nos anos seguintes. Como resultado destas negociações, foram assinados vários acordos com entidades públicas nacionais, com instituições de crédito internacional, com banqueiros privados e grandes supridores, perfazendo um total de cerca de dois bilhões de dólares, computados os re-escalonamentos e os créditos novos concedidos.

Nos Estados Unidos foram concedidos créditos novos de 338 milhões de dólares por três agências do governo americano, 58 milhões por banqueiros privados e 160 milhões de dólares de crédito *stand-by* pelo Fundo Monetário Internacional. Deste montante, só foram desembolsados os 58 milhões dos banqueiros particulares, 209 milhões das entidades públicas norte-americanas e 60 milhões do Fundo Monetário Internacional. Os motivos do desembolso mais lento do que o previsto são os que se seguem: primeiro, o Brasil não pode manter os limites de expansão de crédito, de déficit orçamentário e de redesconto previstos no seu programa de estabilização, consubstanciados em declarações públicas do presidente Jânio Quadros e do ministro da Fazenda e posteriormente incorporados em memorando entregue ao Fundo Monetário Internacional. Este, nos termos da resolução de sua diretoria que aprovou o *standy-by* para o Brasil, considerou necessário suspender os desembolsos mensais, a fim de realizar consultas com o Brasil sobre o assunto. Com a crise política ligada à renúncia do presidente Quadros, a situação financeira e monetária deteriorou-se ainda mais, resultando na necessidade de uma reformulação completa do plano brasileiro de estabilização, o qual está no momento sendo objeto de estudo por parte do Fundo Monetário Internacional.

A segunda razão pela qual o desembolso foi mais lento do que o previsto foi a marcada melhora na situação do balanço de pagamentos em 1961, conseqüente à Instrução n° 204, que proporcionou não só um incremento substancial nas exportações não-café, como também um disciplinamento das importações que se mantiveram em níveis realistas. Esta melhora levou o governo brasileiro a não insistir nos desembolsos imediatos de todos os créditos conseguidos no ano passado, conservando-os em reserva para cobrir o déficit potencial de 1962.

Nestas condições dispomos ainda de créditos concedidos, mas ainda não desembolsados e cuja liberação está sendo agora negociada para cobrir o possível déficit de balanço de pagamentos de 1962.

Objetivos brasileiros

Neste termo, os objetivos brasileiros imediatos se resumem na liberação desses créditos e no seu gradual desembolso, na medida em que forem surgindo as necessidades, da maneira mais automática possível. A longo prazo o nosso interesse é de incrementar as exportações e de planejar o serviço da dívida externa de tal maneira que evite o recurso a esse tipo de empréstimo. Eventuais déficits devidos a flutuações no mercado de produtos primários deverão, na medida do possível, ser cobertos de maneira automárica pelo fundo de estabilização de receita de exportações, discutido em memorando à parte.

Negociações em curso

No momento estão se realizando negociações em Washington tendentes à reformulação dos entendimentos de *stand-by* do Fundo Monetário Internacional com o Brasil e espera-se que tais conversações cheguem a bom termo em breve.

Sugestões

Caso as negociações com o Fundo Monetário cheguem a bom termo antes da visita do presidente da República, como é de se esperar, o item em questão automaticamente desaparece como ponto ativo de conversação durante a visita presidencial. Caso ainda fiquem em abertos alguns aspectos do problema, parece útil a menção do assunto de alto nível e inclusão do parágrafo adequado no memorando a ser apresentado ao presidente Kennedy. Além do Fundo Monetário Internacional, que parece estar caminhando para a solução do assunto, o ponto de maior resistência nos últimos meses tem sido o Eximbank, enquanto o Tesouro e a AID têm mostrado um índice de colaboração plenamente satisfatório. Quanto ao Eximbank seria útil de qualquer maneira solicitar não só a liberação dos empréstimos já concedidos, o que não parece difícil uma vez terminada as conversações com o Fundo, como também insistir na tese brasileira que o empréstimo de 168 milhões para atrasados concedidos pelo Eximbank não deve ser considerado como o único a ser concedido ao Brasil até 1963. É útil frisar que embora os empréstimos ao Brasil represente cerca de 20% do total dos empréstimos ativos do Eximbank, não queremos abrir mão desta fonte tradicional de empréstimos ao Brasil, com a qual temos um passado de relações tão satisfatórias.

b) Banco Internacional de Reconstrução e Desenvolvimento

O problema

Nos seu primeiros anos de atividades o Banco Internacional mostrou bastante interesse pelos problemas brasileiros, concedendo até início de 1954 empréstimos ao Brasil de 220 milhões de dólares, soma muito superior a que até então havia concedido a qualquer país latino-americano. A partir desta data, entretanto, vem demonstrando marcada má vontade com o Brasil, não se cingindo a nos recusar novos empréstimos, mas também pondo em dúvida pública e particularmente o crédito público do Brasil.

Em 1958, em virtude de pressão nossa, com apoio norte-americano, após havermos impedido um fracasso completo da Conferência Econômica de Buenos Aires e quando aparecíamos como única esperança na América Latina, depois da malograda viagem Nixon, o Banco concordou em conceder mais um empréstimo ao Brasil no valor de 72 milhões de dólares para a empresa Hidroelétrica de Furnas. Na ocasião, entretanto, a administração do Banco fez questão de frisar que a concessão deste empréstimo não significava uma retomada de relações normais com o Brasil, mas um empréstimo concedido isoladamente, mais em virtude dos méritos intrínsecos do projeto do que de uma reconsideração, pelo Banco, da "creditworthiness" do Brasil.

Desde 3 de outubro de 1958, entretanto, nenhum empréstimo novo foi concedido ao Brasil. Durante o mesmo período o Banco emprestou 400 milhões de dólares a outros países da América Latina, enquanto quatro países da Ásia (Índia, Paquistão, Japão e Irã) sozinhos recebiam quase 800 milhões de dólares.

A Corporação Financeira Internacional teve comportamento equivalente, mostrando grande interesse nos primeiros anos e depois marcada má vontade. É bem verdade que o Brasil continua a figurar como o principal mutuário da corporação, mas é indubitável que a mesma tem expressado a investidores privados que a procuram dúvidas sobre o crédito internacional do Brasil, causando grandes prejuízos indiretos.

O Brasil ainda não é membro efetivo da segunda afiliada do Banco, a Associação do Desenvolvimento Internacional (IDA), embora já tenha assinado o convênio constitutivo da mesma. Entretanto, o decreto legislativo de aprovação já foi aprovado pela Câmara e está no momento sob consideração do Senado. O presidente Black expressou ao dr. Celso Furtado, por ocasião da visita do mesmo a Washington, que estaria disposto a considerar empréstimos da IDA ao Nordeste, embora o mesmo Black e outros altos funcionários do Banco tenham repetidamente declarado que a IDA não seria forte para empréstimos para outras áreas do Brasil, por ser o Brasil *um país rico*.

Encontra-se o Brasil assim em um dilema; tem perspectivas financeiras inadequadas para ter crédito internacional que lhe permitia receber empréstimo do Banco Internacional; é rico demais para ser elegível como mutuário da Associação de Desenvolvimento Internacional.

Objetivos brasileiros

Os objetivos brasileiros se resumem em conseguir um reinício de relações normais com o Banco Internacional, já que é absolutamente inaceitável continuar o país na posição de membro inativo. Quanto à Associação de Desenvolvimento Internacional deve-se apressar na medida do possível a aprovação do Convênio, mas só ratificar o mesmo uma vez esclarecidas previamente nossas relações futuras com o BIRD. A Associação de Desenvolvimento é a que melhores condições de empréstimos oferece entre todas instituições de crédito internacional (50 anos de amortização, sendo dez de carência; nenhum juro e só 3/4% de taxa de serviço), e não devemos desprezá-la como fonte de recursos para o Nordeste e outras áreas do Brasil.

Este esclarecimento das relações com o BIRD e suas entidades afiliadas deve não só ser feito em contacto direto com as administrações das mesmas, mas também através de gestões com os países cujos representantes têm maioria de votos em suas diretorias.

Negociações em curso

A embaixada em Washington tem sistematicamente, em contatos diretos com funcionários dessas organizações, e com autoridades americanas, chamado a atenção para o fato de que esta situação é inaceitável para o Brasil e que urge ou remediá-la ou então retirar-se o Brasil das mesmas.

Sugestões

Parece necessário transferir essas gestões, até agora sem resultado, para o mais alto nível, forçando um *show-down* para quebrar o impasse. Assim será útil discutir o assunto nas conversas que o presidente terá com o secretário do Tesouro Dillon, com o sr. Eugene Black, presidente do Banco Internacional e também com o presidente Kennedy, pois que os Estados Unidos desfrutam de poder de voto, nessa organização, equivalente a pouco menos de um terço do poder decisório.

7. Plano de racionalização da lavoura do café

I — Problema

O Plano de Racionalização da Estrutura Agrícola das Regiões Produtoras de Café, a ser seguido pelo Grupo Executivo de Racionalização da Cafeicultura (Gerca), está dividido em duas fases:

i) Na primeira fase, far-se-á a racionalização da cafeicultura e diversificação da agricultura nas áreas liberadas, mediante a erradicação de um bilhão de cafeeiros a ser executada após a colheita de 1962;

ii) Na segunda fase, que terá início após a colheita de 1963/1964, com a erradicação de mais de um bilhão de cafeeiros, além da continuação do programa de diversificação agrícola, far-se-á o início do financiamento do replantio de um número conveniente de cafeeiros. O *quantum* do replantio será determinado após a verificação dos efeitos da erradicação sobre a produção interna de café. Há indicações, entretanto, que um aproveitamento *de cerca de 12%* da área liberada pela erradicação constituiria proporção adequada. Essa área possibilitaria o plantio de 400 milhões de novos cafeeiros, isto é, uma relação de 1 para 5 erradicados nas duas fases do plano (2 bilhões).

Atualmente, o Gerga possui apenas planos gerais para a implementação da primeira fase (item "i" do parágrafo anterior) do Plano de Racionalização, isto é, a etapa que compreende a erradicação do primeiro bilhão de cafeeiros e a diversificação agro-pecuária. Nessa etapa, o Gerca necessitará de recursos globais da ordem de 55 bilhões de cruzeiros para atender à execução dos vários programas contemplados para o período janeiro 1962/junho 1963.

Para financiar a primeira fase, conta o Gerca com os recursos do Fundo de Defesa do Café, decorrentes do saldo do Plano Financeiro da safra 1961/1962. Contudo, o Gerca não poderá efetivamente utilizar desse saldo mais do que cerca outros programas. Assim, a primeira fase só poderá ser implementada, em sua totalidade, se forem obtidos recursos externos da ordem de 88 milhões de dólares que suplementem a contribuição interna, de aproximadamente 52% do custo total, cobrindo-se o déficit financeiro. A maior parte dessa contribuição externa ao plano de racionalização da cafeicultura (cerca de 86%) seria destinada ao financiamento completo d programa de diversificação.

Na ausência de elementos e estudos que permitissem fixar uma política definitiva para o Gerca, procurou-se, no Rio de Janeiro, em fins de 1961 esboçar um plano diretor para os primeiros 18 meses de atividades desse órgão, isto é, os relativos à primeira fase. Nessas condições, o projeto de financiamento elaborado na sede do Instituto Brasileiro do Café, e aprovado pelo Conselho Deliberativo do Gerca e, possivelmente, já considerado ou em consideração pela SUMOC, conta com um esquema diretor da primeira fase do Plano de Racionalização. Esse esquema, em vista do relativo desconhecimento sobre a estrutura da produção cafeeira (especialmente sobre custos de produção), apresenta-se criticamente deficiente no tocante à (a) Delimitação dos índices de eficiência econômica das unidades produtoras de café, e conseqüente aferição das culturas anticonômicas, e (b) Delimitação das culturas econômicas substitutivas ao café.

II — Objetivos

Nossas deficiências contra indicariam, assim, a apresentação de projeto de financiamento ao governo americano com vistas a uma negociação definitiva para a obtenção dos recursos externos requeridos pelo Gerca. Por essa razão, aprovou o presidente do IBC o seguinte curso de ação para o encaminhamento da solicitação de empréstimo nos Estados Unidos:

i) O documento relativo ao projeto de financiamento seria apresentado à AID, quando da visita do presidente da República, em caráter preliminar, indicativo da política a ser seguida pelo governo brasileiro;

ii) Com base nesse documento, procurar-se-ia obter um compromisso prévio de concessão de financiamento, com fixação de um teto, sujeito à apresentação posterior de projetos pormenorizados sobre os vários programas constantes do Plano de Racionalização; e

iii) Procurar-se-ía, igualmente, obter o envio imediato de uma missão de técnicos norte-americanos para cooperarem com o Gerca no refinamento dos projetos e na elaboração do Plano Diretor definitivo. Tal missão deveria contar com pelo menos um economista especializado em produtividade e programação agrícola, dado o caráter das principais deficiências de Esquema de Plano Diretor (apontadas no parágrafo 4).

O procedimento apontado nos três itens do parágrafo anterior assemelha-se, em muito, ao efetivamente adotado pelo governo americano com a Missão Celso Furtado, quando esteve em Washington para expor as necessidades de financiamento do Plano Qüinqüenal da Sudene. A sugestão constante do item ii possibilitaria mesmo a realização de um pequeno Consórcio financeiro (AID-BID), caso o teto fixado pela AID fosse inferior ao custo estimado da primeira fase do Plano de Racionalização. É que ao menos um dos programas, isto é, o de melhoria das condições de vida dos trabalhadores, poderia ser financiado com recursos do Fundo Social do Banco Interamericano. O procedimento contemplado no item iii atenderia aos seguintes objetivos: a) Obrigar o governo brasileiro a encarar seriamente o Plano de Racionalização; b) Dar confiança ao governo americano quanto à configuração técnica do problema e à utilização dos recursos; e c) Prover o Gerca com assessoria econômica de alto nível.

III — Sugestões

Caso os entendimentos acima delineados fossem efetivados, a Casa Branca poderia divulgar um comunicado à imprensa com os resultados dos entendimentos entre os dois governos. Do ponto de vista brasileiro, seria obtido compromisso prévio, embora condicional, em relação a um programa que poderá modificar substancialmente a estrutura agrícola do Brasil. Os norte-americanos passariam a ter um elemento político de pressão sobre os demais produtores. Ao mesmo tempo, poderiam utilizar-se do exemplo brasileiro junto ao Congresso para induzi-lo a aceitar a participação americana no acordo a longo prazo. Ademais, o governo norte-americano, em vista do procedimento sugerido no item ii acima, não prejudicaria a sua determinação de somente conceder o empréstimo se o Brasil participasse do acordo a longo prazo.

8. INVESTIMENTOS PRIVADOS NORTE-AMERICANOS EM SERVIÇOS PÚBLICOS

I — Descrição do problema

A situação das empresas (particulares ou estatais, nacionais ou subsidiárias estrangeiras) que operam no Brasil nos setores de energia elétrica e de serviços telefônicos é, em diferentes graus e de forma simplificada, em geral, a seguinte:

1. A política relativamente rígida de fixação de tarifas praticada no Brasil não tem possibilitado reajustamentos concomitantes com os aumentos de custos, os quais, agravados por processos inflacionários, provocam queda constante nos níveis de rendimentos das empresas e tornam impraticável a expansão ou a própria continuação de suas atividades em bases puramente comerciais.

2. A queda na qualidade dos serviços prestados pelas referidas empresas, decorrente dos fatores indicados. acima é, por sua vez, acentuada pela intensificação da demanda por aqueles serviços, ocasionada pela rápida urbanização, industrialização do país e aceleração de incremento demográfico.

3. Em conseqüência das deficiências na qualidade dos serviços prestados, cria-se na opinião pública ambiente desfavorável àquelas empresas, acentuado em relação às estrangeiras, acusadas de incompetência e de abuso das concessões recebidas.

4. Explorado o descontentamento geral em relação àqueles serviços, a opinião pública passa a opor-se à elevação de tarifas que permitiriam às empresas a recuperação financeira e a indispensável melhoria e expansão dos serviços.

5. Impossibilita de obter pelo reajustamento de tarifas os fundos de que necessitam, as empresas também encontram dificuldades crescentes em atrair comercialmente novos capitais, nacionais ou estrangeiros, para aplicação naquele setor, dado a) o maior poder de atração do setor industrial, de maior rentabilidade, que compete com vantagem pelos capitais disponíveis para investimento sobretudo durante processo de industrialização amparado pela administração; e b) em conseqüência da rigidez da política de fixação de tarifas.

6. Em conseqüência da impossibilidade de angariar recursos, verifica-se estagnação e deterioração nos serviços e recrudescimento dos movimentos de insatisfação popular, os quais, por sua vez, impossibilitam qualquer tentativa de revisão da política de tarifas.

O problema, que atinge igualmente empresas nacionais e subsidiárias estrangeiras, é agravado em relação a estas últimas, pelo raciocínio, de lógica primária e xenófoba, freqüentemente insuflado por motivos políticos, de que a deterioração dos serviços é devida apenas à ausência de noção de responsabilidade pública imputável às entidades não-nacionais.

Constitui, portanto, no contexto das relações Brasil/Estados Unidos, fonte de atritos que tendem a se agravar e multiplicar. Na medida em que fosse possível, atendido o interesse nacional, eliminar as causas de tais pontos de fricção, estaria solucionado importante problema, de fundamento econômico, mas de colorações nitidamente políticas.

II — Objetivos

O que se propõe é um entendimento em alto nível, acertado inicialmente pelos chefes das duas nações, para promover a transferência negociada, amigável, ordeira e pacífica, dos investimentos privados norte-americanos atualmente no setor dos serviços públicos no Brasil para outros setores da economia brasileira, mediante a fixação antecipada de diretrizes que governariam a referida transferência. Acertados os princípios da transferência negociada, uma Comissão Mista de gabarito elevado poderia ser constituída para implementar em prazo previamente fixado (durante o qual o Brasil não deveria exercer seu direito de iniciativas unilaterais no assunto), a negociação acima aludida. A título indicativo, adianta-se a seguir um esquema de princípios ou diretrizes básicas:

1. Negociação global da transferência das empresas para propriedade do governo brasileiro, compreendendo empresas em processo de expropriação, de venda e/ou por transacionar.

2. Avaliação da indenização adequada a ser dada pelo governo brasileiro pela ecampação das empresas, mediante processos e critérios acertados previamente pelas duas partes.

3. Pagamento da indenização a longo prazo (ou com pequena parcela, simbólica, à vista, e nesta hipótese, com um período de "graça") em cruzeiros, à taxa do mercado de câmbio livre que prevalecer na data das prestações.

4. Reinvestimento de percentagem substancial, superior a 2/3, dos juros e amortizações na economia brasileira, em setores previamente indicados pelo governo brasileiro ou em consulta com órgão apropriado do governo.

5. Reinvestimento também de percentagem substancial da parte correspondente à compra de ações e dos créditos devidos a acionistas, nas condições vistas no nº 4.

6. Obtenção da garantia de que a empresa nacionalizada continuaria a obter financiamentos de entidades financiadoras (tais como o Eximbank) em igualdade de condições.

7. Alongamento dos prazos dos atuais compromissos de forma a liberar recursos para o financiamento da expansão de operações.

8. Alongamento dos prazos de pagamento dos empréstimos de entidades financiadoras de forma a criar determinada folga cambial que, convertida em cruzeiros, permitisse a compra de ações.

(os itens 6, 7 e 8 poderiam ser conjugados à decisão de promover a revisão da política de tarifas em relação às empresas nacionalizadas.)

9. (item ainda controvertido). Utilização de fundos gerados no Brasil por operações da Lei nº 480 para financiar o pagamento de indenização, na hipótese de ser obtida interpretação daquela lei que possibilite tal utilização.

O balanço da operação se decompõe da seguinte forma:

Desvantagens:

1. Deslocar para a atividade de pouca rentabilidade o escasso capital nacional disponível; entretanto, na medida em que parte substancial dos recursos aplicados na compra seja reinvestida na economia a critério do governo brasileiro, o impacto dessa desvantagem seria anulado.

2. Afugentar novos capitais estrangeiros, dado o impacto da retirada do capital privado; entretanto, cumpre notar a) que novos ingressos não se verificariam enquanto perdurasse o atual regime de rigidez tarifária e a maior atração de outros setores, de maior rentabilidade, novos capitais seriam eventualmente atraídos para complementar aquelas inversões.

3. Eliminação do acesso a financiamentos estrangeiros; entretanto, seria possível contornar tal efeito mediante condições específicas durante a negociação.

Vantagens:

De natureza política:

1. Controle governamental de setor fundamental da infraestrutura da economia.

2. Remoção de foco de atritos; efeitos secundários:

a) Melhoria das relações entre os dois países;

b) Eliminar fator de desencorajamento do investimento privado em outras áreas da economia nacional.

3. Delimitação precisa e racional de áreas de responsabilidade nos setores da economia brasileira.

4. Diminuição da oposição popular ao reajustamento de tarifas possibilitando assegurar a estabilidade econômica da empresa nacionalizada.

5. Identificação da raiz do problema como decorrência de perspectivas comerciais mais atraentes e não função de um clima geral anticapital estrangeiro.

De ordem econômica:

1. Não expulsar o capital privado do país.

2. Possibilitar a efetivação de programas de expansão.

3. Liberar o capital privado congelado naqueles setores para aplicação no desenvolvimento de outras indústrias.

4. Possibilitar gastos menos elevados com capital mediante o recurso a fontes governamentais de crédito.

5. Possibilitar economias decorrentes da integração de vários sistemas.

6. Possibilitar o planejamento da expansão da indústria de energia elétrica e, conseqüentemente, possibilitar a promoção do desenvolvimento de certas áreas.

ANEXO III

SECRETO

Carta do embaixador em Washington — Roberto Campos — ao presidente João Goulart sobre a agenda de conversações com o presidente Kennedy

2 de abril de 1962

A Sua Excelência
Dr. João Goulart
Presidente da República dos
Estados Unidos do Brasil

Senhor presidente,

Segundo informações que colhi no Departamento de Estado, o presidente Kennedy pretenderia abordar, nas conversações que manterá com Vossa Excelência nos dias 3 e 4, os seguintes temas:

1 — ASSUNTOS DE POLÍTICA EXTERNA

1.1 — Desarmamento e Acordo de Prescrição Nuclear

O presidente Kennedy tocaria rapidamente no assunto, mencionando a absoluta necessidade de um sistema eficaz de controle e explicando as razões pelas quais relutantemente os Estados Unidos terão que iniciar experiências nucleares na atmosfera.

1.2 — Berlim Ocidental

O presidente Kennedy procurará obter reafirmação do apoio brasileiro à posição do Ocidente em Berlim.

1.3 — Angola e colônias portuguesas

Receia-se em Washington que Angola se transforme num futuro Congo. O presidente Kennedy procurará examinar a possibilidade de uma ação do Brasil junto a Portugal para facilitar a liquidação ordenada do colonialismo.

1.4 — Crise argentina

O presidente Kennedy trocaria idéias sobre uma possível atitude comum com o Brasil no tocante à questão argentina. Até o momento, está indecisa a posição americana, que se orienta no seguinte sentido:

a) Aguardar a evolução dos acontecimentos antes de tomar uma atitude política;
b) Intensificar consultas sobre o assunto com outros países latino-americanos;
c) Expressar o desapontamento e desagrado dos Estados Unidos pela intervenção militar;
d) Expressar esperança de que seja estabelecido um governo civil e mantidos os procedimentos democráticos; e

e) Auxiliar a Argentina a restaurar a normalidade democrática, ficando tanto o reconhecimento do novo governo como a continuação da Aliança para o Progresso subordinados a uma evolução democrática.

1.5 — Infiltração comunista subversiva

O presidente Kennedy fornecerá informações sobre ação subversiva dos comunistas no continente e formulará comentários sobre o trabalho do Comitê de Vigilância da Organização dos Estados Americanos.

2 — ASSUNTOS ECONÔMICOS

2.1 — Aliança para o Progresso

O presidente Kennedy explicará os problemas que está enfrentando no Congresso em relação à
(a) Suposta lentidão das reformas na América Latina; e
(b) Queixa dos investidores privados.
Talvez mencione deficiências de nosso mecanismo de planejamento no Brasil, que estariam dificultando a formulação de programas e projetos. Caso seja aventada a idéia da formação de um nova Comissão Mista Brasil-Estados Unidos, a reação provável do presidente seria perguntar se existe ambiente político para isso, e sugerir talvez que, se e quando o governo brasileiro solicitasse, o governo de Washington designaria representantes para Comitês Mistos, individuais, que fariam análise de projetos e programas. Esses comitês, além de representantes da AID, incluiriam também representantes do Banco Interamericano de Desenvolvimento. Insistirá, entretanto, o presidente Kennedy, em que o principal problema reside na própria organização do lado brasileiro.

2.2 — Combate à inflação

O presidente Kennedy expressará seu apoio ao programa brasileiro de combate à inflação, considerado essencial para a boa execução da Aliança para o Progresso, e se referirá aos entendimentos entre o secretário Dillon e o ministro Moreira Salles.

2.3 — Xisto betuminoso

O presidente Kennedy indagará do andamento da oferta de um financiamento de sete milhões de dólares à Petrobrás para uma usina protótipo para xisto de Irati. Note-se que os senadores Morse e Carlson sugeriram que o presidente Kennedy declarasse diretamente ao presidente Goulart a disposição americana de auxiliar a Petrobrás nesse particular.

2.4 — Investimentos privados

O presidente Kennedy enfatizará a importância de não se destruir o clima de investimentos privados, dada a insuficiência de fundos governamentais para financiar toda a Aliança para o Progresso. Talvez pergunte se o Brasil estaria interessado em prosseguir negociações, ora paralisadas, sobre um tratado de bitributação de garantias unilaterais do governo norte-americano contra inconversibilidade e riscos políticos. O interesse do presidente se concentrará entretanto em saber da possibilidade de modificação do projeto da Câmara sobre a remessa de lucros, de modo a evitar que se afugente o capital privado.

2.5 — Mercado Comum Europeu

O presidente Kennedy não abordaria o assunto, mas se perguntado responderia que o interesse dos Estados Unidos é proteger no máximo possível a posição dos países latino-americanos, no Mercado Comum Europeu, associando-se aos nossos esforços para obter a eliminação de discriminação tarifária e a redução de impostos internos cobrados por alguns países europeus sobre o café e outros produtos.

2.6 — Acordo Internacional do Café

O presidente Kennedy reafirmou o interesse do governo norte-americano em que cheguem a um bom termo as negociações do Acordo Internacional sobre o Café.

3 — OUTROS ASSUNTOS

3.1 — Ação cívica pelas forças armadas

Dado o encargo estéril dos armamentos para as economias latino-americanas, o presidente Kennedy expressará interesse no programa de ação cívica das forças armadas destinado a utilizar batalhões de engenharia e telecomunicações das forças armadas desses países para propósitos de desenvolvimento econômico.

3.2 — O presidente Kennedy, dado a multiplicação de incidentes recentes, proporá a conclusão de um tratado de extradição.

A primeira entrevista com o presidente Kennedy será de 2:30 às 4:45 horas do dia 3. Hoje, entretanto, solicitou-nos o Departamento de Estado fosse marcada uma segunda entrevista com o presidente Kennedy para o dia 4, das 10:10 até às 11:00 horas.

Respeitosamente
Embaixador do Brasil

ANEXOS IV

Análise da crise cubana
Expediente enviado pela embaixada em Washington ao Itamaraty
1º de novembro de 1962

A Sua Excelência
Senhor professor Hermes Lima,
Ministro de Estado das Relações Exteriores

Confidencial

I — Retrospecto

Quadro cronológico dos acontecimentos que levaram o presidente Kennedy a mudar de atitude em face do problema cubano:

8 de agosto — Publica a imprensa que mais de 4 mil soldados russos haviam chegado a Cuba. A administração diz não ter nenhuma informação a respeito.

22 de agosto — O presidente Kennedy declara ter informação da chegada a Cuba de equipamentos técnicos; mas, acrescenta, nada sabe ao certo sobre a chegada de soldados.

24 de agosto — Fontes governamentais americanas, não identificadas, declaram que 20 navios de carga e número desconhecido de navios de passageiros estariam, desde julho, transportando técnicos e equipamentos a Cuba. No mesmo dia, declara o presidente Kennedy: "Não temos nenhuma evidência da chegada de tropas a Cuba. Creio que seria um erro invadir Cuba. Não dispomos de informações completas sobre o que se está passando naquele país".

31 de agosto — O senador Keating afirma ter informações certas de que 1.200 homens, vestindo o uniforme do exército soviético, haviam desembarcado em Cuba, durante o mês de agosto.

1º de setembro — A União Soviética anuncia haver decidido fornecer armas e especialistas a Cuba, a fim de que esse país possa fazer frente "às ameaças de invasão". Os senadores Keating e Thummond advogam a invasão da ilha.

4 de setembro — O presidente Kennedy declara que a Rússia está fornecendo mísseis a Cuba. Entretanto, diz, não há evidência de que os mesmos sejam de caráter ofensivo. Se, posteriormente, se verificasse tal caráter, a administração consideraria a adoção de medidas pertinentes.

7 de setembro — O presidente solicita ao Congresso autorização para convocar 150 mil reservistas, devido à situação internacional, "principalmente em Berlim".

11 de setembro — A Agência Tass dá à publicidade comunicado em que se declara que a União Soviética retaliaria com armas nucleares qualquer ataque dos Estados Unidos a Cuba ou a navios soviéticos, navegando com destino àquela ilha. Acrescenta que o governo da União Soviética discutirá o problema de Berlim após as eleições americanas.

13 de setembro — Kennedy diz: "Vigiamos cuidadosamente os embarques de armas feitos pela União Soviética. Os últimos fornecimentos não constituem séria ameaça a nenhuma parte do Hemisfério. A intervenção militar unilateral não poderia ser justificada". Critica o que qualifica de "conversa irresponsável" sobre invasão.

18 de setembro — O ex-vice-presidente Nixon pede a "quarentena" de Cuba.

26 de setembro — O Congresso aprova resolução autorizando a Administração a empregar a força, se necessário.

2 de outubro — O presidente Kennedy declara aos ministros das Relações Exteriores dos países latino-americanos, reunidos em Washington: "O que temos de fazer é evitar a exportação, aos demais países do Hemisfério, do comunismo de Cuba".

10 de outubro — A Administração revela estar elaborando projeto para bloqueio econômico de Cuba. Nesse mesmo dia, o senador Keating diz: "Segundo informações confidenciais fidedignas que acabo de receber, estão sendo construídas, em Cuba, seis rampas para lançamento de foguetes dotados de ogivas nucleares, os quais poderiam atingir o Canal do Panamá".

13 de outubro — O presidente Kennedy, falando em Indianápolis, verbera contra os "self-appointed generals and admirals who want to send someone else's sons to war" (sic) (publicado no *Wall Street Journal* — 24.10.62).

15 de outubro — O secretário da Defesa McNamara examina as últimas fotografias aéreas das rampas de lançamento de foguetes, em construção em Cuba, uma das quais desperta sérias suspeitas.

16 de outubro — O presidente Kennedy ordena a intensificação da vigilância aérea da ilha.

18 de outubro — O presidente Kennedy recebe na Casa Branca o ministro das Relações Exteriores da União Soviética, Gromyko. Reitera este que as armas que se encontram em Cuba são de caráter defensivo. Não revela o presidente ao seu interlocutor as informações que tem em mão.

21 de outubro — Às 2:30hs o presidente recebe a informação de que os mísseis com 1.000 milhas de alcance estão em posição de lançamento; plataformas para o lançamento de mísseis de 2.000 milhas, em construção.

22 de outubro — O presidente Kennedy chama urgentemente a Washington os líderes partidários. Passa a noite toda em conferências com Rusk, McNamara, Hilldebrand, etc. Ao meio-dia é anunciado que o presidente falaria à nação às 7 horas da noite, sobre o assunto da mais alta urgência. Convoca o embaixador Dobrynin à Casa Branca. Dá-lhe conhecimento de pontos dos quais se ocupará em seu discurso e entrega-lhe missiva para Kruschev. Convoca a seguir os chefes de Missão latino-americanos à Casa Branca e às 19:00 dirige-se à nação denunciando a existência, em Cuba, de armamento ofensivo nuclear.

22 de outubro — Em face disto, determina severo bloqueio marítimo à ilha e anuncia a eventual adoção de "outras medidas", caso as referidas bases não sejam desmanteladas. A crise atinge o seu clímax. Os Estados Unidos se consideram à beira da guerra e espera-se ansiosamente pela reação soviética.

23 de outubro — A Agência Tass qualifica o bloqueio americano como ato de pirataria. A OAS aprova o projeto, apresentado pelos Estado Unidos, no sentido de evitar por todos os meios, inclusive mediante o emprego da força, que Cuba continue a receber armamentos da União Soviética. Nas Nações Unidas, Stevenson pede a retirada das bases russas de Cuba. Zorin pede o levantamento do bloqueio e propõe negociações entre a União Soviética, os Estados Unidos e Cuba. Os países neutralistas não se mostram dispostos a apoiar uma ação militar americana em Cuba e fazem pressão no sentido de que se realizem negociações.

24 de outubro — Respondendo a um telegrama de Bertrand Russell, Kruschev declara que o seu governo não tomará nenhuma decisão precipitada e sugere negociações de alto nível. Navios russos, transportando aviões a Cuba, mudam de rumo, evitando assim, de momento, um confronto com os navios americanos.

25 de outubro — U-Thant faz apelo a Kennedy para que levante o bloqueio, a Kruschev para que cesse o envio de armamento a Cuba e a Fidel Castro para que aceite negociações. Kruschev aceita a proposta do secretário-geral e está pronto a negociar. Kennedy aceita, porém, faz notar que U-Thant, em seu apelo, não menciona o desmantelamento das bases de mísseis em Cuba.

26 de outubro — U-Thant recebe promessas, dos Estado Unidos e da Rússia, de evitarem incidentes com seus respectivos navios. A Casa Branca declara que a construção das bases, em Cuba, prossegue em ritmo acelerado. Kruschev envia carta a Kennedy, cujo texto ainda não foi divulgado. Dean Rusk refere-se à mesma como confusa, fazendo pensar em dificuldades internas dentro do Kremlin. Kennedy diz que a referida carta encerrava a seguinte proposta:

a) A União Soviética concorda em retirar suas bases de foguete de Cuba, sob fiscalização das Nações Unidas, e não enviar mais material bélico a Fidel Castro;

b) Os Estados Unidos levantariam o bloqueio e dariam garantias de que Cuba não seria invadida, quer pelos Estados Unidos, quer por países latino-americanos.

27 de outubro — Uma segunda carta de Kruschev parece mais dura. Oferece retirar suas bases de Cuba se os Estados Unidos concordarem em proceder da mesma forma com relação às suas bases na Turquia. A Casa Branca declara que, antes de qualquer negociação, é preciso parar a construção das bases soviéticas em Cuba e tornar inoperantes as porventura existentes. É dada à publicidade o texto de uma carta de Kennedy a Kruschev, respondendo às duas deste. Kennedy traça a seguinte linha:

a) A Rússia deverá desmantelar suas bases em Cuba sob fiscalização das Nações Unidas e suspender o envio de armamentos àquele país;

b) Os Estados Unidos concordam em levantar o bloqueio e dar garantias de que Cuba não será invadida.

28 de outubro — É publicado o texto de uma terceira carta de Kruschev a Kennedy. Anuncia haver ordenado o desmantelamento das bases e o reembarque das mesmas com destino à União Soviética.

29 de outubro — Fidel Castro exige a devolução de Guantánamo como base para negociações. Continuam os vôos de observação por aviões americanos sobre Cuba.

30 de outubro — U-Thant viaja a Cuba a fim de verificar o desmantelamento das bases soviéticas. Como gesto de cortesia, Kennedy ordena o levantamento do bloqueio durante a permanência do secretário-geral das Nações Unidas em Cuba.

II — Motivação soviética

A análise dos acontecimentos parece revelar que teria sido a seguinte a motivação soviética:

1) Criação de capacidade ofensiva atômica em Cuba, antes das eleições americanas de 6 de novembro, com o objetivo de aumentar o poder de barganha com os Estados Unidos em futuras crises ou negociações sobre Berlim e bases americanas na Europa, África e Ásia;

2) A alteração, em favor da União Soviética, do equilíbrio de forças no Hemisfério Ocidental;

3) A criação do poder de retaliação atômica contra os Estados Unidos, por parte mesmo dos cubanos, no caso de uma invasão americana ou de refugiados;

4) A possibilidade de uma "chantagem" atômica na América Latina, com vistas a favorecer a infiltração comunista.

Provavelmente, eram pressupostos desse plano:

1) Que os Estados Unidos não comprovariam a instalação de capacidade ofensiva, antes de concluídas;

2) Que o governo americano não reagisse drasticamente, caso o comprovasse, em vista:
a) Da proximidade das eleições;
b) Da opinião pública mundial;
c) Do comportamento prévio dos Estados Unidos em outras crises;
d) Das divergências na América Latina.

3) Que, se os Estados Unidos reagissem drasticamente, o governo norte-americano seria levado a um ataque direto contra Cuba, caso em que, apesar de arriscar-se a perder Cuba, a União Soviética ganharia:

a) O desprestígio dos Estados Unidos que apareceriam aos olhos do mundo como nação agressora;

b) Quebra definitiva da unidade nas Américas, já que os Estados Unidos teriam contra si grande parte dos governos e da opinião pública dos países latino-americanos;

c) Possibilidade de cisão, senão nos governos, pelo menos na opinião pública dos países da Europa Ocidental;

d) Possibilidade de adotar medidas paralelas em outras áreas de tensão, notadamente Turquia, Irã ou sudeste da Ásia, senão mesmo Berlim.

III — Ação americana

Em lugar de inação ou ação intempestiva, o governo norte-americano:

1) Firmou o princípio básico de que qualquer ataque nuclear por parte de Cuba a qualquer nação do Hemisfério Ocidental seria considerado uma agressão da União Soviética aos Estados Unidos e, como tal, a União Soviética receberia plena retaliação (esse princípio já vem sendo chamado "o corolário Kennedy da Doutrina Monroe").

2) Estabeleceu duas condições imperativas:
a) Cessação de fornecimento de material ofensivo;
b) Desmantelamento das instalações ofensivas já existentes;

3) Para obrigar a realização da primeira condição:
a) Obteve o apoio unânime da OEA;
b) Impôs bloqueio parcial, como "medida inicial";

4) Para realizar a segunda condição:
a) Obteve apoio da OEA;
b) Fez preparativos políticos e militares para ação direta contra Cuba;

5) Simultaneamente, levou a questão à ONU, deixando porta aberta a negociações.

IV — Reação soviética

A reação soviética à ação americana parece demonstrar desorientamento do governo de Moscou, provavelmente determinado:

1) Pelo evidente erro de cálculo quanto à ação americana em si;

2) Pelo "escalonamento" ou "graduação" da ação americana (bloqueio parcial, possibilidade de negociações, eventual ação direta — e não ataque imediato);

3) Por possíveis divergências dentro do Kremlin;

4) Por possíveis divergências dentro do bloco soviético, especialmente com a China.

O desnorteamento soviético parece demonstrado:

1) Pela nota soviética de 23 de outubro, claramente "interlocutório";

2) Pelo súbito regresso de Gromyko a Moscou;

3) Pela rápida sucessão de diferentes propostas e sugestões soviéticas de solução pacífica;

4) Pela aceitação das duas condições de Kennedy em prazo relativamente curto;

5) Em resumo, pela falta de plano alternativo imediato: as iniciativas soviéticas passam a ser movimentos de adaptação.

O movimento de adaptação soviética parece obedecer à seguinte *rationale:*

1) Não estavam em jogo, no Caribe, interesses vitais da União Soviética;

2) Não havia, assim, razão para que se arriscasse à guerra nuclear;

3) Não atende aos interesses de expansão soviética guerra com os Estados Unidos;

4) Aceitas as duas condições de Kennedy, ficam os Estados Unidos impedidos de empreender ação militar direta contra Cuba, que destruiria Castro;

5) Conservada Cuba como "base política" nas Américas, permanece o "espinho no flanco" dos Estados Unidos;

6) Poderá a União Soviética capitalizar a sua "ação pacifista" e sua posição de barganha, embora diminuída.

V — Balanço atual da posições

A se confirmar o desmantelamento das bases ofensivas em Cuba, em troca de um compromisso de não-invasão por parte dos Estados Unidos, ter-se-ia, grosso modo, o seguinte balanço de posições:

I) Os Estados Unidos:

i) Teriam neutralizado, no plano estratégico da guerra fria, um avanço tático da União Soviética no Hemisfério Ocidental;

ii) Teriam, pela primeira vez, conseguido uma unidade de opiniões da América Latina com relação ao perigo da penetração soviética no continente;

iii) Teriam mostrado à América Latina que Cuba não é apenas um socialismo de fundo nacionalista, aceitável, no dizer de Rusk em Punta del Leste, como um regime econômico, mas sim um socialismo internacionalista sectário;

iv) No mundo afro-asiático e neutralista, se não tiveram ganhos políticos, pelo menos não sofreram desgastes substanciais;

v) Com relação aos aliados da Nato, tiveram acrescido seu prestígio e provaram sua determinação de fazer frente à União Soviética naqueles pontos em que estiverem em jogo interesses vitais;

vi) Não havendo destruído o regime de Castro, continuarão sofrendo pressões dos refugiados cubanos;

vii) No plano da política interna, a administração democrata poderá sair prestigiada, com reflexos positivos nas eleições de 6 de novembro.

II — A União Soviética

i) Capitalizará a retirada de suas bases de Cuba como uma atitude salvadora da paz mundial;

ii) Introduziu o problema de Cuba definitivamente no quadro geral da guerra fria, tornando mais claro o que já não era controverso, isto é, que os Estados Unidos não podem obter uma solução unilateral do problema;

iii) Dramatizou o problema das bases em território estrangeiro, provocando, mesmo na imprensa norte-americana, uma forte corrente contra a existência de bases (obsoletas) na Turquia;

iv) Formalizou a garantia de não-agressão americana à Cuba, assegurando, pelo menos temporariamente, a existência de um regime socialista nas Américas;

v) Teve um gasto, apenas em operações, de US$1.000.000 por dia a partir de julho, o que, somado ao gasto e desgaste de material e o custo do transporte de retorno, pode tornar qualquer vantagem política muito onerosa em termos de custos econômicos;

vi) Sofreu grande desgaste político na área comunista, principalmente com relação à China; os satélites da Europa e a China, além de natural ressentimento por não possuírem as armas mais modernas que existiam em Cuba, considerarão o recuo soviético como uma demonstração de fraqueza no bloco comunista diante dos Estados Unidos;

vii) Sofrerá perda de prestígio nos setores não radicalmente de esquerda da América Latina.

III — Fidel Castro

Sairá como o grande perdedor de toda a crise, se não conseguir, como é quase certo, uma vantagem maior, que seria a retirada da base de Guantánamo, pois:

i) Perderá a mística de líder de uma revolução socialista de caráter nacional, passando a ser uma figura de terceiro plano na disputa Estados Unidos — União Soviética;

ii) Correrá o risco de perder parte da ajuda econômica soviética, visto o pesado ônus que a crise representou para a União Soviética e o alto custo de manutenção que Cuba representa;

iii) Ficará provado que o seu regime, antes de ser uma revolução socialista visando a nacionalização e estatização dos meios de produção, é, sobretudo, um comunismo de caráter propagandístico e sectário, confundindo-se com um instrumento de política externa da União Soviética;

iv) Com a perda da mística de herói de uma revolução nacional, com o desprestígio na esfera internacional, com o agravamento da crise econômica, corre ele o risco de, se não contar com um mecanismo policial adequado e instrumentos de propaganda eficientes, ter de defrontar-se com o recrudescimento de guerrilhas internas.

VI — Posição brasileira na OEA e ONU

Tendo em vista a própria ação americana, que trouxe o problema do agravamento da crise cubana para o campo das negociações na OEA e ONU, o Brasil adotou, nessas duas organizações, medidas que se poderiam chamar, na primeira delas, de alcance imediato e, na segunda, de objetivos a prazo mais longo. Tais medidas, embora considerando a modificação que advinha no problema cubano como conseqüência da instalação das bases de mísseis ofensivos, subordinaram-se a diretivas mestras da política exterior brasileira, qual sejam, o respeito a compromissos livremente assumidos, a defesa de certos postulados jurídicos básicos e a objetivação da paz mundial.

1) Posição na OEA

Coerente com a posição assumida na Conferência de Punta del Leste e em cumprimento aos dispositivos do Tratado do Rio de Janeiro, o Brasil:

a) Apoiou resolução apresentada pela delegação dos Estados Unidos, no sentido de convocar o órgão de consulta, de acordo com o previsto no Tratado Interamericano de Assistência Mútua, e de autorizar o Conselho da OEA a funcionar, provisoriamente, naquela qualidade;

b) Defendeu a necessidade de o Conselho fazer uma distinção entre as medidas que os Estados Unidos solicitavam contra Cuba, ou seja, entre:

i) Medidas defensivas destinadas a impedir que Cuba continuasse a receber das potências sino-soviéticas armamentos que pudessem ameaçar a paz e a segurança do Continente, isto é, medidas que equivalem ao bloqueio marítimo de armas ofensivas;

ii) Outras medidas a serem tomadas em território cubano para impedir que o armamento ofensivo ali existente pudesse converter-se em ameaça ativa à segurança do continente, ou seja, numa linguagem ampla, qualquer ação militar que os Estados Unidos quisessem tomar, inclusive invasão;

c) Votou favoravelmente ao bloqueio marítimo parcial, mas absteve-se de votar "outras medidas", no que foi acompanhado pelo México e Bolívia, tornando-se bem clara sua posição contrária a medidas de bombardeio ou invasão de território cubano.

2) Posição na ONU

Com o objetivo imediato de atenuar a crise no Caribe e, a prazo mais longo, dentro de sua política favorável ao desarmamento progressivo e controlado, com a liberação de fundos para programas de auxílio ao desenvolvimento econômico de países subdesenvolvidos, o Brasil apresentou, em 29 de outubro, ao Comitê Político da Assembléia Geral projeto de resolução no sentido da desnuclearização da América Latina e África.

3) Conseqüências a longo prazo da posição brasileira

A atitude do Brasil serena e firme na OEA, abstendo-se de apoiar medidas imediatas mais violentas contra Fidel Castro, sobre contribuir para aliviar a tensão internacional (o que na ONU se procurou com o projeto de desnuclearização), visou a não alienar Cuba totalmente do sistema interamericano, o que eventualmente permitirá, tão logo cesse o clima emocional exacerbado de agora, uma volta à posição defendida em Punta del Este, isto é, a tese de que Cuba, neutralizada e não-infiltracionista, poderia conviver competitivamente com as democracias representativas do continente. Tal convivência estaria subordinada à condição que Cuba (a) Aceitasse um estatuto de obrigações negativas, com efetiva renúncia a técnicas de propaganda subversiva, infiltração e sabotagem, (b) Abandonasse sua subserviência à política exterior e aos interesses militares soviéticos (c) Respeitasse os interesses da segurança continental e o direito dos outros países de realizarem seu próprio experimento político.

VII — Apreciação da atitude brasileira nos Estados Unidos

Embora parte da opinião pública e uma parcela da administração reconheçam os aspectos positivos da atuação brasileira na OEA e ONU, certos setores da imprensa e os meios diplomáticos latino-americanos em Washington comentam desfavoravelmente que:
a) O Brasil ainda não se apercebeu da diferença existente entre comunismo de caráter nacional e comunismo internacionalista, sectário, infiltracionista e instrumento da política exterior soviética e, outrossim, do perigo que esse último tipo de regime representa para países como a Bolívia, Colômbia e Venezuela, através do estímulo de agitações internas de fundo esquerdista;
b) Que o Brasil, talvez pelo seu afastamento geográfico de Cuba, não sentiu o desequilíbrio de poder no hemisfério — e o conseqüente perigo que certamente produziria um Fidel Castro em plena posse de armas atômicas; e que qualquer que fosse a orientação doutrinária que o animasse, tal desequilíbrio produziria forte reação, pelo menos no Caribe.
c) Que o desenvolvimento do comunismo nacional não-agressivo seria dificilmente concebível sem substituição de liderança, por estar Fidel Castro demasiadamente comprometido com a linha marxista-leninista e, pelas suas atitudes anteriores, ter despertado irreconciliável antagonismo não só nos Estados Unidos, mas em várias áreas da América Latina, impossibilitando montagem de fórmulas de convivência.

Washington, em 1? de novembro de 1962.

ANEXO V

Carta do embaixador do Brasil em Washington
ao Sr. Herbert K. May, Deputy Assistant
Secretary for Executive Affairs — 19th sept., 1962.

Personal and Confidential

Mr. Herbert K. May
Deputy Assistant Secretary of State
for Latin American Affairs
Department of State
Washington, D.C.

Washington, D.C.
September 19, 1962

Dear Herb:

Our last conversation increased the apprehension I had derived from an earlier talk in Rio with both Lincoln Gordon and Teodoro Moscoso. I feel compelled to put down in writing some of my thoughts and worries. My comments are made exclusively on a personal unofficial basis, using the candor that I feel I am entitled to use as a long-term friend who cannot be blamed do lack of understanding of United States objectives and policies or for lack of appreciation of the importance of financial stability.

(1) *The Neo-Republican Approach* — The Administration appears to have become increasingly sold on the advantages of a "hard line" which, for want of a better term, and not in any derogatory sense, I shall term the "Neo-Republican Approach". Its main features, though hard to trace accurately, appear to be the following:

(a) *A moralistic rather than a sociological approach to problems of monetary and financial discipline.* Thus the failure of the stabilization plans and recurrent foreign exchange crises in Latin America area in a sense regarded as "moral debauchery". The thought apparently does not occur that they may be due to irresistible distributive pressures (claims on consumption) or growth pressures (claims on investiment) in a worldwide environment unfavorable to exports of primary products, the reconciliation of these incompatible claims being attempted either by temporary authoritarian measures (Argentina and Peru) or by relapses into inflation (Brazil).

(b) *The Paramounty of Stabilization.* In the Neo-Republican approach, the hierarchy between instrumental values and terminal values is blurred. A curious symptom of that is the AID publication "Proposed Program for Fiscal Year 1963" in which the most often recurring words are: "Economic stabilization", "stabilization programs" and "sound programing". The highest and most important terminal values — high rate of growth — takes a secondary place. Barely any mention is made of the degree of the openness of the society, social mobility, integration of the masses in the democratic political process, which should be the paramount values.

This narrow approach is a far cry from the sophisticated atmosphere which preceded the launching of the Alliance for Progress. Then a long historical view was supposed to be taken. Sociological factors and political pressures during the process of the modernization of the societies were given due recognition to qualify and amend the earlier passion for financial orthodoxy. This sophisticated and compassionate approach to the problems of the developing countries is now but a memory. Or perhaps a "saudade".

(2) *Rationale for the Neo-Republican Approach* — The reasons for the revival of the paramountcy of stabilization and the "hard approach" are not easy to understand since:

(a) There is no real *resourse problem*. The United States has substancial underutilized capacity in industry, huge food surpluses and unemployment. Contrary to the initial years of the Republican Administrations (1952/1954) when one might conceive of a resourse problem due to the inflationary strains of the Korean war, the danger now is much more of deflation than of inflation.

(b) *There is no welfare problem*. The real burden of taxation is alleviated by welfare gains resulting from favorable terms of trade which directly or indirectly benefit the consumer-taxpayer. Coffee, cocoa, lead, zinc and oil have all fallen in price fairly substantially in 1961-1962. Again the restrictive attitude adopted at the inception of the Republican Administration was much less painful because then the terms of trade were still favorable to Latin America, while by tragic coincidence they shifted adversely since the inception of the Alliance for Progress.

(c) *There is* of course a *balance of payments problem*. But this does not originate in Latin America and cannot be solved by restricting aid to that area. Latin America is losing rather than gaining gold reserves. Given its import propensities and indebtedness to the United States, even in the absence of the "segregated account" techniques, the assistance money in Latin America would flow back to the Unite States, with a modest leakage that might not exceed 20%.

What then is the rationale for the "Neo-Republican Approach"? I can think only of three possible rationalizations:

(a) *The Leverage Theory*. The refusal of drawings on agreed credits to punish unsatisfactory stabilization performances as well as the holding back of development aid are supposed to be a "leverage factor" to force the adoption of sound programs. However, neither the withheld credits are of dramatic magnitude, nor the impact of the Alliance for Progress has yet been sufficiently felt to permit this leverage effect to be exercised.

(b) *The Catastrophic Theory*. This is based on the "Day-of-reckoning-I-am-going-to-teach-you-a-lesson-approach". According to this view, the suspension of drawings and the denial of development loans will accelerate economic disintegration, leading to a period of shock, out of which a "catharsis" or purification will emerge, in the form of austerity measures. The trouble with this reasoning of course is that its may be "revolutionary austerity", with subversion of democratic institutions or else a relapse into wrong policies: import licensing, government control of foreign trade, bilateralism, elimination of private distributing channels for food and essential products etc. Through a cruel paradox, the likely effect in either case will be the demoralizations of precisely those persons working for "sound policies", austerity and the implementation of the Alliance for Progress.

(c) *Conservative pressures form the Unite States Congress and Public Opinion* — This is of course a respectable argument but undoubtedly

(i) The real burden placed on the United States economy is much less than generally believed in view of the twin fact mentioned above, namely United States unused capacity and deteriorating terms of trade of Latin America.

(ii) It may involve a "penny wise, pound foolish" theory. If economic aid is refused to bolster sagging economies through a refusal to face risks of waste, much greater sums may be later needed for salvage operations.

(3) The False Correlations — as a result of the paramountcy of stabilization values, the Brazilian "unstable, high growth performance" is given a much lower rating than the "stable, low growth performance" of other countries such as India, Colombia or Pakistan. This is based apparently on some false correlations. It is assumed somehow that there is a positive correlation between price stabilization and the preservation of democratic values; or between stability and growth. Yet the best example of price stability in Latin America were those of Cuba in pre-Castro days and Central America. With a few exceptions those were stagnant economies, authoritarian economies, or both. Brazil and Chile, highly unstable price-wise, were able to mainstain democratic institutions. Actually it can be argued that it is the maintenance of the high rate of growth with the attendant job flexibility and social promotion that makes for institutional viability; price stabilization, if achieved by authoritarian repression of consumption, by compulsory wage discipline or by subdued investment policies lead much more readily to an ultimate institutional impasse despite the superficial appearance of financial orderliness and discipline.

(4) Evaluation of Countries Performance — Instead of the obsessive concern with what are basically instrumental values — stabilizations and sound programing — a much more sophisticated set of criteria is needed. I would suggest the following:

(a) Degree of openness, social mobility and democratic flexibilitity
(b) Rate of growth
(c) Degree of price stability
(d) Coefficient of autonomous growth

If a score box is made up and ratings assigned to countries, appropriate weights being given to each of the above criteria, the much maligned and desultorily treaded Brazilian performance would stand in much better light. Except for the stabilization performance which is dismal, our performance under criteria *a* can be in all fairness rated superior to those of Argentina, Peru, Pakistan (guided democracies) and even of Mexico and India (one party system) or Colombia (revolving democracy). There are no politically repressed areas in the Brazilian society; no major obstacles to social mobility (castes or oligarchies); there is a rapid incorporation of broad masses into the political spectrum, with attendant short-run turmoil but probable long-run enhancement of the democratic mechanism.

In terms of criteria *b* — rate of growth — , even the aforementioned report of AID recognizes that "Brazil's average annual growth in GNP over the past decade has been 5.8% — the biggest in Latin America — but the growth of population has reduced this to 3.3% per capita". The relevant figures, as put by the OAS-ECLA survey of Latin America for 1961 are as follows:

RATES OF GROWTH OF GNP FACTOR COSTS

	1950-57	1957-61	1960-61
Countries pursuing "respectable" financial policies			
Colombia	4.5	3.5	1.5
Mexico	6.0	4.4	3.5
Peru	5.4	3.9	3.4
Venezuela	9.4	3.0	1.4
Countries with erratic behavior but not blacklisted by IBRD			
Argentina	2.1	1.3	3.7
Chile	4.5	4.1	2.4
Deviant country			
Brazil	5.3	6.9	7.2

Source: OAS/ECLA joint Secretariat Economic Survey of Latin America.

Under criterium *d*, the Brazilian performance is equally creditable. Between 1953 and 1960 real GNP increased by over one third while the imported input of the economy remained stationary, bearing witness to a tremendously vigorous process of import substitution. This in the short-run exercised no doubt a serious inflationary impact, but ensured long run resiliense by a rapid structural transformation of industry. Imports in fact have oscillated during the period between 1.2 and 1.4 billion dollars, with the high mark of 1.6 attained only in 1954.

During the same period 1953/1960, although achieving a lower rate of growth — 10% — India increased its imports by 72%. Imports more than doubled in Pakistan, Australia, whose performance is judged respectable, increased its real income by less than Brazil — 27% — while its imports rose by 52%. Chile and Argentina, with very low rate of growth — 12% and 19% respectively — increased their imported inputs by 36 and 43%.

The relevant data which are summarized below area as follows:

	Percent Increased in GNP (1953-100)	Percent Increased in import input (1953-100)
Countries with acceptable financial behavior:		
Australia	127	152
India	110	172
Pakistan	102	237
Countries with erratic behavior but not black-listed by IBRD		
Argentina	119	143
Chile	112	136
Deviant country		
Brazil	131	101

Source: Estimates based on IMF Financial Statistics, September 1962.

Doesn't this provide a clue to the higher inflationary pressures in the Brazilian economy? Doesn't it also indicate a high rate of structural transformation leading to long-term flexibility? Isn't this the very evidence of self-help? Is the supercilious and moralistic attitude shown in the analysis of Brazilian performance a justified one?

(5) *On Self-Help, Profligacy and Balance of Payments* — In the *Neo-Republican* environment it is uncritically postulated taht the Brazilian performance — inflation and balance of payments deficit — is hopelessly profligate and falls short of the requirements of "self help".

Actually inflationary development based on a meager diet of imports and "forced savings" is an extremely painful proposition, and involves more self-help than the more conventional types of non-inflationary slower growth, planned balance of payments gap of India, Pakistan etc.

Are recurrent balance of payments crises in Brazil an indication of moral debauchery or profligate behavior? This does not appear the case because of these factors:

(a) There has not been an import spending spree. The imported input of the economy has remained invarianted despite a high rate of growth in GNP.

(b) The balance of payments gap is not inordinated in the light of the losses in exchange earnings due to the deterioration in terms of trade.

(c) The United States gross foreign assistance extended to Brazil was somewhat lower in magnitude to our losses in overall terms of trade. It probably exceeds (data on bilateral terms of trade are incomplete) net United States welfare gains through improvements in the bilateral terms of trade but by a margin which does not represent a serious real burden on United States resources. It is true of course that the gains in terms of trade are involuntary for the United States; and that Europe while profiting from them in comparable measure has not developed any appreciable aid programs; that there is no moral obligation of making up through aid the deterioration in prices of primary products. The point is simply that in evaluating the *real burden* of aid the welfare gains of the consumer of primary products need be taken into account.

(d) The denial of long term loans by IBRD and to a certain extent Eximbank forced the resort to onerous medium term supplier's credit.

Some of the relevant data are shown below:

	1 Brazilian Terms (1950) (1951-100) (1952) (1953)	2 Value of Brazilian exports at current prices (million US$)	3 Value of Exports at 1950/53 Terms of Trade (2x1)
1955	99.9	1,423	1,424
1956	93.8	1,482	1,580
1957	91.1	1,392	1,528
1958	88.4	1,243	1,406
1959	75.7	1,282	1,694
1960	80.1	1,269	1,584
1961	79.5	1,403	1,765

	4 Loss of revenue through decline in terms of trade	5 Balance of payments deficit	6 Gross total of US foreign aid to Brazil
1955	- 1	+ 17	56.3
1956	- 98	+ 194	95.7
1957	- 136	- 180	324.4
1958	- 163	- 253	26.8
1959	- 412	- 154	135.5
1960	- 315	- 430	19.9
1961	- 361	- 160	304.4
	1,486	966	963

Source: Terms of Trade, Conjuntura Econômica; Balance of Payments, IMF financial statistics; Foreign Aid, US AID.

(6) *The cruel paradox and the gay paradox* — The cruel paradox is that in the New Frontier environment of the Alliance for Progress, predicated on the assumption that a much greater flow of resources into Latin America was called for, we may end up by having greater obstacles to his flow than in the pre-Alliance era. In fact, stabilization programs were then the only pre-requisite for development assistance. Now, according to AID'S proposed program for fiscal year 1963 development lending other than the Northeast and limited social investment programs: "Would be contingent upon the Brazilian Government providing concrete evidence of determined effort in three directions: (a) Adoption of a reasonable and appropriate stabilization program; (b) Adequate self-help and social reform measures; and (c) Progress in the preparation of a sound long term development plan.

Upon satisfaction of these conditions, development lending will be considered (sic)".

The *gay paradox* is that the aforementioned AID policy statement does recognize, explicitly, that the Brazilian rate of growth over the last decade has been the highest in Latin America. This would indicate prima facie an effective use of resources. But then in an extraordinary non-sequitur the document goes on to say: "The United States and other potential sources of aid are prepared to contribute the amounts required to supplement Brazilian investment, but only as Brazilian authorities themselves undertake the essential and practicable measures necessary to make foreign assistence effective".

But is there a better indication of the effectiveness of resource mobilization than the highest rate of growth in Latin America? If Brazil, in the absence of "sound programing", has achieved a reate of growth higher than that of "sound program" countries such as Colombia or India, why is a miraculous quality attributed to "sound long-term development plans"? Couldn't the opposite inference be just as validly drawn, namely, that due to the spontaneous development impulse of most of its states and to the strenght of private enterprise, sound programing is less needed in Brazil than elsewhere in Latin America and Asia?

(7) The "What-have-we-got-to-show-for-it-argument" — This querry is financial circles of the Administration as well as in Capitol Hill. Has U.S. treasure and substance been wasted in Brazil? When can "we" see the end of the road?

The answers are to my mind the following:

(a) In a net sense it is doubtful that any substancial transfer of real resources has occurred because of the already mentioned terms-of-trade effect

(b) For such net transfer as may have occurred, there is a lot to show, namely

(i) A substancial rate of real growth

(ii) A fast rate of structural transformation and technological absortion

(iii) Preservation of an open society and of substantially unscathed democratic values

Rather than derision, the Brazilian performance deserves some appreciation. There is turmoil and confusion, anti-inflation programs collapsed periodically under distributivist pressures, the balance of payments picture is difficult, reforms are spotty and sluggish, but nothing occurred that in a long historical view cannot be described as legitimated pains of growth.

(8) Where do we go from here? The obsessive concentration on the stabilization criterion for judgement of economic performance led to panicky dismay at the failure of the stabilization program.

Some extenuating circumstances were not given due attention

a — An implied assumption of the stabilization program was political normaly; once this did not materialize, the solution of the political crisis — without destruction of democratic institutions — and no country can consider itself free of a political misfortune, such as Quadros resignation, which has befallen us — had to take precedence over any other problem

b — By suspending drawings at the first signs of deviation from stabilization targets, the IMF merely aggravated the problem, provoking issues of currency beyond what would be necessary if the foreign margin were forthcoming.

c — By not taking the same drastic attitude and allowing additional drawings in October 1961, and then in April 1962, the United States showed considerably more inderstanding than wither the IMF or the Western Europeans; but the delay and piecemeal character of those releases (i) Prevented the monetary authorities from taking bolder steps in freeing the exchange rate (thus avoiding export retention), (ii) Resulted in inflationary "swap" operations to preserve exchange viability and (iii) Resulted in a higher rate of monetary expansion than might have occurred. (The undisbursed balance of the May 1961 agreements, including US$ 83 million from European banks, US$ 100 million from IMF, and US$ 89 million from U.S. Government sources total US$ 272 million which, at an average exchange rate of CR$ 300 per dollar would total roughly 80 billion cruzeiros which is over 56% of the total currency issues (CR$ 140 billion for the period June 1961 — August 1962)

d — It is easy in evaluating balance of payments performance to fall prey to conventional thinking and "numerical illusions". This takes the form of equating such money-earners as tourism and dollar income from military bases to such other instruments to promote *ultimate* balance of payments viability as export-expansion or import-substitution. The former types of dollar inflow, while useful to ease the payments problem do not increase the technical skills of the people nor represent any structural transformation of the productive capacity. Import-substitution however, though much less effective in easing the payments problem (in the short run it may even aggravate it) does lead to structural diversification and development of skills. Under this light, the balance of payments stringencies of Brazil may in the long run seem preferable to exchange affluence supported by: tourist and military income (Spain) of balance or payments viability financed partly by tourism and with a lesser pace of import substitution (Mexico).

e — There appears to be an overemphasis on price stabilization in the appraisal of performance under the May 1961 agreements. The two explicit purposes were, *primarily*, sound economic growth and secondarily, "in an enviroment of financial stability". Furthermore, there was, as said before, an implied assumption of *polical normalcy*. "Rebussic stabibus", in other words.

The failure of the underlying assumption of political normalcy led to a relaxation of austere budgerary and wage policies, since it would be dangerous to superimpose economic and financial restraint to political frustation. The other priority objetive — economic growth — was reached satisfactorily at least until the end of 1961 (a 7.2% rate of growth in real GNP was reached); for 1962 data are not available but the performance appears to be less brilliant). Giving the total collapse of the implied political assumption, the attainment of at least one of the explicit objectives — high rate of growth — seems a creditable performance, particularly when accompanied by success in preserving an "open society".

I trust the foregoing considerations indicate why we have to part company on the wisdon of the neo-Republican approach to Latin American finances, or the "Day-of-reckoning-I-am-going-to-teach-you-lesson-approach".

Neither stabilization nor political understanding will be fostered this way. What it can do is to strengthen the radical-revolutionary wing in Brazil, as elsewhere, saving pennies now to waste pounds later.

A more constructive attitude would be in my judgment

a — To release the unspent balance of the May agreements, even though only limited objetives such as decreasing the rate of inflation or preventing an exchange panic can now realistically be attained.

b — To carry out impact projects of great economic and political consequence, as well as psychological importance for the Alliance for Progress, such as the road building programs (involving 8 selected roads of crucial economic and political significance), even though they turn out to be indirectly loans for budgeraty and balance of payments support.

c — To maintain continuing pressure in favor of an overall development and financial program which there is every reason to assume will become feasible after the plebiscite on January 6th and the coming into power of a new cabinet with better prospects of stability. In fact the work now going on gives every indication that the planning mechanism has already improved and that there is an acute realization that the financial "drift" must be stopped.

You might hold that this would be, on your part, assuming an inordinate risk. But if you are not prepared to take risks in relation to such an important issue as Brazil, then it becomes indeed a futile exercise to think of a stragegy for democratic development in Latin America.

Forgive me for the "desabafo". But conventionally polite words would not serve, at this juncture, either your country or mine. This letter reflects my personal interpretation of the problem and not a "Government cleared" disquisition.

Cordial abraço do
ROC/tj

ANEXO VI

**Carta do embaixador do Brasil em Washington ao senador Juscelino Kubitschek
sobre a Aliança para o Progresso — dezembro, 1962**

Washington, 6 de dezembro de 1962

Exmo. Sr.
Senador Juscelino Kubitschek
Av. Delfim Moreira, 952 — 2° andar
Rio de Janeiro — Est. da Guanabara

Meu caro senador,

Havia-lhe prometido, além da documentação que está sendo preparada pelo *staff* da embaixada, algumas observações pessoais, que acredito não destituídas de interesse, à luz da experiência que adquiri quer durante a fase de formulação da Carta de Punta del Este, quer no desenrolar dos acontecimentos desde então.

Dividirei esta disquisição pela forma seguinte:

I — Problemas políticos
II — As objeções espúrias
III — As objeções corretas
IV — Medidas corretivas e recomendações

I — *Problemas políticos* — As dificuldades políticas da Aliança resultam de:

a) *Falta de penetração popular* de seus objetivos, cuja percepção ficou em grande parte adstrita à *intelligentsia* técnica;

b) *Inaceitação* da Aliança como um movimento *conjunto*, fundamentalmente de *origem latino-americana*.

É particularmente bizarra a conceituação da Aliança como uma espécie de programa unilateral americano. Isto resultou em parte do erro a cuja tentação sucumbem todos os governos novos, de buscar "desnecessária originalidade". Se houvesse sido mantido o nome "Operação Pan-Americana", ter-se-ia marcado mais fortemente sua origem latino-americana. Na realidade, grande parte das idéias de Punta del Este já se achavam compendiadas na proposta brasileira apresentada no Comitê dos Nove, em junho de 1960, e que depois encontrou aceitação limitada na Ata de Bogotá.

É verdade que a Aliança para o Progresso contém duas idéias nunca explicitadas na programação da OPA: o conceito de reformas estruturais (fiscal, agrária, educacional, habitacional, administrativa) e a preocupação de investimentos sociais. O restante, entretanto, da carta de Punta del Este, não faz senão compendiar idéias que há muito vinham amadurecendo no seio do sistema interamericano e que foram dramatizadas com o lançamento da OPA.

Registrada a falta de *sex-appeal* político da Aliança para as massas latino-americanas, *que fazer para corrigir a situação?* Duas propostas foram aventadas. Uma, já em execução, foi precisamente a constituição do *comitê de altas personalidades* de que Vossa Excelência faz parte, com o fito de dar liderança política ao programa, na América Latina, e propor as modificações necessárias para tornar o mecanismo da Aliança economicamente eficaz e politicamente expressivo. A outra, consubstanciada em resolução que eu próprio formulei, mas que não foi ainda aceita, é a constituição de um parlamento do hemisfério ocidental, ao qual compareceriam, em reunião anual, legisladores eleitos pelos respectivos congressos, segundo um critério misto de representação pluripartidária e de representação funcional, através dos presidente das comissões legislativas relevantes. A idéia é que, conquanto tudo na Aliança — do lado do financiador, a votação das verbas e, do lado dos recipientes, a votação das reformas de base — dependa dos Legislativos, a Aliança continua paradoxalmente um diálogo entre governos ou grupos técnicos, praticamente sem participação legislativa. Donde o Congresso norte-americano não entender as dificuldades latino-americanas na efetivação das reformas de base e, correlatamente, os legisladores latino-americanos não reconhecerem a séria dificuldade de obter assentimento dos contribuintes norte-americanos aos impostos destinados à lei de auxílio externo, quando, certa ou erradamente, esses contribuintes enxergam dissipação financeira, sonegação de impostos e confisco de propriedades em nossos países. O intercâmbio de experiência entre os legisladores contribuiria imensamente para corrigir muito do desinteresse e vários dos erros de ótica atualmente existentes.

II — *As objeções espúrias* — Há sem dúvida alguns pontos a criticar na formulação da Aliança, e muito na sua execução, mas algumas das críticas me parecem improcedentes.

1) *A Aliança é um programa assistencial.* Essa objeção é infundada. A Aliança é *também* um programa assistencial mas não o é nem *exclusivamente* nem mesmo *primordialmente*. Na realidade a carta de Punta del Este fala em programas globais de desenvolvimento preparados livremente por cada governo e que incluiriam:

a) Desenvolvimento da infra-estrutura econômica
b) Industrialização
c) Desenvolvimento agrícola
d) Reformas estruturais
e) Investimentos sociais

A única coisa que nesse elenco poderia ser descrita como *assistencial* são os investimentos sociais. Mas é preciso lembrar:

i) Que num regime democrático, diferentemente dos regimes socialistas, a população precisa receber algum benefício imediato ainda que modesto como o "preço sociológico da espera"; a tentativa de concentrar todos os recursos em obras econômicas, sem nenhuma atenção a investimentos sociais, gera tal instabilidade social que baixaria a produtividade global e se perturbaria a execução dos próprios projetos econômicos;

ii) A expressão *assistencial* é utilizada de maneira confusa e frouxa. Por exemplo: serão "assistenciais" os investimentos em educação? Tudo revela que esses investimentos são fundamentalmente econômicos e que 2/3 do aumento de produtividade, quer no Estados Unidos quer na União Soviética, resultam não de investimentos físicos mas de melhoria tecnológica do capital humano. Serão assistenciais os investimentos em saúde? Mas certamente os ganhos de produtividade e o aumento de horas de trabalho útil, com a erradicação de malária, da incidência de moléstias digestivas etc., são de tal ordem que esses investimentos têm significado econômico ao diminuir a incidência de moléstias digestivas, ao economizar horas de trabalho na satisfação de necessidades rudimentares, ao ensejar a criação de indústrias no interior, ao dar às populações um mínimo de sentido de progresso em localidades que só lentamente receberiam os benefícios do desenvolvimento econômico. Será um programa habitacional algo meramente assistencial? Note-se, em primeiro lugar, que o dispêndio com habitações populares é o mais eficaz dos investimentos para produzir estabilidade social e política, sem a qual fracassaria qualquer programa de desenvolvimento econômico. Em segundo lugar, há modos e técnicas de reduzir os custos desses programas, de modo que não absorvessem parcela exagerada da poupança a ser concentrada prioritariamente nos investimentos econômicos diretamente produtivos. Pode-se, por exemplo, utilizar métodos de ajuda própria que além do mais têm a vantagem de propiciar algumas técnicas rudimentares a populações ignorantes; pode-se utilizar materiais simples de fabricação local, sem onerar o sistema de transporte e o consumo de materiais de construção mais nobres; pode-se provocar, com esperança da casa própria, o surgimento de poupança que nunca ocorreria por falta de incentivo adequado. Tanto isso é verdade que mesmo os países socialistas, famosos em sugar o sangue do consumidor a fim de poupar recursos para investimentos de base, se viram obrigados a lançar grandes programas de habitação popular.

Sumariando portanto pode-se dizer que a) Sendo a Aliança para o Progresso baseada em programas *nacionais*, cabe a cada governo decidir que proporção deseja dedicar aos investimentos sociais comparativamente aos econômicos; b) Vários dos investimentos chamados *assistenciais* têm profundo sentido econômico.

2) *A Aliança tem que se latinizar, pela identificação com os movimentos "nacionalistas" da América Latina.* Sem dúvida alguma, a Aliança para o Progresso é perfeitamente compatível com um "nacionalismo autêntico", de vez que se destina a financiar programas "nacionais de desenvolvimento", livremente formulados por cada governo, com a única ressalva de que objetivem o desenvolvimento dentro de processos democráticos e não totalitários. Mas a Aliança é também um movimento *cooperativo e internacionalista* em dois sentidos:

a) Porque uma parcela apreciável dos fundos provirá de fontes externas de financiamento (Estados Unidos, Europa, Japão, organizações internacionais) e

b) Porque visa encorajar a integração econômica e política da América Latina.

A única incompatibilidade que existe é entre a Aliança e modalidades irracionais ou xenofóbicas de nacionalismo. Os motivos no caso são tanto políticos como técnicos. O desenvolvimento econômico é essencialmente uma tarefa de modernização da sociedade e adoção de técnicas racionais de produção e de programação financeira, que não se compadecem com modalidades emocionais de nacionalismo, baseadas num alto grau de irracionalidade, através do qual se confunde o desejo com a realidade a aspiração com o desempenho. Pragmaticamente, por exemplo, os Estados Unidos hoje aceitam, contrariando teses tradicionais, que a principal responsabilidade de auxiliar o desenvolvimento da América Latina repouse sobre capitais públicos; mas não podem chegar ao extremo de fornecer dinheiros públicos, exocionados do contribuinte privado, para facilitar a expulsão de capitais privados por medidas de desapropriação e de estatização da economia (excetuados os setores politicamente sensíveis ou estratégicos). Também não seria razoável exigir que ao outorgar os financiamentos, abdicassem os Estados Unidos completamente do direito de saber a destinação dos fundos. É que vários governos da América Latina não têm suficiente grau de evolução técnica ou moralidade administrativa para assegurar boa utilização dos recursos. Além disso o próprio rateio dos fundos tem, naturalmente, que depender da existência de projetos e do grau de esforço próprio de cada governo, não sendo praticável, sem grave rivalidade política na América Latina, a alocação de somas globais a países, independentemente dos fatores acima.

3) *A insistência da Aliança para o Progresso sobre as reformas de base é mero pretexto para retardar o auxílio.* A observação parece algo injusta. É que a experiência tem revelado que o desenvolvimento econômico não é mera questão de injetar dinheiro, mas exige freqüentemente a modificação de instituições e a efetivação de reformas de estrutura. A experiência do pós-guera em matéria de auxílio externo revelou claramente duas coisas:

i) Que o desenvolvimento econômico sem desenvolvimento social agrava as disparidades de renda e provoca tensões sociais de tipo revolucionário de que são exemplos Cuba, já subjugada pela revolução, e Venezuela por ela ameaçada;

ii) Que vários países carecem ainda de um mínimo de condições institucionais e eficiência administrativa para a tarefa de desenvolvimento, com o resultado de que a injeção de dinheiro para investimentos é inútil sem reformas institucionais e estruturais; disso são exemplos, neste continente, a Bolívia e o Haiti.

Acresce notar que a industrialização não pode prosseguir harmonicamente sem a melhoria da produtividade agrícola e da renda rural, coisas ambas que só se pode atingir através de reformas agrárias, cuja urgência obviamente varia segundo o país e segundo regiões do mesmo país, mas que são raramente desnecessárias. De outro lado, o papel da ajuda exterior é sempre suplementar, estimando-se em aproximadamente 20%, em média, a margem de investimentos cobertos pela assistência externa, se bem seja verdade que esses 20% têm papel estratégico por permitirem absorção de tecnologia externa e reforçarem a capacidade de importar equipamentos. Os restantes 80% devem ordinariamente provir de poupança interna, para o que é necessária uma mobilização racional dessas poupanças, através de reformas fiscais. No Brasil, por exemplo, os subsídios acarretados pelos déficits das empresas de serviços públicos, assim como a artificialidade da taxa cambial para combustíveis, trigo e outros produtos representam um potencial disfarçado de investimentos, que, se mobilizados adequadamente, permitiriam um ritmo maior de desenvolvimento com grau menor de inflação. Dessa forma, as reformas de base, consideradas obviamente as peculiaridades de cada país, não são pretexto para retardamento do auxílio e sim condição racional de sua eficácia.

III — *As objeções corretas* — o funcionalismo da Aliança neste ano e meio de execução tem revelado importantes falhas que é preciso analisar com rigor, porém sem malícia. É o que procurarei fazer a seguir, alinhando objeções validadas pela experiência.

1) *O aparelhamento burocrático da Aliança é emperrado e complexo.* Os principais problemas derivam:

a. Do caráter restritivo da lei de auxílio externo de 1961, emendada em 1962. Fundada em motivação diversa e não raro conflitante, esse diploma legal, conquanto essencialmente de objetivo desenvolvimentista, procura servir a vários outros propósitos: contém dispositivos destinados a proteger a marinha mercante norte-americana (Seção 603); visa estimular exportações e proteger o balanço de pagamentos norte-americano, vinculando para isso os financiamentos a compras neste mercado (Seção 604); procura encorajar a participação de outros países do mundo livre na assistência financeira à América Latina e por isso transforma a AID num financiador residual, com o que os mutuários ficam obrigados a um longo e penoso processo de peregrinação por outras fontes de financiamento (Seção 251, b); visa desencorajar desapropriações (Seção 620); finalmente, exige a aprovação de projetos individuais para desembolsos superiores a cem mil dólares, dificultando a adoção do "program approach" (Seção 611).

b. Da descoordenação interna entre os mecanismos de financiamento, já que uma importante fonte de fundos, o Eximbank, atua independentemente do mecanismo da AID, e outra, os capitais privados, obedecem a uma dinâmica própria.

c. Das dificuldades de montagem do mecanismo internacional de cooperação financeira (BIRD, BID, governos europeus etc.).

d. Da excessiva centralização em Washington das decisões da AID, já que pouca autoridade decisória é delegada às Missões em outros países.

2) *A assistência financeira externa não tem sido equacionada tendo em vista o comportamento do comércio exterior dos países recipientes.* A adição de recursos cambiais, por via de auxílio externo, foi em grande parte neutralizada, nos últimos dois anos, pela queda das receitas de exportação oriunda da deterioração dos termos de intercâmbio.

O esquecimento desse fato tem levado a

a. Expectativas exageradas, e correspondente desapontamento, em relação à eficácia do auxílio externo;

b. Uma aversão injustificada a empréstimos compensatórios, com preferência exagerada por "project loans", quando na realidade a situação adversa do comércio externo torna aquele tipo de empréstimo não só racional como indispensável.

3) *Na busca de soluções de longo prazo, a Aliança tem esquecido situações de curto prazo capazes de anular todo o programa.* Claramente, alguns dos objetivos da Aliança, como as reformas de base ou a estabilidade razoável de preços, não são objetivos de consecução fácil ou rápida. Há portanto que considerar-se um período de implantação durante o qual se deveria aumentar o fluxo de recursos, mesmo com risco de perda e desperdício. É o "custo de mobilização psicológica e política". Dessarte, deveria haver maior disposição para financiar, ainda antes de cumprido o pré-requisito das reformas de base, projetos de impacto imediato capazes de quebrar o ceticismo e despertar apoio popular em favor da Aliança. A Aliança tem dois problemas distintos: um da eficácia a longo prazo e outro de mobilização política e psicológica a curto prazo. Para aquele se exigem reformas de base; para este são necessários projetos de impacto.

IV) *Medidas corretivas e recomendações*

As observações anteriores ensejam algumas recomendações que talvez o Comitê de Personalidades poderia utilmente formular, com as cautelas necessárias para não ferirem as suscetibilidades seja do governo seja do Congresso americano. Essas recomendações são as seguintes:

1) *No tocante aos aspectos políticos da Aliança:* criação do Parlamento do Hemisfério Ocidental, conforme projeto de resolução já sugerido por esta embaixada ao Itamaraty.

2) *No tocante ao mecanismo burocrático e administrativo:*

a. Sugerir, para consideração do Congresso norte-americano, a simplificação de alguns dispositivos da Lei de Auxílio Externo, particularmente os referentes a:

(i) Aprovação de projetos individuais;

(ii) Vinculação dos empréstimos a compras nos Estados Unidos pelo mecanismo das *segregated accounts*;

(iii) Proteção à marinha mercante;

(iv) Exigência de comprovação de inexistência de financiamento por parte de outros países do mundo livre.

No tocante ao equacionamento do auxílio externo em face do comportamento do comércio exterior:

1) Enquanto persistir a tendência de declínio dos preços das exportações primárias, não deve haver inibição a empréstimos compensatórios para atender a déficit do balanço de pagamentos, ou à cobertura indireta desses déficits, através do financiamento dos custos locais de projetos específicos.

2) Acelerar a formulação de acordos sobre produtos de base, a exemplo do que se fez para o café, deferido tratamento comparável ser dado a outros produtos que sofrem instabilidade de preços como o cacau, a banana, etc.

3) Acelerar a implantação de um fundo compensatório para ocorrer ao declínio das receitas cambiais.

4) Concretizar a proposta da citação de facilidades no Banco Interamericano de Desenvolvimento, para financiamento das exportações industriais dos próprios países latino-americanos.

5) Significar ao Fundo Monetário Internacional a importância de, nos novos acordos sobre estabilização, tornar-se em conta a necessidade de suplementação de recursos, no caso de deterioração de relações de trocas que escape ao controle do país recipiente.

No tocante ao volume e formas de assistência financeira:

1) Canalizar uma parcela maior dos recursos da Aliança através do Banco Interamericano de Desenvolvimento, instituição politicamente mais aceitável para a América Latina.

2) Rever o montante global de recursos de origem governamental norte-americana, destinados à Aliança, em função dos seguintes fatores:

a) Deterioração dos termos de intercâmbio que vêm neutralizando o benefício cambial do auxílio externo.

b) Relativa estagnação de fluxo de capitais privados, causado pela instabilidade política da América Latina ou por manifestações nacionalistas nem sempre racionais, mas quase inevitáveis na presente fase do desenvolvimento latino-americano.

c) Magnitude inesperada da demanda de auxílio externo, exemplificada nos programas globais já apresentados pela Colômbia, Chile e México, os quais por si sós absorveriam a maior parte das verbas votadas pelo Congresso para a Aliança para o Progresso.

São estas, Senhor senador, as primeiras observações que me ocorrem, com vistas a contribuir para dar um sentido pragmático e concreto às críticas e recomendações que serão formuladas por Vossa Excelência e pelo dr. Lleras Camargo. Outros pontos, sem dúvida, surgirão à medida que o assunto for esmiuçado e que Vossa Excelência tenha oportunidade de, em visita aos diversos países latino-americanos, ouvir recomendações e colher propostas. É desnecessário dizer que tanto eu pessoalmente, como o *staff* da embaixada, estarão à sua disposição a qualquer momento, no que a nossa colaboração seja necessária ou útil para facilitar o seu trabalho.

Cordiais saudações do
Roberto de Oliveira Campos
ROC/

ANEXO VII

Documento de Trabalho n° 1
Exposição feita pelo ministro do Planejamento Roberto de Oliveira Campos na
Primeira Sessão do presidente Castello Branco
em Brasília — 23 de abril de 1964

Reservado

A CRISE BRASILEIRA E DIRETRIZES DE
RECUPERAÇÃO ECONÔMICA

ÍNDICE

A CRISE BRASILEIRA E DIRETRIZES DE
RECUPERAÇÃO ECONÔMICA

I — O panorama da crise brasileira

As características principais do momento revelam a existência de:

1. *Inflação acelerada:* Esta passou de um ritmo anual de cerca de 40% em 1961, para 50% em 1962 e mais de 80% em 1963.

2. *Paralisação do crescimento,* cujo ritmo baixou de 7,7% em 1961 para 3,7% em 1962 e 2% em 1963. Em termos de padrão de vida médio por habitante, o país estagnou em 1962 e retrocedeu em 1963.

3. *Crise cambial.* Mesmo admitidas as hipóteses de substancial aumento das receitas do café, prorrogação de *swaps*, e venda de ouro para liquidação de empréstimos bancários, o país está incapacitado para pagar cerca de 500 milhões de dólares, vencidos ou vencíveis no biênio em curso.

4. *Crise de motivação.* Esta se traduz no alto grau de inquietação psicossocial, evidenciada na crise de confiança da classe empresarial, na frustração das classes menos favorecidas perturbadas por slogans demagógicos e na carência de motivação construtiva em vários grupos sociais.

II — Perspectivas para 1964

As tendências para 1964, anteriormente à recente transformação política, eram no sentido de:

1. *Agravamento da inflação.* Esta foi superior a 20% no primeiro trimestre e tendia a acelerar-se até um ritmo previsível de entre 100 a 120%, em fins de 1964.

2. *Continuação do declínio da atividade econômica,* em virtude de retração dos investidores nacionais, da virtual cessação de investimentos estrangeiros, da inquietação da agricultura ante às atividades da Supra e da sucessão de greves políticas.

3. Apenas no tocante à *posição cambial* haveria alguma perspectiva de melhora, como resultado da alta dos preços do café e cacau, da recente liberação da taxa cambial para as importações (exceto o café e açúcar) e do alívio cambial que pudesse resultar da consolidação de dívidas.

III — As raízes do desequilíbrio econômico

1. *Raízes do processo inflacionário.* No tocante à inflação, a culpa do governo passado foi o de agitá-la em suas raízes e popularizar falsos remédios para sua cura.

As raízes da inflação têm variado no curso do tempo. Durante a Segunda Guerra Mundial, a escassez de importações exerceu papel dominante. No imediato pós-guerra, registrou-se, paralelamente à alta dos preços do café em 1949, uma inflação de investimentos traduzida na pressão do setor privado em busca de expansão do crédito. Mais recentemente, a responsabilidade primordial do processo inflacionário cabe aos déficits governamentais e à contínua pressão salarial.

2. *Raízes da crise de estagnação*. A tendência à estagnação da economia brasileira verificada em 1962, seguida de retrocesso econômico em 1963, radicou-se em fatores diversos, alguns de ordem político-institucional, outros de natureza climática, e finalmente outros refletindo erros e indeterminação da política econômica.

Entre os fatores político-institucionais, notem-se os seguintes: a) A constante tensão política, criada pela desarmonia entre o Executivo Federal de um lado, e o Congresso Nacional e governos estaduais de outro, suspeitando estes intenções continuístas e anticonstitucionais do presidente Goulart; b) A propensão estatizante, criando contínuo desestímulo e ameaça aos investidores privados; c) A infiltração comunista, gerando apreensões quanto à subversão da ordem econômica e social; d) As paralisações sucessivas de produção pelos comandos de greve, freqüentemente com objetivos claramente políticos.

Um fator importante no retrocesso econômico de 1963 *foi de natureza climática*. A prolongada estiagem e, no caso particular do café, uma combinação de geada e incêndio afetaram desfavoravelmente a produção agrícola. A safra cafeeira caiu de 25% em relação a 1962. As safras destinadas ao consumo interno tiveram crescimento apenas suficiente para compensar o crescimento demográfico, enquanto os produtos agrícolas de uso industrial revelaram declínio, comparativamente a 1962. A estiagem resultou também em racionamento de energia elétrica no Rio de Janeiro e São Paulo, afetando também o nível de produção industrial por não contarem numerosas indústrias com geradores próprios.

Para agravar esse panorama, registraram-se *vários erros ou indeterminações de política econômica*, que podem ser assim capitulados: a) O abandono de qualquer planejamento, como, por exemplo, o Plano Trienal, o qual, conquanto bastante imperfeito, continha algumas diretrizes válidas de política econômica; com isso a iniciativa privada ficou inteiramente sem orientação, quanto às intenções do governo, ao mesmo tempo que retornava completa indisciplina nos investimentos públicos; b) A descontinuidade e subseqüente abandono de programas antiinflacionários aguçou a psicologia inflacionista; estimulando reivindicações salariais, o próprio governo acelerou a inflação de custos; a aceleração do processo inflacionário, por sua vez, criou a necessidade de vasta expansão do capital de giro para simples financiamento de um volume constante ou declinante de produção, consumindo os recursos que poderiam ser aplicados à expansão do capital fixo; a inflação de custos desorganizou os orçamentos de investimento, forçando a postergação ou o abandono de projetos de investimento; c) A conjugação da propensão estatizante com a inflação de custos e a intensificação de movimentos grevistas descoroçoou o investidor privado nacional, que cancelou ou postergou planos de investimento; d) O clima de xenofobia, estatismo e regulamentação restritiva da Lei de Remessa de Lucros fez cessar virtualmente o ingresso de capitais estrangeiros de investimento, com dois efeitos depressivos: de um lado, retraíram-se também os capitais de empréstimo, que tendem a se mover na mesma direção dos capitais de investimentos, dificultando assim o acesso dos próprios investidores nacionais a financiamentos estrangeiros; de outro, deixaram de surgir indústrias nacionais ou atividades de distribuição complementares dos investimentos estrangeiros; e) Os investimentos na agricultura foram desestimulados pela incerteza quanto às atividades da Supra e aos reais programas do governo em matéria de reforma agrária, de vez que o movimento de reformas de base se esgotava em promessas demagógicas, sem nenhum programa detalhado que indicasse critérios regionais sobre dimensão máxima de terra e normas de desapropriação; f) As empresas industriais do Estado e os serviços públicos baixaram seu já reduzido nível de eficiência em virtude de agitações comuno-sindicalistas, politização da gerência e exacerbação dos movimentos de reivindicação salarial, fora de proporção com a capacidade econômica e produtividade das empresas; g) A ajuda do exterior foi violentamente freada pela caotização interna da economia e pela deturpação da chamada "política externa independente"; h) O vácuo deixado pela retração de investimentos privados, nacionais e estrangeiros, não podia ser preenchido por investimentos governamentais, devido à falta de planejamento e à exaustão dos recursos financeiros governamentais no simples atendimento do custeio da administração central e dos déficits de empresas do Estado, ou no atendimento do acréscimo inflacionário de custos dos projetos em andamento.

3. *Raízes da crise mundial.* O impasse cambial a que atingiu o Brasil, em vista da acumulação de compromissos de dívida no próximo biênio, tem raízes crônicas e motivações mais recentes. Entre os motivos crônicos figuram: a) *A conjugação da inflação interna de custos e preços com uma taxa cambial sobrevalorizada.* A inflação exacerba a demanda interna, estimulando importações e absorvendo disponibilidades que podiam ser canalizadas para a exportação. Eleva ao mesmo tempo os custos de produção, tornando as mercadorias menos competitivas no exterior. A taxa cambial sobrevalorizada, que com exceção de pequenos intervalos o Brasil vem mantendo há longos anos, asfixia as exportações, encorajando importações e a transferência de rendimentos; b) *A tendência declinante dos preços de exportação,* particularmente o café, ao longo de todo o período de 1954 até meados de 1963, quando os preços de produtos primários voltaram a subir. Mais recentemente, *a exacerbação da xenofobia nacionalista,* culminando na Lei de Remessa de Lucros e em ameaças de nacionalização de vários setores de indústria (como a indústria de carnes, a farmacêutica e os minérios) provocou a virtual cessação de novos investimentos estrangeiros; ao mesmo tempo, a conjuntura inflacionária e a caotização econômica resultaram num decréscimo no *fluxo de capitais de empréstimo e da ajuda externa.* Para agravar o fenômeno, a instabilidade política e as ameaças de esquerdização provocaram uma *fuga de capitais, nacionais e estrangeiros.*

4. *Raízes da crise de motivação.* O principal motivo reside na ausência de um projeto nacional de desenvolvimento, capaz de traçar rumos e aliciar o entusiasmo da população. A instabilidade política e a inapetência administrativa do governo Goulart criaram um vácuo de comando e de motivação.

No setor econômico *ficamos entre um capitalismo sem incentivos e um socialismo sem convicção.* As classes empresariais passaram a sofrer uma crise de desconfiança; as classes operárias se viram frustradas ante a inexeqüibilidade de promessas demagógicas; finalmente, certos grupos psicologicamente mais voláteis, como o setor estudantil, não encontravam escoadouro para a sua impulsividade idealista, descambando para soluções revolucionárias.

IV. Um elenco de medidas corretivas

1. *Combate à inflação.* A eliminação da herança inflacionária do governo Goulart exige um concerto de medidas assim catalogadas: a) *Medidas fiscais.* Estas se subdividem em: i) *diminuição de gastos,* mediante um programa de economias, contenção de salários e eliminação de subvenções cambiais que oneram a caixa do Tesouro; ii) *criação de receitas,* seja compulsória (melhoria de arrecadação) e nova tributação, seja voluntária pela colocação de

títulos de cláusula móvel e transferências e recursos da área não monetária (saldo do café, depósitos compulsórios de bancos etc.) ou do exterior, pela reativação do auxílio externo em favor de projetos contidos no orçamento. b) *Ação sobre as expectativas.* O firme anúncio da intenção governamental de combater a inflação pode, por si só, fazer muito para reversar expectativas inflacionárias. c) *Ação de emergência sobre a oferta.* Trata-se de medidas que visem aumentar o suprimento de bens de consumo através de: i) Importação de alimentos escassos em caráter de emergência. Se feita através da lei de excedentes agrícolas dos Estados Unidos, o resultado da venda em cruzeiros poderia ser consignado a um fundo de crédito agrícola. ii) Campanhas de produtividade agrícola, o que seria facilitado mediante financiamentos especiais com base nos recursos acima referidos, utilizados para expandir o crédito para compras de fertilizantes, inseticidas e implementos agrícolas. iii) Campanhas de aumento de produtividade industrial, através de *teams* de produtividade, que visitariam as indústrias de têxteis e de calçados, por exemplo, cujos custos de produção afetam diretamente o custo de vida.

1.1 — *Percalços da política antiinflacionária.* Entre os percalços da fase de transição desinflacionária, devem-se mencionar os seguintes: a) *Recessão industrial temporária* pela eliminação da demanda especulativa e acautelatória (fuga da moeda em busca de mercadorias), característica das fases de inflação aguda. Conquanto um certo grau de recessão da procura seja inevitável, importa não agravar o fenômeno por uma contenção abrupta de crédito, antes que se logre uma contenção de custos; é, em particular, desejável, reduzir-se rapidamente o déficit fiscal para que o governo pressione menos a caixa do Banco do Brasil, liberando recursos para o crédito privado. b) *Resistência popular à inflação corretiva.* Paradoxalmente, num primeiro momento da luta antiinflacionária, os custos tendem a subir rapidamente pelo reajustamento de certos preços defasados, como as tarifas de serviço público, ou os produtos de câmbio subvencionado (gasolina e trigo). Entretanto, a inflação *corretiva* é um impulso controlado, que, ao diminuir as emissões do Tesouro, abre o caminho para a estabilização de preços. É um mal muito menor que a inflação *espiral,* destituída de qualquer virtude corretiva, que resultaria de subvenções cambiais financiadas pela emissão de papel-moeda.

Como antídoto para *o perigo de recessão industrial temporária,* cumpre expandir imediatamente atividades absorvedoras de mão-de-obra mediante, por exemplo, *um programa de expansão* de exportações industriais ou de construção maciça de residências populares financiadas pela mobilização de poupança voluntária.

2. *Reativação da economia.* Em grande parte a paralisação do crescimento em 1962 e 1963 refletiu o alto grau de instabilidade política e o receio de atividades subversivas, assim como o insuflamento de greves políticas. A reversão dessa psicose por si mesma tenderá a reativar a economia. Fazem-se necessárias, entretanto, algumas medidas positivas como: a) Uma clara enunciação de política, destinada a restaurar a *confiança empresarial,* quanto i) Aos limites de intervenção do Estado, que abandonaria sua mania estatizante e ii) Ao capital estrangeiro, perturbado pelo clima de xenofobia nacionalista, pelos dispositivos da lei de remessa de lucros e pela persistência de áreas de atrito, tais como o contencioso francês e o acordo descumprido para a nacionalização da American Foreign Power; iii) A política de reforma agrária, que deve ser enunciada em termos claros, de modo a não desencorajar investimentos na agricultura. b) Aumentar a eficiência dos investimentos governamentais,

mediante uma melhor coordenação dos gastos e concentração de projetos de rápida execução. c) Elevar a taxa de poupança, mediante uma reforma fiscal que estimule a poupança empresarial e das pessoas físicas e facilite o autofinanciamento em setores específicos (energia elétrica, casa popular etc.). d) Reativação do auxílio internacional de longo prazo, através de empréstimos da Aliança para o Progresso, do Fundo Alemão de Desenvolvimento, o BIRD e da AID, dos quais os dois últimos não operam com o Brasil há vários anos.

3. *Correção do desequilíbrio cambial.* Requerem-se, para isso, medidas como as seguintes: a) Reorganização do sistema cambial no sentido da promoção e diversificação de exportações, mantendo-se taxas *cambiais realistas e tanto quanto possível unificadas;* b) Reativação do ingresso de capitais e investimentos privados, o que pressuporia i) O abandono de atitudes estatizantes e expropriatórias; ii) Uma revisão de posição no tocante à lei de remessa de lucros, parecendo que o método mais conveniente seria revertermos, por emenda legislativa, ao texto aprovado unanimemente por comissão mista paritária da Câmara e do Senado; iii) Remoção de áreas de atritos; c) Retomada de entendimentos para obtenção de financiamentos de longo prazo em instituições internacionais. d) Execução do programa de consolidação de dívidas.

4. *Sustar a crise de motivação.* Este problema teria que ser atacado: a) Pelo lançamento de um programa de emergência destinado a combater eficazmente a inflação, grande produtora de frustrações; b) Por campanhas específicas que mantivessem alto o grau de interesse popular, como, por exemplo, campanhas de exportação ou de incremento de produtividade agrícola ou industrial; e c) Lançamento de reformas de estrutura. Dentre estas, cabe distinguir as de *sentido psicossocial* e as *de caráter instrumental.* Entre aquelas, sobressai a reforma habitacional, a agrária, e a fiscal. As duas primeiras têm um efeito *econômico* — dar emprego, um efeito *social* — o de calmante de tensões e um efeito *cosmético*, destinado a melhorar quer a imagem interna do novo regime junto às massas, perturbadas por um sentimento de orfandade e de sebastianismo em relação aos líderes que as nutriam de promessas demagógicas, quer a imagem externa do regime, caracterizada pela falsa visão existente em alguns países, de que a presente revolução teria sido uma reação de direita, a ser pendularmente seguida por uma reação de esquerda. Quanto à reforma mais profunda, que modernize o sistema fiscal de renda, consumo e selo e o torne socialmente menos regressivo.

Quanto às reformas *instrumentais,* parece que as três mais importantes seriam a) Uma reforma constitucional de dispositivos de natureza fiscal, visando por exemplo i) A federalização do imposto de exportação, ressalvadas as rendas dos estados; ii) A coordenação entre os fiscos federal, estadual e municipal, particularmente no que toca ao sistema de cobrança na fonte; iii) A formulação de normas financeiras para a cobrança da "contribuição de melhoria" e da "contribuição de investimento"; iv) Eliminação de ilhas de privilégio fiscal, mediante as quais certos grupos, como jornalistas, magistrados e professores gozem de isenção *ad personam*, em vez de ser taxados *secundum divitiam*; v) Autorização para cobrança do tributo no mesmo ano em que é votado, independentemente de orçamentação prévia (sendo esta a mais importante das emendas constitucionais deveria a mesma ser obtida, ainda que com sacrifício de todas as outras). b) Reforma administrativa. Conquanto seja urgente, talvez a prioridade deva se referir menos à reestruturação dos ministérios, constante da proposta em curso no Congresso, do que a certos tópicos como i) Legislação de pessoal (revisão de direitos e vantagens, reclassificação e estabelecimento de paralelismo entre o regime de remuneração do Serviço Público e o do mercado de trabalho); ii) Revisão do código de contabilidade e do sistema de controle dos órgãos descentralizados. c) Reforma de estatutos obsoletos, de efeitos econômicos negativos, como o código de navegação marítima e a legislação portuária; d) Reforma bancária, visando sobretudo à formação de um Banco Central, responsável pela política monetária.

Em relação às reformas de base, duas decisões se impõem de imediato: uma sobre *prioridades* e outra quanto ao *mecanismo* de elaboração. No concernente às prioridades, tem-se que tomar em linha de conta não só a urgência objetiva do problema mas também a existência de projetos já em tramitação no Legislativo, parecendo aconselhável a seguinte ordem de apresentação pelo Executivo: *reforma fiscal* de emergência, *reforma educacional, reforma agrária,* reforma bancária, reforma administrativa e segunda fase da reestruturação do sistema fiscal.

Quanto ao mecanismo, poderia o ministro do Planejamento se encarregar da formulação de um documento de trabalho, que seria depois discutido em Grupo de Trabalho Interministerial com os ministros diretamente interessados, conforme o caso — ministro da Fazenda para a reforma fiscal, ministro do Trabalho para a reforma habitacional, ministro da Agricultura, no caso da reforma agrária. O documento de trabalho assim aprovado, seria em seguida submetido aos coordenadores jurídico e político — ministro da Justiça e ministro Extraordinário para Assuntos Políticos, sendo então a matéria submetida à decisão final do presidente da República. A estimativa do ministro do Planejamento é que o primeiro documento de trabalho sobre a reforma fiscal de emergência possa estar pronto em quatro ou cinco dias, o sobre reforma habitacional em uma semana, o sobre a reforma agrária em três semanas, o sobre a reforma bancária em duas semanas, o relativo à reforma administrativa em 60 dias, e o referente à segunda fase da reforma fiscal em 90 ou 120 dias.

São essas as considerações que tenho a fazer nesta primeira análise da situação brasileira perante o presidente da República e o gabinete.

ANEXO VIII

Entrevista do ministro do Planejamento sobre a desvalorização cambial e a criação do cruzeiro novo — 10 de fevereiro de 1967

Em entrevista de televisão, sexta-feira à noite, o ministro Roberto Campos explicou pormenorizadamente o processo de decisão e os motivos que levaram ao reajustamento da taxa e à implantação do novo cruzeiro.

A VERDADEIRA OPÇÃO

Frente aos dados do problema, declarou o ministro não haver opção entre desvalorizar e não-desvalorizar. A faixa de escolha era apenas no tocante à oportunidade política e ao *quantum* da desvalorização.

A inexistência de opção quanto à modificação da taxa cambial deriva de que o valor interno e o valor externo do cruzeiro são duas faces de uma mesma moeda. A tentativa de manter um valor externo estável, enquanto, em vista da persistência da inflação ainda não totalmente controlada, cai o seu valor interno, cria graves distorções, de que a nossa história é fértil em exemplos. Os efeitos de uma disparidade entre os valores externo e interno são os seguintes:

a) As exportações são desencorajadas, porque a alta interna de custos, sem reflexo na taxa cambial estável, impede-nos de concorrer no exterior; esse efeito é particularmente grave no tocante às novas exportações, que deixam de surgir, mantendo-nos atrelados a um pequeno elenco de produtos tradicionais.

b) As importações são sobreestimuladas, pois se tornam mais baratas que a produção interna; esse efeito não seria de causar apreensões no atual momento, de vez que o nível de importações está relativamente baixo e terá que aumentar para propiciar a retomada do desenvolvimento.

c) Há desestímulo ao ingresso de novos capitais, pois que o investidor estaria trocando moeda forte por moeda fraca.

d) Conversamente, há um estímulo perverso à remessa de lucros, porque a moeda estrangeira se torna artificialmente barata.

e) Na expectativa de uma desvalorização eventual, passa a população a se contaminar de um espírito especulativo, investindo mais na compra de moeda estrangeira do que em letras de câmbio ou ações de empresas, aplicações estas mais produtivas sob o ponto de vista do desenvolvimento econômico do país.

Entretanto, qualquer desvalorização provoca excitações *demagógicas* e excitações *psicológicas*. Por isso não deve ser feita a não ser após meticuloso balanço dos aspectos positivos e negativos. No caso brasileiro, as autoridades monetárias vinham cuidadosamente analisando os índices de preços, tendo-se decidido que se evitaria a desvalorização enquanto o país estivesse acumulando reservas cambiais ou, pelo menos, mantendo esse nível. Desvalorizar-se-ia, entretanto, prontamente a moeda, quando se registrasse perda de divisas, pois isso seria clara indicação de que a estabilidade externa da moeda havia atingido a faixa de resultados negativos.

A "aritmética frívola"

Toda a desvalorização cambial apresenta, a par de seus aspectos positivos — estímulo às exportações, ingresso de capitais, maior receita para a Petrobrás e para o Fundo Rodoviário em decorrência da tributação de combustíveis — alguns aspectos negativos: a alta do custo de produtos importados e também dos produtos exportáveis que participam importantemente no consumo interno. Essas repercussões negativas têm sido, entretanto, vastamente exageradas pela *aritmética frívola*, praticada por alguns veículos de divulgação, que criam uma espécie de *inflação psicológica*, induzindo alguns produtores a elevarem seus preços por simples imitação, e desencorajando os consumidores de resistirem à pressão altista. O exercício da liberdade de divulgação, sem a contrapartida do senso de responsabilidade, constitui, certamente, um desserviço à causa da estabilização monetária.

Como exemplo de *aritmética frívola*, citou o ministro algumas manchetes jornalísticas, segundo as quais a desvalorização cambial de 23% repercutiria na mesma proporção sobre o custo de vida. Ora, a taxa cambial não afeta diretamente senão as importações, que representam apenas 6% do valor global da produção do país, e as exportações, que representam apenas 8%. Como paralelamente à desvalorização foram reduzidas de 20% as tarifas aduaneiras, o custo da importação não será afetado, a não ser no caso dos produtos isentos de direitos aduaneiros. De outro lado, a desvalorização não atingirá o setor exportador representado pelo café, que se governa por um regime especial. É verdade que além dos efeitos diretos sobre importações e exportações, existem efeitos indiretos sobre a produção interna, que concorre com produtos importados, ou sobre produtos exportáveis, que são também consumidos internamente, os quais poderiam sofrer certa pressão altista. Entretanto, essa pressão é apenas fração relativamente pequena de percentagem da desvalorização, e pode ser contra-arrestada por uma severa política de contenção da procura interna, mediante o controle do orçamento, dos salários e do crédito.

Outro exemplo de *aritmética frívola* foi a atoarda que se criou em torno da implantação do Imposto de Circulação. Essa modificação tributária representou impressionante avanço institucional e será, no futuro, longamente estudada como modelo tributário para países subdesenvolvidos. Com a nossa característica falta de perspectiva, esquecemo-nos de que graças ao Imposto de Circulação, com alíquota uniforme para todos os estados e municípios, pela primeira vez o Brasil criou realmente um Mercado Comum Interno, deixando de ser um "arquipélago fiscal": eliminou-se a incidência em cascata, criadora de distorções. Apesar disso, criou-se uma excitação altista por um falso cômputo aritmético, que obscureceu as enormes vantagens do sistema. Comparou-se, por exemplo, a alíquota antiga de 7,6% (Imposto de Vendas e Consignações mais Imposto de Indústrias e Profissões) com a nova alíquota unificada de 15%, concluindo-se existir um aumento da incidência tributária, que agravaria o custo dos produtos. Entretanto, foi omitido o fato fundamental de que a base do cálculo é totalmente diferente: o imposto de 7,6% se aplicava sobre o valor global das transações em cada estágio, enquanto o novo imposto é computado, apenas, sobre a diferença de preço de um estágio para outro, redundando, para todos os produtos cujo ciclo mercantil excede duas transações, numa substancial economia fiscal.

Um terceiro exemplo são as periódicas discussões sobre o impacto da alta de preços dos combustíveis. Alardeia-se, por exemplo, que uma elevação do preço da gasolina em 20% aumentará o custo de vida na mesma proporção. Ora, a gasolina não representa mais que

15% do custo do transporte rodoviário e este não mais que 20% do preço de venda da mercadoria. Dessarte, o impacto final altista seria de apenas 0,6%.

A "aritmética frívola" não é por si só capaz de produzir a inflação se não existe combustível monetário, isto é, se há rígido controle do orçamento, crédito e salários. Mas como ainda estamos em processo de desinflação e ainda existe um excesso de procura monetária, essa excitação psicológica pode contribuir para uma alta de preços superior àquela que tecnicamente derivaria das medidas em causa.

Quando e quanto desvalorizar

As opções verdadeiras abertas ao governo se referiam apenas à oportunidade política da modificação cambial e à percentagem da desvalorização. O governo atual, ouvidas as autoridades financeiras já convidadas pelo presidente-eleito, decidiu assumir a responsabilidade de restaurar a verdade cambial. Longe de constituir uma bomba de retardamento, procedeu-se na realidade a uma limpeza de terreno. De outra maneira, cada feriado que se sucedesse ensejaria novas corridas especulativas à busca de moeda estrangeira e o governo futuro se teria que iniciar sob a pressão de decisões na área cambial e com uma posição de reserva de divisas inferior à atual. A simples postergação seria cômoda para o atual governo mas nenhum problema resolveria. Já se tendo o cruzeiro desvalorizado internamente pela persistência da inflação, e não se alterando os dados básicos do problema, qualquer dilação prejudicaria as exportações, desencorajaria novos investimentos, encorajaria remessas de lucros e alimentaria a voracidade dos especuladores. O governo futuro colherá os benefícios da ativação do setor exportador assim como da maior receita para investimentos da Petrobrás e do Fundo Rodoviário.

A outra opção se refere à percentagem da desvalorização. Esta deve ser suficiente para dar *credibilidade* à nova taxa cambial, porém, não deve ser excessiva, para evitar inúteis repercussões inflacionárias. Teria sido tecnicamente injustificável e imprudente adotar, para desvalorização da moeda, o índice de 41% da alta do custo de vida na Guanabara em 1966. Os motivos são os seguintes:

a) Vários fatores da alta do custo de vida, como a correção de preços defasados — aluguel, telefones, energia elétrica residencial etc. — não entram na composição de custos de produtos importados.

b) Certas altas de preço derivaram de azares climáticos, como a quebra das colheitas do arroz e do feijão, ou de interrupções de abastecimento por catástrofes ocasionais, e não se devem incorporar à taxa cambial, porque não representam fatores permanentes de elevação de custo nem indicam perda de produtividade da economia.

c) A inflação não é um fenômeno exclusivamente brasileiro, pode-se admitir que mesmo nos países e moeda mais estável da América setentrional ou da Europa, a taxa de inflação desde a última desvalorização brasileira, em novembro de 1965, tenha oscilado entre 4 e 6%, sem que esses países tenham por isso desvalorizado suas taxas cambiais, o que nos permite abater igual percentagem de desvalorização, aconselhável para o Brasil.

d) O estímulo aos exportadores pode ser suplementado por outras medidas independentes da taxa cambial como, por exemplo, a isenção ou devolução de impostos, providência facilitada pela nova sistemática do Imposto de Circulação de Mercadoria.

e) A desvalorização de novembro de 1965 excedeu o que era estritamente necessário para manter a posição competitiva do país, deixando alguma margem de folga em relação à evolução dos custos.

Atentos a esses fatores, expurgado o índice de custo de vida de seus componentes irrelevantes para o comércio internacional, chegou-se à taxa de Cr$2.700/dólar, que pode ser considerada perfeitamente realista e sustentável, tanto mais quanto a posição de reservas do país ainda é bastante confortável.

Sem dúvida, a decisão da modificação cambial, como outras já tomadas pelo governo para modernizar a curto prazo a obsoleta estrutura internacional do país, e transmitir ao futuro governo uma herança muito melhor que a recebida, foi penosa e precedida de meditação e angústia. Mas, como disse certa vez o presidente Kennedy, "um homem faz o que deve apesar das conseqüências pessoais — apesar dos perigos — e é a base mesma da moralidade humana".

A implantação do cruzeiro novo

Tem sido questionada, inclusive por pessoas da mais alta respeitabilidade intelectual e moral, como o professor Eugênio Gudin, a oportunidade da implantação do cruzeiro novo paralelamente ao reajustamento cambial. O julgamento de oportunidade é sempre uma questão opinativa, insuscetível de asserção dogmática. O argumento contrário é que a inflação não está ainda sob controle, o que é sem dúvida verdadeiro; mas convém não esquecer que se os preços ainda exibem, a curto prazo, um comportamento altista, já foram eficazmente jugaladas as principais fontes de inflação, a saber: os déficits orçamentários, as altas desordenadas de salários e a expansão imoderada do crédito.

O progresso alcançado na debelação dos focos de inflação é evidenciado no quadro abaixo:

	Déficit do Tesouro (Bilhões de Cr$)	Expansão de crédito ao setor privado	Aumento médio de salários	Expansão de meios de pagamento
1963	1.971	55%	71%	64%
1964	1.552	80%	60%	86%
1965	794	57%	41%	75%
1966	500	34%	34%	19%

Desses dados, o mais significativo, porque representa a soma final da demanda monetária, é a expansão de meios de pagamento. Tendo os meios de pagamento aumentado apenas 19% em 1966, a inflação do ano passado teria sido muito menor, se não fosse o impacto retardado da excessiva expansão ocorrida em 1965, decorrente da acumulação de reservas cambiais, das compras de café e da sustentação de preços de 1966; a contenção monetária do ano passado somente agora começará a exercer seu efeito desinflacionário. Além dos três fatores fundamentais já enumerados, cabe notar que a política do café é hoje austeramente desinflacionária e que a cena nacional está menos perturbada atualmente por governadores inflacionistas, sempre prontos a se engajar em programas grandiosos de obras, desde que seus sucessores ou o governo federal paguem as contas, enfrentando a impopularidade de políticas de austeridade salarial e compressão de despesas.

Atentos a esses fatores, que indicam ter diminuído dramaticamente o combustível inflacionário da economia, pareceu oportuno reajustar-se a expressão contábil do cruzeiro — através do cruzeiro novo — ao mesmo tempo que se redefine o seu valor externo. Não se trata de surpresa intempestiva, pois que a instituição do cruzeiro novo foi anunciada em novembro de 1965. Além de sua contribuição psicológica para levar a população a prezar mais a moeda e a resistir com maior afinco à alta de preços — o cruzeiro novo é uma necessidade prática inadiável, seja pelo enorme ônus de transporte do atual numerário, seja pela sobrecarga de máquinas de contabilidade e computadores com zeros inúteis. O importante é persistirmos no esforço de reduzir o combustível inflacionário da economia, mediante a disciplina orçamentária, a contenção salarial e a contenção de crédito, políticas difíceis de coordenar e que só em 1966 conseguimos articular devidamente. Em 1964 e 1965 tivemos uma adequada política fiscal. A política salarial somente na segunda metade de 1966 foi observada com exatidão, enquanto a política de crédito fraquejou em 1965 levando a uma excessiva expansão monetária. No ano passado, aperfeiçoando o mecanismo no Banco Central, foi possível harmonizar esses instrumentos antiinflacionários e a alta de preços teria sido menor, não fosse a quebra de safras agrícolas e a liberação penosa a curto prazo mas necessária a longo prazo, dos preços da carne e leite ao nível do produtor.

Às vezes o conselho de perfeição, à busca de melhor oportunidade, se confunde com o imobilismo porque "sempre será noite para os que não querem avançar". Nenhuma das importantes reformas efetuadas pelo atual governo — reforma tributária, reforma agrária, reforma habitacional, criação do Banco Central, reforma do mercado de capitais — se teria realizado sem ousadia criadora. E a história brasileira recente registra o insucesso dos esforços construtivos seja do professor Gudin seja do eminente dr. Whitaker para realizar uma reforma cambial realista em 1955 (que teria poupado ao país graves crises cambiais), por terem preferido ambos aguardar a oportunidade técnica ideal para as medidas que propunham, num ambiente político em rápida mutação.

Como dizia Omar Khayam há quatro coisas que não retornam — a seta desfechada, a palavra proferida, a água que passou no moinho e a oportunidade perdida.

Tendo sido possível reduzir-se a taxa de expansão de meios de pagamento — principal determinante da inflação de 84,6%, em 1964 para 16% em 1966 — deveria ser perfeitamente praticável mantê-la este ano em torno de 15%, se houver continuidade de política financeira. Isso seria compatível com um nível tolerável de inflação, fazendo com que a moeda brasileira encerrasse o seu longo e trágico ciclo de depreciação interna e desvalorização cambial.

ANEXO IX

Discurso de transmissão de cargo do ministro do Planejamento Roberto de Oliveira Campos ao ministro Hélio Beltrão — 15 de março de 1967

As nações como indivíduos têm o seu momento de verdade. O momento em que, afastadas as ilusões, têm de reexaminar os seu propósitos e corrigir os seus métodos, a fim de controlar o seu destino, aô invés de se escravizar às circunstâncias.

Nos mil dias que fluíram desde os idos de março de 1964, o Brasil passou a enfrentar o seu "momento da verdade".

Nesse processo às vezes penoso, porém nunca inútil, de reencontro com a verdade, foi necessário modernizar instituições e modificar atitudes viciadas: a atitude imediatista do produtor, sempre pronto a transferir custos e omisso na busca de produtividade; a atitude fatalista do consumidor, resignado à alta de preços e desestimulado na poupança; a atitude acomodatícia do governo, sempre pronto a ampliar sua área de ação sem estoque de capacidade administrativa para fazê-lo, mais eficaz no dispêndio que na coleta de tributos, mais propenso a inflacionar que a economizar; a atitude comodista do político, sempre pronto a desfrutar a popularidade das obras sem a impopularidade do amealhamento de recursos.

Modernizar instituições, pelo processo de reforma e não de subversão. Foi o que buscamos fazer através da reforma agrária visando democratizar as oportunidades no campo; de reforma habitacional, para pôr fim a uma antiga chaga dos centros urbanos; da reforma tributária, para melhor distribuir a carga fiscal e punir o sonegador; a reforma bancária, pela qual se criou o Banco Central, como guardião independente da moeda; e agora a reforma administrativa, para agilizar a emperrada máquina estatal.

Nesse duplo processo de mundança de atitudes e de reforma de instituições, o gabinete do ministro Extraordinário para o Planejamento e Coordenação Econômica agora institucionalizado como ministério do Planejamento e Coordenação Geral desempenhou papel relevante por muitos aceito, por outros rejeitado, mas que ninguém considerará omisso ou timorato.

Sem o legado de uma máquina administrativa, e desmantelado anteriormente à resolução do sistema estatístico do país, a tarefa de planejamento exigiu do pequeno grupo de técnicos de escol que hoje integra o ministério do Planejamento, além de competência profissional, uma quota de abnegação pessoal, de imaginação criadora, assim como uma obsessiva decisão de transformar o país dos impasses financeiros e do imobilismo administrativo, num fértil elenco de opções. Para todos eles vai neste momento minha gratidão, que também é a do país.

Vossa Excelência, senhor ministro, encontrará institucionalizado o mecanismo de planejamento e coordenação. Institucionalizado pela própria Constituição, que prevê orçamentos, programa, a consolidação orçamentária, e o planejamento plurianual de investimentos. Institucionalizado pela reforma administrativa, que cria unidades de planejamento nos diversos ministérios e permite doravante que ele se efetue mais pela coordenação setorial do que pela inspiração central.

Segundo o preceito bíblico de multiplicar os talentos recebidos, transfiro a Vossa Excelência uma herança muito mais rica que a recebida. Além do núcleo central do ministério, que cuida do planejamento e coordenação corrente, assoberbado às vezes pela tirania do circunstancial; deixo-lhe no IPEA um laboratório de pesquisas para o longo prazo; no FINEP, uma fábrica de projetos; no CENDEC, uma sementeira de racionalidade, para formar material humano apto para as tarefas do desenvolvimento estável, que não é um episódio e sim um processo, e que não se confunde com o desenvolvimento alegre e inconseqüente.

Mais importante que tudo isso, transmito-lhe hoje, como contribuição para o futuro governo, a versão preliminar do Plano Decenal de Desenvolvimento Econômico e Social. Buscou-se nele formular uma estratégia de desenvolvimento a longo prazo, para escapar ao hábito constante da improvisação imediatista, que sacrifica o futuro ao presente, por não compreender o passado; uma programação qüinqüenal de investimentos, para racionalizar e melhor coordenar a ação dos diversos órgãos governamentais; um conjunto de indicações sobre as políticas gerais — de crédito, de orçamento e de câmbio — necessárias para compatibilizar a promoção do desenvolvimento com o combate à inflação.

Trata-se de um esforço pioneiro, com inevitável taxa de erro e experimentação, mas talvez marque, na longa visão da história, a transição brasileira da fase de empirismo imprudente para a da planificação consciente.

E talvez nos auxilie a corrigir dois velhos vícios de comportamento: o das soluções transpositivas, que fogem ao problema, pretextando resolvê-los; e o das soluções utópicas, que sacrificam o real atingível pelo ideal remoto.

O planejamento que concebemos para uma sociedade democrática é um planejamento de moldura e de contexto econômico para o conjunto de decisões de economia. É executivo, no tocante à ação do Estado, e indicativo no tocante ao setor privado.

Mas o plano não é uma mordaça e sim uma inspiração; não é um exercício matemático e sim uma aventura calculada. Interpretado dentro de seu sentido real assim como de suas limitações, o planejamento é não só útil como indispensável, pois negá-lo seria renunciar à racionalidade de ação governamental, ou adotar a visão simplista de que a experiência dos navegadores dispensa o manuseio das cartas e a preparação dos roteiros.

A tarefa do planejador e do coordenador deve ser um misto de *prudência* e *inconformismo*. *Prudência* para aceitar fatos; *inconformismo*, para rejeitar a fatalidade.

Tendo sido o alvo de alguns gostosos exercícios — como a advertência catastrófica e o conselho gratuito — permitir-me-ei igual luxo à hora da despedida. Meu conselho gratuito seria evitarmos uma recaída nos mitos e nos slogans, que tanto viciaram a mente brasileira, no último decênio: o mito que deforma a realidade, ao invés de dominá-la; o slogan que fornece ao coração a motivação para odiar e dispensa a mente da responsabilidade de inquirir.

A advertência seria no sentido de evitarmos a ilusão da falsa compatibilidade. Planejar é disciplinar prioridades; e prioridade significa postergar uma coisa em favor da outra. É optar entre um tratamento humano no presente que pode significar desumanidade no futuro, pelo sacrifício de investimentos em favor do consumo, e, de outro lado, a austeridade no presente para a construção mais humana do futuro. Infelizmente, como disse um dos brilhantes talentos da nova geração, a economia é essencialmente a "didática da compatibilidade", e um exercício nas "amargas equações da escassez".

Todo o mundo gostaria de atingir um máximo de desenvolvimento e com um mínimo de inflação. Mas aqueles que pensarem que é possível afrouxar no combate à inflação, para estimular o desenvolvimento, acabarão tendo muito mais inflação que desenvolvimento, pois, como disse de certa feita Nikita Kruschev, "é ilusão botar o gato na cozinha na esperança de que ele apenas engula o rato, sem beber o leite".

Da mesma forma que há falsas compatibilidades, há falsas incompatibilidades. Uma destas é entre o apuro do planejamento e a eficiência de execução — ou seja, a falácia do antitecnicismo. Afinal de contas, a teoria, se alguma coisa vale, é simples cristalização da experiência prática: e a prática é apenas o momento empírico da teoria.

Vossa Excelência traz para o posto qualidades invulgares e uma bagagem de sucesso como planejador, como administrador, como empresário, como político e homem de lúcida inteligência e acolhedor diálogo. Experimentará a agrura da decisão e a solidão da responsabilidade, particularmente nas horas frustrantes em que o desejado é impossível e o realizado imperfeito, porque é da condição humana que as vitórias sejam reclamadas por mil pais, enquanto a derrota é órfã.

Aqui terminarei, senhor ministro, pois nas horas em que se consuma o rito de renovação democrática, o interessante não é ouvir o relato de quem parte e sim as alvíssaras de quem chega.

Para Vossa Excelência e para o novo governo, aqui ficam os votos de felicidades e um augúrio de esperança, e, mais do que esperança, a certeza de que o país será bem servido — muito bem servido — pela nova equipe.

Tenho agora uma palavra de agradecimento ao ínclito lutador, o presidente Castello Branco, pela fidelidade do seu apoio aos que batalharam a dura batalha do saneamento financeiro. Nunca fugiu à responsabilidade e muitas vezes preferiu a solidão do dever ao aplauso da acomodação. Crescerá na visão do tempo e nas perspectivas da história. Mais que ninguém exibiu ele a coragem iluminada que Churchill considerou "a primeira das qualidades humanas porque é a qualidade que garante todas as outras".

Se alguma coisa pudemos realizar — essa figura notável — santo Otávio — o ministro da Fazenda e eu próprio — foi porque nunca nos faltou o apoio da voz firme, a serenidade do veterano de guerras e procelas, o marechal Castello Branco, cuja experiência da condução dos homens fez com que nunca se esquecesse da pergunta crucial da Epístola do Apóstolo Paulo aos Coríntios: *"Porque se a trombeta soa um som incerto, quem se aprestará para a batalha?"*

Mais feliz do que Vossa Excelência, que agora começa as suas pesadas responsabilidades, posso eu reclamar egoisticamente a quota de alegria que cabe a quem termina. Pois, como disse Santo Agostinho na *Cidade de Deus*: "Há maior alegria quando se conclui alguma coisa do que quando se começa. Todo começo é repleto de inquietude, que cessa apenas quando se consegue o fim apetecido e esperado que leva a começá-la. O coração não canta vitória pelo que começa, mas pelo que termina".

BIBLIOGRAFIA

Afonso Arinos de Mello Franco — *Alma do tempo*, José Olympio, Rio de Janeiro, 1979.

Albert Hirschman — *Latin American Issues*, The Twentieth Century Fund, NY, 1961.
The strategy of economic development, Yale University Press, 1958.

Albert Waterston — *Development planning: Lessons of experience*, John Hopkins Press, Baltimore.

Alfred Stephan — *The military in politics*, Princeton University Press, 1971.

Alzira Alves de Abreu e Ivan Junqueira — "Luís Carlos Prestes", in *Dicionário histórico-bio-gráfico brasileiro*, Forense Universitária, 1984.

Arthur Schlesinger — *Robert Kennedy and his times*, Futura Publications, N.Y., 1979.
The cycles of american history, Andre Deutsch, London, 1987.

BIRD — *The East Asian Miracle*, Oxford University Press, 1993.

BNDE — *Exposição sobre o Programa de Reaparelhamento Econômico, Exercício de 1957*, Rio de Janeiro.

Carlos Alberto Sardenberg — *Aventura e agonia: Nos bastidores do Cruzado*, Companhia das Letras, São Paulo, 1987.

Carlos Castello Branco — *Os militares no poder*, Nova Fronteira, Rio de Janeiro, 1977.

Carlos Lacerda — *Depoimento*, Nova Fronteira, Rio de Janeiro, 1977.

Carlos Sanz de Santa Maria — *Interamericanismo contemporáneo*, Ed. Plaza & James, Bogotá, 1985.

Celso Lafer — "O planejamento no Brasil: Observações sobre o Plano de Metas", in Betty Mindlin Lafer, *Planejamento no Brasil*, Perspectiva, São Paulo, 1970.

César Proença — *Raízes do Pantanal*, Ed. Itatiaia, Belo Horizonte, 1989.

Clark Clifford — *Counsel to the president*, Anchor Books, NY, 1991.

Cláudia Maria Cavalcanti Barros Guimarães — *Estado e economia, a nova relação*, Unicamp, São Paulo, 1990.

Cláudio Lacerda — *Dez anos depois*, Nova Fronteira, Rio de Janeiro, 1987.

Daniel Krieger — *Desde as Missões*, José Olympio, Rio de Janeiro, 1977.

Deepak Lal — *India and China, Contrast in economic liberalization*, UCLA, Department of Economics, Working Paper n° 705, dec. 1993.

Dênio Nogueira — *Depoimento*, CPDOC/FGV, 1993.

Diogo de Figueiredo Moreira Neto — *Constituição e revisão*, Forense, Rio de Janeiro, 1991.
Ordem econômica e desenvolvimento na Constituição de 1988, APEC, 1989.

Douglas Brinkley — *Dean Acheson*, Yale University Press, 1982.

Eduardo Modiano — "A ópera dos três cruzados", in *A ordem do progresso*, Campus, Rio de Janeiro, 1990.

Geoffrey Smith — *Reagan and Thatcher*, W.W. Norton & Company, NY., 1991.

Georges-André Fiechter — *Le régime modernisateur du Brésil, 1964/1972*, Institut Universitaire de Hautes Etudes Internationales, Genève, 1972.

Gilberto Dimenstein, José Negreiros, Ricardo Noblat, Roberto Lopes e Roberto Fernandes — *O complô que elegeu Tancredo*, Ed. JB, Rio de Janeiro, 1985.

Gilberto Paim — *O computador faz política*, APEC, Rio de Janeiro, 1985.

Petrobrás — Um monopólio em fim de linha, Topbooks, 1994.

Guido Mantega — *A economia política brasileira*, Vozes, Petrópolis, 1987.

Howard S. Ellis — *The economy of Brasil*.

Hugo Young — *One of us*, MacMillan, London, 1989.

Humberto de Alencar Castello Branco — *Discursos*, Secretária de Imprensa da Presidência da República, 1967.

Institute for International Economics — *The political economy of policy reform*, Washington, DC, 1994.

J. de Nazareth Teixeira Dias — *A reforma administrativa de 1967*, Fundação Getúlio Vargas, 1968.

J.C. Mello — *A incrível política nacional de informática*, Rio de Janeiro, 1985.

Jaime Portela de Mello — *A revolução e o governo Costa e Silva*, Guanabara, Rio de Janeiro, 1979.

James Callahan — *Time and chance*, Collins/Fontana, London, 1987.

Jarbas Passarinho — *Na planície*, Editores CEJUP, Belém do Pará.

Joaquim Ponce Leal — *O conflito campo-cidade no Brasil — Os homens e as armas*, Itatiaia, 2ª ed., 1988.

John Foster Dulles, Jr. — *Carlos Lacerda — Brazilian crusader*, University of Texas Press, Austin, 1991.

Castello Branco — A brazilian reformer, Texas University Press, 1980.

John Kenneth Galbraith — *Economics in perspective*, Houghton Mifflin Co., Boston, 1947.

John W. F. Dulles — *Anarchists and communists in Brasil*, University of Texas Press, Austin, 1973.

José Guilherme Merquior — "Liberalismo e constituição", in Paulo Mercadante, (ed.) *O avanço do retrocesso*, Rio Fundo, Rio de Janeiro, 1990.

Julian Maria Chacel, Mario Henrique Simonsen e Arnoldo Wald — *Correção monetária*, Rio de Janeiro, 1970.

Juscelino Kubitschek — *Meu caminho para Brasília*, Bloch Editores, Rio de Janeiro, 1978.

Kai Bird — *The chairman* — J. G. McCloy — The making of the american estabishment, Simon and Schuster, NY., 1992.

Lia Alt Pereira e Claudino Peter — "Reforma tributária", in coletânea *A última década*, Fundação Getúlio Vargas, 1993.

Lourdes Sola — *The political and economic constraints to economic management in Brasil, 1945-1963*, Oxford University (tese de doutoramento).

Lucas Lopes — *Memórias do desenvolvimento*, Centro de Memória da Eletricidade no Brasil, Rio de Janeiro, 1991.

Luís Viana Filho — *A Sabinada*, José Olympio, Rio de Janeiro, 1938.

O governo Castello Branco, José Olympio, Rio de Janeiro, 1976.

Malcolm Bradbury — *The history man*, Arrow Books, London, 1975.

Marcos Sá Corrêa — *1964 — Visto e comentado pela Casa Branca*, L&PM, Porto Alegre, 1976.

Maria Silvia Bastos Marques — *Inflação e política macroeconômica após o primeiro choque do petróleo*, Fundação Getúlio Vargas, Rio de Janeiro, 1991.

Mario Henrique Simonsen — "A teoria do crescimento em retrospecto", in *A última década*, Fundação Getúlio Vargas, Rio de Janeiro, 1993.

Mem de Sá — *Tempo de lembrar*, José Olympio, Rio de Janeiro, 1981.

Moniz Bandeira — *Brasil-Estados Unidos: A rivalidade emergente*, Civilização Brasileira, Rio de Janeiro, 1989.

Estado nacional e política internacional na América Latina, Ensaio, São Paulo, 1993.

O governo João Goulart, Civilização Brasileira, 1977.

Nicholas Ridley — *My style of government: The Thatcher years*, Hutchinson, London, 1991.

Paul Johnson — *A history of the jews*, Weinenfeld and Nicolson, London, 1987.

Paulo Mercadante — *Graciliano Ramos — O manifesto do trágico*, Topbooks, 1994.

Pedro Malan — "Superintendência da moeda e do crédito", in *Dicionário Histórico-biográfico brasileiro*, organização de Israel Beloch e Alzira Alves de Abreu FGV/DPDOC/ FINEP/ Forense Universitária, 1984.

Pedro Malan — *As relações econômicas internacionais do Brasil, 1945-1964*, Difel, São Paulo, 1984.

René A. Dreifuss — *A conquista do Estado*, Vozes, Petrópolis, 1981.

Ricardo Bielschowsky — *Pensamento econômico brasileiro: O ciclo econômico do desenvolvimentismo*, IPEA/INPES, Rio de Janeiro, 1988.

Richard Evans, *Deng Xiaoping*, Vicking, 1994.

Roberto Campos — *O governo, a moeda e o tempo*, APEC, Rio de Janeiro, 1964.

A técnica e o riso, APEC, Rio de Janeiro, 1966.

Ensaios imprudentes, Record, Rio de Janeiro, 1986.

O século esquisito, Topbooks, Rio de Janeiro, 1990.

Reflexões do crepúsculo, Topbooks, Rio de Janeiro, 1991.

Rubens Penha Cysne — "Income and demand policies" *in Brasil* in *Banking and financial deepening in Brasil*, coletânea, MacMillan, 1990.

Ruy Castro — *O anjo pornográfico*, Companhia das Letras, São Paulo, 1992.

Sérgio Besserman — *A política econômica no segundo governo Vargas*, Fundação Getúlio Vargas, Rio de Janeiro, 1987.

Steve H. Hanke and Kurt Schueler — *Currency boards: A summary*, Johns Hopkins University, monog. Department of Economics, Baltimore, 1993.

Thomas C. Reeves — *A question of character*, Prima Publishing, Rocklin, 1982.

Thomas Skidmore — *Politics in Brasil*, Oxford University Press, NY, 1967.

O Brasil de Getúlio a Castello, 8ª ed., Paz e Terra, 1985.

Vera Dantas — *A guerrilha tecnológica*, LTC, Rio de Janeiro, 1988.

Vernon Walters — *The silent mission*, Doubleday & Co., Inc., 1978.

Walder de Góes e Aspásia Camargo — *O drama da sucessão*, Nova Fronteira, Rio de Janeiro, 1984.

William Manchester — *The last lion*, Laurel Paperback, NY, 1973.

William Waack — *Camaradas*, Companhia das Letras, São Paulo, 1993.

PUBLICAÇÕES PERIÓDICAS

Antônio Delfim Netto — *Políticas geradoras do desenvolvimento*, Conjuntura Econômica, Fundação Getúlio Vargas, dezembro 1993.

Jacques Gros-Claude et Robert Herzog — "Monografia sobre o mito do imposto único", in *Revue Française de Finances Publiques*, nº 29, Paris, 1990.

Jorge Oscar de Mello Flores — *O partido político que faltava*, Caderno Especial nº 61, SBERJ, Rio de Janeiro.

Juarez Távora — *Racionalização administrativa do Brasil*, Revista do Serviço Público, Rio de Janeiro, 1955.

Lourdes Sola — *O estado da transição*, Revista dos Tribunais, São Paulo, 1988.

Massod Ahmed e Lawrende Sumers — *Avaliação da crise da dívida em seu 10º aniversário*, Enfoque Econômico,1993, nº 3.

PAEG, *Documento nº 1* — Escritório de Planejamento Econômico Aplicado, novembro de 1944.

Revue Française de Finances Publiques — nº 29, Paris, 1990.

Roberto Campos — *Os oito trabalhos da reforma*, Conjuntura Econômica, Fundação Getúlio Vargas, abril, 1986.

Sócios no Progresso, APEC, 1971.

The Economist — London, 16/12/89.

ÍNDICE

ONOMÁSTICO

E TEMÁTICO

◆

A

H

M

A P Ê N D I C E

◆

DISCURSO DE POSSE NA
ACADEMIA BRASILEIRA DE FILOSOFIA*

Quando fui convidado para ingressar na Academia Brasileira de Filosofia, assaltou-me logo uma angústia existencial. Angústia que sempre me provocam as coisas imerecidas.

Minha intimidade com a filosofia é de longa data, mas cheia de infidelidades e precocemente estiolada.

Em seminários católicos, onde passei castamente a juventude, graduei-me em filosofia e teologia. Não posso dizer que tenha tido duradouro ou passional entusiasmo por essas disciplinas. A filosofia que se ensinava no claustro era a filosofia escolástica, um misto de aristotelismo e tomismo. Aristóteles e São Tomás de Aquino eram parte de minha dieta diária, muito mais que Platão e Santo Agostinho, de estilo literário mais ameno. Tornei-me um bom latinista e sofrível helenista, lendo nessas línguas alguns textos originais. Da filosofia moderna não se absorviam senão os verbetes dos compêndios da história da filosofia, sendo os meus preferidos Kant e Bergson. Havia sempre as limitações criadas pelo *Index Librorum Prohibitorum*. Em verdade, o protesto contra a censura intelectual foi uma das razões que me levaram a abandonar o seminário, para me inserir no mundo das bagatelas.

Depois de ter sido instrutor de teologia dogmática, acabei me convencendo de que tinha razão o Abbé Jerôme Coignard, do romance de Anatole France, ao definir a teologia como *"une science qui traite avec une minutieuse exactitude de l'Inconnaissable"*...

Quem me chamou a atenção para essa definição foi o grande pragmatista e liberal Eugênio Gudin, um dos poucos, senão o único de nossos economistas, que conseguiu apimentar o "economês" com uma extraordinária verve literária.

Lembro-me de que Gudin costumava pilheriar de meu passado de filósofo escolástico e do seu próprio passado de técnico e engenheiro, com um pitoresco contraste que ouvira não sei onde:

"Os filósofos", dizia ele, "no começo sabem pouco sobre muito; à medida que alargam suas generalizações, entendem cada vez menos sobre cada vez mais; no fim sabem quase nada sobre quase tudo..."

"Os técnicos, ao contrário, no começo sabem muito sobre pouco; à medida que se especializam, aprendem cada vez mais sobre cada vez menos; no fim sabem quase tudo sobre quase nada..."

---

* Rio de Janeiro, 24 de março de 1997.

Mas, se filosofar é explicar, e se meu passado filosófico é anêmico, como explicar meu ingresso nesta Academia Brasileira de Filosofia, augusto cenário em que pontificam mestres com vasta bagagem de trabalhos filosóficos, como o grande Miguel Reale e Antonio Paim?

Remexi os miolos à busca de uma "razão plausível", ainda que não fosse a "razão pura" de Kant. Encontrei-a num aforismo do jovem Sêneca, o filósofo estóico:

"Se há alguma coisa de bom na filosofia é o seguinte: ela nunca inspeciona pedigrees".

"Eureka"! É isso mesmo. Estou aqui porque nunca inspecionaram meu pedigree...

Se não é fácil encontrar méritos que justifiquem a homenagem desta noite, é fácil explicar por que eu desertei a filosofia e a teologia, e até mesmo o humanismo clássico, para me entregar às paragens áridas da economia — a dismal science, de que falava Carlyle.

É que segui os conselhos de Karl Marx, inventor de uma dessas "filosofias aflitas" que tanto desgosto causaram a Djacir Menezes:

"Os filósofos", disse Marx, "até agora interpretaram o mundo. O importante é mudá-lo".

Pois bem, foi para tentar mudar o mundo que abandonei a filosofia. Não o grande mundo externo, mas nosso pequeno mundo de país subdesenvolvido, que confunde grandeza territorial com riqueza fática e que, ao invés de cultivar a ética do trabalho, se vangloria no Hino Nacional de estar "deitado eternamente em berço esplêndido".

Talvez inconscientemente estivesse eu me engajando numa modalidade de estilo filosófico — filosofia da *praxis* — a que se referiu Mondolfo, o notável historiador ítalo-argentino.

Hegel falou de certa feita na "astúcia da razão". Talvez tenha sido eu não sei se vítima ou beneficiário dessa astúcia. Tendo saído da filosofia pela economia, acabei voltando à filosofia pela economia.

Após uma longa peregrinação pelo socialismo utópico e pelo dirigismo keynesiano, acabei, já na maturidade, tendo meu encontro amoroso com a escola austríaca, na qual os grandes liberais Von Mises e Hayek analisam filosoficamente a "ação humana", isto é, o comportamento do homem à busca de melhoria de sua condição. A economia não seria senão a análise das "conseqüências não intencionais da ação humana".

O livro seminal de Von Mises — A ação humana — é essencialmente um livro filosófico, como o são os tratados de Hayek sobre "Constituição e Liberdade". E ao ler recentemente parte da monumental obra de Djacir Menezes, verifico grande parecença entre o conceito de "ação humana" de Von Mises e o conceito de "atividade da criação humana", pilar filosófico do culturalismo brasileiro.

Mas é tempo de falarmos do real homenageado desta noite, que é Djacir Menezes. Convivemos na mesma faixa etária, separados por apenas um decênio. Nossos passos se cruzaram várias vezes na antiga Faculdade de Administração e Economia da Universidade do Brasil e no Conselho Técnico na Confederação Nacional do Comércio, do qual participamos ambos como membros fundadores.

Mas nunca entretivemos tertúlias maiores, nem me adentrei em suas obras sociológicas e filosóficas. Isso é estranho e frustrante pois navegamos o mesmo mar, enfrentamos as mesmas procelas, suspiramos pelas mesmas praias distantes — as praias do progresso e do desenvolvimento — sem nunca nos sinalizarmos na bruma circunstante. Conhecê-lo melhor teria sido um enriquecimento da minha paisagem. O bizarro é que tínhamos grandes afinidades. Embebemo-nos ambos, na juventude, das línguas clássicas, o latim e o grego. Tínhamos ambos vocação liberal. Eu nunca fora sujeito à sedução marxista e Djacir dela logo se livrou, horrorizado pela "sectarização ideológica", pelo subjetivismo voluntarista e pela deformação que Marx e os marxistas impuseram ao pensamento hegeliano.

Recordemos alguns traços de sua biografia. Djacir Menezes foi um dos espíritos melhor formados de seu tempo. Nasceu no Ceará, a 16 de novembro de 1907, bacharelando-se em 1930 na Universidade do Brasil. Doutorou-se em direito (1932) pela Faculdade de Direito do Ceará, onde ocupou, após concurso, a cátedra de Introdução à Ciência do Direito. Sua tese foi sobre Kant e sua contribuição à teoria do direito.

Foi catedrático da Faculdade de Filosofia e da Faculdade de Administração e Economia da UFRJ e professor titular de Filosofia do Direito na Faculdade de Direito dessa Universidade. Foi também professor emérito e reitor da UFRJ no período de 1969-1973. Dirigiu o Centro de Estudos Brasileiros em Buenos Aires (1953-54) e o Instituto Bolívia-Brasil (1958). Regeu também a cátedra de Literatura e Problemas Brasileiros na Universidade Nacional Autônoma do México (1959). Foi durante anos membro do Conselho Federal de Cultura, do Instituto Histórico e Geográfico Brasileiro, entre muitas outras instituições.

A obra de Djacir Menezes é extensa. Ela se inicia com trabalhos sobre a filosofia do direito nos anos 30, e enevereda depois pela auscultação da realidade brasileira. É a época dos estudos sociológicos que empreende sobre as Diretrizes da Educação Nacional (1932) e que culminariam em *O outro Nordeste*, obra que recebeu o mais vivo aplauso da crítica brasileira, até chegar aos estudos que dedica a Hegel. Há também em sua obra ensaios iluminadores sobre figuras literárias, sendo um dos mais brilhantes o que dedicou à "Crítica social de Eça de Queiroz".

Falei antes sobre a formação de Djacir Menezes, de que dá exemplo a imensa biblioteca que reuniu ao longo da vida com os seus modestos salários de professor. Nela se encontra o que de melhor produziu a cultura grega e latina — que Djacir lia no original — assim como o melhor da cultura francesa e alemã. Djacir reconhecia que literariamente sua formação se devia ao convívio com os franceses, e exemplo disso são as monumentais edições completas de Voltaire, D'Alembert, Flaubert, Balzac e outros, que possuía anotadas. Em filosofia foi o encontro com a Alemanha o grande entusiasmo de sua atividade.

Estudiosos da filosofia brasileira como Antonio Paim, em sua *História da Filosofia no Brasil*, souberam dar o relevo que Djacir mereceu no contexto de nossa produção filosófica. Como professor e como produtor de conceitos, sua obra não é apenas uma das mais variadas e extensas da cultura brasileira deste século. É também de singular originalidade.

O jurista Pontes de Miranda foi um dos primeiros a reconhecer o gênio de Djacir, e o ajudou a vir para o Rio. O apreço que tinha por Djacir pode ser medido pelas longas dedicatórias que lhe fez e que podem ser verificadas em sua biblioteca. Um dos mais densos ensaios sobre o autor de *Tratado de Direito Privado* continua a ser *Teoria Científica do Direito em Pontes de Miranda*, publicado em 1934, quando Djacir ainda estava em Fortaleza, e que mereceu inclusive edição espanhola (1945), do·Fondo de Cultura Economica do México.

A inquietação intelectual o levaria a abandonar tanto o neo-kantismo, dominante na época, como o neo-positivismo do círculo de Viena, esposado por seu mestre Pontes de Miranda. Não queria ater-se aos "limites da experiência possível", e objetava ao dualismo kantista entre o *noumenon* e o *phenomenon*, o sujeito e o objeto, a essência e a aparência, e vislumbrou, como solução trascendental, a dialética hegeliana. Já o "neo-positivismo lógico", a seu ver, levaria o formalismo ao grau supremo de rarefação ontológica, tornando-se uma "filosofia no vácuo". Djacir combateu com igual vigor as três formas de dualismo — o cartesiano, o kantiano e o neo-positivista.

No seu livro *Motivos alemães* (1977) pode-se ver a amplidão dos conhecimentos de Djacir. Aprendeu alemão cedo, autodidaticamente. Mas acabou não só intérprete como tradutor de Hegel. Ali se analisa a relação de Nietzsche e Wagner, a interpretação hegeliana da tragédia grega, as variações sobre o léxico filosófico de Hegel, a querela anti-Hegel, Shakespeare nas lições de Hegel, e a obra do naturalista Von Martius, entre outros temas.

É curioso que esta obra de Djacir não tenha merecido mais espaço nos jornais e nas revistas especializadas. Houve mesmo, por parte de muitos, um boicote aos seus trabalhos. Aceitara a Revolução de 64, lúcido frente aos excessos do populismo que imperava à época. Era recluso por temperamento. Tudo isso contribuiu para que sua obra fosse eclipsada nos últimos anos de sua vida.

Djacir deixou vários livros inéditos, hoje sob a guarda de sua filha Vleuda, que merecem ser examinados e editados. Seu declínio físico parece que foi acentuado pela morte da mulher. Nos últimos tempos voltou-se — depois da crise religiosa e o conseqüente afastamento da religião — para o catolicismo. Seu grande encontro na juventude foi Hegel. Seu grande encontro na velhice foi Santo Agostinho. Morreu crente em Deus. Suas últimas leituras, o autor que teve perto de si, na cabeceira, até o fim, foi Max Scheler, o filósofo tido por muitos como o "Nietzsche católico" e figura central da sociologia do saber.

Em *Motivos alemães* escreve:

"Aos 20 anos, no último ano do curso jurídico, deu-se o encontro com Hegel. Quem me apresentou? Karl Marx. Apresentou-o a seu modo, dizendo que repusera a dialética nos seus verdadeiros pés, no que então facilmente acreditei. Antes, eu já fizera estágio na filosofia biológica, ruminara darwinismo, bem como o sociologismo conseqüente que circulava no Nordeste na década de 20".

Mais adiante:

"A verdade é que só pude enfrentar o tema quando venci o preconceito marxista".

E conclui:

"Idéia puxa idéia, livro puxa livro — e tive que estudar também os antepassados espirituais de Hegel. Foi por isso que andei vagueando pela teologia protestante, nos meus intervalos de magistério e algumas vezes por solicitação da própria cátedra".

Essa longa citação diz muito sobre a seriedade intelectual, o senso de pesquisa, e o rigor que Djacir se impunha como intelectual. Foi ele um escritor de fôlego, e um pensador cuja contribuição ao pensamento brasileiro está a exigir melhores e mais profundas análises. Neste nosso tempo em que a filosofia feita na universidade nem sempre vale a pena, em que a novidade é tomada por profundidade, a obra de Djacir Menezes é um testemunho de como a nossa educação anda tosca, principalmente no que se refere ao apreço pela grande cultura clássica.

Erudito, com interesses multidisciplinares, Djacir era capaz de ter idéias próprias sobre a matemática dos gregos, a contribuição de Grócio ao direito internacional, esmiuçar passagens de São Tomás de Aquino, e muito mais. Sua biblioteca, de quase 20 mil volumes, é um testemunho de em que mares navegou seu espírito. Ali está o retrato do que ele foi e do que ele pensou.

Em suas *Teses quase hegelianas* — soberbo elenco de 500 aforismos filosóficos — Djacir cita uma pitoresca classificação dos filósofos por Carlos Bunge: 1) os "saciados", ou seja, os que repousam num sistema, inteiramente satisfeitos; 2) os "desdentados", que, embora esfomeados, "não podem comer a experiência científica moderna porque não dominam os instrumentos teóricos adequados"; e 3) os "roedores", ou seja, os que, "dotados de preparo científico, emparedam-se em compartimentos estanques, onde ficam a roer bolotas de questiúnculas".

Djacir, um espírito essencialmente rebelde e de vocação ecumênica, certamente não caberia em nenhuma dessas classificações. Talvez se possa dizer que pertencia à categoria dos "metabolizadores", em vista da preocupação de contemplar, como diz Antonio Paim, "o processo de criação humana como totalidade e não mais como uma realidade independente do homem e da sua evolução histórico-social". Segundo Djacir, "ao identificar o "racional" e o "real", Hegel transpunha a oposição kantiana para ver na história a progressiva revolução do Espírito".

O culturalismo filosófico brasileiro é hoje uma robusta doutrina, que distingue três tipos de saber: o "pensamento", que é o domínio da lógica; a "natureza", que é o domínio da ciência, e a "criação humana", objeto próprio da filosofia. A essa tríade corresponderiam três formas ou estruturas de objeto: naturais, ideais e culturais.

Haverá alguma lição prática da longa e austera meditação de Djacir? Uma chave para isso está no subtítulo das *Teses quase hegelianas*: — "para uma filosofia de transição sem transação".

Também na economia, o Brasil necessita de uma "transição sem transação": transição do mercantilismo patrimonialista para o capitalismo liberal; do dirigismo burocrático para o mercado competitivo; do estado empreiteiro para o estado jardineiro; do estado predador para o estado servidor.

Sinto-me honrado em ocupar, nesta Academia, a cadeira de Djacir Menezes. E grato, muito grato, a Antonio Paim, por ter incorrido em inobjetividade caridosa na avaliação de meus méritos. Obrigado a todos.

NA CURVA
DOS OITENTA*

Meus amigos, jovens e velhos. A melhor coisa que se pode dizer sobre esta festa de meus oitenta anos é que, por imperativo biológico, ela não pode ser repetida.

Um amigo trêfego descreveu a motivação deste encontro com a sigla PVC e explicou-me: "isso não significa promessa de venda de câmbio ou polivinil chloride e sim, apenas, "a porcaria da velhice chegou".

Cabe-me agora explicar por que me opus, sendo finalmente derrotado pela família e pelos patrocinadores, ao uso do smoking nesta festa. É que ainda não perdi a esperança de me tornar um líder popular. E também porque nunca me esqueci do conselho de Nelson Rodrigues, numa mesa de bar, no dia em que deixei de ser ministro do Planejamento, em 1967: "Roberto, nada se parece mais com um garçom do que um ex-ministro de smoking".

Na curva dos oitenta, posso repetir com convicção o que disse Hayek ao restabelecer-se, octogenário, de uma grave doença: "Encontrei a velhice e não gostei".

Como liberal, ando à procura de slogans, para não deixar com as esquerdas o monopólio que hoje têm de rótulos slogânicos. Ocorreu-me um slogan atraente: *liberals live longer*. O professor Eugênio Gudin morreu centenário, Octávio Bulhões completou 82 anos e vejo entre os convivas desta noite o embaixador Meira Pena, que continua um prolífico e erudito escritor aos 80 anos. Não posso dizer entretanto que a longevidade seja privilégio dos liberais. O líder comunista Luiz Carlos Prestes morreu aos 92 anos, sobrevivendo a exílios e privações. E Barbosa Lima, firme em sua luta em favor do estado monopolista, está às vésperas do centenário.

Como a gente se deve comportar aos 80 anos? A fórmula mais otimista é a dos franceses, que dizem que o homem pode manter sempre a idade-MMS. Em termos sexuais, aos 20 anos ele opera na Matinée, Midi e Soirée. Aos 40 anos o ritmo é de Mardi, Mercredi e Samedi. Aos 60 anos, decai para Mars, Mai e Septembre. Aos 80 anos só pode dizer: Mes Meilleurs Souvenirs. Mas é sempre fiel à sigla MMS.

Relendo os *Analectos* de Confúcio encontrei idéias consoladoras sobre o rolar das idades. Diz Confúcio:

• Aos quinze anos orientei meu coração para aprender
• Aos 30 plantei meus pés firmemente no chão
• Aos 40 não sofria mais de perplexidades

---

* Discurso no banquete de aniversário de oitenta anos, no Copacabana Palace Hotel, Rio de Janeiro, em 17 de abril de 1997.

• Aos 50 sabia quais eram os preceitos do Céu

• Aos 60 eu os ouvia com ouvidos dóceis

• Aos 70 podia seguir as indicações do meu próprio coração, porque o que eu desejava não excedia as fronteiras da justiça.

Confúcio morreu aos 72 anos. Não se sabe o que diria sobre os 80. Mas eu entendo que um direito legítimo dos octogenários é passar pito nas jovens gerações, que bagunçaram o coreto, impedindo o país de chegar aos anos dourados.

Mais cruel na avaliação das canalhices do tempo é o pessimista Schopenhauer, que disse que os primeiros 40 anos do homem são o "texto"; os 30 anos subseqüentes são apenas "comentários". Schopenhauer morreu aos 72 anos. No mesmo veio pessimista eu acrescento que os octogenários são apenas "nota de rodapé".

Tendo vivido 80 anos, sinto que vivi mais de um século. Pois este século, segundo o historiador marxista inglês Hobsbawm, "foi um século curto". Segundo ele, teria começado com a II Guerra Mundial, em 1914, que pôs fim à *belle époque* do livre cambismo e do padrão ouro. E teria terminado com o colapso do império soviético em 1991, o último dos grandes impérios a desaparecer. Para outros, e eu me filio a essa corrente, o século XX foi ainda mais curto, pois teria começado com a Revolução Comunista em 1917, ano em que nasci, para terminar com a queda do Muro de Berlim em 1989. Este século foi chamado pelo marxista Hobsbawm de "a era dos extremos". Em linha paralela, o historiador liberal Paul Johnson descreve-o como o "século do coletivismo".

Foi sem dúvida o mais violento da história humana. Duas guerras sanguinolentas e uma longa guerra fria de 40 anos, sob ameaça constante de hecatombe nuclear. Foi o século que assistiu à ascensão, paixão e morte de três grandes carniceiros — Stálin, Hitler e Mao Tsé-Tung. En conjunto, esses facínoras, acolitados por tiranetes menores, faturaram 150 milhões de vítimas, na ânsia louca de reformarem o ser humano. Estima-se que, neste século curto, ter-se-iam perdido por motivação política não menos de 170 milhões de vidas, mais do que a soma de todos os mortos em guerras, catástrofes e perseguições religiosas, desde a origem dos tempos. Foi também um século admirável, em que se desvendou o poder do átomo e se descobriu a hélice da vida.

As duas criações do liberalismo do século XIX — o capitalismo e a democracia — experimentaram seus maiores desafios. O desafio coletivista de esquerda visava a substituir a democracia pela ditadura do proletariado; e o capitalismo pelo comunismo. O desafio coletivista de direita entronizava a ditadura do *Führer* e substituia o ideário do livre comércio pela obsessão da auto-suficiência.

Nos anos 30, o capitalismo passou a sofrer de uma doença interna: a Grande Depressão, que parecia consagrar a vitória decisiva das economias planificadas. O keynesianismo foi uma resposta de dentro do sistema, substituindo parcialmente o mercado pelo governo, mas criando, para corrigir vicissitudes da conjuntura, deformações de estrutura.

Tanto a democracia como o capitalismo sobreviveram a esses desafios. E o capitalismo democrático — i.e., o casamento da democracia política com a economia de mercado — se tornou vitorioso na cultura ocidental. Diz-se da democracia política que é o pior dos sistemas, excetuados todos os outros. Pode-se dizer também da economia de livre mercado que é o pior dos sistemas econômicos, excetuados todos os outros. Foi da combinação desses dois "piores" que nasceu o melhor: o capitalismo democrático. As ideologias alternativas, ou fracassaram no teste do tempo, como o socialismo real, ou não são universalizáveis como o nacionalismo e o fundamentalismo islâmico.

Com a extinção do mundo bipolar, o velho conflito entre capitalismo e comunismo pôde ser visto em suas reais proporções: foi uma guerra civil do Ocidente, pois tanto o liberalismo como o marxismo têm suas raízes na cultura ocidental. Isso entretanto não significa o fim da história. O capitalismo democrático em seu formato ocidental não é ainda, e talvez não possa ser, universalizável. A cultura asiática absorve melhor o ideário do mercado do que o ideário do individualismo democrático, substituído este por várias modalidades de autoritarismo confuciano.

O fundamentalismo islâmico, com sua dificuldade de separar a religião da política, não visualiza nem a democracia nem o capitalismo como formatos sócio-políticos ideais.

Há uma boa dose de razão na tese do professor Samuel Huntington de que os conflitos do futuro não serão mais conflitos entre ideologias ocidentais, mas entre civilizações.

Depois de um longo namoro num seminário católico com a filosofia e a teologia, dediquei-me, como economista, a pesquisar as causas do desenvolvimento econômico. Nos meus anos maduros, na década dos 60 e 70, tinha como certo de que o Brasil, na virada deste milênio, passaria da situação de potência emergente para a de grande potência. Sairia, por assim dizer, da gafieira para ingressar no Jóquei Clube, transitando do clube dos pobres para o clube dos ricos no curso de uma só geração. Tal façanha, quase inédita na história humana, parecia ao nosso alcance no fim da década dos 60, mas acabou sendo realizada pelos tigres asiáticos, precisamente na década dos 80, a qual, para a América Latina, foi a "década perdida". Estamos atrasados em nosso encontro com o "destino de grandeza", que tanto decantamos, até mesmo no Hino Nacional.

Lembro-me da melancolia do professor Eugênio Gudin, um dos maiores brasileiros que conheci, ao dizer, pouco antes de completar 100 anos, que o Brasil frustrara seus sonhos de juventude, pois continuava pobre quando tinha tudo para se tornar uma nação rica e justa. "O Brasil, dizia ele, foi a amante que mais amei e a que mais me corneou". É o que digo também ao dobrar a curva dos 80.

São raras no mundo as ondas de crescimento sincrônico, em que a maré do progresso levanta todos os barcos, grandes e pequenos. Podem-se mencionar três, no período de pós-guerra. A primeira foi na década dos 50, principalmente após a criação do Mercado Comum Europeu, em 1957, ao mesmo tempo que se deflagrava o milagre japonês com o Plano Ikeda, de 1960, visando à duplicação da renda nacional. O Brasil participou dessa onda, através do salto tecnológico e industrial da era Kubitschek. Mas políticas financeiras imprudentes e uma crise cambial levaram o Brasil à bancarrota no começo dos anos 60.

No fim dessa década, mais precisamente de 1968 até a primeira crise de petróleo em 1973, houve uma segunda onda. Foi a época do "milagre brasileiro", com taxas médias de crescimento real de 10% ao ano, que só viriam a ser atingidas pelos asiáticos 20 anos depois.

Assim, o "milagre brasileiro" se antecipou em cerca de duas décadas ao milagre asiático. A terceira onda de crescimento ocorreria na década dos 80, que seria para a América Latina uma trágica década perdida. O Brasil ficou à margem dessa terceira onda.

A participação do Brasil nas duas primeiras ondas sincrônicas de crescimento foi precedida de reformas. Estas resultaram do planejamento feito pela Comissão Brasil-Estados Unidos de Desenvolvimento Econômico e da criação do BNDE em 1952, como administrador de fundos públicos. Ambos foram instrumentos importantes para viabilizar o Plano de Metas de Juscelino Kubitschek, do qual participei intensamente.

O chamado "milagre brasileiro", no final dos 60 e começo dos 70, foi precedido das grandes reformas implantadas pelo governo Castello Branco, que eu chamarei de "reformas de primeira geração". Visavam à criação de instituições de modernização capitalista: a fundação do Banco Central e do BNH, a organização do mercado de capitais, a formulação do Código Tributário e a revisão do Código de Mineração, a criação do FGTS e da Caderneta de Poupança.

Ao contrário do que se passara na década dos 60, a dos 80 pode ser equiparada a uma "contra-reforma", pois o país marchou na contramão da história. A redemocratização política em 1985 agravou, ao invés de atenuar, o intervencionismo econômico. E foi seguida de uma ladainha de erros. A política de nacionalismo informático ao fim do ciclo militar; os vários planos heterodoxos de estabilização; a moratória da dívida externa em 1987 e o grande desastre — a Constituição de 1988 — dirigista no econômico, utópica no social e híbrida no político. Foi uma "contra-reforma", a qual, como disse à época o presidente Sarney, cuja presença neste ágape muito me honra, tornou o país ingovernável. A atual década dos 90 se iniciaria com uma política esquizofrênica liderada por um governante esquizofrênico: infligiu-nos um desastre conjuntural, através do confisco de ativos financeiros, e nos trouxe um avanço estrutural, com a abertura da economia e o início da desestatização.

A tarefa com que o presidente Fernando Henrique Cardoso e todos nós nos defrontamos hoje é a realização das reformas de segunda geração para desfazimento da contra-reforma da Constituição de 1988. Essas reformas de segunda geração visam, além da estabilização monetária, à reestruturação e redimensionamento do Estado. Reestruturação, pelas reformas administrativa, fiscal e previdenciária. Redimensionamento, pela privatização de empresas estatais e serviços de infra-estrutura.

Estamos num fim de século que é também um fim de milênio. Tudo indica que se desenhe, senão para o fim deste milênio, para o começo do novo, uma quarta onda de crescimento. É importante que o Brasil dela participe. A quarta onda, além da maior globalização dos mercados, trará inovações monetárias, como a moeda única européia, e inovações tecnológicas como a criação de mundos virtuais pela informática e pelas revoluções da biotecnologia e da nanotecnologia. Nossa preparação para a quarta onda deveria incluir algumas reformas de terceira geração que se acavalariam com as de segunda geração, formando uma corrente contínua.

Nossos dois déficits estruturais são o déficit educacional e o déficit de poupança. Nas reformas de terceira geração, devemos dar ênfase à educação básica e vocacional, visando a pelo menos dobrar a escolaridade média da força de trabalho. Isso é indispensável para se aumentar a taxa de empregabilidade na sociedade pós-industrial do futuro, já caracterizada como a "sociedade do conhecimento". O aumento da taxa de poupança implica corrigir-se a despoupança do governo, pelo prosseguimento das reformas estruturais e da privatização. É sobremodo urgente transformar-se a previdência social em fonte de capitalização para o desenvolvimento do setor privado, que passará a ser o motor do crescimento. O que hoje chamamos de reforma previdenciária é apenas o remendo de um sistema falido. As outras reformas de terceira geração seriam a reforma política, para compactação dos partidos, cuja proliferação gerou uma democracia disfuncional, e também a reforma do Judiciário. Cada vez mais os economistas reconhecem a importância de mecanismos institucionais adequados para a resolução de conflitos, com respeito à propriedade e proteção dos investidores. Nosso Judiciário é talvez o menos reformista dos poderes e sua lentidão eleva enormemente os custos de transação. Simplificação processual, limitações à orgia recursória e amplo uso das alternativas de mediação, inclusive nas relações trabalhistas, são parte fundamental de qualquer reforma do Judiciário.

Como vêem, a agenda de reformas, a fim de resgatarmos nosso atraso no *rendez-vous* com o destino, é ampla e desafiante.

É tarefa para os jovens, que são proprietários do futuro, mais que para os velhos de minha geração, que são inquilinos do passado.

Tudo o que posso dizer na curva dos 80 é que combati o bom combate, sem cultivar utopias, mitos sedutores e popularidade fácil. Não vi mais que os outros. E procurei nunca ver demais mas sempre ver antes. E aprendi a não ter medo das heresias de hoje, que podem ser a verdade do amanhã e a rotina do depois-de-amanhã.

Mantive alguns mas não todos os vícios da juventude, até porque, como dizia La Rochefoucauld, "a velhice é uma fera que nos proíbe, sob pena de morte, os prazeres da juventude". E mantive os dois defeitos de que me acusava Gilberto Amado, a quem saudei nesta mesma sala, em 1967, num jantar comemorativo de seus 80 anos: "Esse jovem secretário de embaixada, Roberto Campos, tem dois defeitos, carece de qualidades cênicas e gosta muito de organizar o pensamento alheio". Continuo sem qualidades cênicas e gostando muito de organizar o pensamento alheio...

Minha longa luta em prol da racionalidade legou-me um grande enfado com mitos e slogans. Minha última birra é com a palavra "estratégico". Há um fetichismo do produto. Na década dos 40, o valor estratégico, símbolo do nacionalismo, era o aço de Volta Redonda; na dos 50, o monopólio do petróleo; na dos 70, a energia nuclear; na dos 80, a auto-suficiência na informática. Nesta década, que se seguiu à ruína dos grandes mitos, ressurge um mito ridículo: "não se deve privatizar a Vale do Rio Doce por ter valor estratégico". Bispos que deveriam estar apacentando as almas, e defendendo o seu rebanho contra o proselitismo das seitas protestantes, pontificam sobre a Vale. Rábulas da OAB, que deviam estar formulando propostas de reformas do Judiciário, fazem passeatas em Brasília em apoio do corporativismo estatal.

Como razão para que os liberais preservem algum otimismo, registrem-se duas importantes conversões. No Brasil, a de Fernando Henrique Cardoso, que evoluiu do socialismo para a social-democracia, que é uma forma envergonhada de capitalismo. É injusta a acusação que

lhe fazem de neoliberalismo. Ainda tem um forte sotaque dirigista e apenas começou a corrigir nossos vícios de mercantilismo patrimonialista. Enquanto não tivermos uma moeda livremente conversível e mantivermos a Petrossauro em mãos do Estado, não teremos passado no
vestibular do liberalismo.

A outra conversão importante é a do líder trabalhista inglês Tony Blair, hoje favorito nas
pesquisas para as eleições gerais em seu país. Curiosamente, mrs. Thatcher, deposta há tempos da primeira ministrança pelos Tories, está sendo reabilitada pelos Trabalhistas. Esses
renunciaram ao estatismo e ao aumento de impostos e aceitaram a desregulamentação trabalhista, convencidos afinal de que não se consegue enriquecer os pobres empobrecendo os
ricos. E de que as duras reformas antipopulistas do thatcherismo trouxeram à Grã-Bretanha
baixa inflação, satisfatório crescimento e uma das menores taxas de desemprego na Europa.
A piada eleitoral dos Tories hoje é de que, a continuar assim, no fim da campanha Tony
Blair se parecerá com uma mrs. Thatcher de macacão operário.

Que poderia um velho dizer aos jovens no fim de uma longa jornada? Não seguirei a
receita do poeta inglês Dylan Thomas:

"Do not go gentle into that good night,
Rage, rage against the dying of the light".

Aceitarei mansamente o crepúsculo, sem raiva contra a morte da luz e a chegada da noite.
E ainda que os cínicos digam que a experiência é apenas um nome que a gente dá aos erros
preferidos, ouso extrair de minha experiência algumas "máximas do crepúsculo". É o que eu
chamarei de "decálogo liberal", usando alguns conceitos meus e alguns emprestados de
outros (que usarei sem pagar direitos autorais):

• O Brasil deve parar de admirar o que não deu certo. (Tom Jobim)

• O governo não pode dar nada ao povo que primeiro dele não tenha tirado. (Richard Nixon)

• No Estado-babá, os assistentes sempre ficam melhor que os assistidos.

• Não se deve confundir Estado forte com Estado grande. Para ser forte o Estado tem que
ser modesto.

• Mais importantes que as riquezas naturais são as riquezas artificiais da educação e da
tecnologia.

• A tarefa do planejador deve ser um misto de prudência e inconformismo. Prudência
para aceitar os fatos; inconformismo para rejeitar a fatalidade.

• O erro dos militares foi não terem feito a abertura econômica antes da abertura política;
o erro dos civis foi, depois da abertura política, praticarem uma fechadura econômica.

• O Estado é melhor como jardineiro, que deixa as plantas crescerem, do que como engenheiro, que desenha plantas erradas.

• Os nacionalistas gastam mais tempo odiando os outros países do que amando o seu próprio país.

• Os que crêem que a culpa de nossos males está em nossas estrelas e não em nós mesmos
ficam perdidos quando as nuvens encobrem o céu.

Muito obrigado.

DISCURSO DE DESPEDIDA
NA CÂMARA DOS DEPUTADOS*

Senhoras e senhores parlamentares.

Chamarei este discurso de retrospecto melancólico. É tempo de balanço. Balanço tornado oportuno pela confluência de três eventos: fim de século, começo de milênio e, proximamente, meio século de fundação da brasilidade.

Minha melancolia não provém de saudades antecipadas de Brasília, cidade que considero um bazar de ilusões e uma usina de déficits. A melancolia provém do reconhecimento do fracasso de toda uma geração — a minha geração — em lançar o Brasil numa trajetória de desenvolvimento sustentado. Continuamos longe demais da riqueza atingível e perto demais da pobreza corrigível.

A melancolia vem também da constatação de nossa insuportável "mesmice". Quando cheguei ao Congresso em 1983, eleito senador por Mato Grosso, os temas candentes do momento eram a moratória e a recessão. Dezesseis anos depois, quando me despeço de dois mandatos de deputado pelo Rio de Janeiro, os temas inquietantes voltam a ser a recessão e a crise cambial. Isso demonstra que o Brasil, conquanto capaz de saltos de desenvolvimento, não aprendeu a tecnologia do desenvolvimento sustentado. É um saltador de saltos curtos e não um corredor de resistência.

O POTENCIAL E O DESEMPENHO

Essa sensação de insuportável mesmice, recordo-me, me fora transmitida também por dois velhos sábios: Eugênio Gudin e Tancredo Neves. Gudin, o guru liberal da minha geração de economistas, queixava-se, quase centenário, que o Brasil era "a amante que ele mais tinha amado e que mais o corneara". E Tancredo, designado primeiro-ministro do governo parlamentarista de João Goulart, pediu-me em setembro de 1961 que, nas duas semanas que me restavam antes de partir para o posto de embaixador do Brasil em Washington, preparasse um programa de governo, a ser referendado pelo Parlamento, juntamente com o novo gabinete. Quando lhe ponderei a exiguidade do tempo para essa ousada tarefa, respondeu-me com mineirice sarcástica:

"Você é useiro e vezeiro em fabricar programas de governo desde os tempos de Getúlio e Juscelino. No Brasil, os problemas não mudam; logo, não mudam também as soluções".

---

* Brasília, 28 de janeiro de 1999.

Daí nasceu o programa que seus autores — Bulhões Pedreira, Mário Simonsen e eu próprio — denominamos o "programa das tesouras". Recortamos trabalhos antigos, que perma-
neciam irritantemente atuais, demonstrando nossa incapacidade de transformarmos crises
em oportunidades e aspirações em realidades.

Na análise internacional comparativa do desempenho das nações neste fim de século, dois
países provocam geral perplexidade pela enorme brecha entre seu potencial, que é cintilante,
e seu desempenho, que é fosco: a Rússia e o Brasil. A Rússia foi uma superpotência que
depois submergiu, descobrindo afinal que era apenas um país do terceiro mundo com um
exército de primeiro mundo. O Brasil é uma potência emergente que ainda não emergiu e
que se surpreende ao descobrir que continua sendo um país com um grande futuro no seu
passado. Produzindo o oitavo PIB do planeta (talvez agora o nono em vista do avanço chinês), caímos para abaixo do 40º lugar em renda por habitante, e perto do 60º lugar no índice de desenvolvimento humano da ONU, que mede a qualidade de vida. Nosso problema não
é só de iniqüidade distributiva mas também de debilidade produtiva.

Qual a explicação do contraste entre o potencial de riqueza e a pobreza do desempenho?
Os fatores explicativos são de tríplice natureza:

• Deformações culturais
• Erros comportamentais
• A armadilha do meio-sucesso

As *deformações culturais* podem ser encapsuladas no que costumo chamar de doença dos
"ismos": o *nacionalismo* temperamental, que reduz a absorção de tecnologia e investimentos;
o *populismo*, que é a arte de distribuir riquezas antes de produzi-las; o *estruturalismo*, que
subestima o papel da desordem monetária na inflação; o *estatismo*, que leva o Estado a fazer
mais do que pode no econômico e menos do que deve no social; o *protecionismo*, que castiga
o consumidor sem exigir eficiência do produtor.

Os *erros comportamentais* vieram em safra abundante na década dos 80, que não por
outra razão foi chamada de "década perdida". Os militares concluíram seu longo reinado
com dois erros: o primeiro foi não terem feito a abertura econômica antes da abertura política; o segundo foi a política de reserva de mercado na informática, que atrasou em pelo
menos 15 anos nossa modernização tecnológica. A partir de 1985, paradoxalmente, a "civilianização" do regime pela redemocratização, ao mesmo tempo que expandia as liberdades
políticas, comprimia as liberdades econômicas. Houve os "planos heterodoxos" de combate à
inflação — o Plano Cruzado, o Plano Bresser, o Plano Verão, todos os quais desorganizaram
o sistema de preços, seguidos do Plano Collor, que desorganizou as poupanças. Proclamou-
se, em 1987, uma moratória unilateral da dívida externa, comicamente apelidada de "moratória soberana", que destruiu o crédito internacional do país e é até hoje marca negativa em
nosso prontuário financeiro. Houve, finalmente, a Constituição de 1988, que documenta os
perigos de uma doença freqüente na América Latina — a "constitucionalite". Ela excita
utopias individuais. Nossa atual Carta Magna é intervencionista no econômico, utópica
no social e híbrida no político. Ampliou os monopólios estatais, exagerou a carga fiscal,

engessou as relações trabalhistas e criou um sistema previdenciário que é uma briga com o cálculo atuarial. Foi esfuziante na concessão de direitos e monástica na especificação dos deveres. Facilitou tanto a proliferação de partidos como de municípios insolventes. No fundo, é mais um ensaio de "democratice" e "demoscopia" do que de "democracia". De democratice porque acentua as liberdades políticas mas priva o cidadão de liberdades econômicas ou de opções sociais. É que os monopólios estatais são uma cassação do direito de produzir, enquanto que a legislação trabalhista inibe o direito de contratar e a legislação previdenciária, ao tornar obrigatória a previdência pública, priva o cidadão do direito de escolher o administrador de suas poupanças. Nossa Constituição é também um ensaio de demoscopia, ao facilitar um pluripartidarismo caótico, pela ausência de instrumentos de compactação partidária, como o voto distrital, a fidelidade partidária e a cláusula de barreira. Nascida em outubro de 1988, um ano antes da dramática transformação ideológica pós-Muro de Berlim, nossa Carta Magna é um bebê anacrônico. Levamos 17 meses para pari-la e estamos gastando uma década para desconstruí-la. (Pondera-me um amigo que, como octogenário, eu deveria ser grato à Constituição de 88 pelo art. 230, que garante às pessoas idosas o direito à vida. Lembrar-me-ei de impetrar um mandato de segurança contra o Criador, se ele manifestar más intenções a meu respeito na próxima pneumonia...).

Nosso medíocre desempenho é explicável também em função de um terceiro fator: a *armadilha do meio-sucesso*. Sempre acreditei que as nações só podem ser salvas pelo claro sucesso, que gera confiança, ou pelo fracasso exemplar, que provoca mudanças. O perigo está no meio-sucesso. Entretivemos, por exemplo, anormal tolerância para com a inflação — essa fonte de injustiças sociais — porque durante muito tempo logramos a façanha aparentemente impossível de conciliarmos alta inflação e rápido crescimento. E anormal resistência à privatização, porque criamos estatais que, ineficientes pelos padrões mundiais, e de inexpressiva rentabilidade para o Tesouro Nacional, pareciam bem melhor instrumentadas que suas congêneres latino-americanas.

Um terceiro exemplo de meio-sucesso é o Plano Real. Trata-se de esplêndida ginástica financeira, com êxito surpreendente na queda da inflação e insucesso crescente no câmbio e no fisco.

AS ONDAS DE CRESCIMENTO

São relativamente raras na experiência mundial as ondas de crescimento sincrônico, abrangendo países ricos e emergentes, tal como as marés, que levantam todos os barcos, grandes e pequenos. O Brasil participou da primeira onda do progresso que se seguiu à criação do Mercado Comum Europeu, em 1957. Foi a era do desenvolvimentismo juscelinista. Crescemos 50 anos em cinco, dizia o slogan. Mas, infelizmente, no fim do qüinqüênio, entrávamos em bancarrota cambial.

Participamos também da segunda onda de crescimento, no fim da década dos 60 até a primeira crise de petróleo. Foi a época do "milagre brasileiro". Durante oito anos alcançamos taxas anuais médias de crescimento real superiores a 10%, façanha que somente 20 anos depois seria reproduzida pelos asiáticos.

A terceira onda de crescimento viria na década dos 80 (1984-90), após absorvidos os efeitos da recessão mundial, da crise da dívida e do segundo choque do petróleo. Dessa onda o Brasil não participou, afligido pela ladainha de erros que antes mencionei, responsáveis pela nossa década perdida. Uma década em que redescobrimos a democracia mas não descobrimos o capitalismo.

Os dois primeiros saltos de crescimento, nas décadas de 50 e 60, foram precedidos de reformas. O juscelinismo das metas foi precedido pelos esforços de planejamento da Comissão Mista Brasil-Estados Unidos e do BNDE, então recém-criado, assim como pela criação de agências estatais e fundos de desenvolvimento e, *last but not least*, pelo saneamento fiscal e monetário empreendido pelo professor Eugênio Gudin, num ministério de transição entre Getúlio e Juscelino. Essas reformas foram o que poderíamos chamar as "reformas de primeira geração".

O milagre brasileiro do fim da década dos 60 foi precedido das grandes reestruturações institucionais do governo Castello Branco, como a criação do Banco Central, a organização do mercado de capitais e a revolução fiscal trazida pelo Código Tributário de 1966. Foram as "reformas da segunda geração".

Na soturna década dos 80, quando se prenunciava a terceira onda, em vez de reformas tivemos a grande "contra-reforma", que foi a Constituição de 88. Foi um "avanço do retrocesso" que nos colocou na contra-mão da história. Em realidade as chamadas "reformas de terceira geração", que o Congresso está agora votando após o Plano Real — as reformas administrativa, previdenciária e fiscal, assim como a privatização, que é uma reforma patrimonial — não são propriamente avanços inovadores e sim o simples desfazimento dos irrealismos da contra-reforma. Assim, por exemplo, o propósito da reforma administrativa foi desfazer o "hexágono de ferro" que impossibilitava um tratamento gerencial dos problemas da administração pública: a estabilidade do funcionalismo, a irredutibilidade de vencimentos, a isonomia, o regime único dos servidores, a tolerância para com o grevismo e um sistema previdenciário atuarialmente inviável.

O GRANDE EVENTO DA DÉCADA

O grande evento desta década, que esperávamos marcasse a retomada do crescimento, mas que será apenas de transição, foi sem dúvida o Plano Real. Trouxe um avanço econômico e cultural que não deve ser subestimado, apesar de nuvens negras e tempestades à vista. Primeiramente, entronizou a estabilidade de preços como valor fundamental e como objetivo factível. Segundo, descartou métodos heterodoxos de congelamentos e confiscos, incompatíveis com a dinâmica capitalista. Terceiro, permitiu a identificação do verdadeiro inimigo — o déficit global do serviço público — pondo fim ao "escapismo" que nos levava sempre a inculpar demônios externos. Quarto, baseou-se numa reconsideração do papel do governo, que não é mais visto como engenheiro social e motor do crescimento, devendo antes ser um jardineiro que deixe as plantas crescerem e um samaritano que priorize o social. O Plano Real marcou a transição de uma cultura acomodatícia para uma cultura reformista.

Quando ele foi lançado, argumentei que houvera uma inversão de seqüências. A lógica política prevalecera sobre a lógica econômica. Isso era inevitável à época, mas também perigoso. Segundo a lógica econômica, a reforma do padrão monetário seria a cumeeira do edifício, cujos alicerces e colunas de sustentação seriam as reformas estruturais. Tal como se fez na criação do euro, na União Européia. Os critérios severos de disciplina fiscal foram fixados no Tratado de Maastricht de 1992, enquanto a moeda única se criou em 1999, após confirmado o saneamento fiscal.

A lógica política exigia, ao contrário, resultados imediatos na decapitação da hidra inflacionária. Até mesmo para conferir ao governante credibilidade para lancetar mitos e executar reformas de estrutura. O Plano Real nasceu assim como uma esplêndida ginástica aeróbica num corpo de frouxa musculatura. Trouxe resultados rápidos e surpreendentes. Seus componentes foram a âncora cambial, a política monetária restritiva de juros altos, a abertura às importações e apenas um mini-ajuste fiscal — o Plano Social de Emergência.

As reformas viriam para a consolidação, antes que para a construção da nova moeda. Que a lógica política tem sua secreta sabedoria, às vezes mais relevante que a ciência dos economistas, prova-o o fato de FHC ter sido eleito e reeleito presidente, em primeiro turno. Se a lógica política tem sábios segredos, a lógica econômica tem implacável capacidade de vingança. Essa vingança é representada pela dupla crise, fiscal e cambial, que ora nos aflige.

Houve atrasos no processo reformista em todos os seus três componentes:

• abolição de monopólios estatais
• reformas estruturais do Estado (administrativa, fiscal e previdenciária)
• privatização de estatais e outorga de serviços

Ocorreram, na trajetória reformista, interferências e insuficiências. A interferência foi a da tese da reeleição, que provocou usura de calendário e desgaste de capital político. A insuficiência resultou da timidez das propostas. A reforma previdenciária, por exemplo, visou apenas a corrigir algumas das principais distorções do atual regime de "solidariedade invertida". Mas o necessário seria uma mudança sistêmica do modelo de "repartição" para o de "capitalização individual". A compulsoriedade das contribuições para o INSS é *antidemocrática*, principalmente para os pobres, porque os priva do direito de decidirem sobre o administrador a quem confiar suas poupanças previdenciárias. É *anti-social* porque as contribuições versadas numa vala comum são expostas à predação de classes politicamente mobilizadas, que caçam aposentadorias precoces e especiais. É *anti-desenvolvimentista* porque os recursos não são capitalizados para alavancagem do desenvolvimento.

A transformação do modelo de repartição, total ou parcialmente, num sistema de cadernetas previdenciárias individuais, em que o benefício é definido pelo valor das contribuições capitalizadas, deverá figurar entre as reformas de quarta geração.

Estamos também atrasados na reforma fiscal e daí advém uma das grandes ameaças ao Plano Real, pelo aumento explosivo do déficit e do endividamento. O tratamento do problema tem sido emergencial antes que sistêmico, com a criação de pacotes tributários ou melhoramentos tópicos (por exemplo, simplificação do Imposto de Renda ou destributação de exportações). Está ainda para ser estruturada uma reforma fundamental que deveria satisfazer pelo menos a dois critérios: a) desincentivar a informalização da economia, que coloca parte da população fora da lei e reduz a receita fiscal e previdenciária, e b) coibir a sonegação e evasão fiscal, que reduzem a receita efetiva a quase metade da arrecadação potencial.

A atual proposta tributária do governo mantém os impostos declaratórios clássicos sobre renda, consumo e serviços, concebidos antes da era da eletrônica e da informática. Faz-se mister a substituição dos impostos declaratórios por tributação automática cobrada eletronicamente na fonte. E o imposto sobre movimentação financeira, com alíquota adequada, deveria obstruir todas as contribuições sociais que hoje oneram a contratação de mão-de-obra. O projeto do deputado Luiz Roberto Ponte (PEC 46/95), já aprovado em Comissão Especial, avança muito mais na direção desses objetivos que qualquer das propostas do Executivo, redolentes de um fiscalismo obsoleto.

PREPARAÇÃO PARA O NOVO MILÊNIO

Tendo perdido a terceira onda de crescimento da década dos 80, o Brasil precisa se preparar para a quarta onda, que espero surgirá no começo do milênio, detonada talvez pela restauração do crescimento europeu após a implantação definitiva do euro. Essa onda virá no contexto de uma economia globalizada e no bojo da sociedade do conhecimento. Isso nos impõe reformas modernizantes mais amplas, que chamarei de "reformas da quarta geração".

Entre elas figura uma reforma "política" que torne nossa democracia menos disfuncional. O objetivo dessa reforma seria conferir funcionalidade à nossa democracia, dando maior agilidade e relevância ao processo legislativo. Isso exigiria medidas de contenção da proliferação partidária e melhor ordenamento do processo legislativo, com a substituição do voto proporcional pelo voto distrital misto, a restauração do princípio de fidelidade partidária, a instauração da "cláusula de barreira" para a participação dos partidos no Congresso, o voto facultativo e a correção de distorções na representação estadual na Câmara dos Deputados, que hoje favorece demasiado alguns estados de densidade demográfica inexpressiva. Curiosamente, algumas das medidas anteriormente listadas constituem mera ressurreição de dispositivos que já existiram no passado, sem nunca serem ativados. O voto distrital fora previsto na Emenda Constitucional n.º 22, revogada quando da convocação da Constituinte de 1987-88; o princípio de fidelidade partidária existira na Emenda Constitucional n.º 1, de 1989; e a Cláusula de Barreira constava da Constituição de 1967, como pré-requisito a formação de partidos. Era uma barreira no lugar errado, pois a criação de partidos deve ser livre, limitada entretanto a participação no Legislativo aos partidos que representem parcela significativa da opinião pública e não apenas esquisitices ideológicas.

Componente importante nas reformas de quarta geração será a reforma do Judiciário. Reconhece-se hoje, na literatura econômica, que o progresso econômico está intimamente ligado ao respeito aos direitos de propriedade, à execução fiel de contratos e à solução expedita de conflitos. As linhas naturais de evolução devem ser: a ampliação da esfera de mediação extra-oficial, já iniciada com a criação de tribunais arbitrais privados; a implantação em maior escala dos juizados de pequenas causas, importantes sobretudo para a pequena e média empresa; a simplificação dos ritos processuais, com limites à orgia recursória e o aligeiramento da carga dos tribunais em litígios de constitucionalidade, pela aceitação do efeito vinculante das decisões do STF, sempre que haja identidade na natureza da impugnação. Uma outra reforma de quarta geração é a da legislação trabalhista, cuja intimidante complexidade desencoraja a contratação e encoraja a informalização. Cada vez mais a intervenção tutelar do Estado, cuja manifestação extrema é a capacidade normativa da Justiça do Trabalho, deve ser substituída pela livre negociação, apoiada em instrumentos de mediação, sob pena de aceleração do desemprego. A pouca flexibilidade da legislação trabalhista é reconhecida hoje como um dos componentes maiores do desemprego europeu, sendo talvez mais importante que o deslocamento da mão-de-obra por novas tecnologias. O sindicalismo brasileiro parece estar tomando consciência disso e o governo tem apresentado propostas de flexibilização, curiosamente semelhantes, na presente recessão, às que apresentei 16 anos atrás em meu primeiro discurso no Senado. *Nihil novum sub sole...*

DUAS CARÊNCIAS

Não conseguiremos ingressar numa trajetória de desenvolvimento sustentado se não corrigirmos duas carências: a falta de poupança doméstica e as deficiências de educação básica.

O aumento da taxa de poupança deve começar pela diminuição da despoupança do governo deficitário, assim como pela reformatação do maior *pool* de poupança disponível nas sociedades modernas — a Previdência Social. O modelo chileno de capitalização privada, já adotado na Argentina e Peru, e parcialmente na Colômbia e México, devem servir-nos de inspiração para transformarmos nosso sistema de solidariedade negativa, em que rendas se transferem de 'pobres para burgueses e burocratas, num instrumento de alavancagem do desenvolvimento

A outra carência é de educação básica. A escolaridade de nossa mão-de-obra, em média de menos de quatro anos, é baixa mesmo para os padrões latino-americanos. E certamente inadequada para as modernas sociedades eminentemente tecnificadas. O governo se tem empenhado corretamente em deslocar maiores recursos para a educação básica. Mas ainda não teve ânimo para desafiar o tabu da universidade pública gratuita, na qual os pobres têm difícil acesso e na qual os ricos e remediados recebem subvenção desnecessária. O ensino terciário é necessário para criar elites produtivas, que trazem incremento de produtividade, mas os saltos de produtividade dependem muito mais da educação de massa.

UM ENSAIO DE AUTOCRÍTICA

Falei muito, num exercício de análise crítica, dos problemas do Brasil e do mundo. É chegado o momento da autocrítica. Como congressista, não consegui ser nem um grande articulador, nem um grande operador, nem um grande mobilizador. Fui antes um pregador, quase um profeta sem carisma, pois que conseguia detectar na bruma do futuro a silhueta das coisas, sem grande capacidade para mobilizar outros em função dessas visões. Previ o colapso do socialismo, a vitória das economias de mercado, a necessidade do adelgaçamento do Estado pela privatização, a crise previdenciária tornada inevitável pelas mutações demográficas e a necessidade de abertura internacional. Combati os monopólios estatais, criadores de ineficiências, assim como a política de informática, quando ainda eram tabus venerados. Sempre achei que a inflação era a maior das injustiças sociais e que o governo nada pode dar ao povo que primeiro não tenha dele tirado.

Insisti em ser, como dizia Nelson Rodrigues, "um idiota da objetividade", procurando equidistância entre o fel de Cassandra e o mel de Pangloss. E aceitei muitas vezes a solidão da verdade, de preferência às blandícias aconchegantes do erro. Procurei ser, por assim dizer, a consciência liberal do PPB, partido do qual nunca me afastei, acompanhando-o em todas as suas metamorfoses, exemplo comovente de fidelidade partidária.

SOBRE A IDENTIFICAÇÃO DE INIMIGOS

Gostaria de dizer algumas palavras sobre a difícil arte de identificar inimigos. Sempre achei que um dos mais graves problemas dos subdesenvolvidos é sua incompetência na descoberta dos verdadeiros inimigos. Assim, por exemplo, os responsáveis pela nossa pobreza não são o liberalismo, nem o capitalismo, em que somos noviços destreinados, e sim a inflação, a falta de educação básica, e um assistencialismo governamental incompetente, que faz com que os assistentes passem melhor que os assistidos. Os inimigos do desenvolvimento não são os "entreguistas", que, aliás, só poderiam entregar miséria e subdesenvolvimento, e sim os monopolistas, que cultivam ineficiências e criaram uma "nova classe" de privilegiados — os burgueses do Estado. Os promotores da inflação não são a ganância dos empresários ou a predação das multinacionais e sim esse velho safado, que conosco convive desde o albor da República — o déficit do setor público.

É mais fácil dizer o que o Brasil não deve temer do que o que o Brasil deve fazer. O Brasil não deve temer as ameaças do neoliberalismo, já que, segundo análise comparativa de graus de liberdade por vários institutos econômicos, ainda somos um país de baixo grau de liberdade, comparativamente não só a vizinhos da América Latina, como Chile, Argentina e Peru, mas até mesmo a ex-membros da Cortina de Ferro, como Hungria e República Tcheca. Temos ainda graves resquícios dirigistas, com limitações à ação empresarial, um regime tributário complexo punitivo, uma legislação trabalhista minudente e tutelar e, até recentemente, profusos controles cambiais. Nem sequer se pode dizer que o país seja vítima do capitalismo selvagem, pois não se saiu ainda do mercantilismo patrimonialista. Experimentamos sem dúvida alguns aspectos do pior dos capitalismos, que é o capitalismo do Estado. Mas estamos distantes do capitalismo competitivo, que pressupõe a ausência de monopólios estatais, o respeito à liberdade de preços e ao direito de propriedade. No máximo poderíamos dizer que estamos num estágio pós-dirigista e pré-liberal, numa lenta transição de um capitalismo de Estado para um capitalismo competitivo.

A GLOBALIZAÇÃO E SEUS DESCONTENTES

Permitir-me-ei um comentário sobre a globalização, processo que entrevi como inevitável em função da revolução tecnológica e que, basicamente, considero benigno e desejável. O que há a dizer primeiramente é que não se trata de fenômeno inédito, ou invenção diabólica recente. A história registra várias globalizações. A mais antiga foi a do Império Romano que, no mundo relevante de então, criou uma moeda única e propalou uma língua franca, o latim, além de unificar instituições jurídicas e tornar dominante sua tecnologia de infra-estrutura. A segunda foi a das Grandes Navegações, que abriram caminho para novos continentes, incorporando-os ao comércio internacional. A terceira foi a eclosão do liberalismo democrático no fim do século passado, espraiando-se também neste século até a Primeira Guerra Mundial. Foi a *belle époque* na qual se chegou a um grau de integração internacional superior ao atual, pois, além do livre movimento de capitais, havia a livre migração de pessoas.

A ressalva que se pode fazer é que há vários graus de desejabilidade na globalização. A globalização comercial é inquestionavelmente desejável, pois aumenta a produtividade dos produtores e a satisfação dos consumidores. A impressão negativa que alguns têm no Brasil deriva de deficiências de comportamento. Ao manter taxas cambiais sobrevalorizadas aguçamos demasiado a penetração das importações. E nossa burocracia não aprendeu ainda a usar adequadamente legítimas defesas e salvaguardas internacionalmente admitidas como os direitos compensatórios e *anti-dumping*.

A globalização tecnológica é também benigna e restringi-la seria suicídio competitivo. Haverá deslocamentos de mão-de-obra destreinada, com aumento setorial do desemprego, mais do que compensados, entretanto, no médio prazo, pelo aumento de renda e produtividade. Parte do desemprego que é atribuído à globalização tecnológica é de natureza estrutural, provocado sobretudo pelos custos e pela rigidez da legislação trabalhista, como no caso europeu.

A terceira das globalizações é a financeira. Ela é benigna e desejável no tocante aos investimentos estrangeiros diretos, que cumprem uma tríplice função — trazer poupanças, injetar tecnologia e expandir mercados. A dúvida é quanto aos capitais chamados "voláteis", que emigram maciça e rapidamente, em resposta a flutuações de juros e câmbio. Ainda aqui é preciso notar que os capitais voláteis são instrumentos de testes de mercado, antes de se transformarem em investimentos fixos. E que os países vítimas da volatilidade são os que tinham desequilíbrios fundamentais, seja no setor privado, como na Ásia, seja no setor público, como no América Latina. No continente asiático escaparam do vendaval Cingapura, Taiwan, Austrália e Nova Zelândia. Em nosso continente, Chile e Argentina, que tinham razoável equilíbrio fiscal e orientação exportadora. No Brasil, os desequilíbrios eram evidentes, quer no tocante à taxa cambial, quer no tocante à desordem do setor público.

Os descontentes com a globalização se esquecem de que nunca na história humana tanta gente conseguiu escapar da miséria, sobretudo na Ásia, como sob o império da quarta globalização.

PALAVRAS FINAIS

Minhas últimas palavras são aos dois eleitorados que possibilitaram minha presença no Congresso. O de Mato Grosso, minha terra natal, e o do Rio de Janeiro, minha terra adotiva. Procurei prestar-lhes bons serviços. Para Mato Grosso, estado de desenvolvimento recente, a receita está no tradicional binômio juscelinista — energia e transporte. O Rio de Janeiro exige um polinômio mais completo, que lhe permita desenrolar seu elenco de variadas vocações: a vocação turística, a de pólo tecnológico, a de entreposto marítimo e de construção naval, a da indústria metal e mecânica e a diversificação de serviços.

Falei em melancolia, mas há momentos de alegria. Talvez a maior tenha sido a de ter conseguido uma surpreendente votação, em minha última campanha senatorial, entre os jovens. Os proprietários do futuro afinal entenderam um inquilino do passado, que lhes pregava as virtudes do capitalismo liberal, esse casamento singular entre a economia de mercado e a democracia política.

Deixo muitos amigos presentes nesta Casa, e alguns que se foram. Entre os que partiram citarei dois com saudade: Luiz Viana Filho, no Senado, e Luiz Eduardo Magalhães, na Câmara. Um velho e outro jovem. Tinham em comum duas qualidades relativamente escassas no cenário nacional: realismo político e intuição econômica.

Os que ficam nesta Casa têm pela frente uma formidável agenda reformista. Desejo-lhes, como na oração do teólogo Reinhold Niehbuhr, que Deus lhes dê serenidade para aceitar as coisas que não possam mudar, coragem para mudar as coisas que possam mudar e sabedoria para saber a diferença.

Comecei este discurso dizendo de minha frustração por ter, ao fim de três mandatos, encontrado o país com os mesmos problemas do início. Isso me faz lembrar o famoso e quase intraduzível poema de T.S. Elliot nos "Four quartets":

The end of all our exploring
Will be to arrive where we started
And know the place for the first time

"O fim de toda a nossa busca
Será chegar ao lugar onde começamos
E ter a sensação de descobri-lo pela primeira vez"

DISCURSO NA POSSE NA ACADEMIA BRASILEIRA DE LETRAS*

Tristes são as pessoas e as coisas consideradas sem ênfase. Assim versejou o grande Carlos Drummond de Andrade. A julgar pelo tumulto ideológico que suscitou minha campanha para este calmo sodalício, não sou uma pessoa considerada sem ênfase. Chego à Academia em idade crepuscular, o que tem a vantagem de permitir-me saborear melhor um dos poucos prazeres — a cultura — que sobrevivem à desconstrução da juventude.

Refocilando a memória, verifico que a primeira pessoa que fez perpassar um sopro de ambição acadêmica em minha mente, até então entupida pelas miudezas do pragmatismo econômico, foi Rachel de Queiroz.

Lá se vai mais de um decênio. Visitei-a. Falávamos generalidades sobre o Brasil e sobre a trágica morte de um comum amigo, o presidente Castello Branco, cuja ascensão ao poder foi um acidente benigno de liderança, e cujo desaparecimento, um acidente maligno da história. Se vivo, talvez influenciasse para encurtar o período de excepcionalidade militar, que ele, receoso da corrupção do poder, queria breve, suficiente apenas para evitar um autoritarismo de esquerda.

Subitamente, numa guinada reflexiva, Rachel me perguntou:

— Você já pensou em candidatar-se à Academia de Letras?

— Não, respondi-lhe. Não acredito que tenha obra suficiente e careço de outros requisitos.

— Da obra — disse-me ela — não cabe a você julgar, e sim aos acadêmicos. Os requisitos são dois: providenciar um cadáver e não ser uma personalidade muito controvertida.

— Não passo neste vestibular, respondi-lhe. Providenciar um cadáver depende do Criador, e não desejo que ele se apresse. Não ser personalidade controvertida depende dos outros. Lembre-se, acrescentei, do que dizia nosso amigo, o presidente Castello: "Não é verdade que eu seja teimoso; teimoso é quem teima comigo". O mesmo digo eu: "Não sou controvertido. Controvertido é quem controverte comigo".

Anos depois, em 1991, o Criador fez sua tarefa em momento errado e em relação à pessoa errada. As Parcas roubaram de nosso convívio, aos 49 anos, José Guilherme Merquior, um gênio do "liberismo" — expressão que ele preferia ao liberalismo, para demonstrar que não era liberal apenas na política, mas também na economia. Convivi muito com dois grandes liberistas de minha geração — Merquior e Mário Henrique Simonsen. Com o desaparecimento de ambos, em plena produtividade, também morri um pouco.

---

* Rio de Janeiro, 26 de outubro de 1999

Merquior, ocupante da cadeira 36 desta Academia, tinha sido meu conselheiro diplomático quando exerci a função de embaixador em Londres, posto que deixei em 1982, para candidatar-me ao Senado Federal por Mato Grosso.

Tive o bom senso de dispensá-lo da rotina da embaixada, encorajando-o a fazer seu doutorado em Sociologia e Política na London School of Economics.

— Sua tese doutoral contribuirá mais para a cultura brasileira, disse-lhe eu, que os relatórios diplomáticos que dormirão o sono dos justos nos arquivos do Itamaraty.

Previ corretamente. A tese de Merquior — "Rousseau and Weber — Two Studies in the Theory of Legitimacy" — escrita em inglês erudito, que humilhava os nativos monoglotas, se tornou parte da bibliografia básica em várias universidades européias.

Encorajado por sua viúva Hilda e por acadêmicos amigos, e rompendo inibições que me tornam antipático para disfarçar timidez, candidatei-me a esta Academia na vaga de Merquior. Ninguém foi eleito na primeira rodada em abril de 1991 e eu desisti da luta, reconhecendo a preferência da Casa pelo meu amigo João de Scantimburgo, filósofo e historiador, cuja *História do Liberalismo no Brasil* se tornou referência para os estudiosos das idéias liberais.

Um ano depois, cometi a imprudência de candidatar-me à Cadeira 13, quando deveria estar me aplicando mais às campanhas políticas. Tinha sido encorajado por esse benevolente promotor de ambições acadêmicas que é Jorge Amado, de quem me fiz amigo em Londres, quando, indiferente à bagatela de Picadilly Circus, escrevia, hospedado na casa de Antonio Olinto, o romance *Tieta do Agreste*. Mas tanto Jorge, por benevolência, como eu, por imodéstia, sobreestimávamos meus méritos. Foi a Academia que ganhou com a recepção de um novo talento, Sérgio Paulo Rouanet, filósofo iluminista, opção, aliás, racional num país que de tantas luzes carece.

Minha mulher Stella, que com sereno realismo se opusera às minhas ambições acadêmicas, passou-me um pito, usando uma expressão, "academiabilidade", que ouvira de Gilberto Amado: "Entre os seus vários dotes, meu caro, não se inclui o da "academiabilidade", sussurrou-me ela.

Relato essas peripécias para demonstrar que, nas porfias acadêmicas, não fui um "cão de açougue". Manuel Bandeira, conta-nos Ledo Ivo, assim chamava os "candidatos ao vosso convívio antecipadamente vitoriosos". Esses não deixam para os rivais nem ossos nem esperanças...

Transcorreu depois um longo intervalo em que me dediquei a ganhar eleições para a Câmara Federal. Tarefa mais fácil, sem dúvida, pois, como dizia Napoleão Bonaparte, "em política, a estupidez não é um *handicap*". Até porque, segundo Krushev, os políticos podem prometer pontes onde não há rios.

Sobre a dura porfia de ingressar neste cenáculo, não há autoridade maior que Juscelino Kubitschek. Tendo vencido por centenas de milhares de votos eleições para governador de Minas e para presidente da República, perdeu por um sufrágio sua eleição para a Cadeira n.º 1 deste sodalício.

Passaram-se os anos mas não passou de todo a tentação. Ela foi ressuscitada por três amigos que eu chamarei de "os três mosqueteiros" — Antonio Olinto, Tarcísio Padilha e Murilo Melo Filho — sob a neutralidade simpática do presidente Arnaldo Niskier. Esmeraram-se eles em demonstrar-me que os tempos tinham mudado. Muitas das minhas teses heréticas ficaram consensuais e meu grau de "academiabilidade" melhorara a ponto de não inspirar cuidados.

Havia, entretanto, um veto doméstico. Faríamos, Stella e eu, este ano, 60 anos de casados, o que, nesta era de rotatividade matrimonial, é um feito portentoso, que rouba, entretanto, ao marido a qualidade de macho dominador. Stella tinha sua autoridade reforçada por desmentirmos brilhantemente o sarcasmo de Nelson Rodrigues, que numa rodada de uísque vespertino comigo e meu cunhado, o saudoso cineasta Flávio Tambellini, respondeu indignado a um cliente em mesa vizinha que lhe entregou um convite para uma festa de Bodas de Ouro: "Viver com a mesma mulher durante meio século é cinismo ou falta de imaginação".

Vendo-me prestes a sucumbir à tentação de buscar a imortalidade acadêmica, Stella protestou:

— Só pode ser ambição senil. E desnecessária, pois você vive dizendo que a generosa Constituição de 1988, em seu Artigo 230, tornou imortais todos os idosos brasileiros, garantindo-lhes "o direito à vida".

Respondi-lhe ter a imortalidade literária um sabor especial, por ser um julgamento histórico, superior às vulgaridades constitucionais que freqüentemente não "pegam". Não haveria, aliás, perigo de vaidade senil, pois nunca me esquecera da resposta de Olavo Bilac, um dos fundadores da Academia, a quem lhe perguntou se não era insólita arrogância dos acadêmicos inscreverem em seu brasão "AD IMMORTALITATEM":

— Não — disse Bilac — os acadêmicos são imortais porque não têm onde cair mortos...

Existiram, certamente, cenáculos de apelação menos pretensiosa, como fez notar Afrânio Peixoto em sua introdução aos volumes que compendiam vossos discursos acadêmicos. Relata-nos ele que em Portugal surgiu, em 1647, a Academia dos "Generosos", seguida pela dos "Singulares" em 1663. "Confiados" se chamavam os acadêmicos de Pavia; "Declarados", os de Siena; "Elevados", os de Ferrara; "Inflamados", os de Pádua; "Unidos", os de Veneza. Em 1724, criou-se na Bahia a "Academia Brasílica dos Esquecidos", ressuscitada depois sob o nome de "Academia Brasílica dos Renascidos". No Rio de Janeiro, em 1736, se instalaria a "Academia dos Felizes"; e, em 1751, a dos "Seletos". A mais bizarra de todas foi a dos "Rebeldes", uma aventura juvenil de Jorge Amado, criada em Salvador, para rebater o formalismo e suposto elitismo da Academia Brasileira de Letras. Teve precária existência, de 1928 a 1930, reunindo-se numa sala de sessões espíritas, sob os eflúvios de Alan Kardec. Jorge Amado depois criou juízo, sendo eleito "imortal" nesta Academia, em 1961, da qual é membro querido e respeitado. Durante certo tempo, foi chique entre os intelectuais de esquerda desdenharem o venerando grêmio de Machado de Assis, mas vários sucumbiram ao seu encantamento, como Antonio Callado, Antonio Houaiss, Darcy Ribeiro, Dias Gomes e João Ubaldo Ribeiro.

Minha paz familiar foi restaurada graças a um telefonema de Rachel de Queiroz, que estava então pastoreando rebanhos em sua fazenda no Ceará. Com sua infinita e doce persuasão, induziu-nos todos a crer que minha candidatura a esta Academia deixara de ser uma idéia fora do lugar.

Para minha surpresa, que me rejuvenesceu, pois ser jovem é apenas a capacidade de ter surpresa, deflagrou-se, anunciada minha pretensão à vaga de Dias Gomes, uma ridícula batalha ideológica, que, magnificada pela mídia, me transformaria numa ameaça à paz e à elegância deste cenáculo.

Velho e cansado de brigas, visitei então o presidente Niskier e os membros da Diretoria, para ofertar-lhes minha renúncia à candidatura. Encontrei pronta reação dos ilustres confrades:

— A Academia Brasileira de Letras — disseram-me — nasceu ecumênica e assim continuará. Não aceitamos vetos de nenhuma ideologia e não há reserva de mercado para nenhuma seita política. A Academia é um templo de comunhão cultural e não uma arena de gladiadores políticos.

E lembraram-me que, em seu nascimento, esta Casa fundiu, numa comunhão de interesses culturais, dois grupos políticos radicalmente opostos — os republicanos e os monarquistas — sem que houvesse jamais desrespeito ao congraçamento cultural. Republicanos eram Rui Barbosa, Lúcio Mendonça, Medeiros de Albuquerque e Graça Aranha. Monarquistas eram Joaquim Nabuco, Eduardo Prado, Carlos de Laet e Afonso Celso.

Conviveram depois, em plena tranqüilidade, "florianistas", como Artur de Azevedo e Coelho Neto, e "antiflorianistas", como Rui Barbosa , Olavo Bilac e José do Patrocínio.

— Aliás — acrescentou o presidente Niskier — essa tradição de abertura ecumênica é tão forte que se criou a liturgia de incineração de votos, convencionando-se que o candidato vitorioso foi eleito por unanimidade.

Verifiquei depois, lendo a interessante autobiografia de Dias Gomes, que ele também, quando sucedeu a Adonias Filho, sofrera impugnações ideológicas, por estar no lado oposto do espectro político. Era descrito como um "comunista pernicioso". Multiplicaram-se cartas à Academia, protestando contra a sua eleição.

No meu caso, a querela foi muito mais estridente. Aliás, como alvo de personalismos injuriosos, ganhei todos os campeonatos desta pátria amada, sofrendo patrulhamentos e recebendo xingamentos tanto da esquerda radical como dos nacionalistas de direita. O mais inteligente dos críticos à minha política econômica, quando ministro do Planejamento, foi, sem dúvida, Carlos Lacerda. Esse esmagador polemista disse uma vez, provocando "suspense" na audiência: "Tenho a maior admiração pelo Dr. Campos... pela sua absoluta imparcialidade: mata imparcialmente os ricos, de raiva, e os pobres, de fome". Não pude excogitar de imediato outra resposta, senão dizer que a "fúria da seta dignificava o alvo".

Mas o argumento fundamental que me fez desistir da desistência foi o da rotatividade da cadeira 21. Tanto Álvaro Moreyra como Adonias Filho e Dias Gomes, em seus discursos de posse, rotularam-na de "cadeira da liberdade". Poder-se-ia chamá-la também de "cadeira do ecletismo". Seu membro fundador foi José do Patrocínio, um liberal abolicionista. Escolheu para patrono Joaquim Serra, também um abolicionista que cultivava a filosofia platônica e se declarava positivista. O segundo ocupante foi Mário de Alencar, tão recluso em seus pendores que se poderia chamar de neutralista. O terceiro foi Olegário Mariano, um conservador getulista. O quarto foi Álvaro Moreyra, o primeiro a se declarar comunista. O quinto foi Adonias Filho, um ex-integralista, partidário da Revolução de 1964. Sucedeu-lhe Dias Gomes, que se inscrevera no Partido Comunista no final da II Guerra.

Mantido o precedente da alternância, seria a hora e vez de um conservador ou de um liberal. Diferem os dois em que o conservador quer preservar o *status quo*, enquanto o liberal aceita mudanças, desde que emanadas do mercado competitivo ou provindas do voto democrático. Defino-me como um "liberista" que vê no governo um mal necessário. Às vezes, absolutamente necessário.

Descobri algumas afinidades com Dias Gomes. Ambos tivemos educação religiosa, ele num colégio marista, enquanto eu completei dez anos em seminário católico, graduando-me em filosofia e teologia. Foram anos de retiro e castidade, durante os quais acumulei um enorme direito de pecar, que nunca pude usar, por falta de cooperação complacente.

Dizia-se, na minha adolescência, que um cavalheiro completo tinha que ter um diploma de bacharel, vestígios de uma doença do sexo e escrever um poema. Enclausurado num mosteiro, desqualifiquei-me nos dois primeiros requisitos, mas cometi alguns poemetos sob a forma de "haikais" que, para bem da humanidade, consignei à lata de lixo. Só me lembro de um "haikai", de duvidoso gosto, mas não de todo inimaginoso:

"Lança os teus olhos ao mar pela hora redonda.

E aprende na folha que cai a geometria da queda".

Dias Gomes também cometeu romances juvenis, sobre os quais talvez consentisse em dizer: "esqueçam o que escrevi".

Cometemos, assim, ambos, erros de vocação. Ele estagiou por dois meses numa escola de cadetes, fez curso preparatório para engenharia e cursou até o 3º ano de direito, quando, finalmente, descobriu que sua verdadeira vocação era a arte teatral. Desdobrar-se-ia depois no rádio e na televisão, com igual brilhantismo e incrível produtividade.

Eu, de teólogo, tratando, como diz Anatole France, "avec une minutieuse exactitude de l'Inconnaissable", passei à economia, que dizem ser a "ciência de alcançar a miséria com o auxílio da estatística".

Dias Gomes e eu tivemos a mesma votação nesta Academia, indicando que os acadêmicos são tão maus profetas quanto os economistas, pois nossos respectivos aliados nos prediziam vitórias consagradoras.

Isso me faz lembrar uma estória contada por um querido amigo, o pediatra Rinaldo de Lamare, sobre a Academia Nacional de Medicina, veneranda instituição que já completou 172 anos. Revoltado por sucessivos repúdios à sua pretensão de figurar entre os 100 acadêmicos, assim se pronunciou um esculápio frustrado:

— A Academia é um grupo de médicos de indiscutível valor profissional, de justificada vaidade profissional e de incompreensível falsidade eleitoral.

Nossas percepções do mundo, sempre antagônicas, se adoçaram nas refregas do mundo real. Dias Gomes, que se considerava um subversivo vocacional, aderiu ao comunismo em 1945, e, sem ser um ativista ou fanático, nele permaneceu até 1971, desviando-se da linha do partido ao protestar em 1966 contra o mau tratamento dado aos escritores soviéticos.

Custou a aceitar a morte da "ilusão", reconhecendo afinal a incompatibilidade básica entre sua vigorosa luta pela preservação da dignidade do ser humano e contra qualquer forma de intolerância, com as brutalidades do socialismo real e seu arsenal de expurgos, *gulags* e submissão das artes aos dogmas do PCUS. O comunismo se tornou mundialmente uma espécie de religião leiga, tendo o Kremlim como Vaticano, o *Das Kapital* por bíblia e a ditadura do proletariado como a *"parousia"*.

Em novembro de 1996, em entrevista dada a Ana Madureira de Pinho, na revista "Domingo", do *Jornal do Brasil*, Dias Gomes declarou:

— Não sou comunista, porque o comunismo é uma utopia, nunca existiu em nenhum país do mundo comunista. Me considero um homem de esquerda, antidogmático. Uma vez me defini para amigos: um "anarco-marxista-ecumênico-sensual" (esse jogo de palavras me faz lembrar a definição, por Eliezer Batista, do sistema político de invasão de poderes criado pela Constituição de 1988: uma "surubocracia anarco-sindical").

E continuou:

— Sou um homem aberto hoje em dia. Muitas idéias foram reformuladas, mas continuo um homem de esquerda. Isso se você considera ser de esquerda somente sonhar com uma sociedade mais justa e mais liberta.

Se o comunismo nunca existiu, tem razão o historiador francês, ex-comunista, François Furet ao escrever seu monumental tratado do arrependimento: *Le passé d'une ilusion*. Essa ilusão custou ao mundo quase 100 milhões de vítimas. Das grandes ideologias mundiais não cristãs, o marxismo-leninismo foi a mais sangrenta e mais curta — 72 anos. O islamismo está ainda em expansão e durou 14 séculos. O budismo e confucionismo sobrevivem há cerca de 24 ou 25 séculos.

Mas Dias Gomes exagera no seu réquiem do comunismo. No museu de obsoletismos políticos, sobrevivem dois espécimes: Cuba e Coréia do Norte. E curiosamente algumas universidades públicas brasileiras tornaram-se o último refúgio do profetismo e da vulgata marxistas.

Dias Gomes, que se autodescreve como um "proibido precoce", teve peças censuradas ou proibidas pelos dois governos Vargas, por vários governos militares e até mesmo por Carlos Lacerda, como governador da Guanabara. Confessa, entretanto, uma frustração:

— Não ter sido preso é uma falha na minha biografia que me envergonha, uma injusta lacuna. Por tudo que fiz, sem modéstia, eu acho que merecia uma honrosa cadeia (*O Dia*, 30/4/98).

Eu não tive necessidade de retratação porque nunca cedi a radicalismos, nem de direita, nem de esquerda. Minha punição foi não passar de uma carreira pública medíocre, por insistir em dizer a verdade antes do tempo, pecado que a política não perdoa. Quando jovem, no início da II Guerra, parecia inevitável a vitória do Eixo sobre as "democracias decadentes". Mas eu respondia aos que assim profetizavam:

— Hitler é apenas um Napoleão que nasceu falando alemão, com a desvantagem de não ter feito nada comparável ao Código Napoleônico.

Também não me iludi com o totalitarismo de esquerda, por um raciocínio simples: Deus não é socialista. Criou os homens profundamente desiguais. Tudo que se pode fazer é administrar humanamente essa desigualdade, buscando igualar as oportunidades, sem impor resultados. De outra maneira, estaríamos brincando de Deus ao tentarmos refabricar o homem. É o que tentaram fazer Marx e Lenin, com os resultados conhecidos: despotismo e empobrecimento. Isso me levou, ainda jovem, a acreditar que o sistema político ideal seria o capitalismo democrático, isto é, o casamento da democracia política com a economia de mercado. Parodiando Churchill, pode-se dizer que o capitalismo é o pior dos sistemas econômicos, exceto todos os outros; e a democracia é o pior sistema político, excetuado todos os outros.

Mas se não tive de recitar o *confiteor* por ter optado pelo sistema errado, fui obrigado a fazer retificações de rumo. Em minha juventude, acreditava no Estado planejador e motor do desenvolvimento. Curiosamente, meu desapontamento começou quando, como ministro do Planejamento, visitei a União Soviética em 1965. Assustei-me com a presunção dos burocratas do Gosplan. Ignorando o consumidor, eles planejavam, com ridícula minúcia, a quantidade e a qualidade dos bens de consumo. Acabavam produzindo o que o consumidor não queria consumir. E verifiquei que o planejamento central já era ridicularizado na sabedoria das anedotas polulares. Chiste corrente em Moscou, originário da rádio Yerevan, da capital da Armênia, dizia que uma professora pedira a um de seus alunos para conjugar o verbo "planejar". Mal começou o aluno a balbuciar "eu planejo, tu planejas, ele planeja…", a professora pergunta-lhe: "Que tempo do verbo é esse?" — Tempo perdido", respondeu o aluno.

Embrenhei-me depois na leitura dos liberais austríacos, como Von Mises e Hayek, convencendo-me de que planos de governo são "sonhos com data marcada". Antes, queria que o governo fosse um engenheiro social, modelando o desenvolvimento. Hoje rezo para que ele seja apenas um jardineiro, adubando o solo, extraindo ervas daninhas e deixando as plantas crescerem… E um samaritano competente, para cuidar do social.

OS PARADOXOS DE KENNEDY

Um dos mais embaraçoso episódios de minha carreira diplomática, quando embaixador em Washington, foram duas inesperadas indagações que me fez o presidente Kennedy, ao fim de uma conversa relativa à implementação do acordo Kennedy-Goulart sobre a transformação, em nacionalizações negociadas, das encampações confiscatórias feitas pelo governador Brizola, de empresas americanas de telefonia e eletricidade. Eliminar-se-ia, assim, uma área de atrito.

Ao me despedir, Kennedy dardejou-me duas instigantes perguntas:

— Por que , disse ele, no Brasil e na América Latina, há um viés favorável, entre estudantes, escritores e artistas, ao modelo soviético, maquilado de "socialismo real"? Deveria ser o contrário. Os estudantes adoram mudanças e a sociedade mais experimental do mundo são os Estados Unidos, com sua multiplicidade de raças e religiões, pluralismo político e abertura a inovações. Quanto aos escritores e artistas… presume-se que desejem liberdade criadora de pensamento e expressão. É precisamente isso que inexiste na União Soviética, onde a doutrina do "realismo socialista" condena o individualismo criador e transforma artes e artistas em instrumentos de propaganda partidária, sob pena de patrulhamento, gulags, exílios e privação dos direitos civis.

Confesso que fiquei embaraçado, sem resposta direta àquilo que chamei de "paradoxos de Kennedy".

— Quanto aos jovens, balbuciei, parece que a rebeldia natural da idade se transforma em preconceito contra o mais forte e o mais poderoso. Os mais poderosos só podem aspirar a ser respeitados, nunca amados. A juventude tem encanto por utopias e o capitalismo, conquanto rico na produção de mercadorias, é pobre na produção de mitos. Para os jovens, a fórmula do dinamite é mais fácil que a do cimento armado. E acrescentei que talvez Bernard Shaw tivesse razão ao dizer que a juventude é uma coisa maravilhosa, sendo pena desperdiçá-la nas crianças...

Mais difícil, acrescentei, é explicar a abundância de intelectuais de esquerda. E, bancando o erudito, citei a teoria de Raymond Aron, cujo livro *L'opium des intellectuels* eu conhecia bem, por ter prefaciado a edição brasileira. Diz Aron que o surgimento do "socialismo real" criou mitos substitutivos dos velhos deuses do Iluminismo: o Progresso, a Razão e o Povo. Os novos deuses seriam: o mito da Esquerda, o da Revolução e o do Proletariado. Os intelectuais se seduziram por uma espécie de romantismo revolucionário, considerando as reformas "enfadonhas e prosaicas" e a revolução "excitante e poética". O culto marxista da revolução violenta virou uma espécie de refúgio do pensamento utópico.

Para um político pragmático como Kennedy, interessado na melhora imediata da imagem de seu país entre os latino-americanos, minhas divagações eram um lance errado. Ele queria respostas e eu desovava perplexidades.

Há um outro paradoxo que Kennedy não mencionou. É que os socialistas, que tanto falam nas massas, não foram os criadores nem do consumo de massa, nem da cultura de massa. Essas massificações equalizantes foram produzidas pela cultura individualista americana. Hollywood foi uma criação de judeus provindos em grande parte dos guetos da Europa Oriental, vítimas de pobreza e discriminação e por isso obcecados com a idéia de criar fábricas de sonhos. O cinema, originado no Ocidente, talvez tenha sido a primeira "cultura de massa" do mundo, agora ampliada pela televisão e pela Internet, também criações capitalistas.

Meditei muito ao longo de vários anos e até hoje não tenho respostas. Como explicar a mansa aceitação entre nós da cultura americana do jazz, do rock, do *fast food*, do cinema e da Internet, acoplada a uma rejeição zangada da cultura do capitalismo democrático que lhes deu origem?

Como explicar que intelectuais de esquerda, que em seu país lutaram pela liberdade criadora e pela dignidade da pessoa humana, tivessem simpatizado, ao longo de vários anos de guerra fria, com um sistema que institucionalizava a delação, a censura, os expurgos e os gulags? Um sistema tão repressivo que levou ao suicídio grandes poetas como Maiakovski e Ossip Mandelstan; que submeteu à censura política óperas de Shostakovitch e obrigou filósofos como George Lukács a humilhantes retratações.

É uma espécie de esquizofrenia ideológica, que se traduziu em mutilação de corpos e almas em nome da utopia. É por isso que não gosto das utopias. Como disse o politólogo Ralph Dahrendorf: "Nada mais antiliberal que a utopia, que não deixa lugar para o erro nem para a correção".

A CADEIRA DA LIBERDADE

O fundador da "cadeira da liberdade" foi José do Patrocínio, jornalista, panfletário, romancista e sobretudo formidável orador. Na tribuna, chamavam-no de "Tigre". O título que mais prezava era o de "Herói da Abolição". Contribuíra tanto ou mais que Nabuco ou Rui Barbosa para a liberação de 1,5 milhão de escravos em 1888. Era capaz de incendiar multidões quando descrevia o sofrimento dos escravos, a mutilação de suas vidas e a desumanidade da opressão. Ao ouvi-lo, Euclides da Cunha o descrevia como um "tumulto feito homem". Melhor orador e jornalista que romancista, legou-nos quatro romances, dois dos quais são uma mistura de grito de angústia e panfleto social. O primeiro, *Motta Coqueiro*, é um libelo contra a pena de morte. O segundo é um pungente relato do sofrimento imposto pela grande seca do Nordeste em 1877. Uma coisa interessante é a denúncia por Patrocínio da corrupção das "comissões de socorro", que intermediavam as verbas entre o "retirante" e o "Estado". Eram um sorvedouro, fazendo com que os assistentes ficassem melhor que os assistidos. Hoje, 122 anos depois, continuamos despreparados para as secas e ainda se fala na "indústria da seca", pois há enorme vazamento de recursos em benefício de intermediários, burocratas e políticos. Isso testemunha que nossa capacidade de compaixão é muito maior que nossa capacidade de organização.

José do Patrocínio morreu de tuberculose, cirrose e, por que não dizê-lo, também de pobreza. Esgotara-se sua grande tarefa salvacionista, e com ela murchou seu poder de mobilização. Vivia num casebre e sobrevivia de biscates jornalísticos. Daí, como relata seu filho, uma tragédia irônica. Ao morrer, em 1905, redescobriu-se o "grande homem". Providenciaram-se funerais de Estado, coches de gala, crepes nos lampiões, cavalos cobertos de pluma negra, e seu corpo embalsamado ficou exposto numa igreja por 15 dias. Mas, no oitavo dia após a morte, sua família teve de deixar o casebre em que vivia, sob mandato de despejo...

José do Patrocínio escolheu para patrono Joaquim Serra, poeta, jornalista e dramaturgo (pois foi um dos fundadores do Teatro de Revista) mas sobretudo um colega de combate nas lutas em favor da Abolição. Segundo André Rebouças, foi o político que mais escreveu contra os escravocratas. Era um filósofo platônico, que se seduziu pelo positivismo de Augusto Comte. Se outros títulos lhe faltassem, bastaria lembrar que a legenda republicana "Ordem e Progresso" foi título do jornal de província que fundara em 1862.

Mário de Alencar foi o segundo ocupante da cadeira. Tímido e recluso, ofuscado pela imagem do pai, José de Alencar. Eram dois momentos do Brasil. O pai trouxe-nos a imagística do Brasil primitivo e bravio com caciques, lutas na selva e cachoeiras selvagens. Mário de Alencar, de outro lado, fazia do culto da beleza moral seu estilo de vida. Seu modelo era Sócrates, sábio em vida para ser corajoso na morte. Versava, com um toque de pessimismo que o aproximava de Machado de Assis, temas da vida urbana na poesia e na ensaística. Curiosamente, tendo publicado seus primeiros versos — *Lágrimas* — aos 15 anos, por timidez e excessiva autocrítica publicou muito menos do que escreveu. Coube a seus filhos promover a edição do romance *Sombra*, além dos poemas *Goethe* e *Prometeu*. Como disse Álvaro de Almeyda, detestava oradores e jornalistas e metia-se na solidão para ser livre.

O terceiro ocupante foi Olegário Mariano, poeta vocacional. Dizia: "Não pretendo ser mais que um poeta, bastando-me pouco para conseguir tudo". Essa posição é corajosa, pois os poetas, como nada nesse mundo, não têm aceitação unânime. Lembra-nos Gustavo Barroso: "Platão queria banir de sua república ideal os poetas como inimigos da verdade. E Santo Agostinho propunha infamá-los — como aos comediantes".

Olegário foi talvez o último dos parnasianos. Ainda aprisionado pelo culto das formas, sem o verso solto do modernismo que surgiria com Manuel Bandeira e Carlos Drumond de Andrade.

Ao contrário de seu antecessor, que tinha uma visão pessimista da peripécia humana, Olegário era essencialmente um lírico otimista, de bem com a vida. Foi o poeta das cigarras, dos pássaros, dos cães de rua, dos nomes femininos e dos rios solenes, que moldam as cidades. Releio-o com nostalgia e um certo grau de manso desconforto, pois sempre preferi a diligência das formigas à displicência das cigarras. Alguns dos seus versos são dos mais belos que já vi, como no diálogo das duas sombras no "Água Corrente":

"Eu nasci de uma lágrima. Sou flama
Do teu incêndio que devora.
Vivo dos olhos tristes de quem ama,
Para os olhos nevoentos de quem chora"

Personalidade curiosa foi o quarto ocupante, Álvaro Moreyra, jornalista, poeta e teatrólogo que, transposta a fase boêmia da juventude, seduziu-se pela utopia social da Revolução de Outubro de 1917. Declarava-se comunista, mas era mais pose que convicção, pois não tinha suficiente capacidade de odiar para se engajar na luta de classes. Pedia bênção a Deus todos os dias e tinha intimidade com os santos, particularmente São Francisco de Assis, que ele chamava de "Chiquinho". O franciscano, amante dos pobres, dos pássaros e da "Soror Acqua", foi uma espécie de ecologista medieval, pois assim cantou no "Cantico del Sole".

"Laudato sia il mio signore per suora acqua,
La quale é molto utile et humile et pretiosa et casta".

Poeta e depois prosador, Álvaro fabricou alguns dos mais belos poemetos que conheci, como por exemplo no seu livro *A lenda das rosas*:

"Pobre cega, por que choram tanto assim estes teus olhos?
Não, os meus olhos não choram.
São as lágrimas que choram
Com saudade dos meus olhos"

Álvaro era um poderoso fazedor de aforismos, como esse:
— O meu maior prazer é mudar de opinião. Com esse prazer vou evitando a velhice.

E confirmou isso. Depois da poesia e do jornalismo, dedicou-se, a partir de 1927, à criação teatral, com seu "Teatro de Brinquedo", que tinha uma legenda de Goethe: "A humanidade divide-se em duas espécies: a dos bonecos, que representa um papel aprendido, e a dos naturais, espécie mais numerosa, de entes que vivem e morrem como Deus os fez".

Dias Gomes considera que com o "Teatro de Brinquedo" Álvaro contribuiu para que o teatro, a única arte que não participara da Semana de Arte Moderna, começasse uma tarefa de renovação que possibilitaria depois a revolução cênica e dramatúrgica dos anos 50 e 60.

O quinto ocupante da cadeira foi Adonias Filho. Pertencia em Salvador à Ação Integralista, sem que isso embaraçasse sua amizade com Jorge Amado, que labutava na Juventude Comunista. Quando ingressou nesta Academia, já um dos próceres importantes da Revolução de 1964, insistiu em ser recepcionado por Jorge Amado, que então era considerado, em alguns círculos militares, como "subversivo pornógrafo".

Adonias pertencia à geração literariamente fecunda da região dos cacaueiros. Foi um romancista anti-romântico, como dizia Jorge Amado, num mundo de espanto e de terror, onde "os seres não são de bondade e ternura, mas sobreviventes que podem virar algozes". Sua significação especial é que marcou uma espécie de "divisor de águas". Ao contrário da literatura dos anos 30, em que a natureza bela e seivosa parecia mais importante que o homem, na literatura de Adonias prevalece o bicho-homem, sem doçura e esperança, face a tabuleiros árduos e vazios, onde a enxada tinha sempre como alternativa o punhal.

Adonias procurou dar dimensão universal ao regionalismo. Rachel de Queiroz nele descobre traços dostoievskianos diferentemente infletidos. No mestre russo, os elementos dramáticos são impregnados de conflitos religiosos e morais — pecados que levam à danação — enquanto que as personagens de Adonias são ligadas a códigos de instinto, na disputa pela terra, sob as agressões do desemprego, desesperança e vingança. Alguns, como nota Dias Gomes, consideram sua prosa enxuta e sincopada, comparável à de Machado de Assis, Graciliano e Guimarães Rosa, sem ter jamais alcançado prestígio remotamente parecido. Talvez tenha havido uma censura recôndita por causa do seu passado integralista, absurdamente considerado como um desengajamento das questões sociais.

Seus primeiros romances, os da zona cacaueira, como *Corpo vivo* e *Memórias de Lázaro*, são romances de vingança e desesperança. Há depois romances da raça negra, da saga de liberação frustrada e, finalmente, uma terceira fase, a do romance *O Forte*, passado em Salvador, e já impregnado de paixão, misticismo e rendição à esperança.

À parte o mérito literário de seu estilo de tragédia grega, Adonias sempre conseguiu superar disputas ideológicas de personalismo injurioso ou censura à criação cultural. Como disse Dias Gomes:

— Saltando o largo fosso das ideologias, não distinguindo amigos e inimigos, usou seu prestígio para reparar injustiças, defender perseguidos, evitar crueldades.

Inclusive, conta-nos Jorge Amado, "sustando processos de alguns intelectuais de esquerda que o haviam maltratado e dele se vingariam se chegassem ao poder..."

O CASAL DE DRAMATURGOS

Dizia Langston Hughes, grande poeta negro americano, que "a boa canção é aquela que fica zumbindo teimosamente nos nossos ouvidos". Grande peça teatral é aquela que consegue transformar figuras do palco em presenças do nosso quotidiano e peças do nosso folclore. Sob esse aspecto, Dias Gomes é um grande dramaturgo. Suas criaturas no teatro, e depois no cinema e televisão — Zé do burro, Branca Dias, Odorico, o bem-amado, Roque Santeiro e a Viúva Porcina — são hoje inquilinos de nossa paisagem.

É impossível analisar a vida e a obra de Dias Gomes sem mencionar Janete Emmer, sua esposa por 33 anos, que adotou o sobrenome artístico de Clair, apaixonada que era pelo *Clair de Lune*, de Debussy.

Se Dias Gomes foi um inovador como dramaturgo, Janete foi pioneira nas telenovelas — Carlos Drummond de Andrade chamou-a de "usineira de sonhos" — com sucessos inesquecíveis tais como *Irmãos Coragem*, *Selva de pedra*, *O astro* e *Pecado capital*. Esta foi escrita apressadamente para a TV Globo, a fim de substituir a peça *Roque Santeiro*, de seu marido, que ficou suspensa por dez anos, no período mais obscurantista da censura militar. Depois de 1985, *Roque Santeiro* tornou-se um grande sucesso televisivo.

Dias Gomes se descreve, em sua interessante e provocante autobiografia, como "um perseguido precoce". Escreveu sua primeira peça, a *Comédia dos moralistas*, aos 15 anos e a peça *Pé-de-cabra*, aos 18. Esta fora encomendada por Jaime Costa por antagonismo a Procópio Ferreira, e ironicamente acabou por este próprio encenada, quando Dias Gomes não passava dos 20 anos. Não sem castração, pela censura, de dez páginas, incidente que ensinou Dias Gomes a driblar os censores de vários governos, todos de saudável burrice na prática do *métier*. A peça foi considerada "marxista" numa época em que Dias Gomes nem sequer lera Marx.

É difícil escolher, na vasta produção do dramaturgo, as melhores obras. Diga-se de início que, apesar de sua versatilidade, escrevendo tanto para o teatro como para o rádio e televisão, Dias sempre considerou o teatro sua principal vocação. Dizia que o teatro é a única arte que usa como expressão "a criatura viva, sensível e mortal". Outras artes, como o cinema, a pintura, a escultura, refletem a criatura humana através de imagens captadas, mas não a apresentam viva. Acrescentava que à televisão faltava "poder de conscientização" e "perenidade", enquanto "o teatro respira eternidade". Inconscientemente, Dias Gomes incide num elitismo subliminar. É verdade que o teatro foi originalmente uma arte comunal e, portanto, "popular", como nos anfiteatros gregos. Mas gradualmente se tornou uma arte intimista freqüentada pela elite burguesa. A democratização da mensagem viria com a televisão, e hoje a Internet, ambas invenções capitalistas.

Jorge Amado escolheu dez peças como sendo o núcleo central da obra de Dias: *O pagador de promessas*, *A revolução dos beatos*, *O bem-amado*, *O berço do herói*, *A invasão*, *O túnel*, *Os campeões do mundo*, *Amor em campo minado* e *Meu reino por um cavalo*.

Leon Liday, o teatrólogo americano que mais conhece e admira a obra de Dias Gomes, elege como suas preferidas *O pagador de promessas*, *O berço do herói* e *Vargas*.

O pagador seria nitidamente realista, *O berço do herói* e *O santo inquérito* nitidamente expressionistas. Aquela uma sátira mordaz, e a segunda um drama histórico-lendário altamente surrealista. *Vargas* é também um drama histórico-lendário, porém musicalizado sob a forma de um samba de enredo.

Minhas preferências são pelo tríptico *O pagador de promessas*, *O santo inquérito* e *A revolução dos beatos*. As duas primeiras são chamadas por Anatol Rosenfeld, o grande crítico teatral, de "misticismo popular".

— *O pagador*, esclarece Dias Gomes, em resposta a alguns críticos, não é uma peça anticlerical. É uma peça contra a ignorância e o fanatismo, uma fábula sobre a liberdade de escolha.

Versa três conflitos. O primeiro é o do catolicismo com o sincretismo, advindo da mistura dos símbolos cristãos (Santa Bárbara) com o candomblé (Iansã); o segundo é o do conflito entre o simplismo sincero do sertanejo e o formalismo inflexível do clérigo; o terceiro é o choque psicológico e moral resultante da incapacidade de comunicação entre a ingenuidade cabocla e a malta de jornalistas, rufiões e prostitutas da cidade. Esses exploram o exotismo arcaico da promessa do Zé do Burro de caminhar 42 quilômetros, dilacerando seus ombros sob cruz pesada, para cumprir promessa feita a Santa Bárbara (ou Iansã) por ter salvo o burro Nicolau. Há um toque rousseaunista no contraste entre o camponês puro e a cidade perversa. O burro humaniza o homem e os homens emburrecidos sacrificam Zé, o pagador de promessa.

A cena final do Zé do Burro, que só cumpriu seu rígido voto depois de morto, quando a multidão arromba as portas da igreja, é de grande pungência.

Isso explica o enorme sucesso da peça aqui e no exterior. Desde sua estréia, em 1960, foi traduzida para mais de dez línguas e exibida pelo menos seis vezes nos Estados Unidos, e em numerosos outros países dos dois lados da guerra fria. Ganhou em 1962 a Palma de Ouro do Festival de Cannes, numa versão cinematográfica dirigida por Anselmo Duarte. Isso atesta que Dias Gomes conseguiu transformar um drama regional num apelo universal contra a intolerância.

A segunda peça de minha preferência é *O santo inquérito*. A Inquisição não é peculiaridade católica, pois os puritanos de Massachusetts queimaram as bruxas de Salem, em 1692, evento recordado pelo grande dramaturgo americano, Arthur Miller, em sua peça *Crucible*.

O santo inquérito versa um tema diferente: a colisão entre o sexo e a religião. A bela Branca Dias, que foi vista banhando-se nua à luz do luar, cometeu dois erros: aprendeu a ler, o que lhe facultava leituras proibidas, e beijou na boca o padre Bernardo para livrá-lo do afogamento. Esse piedoso ato de salvação é visto como concupiscência. Branca acaba perdendo as pessoas que mais amava por causa da obsessão de padre Bernardo, que por ela desenvolveu desejos pecaminosos. Oficial do Santo Ofício, procurou induzi-la no processo a retratar-se de faltas que não praticara, como se a confissão do próximo fosse uma autopurificação do pecador.

A terceira peça de minha trilogia é *A revolução dos beatos*. Se *O pagador* é um libelo trágico contra o misticismo fanático, *A revolução dos beatos* é um libelo satírico contra a manipulação política do fanatismo religioso. Dessa arma satírica Dias Gomes depois se utilizaria habilmente em peças como *Odorico, o bem-amado* e *Roque Santeiro*.

Curioso truque de Dias Gomes é a "animalização da bondade". No *Pagador* é o burro Nicolau que tem "alma de gente", e na *Revolução dos beatos* é o boi Santo, presenteado pelo político Flório ao padre Cícero, que fazia milagres. Atendendo, inclusive, à safada súplica de Bastião para induzir Zabelinha a se enrabichar por ele.

O último texto que eu gostaria de comentar é a autobiografia de Dias Gomes, uma mistura deliciosa de humor, história familiar e engajamento político literário.

O TEXTO SEM CONTEXTO

Comentei com maravilhamento alguns textos de Dias Gomes. Falta falar sobre o contexto histórico dos anos da guerra fria, que ele e eu vivenciamos, fazendo ambos apostas divergentes sobre o curso da história.

Tanto em seu discurso de posse nesta Academia como em sua autobiografia, Dias Gomes desfolha um libelo contra os chamados "anos de chumbo" do período militar, com seus excessos repressivos e mutilação das liberdades, esquecendo-se de interpretar a peripécia brasileira no contexto da guerra fria. Não se menciona sequer minimamente alguns aspectos construtivos, como o fato de o Brasil nesses anos ter passado da retaguarda incaracterística dos emergentes para a posição de oitava potência industrial do mundo. E tudo se passa como se o autoritarismo no Brasil fosse uma exótica perversão somente acontecida no Trópico de Capricórnio.

Um mínimo de análise histórica comparativa teria levado Dias Gomes a fazer um balanço mais benigno. Samuel Huntington, o famoso politólogo de Harvard, defendeu a tese das ondas e refluxos periódicos da democratização no mundo. Na década dos 60 e começo dos 70 teria havido uma guinada autoritária mundial, de tal forma que um terço das sociais-democracias que funcionavam no pós-guerra acabassem interrompendo seus processos democráticos.

Na América Latina surgiram vários regimes, que O'Donnell e Huntington chamam de "autoritarismos burocráticos". No Brasil e Bolívia em 1964; na Argentina em 1966; no Peru em 1968; no Equador em 1972; no Uruguai em 1973. Houve golpes militares na Coréia do Sul em 1961; na Indonésia em 1965; na Grécia em 1966. Em 1975, foi imposta a lei marcial nas Filipinas e Indira Gandhi declarava um regime de emergência na Índia. A rigor, o pioneirismo da guinada autoritária, desta vez em favor da esquerda, foi o de Fidel Castro em Cuba, o qual ascendeu ao poder em 1959, aderiu ao comunismo pouco depois e aparentemente não tem planos para deixar o poder.

É paradisíaca a visão, até hoje mantida por vários intelectuais de esquerda, de que o Brasil em 1964 tinha uma opção tranqüila entre a liberal democracia e a social democracia. A real opção era entre um autoritarismo de esquerda e um autoritarismo de centro-direita, que se dizia transicional. No Brasil, tivemos um autoritarismo encabulado, que se sabia biodegradável, que admitia o pluripartidarismo, que mantinha, ainda que manipuladas, instituições democráticas, que postulava a restauração democrática como objetivo último da evolução social. Isso é diferente dos autoritarismos totalitários, ideologicamente rígidos, sanguinários quanto a dissidentes, e convictos de que o determinismo histórico asseguraria a ditadura da classe eleita — o proletariado.

Melancólicas, veramente melancólicas eram nossas alternativas nos primeiros anos da década dos 60, quando a guerra fria atingia seu apogeu — ou anos de chumbo ou anos de aço. Alhures, os anos de aço duraram 72 anos na União Soviética, quase meio século na Cortina de Ferro e ainda há espécimes ditatoriais sobreviventes.

Dias Gomes tem razão em verberar, *a posteriori*, a idiotice da censura, o sofrimento de idealistas torturados, o amargor dos exilados. Que esses dilaceramentos do tecido social não se repitam mais.

Mas os anos de chumbo tiveram derretimentos que jamais ocorreriam se tivéssemos "anos de aço". Um "derretedor de chumbo" já citado foi Adonias Filho, que combatia as ideologias mas respeitava os ideólogos.

Outro foi nosso ilustre confrade Roberto Marinho. As Organizações Globo, tidas como bastião do capitalismo reacionário, deram, no interregno autoritário, guarida a vários intelectuais e artistas de esquerda, que receberam sustento sem exigência de conformismo esterilizante.

Desde 1969 foi lá que se abrigaram Dias Gomes e Janete, por quase três décadas, para produzir obras que serão o encanto de várias gerações. Não sofreram constrangimentos ideológicos, como reconhece o próprio Dias. E os profissionais da organização ajudaram-no muitas vezes a driblar a censura e a preservar, sob pseudônimos, a mensagem fundamental do dramaturgo.

Uma vez, conversando com o nosso ilustre confrade Roberto Marinho, apontei-lhe contradições entre o tom conservador dos editoriais, de um lado, e os cabeçalhos e noticiários enviezados, de outro, que desmereciam a classe empresarial e as idéias liberais.

Definitivamente, nosso confiável confrade nem sempre dá conselhos confiáveis. Quando lhe pedi que partilhasse comigo o segredo de sua fecunda longevidade, respondeu-me: saltar a cavalo e fazer pesca submarina.

— Logo eu... que não gosto de cavalos e detesto o cheiro de peixe, pensei.

Digo estas coisas para acentuar o contraste entre a repressão dos "anos de chumbo" e o que seria a repressão dos "anos de aço", que teríamos de atravessar se vitoriosa a aposta de muitos de nossos intelectuais na opção comunista.

Consideremos o diferencial de sofrimento. Dois dos maiores nomes da literatura mundial — Boris Pasternak e Soljenitzyn — ganharam o Prêmio Nobel em 1958 e 1975, respectivamente, durante os anos de aço. E experimentaram incríveis perseguições. Foram ambos expulsos da União dos Escritores Soviéticos, o que naquele regime fechado significa desemprego e morte civil. Soljenitzyn foi preso em 1974, acusado de traição pela publicação, no exterior, de sua grande obra *O arquipélago Gulag*. Na Rússia somente 25 anos depois foi autorizada sua publicação na revista literária *Novy Mir*. Foi exilado da União Soviética, passando a viver nos Estados Unidos, e só então pôde ter acesso ao seu Prêmio Nobel.

Pasternak teve de renunciar ao Prêmio Nobel. Sua obra-prima — *Dr. Jivago* — que chegara ao exterior em 1957, através de manuscritos contrabandeados, só foi autorizada na Rússia em 1985, 28 anos depois! Consta que só escapou dos expurgos de Stálin, nos anos 30, porque havia traduzido para o russo poemas de poetas georgianos, compatriotas de Stálin.

Dolorosa foi a carreira de Ana Akhmatova, talvez a maior poetisa russa desde Puskhin. Seu marido foi executado em 1921 e seu filho preso e exilado para a Sibéria em 1949, ambos por "não-conformistas". O Comitê Central do Partido Comunista condenou sua obra poética em 1946 por seu "eroticismo, misticismo e indiferença política". Foi também expulsa da União dos Escritores Soviéticos e por três anos proibida de escrever qualquer coisa. Sua mais longa obra, *Poema sem herói*, escrita entre 1940 e 1962, só teve sua publicação autorizada 14 anos depois.

Outra grande figura da física nuclear, Sakharov, que ganhou o Prêmio Nobel da Paz em 1975, foi em 1980 despojado de todos os seus títulos e vantagens como grande cientista, e exilado para a cidade fechada de Gorki. Só em 1986, após a *glasnost* de Gorbachev, foi autorizado a retornar a Moscou.

Definitivamente os "anos de aço" foram mais brutais que os "anos de chumbo".

Nem adianta dizer que a utopia socialista não se realizou na Rússia mas realizar-se-ia alhures. Há uma brutalidade ínsita no marxismo-leninismo, que se manifestou tanto no socialismo louro da Europa Oriental como no socialismo moreno do Caribe, no socialismo negro dos africanos e no socialismo amarelo da China e do Vietnã. A violência é da natureza da besta...

CONVITE TRISTE

Agora que conheço bem a obra de Dias Gomes, lamento não tê-lo conhecido em pessoa. Minha paisagem humana e cultural ficou com isto muito mais pobre. Se o encontrasse, seduzi-lo-ia para um encontro de fim de tarde, recitando-lhe o "Convite triste", de Carlos Drummond de Andrade:

"Meu amigo, vamos sofrer,
vamos beber, vamos ler jornal,
vamos dizer que a vida é ruim,
meu amigo, vamos sofrer.

Vamos fazer um poema
ou qualquer outra besteira...
Vamos beber uísque, vamos..."

Eu lhe prometeria que não seria uísque nacional e que falaríamos mal do governo. Qualquer governo. Pois, como dizia Milton Campos, "falar mal do governo é uma coisa tão gostosa que não pode ser privilégio da oposição".

Certo estou que, ao fim de algumas rodadas, talvez na curva do conhaque, estaríamos do mesmo lado da cerca, concordando com as seguintes premissas:

— Todas as revoluções passam e, como nos alertou Franz Kafka, "só fica o lodo de uma nova burocracia";

— Só há uma coisa errada com a palavra revolução. É a letra R;

— Há gente demais levantando muros e gente de menos construindo pontes.

Que pena não ter tido um "papo-cabeça" com Dias Gomes! Que pena, meu Deus...

NA VIRADA DO MILÊNIO

Espera-se de um economista que diga algo sobre perspectivas econômicas. Hesito em fazê-lo, não só porque é perigoso profetizar (especialmente sobre o futuro), como porque minha profissão não está em odor de santidade. Diz o populacho que nossos prognósticos são ainda menos confiáveis que as previsões meteorológicas do INPE e que quem acredita nos planejadores econômicos deveria olhar para o camelo: "é um cavalo desenhado por um comitê de economistas".

Chego a esta Academia em fim de século e começo de milênio.

Este século foi o pior dos séculos. Este século foi o melhor dos séculos... Foi o pior dos séculos porque, em duas guerras mundiais e em conflitos ideológicos, religiosos, raciais e tribais, estima-se que pereceram cerca de 170 milhões de pessoas. Mais que o total de mortos em guerras, desastres e pestes desde o começo da história humana. E foi também o melhor dos séculos, porque nele houve coisas milagrosas:

— A descoberta do segredo do átomo (para o bem ou para o mal);
— A descoberta do segredo da vida (a dupla hélice);
— A morte da distância e o encurtamento do tempo;
— A escapulida de nossa prisão orbital, para bolinarmos outros planetas e, quiçá, estrelas;
— O rompimento, por centenas de milhões de pessoas, dos grilhões da pobreza ancestral.

A pobreza deixou de ser uma fatalidade para se tornar o subproduto de opções erradas e de desvios de comportamento. Conhece-se, hoje, a grande síntese do crescimento: estabilidade de preços na macroeconomia; competição na microeconomia; abertura internacional; e investimentos maciços no capital humano. "De nada valem a torre nem a nave", dizia Sófocles, "sem o homem".

A sociedade do próximo milênio será uma sociedade globalizada e digitalizada. Ignorar essas coisas seria automutilação. Nossa linguagem girará em termos de "bits", muito mais que de "átomos". Na era digital, até os "literatos" terão de virar "digeratos".

A primeira coisa a fazer-se no Brasil é abandonarmos a chupeta das utopias em favor da bigorna do realismo.

É tempo de balanço e autocrítica. E, sobretudo, de ginástica institucional, a fim de nos prepararmos para a quarta onda de crescimento do pós-guerra, que provavelmente advirá na primeira década do milênio, apoiada em três revoluções tecnológicas:

— A revolução da Internet, que eliminará vários constrangimentos de tempo e espaço;
— A revolução da engenharia genética, que, depois do fracasso da engenharia social em reformar o homem moral, pode ter sucesso na reformatação do homem físico; e
— A revolução da nanotecnologia que, pela miniaturização, substituirá nos produtos, cada vez mais, o insumo físico pelo insumo cognitivo.

Para a minha geração, confiante em que o Brasil chegaria ao ano 2000 não como país emergente e sim como grande potência, forte e justa, este fim de século é melancólico.

Estamos ainda longe demais da riqueza atingível, e perto demais da pobreza corrigível. Minha geração falhou. *Confiteor*. Nostra culpa, nostra culpa, nostra maxima culpa...

Agradeço aos benévolos confrades terem aceito em sua grei uma personalidade controvertida. Prometo-vos, em verdade vos prometo, agir como os mulçumanos, que descalçam suas sandálias na porta da mesquita para não contaminá-la com a poeira, o barro e o estrume das ruas. Descalçarei minhas botas ideológicas nos umbrais desta Casa. E aqui obedecerei fielmente à regra de Joaquim Nabuco, em seu discurso inaugural de secretário-geral, na sessão de 20 de julho de 1897:

"Eu confio, disse ele, que sentiremos todos o prazer de concordar em discordar; essa desinteligência essencial é a condição da nossa utilidade, o que nos preservará da 'uniformidade acadêmica'! Mas o desacordo tem também o seu limite, sem o que começaríamos logo por uma dissidência".

Interpreto meu ingresso nesta Academia menos como uma sóbria avaliação de meus méritos pessoais do que como uma homenagem ao meu estado natal — Mato Grosso — que nos 102 anos de vida deste sodalício só teve um representante, Dom Aquino Correia, arcebispo de Cuiabá, falecido em 1956. Era filósofo, escritor e poeta, capaz de versejar com igual *aisance* em latim e em português. Personalidade eminente e pacificadora, foi também presidente do estado, em situação emergencial, unindo assim o poder espiritual do arcebispado com o poder temporal da governança. Essa fusão dos dois poderes era privilégio dos papas antigos.

Certamente não espero repetir tal façanha, mas espero não desmerecer da presença culta de Dom Aquino neste sodalício, nem apequenar a representação de meu estado.

Agradeço a presença do governador em exercício de Mato Gosso, José Rogério Salles, e do eminente presidente da Academia Matogrossense de Letras, João Alberto Novis Gomes Monteiro, da qual me honro de ser membro.

Tenho também uma cidade-pátria adotiva, o Rio de Janeiro. Seu eficiente prefeito aqui presente, Luiz Paulo Conde, urbanista de reputação que já transpôs nossas fronteiras, costuma honrar-me dizendo que sou senador pelo Rio de Janeiro, pois ganhei eleições aqui na metrópole, perdendo no resto do estado porque nem todo o mundo tem o bom gosto dos cariocas...

Agradeço ao excelentíssimo senhor presidente da República ter enviado como seu representante o ilustre ministro do Trabalho, Francisco Dornelles, meu dileto amigo, com quem fiz várias campanhas políticas, de resultados curiosos: eu pedia votos para mim e os votos iam para ele...

Com Fernando Henrique convivi oito anos no Senado Federal e tínhamos férvidos debates sobre capitalismo e liberalismo. Referindo-se ele a um artigo que escrevi sobre liberalismo, disse que, apesar de algumas discordâncias, considerava-o de alto nível. Ao que lhe respondi:
— Pudera... escrito no avião, entre Brasília e Rio, a 10 mil metros de altitude, só poderia ser de alto nível...

Agradeço, finalmente, à minha família, Stella, Roberto, Sandra e Luiz Fernando, por tolerarem minhas ausências e impaciências ao longo de campanhas políticas e acadêmicas.

Para os que me consideram proprietário de uma visão pessimista da História, não gostaria de terminar o milênio com uma nota melancólica. Usarei uma expressão do grande filósofo liberal Raymond Aron, menos popular que Sartre em seus dias, mas muito mais correto em suas previsões do futuro:

"Perdemos o gosto das profecias, mas não esqueçamos o dever da esperança".

Impressão e acabamento:
Gráfica Santa Marta